KB009549

MINJUNG'S
POCKET
DICCIONARIO
COREANO-
ESPAÑOL

포켓 한서사전
(한국어–스페인어사전)

전 스페인어 문화원장 **김충식** 편저

사전 전문
민 중 서 림

머 리 말

한국어를 외국어로 옮기는 일은 결코 쉬운 작업은 아니다. 더욱이 사전 작업은 그 분량에 관계 없이 지난(至難)하고 고독한 일이다. 사전을 쓰기 위해서는 굳은 각오와 말로 표현키 어려운 인내심도 요하는 일이지만 우선 시간 문제다. 한 개인이 만사를 제쳐놓고 사전 작업에만 전념하기란 쉬운 일이 아니기 때문이다. 천우신조(天佑神助)로 편자는 사전 일에 전념할 수 있는 여건이 만들어졌으니 더할 수 없는 큰 기쁨이요, 크나큰 행운이다. 이런 축복 속에 지난 1월 10일 자로 편자의 2,773 쪽짜리 한서사전이 사전의 명문 출판사인 민중서림에서 엣센스 시리즈로 출판되어 그 방대한 분량과 풍부한 내용으로 스페인어 학도들한테서 큰 환영을 받고 있다. 그러나 휴대하기가 간편한 쪽수가 적고 알찬 내용의 사전이 있었으면 하는 나와 스페인어 학도들의 오랜 염원에 부응하는 사전이 없어 늘 아쉬워하던 참에 민중서림의 배려로 이 사전이 나오게 되었다.

표제어(La entrada) 36,058 단어인 이 사전은 편자가 지금까지 30여년 가까이 써 온 열두 번째 스페인어 사전으로 그 동안의 경험에 의해 한글 표제어를 선정하고 그 역어를 간결하고도 알찬 내용이 되도록 신경을 썼다. 이 한서사전을 이용하는 스페인어 학도들은 쪽수가 적은 데 비해 알찬 내용에 생각했던 것보다 훨씬 만족스러워 하리라 믿는다. 이 한서사전이 스페인어 학습에 도움이 되길 바란다.

한국어를 스페인어로 옮기는 과정에서 오류가 있다거나 행여 한글이나 스페인어에 오자나 탈자가 발견되면 그것은 편자의 불찰이니 많은 지도 편달을 바란다. 이 사전을 흔쾌히 출판해 준 민중서림과 수고해주신 여러분들에게 감사드린다.

2003년 8월
김 충 식

일 러 두 기

1. 표제어는 **고딕체**로 표시하고, 그에 상당하는 한자어를 달았다.
   종무소식(終無消息) No hay ninguna noticia.
2. 외래어 표기는 교육부가 제정한 외래어 표기법에 따랐으나 스페
   어는 원음에 가깝게 했다.
   르네상스 Renacimiento *m*.
   동끼호떼 ① ((인명)) Don Quijote. ② …
3. 한글의 스페인어 표기는 *이탤릭체*로 했다.
   설렁탕 *seoleontang*, …
4. 용례의 역어(譯語) 가운데 일부의 철자나 어구(語句) 등을 생략
   수 있을 경우에는 생략되는 부분을 ( ) 안에 넣었다.
   인물(人物) ① … ③ [인재] hombre m (de habilidad), …
   ④ [용모] figura (humana). …
5. 용례의 역어(譯語) 가운데 일부의 어구를 다른 어구와 대체할
   있을 경우에는 대체되는 어구를 [ ] 안에 넣었다.
   물실호기(勿失好機) A hierro candente [Al hierro caliente],
   batir de repente.
   사교(社交) … ~ 댄스[춤] baile *m* de sociedad. …

서반아어 약어 풀이

adj adjetivo 형용사
adv adverbio 부사
AmC América Central 중앙 아메리카
AmL América Latina 라틴 아메리카
AmS América del Sur 남아메리카
Andes Andes 안데스 지역
Arg Argentina 아르헨띠나
Bol Bolivia 볼리비아
Caribe Caribe 카리브해 지역
Chi Chile 칠레
Col Colombia 꼴롬비아
CoR Costa Rica 꼬스따리까
CoS Cono Sur 아르헨띠나, 칠레, 빠라구아이 및 우루구아이
Cuba Cuba 꾸바
Ecuad Ecuador 에꾸아도르
Esp España 스페인
f femenino 여성 명사
f(m) femenino (masculino) 원래 여성 명사지만 남성 명사도 됨.
fpl femenino plural 여성 복수 명사
fr francés 프랑스어

f.sing.pl. femenino singular y plural 여성 단수 복수 동형
Guat Guatemala 구아떼말라
ind indicativo 직설법
inf infinitivo 동사 원형
ing inglés 영어
ital italiano 이태리어
lat latino 라틴어
m masculino 남성 명사
Méj Méjico, México 멕시코
mf masculino y femenino 남녀 명사
m(f) masculino (femenino) 원래는 남성 명사지만 여성 명사도 됨.
mpl masculino plural 남성 복수 명사.
m.sing.pl. masculino singular y plural 남성 단수 복수 동형
Par Paraguay 빠라구아이
Per Perú 뻬루.
pl plural 복수 (명사)
PRico Puerto Rico 뿌에르또리꼬
ReD República Dominicana 도미니까 공화국
RPl Río de la Plata 쁠라따 강 지역 국가
Sal El Salvador 엘살바도르
sáns sánscrito 산스크리트어
subj subjuntivo 접속법
Urg Uruguay 우루구아이
Ven Venezuela 베네수엘라

참 고 서 적

1. DICCIONARIO DE LA LENGUA ESPAÑOLA: Real Academia Española, Vigésima Segunda Edición, Editorial Espasa Calpe, S.A., Madrid, 2001
2. CLAVE DICCIONARIO DE USO DEL ESPAÑOL ACTUAL: cuarta edición, Ediciones SM, Madrid, 2000
3. MARIA MOLINER DICCIONARIO DE USO DEL ESPAÑOL 1 II: segunda edición, Editorial Gredos, S.A., Madrid, 1999
4. GRAN DICCIONARIO: 8ª reimpresión, México, 1996
5. THE OXFORD SPANISH DICTIONARY: Oxford University Press, Oxford, 1994
6. 民衆 엣센스 스페인어사전: 김충식, 민중서림, 2001
7. 民衆 엣센스 한서사전: 김충식, 민중서림, 2003
8. 한서영 성구사전(韓西英聖句辭典): 김충식, 쿰란출판사, 2000
9. 우리말 큰사전: 한글학회, 어문각, 1997
10. 民衆 엣센스 국어사전: 민중서림 편집국, 민중서림, 2000

ㄱ

ㄱ자(-字) la letra más fácil.

가¹ ((음악)) do *m*.

가² ① [가장자리] borde *m*, punta *f*; [강의] orilla *f*; [종이의] margen *m*. ② [끝] cabo *m*, extremidad *f*.

가(加) ① [더함] adición *f*, suma *f*. ~하다 adicionar, sumar. ② [(준말)] =가법. 가산. ③ [덧붙임. 보충함] añadidura *f*, agregación *f*. ~하다 añadir, agregar.

가(可) ① [옳음] lo correcto, lo justo. ② [좋음] bueno. ③ [찬성] aprobado.

가(家) familia *f*. 김 씨 ~ la familia Kim; [사람들] los Kim.

가(價) [값] precio *m*.

가(假) [임시적인] provisional, *AmS* provisorio, temporal, temporario, transitorio; [대리의] interino; [조건부의] condicional; [가설의] hipotético, supuesto; [가짜의] falso. ¶ ~계약 contrato *m* provisional.

-가(家) ① [전문가] especialista *mf*; autoridad *f*. 전문~ especialista *mf*.

-가(街) ① [지방 행정 구역의 하나인 「-로」를 다시 작게 가른 구획] *Ga*. 종로 1~ *Chongro 1 Ga*. ② [도시에서 크고 넓은 거리를 긴 동(洞)을 이르는 말] calle *f*, avenida *f*, bulevar *m*. ③ [그 거리의 어떠한 「특수한 지구임」을 나타내는 말] centro *m*. 중심~ centro *m*.

-가(歌) canción *f*, himno *m*. 애국~ himno *m* nacional.

-가(價) ① [값] precio *m*. ② [원자가]¶3~ 알코올 alcohol *m* trivalente.

가가 대소(呵呵大笑) carcajada *f*, risotada *f*. ~하다 dar [soltar] una carcajada, reír(se) a carcajadas.

가감(加減) ① [보태거나 뺌] aumento *m* y [o] reducción *f*; adición *f* [o] substracción *f*. ~하다 sumar y [o] substraer, aumentar y [o] reducir. ② [더하거나 덜어서] 알맞게 조절함] regulación *f*, moderación *f*. ~하다 regular, moderar, ajustar. ③ [증감] aumento y [o] disminución, adición y [o] reducción. ~하다 aumentar y [o] disminuir, adicionar y [o] reducir. ¶~법 adición *f* y substracción. ~승제 cuatro reglas aritméticas; adición, substracción, multiplicación y división.

가건물(假建物) edificio *m* temporario.

가게 tienda *f*. ~ 주인 tendero *m*.

가격(價格) precio *m*, valor *m*; [대금] importe *m*. 적당한 ~ precio *m* razonable. ¶ ~ 인상 el alza *f* [aumento *m*] de precio. ~ 인하 reducción *f* de precios. ~표 lista *f* de precios.

가결(可決) aprobación *f*. ~하다 aprobar. ~되다 ser aprobado.

가경(佳境) ① [고비] clímax *m*. ② [경치] escena *f* hermosa, paisaje *m* hermoso, sitio *m* [lugar *m*] hermoso.

가계(家系) linaje *m*, genealogía *f*. ~도 árbol *m* genealógico.

가계(家計) economía *f* doméstica [familiar]; circunstancia *f*. ~가 풍족하다[어렵다] estar en buenas [malas] circunstancias. ¶ ~부 teneduría *f* de libros del hogar. ~수표 cheque *m* personal.

가계약(假契約) contrato *m* provisional.

가곡(歌曲) ① [노래] canción *f*. ② [성악곡] aria *f*, canción *f*. ¶ ~집 colección *f* de canciones.

가공(加工) elaboración *f*, fabricación *f*, manufactura *f*. ~하다 elaborar, fabricar. 원료를 ~하다 elaborar la materia prima. ¶ ~공장 planta *m* elaborada. ~ 무역 comercio *m* elaborado. ~비 coste *m* de labor. ~ 식품 alimento *m* elaborado.

가공(可恐) ¶~할 espantoso, horrible, tremendo, terrible.

가공(架空) ① [공중에 건너지름] ¶~의 aéreo, de trole. ② [근거 없는 일] cosa *f* infundada. ③ [상상으로 지어낸 일] ficción *f*, fantasía *f*. ~의 이야기 cuento *m* fantástico. ~의 인물 figura *f* imaginaria.

가관(可觀) ① [가히 볼 만함] espectáculo *m*, atracción *f*. ~이다 ser un espectáculo magnífico. ② [꼴불견임] ostentación *f*.

가교(架橋) ① [다리를 놓음] construcción *f* del puente. ~하다 construir un puente. ② [가로질러 놓은 다리] puente *m* cruzado.

가교(假橋) puente *m* temporáneo [temporario · provisional].

가교사(假校舍) edificio *m* temporáneo de la escuela.

가구¹(家口) ① [집안 식구] familia *f*, (todos) los de la casa. ② [집안의 사람 수효] números *mpl* de la persona de la casa.

가구²(家口) [집의 수효] número *m*

de la familia. 두 ~ dos familias.

가구(家具) mueble *m*; [집합적] moblaje *m*, mobiliario *m*. ~가 비치된 방 habitación *f* amueblada [con muebles] (del alquiler). ¶ ~ 공장 mueblería *f*. ~상(인) mueblista *mf*. ~점 mueblería *f*. ~점 주인 mueblista *mf*.

가극(歌劇) ópera *f*. ~단 compañía *f* de ópera. ~ 배우 operista *mf*. ~장 sala *f* [teatro *m*] de ópera.

가금(家禽) el ave *f* doméstica.

가급적(可及的) lo más posible, tan … como posible. ~ 빨리 lo más pronto posible, tan pronto como posible, cuanto antes.

가긍하다(可矜一) (ser) pobre, miserable, lastimoso.

가까스로 difícilmente, con dificultad, apenas, casi no, de mala vez, a duras [malas] penas.

가까워지다 acercarse, aproximarse. 가을이 가까워진다 Se aproxima el otoño.

가까이 cerca. 여기서 ~(에) cerca de aquí, (por) aquí cerca; [근처] en esta vecindad, en los alrededores. ~ 하다 aproximar, acercar.

가까이하다 acercarse, tener relación. 가까이하기 쉬운 accesible. 가까이 하기 어려운 inaccesible.

가깝다 ① [거리가] (estar) cerca, próximo, vecino; [인접한] inmediato, contiguo. 내 집은 여기서 가깝다 Mi casa está cerca de aquí. ② [시간상] (estar) cercano, próximo. 가까운 장래에 en un futuro cercano [próximo]. ③ [교분이 두텁다] (ser) íntimo. ④ [촌수 따위가] (ser) cercano, próximo. 가까운 친척 pariente *m* cercano. 가까운 이웃이 먼 형제보다 낫다 ((속담)) Más vale un amigo cercano que un hermano lejano.

가깝디가깝다 [거리가] estar muy cerca; [교분이] ser muy íntimo; [혈연 관계가] ser muy cercano [próximo].

가꾸기 cultivo *m*.

가꾸다 ① [자라게 하다] hacer crecer, cultivar. 정원을 ~ cultivar un jardín. ② [치장하다] ataviar, asear, componer, adornar, decorar.

가끔 a vecer, algunas veces, unas veces, de vez en cuando, de cuando en cuando.

가나다 [한글] *hangul*, alfabeto *m* coreano. ~순 orden *m* alfabético.

가나오나 [언제나] siempre, en todo tiempo, en cualquier tiempo.

가난 pobreza *f*, necesidad *f*, estrechez *f*, escasez *f*, carestía *f*. ~하다 ser pobre, empobrecer. ~한 pobre, necesitado; [매우] pobrísimo. ~한 농민 campesino, -na *mf* pobre. ~은 수치가 아니다 ((서반아 속담)) Pobreza no es vileza.

가난뱅이 pobretón, -tona *mf*.

가내(家內) ① [집의 안. 가정 안] casa *f*. ~의 doméstico, de casa. ~ 문제 asunto *m* doméstico. ② [가정] familia *f*. ¶ ~ 공업 industria *f* doméstica.

가냘프다 (ser) endeble, enclenque, escuchimizado, delgado, flaco, débil, delicado. 가냘픈 목소리 voz *f* débil. 가냘픈 몸 cuerpo *m* delgaducho [flaco].

가누다 reprimir, restringir, predominar, controlar, mantenerse.

가느다랗다 (ser) muy delgado, muy flaco, muy débil, delgadísimo, flaquísimo.

가늘다 (ser) delgado, fino, delicado, sutil, flaco, falto de carnes; [좁다] estrecho, angosto. 가는 menudo, fino. 가는 실 hilo *m* fino. 가는 팔 brazos *mpl* delgados [débiles]. 가는 허리 caderas *fpl* finas.

가늘디가늘다 ser muy fino [delgado].

가늠 puntería *f*. ~하다 apuntar, tirar, poner la mira. ~쇠 punto *m* de mira. ~자 mira *f* de cañon de escopeta, pértiga *f* de nivelación.

가능(可能) posibilidad *f*, probabilidad *f*. ~하다 (ser) posible, realizable, practicabl. ~한 [가능성이 있는] posible; [실현할 수 있는] realizable, factible; [실행할 수 있는] practicable. ~한 빨리 cuanto antes, tan pronto como posible, lo antes posible, lo más pronto posible. ¶ ~성 posibilidad *f*.

가다 ① [일반적] ir. 가는 해 el año que pasa [termina]. 병원에 ~ ir al hospital. ② [죽다] morir, fallecer. ③ [시간·세월·날 등이 경과하다] pasar, correr. 세월은 쏜살같이 간다 El tiempo pasa [corre] como una flecha.

가다가 a veces, de vez en cuando, de cuando en cuando.

가다듬다 arreglar, calmar, apaciguar.

가다랑어 ((어류)) atún *m*, bonito *m*.

가닥 hebra *f*, pedazo *m*, trozo *m*, tira *f*; [철사의] filamento *m*; [길의] bifurcación *f*. 실 한 ~ una hebra de hilo.

가담(加擔) [관여] participación *f*, [공모] conspiración *f*; [원조] auxilio *m*, apoyo *m*, ayuda *f*. ~하다 participar, tomar parte. 범죄에 ~하다 tomar parte en un crimen. ¶ ~자 conspirador, -ra *mf*; [공모자] cómplice *mf*.

가당(可當) lo justo, lo correcto. ~하다 (ser) justo, correcto, adecuado, apropiado.

가당찮다(可當一) (ser) injusto, poco

razonable, irrazonable, excesivo, no tener razón. 가당찮은 요구 demanda *f* excesiva.

가도(街道) ① [도시의 큰 도로] camino *m* principal, camino *m* real. ② [도시와 도시를 잇는 큰 도로] carretera *f*.

가동(可動) movilidad *f*.

가동(稼動) operación *f*. ~하다 operar, funcionar, marchar, andar. ~률 porcentaje *m* de de operación. ~ 시간 hora *f* laborable.

가두(街頭) calle *f*. ~에서 en la calle. ~에 나가다 salir a la calle. ¶~ 검색 inspección *f* en la calle. ~ 데모 manifestación *f* callejera. ~ 집회 reunión *f* en la calle.

가두다 encarcelar, enjaular, encerrar, recluir, aprisionar, confinar. 죄수를 감옥에 ~ encerrar a un preso en la cárcel.

가득 lleno *adj*. ~ 찬 lleno; [사람으로] atestado. 포도주로 ~ 담긴 병 botella *f* llena de vino. ~ 차다 llenarse, hacerse lleno. ~ 채우다 llenar, hacer lleno, poner lleno.

가득하다 estar lleno, llenarse; [연기가] ahumarse; [김이] llenarse de vapor; [가스가] llenarse de gas; [발을 디딜 틈이 없이] estar de bote en bote.

가뜬하다 (ser) ágil, ligero, leve, vivo, activo.

가라사대 como dice, dice, dijo, diciendo, según. 공자 ~ Confucio dice [dijo], según Confucio.

가라앉다 ① [침몰하다] hundirse, sumergirse, irse abajo, sumirse, irse a fondo [a pique] (배가), zozobrar (배가); inmergirse, somorgujarse. 바다에 ~ hundirse [somorgujarse] en el mar. ② [조용해지다] aquietarse, tranquilizarse, ponerse en calma, sosegarse, calmarse, tranquilizarse, apaciguarse. ③ [마음·통증 따위가] mitigarse, aliviarse, aligerarse, desanimarse, deprimirse. ④ [종기·부기 따위가] resolverse.

가라앉히다 ① [침몰시키다] hundir, sumergir. ② [마음을 가라앉게 하다] calmar, apaciguar, tranquilizar; [통증을] adormecer; [병세를 일시적으로] mitigar, paliar; [종기·멍울 따위를] resolver.

가락[1] ① [음조] tono *m*, melodía *f*, aire *m*, atonación *f*, [박자] ritmo *m*, tiempo *m*. ~을 붙이다 dar melodía. ② [솜씨] destreza *f*, habilidad *f*, agilidad *f*, maña *f* y arte.

가락[2] [물레의] huso *m*.

가락지 anillo *m*. ~를 끼다[벗다] ponerse [quitarse] el anillo.

가랑눈 nieve *f* en polvo, nieve *f* polvorosa.

가랑니 piojo *m* pequeño, liendre *f*.

가랑무 rábano *m* ahorquillado.

가랑비 llovizna *f*, lluvia *f* leve [menuda · fina], cernidillo *m*.

가랑이 ① [허벅지] entrepiernas *fpl*; [사타구니] muslo *m*. ② =다리. ¶~를 벌리다 abrir piernas.

가랑잎 hoja *f* muerta.

가래[1] ((농기구)) laya *f*, [가축에 매단] arado *m*. ~질 aradura *f*, labranza *f*. ~질하다 arar, labrar la tierra.

가래[2] [담] flema *f*, esputo *m*. ~를 뱉다 escupir, esputar.

가래침 ① [가래가 섞인 침] escupidura, saliva. ~을 뱉다 escupir, salivar, echar saliva. ② [담. 가래] flema *f*, esputo *m*, escupitajo *m*.

가래톳 chancro *m* sifilítico, incordio *m*, bubón *m*, caballo *m*. ~(이) 서다 tener bubón.

가량(假量) [쯤] unos, unas; casi; aproximadamente; más o menos; cerca de. 30퍼센트 ~ un [cerca del] treinta por ciento. 마흔 살 ~의 남자 hombre *m* que tiene alrededor de cuarenta años.

가려내다 =가리다.

가려먹다 ser particular en la comida.

가려움 picazón *m*, picor *m*.

가려잡다 seleccionar, escoger.

가련하다(可憐-) (ser) lastimoso, miserable, lastimero, pobre, digno de compasión [de lástima]. 가련한 남자 pobre hombre *m*, hombre *m* digno de lástima [de compasión].

가렵다 picar, sentir picazón, sentir comezón; [근질근질하다] arrastrarse. 나는 등이 ~ Me siento comezón en la espalda / Me pica (en) la espalda.

가령(假令) por ejemplo, si, con tal que. ~ 당신이 오시면, 그것을 보실 것이다 Si usted viene, lo verá.

가로 ① anchura *f*, ancho *m*, anchor *m*. ~ 20센티미터 veinte centímetros de ancho. ② [부사적] de lado, de costado, horizontalmente. ¶~놓다 poner de lado, poner de costado. ~닫이 puerta *f* corrediza, puerta *f* (de) corredera. ~대 [가] puntal *m* ménsula, brazo *m* transversal, travesaño *m*; [신호기 따위의] brazo *m*. [나] ((수학)) eje *m* horizontal. ~막다 [가] [(앞을) 가로질러 막다] plantarse, impedir. 문을 ~ quedarse plantado a la puerta. [나] [무슨 일을 못하게 막거나 방해하다] impedir, estorbar, obstruir, cortar el paso, salir a paso. ~무늬 franja *f*. ~서다 estar de pie a un lado. ~쓰기 escritura *f* horizontal. ~지르다 atravesar, cruzar.

가로(街路) calle *f*, avenida *f*, bulevar *m*, camino *m*, carretera *f*. ¶ ~등 farol *m*. ~변 borde *m* del camino, borde *m* de la carretera, orilla *f* del camino. ~수 hilera *f* de árboles, alameda *f*, arbolado *m* de una calle.

가로맡다 asumir, tomar, emprender.

가로새다 escaparse, salir.

가로채다 estafar, interceptar, arrebatar, coger. 돈을 ~ estafar*le* el dinero.

가료(加療) tratamiento *m* médico, trato *m* médico. ~하다 tratar. ~중(中) bajo el tratamiento.

가루 polvo *m*; [곡물] harina *f*. ~가 되다 reducirse a un polvo. ~로 만들다 pulverizar, moler [reducir] a polvo, hacer polvo. ~로 부수다 machacar, moler. ¶~담배 tabaco *m* en polvo. ~비누 jabón *m* en polvo. ~약 medicina *f* en polvo. ~치약 polvos *mpl* dentífricos.

가르다 ① [나누다] dividir, partir; [토지를] parcelar; [토막으로] desmembrar en trozos. 책을 여러 장으로 ~ dividir el libro en varios capítulos. ② [날선 연장으로 베다·쪼개다] cortar; [자신의 몸을] cortarse.

가르마 raya *f*, *Sal* camino *m*. ~를 왼쪽으로 갈라 주세요 Hágame la raya a la izquierda.

가르치다 ① [교육하다] enseñar, instruir, dar lecciones ~, educar, disciplinar. 제자를 ~ enseñar a *su* discípulo. 예의 범절을 ~ enseñar las buenas maneras. ② [(사람의 도리나 바른길을) 깨닫게 하다] hacer percibir. ③ [올바르게 바로잡다] corregir, reformar. 버르장머리를 ~ corregir el hábito.

가르침 ① [가르치는 일] enseñanza *f*, instrucción *f*, lección *f*. ~에 따르다 seguir la enseñanza. ~을 받다 recibir instrucción. ② [교훈] percepto *m*, lección *f*. 아버지의 ~ lecciones *fpl* del padre. ~을 받다 tomar la lección.

가름 ① [가르는 일] división *f*. ~하다 dividir. ② [장(章)] capítulo *m*.

가리¹ [고기 잡는 기구] encañizada *f* de bambú.

가리² [소의 갈비] chuleta *f* [costilla *f*] de vaca.

가리³ [더미] montón *m* de los sacos de cereales.

가리가리 a pedazos, en pedazos, en tiras. ~ 찢다 hacer pedazos [trizas·polvo].

가리개 biombo *m*.

가리다¹ ① [선택하다] escoger, elegir; [구별하다] distinguir. ② [어린아이가 낯을] ser vergonzoso con los extraños. ③ [어린 아이가 똥이

나 오줌을] crecer bastante a ir al servicio personalmente.

가리다² [보이지 아니하게] cubrir(se), esconder, ocultar, encubrir, tapar, interceptar, obstruir, impedir, estorbar, detener. 빛을 ~ interceptar la luz. 수건으로 얼굴을 ~ cubrir-se la cara con una toalla.

가리맛 ((조개)) navaja *f*.

가리비 ((조개)) venera *f*, concha *f* de peregrino, molusco *m* bivalvo.

가리키다 ① [사람이 주어일 때] señalar, indicar, apuntar, enseñar, mostrar. 손가락으로 ~ señalar con el dedo. ② [기호나 기구 따위로] mostrar, presentar, señalar, indicar, anunciar, avisar, marcar.

가마¹ [머리의] remolino *m* (de cabello), torbellino *m*, vórtice *m*.

가마² [탈것] palanquín *m*, litera *f*, andas *fpl*, silla *f* a [de] manos. ~를 메다 cargar un palanquín.

가마³ ((준말)) = 가마솥. ¶ ~솥 caldero *m*, marmita *f*, olla *f*; [보일러] caldera *f*; [볶는] horno *m*.

가마⁴ ((준말)) = 가마니.

가마⁵ [질그릇·기와·벽돌·숯 따위를 굽는] horno *m*. ~터 alfarería *f*.

가마니 *gamani*, saco *m* hecho de paja, fardo *m*, talega *f*, costal *m* de paja. 쌀 ~ saco *m* de arroz.

가마우지 ((조류)) cormorán *m*, cuervo *m* marino, corvejón *m*.

가만 ① = 가만히. ② [남의 말이나 행동을 제지할 때] ¡Espera! / ¡Silencio! / ¡Cállate!

가만가만 quietamente, pacíficamente, silenciosamente, sin hacer ruido, en voz baja. ~ 걷다 andar sin hacer ruido. ~ 말하다 hablar en voz baja.

가만두다 dejar; [사람을] dejar tranquilo [en paz].

가만있다 [잠자코 있다] estar tranquilo [en paz·callado·silencioso]; [꼼짝않고] estar quieto, estar in-móvil. 가만있어라 No te inquietes / Descuida y estáte tranquilo.

가만하다 (ser) silencioso.

가만히 ㉮ [꼼짝않고 조용히] quietamente, inmóvilmente, sin movimiento. ~ 있다 estar quieto, estar inmóvil. ㉯ [소리를 내지 않고] silenciosamente, en silencio, calladamente, tranquilamente, sin hacer ruido, callandito, pacíficamente. ~ 놓다 poner con cuidado. ㉰ [가볍게] ligeramente, suavemente. ~ 만지다 tocar ligeramente. ㉱ [몰래] en secreto, secretamente.

가망(可望) esperanza *f*, perspectiva *f*, posibilidad *f*. ~있는 lleno de esperanzas, pormetedor. ~이 없는 desesperado, sin esperanzas.

가맣다 ① [빛깔이] ser muy negro,

ser negrísimo. ② [거리가] estar muy lejos. 가맣게 먼 하늘 cielo m muy lejano.

가매장(假埋葬) entierro m temporal [temporáneo]. ~하다 enterrar temporalmente [temporáneamente].

가맹(加盟) afiliación f, asociación f, participación f, unión f, adhesión f. ~하다 afiliarse, adherirse, entrar, hacerse miembro. 유엔에 ~하다 adherirse a la ONU. ¶~국 país m miembro, signatario m. ~자 afiliado, -da mf. ~점 tienda f afiliada.

가면(假面) máscara f. ~을 벗기다 desenmascarar, quitar la máscara. ~을 쓰다 ponerse la máscara. ~을 씌우다 poner la máscara, enmascarar. ¶~극 farsa f. ~무도회 baile m de máscaras, mascarada f.

가면허(假免許) licencia f [autorización f · permiso m] temporal.

가명(家名) nombre m de la familia; [명예] honor m de la familia.

가명(假名) seudónimo m, alias m, nombre m falso. ~으로 en seudónimo.

가무(歌舞) ① [노래와 춤] la canción y la danza, el canto y la danza. ② [노래하고 춤을 춤] el cantar y el bailar. ¶~음악 música y danza.

가무스름하다 (ser) negruzco.

가무잡잡하다 (ser) negruzco.

가무족족하다 =가무잡잡하다.

가무칙칙하다 =(ser) muy negruzco.

가무퇴퇴하다 =가무칙칙하다.

가문(家門) linaje m, familia f, descendencia f; [태생] nacimiento m. ~이 좋다 ser de buena familia, ser de buen linaje [nacimiento]. ~이 나쁘다 ser de linaje [nacimiento] humilde.

가문비나무 (식물) abeto m rojo.

가물 (준말) =가뭄.

가물거리다 ① [불빛이] parpadear, titilar, chispear, vacilar; [촛불 등이] parpadear. 가물거리는 불 fuego m chispeante. 가물거리는 불꽃 llama f vacilante. ② [먼 곳의 물건이나 정신이] (ser) débil, tenue, neblinoso, vago, borroso. 가물거리는 기억 memoria f vaga.

가물다 hacer seca. 날이 ~ El tiempo hace seca.

가뭄 sequía f, sequedad f, seca f. 오랜 ~ sequía f [sequedad f · seca f] larga.

가물치 (어류) mújol m, bonito m.

가뭇가뭇 manchado de negro. ~하다 tener manchado de negro.

가미(加味) ① [음식에 다른 식료품이나 양념을] sazón m, salsa f, sabor m. ~하다 [맛을 들이다] condimentar, sazonar; [소금과 후추로] salpimentar. ② [부가] añadidura f, agregación f, introducción f. ~하다 añadir, agregar, introducir.

가발(假髮) peluca f (postiza), cabello m artificial [falso]. ~을 쓰다 usar peluca, ponerse (la) peluca postiza.

가방 ① [접는] cartera f; [서류 가방] carpeta f; [여행 가방] maleta f; [트렁크] baúl m; [큰 가방] (baúl m) mundo m; [작은 가방] maletín m; [여학생용] cabás m; [핸드백] bolso m, cartera f, Méj bolsa f; [우편용의] saca f (del correo); [용기] bolsa f. ② ((준말)) =책가방.

가버리다 irse, marcharse. 인사도 없이 ~ irse a la francesa, marcharse sin decir adiós.

가법(加法) ((수학)) adición f.

가법(家法) etiqueta f casera, reglamento m de familia.

가변(可變) inestabilidad f, instabilidad f, inconstancia f. ~의 inestable, instable, cambiable, variable, transformable.

가볍다 ① [무게가] (ser) ligero, liviano, leve. 가벼운 ligero, liviano, leve; [쉬운] fácil. 가벼운 식사 comida f ligera, refrigerio m; [저녁 때의] merienda f. 가벼운 음악 música f ligera. 몸이 ~ ser ágil. ② [경솔하다] ser ligero; [무분별하다] (ser) imprudente, inconsiderado, irreflexivo. 가벼운 행동 conducta f ligera. ③ [병증이나 독기가] (ser) ligero, leve. 가벼운 병 enfermedad f ligera [leve].

가보(家寶) tesoro m hereditario [de familia], alhaja f de casa.

가보(家譜) árbol m genealógico, genealogía f.

가봉(加捧) pago m adicional.

가부(可否) bueno o malo, sí o no, pro o contra. ~를 결정하다 decidir pro o contra. ¶~간(에) bueno o malo, de todos modos, de todas formas, de todas maneras.

가부장(家父長) jefe m de familia. ~제 patriarcado m.

가분수(假分數) fracción f impropia.

가분하다 ① [알맞게 가볍다] ligero, liviano, airoso, grácil. ② [마음이] sentir un gran alivio, sentirse aliviado.

가불(假拂) paga f adelantada, pago m provisional [en suspenso], adelanto m, anticipo m. ~하다 pagar provisionalmente, pedir un adelanto. ~을 받다 recibir la paga adelantada. ~해 주다 dar un adelanto.

가뿟하다 (ser) muy ligero.

가쁘다 ① [숨이] respirar con dificultad, respirar con fatiga. ② [힘이 겹다] (ser) difícil, no ser fácil.

가사(家事) quehaceres mpl domésticos, tareas fpl [faenas fpl] domésticas. ~를 돌보다 hacer [ocuparse de] las tareas domésticas. ¶~ 노동 labor *f* doméstica.

가사(歌詞) letra *f.* 곡에 ~를 붙이다 poner una letra a una melodía.

가사(假死) asfixia *f*, síncope *m.* ¶~ 상태 asfixia *f*, letargo *m.* ~ 상태의 asfixiado. ~ 상태에 빠지다 asfixiarse.

가사(袈裟) estola *f.*

가산(加算) adición *f*, suma *f.* ~하다 sumar, hacer una adición.

가산(家産) bienes *mpl* familiares, fortuna *f* (familiar). ~을 탕진하다 derrochar la fortuna.

가상(假想) imaginación *f*, suposición *f*, idea *f* fantástica. ~하다 imaginar, suponer. ~적 imaginario, hipotético. ~적국 país *m* enemigo imaginario.

가상하다(嘉尙→) elogiar, hacer elogio, alabar. 그의 공을 ~ elogiar por *sus* méritos.

가석방(假釋放) libertad *f* condicional [bajo caución]. ~하다 dejar en libertad condicional. ~되다 ser dejado en libertad condicional.

가석하다(可惜→) (ser) lamentable, deplorable, vergonzoso. 가석하게 생각하다 lamentar.

가선(一線) [옷 따위의] dobladillo *m.* ~(을) 두르다 hacer*le* el dobladillo, dobladillar.

가선(架線) ① [가설하는 일] instalación *f.* ② [가공선] alambre *m* eléctrico, cable *m.*

가설(加設) ¶~하다 instalar más.

가설(架設) instalación *f*, construcción *f*, establecimiento *m.* ~하다 instalar, establecer, construir. 전화를 ~하다 instalar un teléfono.

가설(假設) ① [임시로 설치함] instalación *f* temporal [provisional]. ② [실제에 없는 것을 있는 것으로 가정함] suposición *f*, hipótesis *f.* ③ ((법률)) ficción *f.* ~의 ficticio. ¶~ 극장 teatro *m* temporal. ~ 무대 escenario *m* provisional.

가설(假說) hipótesis *f.* ~을 세우다 hacer hipótesis [conjeturas].

가성(苛性) causticidad *f.* ~의 cáustico. ~ 소다 soda *f* cáustica. ~ 알칼리 álcali *m* cáustico.

가성(假性) falsedad *f.* ~의 falso, espurio, pseudo-, seudo-.

가성(假聲) ① [남성의 가장 높은 목소리] voz *f* falsa. ② [거짓 목소리] falsete *m.* ~으로 en falsete, en [con] una voz disfrazada [fingida].

가성대(假聲帶) cuerda *f* vocal falsa.

가세(加勢) ayuda *f*, auxilio *m*, socorro *m*, asistencia *f*, apoyo *m.* ~하다 ayudar, auxiliar, socorrer, apoyar, asistir.

가세(家勢) condición *f* financiera de

familia, circunstancias *fpl* económicas de familia. ~가 넉넉하다 ser adinerado. ~가 기울다 estar en decadencia.

가소롭다(可笑→) (ser) absurdo, ridículo, risible.

가속(加速) aceleración *f*, aceleramiento *m.* ~하다 acelerar. ~기 acelerador *m.* ~도 aceleración *f.* ~ 운동 moción *f* aceleradora. ~장치 acelerador *m.*

가속(家率) miembro *mf* de familia.

가솔린 gasolina *f.* ~을 넣다 echar [poner] gasolina.

가수(歌手) cantante *mf*; cantor, -ra *mf*; [여가수] cantatriz *f*; [플라멩코의] cantaor, -ra *mf.*

가수요(假需要) demanda *f* de disfraz.

가스 gas *m.* ~를 틀다[잠그다] abrir [cerrar] la llave del gas. ~가 새다 escaparse el gas. ¶~ 계량기 gasómetro *m.* ~ 공장 fábrica *f* de gas. ~관 tubo *m* [cañería *f*] de gas, gasoducto *m.* ~ 난로 estufa *f* de gas. ~등 farola *f* [alumbrado *m*] de gas. ~ 라이터 encendedor *m* de gas. ~ 레인지 cocina *f* de gas. ~ 보일러 caldera *f* de gas. ~실 cámara *f* de gas. ~ 용접 soldadura *f* con gas y oxígeno.

가스러지다 ① [성질이] hacerse obstinado [incorregible]. ② [잔털 등이] erizarse, ponerse de punta.

가슴 ① pecho *m*, seno *m*; busto *m*; [흉곽] torax *m*; [심장] corazón *m*; [새의 가슴] pechuga *f.* ② ((곤충)) pecho *m*, cuerpo *m.* ③ [마음] corazón *m.* ④ ((준말))=웃가슴. ¶~걸이 cincha *f*, ventrera *f*, cinto *m.* ~근육 músculo *m* torácico [pectoral]. ~둘레 busto *m*, periferia *f* de tórax. ~앓이 cardialgia *f*, dolor *m* de pecho, pirosis [실연의] mal *m* de amor. ~앓이를 앓다 tener dolor de pecho. ~지느러미 aleta *f* pectoral. ~털 vello *m* del pecho. ~통 pecho *m*, tórax *m.*

가습기(加濕器) humectador *m*, humidificador *m.*

가시¹ ① [식물] espina *f*, aguijón *m.* ~가 없는 inerme, sin espina. 장미의 ~ espina *f* rosal. ~에 찔리다 espinar(se). ~ 없는 장미는 없다 No hay rosa sin espinas. ② [물체나 동물의] espina *f*, pincho *m*, púa *f.* ~가 있는 espinoso. ③ [물고기의 잔뼈] espina *f.* ~가 없는 sin espina. ~가 많은 ~투성이의 espinoso. ④ [미운 사람] persona *f* detestable. ⑤ [손에 박힌 거스러미] astilla *f.* ⑥ [사람의 마음을 찌르는 것] aspereza *f.* ~ 돋힌 말 palabra *f* malévola. ~ 돋힌 어조로 en tono áspero. ¶~관[면류관] ⑦ corona *f* de espina [de púas].

㉯ ((종교)) pasión *f.* ~밭 espino *m.* ~ 철망[철사] alambre *m* de púas.

가시² [음식물의 구더기] gusano *m.*

가시(可視) visibilidad *f.* ~ 거리 distancia *f* visible. ~ 광선[선] rayo *m* visible. ~적 visible.

가시나무 ((식물)) espina *f.*

가시다¹ [변하거나 달라지거나 없어지다] pasar, alejarse; [고뇌·불만 따위가] disiparse, desvanecerse, desaparecer; [망설임이] desengañarse, desilucionarse. 통증이 가셨다 Pasó [Desapareció] el dolor.

가시다² [씻다] lavar, limpiar, enjuagar, aclarar. 입을 ~ enjuagarse (la boca).

가시덤불 espino *m*, zarzamora *f.*

가식(加飾) adorno *m*, decoración *f.* ~하다 adornar, decorar.

가식(假飾) hipocresía *f*, disimulo *m*, disimulación *f.* ~하다 disimular.

가신(家臣) vasallo *m*, súbdito *m.*

가압류(假押留) embargo *m* preventivo. ~하다 embargar preventivamente.

가야금(伽倻琴) *gayagum*, instrumento *m* típico coreano con doce cuerdas.

가약(佳約) ① [좋은 언약] buena promesa *f.* ② [사랑을 맺고 싶은 사람과 만날 약속] cita *f.* ③ [부부가 되자는 약속] cita *f* de novios.

가얏고(伽倻-) ((악기)) =가야금.

가업(家業) ocupación *f* [profesión *f*] de la casa [de la familia]. ~을 잇다 suceder al padre en el negocio de la familia, suceder a la ocupación del padre.

가없다 (ser) innumerable, interminable, sin límites, infinito, ilimitado, eterno, eternal. 가없는 부모의 은혜 gracia *f* eternal de *sus* padres.

가역(可逆) ¶ ~의 reversible. ~ 반응 reacción *f* reversible. ~성 reversibilidad *f.*

가연(可燃) ¶ ~의 combustible. ~물 combustibles *mpl.* ~성 combustibilidad *f.*

가열(加熱) calentamiento *m*, calefacción *f.* ~하다 calentar. ~되다 calentarse. ¶ ~기 calentador *m*, calefactor *m.*

가엾다 (ser) lastimoso, lastimero, lamentable, pobre; digno de compasión; [슬프다] triste; [불쌍하다] miserable. 가엾기도 해라 ¡Qué lastimoso! / ¡Pobrecito!

가오리 ((어류)) raya *m.*

가옥(家屋) casa *f*, [건물] edificio *m*; [주거] vivienda *f.* ~을 수리하다 reparar una casa. ¶ ~ 대장 libro *m* de vivienda. ~세 impuesto *m* sobre vivienda.

가외(加外) extra *f*, exceso *m*, excedente *m*, superávit *m.* ~의 extra, suplementario, adicional. ~로 extra, adicionalmente. ~ 비용 gastos *mpl* extras. ~ 수입 ingreso *m* extra.

가욋돈(加外-) dinero *m* extra.

가요(歌謠) canción *f*, copla *f*, canto *m.* ~계 mundo *m* de cantantes, mundo *m* de la canción popular. ~곡 ㉮ [민요] canción *f* tradicional, canción *f* popular. ㉯ [대중가요] canción *f* popular. ~제 festival *m* de canciones. ~집 cancionero *m.*

가용(可用) lo disponible, lo aprovechable. ~ 인구 población *f* soportable.

가용(可溶) lo soluble. ~성 solubilidad *f.*

가용(可鎔) lo fusible. ~성 fusibilidad *f.*

가용(家用) ① [집안 살림의 비용] gastos *mpl* familiares. ~하다 gastar en casa. ② [필요에 쓰이는 물건] cosa *f* necesaria.

가우스 ((물리)) gausio *m* (G).

가우초 [목동] *Arg, Urg* gaucho *m.*

가운 [실내복] bata *f*, [승려·재판관·교수 따위의] toga *f.* 나이트~ camisón *m* de noche.

가운(家運) fortuna *f* de una familia. ~이 기운다 Declina la fortuna de la familia.

가운데 ① [속] interior. ~로 adentro. …의 ~에 en, dentro de …, en el interior de …. …의 ~에서 desde dentro de …. ② [둘의 사이] entre. ③ [중앙 부분. 중심] centro *m*, parte *f* central. ④ [일정한 무리의 안] de, entre, de entre. 우리들 ~서 몇 명 algunos de nosotros. ⑤ [(일 따위가) 진행되는 동안] mientras, durante. 눈이 내리는 ~를 bajo la nieve, cuando nieve, aunque nieva. 바쁜 ~도 aunque está ocupado. ⑥ ((준말)) =한가운데.

가웃 medio. 서 말 ~ tres *mal* y medio.

가위 [옷감·종이 따위를 베는] tijeras *fpl*; [금속용] cizallas *fpl.* ~로 자르다 cortar(se) con tijeras.

가위바위보 *gawibawibo*, juego *m* de la mano para echar suerte; juego *m* de la piedra, las tijeras y el papel para echar suerte; cara o cruz. ~하다 jugar al *gawibawibo.*

가위질 costadura *f* con tijeras. ¶~하다 cortar con tijeras, tijeretear; [전정하다] podar.

가위표(-標) cruz *f.* ~를 하다 hacer una cruz.

가윗날 *gawitnal*, el 15 de agosto del calendario lunar.

가윗밥 recortes *mpl*; [천의] retazos *mpl*, retales *mpl.*

가으내 todo el otoño.

가을 ① [한 해의 셋째 철] otoño *m*. ~의 otoñal, autumnal, de(l) otoño. ~에 en (el) otoño. 남자의 마음은 ~ 하늘과 같다 Hombre es tan voluble como el tiempo autumnal. ② [농작물을 거두어들이는 일] [곡물의] cosecha *f*, siega *f*, [과실 · 야채의] cosecha *f*, recolección *f*; [포도의] vendimia *f*. ~하다 cosechar, hacer agosto; [포도를] vendimiar. ¶ ~갈이 labranza *f* otoñal, cultivo *m* otoñal, plantación *f* en otoño. ~걷이 cosecha (otoñal). ~걷이 하다 cosechar, hacer agosto, hacer la cosecha. ~날 día *m* otoñal, tiempo *m* otoñal. ~달 luna *f* otoñal. ~바람 viento *m* otoñal. ~철 estación *f* otoñal, estación *f* otoñal.

가이드 ① [안내. 지도] guía *f*, dirección *f*, orientación *f*. ~를 하다 orientar, guiar. ② [안내자] guía *mf*. ③ [(준말)] =가이드북.

가이드북 guía *f*.

가인(佳人) ① [참하고 아름다운 여자] mujer *f* hermosa; [집합적] belleza *f*. ② [고운 남자] hombre *m* guapo.

가인 박명(佳人薄命) La mayoría de la belleza es infeliz / La vida de la belleza es corta.

가일층(加一層) más (y más). ~ 노력하다 hacer un gran esfuerzo.

가입(加入) afiliación *f*, ingreso *m*, entrada *f*, adhesión *f*; [전화 · 보험 등의] inscripción *f*. ~하다 afiliarse, entrar, ingresar, adherirse, hacerse miembro, inscribirse, abonarse. 보험에 ~하다 inscribirse en el seguro. 조합에 ~하다 entrar en la asociación. ¶ ~금 honorarios *mpl* de entrada. ~자 subscriptor, -ra *mf*; miembro *mf*.

가자미 [(어류)] platija *f*, lenguado *m*.

가작(佳作) obra *f* excelente [maestra], buena obra *f*, trabajo *m* excelente.

가장 [정관사] (el, la, los, las, lo) + *adj* (또는), [정관사] (명사) + *adj*, más + *adv*, el más, la más, el menos, la menos. ~ 위대한 사람 el más gran hombre. ~ 아름답다 ser el más hermoso, ser la más hermosa.

가장(家長) jefe *m* de la familia.

가장(假葬) entierro *m* temporal. ~하다 enterrar temporalmente.

가장(假裝) disfraz *f*. ~하다 disfrazarse, enmascarse, desfigurarse. ~ 무도회 baile *m* de máscaras, baile *m* de disfraces. ~ 행렬 mascarada *f*, desfile *m* [procesión *f*] de disfraces.

가장자리 borde *m*, margen *m*, canto *m*; [강의] orilla *f*; [모자의] el ala *f*; [끝] extremidad *f*. 테이블의 ~

orilla *f* de la mesa.

가재 ((동물)) [바다의] langosta *f*, cígala *f*; [민물의] ástaco *m*, congrejo *m* de río. 가재는 게 편이라 ((속담)) No se le pueden pedir peras al olmo / Cada oveja con su pareja. ¶ ~걸음 paso *m* hacia atrás. ~걸음을 하다 andar hacia atrás.

가재(家財) ① [가구] muebles *mpl*. ② [자산] riqueza *f* de una familia, bienes *mpl* [ajuar *m* · moblaje *m*] de casa. ¶ ~ 도구 muebles *mpl* y utensilios.

가전(家傳) arcano *m* de familia. ~의 tra(n)smitido de padres a hijos [de generación en generación], hereditario. ¶ ~ 보옥(寶玉) joya *f* transmitida en una familia. ~ 비방 receta *f* secreta transmitida en una familia, secreto *m* hereditario. ~지물(之物) artículo *m* transmitido en una familia.

가전 제품(家電製品) aparatos *mpl* eléctricos domésticos, (artículos *mpl*) electrodomésticos *mpl*.

가절(佳節) estación *f* hermosa, ocasión *f* feliz, día *m* fausto, día *m* feliz, día *m* próspero.

가정(家政) gobierno *m* de la casa, manejo *m* de la casa, economía *f* doméstica. ~을 정리하다 ajustar los asuntos domésticos [de la casa]. ¶ ~부 empleada *f* de hogar, el ama *f* de llaves, gobernanta *f*, criada *f*; [통근하는] asistenta *f*.

가정(假定) suposición *f*, supuesto *m*, postulado *m*; [가설] hipótesis *f*. ~하다 suponer. ~의 supuesto, hipotético. ¶ ~법 modo *m* subjuntivo. ~적 supuesto, hipotético.

가정(家庭) hogar *m*, familia *f*, casa *f*. ~의 hogareño, familiar, doméstico, casero. ~의 평화 felicidad *f* [paz *f*] doméstica. ~을 가지다 tener su hogar, poseer su hogar. ~을 이루다 fundar [formar] un hogar [una familia]; [결혼하다] casarse. ~만한 곳은 없다 No hay nada como el hogar. ¶ ~ 교사 tutor, ~ra *mf*; preceptor *m*, institutriz *f*; profesor, ~sora *mf* particular. ~ 교육 educación *f* familiar. ~ 방문 visita *f* a domicilio. ~ 배달 servicio *m* a domicilio. ~ 법원 tribunal *m* de asuntos familiares. ~ 부인 el ama *f* de casa. ~ 상비약 medicina *f* casera. ~ 생활 (vida *f* del) hogar *m*, vida *f* hogareña [familiar]. ~ 용품 artículos *mpl* de uso doméstico, artículos *mpl* para el hogar, utensilios *mpl* domésticos. ~의 (醫) médico *m* de la familia, médico *m* de cabecera. ~의 날 el día de las familias. ~적 hogareño, familiar, doméstico. ~적인 남자 hombre *m* hogareño [casero]. ~인 분위기 ambiente *m* hogareño. ~ 폭력 violencia *f* doméstica. ~ 환경 (medio *m*) ambiente *m* doméstico [hogareño].

가제 gasa *f*, cendal *m*, gasa *f* anti-séptica, gasa *f* hidrófila.

가제본(假製本) rústica *f*. ~의, ~한 en rústica.

가져가다 portar, llevar. 우산을 가져 가거라 Llévate un paraguas contigo.

가져오다 traer, portar, llevar, ir con una cosa, producir, causar. 좋은 소식을 ~ traer [llevar] una buena noticia. 우산을 가져오너라 Trae el paraguas. ☞가지다

가조(一調) ((음악)) la *m*.

가조약(假條約) tratado *m* provisional, pacto *m* provisional.

가조인(假調印) firma *f* preliminar [provisional]. ~하다 firmar preli-minar [provisionalmente].

가족(家族) (miembros *mpl* de una) familia *f*. ~의 familiar. 4인 ~ fa-milia *f* de cuatro personas [miem-bros]. ~이 있다 tener familia. ~ 은 몇 명입니까? ¿Cuántos son en su familia? / ¿Cuántas personas hay en su familia? ¶ ~ 계획 planificación *f* familiar [de familia], plan *m* familiar [de familia]. ~ 관 계 relaciones *fpl* familiares. ~ 묘 지 cementerio *m* familiar. ~ 문제 asunto *m* de la familia. ~ 법 derechos *mpl* de la familia. ~ 수 당 asignación *f* [subsidio *m*] fami-liar. ~적 familiar, de la familia. ~적인 분위기 ambiente *m* fami-liar. ~ 제도 sistema *m* familiar. ~ 회의 consejo *m* familiar.

가죽 ① [동물의] [생] piel *f*, [무두질 한] cuero *m*; [사람의] pellejo *m*. 살~ [피부] piel *f*, [얼굴의] cutis *m*(*f*). ~을 벗기다 [동물의] despe-llejar, desollar. ~을 무두질하다 curtir. ② [피혁] piel *f*, cuero *m* (curtido), piel *f* curtida. ~ 가방 bolso *m* de piel [de cuero]. ~ 공 장 curtiduría *f*, tenería *f*. ~ 구두 zapatos *mpl* de piel [de cuero]. ~ 장갑 guantes *mpl* de piel [de cuero]. ~제품 artículos *mpl* de cuero [de piel]. ~ 혁대 cinturón *m* de cuero.

가죽나무 ((식물)) árbol *m* del cielo.

가중(加重) gravamen *m*, exceso *m* de peso; ((법률)) agravación *f*. ~ 하다 poner peso encima.

가중하다(苛重一) (ser) pesado, exce-sivo. 가중한 세금 carga *f* pesada de impuestos.

가증스럽다(可憎一) (ser) aborrecible, maligno, malévolo, odioso, detes-

table.

가지[1] [나무의] rama *f*, [어린] vásta-go *m*; [작은] ramo *m*, rama *f* pequeña, ramito *m*, ramita *f*; [가지 에서 나온 가지] ramilla *f*, [잎이 무 성한] ramada *f*. 가지 많은 나무가 바람 잘 날이 없다 ((속담)) Gran nave, gran tormenta.

가지[2] ① ((식물)) berenjena *f*. ② [열 매] berenjena *f*. ¶ ~ 밭 berenjenal *m*, ~ 색 color *m* de berenjena.

가지[3] [종류] género *m*, especie *f*, clase *f*. 두 ~로 doblemente, de dos maneras. 두 ~로 사용할 수 있는 de doble uso, que se puede usar de dos maneras.

가지가지 ① [여러 종류, 가지각색] muchas clases, toda clase. 포도주 에도 ~다 En el vino hay de toda / Hay vinos y vinos / Hay toda clase de vinos. ㉯ [관형사적 용법] [여러 종류의. 가지각색의] diferen-tes, distintos, varios.

가지각색(一各色) todo tipo, toda cla-se, toda especie. ~의 diferentes, distintos, diversos, varios, varias cosas [especies] de, distintos gé-neros [tipos] de. ~의 물건을 사다 comprar diversos cosas.

가지고 con, llevando, llevándose. ~ 가다[다니다] llevarse, llevar con-*sigo*. ~ 오다 traer.

가지다 ① [손에] llevar, tener. 돈을 좀 가지고 있다 Tengo un poco de dinero en la mano. ② [소유하다] poseer, tener, tomar, contener. 김 교수는 책을 많이 가지고 있다 El profesor Kim tiene muchos libros. ③ [아이를 배다] (estar) preñada, encinta. 어린애를 ~ concebir. ④ [몸·마음에 지니다] abrazar, tener. 사회주의 사상을 ~ abrazar socia-lismo. 용기를 ~ tener valor. ⑤ [유지하다] tener, mantener, con-servar, albergar. 희망을 ~ tener [conservar] la esperanza. ⑥ [치르 다. 행하다] celebrar, tener, abrir.

가지런하다 igualarse, hacerse igual [uniforme]. 가지런하게 하다 igua-lar, hacer igual [uniforme].

가지런히 en orden. ~ 놓다 [가구 등을] arreglar, disponer. [꽃 등을] arreglar.

가지치다 podar, cortar ramas.

가직하다 estar cerca.

가집(歌集) cancionero *m*.

가집행(假執行) ejecución *f* provisio-nal. ~하다 ejecutar provisional-mente.

가짜(假一) imitación *f*, apariencia *f* falsa, falsificación *f*, objeto *m* falsificado, objeto *m* imitado. ~의 falso, falsificado; [모조의] imitado, imitativo. ~ 다이아몬드 diamante *m* de imitación, diamante *m* falso.

~돈 billete *m* falso [falsificado], moneda *f* falsa. ~ 보석 joya *f* de imitación, joya *f* falsa.

가차(假借) préstamo *m* provisional. ~(가) 없다 (ser) despiadado, inexorable, implacable, sin piedad. ~(가) 없이 despiadadamente, sin piedad, inexorablemente, implacablemente.

가책(呵責) remordimiento *m*. 양심의 ~ remordimiento *m* (de la conciencia).

가처분(假處分) disposición *f* provisional [temporánea]. ~하다 dictar una disposición provisional, disponer provisionalmente.

가철(假綴) encuadernación *f* en rústica. ~하다 encuadernar en [a la] rústica. ~본 libro *m* encuadernado en rústica.

가청(可聽) posibilidad *f* audible. ~의 audible. ~ 거리 distancia *f* audible. ~ 범위 alcance *m* audible. ~음 sonido *m* audible. ~ 주파(수) audiofrecuencia *f*. ~ 지역 región *f* audible. ~ 한계 límite *m* audible.

가축 mucho cuidado. ~하다 tener mucho cuidado.

가축(家畜) animal *m* doméstico; [집합적] ganado *m*, bestias *fpl*. ~의 떼 manada *f* de ganado. ¶~ 검역 inspección *f* sanitaria de ganado. ~ 검역소 estación *f* de cuarentena de ganado. ~ 도독 ladrón *m* de ganado; cuatrero, -ra *mf*. ~ 병 peste *f* bovina. ~ 병원 hospital *m* veterinario. ~ 사육 crianza *f* de ganado. ~ 시장 feria *f* de ganado, mercado *m* ganadero. ~ 우리 corral *m*.

가출(家出) huida *f*, fuga *f*. ~하다 dejar (la) casa, huir de (la) casa, escaparse de casa. ~ 소녀 muchacha *f* fugitiva [huidiza]. ~ 소년 muchacho *m* fugitivo [huidizo]. ~ 인 fugitivo, -va *mf*.

가출소(假出所) =가출옥(假出獄).

가출옥(假出獄) liberación *f* [libertad *f*] provisional [condicional], libertad *f* bajo caución. ~하다 ser libertado provisionalmente.

가치(價値) valor *m*, mérito *m*; [가격] precio *m*. 상품의 ~ valor *m* de las mercancías. ~가 없다 no valer (para nada), ser papel mojado. ¶~관 concepción *f* del valor. ~ 판단 juicio *m* de valor, valoración *f*, evaluación *f*.

가친(家親) mi padre.

가칠가칠하다 (ser) áspero, rasposo. 손이 ~ tener las manos como el papel de lija.

가칠하다 (ser) demacrado, ojeroso, consumido, descarnado, escuálido. 가칠한 얼굴 cara *f* consumida,

cara *f* descarnada.

가칭(假稱) seudónimo *m*, nombre *m* provisional.

가타부타(可一否一) sí o no. ~ 대답 해라 Dime sí o no.

가탈[1] ① [일이 순하게 진행되지 못하게 방해되는 조건] obstáculo *m*, estorbo *m*, impedimento *m*. 처음 시작한 일에 ~도 많다 Hay mucho impedimento para mi nuevo negocio. ② [이러니저러니 트집을 잡아 까다롭게 구는 일] defecto *m*, falta *f*. ¶~(을) 부리다 encontrar*le* defectos [faltas], complicar las cosas. ~스럽다 (ser) difícil, pesado, problemático, conflictivo, complicado, intrincado. ~스레 difícilmente, exigentemente, complicadamente.

가탈[2] [타기에 거북스러운 말의 걸음걸이] paso *m* vacilante. ~거리다 caminar con paso vacilante. ¶~ 걸음 paso *m* vacilante.

가택(家宅) casa *f*, domicilio *m*, morada *f*. ~ 방문 visita *f* domiciliaria. ~ 수색 registro *m* domiciliario. ~ 수색하다 registrar toda la casa, hacer un registro domiciliario, hacer registro a domiciliario. ~ 연금 arresto *m* domiciliario.

가톨릭 ① [가톨릭교] catolicismo *m*. ② [가톨릭교도] católico, -ca *mf*. ¶~교 catolicismo *m*. ~교도 católico, -ca *mf*. ~ 교회 [가톨릭 교를 믿는 교회] iglesia *f* católica. ~ 교회 =로마 카톨릭 교회.

가트 [관세와 무역에 관한 일반 협정] Acuerdo *m* General sobre Aranceles Aduaneros y Comercio.

가파르다 (ser) escarpado, precipitoso, acantilado, pino, abrupto.

가표(加標) ((수학)) =덧셈표.

가표(可票) voto *m* afirmativo.

가풍(家風) costumbres *fpl* de la familia, tradición *f* de la familia.

가필(加筆) corrección *f*, revisión *f*; [그림] retoque *m*. ~하다 corregir, revisar, retocar. ~한 글자 letra *f* borrosa, escritura *f* floja. 여러 군데를 ~하다 dar unos retoques.

가하다(加一) ① [부가하다] añadir, agregar, juntar. ② [삽입하다] insertar, meter, incluir. ③ [증가하다] aumentar.

가하다(可一) [옳다] tener razón, ser posible; ~! Está bien / ¡Vale!

가학(加虐) maltrato *m* adicional. ~하다 adicionar el maltrato. ~성 변태 성욕 sadismo *m*. ~성 변태 성욕자 sadista *mf*. ~애 sadismo *m*.

가해(加害) asalto *m*, violencia *f*. ~하다 asaltar, acometer. ~자 autor, -tora *mf* de un atentado; [범인] criminal *mf*; ofensor, -ra *mf*; agresor, -ra *mf*. ~ 행위 violencia *f*, acto *m* perjudicial.

가형(家兄) mi hermano.

가호(加護) protección *f* divina. 신(神)의 ~로 gracias a (la protección de) Dios. 우리에게 신의 ~가 있기를! Ojalá que nos proteja Dios.

가혹하다(苛酷一) (ser) cruel, inhumano; [엄하다] severo, riguroso, duro. 가혹함 crueldad *f*, severidad *f*. 가혹한 벌 castigo *m* severo.

가화 만사성(家和萬事成) Si hay paz en una familia, todo está bien.

가훈(家訓) precepto *m* familiar [de la familia].

가희(歌姫) cantora *f*, cantatriz *f*.

가히(可一) del todo, totalmente, enteramente, completamente, bien, fácilmente, con facilidad.

각(各) cada, todo; [여러] varios.

각(角) ① [뿔] cuerno *m*. ② [모] esquina *f*, recodo *m*. ③ [각도] ángulo *m*. ~의 cuadrado, cuadrangular; [직각의] retangular. ④ [옛날의 뿔피리] flauta *f* de cuerno.

각(覺) ((불교)) (estado *m* mental de) Buda *m*.

각가지(各一) varias clases [especies].

각각(各各) cada, todo, individualmente, separadamente, respectivamente. ~으로 cada momento, momento por momento, de momento en momento, a cada instante.

각각으로(刻刻一) de momento en momento, constantemente.

각개(各個) cada uno, uno a uno, uno por uno, individualmente, respectivamente. ~ 격파 derrota *f* uno por uno. ~ 전투 combate *m* individual. ~ 점호 revista *f* [llamada *f*] individual; [[운동)] entrenamiento *m* individual.

각개인(各個人) cada individuo, cada uno, cada cual.

각계(各界) varios círculos *mpl*, cada campo. ~의 명사 distinguidas personalidades *fpl* de cada campo. ¶ ~ 각층 varios círculos *mpl* sociales, cada campo.

각고(刻苦) trabajo *m* difícil, labor *f* ardua, trabajo *m* arduo, faena *f* ardua. ~하다 trabajar difícilmente [infatigablemente · laboriosamente].

각골(刻骨) recuerdo *m* perpetuo en el corazón. ~ 난망 recuerdo *m* perpetuo sobre el agradecimiento. ~ 난망하다 no olvidar el agradecimiento para siempre.

각과(各科) [학과] cada departamento; [과목] cada asignatura.

각과(各課) cada sección, todas las secciones.

각광(脚光) candilejas *fpl*, luz *f* de baterías. ~을 받다 ser foco [centro] de la atención pública.

각국(各國) cada país, cada nación, cada estado; [제국] varios países; [만국] todos los países del mundo.

각급(各級) cada clase, todas las clases. ~ 학교 todas las clases de la escuela.

각기(各其) cada uno, cada una; [부사적] respectivamente.

각기(병)(脚氣(病)) beriberi *m*.

각기둥(角一) ((기하)) prisma *m*.

각다귀 ① [[곤충)] mosquito *m* rayado. ② [[남의 것을 착취하는 악한] explotador, -dora *mf*; sanguijuela *f*, vampiro *m*.

각다분하다 (ser) difícil y tedioso.

각도(角度) ángulo *m*. ~를 재다 medir el ángulo. ¶ ~계 goniómetro *m*. ~기 transportador *m*, semicírculo *m* (graduado).

각도(角壔) ((기하)) prisma *m*.

각령(閣令) decreto *m* del gabinete (ministerial).

각론(各論) tema *m* particular; [전체로] exposición *f* por materias [por capítulos]. ~으로 들어가다 entrar en [abordar] un tema particular.

각료(閣僚) ministros *mpl*, miembro *m* ministerial [de gabinete]. ~급 회담 conferencia *f* a nivel ministerial. ~ 회의 consejo *m* de ministros.

각막(角膜) ((해부)) córnea *f*. ~병 queratopatía *f*. ~ 성형술 queratoplastia *f*. ~염 corneitis *f*, keratitis *f*, queratitis *f*, inflamación *f* de la córnea. ~ 이식 queratotrasplante *m*, trasplante *m* de la córnea. ~ 이식술 queratoplastia *f*.

각목(角木) [건축] viga *f* de madera, madero *m* cuadrado.

각목(刻木) madera *f* grabada.

각박하다(刻薄一) ① [모나고 인정이 없다] (ser) inhumano, frío, glacial, de corazón de piedra, insensible. ② [아주 인색하다] (ser) muy tacaño.

각반(脚絆) polainas *fpl*, borcequí *m*. ~을 감다 ponerse las polainas.

각방(各房) cada habitación, cada cuarto. ~ 거처 residencia *f* en las otras habitaciones de cada uno.

각방면(各方面) cada dirección, todas las direcciones; todos los campos. ~의 전문가 especialistas *fpl* en todos los campos.

각별 조심(各別操心) cuidado *m* especial. ~하다 cuidar(se) especialmente.

각별하다(各別/恪別一) (ser) especial; [현저한] notable, considerable; [예외적인] extraordinario, excepcional; [특수한] particular; [친한] íntimo, familiar. 각별한 차이 diferencia *f* considerable. 각별히 especialmente, en especial, extraordinariamente, particularmente, notablemente, excepcionalmente, íntimamente, familiarmente.

각본(脚本) pieza *f* teatral, drama *m*; ((영화)) guión *m*. ~가[작가] dramaturgo, -ga *mf*; guionista *mf*.

각부(各部) cada parte; [부서] cada departamento, cada sección; [부서의] cada ministerio; [여러 부분] distintas [diversas] partes.

각부분(各部分) cada parte.

각빙(角氷) cubito *m* de hielo.

각뿔(角一) pirámide *m*.

각사탕(角砂糖) azúcar *m* en terrón.

각살림(各一) vida *f* [vivienda *f*] separada. ~하다 vivir separadamente.

각색(各色) ① [각각의 빛깔] cada color. ② [각종] toda clase, cada especie.

각색(脚色) adaptación *f*, [희곡화] dramatización *f*. ~하다 adaptar, dramatizar, dar forma dramática. 김 씨 ~ dramatizado [adoptado] por el Sr. Kim. ¶~가[자] adaptador, -dora *mf*; dramaturgo, -ga *mf*.

각서(覺書) ① [메모] prontuario *m*, memoria *f*, apunte *m*, minuta *f*. ② [약식의 외교 문서] nota *f*, memorándum *m*. ~를 교환하다 canjear notas. ③ [약속 문서] promesa *f* [fe *f*] escrita [firmada]. ~를 한 통써 내다 hacer [dar] una promesa [una fe] escrita [firmada].

각선미(脚線美) hermosura *f* de línea de pierna, pierna *f* de la figura hermosa.

각설(却說) vuelta *f* al tema. ~하다 volver al tema.

각설이(却說一) mendigo *m* cantante. ~타령 *gakseoritaryeong*, canción *f* del mendigo cantante.

각설탕(角雪糖)＝각사탕(角砂糖).

각성(各姓) apellidos *mpl* diferentes. ~받이 hombres *mpl* de los apellidos diferentes.

각성(覺醒) despertamiento *m*. ~하다 despertar. 영적 ~ despertamiento *m* espiritual. ¶~제 excitante *m*, estimulante *m*, droga *f* excitante [estimulante].

각세공(角細工) hornabeque *m* [obra *f*] a tenaza.

각속도(角速度) velocidad *f* angular.

각시 ① [새색시] novia *f*, desposada *f*, mujer *f* recién casada. ② [인형] muñeca *f* de soltera. ¶~놀음 juego *m* con muñecas. ~놀음하다 jugar con muñecas.

각시(各市) cada ciudad, todas las ciudades.

각시새우 ((동물)) camarón *m*, langostín *m*, langostino *m*.

각양(各樣) diversidad *f*, variedad *f*.

~ 각색 cada tipo, cada clase, todo tipo, toda clase.

각오(覺悟) resolución *f*, decisión *f*, disposición *f*, prevención *f*, resignación *f*. ~하다 resolverse, decidirse, resignarse. 죽음을 ~하다 resignarse a morir.

각운(脚韻) rima *f*, pie *m*.

각원(閣員) ministerio *m* del gabinete.

각위(各位) caballeros *mpl*, señores *mpl*. ~의 su estimado. 독자 ~에게 a los lectores.

각의(閣議) consejo *m* de ministros [de gabinete], junta *f* ministerial. ~를 열다 celebrar el consejo de ministros.

각인(各人) cada uno, cada cual. ~ 각색 Cuantos hombres, tantos pareceres / Cien cabezas, cien sentencias.

각인(刻印) troquel *m* de sello, grabación *f*, sello *m* grabado. ~하다 estampar [sellar] con troquel.

각일각(刻一刻) constantemente, a cada momento, de momento en momento, por momentos, a cada instante.

각자(各自) ① [각각의 자신] cada uno, cada cual. ~의 cada uno, respectivo. ~ 하나씩 sendos. ~ 능력에 따라 según la capacidad de cada uno. [제각기] respectivamente, de modo respectivo. ¶~ 부담 escote *m*. ~ 부담하다 escotar, ir [pagar] a escote [a medias].

각자(刻字) grabado *m* de las letras; [글자] letra *f* grabada. ~하다 grabar las letras.

각자(覺者) ((불교)) Buda *m*.

각재(角材) madero *m* cuadrado, viga *f* (13인치 이상), cuartón *m* (5인치 이상).

각종(各種) todas (las) clases. ~ 경기 todas clases de deportes.

각주(角柱) ① [네모진 기둥] columna *f* cuadrada. ② ((기하)) prisma *m*.

각주(脚註/脚注) notas *fpl* a(l) pie [al calce] (de la página). ~를 달다 poner notas al pie de la página.

각지(各地) partes *fpl* diferentes, todas partes *fpl*, cada lugar, cada sitio; [여러 지방] varias regiones *fpl*, distintas regiones *fpl*. ~의 날씨 tiempo *m* local, tiempo *m* de cada región.

각지방(各地方) cada región, todas las regiones, todas las comarcas, cada comarca.

각질(角質) queratina *f*, keratina *f*. ~의 queratínico, queratótico, córneo. ~ 세포 queratinocito *m*. ~층 estrato *m* córneo.

각처(各處) cada sitio, cada lugar, todas (las) partes. ~에 en [por] todas partes, en varios lugares, en toda tierra de garbanzos.

각추렴하다(各出斂) pagar a escote, contribuir por *su* parte proporcional. 비용을 ~하다 sufragar(se) [costearse] los gastos por *su* parte proporcional.

각축(角逐) competición *f*, rivalidad *f*, lucha *f*, concurso *m*, combate *m*. ~하다 competir, disputarse, rivalizar. ~장 arena *f* de competición. ~전 combate *m* de competición.

각층(各層) ① [각각의 층] cada piso, cada planta. ② [여러 계층 중의 낱낱의 층] cada clase. 각계 ~의 명사들 personalidad *f* de toda posición social. ③ [각각의 등급] cada categoría.

각치다 ① [할퀴다] arañar. ② [말로 부아를 지르다] pinchar. 그는 항상 그의 동생을 각친다 El siempre está pinchando al hermano.

각파(各派) [정당의] cada partido, todos los partidos; [예술계 등의] todas las escuelas.

각판(刻版) ① [판각] grabado *m* en madera. ② [판각에 쓰이는 널조각] madera *f* para el grabado.

각판본(刻版本) libro *m* grabado en madera.

각피(角皮) ((해부)) cutícula *f*. ~소 cutícula *f*. ~층 queratoderma *m*.

각하(閣下) [벼슬이 높은 사람에 대한 경칭] Vuestra Excelencia, Su Excelencia. 대통령 ~ Su Excelencia Señor Presidente. ② ((천주교)) =성하(聖下).

각하(却下) rechazamiento *m*. ~하다 rechazar. 상고를 ~하다 rechazar una apelación a un tribunal superior.

각항(各項) ① [각 항목] cada cláusula, cada artículo, todos artículos. ② =각가지.

각혈(咯血) esputo *m* de sangre, vómito *m* de sangre; ((의학)) hemoptisis *f*. ~하다 esputar [escupir] sangre, vomitar la sangre, expectorar la sangre; tener hemoptisis.

간 ① [짠 조미료] sazón *m*, salazón *m*, acción *f* de salar, gusto *m* salado, gusto *m* de sal; [양념] condimento *m*. ② [음식의 짠맛의 정도] salobridad *f*, salinidad *f*. ~이 든 salino, salobre. ~(을) 맞추다 salar, sazonar [condimentar] con sal. ~(을) 보다 probar, saborear. ~(을) 하다 sazonar, echar [poner·conservar] en sal; [고기를] curar con sal. ~을 한 salado, sazonado [condimentar] de sal. ~(이) 맞다 sazonarse bien.

간(肝) ① ((해부)) hígado *m*. ② ((음식)) hígado *m*. ③ [담력] valor *m*, coraje *m*, denuedo *m*, valentía *f*,

ánimo *m*, espíritu *m*. ~이 큰 audaz, atrevido, osado, temerario. ~이 작은 tímido, cobarde, medroso. ~에 기별도 아니 가다 apenas comenzar a satisfacer *su* estómago. ~에 붙었다 쓸개에 붙었다 하다 cambiar de chaqueta fácilmente, chaquetear fácilmente, darse vuelta la chaqueta. ~이 콩알만하다[해지다] asustarse mucho, espantarse, horrorizarse, quedarse estupefacto [atónito].

간(間) ① [동안] durante, dentro de …, por, en; [명사로, 동안] duración *f*. 3주~의 예정으로 여행을 떠나다 salir de viaje por tres semanas. ② [사이] entre. 서울과 부산 ~의 거리 distancia *f* entre Seúl y *Busan*. ③ [길이의 단위] gan, kan (unos seis pies). ④ [가옥의] una habitación. ⑤ [관계] relación *f*; [전치사로] entre. 한국과 칠레 ~의 무역 협정 acuerdo *m* [tratado *m*] de libre comercio entre Corea y Chile.

간(刊) [(준말)] =간행(publicación).

간간이(間間−) ① [드문드문. 이따금] a veces, algunas veces, de vez en cuando, de cuando en cuando, frecuentemente. ② =듬성듬성.

간간하다 ser algo salado.

간격(間隔) intervalo *m*, distancia *f*, espacio *m*. ~을 두고 a (largos) intervalos, poniendo (mucho) espacio. 10분 ~으로 a intervalos de diez minutos. ~을 두다 espaciar, distanciar; [A와 B의] dejar [poner] un espacio entre A y B; [떼어놓다] apartar, separar.

간결하다(簡潔−) (ser) conciso, breve, sencillo, lacónico, sencillo y conciso. ~하게 brevedad *f*, sencillez *f*, concisión *f*, laconimo *m*. 간결한 문장 frase *f* concisa. 간결함은 하나의 덕이다 La concisión es una virtud.

간경변(肝硬變) =간경변증(肝硬變症).

간경변증(肝硬變症) ((의학)) cirrosis *f* del hígado, hipatocirrosis *f*.

간경화(肝硬化) endurecimiento *m* del hígado.

간계(奸計) maquinación *f*, intriga *f*, conspiración *f*, astucia *f*, designio *m* astuto. ~를 꾸미다 intrigar, conspirar, maquinar [tramar·armar·urdir] una intriga, idear un plan taimado.

간고(艱苦) ① [가난함. 곤궁함] pobreza *f*. ~하다 (ser) pobre. ② [고생] penalidad *f*, tribulación *f*, sufrimiento *m*, privación *f*.

간곡하다(懇曲−) (ser) cordial, amable. 간곡한 amabilidad *f*, cordialidad *f*. 간곡히 cordialmente, amablemente. 간곡히 타이르다 amonestar con paciencia, aconsejar cordialmente.

간과(看過) tolerancia *f*. ~하다 pasar por alto, tolerar. 우리는 이 사태를 ~할 수 없다 No podemos pasar por alto esta situación.

간교(奸巧) astucia *f*, artificio *m*, treta *f*, fraude *m*, engaño *m*, maño *m*, arte *m*. ~하다 (ser) astuto, mañoso.

간구(懇求) deseo *m* ferviente, súplica *f*, ruego *m*. ~하다 pedir, rogar, solicitar.

간국 ① [짠맛이 우러난 물] líquido *m* salado, salmuera *f*, el agua *f* salada. ② [때와 땀이 함께 쉬이어 더럽게 옷에 밴 것] suciedad *f*, mancha *f*.

간균(桿菌) ((의학)) bacilo *m*; [세균] microbio *m*.

간기(一氣) sabor *m* salado.

간나위 persona *f* astuta, hombre *m* astuto, gente *f* astuta.

간난(艱難) penalidad *f*, molestia *f*, fatiga *f*, pena *f*, dificultad *f*, adversidad *f*, trabajo *m*. 많은 ~을 맛보다 sufrir [padecer] muchas penalidades.

간난 신고(艱難辛苦) [노고] trabajos *mpl*, penas *fpl*, dificultades *fpl*; [시련] dura prueba *f*; [역경] infortunio *m*, adversidad *f*; [곤궁] apuro *m*.

간니 =영구치(永久齒).

간닥거리다 moverse, temblar, tener flojo. 이 이가 간닥거린다 Tengo este diente flojo / Se me mueve este diente.

간단(間斷) interupción *f*, tregua *f*, pausa *f*. ~없는 (ser) incesante, perpetuo, continuo. ~없이 incesantemente, perpetuamente, continuamente, sin cesar, sin interrupción.

간단(簡單) brevedad *f*, concisión *f*; [단순함] simplicidad *f*, sencillez *f*; [쉬움] facilidad *f*. ~하다 (ser) breve, conciso, simple, sencillo, fácil; [소화가 잘 되는 가벼운] ligero. ~한 기계 máquina *f* simple. ~한 일 trabajo *m* fácil, trabajo *m* sencillo. ~한 문제 problema *m* fácil, problema *f* sencillo. ~한 보고 información *f* breve. ~한 식사 comida *f* ligera. ¶~ 명료 simplicidad *f* y claridad. ~ 명료하다 ser simple y claro. ~히 brevemente, simplemente, sencillamente, con sencillez, fócilmente, con facilidad, sin dificultad, concisamente, en resumen. ~히 말하면 hablando de una manera sencilla, en una palabra, en pocas palabras, en resumen, en breve, con brevedad, hablando en breve.

간달 mes *m* pasado.

간담(肝膽) ① [간과 쓸개] hígado *m* y hiel. ② [속마음] *su* mente, *su* intención, *su* corazón. ¶~이 내려앉다[떨어지다] quedarse estupefacto [atónito], aterrorizarse [horrorizarse] (mucho). ~이 서늘하다 helarse de miedo el corazón, aterrorizarse.

간담(懇談) consulta *f* familiar, conversación *f* amigable. ~하다 conversar amigablemente, charlar familiarmente. ~회 reunión *f* amigable, charla *f*, conferencia a mesa redonda.

간댕거리다 temblar, sacudir.

간데없다 desaparecer (como una bocanada de humo).

간두지세(竿頭之勢) situación *f* más grande.

간드랑거리다 colgar, prender, titubear, vacilar.

간드러지다 (ser) coqueto, de coqueta, esbelto. 간드러지게 con (coqueta) timidez. 간드러지는 미소 una sonrisa tímida y coqueta.

간들간들 [바람이] suavemente; [태도가] airosamente, coqueteando, flirteando. ~ 걷다 andar airosamente, pavonearse.

간들거리다 ① [바람이] soplar suavemente. ② [간드러진 태도를 보이다] portarse con coquetería. ③ [간드러지게 자꾸 움직이다] sacudirse, temblar. ④ [물체가 이리저리] temblar, agitarse.

간들바람 viento *m* suave.

간디스토마(肝─) dístomo *m* hepático.

간떨어지다(肝─) quedarse estupefacto [atónito], aterrorizar [asustarse · horrorizarse] (mucho), sorprenderse mucho.

간략하다(簡略─) (ser) sencillo, simple, breve, conciso; [약식의] informal. 간략함 simplicidad *f*, brevedad *f*, abreviación *f*, concisión *f*, condensación *f*. 간략하게 하다 abreviar, simplificar, reducir. 연설을 간략하게 하다 pronunciar un discurso abreviado.

간막이(間─) =칸막이.

간만(干滿) flujo *m* y reflujo (de marea). ~차 diferencia *f* de flujo y reflujo (de marea).

간맞다 sazonar bien.

간맞추다 sazonar.

간명하다(簡明─) ((준말)) =간단 명료하다.

간물 [소금기가 섞인 물] el agua *f* salada.

간발(間髮) momentito *m*. ~의 차 distancia *f* muy pequeña.

간밤 anoche. 나는 ~에 푹 잤다 Anoche dormí perfectamente bien.

간병(看病) asistencia *f*, cuidado *m* (de un enfermo); [철야의] vela *f*. ~하다 atender, cuidar, asistir, velar. ~인[원] enfermero, -ra *mf*.

간보다 saborear, probar.

간부(幹部) directivo, -va *mf*, dirigente *mf*; [집합적] dirección *f*, personal *m* directivo. ~회 directorio *m*, junta *f* directiva. ~ 후보생 cadete *mf*.

간부(奸婦) mujer *f* malvada, diabla *f*.

간부(姦夫) adúltero *m*.

간부(姦婦) adúltera *f*.

간부(間夫) adúltero *m*.

간사(幹事) administrador, -ra *mf*, secretario, -ria *mf*, directivo, -va *mf*. ~장 secretario, -ria *mf* general. ~회 junta *f* directiva.

간사(奸詐) astucia *f*, fraude *m*, engaño *m*, maña *f*, treta *f*. ~하다 (ser) astuto, mañoso, artificioso. ~스럽다 (ser) astuto. ~스레 astutamente, con astucia.

간살 lisonja *f*, halago *m*, adulación *f*, adulancia *f*, galantería *f*. ~(을) 부리다 lisonjear, halagar, adular; [특히 여자에게] decir piropos. ~스럽다 (ser) lisonjero, adulador. ~스러운 웃음 risa *f* aduladora. ¶ ~쟁이 lisonjero, -dora *mf*; adulador, -ra *mf*.

간석(干潟) = 간석지(干潟地).

간석지(干潟地) tierra *f* de marea, espacio *m* de playa descubierta con la bajamar, playa *f* en bajamar. ~를 개간하다 reformar tierra de marea.

간선(幹線) línea *f* principal, línea *f* mayor; [철도 등의] tronco *m*. ~도로 carretera *f* arterial.

간섭(干涉) ① [남의 일에] intromisión *f*, entrometimiento *m*, entremetimiento *m*, injerencia *f*. ~하다 interponerse, entrometerse, mezclarse, meterse, inmiscuirse. 남의 생활에 ~하다 meterse en intimidades ajenas, entrometerse en la vida ajena. ② [한 나라가 다른 나라의 내정·외교에] intervención *f*. ~하다 intervenir. ③ ((물리·통신)) interferencia *f*. ~하다 [전파 등을] interferir. ¶ ~계 interferómetro *m*. ~자 intervenidor, -dora *mf*. ~주의 intervencionismo *m*. ~주의자 intervencionista *mf*.

간성(干城) baluarte *m*. 자유의 ~ baluarte *m* de la libertad.

간소하다(簡素-) (ser) simple, sencillo, modesto. 간소함 simplicidad *f*, llaneza *f*, sencillez *f*, modestia *f*. 간소하게 sencillamente, con sencillez, modestamente. 간소한 생활 vida *f* sencilla.

간소화(簡素化) simplificación *f*. ~하다 simplificar. 생활을 ~하다 sim-

plificar la vida.

간수 cuidado *m*, precaución *f*, recaudo *m*. ~하다 guardar, tener cuidado, mantener, proteger, depositar, almacenar.

간수(-水) el agua *f* (madre) de sal, el agua *f* salada, salmuera *f*, el agua *f* cargada de sal.

간수(看守) carcelero, -ra *mf*. ~장 carcelero, -ra *mf* en jefe.

간수(間數) número *m* de *gan*, espacio *m* del piso de una casa.

간식(間食) merienda *f*, causeo *m*. ~하다 tomar [comer] la merienda, merendar, tomar causeo. ~으로 … 을 먹다 tomar *algo* entre comidas, merendar *algo*.

간신(奸臣/姦臣) súbdito *m* traidor, vasallo *m* villano, partidario *m* bellaco.

간신히(艱辛-) a duras penas, a malas penas, difícilmente, con mucha dificultad, por los pelos. ~ 도망치다 escapar por un pelo.

간악무도하다(奸惡無道-) (ser) malvado e inhumano.

간악하다(奸惡-) (ser) malvado, perverso, reprobo, bellaco, traicionario, alevoso.

간암(肝癌) cáncer *m* de hígado, hepatocarcinoma *f*, hepatoma *f*.

간약하다(簡約-) condesar, abreviar, simplificar. 간약함 concisión *f*, brevedad *f*, simplificación *f*.

간언(諫言) amonestación *f*. ~하다 amonestar.

간여(干與) = 관여(關與).

간염(肝炎) ((의학)) hepatitis *f*. 바이러스성 ~ hepatitis *f* vírica. 신생아 ~ hepatitis *f* neonatal. 전염성 ~ hepatitis *f* infecciosa. 혈청 ~ hepatitis *f* del suero. ¶ ~ 바이러스 virus *m* de la hepatitis. ~ 비형 hepatitis B.

간엽(肝葉) ((해부)) lóbulo *m* hepático, lóbulo *m* del hígado.

간웅(奸雄) traidor *m* mayor.

간원(懇願) petición *f*, ruego *m*, súplica *f*, instancia *f*, solicitud *f*. ~하다 solicitar, rogar [suplicar] (a *uno algo* [que + *subj*]).

간유(肝油) aceite *m* de hígado.

간음(姦淫/姦婬) adulterio *m*, adulteración *f*, fornicación *f*. ~하다 adulterar, cometer adulterio.

간이(-) muerto, -ta *mf*; difunto, -ta *mf*.

간이(簡易) sencillez *f* y facilidad, simplicidad *f*, sencillez *f*. ~하다 (ser) sencillo y fácil, simple, sencillo, fácil. ~ 보험 seguro *m* postal. ~ 생명 보험 seguro *m* postal de vida. ~ 생활 vida *f* sencilla. ~식(食) dieta *f* sencilla. ~식당 bodegón *m*, figón *m*, casa *f* de comidas. ~ 여관 posada *f*, fonda *f.* ~ 주택 barraca *f*, casa *f* prefabricada, casa *f* económica.

간자미 ((어류)) rayita *f*.

간작(間作) 〔재배〕 siembra *f* intermedia entre dos cosechas; 〔작물〕 cosecha *f* intermedia.

간장(—醬) salsa *f* (de soja).

간장(肝腸) ① 〔간과 장〕 el hígado y la tripa, el intestino. ② 〔마음〕 corazón *m*, mente *f*. ~(을) 녹이다 encantar, embelesar. ~(이) 녹다 encantarse, embelesarse. ~(이) 타다 quemarse por amor.

간장(肝臟) ((해부)) hígado *m*. ~ 경화 cirrosis *f* del hígado. ~ 디스토마 distoma *m* del hígado. ~병 mal *m* de hígado, afección *f* hepática. ~ 비대 hipertrofia *f* del hígado. ~암 cáncer *m* del hígado. ~염 hepatisis *f*. ~ 절개 hepatotomía *f*. ~ 파열 hepatorrexis *m*.

간절하다(懇切—) (ser) ardiente, ansioso, sincero. 간절히 sinceramente, de todo corazón, vivamente, verdaderamente, francamente, con franqueza y buena fe, ansiosamente, ardientemente.

간접(間接) ¶~의 indirecto. ~ 경험 experiencia *f* indirecta. ~ 고용 empleo *m* indirecto. ~ 목적어 objetivo *m* indirecto. ~ 보어 complemento *m* indirecto. ~비 gastos *mpl* indirectos. ~ 선거 elección *f* indirecta. ~세[소비세] impuesto *m* indirecto. ~적 indirecto. ~적으로 indirectamente. ~ 화법 estilo *m* indirecto. ~ 흡연 el fumar pasivo.

간조(干潮) reflujo *m*, marea *f* baja [menguante·descendiente], bajamar *f*. ~에 en bajamar.

간주(看做) consideración *f*. ~하다 considerar, tomar, tratar, juzgar. ~되다 ser considerado (como). A를 B로 ~하다 considerar [juzgar] A como B, tomar A por B.

간주곡(間奏曲) ((음악)) interludio *m*, intermedio *m*, interjección *f* en intervalos de una canción.

간주악(間奏樂) ((음악)) =간주곡.

간지(干支) ciclo *m* sexagenario, señal *f* del zodíaco [circuito].

간지(奸智) astucia *f*, treta *f*, ardid *f*, maña *f*. ~하다 (ser) astuto, taimado, insidioso, engañoso.

간지럼 cosquillas *fpl*, cosquilleo *m*. ~(을) 타다 sentir [tener] cosquillas.

간지럽다 tener [sentir] cosquillas, ser cosquilloso. 등이 ~ Siento cosquillas en la espalda.

간지럽히다 cosquillear, hacer cosquillas, cosquillar.

간직하다 almacenar, surtir,•proveer.

간질(癎疾)•epilepsia *f*, alferecía *f*. ~

의 epiléptico. ~ 환자 epiléptico, -ca *mf*. ~학 epileptología *f*.

간질이다 cosquillear, cosquillar, hacer cosquillas. 털로 ~ hacer cosquillas con la pluma.

간짓대 vara *f* larga de bambú.

간책(奸策) treta *f* fraudulenta, engaño *m*, magaña *f*, ardid *f*, fraude *m*, astucia *f*. ~을 쓰다 acudir a la treta.

간척(干拓) desecación *f*, reclamación *f* de la tierra por desagüe. ~하다 desecar, reclamar la tierra para desaguar. ~ 공사 obras *fpl* de la reclamación. ~ 사업 proyecto *m* de reclamación. ~지 tierra *f* desecada, tierra *f* reclamada.

간첩(間諜) espía *mf*. ~망 red *f* del espía. ~죄 crimen *m* del espía. ~ 행위 espionaje *m*. ~ 활동 actividad *f* del espía.

간청(懇請) petición *f*, ruego *m*, súplica *f*, solicitud *f*. ~하다 rogar, suplicar.

간추리다 compendiar, reducir a compendio, resumir. 간추려 말하면 en resumen, en breve, en pocas palabras.

간친(懇親) amistad *f*, sociabilidad *f*. ~하다 ser íntimo, tener relaciones cordiales. ~회 reunión *f* amigable [amistosa].

간택(簡擇) selección *f*. ~하다 seleccionar.

간통(姦通) adulterio *f*, adulterio *m*, fornicación *f*. ~하다 adulterar, cometer adulterio, tener relación ilícita, fornicar. ~자 adúltero, -ra *mf*; adulterador, -ra *mf*. ~죄(罪) adulterio *m*. ~죄를 범하다 cometer adulterio.

간투사(間投詞) interjección *f*.

간파(看破) perspicacia *f*. ~하다 penetrar, adivinar, calar, descubrir, leer, percibir, echar de ver. 상황을 ~하다 captar la situación.

간판(看板) ① 〔상호·상표명 등의〕 cartelera *f*, letrero *m*, muestra *f*, anuncio *m*. ~을 걸다 poner [colgar] un letrero. ② 〔학벌〕 carrera *f* escolar. ¶~장이 pintor, -tora *mf* de carteleras.

간팥 judías *fpl* pintas [rojas] molidas en el mortero.

간편하다(簡便—) (ser) simple, sencillo, fácil. 간편함 simplicidad *f*. 간편히 fácilmente, con facilidad, cómodamente, con comodidad, de una manera fácil [cómoda].

간하다 salar, sazonar con sal, curar con sal.

간하다(諫—) aconsejar, amonestar.

간행(刊行) publicación *f*, edición *f*. ~하다 publicar, editar, dar a luz. ~되다 publicarse, editarse. ~ 날짜

fecha *f* de publicación. ~물 publi-cación *f*. ~본 libro *m* publicado. ~지 lugar *m* de publicación.

간헐(間歇) intermitencia *f*. ~열 fie-bre *f* intermitente. ~ 온천 fuente *f* intermitente. ~적 intermitente *adj*. ~적으로 intermitentemente. ~적 으로 비 lluvia *f* intermitente.

간호(看護) cuidado *m* de los enfer-mos, atención *f*. ~하다 asistir, atender, cuidar. 환자를 ~ 하다 asistir [atender · cuidar] a un en-fermo. ~사 enfermero, -ra *mf*. ~ 실습생 estudiante *mf* de enfer-mería. ~인 enfermero, -ra *mf*. ~ 장교 oficial *f* de enfermería. ~ ciencia *f* de enfermería. ~ 학교 escuela *f* de enfermeros.

간혹(間或) unas veces, algunas ve-ces, a veces, de vez en cuando, ocasionalmente, a intervalos.

갇히다 encerrarse, 갇혀 있다 estar confinado, estar encerrado con llave. 눈에 갇혀 있다 quedar ais-lado por la nieve.

갈 ① [갈래] división *f*. ② [학(學). 논] ciencia *f*, estudio *m*, -ología.

갈가마귀 ((조류)) corneja *f*.

갈갈거리다 (ser) glotón, *CoS* angu-rriento.

갈개 cuneta *f*, acequia *f*.

갈개꾼 [해방꾼] impedidor, -dora *mf*; aguafiestas *mf*.

갈걍갈걍하다 (ser) delgado y robus-to.

갈건(葛巾) capucha *f* hecha de tela de arrurruz.

갈고랑쇠 gancho *m*.

갈고랑이 gancho *m*, garfio *m*, garabato *m* (고기 따위를 달아매 는), escarpia *f*, colgadero *m* (물건 을 매다는), prendedero *m* (꺾쇠). ~ 사용 금지 ¡No usar ganchos!

갈고리 (준말) =갈고랑이.

갈고쟁이 gancho *m* de madera.

갈구(渴求) deseo *m* vehemente, an-helo *m*, deseo *m* ardiente. ~하다 anhelar, desear ardientemente [ve-hemente].

갈그렁거리다 respirar con dificultad, resollar (produciendo un sonido sibilante como los asmáticos).

갈근(葛根) raíz *f* de un arrurruz.

갈근거리다 ① [함부로 욕심을 부리 다] codiciar. ② [목구멍에 가래가 붙어] tener comezón en garganta.

갈기 crin *f* [clin *m*] de caballo; [사 자 따위의] melena *f*.

갈기갈기 a [en] pedazos, a [en] piezas, a [en] trozos, a [en] jirones, a tiras [jirones · retazos]. ~ 조각 내다 hacer trizas. ~ 찢다 hacer pedazos, cortar a piezas, hacer trizas [jirones], desgarrar [rasgar] en pedazos, despedazar.

갈기다 ① [후려치다] golpear, dar un golpe. ② [발로 지르다] patear, dar patadas, dar puntapiés. ③ [연장으 로 베다] cortar. ④ [글씨를] escri-bir mal. ⑤ [총·대포 따위로 쏘다] disparar, pegar*le* un tiro [un balazo]. ⑥ [똥·오줌 따위를 함부 로 싸다] orinar, hacer aguas, irse las aguas.

갈다¹ [새것으로] cambiar, reempla-zar, substituir. 욕조의 물을 ~ cambiar el agua de la bañera.

갈다² ① [칼을] afilar, aguzar, amo-lar. 칼을 ~ aguzar un cuchillo. ② [맷돌로] moler, pulverizar. ③ [윤 이 나게] pulir, pulimentar, dar lustre. ④ [강판에] rallar. 무를 강 판에 ~ rallar un nabo. ⑤ [문질러 닳게 하다] restregar, refregar. ⑥ [윗니나 아랫니를] hacer rechinar los dientes. ⑦ [훈련·연마하다] instruir, practicar.

갈다³ [논밭을] labrar, cultivar. 땅을 ~ labrar la tierra; [이랑을 만들다] arar [쟁 기로] layar, labrar con laya.

갈대 ((식물)) caña *f*, cañuela *f*, junco *m*, carrizo *m*, junquillo *m*. ~밭 cañal *m*, cañaveral *m*. ~ 피리 pito *m* de caña.

갈등(葛藤) discordia *f*, conflicto *m*, complicación *f*. ~이 생기다 Surgir conflictos [dificultades].

갈라놓다 ① [분할하다] dividir, sepa-rar. ② [분배하다] distribuir, ser-vir. 과일을 접시에 ~ servir frutas en los platos, distribuir la fruta en los platos. ③ [이간하다] alejar.

갈라붙이다 dividir, partir, separar.

갈라서다 ① [관계를 끊고 따로따로 되다] separarse; [연인과] romper (las relaciones). ② [이혼하다] di-vorciarse, separarse.

갈라지다 ① [분기] ramificarse; [두 개로] bifurcarse ② [분할되다] dividirse, partirse; [분열되다] frac-cionarse; [분산되다] divergirse, dispersarse; [배분되다] repartirse. ③ [서로의 관계에 금이 가서] se-pararse. ④ [크게 금이 가거나 쪼 개지다] grietarse, resquebrarse, cuartearse, agrietarse, henderse, rajarse.

갈래 ramo *m*; [구분] división *f*, parte *f*. 두 ~길 camino *m* bifurcado. 길 이 두 ~로 나누어진다 El camino se bifurca.

갈래다 ① [길이나 정신이] confun-dirse. ② [짐승이 갈 바를 모르고 왔다 갔다 하다] descarriarse.

갈리다¹ [목이 잠기어] enronquecerse.

갈리다² [분열되다] dividirse, sepa-rarse, fraccionarse, repartirse.

갈리다³ ① [새것으로 갊을 당하다] ser sustituido, ser reemplazado. 교

장 선생님이 ~ ser reemplazado el director. ② [새것으로 갈아 대게 하다] hacer reemplazar.

갈림길 ① [갈라진 길] ramificación f, ramal m; [네거리] bifurcación f del camino, encrucijada f. ② [기로] viraje m decisivo, evento m decisivo, momento m crucial, momento m crítico, crisis f, borde m. 생사의 ~에 있다 encontrarse entre vida y muerte, estar en el borde entre vida y muerte.

갈림목 bifurcación f de un camino, cruce m, empalme m.

갈마쥐다 ① [한 손에 쥔 것을 다른 손에 바꾸어 쥐다] cambiar de mano a mano. ② [쥔 것을 놓고 다른 것으로 갈아 쥐다] agarrar uno tras otro.

갈망(渴望) anhelo m, deseo m ardiente. ~하다 anhelar, ansiar, suspirar, solicitar, desear vivamente, estar ansioso [sediento], echar de menos, echar en falta. 지적인 ~ deseo m intelectual.

갈매기 [(조류)] gaviota f.

갈무리 ① [물건을 잘 정돈하여 간수함] acomodo m de un asunto. ~하다 arreglar un asunto, volver a poner en orden. ② =저장(貯藏).

갈묻이 removimiento m de la tierra, cultivo m, labranza f. ~하다 remover la tierra, cultivar, labrar.

갈바람 [(준말)] =가을바람.

갈보 prostituta f, puta f, ramera f. 노릇을 하다 prostituirse. ¶=집 brudel m, mancebía f.

갈분(葛粉) arrurruz m, fécula f de maranta.

갈붙이다 alienar, separar.

갈비 ① =갈비뼈, 늑골(肋骨). ② [(요리)] costilla f, chuleta f. 돼지~ costilla f [chuleta f] de cerdo. 쇠~ costilla f [chuleta f] de vaca. ③ [몹시 마른 사람] persona f muy flaca.

갈비뼈 [(해부)] =늑골. 갈빗대.

갈비살 carne f de vaca de junto a las costillas.

갈비씨 persona f muy flaca.

갈빗대 costilla f. ~를 부러뜨리다 romper costillas.

갈색(褐色) color m marrón, color m castaño, color m pardo, color m moreno. ~의 marrón, moreno, castaño, pardo. ~ 인종 raza f morena. ~한 piel f cutis m moreno.

갈색곰(褐色-) [(동물)] oso m pardo.

갈수(渴水) carestía f de agua. ~기 temporada f de sequía, período m de sequedad. ~량 flujo m mínimo. ~위 nivel m del agua de sequía.

갈수록 más, más y más, gradualmente. 매상이 ~ 증가했다 Las ventas aumentaron gradualmente

hacia el final del período.

갈썬거리다 casi alcanzar.

갈썬하다 casi llegar.

갈아내다 sustituir, reemplazar.

갈아대다 cambiar, sustituir, reemplazar.

갈아들다 mudarse, cambiarse.

갈아들이다 cambiar, sustituir, reemplazar.

갈아붙이다 pegar de nuevo.

갈아입다 ponerse cambiado (el vestido). 옷을 ~ cambiarse de vestido [de ropa].

갈아주다 ① [장수에게] comprar. ② [새 것으로 갈음하여 주다] cambiar, renovar. 기저귀를 ~ cambiar de pañal.

갈아타다 trasbordar, transbordar, hacer un tra(n)sbordo.

갈음 su(b)stitución f, cambio m. ~하다 su(b)stituir, cambiar.

갈이[1] [논밭의] arado m, cultivo m. ~하다 arar, cultivar. ~질 arado m, cultivo m. ~질하다 arar, cultivar.

갈이[2] [갈아댐] cambio m. ~하다 cambiar.

갈잎 ① =낙엽. ② [(준말)] =떡갈잎.

갈증(渴症) sed f. ~을 풀다 apagar [calmar · satisfacer · aplacer · mitigar] la sed. ~나다 tener sed.

갈짓자 걸음(-之字-) paso m vacilante. ~을 걷다 caminar abriendo las piernas, andar [ir] haciendo eses.

갈짓자형(-之字形) zigzag m, zigzagueo m. ~으로 en zigzag, zigzagueando.

갈채(喝采) aplauso m, aclamación f, vítores mpl, vivas mpl. ~하다 aplaudir, aclamar, palmear, palmotear, vitorear. ~를 받다 ser aplaudido, ganar(se) [recibir] los aplausos, promover aplausos.

갈취(喝取) extorsión f, exacción f. ~하다 extorsionar, sacar [obtener] por fuerza.

갈치 [(어류)] espadín m.

갈퀴 rastrillo m, rastro m. ~로 긁어 모으다 rastrillar.

갈퀴질 rastrillaje m, recogimiento m con un rastrillo. ~하다 recoger con un rastrillo, rastrillar.

갈탄(褐炭) lignito m.

갈파(喝破) proclamación f. ~하다 expresarse vehementemente.

갈팡질팡 con confusión. ~하다 desconcertarse, desatinar, perder el rumbo, confundirse, turbarse, aturdirse, azorarse, perder la serenidad, quedar(se) confuso [perplejo · embarazado], no saber qué hacer. 대답에 ~하다 no saber qué contestar.

갈피 ① [요점] punto *m* principal. ~를 못 잡고 sin vacilar, sin vacilaciones. ~를 못 잡다 quedar(se) confuso [perplejo], no saber qué hacer. ② [책 따위의] espacio *m* entre pliegues [páginas].

갉다 ① [날카로운 끝으로] roer, arañar, rayar. ② [갈퀴 따위 기구로] recoger (con un rastrillo). ③ [좀스럽게 헐뜯다] criticar por criticar. ④ [약자의 재물을 단작스럽게 훑어 들이다] exhortar.

갉아먹다 ① [이로] roer, morder, mordiscar, mordisquear, ratonar. ㉯ [남의 재산을] exhortar.

감¹ [감나무의 열매] caqui *m*, kaki *m*, nispero *m* coreano.

감² ① [재료] material *m*. ② [인재] persona *f* conveniente. ③ [「감² ❶」의 수를 나타냄] *gam*, muestra *f*. 저고리 두 ~ dos muestras de *cheogori* [blusa coreana].

감(感) ① [생각] intuición *f*, instinto *m*, olfato *m*; [느낌] sensación *f*, sentido *m*, percepción *f*, sentimiento *m*; [인상] impresión *f*, inspiración *f*. ~을 주다 impresionar. ② ((준말)) =감도(感度).

감(減) reducción *f*, disminución *f*, decremento *m*, mengua *f*, merma *f*. ~하다 reducir, disminuir. 1할 ~ disminución *f* del diez por ciento.

감가(減價) reducción *f* de precio, descuento *m*; [가치 감소] depreciación *f*, amortización *f*. ~하다 reducir el precio, descontar, depreciar.

감가 상각(減價償却) amortización *f*, depreciación. ¶ ~비 coste *m* de depreciación, coste *m* amortizable, ~액 cantidad *f* de depreciación, cantidad *f* amortizable. ~ 자산 activo *m* amortizable.

감각(感覺) sentido *m*, sensación *f*, sentimiento *m*; [감성] sensibilidad. ~의 sensual, sensorio, sensacional, sensorial. 예술적 ~ *su* sentido artístico. ¶ ~ 기관 órgano *m* sensorio [de los sentidos]. ~ 마비 parálisis *f*. sensorial. ~ 신경 nervio *m* sensitivo. ~적 sensacional, sensorio, sensual, sensato. ~ 중추 centro *m* de sentido.

감감 ((준말)) =감감히.

감감 무소식(一無消息) =감감 소식.

감감 소식(一消息) No hay ninguna noticia (por) mucho tiempo.

감감하다 no tener noticias.

감개(感慨) emoción *f* profunda. ~에 잠기다 dejarse llevar por una emoción profunda. ¶ ~ 무량 emoción *f* sin fin. ~ 무량하다 estar lleno de emoción profunda, sentirse embargado por una profunda emoción.

감격(感激) emoción *f* (profunda), conmoción *f*, impresión *f* emocional. ~하다 emocionarse, conmoverse, impresionarse mucho, sentir una honda emoción. ~시키다 impresionar, emocionar, conmover, excitar, afectar, dar impresión profunda. ~의 눈물 lágrimas *fpl* de emoción, emotivas lágrimas.

감관(感官) órgano *m* de sentido.

감광(減光) ((천문)) extinción *f*. ~하다 irse atenuando.

감광(感光) exposición *f*, sensibilización *f*. ~하다 exponerse a la luz. ~계 sensitómetro *m*. ~지 papel *m* sensible. ~판 plancha *f* sensibilizada. ~ 필름 película *f* sensitiva.

감군(減軍) reducción *f* de ejércitos. ~하다 reducir los ejércitos.

감귤(柑橘) mandarina *f*, tangerina *f*, naranja *f*.

감귤나무(柑橘一) mandarino *m*, tangerino *m*, naranjo *m*.

감금(監禁) prisión *f*, encierro *m*, reclusión *f*, confinamiento *m*, detención *f*, encarcelación. ~하다 encerrar, aprisionar.

감기(感氣) resfriado *m*, catarro *m*, constipado *m*; [유행성 감기] gripe *f*, influenza *f*, trancazo *m*. 심한 ~ resfriado *m* grave [fuerte · terrible], mala gripe *f*. 가벼운 ~ resfriado *m* leve, gripe *f* ligera, pequeño *m* catarro. 여름 ~ resfriado *m* veraniego [de verano]. ~에 걸리다, ~를 앓다 resfriarse, coger un resfriado [un frío · un catarro], pescar [pillar · agarrar] un resfriado. ¶ ~약 pastilla *f* para la tos, medicina *f* para el resfriado, medicina *f* para el constipado, anticatarral *m*.

감기다¹ [눈이] cerrarse.

감기다² ① [실이나 끈 따위가] enrollarse, arrollarse, enroscarse; [사람에게] pegarse, rondar. ② [실 따위를 감게 하다] enrollar.

감기다³ [눈을 감게 하다] hacer cerrar los ojos.

감기다⁴ [머리나 몸을] (hacer) lavar. 멱을 ~ lavar, bañar.

감나무 ((식물)) caqui *m*, kaki *m*.

감내(堪耐) perseverancia *f*, paciencia *f*. ~하다 tener paciencia, aguantar, tolerar, soportar, sufrir, perseverar. ~하기 어려운 intolerable, insufrible, insoportable, inaguantable.

감다¹ [눈을] cerrar. 눈을 감고 con los ojos cerrados. 눈을 ~ cerrar los ojos. 한 쪽 눈을 ~ cerrar un ojo. 눈을 감아라 Cierra los ojos.

감다² ① [실을] devanar; [축 따위를] enrollar; [둥글게] enroscar. 손가락에 붕대를 ~ vendar un dedo. ②

감다³ [휘감다] envolver, rodear. ③ [감아서 묶다] atar.

감다³ [씻다] lavarse, bañarse. 머리를 ~ lavarse el cabello.

감다⁴ [빛깔이 먹빛과 같다] ser negro como el carbón.

감당하다(勘當一) cumplir, desheredar, exheredar. 감당할 수 있다 ser apto [adecuado], tener madera.

감도(感度) sensibilidad *f*. ~ 시험 prueba *f* de sensibilidad. ~ 측정 sensitometría *f*.

감독(監督) ① ㉮ [지도] dirección *f*; [사람] director, -ra *mf*. ㉯ [감시] supervisión *f*, vigilancia *f*; [사람] supervisor, -ra *mf*; vigilante *mf*. ㉰ [시찰] inspección *f*; [사람] inspector, -ra *mf*. ㉱ [관리] superintendencia *f*, custodia *f*; [사람] superintendente *m*. ~하다 dirigir, supervisar, vigilar, inspeccionar. ② [영화의] dirección *f*; [사람] director, -ra *mf*; realizador, -ra *mf*. ~하다 dirigir. ③ ((감리교)) obispo *m*. ④ ((운동)) entrenador, -ra *mf*. 선수 겸 ~ director-jugador *m*. 선수 아닌 ~ director-banca *m*. ⑤ [각종 공사장의] capataz *mf*. 공사 ~ capataz *mf*. ¶~관 superintendente *mf*; [호텔·수영장 등의] encargado, -da *mf*; [빌딩의] portero, -ra *mf*; [공공 시설의] director, -tora *mf*. ~관청 oficina *f* de supervisor, autoridad *f* con potente. ~ 기관 instituciones *fpl* competentes. ~자 superintendente *mf*.

감돌다 rodar, girar, encurvarse.

감동(感動) emoción *f*, impresión *f*, sensación *f*. ~하다 emocionarse [conmoverse·impresionarse]. ~시키다 conmover, emocionar, impresionar, causar [producir] emoción [impresión]. ¶~적 emocionante, impresionante, conmovedor.

감떡 *gamteok*, tarta *f* [pastel *m*] de harina de arroz y caqui.

감람(橄欖) aceituna *f*, oliva *f*. ~나무 (果) aceituna *f*, oliva *f*. ~밭 olivar *m*. ~ 열매 oliva *f*, aceituna *f*.

감람나무(橄欖一) ((식물)) olivo *m*.

감량(減量) disminución *f*, pérdida *f* de cantidad. ~하다 [몸의] disminuirse el peso.

감로(甘露) ① [단 이슬] néctar *m*. ② ((불교)) *sáns* amrta. ③ [단 액즙] néctar *m*. ④ [알맞게 내려 생물에게 이로운 이슬] rocío *m* beneficioso. ¶~수 el agua *f* dulce. ~주 vino *m* dulce, licor *m* dulce.

감루(感淚) lágrima *f* de emoción, lágrima *f* de gratitud. ~를 흘리다 derramar lágrima de gratitud, sollozar emocionado.

감리(監理) supervisión *f*, superintendencia *f*, control *m*, administración *f*, dirección *f*, gestión *f*. ~하다 dirigir, administrar, controlar, supervisar, superentender, inspeccionar, vigilar.

감리교(監理敎) Iglesia *f* Metodística. ~ 교도 metodista *mf*.

감리 교회(監理敎會) ((종교)) Iglesia *f* Metodística.

감마(減摩/減磨) ① [닳아서 줄어듦] reducción *f* debido a los gastos. ② [마찰을 적게 함] reducción *f* de fricción.

감마선(一線) rayo(s) *m(pl)* gamma.

감면(減免) reducción y exención; [세금의] exención *f* [reducción *f*] de impuestos; [형벌의] conmutación *f* de la pena. ~하다 [세금을] hacer una reducción [una exención] de impuestos; [형벌을] conmutar [remitir] la pena.

감명(感銘) emoción *f*, impresión *f* profunda. ~을 받다 emocionarse, impresionarse, sentir emoción. ~을 주다 dar una impresión profunda, emocionar, conmover.

감물 jugo *m* áspero del caqui verde.

감미(甘味) sabor *m* dulce, sabor *m* azucarado, dulzura *f*. ~(가) 돌다 tener (un) sabor [gusto] dulce, saber dulce. ~롭다 tener un sabor dulce, ser dulce. ~로운 dulce, delicioso, exquisito, meloso. ~로운 목소리 voz *f* dulce [melosa]. ~로운 음악 música *f* exquisita [melosa]. ¶~료 dulzura *f*, dulcificante *m*. 인공 ~료 dulcificante *m* artificial.

감방(監房) celda *f*.

감법(減法) resta *f*, substracción *f*.

감별(鑑別) discernimiento *m*, distinción *f*, diferenciación *f*, reconocimiento *m*. ~하다 discernir, distinguir, diferenciar; determinar; reconocer. 병아리의 암수를 ~하다 sexar los polluelos [los pollitos]. ¶병아리 ~사 sexador, -dora *mf* de polluelos [pollitos].

감복(感服) admiración *f*. ~하다 admirar, admirarse.

감복숭아 ((식물)) almendro *m*; [열매] almendra *f*.

감봉(減俸) reducción *f* [descuento *m*] del sueldo. ~하다 reducir el sueldo. ~ 처분을 하다 imponer una reducción del sueldo.

감빛 color *m* del kaki maduro.

감사(感謝) agradecimiento *m*, gratitud *f*, reconomiento *m*. ~하다 agradecer, dar las gracias. ~의 표시로 en señal de agradecimiento. ~의 말을 하다 pronunciar unas palabras de [expresar *su*] agradecimiento. ~합니다 Gracias / Se lo agradezco. 정말 ~합니다 ¡Cuánto se lo agradezco! / Muchas gracias /

Muchísimas gracias / Mil gracias / Un millón de gracias. ¶ ~장 (carta f de) agradecimiento m, (carta f de) reconocimiento m. ~패 placa f de reconocimiento.

감사 (監事) auditor, -ra mf; revisor, -ra mf; inspector, -ra mf; interventor, -ra mf; superintendente mf.

감사 (監査) inspección f, examen m, registro m; [회계 감사] revisión f [intervención f] de cuentas, control m. ~하다 inspeccionar, examinar, registrar, intervenir, controlar. ~원 Tribunal m de Cuentas (e Inspección).

감사납다 (ser) severo, exigente, estricto, tosco, basto, duro, tenaz.

감산 (減産) reducción f [disminución f] de producción, decremento m en producción. ~하다 reducir [disminuir] la producción.

감산 (減算) ((수학)) substracción f. ~하다 substraer.

감상 (鑑賞) apreciación f, aprecio m. ~하다 apreciar. ~안(眼) arte m apreciativo.

감상 (感想) impresión f, sentido m. ~을 말하다 decir las impresiones. ~문 composición f sobre las impresiones.

감상 (感傷) sentimentalismo m, sensiblería f. ~에 젖다 entregarse al sentimentalismo; [상태] estar absorto en el sentimentalismo. ¶ ~적 sentimental, emocional, melodramático. ~주의 sentimentalismo m. ~주의자 sentimentalista mf.

감색 (紺色) azul m marino (obscuro), color m azul obscuro, añil m, índigo m.

감성 (感性) sensibilidad f, sentido m; [감수성] susceptibilidad f.

감성돔 (〜어류) dorada f.

감세 (減稅) reducción f de impuestos. ~하다 reducir impuestos.

감소 (減少) disminución f, reducción f, decremento m, aminoración f. ~하다 disminuir(se), decrecer, aminorarse, menguar, reducirse.

감속 (減速) deceleración f, disminución f de velocidad. ~하다 disminuir la velocidad. ~ 운동 movimiento m de reducción de velocidad. ~ 장치 decelerador m; [톱니바퀴의] engranjes mpl reductores de velocidad, engranajes mpl de reducción. ~재(材) moderador m.

감손 (減損) decremento m, pérdida f. ~하다 decrecer, perder, gastarse con el uso.

감수 (甘受) sometimiento m, resignación f. ~하다 someterse, resignarse, conformarse, aguantar. 비난을 ~하다 someterse a la censura,

aguantar la crítica.

감수 (監修) supervisión f (editorial), dirección f. ~하다 supervisar [dirigir] la publicación (de un libro). ~자 supervisor, -sora mf (editorial); editor, -tora mf.

감수 (減收) [수확의] disminución f [baja f] de la cosecha; [수입의] disminución f de los ingresos.

감수 (減水) decrecimiento m [bajada f · descenso m · disminución f] de las aguas. ~하다 decrecer, bajar, descender, disminuir.

감수 (減數) ((수학)) sustraendo m; [피감수] minuendo m.

감수 (減壽) reducción f de la vida. ~하다 reducir la vida. ~되다 reducirse la vida.

감수 (感受) impresión f, recepción f. ~하다 recibir una impresión. ¶ ~성 sensibilidad f, emotividad f, delicadeza f, sentimiento m delicado. ~성이 예민한 sensible, emotivo, impresionable, sensitivo.

감시 (監視) vigilancia f, custodia f, inspección f. ~하다 vigilar, custodiar, estar a la mira, inspeccionar. ¶ ~대 atalaya f · 망 red f de vigilancia. ~ 망루 vigía f · 병 vigía mf. ~선 guardacostas m. ~소 atalaya f · 원 vigilante mf, guardia m. ~인[자] vigilante mf. ~ 장치 monitor m. ~탑 atalaya f, torre f de vigilancia.

감식 (鑑識) identificación f (criminal), discernimiento m, valuación f. ~하다 discernir, percibir. ~가 perito, -ta mf. ~과 sección f de identificación. ~력 poder m de indentificación.

감식 (減食) disminución f del alimento, dieta f, régimen m alimenticio. ~하다 disminuir su alimento, ponerse a dieta, seguir un régimen.

감실 (龕室) ① [집안의] altar m sintoísta. ② [불교] capilleta f budista. ③ ((천주교)) tabernáculo m, capilleta f.

감실거리다 vislumbrarse.

감심 (感心) admiración f. ~하다 admirar(se), sentir [tener] admiración, quedarse [sentirse] admirado. ~시키다 admirar, causar [producir] admiración.

감싸다 ① [휘감아 싸다] envolver. ② [보호하다] proteger, amparar, resguardar, defender. 약자를 ~ amparar [proteger] a los débiles. ③ [흠허물이나 약점을] disfrazar. 실수를 ~ disfrazar la falta..

감싸주다 disfrazar. 실수를 ~ disfrazar la falta.

감아 올리다 arrollar, envolver.

감안 (勘案) consideración f. ~하다 considerar. ~되다 considerarse.

감압(減壓) descompresión *f.* ~하다 someter a descompresión, descomprimir.
감액(減額) disminución *f*, reducción *f.* ~하다 disminuir, reducir. ~되다 disminuirse, reducirse.
감언(甘言) palabra *f* melosa [halagueña], lisonja *f*, adulación *f*, halago *m.* ~ 이설 palabra *f* melosa [halagueña], lisonja *f*, adulación *f*, halago *m*, faramalla *f*, soflama *f*, roncería *f.* ~ 이설로 꾀다 atraer con palabras melosas.
감연하다(敢然−) (ser) audaz, atrevido, osado, temerario. 감연히 [가] [결연히] resueltamente, decididamente, sin vacilar. [나] [대담하게] audazmente, atrevidamente, con temeridad.
감염(感染) [공기나 물에 의한] infección *f*; [접촉에 의한] contagio *m*, contaminación *f.* ~하다 infeccionar, infectar, inficionar, infestar, contagiar, contaminar. ~되다 contagiarse, infestarse, contaminarse.
감옥(監獄) cárcel *f*, prisión *f.* ~에 넣다 encarcelar. ~에 넣다 meter en la cárcel. ~에서 나오다 salir de una cárcel. ¶ ~살이 vida *f* carcelario. ~살이하다 ser condenado a presidio, ser encarcelado.
감원(減員) reducción *f* de personaje. ~하다 reducir el personaje. ~당하다 ser despedido.
감은(感恩) agradecimiento *m*, gratitud *f.* ~하다 sentir gratitud.
감읍(感泣) lloro *m* conmovido, derramamiento *m* de la lágrima de agradecimiento. ~하다 llorar conmovido, derramar lágrimas de agradecimiento.
감응(感應) ① [영감] inspiración *f*, [공감] simpatía *f*, [약의] eficacia *f*, efecto *m.* ~하다 tener eficacia. ② [기원의] respuesta *f*, contestación *f.* ~하다 responder, contestar, escuchar, conceder a la súplica. ③ ((전기)) =유도(誘導). ¶ ~ 계수 coficiente *f* de inducción. ~ 도체 conductor *m* de inducción. ~ 전류 corriente *f* inducida.
감자 ((식물)) patata *f*; *AmL* papa *f.* ~를 캐다 arrancar [desenterrar] patatas. 튀긴 ~ patatas *fpl* fritas, *AmL* papas *fpl* fritas. 씨~ patatas *fpl* de siembra. ~밭 patatal *m.*
감자(減資) reducción *f* del capital. ~하다 reducir el capital.
감작(減作) cosecha *f* reducida. ~하다 reducir la cosecha.
감전(感電) sacudida *f* [descarga *f*] eléctrica, elcetrización *f.* ~되다 ser sacudido por electricidad, recibir una sacudida eléctrica. ¶ ~사 electrocución *f.* ~사하다 electrocutarse.
감점(減點) disminución *f* de puntos, reducción *f* de puntos, puntos *mpl* reducidos. 10점 ~하다 disminuir diez puntos.
감정(感情) sentimiento *m*, sensibilidad *f*, [감동] emoción *f*, [심정] corazón *m*; [열정] pasión *f*, [충동] impulso *m.* ~의 동물 criatura *f* emocional, criatura *f* sensitiva. ~에 호소하다 apelar a los sentimientos. ¶ ~ 교육 educación *f* sentimental [emocional]. ~적 sentimental, emocional.
감정(憾情) rencilla *f*, rencor *m*, indignación *f*, resentimiento *m.* ~이 있다 tener*le* [guardar*le*] rencor.
감정(鑑定) juicio *m* [opinión *f*] de un experto; [평가] valoración *f*, apreciación *f*, estimación *f*, tasación *f* pericial. ~하다 valorar, apreciar, estimar, evaluar, tasar. ~가[인] experto, -ta *mf*, perito, -ta *mf*, entendido, -da *mf.* ~ 가격 valor *m* tasado. ~료 honorarios *mpl* para una opinión de un experto. ~서 experticia *f*, prueba *f* pericial.
감주(甘酒) *gamchu*, bebida *f* dulce de arroz fermentado.
감지(感知) sentido *m*, percepción *f.* ~하다 sentir, percibir. ~ 장치 sensor *m.*
감지덕지(感之德之) con muchas gracias, muy agradecidamente. ~하다 estar muy agradecido.
감질(疳疾) apetito *m* insaciable. ~(이) 나다 sentir insaciable, nunca sentir satisfacción.
감쪽같다 (ser) perfecto, completo, tan bueno como lo nuevo.
감쪽같이 perfectamente, completamente, con buen éxito; [교묘히] hábilmente, con mucha maña. ~ 넘어가다[속다] ser atrapado, dejarse atrapar, caer en la trampa. ~ 속이다 engañar, embaucar; [사취하다] estafar.
감찰(監察) inspección *f.* ~하다 inspeccionar, supervisar. ~감 inspector, -tora *mf* general. ~관 inspector, -tora *mf.*
감찰(鑑札) licencia *f*, permiso *m.* 무~의[로] sin licencia. 영업 ~을 받다 recibir la licencia de comercio.
감채(減債) ((경제)) amortización *f.* ~하다 amortizar.
감천(感天) impresión *f* profunda del cielo. 지성(至誠)이면 감천이라 ((속담)) La sinceridad mueve el cielo / La fe moverá la montaña.
감청(紺靑) (color *m*) azul *m* marino. ~색 color *m* azul marino.
감초(甘草) ((식물)) regaliz *f*, alcazuz

f. ~의 뿌리 orozuz *f.* 약방의 ~ hombre *m* indispensable.

감촉(感觸) tacto *m*, (sentido *m* de) palpamiento *m*, tiento *m*, sensibilidad *f.* ~이 부드러운 blando al tacto. ~이 딱딱한 duro al tacto. ~이 좋다[나쁘다] tener un tacto agradable [desagradable], ser agradable [desagradable] al tacto.

감추다 ocultar, esconder. 돈을 ~ ocultar dinero. 모습[몸]을 ~ esconderse, ocultarse. 자취[행방]를 ~ esconderse, ocutarse, desaparecer sin dejar huellas.

감축(感祝) congratulación *f* con entusiasmo. ~하다 celebrar [congratular] con entusiasmo, dar las gracias cordialmente.

감축(減縮) reducción *f*, disminución *f.* ~하다 reducir, disminuir.

감치다 sobrehilar, dobladillar. 치마의 옷단을 ~ sobrehilar [dobladillar] la orilla de la falda.

감칠맛 ① [음식의] (buena) boca *f*, buen sabor *m* [paladar *m*]. ~이 있는 [술이] con buena boca, con buen cuerpo, de cuerpo. ~이 있는 포도주 vino *m* de buena boca. ② [마음을 끌어당기는 힘] encanto *m*, atractivo *m.* 우리말의 ~ encanto *m* de la lengua coreana.

감탄(感歎) admiración *f*, maravilla *f.* ~하다 admirarse, maravillarse, exclamarse de admiración. ~할만 한 admirable, maravilloso, digno de admiración. ~해 마지 않다 estar lleno de admiración. ¶ ~문 oración *f* admirativa. ~ 부호 (signo *m* de) exclamación *f.* ~사 interjección *f.*

감퇴(減退) decrecimiento *m*, descenso *m*, decaimiento *m*, disminución *f*, merma *f*, declinación *f*, decadencia *f*, menoscabo *m*, decaecimiento *m*; [고통의] apaciguamiento *m.* ~하다 decrecer, decaer, disminuir, minorarse.

감투 puesto *m* [posición *f*] gubernamental, distinguido puesto *m.* ~싸움 lucha *f* por el puesto influyente.

감투(敢鬪) combatividad *f*, lucha *f* con denuedo. ~하다 luchar [pelear·combatir] valientemente, luchar con denuedo. ¶ ~상 premio *m* de combatividad, premio *f* de valentía, premio *m* por la lucha con denuedo. ~ 정신 combatividad *f*, espíritu *m* combativo.

감표(減票) signo *m* de substracción.

감표(監票) supervisión *f* de la votación. ~하다 supervisar la votación. ~ 위원 comité *mf* de supervisión de la votación.

감하다(減一) ① [빼다] substraer,

deducir, quitar. ② [줄이다] reducir, disminuir. ③ [경감하다] conmutar. ④ [줄다] reducirse, decrecer, menguar, ir a menos, mermar, minorarse.

감행(敢行) audacia *f.* ~하다 atreverse, osar, emprender, realizar resueltamente. 공격을 ~하다 lanzar un ataque.

감형(減刑) conmutación *f* de la pena, mitigación *f* de penalidad. ~하다 conmutar la pena, mitigar penalidad.

감화(感化) influencia *f*, influjo *m.* ~하다 influir, ejercer [tener] influencia. ~를 받다 sufrir [sentir] la influencia, dejarse influir, influirse, afectarse. ~원 penitenciaría *f*, casa *f* de corrección, reformatorio *m.*

감회(感懷) [느낀 생각] honda emoción *f*, impresión *f*; [회상의] recuerdo *m* sentimental.

감흥(感興) delicia *f*, gozo *m*, disfrute *m.* ~이 일어나다 interesarse, sentir interés; [인스피레이션] inspirarse; [기쁨] sentir una sensación de placer. ~을 일으키다 despertar [suscitar] interés.

감히(敢一) intrépidamente, audazmente, atreviéndamente, osadamente. ~ …하다 osar [atreverse] a + *inf.* ~ 충고하다 atreverse a aconsejar.

갑(甲) [첫째] primero, A. ~과 을 el primero y el segundo, A y B. ② (준말) =갑옷. ③ =갑각(甲殼).

갑(匣) caja *f*, cajita *f*, cajetilla *f* [담배 따위의] paquete *m.* 담배 한 ~ un paquete de cigarrillos. 성냥 한 ~ una caja de cerillas.

갑(岬) cabo *m*, promontorio *m*, punta *f* de tierra.

갑각(甲殼) caparazón *m*, concha *f.*

갑각류(甲殼類) crustáceos *mpl.*

갑갑증(-症) hastío *m*, fastidio *m*, tedio *m*, engorro *m*, molestia *f*, hastío *m*, aburrimiento *m.*

갑갑하다 ① [좁아서 옹색하고 답답하다] (ser) estrecho, angosto, apretado; [통풍이 안되어] mal ventilado. 갑갑한 방 habitación *f* mal ventilada, cuarto *m* mal ventilado. ② [너무 늦어지거나 지루하여] (ser) doloroso, estar aquejado. ③ [뱃속이] sentir opresión, ser pesado, ser opresivo, ser ponderado, tener la respiración fatigosa, respirar con dificultad. 가슴이 ~ sentir opresión en el pecho. ④ [납득시키기에 답답하다] ser difícil de convencer.

갑골 문자(甲骨文字) inscripciones *fpl* en huesos y caparazón de tortuga.

갑근세(甲勤稅) (준말) =갑종 근로 소득세. ☞갑종(甲種)

갑론 을박(甲論乙駁) disputas *fpl* entre muchas personas. ~하다 disputarse por y contra un asunto.

갑문(閘門) (puerta *f* de) esclusa *f*, compuerta *f*.

갑부(甲富) millonario, -ria *mf*; multimillonario, -ria *mf*; archimillonario, -ria *mf*; billonario, -ria *mf*. ~가 되다 hacerse millonario.

갑사(甲紗) seda *f* fina de buena calidad.

갑상샘(甲狀-) =갑상선(甲狀腺).

갑상선(甲狀腺) tiroides *m*, glándula *f* tiroides. ~의 tiroideo, tiroides. ¶~병 tiropatía *f*. ~염 tiroiditis *f*. ~종 papera *f*, bocio *m*, tiroma *m*, tirofima *m*. 호르몬 hormona *f* tiroides.

갑오징어((동물)) sepia *f*.

갑옷(甲-) armadura *f*. ~을 입다 lvestirse [ponerse] la armadura.

갑자기 de repente, de golpe, de pronto, repentinamente, de súbito, súbitamente. ~ 죽다 morir súbitamente, morir de repente, fallecer súbitamente, fallecer de repente.

갑작병(-病) enfermedad *f* repentina.

갑작사랑 amor *m* repentino. 갑작사랑 영 이별(離別) (속담) El amor repentino es fácil de separarse para siempre.

갑작스럽다 (ser) urgente, repentino, súbito, inesperado, impensado, rápido. 갑작스레 de repente, repentinamente, de súbito, súbitamente.

갑절 doble, dos veces; [셀 때] veces *fpl*. 두 ~ doble.

갑종(甲種) grado (de) A. ~ 근로 소득 ingresos *mpl* salariales de Grado A. ~ 근로 소득세 impuestos *mpl* de ingresos salariales de Grado A.

갑충(甲蟲) ((곤충)) escarabajo *m*, lucano *m*, ciervo *m* volante.

갑판(甲板) cubierta *f*. ~에 나가다 salir a cubierta. ¶~도(渡) franco a bordo, f.a.b. ~ 사관 oficial *m* de cubierta. ~실 cabina *f* de cubierta, cabina *f* de mando; ((항공)) cabina *f* de vuelo. ~원 marinero *m* (de cubierta). ~ 일지 diario *m* de cubierta. ~장(長) contramaestre *m*.

값 precio *m*, coste *m*, costo *m*, valor *m*. ~이 싼 barato, moderado. ~이 비싼 caro. 부르는 ~ precio *m* pedido (por el vendedor). 많이 오른 ~으로 a precio muy subido, a peso de dinero [de oro, de plata]. 부른 ~으로 사다 comprar al precio pedido. (경매에서) 서로 다투어 ~을 올리다 ofrecer precios elevados [elevar precios] en una subasta. ~은 얼마입니까? ¿Cuánto vale [cuesta]? / ¿Cuánto es? /

¿Qué precio tiene? / ¿A cómo es? / ¿Cuánto le debo?

값비싸다 [값이 비싸다] ser caro, de precio alto, ser costoso.

값싸다 ① [값이 싸다] ser barato, ser de precio bajo, ser poco costoso. ② [무슨 일의] de muy poca o ninguna utilidad [valor] ser de poco valor y sin utilidad, ser frívolo [superficial]. 값싼 동정 compasión *f* superficial.

값어치 valor *m*. 한 번 읽어 볼 ~가 있다 Vale la pena de leer.

갓¹ ① [쓰는] *gat*, sombrero *m* tradicional coreano, sombrero *m* de juncia [de bambú, de caña]. ② [갓 모양으로 된 것] pantalla *f*. ③ [버섯의] sombrete *m*.

갓² ((식물)) mostaza *f*.

갓³ [금방, 처음] fresco, nuevo, reciente, recientemente; [과거 분사 앞에서] recién. ~ 구운 recién sacado del horno. ~ 만든 recién hecho. ~ 구운 빵 pan *m* recién sacado del horno.

갓난아이 lactante *mf*; nene, -na *mf*; bebé *m*; niño, -ña *mf* de pechos.

강(江) río *m*. ~을 따라 la largo del río. ~ 건너 저쪽에 al otro lado del río. ~ 아래쪽으로 río abajo. ~ 위쪽으로 río arriba. ~ 건너 불 구경(하다) contemplar como puro espectador. ¶~ 낚시 pesca *f* de río.

강(綱) ((생물)) clase *f*.

강(腔) cavidad *f*.

강-(强) fortísimo, muy fuerte, muy duro, muy severo. ~추위 frío *m* muy severo. ~행군 marcha *f* fuerte.

강가(江-) orilla *f* (de un río), ribera *f*, margen *f*, banda *f* de río. ~에 a orillas del río, a la orilla del río.

강간(强姦) violación *f*, estupro *m*, violencia *f*, desfloración *f*, ultraje *m*, rapto *m*; [미성년자 강간] relaciones *fpl* sexuales con un menor. ~하다 violar, forzar (a una mujer), estuprar, ultrajar, cometer estupro, deshonrar. ~당하다 ser violado.

강개(慷慨) indignación *f* justificada. ~하다 estar indignado.

강건하다(剛健-) (ser) fuerte, robusto, vigoroso.

강건하다(强健-) (ser) robusto, vigoroso, fuerte. 강건한 정신 espíritu *m* robusto.

강경 노선(强硬路線) línea *f* dura.

강경론자(强硬論者) partidario, -ria *mf* de la línea dura.

강경 수단(强硬手段) medida *f* drástica, medida *f* radical, paso *m* decisivo.

강경 정책(强硬政策) política *f* de línea dura.

강경책(强硬策) medida *f* de línea dura.

강경파(强硬派) halcón *m*, partidarios *mpl* de la línea dura.

강경하다(强硬/强勁/强梗−) (ser) firme, tenaz, inflexible, riguroso, enérgico, fuerte, agresivo, forzado; [비타협적인] intransigente. 강경함 firmeza *f*, obstinación *f*, inflexibilidad *f*. 강경한 태도로 en actitud firme, en actitud agresiva.

강공(强攻) ataque *m* positivo. ~하다 atacar positivamente.

강관(鋼管) tubo *m* de acero.

강구(江口) ① =강어귀. ② =나루.

강구(講究) estudio *m*, consideración *f*, deliberación *f*. ~하다 estudiar, considerar, deliberar. 대책을 ~하다 tomar las medidas [disposiciones] necesarias.

강국(强國) país *m* fuerte [poderoso], potencia *f*. 세계의 ~ potencia *f* del mundo.

강권(强勸) recomendación *f* insistente. ~하다 obligar [forzar・compeler] (a + *inf*).

강권(强權) autoridad *f*, autoridad *f* legal, fuerza medida *f*. ~을 발동하다 ejecutar autoridad.

강기슭(江−) ribera *f*, orilla *f* de un río.

강낭콩(江南−) ((식물)) alubia *f*, judía *f*, habichuela *f*, frijol *m*.

강냉이 maíz *m*.

강다짐 ① [맨밥으로 먹음] comida *f* sin sopa o agua. ~하다 comer sin sopa o agua. ② [주는 것 없이 남을 강압적으로 부림] empleo *m* obligatorio sin pagar. ~하다 obligar a trabajar sin pagar. ③ [덮어놓고 앞뒤가 꾸짖음] represión *f* sin escuchar *su* historia. ~하다 reprender sin escuchar *su* historia.

강단(講壇) plataforma *f*, estrado *m*; [설교의] púlpito *m*; [대학의] cátedra *f*, tarima *f*. ~에 서다 aparecer a la plataforma. ~에 오르다 subir a la plataforma.

강단(剛斷) resolución *f*, determinación *f*, lo decisivo. ~지다 tener el carácter decisivo.

강당(講堂) salón *m* de actos, el aula *f*, auditorio *m*, sala *f* de conferencia, paraninfo *m*.

강대하다(强大−) (ser) fuerte, poderoso, potente. 강대한 fuerza *f*, poder *m*, potencia *f*. 강대하게 되다 llegar a ser poderoso. ¶~국 país *m* fuerte [poderoso], potencia *f*.

강도(强度) intensidad *f*, fuerza *f*. ~의 intenso, fuerte, intensivo. 지진의 ~ intensidad *f* sísmica.

강도(强盜) salteador, -dora *mf*, asaltante *mf*; bandido *m*; atracador,

-dora *mf*. 권총 ~ atracador *m* con pistola; pistolero *m* armado. 노상 ~ atracador *m*. 무장 atracador *m* a mano armada; asaltante *m* a mano armada. 복면 ~ atracador *m* enmascarado. 은행 ~ atracador *m* de bancos; asaltante *m* de bancos. 택시 ~ ladrón *m* del taxi.

강도질(强盜−) salteamiento *m*, acción *f* de saltear, robo *m*. ¶~하다 saltear, robar, robar en despoblado a los caminantes, asaltar [robar] a mano armada.

강독(講讀) lectura *f*; [해석] interpretación *f* (del texto), explicación *f* (del texto). ~하다 leer y interpretar [explicar].

강둑(江−) ribero *m*, dique *m*.

강등(降等) degradación *f*. ~하다 degradar. ~되다 ser degrado.

강력(强力) ① [강한 힘] gran fuerza *f*, gran poder *m*. ~하다 (ser) fuerte, poderoso, potente, de mucha fuerza, enérgico, que tiene energía. ~하게 enérgicamente, con fuerza. ~한 어조로 말하다 hablar con tono enérgico. ¶~범 [범인] criminal *m* violento; [행위] crimen *m* de violencia.

강렬하다(强烈−) (ser) intenso, fuerte; [격하다] violento. 강렬함 intensidad *f*, violencia *f*. 강렬한 색 color *m* vivo, color *m* chillón. 강렬한 지진 terremoto *m* intenso, terremoto *m* serio.

강령(綱領) plataforma *f*, principio *m*, plan *m* general.

강론(講論) ① [학술의] exposición *f*, discusión *f*. ~하다 exponer, discutir. ② ((천주교)) predicación *f*. ~하다 predicar.

강림(降臨) adviento *m*; [그리스도의] advenimiento *m* de Cristo. ~하다 descender.

강매(强買) compra *f* forzada. ~하다 hacer [forzar a] comprar, comprar a la fuerza.

강매(强賣) venta *f* forzada. ~하다 hacer [forzar a] vender, vender a la fuerza.

강모래(江−) arena *f* del río.

강모음(强母音) vocal *f* fuerte.

강물(江−) el agua *f* del río, el río.

강바닥(江−) fondo *m* del río.

강바람(江−) viento *m* seco.

강바람(江−) brisa *f* del río.

강박(强迫) compulsión *f*, coacción *f*, amenaza *f*. ~하다 obligar, forzar, coaccionar. ~ 관념 obsesión *f*, idea *f* obsesiva, idea *f* compulsiva. ~ 관념에 사로잡히다 obsesionar. ~ 관념에 사로잡혀 있다 estar obsesionado.

강밥 comida *f* sin sopa.

강변(江邊) orilla f del río, ribera f. ~에 por la orilla, a la orilla del río. ~ 도로 camino m de orillas del río.

강변(强辯) sofisma m, sofistería f, subterfugio. ~하다 sofisticar, obstinarse en sus opiniones, utilizar sofismas para defender su opinión, buscar escapatorias.

강변화(强變化) conjugación f fuerte. ~ 동사 verbos mpl fuertes.

강병(强兵) ① [강한 병사] soldado m fuerte. ② [군비·병력 등을 강화함] concentración f militar.

강보(襁褓) pañales mpl. ~ 유아 bebé m; niño, -ña mf.

강보합(强保合) tendencia f al alza

강비탈(江-) cuesta f del río.

강사(講士) conferenciante mf.

강사(講師) lector, -ra mf, encargado, -da mf del curso; [강연자] conferenciante mf; AmS conferenciante mf; [대학의] profesor m no numerario, profesora f no numeraria.

강산(江山) ① [강과 산] el río y la montaña. 10년이면 ~도 변한다 El río y la montaña se cambian también en diez años. ② [나라의 강토] país m. ③ [자연] naturaleza f. 아름다운 ~ naturaleza f hermosa [maravillosa].

강상(江上) ① [강물의 위] sobre el agua del río. ② =강기슭.

강새암 celos mpl excesivos, celos mpl poco razonables, celos mpl ardientes, celos mpl intensivos. ~하다 envidiar intensivamente, tener envidia ardiente.

강서리 escarcha f fuerte.

강설(降雪) nevada f, caída f de la nieve, acción f de nevar. ~하다 nevar, caer la nieve. ~량 (cantidad f de) nevada f.

강성대국(强盛大國) gran país m poderoso.

강성하다(强盛-) (ser) vigoroso, poderoso, energético; próspero.

강세(强勢) ① [세력이 강함] influencia f fuerte. ② [물가나 시세의] tendencia f alcista. ③ [언어] acento m prosódico [de intensidad]. ④ ((음악)) ~악센트. ~중 ((음악)) fuerte m.

강속구(强速球) ((야구)) pelota f [bola f] rápida [de veolocidad], bola f de fuego.

강수(降水) precipitación f, bajada f del cielo. ~량 precipitaciones fpl; [우량] cantidad f de lluvia.

강습(强襲) asalto m, ataque m. ~하다 asaltar, dar un asalto, tomar por asalto.

강습(講習) curso m, cursillo m. ~하다 dar un curso. ¶~을 받다 asistir al curso. ¶~생 estudiante mf (del curso), cursillista mf. ~소 institu-

to m, academia f. ~회 curso m, cursillo m.

강신술(降神術) espiritismo m, espiritualismo. ~사 espiritista mf.

강심(江心) centro m del río.

강심(强心) corazón m fuerte. ~제 tónico m cardiaco, cordial m.

강아지 cachorro, -rra mf; cría f; cachorro, perrillo, -lla mf; perrito, -ta mf..

강압(强壓) opresión f, compulsión f, coacción f, represión f. ~하다 oprimir, compeler, obligar. ~적 opresivo, compulsivo, coercitivo, represivo; [전횡적인] arbitrario, prepotente.

강약(强弱) la fuerza y la debilidad, intensidad f. 음의 ~ intensidad f del sonido.

강어귀(江-) desembocadura f, ría f, estuario m, boca f del río.

강연(講演) discurso m, conferencia f, alocución f; [장황하게 늘어놓은] charla f. ~하다 conferenciar, dar [pronunciar] una conferencia, hacer un discurso. ~료 honorarios mpl de conferenciante. ~자 conferenciante mf. ~회 (reunión f de) conferencia f.

강온(强穩) la resolución y la moderación, los incentivos y las amenazas.

강요(强要) forzamiento m, coacción f. ~하다 exigir, obligar, forzar, compeler, imponer. ~하는 듯한 태도로 con una actitud insistente. 자백을 ~하다 obligar a confesar.

강우(降雨) lluvia f, caída f de lluvia; ((기상)) precipitación f. ~량 cantidad f de lluvias; [강수량] precipitaciones fpl. ~림 bosque m de lluvias. ~ 전선(前線) frente m de lluvias.

강음(强音) acento m, énfasis m(f). ~부 ((음악)) fuerte m.

강의(講義) curso m, lección f; [1회 한의] conferencia f. ~하다 dar un curso, dar clase, dar una lección; dar una conferencia. ~를 듣다 escuchar una conferencia. ~에 나가다 asistir al curso. ¶~록 apuntes mpl del curso [de clase]. ~ 시간표 horario m escolar. ~실 el aula f.

강인(强靭) robutez f, fortaleza f. ~하다 (ser) rousto, muy fuerte, resistente; [불굴의] inquebrantable.

강자(强者) persona f fuerte, fuerte m. ~와 약자 el fuerte y el débil.

강장(强壯) robustez f, sanidad f. ~하다 (ser) robusto, sano. ~음료 bebida f tónica. ~제 tónico m.

강장(强將) jefe f fuerte. ~하(下)에 무약병(無弱兵)이라 No hay subordinado al jefe fuerte.

강장(腔腸) celentéreo *m*. ～동물 celentéreos *mpl*, celenterios *mpl*, celenterados *mpl*.
강적(强敵) enemigo *m* formidable [temible].
강점(强占) ocupación *f* por fuerza. ～하다 ocupar por fuerza.
강점(强點) (punto *m*) fuerte *m*, poder *m*, ventaja *f*.
강제(强制) coacción *f*, compulsión *f*, imposición *f*, constreñimiento *m*. ～하다 coaccionar, forzar, obligar, compeler. ～의 forzado, obligatorio. ～로 por fuerza, forzadamente. ～로 연행하다 llevar por fuerza. ¶～ 결혼 casamiento *m* forzado. ～ 경매 subasta *f* forzada. ～ 노동[노역] trabajo *m* forzado. ～ 송환 repatriación *f* forzada, extradición *f*. ～송환하다 obligar a repatriarse. ～ 수용소 campo *m* de concentración.
강조(强調) énfasis *m(f)*, insistencia *f*. ～하다 acentuar, poner énfasis, insistir, subrayar, poner de relieve.
강좌(講座) curso *m*; [강의] clase *f*, lección *f*, [대학의] cátedra *f*. ～를 개설하다 abrir un curso; [대학에서] establecer una cátedra.
강주정(－酒酊) borrachera *f* afectada, embriaguez *f* afectada.
강줄기(江－) curso *m* del río. ～를 따라 a lo largo del río.
강직(剛直) fuerza *f*, robustez *f*, rigor *m*, fortaleza *f*. ～하다 (ser) fuerte, robusto, rigoroso, riguroso.
강직(强直) ① [마음이 강하고 곧음] corazón *m* honrado. ～하다 (ser) honrado, honesto. ② [죽은 후의] rigidez *f*, anquilosis *f*. ～하다 (ser) rígido.
강진(强震) terremoto *m* [seísmo *m*] fuerte, sacudida *f* violenta.
강짜 ((속어)) ＝강새암. ¶～가 나다 ponerse celoso. ～를 부리다 mostrar celos poco razonables.
강철(鋼鐵) ① ((화학)) acero *m*. ～제의 de acero. ② [심신이 단단하고 굳셈] firmeza *f*, solidez *f*, dureza *f*. ～같다 (ser) firme, inflexible, sólido, duro, férreo, de acero. ～같은 의지 voluntad *f* de hierro.
강청(强請) importunidad *f*, exacción *f*, demanda *f* injusta. ～하다 importunar, asediar, demandar injustamente, chantajear, hacer*le* chantaje.
강촌(江村) aldea *f* que está a la orilla del río.
강추위 frío *m* intenso, frío *m* severo.
강치 ((동물)) león *m* marino.
강타(强打) ① ((운동)) golpe *m* fuerte, golpe *m* violento. ～하다 golpear fuerte, dar un golpe fuerte. ② [큰 타격을 끼침] embestidura *f* furiosa, embestida *f* furiosa, acometimiento *m*, acometida *f*. ～하다 [태풍 따위가] desencadenarse, embestir a ciegas. ¶～자 fuerte golpeador *m* [bateador *m*].
강탄(降誕) nacimiento *m*; [예수·성모·세례자 요한의] navidad *f*. ～하다 nacer (el santo). ¶～일 día *m* de nacimiento. ～절 el 8 de abril del calendario lunar. ～제 ㉮ [성인이나 위인들의 탄생일을 기념하는 잔치] fiesta *f* para el día de nacimiento (de los santos o los grandes hombres). ㉯ ((기독교)) (Pascua *f* de) Navidad *f*, Fiesta *f* del Nacimiento de Jesucristo. ～회 reunión *f* budista de la celebración del nacimiento de Buda.
강탈(强奪) extorsión *f*, pillaje *m*, despojo *m* violento, robo *m* violento. ～하다 despojar violentamente, robar por la fuerza. ～자 despojador, -dora *mf*.
강태공(姜太公) ① [낚시를 좋아하는 사람] aficionado, -da *mf* a la pesca (con caña). ② [태공망] pescador, -dora *mf*.
강토(疆土) territorio *m*.
강판(降板) ((야구)) eliminación *f*. ～하다 eliminar.
강판(薑板) rallador *m*, rallo *m*. ～에 갈다 rallar. 무를 ～에 갈다 rallar rábano.
강펄(江－) tierra *f* de cieno a la orilla del río.
강평(講評) comentario *m*, crítica *f*, juicio *m*. ～하다 comentar, hacer un comentario, criticar, censurar. ～회 reunión *f* de comentario.
강포(强暴) atrocidad *f*, crueldad *f*, brutalidad *f*. ～하다 (ser) atroz, cruel, brutal.
강폭(江幅) anchura *f* del río.
강풍(强風) viento *m* fuerte, vendaval *m*, ventarón *m*, temporal *m*.
강하(降下) descenso *m*, bajada *f*, baja *f*, caída *f*. ～하다 descender, bajar.
강하다(講－) ① [배운 글을 선생 앞에서 외다] recitar. ② [강의하다] dar lecciones.
강하다(强－) ① [기력이나 세력 따위가 세다. 힘있다] (ser) fuerte, poderoso, robusto, vigoroso, viguroso, sólido; [강렬하다] vivo, intenso, violento; [성격이] firme, inflexible; [단단하다] durable, resistente. 강해지다 fortificarse, fortalecerse, reforzarse, vigorizarse. 강한 인상 impresión *f* viva. 강한 줄 cuerda *f* resistente. ② [잘하다] (ser) fuerte. 영어[수학]에 ～ ser fuerte en inglés [matemáticas].
강행(强行) forzamiento *m*. ～하다 forzar.

강행군(強行軍) marcha *f* forzada. ~ 하다 hacer una marcha forzada.

강호(江湖) ① [강과 호수] el río y el lago. ② [자연] naturaleza *f*. ③ [세상] mundo *m*. ④ [서울에서 먼 곳] lugar *m* lejano de Seúl.

강호(強豪) ① [세력이 강하여 대적하기 힘든 사람] veterano *m*; [강적] adversario *m* temible [poderoso·fuerte]. ② [아주 강한 팀] equipo *m* muy poderoso.

강화(強化) fortalecimiento *m*, consolidación *f*. ~하다 fortalecer, fortificar, reforzar, intensificar, consolidar.

강화(講和) paz *f*, reconciliación *f*. ~하다 hacer la paz, reconciliarse. ~조약 (tratado *m* de) paz *f*.

갖가지(준말) =가지가지.

갖다[1] ((준말)) =가지다. ¶이 책을 갖고 와 Yo vine con este libro.

갖다[2] [구비하다] tener todo, ser completo.

갖바치 fabricante *mf* de zapatos de piel.

갖은 [온갖] todo; [빠짐없이] completo, perfecto. ~ 고생 toda vida difícil.

갖추다 [준비하다] preparar, estar listo; [설비하다] equipar, proveer; [조건을 만족시키다] satisfacer; [구비하다] tener, poseer.

갖풀 goma *f* de pegar, pegamento *m*. ~을 붙이다 pegar.

같다 ① [동일하다] (ser) mismo; […과 동등하다] (ser) igual, equivalente, parejo; equivaler, igualar; [완전히 동등하다] (ser) idéntico; […과 같은 정도·수량의] tanto + 명사 + como, tan + 형용사·부사 + como, tanto como; [같은 가치의] equivalente. 같은 모양의 semejante, parecido. 같은 것 lo mismo, la misma cosa. 같은 예 ejemplo *m* parecido, ejemplo *m* igual. 같은 사건 caso *m* semejante, caso *m* igual. 같은 책 el mismo libro. 같은 간격으로 a intervalos iguales. 같은 방법으로 del mismo modo, de igual manera, igualmente. 마치 강요하는 것 같은 casi imperativo. 같게 하다 igualar, hacer igual. 길이[높이]가 ~ ser de una misma longitud [altura], ser parejo en la longitud [en la altura]. A와 B를 같게 하다 igualar A a B, hacer A igual a B. 어제와 같은 장소에서 만납시다 Nos veremos en el mismo lugar que ayer. ② […는 것 같다] parecer + inf [+ inf·que + ind]; […하려고 하다] ir + a + inf. 비가 내릴 것 ~ Parece que va a llover. 같은 깃의 새는 같이 모인다 ((속담)) Dime con quién andas, y te diré quién eres.

같아지다 igualarse.

같은 값이면 si es todo el mismo (que), otras cosas siendo igual. 같은 값이면 다홍치마 ((속담)) El castillo de huesos es mejor que el de piedras.

같이 [같게] como, en la misma manera, igualmente, por igual, similarmente, semejantemente. 그는 언제나와 ~ 학교에 갔다 Él fue a la escuela como de costumbre. 그는 나와 ~ 빨리 말한다 El habla de prisa como yo. 네 이웃을 네 몸과 ~ 사랑하라 ((마태 복음 22: 39)) Amarás [Ama] a tu prójimo como a ti mismo. ② [공평하게] imparcialmente, con imparcialidad. ③ [다 함께] juntos, con. ~ 공부합시다 Vamos a estudiar juntos / Estudiemos juntos. ④ [바로 그대로] como. 말씀하신 바와 ~ como dice usted. ⑤ [처럼] como. 눈~ 희다 ser blanco como la nieve.

같이하다 compartir. 나는 그 사람과 이해를 같이하고 있다 Yo comparto sus intereses / El y yo tenemos intereses comunes.

같잖다 (ser) trivial, insignificante, cursi, afectado, amanerado, presumido, remilgado, dengoso, pedante. 같잖은 남자 hombre *m* afectado, cursi *m*, pedante *m*. 같잖은 말 palabra *f* cursi.

갚다 ① [빚을] pagar. 빚을 ~ pagar la deuda, satisfacer la deuda. ② [보답하다] recompensar. ③ [남에게서 진 신세나 은혜나 원한 등을] vengar, vengarse.

개[1] [강이나 내에 바닷물이 드나드는 곳] ensenada *f*, cala *f*, caleta *f*.

개[2] ① ((동물)) [수컷] perro *m*; [암컷] perra *f*. ~를 기르다 tener un perro. ② [부정한 자나 권력자의 앞잡이] chivato, -ta *mf*; delator, -ra *mf*; espía *mf*; títere *m*. 개 눈에는 똥만 보인다 ((속담)) Ojos que no ven, corazón que no llora.

개(介/個/箇) pieza *f*, unidad *f*. 감 한 ~ un kaki, un caqui.

개가(改嫁) segundas nupcias. ~하다 casarse otra vez, casarse por segunda vez.

개가(凱歌) ① ((준말)) =개선가. ② [감격에서 나오는 함성] triunfo *m*, victoria *f*. 현대 과학의 ~ triunfo *m* de la ciencia moderna. ~를 올리다 obtener un triunfo, triunfar.

개가죽 ① [개의 가죽] piel *f* del perro. ② [낯가죽] cara *f*, rostro *m*.

개각(改閣) remodelación *f* del gabinete, recambio *m* del gabinete. ~하다 remodelar, cambiar del gabinete de nuevo.

개간(改刊) reimpresión *f*, edición *f*

revisada. ~하다 reimprimir.

개간(開墾) roturación *f*; [삼림의] desmonte *m*, cultivo *m* de tierra yerma. ~하다 roturar, hacer un sitio utilizable; desmontar, cultivar la tierra yerma. ~ㄴ terreno *m* [campo *m*] roturado.

개강(開講) apertura *f* de curso. ~하다 empezar un curso, comenzar una serie de conferencias; [강좌를 설치하다] crear [establecer] una cátedra.

개개(箇箇) ① [낱낱] cada uno. ~의 individual, cada. ~의 문제 problema *m* individual. ② [낱낱이] individualmente. ¶~이 uno a uno, una a una; individualmente; [따로따로] separadamente. ~인 individuales *mpl*, cada persona.

개개다 erosionar, corroer, carcomer.

개개다 =개개풀리다.

개개풀어지다 ① [끈끈한 기가 있던 것이 녹아서 다 풀어지다] perder *su* pegajosidad. ② [졸리거나 술에 취하여 눈의 정기가 없어지다] tener los ojos empañados [nublados], estar medio adormilado, tener la cara de sueño.

개고기 ① [개의 고기] carne *f* de perro. ② [성질이 막된 사람] persona *f* cruel [malvada], mala persona *f*, demonio *m*.

개골개골 sonido *m* que la rana sigue croando. (개구리가) ~하다 seguir [continuar] croando, seguir [continuar] cantando la rana. ~울다 croar.

개골창 cuneta *f*, zanja *f*; [하수구] cloaca *f*, albañal *m*, sumidero *m*.

개과(改過) arrepentimiento *m*, penitencia *f*. ~하다 arrepentirse, estar arrepentido. ~천선 arrepentimiento *m*., penitencia *f*. ~천선하다 arrepentirse.

개관(開館) ① [도서관·회관 등의] inauguración *f*. ~하다 inaugurar. ② [그 날의 업무를 시작함] apertura *f*. ~하다 abrir. ¶~식 ceremonia *f* de apertura, ceremonia *f* de inauguración.

개관(槪觀) reseña *f* panorámica, aspecto *m* general. ~하다 tener una visión de conjunto [panorámica], examinar, analizar.

개괄(槪括) sumario *m*, resumen *m*, compendio *m*. ~하다 resumir, hacer un resumen; [요약하다] compendiar, recapitular. ~적 sumario, compendiado; general. ~적으로 sumariamente, de modo sumario, compendiariamente, en compendio, compendiosamente.

개교(開校) apertura *f* [fundación *f*·inauguración *f*] de una escuela. ~하다 abrir [inaugurar·fundar] una

escuela. ~기념일 aniversario *m* de la fundación de la escuela.

개구리 ((동물)) rana *f*; [식용의] rana *f* toro. ~가 울다 croar (la rana). 개구리 올챙이 적 생각을 못 한다 ((속담)) Quien gana prosperidad tiene tendencia a olvidarse su primera época.

개구리헤엄 braza *f* de pecho.

개구쟁이 pilluelo, -la *mf*; bribonzuelo, -la *mf*; picaruelo, -la *mf*; (niño *m*) mocoso (niña *f*) mocosa.

개국(開國) ① [건국] fundación *f* del país. ~하다 fundar el país. ② [외국과 국교를 시작함] comienzo *m* de las relaciones diplomáticas con el país extranjero. ~하다 abrir las relaciones diplomáticas con el país extranjero.

개그 chiste *m*, broma *f*, gag *m*; ((연극)) morcilla *f*. ~하다 bromear. ~를 넣다 meter morcillas. ¶~맨 bromista *m*, morcillero *m*. ~우먼 bromista *f*, morcillera *f*.

개근(皆勤) presencia *f* [asistencia *f*] regular. ~하다 asistir regularmente, no faltar nunca, asistir [servir] durante todo el año. ~상 premio *m* de asistencia perfecta.

개기(皆旣) ((준말)) =개기식. ¶~식 eclipse *m* total. ~ 월식[일식] eclipse *m* lunar [solar].

개기름 grasa *f* en *su* cara.

개꿈 sueño *m* vano. ~을 꾸다 tener el sueño vano.

개나리¹ ((식물)) forsitia *f*.

개나리² [야생나리] liliácea *f* silvestre.

개념(概念) concepto *m*, noción *f*, idea *f* general. ~론 conceptualismo *m*. ~론자 conceptualista *mf*. ~적 conceptual, nocional.

개다¹ [날씨가] aclarar(se), despejarse, volver a ponerse claro lo que estaba obscuro; [비가] escampar. 맑게 개인 despejado. 맑게 개인 하늘 cielo *m* despejado. 날씨가 활짝 ~ despejarse, aclararse, serenarse.

개다² [으깨지]] amasar. 점토를 ~ amasar arcilla. 밀가루를 물에 ~ desleír la harina en el agua.

개다³ [옷이나 이부자리 등을] doblar, plegar. 이불을 ~ doblar [plegar] el colchón.

개당(個當) (por) la pieza, la unidad.

개돼지 ① [개나 돼지] el perro o el puerco; [개와 돼지] el perro y el puerco. ② [미련하고 못난 사람] persona *f* idiota.

개떡 *gaeteok*, torta *f* de la forma de pastel hecha de la harina de cebada gruesa. ~같다 (ser) trivial, inútil, banal, pésimo, no servir para nada.

개똥 ① [개의 똥] caca *f* de perro, estiércol *m* de perro. ② [보잘것없고 천한 것] basura *f*, cachivaches *mpl*, porquerías *fpl*. ¶ ~같다 ser una basura, no valer nada. ~같이 como una basura.

개똥밭 ① [땅이 건 밭] campo *m* fértil. ② [개똥이 많이 있어 더러운 곳] lugar *m* sucio cubierto de los estiércoles de perro. 개똥밭에도 이슬 내릴 날이[때가] 있다 ((속담)) No hay mal que dure cien años.

개똥벌레 luciérnaga *f*.

개똥지빠귀 ((조류)) tordo *m*.

개똥참외 ((식물)) melón *m* silvestre. 개똥참외는 치면 딴는 이가 임자다 ((속담)) Cosa hallada no es hurtada.

개량조개 ((조개)) almeja *f* redonda.

개략(概略) resumen *m*, compendio *m*, sumario *m*, sinopsis *f*, líneas *fpl* generales. ~적 sumario.

개량(改良) mejora *f*, mejoramiento *m*. ~하다 mejorar. ~ 농지 tierras *fpl* de labranza mejoradas. ~종 variedad *f* mejorada. ~ 종자 semilla *f* mejorada. ~주의 reformismo *m*. ~ 주택 vivienda *f* mejorada. ~품 producto *m* mejorado.

개런티 garantía *f*.

개론(概論) nociones *fpl* generales, esbozo *m*; [입문서] introducción *f*. 문학 ~ introducción *f* a la literatura.

개막(開幕) levantamiento *m* [subida *f*] del talón, comienzo *m* de una función, apertura *f*, inguración *f*. ~하다 levantar el talón, subir el talón, comenzar la función. ~식 ceremonia *f* inaugural, ceremonia *f* de inauguración. ~일 día *m* de inauguración. ~전[경기] partido *m* de apertura.

개망나니 oveja *f* negra, matón *m*.

개망신(~亡身) vergüenza *f* profunda, humillación *f* [indignidad *f*] dolorida. ~하다 deshonrar en público, hacer un papelón en público.

개머리[1] [개의 머리] cabeza *f* del perro.

개머리[2] ((군사)) culata *f*.

개머리판(-板) ((군사)) =개머리[2].

개명(改名) cambio *m* del nombre. ~하다 cambiar *su* nombre.

개명(開明) civilización *f*, ilustración *f*, florecimiento *m* de la cultura. ~하다 civilizarse. ~되다 civilizarse.

개문(開門) apertura *f* de la puerta. ~하다 abrir la puerta.

개미 ((동물)) hormiga *f*. ~ 새끼 하나 얼씬 못 하다 ni siquiera poder pasar una hormiga. 개미 금탑을 으듯 ((속담)) Cada día un grano pon y harás montón. ¶ ~집 hormiguero *m*. ~허리 cintura *f* muy fina.

개미탑(-塔) =개밋둑.

개미핥기 ((동물)) tamándoa *f*, tamanduá *f*, (oso *m*) hormiguero *m*.

개밋둑 hormiguero *m*.

개발 pata *f* del perro. ~에 땀나다 Se ha hecho un trabajo muy difícil. 개발에 (주석) 편자(라) ((속담)) Echar margaritas a los puercos [a los cerdos]. ¶ ~코 nariz *f* chata.

개발(開發) desarrollo *m*; [자원의] explotación *f*. ~하다 desarrollar, desenvolver, explotar. ~되다 desarrollarse; [개화하다] civilizarse; [근대화하다] modernizarse. ~ 경제 economía *f* del desarrollo, desarrollo *m* económico. ~ 계획 planificación *f* [proyecto *m*·plan *m*·programa *m*] del desarrollo. 도상국 país *m* en desarrollo, país *m* en vías [en proceso] de desarrollo.

개밥 perruna *f*, alimento *m* para el perro. 개밥에 도토리 ((속담)) paria *mf*, persona *f* aislada.

개방(開放) entrada *f* libre. ~하다 abrir, dejar abierto; [문호를] abrir de par en par. ~ 경제 economía *f* de puertas abiertas, economía *f* no proteccionista. ~ 대학 universidad *f* abierta. ~ 도시 ciudad *f* abierta. ~ 사회 sociedad *f* abierta. ~적 abierto; [솔직한] franco. ~적인 성격 carácter *m* abierto. ~ 정책 política *f* de puertas abiertas; [수입의] política *f* no proteccionista. ~주의 laisser-faire *fr.m.*

개벽(開闢) ① [천지가 처음 열림] creación *f* del mundo. ~하다 crear el mundo. ② [천지가 어지럽게 뒤집혀짐] confusión *f* del mundo. 천지 ~이 일어나도 aunque el cielo caiga. ③ [새로운 시대가 시작됨] comienzo *m* de la nueva era. ¶ ~이래 desde la creación del mundo, después de la Creación.

개변(改變) cambio *m*, modificación *f*; [개혁] renovación *f*, reformación *f*. ~하다 cambiar, modificar; renovar, reformar.

개별(個別) caso *m* individual, individualización *f*. ~ 보험 seguro *m* individual. ~ 선발 selección *f* de personal; ((보험)) selección *f* individual. ~ 심사 chequeo *m* individual. ~적 individual, particular, separado. ~적으로 individualmente, separadamente, particularmente; uno por uno, una por una. ~ 조사 investigación *f* individual. ~ 지도 orientación *f* individual.

개병(皆兵) reclutamiento *m* universal. 국민 ~ 제도 sistema *m* de reclutamiento universal.

개복(開腹) ((의학)) apertura *f* de abdomen para la operación. ~하다 abrir el abdomen para la operación. ~ 수술 laparotomía *f*, operación *f* abdominal.

개봉(開封) ① [봉한 것을 떼어 엶] apertura *f* del sobre, acción *f* de abrir cosa sellada. ~하다 [봉투를] abrir el sobre; [봉인된 것을] abrir sellado, desellar. ② [새 영화를 처음 상영함] estreno *m*. ~하다 estrenar. ~되다 estrenarse. ¶~관 [영화관] cine *m* de estreno. ~ 영화 película *f* de estreno.

개비 pedazo *m* de madera partida. 성냥 ~ cerilla *f*, fósforo *m*. 장작 ~ pedazo *m* de leña partida.

개산(槪算) aproximación *f*, cálculo *m* aproximado, cálculo *m* aproximado. ~하다 calcular [tasar] aproximadamente, hacer un cálculo aproximado.

개살구 alboricoque *m* silvestre. 빛 좋은 개살구 ((속담)) Las apariencias engañan.

개새끼 ① [강아지] cachorro, -rra *mf*; perrito, -ta *mf*. ② [개자식] hijo *m* de perro, hijo *m* de puta.

개서(改書) acción *f* de escribir otra vez. ~하다 escribir otra vez.

개서(開書) apertura *f* del sobre. ~하다 abrir el sobre, leer abriendo el sobre.

개선(改善) mejora *f*, mejoramiento *m*; [개혁] reforma *f*; [향상] progreso *m*. ~하다 mejorar; reformar. 노동 조건을 ~하다 mejorar las condiciones de trabajo. ¶~책 medidas *fpl* de reforma.

개선(改選) renovación *f* (por elección). ~하다 renovar por elección.

개선(凱旋) vuelta *f* triunfal. ~하다 volver triunfalmente [en triunfo]. ~가 canción *f* triunfal. ~문 arco *m* triunfal.

개선(疥癬) ((의학)) sarna *f*, roña *f*. ~충 cunículo *m*.

개설(開設) establecimiento *m*, fundación *f*, apertura *f*, construcción *f*; [창설] creación *f*. ~하다 establecer, fundar, abrir, inaugurar, crear. 신용장의 ~ apertura *f* de un crédito.

개설(槪說) explicación *f* general, resumen *m* general, exposición *f* sumaria. ~하다 explicar en términos generales, exponer sumariamente, dar una idea general.

개성(改姓) cambio *m* del apellido. ~하다 cambiar el apellido.

개성(個性) personalidad *f*, carácter *m* individual, individualidad; [독창성] originalidad *f*. ~이 없는 sin personalidad, sin originalidad, común. ~을 발휘하다 mostrar [revelar]

su personalidad.

개소(開所) apertura *f* de una nueva oficina. ~하다 abrir una nueva oficina.

개소(個所) lugar *m*, sitio *m*, punto *m*, parte *f*.

개소리 tonterías *fpl*, estupideces *fpl*, chorradas *fpl*, *RPI* pavadas *fpl*. ~마라 ¡Tonterías! ¡Qué ridículo! No digas tonterías [estupideces].

개소주(-燒酒) aguardiente *m* de perro.

개수(-水) ((준말)) =개숫물. ~대 fregadero *m*. ~통 fregadero *m*, *Andes*, *Méj* lavaplatos *m.sing.pl.*

개수(改修) reparación *f*, reforma *f*. ~하다 reparar, rehacer, reformar. 교량 ~ 공사 obras *fpl* de reparación del puente.

개수(箇數) número *m*. ~를 세다 contar el número.

개수작(-酬酌) tonterías *fpl*, estupideces *fpl*. ~ 마라 ¡Tonterías! / ¡Qué ridículo! / No digas tonterías.

개숫물(-水-) el agua *f* de lavar los platos.

개시(開市) ① [시장을 열어 매매를 시작함] comienzo *m* de la compra y la venta después de abrir el mercado. ~하다 comenzar la compra y la venta. ② [장사를 시작한 뒤] primera venta de productos [장사를 시작한 뒤] primera venta *f* del día. ~하다 vender primero después de abrir la tienda.

개시(開始) comienzo *m*, principio *m*, apertura *f*. ~하다 comenzar, empezar, iniciar, dar principio. 공격을 ~하다 emprender [empezar] el ataque. 교섭을 ~하다 abrir [entrar en] negociaciones.

개식(開式) apertura *f* de una ceremonia. ~하다 abrir una ceremonia. ~사 discurso *m* inicial.

개신(改新) renovación *f*, innovación *f*, novedad *f*, reforma *f*. ~하다 renovar, innovar, reformar.

개신교(改新敎) protestantismo *m*.

개심(改心) reforma *f*, corrección *f*, arrepentimiento *m*. ~하다 arrepentirse, enmendarse, corregirse, reformarse. ~시키다 corregir, reformar.

개싸움 ① [개끼리의 싸움] pelea *f* entre los perros. ② [옳지 못한 행동으로 더러운 욕망을 채우려는 싸움] lucha *f* sucia.

개악(改惡) mal cambio *m*. ~하다 cambiar para mal. 헌법의 ~ enmienda *f* retrógrada de la Constitución.

개안(開眼) ① [눈을 뜨게 함] la acción de hacer abrir los ojos. ~하다 hacer abrir los ojos. ② ((불

교)) [불도의 진리를 깨달음] ilus-
tración f. ~하다 estar ilustrado
espiritualmente. ③ ((불교)) [불상
을 만든 뒤에 처음으로 불공을 드
리는 의식] primer ritual m budista
después de hacer una estatua
budista. ¶ ~ 수술 operación f
para recobrar la vista.

개암 [개암나무의 열매] avellana f.

개암나무 ((식물)) avellano m.

개암(이) 들다 tener complicaciones
después de parto.

개업(開業) apertura f, inauguración f,
[창업] fundación f, establecimiento
m. ~하다 empezar a ejercer,
inaugurar, fundar, establecer; [가
게를] establecer una tienda, abrir
una tienda; [병원을] practicar. 변
호사를 ~하다 establecerse como
[de] abogado, abrir un bufete.
¶ ~식 ceremonia f de inauguración. ~의(醫) médico m práctico,
médica f práctica; médico, -ca mf
general; médico, -ca mf de consulta.

개역(改易) cambio m, modificación f,
alteración f. ~하다 cambiar, modificar, alterar.

개역(改譯) traducción f revisada. ~
하다 traducir de nuevo. ~판(版)
versión f revisada.

개연(開演) representación f, levantamiento m del telón, apertura f. ~
하다 levantar el telón.

개연(蓋然) lo probable. ~론 proba-
bilismo m. ~론자 probabilista mf.
~설 probabilidad f. ~성 probabilidad f.

개염 codicia f.

개오(改悟) reformación f. ~하다
reformar.

개오동나무(-梧桐-) catalpa f.

개요(概要) sumario m, compendio m,
sinopsis f, resumen m. 사건의 ~
sumario m del caso, resumen m
del caso. 조약의 ~ resumen m
del tratado.

개운하다 ① [산뜻하고 시원하다]
sentir bien, sentirse refrescado,
sentirse aliviado. 개운치 않다
(ser) vago, indistinto; [기분이]
sombrío. ② [입에 상쾌하도록 산뜻
하다] (ser) sencillo, refrescante. 조
개탕 맛이 ~ La sopa de almeja
tiene un sabor [gusto] refrescante.

개울 arroyo m, arroyuelo m. ~ 옆에
(서) al lado del arroyo, junto al
arroyo.

개원(開院) apertura f, inauguración f,
[국회의] apertura f de la sesión.
~하다 abrir; [국회를] abrir la
sesión. ~식 inauguración f, [국회
의] ceremonia f de apertura (de
Cortes · de asamblea nacional).

개원(開園) apertura f.

개의(介意) inquietud f, preocupación
f. ~하다 inquietarse, preocuparse,
hacer caso, prestar atención, tomar [tener] en consideración, tener en cuenta. ~하지 않고 sin
preocuparse, sin consideración, sin
hacer caso.

개인(改印) cambio m del sello. ~하
다 cambiar el sello (registrado).
~계[신고] declaración f del cambio del sello.

개인(個人) individuo m. ~의 individual, personal, particular, privado.
~의 이익 interés m particular. ~
의 자유 libertad f individual. ¶ ~
교수 ㉠ lección f privada (parti-
cular]. ㉡ [사람] profesor, -sora
mf particular. ~기 técnica f personal, técnica f individual. ~ 기업
empresa f privada. ~ 문제 asunto
m privado. ~ 병원 hospital m
privado. ~상 premio m privado.
~ 생활 vida f privada. ~ 은행
banco m privado. ~ 자본 capital
m privado. ~ 재산 bienes mpl
privados. ~적 individual, personal,
[사적인] privado, particular. ~전
(展) exposición f individual. ~전
(戰) (partido m) individual m. ~
종목 prueba f individual. ~주의
individualismo m. ~주의자 indivi-
dualista mf. ~ 지도 orientación f
personal. ~ 택시 taxi m de cho-
fer-propietario. ~ 택시 운전사 ta-
xista-propietario mf. ~ 투자 inversión f privada.

개입(介入) intervención f, [간섭]
injerencia f, intromisión f. ~하다
intervenir [interponerse], meter las
narices; [간섭하다] entrometerse,
injerirse. 제삼자의 ~ intervención
f de un tercer partido.

개자(芥子) mostaza f.

개자리 ((식물)) alfalfa f.

개자식(-子息) hijo m de perro, hijo
m de puta.

개작(改作) refundición f, [번안. 각색]
adaptación f, [표절] plagio m. ~하
다 refundir, rehacer; [번안하다. 각
색하다] adaptar; [표절하다] pla-
giar, cometer plagio.

개잠 sueño m repantigado (como un
perro). ~(을) 자다 dormir repan-
tigándose como un perro.

개잡년(-雜-) desvergonzada f, libertina f, putilla f, fulana f.

개잡놈(-雜-) mujeriego m.

개장(改裝) renovación f, reforma f,
modificación f, transformación f.
~하다 renovar, reformar, transformar. 점포 ~ 휴업 ((게시)) Cerrado por reformas.

개장(開場) apertura f. ~하다 abrir-
(se), empezar. 정오에 ~함 ((게
시)) Se abre al mediodía. ¶ ~식

ceremonia *f* de apertura.

개재(介在) interposición *f*, intervención *f*. ~하다 estar, encontrarse, meditar, interponerse, estar situado.

개전(改悛) arrepentimiento *m*, penitencia *f*. ~하다 arrepentirse, compungirse, dolerse. ~시키다 hacer arrepentirse. ~의 정이 현저하다 dar claras muestras de *su* arrepentimiento, arrepentirse sinceramente.

개전(開戰) rompimiento *m* [principio *m*] de hostilidades, comienzo *m* de la guerra. ~하다 romper [comenzar] las hostilidades, comenzar [empezar] la guerra.

개점(開店) apertura *f*, inauguración *f*. ~하다 inaugurar el comienzo, abrir tienda. ~ 시간 hora *f* de apertura, hora *f* de abrir la tienda. ~ 휴업 El negocio no va bien.

개정(改正) corrección *f*, enmienda *f*, rectificación *f*; [개혁] reforma *f*; [변경] modificación *f*. ~하다 corregir, enmendar, revisar, reformar, modificar. 법률을 ~하다 enmendar una ley. ¶ ~안 proyecto *m* de (la) revisión.

개정(改訂) revisión *f*. ~하다 revisar. 전면(全面) ~ revisión *f* total. ¶ 증보판 edición *f* revisada y aumentada. ~판 edición *f* revisada, versión *f* revisada. 전면 ~판 versión *f* [edición *f*] completamente revisada.

개정(開廷) apertura *f* del tribunal [del juzgado]. ~하다 abrir el tribunal, abrir la sesión.

개조(改造) reconstrucción *f*, reorganización *f*; [개장] transformación *f*; [개수] reforma *f*. ~하다 reconstruir, reorganizar; transformar; reformar.

개조(改組) reorganización *f*. ~하다 reorganizar.

개조(箇條/個條) artículo *m*, cláusula *f*. 그 계약은 10~로 되어 있다 El contrato consta de diez artículos.

개종(改宗) conversión *f*. ~하다 convertirse, cambiar de religión. 개신교로 ~하다 convertirse al protestantismo.

개주(改鑄) refundición *f*; [화폐의] resello *m*. ~하다 refundir; resellar.

개죽음 muerte *f* vana [inútil]. ~을 당하다 morir en vano.

개집 perrera *f*.

개차반 persona *f* maleducada [descortés]; mierda *f*, gentualla *f*, gentuza *f*.

개찰(改札) revisión *f* de billetes [*AmL* boletos]. ~하다 revisar los billetes; [표를 자르다] picar los billetes; [짐찰하다] recoger los billetes, horadar billete [*AmL* boleto] con punzón. ~구 portillo *m* de andén, garita *f* del revisor. ~원 revisor, -ra *mf*.

개척(開拓) explotación *f*, cultivo *m*, colonización *f*; [개간] roturación *f*. ~하다 explotar, cultivar, roturar. ~단 grupo *m* de la exploración. ~민 emigrante *mf* para la explotación. ~사 historia *f* de la colonización [de la explotación]. ~자 explotador, -ra *mf*; colonizador, -ra *mf*; pionero, -ra *mf*. ~자 정신 espíritu *m* pionero y emprendedor.

개천(開川) ① [개골창물이 흘러 나가도록 판 긴 내] acequia *f*. ② [내] arroyo *m*; [도랑] arroyuelo *m*. 개천에서 용 난다 ((속담)) Las cañas se vuelven lanzas.

개천절(開天節) Día *m* de la Fundación de Nación.

개체(個體) individuo *m*. ~ 관념 concepto *m* individual. ~ 변이 variación *f* individual. ~ 선발 selección *f* individual.

개최(開催) celebración *f*. ~하다 celebrar, dar, tener. ~되다 celebrarse, tener lugar. 강연회가 ~되었다 Se celebró una conferencia. ¶ ~국 país *m* anfitrión. ~자 anfitrión, -triona *mf*.

개축(改築) reconstrucción *f*; [전부의] reedificación *f*. ~하다 reconstruir, reedificar; [개수하다] reformar.

개칭(改稱) cambio *m* de nombre, cambio *m* de título, cambio *m* de denominación. ~하다 cambiar el nombre, poner nuevo.

개키다 doblar. 옷을 ~ doblar *su* ropa. 이부자리를 ~ doblar la ropa de cama.

개탄(慨嘆) lamentación *f*. ~하다 lamentar, deplotar.

개통(開通) apertura *f* (al tráfico), inauguración *f*. ~하다 abrirse al tráfico, inaugurarse. ~식 ceremonia *f* de apertura, inauguración *f*.

개판 confusión *f* completa, desorden *m* completo, cochinería *f*, lío *m*, embrollo *m*. ~이 되다 caer en confusión completa.

개판(改版) ((인쇄)) revisión *f*, nueva redacción *f*. ~하다 redactar de nuevo. ~본 edición *f* revisada.

개펄 cieno *m*, lodo *m*.

개편(改編) reorganización *f*, reconstitución *f*; [내각의] remodelación *f*. ~하다 reorganizar, reconstituir; [내각을] remodelar. 내각의 ~ remodelación *f* del gabinete.

개평 propina *f* al ganador al perdedor o al espectador en el juego. ~(을) 떼다 quitar la propina del ganador. ¶ ~꾼 espectador, -dora *mf* que espera un poco de dinero dado por el jugador.

개평(概評) crítica *f* sumaria, crítica *f* general, observaciones *fpl* generales. ~하다 criticar sumariamente, criticar [observar] generalmente.

개폐(改廢) modificación *f*, revisión *f*, reorganización *f*. ~하다 modificar, revisar; reorganizar. 법률을 ~하다 someter a revisión una ley, hacer modificación de una ley.

개폐(開閉) apertura *f* y cierre [clausura]. ~하다 abrir y cerrar. ~교 puente *m* levadizo. ~기 conmutador *m*. 자동 ~기 conmutador *m* automático. ~문 puerta *f* de abrir y cerrar.

개표(開票) escrutinio *m*, recuento *m* de los votos. ~하다 escrutar, hacer el escrutinio, hacer el recuento de los votos, recontar los votos. ~ 감시인 supervisor, -sora *mf* de escrutinio. ~소[장소] lugar *m* de escrutinio. ~ 종사원 escrutador, -ra *mf*. ~ 참관인 escrutador, -ra *mf*.

개학(開學) comienzo *m* de la clase [de la escuela]. ~하다 comenzar la clase [la escuela], empezar la escuela [la clase].

개항(開港) apertura *f* del puerto al comercio exterior. ~하다 abrir un puerto (al comercio exterior). ~장 [지] puerto *m* abierto (al comercio extranjero), puerto *m* de tratado.

개헌(改憲) modificación *f* [enmienda *f* · reforma *f*] de la Constitución. ~하다 modificar [enmendar · reformar] la Constitución. ~안 proyecto *m* de modificación de la Constitución. ~ 운동 movimiento *m* para la modificación de la Constitución.

개헤엄 natación *f* como un perro. ~을 치다 nadar como un perro.

개혁(改革) reforma *f*. ~하다 reformar, hacer reforma. 정치적 ~ reforma *f* política. 화폐 제도를 ~하다 reformar el sistema monetario. ¶ ~안 proyecto *m* de reforma. ~ 운동 movimiento *m* de reforma. ~자 reformista *mf*.

개호주 ((動物)) cría *f* del tigre.

개혼(開婚) primer casamiento *m* entre los hijos. ~하다 casar por primera vez entre los hijos.

개화(開化) civilización *f*, ilustración *f*. ~하다 civilizarse. ~한 civilizado, ilustrado. ~되다 civilizarse. ~시키다 civilizar. ¶ ~기 período *m* de civilización. ~ 사상 idea *f* civilizada, pensamiento *m* civilizado.

개화(開花) floración *f*, florecimiento

m. ~하다 florecer, dar *su* flor, echar *su* flor. 문명의 ~ florecimiento *m* de civilización. 예술의 ~ 시기 período *m* de florecimiento artístico. ¶ ~기 (período *m* de) floración *f*.

개황(概況) situación *f* general.

개회(開會) inauguración *f*, apertura *f* (de una asamblea · de una sesión). ~하다 abrir (la asamblea), empezar la sesión. ~를 선언하다 declarar la sesión abierta, inaugurar. ¶ ~사 discurso *m* de apertura. ~식 inauguración *f*, ceremonia *f* de apertura.

객(客) ① [손님] visita *f*, visitante *mf*. ② [나그네] viajero, -ra *mf*; pasajero, -ra *mf*; extranjero, -ra *mf*.

객고(客苦) penalidad *f* [vida *f* difícil] en la tierra extraña. ~에 시달리다 estar agotado por el camino.

객관(客觀) objeto *m*; [객관성] objetividad *f*. ~성 objetividad *f*. ~ 문제 cuestión *f* objetiva. ~식 시험 examen *m* objetiva. ~적 objetivo. ~주의 objetivismo *m*. ~주의자 objetivista *mf*.

객기(客氣) bravura *f* desaconsejada [malaconsejada], ánimo *m* [brío *m*] ficticio [fingido]. ~를 부리다 fingirse animoso [brioso].

객담(客談) palabra *f* ociosa. ~하다 hablar la tontería.

객사(客死) muerte *f* [fallecimiento *m*] en el extranjero, muerte *f* durante el viaje. ~하다 morir en el extranjero, morir como un perro.

객석(客席) ① [무대에 대한] sala *f* de espectadores [de auditorio]; [좌석] localidad *f*, asiento *m*, butaca *f*. ② [손님의 자리] asiento *m* del visitante.

객소리(客 —) palabra *f* ociosa, majaderías *fpl*, cháchara *f*. ~하다 chacharear, cotorrear, decir majaderías. ~ 마라 No diga majaderías.

객수(客愁) nostalgia *f*.

객스럽다(客 —) (ser) inútil.

객식구(客食口) parásito *m*; adlátere *mf*.

객실(客室) ① [손님용 방] sala *f* de visitas, salón *m*. ~로 안내하다 conducir al salón. ② [호텔 등의] habitación *f*, cuarto *m*. ③ [선박 등의] camarote *m*.

객원(客員) participante *m* invitado, huésped *m* invitado, miembro *m* honorario. ~ 교수 profesor, -sora *mf* visitante. ~ 지휘자 director *m* invitado, directora *f* invitada.

객줏집(客主 —) posada *f*, mesón *m*.

객지(客地) tierra *f* extraña [extranjera], extranjero *m*. ~살이[생활] vida *f* en la tierra extraña.

객쩍다(客-) ser inútil.

객차(客車) coche *m* [vagón *m*] de pasajeros, vagón *m* de viajeros.

객체(客體) objeto *m*.

객초(客草) tabaco *m* para los visitantes.

객토(客土) tierra *f* traída de la otra región.

객혈(喀血) hemoptisis *f*. ~ 환자 hemoptísico, -ca *mf*.

갤러리 galería *f*.

갤런 galón *m*.

갯가 orilla *f* del estuario. ~에 a la orilla del estuario.

갯가재 ((동물)) esquila *f*.

갯값 precio *m* muy barato, precio *m* baratísimo.

갯마을 pueblo *m* pesquero.

갯바람 brisa *f* [viento *m*] de mar.

갯버들 ((식물)) sauce *m* blanco.

갯벌 banco *m* de arena que entra y sale el agua de mar.

갯장어(-長魚) ((어류)) lamprea *f*.

갯지렁이 ((동물)) lombriz *f* de tierra, arenícola *f*, nereida *f*, lombriz *f* del cebo de pesca.

갱(坑) ① ((광산)) [구덩이] hoyo *m*, pozo *m*, cueva *f*. ② ((준말)) =갱도. ③ [도랑] acequia *f*. ④ [구덩이에 묻음] sepultación *f* en la fosa.

갱(更) rufián *m*, gángster *mf*, bandido *m*; [행위] gangsterismo *m*; [총칭] banda *f*, pandilla *f*. ~ 영화 película *f* de gángster.

갱년기(更年期) edad *f* crítica, climaterio *m*, período *m* regresivo; [폐경기] menopausia *f*.

갱도(坑道) galería *f* de mina, pozo *m* de mina.

갱목(坑木) entibo *m*.

갱부(坑夫) minero *m*.

갱생(更生) regeneración *f*. ~하다 regenerarse [redimirse·corregirse] de la mala vida (de un pecado).

갱소년(更少年) rejuvenecimiento *m*. ~하다 rejuvenecer(se).

갱신(更新) acción *f* de moverse con dificultad. ~못하다 ser muy difícil de moverse.

갱신(更新) renovación *f*, regeneración *f*, reanudación *f*, reanudamiento *m*; ((법률)) reconducción *f*. ~하다 renovar, reanudar. 계약을 ~하다 renovar el contrato.

갱지(更紙) papel *m* de baja calidad.

갱충쩍다 (ser) descuidado y estúpido, negligente.

갸륵하다 (ser) admirable, laudable, meritorio, digno de alabanza. 갸륵한 사람 persona *f* laudable [digna de alabanza].

갸름하다 (ser) (delgado) de rasgos delicados, pequeño y delgado, ovalado. 갸름한 남자 hombre *m* (delgado) de rasgos delicados. 갸

름한 얼굴 cara *f* ovalada, rostro *m* ovalado.

갸웃뚱 moviendo un poco la cabeza a un lado. ~하다 mover un poco la cabeza a un lado.

갸웃(으로) inclinación *f* de la cabeza. ~하다 inclinar, ladear. 고개를 ~하다 inclinar [ladear] la cabeza.

갸웃거리다 mirar a hurtadillas, inclinar, ladear, *RPl* vichar. 고개를 ~ inclinar [ladear] la cabeza.

각출(醵出) contribución *f*, aportación *f*, donación *f*. ~하다 contribuir, aportar, donar.

갈쭉하다 ser un poco largo. 얼굴이 ~ tener una cara ovalada.

갈쯤하다 ser muy largo.

갈찍하다 ser bastante largo.

거[1] ((준말)) =것. ¶세상이란 다 이런 ~지 El mundo es así.

거[2] ((준말)) =거기. ¶~ 누구냐? ¿Quién es ahí?

거[3] eso. ~ 참 좋다 Eso es muy bueno / ¡Qué bueno es eso!

거간(居間) ① [행위] corretaje *m*. ~하다 hacer corretaje (de). ② ((준말)) =거간꾼.

거간꾼(居間-) agente *mf*, corredor, -dora *mf*. 집 ~ agente *mf* de casa. 토지 ~ agente *mf* de tierra.

거개(擧皆) casi todo, mayoría *f*, gran parte *f*, mayor parte *f*.

거구(巨軀) figura *f* masiva, cuerpo *m* gigantesco. ~증 macrosomia *f*.

거국(擧國) toda la nación, todo el país. ~ 일치 unidad *f* nacional, frente *m* unido, todo el país en un cuerpo. ~ 일치 내각 gabinete *m* apoyado por toda la nación, gabinete *m* pan-nacional. ~적 a escala nacional, a toda la nación, todo el territorio nacional, a nivel nacional. ~으로 a escala nacional.

거금(巨金) mucho dinero *m*, gran cantidad *f* de dinero, capital *m* considerable. ~을 투자하다 invertir una gran cantidad de dinero.

거기 ① ⑦ [그 곳] ese lugar, ese sitio. ⓘ [그것] eso, ése. ② [부사적] [상대방에게서 가까운 곳] ahí; [말하는 사람에게 듣는 사람에게서 먼 곳] allí. ~(에)서 de ahí, de allí. 여기서 ~까지 de aquí a allí.

거꾸러뜨리다 tirar (abajo), lanzar hacia abajo, echar abajo, derribar, derrumbar, derrocar.

거꾸러지다 ① [엎어지다] caerse en tierra. ② [파산하다] fracasar, hacer bancarrota, hacer quiebra. ③ [죽다] morir, fallecer.

거꾸로 al revés (안팎을), a [por] la inversa, al contrario, por el [lo] contrario, de un modo opuesto, con el orden invertido (순서에서),

de arriba abajo (상하로); boca abajo (주둥이 달린 것이나 사람을); en sentido contrario (반향이).

거나하다 estar medio borracho [ebrio]. 그는 거나하게 취해 있다 El está entre Pinto y Valdemoro / El está medio borracho [ebrio].

거년(去年) año m pasado.

거느리다 [지휘나 통솔 아래 두다] dirigir, encabezar, acompañarse, ser acompañado (de); [군대 등을] mandar, conducir, guiar.

거닐다 callejear, vaguear, pasear(se), dar un paseo. 공원을 ~ pasear(se) [dar un paseo] por el parque.

거담(祛痰) pectoral m, secreción f de flema. ~하다 despedir la flema. ~약[제] expectorante m.

거당(擧黨) todo el partido. ~적 de todo el partido.

거대(巨大) grandeza f, gigantez f, enormidad f. ~하다 (ser) muy grande, gigantesco, colosal. ~ 유방 macromastia f. ~ 음경 macrofalo m. ~ 음핵 megaloclítoris m. ~증 gigantismo m.

거덜(이) 나다 desmoronarse, hundirse, derrumbarse, desplomarse, venirse abajo; [파산하다] quebrar, ir a la bancarrota.

거동(擧動) actitud f, apariencia f, aire m, movimiento m, gesto m, ademán m, acto m. 수상한 ~으로 por sus actos sospechosos.

거두(巨頭) persona f importante, figura f prominente, gran hombre m; [업계나 재계의] magnate m. 실업계의 ~ magnate m de la industria. ¶ ~ 회담 conferencia f cumbre.

거두(去頭) corte m de la cabeza. ~ 절미(截尾) ⑦ [머리와 꼬리를 자름] truncamiento m. ~ 절미하다 truncar. 사건은 ~ 절미되었다 El asunto quedó truncado. ⓝ [앞뒤의 잔사설은 빼고 요점만 말함] resumen m, sumario m. ~하다 resumir, hacer un resumen.

거두다 ① [모으다] juntar, unir, coleccionar. [돈 따위를] cobrar, recaudar. 빚[집세]을 ~ cobrar el préstamo [el alquiler]. [수확을] cosechar, segar, recolectar. 밀을 ~ cosechar [segar · recolectar] el trigo. ④ [얻다] ganar, adquirir, conseguir, obtener, tener, lograr. 성공을 ~ tener (buen) éxito. 성과를 ~ lograr éxito, lograr buen resultado. ⑤ [돌보다] cuidar. ⑥ [그만두다. 그치다] parar, dejar (de + inf). 눈물을 ~ dejar de llorar. 숨을 ~ morir, fallecer.

거둠질 cosecha f, recogida f. ~하다 cosechar, recoger.

거드럭거리다 fanfarronear, contonear.

거드럭거리면서 걷다 pavonearse.

거드름 valentonada f. ~(을) 부리다 alzarse [levantarse · subirse] a mayores, remilgarse, hacer remilgo, darse tono, tomar un aire afectado, presumir. ~(을) 빼다 remilgarse, hacer remilgos.

거들다 ① [조력하다] ayudar; [지원하다] apoyar; [보좌하다] auxiliar, asistir; [구제하다] salvar; [기여하다] contribuir. 친구의 일을 ~ ayudar a un amigo en *su* trabajo. ② [참견하다] entremeterse, meterse.

거들떠보다 prestar atención, dar, dirigirse. 거들떠 보지도 않다 ⑦ [거만한 태도로] ~ 아는 체도 하지 아니하다] no mirar tampoco. ⓝ [무관심하여] descuidar, desatender, dejar a un lado dejar de un lado.

거들먹거리다 portarse imprudentemente [con imprudencia]. 거들먹거리면서 걷다 pavonearse, andar con aire arrogante.

거듭 otra vez, de nuevo, nuevamente, repetidamente, repetidas veces. ~하다 repetir, reiterar, hacer de nuevo. ~ 사과드립니다 Pido perdón otra vez.

거뜬하다 ser más ligero de lo que pensaba, sentir mejor, sentir un gran alivio, sentirse aliviado.

거래(去來) ① [상품을 사고 파는 일] negocio m, trato m, negociación m; [상거래] comercio m; [상업 활동] transacción f; [매매] compraventa f; [비합법적인] tráfico m. ~하다 negociar, tratar, comerciar. ~를 제안하다 proponer tener la relación comercial. ② [경리 목적의 경제 행위] trato m, negocio m. ~하다 tratar, operar, comerciar. ③ [서로의 이해 득실을 위한 교섭] trato m. ~하다 tratar. 적과 ~하다 tratar con el enemigo. ④ =왕래(往來). ¶ ~ 가격 precio m de mercado. ~ 량 cantidad f de negocios. ~ 방법 modo m de transacción. ~ 세 impuesto m sobre transacciones. ~소 lonja f; [증권] bolsa f. ~ 액 volumen m de negocios. ~ 은행 *su* banco. ~ 처[선] parroquiano, -na mf; cliente mf.

거론(擧論) acción f de hacer un objeto de critismo. ~하다 hacer un sujeto de discusión, hacer un objeto de critismo.

거룩거룩하다 (ser) muy santo y grande, muy divino.

거룩하다 (ser) santo y grande, divino, sagrado, grande, glorioso, sublime, venerable, ((성경)) santo. 거룩한 정신 espíritu m noble.

거룻배 lancha f, naveta f.

거류(居留) residencia f, permanencia

f, estancia *f*. ~하다 residir, permanecer, estar, hallarse en un lugar. ~민 residente *mf*; extranjero, -ra *mf*; [집합적] colonia *f*·민단 asociación *f* [organización *f*· entidad *f*· corporación *f*] de los residentes coreanos. ~지 colonia *f*.

거르다¹ [받다] filtrar, pasar, colar, trascolar. 천으로 술을 ~ trascolar vino por el paño.

거르다² [건너뛰다] faltar, pasar, saltar(se), omitir, *RPI* saltearse. 하루 걸러 cada dos días. 이틀 걸러 cada tres días. 끼니를 ~ omitir [saltarse] la comida.

거름 (농업) abono *m*; (화학 비료) fertilizante *m*; (인분) estiércol *m*. ~하다[주다] abonar, fertilizar, estercolar, abonar con estiércol.

거리¹ ① [재료] materia *f*, material *m*. ② [대상] tema *m*, causa *f*, origen *m*, sujeto *m*.

거리² [길거리] calle *f*, camino *m*. ~의 여인 mujer *f* pública, prostituta *f*, ramera *f*, puta *f*.

거리 (距離) ① [두 곳 사이의 떨어진 정도] distancia *f*; [주행 거리] recorrido *m*; [전파나 포탄 등의 도달 거리] alcance *m*; [간격] intervalo *m*. ···에서 10킬로미터 ~ ~에 a diez kilómetros de *un sitio*. ② [서먹한 사이] relaciones *fpl* incómodas. ③ [서로의 차이나 구별] diferencia *f*, distancia *f*.

거리끼다 temer, tener recelo, amedrentarse, abstenerse, refrenarse, contenerse; [주저하다] vacilar는. 말하는 것을 ~ abstenerse de decir, no atreverse a decir.

거리낌 recelo *m*, temor *m*. ~없이 sin temer nada, sin vacilar, sin reserva, sin hacer caso de la presencia ajena, de buena lid, sin vacilación; [까놓고] francamente, abiertamente.

거마 (車馬) caballos *mpl* y vehículos, tráfico *m*, transportación *f*. ~비 gastos *mpl* de transporte.

거만 (巨萬/鉅萬) millones *mpl*, gran fortuna *f*. ~의 부(富) fortuna *f* inmensa. ~의 부를 쌓다 amontonar un caudal (de riquezas), adquirir una gran fortuna.

거만 (倨慢) arrogancia *f*, altivez *f*, insolencia *f*, orgullo *m*. ~하다 (ser) arrogante, altanero, altivo, insolente, soberbio, orgulloso. ~한 태도로 de una manera altiva, con altivez, con arrogancia. ~(을) 부리다 tomar una actitud arrogante.

거머리 ① ((동물)) sanguijuela *f*. ② [남에게 귀찮게 구는 사람] gorrón, -rrona *mf*.

거머삼키다 tragar(se) con glotonería.

거머안다 abrazar.

거머잡다 agarrar con glotonería.

거머쥐다 empuñar, asir, agarrar.

거머채다 agarrar.

거멓다 (ser) negro como el carbón.

거목 (巨木) ① [매우 큰 나무] árbol *m* gigante, árbol *m* gigantesco, árbol *m* muy grande. ② [큰 인물] gran hombre *m*, gran mujer.

거무스레하다 =거무스름하다.

거무스름하다 (ser) negruzco; (피부가) oscuro, moreno; [별에 타서] bronceado, tostado, atezado.

거무접접하다 ser negruzco.

거무죽죽하다 ser negruzco.

거무충충하다 ser negruzco.

거무칙칙하다 (ser) oscuro, opaco.

거문고 (악기) *gomungo*, el arpa *f* tradicional coreana con seis cuerdas. ~를 뜯다 [타다] tocar el *gomungo*.

거물 (巨物) gran hombre *m*, hombre *m* importante, hombre *m* de gran calibre, pez *m* gordo, magnate *m*, gran figura *f*, gran personaje *m*. ¶산업계의 ~ magnate *m* del mundo industrial. 정계의 ~ gran figura *f* en el mundo político.

거미 ((동물)) araña *f*. ~줄 ⑦ [거미가 뽑아내는 가는 줄] hilo *m* de araña, hebra *f* de araña, telaraña *f*. ④ [수사망] red *f* (para prender a *uno*). ~집 telaraña *f*, tela *f* de araña.

거병 (擧兵) asamblea *f* de tropas, congregación *f* de tropas. ~하다 congregar las tropas.

거보 (巨步) ① [크게 내디디는 걸음] zancada *f*, tranco *m*, paso *m* gigantesco, paso *m* agigantado. ② [큰 공적이나 훌륭한 업적] hazaña *f* brillante. ~를 내디디다 hacer (grandes) progresos.

거봐라 ¡Mira! / Yo te dije así.

거부 (巨富) millonario, -ria *mf*; multimillonario, -ria *mf*; billonario, -ria *mf*.

거부 (拒否) rechazo *m*, denegación *f*, negación *f*, veto *m*, negativa *f*. ~하다 rechazar, no aceptar, rehusar, negar. ~권 (derecho *m* de) veto *m*. ~권을 행사하다 hacer uso del derecho de veto. ~ 반응 ((의학)) rechazo *m*.

거북 ((동물)) tortuga *f*, [큰 거북] galápago *m*; [바다 거북] tortuga *f* marina, tortuga *f* de mar. ~걸음 paso *m* muy lento, paso *m* de tortuga. ~딱지 concha *f* del galápago. ~점 adivinación *f* por la concha de tortuga.

거북살스럽다 sentirse muy desagradable [molesto].

거북선 (一般) *gobukseon*, Buque *m* de Tortuga, buque *m* blindado en forma de galápago.

거북스럽다 sentirse desagradable, sentirse molesto.

거북하다 ser incómodo, quedar corrido, encontrarse en una posición delicada; [주어가 사람일 때] sentirse incómodo, sentirse molesto. 두 사람 사이가 ~ Los dos no se llevan tan bien como antes.

거사(居士) ① [불교] devoto, -ta *mf* budista. ② [숨어 살며 벼슬을 않는 선비] ermitaño, -ña *mf*; eremita *mf*. ③ [놀고 지내는 사람] haragán, -gana *mf*.

거사(擧事) levantamiento *m*, sublevación *f*, rebelión *m*. ~하다 levantarse, alzarse, rebelarse, sublevarse.

거상(巨商) ① [큰 장사] gran comercio *m*, gran negocio *m*. ② [큰 장사를 하는 사람] comerciante *m* rico, comerciante *f* rica.

거석(巨石) piedra *f* enorme, gran piedra *f*; [유사 이전의] megalito *m*. ~묘 tumba *f* megalítica.

거성(巨星) ① [천문] estrella *f* gigantesca. ② [큰 인물] gran hombre *m*, coloso *m*. 악단의 ~ gran músico *m*.

거세(去勢) ① [동물의] castración *f*, capadura *f*, esterilización *f*. ~하다 castrar, esterilizar, capar. ~되다 castrarse, ser castrado. 소를 ~하다 castrar el toro. ② [세력을 꺾어 버림] exclusión *f*, erradicación *f*, debilitación *f*, debilidad *f*. ~하다 excluir, erradicar, debilitar. ¶ ~ 가축 ganado *m* castrado. ~술 (técnica *f* de) la castración.

거세다 (ser) fuerte, fuertísimo, fortísimo, robusto, vigoroso, poderoso, potente, violento. 거센 바람 viento *m* fuertísimo, viento *m* furioso.

거수(擧手) alzamiento *m* de mano, seña *f* con la mano. ~하다 alzar la mano, levantar la mano. ~ 경례 saludo *m* militar. ~ 경례를 하다 hacer un saludo militar. ~투표 voto *f* a mano alzada.

거스러미 ① =손거스러미. ② [나무의] esquirla *f*.

거스르다 ① [남의 뜻이나 행동 따위를] desobedecer. 명령에 ~ desobedecer [no obedecer] la orden. 어른의 말을 ~ desobedecer el mayor. ② [자연스러운 세나 흐름에] oponerse, resistir, ir contra. 시대의 흐름에 ~ ir contra [en contra de] la corriente de los tiempos. ③ [큰 돈에서] dar la vuelta [el cambio].

거스름돈 vuelta *f*, cambio *m*, dinero *m* menudo, *AmS* vuelto *m*.

거슬리다 ① [귀에] (ser) chocante. 귀에 거슬리는 소리 voz *f* chocante. ② [불쾌하게] lastimar la vista.

거슴츠레하다 (ser) pesado, somno-liento, adormilado.

거시적(巨視的) macroscópico. ~ 경제학 macroeconomía *f*, economía *f* política macroscópica. ~ 물리학 macrofísica *f*.

거식증(拒食症) ((의학)) apastia *f*, apositia *f*, cibofobia *f*.

거실(居室) cuarto *m* de estar, sala *f* (de estar), salón *m*.

거암(巨巖) gran roca *f*, roca *f* enorme, roca *f* muy grande.

거액(巨額) gran cantidad *f* de dinero, suma *f* enorme, suma *f* colosal. ~의 자산 gran capital *m*. ~의 예산 gran presupuesto *m*.

거역(拒逆) desobediencia *f*, oposición *f*, objeción *f*. ~하다 desobedecer, oponerse, resistir. 부모의 말에 ~하다 desobedecer a sus padres.

거우다 provocar, vejar, molestar, irritar, enojar, enfadar.

거울 ① [물체의 형상을 비추어 보는 물건] espejo *m*; [큰] luna *f*. ② [귀감] modelo *m*, buen ejemplo *m*, espejo *m*. ~삼다 tomar [utilizar] de [como] modelo. ~가게 espejería *f*. ~ 장수[제조자] espejero, -ra *mf*. ~집 espejería *f*.

거웃 [음모] pelo *m* púbico, pubis *m*.

거위[1] ((조류)) ganso *m*, ánsar *m*; [암컷] gansa *f*. 집~ ganso *m* doméstico.

거위[2] ((동물)) =회충(蛔蟲).

거위배 ((한방)) dolor *m* de estómago causado por el gusano.

거유(巨儒) ① [학식이 많은 학자] sabio *m* erudito. ② [이름난 유학자] gran confuciano *m*, confuciano *m* famoso.

거의 casi; [부정] apenas; [대부분] en *su* mayoría; [대략] poco más o menos, aproximadamente, cosa de, cerca de. ~ 전부 casi todo. ~ 한 시간 cosa de una hora, poco menos de una hora.

거인(巨人) ① [대인] gigante *m*, titán *m*, coloso *m*. ~ 같은 gigantesco. ② [위인] gran hombre *m*. ¶ ~국 tierra *f* de gigantes. ~증 gigantismo *m*.

거장(巨匠) gran maestro *m*, coloso *m*. ~의 작품 obra *f* del gran maestro. 문학계의 ~ gran maestro *m* del mundo literario.

거저 ① [공으로] gratis, de balde, gratuitamente, de modo gratuito, sin pagar nada, sin cobrar nada. ~ 일하다 trabajar gratis. ② [아무 것도 가지지 않고] sin tener nada.

거저먹기 obtención *f* gratuita, trabajo *m* fácil. ~다 Es una cosa muy fácil / Es una cosa que no cuesta ningún trabajo.

거저 먹다 ① [노력함이 없이 공으로 차지하다] obtener gratuitamente.

② [힘들이지 않고 수월히 하다] trabajar fácilmente.

거적 estera *f* (de paja), esterilla *f*, estera *f* burda hecha de paja.

거절(拒絕) negativa *f*, rechazamiento *m*, rechazo *m*, denegación *f*. ~하다 rechazar, rehusar, negarse. 어음 지불 [인수]를 ~하다 rehusar el pago [la aceptación] (de la letra).

거점(據點) punto *m* de apoyo, base *f*, posición *f*, baluarte *m*, plaza *f* fuerte; ((군사)) fortaleza *f*, bastión *m*. 군사 ~ base *f* militar, base *f* naval, posición *f* militar. 전략 ~ base *f* estratégica.

거족(擧族) toda la nación. ~적 de toda la nación.

거주(居住) residencia *f*, vivienda *f*, morada *m*. ~하다 habitar, residir, morar, vivir, domiciliar. 도심지에 ~하다 habitar en el centro de la ciudad. ¶~권 derecho *m* de residencia. ~민 habitante *mf*, residente *mf*. ~소 dirección *f*, señas *fpl*. ~신고 declaración *f* de residencia. ~ 신고를 하다 declarar la residencia. ~의 자유 libertad *f* de la residencia. ~인구 población *f* residente. ~자 habitante *mf*, residente *mf*. ~ 증명서 certificado *m* de residencia. ~지 lugar *m* de residencia.

거죽 [표면] superficie *f*; [겉부분] exterior *m*, parte *f* exterior; [외견] apariencia *f*.

거중(居中) estancia *f* en el centro. ~ 조정 mediación *f* ~ 조정하다 mediar.

거지 mendigo, -ga *mf*. 거지도 부지런하면 더운 밥을 먹는다 ((속담)) El que madruga coge la oruga / A quien madruga, Dios le ayuda. ¶~ 근성 mendicidad *f*, bajeza *f*, espíritu *m* humilde.

거지반(居之半) casi, casi medio, la gran parte, la mayoría, la buena parte, por la mayor parte, por lo común, ordinariamente.

거짓 ① [명사] mentira *f* (거짓말), falsedad *f* (허위), hipocresía *f*, engaño *m*, fraude *m*. ~ 정보를 주다 dar una información falsa, dar una explicación incorrecta. ② [부사] mentirosamente, falsamente. ¶~ 눈물 lágrimas *fpl* de cocodrilo. ~ 눈물을 흘리다 derramar lágrimas de cocodrilo. ~ 웃음 risa *f* forzada [falsa]. ~ 이름 nombre *m* falso.

거짓말 mentira *f*; [허위] falsedad *f*, [지어낸 말] invención *f*. ~하다 mentir, decir mentiras, falsear la verdad, faltar a la verdad. ~ 같은 increíble. ~을 잘하는 mentiroso. ~이다! ¡Mentira! / ¡Falso! / 같

다 Parece mentira. ~ 같은 이야기다 Es increíble / Parece mentira. 거짓말도 잘만 하면 논 팔 마지기보다 낫다 ((속담)) La mentira es útil a veces. ~쟁이 mentiroso, -sa *mf*. ~ 탐지기 detector *m* de mentiras.

거참(去参)! ¡De veras! / ¡Dios mío! ~ 안 됐다 ¡Qué lástima! / ¡Qué pena! / ¡Cuánto lo siento!

거창하다(巨創/巨刱—) estar en gran escala, ser enorme.

거처(去處) paradero *m*.

거처(居處) residencia *f*, vivienda *f*, morada *f*, habitación *f*. ~하다 habitar, residir, morar, vivir. ~를 정하다 establecerse, instalarse, fijar su residencia [su domicilio]. ¶~ 방 cuarto *m* [sala *f*] de estar.

거추장스럽다 (ser) gravoso, oneroso, incómodo, molesto, pesado, inmanejable, fastidioso, embarazoso, importuno.

거취(去就) su curso de acción; [태도] actitud *f*, conducta *f*, comportamiento *m*. ~를 결정하다 decidir su curso de acción, decidir su actitud.

거치(据置) aplazamiento *m*, dilación *f*, gracia *f*. ~ 기간 días *mpl* de gracia. ~ 배당금 dividendo *m* diferido. ~ 자산 activo *m* diferido.

거치다 ① [(무엇에) 걸려 스치다] pasar. ② ㉮ [어떤 처소를 지나거나 잠깐 들르다] pasar (por), ir (por). 일행은 파리를 거쳐 마드리드를 향했다 Se dirigieron a Madrid vía París. ㉯ [(어떤 일을) 경험하다] tener experiencia, experimentar, sufrir. ㉰ [어떤 단계나 과정을 밟다] pasar. 무수한 난관을 ~ tener un sinfín de dificultades.

거치적거리다 ser un compañero embarazoso, estorbar. 그녀가 일하는 데 아이들이 거치적거린다 Los niños son un estorbo [una dificultad] para que ella trabaje.

거칠거칠 ásperamente, rugosamente. ~하다 [피부가] secarse, ponerse áspero, ponerse rugoso; [피부가 트다] agrietarse. 손이 ~하다 tener las manos secas (como el papel de lija). 피부가 ~하다 tener el cutis áspero, tener la piel áspera.

거칠다 ① [(가루·모래·흙 따위의) 알갱이가 굵다] (ser) grueso. 거친 모래 arena *f* gruesa. ② [(베나 천의 결이) 성기고 굵다] (ser) basto, ordinario, burdo. 거친 천 tela *f* basta. ③ [(살갗·판자 따위의) 표면[걸]이 험하다] (estar) seco, áspero, rugoso. 거칠어지다 [피부가] secarse, ponerse áspero, ponerse rugoso; [피부가 트다] agrietarse; [판자가] ser ásperamente cepillado.

④ [차분하거나 꼼꼼하지 못하다] (ser) rudo, brusco, chapucero, poco esmerado, poco cuidadado. 거칠게 rudamente, con rudeza, con brusquedad, bruscamente, chapuceramente, con poco esmero. 거친 일 trabajo m chapucero, trabajo m poco esmerado. ⑤ [(성질이나 말·글 따위가) 난폭하거나 막되다·세련되지 못하다] (ser) rudo, violento, bruto, brusco, brutal, grosero, agresivo, impetuoso, basto, inculto, poco educado; [문체가] descuidado. 거칠게 violentamente, bruscamente, con brusquedad, agresivamente, brutalmente. 거친 목소리 voz f violenta [brusca]. ⑥ [황폐하다] (estar) arruinado, asolado, abandonado. ⑦ [(물결·바람·날씨 따위가) 사납다] (estar) agitado, borrascoso, tempetuoso, revuelto.

거칠하다 (estar) consumido, descarnado, demacrado, ojeroso, rendido, agotado, débil, flaco, escuálido, flacucho. 거칠한 얼굴 cara f demacrada, rostro m demacrado.

거침 obstáculo m, dificultad f, impedimento m, complicación f, problema m, pega f; [주저] vacilación f, reserva f, timidez f. ~(이) 없다 [막힘이 없다] (ser) sin problemas; [거리낌없다] sin obstáculos, sin trabas, estar libre del impedimento [del problema·de la dificultad], ser sin vacilación [problema·reserva]. ~(이) 없이 sin reservas, con franqueza, francamente, sin reparo, a pedir de boca, sin tropiezo, sin dificultad, fácilmente; [서슴치 않고] sin vacilación. ~없이 말하다 decir sin reservas.

거포(巨砲) ① [큰 대포] gran cañón m. ② ((야구)) =강타자(強打者).

거푸 otra vez, una y otra vez, mil veces, de nuevo, nuevamente, repetidamente, repetidas veces.

거푸집 matriz f, molde m. ~에 넣다 vaciar, moldear, poner en el molde; [본뜨다] amoldear.

거풀거리다 aletear, revolotear, flamear, ondear, agitarse.

거품 [비누의] pompa f; [말이나 비누 따위의] espuma f; [물의] burbuja f; [입의] espumajo m; [맥주의] jiste m; [침] espumarajo m. ~이 일다 espumar, espumear, hacer espuma; [입 따위에서] espumajear; [끓다] burbujear.

거하다(居-) vivir, habitar, morar.

거한(巨漢) gigante m, titán m.

거함(巨艦) gran buque m de guerra.

거행(擧行) celebración f. ~하다 celebrar. ~되다 celebrarse, tener lugar. 개회식을 ~하다 celebrar la apertura.

걱정 preocupación f, ansiedad f, inquietud f, cuidado m. ~하다 preocuparse, inquietarse. ~시키다 preocupar, inquietar. ~하고 있다 estar preocupado. ~하지 마라 No te preocupes. ~하지 마십시오 No se preocupe. ¶ ~거리 preocupaciones fpl, quebradero m [dolor m] de cabeza, causa f [motivo m] de preocupación. ~꾸러기 ⑦ [늘 걱정거리가 많은 사람] persona f con muchas preocupaciones, pesimista mf. ④ [늘 남의 걱정을 많이 는 사람] niño m problemático, niña f problemática; alborotador, -dora mf; oveja f negra. ~스럽다 (estar) preocupado, inquieto, ansioso.

건(巾) [헝겊 따위로 만들어 머리에 쓰는 물건] cubierta f de cabeza hecha de tela. ② ((준말))=두건.

건(件) [일. 사건. 문제] asunto m, cosa f. 예의 ~ el asunto m referido, asunto m en cuestión.

건(鍵) ① =열쇠(llave). ② [풍금이나 피아노 따위의] tecla f.

건(腱) ((생물)) [힘줄] tendón m.

건각(健脚) ① [튼튼한 다리] piernas fpl fuertes. ② [튼튼해 잘 걸음] acción f de andar bien; [튼튼해 잘 걷는 사람] gran andador m, gran andadora f; andarín, -rina mf.

건강(健康) salud f. ~하다 (estar) sano, bien (de salud), tener buena salud, gozar de buena salud. ~의 [이유·문제] de salud; [정책·시설] sanitario, de salud pública; [검사관·규칙] de sanidad. ~한 sano, saludable, con buena salud. ~이 좋은, ~에 좋은 saludable, bueno para la salud, sano; [위생면에서] higiénico. ~이 나쁜 insaludable, perjudicial [malo] para la salud. ~상의 이유로 por razón de salud, por motivos de salud. ~에 좋은 기후 clima m saludable. ~을 회복하다 recobrar la salud. ~이 좋다 estar bien (de salud). ~이 좋지 않다 estar [andar] mal (de salud), estar indispuesto, estar enfermizo, estar delicado (de salud). ¶ ~ 관리 asistencia f médica. ~미 belleza f sana. ~ 보험 seguro m de salud. ~ 진단 reconocimiento m (médico), chequeo m. ~ 진단서 certificado m médico.

건곤(乾坤) ① [하늘과 땅] el cielo y la tierra, universo m. ② =음양(陰陽). ③ [책의 상하] el primer tomo y el segundo (tomo). ¶ ~ 일척(一擲) acción f de pasar el Rubicón.

건국(建國) fundación f de un país [de un estado·de una nación]. ~하다 fundar un país [un estado·una nación]. ~ 공로 훈장 Orden f de Mérito de la Fundación Nacional. ~ 기념일 Día *m* de la Fundación Nacional. ~ 포장 Medalla *f* de la Fundación Nacional.

건군(建軍) fundación *f* del ejército. ~하다 fundar el ejército.

건너 otro lado. 강 ~ 저쪽에 al otro lado del río.

건너 가다 cruzar, atravesar, pasar. 길을 ~ pasar al otro lado de la calle. 서반아에 ~ pasar a España; [정착하다] establecer en España; [이민 가다] emigrar a España.

건너다 cruzar, atravesar, pasar. 길을 ~ cruzar una calle. 냇물을 ~ cruzar [atravesar] el río.

건너다보다 ① [이 쪽에서 저 쪽을 바라보다] mirar el otro lado. ② [남의 이익을] codiciar, envidiar. 남의 재산을 ~ codiciar la propiedad de otro.

건너뛰다 ① [사이를 밟지 않고] saltar. 도랑을 ~ saltar una zanja. 1계급 ~ saltar un grado. ② [생략하다] omitir, saltar(se). 1쪽을 ~ saltar(se) una página.

건너오다 inmigrar, pasar, introducirse. 불교는 6세기에 한국에 건너왔다 El budismo se introdujo en [pasó a] Corea en el siglo VI.

건너짚다 suponer, prever, adivinar.

건너편(−便) otro lado *m*, lado *m* opuesto. ~의 del otro lado. ~에 al otro lado, al lado opuesto (de).

건넌방(−房) habitación *f* al otro lado del salón principal.

건널목 ① [철도의] paso *m* a nivel. ② [길의] paso de peatones, cruce *m* peatonal, cruce *m* de peatones; [강의] cruce *m*; [국경의] paso *m* fronterizo. ¶~지기 guardavía *mf*, guarda- barrera *mf*. ~ 차단기 barrera *f* de paso a nivel.

건네다¹ [남에게 말을 붙이다] decir. 농담을 ~ bromear, decir en broma. ② [(남에게 옮기어 주다] entregar, hacer entrega, pasar.

건네다² [건너게 하다] hacer pasar. 건네 주다 pasar. 사람들을 강 건너 편에 건네 주다 pasar a la gente el otro lado del río.

건네주다 ① [건너게 해 주다] hacer cruzar. ② [남에게 옮기어 주다] entregar, hacer entrega, pasar. 소 금을 건네주십시오 Páseme (la) sal.

건달(乾達) libertino *m*, bribón *m*, pícaro *m*, tuno *m*, pillo *m*, truhán *m*, canalla *m*, granuja *m*, rufián *m*, disoluto *m*. ~패 granuja *f*, granujería *f*, pillería *f*, tunantería *f*.

건답(乾畓) arrozal *m* seco, arrozal *m* que se seca fácilmente.

-건대 según, cuando. 내가 보~ según mi observación. 듣~ según el rumor. 바라~ Yo espero (que).

건대구(乾大口) bacalao *m* seco.

건더기 ① [국물 있는 음식 속에 섞인 고기·채소 등] pedazos *mpl* de carne y vegetales en la sopa, sustancia *f*. ② [액체에 섞여 있는 고체의 물건] ingredientes *mpl* sólidos que mezclan en el líquido. ③ ((속어)) [일의 내용] base *f*, fundamentos *mpl*, sustancia *f*. ~ 없는 이야기 historia *f* vacía [infundada].

건독(乾−) dique *m* seco.

건드리다 ① [만지거나 부딪거나 하여 움직이게 하다] tocar. 건드리지 마세요 No toque. ② [남의 마음을 상하게 하다] provocar, irritar, sacar de quicio. 자존심을 ~ tentar el orgullo propio. ③ [(어떤 일에) 손을 대어 관계하다] tener relaciones. ④ [육체 관계를 맺다] tener relaciones sexuales (con una mujer).

건들거리다 ① [건드러지게 자꾸 움직이다] balancearse, bambolearse, oscilar, agitar, sacudir. 바위가 건들거린다 La roca sacude. ② [바람이 시원하게 약간 높이 불다] soplar algo fuerte. ③ [일없이 빈둥거리다] pavonearse, darse aires, holgazanear, haraganear, flojear.

건들바람 brisa *f* refrescante.

건듯 prontamente, con presteza, apresuradamente, a toda prisa, apresuradamente.

건땅 terreno *m* [tierra *f*] fértil.

건락(乾酪) queso *m*.

건립(建立) edificación *f*, construcción *f*. ~하다 edificar, construir, establecer. ~ 중이다 estar en construcción. ¶~자 constructor, -ra *mf*.

-건마는 aunque, a pesar de (que), pese a (que), no obstante. 노력은 했을~ 그는 실패했다 A pesar de sus esfuerzos, él fracasó.

건망(健忘) ① [잘 잊어버림] lo olvidadizo. ② ((준말)) =건망증.

건망증(健忘症) amnesia *f*.

건명태(乾明太) abadejo *m* secado.

건문어(乾文魚) pulpo *m* seco.

건물(建物) edificio *m*, inmueble *m*; [건축물] construcción *f*. 황폐한 ~ edificio *m* destruido. ~을 개축하다 renovar un edificio. ~을 부수다 destruir un edificio. ~을 세우다 construir un edificio. 고층 ~ edificio *m* alto; [마천루] rascacielos *m.sing.pl.* 목조 ~ edificio *m* de madera. 석조 ~ edificio *m* de piedra. 철근 콘크리트 ~ edificio *m* de hormigón armado. ¶~ 등기 registro *m* de edificio. ~ 보수 reparación *f* de edificios.

건물(乾物) [식료품] comestibles *mpl*, provisiones *fpl*; [육류포] carne *f* seca (y salada); [생선포] pescado *m* seco (y salado).

건반(鍵盤) teclado *m*. ~ 악기 instrumento *m* de teclado. ~ 음악 música *f* de teclado.

건밤 noche *f* en blanco, noche *f* sin poder dormir. ~을 세우다 pasar la noche en blanco [sin poder dormir].

건방지다 (ser) altivo, orgulloso, altanero, soberbio, arrogante, insolente, jactancioso, presuntuoso; [예의를 모르는] descortés, impertinente, descarado. 건방진 녀석 tipo *m* impertinente, esnob *mf*.

건배(乾杯) brindis *m*. ~하다 brindar, beber a la salud, echar un brindis. …의 건강을 위해 ~하다 brindar por *uno*, beber a la salud de *uno*. ~! ¡Salud! / ¡A su salud!

건빵(乾−) bizcocho *m*, galleta *f*.

건사하다 ① [돌보다] cuidarse, atender. ② [수습하다] manejar, mirar por, ocuparse.

건선(乾癬) ((의학)) psoriasis *f*, empeine *m* (escamoso).

건선거(乾船渠) dique *m* seco.

건설(建設) construcción *f*. ~하다 construir, edificar, erigir, levantar. ~중이다 estar en construcción. ¶~ 공사 obra *f* de la construcción. ~부 Ministerio *m* de Construcción, Ministerio de Obras Públicas y Urbanismo. ~업 industria *f* de la construcción. ~자 constructor, -ra *mf*. ~ 회사 compañía *f* de construcción.

건성 desatención *f*, descuido *m*, distracción *f*. ~으로 distraídamente. ~으로 대답하다 responder distraídamente.

건성 naturaleza *f* seca.

건수(件數) número *m* (de caso). 범죄 ~ número *m* de los deleites.

건승(健勝) buena salud *f*. ~하다 estar bien de salud. ~을 빌다 rogar por *su* buena salud.

건시(乾柿) caqui *m* [kaki *m*] secado.

건실하다(健實−) (ser) firme, serio, honesto, decente. 건실함 firmeza *f*. 건실한 사람 persona *f* honesta. 건실한 일 trabajo *m* serio. 건실한 생활을 하다 (comenzar a) llevar una vida honesta [decente].

건아(健兒) joven *m* vigoroso. 대한의 ~ joven *m* vigoroso de Corea.

건어(乾魚)(〈어류〉) =건어물(乾魚物).

건어물(乾魚物) pescado *m* secado.

건울음 lloro *m* fingido.

건위(健胃) ① [튼튼한 위] estómago *m* fuerte. ② [위를 튼튼하게 함] acción *f* de fortificar el estómago. ~하다 fortificar el estómago. ¶~정(錠) tableta *f* péptica. ~제 [약] estomacal *m*, estomáquico *m*.

건육(乾肉) carne *f* secada.

건의(建議) ① [의견이나 희망을 상신함] propuesta *f*, proposición *f*, recomendación *f*, sugerencia *f*. ~하다 proponer, sugerir, hacer una proposición, recomendar. ② [관청에 희망을 개진함] memorial *m*. ~하다 solicitar por medio de un memorial. ¶~서 memorial *m*, petición *f*, solicitud *f*. ~서를 제출하다 presentar una petición, hacer una solicitud. ~안 proposición *f*, proyecto *m*; [국회의] moción *f*. ~자 proponente *mf*, proponedor, -ra *mf*. ~함 caja *f* de sugerencia.

건자재(建資材) materiales *mpl* para la obra de construcción.

건장하다(健壯−) (ser) robusto, vigoroso, fuerte. 건장함 robustez *f*, robusteza *f*, vigor *m*, fuerza *f*. 건장한 사람 hombre *m* robusto, hombre *m* vigoroso.

건재(乾材) ((한방)) hierbas *fpl* medicinales secadas. ~ 약국 tienda *f* de las hierbas medicinales al por mayor, droguería *f* de las hierbas medicinales orientales.

건재(建材) materiales *mpl* de construcción. ~상 ㉮ [상점] tienda *f* de materiales de construcción. ㉯ [사람] comerciante *mf* de materiales de construcción.

건재(健在) goce *m* de buena salud. ~하다 gozar de [disfrutar] buena salud, gastar salud, estar bien de salud, estar con buena salud, estar bien.

건전(健全) sanidad *f*, salubridad *f*, honestidad *f*, honradez *f*. ~하다 (ser) sano, honesto, honrado; [견실하다] firme, sólido. ~한 사상 idea *f* sana.

건전지(乾電池) pila *f*, batería *f*.

건조(建造) construcción *f*, edificación *f*. ~하다 construir, edificar. ~중이다 estar en construcción. 선박을 ~하다 construir un barco. ¶~물 edificio *m*, estructura *f*, construcción *f*.

건조(乾燥) ① [습기・물기가 없어짐. 습기・물기를 없앰] sequedad *f*, calidad *f* de seco, secado *m*; [정신・환경 등의] aridez *f*. ~하다 estar [ser] seco, secarse, resecarse, desecarse. ~시키다 resecar, secar, hacer seco, desecar. ((준말)) =건조 무미. ¶~기(期) estación *f* seca, temporada *f* de (la) sequía. ~기(機/器) secadora *f* [의류의] enjugador *m*. ~ 기후 clima *m* árido. ~실[장] secadero *m*. ~약 desicante *m*. ~제 desecante *m*; [도료용] secante *m*.

건주정(乾酒酊) =강주정. ¶~하다 fingir la borrachera.

건지다 ① [구하다] salvar, socorrer.

가난한 사람을 ~ socorrer a los pobres. 생명을 ~ salvar la vida. 병에서 ~ curar la enfermedad. ② [원조하다] ayudar, apoyar.

건초(乾草) heno *m*, hierba *f* seca para el ganado. ~ 더미 montón *m* de heno. ~ 저장소 pajar *m*.

건축(建築) construcción *f*, edificación *f*; [총칭] arquitectura *f*. ~하다 construir, edificar, eregir, levantar. ~ 중의 en construcción. ~되다 construirse, ser construido. 집을 ~하다 construir(se) la casa. ~ 일을 하다 trabajar en la construcción. ¶ ~ 가 auquitecto, -ta *mf*. ~공사 obras *fpl* de construcción. ~공학 ingeniería *f* arquitectórica. ~기사 ingeniero, -ra *f* de construcción; arquicto, -ta *mf*. ~물 construcción *f*, edificación *f*, edificio *m*, arquitectura. ~미 belleza *f* de construcción. ~미술 bellas artes *fpl* de arquitectura. ~법 ley *f* de (la) construcción. ~비 gastos *mpl* de construcción. ~사 arqui-tecto *m* autorizado, arquiteca *f* autorizada. ~업 industria *f* de la construcción, construcción *f*. ~용지(用地) solar *m*. ~자 constructor, -ra *mf*. ~재 materiales *mpl* de [para] construcción. ~학 arquitectura *f*, arquitectónica *f*. ~ 회사 (empresa *f*) constructora, compañía *f* de construcción.

건투(健鬪) buena lucha *f*, buen combate *m*, lucha *f* brava; [노력] esfuerzos *mpl* enérgicos. ~하다 luchar bravamente, hacer esfuerzos enérgicos. ~를 빕니다 Quiero que usted tenga buena suerte / ¡Le deseo buena suerte!.

건판(乾板) ((사진)) placa *f* seca.

건평(建坪) el área *f* de un edificio, superficie *f* edificada.

건폐율(建蔽率) porcentaje *m* de superficie a edificar.

건포(乾脯) carne *f* secada, pescado *m* secado.

건포(乾布) toalla *f* seca.

건포도(乾葡萄) pasa *f*.

걷기 andar *m*.

걷다¹ [다리를 번갈아 떼어] andar, caminar. 거리를 ~ andar por las calles, andorrear, callejear.

걷다² ① [끼었던 구름이나 안개가] despejarse, aclararse, serenarse. ② [추키거나 말아서 올리다] levantar; [옷자락이나 소매를] remangar(se), arremangar(se), recoger. 소매를 걷어 올리다 arremangarse, remangarse. ③ [덮였거나 깔렸거나 널린 것을] remover, cobrar, recoger; [기·돛을] arriar. 그물을 ~ cobrar [recoger] las redes. 기를 ~ arriar

la bandera. ④ [(일이나 일손을) 끝내거나 중단하여 그만두다] resol-ver, solucionar, llevar a una conclusión. 일을 ~ poner *sus* asuntos en orden. ⑤ [(준말) =거두다. ¶ 회비를 ~ cobrar la cuota.

걷다들다 arroparse.

걷어붙이다 remangarse, arreman-garse. 와이셔츠의 소매를 ~ re-mangarse la camisa.

걷어차다 patear, golpear con los pies, dar un puntapie [una pata-da], pegar una patada, patalear.

걷어차이다 ser dado una patada, ser dado una coz.

걷어치우다 ① [흩어진 것을 거두어 치우다] recoger y quitar. 이불을 ~ recoger la ropa de cama y quitarla. ② [그만두다] dejar de + *inf*, parar de + *inf*, cerrar. 사업을 ~ dejar de hacer un negocio.

걷잡다 ① [쓰러지는 것을 거두어 붙잡다] sujetar, agarrar, parar. ② [마음을 진정하거나 억제하다] fre-nar, contener, controlar, chequear. 걷잡을 수 없다 (ser) incontrola-ble, irresistible, irrefrenable.

걷히다 ① [돈 따위가] cobrarse. ② [안개 따위가] aclararse, clearese.

걸 chica *f*, muchacha *f*. ~ 프랜드 amiga *f*, [연인] novia *f*. ~ 헌트 conquista *f* de mujeres.

걸개그림 cuadro *m* colgante, pintura *f* colgante.

걸객(乞客) mendigo, -ga *mf*.

걸걸 codiciosamente, glotonamente, con voracidad, con ansia, a dos carrillos. ~거리다 tener un ham-bre canina. ~거리며 먹다 comer glotonamente [con voracidad·con ansia·a dos carrillos].

걸걸하다 ser aguardentosa. 걸걸한 목소리 voz *f* aguardentosa.

걸귀(乞鬼) ① [새끼 낳은 암퇘지] puerca *f* que dio a luz su cochinillo. ② [음식을 지나치게 탐하는 사람] glo-tón, -tona *mf*; comilón, -lona *mf*; tragón, -gona *mf*. ~들린 glotón, voraz, hambriento, insaciable. ~들리다 devorar(se), engullir(se).

걸기대(乞期待) Esperamos que ten-gan esperanza / Tengan esperan-za / Esperen / Aguarden.

걸다¹ [매달다] colgar, suspender, enganchar. 걸려 있다 colgar, pen-der, estar colgado. 모자를 못에 ~ colgar un sombrero de un clavo. 오바를 옷걸이에 ~ colgar el abrigo en la percha. 벽에 그림을 ~ colgar un cuadro en la pared. 창에 [천정에서] 커튼을 ~ colgar una cortina en la ventana [del techo]. ② [(솥 따위를) 얹어 놓다] poner. 솥을 ~ poner la olla. ③ [(문이나 궤짝 따위를) 열리지 않게

하거나 잠그다] cerrar (con llave). 문에 자물쇠를 ~ cerrarse la puerta con llave. 금고에 자물쇠를 ~ cerrar la caja fuerte con llave. ④ [(많은돈을) 담보로 내놓다] apostar. …에 만 원을 ~ apostar diez mil wones a *algo*. ⑤ [목숨을] exponer; [위험을 무릅쓰다] arriesgar. 목숨을 ~ exponer [arriesgar] *su vida*. ⑥ [상대방에게 어떤 행동을 시작하다] empezar, comenzar. 말을 ~ hablar. ⑦ [어떤 관계를 맺다] tener una relación. 연애를 ~ enamorarse, estar enamorado. ⑧ [(기대·희망 등을) 갖다] tener una esperanza. ⑨ [(상대방에게 동작이나 작용이) 미치게 하다] suceder*le*, ocurrir*le*. 전화를 ~ telefonear, llamar (por teléfono). ⑩ [기계의 작용을 하게 하다] arrancar. 시동을 ~ arrancar. ⑪ [게양하다. 내걸다] izar. 국기를 ~ izar la bandera nacional.

걸다² ① [양분을 많이 지니다] (ser) fértil, rico. 땅이 ~ La tierra es fértil [rica]. ② [(액체가) 묽지 않고 툭툭하다] (ser) espeso. ③ [(차려 놓은 음식이) 푸짐하다] (ser) rico, suntuoso, lujoso. 잔치가 ~ La fiesta es rica [lujosa·suntuosa]. ④ [식성이 좋다] (ser) glotón, voraz, insaciable.

걸대 pértiga *f* para colgar la cosa.

걸랑 si, cuando. 서울에 도착하~ 소식을 전하여라 Avísame cuando llegues a Seúl.

걸러 cada, a [con] intervalos. 하루 ~ un día sí y otro no, cada dos días, en días alternos. 이틀 ~ a [con] intervalos de dos días, cada tres días.

걸러뛰다 saltarse. 10쪽을 ~ saltarse diez páginas.

걸레 bayeta *f*, trapo *m*, fregajo *m*, estropajo *m*, hule *m* para cubrir el suelo, *Méj* jerga *f*, *RPl* trapo *m* de piso; [마루용 자루 걸레] fregona *f*, mopa *f*, fregasuelos *m*. ~로 닦다 limpiar, pasar*le* con fregona [la mopa]. ~질 limpieza *f* con un paño, frotamiento *m* para limpiar. ~질하다 frotar para limpiar, fregar con la bayeta, limpiar con el trapo, limpiar con el paño.

걸려들다 ① [낚시에] pescarse. ② [계략 따위에] caer. 그는 음모에 걸려들었다 El cayó en la intriga.

걸리다¹ ① [매달리거나 끼이거나 붙거나 하다] colgar(se), suspenderse, prender. 가지에 옷이 걸렸다 Las ramas prendieron el vestido. 벽에 그림이 걸려 있다 Un cuadro está colgado en la pared / Hay un cuadro (suspendido) en la pared. ② [시간이] tardar(se); [사람·일이

주어질 때] necesitar; [일이 주어질 때] costar. 3일 걸려(서) en tres días. 3일 걸린 여행 viaje *m* de tres días. 여기서 역까지는 얼마나 걸립니까? ¿Cuánto (tiempo) se tarda de aquí a la estación? 10분 걸립니다 Se tarda diez minutos. ③ [(달이나 태양 따위가) 떠 있다] estar colgado. ③ [(법을 어겨) 법의 심판을 받게 될 관계에 놓이다] ser contrario, ir en contra, ser cogido, ser atrapado, ser agarrado, ser pescado, violar. 검열에 ~ no pasar la censura. ⑤ [병이 들다] padecer, coger, contraer. 병에 ~ caer enfermo, ponerse enfermo, enfermar, coger una enfermedad, contraer una enfermedad. ⑥ [계략에 빠지다] caer. 모략에 ~ caer en una trampa. ⑦ [책임 따위가] pesar. ⑧ [홀리다] caer en la trampa [en las garras], dejarse engañar, ser defraudado [seducido]. 악한 여자에게 ~ ser seducido por una mala mujer, caer en las garras de una mala mujer. ⑨ [마음에 거리끼어 꺼림하다] preocupar*le*, tener preocupado, estar preocupado. 그것이 내 마음에 많이 걸린다 Me preocupa mucho. ⑩ [기계의 작용이] arrancar.

걸리다² [걷게 하다] hacer andar. 아기에게 걸음을 ~ hacer andar a un niño.

걸맞다 ① [두 편이 거의 비슷하다] hacer [formar] buena pareja. 걸맞은 부부 esposos *mpl* que forman buena pareja. ② [격에 맞다] (ser) apropiado, adecuado.

걸머잡다 agarrar, agarrarse, asirse, arrebatar.

걸머지다 ① [짐바에 걸어 등에 지다] ponerse [echarse] al hombro con la cuerda. ② [빚을 잔뜩 지다] contraer deudas. ③ [책임을 지다] asumir la responsabilidad, cargar la culpa.

걸머지우다 ① [짐바에 걸어 등에 지게 하다] hacer ponerse al hombro con la cuerda. ② [빚을 잔뜩 지게 하다] hacer contraer deudas. ③ [책임을 지게 하다] hacer asumir la responsabilidad, hacer cargar la culpa.

걸메다 ponerse [echarse] a un hombro.

걸물(傑物) ① [걸출한 인물] gran hombre *m*, hombre *m* extraordinario; [여자] gran mujer *f*, mujer *f* extraordinaria. ② [뛰어난 물건] cosa *f* extraordinaria.

걸상(-床) ① [걸터앉도록 만든 기구] taburete *m*, tabrete *m*, tabulete *m*, banquete *m*; [벤치] banco *m*. ② =의자(silla).

걸쇠 ① [문의] cerrojo *m*, aldabilla *f*, pestillo *m*, picaporte *m*, aldaba *f*, grapa *f*, laña *f*. ~로 걸다 engrapar, asegurar con grapas, lañar. ② [타자기의] tecla *f*.

걸 스카우트 (niña *f*) exploradora *f*.

걸식(乞食) mendiguez *f*, mendicidad *f*, pordioseo *m*. ~하다 mendigar, pedir limosna, pordiosear.

걸신(乞神) voracidad *f*, calidad *f* de voraz. ~(이) 들리다 tener apetito voraz, ser voraz, ser muy comedor. ~(이) 들린 사람 glotón, -na *mf*; comilón, -lona *mf*; tragón, -gona *mf*. ~(이) 들린듯 먹다 comer glotonamente [con voracidad·con ansia·a dos carrillos], devorar(se), engullir(se), comer ávidamente [con avidez].

걸어가다 ir a pie, ir andando, ir caminando.

걸어앉다 sentarse. 의자에 ~ sentarse en una silla.

걸어앉히다 hacer sentarse.

걸어오다¹ ① [도보로 오다] venir a pie, venir andando. 빨리 걸어오너라 Ven a pie rápido. ② [경험해 오다. 살아오다] experimentar. 우리가 걸어온 길 camino *m* que hemos seguido.

걸어오다² [말이나 수작 따위를] buscar. 싸움을 ~ buscar pelea.

걸어잠그다 cerrar con llave.

걸어총(-銃) un montón de armas. ~하다 amontonar [apilar] las armas.

걸음 paso *m*, acción *f* de andar, marcha *f*. 첫 ~ primer paso. 한 ~ 한 ~ paso a paso. 느린 ~으로, 소~으로 a paso de tortuga. 빠른 ~으로 con pasos rápidos. 천리 길도 한 걸음부터 ((속담)) Poco a poco se anda todo.

걸음걸이 modo *m* de andar, andadura *f*.

걸음마 primeros pasos *mpl* del niño, pinitos *mpl*. ~를 하다 hacer pinitos.

걸인(乞人) mendigo, -ga *mf*.

걸작(傑作) ① [썩 훌륭한 작품] obra *f* maestra. 불멸의 ~ obra *f* maestra inmortal. ② [언행이 유별나게 우습고 남의 눈에 뜀. 또, 그런 사람] palabra *f* ridícula; [사람] tipo *m* divertido. ¶ ~집 colección *f* de obras maestras. ~품 obra *f* maestra.

걸쩍거리다 (ser) activo.

걸쩍지근하다 ① [음식을 닥치는 대로 먹다] (ser) glotón. ② [욕을 함부로하여 입이 매우 걸다] (ser) malhablado. 걸쩍지근하게 욕하다 insultar [ofender] con palabras groseras y violentas.

걸쭉하다 (ser) espeso. 걸쭉한 국 sopa *f* espesa, caldo *m* espeso.

걸차다 (ser) muy fértil. 걸찬 땅 tierra *f* fértil.

걸출(傑出) prominencia *f*, eminencia *f*, excelencia *f*; [사람] persona *f* destacada. ~하다 sobresalir, descollar, distinguirse. ~한 prominente, sobresaliente, distinguido, prominente, destacado. ~한 인물 personaje *m* prominente.

걸치다 ① [놓이다] tender. …에게 다리를 ~ echar la [poner una] zancadilla a *uno*. 강 위에 걸친 다리 puente *m* sobre [que cruza] el río. ② [옷이나 이불 따위를] ponerse, vestirse, llevarse. ③ [일정한 회수나 시간 등을] extender, cubrir; [계속하다] durar, seguir.

걸터앉다 sentarse, tomar asiento, sentarse a horcajadas; [말에] montar a horcajadas. 테이블에 ~ sentarse en la mesa.

걸핏하면 en un periquete, a menudo, a seguido. ~ …하다 ser propenso [apto·inclinado·dispuesto] a + *inf*, tener tendencia a + *inf*, tender a + *inf*; [사람이 주어일 때] inclinarse a + *inf*.

검 ① [신(神)] Dios *m*. ② [신령(神靈)] espíritu *m*.

검(劍) [양날의] espada *f*; [사브르] sable *m*; [총검] bayoneta *f*; [단검] daga *f*, puñal *m*; [장식용] espadín *m*; [투우사의] estoque *m*. ~을 뽑다 desenvainar la espada.

검객(劍客) espada *m.sing.pl.*, espadachín *m*, esgrimidor *m*; *AmS* esgrimista *mf*.

검거(檢擧) arresto *m*, detención *f*, captura *f*. ~하다 arrestar, detener, hacer una detención, hacer un arresto, capturar, apresar.

검뇨(檢尿) ((의학)) uroscopia *f*, examen *m* químico de la orina. ~하다 examinar la orina.

검다 ① ㉮ [빛깔이 숯빛이나 먹빛 같다] (ser) negro (como carbón). ㉯ [피부가] (ser) obscuro, moreno. ㉰ [햇볕에 타서] (ser) bronceado, tostado, atezado. 검어지다, 검게 되다 volverse negro, ennegrecerse, volverse bronceado, volverse tostado, volverse atezado. 검게 하다 [만들다] ennegrecer. 검게 탄 얼굴 cara *f* bronceada [tostada]. 검은 머리카락 cabellos *mpl* negros, pelo *m* negro. 검은 색 color *m* negro. ② [영큼하다] (ser) malvado, perverso, malévado, malo, maligno. 속이 검은 사람 persona *f* malvada [perversa]. 검은 머리가 파뿌리 되도록 hasta que sea muy viejo.

검당계(檢糖計) sacarímetro *m*.

검대(劍帶) cinturón *m* de (las)

espadas.

검댕 hollín *m*. ~투성이의 holliniento, que tiene mucho hollín, cubierto de hollín.

검도(劍道) esgrima *f*; [검술] arte *m* de esgrima. ~하다 esgrimir. ~가 esgrimista *mf*; esgrimidor, -ra *mf*. ~ 도장 escuela *f* de esgrima. ~ 사범 maestro, -tra *mf* de esgrima. ~ 시합 torneo *m* de esgrima.

검둥개 perro *m* con pelos negros.

검둥이 ① [피부가 검은 사람] moreno, -na *mf*. ② [흑인] negro, -ra *mf*; moreno, -na *mf*. ③ =검둥개.

검량(檢量) medida *f*. ~하다 medir.

검류계(檢流計) galvanómetro *m*.

검무(劍舞) danza *f* de (las) espadas.

검문(檢問) inspección *f*, control *m*. ~하다 inspeccionar, controlar. ~소 (punto *m* de) control *m*. *AmL*

검버섯 mancha *f* (de erupciones). ~이 낀 얼굴 cara *f* llena [rostro *m* lleno] de manchas (de erupciones).

검법(劍法) esgrima *f*, arte *m* de esgrimir, (destreza *f* en) el manejo de la espada.

검변(檢便) examen *m* de excrementos. ~하다 examinar excrementos.

검부러기 restos *mpl* de la hierba seca [de las hojas secas].

검불 hierba *f* seca, hojas *fpl* secas.

검붉다 (ser) rojo negruzco [oscuro].

검사(劍士) =검객(劍客).

검사(檢事) fiscal *m*; procurador *m* (público), procuradora *f* (pública). ~보 fiscal *m* adjunto, fiscal *f* adjunta. ~장 fiscal *mf* general. ~직 fiscalía *f*.

검사(檢査) examen *m*, inspección *f*, control *m*, reconocimiento *m*; [확인을 위한] comprobación *f*, verificación *f*; [회계의] intervención *f*; [세관의] registro *m*; [금의 질 등을] contraste *m*. ~하다 examinar, inspeccionar, revisar, comprobar, verificar, confirmar, registrar, reconocer, constrastar, pasar revista. ~소 oficina *f* de inspección. ~원 inspector, -tora *mf*; examinador, -dora *mf*; registrador, -dora *mf*. ~증 certificado *m* de prueba. ~필 Aprobado / Examinado / Visto bueno.

검산(檢算) prueba *f*, verificación *f*. ~하다 verificar (el resultado de la operación).

검색(檢索) referencia *f*; [수색] busca *f*, pesquisa *f*, indagación *f*. ~하다 referir, averiguar, explorar, buscar, indagar.

검소하다(儉素-) (ser) sobrio, austero, simple, frugal, económico, sencillo, modesto. 검소한 생활 vida *f* frugal [económica].

검속(檢束) detención *f*, arresto *m*. ~

하다 detener, arrestar.

검술(劍術) esgrima *f*. ~가 espadachín *m*, espada *f*. ~ 도장 escuela *f* de esgrima. ~ 사범 maestro *m* de esgrima.

검습기(檢濕計) =습도계(濕度計).

검시(檢屍) examen *m* del cadáver; [해부] autopsia *f* (judicial). ~하다 examinar el cadáver, hacer una autopsia, autopsiar el cadáver.

검시(檢視) ① [사실을 조사하여 봄] investigación *f* de la verdad. ~하다 investigar la verdad. ② [시력을 검사함] examen *m* de la vista. ~하다 examinar la vista.

검안(檢眼) examen *m* de la vista, optometría *f*. ~하다 examinar (a *uno*) la vista. ~경 oftalmoscopio *m*. ~기 optómetro *m*. ~법 optometría *f*. ~의(醫) optometrista *mf*.

검약(儉約) economía *f*, frugalidad *f*. ~하다 economizar, ahorrar.

검역(檢疫) inspección *f* sanitaria; [격리 기간] cuarentena *f*. ~하다 poner en cuarentena. ~관 oficial *mf* del lazareto. ~기 bandera *f* de cuarentena. ~료 honorario *m* de cuarentena. ~반 grupo *m* de cuarentena. ~선 buque *m* de cuarentena. ~소 lazareto *m*. ~원 miembro *m* de cuarentena. ~의 médico, -ca *mf* de cuarentena. ~증명서 certificado *m* de cuarentena. ~필 Aprobada Inspección Médica. ~항 puerto *m* de cuarentena.

검열(檢閱) inspección *f*, [출판·영화의] censura *f*; [군대의] revista *f*. ~하다 inspeccionar, censurar, aplicar [ejercer] censura, revisar. 사전 ~ precensura *f*. 사후 ~ poscensura *f*. ¶~관[원] censor, -ra *mf*; [군대의] inspector, -tora *mf*. ~제 sistema *m* de censura. ~필 Aprobado por la censura.

검온(檢溫) termometría *f*. ~하다 ⑦ [온도를 재다] medir la temperatura. ㉯ [체온을 재다] medir el temperatura corporal (del cuerpo).

검온손 =마수(魔手).

검온자위 iris *m*.

검이경(檢耳鏡) auriscopio *m*.

검인(檢印) sello *m* de aprobación [de control]; [저자의] sello *m* del autor. ~을 찍다 sellar, franquear, poner sellos. ¶~증 certificado *m* de aprobación. ~필 Aprobado y sellado.

검인정(檢認定) =검정(檢定). ¶~ 교과서 =검정 교과서. ~필 Autorizado, Aprobado.

검전기(檢電器) electroscopio *m*.

검정(color *m*) negro *m*.

검정(檢定) examen *m*; [허가] aprobación *f* oficial, autorización *f* oficial. ~하다 examinar, inspeccionar. ~ 고시[시험] examen *m* de cualificación [de licencia]. ~ 교과서 libro *m* de texto autorizado. ~료 honorario *m* autorizado. ~증 certificado *m* autorizado. ~필 authorizado. ~필 교과서 libro *m* de texto autorizado.

검정사마귀 lunar *m*.

검증(檢證) comprobación *f*, verificación *f*, inspección *f*. ~하다 comprobar, verificar, inspeccionar. ~물 datos *mpl* para verificación. ~장소 lugar *m* a inspeccionar.

검진(檢診) examen *m* médico [clínico], reconocimiento *m* médico. ~하다 examinar médicamente. ~받다 someterse a un reconocimiento médico, sufrir un examen clínico. 정기 ~ examen *m* médico periódico. 종합 ~ examen *m* médico completo. 집단 ~ reconocimiento *m* en grupo, examen *m* clínico en grupo. ¶ ~일 día *m* de reconocimiento médico.

검차(檢車) inspección *f* de un coche. ~하다 inspeccionar un coche.

검찰(檢札) revisión *f* (de billetes). ~하다 revisar los billetes.

검찰(檢察) inspección *f*, registro *m*, acusación *f*. ~하다 inspeccionar, registrar, acusar. ~관 fiscal *mf*. ~청 (Dirección *f* de) Fiscalía *f*. ~총장 fiscal *m* general (del Estado), procurador *m* general.

검출(檢出) detección *f*. ~하다 detectar.

검침(檢針) lectura *f* [apunte *m*] de un contador. ~하다 leer un contador. 전기의 ~을 하다 leer un contador de electricidad. ¶ ~원 empleado, -da *mf* de la lectura de un contador.

검토(檢討) examen *m*, estudio *m*, investigación *f*. ~하다 examinar, estudiar, investigar, someter a examen.

검파(檢波) ((물리)) detección *f* (de las ondas). ~하다 detener (las ondas), desmodular.

검파기(檢波器) ((물리)) detector *m* (de ondas), desmodulador.

검표(檢票) examen *m* [revisión *f*] de los billetes. ~하다 examinar [revisar] los billetes.

검푸르다 (ser) pálido y obscuro, negriazul. 검푸른 바다 mar *m* azul profundo.

검호(劍豪) buena espada *f*, maestro *m* de armas, maestro *m* de esgrima.

겁(劫) ((불교)) siglo *m*, kalpa *m*.

겁(怯) cobardía *f*, timidez *f*, pusilanimidad *f*, acobardamiento *m*. ~(이) 많은 cobarde, tímido. ~(이)

나다 sentir miedo, tener miedo, sentirse tímido, intimidarse, temer, acobardarse. ~(을) 내다 asustarse, espantarse, horrorizarse, sentir [tener] miedo. ~(을) 먹다 meterse en la piña, sentirse tímido, intimidarse, temblar de miedo, inquietarse, mostrarse tímido.

겁간(劫姦) =강간(強姦).

겁꾸러기(怯-) cobarde *mf*.

겁보(怯-) cobarde *mf*.

겁쟁이(怯-) cobarde *mf*; tímido, -da *mf*; pusilánime *mf*; gallina *mf*; miedica *mf*; miedoso, -sa *mf*.

겁탈(劫奪) ① [약탈] saqueo *m*, pillaje *m*, hurto *m*, robo *m* con violencia. ~하다 saquear, pillar, robar con violencia, hurtar, cometer un rapto. ② [강간] violación *f*, rapto *m*. ~하다 forzar a una mujer, violar.

것 ① [추상적] cosa *f*, objeto *m*, artículo *m*, el (de), la (de), los (de), las (de); asunto *m*; lo +「형용사」. 무슨 마실 ~ algo de beber. 술은 좋은 ~은 아니다 No hay nada mejor que el vino / No hay nada tan bueno cómo el vino. 생명은 매우 신비스러운 ~이다 La vida es (una cosa) muy misteriosa. 싼 ~이 비지떡이다 Lo barato sale caro. ② [사유물임을 뜻함] el *suyo*, la *suya*, los *suyos*, las *suyas*, lo *suyo*. 내 ~ el mío, la mía, los míos, las mías, lo mío. ③ [내용·정도·수준] lo (que), que. 여행에 관한 ~을 일기에 쓰다 escribir sobre el viaje en el diario. 어제의 ~은 잊어라 Olvida lo de ayer.

겉 [표면] superficie *f*, [외면] exterior *m*; [외모] apariencia *f*, fachada *f*. ~의 superficial, de apariencia, exterior. ~으로는 aparentemente, en aparienicia. ~만 번드르한 물건 faramalla *f*. ~만 보고 믿어서는 안 된다 No es oro todo lo que reluce. 겉 다르고 속 다르다 ((속담)) Las apariencias engañan ¶ ~표지 [책의] portada *f*.

겉곡식(-穀食) grano *m* de no pelar.

겉껍질 piel *f* exterior; [과일·옥수수 따위의] vaina *f*, cascarilla *f*; [밀·벼의] cáscara *f*, cascarilla *f*, cascabillo *m*; [옥수수의] farfolla *f*, chala *f*; [완두콩·콩의] vaina *f*; [딸기의] cabito *m*, calículo *m*; [싹 따위의] envoltura *f*; [달걀·호두·밤·개암의] cáscara *f*; [바다 연체동물의] concha *f*; [거북·달팽이·갑각류의] caparazón *m(f)*, caparacho *m*; [피부의] capa *f* exterior de la piel, cutícula *f*; ((동물·식물)) manto *m*; ((생물)) investidura *f*; ((해부)) corteza *f*; ((동물·식물·

해부)) epidermis f. ~을 벗기다 [밀·벼의] descascarillar, descascarar; [옥수수의] quitar*le* la farfolla, quitar*le* la chala; [완두콩·콩의] pelar, quitar*les* la vaina; [땅의] quitar*les* el cabito.

겉눈썹 ceja f.

겉늙다 parecer más viejo que *su* edad, ser viejo para *su* edad, avejentarse. 겉늙은 여인 mujer f avejentada.

겉더께 capa f exterior.

겉돌다 ① [서로 다른 액체·기체·가루 따위가] no mezclar. ② [사람이] no hacer buenas migas. ③ [기계나 바퀴 따위가] [기계가] mover [funcionar] en vacío. ㉯ patinar. 바퀴가 겉돌고 있다 Las ruedas están patinando.

겉똑똑이 persona f superficialmente inteligente.

겉면(一面) =외면(外面).

겉모습 =외모(外貌).

겉모양(一模樣/貌樣) aspecto m, apariencia f, aparición f. ~이 좋다 tener buena apariencia [buen aspecto·buena vista]. ~이 나쁘다 tener mala apariencia [mal aspecto·mala vista]. ~을 보고 사람을 판단해서는 안된다 No debemos juzgar por lo que vemos, por lo que parece.

겉보기 apariencia f, fachada f, exterior m. ~에는 en apariencia, exteriormente. ~와는 달리 a pesar de la apariencia. 여자는 ~에는 약하지만 실은 강하다 La mujer esconde fortaleza bajo una apariencia débil.

겉보리 ① [껍질을 벗기지 않은 보리] cebada f desraspada. ② =보리.

겉봉(一封) ① [편지를 봉투에 넣고 다시 싸서 봉한 종이] papel m cerrado después de poner la carta en el sobre y envolverla otra vez. ② [봉투의 거죽] envoltura f del sobre. ③ [봉투] sobre m.

겉봉투(一封套) sobre m exterior.

겉옷 guardapolvo m; [의사 등의] bata f; [공원 등의] mono m; [어린아이의] delantal m.

겉잡다 hacer un cálculo aproximado. 겉잡을 수 없는 말을 하다 decir una historia incoherente.

겉장 portada f; [표지] tapa f de un libro, cubierta f de un libro.

겉절이 encurtidos mpl [verduras fpl encurtidas] inmediatamente antes de comerlas.

겉짐작(一斟酌) cálculo m aproximado. ~을 하다 hacer el cálculo aproximado.

겉창(一窓) ventana f exterior, postigo m, persiana f.

겉치레 ostentación f, vanidad f. ~하

다 hacer ostentación, cubrir las apariencias.

겉치마 falda f exterior.

겉치장(一治裝) adorno m exterior, maquillaje m exterior. ~하다 adornar la parte exterior, maquillarse la parte exterior.

겉칠 pintura f exterior.

겉켜 capa f superficial.

겉포장(一包裝) cubierta f, envoltura f, sobre m.

겉핥기 conocimiento m superficial.

겉핥다 tener un conocimiento superficial.

게 ((동물)) cangrejo m; [바다의] cámbaro m; [담수의] estaco m.

게거품 ① [게가 토하는 거품 같은 침] espuma f por la boca de un cangrejo. ② [사람이나 동물의 거품 같은 침] espuma f.

게걸 voracidad f. ~이 들다 tener un apetito voraz.

게걸거리다 refunfuñar, rezongar, quejarse, murmurar.

게걸스럽다 (ser) voraz, muy comedor, devorador.

게걸스레 vorazmente. ~ 먹다 devorar(se), engullir(se), tener apetito voraz. ~ 먹지 마라 No engullas.

게놈 genoma m. 인간 ~ genoma m humano.

게눈 ① [게의 눈] ojo m del cangrejo. ② ((건축)) decoración f de espiral en el borde de la viga del tejado. 게눈 감추듯 한다 ((속담)) Se come muy rápido / Se come con gula [con glotonería].

게다가 ① ((준말)) =거기에다가(allí). ¶꽃병은 ~ 놓아라 Pon el florero allí. ② [그러한데다가 또] en adición, (y) además, e incluso, encima, por añadidura, para colmo.

게딱지 concha f del congrejo. ~같다, ~만하다 ser insignificante y pequeño, pequeñísimo.

게라(인쇄)) galerada f.

게르마늄 ((화학)) germanio m.

게르만 ① ((지명)) la Germania. ② [사람] germano, -na mf. ~의 germano. ~인 germano, -na mf.

게릴라 guerrilla f. ~ 대원[병] guerrillero, -ra mf; partisano, -na mf, miembro mf de la resistencia. ~전 guerrilla f.

게살 carne f del cangrejo; carne f del cangrejo secada.

게시(揭示) anuncio m, aviso m, notificación f, cartel m, letrero m. ~하다 anunciar [avisar·notificar] (en el tablero de anuncio), publicar escrito en papel, pegar [fijar] carteles. ~판 cartelera f, tablero m de anuncios.

게양(揭揚) izada f. ~하다 izar, enarbolar. 국기를 ~하다 izar la

bandera nacional.

계염 codicia f. ~(이) 나다 hacerse codicioso. ~(을) 부리다 codiciar, comportarse codiciosamente. ~스럽다 ser codicioso. ~스레 codiciosamente.

게우다 vomitar, arrojar. 게울 것 같은 nauseabundo, asqueroso, repugnante. 음식을 ~ vomitar la comida.

게으르다 (ser) perezoso, holgazán, indolente, haragán, ocioso. 게으른 놈이 짐 많이 진다 ((속담)) El haragán tiene mucho trabajo.

게으름 pereza f, holgazanería f, haraganería f, ociosidad f. ~(을) 부리다 (ser) perezoso, holgazán, ocioso. ~(을) 피우다 holgazanear, haraganear, gandulear; [태만하다] desatender, descuidar, dedicarse a la ociosidad.

게으름뱅이 ((속어)) = 게으름쟁이.

게으름쟁이 perezoso, -sa mf; holgazán, -zana mf; haragán, -gana mf.

게을러빠지다 (ser) muy perezoso, muy holgazán.

게을리 perezosamente, con pereza, negligentemente. ~ 하다 descuidar, desatender, ser negligente, ser perezoso. 일을 ~ 하다 descuidar el [descuidarse del] trabajo.

게이 [동성 연애자] homosexual mf.

게이지 ① [측정기] calibrador m. ② [철도의 궤간] ancho m de vía, entrevía f.

게이트 ① [여닫는 문] puerta f. [정원의] cancela f, verja f; [밭의] portón m; [성이나 도시의] puerta f, portal m; [통제하는 곳의 입구] entrada f. ② [수문] compuerta f. ③ [비행장의] puerta f de (embarque). ④ [경마장에서, 출발점의 칸막이] cajón m de salida. ⑤ [스키장의 출발문] puerta f de salida. ⑥ ((컴퓨터)) puerta f.

게임 ① [놀이] juego m. ② [시합] partido m; [장기·카드 등의] partida f; ((테니스)) juego m. ~을 하다 jugar, echar una partida. ¶ ~ 세트 fin de la partida, final m del juego. ~ 카드 ((컴퓨터)) tarjeta f de juegos.

게장(一醬) ① [게젓] cangrejos mpl encurtidos en salsa. ② [게젓을 담근 간장] salsa f hecha de cangrejos encurtidos.

게재(揭載) inserción f, publicación f. ~하다 insertar, publicar. ~ 금지 prohibición f de publicación.

게저분하다 (estar) sucio, impuro.

게적지근하다 no sentirse a gusto.

게젓 cangrejos mpl encurtidos en salsa.

게집 cangrejera f.

게트림 eructo m [regüeldo m] arrogante. ~하다 arrojar [vomitar] arrogantemente.

겔 ((화학)) gel m.

겨 cáscara f, farfolla f; [쌀겨] salvado m de arroz. 똥 묻은 개가 겨 묻은 개를 나무란다[흉본다] ((속담)) Dijo la sartén al cazo: quítate que me tiznas.

겨냥 ① [목적물을 겨눔] puntería f, blanco m. ~하다 apuntar, asestar (el tiro). ② [겨누어 정한 치수와 양식] medida f, tamaño m, dimensión f. ~하다 medir, ponerle la talla.

겨누다 ① [과녁 따위를] apuntar. 높게[낮게] ~ apuntar alto [bajo]. 과녁을 ~ apuntar al blanco. ② [길이나 넓이 따위를 재다] medir.

겨눠보다 ① [시선을 한 줄로 겨누어 보다] tomar puntería tentativa. ② [겨냥을] apuntar.

겨드랑이 ① [몸의] sobaco m, axila f. ~에 debajo del brazo, en el sobaco. ② [옷의] sisa f.

겨레 hijos mpl [decendientes mpl] de los mismos antepasados; [민족] pueblo m, compatriota mf; [형제] hermanos mpl.

겨루기 =겨룸.

겨루다 competir, rivalizar, contender, medir, oponerse. 기능을 ~ contender [rivalizar] en destreza. 아름다움을 ~ rivalizar [competir] en belleza.

겨룸 competción f.

겨를 tiempo m desocupado, tiempo m libre, rato m ocioso, horas fpl ociosas, horas fpl muertas. ~이 없다 estar ocupado (atareado).

겨우 ① [힘들게 가까스로, 근근이] con (mucha) dificultad, difícilmente, a duras penas, a malas penas, por los pelos ~ 시간에 대어 도착하다 llegar por un pelo, llegar apenas a tiempo. ② [고작] sólo, solamente.

겨우겨우 con mucha dificultad.

겨우내 todo el invierno.

겨우살이[1] [겨울동안의 옷과 양식] la ropa y provisiones de invierno.

겨우살이[2] ((식물)) muérdago m, parásito m.

겨울 invierno m. ~의 invernal, de(l) invierno. ~에 en (el) invierno. ~ 바람 viento m invernal [del invierno]. ~ 방학 vacaciones fpl de invierno. ~의 새 el ave f invernal, el ave de invierno. ~ 스포츠 deportes mpl de invierno. ~ 옷 ropa f invernal, traje m invernal, vestido m invernal, ropa f [traje m] de [para] invierno, vestido m [traje m] de [para] invierno. ~ 올림픽 경기 대회 los Juegos Olímpicos de invierno, la Olimpiada de invierno. ~철 invierno *m*, temporada *f* de invierno.

겨워하다 sentir difícil (a + *inf*).

겨자(芥子) ① ((식물)) mostaza *m*. ② [양념] mostaza *f*. ~ 단지 mostacera *f*, mostacero *m*. ~ 씨 ㉮ ((식물)) grano *m* de mostaza, semilla *f* de mostaza. ㉯ [몹씨 작은 것] cosa *f* pequeñísima.

격(格) ① [등급] orden *m*, categoría *f*; [지위] rango *m*; [자격] capacidad *f*; [인격] carácter *m*. ~을 갖추다 ser formal, completar formalidades. ~이 오르다[내리다] subir [bajar] de rango. ~이 틀리다 ser de un rango diferente. ② ((언어)) caso *m*. 주 ~ caso *m* nominativo.

격감(激減) fuerte disminución *f*, diminución *f* repentina, mengua *f* [reducción *f*] repentina y notable. ~하다 disminuir [menguar · reducirse] notablemente [visiblemente·

격나다(隔−) perder *su* antigua intimidad.

격납고(格納庫) hangar *m*. ~에 넣다 guardar [meter] en el hangar.

격년(隔年) cada dos años.

격노(激怒) ira *f*, furor *m*, rabia *f*, cólera *f*, indignación *f*. ~하다 enfurecerse, indignarse, tomar rabia, montar en cólera, ponerse furioso.

격돌(激突) choque *m* [encontrón *m*· trompazo *m*] fuerte, colisión *f* violenta. ~하다 chocar fuertemente, darse un trompazo fuerte.

격동(激動) movimiento *m* violento, agitación *f*, turbación *f*. ~하다 agitarse. ~하는 사회 sociedad *f* agitada [revuelta]. ¶~기 época *f* de agitación, época *f* de turbación.

격랑(激浪) ① [거센 물결] olas *fpl* embravecidas. ② [모진 시련(試鍊)] prueba *f* severa.

격려(激勵) estímulo *m*, ánimo *m*, aliento *m*. ~하다 animar, alentar, estimular; dar ánimo, infundir ánimos, dar aliento. ~의 말 palabras *fpl* de ánimo [aliento]. ¶~사 palabra *f* de ánimo. ~ 연설 discurso *m* de ánimo. ~자 alentador, -dora *mf*.

격렬하다(激烈−) (ser) violento; [경쟁 따위가] severo; [고통 따위가] agudo, vehemente. 격렬히 con violencia, violentamente, severamente, agudamente, vehementemente.

격론(激論) discusión *f* acalorada [ardiente·viva], disputa *f* acalorada [ardiente·viva]. ~을 벌이다 discutir [disputar] acaloradamente, tener una discusión animada.

격류(激流) corriente *f* rápida, torrente *m*, rápido *m*. ~를 건너다 cruzar el rápido [el torrente·la co-

rriente rápida].

격리(隔離) aislamiento *m*, separació *f*; [흑인에 대한] segregación *f*; [전염병 환자의] cuarentena *f*. ~하다 aislar, separar, segregar, poner e cuarentena. ~ 병원 hospital *m* aislado. ~실 sala *f* de cuarentena ~ 환자 enfermo *m* contagios aislado.

격막(膈膜) ① ((준말)) =횡격막. ② ((생물)) tabique *m*.

격멸(擊滅) exterminio *m*, aniquilación *f*. ~하다 exterminar, destruir aniquilar.

격무(激務) trabajo *m* fatigoso [pesado·penoso·abrumador].

격문(檄文) manifiesto *m*, proclama *f* ~을 돌리다 lanzar un manifiesto circular una proclama.

격발(激發) arrebato *m*, arranque *m*, explosión *f*, ataque *m* (de una enfermedad). ~하다 estallar, hacer explosión, explotar.

격발(擊發) percusión *f*. ~ 신관 fusible *m* de percusión. ~ 장치 cerradura *f* de percusión. ~총 fusil *m* de percusión.

격벽(隔壁) ① [벽을 사이에 둠] división *f*, separación *f*. ② [건축] [칸을 막은 벽] mamparo *m*.

격변(激變) cambio *m* repentino [violento·brusco], mutación *f* repentina; [주식의] fluctuación *f* violenta. ~하다 cambiar [fluctuar] violentamente [bruscamente·repentinamente].

격변화(格變化) ((언어)) declinación *f*. ~변하다 declinarse.

격분(激忿) indignación *f*, rabia *f*, enfurecimiento *m*, irritación *f*, ira *f*, furia *f*, enfado *m*, enojo *m*. ~하다 irritarse, indignarse, enfurecerse, rabiar.

격분(激憤) indignación *f* vehemente, rencor *m* vehemente, resentimiento *m* vehemente. ~하다 indignarse vehementemente.

격분(激奮) exitación *f* vehemente. ~하다 exitarse vehementemente.

격상(激賞) elogio *m* caluroso, alabanza *f* entusiasta. ~하다 abrumar a elogios, elogiar [alabar] con entusiasmo, prodigar elogios.

격세(隔世) ① [세대를 거름] distinta edad *f*. ② [딴 세상] otra edad *f*, diferente mundo *m*. ¶~ 유전 atavismo *m*. ~(지)감 sentimiento *m* del otro mundo.

격식(格式) [형식] formalidad *f*, [지위] posición *f* [estado *m*] social. ~을 중요시하다 dar importancia a las formalidades.

격심하다(激甚−) (ser) extremo, severo, intenso, vehemente, agudo, feroz. 격심함 severidad *f*, extremidad *f.* 격심한 고통 dolor *m* agudo.

격앙(激昂) excitación *f.*, arrebato *m* de pasión, agitación *f.*, cólera *f.*, furia *f.* ~하다 excitarse, exasperarse, irritarse, enfurecerse, agitarse, encolerizarse, montar en cólera, ponerse furioso, dejarse llevar de vida, entusiasmarse. ~시키다 excitar, entusiasmar, exasperar, irritar, enfurecer, encolerizar.

격언(格言) proverbio *m*, refrán *m*, máxima *f*, adagio *m*, dicho *m*, sentencia *f.* ~의, ~같은 refranesco. 「시작이 반이다」라는 ~이 있다 Hay un refrán que dice: Obra empezada, medio acabada. ¶~집 refranero *m*.

격외(格外) excepción *f.*, especialidad *f.* ~의 excepcional, extraordinario, especial.

격원하다(隔遠－) (estar) lejos, remoto, distante.

격월(隔月) cada dos meses. ~간 publicación *f* bimensual; [잡지] revista *f* bimensual.

격의(隔意) reserva *f.* ~가 있는 reservado, reconcentrado. ~없는 franco, abierto, expansivo, comunicativo. ~없이 ㉮ sin reserva, libremente, a *su* modo, francamente. ㉯ [안심하고] libre de cuidados, sin preocuparse (de nada), sin inquietarse (de nada), sin la menor inquietud. ~ 지내다 franquearse, explayarse.

격일(隔日) cada dos días. ~로 un día sí y otro no, cada dos días.

격자(格子) enrejado *m*, rejilla *f.*

격전(激戰) batalla *f* feroz, combate *m* feroz, guerra *f* a muerte, guerra *f* sin cuartel. ~장 campo *m* de batalla muy reñida. ~지 lugar *m* de batalla muy reñida.

격정(激情) pasión *f*, emoción *f* violenta [fuerte], apasionamiento *m.* ~의 발작 arranque *m* [arrebato *m*] de pasión.

격조(格調) ① [문예의] ritmo *m.* ~가 높은 sublime; [문장 등의] altisonante, grandilocuente. 그의 문장은 ~가 높다 Su estilo tiene un tono elevado. ② [사람의 품격과 지켜] personalidad *f*, carácter *m.* ~가 높은 noble.

격조(隔阻) negligencia *f* en cartas [en visitas]. ~하다 no escribir mucho tiempo, no visitar mucho tiempo. 오랫동안 ~했습니다 Hace mucho tiempo que no le he visitado.

격주(隔週) cada dos semanas. ~의 quincenal, de cada dos semanas. ~에 cada dos semanas.

격증(激增) fuerte aumento *m*, creci-

miento *m* repentino [rápido], aumento *m* repentino, crecimiento *m* brusco. ~하다 aumentar rápidamente [repentinamente], crecer rápidamente [repentinamente].

격지(隔地) distrito *m* lejano, lugar *m* lejano, sitio *m* lejano.

격진(激震) terremoto *m* [seísmo *m*] violento, terremoto *m* destructor.

격차(隔差) diferencia *f.* ~를 시정하다 corregir la diferencia.

격찬(激讚) alabanza *f* alta, elogio *m* alto. ~하다 alabar altamente, elogiar altamente, ensalzar.

격철(擊鐵) percusor *m.*

격추(擊墜) derribamiento *m.* ~하다 derribar (a tiros).

격침(擊沈) hundimiento *m.* ~하다 hundir, echar a pique.

격퇴(擊退) rechazamiento *m*, repulsión *f.* ~하다 rechazar, repulsar, repeler.

격투(格鬪) (lucha *f·* pelea *f*) cuerpo a cuerpo, cuerpo *m* singular, lucha *f* de mano a mano, encuentro *m* de mano a mano. ~하다 pelear cuerpo a cuerpo.

격투(激鬪) lucha *f* feroz. ~하다 luchar ferozmente. ~기(技) arte *m* marcial.

격파(擊破) derrota *f*, derrote *m*, destrozo *m*, rompimiento *m*, destrucción *f.* ~하다 derrotar, destrozar, romper. 적군을 ~하다 destrozar el ejército enemigo.

격하(格下) degradación *f.* ~하다 degradar.

격하다(激－) excitarse, irritarse. 격한 말투로 con un tono irritado.

격하다(檄－) (ser) fuerte, violento, intenso, vehemente, feroz, ardoroso, exaltado, fogoso, acalorado. 격한 감정 pasión *f* violenta. 격한 말 lenguaje *m* violento, palabra *f* fogosa.

격화(激化) intensificación *f*, arrebato *m*, arrebatimiento *m.* ~하다 intensificarse, arreciarse, hacerse intenso.

겪다 ① [경험하다] experimentar. 겪어 본 일이 있다 tener experiencia. ② [음식을 차리어 대접하다] servir la comida. 손님을 ~ recibir a los invitados, agasar a los invitados.

견(絹) seda *f.*

견갑(堅甲) ((해부)) hombro *m.* ~골 omóplato *m*, escápula *f.*

견강 부회(牽强附會) forzamiento *m.* ~하다 forzar.

견고하다(堅固－) ① [굳고 튼튼하다] (ser) fuerte, firme, sólido. 견고함 firmeza *f*, solidez *f.* 견고한 토대 base *f* firme [sólida]. ② [의지나 사상이] (ser) firme.

견공(犬公) perro *m.*

견과(堅果) ((식물)) nuez f.

견디다 ① [참다] tolerar, aguantar, tener paciencia, soportar (con indulgencia, sufrir. 견딜 수 없는 더위[추위] calor m [frío m] insoportable [intolerable]. 불편을 ~ sufrir las incomodidades. ② [지탱하다] durar, resistir, ser a prueba. 잘 ~ resistir el calor. ③ [살림살이에 곤란 없이, 유지하여 지내다] ganarse la vida. 근근히 생계를 견디어 가다 ganarse la vida a duras penas.

견마(犬馬) el perro y el caballo.

견마지로(犬馬之勞) ① [임금이나 나라에 충성을 다하는 노력] su servicio leal, su gran servicio. ~를 아끼지 않다 prestar un gran servicio. ② [자기의 노력을 겸손하게 일컫는 말] mi humilde esfuerzo.

견문(見聞) [지식] información f, conocimiento m; [경험] experiencia f, [관찰] observación f. ~하다 experimentar, observar. ~을 넓히다 ampliar la experiencia, ver mundo, conocer el mundo. ~이 넓다 tener mucha experiencia del mundo.

견물 생심(見物生心) La ocasión hace al ladrón.

견본(見本) muestra f, [모델] modelo m; [표본] espécimen m; [집합적] muestrario m. ~쇄(刷) ejemplar m de muestra. ~ 시장 feria f (de muestras). ~실 sala f de muestras. ~장[철] muestrario m. ~주문 pedido m por muestras. ~품 artículos mpl como muestras.

견습(見習) aprendizaje m; [사람] aprendiz, -diza mf, discípulo, -ra mf; [변호사나 의사 따위의] pasante mf. ~하다 hacer su aprendizaje, pasar su aprendizaje. ~공 aprendiz m, -diza mf. ~ 기간 período m de prácticas, período m de prueba. ~ 기자 periodista m novato, periodista f novata. ~ 사관 cadete m. ~ 사원 empleado, -da mf practicante. ~생 aprendiz, -diza mf; discípulo, -ra mf; [의사나 변호사 따위의] pasante mf.

견식(見識) ① [견문과 학식] la experiencia y la ciencia. ② [의견] opinión f; [안식] discernimiento m, entendimiento m, juicio m; [지식] sabiduría f, conocimiento m.

견신(堅信) ((천주교)) =견진(堅振). ¶~례(禮) ((기독교)) confirmación f. ~례를 받을 사람 confirmando, -da mf. ~례를 베풀다 confirmar.

견실하다(堅實一) (ser) firme, sólido, seguro. 견실한 기업 empresa f sólida, empresa f firme.

견우(牽牛) ① ((준말)) =견우성. ② ((식물)) =나팔꽃. ¶~성 ((천문)) Altaír m. ~ 직녀 el Altaír y la

Vega.

견원지간(犬猿之間) enemistad f mutua. ~으로 como perros y gatos ~이다 andar como perros y gatos, llevarse como el perro y el gato.

견인(堅忍) perseverancia f. ~하다 perseverar. ~ 불발 persistencia f, empeño m.

견인(堅靭) (solidez f y) dureza f. ~하다 ser sólido y duro.

견인(牽引) remolque m, tracción f. ~하다 remolcar, tirar, arrastrar. ¶~기 ((의학)) retractor m. ~ 기 관차 motor m de tracción. ~력 fuerza f de tracción. ~차 자동차 tractor m, coche m remolque, carro m remolque. ~차[용] [짐을 실은 차량을 끄는 자동차] tractor m, grúa f. ⓑ =견인 자동차.

견장(肩章) hombrera f, charretera f, capona f.

견적(見積) valuación f, presupuesto m, estimación f, evaluación f, cálculo m aproximado. ~하다 valuar, presupuner, estimar, evaluar, calcular. ~ 가격 precio m estimado. ~서 presupuesto m. ~ 송장 factura f estimada.

견제(牽制) ① [끌어당기어 자유로운 행동을 하지 못하게 함] limitación f, restricción f, control m. ~하다 dominar, contener, refrenar, controlar. ② ((군사)) divertimiento m estratégico, diversión f. ~하다 divertir. ¶~구 pelota f de finta.

견주다 ① [둘 이상의 사물을 맞대어 보다] comparar. ② [힘을 비교하여 우열·승부를 가리다] competir, participar, rivalizar.

견지(見地) punto m de vista. 경제적인 ~에서 desde el punto m de vista económico.

견지(堅持) perseverancia f, mantenimiento m firme. ~하다 perseverar, mantenerse firme, mantener.

견직물(絹織物) tejido m [tela f] de seda. ~ 공장 fábrica f de seda.

견진(堅振) (천주교) ((준말)) =견진성사. ¶~ 성사 confirmación f.

견책(譴責) represión f, censura f, crítica f. ~하다 reprender, censurar, culpar, criticar.

견학(見學) visita f educacional, inspección f científico-escolar, observación f, inspección f. ~하다 visitar para instruirse, realizar una visita científico-escolar. 박물관을 ~하다 visitar un museo.

견해(見解) opinión f, parecer m. ~의 일치 conformidad f. ~를 말하다 expresar [dar · exponer] su opinión. ¶~ 차 desacuerdo m, diferencia f de opiniones, descrepancia f de opiniones.

결¹ [나무·천의] fibra *f*; [돌의] vena *f*.

결² ① ((준말)) =성결(disposición). ¶~이 고운 아가씨 muchacha *f* bondadosa, muchacha *f* de buen corazón. ¶~(을) 내다 enojar, enfadar, irritar. ~이 나다 enojarse, enfadarse, irritarse.

결³ ① [때] tiempo *m*, momento *m*; [사이] intervalo *m*. 아침 ~에 por la mañana, *AmL* en la mañana. ② [기회] ocasión *f*, oportunidad *f*.

결가(結跏) ((준말)) =결가부좌.

결가부좌(結跏趺坐) ((불교)) posición *f* del loto, posición *f* patizamba.

결강(缺講) ausencia *f* de clase. ~하다 faltar a la clase, ausentarse de la clase.

결격(缺格) descalificación *f*. ~ 사유 descalificación *f*.

결과(結果) resultado *m*, consecuencia *f*, [성과] fruto *m*. 그 ~ por consiguiente, en consecuencia, como resultado. 노력의 ~ fruto *m* del esfuerzo, resultado *m* [consecuencia *f*] de los esfuerzos. 시험의 ~ resultado *m* del examen.

결구(結句) ((언어)) apódosis *f*.

결구(結球) ((식물)) puño *m*.

결구(結構) estructura *f*, construcción *f*, armazón *f*. ~하다 construir, formar, fabricar.

결국(結局) ① [끝장] fin *m*, acabamiento *m*, colmo *m*; [결말] conclusión *f*. ~하다 acabar, terminar; concluir. ② [부사적] en fin, al fin, por fin, finalmente, después de todo, (al fin y) al cabo, en conclusión; total, que …

결근(缺勤) ausencia *f*, inasistencia *f*. ~하다 ausentarse, no asistir. ~게 aviso *m* de ausencia, notifcación *f* de ausencia. ~자 ausente *mf*.

결기(-氣) vehemencia *f*, impetuosidad *f*, violencia *f*. ~ 있는 brioso, gallardo.

결단(決斷) decisión *f*, determinación *f*, resolución *f*. ~을 내리다 tomar una resolución, decidir, determinar. ¶~력 (fuerza *f* de) resolución *f*, determinación *f*. ~코 nunca, (nunca) jamás, jamás de los jamases, para siempre jamás, de ningún modo [caso], de ninguna manera.

결단(結團) formación *f* de una organización. ~하다 formar una organización. ~식 reunión *f* inaugural.

결당(結黨) formación *f* de un partido, asociación *f*. ~하다 formar un partido. ~식 ceremonia *f* inaugural (de un partido).

결따마 caballo *m* bermejizo.

결딴 ruina *f*, destrucción *f*, fracaso *m*; [파산] bancarrota *f*. ~(을) 내다 arruinar, estropear, hacer bancarrota, destrozar, romper con fuerza. ~(이) 나다 estropearse, hacerse bancarrota, destrozarse.

결렬(決裂) rotura *f*, rompimiento *m*, ruptura *f*. ~하다, ~되다 romperse. 교섭은 ~되었다 Las negociaciones se han roto.

결례(缺禮) falta *f* de cortesía. ~하다 faltar la cortesía.

결론(結論) conclusión *f*. ~적으로 en conclusión. ~을 내리다 concluir. ~을 꺼내다 sacar una conclusión. ~을 짓다 concluir, finalizar.

결리다 [몸이] sentir agujetas; [아프다] doler*le*, tener dolor. 어깨가 ~ sentir agujetas en los hombros, tener los hombros endurecidos; tener dolor de hombros, doler*le* los hombros.

결막(結膜) ((해부)) conjuntiva *f*. ~샘[선] glándula *f* conjuntival. ~염 conjuntivitis *f*.

결말(結末) conclusión *f*, término *m*, fin *m*; [소설이나 희곡의] desenlace *m*; [비극적인] catástrofe *f*; [해결] solución *f*, arreglo *m*; [결과] resultado *m*, resulta *f*. ~(을) 내다 [짓다] poner fin, concluir, terminar, solucionar. ~(이) 나다 acabar, terminar, llegar a una conclusión.

결맹(結盟) conclusión *f* de un tratado. ~하다 concluir un tratado.

결문(結文) epílogo *m*.

결미(結尾) fin *m*, conclusión *f*.

결박(結縛) atadura *f*. ~하다 atar, ligar; [수갑을 채우다] poner esposas, poner grilletes, encadenar. ~되다 atarse, ser atado. ~을 짓다 atar fuertemente.

결백(潔白) [순결] pureza *f*, castidad *f*, limpieza *f*; [청렴] integridad *f*; [무죄] inocencia *f*. ~하다 [깨끗하다] (ser) puro, limpio, inmaculado, sin mancha; [죄가 없다] inocente; [청렴하다] sincero, recto. ~한 사람 hombre *m* de integridad, hombre inocente.

결번(缺番) número *m* ausente.

결벽(潔癖) manía *f* [amor *m*] por limpieza [por el aseo]; [정의감] probidad *f*, integridad *f*, incorruptibilidad. ~하다 (ser) probo, íntegro, puritano, amar la limpieza.

결별(訣別) separación *f*, despedida *f*. ~하다 separarse, despedirse, decir adiós; [서로] separarse; [절연하다] romper.

결본(缺本) volumen *m* desaparecido.

결부(結付) conexión *f*. ~하다 conectar. ~되다 [서로] unirse, atarse, vincularse; [···과] adherirse (a). ···과 ~되어 있다 estar vinculado a *algo*. ···과 ~시켜 생각하다 considerar con respecto a *algo*.

결빙(結氷) congelación *f*. ~하다 helarse, congelarse. ~기 período *m* de congelación. ~점 punto *m* de congelación.

결사(決死) desesperación *f*, furor *m*, encarnización *f*, determinación *f*. ~의 determinado, desesperado. ~의 각오로 desafiando a la muerte, con coraje desesperado, desesperadamente. ~대 pelotón *m* suicida, cuerpo *m* de vida o muerte. ~적 desesperado. ~적으로 desesperadamente. ~ 용기 valor *m* desesperado, coraje *m* desesperado.

결사(結社) asociación *f*, sociedad *f*, organización *f*. ~를 만들다 formar [organizar] una sociedad. ~의 자유 libertad *f* de asocia- ción.

결산(決算) liquidación *f*, balance *m*, cierre *m* de libros. ~하다 cerrar, hacer el balance, saldar una cuenta, llevar a cabo el cierre de libros. ~기 término *m* de liquidación. ~ 보고 publicación *f* del estado de cuenta. ~액 cuenta *f* ajustada. ~일 día *m* de liquidación.

결석(缺席) ausencia *f*; [피고의] contumacía *f*, rebeldía *f*. ~하다 no asistir, faltar. 무단 ~ ausencia *f* sin permiso. 장기 ~ larga ausencia *f*. ¶ ~계 nota *f* [aviso *m*] de ausencia. ~률 tipo *m* de absentismo. ~생 (estudiante *mf*) ausente *mf*. ~자 ausente *mf*.

결석(結石) ((의학)) cálculo *m*. ~병 cálculos *mpl*, litiasis *f*. ~증 calculosis *f*, litiasis *f*. ~ 환자 calculoso, -sa *mf*.

결선(決選) ① [투표] elección *f* final, voto *m* final. ~하다 elegir por voto final. ② [결승] final(es) *f*(*pl*), competencia *f* final. ~하다 jugar en las finales. ¶ ~ 투표 voto *m* final, voto *m* decisivo.

결성(結成) formación *f*, organización *f*, constitución *f*. ~하다 formar, organizar, constituir. ~식 ceremonia *f* [reunión *f*] inaugural, inauguración *f*.

결속(結束) unión *f*, solidaridad *f*; [동맹] alianza *f*, coalición *f*, liga *f*. ~하다 unirse, solidificarse; aliarse, ligarse.

결손(缺損) [손실] pérdida *f*; [부족] déficit *m*; [손해] daño *m*, perjuicio *m*. ~의 deficitario. 큰 ~ gran pérdida *f*, daños *mpl* considerables ¶ ~액 déficit *m*, deficiencia *f*; ((세금)) descubierto *m*. ~ 처분 disposición *f* deficitaria.

결승(決勝) competencia *f* final, final *f*; [동점 후의] eliminatoria *f*. ~선 meta *f*, línea *f* de llegada. ~전

final(es) *f*(*pl*); [동점 또는 비겼을 경우] eliminatoria *f*. ~전 출전자 finalista *mf*. ~점 meta *f*, gol *m* punto *m* decisivo.

결승 문자(結繩文字) quipos *mpl*.

결식(缺食) ida *f* sin comida. ~하다 ir sin comida. ~ 아동 niño *m* mal alimentado.

결실(結實) ① [식물이] 열매를 맺음 fructificación *f*; [익음] madurez *f*. ~하다 fructificar, dar fruto. ② [성과] fruto *m*, resultado *m*. ¶ ~기 época *f* de la fructificación.

결심(決心) resolución *f*, decisión *f*, determinación *f*. ~하다 resolverse, decidirse, determinarse, tomar una resolución. 굳은 ~ determinación *f* firme. ~이 굳다 estar firme en *su* resolución. ~이 서다 decidirse por fin.

결심(結審) conclusión *f* de juicio, decisión *f*. ~하다 concluir el juicio, decidir. ~ 공판 juicio *m* final.

결여(缺如) falta *f*, carencia *f*, ausencia *f*. ~하다 faltar, carecer. 객관성의 ~ falta *f* de objetividad.

결연(結緣) ① [인연을 맺음] formación *f* del parentesco. ~하다 formar la relación. 양자 ~ adopción *f*. ② ((불교)) el hacerse creyente en el budismo.

결연하다(決然-) (ser) firme, resuelto, decidido. 결연한 태도로 con una actitud firme, con un ademán resuelto.

결연히(決然-) resueltamente, decididamente, firmemente, con firmeza.

결원(缺員) vacancia *f*, vacante *m*, posición *f* [puesto *m*] vacante, resulta *f*. ~을 메우다 llenar un puesto vacante, cubrir [llenar] una vacante [una resulta].

결의(決意) resolución *f*, decisión *f*, determinación *f*. ~하다 decidirse, resolverse. 굳은 ~로 con una resolución firme.

결의(決議) resolución *f*, decisión *f*, voto *m*. ~하다 resolver, decidir; votar. ¶ ~ 기관 órgano *m* de decisión. ~ 사항 resoluciones *fpl*, asuntos *mpl* que resolverse. ~안 resolución *f*, proyecto *m* por decidir.

결의(結義) juramento *m* de fraternidad. ~하다 hacer juramento de fraternidad, jurar ser hermanos. ~ 형제 hermanos *mpl* jurados, hermano *m* de juramento. ~ 형제를 맺다 jurar ser hermanos de por vida.

결자(缺字) palabra *f* omitada; [인쇄의] tipo *m* blanco.

결자해지(結者解之) Quien se excusa, se acusa / El que rompe, paga /

El que la hace, la paga.

결장(結腸) ((해부)) colon *m*. ~염 colitis *f*, colonitis *f*.

결재(決裁) sanción *f*, aprobación *f*. ~하다 sancionar, aprobar. ~를 바라다 acometer [presentar] a la aprobación [al juicio]. ¶ ~권 derecho *m* de decisión, poder *m* decisivo, voto *m* de calidad.

결전(決戰) batalla *f* decisiva, lucha *f* decisiva. ~하다 dar una batalla decisiva, combatir decisivamente. ~장 campo *m* de batalla decisiva.

결절(結節) ① [매듭] nudo *m*. ~상의 nudoso, tuberoso. ② ((의학)) nodo *m*, nudosidad *f*; [작은] nódulo *m*. ~의 nodal, nodular. ③ ((해부)) tubérculo *m*. ~의 tubercular. ④ ((수학)) nudo *m*.

결점(缺點) defecto *m*, falta *f*, tacha *f*, imperfección *f*; [약점] punto *m* débil, punto *m* flaco.

결정(決定) decisión *f*, determinación *f*, fijación *f*. ~하다 decidir, determinar, fijar, tomar una decisión. ~되다 fijarse, determinarse, decidirse. ¶ ~권 poder *m* decisivo [de decisión]. ~적 decisivo, determinado, fijo, definitivo; [확정적] seguro. ~타 golpe *m* decisivo. ~투표 voto *m* de calidad, votación *f* decisiva. ~판 edición *f* definitiva.

결정(結晶) cristalización *f*. ~하다 cristalizarse. ~시키다 cristalizar. 노력의 ~ fruto *m* de sus esfuerzos. 사랑의 ~ fruto *m* del amor. ¶ ~체 cristal *m*, cristaloide *m*, cristalización *f*. ~축 eje *m* cristalográfico. ~학 cristalografía *f*.

결제(決濟) liquidación *f*, cancelación *f*, reembolso *m*. ~하다 liquidar, cancelar, reembolsar. 차용금을 ~하다 liquidar una deuda. ¶ ~금 fondo *m* de liquidación. ~방법 forma *f* de reembolso. ~일 día *m* de liquidación.

결집(結集) concentración *f*, reunión *f*. ~하다 concentrar, juntar, reunir.

결체(結滯) ((의학)) intermisión *f* del pulso, acrotismo *m*. ~하다 (ser) intermitente.

결초보은(結草報恩) gratitud *f* hasta en la tumba.

결코(決─) [결코 … 않다] nunca, jamás (en la vida), nunca jamás, de ninguna manera, de ningún modo. 귀하의 친절을 ~ 잊지 않겠습니다 No olvidaré nunca [jamás] su amabilidad / Jamás [Nunca] olvidaré su amabilidad.

결탁(結託) conspiración *f*, confabulación *f*, colusión *f*. ~하다 conspirar, confabularse, conchabarse.

결투(結鬪) duelo *m*, desafío *m*. ~하다 batirse en duelo. ~ 신청 desafío *m*. ~자 duelista *mf*. ~장 carta *f* de desafío, cartel *m* (de desafío).

결판(決判) decisión *f*, determinación *f*. ~(을) 내다 decidir, determinar. ~(이) 나다 decidirse, determinarse.

결핍(缺乏) escasez *f*, falta *f*, carencia *f*, dificiencia *f*. ~하다 faltar*le*, escasear, carecer. ~증 enfermedad *f* de deficiencia. 비타민 ~증 avitaminosis *f*.

결하다(決─) ① =결정하다. ② [승부를] decidir. 승부를 ~ decidir un concurso.

결하다(缺─) (ser) falto, deficiente, faltar, carecer.

결함(缺陷) defecto *m*, falta *f*, imperfección *f*; [기계의] avería *f*; [물건의] defecto *m*, falla *f*. ~ 있는 defectuoso. ~차 coche *m* defectuoso.

결합(結合) combinación *f*, unión *f*, ligazón *m*; ((전기)) acoplamiento *m*, conexión *f*. ~하다 combinarse, unirse, ligarse. ~시키다 unir, ligar, combinar.

결항(缺航) suspensión *f* del servicio. 비행기의 ~ suspensión *f* del vuelo [servicio aéreo].

결핵(結核) ((의학)) tuberculosis *f*. ~균 microbio *m* tuberculoso, bacilo *m* tuberculoso. ~백신 vacuna *f* tuberculosa. ~병 enfermedad *f* tuberculosa. ~약 droga *f* de antituberculosis. ~예방 prevención *f* de tuberculosis. ~요양소 sanatorio *m* para tuberculosis. ~환자 tuberculoso, -sa *mf*.

결행(決行) acción *f* decisiva. ~하다 ejecutar con resolución, hacer cueste lo que cueste.

결혼(結婚) matrimonio *m*, casamiento *m*, boda *f*. ~하다 casarse, contraer matrimonio, desposarse. ~시키다 casar. ~ 날짜를 결정하다 fijar el día de la boda. ~을 신청하다 [남자가 여자에게] pedir la mano (de la mujer). ~을 승낙하다 acceder a (una) petición de matrimonio [de casamiento], prometerse. ¶ ~ 반지 anillo *m* nupcial [de boda], alianza *f*. ~ 사진 fotografía *f* nupcial. ~ 상담소 agencia *f* matrimonial. ~ 생활 vida *f* matrimonial [conyugal], vida *f* de casado. ~식 bodas *fpl*, ceremonia *f* de(l) matrimonio, nupcias *fpl*. ~식장 salón *m* de matrimonio. ~적령기 nubilidad *f*, edad *f* de casarse. ~증명서 certificado *m* de matrimonio. ~축가 canción *f* nupcial. ~케이크 tarta *f* [pastel *m*] de boda, torta *f* de matrimonio.

~ 피로연 banquete *m* nupcial.
banquete *m* [recepción *f*] de boda.
행진곡 marcha *f* nupcial.

결후(結喉) nuez *f*.

겸(兼) y, en adición, al mismo tiempo. 국무총리 ~ 외교통상부 장관 Primer Ministro y ministro de Asuntos Exteriores y Comercio.

겸무(兼務) empleo *m* adicional. ~하다 tener empleo adicional.

겸비(兼備) combinación *f*. ~하다 combinar, tener ambos. 재색을 ~ 한 여성 mujer *f* con belleza e inteligencia.

겸사(謙辭) ① [겸손하게 사양함] modestia *f*, humildad *f*. ~하다 (ser) modesto, humilde. ② [겸손한 말] palabra *f* modesta, palabra *f* humilde. ~하다 hablar modestamente, hablar humildemente.

겸사겸사(兼事兼事) al mismo tiempo, a la vez, simultáneamente, a un tiempo.

겸상(兼床) mesa *f* para los dos. ~하다 preparar para los dos, comer en la misma mesa.

겸손(謙遜) modestia *f*, humildad *f*. ~하다 humillarse, ser modesto, ser humilde. ~히 con modestia, con humildad, modestamente, humildemente.

겸양(謙讓) humildad *f*, modestia *f*, sumisión *f*. ~하다 humillarse, mostrarse modesto, rebajarse. ~의 미덕 virtud *f* de modestia.

겸업(兼業) trabajo *m* secundario [accesorio], profesión *f* secundaria. ~하다 ejercer dos profesiones; [부업으로 하다] ejercer como trabajo accesorio [como profesión secundaria].

겸연스럽다(慊然-) (ser) vergonzoso, ruboroso.

겸연쩍다(慊然-) tener vergüenza, estar avergonzado.

겸용(兼用) uso *m* combinado, ambos usos *mpl*. ~하다 usar adicionalmente. 응접실 ~ 서재 estudio *m* que sirve también como salón.

겸임(兼任) desempeño *m*. ~하다 desempeñar al mismo tiempo.

겸자(鉗子) pinzas *fpl*, fórceps *m*.

겸직(兼職) puesto *m* [trabajo *m*] adicional. ~하다 tener el puesto adicional. ¶~ 금지 prohibición *f* del puesto adicional.

겸하다(兼-) ① [겸임하다] desempeñar al mismo tiempo. ② [두 개 이상의 기능을 아울러 가지다] servir también, servir tanto, servir para. 거실과 식당을 겸한 방 habitación *f* que sirve tanto de sala de estar como de comedor.

겸행(兼行) acción *f* de hacer dos cosas diferentes al mismo tiempo.

~하다 hacer dos cosas diferente al mismo tiempo.

겸허(謙虛) modestia *f*, humildad *f*. ~하다 (ser) modesto, humilde. ~게 modestamente, humildemente. 좀더 ~한 자세를 취해라 Sé más modesto.

겹 [포개어 거듭됨] doblez *f*, pliegue *m*, plegadura *f*, [거듭된 켜] capa *f*, pliegue *m*; [쌓아올린 켜] pila *f*, montón *m*; [밧줄 따위의 가닥] chapa *f*, lámina *f*; [두 배] doble, dos veces. 종이를 여러 ~으로 접다 doblar un papel una y otra vez.

겹것 ① [겹으로 된 물건] cosa *f* hecha de dos o más capas. ② = 겹옷.

겹겹 varias veces. 종이를 ~으로 접다 doblar un papel varias veces.

겹겹이 en muchas capas, muy estrechamente. ~ 에워싸다 cercar [asediar] muy estrechamente.

겹눈 ((동물)) ojos *mpl* compuestos.

겹다 ser demasiado mucho, estar en exceso. 힘에 ~ ser más allá de *su* poder, ser fuera de *su* fuerza [poder].

겹바지 pantalones *mpl* forrados.

겹버선 calcetines *mpl* forrados.

겹살림 ① [한 가족이] mantenimiento *m* de dos casas de una familia. ~하다 (una familia) mantener dos casas. ② [첩을 얻어] vida *f* doble con *su* concubina. ~하다 mantener la vida doble con *su* concubina.

겹옷 vestido *m* forrado, ropa *f* forrada.

겹이불 colchón *m* forrado.

겹잎 hoja *f* compuesta.

겹저고리 chaqueta *f* forrada.

겹질리다 torcerse, tener torcedura. 발목을 ~ torcerse en *su* tobillo, tener una torcedura en *su* tobillo.

겹집 casa *f* con varias alas.

겹집다 recoger en un montón.

겹창(-窓) contraventana *f*.

겹치다 colocar montados unos sobre otros, traslapar, haber dos cosas mismas a la vez, sobrar uno de los dos, sobreponerse, superponerse. 겹친 불행 desgracias *fpl* sucesivas.

겹치마 falda *f* forrada.

겻불 fuego *m* que quema las cáscaras.

겻불내 olor *m* que se queman las cáscaras.

겻섬 saco *m* de cáscaras de arroz.

경(莖) tallo *m* de la hierba.

경(卿) señor *m*; [영국의] lord *m*.

경(景) ((준말)) =경치.

경²(景) ((연극)) escena *f*. 제 2~ la escena segunda.

경(經) ① ((준말)) =경서(經書). ②
((준말)) =불경(佛經). ③ ((천주
교)) =주기도문. ④ ((준말)) =경
도(經度). ⑤ ((준말)) =경선(經線).
경(磬) ((악기)) =경쇠.
경(警) ((준말)) =경찰. 경찰관.¶~
(을) 치다 ㉮ [벌을 받다] sufrir el
castigo, ser castigado, recibir el
castigo. ㉯ [혼나다] sufrir, padecer. 호되게 ~을 치다 pasar malos
ratos, pasar un trago amargo.
-경(頃) hacia, a eso de, alrededor
de, cerca de, por, en, como, sobre.
월말~ a fines del mes. 오전 11
시~ alrededor de las once de la
mañana.
경가극(輕歌劇) opereta f, zarzuela f.
경각(頃刻) momento m, instante m,
segundo m, minuto m.
경각(警覺) advertimiento m. ~하다
advertir.
경감(輕減) mitigación f, reducción f,
aligeramiento m. ~하다 mitigar,
reducir, aligerar, aliviar. 세금을 ~
하다 reducir [aligerar] impuestos.
고통을 ~하다 mitigar el sufri-
miento, aliviar el dolor.
경감(警監) inspector m (de la policía), capitán m.
경거망동(輕擧妄動) conducta f im-
prudente. ~하다 actuar a la ligera, actuar sin reflexión, actuar
imprudentemente.
경건(敬虔) piedad f, devoción f,
reverencia f. ~하다 (ser) pío,
piadoso, devoto, religioso. ~한 기
독교 신자 cristiano m devoto,
cristiana f devota.
경계(境界) límite m, linde m, confín
m, aledaños mpl, frontera f. AB간
의 ~를 정하다 fijar los límites
entre A y B. …의 ~를 접하다
deslindar, alindar, limitar. …과
를 정하다 lindar [limitar·colindar]
con un sitio. ¶~석 mojón m. ~
선 línea f divisoria, linde m(f),
línea f de demarcación. ~표 mojón m, hito m, coto m.
경계(警戒) [조심] precaución f, cautela f, alarma f, ojo m; [경비]
vigilancia f, guardia f; [경고]
advertencia f, aviso m; ((법률·운
동)) amonestación f. ~하다 tomar
precaución, precaverse, precaucio-
narse, prevenirse, alarmarse; vigilar; ((법률·운동)) amonestar.
하여 con cautela, con precaución,
vigilantemente, con cien ojos, con
ojo avizor. ~ 태세로 en estado de
alarma. ~시키다. ~하게 하다 dar
alarma, poner sobre aviso. ¶~ 경
보 alarma f amarilla, (aviso m de)
alarma f. ~망 cordón m de
policías. ~색 color m de alarma.
~선 límite m de seguridad, línea f

de alarma; [경찰의] cordón m de
policías. ~ 수위 nivel m de alarma. ~ 신호 señal f de aviso,
señal f de alerta. ~심 cautela f,
recelo m. ~표 mojón m, hito m.
~ 표지 señal f de aviso, señal f
de alerta.
경계(敬啓) Q.E.S.M. [que estrecha
su mano] / Quedo de usted my
atto. y s.s. [atento y seguro ser-
vidor].
경고(警告) advertencia f, advertimiento m, prevención f, aviso m;
((법률·운동)) amonestación f. ~
하다 advertir, prevenir, avisar;
amonestar. ~ 없이 sin advertencia,
sin aviso. ~를 발하다 dar una
advertencia. ~를 받다 recibir una
advertencia. ¶~문 aviso m. ~
사격 disparo m [tiro m] de advertencia.
경골(脛骨) tibia f. ~의 tibial. ~ 동
맥 arteria f tibial. ~ 신경 nervio
m tibial. ~염 cnemitis f.
경골(硬骨) ① [굳뼈] hueso m duro.
② [강직함] carácter m firme, inflexibilidad f. ~의 inflexible. ¶~어
pez m teleósteo. ~ 어류 teleóste-
os mpl. ~증 paquiostosis f.
경골(頸骨) vértebra f cervical.
경골(梗骨) hueso m del pez.
경골(鯨骨) pez m de la ballena.
경공업(輕工業) industria f ligera.
경과(經過) [때의] paso m, transcurso
m; [기한의] expiración f; [사건 따
위의] progreso m, desarrollo m. ~
하다 pasar, transcurrir, expirar,
progresar, desarrollar. 시간의 ~에
따라 con el transcurso del tiempo,
con el tiempo, con el correr del
tiempo, con el paso de los años. 1
년을 ~해서 al cabo de un año,
después de un año. ¶~ 보고
informe m sobre el avance de los
trabajos. ~ 시간 tiempo m trans-
currido.
경관(景觀) paisaje m, escena f, perspectiva f, vista f, espectáculo m.
빼어난 자연 ~ sitio m de belleza
pintoresca espléndida. ~을 해치다
destruir [estropear·arruinar] la
belleza pintoresca.
경관(警官) ((준말)) =경찰관(警察官).
경구(硬球) ((야구)) pelota f dura.
경구(敬具) Quedo de usted my atto.
y s.s. [atento y seguro servidor] /
Q.E.S.M. [que estrecha su mano]
/ Le saluda muy atentamente
[afectuosamente·cordialmente].
경구(經口) acción f de tomar la
medicina a través de la boca. ~
의 oral. ~ 감염[전염] infección f
oral. ~ 면역 inmunidad f oral. ~
왁친 vacuna f oral. ~ 투약 administración f oral. ~ 피임약 píldora

f anticonceptiva [contraceptiva].

경구(警句) epigrama *m*, aforismo *m*. ~집 colección *f* de epigramas.

경구개(硬口蓋) paladar *m* duro. ~음 sonido *m* palatal.

경국(傾國) ① [나라의 힘을 기울임] descenso *m* [disminución *f*] de una nación. ② [나라를 위태롭게 함] acción *f* de hacer peligrar una nación. ③ ((준말)) =경국지색. ¶~지색(之色)la mujer más hermosa del país, mujer *f* hermosa, mujer *f* bella, belleza *f*.

경국(經國) administración *f* del país.

경극(京劇) centro *m* de compras y diversiones de la capital.

경금속(輕金屬) metal *m* ligero. ~공업 industria *f* de metal ligero.

경기(景氣) [형편] marcha *f* · estado *m* de) las cosas; [상황] actividad *f* [tendencia *f* del mercado, condición *f* de los negocios; [경제 상태] situación *f* económica. ~지수 barómetro *m* económico. ~침체 estancamiento *m* (de actividades económicas). ~회복 recuperación *f* del negocio, restablecimiento *m* [recuperación *f*] de la actividad económica. ~후퇴 recesión *f* (económica).

경기(競技) [무술이나 운동 경기로 승부를 겨루는 일] juego *m*, partido *m*, combate *m*, prueba *f*. ~하다 jugar, tener partido de juego. ~에 참가하다 participar [tomar parte] en los juegos. ② [기술의 낫고 못함을 겨루어 우열을 가리는 일] competición *f*, concurso *m*. ~에 이기다 ganar en la competición. ~에 지다 perder en la competición. ③ ((준말)) =경기 운동. ④ ((준말)) =육상 경기. ¶~ 대회 juegos *mpl* deportivos. ~자 jugador, -ra *mf*; competidor, -ra *mf*; atleta *mf*. ~장 estadio *m* (deportivo), campo *m* de juegos [deportes]. ~ 종목 número *m* de competiciones.

경기(輕騎) soldado *m* de caballería ligero y ágil.

경기(驚氣) [한방] convulsión *f*.

경기관총(輕機關銃) ametralladora *f* ligera.

경기구(輕氣球) globo *m* (aerostático).

경기병(輕騎兵) caballería *f* ligera.

경내(境內) recinto *m*.

경노동(輕勞動) labor *f* ligera.

경뇌(鯨腦) esperma *f* de ballena, espermaceti *m*. ~유 aceite *m* de esperma de ballena.

경단(瓊團) *gyeongdan*, una especie de *teok* [pan coreano], bola *f* de masa que se come en sopas o guisos.

경대(鏡臺) tocador *m*.

경도(京都) capital *f*, Seúl.

경도(硬度) dureza *f*. ~계 durómetro *m*; [광물의] esclerómetro *m*.

경도(經度) ① ((의학)) =월경(月經). ② ((지리)) =날도(longitud). ¶~선(線) ((지리)) meridiano *m*.

경도(傾倒) ① [넘어져 엎드림] acción *f* de postrarse cayéndose, postrarse cayéndose. ② [기울여 쏟음] derramiento *m* inclinando. ~하다 derramar [vertir] inclinando. ③ [마음을 한쪽으로 기울이어 열중함] dedicación *f*, concentración *f*, admiración *f*. ~하다 dedicarse [entregarse] todo entero, concentrarse; [경탄하여] admirar.

경락(競落) adquisición *f* en remate [en subasta], decisión *f* de la subasta. ~하다 adquirir en una subasta, comprar en una subasta.

경량(輕量) peso *m* ligero. ~급 peso *m* ligero.

경력(經歷) carrera *f*, historia *f* personal, curso *m*, antecedentes *mpl*; [이력] curriculum *m* vitae, historial *m*. 다양한 ~을 가진 사람 persona *f* con carreras varias. 이 좋다 tener buenos antecedentes, tener un pasado irreprochable. ¶~자 persona *f* experimentada, persona *f* con experiencia. ~직 trabajo *m* para personas con experiencia.

경련(痙攣) ((의학)) convulsión *f*, espasmo *m*, paroxismo *m*, muerte *f* chiquita; [근육의] calambre *m*, retortijón *m*; [안면의] tic *m* (nervioso). ~이 나다 dar*le* un calambre. ~을 일으키다 convulsionarse, tener accesos convulsivos.

경례(敬禮) saludo *m*, salutación *m*. ~하다 saludar, hacer un saludo; [거수 경례하다] hacer un saludo militar quitándose el sombrero; [머리를 숙이다] hacer una reverencia. ~에 답하다 responder al saludo. 국기에 ~하다 saludar la bandera nacional.

경로(敬老) respeto *m* por los ancianos. ~하다 respetar a los ancianos. ~석 [버스의] (asiento *m*) reservado *m* (para los ancianos). ~의 날 día *m* de los mayores. ~회 reunión *f* en honor de los ancianos; [노인회] peña *f* de los ancianos.

경로(經路) curso *m*, ruta *f*, camino *m*, paso *m*, conducto *m*, canal *m*; [과정] progreso *m*. 정보의 ~ vía *f* [conducto *m*] de información.

경륜(經綸) administración *f*, [국가의] arte *m* de gobernar. ~하다 administrar los asuntos del estado. ~가[지사] hombre *m* hábil [diestro].

경륜(競輪) carreras *fpl* de bicicletas.

~ 선수 ciclista *mf*. ~장 velódromo *m*; [트랙] circuito *m* ciclista.

경리(經理) administración *f* financiera, contabilidad *f*. ~하다 administrar. ~를 담당하다 encargarse de la administración financiera. ¶ ~과 contaduría *f*. ~ 담당 contable *mf*. ~ 사원 empleado, -da *mf* de contabilidad. ~원 contable *mf*; tenedor, -dora *mf* de libros. ~ 학교 Escuela *f* de Contabilidad.

경마 brida *f*. ~(를) 잡다 llevar [guiar] un caballo. ~(를) 잡히다 hacer llevar [guiar] un caballo.

경마(競馬) carreras *fpl* de caballos, hípica *f*, (carreras *fpl*) hípicas *fpl*. ~ 기수 jinete *mf* de carrera. ~마 (馬) caballo *m* de carrera(s). ~장 pista *f* (de carreras); [스타디움] hipódromo *m*. ~ 팬 carreísta *mf*; aficionado, -da *mf* a las carreras (hípicas).

경망(輕妄) imprudencia *f*, frivolidad *f*, indiscreción *f*, atolondramiento *m*, aturdimiento *m*; [부주의] descuido *m*, inadvertencia *f*. ~하다 (ser) imprudente, frívolo, insensato, irresponsable, indiscreto, atolondrado, aturdido, descuidado. ~히 imprudentemente, frívolamente, indiscretamente, con imprudencia, con frivolidad, con indiscreción. ~스럽다 (ser) atolondrado. ~스레 atolondradamente, con atolondramiento.

경매(競賣) remate *m*, subasta *f*, venta *f* pública. ~하다 vender a subasta, vender en subasta pública, rematar, subastar. ~ 가격 oferta *f*. ~물 artículo *m* para venta en la subasta. ~ 시장 mercado *m* de subasta. ~인 subastador, -dora *mf*. ~일 día *m* de subasta. ~장 sala *f* de subasta.

경멸(輕蔑) desprecio *m*, menosprecio *m*, desdén *m*. ~하다 despreciar, menospreciar, desdeñar.

경모(敬慕) admiración *f*, adoración *f*. ~하다 admirar, adorar, amar y respetar.

경무(警務) deberes *mpl* policiales; [경찰 행정] administración *f* policial. ~관 inspector, -tora *mf* general.

경문(經文) ① ((불교)) sutra *m* (budista). ② ((천주교)) devocionario *m*. ③ ((종교)) libros *mpl* del taoísmo.

경미하다(輕微－) (ser) ligero, leve, insignificante. 경미한 상처 herida *f* [lesión *f*] leve.

경박(輕薄) ((준말)) =경조 부박. ¶ ~하다 (ser) frívolo, ligero, veleidoso, voluble, imprudente. ~한 사람 persona *f* frívola. ~한 언행 conducta *f* frívola.

경배(敬拜) saludo *m* respetuoso.

경범죄(輕犯罪) delito *m* de menor cuantía, contravención *f*, falta *f* leve, delito *m* menor.

경변증(硬變症) ((의학)) cirrosis *f*. ~ 환자 cirroso, -sa *mf*.

경보(競步) marcha *f* (atlética), carrera *f* de andar. 20킬로미터 ~ 올림픽 챔피언 .campeón *m* olímpico de veinte kilómetros marcha. ¶ ~ 선수 marchador, -dora *mf*.

경보(警報) señal *f* de) alarma *f*. ~기 aparato *m* de alarma, alarmador. ~ 램프 lámpara *f* de alarma. ~망 red *f* de alarma. ~ 시스템 sistema *m* de alarma (y protección). ~ 신호 señal *f* de alarma. ~장치 aparato *m* de alarma.

경부(頸部) ((해부)) cerviz *f*, cogote *m*. ~의 cervical.

경비(經費) gastos *mpl*, expensas *fpl*, coste *m*, *AmL* costo *m*. ~ 절약 reducción *f* de gastos, racionalización *f* de gastos. ~ 절약을 하다 reducir gastos.

경비(警備) guardia *f*, custodia *f*, vigilancia *f*. ~하다 guardar, custodiar, vigilar. ~가 삼엄하다 estar guardado [vigilado] estrictamente. ~대 guardia *f*. ~망 red *f* de defensa. ~병 guarda *mf*; patrulla *mf*. ~실 cuarto *m* de guardia. ~원 guardia *m*, vigilante *m*. ~정 [선] guardacostas *m*, lancha *f* patrullera. ~함 patrullera *f*.

경비행기(輕飛行機) avioneta *f*.

경사(傾斜) inclinación *f*, declive *m*, pendiente *f*, cuesta *f*, declividad *f*, oblicuidad *f*. 급한 ~ declive *m* abrupto, declive *m* pino. 완만한 ~ declive *m* suave. ~가 지다 inclinarse, declinar. ¶ ~각 (ángulo *m* de) oblicuidad *f*. ~로 rampa *f*.

경사(慶事) asunto *m* [ocasión *f*] feliz, evento *m* feliz. ~스럽다 (ser) feliz. 경사스런 일 acontecimiento *m* [suceso *m*] feliz [alegre], motivo *m* de felicitaciones.

경사(警査) cabo *m* de policía.

경상(輕傷) herida *f* leve. ~을 당하다 recibir una herida leve, ser herido levemente. ¶ ~자 herido, -da *mf* leve.

경상(經常) invariabilidad *f*, inmutabilidad *f*, constancia *f*. ~비 costes *mpl* de explotación, gastos *mpl* de mantenimiento, gastos *mpl* de operaciones [de funcionamiento]. ~ 수입 ganancia *f* ordinaria.

경색(景色) ① [경치] paisaje *m*. ② [광경] vista *f*, [정경] escena *f*, panorama *m*.

경색(梗塞) ① [막힘. 특히, 돈의 융통이 잘 안 되고 막힘] rigurosidad *f*,

bloqueo *m*, cese *m*, suspensión *f*, interrupción *f*. 정국의 ~ situación *f* política estricta. ② ((의학)) infarto *m*. ~하다 infartarse.

경서(經書) clásicos *mpl* confucianos.

경석(輕石) (piedra *f*) pomez *f*.

경선(經線) ((지리)) meridiano *m*. ~의(儀) cronómetro *m*.

경성(硬性) solidez *f*, dureza *f*. ~ 세제 detergente *m* duro.

경성(傾性)=절세 미인(絶世美人).

경성지색(傾城之色)=경국지색.

경세(經世) administración *f*. ~하다 gobernar, administrar. ~ 제민(濟民) el gobernar el mundo y el asistir al pueblo.

경솔하다(輕率─) (ser) ligero, frívolo, imprudente, indiscreto, irreflexivo, prematuro, precipitado, atolondrado, aturdido, descuidado. 경솔한 사람 persona *f* impetuosa; persona *f* precipitada. 경솔한 행위 acto *m* imprudente [precipitado]. 경솔히 ligeramente, a la ligera, frívolamente, imprudentemente, indiscretamente, atolondradamente, precipitadamente, con precipitación.

경쇠(磬─) ((악기)) *gyeongsoe*, instrumento *m* musical de piedra o jade.

경수(硬水) el agua *f* dura [gorda].

경수(輕水) el agua *f* ligera.

경수(經水)=월경(menstruación).

경수로(輕水爐) reactor *m* de agua ligera [natural]. ~ 건설 공사(장) trabajos *mpl* de construcción en un reactor de agua ligera.

경순양함(輕巡洋艦) crucero *m* ligero.

경승(景勝) hermoso paisaje *m*, vista *f* maravillosa.

경승지(景勝地) ((준말))=경승지지.

경승지지(景勝之地) lugar *m* de hermoso paisaje.

경시(輕視) desprecio *m*, menosprecio *m*, desdén *m*. ~하다 despreciar, menospreciar, desdeñar, prestar poca atención, hacer poco caso.

경식(輕食) comida *f* ligera [sencilla].

경식당(輕食堂) bar *m*, cafetería *f*.

경신(更新) ① [옛 것을 고쳐 새롭게 함] renovación *f*. ~하다 renovar. 운전 면허의 ~ renovación *f* de licencia de conductor. 계약을 ~하다 renovar el contrato. ② [기록 경기 따위에서] batimiento *m* de un récord. 기록을 ~하다 batir un récord.

경악(驚愕) asombro *m*, sorpresa *f*, susto *m*. ~하다 asombrarse, sobresaltarse, pasmar(se), espantarse. ~을 금치 못하다 no poder reprimir su asombro.

경애(敬愛) respeto *m* y afecto, veneración *f*. ~하다 amar y respetar, venerar. ~하는 querido, esti-

mado. (나의) ~하는 A군 mi estimado señor A.

경어(敬語) término *m* honorífico [de respeto], palabra *f* de respeto, dicción *f* respetuosa; [정중한 말] término *m* [palabra *f*] de cortesía.

경연(慶宴) banquete *m*, fiesta *f*. ~을 베풀다 dar una fiesta, dar un banquete.

경연(競演) concurso *m*. ~을 열다 celebrar el concurso. ~ 대회를 개최하다 concurso *m*. ~ 대회를 개최하다 celebrar un concurso.

경영(經營) administración *f*, manejo *m*, dirección *f* (administrativa). ~하다 administrar, manejar. ~권 derecho *m* de administración. ~난 dificultades *fpl* financieras. ~자 patrono *m*; patrón, -trona *mf*; [관리자] administrador, -ra *mf*; director, -ra *mf*; gerente *mf*; [소유자] propietario, -ria *mf*; dueño, -ña *mf*. ~ 자금 fondo *m* de los negocios. ~주 patrono *m*; patrón, -trona *mf*. ~진 empresarios *mpl*, patronal *f*. ~학 ciencias *fpl* empresariales, administración *f* (de empresas). ~ 합리화 racionalización *f* de la empresa.

경영(競泳) carrera *f* de natación. 100 미터 ~ carrera *f* de natación de cien metros. ¶ ~ 선수 nadador, -dora *mf*; tritón *m*, sirena *f*.

경옥(硬玉) ((광물)) jade *m*.

경외(敬畏) respeto *m* reverencial, terror *m*. ~하다 tener*le* terror.

경우(境遇) caso *m*, ocasión *f*, circunstancia *f*. …의 ~에는 cuando + *subj*, en caso de + 「명사」, en caso de + *inf*, en caso (de) que + *subj*. 완성될 ~에는 con la terminación. 이런 ~에는 en este caso. 그가 성공할 ~에는 en caso de que él tenga éxito.

경운기(耕耘機) cultivadora *f*, motocultivador *m*, motocultor *m*.

경위(經緯) ① [피륙의 날과 씨] urdimbre y trama. ② ((준말))=경위도(度). ③ ((준말))=경위선. ④ ㉮ [일이 전전되어온 전말] circunstancias *fpl*, condiciones *fpl*. ㉯ [상세한] detalles *mpl*. ㉰ [과정] desarrollo *m*, proceso *m*, marcha *f*. 사건의 ~를 말하다 exponer cómo sucedió el asunto. ¶ ~도(度) longitud *f* y latitud *f*. ~선(線) líneas *fpl* de longitud y latitud. ~의(儀) teodolito *m*. ~서=전말서.

경위(警衛) ① [경비하여 호위함] patrulla *f*, guardia *f*; [경비하여 호위하는 사람] guardia *mf*. ② [경찰관의 직위] lugarteniente *mf*; subinspector, -ra *mf*.

경유(經由) pasada *f*. ~하다 pasar (por). …를 ~로 pasando por un *sitio*, vía por *un sitio*. 파리 ~로 마드리드에 가다 ir a Madrid pasando por París. ¶ ~지(地) lugar *m* que pasa.

경유(輕油) aceite *m* ligero.

경유(鯨油) aceite *m* de ballena.

경음(硬音) ((언어)) sonido *m* fuerte. ~화 현상 glotalización *f*.

경음악(輕音樂) música *f* ligera. ~단 banda *f* de la música ligera.

경의(敬意) respeto *m*, homenaje *m*. ~를 표하다 presentar *su* respeto, mostrar *su* respeto. …에게 ~를 표하여 en homenaje a [de] *uno*, en honor de *uno*.

경이(驚異) maravilla *f*, prodigo *m*, admiración *f*, sorpresa *f*. ~롭다 (ser) maravilloso, admirable. 경이로운 성과 fruto *m* maravilloso. ¶ ~적 maravilloso, prodigioso, sor- prendente, admirable.

경이 원지(敬而遠之) acción *f* de poner a distancia respetándo. ~하다 guardar las distancias, poner a distancia respetándo*le*.

경작(耕作) cultivo *m*, labranza *f*, labor *f*. ~하다 cultivar, labrar. ~면적 extensión *f* de terreno agrícola. ~물 cosecha *f* de cultivo. ~자 cultivador *m*, labrador *m*. ~지 tierra *f* de cultivo.

경장(更張) renovación *f*. ~하다 renovar.

경장(警長) cabo *m* (de policía).

경쟁(競爭) competencia *f*, competición *f*, rivalidad *f*, emulación *f*; [컨테스트] concurso *m*. ~하다 competir, rivalizar, hacer (la) competencia, estar en competencia. ~가격 precio *m* competitivo. ~가격으로 a precios competitivos. ~력 capacidad *f* [fuerza *f*] competitiva, competividad *f*. ~시험 oposiciones *fpl*, examen *m* competitivo, concurso *m* de [por] oposición. ~심 espíritu *m* competitivo [de competición], (espíritu *m* de) rivalidad, emulación *f*. ~입찰 licitación *f* pública. ~입찰하다 hacer una licitación pública. ~자 [경쟁 시험에서] opositor, -tora *mf*, concursante *mf*; [비지니스의] competidor, -dora *mf*, rival *mf*; [스포츠의] contrincante *mf*, rival *mf*; [미인 대회·퀴즈 쇼의] concursante *mf*; [지위·자리의] candidato, -ta *mf*. ~적 competitivo, de competición.

경적(警笛) silbato *m* [pito *m*] de alarma; [자동차의] bocina *f*, claxon *m*; [배의] sirena *f*. ~을 울리다 silbar, bocinar, tocar la bocina, tocar el claxon, pitar.

경전(經典) las (Sagradas) Escrituras, la Veda; [기독교의] la (Santa) Biblia; [불교의] la Sutra, escritos *mpl* sagrados budistas; [회교의] el Corán.

경전차(輕電車) tanque *m* ligero.

경정(更正) revisión *f*, corrección *f*, enmienda *f*. ~하다 revisar, corregir, enmendar. ~ 예산 presupuesto *m* de enmienda.

경정(更訂) revisión *f*. ~하다 revisar.

경정(警正) superintendente *mf*.

경제(經濟) ① ((경제)) economía *f*. ② [절약] ahorro *m*, economía *f*. ~하다 economizar, ahorrar. ③ ((준말)) =경제학. ¶ ~가 ㉮ economista *mf*. ㉯ [절약가] ahorrador, -ra *mf*. ~ 각료 ministro *m* económico. ~ 각료 회의 conferencia *f* de ministros económicos. ~ 개발 desarrollo *m* económico. ~ 개혁 reforma *f* económica. ~ 경찰 policía *f* de economía. ~계 mundo *m* económico, círculos *mpl* económicos. ~ 계획 plan *m* económico, planificación *f* económica. ~ 공동체 comunidad *f* económica. ~공황 pánico *m* económico. ~ 과학 심의회 Consejo *m* Económico y Científico. ~ 구조 estructura *f* económica. ~권 bloque *m* económico. ~ 기구 estructura *f* económica. ~ 기획원 Ministerio *m* de Planificación Económica. ~난 dificultad *f* económica, dificultades *fpl* financieras. ~ 대국 potencia *f* económica. ~란(欄) columna *f* económica. ~력 poder *m* económico [financiero]. ~면 plana *f* económica. ~ 문제 cuestiones *fpl* económicas, problema *m* económico. ~ 발전 desarrollo *m* económico. ~ 봉쇄 bloqueo *m* económico. ~ 블록 bloque *m* económico. ~사 historia *f* de la economía. ~ 시범 [죄] infracción *f* económica, delito *m* económico; [사람] violador, -dora *mf* de las leyes económicas. ~ 사절 misión *f* económica; [사람] enviado *m* económico. ~ 사절단 misión *f* económica. ~ 사정 condiciones *fpl* [situaciones *fpl*] económicas. ~ 사회 위원회 Comité *m* Económico y Social. ~ 사회 이사회 Consejo *m* Económico y Social, ECOSOC *m*. ~ 성장 crecimiento *m* [desarrollo *m*] económico. ~ 성장률 índice *m* de crecimiento económico. ~ 속도 velocidad *f* económica. ~ 수역 zona *f* económica exclusiva. ~ 수준 nivel *m* económico. ~ 안정 estabilización *f* económica. ~ 외교 diplomacia *f* económica. ~ 원조 ayuda *f* [asistencia *f*] económica. ~ 원조 계획 programa *m* de ayuda económica. ~ 원칙 principio *m* económico. ~ 위기 crisis *f* económica. ~ 위원회 Comisión *f* Económica. ~ 이론 teoría *f* económica. ~인(人) comerciante *mf*, hombre *m* de negocios. ~인 연합회 Federación *f* de Hombres de Negocios. ~적 económico. ~적으로 económicamente. ~전 [전쟁] guerra *f* económica. ~ 정책 política *f* económica. ~주의 economismo *m*. ~주의자 economista *mf*. ~ 지표 indicador *m* económico. ~ 차관 préstamo *m* económico. ~ 침략 invasión *f* económica, agresión *f* económica. ~ 통제 control *m* económico. ~ 통합 integración *f* económica. ~학 economía *f* (política), ciencias *fpl* (políticas) y económicas, económicas *fpl*. ~학 박사 doctor, -tora *mf* en economía política. ~협력 cooperación *f* económica. ~ 협력 개발 기구 Organización *f* para Cooperación y Desarrollo Económicos.

경조(敬弔) condolencias *fpl*, pésame *m*. ~하다 dar el pésame, dar *sus* condolencias.

경조(慶弔) felicidades y condolencia. ~비 gastos *mpl* para felicidades y condolencia.

경조(競漕) regata *f*, carrera de botes.

경조부박(輕佻浮薄) frivolidad *f*, ligereza *f*, superficialidad *f*. ~하다 (ser) volubre y frívolo, veleidoso y superficial, ligero.

경종(警鐘) campana *f* de alarma, alarma *f* de incendio, toque *m* de somatén; [경고] advertencia *f*, aviso *m*. ~(을) 울리다 tocar [sonar] la campana de alarma; [비유] dar la alarma.

경죄(輕罪) delito *m* ligero [de menor cuantía].

경주(傾注) devoción *f*, aplicación *f*. ~하다 dedicarse, entregarse. 전력을 ~하다 concentrar todas sus fuerzas, dedicarse [consagrarse] todo entero [en cuerpo y alma].

경주(競走) carrera *f*, corrida *f*; [보트의] regata *f*. ~하다 correr, luchar a la carrera, hacer una carrera, competir en una carrera; regatear. 단거리 ~ carrera *f* de corta distancia. 마라톤 ~ carrera *f* de maratón. 100미터 ~ carrera *f* de cien metros lisos. 1000미터 ~ carrera *f* de mil metros. 장거리 ~ carrera *f* de larga distancia. ¶~로 [자동차용] circuito *m*; [자전거용] velódromo *m*. ~마 caballo *m* de carrera(s). ~장 pista *f*.

경중(輕重) ① [가벼움과 무거움] la ligereza y la pesadez. ② =무게 (peso). ③ [큰 일과 작은 일. 중요함과 중요하지 않음] importancia *f* relativa, gravedad *f* relativa.

경증(輕症) enfermedad *f* leve.

경지(耕地) ((준말)) =경작지. ¶~ 면적 superficie *f* cultivada.

경지(境地) ① [경계가 되는 땅] tierra *f* de límite. ② [한 지경의 풍치] belleza *f* escénica. ③ [환경과 처지] el ambiente y las circunstancias. ④ [경험한 결과 도달한 지경·상태] estado *m* (mental), condición *f*, circunstancias *fpl*. 심오한 ~에 이르른 방법으로 con perfecta maestría. 새로운 ~를 열다 abrir nuevos horizontes.

경직(勁直/硬直) robustez *f*, firmeza *f*, fuerza *f*, integridad *f*. ~하다 (ser) robusto, firme, fuerte.

경직(硬直) dureza *f*, solidez *f*, firmeza *f*; [긴장] rigidez *f*. ~하다 ponerse tieso, guardarse rígido. ~된 tieso, rígido, yerto. 사후~ dureza *f* del metal. 사후(死後) ~ rigidez *f* cadavérica.

경진(輕震) terremoto *m* débil.

경질(更迭) cambio *m*, su(b)stitución *f*, reemplazo *m*, alteración *f*. ~하다 su(b)stituir, reemplazar. 각료의 ~ cambio *m* de ministro. 장관을 ~하다 reemplazar a un ministro.

경질(硬質) dureza *f*, rigidez *f*. ~의 duro, rígido.

경찰(警察) ① policía *f*. ~의 policial, policíaco. ② ((준말)) =경찰서. ③ ((준말)) =경찰관. ¶~견 perro *m* policía. ~관 policía *mf*, agente *mf* (de policía), mujer *f* policía. ~관 파출소 puesto *m*. ~국 Jefatura *f* de Policía. ~ 국가 estado *m* policía. ~ 대학 Academia *f* de Policía. ~봉 porra *f* (de policía). ~서 comisaría *f* (de policía). ~서장 comisario, -ria *mf*. ~청 Jefatura *f* de Policía Nacional. ~청장 jefe, -fa *mf* de la Jefatura de Policía Nacional. ~ 학교 Academia *f* de Policía, Escuela *f* de Policía. ~ 행정 administración *f* policial.

경천(敬天) adoración *f* a Dios; [하늘을 숭배함] adoración *f* del cielo. ~하다 adorar a Dios; adorar el cielo. ~ 애인(愛人) la adoración del cielo y el amor del hombre.

경천(驚天) gran sorpresa *f*, milagro *m*. ~동지 sorpresa *f* [asombro *m*·susto *m*] del mundo.

경첩 gozne *m*, bisagra *f*, charnela *f*. ~을 달다 engoznar, poner goznes.

경청(傾聽) escucha *f* atenta. ~하다 escuchar atentamente [con atención], prestar [dar] oído(s).

경추(頸椎) vértebra *f* cervical.

경축(慶祝) felicitación *f*, congratulación *f*. ~하다 celebrar, felicitar, congratular. ~일 día *m* de fiesta (nacional), día *m* festivo, fiesta *f*,

AmL (día *m*) feriado *m*.

경치(景致) paisaje *m*, panorama *m*, perspectiva *f*, escena *f*, vista *f*. 밤 ~ paisaje *m* nocturno.

경치다 ☞경

경청(敬聽) título *m* honorífico. ~ 생략 Sin mención de títulos.

경쾌감(輕快感) sentimiento *m* alegre.

경쾌하다(輕快-) ① [재고 날래다] (ser) rápido, veloz, ligero; pronto. 경쾌한 대답 contestación *f* pronta. 경쾌한 동작 movimiento *m* ligero. ② [가든하고 시원하다] (ser) alegre, jovial. 경쾌한 리듬 ritmo *m* alegre. ③ [장중하지 않고 멋들어지다] (ser) airoso. 경쾌하게 춤추다 bailar [danzar] airosamente.

경탄(驚歎) asombro *m*, admiración *f*, maravilla *f*. ~하다 asombrarse, maravillarse, admirarse.

경폭격기(輕爆擊機) avión *m* de bombardeo [bombardero *f*] ligero.

경품(景品) premio *m*, regalo *m*, obsequio *m*, extra *m*, suplemento *m*; *AmS* yapa *f*, feria *f*. ~권 papeleta *f* de premios. ~부 대매출 gran venta *f* con premios.

경하(慶賀) felicitación *f*, congratulación *f*. ~하다 felicitar, congratular.

경하다(輕-) ① [가볍다] (ser) liviano, ligero, leve. ② [경솔하다] (ser) imprudente. ③ [가치가 적다] valer poco. ④ ((병세나 죄가)) 무겁지 않다] no ser grave, no ser fuerte, ser ligero.

경합(競合) competencia *f* (reñida). ~하다 competir, rivalizar; [입찰에서] licitar. ~을 벌이다 librar una enconada competencia.

경합금(輕合金) aleación *f* ligera.

경향(京郷) la capital y el campo. ~ 각지에 en todo el país.

경향(傾向) tendencia *f*; [성향] inclinación *f*. …하는 ~이 있다 (ser) propenso a + *inf*, tener tendencia a + *inf*, tender a + *inf*.

경험(經驗) experiencia *f*. ~하다 experimentar, tener experiencia. ~ 있는 experimentado; [숙련된] experto, perito. ~ 없는 inexperto; [초심의] novato, novicio, novel. ~ 이 있는 간호사 enfermera *f* experimentada. ~ 없는 사람 inexperto, -ta *mf*; novicio, -cia *mf*. ¶~가 experto, -ta *mf*; perito, -ta *mf*. ~ 담 historia *f* [relato *m*] de *su* experiencia, cuento *m* experimentado. ~론 emprismo *m*. ~론 자 empírico, -ca *mf*. ~자 persona *f* que tiene experiencia; experimentado, -da *mf*. ~ 철학 filosofía *f* empírica.

경혈(經穴) ((한방)) lugar *m* [sitio *m*] en el cuerpo conveniente para la acupuntura.

경호(警護) escolta *f*, convoy *m*, custodia *f*. ~하다 escoltar, convoyar, custodiar. ~대 guardia *f*. ~원 guardaespaldas *mf*; guardia *mf* de corps, salvaguardia *m*; [그룹] escolta *f*. ~인 agente *mf* de seguridad.

경화(硬貨) moneda *f*, pieza *f*, moneda *f* metálica, moneda *f* contante y sonante, (dinero *m*) efectivo *m*.

경화(硬化) ① [단단히 굳어짐] endurecimiento *m*. ~하다 endurecerse, ponerse rígido, ponerse tieso. ~된 endurecido, rígido, tieso. ② ((의학)) esclerosis *f*.

경화기(輕火器) armas *fpl* ligeras.

경화학(輕化學) química *f* ligera. ~ 공업 industria *f* química ligera.

경황(景況) situación *f*, condición *f*. ~(이) 없다 no tener interés, no interesarse.

결 ① [옆] lado *m*; [근처] vecindad *f*. ~의 vecino, cercano, de al lado. ~에 al lado, cerca. …의 ~에 cerca de *un* sitio, al lado de *un* sitio, junto a *un* sitio. ② [가까이 있으면서 도와 줄 만한 사람] ayudante *mf*, ayudador, -dora *mf*.

곁가지 rama *f* lateral.

곁길 calle *f* lateral, lateral *f*, callejón *m*.

곁눈[1] mirada *f* de reojo ~으로 보다 ojear [mirar] de soslayo [de reojo·al soslayo·con el rabillo del ojo], guiñar. ~(을) 주다 irse los ojos. ~(을) 팔다 echar [lanzar] una mirada de soslayo.

곁눈[2] ((식물)) botón *m* auxiliar.

곁눈질 mirada *f* de soslayo [de reojo·con el rabillo del ojo]. ~을 보내다 echar [lanzar] una mirada de soslayo [de reojo]. ~로 보다 mirar de soslayo [al soslayo·de reojo·con el rabillo del ojo].

곁다리 cosa *f* secundaria. ~(를) 들다 meterse, entrometerse, inmiscuirse, inferir.

곁두리 tentempié *m* para los mozos de labranza.

곁들다 ayudar, asistir, ponerse de parte, ponerse del lado, tomar partido, tomar parte, participar.

곁들이다 acompañar, adornar, aderezar, añadir. 곁들인 음식 aderezo *m* (de un plato), guarnición *f*.

곁땀 sudor *m* de la axila. ~이 나다 sudar debajo de la axila.

곁땀내 olor *m* a sudor de la axila.

곁마누라 concubina *f*.

곁말 argot *m*, jerga *f*, jerigonza *f*.

곁방(-房) ① [딸린 방] habitación *f* contigua. ② [빌려 쓰는 남의 집의 한 부분] una parte de la casa aquilada, habitación *f* alquilada. ¶~살이 residencia *f* en una habitación alquilada. ~살이하다 vivir [residir·morar] en una habitación alquilada.

결뿌리 raíz f secundaria [lateral].

결순(-筍) brotes mpl laterales.

곁집 casa f contigua, casa f vecina, casa f de al lado. ~ 사람 vecino m de al lado. ~에 살다 vivir al lado, vivir en la casa de al lado.

곁채 anexo m, anejo m, cabaña f.

계(計) ① [합계] total m, suma f total; [소계] subtotal m; [합계하여] en total. ~ 심만 원입니다 Son cien mil wones en total. ② =피.

계(系) ① ((수학·철학)) corolario m, consectario m. ② ((물리·화학)) sistema m.

계(戒/誡) ① precepto m. ② ((불교)) precepto m [mandamiento m] budista.

계(係) (sub)sección f; [사람] encargado, -da mf.

계(契) gye, asociación f de préstamo mutuo, asociación f [sociedad f] de ayuda mutua; [추첨식] rifa f.

계(階) ① [벼슬의 등급] rango m oficial, grado m. ② ((큰말)) =품계. ③ =섬돌 층계. ④ =사다리.

계간(季刊) ① [1년에 네 번 발간함] publicación f trimestral. ~하다 publicar trimestralmente. ② ((준말)) =계간지. ¶ ~지(誌) revista f trimestral.

계간(鷄姦) pederastia f, sodomía f. ~의 sodomítico. ~자 sodomita mf; invertido, -da mf; [남색자] pederasta m.

계고(戒告) advertencia f, amonestación f, reprimenda f. ~하다 advertir, hacer una advertencia, amonestar, reprender. ~장 ㉮ ((종교)) monición f. ㉯ ((법률)) carta f de notificación.

계곡(溪谷/谿谷) valle m, quebrada f.

계관(桂冠) ((준말)) =월계관. ¶ ~ 시인 poeta m laureado.

계관(鷄冠) ① [닭의 볏] cresta f (de gallo). ② ((식물)) =맨드라미. ¶ ~석 ((광물)) rejalgar m, sulfuro m rojo de arsénico.

계교(計巧) plan m, proyecto m, designio m, treta f, estratagema f, trampa f, ardid m, complot m, conspiración f. ~를 꾸미다 idear [crear·concebir] la estratagema.

계구우후(鷄口牛後) Más vale ser cabeza de ratón que cola de león.

계군일학(鷄群一鶴) Joya f en el muladar.

계급(階級) clase f; [등급] categoría f, grado m; [지위] rango m; [신분] casta f, estado m; [군대의] graduación f, grado m; [서열] orden m; [계층] capa f. ~의식 conciencia f de clase. ~장 insignia f de

rango. ~ 투쟁 lucha f de clases, conflicto m de clases.

계기(契機) punto m decisivo, motivo m, ocasión f, oportunidad f, coyuntura f; ((철학)) momento m. …을 ~로 하여 con motivo de algo. ~가 되다 dar la ocasión.

계기(計器) medidor m, contador m. ~반 [자동차의] tablero m de mandos; [비행기의] tablero m [cuadro m] de instrumentos. ~비행 vuelo m por [con] instrmentos (sin visibilidad).

계단(階段) escalera f; [건물 정면의] gradas fpl; [주택 입구의] escalinata f; [한 층계씩의] tramo m, escalón m, peldaño m, grada f. ~을 오르다 subir (por) la escalera, ir escalera arriba. ~을 내려가다 bajar la escalera, ir escalera abajo. ¶ ~참 rellano m, escansillo m.

계도(系圖) genealogía f, tabla f genealógica; [나무 모양의] árbol m genealógico.

계도(啓導) orientación f, guía f, dirección f, enseñanza f, ilustración f, iluminación f. ~하다 guiar, orientar, aconsejar, enseñar.

계란(鷄卵) huevo m. 삶은 ~ huevo m pasado por agua. 프라이한 ~ huevo m frito.

계략(計略) m [계책과 방략] complot m, conspiración f, trampa f. ~에 빠뜨리다 poner una trampa, hacer caer en una trampa. ~에 빠지다 dejarse atrapar, caer en la trampa. ② [모략] estratagema f, ardid m, treta f, artificio m. ~을 세우다 trazar una estratagema, idear una estratagema.

계량(計量) medida f, pesada f. ~하다 [무게를] pesar; [분량을] medir. ~기 medidor m, indicador m, balanza f.

계류(溪流) torrente m montañoso.

계류(繋留) amarrada f, amarradura f. ~하다 amarrar. 배를 ~하다 amarrar un barco.

계륵(鷄肋) ① [닭의 갈비뼈] costilla f de gallo. ② [버리기에는 아까운 것] superfluidad f, redundancia. ③ [몸이 몹시 허약함] debilidad f, delicadeza f.

계명(戒名) ① ((불교)) [중이 수계할 때 스승한테서 받은 이름] nombre m budista. ② ((불교)) [죽은 중에게 주는 이름] nombre m póstumo budista.

계명(階名) ① [계급·품계의 이름] nombre m de la clase [del grado]. ② ((음악)) nombre m de la escala musical.

계명(誡命) ((종교)) mandamiento m.

계명워리 mujer f libertina.

계모(繼母) madrastra f.

계몽(啓蒙) ilustración *f*, educación *f*, iluminación *f*, instrucción *f*. ~하다 ilustrar, instruir, educar, iluminar. ¶~기 período *m* de ilustración. ~ 문학 literatura *f* de (la) ilustración. ~ 운동 movimiento *m* de ilustración; ((역사)) La Ilustración. ~주의 iluminismo *m*.

계발(啓發) ilustración *f*, instrucción *f*, iluminación *f*, edificación *f*, educación *f*, desarrollo *m*. ~하다 alumbrar, iluminar, ilustrar, edificar, desarrollar.

계보(系譜) genealogía *f*, árbol *m* genealógico. ~학 genealogía *f*. ~ 학자 genealogista *mf*.

계부(繼父) padrastro *m*.

계사(繫辭) ((논리)) cópula *f*.

계사(鷄舍) gallinero *m*.

계산(計算) cálculo *m*, cuenta *f*, calculación *f*, computo *m*, computación *f*; [지불] pago *m*. ~하다 calcular, contar, hacer un cálculo, computar; [지불하다] pagar la cuenta. ~에 넣다 poner en la cuenta. ¶~기 (máquina *f*) calculadora *f*, máquina *f* sumadora. ~ 대 caja *f*. ~서 cuenta *f*. ~일 día *m* de cuentas. ~자 regla *f* de cálculo. ~자(者) calculador, -dora *mf*. ~표 nomograma *m*, tabla *f* de cálculos.

계상(計上) destinación *f*, asignación *f*. ~하다 destinar, asignar, sumar, enumerar, especificar.

계속(繼續) continuación *f*. ~하다 continuar, seguir, durar. ~ 3년간 por tres años consecutivos. 네 번 ~ cuatro veces seguidas. 일을 ~하다 seguir el trabajo, continuar [proseguir] el trabajo.

계수(季嫂) cuñada *f*.

계수(係數) coeficiente *m*.

계수(計數) cuenta *f* del número. ~하다 contar el número. ~기 comptómetro *m*.

계수나무(桂樹一) ((식물)) canelo *m*.

계승(繼承) sucesión *f*. ~하다 suceder, heredar. 부친의 뒤를 ~하다 heredar [suceder] a *su* padre. ¶~ 자 sucesor, -ra *mf*; heredero, -ra *mf*.

계시(計時) cronometría *f*, cronometraje *m*. ~하다 cronometrar. ~ 기 temporizador *m*; [솔 · 비디오 등] reloj *m* (automático).

계시(啓示) revelación *f*, apocalipsis *m*. ~하다 revelar. 하나님의 ~ revelación *f* del Dios. ~되다 ser revelado, ser dado a conocer. ~를 받다 revelar, dar a conocer, recibir una revelación divina. ¶~록 ((성경)) El Apocalipsis.

계시다 estar, quedarse. 부모님께서는 집에 계십니다 Mis padres están en casa.

계씨(季氏) su hermano (menor).

계약(契約) contrato *m*; [협정] acuerdo *m*, pacto *m*. ~하다 contratar, concluir [ajustar · firmar] un contrato. ~에 의해 conforme al contrato. ~을 갱신하다 renovar el contrato. ~을 위반하다 quebrantar [violar] el contrato. ~을 이행하다 cumplir (con) el contrato, respetar el contrato. ~을 취소하다 anular el contrato. ~을 파기하다 rescindir [romper · deshacer] el contrato. ¶~금 ((준말)) =계약 보증금. ~ 기한 término *m* [plazo *m*] de un contrato. ~ 노동 mano *f* de obra contratada, trabajo *m* contratado. ~ 보증금 depósito *m* de garantía, depósito *m*, pago *m* inicial, pago *m* adelantado; [전속 입단 계약(금)] fichaje *m*. ~서 contrato *m*. ~ 위반 incumplimiento *m* de contrato. ~ 이민 inmigrantes *mpl* de contrato. ~자 contratista *mf*; contratante *mf*; [당 사자] parte *f* (contratante). ~ 조 건 condiciones *fpl* de contrato. ~ 체결 conclusión *f* de contrato. ~ 파기 rescisión *f* del contrato. ~ 해제 anulación *f* de contrato, cancelación *f* de contrato, disolución *f* del contrato. ~ 해제하다 anular el contrato.

계엄(戒嚴) guardia *f* estricta, protección *f* contra el peligro. ~하다 guardar más estrictamente. ~령 ley *f* marcial. ~령을 선포하다 proclamar la ley marcial. ~령을 해제하다 levantar [quitar] la ley marcial. ~ 사령관 jefe *m* del Cuartel General de la Ley Marcial. ~ 사령부 Cuartel *m* General de la Ley Marcial. ~ 상태 estado *m* de sitio, estado *m* de alarma, estado *m* de excepción.

계열(系列) línea *f*, serie *f*; ((생물)) sistema *m*; sucesión *f*; [당 파] facción *f*, partido *m*; [대학의] departamento *m*; [산업의] interrelación *f*. ~ 회사 compañías *fpl* relacionadas, sociedad *f* subsidiaria, compañías *fpl* afiliadas.

계원(係員) oficial *mf*; oficinista *mf*; empleado *m* (administrativo), empleada *f* (administrativa).

계원(契員) miembro *mf* de la asociación de préstamo mutuo.

계육(鷄肉) pollo *m*, carne *f* de gallo.

계율(戒律) ((불교)) preceptos *mpl* (budistas), mandato *m*, mandamiento *m*. ~을 지키다 observar los preceptos. ~을 깨다[파하다] violar los preceptos.

계인(契印) sello *m* de tarja.

계장(係長) jefe, -fa *mf*; jefe, -fa *mf*

de sección; jefe *m* encargado, jefa *f* encargada.

계전기(繼電器) relé *m*, relevador *m*.

계절(季節) estación *f*, temporada *f*. ~의 [변동] estacional; [야채] del tiempo, de temporada; [수요] de estación, de temporada, estacional. ~병 enfermedad *f* estacional. ~풍 viento *m* estacional; [인도양의 몬순] monzón *m*.

계정(計定) ((경제)) cuenta *f*.

계정 계좌(計定口座) cuenta *f*.

계좌(計座) ((준말)) =계정 계좌.

계주(契主) organizador, -dora *mf* de la asociación de préstamo mutuo.

계주(繼走) ((준말)) =계주 경기. ¶~ corredor, -dora *mf*.

계주 경기(繼走競技) carrera *f* de relevos. 400미터 ~ 4×100 metros revelos.

계집 ① ((속어)) mujer *f*. ~이라면 사족을 못 쓰는 사내 mujeriego *m*, hombre *m* que tiene una debilidad a la mujer. ② [아내] esposa *f*, mujer *f*. ¶~아이 chica *f*, muchacha *f*, niña *f*. ~질 puteo *m*; [난봉] libertinaje *m*. ~질하다 putañear, putear.

계책(計策) artificio *m*, treta *f*, plan *m*, proyecto *m*, designio *m*. ~을 세우다 formar [trazarse] un plan, proyectar, formar proyectos.

계천(溪川) arroyuelo *m*, riachuelo *m*.

계출(屆出) =신고(申告).

계측(計測) medida *f*. ~하다 medir.

계층(階層) ① [사회의] clase *f*, clase *f* social, estrato *m* (social). 모든 ~의 사람들 gente *f* de todas condiciones [de todas clases]. ② =층계(層階).

계통(系統) ① [순서나 체계] sistema *m*. ~을 세우다 sistematizar. ② [혈통] sangre *f*, linaje *m*, casta *f*. ~이 좋은 de buena sangre, de buena casta. ③ ((생물)) familia *f*. 같은 ~의 언어 lenguas *fpl* de la misma familia.

계통(繼統) sucesión *f* del trono. ~하다 suceder la línea royal.

계표(計票) cuenta *f* del voto. ~하다 contar los votos.

개표(界標) mojón *m*.

계피(桂皮) canela *f*.

계획(計劃) plan *m*, planificación *f*, proyecto *m*, programa *m*, designio *m*; [의도] intención *f*, propósito *m*. ~하다 hacer un plan, proyectar. ~ 경제 economía *f* planificada. ~자 planificador, -dora *mf*; promotor, -tora *mf*. ~적 premeditado, calculado, intencional, delibado. ~적으로 premeditamente, calculadamente, intencionalmente, deliberadamente. ~표 tabla *f* de programa.

고 [옷고름의] presilla *f*.

고(苦) ((불교)) dolor *m*, angustia *f*.

고(故) ① [옛날의] antiguo. ② [이미 세상을 떠난] difunto, fallecido, muerto. ~ 김구 선생 el difunto señor Kim Gu.

고가(古家) casa *f* antigua.

고가(古歌) canción *f* antigua.

고가(故家) familia *f* antigua.

고가(高價) alto precio *m*, precio *m* alto, precio *m* elevado. ~이다 costar caro, valer mucho, ser caro, ser de mucho valor. ¶~품 artículo *m* valioso, artículo *m* caro, objeto *m* de mucho valor.

고가(高架) construcción *f* elevada. ~ 도로 carretera *f* elevada. ~ 철도 ferrocarril *m* elevado, ferrocarril *m* de vía aéreo.

고각(高閣) casa *f* alta, pabellón *m*

고갈(枯渇) agotamiento *m*. ~되다 agotarse, consumirse. ~시키다 agotar. 자원을 ~시키다 agotar los recursos naturales.

고감도(高感度-) 필름 película *f* sensible.

고개¹ ① [목의 뒷등이 되는 부분] nuca *f*. ~가 아프다 dolor la nuca, tener dolor de nuca. ② [머리] cabeza *f*. ~를 갸우뚱하다 inclinar la cabeza en señal de extrañeza. ~를 가로 흔들다 negar con la cabeza. ~를 끄덕이다 afirmar [asentir] con la cabeza. ~를 들다 levantar [alzar] *su* cabeza. ~를 숙이다 bajar la cabeza, inclinar la cabeza, ponerse cabizbajo, quedar cabizbajo. ~를 젓다 agitar [sacudir · mover] la cabeza en señal de negativa, decir que no con la cabeza, negar con la cabeza.

고개² ① [산이나 언덕의] cuesta *f*, declive *m*, pendiente *f*; [오르는] (cuesta *f*) subida *f*; [내려가는] bajada *f*; [언덕이나 산의] cumbre *f*; [cima · pico *m*] de montaña. 급한 ~ pendiente *f* grande, cuesta *f* empinada, cuesta *f* escarpada, escarpa. *f*. 완만한 ~ pendiente *f* pequeña. ② [중요한 고비가 되는 부분] clímax *m*, pico *m*. 50~를 바라보다 frisar [rondar] en [con] los cincuenta años. 50~를 넘다 pasar (de) los cincuenta años.

고객(顧客) cliente *mf*; parroquiano, -na *mf*; comprador, -ra *mf*; [집합적] clientela *f*, parroquia *f*.

고건물(古建物) edificio *m* antiguo.

고견(高見) ① [뛰어난 의견] opinión *f* excelente, vista *f* con visión de futuro. ② [그의 의견] su opinión.

고결(高潔) integridad *f*, probidad *f*, nobleza *f* y pureza de alma. ~하다 (ser) íntegro, probo, recto, noble, generoso, de noble corazón.

고경(苦境) adversidad *f*, apuro *m*, situación *f* difícil, dificultad *f*. ~에 처하다 hallarse en apuros, estar en una situación difícil, verse en un apuro. ~에 빠지다 caer en la estrechez.

고고(呱呱) primer llanto *m* (de un niño recién nacido). ~의 소리 voz *f* del primer llanto (de un niño recién nacido). ~지성(之聲) voz *f* del primer llanto (de un niño recién nacido).

고고 gogó *f*, go-go *f*. ~ 댄서 (chica *f* a) gogó *f*. ~ 댄싱[춤] baile *m* a gogó. ~ 클럽 club *m* de gogó.

고고학(考古學) arqueología *f*. ~(상)의 arqueológico. ~자 arqueólogo, -ga *mf*. ~적 arqueológico.

고공(高空) cielo *m* alto. ~ 무용 danza *f* aérea. ~병 mal *m* de alturas, mal *m* de montaña, *Andes* soroche *m*, *CoS* apunamiento *m*, *Chi* puna *f*. ~ 비행 vuelo *m* aéreo. ~ 폭격 bombardeo *m* aéreo.

고과(考課) consideración *f* de servicio, evaluación *f* de méritos. ~표 historial *m* personal.

고관(高官) [직위] alto puesto *m*, alta posición *f*; [사람] alto funcionario *m*, alta funcionaria *f*; alto dirigente *m*; dignatario *m*. ~ 대작 [직위] alto puesto *m* excelente; [사람] alto funcionario *m* (excelente).

고관절(股關節) ((의학)) coxa *f*. ~염 coxartritis *f*, coxitis *f*.

고굉(股肱) ① [팔과 다리] el brazo y la pierna. ② [준말] =고굉지신. ¶~지신 el súbdito [el vasallo] más importante (del rey).

고구마 ((식물)) batata *f*, boniato *m*; *Andes, Méj, AmS* camote *m*, patata *f* dulce. ~밭 batatal *m*, batatar *m*, boniatal *m*, camotal *m*.

고국(故國) ① [자기 조국] país *m* natal, patria *f*. ② [역사가 오랜 옛나라] país *m* antiguo de la historia larga. ③ [이미 망해 버린 옛나라] país *m* antiguo en ruinas. ¶~ 산천 ㉮ [고국의 땅] tierra *f* de la patria. ㉯ [본국의 산과 물] las montañas y el agua del país natal.

고군(孤軍) (el poco número del) ejército *m* solitario sin ayuda. ~ 분투 lucha *f* sola, lucha *f* sin apoyo ninguno. ~ 분투하다 luchar solo, luchar sin apoyo ninguno.

고궁(古宮) palacio *m* antiguo.

고귀하다(高貴一) ① [지위가 높고 귀하다] (ser) excelente y noble. 고귀함 (excelencia *f* y) nobleza *f*. 고귀한 정신 espíritu *m* excelente y noble. ② [(물건 값이) 비싸다] ser caro. 고귀한 값 precio *m* caro. ③ [지체가 높고 귀하다] (ser) alto y noble, distinguido, elevado. 고귀한 사람 noble *mf*; hombre *m* distinguido.

고금(古今) tiempos *mpl* antiguos y presente *m*. ~의 antiguo y moderno. ~의 명작 obras *fpl* maestras antiguas y modernas. ~에 없는 대사건 asunto *m* inaudito, asunto *m* sin precedentes. ¶~동서 el pasado y el presente, el oriente y el occidente, toda la época y todos los lugares.

고금리(高金利) tipo *m* alto de interés, interés *m* alto.

고급(高級) ① [높은 등급이나 계급] primera clase *f*, alta clase *f*, clase *f* superior, primera categoría *f*, primer orden *m*, alto rango *m*. ② [높은 표준이나 품질] calidad *f* superior, primera calidad *f*. ¶~ 공무원 alto funcionario *m* (público). ~ 관료 alto funcionario *m*. ~반 clase *f* superior. ~ 승용차 coche *m* de lujo. ~ 식당 restaurante *m* de lujo. ~ 장교 oficial *mf* de alto rango. ~주 vino *m* de primera calidad. ~차 coche *m* lujoso [de lujo]. ~참모 oficial *mf* del Estado Mayor de alto rango. ~품 artículo *m* de lujo, artículo *m* de categoría [de primera calidad]. ~ 호텔 hotel *m* de lujo.

고기 ① [새·짐승·어류 등의 살] carne *f*. 구운 ~ carne *f* asada. 볶은 ~ carne *f* tostada. 설구워진 ~ carne *f* poco asada [hecha]. ② [준말] =물고기(pez). ¶~가 많다 [낚시에서] Hay muchos peces en el agua. ¶~구이 asado *m*, carne *f* asada. ~떼 cardumen *m* [banco *m*] de peces. ~튀김 empanada *f*, bollo *m* con carne de cerdo, croqueta *f*. ~소 albóndiga *f*. ~잡이 ㉮ [물고기를 잡는 일] pesca *f*. ㉯ [어부] pescador, -dora *mf*.

고기(古記) crónica *f* antigua.

고기(古基) ruinas *fpl* antiguas.

고기(古器) vaso *m* antiguo.

고기압(高氣壓) alta presión *f* atmosférica.

고깃거리다 arrugar [estrujar] a menudo.

고깔 *gocal*, capucha *f* de paño de los monjes budistas.

고깝다 (ser) desagradable, poco amable y sentirse.

고꾸라뜨리다 hacer caer(se).

고꾸라지다 caerse.

고난(苦難) sufrimiento *m*, aflicción *f*, padecimiento *m*; [어려움] dificultad *f*, penalidad *f*, trabajo *m*; [불행] desgracia *f*. ~을 극복하다 vencer la dificultad. 온갖 ~을 겪다 pasar las de Caín, padecer mucho.

고녀(雇女) =어지자지.

고뇌(苦惱) padecimiento *m*, pena *f*, sufrimiento *m*, dolor *m*. ~하다 sufrir, padecer. ~의 생활 vida *f* de sufrimiento.

고니 ((조류)) cisne *m*.

고다 ① [삶다] hervir, bullir. 닭을 고기 시작하다 empezar a hervir el pollo. ② [진액만 남도록 끓이다] destilar. 엿을 ~ destilar el caramelo coreano [*Guat* la melcocha]. ③ [소주를 만들다] destilar, fabricar, hacer. 술을 ~ fabricar vino.

고단하다 estar cansado, fatigarse. 몹시 ~ estar muy cansado, fatigarse mucho.

고달프다 estar muy cansado [harto · aburrido]. 고달픈 나날 días *mpl* cansados. 고달픈 인생 vida *f* cansada. 고달픈 일 trabajo *m* duro.

고담(古談) cuento *m* antiguo, leyenda *f*.

고담(高談) ① [큰 소리로 하는 말] el habla *en* voz alta. ~을 하다 hablar en voz alta. ② [남의 담화의 높임말] *su* conversación, sus palabras. ¶~ 준론 ㉮ [고상하고 준엄한 언론] conversación *f* noble y puritana. ㉯ [자만하고 과장하며 하는 언론] fanfarronería *f*, fanfarronada *f*. ~하다 fanfarronear, darse importancia, darse ínfulas.

고답(高踏) trascendencia *f* del mundo prosaico. ~주의 trascendentalismo *m*. ~파 trascendentalistas *mpl*; escuela *f* parnasiana. ~파 시인 poeta *m* parnasiano.

고대(古代) edad *f* antigua, tiempo *m* antiguo, antigüedad *f*. ~의 antiguo, de antigüedad, de antaño. ~국가 país *m* antiguo. ~ 문명 civilización *f* antigua. ~사 historia *f* antigua. ~소설 novela *f* antigua. ~인 antiguos *mpl*.

고대(苦待) espera *f* impaciente [con impaciencia]. ~하다 esperar impacientemente [con impaciencia].

고대(高臺) ① [높은 지대] zona *f* alta. ② [높이 쌓은 대] base *f* alta. ¶~ 광실 mansión *f*, palacio *m*.

고도(古都) capital *f* antigua.

고도(孤島) isla *f* solitaria [aislada].

고도(高度) ① [높이] altura *f*, altitud *f*, alto *m*. ~의 alto. ~ 천 미터 상공을 날다 volar a una altura de mil metros. ② [정도가 높음] alto grado *m*. ~의 elevado; [진보한] avanzado. ~의 기술 técnica *f* muy avanzada, técnica *f* de alto grado. ~의 문명 civilización *f* muy elevada. ¶~계 altímetro *m*. ~ 성장 crecimiento *m* acelerado, alto crecimiento *m*.

고도리 caballa *f* joven.

고독(孤獨) ① [부모 없는 어린아이와 자식 없는 늙은이] el huérfano y el viejo sin hijos. ② [외로움] aislamiento *m*, soledad *f*. ~하다 (ser) solitario, aislado. ~한 생활 vida *f* solitaria. ¶~감 sensación *f* de soledad. ~경 estado *m* mental solitario.

고동 ① [장치] llave *f*, interruptor *m*, conmutador *m*. ② [수도의] grifo *m*; [집합적] grifería *f*. ③ [요점] punto *m* capital, pivote *m*.

고동(古銅) ① [헌 구리쇠] cobre *m* viejo. ② [옛 구리] cobre *m* de los tiempos antiguos. ¶~색 [구리의 붉은 색] color *m* castaño [marrón]. ~색의 castaño, marrón. ㉯ =적갈색.

고동(鼓動) ① =고무(鼓舞). ② [심장이 뛰는 일] palpitación *f*, latido *m*; [맥박의] pulsación *f*. ~하다 pulsar, latir las arterias [el corazón]. ~(을) 치다 latir, pulsar, palpitar.

고되다(苦一) (ser) duro, penoso, pesado. 고된 일 trabajo *m* duro [penoso]. 고된 훈련 entrenamiento *m* duro [fuerte].

고두밥 arroz *m* cocido muy duro.

고둥 ((동물)) gasterópodo *m*.

고드름 cerrión *m*, carámbano *m* (de hielo), canelón *m*. 처마의 ~ cerrión *m* del tejaroz [del alero].

고들고들 seca y duramente. ~하다 (ser) seco y duro.

고들빼기 ((식물)) lechuga *f* coreana.

고등(高等) clase *f* superior, clase *f* alta, grado *m* alto, calidad *f* superior, clase *f* alta calidad *f*. ~ 고시 examen *m* del alto servicio civil. ~ 교육 enseñanza *f* [educación *f*] superior. ~ 군법 회의 Consejo *m* de Guerra Superior. ~ 동물 animal *m* superior. ~ 법원 Tribunal de Apelación. ~ 법원장 presidente, -ta *mf* del Tribunal de Apelación. ~ 학교 escuela *f* superior; bachillerato *m* (중고등 과정); instituto *m* (de segunda enseñanza); [사립의] colegio *m*; *Méj* escuela *f* preparatoria. ~ 학교 졸업생 bachiller, -ra *mf*. ~ 학교 학생 estudiante *mf* de(l) bachillerato.

고등어 ((어류)) caballa *f*, escombro *m*.

고딕 ① ((건축)) ((준말)) =고딕식. ¶~의 gótico. ② ((인쇄)) letra *f* gótica. ~ 건축 arquitectura *f* gótica. ~ 문자 letra *f* gótica. ~ 미술 bellas artes *fpl* góticas. ~식 (estilo *m*) gótico. ~식의 gótico. ~ 양식 gótico *m*. ~ 음악 música *f* gótica. ~체 tipo *m* gótico.

고라니 ((동물)) alce *m*.

고락(苦樂) las alegrías y las penas.

~을 함께 하다 compartir las alegrías y las penas.

고랑 surco *m*.

고래[1] ① ((동물)) ballena *f*; [향유고래] cachalote *m*; [새끼] ballenato *m*. ② ((속어)) gran bebedor *m*, gran bebedora *f*. ¶ ~고기 carne *f* de ballena. ~기름 aceite *m* de ballenas. ~등 같다 ser muy alto y grande. ~등 같은 기와집 casa *f* cubierta de tejas alta y grande, mansión *f*, palacio *m*. ~류 cetáceos *mpl*. ~수염 barba *f* de ballena, ballena *f*. ~술 mucha bebida *f*, borrachez *f*; [사람] gran bebedor *m*, gran bebedora *f*, borracho, -cha *mf*. ~ 작살 arpón *m* ballenero. ~잡이 pesca *f* [caza *f*] de ballenas. ~잡이하다 pescar (las) ballenas. ~잡이하러 가다 ir a pescar ballenas. ~잡이 어부 ballenero, -ra *mf*. ~잡이 철 estación *f* ballenera. ~잡잇배 ballenero *m*, lancha *f* ballenera.

고래[2] ((준말)) =방고래(hipocausto).

고래(古來) desde muy antiguo, desde los tiempos antiguos. 한국 ~의 풍습 costumbre *f* tradicional coreana. ¶ ~회(稀) mucha rareza desde los tiempos antiguos.

고래고래 alto, en voz alta, ruidosamente, con mucho ruido, alborotadamente. ~ 소리지르다 dar un grito.

고랭지(高冷地) región *f* alta y fría de mil metros sobre el nivel del mar.

고량(高粱) ((식물)) =수수(mijo).

고량(膏粱) ((준말)) =고량진미.

고량 진미(膏粱珍味) comida *f* exquisita [sabrosa].

고려(考慮) consideración *f*, deliberación *f*, reflexión *f*. ~하다 considerar, deliberar, reflexionar; [검토하다] estudiar. …을 ~해서 considerando *algo*, teniendo en cuenta *algo*, en consideración a *algo*, por consideración a *uno*, en vista de *algo*.

고려(高麗) ① Koryo, Korea, Corea, una de nuestras dinastías (918-1392). ② ((준말)) =고구려. Koryo, primer nombre *m* del país Taebong. ¶ ~ 가요[가사] canción *f* popular de la época de dinastía Koryo. ~ 인삼 koryo insam, ginseng *m* coreano, nombre *m* del producto *m* in Gaeseong. ~ 자기 porcelana *f* de Koryo.. ~장(葬) costumbre *f* (de la sepultura) de Goguryo de enterrar vivo al viejo ~조(朝) dinastía *f* (de) Koryo. ~ 청자(青瓷) koryo cheongcha, porcelana *f* de celadón de Koryo.

고려 대장경(高麗大藏經) koryo dae-

changgyeong, xilografía *f* de la época de Koryo.

고령(高齡) edad *f* evanzada. ~의 남자 hombre *m* entrado en años, hombre *m* de edad avanzada. ~의 여자 mujer *f* entrada en años, mujer *f* de edad avanzada. ~이다 ser entrado en años, ser de (una) edad avanzada, tener (una) edad avanzada.

고령토(高嶺土) caolín *m*.

고로(故-) por eso, por lo tanto, que. 인생은 짧고 예술은 길다. ~ 인생을 보람 있게 살지어다 La vida es corta, y el arte es largo. Por eso tienes que vivir provechosamente.

고로(高爐) horno *m* alto.

고로통팔십(一八十) El viejo que se cura, cien años dura.

고론(高論) ① [높은 이론] opinión *f* noble. ② [남을 높이어] su opinión.

고료(稿料) ((준말)) =원고료(原稿料).

고루 igualmente, imparcialmente.

고루(固陋) intolerancia *f*, fanatismo *m*, conservadurismo *m*, obstinación *f*, terquedad *f*, obstinación *f* malsana. ~하다 (ser) intolerante, fanático, conservador, de mentalidad cerrada, obstinado, terco.

고루(高樓) casa *f* de dos pisos alta.

고루고루 todo.

고르다[1] [여럿 가운데서] 골라 정하다] elegir, escoger, seleccionar. A 보다 B를 고르다 preferir B a A. 직업을 ~ elegir [escoger] una colocación.

고르다[2] [평평하게 하거나 가지런하게 하다] nivelar, allanar, explanar, aplanar, igualar, poner llano. 땅을 ~ explanar el terreno. 바닥을 ~ allanar el suelo.

고르다[3] [한결같다] (ser) uniforme, igual, regular. 고르지 않은 desigual, irregular. 잇바디가 고르지 않다 tener una dentadura irregular [los dientes desiguales].

고름[1] ((준말)) =옷고름.

고름[2] [곪는 곳에서 생기는 끈끈한 액체] pus *m*. ~이 나오다 supurar. ~을 짜다 sacar el pus. ¶ ~집 pústula *f*.

고리[1] ① [무엇에 끼우는] anillo *m*; [커튼의] anilla *f*; [쇠사슬의] eslabón *m*. ② ((준말)) =문고리.

고리[2] ① [껍질을 벗긴 고리버들의 가지] mimbre *m*, varita *f* de la mimbrera, rama *f* de mimbre pelada. ② [고리로 엮은 상자] cesta *f* de mimbres, canasta *f* con tapadera.

고리(高利) ① [많은 이익] gran ganancia *f*, mucha ganancia *f*. ② [고율의 변리] interés *m* alto; [부당하

게 비싼 변리] usura *f*, interés *m* usurario. ~의 usurario, de usura. ~로 con usura, usurariamente. ~로 빌려주다 dar a usura, prestar usurariamente. ¶~ 대금 ㉮ [이자가 비싼 돈] dinero *m* de interés alto. ㉯ [비싼 이자를 받는 돈놀이] usura *f* de interés alto. ~ 대금업 usura *f*. ~ 대금 입자 usurero, -ra *mf*; logrero, -ra *mf*; prestamista *mf*. ~채 deuda *f* de intereses usurarios.

고리다 ① [곯아 썩은 풀이나 달걀 냄새 같다] oler mal, se fétido, hediondo, ser apestoso. 고린 냄새 olor *m* fétido, olor *m* hediondo, olor *m* apestoso, mal olor *m*. ② [옹졸하다] tacaño, mezquino, agarrado, pequeño, superficial. 고린 생각 idea *f* superficial, vista *f* corta de miras.

고리버들 ((식물)) álamo *m*, álamo blanco, mimbre *m*.

고리쇠 anillo *m* de hierro.

고리타분하다 ① [냄새가] (ser) fétido, hediondo, apestoso, rancio. 냄새가 ~ oler muy mal, apestar, ponerse rancio. ② [사람의 성미나 하는 짓이] ser de moda antiquísima, ser anticuado.

고리탑탑하다 ① [냄새가] (ser) muy fétido, muy hediondo, muy apestoso. ② [하는 짓이나 생각이] ser de moda antiquísima, ser muy anticuado.

고린내 mal olor *m*, olor *m* fétido, olor *m* hediondo, olor *m* apestoso. ~가 나다 oler mal.

고릴라 ((동물)) gorila *f*.

고립(孤立) aislamiento *m*, aislación *f*, desamparo *m*. ~되다 aislarse, desampararse. ~시키다 aislar, desamparar. ~된 aislado, solitario, desamparado. ¶~ 무원(無援) aislamiento *m* sin ninguna ayuda. ~의 무원의 y sin ninguna ayuda. ~ 무원하다 aislarse sin ninguna ayuda. ~ 정책 política *f* de aislamiento, aislacionismo *m*. ~주의 aislacionismo *m*. ~주의자 aislacionista *m*.

고마움 agradecimiento *m*, gratitud *f*, gracias *fpl*; [가치] valor *m*; [친혜] favor *m* divino. 돈의 ~ valor *m* de dinero. 부모의 ~ justa apreciación *f* del amor paterno.

고마워하다 estar agradecido, dar las gracias, agradecer.

고막 ((조개)) concha *f*.

고막(鼓膜) tímpano *m*. ~이 터지다 romperse el tímpano. ¶~기(器) órgano *m* timpanal. ~염 miringitis *f*, timpanitis *f*.

고만(高慢) altivez *f*, orgullo *m*, altanería *f*, soberbia *f*, arrogancia *f*. ~하다 (ser) altivo, orgulloso, altanero, soberbio, arrogante.

고만고만하다 [크기가] ser de tamaño igual; [능력이] ser de habilidad igual.

고만두다 parar, detener, suspender.

고만하다 (ser) similar, parecido, semejante, del mismo tamaño, parecerse.

고맙다 estar agradecido, dar las gracias, agradecer. 고맙게도 con gratitud, con conocimiento, con agradecimiento. 고맙습니다 Gracias / Se lo agradezco / Estoy agradecido. 대단히 고맙습니다 Muchas gracias / Mil gracias / Un millón de gracias / Estoy muy agradecido.

고매(高邁) nobleza *f*. ~하다 (ser) noble, elevado. ~한 정신 espíritu *m* elevado, espíritu *m* noble.

고명 condimentos *mpl*. ~딸 sola hija entre *sus* muchos hijos.

고명(高名) ① [높이 알려진 이름] nombre *m* muy conocido; [이름이 높이 남] fama *f* alta. ~하다 (la fama) es alta. ② [남의 이름의 공대말] su nombre.

고명(高明) ① [고매하고 현명함] la nobleza *f* y la sensatez. ~하다 (ser) noble y sensato. ~한 일 generalidad *f*, plan *m* noble. ~한 자(者) generoso, -sa *mf*; el que es noble. ② [조예가 깊음] erudición *f* profunda, profundo conocimiento *m*. ~하다 (ser) erudito, versado; renombrado, ilustre, insigne. ~한 학자 sabio *m* erudito, sabia *f* erudita. ~한 철학자 filósofo *m* renombrado, filósofa *f* renombrada. ③ [상대편을 높여 이르는 말] usted, *su* (famoso) nombre.

고모(姑母) tía *f* (carnal), hermana *f* de *su* padre.

고모부(姑母夫) tío *m*, esposo *m* de *su* tía.

고목(古木) viejo árbol *m*.

고목(枯木) árbol *m* muerto, árbol *m* seco.

고무(鼓舞) estimulación *f*, animación *f*. ~하다 estimular, alentar, animar. ~자 estimulador, -dora *mf*. ~적 estimulante.

고무 goma *f*, caucho *m*, elástica *f*, *Méj* hule *m*. ~공 pelota *f* de goma, pelota *f* de caucho, pelota *f* de hule. ~공업 industria *f* de goma. ~관 tubo *m* de caucho. ~나무 ((식물)) cauchera *f*, árbol *m* del caucho, árbol *m* gomoso, *Col* caucho *m*, *Méj* hule *m*. ~도장 sello *m* de caucho [de goma], sello *m*, tampón *m* de caucho. ~도장을 찍다 sellar. ~마개 tapón *m* de caucho.

~바닥 suela *f* con caucho. ~바퀴 rueda *f* de goma [de caucho]. ~반창고 emplato *m* de caucho. ~배 고무배 bote *m* de caucho. ~ 밴드 anilla *f* de caucho, goma *f* (elástica), banda *f* de goma. ~신 zapapatos *mpl* de goma, zapatos *mpl* de suela de goma, zapatos *mpl* de suela de caucho, gomas *fpl*. ~장갑 guantes *mpl* de caucho. ~장화 botas *fpl* de goma. ~재배원 plantación *f* (de árboles) de caucho, *Méj* plantación *f* de hule. ~젖꼭지 tetina *f* (de goma), *Méj* chupón *m.* ~제품 artículos *mpl* de goma. ~종(腫) ((의학)) goma *f.* ~종 환자 gomoso, -sa *mf.* ~줄 cuerda *f* de goma. ~지우개 goma *f* (de borrar). ~창 suela *f* de goma [de caucho]. ~총 pistola *f* de juguete de goma. ~타이어 llanta *f* de goma [de caucho]. ~풀 goma *f*, goma *f* arábiga [de pegar], mucílago *m.* ~풍선 globo *m.* ~호스 manguera *f* de goma.

고문(古文) texto *m* antiguo, escrito *m* antiguo, escritura *f* arcaica.

고문(拷問) tortura *f*, tormento *m*, suplicio *m.* ~하다 atormentar. ~을 가하다 torturar, atormentar, infligir suplicio. ¶ ~대 potro *m* (de tortura). ~치사 tortura *f* que ocasiona la muerte.

고문(顧問) ① [의견을 물음] acción *f* de preguntar la opinión. ~하다 preguntar la opinión. ② [사람] consejero, -ra *mf*, consultor, -tora *mf*, asesor, -sora *mf.* ¶ ~관 consejal, -jala *mf*, consejero, -ra *mf*, asesor, -sora *mf.* ~단 grupo *m* consultivo, cuerpo *m* consultivo. ~ 변호사 abogado *m* consultor, abogada *f* consultora; abogado, -da *mf* consultante.

고문서(古文書) texto *m* [documento *m*] antiguo. ~ 보관소 archivo *m.* ~학 paleografía *f.* ~학자 paleógrafo, -fa *mf.*

고물[떡의] *gomul*, judías *fpl* pintas [rosas] en polvo (para el pastel coreano), pasta *f* de judías pintas azucarada.

고물² [배의 뒤쪽] popa *f.*

고물(古物/故物) ① [옛날 물건] objeto *m* antiguo, antigüedades *fpl.* ② [헌 물건] objeto *m* viejo, cosa *f* vieja, artículo usado [de segunda mano], antigualla *f.* ③ [쓸모 없는 사람] persona *f* inútil, hombre *m* inútil. ~상 ㉠ [가게] tienda *f* de antigüedades, tienda *f* de viejo, tienda *f* de cosas usadas, anticuario *m.* ㉡ [사람] ropavejero, -ra *mf*, trapero, -ra *mf*, chamarilero, -ra *mf*, prendero, -ra *mf*, anticua-rio, -ria *mf*; comerciante *mf* de antigüedades; *CoS* botellero, -ra *mf.* ~선 barcucho *m*, carraca *f.* ~시장 El rastro *m*, mercado *m* de las pulgas, *CoS* mercado *m* de pulgas. ~ 자동차 cacharro *m*, coche *m* desvencijado, coche *m* destartalado, coche *m* gastado. ~전(廛) prendería *f*, tienda *f* de artículos de segunda mano.

고물가(高物價) precio *m* alto.

고미가 정책(高米價政策) política *f* del precio alto.

고미다락 una especie del desván.

고미술품(古美術品) objetos *mpl* de arte de antigüedades.

고민(苦悶) agonía *f*, congoja *f*, angustia *f* [걱정] preocupación *f*; [번거로움] molestia *f* [고뇌] padecimiento *m*, pena *f*, dolor *m.* ~하다 agonizar, acongojarse.

고밀도 집적 회로(高密度集積回路) integración *f* a gran escala, LSI *f.*

고발(告發) queja *f*, ((법률)) acusación *f*, denuncia *f.* ~하다 acusar, denunciar. ~되다 ser acusado, ser denunciado. 경찰에 ~하다 denunciar a la policía.; [사람을] acusar a la policía. ¶ ~인 acusador, -ra *mf*; denunciador, -ra *mf*, denunciante *mf.* ~장 escrito *m* de acusación presentado a un jurado.

고배(苦杯) ① [쓴 술잔] copa *f* amarga. ② [쓰라린 경험] experiencia *f* amarga. ~를 들다[마시다] [패배하다] sufrir una amarga derrota; [시합에서 지다] perder el partido; [괴롭고 쓰라린 경험을 하다] pasar por una amarga experiencia, tener una experiencia amarga; [실패하다] fracasar, salir mal.

고배당(高配當) dividendo *m* alto.

고백(告白) confesión *f*; declaración *f* [신앙의] profesión *f.* ~하다 confesar, declarar. 신앙의 ~ profesión *f* de fe. 사랑을 ~하다 declarar [confesar] su amor.

고별(告別) despedida *f.* ~하다 despedirse, decir adiós. ~사 ㉠ [전임·퇴임·퇴직할 때의] discurso *m* de despedida. ㉡ [고인에게 영결을 고하는 의식] alocución *f* [discurso *m*] fúnebre. ~식 ㉠ [송별식] ceremonia *f* de despedida. ㉡ [영결식] misa *f* funeral.

고본(古本) ① [헌 책] libro *m* usado [de segunda mano]. ② [옛 판] edición *f* antigua.

고본(稿本) manuscrito *m.*

고봉(高俸) sueldo *m* alto.

고봉(高峰) pico *m* alto, cumbre *f* alta, cima *f* alta.

고부(姑婦) la suegra y la nuera. ~간 entre la suegra y la nuera. ~

간 싸움이 잦다 Riñen repetidas veces entre la suegra y la nuera.

고분(古墳) tumba f antigua, sepulcro m antiguo, túmulo m.

고분고분 obedientemente, dócilmente, mansamente, sumisamente. ~하다 ㉮ [공손하고 부드럽다] (ser) apacible, manso, dulce. ~ 명령에 따르다 someterse a una orden, obedecer una orden mansamente. ㉯ [시키는 대로 순순히 잘 듣다] (ser) obediente, dócil, sumiso. ~한 아이 niño, -ña mf dócil.

고분자(高分子) ((화학)) macromolécula f, polímero m elevado. ~ 물질 substancia f de macromoléculas. ~ 화학 química f de polímero elevado.

고비 [절정] clímax m; [절정기] apogeo m; [위기] crisis f, momento m crítico. ~에 달하다 estar en crisis.

고뿔 =감기(感氣)(resfriado).

고삐 rienda f.

고사(古史) historia f antigua.

고사(古寺) templo m antiguo.

고사(古事/故事) hecho m antiguo, hecho m histórico, tradición f, leyenda f, cosa f antigua. ~를 인용하다 citar un hecho antiguo.

고사(考査) examen m.

고사(告祀) ((민속)) ofrecimiento m de un sacrificio a los espíritus. ~ 지내다 ofrecer un sacrificio a los espíritus.

고사(固辭) rechazo m positivo. ~하다 obstinarse en rehusar, empeñarse en rehusar.

고사(枯死) marchitamiento m. ~하다 marchitarse.

고사(高射) tiro m hacia el cielo alto. ~ 기관총 ametralladora f antiaérea. ~포 cañón m antiaéreo.

고사리 ((식물)) helecho m (común). ~ 같은 손 manos fpl pequeñas y regordetes de los niños.

고사하고(姑捨-) excepto, menos, aparte de. 비용은 ~ aparte de los gastos.

고산(高山) montaña f alta, montaña f elevada, monte m alto. ~대 zona f alpina. ~ 도시 ciudad f alpina. ~ 동물 animal m alpino. ~병 mal m de montañas, mal m de altura, enfermedad f montañera, Andes soroche m, Chi puna m, Chi puna f. ~ 식물 vegetación f [flora f] alpina, planta f alpestre.

고상(高尚) ① [품이 있으며 고상함] nobleza f, sublimidad f, elegancia f; [세련] refinamiento m. ~하다 (ser) noble, sublime, elevado, elegante. ~한 취미 gusto m [hobby m] exquisito. ② [뜻이 높고 거룩함] voluntad f alta y sagrada.

고색(古色) ① [(오래되어) 낡은 빛] color m ofusco, vetustez f. ② [스러운 풍치나 모습] aspecto m añejo, figura f antigua.

고색 창연(古色蒼然) apariencia f de antigüedad, vetustez f. ~하다 tener apariencia de antigüedad, ser añejo, ser vetusto, ser antiguo.

고생(苦生) sufrimiento m, vida f difícil, penalidad f; [노고] trabajo m; [노력] esfuerzo m; [심로] pena f. ~하다 sufrir, atormentarse, penar, tener pena, pasar un trago amargo, hacer esfuerzos; [어려움을 가지다] tener dificultades. 고생 끝에 낙(樂)이 있다[온다] ((속담)) No hay mal que dure cien años.

고생대(古生代) era f paleozoica, paleozoico m. ~의 paleozoico.

고생물(古生物) organismos mpl extintos. ~학 paleontología f. ~ 학자 paleontólogo, -ga mf.

고서(古書) ① [오래된 책] libro m antiguo. ② [헌책] libro m usado, libro m de segunda mano. ③ [옛날의 글씨] escritura f antigua. ¶~점 librería f de libros usados.

고서화(古書畵) libros mpl antiguos y cuadros mpl antiguos.

고성(古城) castillo m antiguo.

고성(固城) castillo m fuerte.

고성(高聲) alta voz f. ~으로 en voz alta. ~으로 외치다 gritar en voz alta.

고성능(高性能) eficiencia f alta. ~의 potente, de alto rendimiento; [정밀한] de alta precisión. ~ 수신기 receptor m de alta fidelidad, hi-fi m. ~ 폭약 explosivo m de alta potencia, alto explosivo m.

고소(告訴) querella f, denuncia f, acusación f. ~하다 querellarse, presentar una denuncia, presentar una demanda, poner pleito, entablar pleito, demandar, hacer una acusación. ~를 취하하다 desistir de su demanda. 법원에 ~하다 presentar una demanda a un tribunal; [사람을] poner pleito. ¶~인 acusador, -dora mf. ~장 denuncia f.

고소(苦笑) risa f forzada [amarga], risa f del conejo. ~하다 sonreír forzadamente, reírse amargamente, reírse con amargura.

고소(高所) altura f, lugar m alto. ~ 공포(증) acrofobia f.

고소득(高所得) renta f alta, ingreso m alto.

고소하다 ① [깨소금이나 참기름 따위의 맛이나 냄새와 같이] oler como sésamo o aceite de sésamo, tener el sabor de sésamo, ser fragante, ser dulce, ser sabroso. 고소한 참기름 aceite m de sésamo fragante.

② [(미운 사람이 잘못하거나 할 때) 기분이 좋고 흐뭇하다] merecer, tener merecido, estar muy bien empleado, ganar bien. 참 ~! ¡Tú lo mereces! / ¡Lo tienes merecido!

고속(高速) ((준말)) =고속도. ~ 도로 autopista f. ~ 버스 autobús m exprés. ~ 철도 ferrocarril m rápido.

고속도(高速度) gran velocidad f, alta velocidad f. ~의 rápido, ultrarrápido, de gran velocidad, de alta velocidad. ~으로 a alta velocidad, a gran velocidad, con mucha velocidad. ~강(綱) acero m rápido [de gran velocidad de corte]. ~ 사진 fotografía f de alta velocidad. ~ 윤전기 rotativa f de alta velocidad. ~ 촬영 rodaje m acelerado.

고손녀(高孫女) tataranieta f.

고손자(高孫子) tataranieto m.

고수(固守) detención f, defensa f terca, persistencia f terca; mantenimiento m firme. ~하다 detener; [수비하다] defender tercamente, defender con persistencia; [견지하다] mantener firmemente, guardar firmemente, conservar firmemente.

고수(高手) [수가 높음] superioridad f, habilidad f excelente; [사람] maestro, -tra mf.

고수(鼓手) tamborilero m.

고수레 gosure, mezcla f del agua caliente en el arroz en polvo para hacer pastel coreano.

고수머리 cabellos mpl rizados; [집합적] pelo m encrespado, pelo m ensortijado, pelo m rizado; [사람] persona f con cabellos rizados; [낱낱] rizo m, bucle m.

고수부지(高水敷地) =둔치.

고수위(高水位) alto nivel m del mar.

고스란하다 estar intacto, quedar intacto, quedar entero. 고스란히 todo, completamente, de modo completo. 고스란히 그대로 있다 quedar intacto.

고스펠 ① [복음] evangelio m. ② [복음서] el Evangelio. ③ [영가적 음악] gospel m. ¶ ~ 송 gospel m.

고슬고슬 adecuadamente cocido. ~하다 ser adecuadamente cocido.

고슴도치(動物) erizo m. 고슴도치도 제 새끼는 함함하다고 한다 ((속담)) El erizo piensa que su propia cría es la hermosa.

고승(高僧) ① [학식이 많고 덕이 높은 중] sacerdote m búdico de alta virtud, monje m santo, santo m budista, bonzo m de alta virtud. ② [상대편의 중을 높여] su bonzo.

고시(考試) ① =시험(試驗)(examen). ② [공무원 임용 자격 시험] examen m de admisión de los funcionarios públicos.

고시(告示) aviso m, declaración f, anuncio m; [국가 기관의] nota f oficial. ~하다 avisar, declarar, anunciar. ~ 가격 precio m declararado. ~판 cartelera f.

고실(鼓室) ((해부)) tímpano m.

고심(苦心) afán m, trabajos mpl, sufrimiento m; [노력] esfuerzo m. ~하다 angustiarse, atormentar su cerebro, desvelarse, afanarse.

고십 ① [한담] charla f, charladuría f, picotería f, parlería f, parla f. ② [험담] chisme m. ③ [신문 지상의] crónica f de sociedad. ¶ ~ 칼럼 crónica f de sociedad.

고아(古雅) elegancia f. ~하다 (ser) elegante.

고아(孤兒) huérfano, -na mf; [아버지를 여읜] (niño m) huérfano m de padre. ~의 huérfano. ~가 되다 quedar huérfano. ¶ ~원 asilo m de huérfanos, hospicio m, orfanato m, orfelinato m.

고안(考案) idea f, plan m; [발명] invención f. ~하다 idear, imaginar, ingeniar, inventar [idear] un nuevo método [(una) máquina nueva].

고압(高壓) ① [높은 압력] alta presión f. ② [(전기)] alta tensión f, alto voltaje m. [마구 억누름] presión f, coacción f, opresión f, prepotencia f, arbitrariedad f. ¶ ~계 piezómetro m. ~선 ((준말)) 고압 전선. ~적 arbitrario, prepotente, coactivo, coercitivo, arrogante. ~적으로 arbitrariamente, prepotentemente, coactivamente. ~ 전류 corriente f (eléctrica) de alta tensión, corriente f de alto voltaje.

고액(高額) importe m alto, suma f [cantidad f] elevada. ~권 billete m bancario de gran valor nominal. ~ 납세자 contribuyente m de gran cantidad. ~ 지폐 billete m de gran valor nominal.

고약(膏藥) parche m, emplasto m; [연고] ungüento m, pomada f. ~을 바르다 aplicarse un parche, aplicarse un emplasto, emplastarse el hombro.

고약하다 ① [냄새나 맛 따위가] oler mal, apestar. 냄새가 고약한 maloliente, pestilente, apestoso, fétido, hediondo. 술 [마늘]에서 고약한 냄새가 나다 oler (mal) a vino [a ajo]. ② [인심이나 언행 따위가] (ser) malvado, maligno, malicioso, malintencionado, de mal carácter, desagradable. ③ [일기가 사납다] (ser) tempestuoso, tormentoso.

고안 ((준말)) =고약한(malvado, maligno). ¶ ~ 인간이로군! ¡Es un

tipo malvado!
고양(高揚) exaltación *f*, ensalzamiento *m*. ～하다 exaltar, ensalzar, elevar. 사기를 ～시키다 exaltar la moral, elevar la moral.
고양이 ((동물)) gato *m*. ～이 낯짝만 하다 ser muy estrecho [angosto].
고어(古語) ① [옛말] arcaísmo *m*, palabra *f* anticuada, palabra *f* antigua, voz *f* arcaica. ② [옛사람이 한 말] palabra *f* de los antiguos. ③ [옛 속담] proverbio *m* antiguo.
고언(苦言) advertencia *f* dura y sincera. ～을 하다 dar un consejo duro pero sincero, hacer observaciones francas y severas.
고역(苦役) trabajo *m* duro, trabajo *m* penoso. ～을 치르다 pasarlo mal.
고열(高熱) ① [높은 열도] (grado *m* de) calor *m*, temperatura *f*. ② ((의학)) fiebre *f* alta, calentura *f* elevada. ～에 시달리다 padecer una fiebre alta, estar afectado por una fiebre alta.
고엽(枯葉) hoja *f* seca [marchita]. ～제 defoliante *m*.
고옥(古屋) casa *f* antigua [vieja].
고온(高溫) alta temperatura *f*, temperatura *f* elevada. ～계 ＝고온도계. ～다습 alta temperatura *f* y mucha humedad. ～ 지대 zona *f* de alta temperatura.
고온도(高溫度) ＝고온(高溫).
고온도계(高溫度計) pirómetro *m*.
고요하다 (ser) tranquilo, silencioso, sereno, quieto, pacífico. 고요한 밤 noche *f* silenciosa [tranquila].
고욤 ((식물)) una especie del caqui pequeño.
고용(雇用) empleo *m*. ～하다 emplear, tomar, dar trabajo. ～되다 ser empleado. ～인[주] patrón, -trona *mf*, empresario, -ria *mf*.
고용(雇傭) empleo *m*, trabajo *m*. ～하다 trabajar, ser empleado. ～ 계약 contrato *m* de empleo, contrato *m* de trabajo. ～ 기간 período *m* de empleo. ～원 ㉮ empleado, -da *mf*. ㉯ [단순한 노무에 종사하는 공무원] funcionario *m* empleado, funcionaria *f* empleada. ～인[자] empleado, -da *mf*; trabajador, -ra *mf*. ～ 조건 condiciones *fpl* de empleo. ～주 patrón, -trona *mf*; patrono, -na *mf*; empleador, -ra *mf*. ～직 trabajo *m* contratado.
고원(高原) altiplanicie *f*, altillano *m*, *AmL* altiplano *m*; [대지] meseta *f*. ～ 지대 altiplanicie *f*.
고원(雇員) empleado, -da *mf*.
고위(高位) ① [높은 지위] alta dignidad *f*, alto rango *m*, alta jerarquía *f*, alta [mucha] categoría *f*, alta posición *f*, alto puesto *m*. ～에 오르다 elevarse a una alta dignidad, llegar a ser una persona de alta [mucha] categoría. ② [높은 위치] posición *f* alta, lugar *m* alto. ¶～고관 dignatario, -ria *mf*, prócer *m*; alto dirigente *m*. ～급 회담 conferencia *f* de alto nivel [a nivel de rango alto]. ～자 dignatario, -ria *mf*, alto dirigente *m*. ～층 oficiales *mpl* altos, oficiales *mpl* de alta jerarquía. ～ 회담 negociaciones *fpl* de alto nivel.
고유(固有) ① [특유] característica *f*, peculiaridad *f*; [본질] esencia *f*. ～하다 (ser) propio; peculiar, particular, característico, nativo. 한국 ～의 풍습 costumbre *f* propia [peculiar] coreana. ② [천성] inherencia *f*. ～하다 (ser) inherente, connatural. ¶～ 명사 sustantivo *m* [nombre *m*] propio.
고육지계(苦肉之計) recurso *m* desesperado. ～를 쓰다 adoptar [tomar] un recurso desesperado.
고육지책(苦肉之策) ＝고육지계.
고육책(苦肉策) ＝고육지계.
고율(高率) tasa *f* elevada, tipo *m* elevado. ～의 이자 interés *m* (de tipo) elevado.
고을 pueblo *m*, distrito *m*, comarca *f*, región *f*, provincia *f*.
고음(高音) ① [높은 소리] sonido *m* alto, voz *f* alta, tono *m* agudo. ② ((음악)) soprano *m*.
고의(故意) intención *f*, deliberación *f*. ～가 아닌 afectado, forzado. ～의 살인 asesinato *m* intencionado, asesinato *m* deliberado. ～거나 우연이거나 intencionadamente o por casualidad. ¶～적 intencional, intencionado, deliberado. ～적으로 intencionadamente, deliberadamente, adrede, a propósito.
고이 ① [곱게] hermosamente, bellamente, bonitamente, bien. ～단장하다 adornar bien, embellecer. ② [귀중하게] preciosamente, valiosamente. ～ 키운 자녀 hijos *mpl* que crían preciosamente. ③ [조용하고 편안히] pacíficamente, en paz, cómodamente. ～ 잠드소서 Que en paz descanse. ④ [그대로 고스란히] completamente, de modo completo.
고이다 ＝괴다[1·2·3]
고인(古人) (hombre *m*) antiguo *m*.
고인(故人) ① [옛 친구] amigo *m* antiguo, amiga *f* antigua. ② [죽은 사람] muerto, -ta *mf*, difunto, -ta *mf*. ～의 무덤 tumba *f* del muerto. ～이 되다 morir, fallecer.
고인돌 dolmen *m*.
고입(高入) admisión *f* de la escuela superior.
고자(鼓子) hombre *m* con órganos

genitales poco desarrollados.

고자세(高姿勢) actitud *f* arrogante [insolente]. ~를 취하다 tomar [adoptar] una actitud intransigente [agresiva].

고자쟁이(告刺-) chismoso, -sa *mf*, delator, -ra *mf*, soplón, -lona *mf*, acusón, -sona *mf*. 고자쟁이가 먼저 죽는다 《(속담)》 El soplón que quiere perjudicar a otro sufre daño primero.

고자질 delación *f*, chismoreo *m*, chismografía *f*, soplo *m*, soplonería *f*. ~하다 delatar, dar el soplo, ir con el soplo, soplar, soplonear, chismear, chismorrear.

고작 [기껏하여야] a lo más, lo más, cuando mejor, a lo sumo, todo lo más; [단순히] solamente, simplemente. ~ 아이들의 싸움이다 No es más que la riña de niños.

고장 ① [지방] región *f*, comarca *f*, distrito *m*. ② [주산지] principal región *f* productora.

고장(故障) ① [기계 따위의] avería *f*, desarreglo *m*; [장애] obstáculo *m*; [사고] accidente *m*; [결함] defecto *m*. ~이 나다 averiarse, estropearse, desarreglarse, quedarse averiado, no marchar [funcionar·andar] bien, tener una avería. ~ 난 자동차 coche *m* averiado. ~ 나 있다 [차가] quedarse estancado [astatacado]. ~을 수리하다 reparar [arreglar] (una avería).

고저(高低) [높낮이] la altura *f*, la baja; [높이] altura *f*; [시세의] fluctuación *f*; [기복] altibajos *mpl*, desigualdades *fpl*, desnivelación *f*; [음의] tono *m*; [요철] desnivel *m*, desigualdad *f*; [소리의] modulación *f*.

고적(古跡/古迹/古蹟) ① [남아 있는 옛 물건이나 건물] monumento *m* histórico. ② [고적지] ruinas *fpl* (históricas).

고적(鼓笛) el tambor y la flauta. ~대 música *f* [músicos *mpl*] de desfile.

고적운(高積雲) altocúmulo *m*.

고전(古典) ① [옛날의 의식] ceremonia *f* antigua. ② [옛날의 작품이나 서적] obra *f* antigua, libro *m* antiguo; [옛날의 경전] sagrada escritura *f* antigua. ③ [옛날의 예술 작품] clásicos *mpl*. ¶ ~미 belleza *f* clásica. ~적 clásico. ~의 clasicismo *m*. ~주의자 clásico, -ca *mf*; clasicista *mf*. ~파 escuela *f* clásica.

고전(古錢) moneda *f* antigua. ~박물 관 museo *m* numismático. ~ 수집 가 numismático, -ca *mf*. ~학 numismática *f*.

고전(苦戰) batalla *f* dura, lucha *f*

desesperada. ~하다 combatir desesperadamente.

고절(高絶) carácter *m* noble.

고절(高節) altas virtudes *fpl*.

고정(固定) fijeza *f*, fijación *f*. ~하다 fijar, establecer. ~된 fijo, firme, estacionario, estacional, permanente. ~시키다 fijar, sujetar. 못으로 ~시키다 fijar con clavos. ¶ ~ 가 격 precio *m* fijo. ~ 관념 ⑦ 《심리》 idea *f* fija. ⑪ 《(음악)》 =고정 악상. ~급 sueldo *m* fijo [regular]. ~ 독자 lector *m* fijo, lectora *f* fija; [신문·잡지 따위의] subscriptor, -tora *mf* regular. ~란 columna *f* regular. ~ 수입 renta *f* fija. ~ 환율 cambio *m* fijo.

고정(苦情) queja *f*, reclamo *m*. ~을 토로하다 quejarse, reclamar.

고조(高調) ① [음률이 높은 곡조] melodía *f* de tono elevado. ② [의 기를 돋움] elevación *f*, subida *f*, aumento *m*. ~되다 elevarse, subir; [증대되다] aumentarse. 감정이 ~되다 emocionarse, sentirse emocionado, experimentar una fuerte emoción. ③ [역설] énfasis *m*. ~하다 enfatizar, poner énfasis (en).

고조(高潮) ① [만조] plenamar *m*, marea *f* alta (producida por la fuerza de un tifón). ② [한창·절 정] apogeo *m*, zenit *m*, culminación *f*. ~에 달하다 culminar. ③ [감정의] aumento *m* (de emoción). 긴장의 ~ aumento *m* de tensión.

고조선(古朝鮮) 《(역사)》 Gochoson, primer país *m* de nuestro país.

고종(姑從) 《(준말)》 =고종 사촌.

고종 사촌(姑從四寸) hijo, -ja *mf* de la hermana de *su* padre.

고주(孤舟) bote *m* solitario.

고주(苦酒) ① [매우 독한 술] licor *m* muy fuerte. ② =고주망태.

고주망태 borrachera *f*, embriaguez *f*. ¶ ~가 되다 emborracharse (con). ~가 되도록 마시다 seguir [continuar] bebiendo hasta que se emborrache.

고주알미주알 =미주알고주알.

고주파(高周波) 《(물리)》 alta frecuencia *f*, hiperfrecuencia *f*.

고즈넉하다 ① [고요하고 아늑하다] (ser) tranquilo y cómodo. ② [잠잠 하고 다소곳하다] (ser) tranquilo y solitario.

고증(考證) indagación *f*, investigación *f* (histórica). ~하다 indagar, investigar.

고지(告知) noticia *f*, aviso *m*, información *f*. ~하다 notificar, avisar, informar, anunciar. ~서 aviso *m* (escrito). ~판 tablilla *f* de informaciones *fpl*], tablero *m* de anuncios.

고지(高地) terreno *m* alto, terreno *m* elevado; [대지] meseta *f*, [고원]

altiplanicie f, altillano m.

고지기(庫一) almacenista mf; guardaalmacén m.

고지대(高地帶) secciones fpl accidentadas, el área f alta.

고지도(古地圖) mapa m antiguo.

고지식쟁이 persona f muy seria.

고지식하다 (ser) simple y honrado, rígido, muy serio (y concienzudo), simple, cándido, sin malicia, ingenuo.

고진감래(苦盡甘來) El que algo quiere, algo le cuesta / No hay miel sin hiel / No hay atajo sin trabajo.

고질(痼疾) enfermedad f crónica, mal m crónico.

고질병(痼疾病) =고질(痼疾).

고집(固執) obstinación f, terquedad f, testarudez f, porfía f, tenacidad f, persistencia f; [임의] voluntad f; [자존심] orgullo m, amor m propio. ~하다 insistir, persistir, sostener [mantener] firmemente [tenazmente]. ~을 세우다 obstinarse, estarse [mantener · seguir] en sus trece. ¶~ 불통 testrudez f, tenacidad f; [사람] persona f testaruda [tenaz]. ~ 불통이다 casarse con su opinión, ser tenaz. ~쟁이 hombre m obstinado; cabezudo, -da mf; testarudo, -da mf; terco, -ca mf. ~통이 ㉮ [고집이 몹시 세어 변동이 없는 성질] carácter m obstinado e inflexible. ㉯ =고집쟁이.

고차(高次) grado m superior, alto nivel m. ~ 방정식 ecuación f de grado superior. ~ 언어 metalenguaje m. ~적 de alto nivel.

고차원(高次元) ① ((수학)) alta dimensión f. ② [높은 수준] alto nivel m. ¶~ 세계 mundo m de alta dimensión.

고착(固着) adhesión f. ~하다 adherirse, pegarse.

고찰(古刹) templo m antiguo.

고찰(考察) consideración f, observación f, reflexión f. ~하다 considerar, observar, contemplar, reflexionar. 문명에 관한 ~ estudio m de la civilización.

고찰(高札) su carta.

고참(古參) ① [오래 전부터 한 직장이나 직위에 머물러 있는 일] antigüedad f. ② [사람] socio m más antiguo, socia f más antigua; veterano, -na mf; mayor mf; miembro m más antiguo, miembro f más antigua; mayor mf. ~의 (el) más antiguo. ~병 veterano, -na mf.

고천(告天) anuncio m al Dios. ~하다 anunciar al Dios. ~문(文) anuncio m al Dios.

고철(古鐵) hierro m viejo, metal m antiguo, chatarra f [raspaduras fpl · desechos mpl] de hierro. ~상 [가게] tienda f de hierro viejo; [사람] comerciante mf de hierro viejo.

고체(固體) (cuerpo m) sólido m. ~의 sólido. ~ 상태의 de(l) estado sólido. ¶~ 물리학 física f del estado sólido. ~ 연료 carbón m; [로켓의] combustible m sólido.

고초(苦楚) penalidad f, sufrimiento m, infortunio m, apuro m, dificultad f. 많은 ~를 겪다 pasar muchos apuros [muchas dificultades · muchas privaciones].

고총(古塚) tumba f antigua.

고추 ① ((식물)) chile m, ají m, pimiento m, pimentón m, guindillo m de Indias, guindilla f. ② [성질이 매우 독하거나 모진 사람] persona f malévola. ③ ((준말)) = 고추자지. 고추는 작아도 맵다 ((속담)) Chica es la abeja, y nos regala la miel y la cera / En chica cabeza, caben grandes ideas. ¶~발 ajizal m. ~소스 ají m, salsa f de ají, salsa f de chile. ~자지 pene m del niño, pene m pequeñísimo. ~장 gochuchang, pasta f de soja mezclada con el chile rojo.

고추나무 ((식물)) ají m, chile m.

고추나물 ((식물)) hojas fpl de ají cocidas.

고추잠자리 ((곤충)) libélula f roja, caballito m del diablo rojo.

고출력(高出力) salida f grande.

고충(孤忠) lealtad f solitaria.

고충(苦衷) solicitud f, predicamento m, dificultad f, dilema m. ~을 털어놓다 dar rienda suelta a sus predicamentos. ~이 있다 estar en un dilema.

고취(鼓吹) ① [북을 치고 피리를 붊] el tocar el tambor y la flauta. ~하다 tocar el tambor y la flauta. ② [고무 격려하여 의기를 북돋아 일으킴] estímulo m, incitación f. ~하다 inspirar, excitar, estimular.

고층(高層) ① [건물에서 높게 지은 층] piso m alto. ~ [위쪽의 층] piso m superior. ¶~ 건물 edificio m de muchos pisos; [마천루] rascacielos m. ~ 아파트 piso m de muchos pisos.

고치 [누에가 만든 집] capullo m.

고치다 ① [수리 · 수선하다] reparar, arreglar. 고칠 수 있는 reparable, arreglable. 고칠 수 없는 irreparable. 바지를 ~ arreglar los pantalones. 자동차를 ~ arreglar [reparar] el coche. ② [병을 낫게 하다] curar, sanar. 고칠 수 있는 curable. 고칠 수 없는 incurable. 병

을 ~ curar la enfermedad. 부상자를 ~ curar a un herido. ③ [바로 잡다] corregir, enmendar, rectificar; [그림 따위를] retocar. 작품을 ~ retocar una obra. 잘못을 ~ corregir los errores. ④ [바꾸다] cambiar, modificar. 계획을 ~ modificar el plan. 이름을 ~ cambiar el [de] nombre. ⑤ [모양·위치를] enderezar. 자세를 ~ enderezar la postura.

고침(高枕) ① [높은 베개] almohada f alta. ② ((준말)) =고침 안면. ¶ ~ 단면 No se puede dormir mucho tiempo en la almohada alta. ~ 단명 No se puede vivir mucho tiempo en la almohada alta / La almohada alta, la vida corta. ~ 안면(安眠) sueño m profundo sin angustia.

고탑(古塔) pagoda f antigua.

고탑(高塔) pagoda f alta, torre f alta.

고태(古態) ① [옛 모양] figura f antigua. ② [고아하고 질박하여 수수한 상태] estado m elegante y moderado.

고태(故態) figura f antigua.

고택(古宅) casa f antigua.

고토(故土) tierra f natal, terruño m.

고토(膏土) terreno m fértil.

고통(苦痛) dolor m, pena f, pesar m, aflicción f, dolencia f, sufrimiento m, tormento m, desconsuelo m, agustia f, tristeza f. ~ 을 느끼다 sentir pena [angustia]. ~ 을 주다 dar pena, atormentar, torturar. ~ 을 참다 sufrir [aguantar] el dolor. ¶ ~스럽다 (ser) doloroso, angustioso, penoso, atormentador, amargo, duro, fatigoso.

고투(苦鬪) lucha f amarga, combate m duro. ~ 하다 luchar amargamente, combatir desesperadamente.

고품위(高品位) alta dignidad f, alta definición f. ~ 텔레비전 televisión f de alta definición.

고풍(古風) moda f antigua, estilo m de antigüedad. ~ 의 tradicional, arcaico, anticuado, antiguo, de moda antigua. ~ 스럽다 (ser) arcaico.

고프다 querer comer la comida. 배가 ~ tener hambre.

고하(高下) ① [(사회적 지위나 등급의) 높음과 낮음] lo alto y lo bajo. ② [(값의) 비쌈과 쌈] lo caro y lo barato. ③ [(품질이나 내용의) 좋음과 나쁨] lo bueno y lo malo. ¶ ~ 간 alto o bajo. 값은 ~간에 a toda costa, cueste lo que cueste.

고하다(告─) ① [아뢰다] decir. 사실대로 ~ decir la verdad. ② [까바치다] chivarse, ir con el chismo, ir con el cuento, *Méj* irse a rajar, *RPI* ir a alcahuetear. ③ [알리다]

anunciar, informar, avisar.

고학(苦學) estudio m (universitario) bajo dificultades. ~ 하다 estudiar bajo dificultades, estudiar con [en medio de] dificultades económicas. ~ 생 estudiante mf con dificultades económicas.

고학년(高學年) cursos mpl avanzados (de la escuela).

고함(高喊) grito m. ~ 을 지르다[치다] gritar, dar un grito, exclamar, vocear, vociferar.

고해(告解) ((천주교)) =고해 성사. ¶ ~ 성사 confesión f.

고해(苦海) ((불교)) mundo m humano con mucha pena, este mundo.

고행(苦行) ① [육신의] penitencia f, mortificación f. ~ 하다 hacer penitencia, mortificarse. ② [(불교)] práctica f ascética, austeridades fpl religiosas, ascetismo m. ~ 승 ((힌두교)) faquir m. ~ 자 asceta mf.

고향(故鄕) tierra f [suelo m] natal, terruño m. 제이의 ~ segunda patria f. ~ 에 돌아가다 [돌아오다] volver a la tierra natal. ~ 을 그리워하다 añorar su tierra natal, tener nostalgia [añoranza] de su terruño.

고혈(膏血) sudor m y sangre.

고혈당증(高血糖症) hiperglucemia f.

고혈압(高血壓) hipertensión f arterial, alta presión f [tensión f] arterial. ~ 의 hipertenso. ~ 으로 쓰러지다 caer(se) de hipertensión arterial. ¶ ~증(症) hipertensión f. ~ 환자 hipertenso, -sa mf.

고형(固形) solidez f. ~ 의 sólido. ~ 물 (cuerpo m) sólido m. ~ 비료 fertilizante m sólido. ~식 alimento(s) m(pl) sólido(s). ~ 연료 combustible m sólido. ~체 substancia f sólida.

고혼(孤魂) espíritu m solitario que camina sin rumbo fijo. ~ 을 달래다 rezar por el reposo del muerto. ~ 이 되다 morir en soledad. 수중 ~ 이 되다 ser enterrado en la tumba acuosa.

고화(古畵) pintura f antigua.

고환(睾丸) ((해부)) testículos mpl, compañón m. ~ 의 testicular. ~ 암 cáncer m testicular, cáncer m del testículo. ~ 염 didimitis f, orquitis f. ~ 호르몬 hormón m testicular.

고희(古稀) septuagésimo cumpleaños m, setenta años m de edad. ~ 를 축하하다 celebrar el septuagésimo cumpleaños. ¶ ~ 연 fiesta f [banquete m] de septuagésimo cumpleaños.

곡¹(曲) ① ((준말)) =곡조(曲調). ② ((준말)) =악곡(樂曲). ¶ 피아노 ~ pieza f para piano.

곡²(曲) [곡조나 노래를 세는 단위] canción *f*, pieza *f* (musical). 두 ~을 부르다 cantar dos canciones. 세 ~을 연주하다 interpretar tres piezas musicales.
곡(哭) llanto *m*, sollozo *m*, gemido *m*, clamor *m*, lamento *m*. ~하다 llorar, gemir, dar sollozos, dar gemidos, lamentar(se).
곡가(穀價) precio *m* de los cereales.
곡괭이 azada *f*, azadón *m*, zapapico *m*, pico *m*, piqueta *f*, piocha *f*. ~질을 하다 azadonar.
곡기(穀氣) comida *f* de cereales. ~를 놓다[끊다] no comer ninguna comida, no poder comer ninguna comida.
곡류(穀類) cereales *mpl*, grano *m*.
곡률(曲率) ((수학)) curvatura *f*. ~반경 radio *m* de curvatura.
곡마(曲馬) circo *m*. ~단 compañía *f* de circo. ~사 jinete *mf* de circo.
곡면(曲面) superficie *f* encorvada.
곡명(曲名) título *m* (de una pieza musical).
곡목(曲目) ① [연주할 악곡을 적어 놓은 목록] programa *m* (de un concierto). ② =곡명(曲名).
곡물(穀物) cereal *m*, grano *m*. ~을 재배하다 cultivar cereales. ¶~ 거래소 bolsa *f* de cereales. ~상 ㉮ [상인] comerciante *mf* de grano. ㉯ [곡물의 장사] comercio *m* de grano.
곡사포(曲射砲) ((군사)) obús *m*.
곡선(曲線) (línea *f*) curva *f*. ~의 curvilíneo. ~을 그리다 trazar una curva. ¶~미 belleza *f* de curva, curva *f* hermosa.
곡성(哭聲) gemido *m*, lamento *m*.
곡식(穀-) cereales *mpl*, grano *m*. 곡식 이삭은 잘 될 수록 고개를 숙인다 ((속담)) Quien sabe mucho, habla poco.
곡예(曲藝) juego *m* de manos, malabarismo *m*, juegos *mpl* malabares, acrobatismo *m*, acrobacia *f*, suertes *fpl* acrobáticas. ~의 acrobático. ~를 하다 hacer malabarismo, hacer acrobatismo, hacer ejercicios de acrobacia [de acrobatismo]. ¶~단 compañía *f* acrobática. ~ 비행 acrobacia *f* aérea. ~사 acróbata *mf*. ~술 arte *m* de acrobacia.
곡절(曲折) ① [여러 가지 복잡한 사정] intrincación *f*, [파란] vicisitud *f*, [까닭] razón *f*. 사건의 ~ complicaciones *fpl* de un asunto. ② [구불구불 꺾인 상태] curva *f*, meandro *m*.
곡조¹(曲調) [음악과 가사의 가락] melodía *f*, música *f*, [작품] composición *f* [pieza *f*] musical.
곡조²(曲調) [곡이나 노래의 수를 세는 단위] canción *f*, música *f*. 한 ~ una canción, una música. 두 ~ dos canciones, dos músicas.
곡직(曲直) lo correcto y lo incorrecto.
곡차(曲茶/穀茶/麯茶) ((불교)) vino *m* de arroz, vino *m*, licor *m*.
곡창(穀倉) ① [곡식을 넣어 두는 창고] granero *m*. ② [곡식이 많이 난 곳] granero *m*. ¶~ 지대 granero *m*.
곡필(曲筆) falsificación *f*, perversión *f*. ~하다 tergiversar [distorsionar] la verdad, falsificar.
곡해(曲解) mala interpretación *f*, mal entendimiento *m*. ~하다 interpretar mal [equivocadamente], entender [comprender] mal; malinterpretar, interpretar mal.
곤경(困境) dilema *m*, situación *f* difícil. ~에 빠지다 verse en un gran apuro [aprieto], estar en un aprieto [apuro], meterse en un aprieto [apuro]. ~에서 벗어나다 salir de un aprieto [un apuro].
곤궁(困窮) pobreza *f*, carencia *f*, necesidad *f*, miseria *f*, apuro *m*, aprieto *m*. ~하다 hallarse en la miseria, empobrecerse; [상태] estar muy apretado, ser pobre. ~한 처지에 있다 estar en la piña, estar en la necesidad.
곤돌라 góndola *f*.
곤두박이다 descender [bajar] en picado [en picada].
곤두박이치다 caer precipitadamente.
곤두박질 caída *f* precipitada. ~(을) 치다 descender [bajar] en picado, caerse, dar de coronilla.
곤두서다 ponerse con los pies hacia arriba. 신경이 ~ estar nervioso, tener los nervios de punta.
곤두세우다 poner con los pies hacia arriba.
곤드레만드레 tambaleándose; [취하여] completamente borracho, como una cuba. ~하다 tambalearse. ~ 취하다 emborracharse completamente [totalmente], embriagarse brutalmente.
곤들매기 ((어류)) umbra *f*.
곤란(困難) ① [어려움] dificultad *f*, [장해] obstáculo *m*; [곤궁] apuro *m*, aprieto *m*, escasez *f*, [역경] adversidad *f*, [난사] tropieza *f*, [고난] tormento *m*. ~하다 ㉮ apurarse, estar [verse] en aprietos [en apuros · en un apuro · en un aprieto]. ㉯ [당혹하다] quedar(se) [estar] perplejo, quedar confuso, turbarse, desconcertarse. ㉰ [처지가 궁하다] no saber qué [cómo] hacer, estar en dificultad. ~한 difícil, duro, penoso, apurado, trabajoso, fatigoso. ~한 입장 situa-

ción *f* apurada [embarazosa]. ②
[생활이 궁핍함] pobreza *f*. ~하다
(ser) pobre.

곤봉(棍棒) palo *m*, garrota *f*, tranda
f; [경찰봉] porra *f*, cachiporra *f*;
[체조용] maza *f* de gimnasia.

곤욕(困辱) insulto *m* amargo, desprecio *m*. ~을 치르다 sufrir un
insulto amargo. ~을 참다 aguantar [soportar] un insulto.

곤장(棍杖) ((역사)) porra *f*, clava *f*.
~을 안기다 azotar, fustigar.

곤쟁이 ((동물)) una especie de la
gamba pequeña.

곤죽 ① [땅이 매우 질퍽질퍽함] cenagal *m*, lodazal *m*. ~이 되어 있
다 estar lleno [cubierto] de barro
[de lodo]. ② [일이 엉망진창이 되
어 갈피를 잡기 어려운 상태] con-
fusión *f* completa [total·absoluta],
desorden *m*, revoltijo *m*, atelladero
m. ~으로 만들다 desordenar; [더
럽히다] suciar.

곤줄매기 ((조류)) =곤줄박이.

곤줄박이 ((조류)) paro *m*.

곤지 colorete *m*, mancha *f* roja en la
frente de la novia. ~를 찍다
ponerse colorete en *su* frente.

곤충(昆蟲) insecto *m*. ~망 red *f* de
insectos. ~ 채집 colección *f* [caza
f] de insectos. ~ 채집을 하다
cazar insectos. ~학 insectología *f*.
~ 학자 insectólogo, -ga *mf*.

곤포(昆布) alga *f* (marina).

곤하다(困一) ① [기운이 풀리어 느른
하다] estar cansado. 몹시 ~ estar
muy cansado. 너는 곤한 것 같다
Tú tienes cara de cansado. ②
[매우 느른해서 든 잠이] 깊다]
dormir profundamente. 곤한 잠
sueño *m* profundo.

곤히(困一) con cansancio, con fatiga;
profundamente. ~ 자다 dormir
profundamente [como un tronco·
de un tirón].

곤혹(困惑) perplejidad *f*, perturbación
f. ~하다 quedar [estar] perplejo
[perturbado], no saber qué hacer.
~하게 하다 perturbar, turbar.

곧 ① [바로] pronto, dentro de poco;
[즉시] inmediatamente, en seguida,
enseguida, en el acto, en breve,
poco después, con el tiempo. 그후
~ poco (tiempo) después, al poco
tiempo; [수일 후] a los pocos días.
~ 떠나라 Sal en seguida. ② [다
시 말하면] es decir, o sea, o. 대한
민국의 수도, ~ 서울 la capital de
la República de Corea, o Seúl.

곧다 [똑바르다] (ser) recto. 버스
터미널까지는 길이 ~ Este es el
único camino a la estación. ② [마
음이 똑바르다] (ser) honrado, honesto. 대쪽같이 곧은 마음 corazón
m honrado como un bambú. 곧기

는 먹줄같다 ((속담)) ⑦ Dar gato
por liebre. ⓙ Es muy honrado. 곧
은 나무 먼저 [쉬] 꺾인다 [찍힌다]
((속담)) Los buenos se van y los
malos se están.

바로 ① [틀리거나 어긋나지 아니하고
바르게] verdaderamente, honestamente, honradamente. ② [즉시]
inmediatamente, en seguida, enseguida, en el acto. 나는 일을 끝내
자 ~ 집에 돌아갔다 Yo volví a
casa inmediatamente después de
terminar el trabajo.

곧이 ① [곧게] honradamente, honestamente, verdaderamente. ② [즉
시] en seguida, inmediatamente.
③ [거짓 없이] sin mentiras, sin
decir mentiras, sin mentira. ¶ ~
대로 ⑦ [아무 꾸밈이나 거짓이 없
이 사실 대로] sinceramente, honradamente, honestamente, seriamente, en serio, sin mentiras. ⓙ
[거리낌없이 마음대로] en buena
lid, abiertamente.

곧이듣다 tomar en serio, creerse todo cuanto lo dicen.

곧잘 ① [익히거나 배우거나 하여]
제법 잘, 꽤 잘] muy bien, perfectamente bien. 순이는 공부도 잘 하
거니와 바느질도 ~ 한다 Suni no
sólo estudia mucho, sino también
cose muy bien. ② [가끔 잘] frecuentemente, con frecuencia; [가
끔] a veces, unas veces, algunas
veces, de vez en cuando.

곧장 ① [중도에서 다른 곳에 머무르
지 않고 바로] directamente, derecho. ~ 집으로 갑시다 Vamos a
casa directamente. ~ 집으로 오세
요 Ven a casa directamente. ②
[중도에 지체하지 않고 줄곧] con-
tinuamente. ③ [길을 갈 때에] 샛
길로 빠지지 않고 바로] derecho,
AmL directo. ~ 가십시오 Siga
(todo) derecho [*AmL* directo].

골¹ ① ((해부)) =골수(骨髓). ② ((준
말))=머릿골.

골² [벌컥내는 성] ira *f*, enfado *m*,
AmL enojo *m*. ~(을) 내다 enfadarse, irritarse, enojarse. ~(이) 나
다 enfadarse, irritarse, *AmL* enojarse.

골³ [형(型)] molde *m*. 구두 ~ horma
f (de zapatero).

골⁴ ① [목표. 목적] meta *f*, objetivo
m. ② [결승선] meta *f*. ③ [득점]
gol *m*. ~을 넣다 marcar
[meter] un gol. ④ ((준말))=골인.
¶ ~ 득점자 anotador, -dora *mf*.
~ 라인 ⑦ ((축구)) línea *f* de gol.
ⓙ ((럭비)) línea *f* de meta. ~ 문
=골 포스트. ~ 키퍼 portero, -ra
mf; guardameta *mf*, *AmL* arquero,
-ra *mf*. *Cos* golero, -ra *mf*. ~ 포
스트 poste *m* [palo *m*] de la

portería [*AmL* del arco].

골간(骨幹) ① ((해부)) =뼈대. ② [사물의 중요한 부분] pivote *m*, lo esencial, lo fundamental.

골격(骨格) ① ((해부)) esqueleto *m*. ② =뼈대. ③ [사물의 주요 부분을 이루는 줄거리] esqueleto *m*.

골경화증(骨硬化症) osteosclerosis *f*.

골고루(준말) =고루고루. ¶ ~ 나누어 주어라 Divide en partes iguales entre todos.

골골[1] ① [숙환이] crónicamente. ~ 하다 sufrir de la enfermedad crónica. ② [병이 잦아서 몸이 늘 약한 모양] inválidamente, con invalidez. ¶ ~거리다 sufrir de la enfermedad crónica.

골골[2] [암탉이] cloqueando para el gallo. ~거리다 cloquear para el gallo.

골다 roncar. 코를 ~ roncar.

골다공증(骨多孔症) osteoporosis *f*.

골동(骨董) ① [여러 가지 물건이 함께 섞인 것] lo mezclado con varias cosas. ② [골동품] antigüedades *fpl*. ¶ ~물 artículo *m* antiguo y raro.

골동품(骨董品) antigüedades *fpl*, objeto *m* antiguo, (artículos *mpl* de) curiosidades *fpl*. ¶ ~을 수집하다 coleccionar los objetos de arte antiguos. 그는 ~적인 존재다 El ha hecho su tiempo / [경멸적] El es una persona anticuada. ¶ ~상 ㉮ [장사] negocio *m* de antigüedades. ㉯ [장수] anticuario, -ria *mf*. ~ 수집가 anticuario, -ria *mf*. ~ 애호가 virtuoso, -sa *mf*; curioso, -sa *mf*. ~점 tienda *f* de antigüedades.

골드 러시(황금열) fiebre *f* del oro.

골든 디스크 disco *m* de oro.

골든 아워 horas *fpl* de oro.

골든 웨딩(금혼식) bodas *fpl* de oro.

골든 키(황금 열쇠) llave *f* de oro.

골똘하다 (estar) absorto, concentrado, abstraído, abstraer. 연구에 ~ estar absorto en la invetigación, abstraer en el estudio.

골라잡다 seleccionar, elegir. 마음에 드는 것을 ~ elegir lo que quiera.

골락새(《조류》) =크낙새.

골마루 pasillo *m* estrecho.

골막(骨膜) ((해부)) periostio *m*. ~염 periostitis *f*, periosteitis *f*, osteo periostitis.

골머리 cerebro *m*. ~를 앓다 enfadarse, enojarse, irritarse, romperse los cascos.

골목(길) callejón *m*. 막다른~ callejón *m* sin salida.

골몰(汨沒) [한 일에만 온 정신을 쏟음] dedicación *f*. ~하다 dedicarse, estar absorto. ② =부침(浮沈).

골무 dedil *m*.

골바람 viento *m* que sopla del valle al monte.

골반(骨盤) ((해부)) pelvis *f*.

골방(-房) habitación *f* de atrás.

골백번(-百番) muchas veces.

골병(-病) enfermedad *f* profundamente arraigada. ~(이) 들다 caerse en la enfermedad profundamente arraigada.

골분(骨粉) hueso *m* en polvo.

골상(骨相) fisonomía *f*. ~을 보다 decir la buenaventura frenológicamente, examinar su fisonomía. ¶ ~학 frenología *f*, fisonomía *f*.

골생원(-生員) ① [옹졸하고 고루한 사람] persona *f* intolerante [de mentalidad cerrada]. ② [잔병치레로 골골 앓는 사람] persona *f* delicada (enfermiza).

골선비 =골생원❶.

골섬유종(骨纖維腫) osteofibroma *m*.

골세포(骨細胞) célula *f* ósea.

골수(骨髓) tuétano *m*, médula *f*. ~에 사무치다 herir a *uno* en lo más vivo. ¶ ~염 osteomielitis *f*.

골안개 neblina *f* de la mañana en el valle.

골육(骨肉) ① [뼈와 살] los huesos *y* la carne. ② (준말) =골육지친. ¶ ~ 상잔[상쟁] ㉮ [부자나 형제 등이 싸우는 일] pelea *f* entre los parientes muy cercanos. ㉯ [같은 민족끼리 해치며 싸우는 일] pelea *f* entre las mismas razas. ~지친 relaciones *fpl* sanguíneas.

골인(골에 들어감) meta *f*, gol *m*. ~하다 alcanzar la meta. ② [목표에 도달함] logro *m* del objetivo. ~하다 lograr al objetivo. 결혼에 ~하다 casarse (felizmente).

골자(骨子) sustancia *f*, punto *m* principal. 논쟁의 ~ punto *m* principal del argumento.

골재(骨材) conglomerado *m*.

골절(骨折) fractura *f*. ~되다 fracturarse. 팔에 ~상을 입다 fracturarse el brazo.

골조(骨組) armazón *m*, estructura *f*.

골종(骨腫) osteoma *m*.

골종양(骨腫瘍) osteonco *m*.

골종증(骨腫症) osteomatosis *f*.

골질(骨質) tejido *m* óseo.

골짜기 valle *m*.

골초(-草) ① [품질이 나쁜 담배] tabaco *m* de la calidad inferior. ② [담배를 많이 피우는 사람] gran fumador *m*, gran fumadora *f*.

골치((낮춤말)) =머릿골. ¶ ~(가) 아픈 일 preocupación *f*, inquietud *f*, dolor *m* de cabeza. ~가 아프다 tener dolor de cabeza por la preocupación [por la molestia]. ~를 앓다 preocuparse.

골칫거리 incordio *m*, fastidio *m*, lata *f*, pesadez *f*, molestia *f*, dolor *m* de cabeza.

골탄(骨炭) carbón *m* de hueso.

골탕(一湯) ① [소의 등골·머릿골 국어)) sopa *f* de sesos de vaca. ② ((속어)) [되게 입는 손해] gran daño *m*, gran perjuicio *m*. ~을 먹다 sufrir mucha pérdida. ~을 먹이다 hacer sufrir mucha pérdida.

골통(骨痛) ((한방)) ostalgia *f*.

골파 ((식물)) una variedad del puerro.

골판지(一板紙) cartón *m* corrugado.

골패(骨牌) dómino *m*.

골편(骨片) osteocoma *f*, pedazo *m* del hueso.

골풀 ((식물)) junco *m*.

골프 golf *m*. ~의 golfístico. ~ 치는 사람 golfista *mf*. ~를 치다 jugar al golf, *AmL* jugar golf. ¶ ~공 pelota *f* de golf. ~광 maníaco, -ca *mf* de golf. ~ 바지 pantalones *mpl* de golf. ~ 선수 golfista *mf*. ~ 연습장 campo *m* de golf diseñado para practicar tiros de salida. ~장 campo *m* de golf. ~채 palo *m* de golf. ~ 카트 cochecita *f* de golf. ~ 클럽 ㉮ club *m* de golf. ㉯ =골프채.

골학(骨學) osteología *f*.

곪다 ① [고름이] supurar, enconarse, formar pus. ② [내부의 갈등·모순·부패 등이] madurar.

곯다¹ ① [곡식이] todavía no estar lleno. ② [늘 배가 고프다] tener hambre siempre, no estar lleno.

곯다² ① [속이 물커져 상하다] pudrirse, echarse a perder, estropearse. 곯은 달걀 huevo *m* pudrido. ② [은근히 해를 입어 골병 들다] sufrir el daño interno.

곯리다¹ ① [그릇에 차지 못하게 하다] no hacer estar lleno. ② [먹는 것이 모자라 늘 배가 고프게 하다] hacer tener hambre, quedar sin comer.

곯리다² ① [속이 물커져 상하게 하다] hacer pudrirse, hacer estropearse. ② [골병들게 하다] hacer sufrir el daño interno, hacer daño.

곯아떨어지다 [술에] estar completamente ebrio, estar completamente borracho; [잠에] caerse en el sueño profundo, dormirse profundamente.

곯아빠지다 ① [몹시 곯은 상태에 있다] estar muy corrompido [podrido]. ② [주색잡기에 빠져 못 벗어나다] regodearse [deleitarse] en el vicio.

곰¹ [고기나 생선을 푹 삶은 국] gom, caldo *m* espeso hecho de carne bien cocida.

곰² ① ((동물)) oso *m*; [암콤] osa *f*. ② [미련한 사람] imbécil *mf*; es-

túpido, -da *mf*; bobo, -ba *mf*. ¶ ~ 새끼 cacharro *m* (del oso). ~쓸개 hiel *f* del oso.

곰곰(이) cuidadosamente, con cuidado, detenidamente. ~ 생각하다 cavilar, reflexionar [meditar] cuidadosamente pensar bien.

곰국 *gomguk*, caldo *m* espeso de carne bien cocida.

곰방대 pipa *f* corta para fumar.

곰방메 mazo *m*.

곰배팔 brazo *m* deforme.

곰배팔이 persona *f* con brazo deforme.

곰보 persona *f* picada de viruela(s), persona *f* con (la marca de) viruela.

곰비임비 uno tras otro. 불행이 ~ 닥쳤다 La desgracia sigue una tras otra.

곰삭다 (ser) bien conservado en vinagre.

곰살궂다 (ser) cordial, afectuoso, cariño, amable y atento.

곰상곰상 mansa y amablemente.

곰상스럽다 (ser) puntilloso, meticuloso.

곰솔 ((식물)) =해송(海松).

곰실거리다 retorcerse.

곰치 ((어류)) morena *f*.

곰탕(一湯) *gomtang*, sopa *f* espesa de carne de vaca con arroz.

곰팡내 ((준말)) =곰팡냄새.

곰팡냄새 [곰팡이에서 나는 냄새] olor *m* a humedad, olor *m* a moho. ~ 나는 방 habitación *f* viciada. 책에서 ~가 났다 El libro olía a moho [a viejo]. ② [시대에 뒤떨어진 고리타분한 행동·사상을 일컫는 말] lo trillado, cosa *f* común, cosa *f* corriente, cosa *f* frecuente. ~ 나다 (ser) gastado, trillado, manido, común, corriente, ordinario, anticuado, desfasado.

곰팡이 ((식물)) moho *m*. ~이 슨 이야기 histora *f* muy vieja, historia *f* muy pasada. ~가 슬다 (estar) mohoso [lleno de moho].

곱 ① ((옛말)) =곱쟁이. ② ((준말)) =곱절. ③ ((수학)) multiplicación. ~하다 multiplicar.

곱다¹ [이익을 보려다가 도리어 손해 를 보다] ir a lana y volver trasquilado.

곱다² ① [신 것을 먹은 뒤에 이 뿌리가 저리다] dar dentera. ② [손가락·발가락이] tener entumecido.

곱다³ [고부라져 휘어 있다] estar torcido, estar encorvado.

곱다⁴ ① [보기에 산뜻하고 아름답다] (ser) hermoso, bello, bonito, lindo, majo. 고운 처녀 muchacha *f* hermosa [maja]. ② [말이나 소리가] (ser) dulce. 고운 목소리 voz *f* dulce. ③ [살결이나 피륙이] (ser) suave, tierno. 고운 손 manos fpl suaves. ④ [가루 같은 것이] (ser) fino. 고운 모래 arena f fina. 고운 밀가루 harina f fina. ⑤ [마음이] (ser) dócil, amable, obediente. ⑥ [편안하다] (ser) cómodo, pacífico. ⑦ [그대로 온전하다] (ser) completo, perfecto, bien. 곱게 간직하여라 Guarda bien.

곱다랗다 (ser) muy hermoso, muy bello.

곱돌 ((광물)) talco m.

곱들다 costar el doble.

곱들이다 gastar el doble.

곱똥 estiércol m mezclado con la secreción mucosa.

곱먹다 comer el doble.

곱빼기 ① [두 번 거듭하는 것] doble m, dos veces. ② [음식의 두 몫을 한 그릇에 담은 분량] medida f doble, bebida f doble.

곱사 ① ((준말)) =곱사둥. ② ((준말)) =곱사둥이.

곱사등 giba f, joroba f, corcova f.

곱사등이 jorobado, -ba mf.

곱살끼다 ponerse [estar] neura, (ser) quejoso, fastidioso.

곱살스럽다 ① [용모가] (ser) bonito, lindo, hermoso, bello, guapo, mono, precioso. 곱살스런 아이 niño m guapo, niña f guapa. ② [마음씨가] (ser) bueno, simpático, amable, dulce, delicado, tierno, de buen corazón.

곱삶다 cocer dos veces.

곱새기다 ① [곡해하다] comprender mal, entender mal. ② [거듭 생각하다] pensar una y otra vez.

곱셈 multiplicación f. ~하다 multiplicar, hacer una multiplicación. ~표 signo m de multiplicación.

곱수(-數) =승수(乘數).

곱슬곱슬 rizando, ensortijando. ~하다 (ser) rizado, ensortijado. ~해지다 rizarse, ensortijarse. ~하게 하다 rizar, [파형으로] ondular; [종이・옷감 따위를] fruncir.

곱슬머리 =고수머리.

곱씹다 ① [거듭해서 씹다] mascar repetidas veces. ② [말이나 생각 따위를 거듭 되풀이하다] repetir, mascar. [다짐받듯 묻다] insistir.

곱자 cartabón m, escuadra f.

곱절 doble m, dos veces fpl. ~하다 doblar, duplicar; [노력을] redoblar. 새 ~하다 triplicar.

곱창 intestino m delgado de la vaca. ~ 요리 callos mpl.

곱치다 doblar, duplicar.

곱하기 multiplicación f.

곱하다 multiplicar.

곳 ① [장소] sitio m, lugar m, parte f, local m; [지방] región f, comarca f, localidad f. 밝은 곳 sitio

m [lugar m] claro. 강변의 쾌적한 ~ lugar m [sitio m] precioso a orillas del río. ② [주소] dirección f, señas fpl; [집] casa f, hogar m.

곳간(庫間) almacén m, depósito m, Chi, Col, Méj bodega f; [음식용] despensa f; [곡물 창고] granero m; [지하의] sótano m.

곳곳 [부사적] en [por] todas partes, por todos lados; [여기저기] aquí y allá.

공 ① [야구・골프의] pelota f, bola f; [농구・축구의] balón m, AmL pelota f; [당구・크로켓의] bola f; [큰] balón m; [구체(球體)] globo m. ② [수학] =구(球). ~놀이 juego m de pelota. ~놀이하다 jugar a la pelota. ~놀이 금지(함) ((게시)) Prohibido jugar a la pelota.

공(公) ① [여러 사람에게 관계되는 국가나 사회의 일] asuntos mpl públicos. ② ((준말)) =공작(公爵).

공(功) ① ((준말)) =공로(功勞). ~을 세우다 realizar un hecho meritorio, prestar un servicio distinguido. ② ((준말)) =공력(功力).

공(空) ① [속이 텅 빈 것] vacancia f, lo vacío. ② [사실이 아닌 것] falsedad f. ③ =영(零). ④ [아라비아 숫자「0」의 이름] cero m. ⑤ [대가가 없는 것] lo gratuito. ⑥ [쓸데없음] inutilidad f, falta f de valor. ⑦ ((불교)) nada, cero m.

공간(空間) espacio m, vacío m; [여지] espacio m, lugar m, sitio m; [우주의] infinito m. ~의 espacial, del espacio. ~에 espacialmente. 시간과 ~ tiempo y espacio. 광고의 ~ espacio m publicitario. ¶ ~ 개념 concepto m espacial. ~ 미 belleza f espacial. ~ 예술 arte m de tres dimensiones.

공갈(恐喝) amenaza f, intimidación f, chantaje m. ~하다 amenazar (con chantaje), chantajear, hacer chantaje, intimidar, coaccionar. ~을 놓다[치다] amenazar.

공감(共感) simpatía f, consentimiento m. ~하다 simpatizar. ~을 느끼다 sentir [experimentar] simpatía.

공개(公開) apertura f al público. ~하다 abrir al público. ~의 abierto, público. ~석상에서 públicamente, en público, delante del público, ante el público. ¶ ~ 강좌 cursillo m público. ~ 경쟁 competencia f pública. ~ 녹음 grabación f pública. ~ 대학 universidad f a distancia, Méj universidad f abierta. ~ 방송 emisión f pública. ~ 수사 indagación f pública, investigación f criminal abierta. ~ 입찰 licitación f pública. ~장 carta f abierta.

~적 público. ~ 토론 debate *m* público. ~ 토론회 foro *m*.

공것(空-) lo gratuito, bendición *f* (del cielo), ganancia *f* imprevista.

공격(攻擊) ① [적을 침] ataque *m*, asalto *m*, acometida *f*; [침략] invasión *f*, agresión *f*; [강습] arremetida *f*, carga *f*. ~하다 atacar, asaltar, acometer, arremeter. ~을 가하다 lanzar ataques. ~을 받다 ser objeto del ataque, ser atacado, sufrir ataques. ~을 시작하다 emprender el ataque, comenzar el ataque, lanzarse al ataque. ② [시비를 가려 논란함] censura *f*, acusación *f*, ataque *m*. ~하다 censurar, reprochar, acusar, dirigir censuras, dirigir reproches, atacar. ¶~ 개시 시간 hora *f* H. ~ 개시일 ⑦ ((군사)) [제이차 세계 대전의] el Día D. ④ [중요한 날] día *m* señalado. ~군 fuerza *f* atacante. ~기 avión *m* de ataque. ~력 poder *m* atacante. ~로 ruta *f* de ataque. ~ 명령 orden *f* de ataque. ~ 목표 blanco *m* de ataque, meta *f* de ataque. ~ 무기 el arma *f* ofensiva. ~성 agresividad *f*. ~ 수단 medios *mpl* de ataque. ~ 무기 el arma *f* ofensiva. ~용 전차 tanque *m* ofensivo. ~자 atacante *mf*. ~적 ofensivo, agresivo. ~적으로 de manera ofensiva, agresivamente; [스포츠에서] en el ataque.

공경(恭敬) respeto *m*, veneración *f*, honor *m*. ~하다 respetar, venerar, honrar, tener respeto, reverenciar. ~할 만한 respetable, venerable. 스승을 ~하다 honrar a *su* maestro. 하나님을 ~하다 reverenciar a Dios.

공고(公告) anuncio *m* oficial, aviso *m*. ~하다 dar aviso, dar publicidad, publicar un aviso [oficialmente]. ~문 aviso *m*, anuncio *m*.

공고(鞏固) solidez *f*, firmeza *f*. ~하다 (estar) sólido, firme, fuerte, inquebrantable. ~한 기반 bases *fpl* firmes, bases *fpl* sólidas.

공공(公共) lo público, servicios *mpl* públicos. ~의 público, común. ¶~ 건물 edificio *m* público. ~ 기관 institución *f* pública. ~ 단체 cuerpo *m* público. ~ 복지 bienestar *m* público. ~ 부분 sector *m* público. ~ 사업 servicios *mpl* públicos. ~ 서비스 servicio *m* público. ~ 시설 establecimientos *mpl* públicos. ~ 요금 tarifa *f* de los servicios públicos. ~ 이익 interés *m* público. ~ 자금 fondo *m* público. ~ 장소 lugar *m* público. ~ 재산 propiedad *f* pública.

공공연하다(公公然-) (ser) público,

abierto. 공공연한 público, abierto. 공공연한 비밀 secreto *m* a voces. 공공연히 públicamente, en público, abiertamente, a los ojos de todo el mundo.

공과(工科) departamento *m* de ingeniería, escuela *f* [facultad *f*] de ingeniería [de tecnología]. ¶~ 대학 universidad *f* politécnica [tecnológica], escuela *f* superior de ingeniería, instituto *m* de tecnología.

공과(公課) impuestos *mpl* públicos. ~금 impuestos *mpl* públicos.

공과(功過) mérito *m* y demérito *m*.

공관(公館) ① [공공 건물] edificio *m* público. ② [정부 고관의 공적 저택] residencia *f* oficial. ③ ((준말)) =재외 공관. ¶~장 jefe, -fa *mf* de la legación.

공교롭다(工巧-) (ser) causal, fortuito, inesperado, imprevisto, accidental. 공교로이 [뜻밖에, 우연히] inesperadamente, accidentalmente, causalmente, por causualidad; [불행하게도] desgraciadamente, por desgracia; [때가 나쁘게] inoportunadamente.

공교육(公敎育) educación *f* pública.

공구(工具) herramienta *f*, instrumento *m*. ~실 taller *m* de herramientas. ~점 ferretería *f*.

공구(工區) sección *f* de obras. 제일~ primera sección *f* de obras.

공국(公國) principado *m*, ducado *m*. 룩셈부르크 ~ Gran Ducado *m* de Luxemburgo. 모나코 ~ Principado *m* de Mónaco.

공군(空軍) Fuerza(s) *f(pl)* Aérea(s), Ejército *m* del Aire, aviación *f*. 대한 민국 ~ las Fuerzas Aéreas de la República de Corea. ¶~기 avión *m* de la Fuerza Aérea. ~ 기지 base *f* aérea. ~력 poder *m* aéreo, fuerza *f* aérea. ~ 본부 cuartel *m* general de la Fuerza Aérea. ~ 사관 학교 Academia *f* de la Fuerza Aérea. ~ 참모 총장 jefe *m* del Estado Mayor de (las) Fuerzas Aéreas.

공권(公權) derechos *mpl* civiles [públicos]. ~력 poder *m* público. ~ 박탈 privación *f* de derechos civiles.

공권(空拳) manos *fpl* vacías. ~으로 con las manos vacías.

공그리다 coser con puntadas invisibles.

공글리다 ① [땅바닥 따위를 단단하게 다지다] endurecer, consolidar, solidificar. ② [일을 알뜰하게 끝맺다] terminar bien, acabar bien.

공금(公金) fondo *m* público. ~ 유용 [횡령] malversación *f* de los fondos públicos. ~ 유용을 하다 malversar los fondos públicos.

공급(供給) suministro *m*, abastecimiento *m*, aprovisionamiento *m*, surtido *m*. ～하다 suministrar, abastecer, aprovisionar, surtir, proporcionar, proveer. ～ 가격 precio *m* de abastecimiento, precio *m* de oferta. ～원 fuente *f* de alimentación [de suministro]. ～자 surtidor, -dora *mf*, suministrador, -dora *mf*, abastecedor, -dora *mf*, proveedor, -dora *mf*.

공기 [돌] cantillo *m*; [놀이] cantillos *mpl*, juego *m* de los cantillos. ～(를) 놀다 jugar a los cantillos. ～(를) 놀리다 ㉮ [공기를 가지고 놀리다] jugar los cantillos. ㉯ [사람을 농락하다] inducir, engatusar.

공기(公器) ① [공중의 물건] cosa *f* del aire. ② [공공 기관] órgano *m* público.

공기(空氣) ① [무색·투명·무취의 기체] aire *m*, atmósfera *f*. 맑은 ～ aire *m* claro. 바다의 ～ aire *m* de mar. 신선한 ～ aire *m* fresco. 타이어에 ～를 넣다 inflar [hinchar] el neumático [la rueda]. ② [분위기] atmósfera *f*, ambiente *m*. 시장 ～ atmósfera *f* bursátil. ¶ ～감염 infección *f* aérea. ～ 냉각 refrigeración *f* aérea. ～ 냉각기 refrigerador *m* aéreo. ～마찰 fricción *f* del aire. ～ 밀도 densidad *f* del aire. ～ 베개 almohada *f* neumática, almohada *f* de aire. ～ 압력 [타이어의] presión *f* de aire. ～ 오염 contaminación *f* aérea, polución *f* aérea. ～ 전염 contagio *m* por aire, infección *f* por el aire. ～ 전염병 enfermedad *f* transportada por el aire. ～주머니 bolsa *f* del aire. ～ 청정기 limpiador *m* por vacío. ～총 escopeta *f* de viento. ～ 펌프 bomba *f* neumática [de aire], inflador *m*. ～ 흡입기 insuflador *m*.

공기(空器) ① [빈 그릇] vajilla *f* vacía, plato *m* vacío. ② [식사용] cuenco *m*, escudilla *f*, tazón *m*.

공기업(公企業) empresa *f* pública.

공납금(公納金) impuestos *mpl* públicos.

공노(共怒) enfado *m* mutuo. ～하다 enfadarse juntos.

공놀이 juego *m* de pelota. ～하다 jugar a la pelota.

공단(工團) ((준말)) ＝공업 단지.

공단(公團) corporación *f* (pública), organismo *m* semi-gubernamental.

공단(貢緞) satín *m*, satén *m*.

공당(公黨) partido *m* político (oficialmente reconocido).

공대(工大) ((준말)) ＝공과 대학.

공대(恭待) ① [공손하게 대접함] trato *m* respetable. ～하다 tratar con respeto, recibir cordialmente. ② [상대자에게 경어를 씀] términos *mpl* respetuosos. ～하다 usar términos respetuosos.

공대공(空對空) aire-aire. ～ 미사일 mísil *m* aire-aire.

공대지(空對地) aire-superficie, aire-tierra. ～ 미사일 mísil *m* aire-tierra [aire-superficie].

공덕(公德) moralidad *f* social.

공덕(功德) ① [공로와 인덕] el mérito y la benevolencia, el mérito y la virtud. ～을 쌓다 amontonar el mérito y la benevolencia. ② ((불교)) virtud *f* (y mérito), mérito *m* budista, caridad *f*, piedad *f*. ¶ ～비 monumento *m* de méritos.

공도(公度) ((수학)) factor *m* común decimal.

공도(公道) ① [공평하고 바른 도리] camino *m* recto [derecho], justicia *f*. 천하의 ～를 걷다 caminar por la senda de la justicia. ② [떳떳하고 당연한 이치] razón *f* lógica. ③ ＝공로(公路).

공돈(空－) ganancia *f* imprevista, dinero *m* gratuito.

공돌다 girar en *su* propia manera.

공동(共同) cooperación *f*, colaboración *f*, comunidad *f*, unión *f*. ～하다 cooperar, colaborar, coadyuvar. ～의 co-, común, comunal, cooperativo. ～으로 en colaboración, en cooperación, de mancomún, comunalmente, comúnmente. ～의 적 enemigo *m* común. ¶ ～ 각서 nota *f* colectiva, mensaje *m* colectivo. ～ 경영 dirección *f* conjunta, conjunto *m* (en asociación), asociación *f*. ～경영자 administrador *m* conjunto. ～ 기금 fondo *m* conjunto. ～ 대표 corepresentación *f*, [사람] corepresentante *mf*. ～ 모금 colecta *f* para beneficencia pública. ～ 묘지 cementerio *m*. ～ 상속 herencia *f* conjunta. ～ 상속인 coherederos *mpl*; [개인] coheredero, -ra *mf*. ～ 생활 convivencia *f*, [집단 생활] vida *f* colectiva, vida *f* de comunidad. ～ 선언 declaración *f* conjunta. ～ 성명 comunicado *m* conjunto, declaración *f* conjunta. ～ 소유 copropiedad *f*, condominio *m*, posesión *f* común. ～ 소유자 copropietario, -ria *mf*. ～ 시설 instalaciones *fpl* públicas. ～ 시장 mercado *m* común. ～ 이익 beneficio *m* común. ～ 작업 trabajo *m* [labor *f*] de equipo, cooperación *f*. ～ 재산 bienes *mpl* comunes. ～ 전선 frente *m* común. ～ 제작 coproducción *f*. ～ 제작자 coproductor, -tora *mf*. ～ 주최 auspicios *mpl* conjuntas, patrocinio *m* conjunto. ～ 주택 casa *f* [edificio *m*] de pisos, edificio *m* de apartamentos, casa *f* de vecindad [de vecinos] de un solo piso. ~ 책임 responsabilidad *f* común; [위원회・내각 따위의] responsabilidad *f* colectiva; [부채 따위의 연대 책임] responsabilidad *f* conjunta. ~체 comunidad *f*. ~ 출자 inversión *f* colectiva (de capitales), fondo *m* común.

공동(空洞) caverna *f*, cavidad *f*, hoyo *m*, hueco *m*. ~이 생기다 producirse una cavidad.

공들다(功ー) tomar mucha labor, costar un esfuerzo extenuante. 공든 일 trabajo *m* duro [laborioso]. 공든 탑이 무너지랴 ((속담)) Los grandes esfuerzos se verán coronados por el éxito.

공들이다(功ー) hacer gran esfuerzo, trabajar duro, luchar. 공들여 con gran esfuerzo. 공들인 솜씨 trabajo *m* elaborado [esmerado]. 공들인 작품 obra *f* muy elaborada.

공란(空欄) (papel *m*) blanco *m*, espacio *m* vacío, margen *m*(*f*); [서류] formulario *m*. ~에 기입하다 apuntar el blanco. ~을 메우다 [서류의 빈 곳을 채우다] rellenar el formulario.

공랭(空冷) ((준말)) =공기 냉각.

공랭식(空冷式) refrigeración *f* por aire. ~의 refrigerado por aire, enfriado por aire. ~ 엔진 motor *m* refrigerado [refrigerado] por aire.

공략(攻略) [탈취] toma *f*, [정복] conquista *f*. ~하다 tomar, conquistar. 적진을 ~하다 tomar el campo enemigo.

공력(功力) [노력] esfuerzo *m*, labor *f*, elaboración *f*. ~을 들이다 hacer esfuerzos.

공로(公路) =공도(公道).

공로(功勞) mérito *m*, hazaña *f*, proeza *f*. ~ 메달 medalla *f* de méritos. ~상 premio *m* de méritos. ~자 persona *f* de méritos. ~패 placa *f* de méritos.

공로(空路) ((준말)) =항공로(航空路). ¶ ~로 en avión, por vía aérea. ~로 마드리드로 향하다 ir a [salir para] Madrid en avión.

공론(公論) opinión *f* pública.

공론(空論) argumento *m* vano.

공룡(恐龍) dinosaurio *m*.

공리(公利) interés *m* público.

공리(公理) axioma *m*.

공리(功利) utilidad *f*.

공리(空理) teoría *f* vacía.

공리공론(空理空論) teoría *f* inaplicable [irrealizable], razonamiento *m* vacío [falto de base]. ~에 흐르다 perderse en vanas elucubraciones.

공립(公立) institución *f* pública. ~의 público, comunal; [시립의] municipal; [주립의] provincial; [국립의]

nacional, estatal, de Estado. ~ 학교 escuela *f* pública.

공막(鞏膜) ((해부)) esclerótica *f*. ~염 esclerotitis *f*.

공매(公賣) subasta *f*, venta *f* pública. ~에 붙이다 sacar a [vender en] subasta pública. ¶ ~ 처분 (disposición *f* por) la venta pública.

공맹(孔孟) Confucio y Mencio. ~의 가르침 enseñanza *f* de Confucio y Mencio. ¶ ~지도(之道) doctrinas *fpl* de Confucio y Mencio.

공명(功名) hazaña *f*. ~심 ambición *f* (de distinguirse), deseo *m* de distinguirse, deseo *m* de destacarse, aspiración *f*. ~심이 많다 tener sed de fama, tener muchas ansias de fama, tener mucha ambición de fama. ~욕 deseo *m* de buscar la hazaña.

공명(共鳴) ① [반향] eco *m*, resonancia *f*, repercusión *f*. ~하다 resonar. ② [공감] simpatía *f*. ~하다 compartir la opinión, simpatizar.

공명 선거(公明選擧) elecciones *fpl* limpias.

공명정대(公明正大) justicia *f*, imparcialidad *f*, equidad *f*. ~하다 (ser) justo, imparcial, equitativo. ~하게 justamente, imparcialmente, con imparcialidad, equitativamente.

공명하다(公明ー) (ser) limpio, justo, imparcial. 공명함 limpieza *f*. 공명한 선거 elecciones *fpl* limpias. 공명한 정치 política *f* limpia.

공모(公募) subscripción *f* pública. ~하다 subscribir en público, invitar en público. 사원을 ~하다 reclutar empleados públicamente. 주식을 ~하다 ofrecer acciones a subscripción pública, colocar acciones en el mercado.

공모(共謀) conspiración *f*, confabulación *f*, conchabanza *f*. ~하다 conspirar, confabularse, conchabarse. ~자 cómplice *mf*; conspirador, -dora *mf*; confabulador, -dora *mf*.

공무(工務) obras *fpl* de ingeniería. ~국 departamento *m* de imprenta. ~소 oficina *f* de imprenta.

공무(公務) servicio *m* público, negocios *mpl* oficiales [públicos]. ~원 funcionario *m* (público), funcionaria *f* (pública). ~원 주택 vivienda *f* para funcionarios. ~ 집행 ejercicio *m* de las funciones oficiales.

공문(公文) ((준말)) =공문서(公文書).

공문서(公文書) documento *m* oficial. ~ 위조 falsificación *f* de escritura pública.

공미(供米) arroz *m* a los Budas.

공민(公民) ciudadano *m*.

공민권(公民權) derecho *m* civil. ~을 박탈하다 despojar el derecho civil.

공박(攻駁) refutación *f*, ataque *m*. ~하다 refutar, atacar.

공밥(空-) comida *f* gratuita.

공방(工房) taller *m*.

공방(攻防) ataque *m* y defensa, ofensiva *f* y defensiva. ~전 batalla *f* (de) ofensiva y defensiva.

공배(空排) ((바둑)) blanco *m*. ~를 서로 메우다 rellenarse el blanco (uno a otro).

공배수(公倍數) múltiplo *m* común.

공백(空白) ① =여백. ¶~의 페이지 página *f* blanca [en blanco]. ~을 메우다 llenar el blanco. ② [아무것도 없이 빔] vacío *m*, cavidad *f*, hueco *m*. 권력의 ~ vacío *m* de poder. 정치적 ~ interregno *m*.

공범(共犯) ① [두 사람 이상이 공모하여 죄를 범함] complicidad *f*. ② ((준말)) =공범자. ¶~ 관계 complicidad *f*. ~자 cómplice *mf*. coautor, -tora *f* (de un delito). ~죄 complicidad *f*.

공법(公法) derecho *m* público, ley *f* pública. ~학 (estudio *m* de) ley *f* pública. ~학자 publicista *mf*.

공병(工兵) ingeniero *m* militar. ~대 cuerpo *m* de ingenieros. ~ 학교 Escuela *f* de Ingeniería.

공병(空瓶) botella *f* vacía.

공보(公報) boletín *m* público, noticia *f* pública, periódico *m* público, comunicación *f* pública; [홍보] información *f* pública, publicidad *f*. ~에 의하면 según la noticia pública. ~로 발표하다 publicar en el boletín público. ¶~관 informador, -dora *mf*. ~부 Ministerio *m* de Información Pública. ~부 장관 ministro, -tra *f* de Información Pública. ~ 비서 secretario, -ria *mf* de prensa. ~실 Oficina *f* de la Información Pública. ~원 Centro *m* de la Información Pública. ~처 Agencia *f* de la Información Pública.

공복(公僕) servidor *m* público.

공복(空腹) ① [아침이 되어 아직 아무 것도 안 먹은 배] estómago *m* vacío. ~이다 tener el estómago vacío. ~을 채우다 llenar el estómago vacío. ~을 먹은 지 오랜 시간이 지난 빈 속] estómago *m* vacío. ③ [배고픔] hambre *f*. ~이다 tener hambre. ~을 느끼다 sentir hambre.

공부(工夫) estudio *m*; [레슨] lección *f*, clase *f*; [시련] experiencia *f*. ~하다 estudiar, aprender, trabajar, hacer el estudio. ~방 (gabinete *m* de) estudio *m*. ~ 벌레 empollón, -llona *mf*. ~ 시간 hora *f* de estudio.

공분(公憤) indignación *f* pública; [민중의 분노] cólera *f* pública. ~을

느끼다 estar moralmente indignado.

공분모(公分母) ((수학)) =공통 분모.

공비(工費) coste *m* [*AmL* costo] de construcción [de obras].

공비(公費) gastos *mpl* públicos, expensas *fpl* públicas, desembolso *m* público. ~로 a expensas públicas, a gastos públicos.

공비(共匪) guerrillas *fpl* comunistas. ~를 소탕하다 barrer [reducir] las guerrillas comunistas.

공사(工事) obra *f* (de construcción), (trabajos *mpl* de) construcción *f*. ~하다 construir. ~중이다 estar de obra, estar en construcción. 다리가 ~ 중이다 El puente está en construcción. ~중 ((게시)) En obras / En construcción. ¶~ 담당자 encargado, -da *mf* de obras. ~비 gastos *mpl* de construcción. ~장 lugar *m* de obras. ~지 terreno *m* de obras. ~판[현상] lugar *m* de la construcción.

공사(公私) ① [공공의 일과 사사로운 일] lo oficial [lo público] y lo privado. ~를 혼동하다 confundir lo oficial [lo público] con lo privado, mezclar el interés público con el privado. ② [관청과 민간] la oficina gubernamental y el pueblo. ③ [사회와 개인] la sociedad y el individuo.

공사(公事) ① =공무(公務). ② [공공에 관계되는 사무] trabajo *m* público.

공사(公使) ministro, -tra *mf*. ~를 파견하다 enviar (a) un ministro. ¶~관(館) legación *f*. ~관원(館員) funcionario, -ria *mf* de la legación; [집합적] personal *m* de la legación.

공사(公社) corporación *f* pública.

공사(空士) ((준말)) =공군사관학교.

공사(空事) =헛일.

공사립(公私立) la institución pública y la institución privada.

공사채(公社債) bono *m*. ~ 발행 emisión *f* de bonos.

공산(工産) ((준말)) =공산물. ¶~물 productos *mpl* industriales. ~품 productos *mpl* industriales.

공산(公算) posibilidad *f*, probabilidad *f*. ···할 ~이 크다 Es muy posible que + *subj* / Hay mucha posibilidad de que + *subj*.

공산(共産) propiedad *f* común; [공산주의] comunismo *m*. ~국가 país *m* comunista. ~군 Ejército *m* Comunista. ~권 bloque *m* comunista. ~당 partido *m* comunista. ~당 기관지 órgano *m* del partido comunista. ~당원 comunista *mf*. ~주의 comunismo *m*. ~주의 국가 país *m* comunista. ~주의자 comunista *mf*.

공산(空山) montaña *f* inhabitada, monte *m* inhabitado. ~ 명월 luna *f* brillante en la montaña solitaria.

공상(工商) ① [공업과 상업] la industria y el comercio. ② [장색과 상인] el artesano y el comerciante.

공상(公傷) herida *f* sufrida en [durante] el trabajo, herida *f* de servicio.

공상(空想) fantasía *f*, ensueño *m*, ensoñación *f*, imaginación *f*, ilusión *f*, quimera *f*. ~하다 imaginar, figurarse, representarse en la mente. ~에 잠기다 soñar despierto, fantasear, hacerse ilusiones, entregarse a la imaginación, estar en las nubes, estar en el limbo, pensar en [mirar] las musarañas. ¶~가 soñador, -dora *mf*, utopista *mf*, visionario, -ria *mf*. ~ 과학 소설 ficción *f* científica, novelaficción *f* científica, cienciaficción *f*. ~ 과학 소설가 novelista *mf* de ficción científica. ~ 과학 영화 película-ficción *f* científica. ~적 imaginario, fantástico, fabuloso, quimérico.

공생(共生) ((생물)) simbiosis *f*, comensalismo *m*. ~의 simbiótico, de simbiosis. ~ 식물 comensal *m*.

공석(公席) reunión *f*, mitin *m*. ~에서 en el público, oficialmente.

공석(空席) puesto *m* vacante [desocupado], asiento *m* desocupado, plaza *f* vacante. [결원] vacante *f*. ~의 vacante. ~을 메우다 llenar [cubrir] una vacante.

공선(公選) ① [공평한 선거] elección *f* imparcial. ② [일반 국민에 의한 선거] elección *f* pública, elección *f* por votación popular. ~하다 elegir públicamente, elegir por sufragio general, elegir por votación (popular).

공설(公設) instalación *f* pública. ~의 público; [시립의] municipal. ~ 기관 institución *f* pública. ~ 시장 mercado *m* público. ~ 운동장 estadio *m* público

공세(攻勢) ofensiva *f*, agresión *f*. ~를 취하다 tomar la ofensiva. ~로 바꾸다 pasar (de repente) a la ofensiva. 평화 ~를 시작하다 emprender [desencadenar] una ofensiva de paz.

공소(公訴) procesamiento *m*, comparecencia *f* ante el juez, proceso *m* criminal, acción *f* pública, acción *f* criminal. ~하다 entablar una acción pública (ante el tribunal). ~권 autoridad *f* de procesamiento. ~권 남용 abuso *m* de la autoridad de procesamiento. ~ 기각

desestimación *f* del procesamiento. ~ 시효 prescripción *f* de la acción penal o del delito. ~ 시효 기간 término *m* de prescripción de la acción penal. ~ 유지 mantenimiento *m* del procesamiento. ~장 acta *f* de acusación, escrito *m* del procesamiento. ~ 제기 realización *f* del procesamiento.

공손하다(恭遜一) (ser) cortés, urbano, bien criado, respetuoso, ceremonioso. 공손히 cortésmente, urbanamente, respetuosamente, con respeto, con reverencia. 공손히 거절하다 rehusar cortésmente. 공손히 굴다 humillarse, mostrarse humilde, portarse con deferencia. 공손히 인사하다 hacer una reverencia respetuosa.

공수(攻守) ataque *m* y defensa, ofensiva *f* y defensiva. ~ 동맹 alianza *f* ofensiva y defensiva, alianza *f* de ofensa y defensa.

공수(空手) manos *fpl* vacías.

공수래 공수거(空手來空手去) ((불교)) Se nace con las manos vacías y se muere con las manos vacías.

공수(空輸) ((준말)) =항공 수송. ¶~하다 transportar por aire [por vía aérea]. ~ 부대 tropas *fpl* aerotransportadas, unidad *f* aerotransportada; [낙하산 부대] tropas *fpl* paracaidistas. ~ 작전 operaciones *fpl* aerotransportadas.

공수병(恐水病) hidrofobia *f*, rabia *f*. ~에 걸리다 rabiar, padecer la enfermedad llamada rabia. ¶~ 환자 rabioso, -sa *mf*.

공수표(空手票) ① =부도 수표. ② [빈말] promesa *f* vacía [vana].

공순하다(恭順一) (ser) sumiso, dócil, obediente.

공술(空一) vino *m* gratuito, licor *m* gratuito.

공술(供述) declaración *f*, deposición *f*, confesión *f*. ~하다 deponer, testificar, confesar. 유리한 [불리한] ~을 하다 prestar una declaración favorable [desfavorable]. ¶~서 declaración *f* escrita. ~인 declarante *mf*.

공습(空襲) ataque *m* [bombardeo *m*] aéreo, ataque *m* por cielo. ~하다 atacar por cielo, bombardear. ~의 contra un ataque aéreo. ~ 경보 alarma *f* antiaérea [del raid aéreo]. ~ 경보를 발하다 dar la alarma [la señal] de bombardeo. ~ 경보를 해제하다 tocar la sirena (que indica el final del bombardeo).

공시(公示) publicidad *f*, anuncio *m* [aviso *m*] público, noticia *f* oficial. ~하다 anunciar públicamente, publicar, hacer público; [법규를] promulgar. ~가 valor *m* declarado. ~ 방법 forma *f* de la noticica oficial. ~ 송달 notificación *f* mediante la noticia oficial, citación *f* por edictos. ~ 지가(地價) precio *m* sobre el valor de la tierra. ~ 최고 requerimiento *m* público.

공식(公式) ① [관청의 의식] ceremonia *f* oficial. ② [공적인 방식] oficialidad *f.* ~의 oficial. 비~의 no oficial, extraoficial. ③ [틀에 박힌 말] formalidad *f.* ~의 formal. ④ ((수학)) fórmula *f.* ¶~ 방문 visita *f* oficial; [국가 원수의] visita *f* de estado. ~ 성명 ㉮ comunicado *m* oficial. ㉯ [신문 발표의] comunicado *m* de prensa. ~ 승인 adhesión *f.* ~ 시합 partido *m* regular; [선수권 시합] combate *m* por el título. ~어 ㉮ [여러 사람이 다 함께 두루 쓰는 말] idioma *f* oficial. ㉯ =표준어(標準語). ~ 용어 términos *mpl* oficiales. ~적 oficial. ~적으로 oficialmente, de manera oficial, de modo oficial.

공신(公信) confidencia *f* [confianza *f*] pública. ~력 confianza *f* pública.

공신(功臣) súbdito *m* [vasallo *m*] meritorio.

공쌓다(功-) hacer méritos.

공안(公安) seguridad *f* pública. ~ 경찰 policía *f* de seguridad.

공알 ((해부)) clítoris *m.*

공약(公約) promesa *f* pública, compromiso *m* oficial; [선거의] promesas *fpl* electorales; [정당의] plataforma *f.* ~하다 prometer públicamente [oficialmente]. ~수(數) ((수학)) divisor *m* común.

공약(空約) promesa *f* vana.

공양(供養) ① [웃어른에게 음식을 대접함] servicio *m* al mayor. ~하다 servir (la comida) al mayor. ② ((불교)) [부처 앞에 음식물을 올림] ofrenda *f* de la comida a Buda. ~하다 ofrecer la comida a Buda, hacer ofrecimiento a Buda. ③ ((불교)) [중이 음식을 먹는 일] comida *f* de los monjes. ~하다 tomar la comida (los monjes). ④ ((불교)) [불공을 드리는 일] oficios *mpl* al difunto, misa *f* al difunto. ~하다 hacer ofrecimiento al difunto, celebrar un oficio [un servicio] por el descanso del alma. ~을 드리다 ㉮ ofrecer la comida a Buda. ㉯ hacer ofrecimiento al difunto, celebrar un oficio [un servicio] por el descanso del alma. ¶~미 arroz *m* ofrecido a Buda. ~주 el [la] que da limosnas al templo budista.

공언(公言) declaración *f* (pública), manifestación *f.* ~하다 declarar públicamente [abiertamente], manifestar.

공언(空言) palabra *f* vana, mentira *f.*

공얻다(空-) obtener gratuitamente, obtener gratis.

공업(工業) industria *f.* ~의 industrial. 탈 ~ 사회 sociedad *f* postindustrial. ¶~계 círculo *m* industrial, mundo *m* industrial. ~ 고등학교 escuela *f* secundaria técnica, instituto *m* [colegio *m*] técnico [laboral]. ~국 país *m* industrial. ~ 도시 ciudad *f* industrial. ~ 디자이너 diseñador, -dora *mf* industrial. ~ 디자인 diseño *m* industrial. ~용 uso *m* industrial; [부사적] para la industria. ~ 용수 el agua *f* industrial. ~ 원료 materia *f* prima industrial. ~ 의장 diseño *m* industrial. ~ 제품 productos *mpl* industriales. ~ 지대 zona *f* industrial. ~ 폐수 vertidos *mpl* industriales, aguas *fpl* residuales industriales. ~ 학교 escuela *f* politécnica, escuela *f* tecnológica. ~화 industrialización *f.* ~화하다 industrializar.

공업(功業) ① [공적이 현저한 사업] servicio *m* meritorio, logro *m.* 과학에서의 ~ logro *m* científico. ② [큰 공로] gran mérito *m.*

공여(供與) suministro *m,* abastecimiento *m.* ~하다 suministrar, proporcionar, abastecer.

공역(工役) obras *fpl* públicas.

공역(公役) servicio *m* público.

공역(共譯) traducción *f* en equipo [en colaboración]. ~하다 traducir en equipo. ~자 cotraductor, -tora *mf.*

공연(公演) función *f,* representación *f* (pública). ~하다 funcionar, dar una representación [una función].

공연(共演) función *f* colectiva. ~하다 cooperar en la función teatral. 무대 [영화]에서 A와 ~하다 actuar con A en el escenario [en la película]. ¶~자 coactor, -triz *mf.*

공염불(空念佛) hipocresía *f,* conversaciones *fpl* vacías.

공영(公營) administración *f* pública. ~의 público; [시립의] municipal, (도립의) provincial. ~ 방송 transmisión *f* pública. ~ 선거 elecciones *fpl* públicas. ~ 주택 viviendas *fpl* públicas.

공영(共榮) prosperidad *f* mutua.

공예(工藝) arte *m* industrial, artefacto *m,* tecnología *f.* ~의 industrial, tecnológico, politécnico. ~가 artesano, -na *mf,* artista *mf* de artes menores; tecnólogo, -ga *mf.* ~품 producto *m* industrial, artículos *mpl* elaborados, objeto *m* de arte (aplicada) [de artesanía · de artes menores]. ~학 tecnología *f,* técnica *f,* politécnica *f.*

공용(公用) ① [공적인 용무·사무] negocios *mpl* oficiales, negocios *mpl* públicos, servicio *m* [uso *m*] público. ~의 oficial, público. ② = 공비(公費). ③ [국가나 공공 단체가 사용하는 일] uso *m* común. ~하다 usar en común. ¶ ~물 objetos *mpl* para el uso público. ~어 idioma *m* oficial. ~ 여권 pasaporte *m* oficial.

공용(共用) uso *m* común. ~하다 compartir, usar en común. ~의 수도 el agua *f* corriente de uso común. 우물을 ~하다 usar el pozo en común. ¶ ~물 propiedad *f* pública.

공원(工員) obrero, -ra *mf*.

공원(公園) parque *m*; [작은 공원] plazuela *f*. 국립 ~ Parque *m* Nacional. 도립 ~ Parque *m* Provincial.

공유(公有) propiedad *f* pública, posesión *f* pública. ~의 de posesión pública, público; [시읍면] comunal, municipal. ~물 propiedad *f* pública; [자산] bienes *mpl* públicos. ~수면 aguas *fpl* comunes. ~ 재산 propiedad *f* pública, bienes *mpl* comunales. ~지 terreno *m* público. ~ 지분(持分) cuota *f*.

공유(共有) copropiedad *f*, propiedad *f* común. ~하다 poseer en común, poseer colectivamente, tener como propiedad común. ~자 copropietario, -ria *mf*. ~ 재산 propiedad *f* común. ~지 terreno *m* de propiedad común.

공으로(空一) gratuitamente, gratis, de balde, sin pagar. 옷을 ~ 얻다 obtener la ropa gratuitamente.

공의(公醫) doctor *m* público, médico *m* público; doctora *f* pública, médica *f* pública.

공이 mano *f* de mortero, majador *m*, pilón *m*.

공이치기 percusor *m*, percutor *m*.

공익(公益) interés *m* público, bien *m* público, utilidad *f* pública. ~ 기업 [사업] empresa *f* [obra *f*] de utilidad pública. ~ 단체 corporación *f* pública. ~ 법인 persona *f* jurídica de utilidad pública.

공익(共益) interés *m* común.

공인(公人) hombre *m* (al servicio del) público; [공직에 있는 사람] oficial *m* público, oficiala *f* pública..

공인(公印) sello *m* oficial.

공인(公認) reconocimiento *m* [autorización *f* · aprobación *f*] oficial; [기록의] homologación *f*. ~하다 reconocer [aprobar] oficialmente, autorizar; [스포츠의 기록을] homologar. ~의 reconocido, aprobado, autorizado, legalizado. ~ 기록

récord *m* oficialmente reconocido, marca *f* oficial. ~ 중개사 agente *m* inmobiliario autorizado, agente *f* inmobiliaria autorizada.

공인수(公因數) factor *m* común.

공일(空一) trabajo *m* gratuito. ~하다 trabajar gratuitamente.

공일(空日) día *m* festivo, día *m* feriado, día *m* de fiesta, día *m* de descanso; [일요일] domingo *m*.

공임(工賃) paga *f*, jornal *m*, (gasto *m* de la) mano *f* de obra.

공자(公子) noble *m* joven, príncipe *m* joven.

공자(孔子) ((인명)) Kong-Fu-Tse, Confucio. 공자 앞에서 문자 쓴다 ((속담)) No es necesario predicar a un sabio.

공작(工作) ① [토목·건축·제조 등에 관한 일] labor *f*, operación *f*, gestión *f*. ~하다 laborar, obrar, maniobrar, gestionar. ② [어떤 목적을 위하여 미리 꾸미어 계획하거나 준비함] maniobra *f*. ~하다 [정계 따위에서] hacer gestiones subrepticias, hacer maniobras políticas. ~금 fondos *mpl* de operación. ~ 기계 máquina *f* herramienta. ~ 기계공 maquinista *mf*; operario, -ria *mf*. ~선 buque *m* factoría. ~창 taller *m*.

공작(孔雀) ((조류)) pavo *m* real.

공작(公爵) duque *m*. ~ 부인 duquesa *f*.

공작석(孔雀石) ((광물)) malaquita *f*.

공장(工匠) artesano, -na *mf*.

공장(工場) fábrica *f*, factoría *f*; [수공업적인 작은 공장] taller *m*. ~을 설립하다 instalar una fábrica. ¶ ~ 가격 costes *mpl* de fabricación. ~도 franco *m* en fábrica. ~도 가격 precios *mpl* de fábrica, precios *mpl* franco fábrica. ~장 director, -tora *mf* de fábrica; jefe, -fa *mf* de fábrica. ~주 propietario, -ria *mf* de la fábrica. ~ 지대 zona *f* industrial. ~ 폐수 처리 장치 planta *f* de tratamiento de aguas residuales [negras] de fábrica.

공저(公邸) residencia *f* oficial.

공저(共著) colaboración *f*. A와 ~한 escrito en colaboración con A. ¶ ~자(者) coautor, -tora *mf*; colaborador, -dora *mf*.

공적(公的) público, oficial. ~으로 en público, públicamente, oficialmente. ~인 일 misión *f* oficial, asunto *m* oficialmente confiado. ~인 장소 lugar *m* [sitio *m*] público.

공적(公敵) enemigo *m* público.

공적(功績) mérito *m*, acto *m* meritorio; [공헌] contribución *f*. ~을 세우다 realizar un hecho mérito, prestar un servicio distinguido.

공전(工錢) pago *m*, sueldo *m*.

공전(公轉) ((천문)) revolución *f*. ~하다 girar recorriendo *su* órbita, hacer *su* revolución, dar vueltas (alrededor del sol).

공전(空前) lo inaudito. ~의 sin precedentes, inaudito, sin antecedentes en *su* historia. ~의 대성공 éxito *m* fenomenal.

공전(空轉) ① [공도는 일] funcionamiento *m* en vacío, movimiento *m* en vacío; [차륜의] patinazo *m*. ~하다 mover [funcionar] en vacío, patinar. ~시키다 funcionar en vacío. 바퀴가 ~하고 있다 Las ruedas están patinando. ② [일이나 행동이 헛되이 진행됨] argumento *m* vano, círculo *m* vicioso, razonamiento *m* circular. ~되다 caer en un círculo vicioso, dar una y otra vuelta al asunto sin llegar a conclusión alguna.

공정(工程) proceso *m*, procedimiento *m*. ~ 관리control *m* de proceso.

공정(公正) justicia *f*, equidad *f*, imparcialidad *f*, rectitud *f*. ~하다 (ser) justo, equitativo, imparcial. ~하게 en [con·según] justicia, justamente, justo, equitativamente, imparcialmente. ~한 재판 juicio *m* justo. ¶ ~ 가격 precio *m* justo. ~ 거래 comercio *m* justo. ~ 거래 위원회 Comisión *f* de Comercio Justo. ~ 기록 récord *m* justo. ~ 증서 el acta *f* [contrato *m*] notarial, escritura *f* pública.

공정(公定) decisión *f* pública. ~의 oficial, público, legal. ~ 가격 precio *m* oficial [público]. ~ 시세 cotización *f* oficial. ~ 이율 tipo *m* [tasa *f*] de interés oficial. ~ 할인율 redescuento *m* oficial, tasa *f* de descuento. ~ 환율 tipo *m* de cambio oficial.

공정 부대(空挺部隊) tropas *fpl* aerotransportadas.

공제(共濟) ayuda *f* [asistencia *f*] mutua. ~ 조합 asociación *f* de socorros mutuos, sociedad *f* mutualista, masonería *f*.

공제(控除) reducción *f* (de antemano); [급료 등에서] .deducción *f*; [세금의] cantidad *f* libre (de impuestos). ~하다 reducir de antemano, deducir.

공조(共助) cooperación *f*, asistencia *f* mutua. ~하다 ayudar [asistir] mutuamente, cooperar.

공존(共存) coexistencia *f*. ~하다 coexistir.

공적(功績) mérito *m* (y demérito). ~가 상반한다 Los méritos son casi iguales a los deméritos.

공주(公主) infanta *f*, princesa *f*.

공준(公準) ((수학)) postulado *m*.

공중(公衆) público *m*, gente *f*. ~의 público. ~의 앞에서 en público, a la vista de la gente. ~의 이익 interés *m* público. ~의 이익을 위하여 en el beneficio público, para el provecho público, por el bien público. ¶ ~ 도덕 moralidad *f* pública. ~ 목욕탕 baño *m* público. ~ 변소 servicios *mpl*. ~ 위생 higiene *f* [sanidad *f*] pública. ~ 전화 teléfono *m* público. ~ 전화 박스 cabina *f* del teléfono público.

공중(空中) aire *m*, espacio *m*, cielo *m*. ~의 aéreo, atmosférico, espacial. ~에 en [por] el aire [el espacio·el cielo]. ~을 날다 volar por [en] el aire. ¶ ~ 곡예 acrobacia *f* aérea. ~ 납치 secuestro *m* aéreo. ~ 납치하다 secuestrar (un avión). ~ 납치범 pirata *m* aéreo, pirata *f* aérea; secuestrador, -dora *mf*. ~ 누각 castillo *m* aéreo. ~ 누각을 짓다 hacer castillos en el aire. ~ 사진 aerofoto *f*, fotografía *f* aérea.. ~ 수송 transportación *f* aérea [por el aire]; [공군에 의한] puente *m* aéreo. ~ 전 batalla *f* aérea, combate *m* aéreo. ~제비 voltereta *f*, pirueta *f* [salto *m*] en el aire; ((체조)) salto *m* mortal; [비행기의] pirueta *f* aérea. ~ 촬영 fotografía *f* aérea. ~ 촬영하다 hacer una fotografía aérea. ~ 충돌 choque *m* en vuelo. ~ 충돌하다 chocar en vuelo. ~ 폭격 bombardeo *m* aéreo, raid *m* aéreo. ~ 폭격하다 bombardear por aire [por avión], bombear. ~ 활주 vuelo *m* sin motor. ~ 회전 ((스키)) slalom *m* aéreo.

공증(公證) el acta *f* notarial, autenticación *f*, autentificación *f*, notaría *f*. ~하다 autenticar, autorizar, dar fe pública, *Chi* notariar. ~의 notarial, escribanil. ~된 notariado *f*. ~료 honorarios *mpl* notariales. ~ 문서 el acta *f* notarial. ~인 notario, -ria *mf*; notario *m* público, notaría *f* pública; *RPI* escribano, -na *mf*. ~인 사무소 notaría *f*, oficina *f* de notarios.

공지(共知) conocimiento *m* público. ~하다 conocer juntos. ~ 사항 asuntos *mpl* públicos.

공지(空地) ① [빈 터·빈 땅] terreno *m* sin construir, terreno *m* vacío, *AmL* terreno *m* baldío, solar *m*. ② [하늘과 땅] el cielo y la tierra.

공지(空紙) ① [백지] papel *m* blanco. ② [쓸데없는 종이] papel *m* inútil.

공직(公職) función *f* pública, cargo *m* oficial [público], puesto *m* oficial. ~에 있다 ocupar un puesto oficial. ¶ ~ 생활 carrera *f* pública. ~자 oficial *m* [funcionario *m*] público.

공진(共振) resonancia *f*, simpatía *f*.

공진회(共進會) feria *f*, exposición *f*.

공짜(空) lo gratuito. ~의 gratuito. ~로 gratis, gratuitamente.

공차(公差) diferencia *f* común.

공차(空車) [빈 차] vehículo *m* vacío, coche *m* vacío; [빈 택시] taxi *m* libre; ((게시)) Libre.

공창(工廠) arsenal *m*.

공창(公娼) prostituta *f* autorizada. ~ 제도 prostitución *f* autorizada.

공채(公債) bono *m* (público), empréstito *m* (público). ~를 발행하다 emitir bonos.

공책(空冊) cuaderno *m*; [작은] libreta *f*, cuadernillo *m*.

공처(恐妻) sumisión *f* a *su* esposa. ~가 calzonazos *m*, bragazas *m*, marido *m* dominado por *su* mujer.

공천(公薦) recomendación *f* pública; [정당의] nominación *f* (pública). ~ 하다 recomendar públicamente, nominar públicamente. ~ 입후보자 candidato *m* autorizado [oficial], candidata *f* autorizada [oficial].

공청(公廳) oficina *f* gubernamental, oficina *f* pública. ~회 audición *f* pública. ~회를 열다 dar una audición pública.

공출(供出) ofrecimiento *m* del arroz al gobierno. ~하다 ofrecer el arroz al gobierno.

공치기 juego *m* de pelota.

공치다(空) ① [동그라미를 그리다] dibujar un círculo, marcar un cero (0). ② [맞히지 못하다] no dar (en el blanco). ③ [허탕치다] hacer esfuerzos vanos.

공치사(功致辭) admiración *f* de *sus* propios méritos, elogios *mpl* [alabanzas *fpl*] de *sí* mismo. ~하다 elogiarse a *sí* mismo, alabarse [jactarse] de *sus* méritos.

공치사(空致辭) gratitud *f* [apreciación *f*] de palabras vanas. ~하다 dar gracias con palabras vanas.

공칭(公稱) nombre *m* oficial. ~의 nominal. ~ 자본(금) capital *m* nominal.

공탁(供託) depósito *m* de fianza, consignación *f*. ~하다 depositar fianza, dar fianza. ~금 fianza *f*, depósito *m*. ~자 depositante *mf*.

공터(空) =공지(空地).

공통(共通) lo común. ~의 común, general, público. ~의 이해를 가지다 tener unos intereses comunes. ¶~ 분모 denominador *m* común, común denominador *m*. ~성 comunidad *f*. ~ 인수 factor *m* común. ~점 punto *m* común.

공판(公判) juicio *m*, audiencia *f* pública (de una causa). ~에 회부 하다 llevar [someter] a juicio. ¶~ 기록 el acta *f* [registro *m*] de audiencia pública. ~ 기일 día *f* fija para el juicio. ~ 절차 procedimiento *m* en el juicio. ~정 tribunal *m*.

공판장(共販場) mercado *m* conjunto.

공편(共編) coredacción *f*. ~하다 coredactar. ~자 coredactor, -tora *mf*.

공평(公平) equidad *f*, imparcialidad *f*; [정당함] justicia *f*. ~하다 (ser) equitativo, imparcial, justo.

공포(公布) promulgación *f*, publicación *f*, anuncio *m*. ~하다 promulgar, publicar, anunciar. 법률의 ~ promulgación *f* de la ley. 법령을 ~하다 promulgar un decreto.

공포(空胞) ((생물)) vacúola *f*.

공포(空砲) ① [실탄을 재지 않고 쏨] cartucho *m* sin bala, cañonazo *m* descargado. ~를 쏘다 disparar sin bala, batir a cañonazo vacuo. ② [위협하려고 공중에 쏨] disparo *m* al aire. ~를 쏘다 hacer un disparo al aire.

공포(恐怖) terror *m*, horror *m*, espanto *m*, pavor *m*, miedo *m*, temor *m*. ~의 대상 pánico *m*. ~에 사로잡힌 lleno de miedo. ~에 질린 눈으로 con los ojos llenos de espanto. ~에 사로잡히다 sobrecogerse de terror. ~를 느끼게 하다 infundir [causar] terror, aterrar, aterrorizar. ~에 떨다 temblar de horror, morirse de miedo.

공표(-標) =동그라미표.

공표(公表) declaración *f* oficial, proclamación *f*, publicación *f*, anuncio *m* al público. ~하다 anunciar oficialmente [al público], publicar, proclamar.

공학(工學) ingeniería *f*, tecnología *f*. ~ 박사 doctor, -tora *mf* en ingeniería.

공학(共學) coeducación *f*, educación *f* mixta [mezclada].

공한(公翰) carta *f* oficial.

공항(空港) aeropuerto *m*; [비행장] aeródromo *m*. ~에 도착하다 llegar al aeropuerto. 인천 국제 ~ Aeropuerto *m* Internacional de Incheon.

공해(公海) alta mar *f*, aguas *fpl* internacionales. ~ 상에서 어업하다 pescar en aguas internacionales, pescar fuera de las aguas territoriales.

공해(公害) contaminación *f* (ambiental), contaminación *f* del medio ambiente, polución *f* (ambiental). ~병(病) enfermedad *f* ocasionada [causada] por la contaminación. ~ 산업 industria *f* de las contaminaciones ambientales.

공허감(空虛感) sentido *m* de vacuidad, sentimiento *m* vacío.

공허하다(空虛-) (ser) vacío, vacuo,

hueco, insustancial, insulso.

공헌(貢獻) contribución f, servicios mpl. ~하다 contribuir, rendir [prestar] servicios. 사회에 ~하다 contribuir a la sociedad. ¶~자 contribuidor, -dora f.

공화(共和) harmonía f universal, gobierno m republicano, republicanismo (공화제). ~의 republicano. ~국 república f. ~당 partido m republicano. ~당원 republicano, -na mf. ~제(도) régimen m [sistema m] republicano del gobierno, republicanismo.

공황(恐慌) pánico m, crisis f económica.

공회당(公會堂) salón m público.

공훈(功勳) =공로(功勞). 훈공(勳功). ¶혁혁한 ~ hazaña f brillante. ~을 세우다 realizar una hazaña [una acción meritoria].

공휴일(公休日) día m feriado, día m de fiesta, día m festivo (regular).

곶 [갑(岬)] cabo m; [바위가 많은] promontorio m.

곶감 caqui m [kaki m] secado.

과 ① [받침 있는 체언 뒤에서] y; [i-와 hi-로 시작되는 단어 앞에서 발음의 중복을 피하기 위하여] e. 형~ 아우 hermano m mayor y hermano menor. 말~ 소 el caballo y la vaca. 딸~ 아들 hija f e hijo. ② [받침 있는 체언에 붙어] y, e. 이 책~ 저 책 este libro y aquél. 그 것~ Es igual a eso. ③ [받침 있는 체언에 붙어, 함께 함을 나타내는 부사격 조사] con, junto con. 김 군~ 같이 가다 ir (junto) con Kim.

과(果) ① [나무 열매] fruto m. ② =결과(resultado). ③ ((불교)) sáns phala.

과(科) ① [연구 분야를 분류한 소구분] curso m, sección f, departamento m. 서반아어 ~ departamento m de español. 초등~ curso m elemental. ② ((생물)) [목(目)의 아래, 속(屬)의 위] familia f, orden f. 소나뭇~ familia f de pino. 포유류~ orden f de mamíferos.

과(課) sección f; [학과] lección f. ~장(長) jefe, -fa mf de sección. 제1~ primera lección f. 제3~ lección tres [tercera]. 회계~ sección f de contabilidad.

과감하다(果敢一) (ser) audaz, atrevido, intrépido, decisivo, radical. 과감한 개혁 reforma f radical. 과감히 audazmente, decisivamente, radicalmente, drásticamente. 과감히 공격하다 lanzar ataques denodados.

과객(過客) ① [지나가는 길손] transeúnte mf. ② [과객질하는 나그네] caminante mf.

과거(科擧) examen m estatal [del Estado].. ~에 급제하다 salir bien [tener éxito] en el examen estatal.

과거(過去) ① [지나간 때] pasado m. ~의 pasado. ~에(는) en el pasado, anteriormente. ~10년간 durante [por] diez años pasados. ~를 잊다 olvidar lo pasado. ② ((불교)) =전세(前世). ③ ((언어)) pretérito m. ¶~ 분사 participio m pasado. ~사 lo pasado. ~를 잊읍시다 Lo pasado, pasado / Olvidemos lo pasado. ~ 완료 pretérito m pluscuamperfecto.

과격(過激) lo radical. ~하다 (ser) radical; [과도하다] excesivo; [극단적이다] extremo. ~한 사상 ideas fpl exaltadas, ideología f radical. ~한 운동 ejercicio m excesivo. ¶~ 분자 elemento m radical [extremista]. ~주의 extremismo m, radicalismo m. ~주의자(主義者) extremista mf, radical mf. ~파 facción f radical [extremista].

과녀(寡女) viuda f.

과녁 blanco m. ~에 맞다, ~을 쏘다 dar en [acertar] el blanco, atinar al blanco. ~을 맞추다 hacer blanco. ~을 겨냥하다[조준하다] apuntar al blanco. ¶~판 diana f.

과년(瓜年) edad f pubescente. ~한 딸 hija f casadera [en edad de casarse]. ¶~이 차다 ser de edad de casarse, ser casadero.

과년하다(過年一) pasar la edad de casarse. 과년한 딸 hija f que pasa la edad de casarse.

과다(過多) exceso m, demasía f, sobra f, superabundancia f. ~하다 (ser) excesivo, demasiado. ¶~ 노출 sobreexposición f. ~ 노출하다 sobreexponerse.

과단(果斷) decisión f rotunda, juicio m rápido. ~성 resolución f (rápida), decisión f (rotunda), determinación f rápida, determinación f pronta. ~성 있는 resuelto, decidido, determinado. ~성 있는 조치를 취하다 tomar medidas rápidas.

과당(果糖) ((화학)) fructosa f.

과당(過當) exceso m. ~하다 (ser) excesivo. ~하게 en exceso, con exceso, excesivamente. ~한 요구 demanda f excesiva. ~ 경쟁 competencia f desenfrenada [excesiva].

과대(過大) demasiada grandeza f. ~하다 (ser) demasiado grande, excesivo, exagerado, extravagante.

과대(誇大) exceso m, exageración f. ~하다 (ser) excesivo, exagerado, demasiado, desmesurado. ~하게 excesivamente, demasiado, con exageración. ~한 값 precio m exagerado. ~한 요구 demanda f

excesiva. ¶ ~ 광고 anuncio *m*
bombástico [sensacionalista]. ~ 망
상 falsa ilusión *f* expansiva, deli-
rios *mpl* de grandeza. ~ 망상증
megalomanía *f*. ~증 환자 mega-
lómano, -na *mf*; megalomaníaco,
-ca *mf*. ~ 평가 estimación *f* excesiva, sobreestimación *f*.

과도(果刀) cuchillo *m* para frutas.

과도(過渡) transición *f*. ~기 período
m [época *f*] de transición, período
m transitorio. ~ 정부 gobierno *m*
transitorio.

과도하다(過度—) (ser) excesivo, demasiado. 과도한 공부 estudio *m*
excesivo. 과도한 음주 bebida *f*
excesiva, exceso *m* en la bebida.

과두 정치(寡頭政治) oligarquía *f*.

과락(科落) suspensión *f* de una
asignatura de muchas asignaturas.
~하다 suspender [*AmL* ser re-
probado] una asignatura.

과로(過勞) trabajo *m* excesivo, agotamiento *m* causado por el exceso
de trabajo. ~하다 agotarse [fati-
garse] por el exceso de trabajo,
trabajar demasiado. ~로 쓰러지다
caer enfermo por (el) exceso de
trabajo [a fuerza de trabajar].

과료(科料) ((법률)) multa *f* (ligera).
10만 원의 ~에 처하다 [과하다]
poner [imponer] una multa de cien
mil wones.

과립(顆粒) ① [알갱이] grano *m*. ②
((화학)) granulación *f*, gránulo *m*.

과만(瓜滿) llegada *f* a la edad de
casarse. ~하다 llegar a la edad
de casarse.

과명(科名) nombre *m* de la familia.

과목(果木) árbol *m* frutal.

과목(科目) asignatura *f*. 교양 ~
asignatura *f* de cultura. 선택 ~
asignatura *f* opcional. 필수 ~
asignatura *f* obligatoria.

과묵하다(寡黙—) (ser) callado, silencioso, taciturno, hablar poco.

과문하다(寡聞—) tener poca experiencia.

과물(果物) fruta *f*. ~전 frutería *f*.

과민(過敏) nerviosidad *f*, hiperestesia
f. ~하다 ser excesivamente sensitivo. ~증 eretismo *m*, hipersensibilidad *f*, enfermedad *f* alérgica.

과밀(過密) lo abarrotado, superpoblación *f*. ~하다 (ser) superpobla-
do, abarrotado, atestado. ~ 도시
ciudad *f* superpoblada. ~ 인구
superpoblación *f*. ~ 지역 el área *f*
abarrotada.

과반(過半) la mayor parte, mayoría
f. ~수 mayor número *m*, mayoría
f. ~수를 얻다 obtener la mayoría.
~수를 점하고 있다 estar en ma-
yoría, tener una mayoría.

과부(寡婦) viuda *f*. ~의 viudal. ~가

되다 enviudar, quedar viuda. 평생
을 ~로 지내다 quedar viuda toda
la vida. ¶ ~ 생활 viudez *f*, viudedad *f*, vida *f* viudal.

과부족(過不足) exceso y [o] falta. ~
없이 sin exceso ni falta, acerta-
mente, ni más ni menos, precisamente; [적당하게] en *su* punto, a
propósito, convenientemente.

과산화(過酸化) ((화학)) peróxido *m*.
~물 peróxidos *mpl*.

과세(過歲) celebración *f* del Año
Nuevo. ~하다 celebrar el Año
Nuevo.

과세(課稅) imposición *f* [fijación *f*]
de impuestos, tasación *f*. ~하다
imponer [gravar · cargar] con un
impuesto. ~율 tipo *m* impositivo.
~ 표준 norma *f* impositiva. ~품
artículos *mpl* [sujetos *mpl*] a
impuestos.

과소(過小) demasiada pequeñez *f*. ~
하다 (ser) demasiado pequeño. ~
평가 subestimación *f*. ~평가하다
desestimar, subestimar.

과소(過少) demasiada poquedad *f*. ~
하다 (ser) demasiado poco.

과소비(過消費) consumo *m* muy
excesivo. ~를 하다 consumir excesivamente [demasiado].

과속(過速) exceso *m* de velocidad.
~으로 가다 ir a exceso de
velocidad. 그녀는 ~으로 벌금을
물었다 La multaron por exceso de
velocidad. ¶ ~ 딱지 multa *f* por
exceso de velocidad. ~ 방지턱
guardia *m* tumbado, badén *m*,
Méj, *Arg* tope *m*, *Col* policía *m*
acostado, *Chi* baden *m*, *RPI* lomo
m de burro.

과수(果樹) (árbol *m* frutal. ~의 ~
재배 cultivo *m* de frutas, fruticul-
tura *f*. ¶ ~원 huerta *f*, vergel *m*.

과수(寡守) viuda *f*.

과시(誇示) ostentación *f*, jactancia *f*.
~하다 ostentar, hacer ostentación,
alardear, hacer alarde. 부(富)를 ~
하다 ostentar [hacer ostentación
de] *sus* riquezas.

과식(過食) comida *f* excesiva, demasiada comida *f*, comida *f* con
exceso, exceso *m* de [en] la
comida. ~하다 comer demasiado,
comer excesivamente, comer en
[con] exceso, sobrecargar el estómago, excederse en comer, sobre-
alimentarse.

과신(過信) confianza *f* equivocada,
confianza *f* excesiva. ~하다 confiar demasiado, tener demasiada
confianza, dar demasiado crédito.

과실(果實) fruta *f*. ~용 칼 cuchillo
m de [para] frutas. ~ 한 조각
una (pieza de) fruta. 깨진 ~ fruta
f rota. 싱싱한 ~ fruta *f* fresca. 썩

은 ~ fruta *f* podrida. 익은 ~ fruta *f* madura. 풋 ~ fruta *f* verde. ¶~ 가게 frutería *f*. ~밭 huerta *f*. ~ 상인 frutero, -ra *mf*. ~ 접시 (plato *m*) frutero. ~주 vino *m* [licor *m*] de frutas. ~즙 zumo *m* [*AmL* jugo *m*] de frutas.

과실(過失) falta *f*, equivocación *f*, error *m*, culpa *f*. ~의 erróneo. ~로 por equivocación [descuido · inadvertencia]. ~의 경중 gravedad *f* de culpa. ~을 범하다 cometer un error, cometer un error. ¶~ negligencia *f* (criminal). ~사 muerte *f* accidental. ~죄 crimen *m* accidental. ~ 치사 muerte *f* accidental, homicidio *m* accidental [involuntario]. ~ 치사죄 homicidio *m* accidental.

과언(過言) exageración *f*. …라 말해도 ~은 아니다 No es (una) exageración decir que + *ind*.

과업(課業) [학과] lección *f*; [할일] tarea *f*, deberes *mpl*. ~을 실행하다 llevar a cabo *su* tarea.

과연(果然) ciertamente, en realidad, verdaderamente, claro. ~ 그렇다 Eso es / Claro que sí / Sí, por cierto / Exacto.

과열(過熱) recalentamiento *m*, calentamiento *m* excesivo, calefacción *f* excesiva. ~하다 recalentarse, calentar demasiado, calentar excesivamente. 엔진이 ~되었다 El motor se calienta excesivamente / El motor se quemó.

과오(過誤) error *m*, equivocación *f*, falta *f*; [종교나 도덕상의] pecado *m*; [범죄] delito *m*. ~를 범하다 equivocar, faltar, cometer una falta, cometer una falta, incurrir en un error.

과외(課外) estudio *m* extraordinario. ~ 수업 clase *f* extracurricular. ~ 지도 orientación *f* extracurricular. ~ 활동 actividades *fpl* extracurricular, actividades *fpl* fuera del programa de estudios.

과욕(過慾) [권력이나 돈에 대한] avaricia *f*, codicia *f*; [음식에 대한] gula *f*, glotonería *f*, angurria *f*. ~하다 (ser) avaricioso, avariento; glotón. ~으로 con avaricia, con gula, con glotonería. ~은 모든 악의 근원 ((서반아 속담)) La avaricia es la raíz de todos los males.

과용(過用) gastos *mpl* excesivos. ~하다 gastar demasiado, gastar en exceso. 돈을 ~하다 gastar demasiado dinero, derrochar dinero.

과육(果肉) ① [과일과 고기] la fruta y la carne. ② [과일의 살] sarcocarpio *m*, carne *f* de la fruta.

과음(過飲) bebida *f* excesiva. ~하다 beber demasiado.

과인산(過燐酸) superfosfato *m*.

과일 fruta *f* (comible). ☞과실(果實). ¶~ 바구니 cesta *f* para frutas.

과잉(過剩) exceso *m*, sobra *f*, superabundancia *f*, superfluidad *f*, excedente *m*. ~의 excesivo, demasiado, excedente, superfluo. ~ 보호 protección *f* excesivo. ~ 보호하다 proteger demasiado [excesivamente], sobreproteger. ~ 생산 exceso *m* de producción, superproducción *f*, sobreproducción *f*. ~ 생산하다 sobreproducir, producir en exceso. ~ 인구 superpoblación *f*. ~ 충성 devoción *f* excesiva. ~ 투자 inversión *f* excesiva.

과자(菓子) [단 것] dulce *m*, caramelo *m*; [캔디] dulce *mpl*, golosinas *fpl*, cara- melos *mpl* [개인용 조각 캔디] dulce *m*, caramelo *m*. ~점 confitería *f*, pastelería *f*, dulcería *f*. ~점 주인 dulcero, -ra *mf*; confitero, -ra *mf*; pastelero, -ra *mf*.

과장(誇張) exageración *f*, ponderación *f*. ~하다 exagerar, ponderar, hiperbolizar, pintar. ~된 exagerado, ponderativo, hiperbólico.

과장(課長) jefe, -fa *mf* de sección.

과적(過積) cargo *m* excesivo, sobrecarga *f*. ~하다 cargar excesivamente, sobrecargar.

과점(寡占) monopolio *m* parcial [de unos pocos], oligopolio *m*. ~하다 monopolizar.

과정(科程) ((준말)) ☞학과 과정.

과정(過程) proceso *m*, etapa *f*, desarrollo *m*, curso *m*. …의 ~에서 en el proceso [en el transcurso · en el curso] de *algo*. 진화의 ~ el proceso de la evolución. 몰락의 ~에 있다 estar en el curso de decadencia.

과정(過政) ((준말)) ☞과도 정부.

과정(課程) curso *m*.; [전과정] plan *m* de estudios, programa *m* de estudio), currículo *m*, *AmL* currículum *m*. ~을 끝내다 terminar un curso. ¶~표 horario *m* de clases.

과제(課題) ① [제목] tema *m*, asunto *m*, sujeto *m*, tesis *f*. ② [숙제] trabajo *m* a domicilio; [학생의] deberes *mpl*, trabajo *m* escolar; [연습 문제] ejercicios *mpl*. ③ [해결할 문제] cuestión *f*, problema *m*. ¶~장 cuaderno *m* (de ejercicios).

과중(過重) perponderancia *f*, sobrepeso *m*. ~하다 ⑦ [너무 무겁다] (ser) demasiado pesado. ④ [힘에 벅차다] (ser) muy excesivo, demasiado pesado, muy pesado, sobrecargado, ser una carga. ~한 노동 trabajo *m* muy excesivo.

과즙(果汁) zumo *m* [*AmL* jugo *m*]

de frutas.
과찬(過讚) alabanzas *fpl* excesivas, elogios *mpl* excesivos. ~하다 elogiar excesivamente, hacer elogio excesivo.
과채(果菜) ① [과일과 채소] las frutas y las verduras. ② [열매 채소] verduras *fpl* frutales.
과태료(過怠(料) recargo *m* (por incumplimiento de pago), multa *f* por incumplimiento de pago.
과테말라 ((지명)) Guatemala. ~의 (사람) guatemalteco, -ca *mf*.
과포화(過飽和) sobresaturación *f*.
과표(課標) ((준말)) =과세 표준.
과피(果皮) cáscara *f* de las frutas.
과하다(科—) imponer, condenar, cargar. 형을 ~ imponer una pena.
과하다(課—) imponer, cargar, asignar, infligir. 관세를 ~ imponer derechos aduaneros. 벌금을 ~ imponer una multa, multar. 세금을 ~ gravar [cargar] con un impuesto.
과하다(過—) ser excesivo, exceder(se). 과한 일을 하다 excederse en *sus* facultades. 과한 짓을 하다 excederse a *sí* mismo.
과히(過—) ① [너무 지나치게] demasiado, excesivamente. 술을 ~ 마시다 beber demasiado. 음식을 ~ 먹다 comer demasiado. ② [그다지] [부정문] (no) … muy, (no) … mucho. ~ 크지 않다 No es muy grande. ~ 덥지 않다 No hace mucho calor.
과학(科學) ciencia *f*. ~의 científico. 기초 ~ ciencias *fpl* básicas. ¶ ~계 mundo *m* científico, círculos *mpl* científicos. ~ 기술 técnica *f* científica. ~ 기술 용어 términos *mpl* técnicos y científicos. ~ 기술처 Ministerio *m* de Ciencia y Tecnología. ~ 기술처 장관 ministro, -tra *mf* de Ciencia y Tecnología. ~ 소설 ficción *f* científica. ~자 científico, -ca *mf*, hombre *m* de ciencia. ~ 잡지 revista *f* científica. ~적 científico.
곽(槨) ataúd *m* [féretro *m*] exterior.
곽란(癨亂) convulsión *f* intestinal.
관(冠) ((역사)) corona *f*, sombrero *m*. ~을 쓰다 ponerse la corona, coronarse. ~을 씌우다 coronar.
관[1](貫) ((준말)) =본관(本貫).
관[2](貫) [무게의 단위] *gwan*, 3.75 kg.
관(棺) ataúd *m*.
관(款) ((법률)) artículo *m*.
관(管) ① [몸피가 둥글고 길며 속이 빈 물건] tubo *m*, pipa *f*, caño *m*, conducto *m*; [집합적] tubería *f*; [가스 · 수도의] cañería *f*. ~을 설치하다 entubar. ② ((악기)) flauta *f* de bambú negro.
관(館) ① ((준말)) =성균관. ② ((준말)) =왜관(倭館). ③ [서울에서 쇠고기를 전문으로 팔던 가게] carnicería *f*. ④ [고급 음식점] restaurante *m* de lujo.
관(觀) templo *m* del taoísmo.
관가(官家) edificio *m* público, oficina *f* regional.
관개(灌漑) irrigación *f*, riego *m*. ~하다 irrigar, regar. ~ 공사 obra *f* de irrigación. ~ 용수(用水) riego *m*. ~ 용수로 acequia *f*, reguera *f*.
관객(觀客) espectador, -dora *mf*; [집합적] público *m*. ~석 asiento *m*; [집합적] sala *f*.
관건(關鍵) ① [문빗장] cerrojo *m*, pasador *m*, pestillo *m*. ② [핵심] punto *m* principal, pivote *m*.
관계(官界) mundo *m* oficial, círculos *mpl* oficiales. ~에 들어가다 entrar en el mundo oficial.
관계(關係) ① [관련] relación *f*, conexión *f*. ~가 있는 correspondiente, concerniente. ~가 있다 [서로] relacionarse, conexionarse. 학력 유무에 ~없이 tenga o no tenga título académico. ② [사이. 교제] relación *f*. 작가와 독자의 ~ relaciones *fpl* del escritor con sus lectores. ~를 맺다 establecer relaciones. 외교 ~를 끊다 romper las relaciones diplomáticas (con un país). ③ [육체적 관계] relaciones *fpl* carnales [sexuales]. ~를 갖다 tener relaciones sexuales. ④ [관여] participación *f*. ~하다 participar, tomar parte, asociarse. ⑤ [영향] influencia *f*. ~하다 [영향을 미치다] influir, tener [ejercer] influencia, afectar. 날씨 ~로 debido al tiempo. 더위 ~로 debido al calor que hace. ⑥ ((언어)) relación *f*. ¶ ~ 당국 autoridades *fpl* concernientes. ~ 대명사 pronombre *m* relativo. ~ 부사 adverbio *m* relativo. ~사 relativo *m*. ~없다 ㉮ [상관없다] no importar. 나는 ~없다 No me importa. ㉯ [염려할 것 없다] no preocuparse ~없이 sin preocupaciones. ~자 interesado, -da *mf*, persona *f* interesada. ~절 oración *f* relativa. ~ 형용사 adjetivo *m* relativo. ~ 회사 compañía *f* asociada.
관공리(官公吏) funcionario, -ria *mf*.
관공서(官公署) oficinas *fpl* gubernamentales y públicas, organizaciones *fpl* públicas.
관광(觀光) turismo *m*. ~하다 ir a visitar los lugares de interés, visitar. ~ 가이드 [책] guía *f* turística; [사람] guía *mf* de turismo, *Méj* guía *mf* de turistas. ~객 turista *mf*, visitante *mf*. ~단 grupo *m* de turistas. ~ 버스 autobús *m* de turismo, autocar *m* de turismo.

~ 비자 visado *m* turístico, visa *f* turística, visa *f* de turismo, visa *f* de turista. ~ 시설 instalaciones *fpl* turísticas. ~ 안내 ㉮ [책] guía *f* turística. ㉯ [사람] guía *mf* de turismo, *Méj* guía *mf* de turistas. ~ 안내소 oficina *f* de (información y) turismo. ~ 열차 tren *m* de turismo. ~ 자원 atracción *f* turística, recursos *mpl* turísticos, fuente *f* de turismo. ~지 centro *m* turístico. ~지도 mapa *m* turístico. ~ 코스 ruta *f* turística. ~ 호텔 hotel *m* turístico. ~ 회사 compañía *f* turística.

관구(管區) distrito *m* de jurisdicción; [교회의] parroquia *f*.

관군(官軍) tropas *fpl* gubernamentales.

관권(官權) autoridad *f* del gobierno. ~을 남용하다 abusar de la autoridad del gobierno.

관극(觀劇) ida *f* al teatro. ~하다 ir al teatro, ir a ver la obra (de teatro), ir a ver la pieza (teatral).

관급(官給) suministro *m* gubernamental.

관기(官妓) *kisaeng f* gubernamental.

관기(官紀) disciplina *f* oficial, moral *f* oficial, disciplina *f* burocrática. ~문란 corrupción *f* de la disciplina oficial. ~숙정 aplicación *f* de la disciplina oficial.

관내(管內) jurisdicción *f*. A의 ~에 dentro de la jurisdicción de A.

관념(觀念) [생각] idea *f*, [개념] concepto *m*, noción *f*, intención *f*. 시간의 ~이 없다 no tener noción del tiempo. ¶ ~론 idealismo *m*. ~론자 idealista *mf*. ~성 idealidad *f*. ~ 소설 novela *f* ideológica. ~주의 idealismo *m*. ~주의자 idealista *mf*. ~학 ideología *f*. ~학자 ideólogo, -ga *mf*.

관능(官能) sensualidad *f*, voluptuosidad *f*; [육체의 기능] funciones *fpl* orgánicas. ~미 belleza *f* sensual. ~적 sensual, voluptuoso. ~주의 sensualismo *m*.

관대(寬大) generosidad *f*, indulgencia *f*, magnanimidad *f*. ~하다 (ser) generoso, magnánimo. ~하게 generosamente, con generosidad. ~한 조치 medida *f* indulgente.

관등(官等) rango *m* oficial. ~ 성명 *su* rango y nombre.

관등(觀燈) *Kwandeung*, Fiesta *f* de Lámparas, fiesta *f* del aniversario del nacimiento de Buda. ~절 la Fiesta de Lámparas. ~회 reunión *f* para la Fiesta de Lámparas.

관람(觀覽) visita *f*, espectáculo *m*. ~하다 visitar, mirar, inspeccionar. ~객 espectador, -dora *mf*. ~권 billete *m* de entrada. ~료 entrada

f. ~석 asiento *m*, localidad *f*, tribuna *f*, palco *m*. ~자 espectador, -dora *mf*.

관련(關聯) relación *f*, conexión *f*, referencia *f*. ~하다 relacionarse, tener relación. ~ 산업 industria *f* relacionada. ~성 relación *f*, relevancia *f*, importancia *f*.

관례(慣例) costumbre *f*, tradición *f*, usanza *f*, uso *m*, práctica *f*; [선례] precedente *m*. ~에 따라 según la costumbre, como de costumbre, conforme a los precedentes.

관록(官祿) sueldo *m* oficial.

관록(貫祿) dignidad *f*. ~이 있는 digno, majestuoso. ~이 있는 사람 hombre *m* de dignidad. ~이 있는 실업가 negociante *mf* influyente. ~을 보이다 mostrar (la) dignidad.

관료(官僚) burocracia *f*; [사람] burócrata *mf*. ~의 burocrático. ~기질 burocratismo *m*. ~ 사상 burocracia *f*, burocratismo *m*. ~ 사회 burocracia *f*. ~적 burocrático. ~주의 burocracia *f*, burocratismo *m*. ~파 burócratas *mf*; círculos *mpl* burocráticos.

관리(官吏) funcionario, -ria *mf* (del Estado); funcionario *m* público, funcionaria *f* pública. ~ 근성 burocracia *f*.

관리(管理) dirección *f*, administración *f*, gestión *f*, superintendencia *f*, gerencia *f*, control *m*, supervisión *f*, manejo *m*; [보관] custodia *f*. ~하다 dirigir, administrar, gestionar, controlar, supervisar, custodiar. ~비 gastos *mpl* de gerencia, gastos *mpl* administrativos. ~ 사무소 oficina *f* de administración. ~인 [회사 · 백화점의] director, -tora *mf*; gerente *mf*; [가게 · 식당의] gerente *mf*; encargado, -da *mf*; [재산의] administrador, -dora *mf*. ~직 cargo *m* de dirección, gerencia *f*.

관립(官立) establecimiento *m* oficial. ~의 establecido por el gobierno. ~ 학교 escuela *f* gubernamental.

관망(觀望) observación *f*. ~하다 observar.

관명(官名) título *m* oficial.

관모(冠毛) ((조류)) cresta *f*.

관목(灌木) ((식물)) arbusto *m*. ~림 arbustos *mpl*, matas *fpl*.

관문(關門) ① [국경이나 요새의 성문] puerta *f* del castillo. ② [지계(地界)에 세운 문] puerta *f* de los límites. ③ [적을 막기에 좋은 목] buen lugar *m* para vencer al enemigo. ④ [난관] barrera *f*, obstáculo *m*, dificultad *f*, paso *m* difícil.

관민(官民) el gobierno y el pueblo.

관변(官邊) =관변측.

관변측(官邊側) círculos *mpl* oficiales

[gubernamentales].

관병(官兵) =관군(官軍).

관병(觀兵) ① [군의 위력을 빛냄] esplendor *m* del poder militar. ② =열병. ¶~식 revista *f* (militar).

관보(官報) boletín *m* oficial.

관복(官服) uniforme *m* oficial.

관비(官費) expensas *fpl* del gobierno, gastos *mpl* gubernamentales. ~생 becario *m* gubernamental. ~ 유학 생 estudiante *m* enviado al extranjero por el gobierno.

관사(官舍) residencia *f* oficial.

관사(冠詞) ((언어)) artículo *m*. 부정 ~ artículo *m* indefinido. 정~ artículo *m* definido.

관상(管狀) forma *f* tubular. ~의 tubular, tubiforme, tubuloso. ~화 flor *f* tubular.

관상(觀相) fisonomía *f*, fisionómica *f*. ~의 fisionómico. ~가 fisiomista *mf*. ~학 fisonomía *f*, metoposcopia *f*. ~학자 fisonomista *mf*.

관상(觀象) observación *f* meteorológica. ~하다 hacer la observación meteorológica, observar el clima.

관상(觀賞) admiración *f*. ~하다 admirar la belleza. ~ 식물 planta *f* ornamental. ~조 el ave *f* ornamental. ~화 flor *f* ornamental.

관상 동맥(冠狀動脈) coronaria *f*.

관서(官署) oficina *f* gubernamental. 중앙 ~ oficinas *fpl* del gobierno central. 지방 ~ oficinas *fpl* del gobierno regional.

관선(官選) elección *f* oficial. ~의 elegido por el gobierno. ~ 변호사 abogado *m* de oficio.

관성(慣性) ((물리)) inercia *f*. ~의 법 칙 ley *f* de inercia.

관세(關稅) arancel *m*, tarifa *f* aduanera, derechos *mpl* aduanales. ~ 동맹 unión *f* aduanera. ~ 면세품 artículos *mpl* libres de impuestos. ~ 면세품 상점 tienda *f* libre de impuestos. ~ 및 무역에 관한 일반 협정 Acuerdo *m* General sobre Aranceles y Comercio, el Acuerdo GATT. ~율 tipo *m* de arancel, arancel *m*, tarifa *f* aduanera, tarifa *f* arancelaria. ~ 장벽 barrera *f* arancelaria, barrera *f* aduanera. ~ 전쟁 guerra *f* de tarifas. ~ 정책 política *f* arancelaria. ~ 제도 sistema *m* arancelario. ~ 조약 tratado *m* arancelario. ~청 Dirección *f* General de Aduanas. ~청 장 director, -tora *mf* de (de la Dirección General de) Aduanas. ~ 협 정 acuerdo *m* aduanero.

관세음보살(觀世音菩薩) diosa *f* budista de la merced.

관솔 nudo *m* resinoso del pino.

관수(官需) demanda *f* oficial.

관습(慣習) costumbre *f*, hábito *m*,

uso *m*, usanza *f*; [인습] convención *f*; [전통] tradición *f*. ~에 따라 según la costumbre. ~에 젖다 pegarse [someterse] a la costumbre. ¶~법 derecho *m* consuetudinario.

관심(關心) interés *m*. ~을 가지다 tener [sentir] interés, poner interés, interesarse, estar interesado. ¶~사 asunto *m* [cosa *f*] de interés [de importancia].

관아(官衙) oficina *f* gubernamental.

관악(管樂) música *f* (ejecutada) por el instrumento de viento. ~기 instrumento *m* de viento.

관여(關與) participación *f*, relación *f*. ~하다 participar, tomar parte. 경 영에 ~하다 participar en la administración.

관엽 식물(觀葉植物) planta *f* de follaje [de adorno].

관영(官營) nogociación *f* [empresa *f* · monopolio *m*] gubernamental [estatal · del gobierno · del Estado].

관옥(冠玉) ① [관 앞을 꾸미는 옥] jade *m* adornado en la parte delantera de la corona. ② [남자의 아름다운 얼굴] cara *f* hermosa del hombre.

관외(管外) ¶~의 fuera de la jurisdicción.

관용(官用) ① [관청의 용무] negocio *m* oficial [gubernamental · público · del gobierno · del Estado]. ② [관청의 사용] uso *m* público. ¶~차 vehículo *m* oficial.

관용(慣用) uso *m* (corriente). ~의 usual, acostumbrado, habitual. ~으로 por usanza. ¶~구 modismo *m*, locución *f*, frase *f* hecha. ~어 ㉮ [습관으로 쓰는 말] palabra *f* de uso establecido. ㉯ =관용구. ~ 표현 expresión *f* idiomática.

관용(寬容) tolerancia *f*, generosidad *f*, indulgencia *f*, magnanimidad *f*. ~ 하다 (ser) tolerante, generoso, indulgente, magnánimo. ~의 정신 espíritu *m* de tolerancia.

관운(官運) suerte *f* del rango oficial.

관원(官員) oficial, -la *mf* estatal; oficial *m* [funcionario *m*] público, oficiala *f* [funcionaria *f*] pública.

관위(官位) rango *m* oficial, posición *f* oficial, categoría *f* oficial.

관유(官有) propiedad *f* estatal. ~림 bosque *m* estatal.

관인(官印) sello *m* oficial.

관인(官認) autorización *f* oficial.

관인(寬忍) paciencia *f* con el corazón generoso. ~하다 tener paciencia con el corazón generoso.

관자(貫子) botones *mpl* de la cinta del pelo. ~놀이 sien *f*.

관작(官爵) el puesto oficial y el título.

관장(管掌) control *m*, manejo *m*. ~ 하다 controlar, manejar.

관장(館長) director, -tora *mf*; jefe, -fa *mf*. 박물~ director, -tora *mf* del museo.

관장(灌腸) irrigación *f*, lavativa *f*. ~ 하다 irrigar. ~기 lavativa *f*, irrigador *m*. ~액 irrigación *f*, enema *f*, lavativa *f*. ~제 lavativa *f*, enema *f*.

관재(管財) administración *f*. ~국 departamento *m* de administración. ~인 administrador, -dora *mf*; [청산인] liquidador, -dora *mf*.

관저(官邸) residencia *f* oficial. 대통령 ~ residencia *f* presidencial, palacio *m* presidencial.

관전(觀戰) observación *f*. ~하다 observar. 시합을 ~하다 observar [ver · asistir a] un partido. ¶ ~평 crítica *f* de observación.

관절(關節) articulación *f*, coyuntura *f*. ~의 articular. ~이 있는 articulado. ~을 삐다 dislocarse una articulación. ¶ ~ 경직 anquilosis *f*. ~낭 bolsa *f* articular. ~ 동물 animal *m* articulado. ~ 류머티즘 reumatismo *m* articular. ~병 artropatía *f*, artrosia *f*. ~ 신경통 neuralgia *f* articular. ~ 연골 cartílago *m* articular. ~염 artritis *f*, inflamación *f* de articulación. ~ 인대 ligamento *m* articular. ~통 artralgia *f*. ~학 artrología *f*, sinosteología *f*.

관점(觀點) punto *m* de vista. 경제적 ~ punto *m* de vista económico.

관제(官制) organización *f* gubernamental [del gobierno].

관제(官製) fabricación *f* gubernamental. ~의 hecho [fabricado] por el gobierno. ~ 데모 manifestación *f* inspirada por el gobierno. ~ 엽서 tarjeta *f* postal (del Estado), postal *f* (de Estado).

관제(管制) control *m*. ~관 controlador, -dora *mf* (del tráfico aéreo). ~탑 torre *f* de mando, torre *f* de control.

관조(觀照) ① ((불교)) meditación *f*. ~하다 meditar. ② [예술 작품을] contemplación *f*, observación *f*. ~하다 contemplar, observar. ③ ((미술)) intuición *f*.

관존민비(官尊民卑) respeto *m* a los oficiales y falta de respeto al pueblo.

관주(館主) amo, -ma *mf*; propietario, -ria *mf*; dueño, -ña *mf*.

관중(觀衆) [연극 · 영화의] espectadores *mpl*, público *m*; [콘서트 · 강의의] auditorio *m*, público *m*; [텔레비전의] audiencia *f*, telespectadores *mpl*. ~석 asiento *m* del público.

관직(官職) servicio *m* del gobierno, burocracia *f* oficial, puesto *m* oficial. ~을 받다 recibir un puesto oficial. ~을 떠맡다 asumir un cargo en el gobierno, entrar en la burocracia oficial.

관찰(觀察) observación *f*, examen *m*, estudio *m*, inspección *f*. ~하다 observar, examinar, estudiar, inspeccionar. ~사 gobernador *m*. ~ 자 observador, -dora *mf*.

관철(貫徹) logro *m*, consecución *f*, cumplimiento *m*, efectuación *f*, penetración *f*. ~하다 lograr, cumplir, efectuar, llevar a cabo. 방침을 ~하다 llevar a cabo *su* proyecto. 요구를 ~하다 persistir en *su* demanda.

관청(官廳) oficina *f* gubernamental.

관측(觀測) ① [자연 현상을] observación *f*. ~하다 observar. ② [관찰하여 추측함] ideas *fpl*, pensamiento *m*, opinión *f*. 희망적 ~ ilusiones *fpl*. 내 ~으로는 en mi opinión, en mi parecer. ¶ ~기 avión *m* de observación. ~기구 [기상용의] balón *m* de ensayo, globo *m* piloto, globo *m* sonda, radiosonda *f*. ~소 ㉮ estación *f* de observación, observatorio *m*. ㉯ ((군사)) puesto *m* de observación. ~ 오차 error *m* de observación. ~자 observador, -dora *mf*.

관통(貫通) penetración *f*. ~하다 penetrar, agujerear, traspasar. ~상 (傷) herida *f* penetrante.

관포지교(管鮑之交) relación *f* íntima.

관하(管下) jurisdicción *f*. ~의 bajo la jurisdicción.

관하다(關一) ① [대하다] referir (a). …에 관한 de, sobre, acerca de, referente a. …에 관해서 de, sobre, a propósito de, acerca de, en cuanto a, (con) respecto a [de]. ② [관계하다] afectar, relacionarse, tener relación.

관할(管轄) jurisdicción *f*, control *m*. ~하다 controlar, tener [ejercer] control [jurisdicción]. …의 ~ 아래 속하다 [속해 있다] caer [estar] bajo la jurisdicción de *algo*. ¶ ~ 관청 autoridad *f* competente. ~ 구역 [법원 등의] jurisdicción *f*; [활동 구역] zona *f* de la acción, distrito *m* de jurisdicción. ~권 jurisdicción *f*. ~권 다툼 disputa *f* jurisdiccional. ~ 범위 jurisdicción *f*. 법원 corte *f* competente, tribunal *m* competente. ~서 comisaría *f* competente. ~ 세무서 oficina *f* de impuestos del distrito.

관함식(觀艦式) revista *f* naval.

관행(慣行) práctica *f* tradicional. ~의 habitual, práctico.

관향(貫鄕) suelo *m* natal de *su*

primer antesesor.

관허(官許) permiso *m* gubernamental, licencia *f*. ~ 요금 precio *m* autorizado por el gobierno.

관헌(官憲) ① [관청의 법규] regulaciones *fpl* gubernamentales. ② = 관청. ③ =관리(policía).

관현악(管絃樂) ((合奏)) instrumentos *mpl* de viento y de cuerda.

관현악(管絃樂) música *f* de orquesta, música *f* orquestal. ~의 orquestal. ~으로 편곡하다 orquestar. ¶ ~단 (banda *f* de) orquesta *f*.

관혼(冠婚) ritos *mpl* para la mayoría de edad, ceremonia *f* de boda. ¶ ~상제 ritos *mpl* para la mayoría de edad, bodas, funerales y culto a los antepasados.

관화(官話) mandarina *f*.

관후장자(寬厚長者) persona *f* generosa y digna.

관후하다(寬厚−) (ser) generoso. 관후함 generosidad *f*. 관후하게 generosamente.

괄괄하다 ① [풀이 너무 세다] (ser) engomado, adhesivo, pegajoso. ② [성질이] (ser) viril, varonil, violento. 기질이 ~ tener un carácter violento.

괄목하다(刮目−) mirar atentamente.

괄선(括線) corchete *m*.

괄시(恝視) inhospitalidad *f*. ~하다 ser inhospitalario, maltratar.

괄약근(括約筋) ((해부)) esfínter *m*, (músculo *m*) constrictor *m*. ~의 esfinteral. 방광 ~ esfínter *m* de la vejiga. 요도 ~ esfínter *m* de la uretra. 입술 ~ esfínter *m* de los labios. 질 ~ esfínter *m* de la vagina. 항문 ~ esfínter *m* anal. 홍채 ~ esfínter *m* del iris.

괄태충(括胎蟲) ((동물)) babosa *f*.

괄호(括弧) paréntesis *mpl* (( )). paréntesis *mpl* cuadrados ([ ]), llaves *fpl* ({ }), comillas *fpl* (« »), paréntesis *mpl* dobles ((( ))).

광 cobertizo *m* de los trastos; [방] (cuarto *m*) trastero *m*; [다락방] desván *m*.

광[1](光) ((물리)) =빛(luz).

광[2](光) =광택(光澤)(lustre, brillo). ¶ ~을 내다 bruñir, dar brillo; [구두나 가구 따위를] lustrar, dar lustre; [금속을] pulir, pulimentar.

광각(光角) ((물리)) ángulo *m* óptico.

광각(光覺) ((심리)) sentido *m* óptico.

광각(廣角) ángulo *m* ancho, ángulo *m* extendido. ~ 렌즈 objetivo *m* de ángulo extendido.

광갱(鑛坑) mina *f*.

광검출기(光檢出器) fotodetector *m*.

광견(狂犬) perro *m* rabioso.

광견병(狂犬病) rabia *f*, hidrofobia *f*. ~ 공포증 lisofobia *f*. ~ 바이러스 virus *m* de rabia. ~ 예방 주사

inyección *f* preventiva contra rabia. ~ 환자 rabioso, -sa *mf*.

광경(光景) espectáculo *m*, escena *f*, vista *f*. 하늘에서 본 ~ vista *f* desde el cielo.

광고(廣告) [라디오나 텔레비전의] anuncio *m*, spot *m* (publicitario); *AmL* aviso *m*, *AmL* réclame *m*(*f*), *RPI* reclame *m*; [신문의] anuncio *m*, *AmL* aviso *m*; publicidad *f*, propaganda *f*. ~하다 anunciar, hacer publicidad, hacer propaganda, poner un anuncio, *AmL* hacer réclame, *RPI* hacer reclame. 신문 ~ publicidad *f* en la prensa, publicidad *f* en los periódicos. 옥외 ~ publicidad *f* exterior. 우편 ~ publicidad *f* por correo. 텔레비전 ~ publicidad *f* en la televisión. ¶ ~과 sección *f* de publicidad. ~등 anuncios *mpl* iluminosos. ~란 co- lumna *f* de publicidad. ~료 precio *m* publicitario [de anuncio], gastos *mpl* de (la) publicidad, tarifa *f* publicitaria, tarifas *fpl* de publicidad. ~ 모델 modelo *m* publicitario, modelo *f* publicitaria. ~ 방송 spot *m* publicitario. ~ 비용 coste *m* publicitario. ~ 비용 gastos *mpl* publicitarios [de publicidad]. ~사 agencia *f* de publicidad. ~주 anunciante *mf*. ~지 prospecto *m*. ~탑 torre *f* de anuncios. ~판 ㉮ [광고용 게시판] cartelera *f*, tablero *m* de anuncios. ㉯ [광고를 위한 간판] letrero *m*. ~ 회사 agencia *f* de publicidad. ~ 효과 eficacia publitaria.

광공업(鑛工業) industria *f* minera e industrial.

광구(鑛區) zona *f* minera.

광궤(廣軌) vía *f* ancha, *AmS* trocha *f* ancha; [유럽의] vía *f* normal. ~ 철도 ferrocarril *m* de vía ancha.

광기(狂氣) locura *f*, insanía *f*, demencia *f*. ~의 insano, loco. ~가 나다 enloquecer(se), volverse loco, perder la razón.

광꾼(鑛−) =광부(鑛夫).

광나다(光−) ① [빛이 나다] (ser) brillante. ② [윤이 나다] (ser) lustroso, ponerse lustroso; [종이가] glaseado, brilloso.

광내다(光−) pulir, lustrar, bruñir, pulimentar, dar brillo; [구두를] limpiar (el calzado). 광내는 걸레 trapo *m* para pulir, pulidero *m*.

광녀(狂女) (mujer *f*) loca *f*.

광년(光年) ((천문)) año-luz *m*.

광대 ① [연극이나 줄타기 또는 판소리를 하던 사람] *gwangdae*, acróbata *mf*, juglar *mf*; saltimbanqui *mf*; titiritero, -ra *mf*. ② ((낮춤말)) =연예인(演藝人). ¶ ~ 놀음 farsa *f*.

광대(廣大) amplitud f, inmensidad f, grandeza f. ~하다 (ser) amplio, extenso, vasto, inmenso, de gran extensión, de gran dimensión. ~한 지역의 area f inmensa. ~한 평원 llanura f extensa [vasta].

광대무변하다(廣大無邊一) (ser) limitado, infinito, incomensurable.

광대뼈 pómulo m. 불쑥 튀어나온 ~ juanete m.

광도(光度) grado m [intensidad f] de la luz, luminosidad f. ~계 fotómetro m. ~ 측정 fotometría f.

광독(鑛毒) polución f mineral.

광란(狂亂) delirio m, locura f, enloquecimiento m. ~하다 delirar, enloquecer(se), volverse (como) loco.

광량(光量) intensidad f de radiación. ~계 actinómetro m.

광력(光力) brillantez f; [촉광] bujía f.

광막하다(廣漠一) (ser) vasto, amplio, espacioso, muy grande. 광막함 vastedad f. 광막한 평원 llanura f que se extiende hasta perderse de vista.

광맥(鑛脈) yacimiento m, vena f, filón m. ~을 찾아내다 descubrir un yacimiento (mineral).

광명(光明) [빛] luz f, [희망] esperanza f. 전도에 ~을 보이다 encontrar una luz de esperanza en el futuro.

광목(廣木) tela f blanca de algodón.

광물(鑛物) mineral m, substancias fpl minerales. ~의 mineral. ~을 함유하다 mineralizarse. ¶~계 reino m mineral. ~유 aceite m mineral. ~ 자원 recursos mpl minerales. ~질 substancia f mineral. ~ 학 mineralogía f.

광배(光背) halo m, nimbo m.

광범위(廣範圍) amplitud f. ~하다 (ser) muy amplio, extenso, vasto, inmenso. ~한 지식 conocimiento m vasto [amplio y variado].

광복(光復) ① [빛나게 회복함] rehabilitación f, recuperación f brillante. ~하다 recuperar brillantemente. ② [잃었던 나라와 권력을 되찾음] restauración f de independencia. ~하다 recuperar [recobrar] su independencia. ¶~군 Ejército m de Independencia, Ejército m de Liberación. ~ 절 Día m de Independencia (Nacional).

광부(鑛夫) ((구칭))=광원(鑛員).

광분(狂奔) ① [미친 듯이 뛰어다님] el recurrir como loco. ~하다 matarse, afanarse, hacer esfuerzos desesperados, recurrir como un loco. 돈마련에 ~하다 recurrir a todos los medios para reunir el dinero. ② [미친 듯이 날뜀] el corretear como un loco. ~하다 andar dando vueltas como un

loco; [말 따위가] hacer salir en estampida [desbandada]. ③ [미친 듯이 달아남] huida f como un loco. ~하다 huir [escaparse · fugarse] locamente.

광분해(光分解) ((물리)) fotolisis f.

광산(鑛山) mina f. ~의 minero. ~기사 ingeniero m de minas. ~ 굴권 concesión f de mina, derechos mpl de mina. ~촌 villa f de mineros. ~ 회사 compañía f minera.

광산(鑛産) productos mpl minerales. ~물 producto m mineral. ~업 industria f mineral. ~ 업자 minero, -ra mf.

광상(鑛床) yacimiento m.

광상곡(狂想曲) rapsodia f.

광석(鑛石) mena f, mineral m (metalífero); [라디오의] cristal m.

광선(光線) luz f, rayo m. ~의 굴절 력 측정 dioptoscopia f. ~의 반사 reflejo m de la luz. ~이 잘 드는 방 habitación f soleada. ¶~ 요법 fototerapia f. ~ 피부염 fotodermititis f, actinodermatitis f.

광섬유(光纖維) fibra f óptica. ~ 통 신 comunicación f de fibra óptica.

광속(光束) haz m luminoso.

광속(光速) ((준말)) =광속도.

광속계(光束計) lumenímetro m.

광속도(光速度) velocidad f de luz.

광수(鑛水) el agua f mineral. 천연(天然) ~ el agua f mineral natural.

광시(狂詩) parodia f. ~곡 rapsodia f.

광신(狂信) fanatismo m religioso. ~하다 creer fanáticamente. ~도 creyente m fanático. ~자 fanático, -ca mf. ~적 fanático, santurrón, -ca mf. ~적으로 fanáticamente.

광야(廣野) campo m extenso.

광야(曠野) ① [아득하게 너른 벌판] llano m, llanura f, pradera f, páramo m. ② =황야(荒野).

광양자(光陽子) ((물리)) fotón m. ~ 의 anillo m de fotón.

광어(廣魚) ((어류))=넙치.

광업(鑛業) industria f minera [mineral], minería f. ~의 minero, -ral. ~가 minero, -ra mf. ~권 derecho m minero. ~소 oficina f minera. ~ 회사 compañía f minera.

광역(廣域) el área f ancha. ~시 megalópolis f.

광열(光熱) luz f y calor. ~비 gastos · mpl de luz y gas.

광영(光榮)=영광(榮光)(gloria).

광원(光源) fuente f luminosa.

광원(曠原)=광야(曠野).

광원(鑛員) minero, -ra mf.

광유(鑛油) ((준말)) =광물유(鑛物油).

광음(光陰) ① =세월. ¶~은 화살 같다 El tiempo corre [pasa] como una flecha. ② =때[1].

광의(廣義) sentido *m* amplio, sentido *m* alto. ~로(는) en sentido amplio. ~로 해석하다 interpretar en un sentido amplio.

광인(狂人) loco, loca *mf*.

광자(光子) ((물리)) =광양자(光量子).

광장(廣場) plaza *f*; [작은] plazuela *f*, plazoleta *f*; [도로・교차점의] glorieta *f*. 5월의 ~ Plaza *f* de Mayo.

광재(鑛滓) escoria *f*.

광적(狂的) lunático, loco, demente, chiflado; [광신적인] fanático. ~으로 como un loco, locamente, lunáticamente, dementemente.

광전관(光電管) célula *f* fotoeléctrica.

광전류(光電流) corriente *f* fotoeléctrica.

광전자(光電子) fotoelectrón *m*.

광전지(光電池) célula *f* fotovoltaica, célula *f* fotoeléctrica, fotocelda *f*, fotocélula *f*.

광전 효과(光電效果) efecto *m* fotoeléctrico.

광점(光點) punto *m* iluminoso, punto *m* radiante.

광주(鑛主) minero, -ra *mf*.

광주리 canasta *f*, cesto *m*, cesta *f*; [등에 지는] capacho *m*, capazo *m*.

광증(狂症) demencia *f*, locura *f*, insensatez *f*.

광차(鑛車) vagoneta *f*.

광채(光彩) ① [찬란한 빛] lustre *m*, brillantez *f*, brillo *m*, resplandor *m*. ~를 발하다 sobresalir, brillar, resplandecer. ② [빛의 무늬] figura *f* de la luz.

광천(鑛泉) manantial *m* (de agua mineral); [온천] termas *fpl*, balneario *m*; [광수] el agua *f* mineral.

광층(鑛層) capa *f* mineral.

광컴퓨터(光－) ordenador *m* óptico.

광태(狂態) extravagancia *f*, manera *f* escandalosa, proceder *m* ignominioso, escándalo *m*, conducta *f* loca. ~를 부리다 hacer una extravagancia, portarse de una manera escandalosa.

광택(光澤) lustre *m*, brillo *m*, ersura *f*, aguas *fpl*; [천이나 돌의] viso *m*. ~을 내다 dar lustre, sacar lustre, sacar brillo, dar brillo, lustrar, pulir, bruñir, pulimentar, satinar, glasear, vidriar, dar tersura y lustre. ~을 잃다 perder el lustre, deslustrarse. ¶ ~지 papel *m* satinado, papel *m* glaseado.

광통신(光通信) comunicaciones *fpl* ópticas.

광파(光波) onda *f* luminosa [de luz].

광포하다(狂暴－) (ser) furioso, atroz, frenético. 광포하게 con furia, furiosamente, frenéticamente.

광풍(狂風) borrasca *f*, tempestad *f*, tormenta *f*; [사이클론] ciclón *m*; [허리케인] huracán *m*; [태풍] tifón *m*.

광학(光學) óptica *f*. ~의 óptico. ~ 기계 aparatos *mpl* ópticos. ~ 망원경 telescopio *m* óptico. ~ 무기 [병기] el arma *f* óptica.

광합성(光合成) fotosíntesis *f*.

광행차(光行差) [천문] aberración *f*.

광화학(光化學) fotoquímica *f*.

광활하다(廣闊－) (ser) extenso, espacioso. 광활한 영토 territorio *m* extenso.

광휘(光輝) brillantez *f*, brillo *m*, esplendor *m*, gloria *f*.

광희(狂喜) alegría *f*, extremo júbilo *m*, extremo éxtasis *m*. ~하다 estar loco de alegría, arrebatarse de alegría.

괘념(掛念) preocupación *f*, aprensión *f*, miedo *m*, recelo *m*, temor *m*. ~하다 preocuparse, tener caso, tener en consideración, tener aprensión, tener miedo, recelar, temer. ~하지 않고 sin preocupar, sin consideración, sin hacer caso.

괘도(掛圖) tabla *f* [diagrama *m*] de pared, carta *f* hidrográfica de pared; [지도] mapa *m* de pared.

괘불(掛佛) ① [불교] [크게 그려 걸게 된 불상] estatua *f* grande de Buda colgante. ② [불교] [부처를 그린 그림을 높이 걺] el acción *f* de colgar alto el cuadro del Buda.

괘불탱(掛佛幀) =괘불(掛佛)❶.

괘선(罫線) pauta *f*, raya *f*, línea *f* (trazada). ~을 긋다 rayar, trazar líneas. ~을 그은 [긋지 않은] 종이 papel *m* rayado [no rayado].

괘씸하다 (ser) insolente, impertinente; indigno, vergonzoso; indecente, impudente, imperdonable.

괘종(掛鐘) (reloj *m*) despertador *m*.

괘지(罫紙) =인찰지(印札紙).

괜찮다 [별로 나쁘지 아니하다] no ser malo; [무방하다] estar seguro, estar libre de cuidados; [견고하다] estar sólido; [신뢰할 수 있다] ser digno de confianza; [상관없다] no importar, no preocuparse, no molestarse. 괜찮습니다 [상관없습니다] ¡No importa! ¡Qué importa!

괜하다 ((준말)) =공연하다. ¶괜한 소리 palabras *fpl* inútil. 괜한 욕 censura *f* infunda.

괜히 en vano, inútilmente, infructuosamente, gratuitamente, gratis. ~ 애쓰다 esforzarse en vano.

괭이¹ [땅을 파는] azada *f*; [큰] azadón *m*; [토끼 모양의] zapapico *m*. ~질 azadada *f*, azadazo *m*. ~하다 azadonar.

괭이² [동물] ((준말)) =고양이.

괭이잠 sueño *m* poco profundo.

괴괴망측하다(怪怪罔測－) (ser) raro, extraño, misterioso, grotesco. 괴괴망측한 일 cosa *f* extraña. 괴괴망

측한 풍설 rumor *m* escandaloso.
괴괴하다 (ser) silencioso, quieto, tranquilo, en calma, desierto. 괴괴한 거리 calle *f* tranquila.
괴금(塊金) pepita *f* de oro.
괴기 소설(怪奇小說) novela *f* misteriosa, novela *f* escalofriante.
괴기하다(怪奇-) (ser) grotesco, fantástico, misterioso, extraño. 괴기하게 grotescamente, fantásticamente, misteriosamente, extrañamente.
괴까다롭다 ① [문제가] (ser) difícil, peliagudo. ② [성미가] (ser) astuto, taimado.
괴까닭스럽다 =괴까다롭다.
괴나리 =괴나리봇짐.
괴나리봇짐 fardela *f*.
괴다¹ [우묵한 곳에 액체가 모이다] acumularse, amontonarse, estancarse. 괸 물 el agua muerta.
괴다² [발효하다] fermentar.
괴다³ ① [밑을 받쳐 안정하게 하다] apoyar. 손으로 턱을 ~ apoyar una mejilla en la mano. ② [음식 등을 차곡차곡 쌓아 올리다] amontonar, acumular.
괴다⁴ [유난히 귀엽게 사랑하다] mimar, amar.
괴담(怪談) cuento *m* de duende, cuento *m* de espectro, cuento *m* de fantasmas, historia *f* horrible, historia *f* horripilante.
괴도(怪盜) ladrón *m* misterioso.
괴란(壞亂) [풍속의] corrupción *f*, desmoralidad *f*, desmoralización *f*; [질서의] subversión *f*. ~하다 corromper, desmoralizar, viciar.
괴력(怪力) fuerza *f* extraordinaria [enorme · sobrenatural · maravillosa · hercúlea].
괴로움 turbación *f*, confusión *f*, disturbio *m*, aflicción *f*, pena *f*, dolor *m*, lo penoso, congoja *f*, calamidad *f*, pesadumbre *f*, amargura *f*. 이별의 ~ aflicción *f* de la despedida, pesadumbre *f* de la separación. ~을 겪다 apurarse, estar [verse] en aprietos [en apuros], sufrir un contratiempo, tener una experiencia amarga.
괴로워하다 sufrir, atormentarse, verse afligido, hallarse molestado, hallarse vejado. 아이 때문에 ~ penar por *su* hijo. 두통으로 ~ sufrir [padecer] (de) dolor de cabeza.
괴롭다 (estar) dolorido, afligido, desconsolado, atormentado, penoso, molesto, oneroso, faigoso, vejatorio, enojoso, fastidioso. 괴로운 문제 cuestión *f* penosa, problema *m* fatigoso. 세상사가 ~ fatigarse de la vida, hastiarse con la vida.
괴롭히다 molestar, agonizar, afligir, angustiar, fastidiar, importunar,

atormentar, torturar, mortificar, hacer sufrir, hacer las narices, apenar, impacientar, meterse; [격정시키다] preocupar, inquietar. 나를 괴롭히지 마라 No me agonices / No me molestes. 괴롭혀 드려서 죄송합니다 Siento mucho molestarle a usted.
괴뢰(傀儡) ① [꼭두각시] títere *m*. ② =망석중이. ③ =허수아비. ¶~군 ejército *m* títere. ~ 정권[정부] gobierno *m* títere.
괴리(乖離) disociación *f*, separación *f*, alejamiento *m*. 현실과 이상의 ~ disociación *f* de la realidad y el ideal.
괴멸(壞滅) destrucción *f*, demolición *f*, derribo *m*, ruina *f* total; [패배] derrota *f*; [전멸] aniquilamiento *m*. ~하다[되다] ser destruido, caer en la ruina, aniquilarse, destruirse, arruinarse. ~시키다 destruir, demoler, derribar, arruinar.
괴몽(怪夢) sueño *m* misterioso.
괴문(怪聞) rumor *m* extraño; [추문] escándalo *m*.
괴문서(怪文書) anónimo *m*, documento *m* mistetioso, documento *m* [folleto *m*] de fuente desconocida.
괴물(怪物) ① [괴상한 물체] monstruo *m*, fenómeno *m*, fantasma *m*, espíritu *m*. ~ 같은 monstruoso. ② [괴상한 사람] hombre *m* monstruo. 정계의 ~ esfinge *f* política.
괴발개발 con poca fluidez, descuidadamente, con dejadez, de cualquier manera, al azar. ~ 쓰다 escribir con poca fluidez. ~ 그리 다 escribir con poca fluidez.
괴벽(乖僻) excentricidad *f*. ~하다 (ser) excéntrico.
괴벽(怪癖) hábito *m* misterioso, costumbre *f* misteriosa.
괴변(怪變) accidente *m* extraña.
괴병(怪病) enfermedad *f* misteriosa.
괴불주머니 bolsa *f* ornamental con cuerda.
괴사(怪事) cosa *f* misteriosa, asunto *m* extraño, asunto *m* inexplicable; [불미스러운 일] evento *m* escandaloso [espantoso · extraño].
괴사(怪死) muerte *f* misteriosa. ~하 다 morir misteriosamente.
괴사(壞死) necrosis *f*, gangrena *f*.
괴상(怪狀) forma *f* misteriosa.
괴상망측하다(怪常罔測-) (ser) muy extraño.
괴상스럽다(怪常-) (ser) extraño.
괴상야릇하다(怪常-) (ser) muy raro, extraño. 괴상야릇한 표정 expresión *f* muy extraño.
괴상하다(怪常-) (ser) extaño, raro, peculiar, curioso, fantástico.
괴석(怪石) piedra *f* de la forma muy

extraña.

괴석(塊石) =돌멩이.

괴설(怪說) rumor *m* misterioso.

괴수(怪獸) bestia *f* monstruosa.

괴수(魁首) cabecilla *mf*.

괴이되다(怪異一) (ser) extraño, raro.

괴이찮다(怪異一) no ser extraño, no ser raro, ser natural.

괴이하다(怪異一) (ser) extraño, espectral, misterioso, fantástico, sobrenatural.

괴저(壞疽) gangrena *f*. ～에 걸리다 gangrenarse, padecer gangrena.

괴질(怪疾) ① [원인을 알 수 없는 괴상한 병] enfermedad *f* misteriosa. ② ((속어)) =콜레라.

괴짜(怪一) (hombre *m*) excéntrico *m*, (mujer *f*) excéntrica; extravagante *f*.

괴철(塊鐵) hierro *m* en lingote.

괴탄(塊炭) carbón *m* en bulto.

괴팍하다(乖一) (ser) muy exigente, quisquilloso, particular. 괴팍한 사람 persona *f* muy exigente.

괴한(怪漢) hombre *m* sospechoso, hombre *m* dudoso.

괴현상(怪現象) fenómeno *m* extraño.

괴혈병(壞血病) ecorbuto *m*. ～ 환자 escorbútico, -ca *mf*.

괴형(塊形) forma *f* en bulto.

괴화(怪火) fuego *m* misterioso.

굄돌 piedra *f* de soporte.

굄목(一木) puntal *m* de madera.

굉음(轟音) estruendo *m* ruidoso, ruido *m* ensordecedor, estruendo *m*, estrépido *m*; [폭발의] estampido *m* muy grande.

굉장하다(宏壯一) (ser) vasto, grandioso, imponente, grande y espléndido, terrible, horrible, pavoroso, espantoso, extraordinario. 굉장한 소리 ruido *m* ensordecedor, estruendo *m*. 굉장한 더위[추위]다 Hace un calor [frío] terrible.

굉장히(宏壯一) muy, muchísimo, sumamente, extremadamente, tremendamente, fabulosamente, terriblemente, horriblemente. 나는 ～ 피곤하다 Estoy muy cansado.

교가(校歌) himno *m* [canción *f*] de la escuela.

교각(交角) ((수학)) ángulo *m* de una intersección.

교각(橋脚) pilar *m* (de un puente).

교각살우(矯角殺牛) Tanto adornó el diablo a su hija que le sacó un ojo.

교감(交感) simpatía *f*. ～하다 simpatizarse (uno a otro).

교감(校監) subdirector, -tora *mf* (de una escuela).

교감 신경(交感神經) (nervio *m*) simpático *m*. ～ 작용 simpaticopatía *f*.

교갑(膠匣) cápsula *f*.

교계(教界) =종교계(宗教界).

교골(交骨) ((해부)) pubis *m*.

교과(教科) ① [가르치는 과목] asignatura *f*, materia *f*, disciplina *f*. ② =교과목. ¶～ 과정 currículo *m*, curso *m* de estudios, plan *m* de estudios. ～목 sujeto *m*, curso *m* (de estudios). ～서 (libro *m* de) texto *m*.

교관(教官) instructor, -tora *mf*.

교구(校具) instrumentos *mpl* de la escuela.

교구(教具) instrumentos *mpl* de educación.

교구(教區) ((종교)) parroquia *f*. ～민 parroquiano, -na *mf*.

교권(教權) ① [스승으로서의 권위나 권력] autoridad *f* educativa. ～을 확립하다 establecer la autoridad educativa. ② [종교상의 권위] autoridad *f* eclesiástica.

교규(校規) reglamentos *mpl* de una escuela.

교규(教規) 교칙(校則).

교기(校紀) disciplina *f* escolar.

교기(校旗) bandera *f* de la escuela, estandarte *m* escolar.

교내(校內) interior *m* de la escuela. ～에서 dentro [en el interior] de la escuela, en la escuela. ¶～ 문제 problema *m* interescolar. ～ 방송 emisión *f* interescolar. ～ 활동 actividad *f* interescolar.

교단(校壇) estrado *m* del campo de recreo.

교단(教團) comunidad *f* religiosa, congregación *f*, orden *f* religiosa. 산 후안 ～ Orden *f* de San Juan.

교단(教壇) plataforma *f*, estrado *m*, tribuna *f*. ～ 생활 20년 experiencia *f* de enseñanza de veinte años ～에 서다 ser [hacerse] un maestro, enseñar (en la escuela).

교당(教堂) [교회] iglesia *f*, [성당] catedral *f*; [절] templo *m* budista.

교대(交代) relevo *m*, substitución *f*, cambio *m*, turno *m*. ～하다 substituir, suceder, turnar. ～로 al turno(s), alternativamente, por alternación, por tandas, en lugar de otro, como un substituto. ～로 일하다 trabajar por turnos. ¶～ 근무 trabajo *m* por turnos. ～ 근무자 trabajador, -dora *mf* por turnos. ～병[자] relevo *m*. ～ 시간 turno *m*.

교도(教徒) =신자(信者)(creyente). ¶ 그리스도 ～ cristiano, -na *mf*; [천주교의] católico, -ca *mf*; [개신교의] protestante *mf*. 불 ～ budista *mf*. 회 ～ mahometano, -na *mf*.

교도(教導) ① =교유(教諭). ② [학생의 생활 문제를 지도함. 또, 그 사람] instrucción *f* moral; [교사] instructor, -tora *mf* moral; maestro, -tra *mf* de religión;

pedagogo, -ga *mf*. ~하다 instruir, enseñar, reformar.

교도관(矯導官) carcelero, -ra *mf*; celador, -dora *mf*; guardia *mf*; funcionario, -ria *mf* de prisiones.

교도소(矯導所) prisión *f*, cárcel *m*. ~장 administrador, -dora *mf* de la cárcel.

교두보(橋頭堡) cabeza *f* de puente.

교란(攪亂) agitación *f*, disturbio *m*; ((군사)) hostigamiento *m*. ~하다 agitar, perturbar, disturbar, poner en desorden, poner en confusión; ((군사)) hostigar. 질서를 ~하다 perturbar el orden. ¶~자 agitador, -dora *mf*.

교량(橋梁) puente *m*. ~을 놓다 poner un puente.

교련(教鍊) ejercicio *m* [instrucción *f*] (militar). ~하다 hacer la instrucción militar. ~교관 instructor, -tora *mf* de la instrucción militar.

교령(教令) (천도교)) jefe *m* de la religión de *Cheondo*.

교료(校了) Listo para limpiar, fin *m* de la corrección de pruebas, V°B°. ~하다 dar el visto bueno para imprimir.

교류(交流) ① ((물리)) corriente *f* alterna, corriente *f* alternativa. ② [문화·사상 등의] intercambio *m*. 문화 ~ intercambio *m* cultural. ③ [서로 교체됨] intercambio *m*. 인사 ~ intercambio *m* de personal. ¶~ 발전기 alternador *m*, generador *m* de corriente alterna.

교리(教理) doctrina *f*, dogma *m*. ~문답(서) catecismo *m*.

교린(交隣) amistad *f* entre los países vecinos. ~ 정책 política *f* de amistad entre los países vecinos.

교만(驕慢) arrogancia *f*, orgullo *m*, altanería *f*, altivez *f*, soberbia *f*. ~하다 (ser) arrogante, orgulloso, insolente, soberbio, altivo, altanero.

교명(校名) nombre *m* de la escuela.

교명(教名) ((천주교)) nombre *m* de pila, nombre *m* de bautismo.

교모(校帽) gorra *f* escolar.

교모(教母) madrina *f*.

교목(校牧) pastor, -tora *mf* de la escuela.

교목(喬木) ((식물)) árbol *m* alto.

교묘하다(巧妙-) (ser) hábil, mañoso, ingenioso, diestro, esperto, sutil, habilidoso. 교묘함 habilidad *f*, maña *f*, ingenio *m*, sutileza *f*, sutilidad *f*. 교묘한 핑계[구실] pretexto *m* hábil. 교묘히 bien, hábilmente, con habilidad, mañosamente, ingeniosamente, diestramente.

교무(教務) asuntos *mpl* escolares, negocios *mpl* escolares. ~과 sección *f* de asuntos escolares; [대학의] secretaría *f*. ~실 sala *f* de

maestros. ~ 주임 jefe, -fa *mf* de asuntos escolares. ~처 oficina *f* de asuntos académicos.

교문(校門) puerta *f* [entrada *f*] de la escuela. ~을 나서다 graduarse de la escuela.

교미(交尾) cópula *f*, coito *m*; [닭의] pisa *f*. ~하다 copularse, cruzarse, hacer coito, hacer cópula, coitar. ~기 tiempo *m* de brama.

교민(僑民) residente *m* coreano en el extranjero.

교배(交配) ((생리)) mestizaje *m*, cruzamiento *m*, cruce *m*, celo *m*, intersección *f*; ((식물)) hibridación *f*. ~하다 cruzarse, aparearse, acoplarse, copular. ~시키다 cruzar, aparear; ((식물)) hibridar. ¶~종 cruce *m*, *AmL* cruza *f*.

교복(校服) uniforme *m* escolar.

교본(教本) =교과서.

교부(交付/交附) entrega *f*, concesión *f*, trapaso *m*, dación *f*; [증명서의] expedición *f*. ~하다 entregar, dar, conceder, traspasar, facilitar; [증명서를] expedir.

교부(教父) ① [신부] padre *m*. ② [대부] padrino *m*. ③ [초기 기독교회의 신학자] Padres *mpl* de la Iglesia.

교분(交分) amistad *f*, relación *f* amistosa. ~이 두텁다 ser buen amigo.

교비(校費) gastos *mpl* escolares. ~생 becario, -ria *mf*.

교사(巧詐) astucia *f*, picardía *f*. ~하다 (ser) astuto, zorro, pícaro, pillo. 교사한 사람 persona *f* astuta.

교사(校舍) (edificio *m* de la) escuela *f*.

교사(教師) maestro, -tra *mf*; [중학교 이상의] profesor, -sora *mf*; [교습소 등의] instructor, -tora *mf*. 서반아어 ~ profesor, -sora *mf* de español. ¶~ 자격증 licencia *f* de maestro, certificado *m* de maestro.

교사(教唆) instigación *f*, incitación *f* a un crimen. ~하다 instigar, excitar, incitar, tentar. 살인을 ~하다 incitar al asesinato.

교사(矯詐) =속임. 기만. 허위(虛僞).

교살(絞殺) estrangulación *f*, ahorcadura *f*, muerte *f* en la horca. ~하다 estrangular, ahorcar, agarrotar. ~당하다 ser estrangulado.

교생(教生) ((준말)) =교육 실습생.

교서(教書) ① [대통령의] mensaje *m* del presidente. ② [교황이 발하는 선언] encíclica *f*.

교섭(交涉) ① [서로 의논함] negociación *f*, trato *m*; [회담] conferencia *f*, conversación *f*. ~하다 negociar, tratar, conversar. ② [관계를 가짐] conexión *f*, relación *f*, contacto *m*. ~을 가지다 entablar relaciones, ponerse en contacto. ¶~ 단체 cuerpo m de negociaciones. ~ 위원 miembro mf de una comisión de negociaciones.

교세(教勢) influencia f de las sectas religiosas.

교수(教授) ① [학술 기예를 가르침] enseñanza f, instrucción f. ~하다 enseñar, dar clase. ② [대학에서 급수가 가장 높은 교원] catedrático, -ca mf; profesor, -sora mf. ¶~단[진] profesorado m. ~법 didáctica f, método m didáctico [de enseñanza]. ~회 consejo m de profesores, junta f de profesores.

교수(絞首) ① =교살(絞殺). ¶~하다 estrangular. ② ((법률)) penalidad f de (la) muerte por estrangulación. ¶~대 horca f, patíbulo m, garrote m. ~대의 이슬로 사라지다 morir en la horca, terminar su vida en la horca. ~형 pena f de horca, penalidad f de estrangulación, ahorcadura f, muerte f en horca. ~형 집행인 verdugo m.

교습(教習) enseñanza f. ~하다 enseñar. ~소 escuela f práctica, plantel m.

교시(教示) instrucción f, enseñanza f. ~하다 instruir, enseñar.

교신(交信) ① [통신을 주고받음] comunicación f, correspondencia f, información f. ~하다 comunicar, corresponder, informar. 서로 ~하다 intercambiarse. ~이 끊겼다 Está interrumpida la comunicación. ② =서신 교환.

교실(教室) ① [학교에서 수업하는 방] aula f, (sala f de) clase f, salón m de clase. 요리 ~을 열다 abrir una escuela [una academia] de cocina. ② [대학에서, 전공 과목별 연구실] sala f de estudio; [실험실] laboratorio m.

교양(教養) cultura f. ~ 과목 asignatura f de cultura. ~물 libros mpl para la cultura. ~미 belleza f por la cultura. ~ 서적 libros mpl para la cultura. ~ 소설 novela f culta. ~어 lenguaje m culto. ~인 persona f culta, hombre m educado. ~ 프로(그램) programa m cultural. ~ 학과 departamento m de artes liberales y ciencia. ~ 학부 facultad f de artes liberales.

교언(巧言) adulación f, lisonja f, halago m, palabras fpl melosas, palabras fpl lisonjeras, marrullerías fpl, zalamerías fpl. ~하다 halagar, adular, lisonjear.

교역(交易) comercio m, negocio m, tráfico m, intercambio m comercial; [물물 교환] trueque m, permuta f. ~하다 comerciar, traficar, tener relaciones comerciales; [물물

교환하다] hacer trueques, cambalachear, cambalachar.

교역(教役) obras fpl religiosas. ~자 trabajador m religioso.

교열(校閱) revisión f, revista f; [신문사의] corrección f de pruebas. ~하다 revisar, pasar revista; [신문사에서] corregir pruebas; [신문사의] sección f de corrección de pruebas. ~자 revisor, -sora mf; [신문사의] corrector, -tora mf de pruebas.

교열(教閱) la instrucción militar y la revista militar. ~하다 instruir y revistar.

교외(郊外) afueras fpl, alrededores mpl, cercanías fpl, suburbio m, arrabal m, aledaños mpl; [신시가지] ensanche m. ~ 생활 vida f aburguesada. ~선 línea f circular que corre alededor de la zona metropolitana. ~ 주택 chalet m, chalé m. ~주택가 barrio m residencial de las afueras, Méj colonia f. ~ 주택 지구 barrios mpl periféricos [de las afueras] (de la ciudad).

교외(校外) el área f fuera de la escuela; [대학의] de extensión, externo. ~에 afuera de la escuela. ~생 estudiante m externo. ~ 수업 clase f extraacadémica [extracurricular]. ~ 지도 orientación f de extensión. ~ 활동 actividad f de extensión.

교우(交友) amistad f entre amigos. ~하다 ganarse la amistad. ~ 관계 compañerismo m, camaradería f, relaciones fpl de amistad, relaciones fpl amistosas [amigables].

교우(校友) ① [동창의 벗] compañero, -ra mf de clase [de estudios]. ② [졸업생] graduado, -da mf de la escuela. ¶~지 revista f de asociación de graduados y estudiantes. ~회 asociación f de antiguos alumnos [de graduados colegiales]; [모임] reunión f de antiguos alumnos.

교우(教友) compañero, -ra mf fiel; [기독교의] compañero m cristiano, compañera f cristiana; [불교의] compañero, -ra mf budista.

교원(教員) [초등 학교의] maestro, -tra mf; [중학교 이상의] profesor, -sora mf; [교습소 등의] instructor, -tora mf. ~ 연수원 instituto m de cursos de capacitación [de perfeccionamiento] para los maestros. ~ 자격 검정 시험 examen m para obtener título de maestro. ~ 자격증 diploma m de maestros.

교유(交遊) compañerismo m, amistad f, asociación f. ~하다 relacionarse.

교유(敎諭) instrucción f, enseñanza f. ~하다 instruir, enseñar.

교육(敎育) educación f, enseñanza f, magisterio m; [교수] instrucción f, [양성] formación f (profesional); [훈련] capacitación f; [스포츠의 훈련] entrenamiento m; [교양] cultura f. ~하다 enseñar, educar, instruir, disciplinar, formar. ~의 docente, de enseñanza, educativo, instructivo, pedagógico. ~을 받은 culto. ~을 받지 못한 indecente, tosco. ~이 있는 bien educado, instruido. ~이 없는 sin instrucción. 고등 ~을 받은 사람 persona f que ha recibido una enseñanza superior. ¶ ~가 pedagogo, -ga mf, educador, -dora mf. ~계 mundo m pedagógico, círculos mpl pedagógicos. ~ 공무원 funcionario, -ria mf de educación. ~과정 programa m [plan m] de estudios, currículo m. ~ 기관 órgano m de educación, institución f de educación, centro m docente. ~ 단체 cuerpo m educativo. ~ 대학 escuela f [facultad f] normal. ~ 보험 seguro m para gastos de estudios. ~부 Ministerio m de Educación. ~부 장관 ministro, -tra mf de Educación. ~비 gastos mpl educacionales [para la educación]. ~세 impuestos mpl de educación. ~ 영화 película f educativa. ~ 인적 자원부 Ministerio m de Educación y Recursos Humanos. ~ 인적 자원부 장관 ministro, -tra mf de Educación y Recursos Humanos. ~ 제도 sistema m educativo [de educación]. ~청 Dirección f de Educación. ~ 청장 director, -tora mf de la Dirección de Educación. ~학 pedagogía f. ~ 학자 pedagogo, -ga mf. ~ 행정 administración f de instrucción pública. ~ 헌장 carta f de educación.

교의(交誼) amistad f, relaciones fpl amsitosas.

교의(校醫) ((준말)) = 학교의(學校醫).

교의(敎義) doctrina f, dogma m, principio m. ~의 doctrinal, dogmático. 기독교의 ~ doctrina f cristiana. 천주교의 ~ dogma m católico. ② [교육의 본지] objeto m principal de la educación.

교인(敎人) creyente mf, fiel mf; devoto, -ta mf. 기독교 ~ protestante mf. 천주교 ~ católico, -ca mf.

교자(交子) juego m de comida en la mesa grande. ~상 mesa f grande.

교잡(交雜) ① [서로 뒤섞임] confusión f, desorden m. ~하다 (estar) confundido, hecho un lío, muy embrollado. ② ((생물)) [식물의]

cruce m; [동물의] hibridación f. ~하다 cruzar, hibridar, hibridizar.

교장(校長) ((준말)) = 학교장(學校長).

교장(敎場) aula f, clase f, sala f de clase, salón m de clase.

교재(敎材) material m de [para] enseñanza. ~비 gastos mpl para los materiales de enseñanza.

교적(敎籍) ((천주교)) lista f del documento humano de los creyentes.

교전(交戰) batalla f, combate m, lucha f; [전쟁] guerra f. ~하다 luchar, batallar, entablar una lucha; [전쟁하다] hacer (la) guerra. ~국 (países mpl) beligerantes mpl; [집합적] beligerancia f. ~자 beligerante mf; [집합적] beligerancia f. ~지 campo m de batalla.

교전(敎典) libro m sagrado, canon m. 기독교 ~ las (Sagradas) Escrituras, la Santa Biblia.

교점(交點) (punto m de) intersección f. ~월 luna f nodal.

교접(交接) ① [서로 닿아서 접촉함] contacto m. ② = 성교(性交) ¶ ~하다 tener relaciones sexuales.

교정(校正) corrección f de pruebas. ~하다 corregir las pruebas. ~을 보다 corregir pruebas. ~ 기호 signo m de corrección de pruebas. ~료 precio m de corrección (de pruebas). ~쇄 ㉮ ((인쇄)) prueba(s) f(pl) (de imprenta). ㉯ ((사진)) prueba f. ~원 corrector, -tora mf (de pruebas); revisor, -sora mf. ~지 papel m de pruebas de imprenta.

교정(校訂) revisión f. ~하다 revisar. ~본 libro m revisado. ~자 revisor, -sora mf. ~증보판 edición f revisada y aumentada. ~판 edición f crítica, edición f revisada.

교정(校庭) campus m, patio m (de la escuela), jardín m (de la escuela); [운동장] patio m (de recreo).

교정(矯正) corrección f, rectificación f, reajuste m, reforma f. ~하다 corregir, rectificar, rejustar. ~ 시력 vista f corregida.

교제(交際) relaciones fpl, trato m, amistad f, asociación f, sociedad f. ~하다 tener relaciones, tener trato, tener amistad, tratar, relacionarse, codearse, frecuentar. ~비 gastos mpl de relaciones sociables. ~술 tácticas fpl sociables.

교조(敎祖) fundador, -dora mf de una secta religiosa; patriarca m.

교조(敎條) dogma m. ~주의 dogmatismo m. ~주의자 dogmatista mf.

교종(敎宗) ① ((불교)) unificación f de varias sectas fpl de no zen de budismo. ② ((불교)) secta f de no zen de budismo.

교주(校主) propietario, -ria *mf* de una escuela privada.
교주(校註) comentario *m* revisado.
교주(教主) ① [한 종교 단체의] jefe *m* supremo de una religión. ② = 교조(教祖). ③ ((불교)) =석가세존.
교지(校地) solar *m* del colegio, solar *m* de la escuela.
교지(校誌) revista *f* publicada por la escuela.
교지(教旨) ① [종교의 취지] principio *m* de una religión. ② [교육의 취지] principio *m* de la educación.
교직(交織) (tela *f* de) mezclilla *f*, mezcla *f*.
교직(教職) ① [학생을 가르치는 직무] posición *f* de maestro, profesorado *m*; [대학의] cátedra *f*. ② ((그리스도교)) ministerio *m*, orden *f* sacerdotal, clero *m*. ¶~ 과목 asignatura *f* de formación pedagógica. ~원 personal *m* de la escuela. ¶~원 조합 sindicato *m* del profe- sorado y personal no decente (de un centro de enseñanza). ~원실 aula *f* de profesores. ~원 회의 reunión *f* de profesores. ~자 profesor, -sora *mf*.
교질(膠質) ① [아교 같은 물질의 끈끈한 성질] glutinosidad *f*, pegajosidad *f*. ~의 visciso, pegajoso, glutinoso, gelatinoso. ② ((화학)) [콜로이드] coloide *m*. ~의 coloide.
교차(交叉) intersección *f*, cruce *m*. ~하다 entrecortarse; [두 개의 물건이] cruzar(se). ~된 cruzado. ~로 cruce *m*, intersección *f*, encrucijada *f*, calle *f* traviesa, calle *f* de travesía. ~선 líneas *fpl* cruzadas. ~ 승인 reconocimiento *m* cruzado. ~점 punto *m* de intersección, empalme *m*, cruce *m* (de calles), encrucijada *f*.
교착(交錯) alternación *f*, confusión *f*, mezcla *f*. ~하다 cruzarse, entrecruzarse, alternar; [섞이다] confundirse, mezclarse.
교착(膠着) aglutinación *f*. ~ 상태 estado *m* aglutinante. ~어 lengua *f* aglutinante. ~제 aglutinante *m*.
교체(交替) reemplazo *m*, relevo *m*, cambio *m*, substitución *f*; [극장 따위의] cambio *m* de espectadores al terminar cada sesión; [차량의] maniobras *fpl*. ~하다 cambiar, reemplazar, relevar, substituir, ponerse en lugar, ponerse en vez, alternar; [액체를 다른 그릇에] trasear, trasvasar.
교칙(校則) reglamento *m* [reglas *fpl*] de la escuela.
교칙(教則) ① [교수상의 규칙] regla *f* de enseñanza. ② [종교상의 규칙] regla *f* religiosa.
교탁(教卓) mesa *f* para el maestro, mesa *f* del maestro.
교태(嬌態) coquetería *f*, coqueteo *m*, coquetismo *m*. ~를 부리다 coquetear.
교통(交通) ① [오고 가는 일] circulación *f*, tránsito *m*. ~을 정지시키다 interrumpir la circulación. ② [사람의 왕복, 화물의 수송, 기차 · 자동차 등의 운행] tráfico *m*, tránsito *m*, circulación *f*, transporte *m*, transportación *f*. ~의 de (la) circulación, de(l) tráfico, de(l) tránsito. ~을 차단하다 interceptar el tráfico. ③ [의사의 통달] comunicación *f*. ¶~ 경찰 policía *f* de tráfico, policía *f* de tránsito. ~ 경찰관 agente *mf* [policía *mf*] de tráfico [de tránsito]. ~ 광장 glorieta *f* de tráfico. ~ 규칙 código *m* [reglamento *m*] de la circulación. ~난 congestión *f* de tráfico. ~량 (cantidad *f* de) tráficos *mpl*, volumen *m* de la circulación. ~망 red *f* de comunicación. ~ 방해 obstrucción *f* de tráfico. ~ 법규 reglamento *m* de la circulación, Código *m* de la Circulación. ~부 Ministerio *m* de Transportación. ~부 장관 ministro, -tra *mf* de Transportación. ~비 [가] =거마비. [나] [자동차 따위의 운행 및 수리에 드는 비용] gastos *mpl* de transportación. ~ 사고 accidente *m* de tráfico [de circulación]. ~ 순경 agente *mf* [policía *mf*] de tráfico [tránsito]. ~ 신호(등) semáforo *m*. ~ 안전 seguridad *f* de tráfico. ~ 안전 지대 [도로상의] isla *f* peatonal [de peatón]. ~ 안전 표지 señal *f* vial, señal *f* de tráfico, señal *f* de tránsito. ~ 위반 infracción *f* de tráfico [de tránsito], contravención *f* a las ordenanzas de la circulación, violación *f* de las ordenanzas de circulación. ~ 위반자 infractor, -tora *mf* de tráfico; [남의 앞에 뛰어드는] loco, -ca *mf* del volante; [속력 위반자] infractor, -tora *mf* de los límites de velocidad; [보행의] peatón *m* imprudente. ~ 정리 regulación *f* del tránsito [del tráfico], control *m* de la circulación [de tráfico]. ~ 지옥 congestión *f* de tráfico. ~ 체증 embotellamiento *m* (de tráfico), atasco *m*. ~ 통제 control *m* del tráfico. ~ 통제 센터 centro *m* de control de tráfico. ~ 혼잡 congestión *f* de tráfico.
교파(教派) secta *f* religisoa. ~에 속한 사람 sectario, -ria *mf*.
교편(教鞭) magisterio *m*, enseñanza *f*, instrucción *f*, varilla *f* de maestro. ~을 잡다 ejercer el magiste-

rio, enseñar (en la escuela), dedicarse a la enseñanza, hacerse maestro. ¶~ 생활 vida f de maestro.

교포(僑胞) residente mf en el extranjero; coreano, -na mf residente en el extranjero; compatriota mf.

교풍(校風) tradición f [espíritu m] de la escuela.

교학(教學) ① [교육과 학문] la educación y la ciencia. ② [가르치는 일과 배우는 일] el enseñar y el aprender.

교향곡(交響曲) sinfonía f. 베토벤의 ~ 제5번 la quinta sinfonía de Beethoven.

교향시(交響詩) poema m sinfónico.

교향악(交響樂) sinfonía f, concierto m sinfónico. ~단 orquesta f sinfónica.

교호(交互) alternación f, reciprocidad f, reciprocación f. ~의 alternativo, recíproco, mutuo. ~로 alternativamente, uno después de otro. ~ 작용 acciones fpl recíprocas, interacción f.

교화(教化) [종교와 도덕상의] moralización f, edificación f; [문명의] ilustración f, civilización f; [복음으로의] evangelización f. ~하다 moralizar, ilustrar, civilizar; [그리스도교의] catequizar, evangelizar. ~ 사업 obra f educacional. ~ 운동 campaña f educacional.

교환(交換) ① [서로 바꿈] cambio m, intercambio m. ~하다 cambiar; [물물 교환하다] permutar, batear, trocar, hacer trueques. 의견을 ~ 하다 cambiar [intercambiar] (las) opiniones. ② ((준말)) =전화 교환. ~ 교수 profesor, -sora mf de intercambio. ~대 cuadro m conmutador [de distribución].

교환(交驩/交歡) canje m de cortesía, canje m de benevolencia. ~하다 canjear cortesía. ~ 경기 juego m [partido m] de cortesía. ~ 비행 vuelo m de cortesía. ~ 음악회 concierto m de cortesía.

교활하다(狡猾-) (ser) astuto, mañoso, taimado, sagaz, ladino, artificioso, artero, sacarrón, mañero.

교황(教皇) Papa m, Pontífice m, Sumo Pontífice m, Soberano Pontífice m. ~ 대사 embajador m papal. ~령 los Estados Pontificios, los Estados de la Iglesia. ~ 사절 enviado m [legado m] papal, nuncio m (apostólico). ~ 성하 Su Santidad el Pontífice, Su Santidad el Papa. ~청 el Vaticano, la Ciudad del Vaticano, la Santa Sede.

교회(教會) ① ((종교)) [조직체] Iglesia f; [대성당] catedral f; [그리스도교 이외의] templo m. ~에 가다

ir a la iglesia. ② ((종교)) [건물] iglesia f. ~를 신축하다 construir una iglesia. ¶~ 력 calendario m eclesiástico. ~ 미술 arte m eclesiástico. ~ 음악 música f eclesiástica. ~학 eclesiología f.

교회(教誨) admonición f, consejo m. ~하다 amonestar, instruir. 교회사 capellán m de la cárcel [de la prisión].

교훈(校訓) preceptos mpl de la escuela, lema m [divisa f] para la disciplina escolar.

교훈(教訓) lección f, precepto m, lección f moral, enseñanza f, moraleja f, instrucción f; [훈계] amonestación f, escarmiento m; [경고] advertencia f. ~적인 instructivo, moralizador, edificante, edificativo, moral; [문학·소설·시의] didáctico. ~을 주다 dar una lección. ¶~시 poesía f didáctica.

구(丘) ① [언덕] colina f, cuesta f, cerro m. ② [외, 산, 산악] monte, montaña f. ③ [마을] aldea f, villa, pueblo m.

구(句) ① [둘 이상의 단어가 모여 절이나 문장의 일부분이 되는 토막] frase f, locución f; [삽입구] inciso m. ② [시조·사설의 짧은 토막] verso m. ③ =구절(句節).

구(具) [시체의 수효를 세는 단위] cadáver m. 유해 4~ cuatro cadáveres, cuatro restos mortales.

구(灸) ~는 =구이¹. ② =뜸³ ③ ((한방)) moxa f.

구(球) ① [공 같이 둥글게 생긴 물체] esfera f, bola f, globo m, tubo m, lámpara f, pelota f, bombilla f. ② ((수학)) esfera f.

구(區) ① [넓은 것을 몇으로 나눈 구획] división f, territorio m, área f, distrito m. ② [행정 구획 단위] Gu, subdivisión f de un municipio, distrito m, barrio m, AmS, Caribe municipio m. 강남~ Gangnam Gu. ③ [행정상 필요에 의해 정해진 특정한 구획 단위] distrito m. 선거~ distrito m electoral, circunscripción f. ¶~의회 asamblea f de Gu. ~ 의회 의원 consejal, -la mf. ~의회 의장 presidente, -ta mf de asamblea de Gu. ~청 oficina f de Gu, oficina f de Barrio, ayuntamiento m de Barrio, gobierno m municipal. ~청장 jefe, -fa mf de Oficina de Gu.

구(毬) pelota f de madera.

구(九) ① [아홉] nueve. ~일 el 9 [nueve]. ~월(月) septiembre m. 제~(의) noveno, nono. ② [아홉 번] nueve veces.

구(舊) ① [옛날, 과거] pasado m, tiempos mpl antiguos. ② [오래다] mucho tiempo m, largo tiempo m.

③ [친구] amigo, -ga *mf*. ④ [늙은이]] viejo, -ja *mf*; anciano, -na *mf*.

구(龜) [거북] tortuga *f*, galápago *m*.

구가(舊家) ① [오래 대를 이어 온 집안] familia *f* antigua [solariega]. ② [옛날에 살던 집] casa *f* antigua.

구가(謳歌) elogio *m* [glorificación *f*] a coro. ~하다 cantar en elogio, elogiar, ensalzar, exaltar, cantar la alegría, cantar la gloria. 인생을 ~하다 cantar la alegría de la vida. 자유를 ~하다 ensalzar la libertad, glorificar la libertad.

구각(舊殼) cáscara *f* vieja, costumbre *f* antigua, tradición *f*. ~을 탈피하다 romper con la tradición, desarraigar viejas costumbres.

구간(區間) sección *f*, división *f*; [철도 등의] trayecto *m*, recorrido *m*, tramo *m*. 열차의 운전 ~ recorrido *m* [trayecto *m*] del servicio de un tren. 일 ~ 700원 setecientos wones cada tramo. 전 ~ 차표 billete *m* directo.

구간(舊刊) [서적의] edición *f* vieja, edición *f* antigua; [잡지의] número *m* atrasado.

구강(口腔) ((해부)) cavidad *f* oral, cavidad *f* bucal. ~의 estomático. ~경 estomatoscopio *m*. ~ 과학 estomatología *f*. ~ 근 músculo *m* de la boca. ~암 cáncer *m* de la boca. ~염 inflamación *f* oral. ~ 외과 cirugía *f* oral [bucal]. ~ 의학 estomatología *f*. ~증 estomatosis *f*. ~병 estomatodinia *f*.

구개(口腔) paladar *m*. ~의 palatal. ~음 palatal *f*.

구걸(求乞) mendiguez *f*. ~하다 mendigar, pedir limosna.

구겁(九劫) ((불교)) nueve kalpas.

구겨지다 arrugarse, hacerse arrugas, plegarse, desplancharse.

구경 espectáculo *m*, visita *f*, observación *f*, vista *f*. ~하다 visitar, ver, presenciar, observar, ser mirón; [상품을 사지는 않고] mirar, curiosear. 서울 ~ visita *f* a Seúl. ~ 가다 ir a ver. ~(이) 나다 ocurrir [suceder] los espectáculos. ¶~거리[감] vista *f*, atracción *f*, objeto *m* de interés; [흥행] expectáculo *m*, circo *m*. ~거리가 되다 exhibir en público; [수치당하다] deshonrar ante el público. ~꾼 observador, -dora *mf*; mirador, -dora *mf*; mirón, -rona *mf*; [관객] espectador, -dora *mf*; [방문자] visitante *mf*; visita *mf*. ~석 localidad *f*, asiento *m* (de palco); asiento *m* de espectáculo; [계단의] tribuna *f* (de los espectadores), grada *f*.

구경(口徑) calibre *m*. 32~ 권총 revólver *m* del calibre 32.

구경(球莖) ((식물)) bulbo *m*.

구고(舊稿) manuscrito *m* viejo.

구공탄(九孔炭) [구멍이 아홉 뚫린 구멍탄] briqueta *f* con nueve agujeros. ~(준말)=십구공탄. ③ [구멍이 뚫린 연탄] briqueta *f* con agujeros.

구과(毬果) ((식물)) piña *f*.

구관(舊官) funcionario *m* público antiguo. 구관이 명관이다 ((속담)) El que tiene más experiencia es mejor.

구관조(九官鳥) mirlo *m*, merla *f*.

구교(舊交) antigua amistad *f*, amistad *f* vieja, conocimiento *m* viejo.

구교(舊敎) catolicismo *m*, religión *f* católica. ~의 católico. ~도 católico, -ca *mf*.

구구 [닭을 부르는 소리] cloqueo *m*.

구구(九九) =구구법. ¶~법 reglas *fpl* de multiplicación. ~표 tabla *f* de multiplicación.

구구구 [비둘기나 닭이 우는 소리] arrullo *m*. ~울다 arrullar.

구구이(句句─) cada párrafo, todos los párrafos.

구구절절이(句句節節─) cada párrafo, todos los párrafos.

구구하다(區區─) ① [제각기 다르다] (ser) diverso, diferente, distinto. 의견이 ~ Hay divergencia de pareceres / Las opiniones son separadas. ② [떳떳하지 못하고 구차스럽다] (ser) trivial, insignificante, de poca importancia, sin importancia, nimio, pequeño. 구구한 소리 마라 No digas tonterías. ③ [잘고 용렬하다] (ser) miserable, bajo, mezquino, pobre.

구국(救國) salvación *f* nacional. ~운동 movimiento *m* de salvación nacional.

구권(舊券) billete *m* antiguo.

구균(球菌) ((식물)) micrococo *m*.

구근(球根) ((식물)) bulbo *m*.

구금(拘禁) detención *f*, arresto *m*, prisión *f*. ~하다 detener, arrestar, aprisionar.

구급(救急) ayuda *f*, auxilio *m* (de emergencia), primeros auxilios *mpl*, urgencia *f*, emergencia *f*. ~ 병원 clínica *f* de urgencia, clínica *f* de asistencia urgente; [무료의] casa *f* de socorro. ~ 상비약 medicina *f* de primeros auxilios. ~ 상자 botiquín *m* (de primeros auxilios), caja *f* de emergencia. ~소 puesto *m* de primeros auxilios. ~약 medicina *f* de primeros auxilios. ~차 ambulancia *f*.

구기(球技) ① [공을 사용하는 운동 경기] juego *m* de pelota; [베이스볼 게임] partido *m* de béisbol; [축구 경기] partido *m* de fútbol, *Méj* partido *m* de futbol americano. ② [공을 다루는 기술] técnica *f* de manejar la pelota. ¶ ~장 ㉮ [야구장] estadio *m* de béisbol, *Méj* parque *m* de béisbol. ㉯ [축구장] campo *m* de fútbol, *AmL* cancha *f* de fútbol. ㉰ [볼링장] bolera *f*. [당구장] sala *f* de billar.

구기다¹ [운수가 나빠서 살림이 꼬여만 가다] hacerse pobre por la mala suerte.

구기다² ① [구김살이 생기다] arrugar, hacer arrugas, plegar. 구겨지다 arrugarse, plegarse. ② [비어] 금이 생기게 하다] estrujar.

구기적거리다 arrugarse.

구김살 pliegue *m*, arruga *f*, doblez *f*. ~ 진 arrugado, plegado. ~ 없는 미소 sonrisa *f* angélica. ~ 없는 바지 pantalones *mpl* sin raya. ~를 펴다 [다리미로] planchar, quitar. ~없다 ㉮ [생활이] estar bien de dinero, vivir holgadamente [con holgura], tener una posición acomodada [desahogada]. ㉯ [성격이] (ser) inocente.

구깃거리다 arrugar a menudo, estrujar a menudo. 종이를 ~ arrugar [estrujar] el papel a menudo.

구내(口內) interior *m* de la boca. ~염 estomatitis *f*.

구내(구역) ¶ ~에서 en la sección, en el distrito, en el área.

구내(構內) recinto *m*, campus *m*. ~ 출입을 금함 ((게시)) Se prohibe entrar en este recinto. ¶ ~ 매점 puesto *m*. ~선 vía *f* férrea en el recinto. ~ 식당 refectorio *m*. ~ 전화 interfono *m*.

구단(球團) club *m*, equipo *m*.

구대륙(舊大陸) Viejo Mundo *m*, Viejo Continente *m*.

구더기 ((곤충)) gusano *m*, larva *f*.

구덩이 ① [땅이 움푹하게 팬 곳] hoyo *m*, agujero *m*, hueco *m*, foso *m*, depresión *f*, cueva *f*, cavidad *f*, caverna *f*. ②[광산]=갱.

구도(求道) ((불교)) busca *f* de la verdad. ~하다 ir en busca de [en pos de] la verdad, buscar la verdad. ~자 persona *f* en busca de [en pos de] la verdad.

구도(構圖) composición *f*, diseño *m*, trazo *m*. ~가 좋은 [나쁜] 도안 dibujo *m* bien [mal] compuesto.

구도(舊都) capital *f* antigua.

구독(購讀) subscripción *f*, suscripción *f*, abono *m*. ~하다 subscribir. ~료 (precio *m* de) subscripción *f*. ~자 subscriptor, -tora *mf*.

구두 zapatos *mpl*; [장화] botas *fpl*; [편상화] botín *m*; [발에 신는 것] calzado *m*. ~ 세 켤레 tres pares de zapatos. ~를 신다 ponerse los zapatos, calzarse. ~를 벗다 qui-

tarse los zapatos, descalzarse. ~를 닦다 limpiar los zapatos; [자신의] limpiarse los zapatos. ¶ ~끈 cordones *mpl* (de zapato). ~ 닦기 limpia *f* de los zapatos. ~닦이 limpiabotas *mf.sing.pl*. ~ 수선 reparación *f* de zapatos, reparación *f* de calzado. ~ 수선공 zapatero *m* (remendón). ~소 zapatería *f*. ~약 betún *m*, crema *f* para zapatos [el calzado], lustre *m* de zapatos. ~창 suela *f*. ~골 horma *f*; [제조용의] molde *m* de los zapatos. ~소발 못 mpl con zapatos. ~소발길 zapatazo *m*. ~솔 cepillo *m* para [de] los zapatos. ~소가격 calzador *m*. ~통 caja *f* de zapatos, caja *f* de limpiabotas.

구두(口頭) palabra *f* de boca. ~의 oral, verbal. ~로 oralmente, verbalmente, de palabra, de viva voz. ~로 신청하다 decir de palabra. ¶ ~ 계약 contrato *m* oral. ~ 시험 examen *m* oral. ~ 약속 promesa *f* oral [verbal].

구두(句讀) [준말]] =구두법. ¶ ~법 puntuación *f*. ~점 signos *mpl* de puntuación.

구두쇠 avaro, -ra *mf*; tacaño, -ña *mf*; mezquino, -na *mf*.

구들 ((준말)) =방구들(hipocausto). ~을 놓다 instalar el hipocausto. ~을 수리하다 reparar el hipocausto. ~방 *gudeulbang*, habitación *f* cuyo suelo es adoquinada con piedras planas. ~장 *gudeul-chang*, pieza *f* de la piedra plana usada para el revestimiento para suelos de la habitación sobre el hipocausto coreano.

구라파(歐羅巴) ((지명)) Europa *f*.

구락부(俱樂部) club *m* (*pl* clubs).

구렁 ① [움푹 패어 들어간 땅] hueco *m*, depresión *f*, cavidad *f*, hoyo *m*, pozo *m*, fosa *f*. ~에 빠지다 caer en el hoyo. ② [비유적] abismo *m*, profundidades *fpl*, lo más profundo. 깊은 ~ hoyo *m* sin fondo.

구렁이 ① [동물] boa *f*, serpiente *f* grande. ② [속어] viejo zorro *m*, perro *m* viejo, persona *f* astuta.

구레나룻 patillas *fpl*.

구력(球歷) su carrera del béisbol.

구력(舊曆) = 태음력(太陰曆).

구령(口令) orden *f* verbal, orden *f*. ~하다 ordenar.

구릉(丘陵) = 언덕. ② [조상의 산소] cementerio *m* de *sus* antepasados.

구류(拘留) detención *f* (penal), arresto *m*, prisión *f*. ~하다 detener, arrestar, aprisionar, prendar. ~ 중이다 estar en detención. 일주일간 ~에 처하다 ser sentenciado a siete días detención. ¶~장(狀) orden f de arresto. ~장(場) casa f de arresto. ~ 처분 sentencia f de detención penal.

구르다¹ ① [데굴데굴] rodar, darse vuelta, rular. 바퀴가 ~ rodar una rueda. ② [총 따위를 쏠 때 반동으로 뒤로 되튀다] retroceder, dar un culatazo. 구르는 돌에는 이끼가 안 낀다 ((속담)) Piedra movediza no coge musgo / Piedra movediza nunca moho (la) cobija.

구르다² [발을] patear, dar una patada. 발을 동동 ~ dar una patada en el suelo.

구름 [대기의 고층에 떠도는 물방울] nube f. ~이 잔뜩 낀 하늘 cielo m nublado. ~이 없는 하늘 cielo m despejado [sin nubes]. ② [높은 것] altura f, lo alto. ~ 같은 집 casa f muy alta. ¶~다리 viaducto m.

구름판(-板) trampolín m.

구름 nueve años de edad del caballo o de la vaca.

구릉(丘陵) [언덕] colina f, loma f, collado m, cerro m, alcor m. ~지 zona f de colinas.

구리 ((화학)) cobre m. ~를 함유한 cobrizo. ~를 입히다 cubrir [revestir] con cobre.

구리다 ① [똥이나 방귀 냄새와 같다] (ser) fétido, hediondo, nauseabundo, apestoso. ② [하는 짓이 더럽고 추잡하다] (ser) tacaño, mezquino, malo, asqueroso.

구린내 mal olor m, hediondez f, hedor m. ~(가) 나다 ㉮ [냄새가 구리다] oler mal, apestar. ~가 나는 que huele mal, que tiene mal olor, mal oliente, maloliente, pestilente, apestoso, fétido, hediondo. ㉯ [수상쩍다] (ser) sospechoso, oler mal. 그에게서 ~가 난다 El es sospechoso / El huele mal.

구릿빛 color m cobrizo.

구만리장천(九萬里長天) cielo m muy alto y lejano.

구매(購買) compra f, adquisición f. ~하다 comprar, adquirir. ~가[값] precio m de compras, precio m de adquisición. ~력 poder m adquisitivo. ~부[처] departamento m de compras. ~욕 deseo m adquisitivo. ~자 comprador, -dora mf.

구멍 agujero m, orificio m; [열쇠나 들여다 보는] ojo m; [벌어진] rotura f; [벽의] boquete m, agujal m; [움푹 패인] hueco m, cavidad f, hoyo m; [지면의] fosa f, socavón m, hoyo m, agujero m; [길의] bache m; [단추의] ojal m; [구두나 서류 따위의 끈을 꿰는] ojete m; [작은] agujuelo m.

구멍가게 tiendecita f.

구멍탄(-炭) briqueta f de la forma de columna con agujeros.

구메농사(-農事) ① [고장에 따라 풍흉이 다른 농사] cultivo m irregular. ② [소규모의 농사] cultivo m a pequeña escala.

구면(球面) ① [구의 표면] superficie f de la esfera. ② [(수학)] superficie f esférica. ~의 esférico. ¶~각 ángulo m esférico. ~경 espejo m esférico. ~계 esferómetro m.

구면(舊面) conocido, -da mf.

구명(究明) estudio m, investigación f, indagación f. ~하다 esclarecer, estudiar a fondo, examinar a fondo, investigar, inquirir, indagar. 진리를 ~하다 esclarecer [indagar] la verdad, procurar [intentar · tratar de] conocer la verdad.

구명(救命) socorrismo m. ~대 boya f salvavidas. ~선 lancha f de salvamento. ~ 운동 campaña f de salvar vidas. ~정[보트] ㉮ [배의] bote m salvavidas. ㉯ [해안 기지의] lancha f de salvamento. ~ 조 chaleco m salvavidas.

구무럭거리다 soler mover el cuerpo lentamente.

구문(口文) =구전(口錢). ¶~(을) 받다 tomar una comisión.

구문(構文) construcción f (de oración). 문법상의 ~ construcción f gramatical. ¶~론 sintaxis f.

구문(歐文) letras fpl [escrituras fpl] europeas, lengua f europea.

구물거리다 entretenerse, mover lentamente, tardar mucho.

구미(口味) apetito m, sabor m, gusto m. ~에 따라 a su gusto. ~에 맞는 de buen paladar, bueno al paladar. ~를 잃다 perder el apetito.

구미(歐美) ① [유럽주와 아메리카주] la Europa y la América. ② [유럽과 미국] la Europa y los Estados Unidos de América. ¶~인 occidentales mpl, europeos y americanos. ~ 제국 países mpl occidentales.

구미(舊米) arroz m añejo.

구미호(九尾狐) ① [꼬리 아홉 개 달린 여우] zorra f con nueve colas. ② [교활한 사람] persona f astuta.

구민(區民) habitante mf de Gu.

구민(救民) auxilio m del pueblo. ~하다 auxiliar [ayudar] al pueblo.

구박(驅迫) maltratamiento m, maltrato m. ~하다 maltratar, tratar mal.

구법(求法) [(불교)] busca f del budismo. ~하다 buscar el budismo.

구법(舊法) ley f antigua.

구변(口辯) =언변(言辯).

구별(區別) ① [종류에 따라 갈라놓음] clasificación f, división f. ~하다 clasificar, dividir. ② [차별함] distinción f, [식별함] discernimiento m. ~하다 distinguir, discernir. ~ 없이 sin distinción. 남녀 ~없이 sin distinción de sexo. 남녀노소 ~없이 sin distinción de edad ni sexo.

구보(驅步) paso m de carga, paso m de ataque, paso m ligero, carrera f, corrida f. [말의] galope m.

구본(舊本) libro m publicado hace mucho tiempo.

구부러뜨리다 torcer, curvar, doblar, encorvar, agarbar, combar.

구부러지다 encorvarse, doblarse, plegarse, agarbarse, serpentear, combarse; [파이프·철사 등이] torcerse, curvarse; [기울다] inclinarse; [방향을 바꾸다] girar, torcer, dblar,dar la vuelta, virar.

구부리다 encorvar, agarbar; [파이프나 철사 등을] torcer, curvar, combar; [등·팔·다리를] doblar, flexionar; [몸을] agacharse, inclinarse, doblarse, encorvarse.

구분(區分) [분할] división f; [구획] sección f, compartimiento m; [분류] clasificación f; [한계] demarcación f; [구별] distinción f. ~하다 dividir, clasificar, compartir; [구별하다] distinguir.

구불거리다 serpentear, ondular, zigzaguear.

구불구불 serpenteantemente, en zigzag, haciendo zigzag, torcido. ~하다 (ser) serpentear, hacer zigzag.

구비(口碑) tradición f oral, leyenda f, folclore m. ~ 동화 cuento m de hadas oral. ~ 문학 literatura f oral.

구비(具備) equipo m, posesión f. ~ 하다 surtir bien, suplir bien, poseer, tener, ser dotado, equipar, estar dotado, aparejar.

구쁘다 sentir el apetito.

구사(驅使) ① [사람이나 동물을 몰아쳐 부림] manejo m, control m. ~ 하다 manejar, controlar. ② [자유자재로 다루어 씀] manejo m libre, uso m libre. ~하다 hacer pleno uso, usar. 수개 국어를 ~하다 hablar bien varias lenguas.

구사대(救社隊) cuerpo m de rompehuelgas. ~원 rompehuelgas m.

구사상(舊思想) ① [옛적 사상] idea f antigua. ② [시대에 뒤떨어진 낡은 사상] idea f anticuada.

구사일생(九死一生) escape m por un pelo de la muerte, muerte f muy probable. ~하다 salvarse de milagro [por un pelo], salvarse por los pelos, escaparse por un pelo.

구상(求償) reclamación f para compensación. ~권 derecho m de compensación reclamante. ~ 무역 comercio m de compensación.

구상(具象) =구체(具體). ¶ ~ 개념 concepto m concreto. ~ 예술 arte m figurativo, artes mpl plástico s.~화(畵) pintura f figurativa.

구상(球狀) forma f esférica, esferoide m. ~의 esférico, globular. ~균 micrococo m. ~ 화산 volcán m esférico.

구상(構想) plan m, proyecto m, programa m; [착상] idea f. ~을 세우다 trazar [formar] un plan [un proyecto]. 웅대한 ~을 가지다 tener un plan de gran alcance.

구상서(口上書) nota f verbal.

구상유취(口尙乳臭) puerilidad f.

구색(具色) surtido m. ~을 맞추다 tener un buen [gran] surtido.

구석 ① [모퉁이의 안쪽] esquina f, rincón m, ángulo m, punto m. ② [드러나지 아니하고 치우친 곳] lugar m escondido [oculto]. ¶ ~방 habitación f interior, habitación f aislada [retirada]. ~장(欌) cómoda f triangular. ~지다 (estar) aislado, apartado, retirado, poco conocido.

구석기(舊石器) instrumento m de piedra en la edad paleolítica. ~ 시대 edad f paleolítica, paleolítico m.

구설(口舌) chismorreo m malicioso, palabras fpl acaloradas. ~수 mala suerte f de los insultos verbales.

구성(構成) organización f, composición f, constitución f, formación f; [구조] estructura f; ((미술)) construcción f. ~하다 componer, organizar, constituir, formar. ~되다 componerse, constar. 작품의 ~ composición f de la obra. 문장을 ~하다 componer [formar] una oración. ¶ ~ 개념 constructo m. ~ 요소 elemento m constitutivo [constituyente], componente m. ~ 원 miembro mf; componente mf.

구성없다 (ser) feo, antiestético, torpe, poco elegante, patoso.

구성지다 (ser) apropiado, favorecedor, elegante, atractivo, encantador, precioso; [목소리가] dulce, melodioso.

구세(救世) ① [세상 사람을 구제함] salvación f (del mundo). ② ((종교)) salvación f por el poder religioso. ¶ ~군 Ejército m de Salvación. ~군 군인 salvacionista mf; miembro mf del Ejército de Salvación. ~군 사관 oficial mf del Ejército de Salvación. ~주 ㉮ [인류를 구제하는 사람] mesías m. ㉯ ((기독교)) [예수] Jesús, el Salvador, el Redentor, el Mesías. ㉰ ((불교)) =석가모니.

구세계(舊世界) =구대륙(舊大陸).

구세대(舊世代) generación f antigua.

구세력(舊勢力) ① [옛 세력] fuerza f antigua. ② [수구적인 세력] fuerza

f conservadora.

구속(拘束) ① [체포하여 신체를 속박함] detención *f*, arresto *m*. ~하다 detener, arrestar. 용의자의 신병을 ~하다 detener a un sospechoso. ② [자유 행동을 제한 또는 정지시킴] restricción *f*, suspensión *f*. ~하다 restringir, suspender. ¶~력 fuerza *f* restrictiva. ~ 시간 horas *fpl* de estancia obligatoria (en la oficina). ~ 영장 orden *f* de arresto [de detención]. ~ 적부 심사 *lat* hábeas corpus *m*.

구속(球速) velocidad *f* de la pelota.

구송(口誦) recitación *f*. ~하다 recitar, leer en voz alta.

구수(丘首) ① [근본을 잊지 않음] lo que no olvida el fundamento. ② [고향을 생각함] añoranza *f* a *su* tierra natal.

구수(鳩首) lo que muchas personas se enfrentan unos a otros. ~ 회의 conferencia *f*.

구수닭 gallina *f* con manchas.

구수하다 ① [맛·냄새가 비위에 좋다] (ser) agradable, bueno, sabroso, apetitoso, rico, exquisito. ② [말이 듣기에 그럴 듯하다] (ser) interesante, gracioso, cómico, divertido, encantador, agradable, delicioso. 구수한 이야기 historia *f* interesante, cuento *m* interesante, palabra *f* divertida.

구순하다 (ser) armonioso, íntimo.

구술(口述) exposición *f* oral, alegación *f*, manifestación *f* oral; [받아쓰기] dictado *m*. ~하다 exponer oralmente, manifestar oralmente; dictar, trasladar. ~의 oral, verbal. ~ 녹음기 dictáfono *m*. ~ 시험 examen *m* oral. ~인 testigo *mf*.

구술(灸術) ((한방)) moxiterapia *f*.

구슬 ① [보석으로 둥글게 만든 물건] cuenta *f*, abalorio *m*, bola *f*; [보석] joya *f*, gema *f*, piedra *f* preciosa. ~ 굴리는 듯한 목소리로 con una voz argentina. ② =진주(眞珠). ③ [장난감의 하나] canica *f*, bolita *f*, pita *f*. ~을 치다 jugar a las canicas [a las bolitas · a las bolas]. ¶~땀 gotas *fpl* de sudor. ~백 bolso *m* bordado con cuentas. ~세공 puntilla *f* con adorno de cuentas. ~치기 (놀이) juego *m* de las bolitas [de las canicas].

구슬리다 ① [그럴 듯하게 꾀어 마음을 움직이다] lisonjear, adular, halagar, acariciar, engatusar, camelar, conquistar. ② [끝난 일을 이리저리 생각하다] considerar, deliberar, meditar, reflejar, reflexionar.

구슬프다 estar triste.

구슬피 (silenciosa y) tristemente, con tristeza.

구습(舊習) costumbre *f* antigua

[vieja], hábito *m* antiguo.

구시가(舊市街) ciudad *f* vieja, barrios *mpl* antiguos de la ciudad.

구시대(舊時代) edad *f* antigua.

구시렁거리다 refunfuñar, rezongar, gruñir, quejarse, regañar, jeringar.

구식(舊式) ① [옛 양식이나 방식] estilo *m* [tipo *m*] anticuado, moda *f* antiquísima, escuela *f* anticuada. ② [케케묵은 것] lo anticuado. ¶~ 무기 el arma *f* anticuada. ~ 혼인 boda *f* tradicional core- ana.

구실((역사)) ((공공이나 관가의 직무)) deber *m*, obligación *f*, responsabilidad *f*. ② =조세(租稅). ③ [제가 해야 할 일] funciones *fpl*, responsabilidades *fpl*, deberes *mpl*. 자식의 ~ deberes *mpl* del hijo.

구실(口實) pretexto *m*, excusa *f*, disculpa *f*, escapatoria *f*, efugio *m*. 그럴듯한 ~ excusa *f* plausible. 좋은 ~ buena excusa *f*.

구심(求心) ① ((불교)) meditación *f* del zen budista para buscar el corazón verdadero. ② ((물리)) fuerza *f* centrípeta. ~의 centrípeto. ¶~력 fuerza *f* centrípeta. ~ 운동 moción *f* centrípeta. ~점 punto *m* centrípeto.

구심(球心) centro *m* de una esfera.

구심(球審) árbitro *m* (de pelota).

구십(九十) noventa. ~ 번째(의) nonagésimo. ~대의 (노인) nonagenario, -na *mf*.

구아노 guano *m*.

구아닌 ((화학)) guanina *f*.

구아떼말라 ((지명)) Guatemala. ~의 (사람) guatemalteco, -ca *mf*.

구악(舊惡) delito *m* antiguo, crimen *m* pasado, falta *f* antigua, mala conducta *f* pasada.

구애(求愛) pretensión *f*, cortejo *m*; [남자가 여자에게] galanteo *m*. ~하다 cortejar, hacer la corte, pretender, galantear.

구애(拘礙) complicación *f*, problemas *mpl*, obstrucción *f*, obstáculo *m*, estorbo *m*. ~하다 aferrarse, obstinarse, preocuparse. 형식에 ~하다 ser embargado por las formas, aferrarse [atarse · sujetarse] a la forma. 사소한 일에 ~하다 particularizarse en menudencias, pararse en pelillos, buscar el pelo al huevo.

구액(口液) saliva *f*.

구약(口約) promesa *f* [convenio *m* · pacto *m* · contrato *m*] verbal. ~하다 dar promesa verbal.

구약(舊約) ① [옛 약속] promesa *f* vieja. ② ((기독교)) [예수가 나기 전에 하나님이 인간에게 한 약속] alianza *f* vieja. ③ ((성경)) antiguo pacto *m*. ④ (준말) =구약성서. ¶~성서 Antiguo Testamento *m*,

Viejo Testamento *m.* ~ 시대 era *f* del Antiguo Testamento.

구어(口語) lengua *f* coloquial [oral]. ~체 estilo *m* dialogal.

구역(區域) región *f*, distrito *m*; zona *f*, límite *m*, esfera *f*; [관할] jurisdicción *f*; [범위] espacio *m*.

구역(嘔逆) náusea *f*. ¶~(이) 나다 tener náusea, sentir náuseas. ~증 síntoma *m* nauseabundo. ~질 náusea *f*, bascas *fpl*, gana *f* de vomitar, vómito *m.* ~질을 느끼다 sentir náuseas. ~질이 나다 dar*le* asco. 나는 ~질이 났다 Me dio asco.

구연(口演) =구술(口述). ¶~ 동화 cuento *m* infantil recitado [narrado] oralmente.

구연(球宴) gran partido *m* de béisbol.

구연(舊緣) vínculos *mpl* [lazos *mpl*] antiguos, amistad *f* antigua.

구옥(舊屋) ① =고옥(古屋). ② [전에 살던 집] casa *f* que vivía antes.

구왕실(舊王室) Casa *f* Real.

구우일모(九牛一毛) una gota en el océano, una porción inapreciable.

구워삶다 apaciguar, persuadir, convencer.

구원(久遠) eternidad *f*, permanencia *f*, perpetuidad *f.* ~하다 (ser) eterno, permanente, perpetuo.

구원(救援) ① [도와 건져 줌] socorro *m*, auxilio *m*, ayuda *f*, rescate *m*, salvación *f.* ~하다 socorrer, ayudar, auxiliar, prestar auxilio, prestar ayuda, asistir, rescatar, salvar. ~을 청하다 pedir el socorro. ② ((성경)) salvación *f.* ~을 얻다 ser salvo, ser salvado. ¶~군 refuerzo *m.* ~대 socorro *m*, equipo *m* de socorro, expedición *f* de salvamento. ~병 refuerzo *m.* ~투수 lanzador, -dora *mf* de ayuda.

구원(舊怨) hostilidad *f* antigua [vieja], rencor *m* antiguo, rencor *m* viejo. ~을 풀다 desquitarse del rencor viejo.

구월(九月) septiembre *m.*

구위(球威) poder *m* de la pelota.

구유 ① pesebre *m*, comedero *m.* ② ((성경)) pesebre *m*, establo *m*, granero *m*, trigo *m.*

구은(舊恩) favor *m* antiguo, beneficio *m* anterior. ~을 갚다 recompensar el favor antiguo.

구의(舊誼) amistad *f* antigua [vieja].

구이 [오븐에] asado *m* (al horno); [석쇠에] parrillada *f.* ~용 고기 trozo *m* de carne para asar. ~를 만들다 [숯불에] hacer [asar] a la parrilla [a las brasas].

구인(求人) busca *f* de personal. ~! ((광고)) Demanda de Trabajo. ¶~ 광고 anuncio *m* clasificado,

aviso *m* que necesita gente. ~난 escasez *f* de mano de obra. ~란 columna *f* de 'Se busca'.

구인(拘引) comparecencia *f* obligatoria, arresto *m*, detención *f.* ~하다 arrestar, detener, prender, hacer [mandar] comparecer (en juicio). ¶~장 orden *f* [auto *m*] de comparecencia, orden *f* de arresto.

구일(九日) ① [아흐레] el 9 [nueve]. ② [음력 9월 9일] el 9 [nueve] de septiembre del calendario lunar. ¶~장 servicios *mpl* funerales celebrados en nueve días después de la muerte.

구입(購入) compra *f*, adquisición *f.* ~하다 comprar, adquirir, hacer compra. ~ 가격 precio *m* de compra, precio *m* de adquisición. ~권 billete *m* de compra, cupón *m* de compra. ~원가 coste *m* de compra. ~자 comprador, -dora *mf.* ~품 artículos *mpl* surtidos.

구잠정(驅潛艇) cazasubmarinos *m.*

구장(球場) cancha *f* de béisbol.

구장(區長) jefe, -fa *mf* de Gu.

구저분하다 (estar) tosco y sucio, mugriento, roñoso.

구적(仇敵) =원수(怨讐).

구적(舊蹟) ruinas *fpl*, restos *mpl* históricos.

구전(口傳) tradición *f* (oral), leyenda *f.* ~을 전수하다 transmitir de palabra, iniciar oralmente, instruir oralmente. ¶~ 문학 literatura *f* oral. ~ 민요 canción *f* popular oral.

구전(口錢) comisión *f*, corretaje *m*, derecho *m*, correduría *f*; [보물] comisión *f* extra. 10%의 ~을 받다 cobrar una comisión del diez por ciento.

구절(句節) ① [구와 절] la frase y la cláusula. ② [한 토막의 말이나 글] un párrafo, una palabra.

구절양장(九折羊腸) lo zigzagueante y lo empinado.

구점(句點) puntuación *f.*

구점(灸點) señales *fpl* de la moxa. ~을 놓다 señalar los puntos en que se debe poner la moxa.

구접스럽다 ① [너절하고 더럽다] (estar) mugriento, sucio. ② [하는 짓이 더럽다] (ser) vil, abyecto, tacaño, mezquino, bajo.

구정(舊正) ① [음력 설] (día *m* del) Año Nuevo del calendario lunar. ② [음력 정월] enero *m* del calendario lunar.

구정(舊情) amistad *f* [intimidad *f*] antigua. ~을 새롭게 하다 renovar la amistad antigua.

구정물 ① [더러워진 물] el agua *f* mugrienta, líquido *m* de desecho; [하수] aguas *fpl* negras, aguas *fpl* residuales [CoS servidas]; [설거지 한 물] el agua de fregar los platos, el agua de lavar los platos. ② [종기 고름이 빠진 뒤에 흐르는 물] filtración f de la herida purulenta.

구제(救濟) socorro m, auxilio m, salvación f, asistencia f, ayuda f. ~하다 socorrer, auxiliar, salvar, ayudar, asistir. ~ 금융 finanzas fpl de socorro. ~비 gastos mpl de ayuda. ~ 사업 obra f [ayuda f] social. ~자 salvador, -dora mf. ~자금[기금] fondos mpl de socorro. ~책 medida f de socorro. ~품 artículos mpl de socorro.

구제(舊制) sistema m antiguo. ~ 대학 universidad f bajo el sistema antiguo de educación.

구제(驅除) exterminación f, estirpación f. ~하다 exterminar, extirpar. 쥐[모기]를 ~하다 exterminar las ratas [los mosquitos].

구제도(舊制度) sistema m antiguo.

구조(救助) salvación f, socorro m, salvamento m, rescate m, ayuda f, auxilio m, asistencia f. ~하다 socorrer, salvar, asistir, ayudar, auxiliar, rescatar. ~대(袋) tolva f de escape. ~대(隊) cuerpo m de rescate, pelotón m de salvamento, equipo m de salvamento. ~선 barco m de salvamento. ~ 신호 SOS m, S.O.S. m, ~ 작업 trabajos mpl de rescate, trabajos mpl de salvamento.

구조(構造) constitución f, estructura f; [조직] organización f; [메카니즘] mecanismo m. ~상의 estructural, tectónico. 기계의 ~ mecanismo m de la máquina. 사회의 ~ estructura f de la sociedad. 인체의 ~ estructura f del cuerpo humano. ¶~물 estructura f. ~식 fórmula f estructural. ~ 언어학 lingüística f estructural.

구주(救主) ((성경)) Salvador m.

구주(歐洲) =구라파주. ¶~ 경제 공동체 Comunidad f Económica Europea, CEE f. ~ 공동 시장 Mercado m Común Europeo, MCE m.

구중(九重) ① [아홉 겹] nueve veces. ② ((준말)) =구중궁궐. ¶~궁궐 [심처] palacio m real [imperial].

구중중하다 (estar) desaseado, sucio; [날씨가] asqueroso. 구중중한 날씨 tiempo m asqueroso. 구중중한 방 habitación f sucia.

구지레하다 (ser · estar) mugriento, sucio, cochino. 구지레한 옷 ropa f sucia.

구직(求職) busca f de empleo, demanda f de empleo, busca f de colocación [de trabajo]. ~하다 buscar el empleo. ~! ((광고)) Bolsa de Trabajo / Se busca trabajo. ¶~ 광고 anuncio m de posición. ~ 신청 solicitud f de posición. ~자 buscador, -dora mf de empleo; aspirante mf.

구질(球質) calidad f [cualidad f] de la pelota.

구질구질 ① [어떤 상태나 하는 등이 더럽고 지저분한 모양] suciamente, con suciedad, cochinamente. ~하다 (ser · estar) sucio, cochino. ~한 골목길 callejuela f sucia. ② [날씨가] nublosamente, nubosamente. ~하다 estar nubloso.

구차스럽다(苟且-) =구차하다.

구차하다(苟且-) ① [살림이] ser tan pobre como un ratón de la sacristía, ser muy pobre. 집안이 매우 ~ La familia vive en gran [con mucha] estrechez. ② [말이나 행동이] (ser) torpe. 구차한 변명 interpretación f para salir del paso.

구척장신(九尺長身) ① [아주 큰 키] estatura f muy alta, talla f muy alta. ② [아주 키가 큰 사람] persona f muy alta.

구청(區廳) oficina f de Gu. ☞구(區)

구체(具體) ① [전체를 구비함] equipo m total. ~하다 equiparlo todo. ② ((철학)) lo concreto. ③ ((바둑)) siete dan. ~ 명사 nombre m concreto. ~적 concreto. ~화 materialización f. ~하다 dar cuerpo [forma] material, materializar, incorporar, formar corporación.

구체(球體) objeto m de la forma de pelota.

구축(構築) construcción f, edificación f. ~하다 construir, fabricar, edificar, hacer, poner.

구축(驅逐) expulsión f, extirpación f. ~하다 expulsar, echar fuera, ahuyentar, desterrar. 악화는 양화를 ~한다 La mala moneda desplaza la buena. ~함 contratorpedero m, cazatorpedero m, destructor m.

구출(救出) rescate m, salvamento m. ~하다 rescatar, salvar, libertar, poner en salvo.

구출(驅出) expulsión f. ~하다 expulsar.

구충(驅蟲) =제충(除蟲). ¶~제[약] ㉮ [체내의 기생충용] parasiticida m. ㉯ [해충용] insecticida m, vermífugo m, vermicida m.

구취(口臭) mal olor m de [a] boca, olor m bucal.

구치(拘置) detención f, encarcelamiento m. ~하다 detener, encarcelar, poner en prisión. ~소 casa f de detención, cárcel f, prisión f.

구타(毆打) golpe m; [뭉둥이로] paliza f. ~하다 golpear, dar un golpe, pegar; [여러 차례] dar (de) golpes; [몽둥이로] dar (de) palizas.

구태(여) intencionalmente, expresamente, de propósito, de intento, adrede.

구태의연하다(舊態依然−) permanecer sin cambiar, permanecer como estaba, permanecer como antes.

구토(嘔吐) vómito *m*, náusea *f*. ~하다 vomitar. ~제 vomitorio *m*, emético *m*.

구파(舊派) ① [재래의 형식을 따르는 파] escuela *f* antigua, escuela *f* vieja, estilo *m* viejo, tipo *m* viejo. ② ((연극)) ((준말)) =구파 연극. ¶~ 연극 teatro *m* clásico, drama *m* clásico, drama *m* histórico.

구판(舊版/舊板) edición *f* antigua, edición *f* vieja, edición *f* anterior.

구폐(舊弊) vicio *m* viejo, abuso *m* viejo. ~의 anticuado, pasado de moda, caduco.

구푸리다 [파이프 · 철사 · 가지를] curvar, torcer; [등 · 팔 · 다리를] doblar, flexionar; [몸을] encorvarse, inclinarse, retorcerse.

구풍(舊風) costumbre *f* antigua, estilo *m* antiguo, estilo *m* viejo.

구하다(求−) buscar, pedir; [얻다] obtener, conseguir; [가지고 싶어하다] desear, querer; [사다] comprar; [필요하다] necesitar. 구하기 어려운 difícil de obtener, difícil de conseguir; [귀중한] inapreciable, valioso; [드문] raro. 방을 ~ buscar una habitación.

구하다(灸−) ① [쑥으로 뜸을 뜨다] cauterizar con artemisa, castrar las heridas y curar otras enfermedades con el cauterio; [불에 굽다] asar; [토스트하다] tostar.

구하다(救−) ① [어려움을 벗어나게 하다] salvar, rescatar, socorrer; [해방하다] librar. 구하러 가다 ir a salvar, ir a socorrer. ② [물건을 주어 돕다] ayudar, apoyar, socorrer. 가난한 사람을 ~ socorrer a los pobres. ③ [병을 돌보아 낫게 하다] curar.

구학문(舊學問) estudios *mpl* clásicos, literatura *f* china, estudio *m* de clásicos chinos.

구현(具現/具顯) realización *f*, encarnación *f*, incorporación *f*, personificación *f*. ~하다 realizar, encarnar, dar forma material, realizarse.

구형(求刑) ((법률)) demanda *f* de castigo, demanda *f* de pena. ~하다 demandar [reclamar] un castigo [una pena].

구형(球形/毬形) forma *f* esférica. ~의 esférico, globular.

구형(舊形/舊型) tipo *m* anticuado, moda *f* pasada.

구호(口號) ① =군호(軍號). ② [대중

집회나 시위 등의] eslogan *m*, lema *m*, consigna *f*. ~를 외치다 gritar, dar voces.

구호(救護) primeros auxilios *mpl*, socorro *m*, ayuda *f*, protección *f*. ~하다 socorrer, ayudar, asistir, proteger. ~ 물자 abastecimiento *m* de primeros auxilios. ~ 사업 obra *f* de primeros auxilios.

구혼(求婚) proposición *f* [oferta *f* · propuesta *f*] de matrimonio. ~하다 proponer el matrimonio; [여성에게] pedir la mano. ~ 광고 anuncio *m* matrimonial, anuncio *m* conyugal. ~자 pretendiente *mf*.

구화(口話) modo *m* de hablar de los sordomudos, lo que hablan los sordomudos. ~법 método *m* de hablar de los sordomudos.

구화(舊貨) dinero *m* antiguo, billete *m* antiguo.

구황실(舊皇室) antigua familia *f* imperial.

구획(區劃) división *f*; [가로] manzana *f*, cuadra *f*, bloque *m*; [경계] límite *m*, deslinde *m*; [부분] sección *f*, sector *m*, zona *f*, barrio *m*. ~하다 dividir, deslindar, deslindar. ~ 정리 demarcación *f* de los límites de los terrenos; [도시의] delimitación *f* de las calles.

구휼(救恤) socorro *m*. ~하다 socorrer. ~금 dinero *m* [fondos *mpl*] de socorro.

국 sopa *f*. 묽은 ~ caldo *m*, consomé *m*. ¶~거리 ㉮ [국을 끓일 재료] mate- riales *mpl* para la sopa. ㉯ [곰국을 끓일 소의 내장 따위] entrañas *fpl* de la vaca para la sopa de carne de vaca espesa. ~물 건더기 ingredientes *mpl*. ~국물 el agua *f* de sopa para la sopa. ~그릇 sopera *f*.

국(局) ① [관청 · 회사의] departamento *m*, dirección *f*, buró *m*. ② [바둑 · 장기의 한 판] partida *f* de juego, tablero *m* de *baduc*.

국(菊) =국화(菊花).

국(局) oficina *f*, departamento *m*, buró *m*.

국가(國家) país *m*, nación *f*, estado *m*. ~의 nacional, estatal, de(l) Estado. ~ 경제 economía *f* nacional [estatal · del estado]. ~ 고시 examen *m* de Estado, examen *m* nacional; [채용 시험] oposición *f*. ~ 공무원 funcionario *m*, -ria *mf* del Estado; funcionario, -ria *mf* nacional; funcionario *m* público, funcionaria *f* pública. ~관 vista *f* nacional. ~ 보안법 ley *f* de seguridad estatal [nacional]. ~ 안보 seguridad *f* nacional. ~ 안전 기획 부 Agencia *f* de Seguridad Nacional. ~ 안전 보장 회의 Consejo *m* de Seguridad Nacional. ~ 연합 Federación *f* de Estados. ~ 예산 presupuesto *m* del Estado. ~ 올림픽 위원회 Comité *m* Olímpico Nacional. ~ 원수 ㉠ [국민의 수장] jefe, -fa *mf* del Estado. ㉡ [공화국에 있어서는 대통령] presidente, -ta *mf* (del Estado). ~ 인권 위원회 Comité *m* Nacional de los Derechos Humanos. ~ 재건 최의 Consejo *m* Supremo para la Reconstrucción Nacional. ~ 정보원 Servicio *m* de Inteligencia Nacional.

국가(國歌) himno *m* nacional.

극감(國監) ((준말))=국정 감사.

국경(國境) frontera *f*. ~의 fronterizo, de frontera(s); [사건 · 습격할 때] en la frontera. ~을 넘다 cruzar [pasar · atravesar] la frontera. 예술에는 ~이 없다 El arte no conoce fronteras [la frontera]. ¶ ~ 경비대 patrulla *f* de fronteras, guardia *f* de frontera. ~ 도시 ciudad *f* fronteriza. ~ 분쟁 conflicto *m* fronterizo, disputa *f* fronteriza. ~선 frontera *f*. ~ 순찰대 patrulla *f* de fronteras.

국경일(國慶日) fiesta *f* nacional.

국고(國庫) tesoro *m* nacional, finanzas *fpl* públicas. ~금 fondos *mpl* nacionales. ~ 보조금 subsidio del Estado, subsidio *m* del gobierno. ~ 수입 ingresos *mpl* fiscales, ingresos *mpl* del Estado, renta *f* del Estado, renta *f* del Erario.

국교(國交) relaciones *fpl* diplomáticas. ~를 맺다 entrar en relaciones diplomáticas (con un país). ¶ ~ 단절 ruptura *f* [rompimiento *m*] de relaciones diplomáticas. ~ 정상화 normalización *f* de relaciones diplomáticas. ~ 회복 restablecimiento *m* de relaciones diplomáticas.

국교(國敎) religión *f* del Estado.

국군(國軍) ejército *m* nacional. ~ 묘지 cementerio *m* del Ejército Nacional. ~의 날 Día *m* de las Fuerzas Armadas, Día *m* del Ejército Nacional. ~ 통합 병원 Hospital *m* Complejo del Ejército Nacional.

국궁(國弓) arco *m* típico nacional.

국권(國權) ① [나라의 주권] soberanía *f* (nacional). ② [나라의 통치권] poder *m* nacional.

국극(國劇) ① [그 나라 특유의 국민성을 나타낸 연극] teatro *m* típico nacional. ② [우리 나라의 창극] *changguk*, ópera *f* clásica coreana.

국기(國技) deporte *m* nacional.

국기(國旗) bandera *f* nacional; [배의] pabellón *m*, bandera *f* de popa. ~를 게양하다[모독하다] izar [insul-

tar] la bandera nacional. ~에 대해 경례하다 saludar a la bandera nacional.

국난(國難) peligro *m* nacional, crisis *f* nacional, riesgo *m* del Estado; [재화] calamidad *f* del Estado.

국내(國內) interior *m* del país. ~의 interior, doméstico, nacional, del país. ~ 무역 comercio *m* nacional. ~법 derecho *m* civil. ~선 línea *f* nacional; [비행] vuelo *m* nacinal. ~ 소비 consumo *m* doméstico. ~ 수요 demanda *f* doméstica. ~ 시장 mercado *m* doméstico. ~외 el interior y el exterior del país. ~ 정세 situación *f* nacional. ~ 정치 política *f* doméstica. ~ 총생산 Producto *m* Interior Bruto Nacional.

국도(國都) capital *f* (del país).

국도(國道) carretera *f* nacional, ruta *f* nacional, camino *m* real.

국란(國亂) guerra *f* civil, rebelión *f*.

국력(國力) potencia *f* [poderío *m* · poder *m* · fuerza *f*] del país. ~을 기르다 fomentar [reforzar] la potencia del país, vigorizar las raíces nacionales.

국록(國祿) estipendio *m*. ~을 먹다 recibir el estipendio, estar en el servicio gubernamental.

국론(國論) opinión *f* pública, opinión *f* [vista *f*] nacional. ~ 통일 unificación *f* de la vista nacional.

국리(國利) interés *m* nacional. ~ 민복 bienestar y felicidad nacional.

국립(國立) establecimiento *m* estatal [nacional]. ~의 nacinal, estatal, del Estado, gubernamental. ~ 공원 parque *m* nacional. ~ 극장 Teatro *m* Nacional. ~ 대학 universidad *f* nacional. ~ 도서관 biblioteca *f* nacional. ~ 미술관 Museo *m* Nacional de Bellas Artes. ~ 묘지 panteón *m* nacional, cementerio *m* nacional. ~ 박물관 museo *m* nacional. ~ 병원 hospital *m* nacional. ~ 요양소 sanatorio *m* nacional. ~ 의료원 Centro *m* Médico Nacional. ~ 현대 미술관 Museo *m* Contemporáneo Nacional.

국면(局面) aspecto *m* (del asunto), situación *f*, fase *f*. ~을 타개하다 despejar la situación.

국명(國名) nombre *m* de un país.

국모(國母) madre *f* de la patria.

국무(國務) asuntos *mpl* estatales [nacionales · del Estado]. ~부 Ministerio *m* del Estado. ~부 장관 ministro, -tra *mf* del Estado. ~ 총리 primer ministro *m*, primera ministra *f*. ~ 회의 Consejo *m* de Ministros.

국문(國文) ① [자기 나라에서 쓰는

고유한 글] lengua *f* nacional. ②
((준말)) =국문학. ¶ ~법 ⑦ [한
나라 말의 법칙] gramática *f* de
una lengua. ④ [우리 나라 말의 법
칙] gramática *f* de la lengua
coreana. ~학 ⑦ [한 나라의 문학]
literatura *f* de un país. ④ [우리
나라의 문학] literatura *f* coreana.
~학사 Historia *f* de la Literatura Coreana.

국물 ① [국·찌개·김치 등의 물]
gukmul, el agua *f* de la sopa ②
((속어)) [많지 아니한 이득] poca
ganancia *f*. ~도 없다 no haber
ninguna ganancia.

국민(國民) pueblo *m*, nación *f*. ~의
nacional, popular. ~의 소리 voz *f*
del pueblo. ¶ ~가요 canción *f*
nacional. ~ 감정 sentimiento *m*
nacional. ~ 교육 ⑦ educación *f*
[enseñanza *f*] nacional. ④ =의무
교육. ~ 교육 헌장 Carta *f* de la
Educación Nacional. ~당 Partido
m Nacional. ~ 대회 asamblea *f*
nacional. ~ 복지 bienestar *m* nacional. ~ 복지 연금 Pensión *f* del
Bienestar Nacional. ~성 nacionalidad *f*, carácter *m* nacional. ~소
득 renta *f* nacional. ~ 순생산
Producto *m* Nacional Neto, PNN
m. ~ 연금 pensión *f* nacional. ~
연금법 Ley *f* de la Pensión Nacional. ~ 운동 movimiento *m* nacional. ~ 의례 ceremonia *f* nacional. ~장(葬) funeral *m* nacional.
~ 정부 Gobierno *m* Nacional.
~정신 espíritu *m* nacional. ~ 주권
soberanía *f* del pueblo. ~ 주택
vivienda *f* nacional. ~ 총생산
Producto *m* Nacional Bruto, PNB
m. ~ 총수입 renta *f* nacional
bruta, RNB *f*, ingreso *m* nacional
bruto, INB *m*. ~ 투표 referéndum
m, plebiscito *m*, votación *f* ciuda-
dana. ~ 포장 medalla *f* nacional.
~ 훈장 Orden *f* Nacional.

국밥 *gukbab*, arroz *m* blanco con
sopa.

국방(國防) defensa *f* nacional. ~부
Ministerio *m* de Defensa (Nacional), *Méj* Secretaría *f* de Defensa.
~부 장관 ministro *m* de Defensa
(Nacioal), *Méj* secretario *m* de
Defensa. ~비 gastos *mpl* para la
defensa nacional. ~ 예산 presupuesto *m* de defensa nacional. ~
정책 política *f* de defensa nacional.

국법(國法) leyes *fpl* (del país). ~을
지키다 observar [respetar] las
leyes (del país).

국보(國寶) ① [나라의 보배] tesoro
m nacional. ② =국새(國璽)❷.

국부(局部) ① [전체 가운데 한 부분]
parte *f*, sección *f*, región *f*, [환부]
parte *f* afectada, parte *f* enferma.

② =음부(陰部). ¶ ~ 마비 paráli-
sis *f* local. ~ 마취 anestesia *f* local. ~ 마취제 analgesia *f*, anestésico *m* local.

국부(國父) ① [임금] rey *m*. ② [건국
에 공로가 있어 국민의 숭앙을 받
는 사람] padre *m* de la Patria.

국부(國富) riqueza *f* nacional. ~를
증진시키다 aumentar la riqueza
nacional.

국부론(國富論) Investigaciones sobre
la Naturaleza y las Causas de la
Riqueza de las Naciones.

국비(國費) gastos *mpl* nacionales. ~
생 estudiante *mf* que recibe la
beca nacional. ~ 유학생 estudiante *mf* enviado al extranjero por
gastos nacionales. ~ 장학생 becario, -ria *mf* nacional.

국빈(國賓) huésped *mf* del Estado,
huésped *mf* nacional. ~ 대우
tratamiento *m* de huésped del
estado. ~를 받다 recibir con el
tratamiento de huésped del estado.

국사(國史) historia *f* nacional, historia *f* de un país.

국사(國使) enviado, -da *mf* de un
país.

국사(國事) asuntos *mpl* nacionales.
~에 분주하다 empeñarse de pro-
moción de asuntos nacionales.

국사(國師) ① [한 나라의 스승] maestro *m* nacional. ② [천자의 스승]
maestro *m* del imperio. ③ [임금의
스승으로 삼던 덕이 높은 중] sa-
cerdote *m* virtuoso como el maestro del rey.

국산(國産) ① [자기 나라에서 생산함]
producción *f* nacional, producción *f*
doméstica, fabricación *f* nacional,
fabricación *f* doméstica. ② [국내
산] producción *f* coreana, fabricación *f* coreana. ③ ((준말)) =국산
품. ¶ ~ 원자재 materia *f* prima
local. ~ 자동차 automóvil *m* de
fabricación nacional; [한국산] automóvil *m* de fabricación coreana.
~품 producto *m* nacional, producto *m* doméstico, producto *m*
coreano. ~품을 애용하다 usar
[comprar] los artículos hechos en
casa.

국상(國喪) luto *m* nacional, duelo *m*
nacional, funerales *mpl* nacionales.

국새(國璽) ① [국가의 표상으로서의
인장] sello *m* del Estado. ② [임금
의 인장] sello *m* del rey.

국색(國色) ① [나라 안에서 제일 가
는 용모] belleza *f* del país, la
mujer más hermosa del país. ②
=모란꽃.

국서(國書) ① [신임장] (cartas *fpl*)
credenciales *fpl*; [친서] mensaje *m*
del soberano. ② [한 나라의 역사
와 문장 등에 관한 서적] libros

mpl literarios nacionales, literatura *f* nacional, obra *f* nacional.

국선(國選) =관선. ¶ ~의 nombrado [designado] por el gobierno. ~ 변호사 abogado, -da *mf* de oficio.

국세(國稅) impuesto *m* nacional. ~를 징수하다 recaudar impuestos nacionales. ~청 Dirección *f* General de Tributos, Dirección *f* de Impuestos Internos. ~청장 director, -tora *mf* [administrador, -dora *mf*] de la Dirección de Impuestos Internos.

국세(國勢) estado *m* de un país, estado *m* estatal, estado *m* del Estado, poder *m* nacional. ~ 조사 censo *m* (de población).

국소(局所) =국부(局部). ¶ ~의 local, tópico.

국수 *guksu*, fideo *m*, tallarín *m*. ~를 먹다 celebrar la boda [las nupcias · el matrimonio].

국수(國手) ① [이름난 의사] célebre médico, -ca *mf*. ② [바둑 · 장기 등이 한 나라에서 으뜸가는 사람] campeón, -peona *mf* nacional. ¶ ~전 concurso *m* del maestro nacional.

국수(國粹) características *fpl* nacionales, espíritu *m* de la nación. ~의 típicamente nacional. ~주의 nacionalismo *m*. ~주의자 nacionalista *mf*.

국시(國是) (principio *m* de) la política nacional. ~를 정하다 establecer la política nacional. 민주주의를 ~로 하다 tomar la línea de democracia. 반공을 ~로 하다 tomar la línea anticomunista.

국악(國樂) ① [그 나라의 고유한 음악] música *f* clásica nacional. ② [우리 나라의 고전 음악] música *f* clásica coreana. ¶ ~기 instrumento *m* musical coreana. ~원 ㉮ [민족 음악의 보존과 발전을 목적으로 조직된 기관] Instituto *m* de la Música Clásica. ㉯ ((준말)) =국립국악원.

국어(國語) ① [국민 전체가 쓰는 그 나라의 고유한 말] lengua *f* (nacional), idioma *m*; [모국어] lengua *f* materna.. 여러 ~에 능한 polígloto, -ta *mf*. ② [우리 나라 말. 한국어] *hangul*, coreano *m*, lengua *f* coreana. ¶ ~ 교육 educación *f* de la lengua nacional. ~ 사전 diccionario *m* de la lengua coreana. ~학 ㉮ [국어를 연구하는 학문] estudio *m* de la lengua nacional. ㉯ [우리 나라 말을 연구 대상으로 하는 학문] estudio *m* de la lengua coreana. ~ 학자 especialista *mf* de la lengua nacional.

국역(國譯) traducción *f* al coreano. ~하다 traducir al coreano. ~본

libro *m* traducido a la lengua coreana.

국영(國營) administración *f* nacional. ~의 nacional, estatal, del Estado. ~ 기업(체) empresa *f* nacional. ~화 nacionalización *f*. ~화하다 nacionalizar.

국왕(國王) rey *m*, reina *f*; [군주] monarca *m*; soberano, -na *mf*. ~ 폐하 Su Majestad el Rey.

국외(局外) exterior *m*, parte *f* de fuera, posición *f* neutral. ~자 persona *f* ajena al asunto, persona *f* no comprometida, persona *f* de fuera; [제삼자] tercero, -ra *mf*; [방관자] espectador, -dora *mf*.

국외(國外) extranjero *m*, ultramar *m*. ~ 망명 expatriación *f* al extranjero. ~ 망명자 expatriado, -da *mf* al extranjero. ~ 우편 correo *m* extranjero. ~ 추방 deportación *f*, destierro *m*. ~ 추방자 expulsado, -da *mf*.

국운(國運) destino *m* del país.

국위(國威) gloria *f* [prestigio *m* · honor *m* · dignidad *f*] nacional. ~ 선양 aumento *m* de la gloria nacional, ensalzamiento *m* del prestigio nacional. ~ 선양을 하다 aumentar la gloria nacional, ensalzar el prestigio nacional, realzar la dignidad nacional.

국유(國有) propiedad *f* del estado. ~의 (propio) del Estado, estatal, nacional, gubernamental. ~림(林) bosque *m* estatal [estatal · del Estado · nacional]. ~ 재산 bienes *mpl* del Estado. ~지 terreno *m* del Estado. ~ 철도 ferrocarril *m* nacional; [서반아의] la Red Nacional de Ferrocarriles Españoles, RENFE. ~화 nacionalización *f*. ~화하다 nacionalizar.

국으로 apropiado [adecuado] para *su* propia habilidad.

국은(國恩) favores *mpl* recibidos de la patria.

국익(國益) beneficio *m* nacional, intereses *mpl* nacionales.

국자 cucharón *m*, cazo *m*, cuchara *f* grande. ~로 푸다 achicar por cucharón, sacar con cucharón.

국자(國字) ① [그 나라의 문자] escritura *f* [alfabeto *m*] nacional. ② [우리 나라의 문자] *hangul*, alfabeto *m* coreano.

국장(局長) jefe, -fa *mf*; director, -dora *mf*; [우체국 등의] administrador, -dora *mf*.

국장(國章) emblema *m* nacional, escudo *m* nacional.

국장(國葬) funeral(es) *m(pl)* del Estado, funeral *m* nacional.

국적(國籍) nacionalidad *f*. ~을 바꾸다 cambiar de nacionalidad. ~을

취득하다 adquirir la nacionalidad. ¶ ~ 박탈 desnacionalización f. ~ 법 ley f de la nacionalidad. ~ 변경 cambio m de nacionalidad. ~ 복귀 reinstauración f de nacionalidad. ~ 불명 nacionalidad f desconocida, matrícula f desconocida. ~ 상실 desnacionalización f, pérdida f de nacionalidad. ~ 증명서 certificado m de nacionalidad. ~ 취득 adquisición f de nacionalidad. ~ 포기 renuncia f de nacionalidad. ~ 회복 reivindicación f de nacionalidad.

국전(國展) ((준말)) =대한 민국 미술 전람회(Exposición de las Bellas Artes de la República de Corea).

국정(國定) redacción f nacional, decisión f del gobierno, redacción f del gobierno, redacción f del Estado. ~의 redactado [estatuido] por el gobierno, designado por el Estado. ~ 교과서 libro m de texto redactado [aceptado] por el gobierno, libro m de texto autorizado (del Estado).

국정(國政) administración f nacional, gobierno m; [국무] asuntos mpl del Estado, negocios mpl del Estado. ~에 참여하다 participar en la administración nacional. ~ 을 관장하다 tomar las riendas del Estado [del gobierno]. ¶ ~ 감사 [국회의] inspección f parlamentaria respecto al gobierno.

국정(國情) condiciones fpl de un país.

국정 홍보처(國政弘報處) Oficina f de la Información Pública. ~장 위 director, -tora mf de la Oficina de la Información Pública.

국제(國際) ① [나라와 나라와의 교제. 또, 그 관계] relación f internacional. ~의 internacional. ② [세계 각국에 관한 일] asuntos mpl de todos los países del mundo. ¶ ~ 가격 precio m internacional. ~ 견본시 feria f (de muestras) internacional. ~ 결혼 matrimonio m [casamiento] internacional. ~ 공법 derecho m público internacional. ~ 관계 relaciones fpl internacionales, internacionalismo m. ~ 교류 intercambio m internacional. ~ 노동 기구 Organización f Internacional de Trabajo, OIT f. ~ 무역 comercio m internacional. ~ 무역 기구 Organización f Internacional de Comercio, OIC f. ~법 derecho m internacional. ~ 사법 재판소 Tribunal m Internacional de Justicia, TIJ m, Corte f Internacional de Justicia, CIJ f. ~ 수지 balanza f de pagos internacionales. ~ 시장 mercado m internacional. ~ 연맹 Liga f de las Naciones. ~ 연합 las Naciones Unidas, Organización f de las Naciones Unidas, ONU f. ~ 연합 군 las Fuerzas de las Naciones Unidas. ~ 연합 기구 Organización f de las Naciones Unidas, ONU f. ~ 연합 본부 Sede f de la ONU. ~ 연합 사무 총장 secretario m general de la ONU. ~ 연합 총회 Asamblea f General de las Naciones Unidas. ~ 연합 헌장 Carta f de las Naciones Unidas. ~ 올림픽 경기 대회 los Juegos Olímpicos, Olimpiada f. ~ 올림픽 위원회 Comité m Olímpico Internacional, COI m. ~ 운전 면허 licencia f de conducir internacional. ~ 운전 면허증 carnet m [AmL licencia f] de conducir internacional. ~ 원자력 기구 Organismo f Internacional de Energía Atómica, OIEA m. ~ 적십자사 Cruz f Roja Internacional. ~ 적십자사 Sociedad f de la Cruz Roja Internacional. ~ 통화 기금 Fondo m Monetario Internacional, FMI m. ~ 통화 제도 Sistema m Monetario Internacional. ~ 펜 클럽 Asociación f Internacional de Poetas, Dramaturgos, Editores, Ensayistas y Novelistas, PEN club m. ~ 표준 도서 번호 Numeración f Internacional Normalizada de Libros, ISBN f. ~ 화 internacionalización f. ~화하다 internacionalizar. ~ 회의 congreso m [conferencia f] internacional.

국지(局地) localidad f. ~의 local. ~ 전쟁 guerra f local. ~화 localización f. ~화하다 localizar.

국채(國債) obligaciones fpl del Estado, bonos mpl del Estado. ~ 상환 기금 fondo m de amortización. ~ 증권 bono m nacional..

국책(國策) política f nacional. ~에 따라 según la política nacional. ~ 을 수행하다 llevar a cabo la política nacional. ¶ ~ 은행 banco m patrocinado por el gobierno. ~ 회사 empresa f de la política nacional.

국철(國鐵) ((준말)) =국유 철도.

국체(國體) ① [나라의 사정·상태] situación f nacional. ② [나라의 체면] prestigio m nacional, dignidad f nacional. ③ ((준말)) =전국 체육 대회.

국치(國恥) vergüenza f del país, humillación f nacional. ~일 día m de la vergüenza del país, el veintinueve de agosto.

국태민안(國泰民安) la prosperidad nacional y el bienestar del pueblo. ~하다 gozar de la prosperidad nacional y el bienestar del pueblo.

국토(國土) territorio *m* (nacional). ~의 territorial, del territorio. ~개발 desarrollo *m* [explotación *f*] del territorio. ~방위 defensa *f* nacional. ~보존 integridad *f* territorial. ~분단 división *f* territorial.

국판(菊判) octavo *m*.

국풍(國風) costumbre *f* del país.

국학(國學) literatura *f* nacional, literatura *f* clásica coreana. ~자 especialista *mf* de la literatura clásica coreana.

국한(局限) localización *f*, limitación *f*. ~하다 localizar, limitar.

국한문(國漢文) ① [국문과 한문] lengua *f* coreana y caracteres chinos. ② [국문에 한문이 섞인 글] literatura *f* coreana mezclada con los caracteres chinos.

국향(國香) ① [나라에서 제일 가는 미인] primera belleza *f* del país, la mujer más hermosa del país. ② ((식물)) =난초(蘭草).

국헌(國憲) constitución *f* nacional. ~을 준수하다 respetar la constitución nacional.

국호(國號) nombre *m* del Estado.

국혼(國婚) matrimonio *m* real.

국화(菊花) ((식물)) crisantemo *m*.

국화(國花) flor *f* nacional.

국회(國會) Asamblea *f* Nacional; [서반아의] Cortes *fpl*; [미국의] Congreso *m*; [영국의] Parlamento *m*. ~의사당 Palacio *m* de la Asamblea Nacional, Edificio *m* de la Asamblea Nacional. ~의사록 el acta *f* de la Asamblea Nacional. ~의원 miembro *mf* de la Asamblea Nacional; miembro *mf* del Congreso; miembro *mf* del Parlamento; diputado, -da *mf* (de las Cortes); legislador, -dora *mf*; congresista *mf*; parlamentario, -ria *mf*; miembro *mf* de la Dieta. ~의원 선거 elecciones *fpl* generales. ~의장 presidente, -ta *mf* de la Asamblea Nacional. ~해산 disolución *f* de la Asamblea Nacional.

군(君) tú. ~의 tu, tuyo. ~에게 a ti, te. ~을 a ti, te. 김 ~! Kim. ~이라 부르다 tutear.

군(軍) ① ((준말)) =군부(軍部). ② ((준말)) =군대. ¶~의 militar. ~을 파견하다 expedir las tropas. ③ [육군의 최고 편성 단위] ejército *m*. ④ ((준말)) =군사령부. ¶~당국 autoridades *fpl* militares. ~사령관 comandante *m* del ejército. ~사령부 cuartel *m* general.

군(郡) ① =고을. ② [지방 자치 단체의 하나] Gun, distrito *m*, condado *m*, partido *m* (judicial). ③ ((준말)) =군청.

군가(軍歌) canto *m* militar, canto *m* bélico; [곡] aire *m* marcial; [행진

곡] marcha *f* militar.

군거(群居) ① [떼를 지어 삶] vida *f* gregaria. ② ((생물)) =군서(群棲). ¶~ 본능 instinto *m* gregario.

군것(群) cosas *fpl* innecesarias, sobreabundancia *f*, superabundancia *f*, exceso *m*, superfluidad *f*. ~질 ㉮ [주전부리] gastos *mpl* de *su* dinero en golosinas. ~하다 gastar *su* dinero en golosinas. ㉯ ((속어)) =오입질.

군견(軍犬) ((준말)) =군용견(軍用犬).

군경(軍警) el militar y la policía. ~유가족 familias *fpl* desconsoladas de los soldados y los policías difuntos. ~합동 수사 investigación *f* conjunta del militar y la policía.

군계(郡界) límite *m* del condado.

군계(群鷄) bandada *f* de gallinas, populacho *m*. ~일학 uno que se eleva sobre la gentuza, joya *f* en el muladar.

군계집 adúltera *f*.

군고구마 boniato *m* asado.

군관(軍官) funcionario *m* militar.

군관구(軍管區) distrito *m* militar. 2~ 사령부 Cuartel *m* General del Segundo Distrito Militar.

군국(軍國) nación *f* militar. ~주의 militarismo *m*. ~주의자 militarista *mf*.

군기(軍紀) disciplina *f* militar. ~를 문란케 하다 perturbar la disciplina militar.

군기(軍旗) bandera *f* del ejército, estandarte *m*.

군기(軍機) secreto *m* militar. ~ 누설 revelación *f* del secreto militar. ~ 누설을 하다 revelar el secreto militar.

군기침 ① [공연히 버릇이 되어 하는 기침] tos *f* seca habitual. ② =헛기침.

군납(軍納) suministro *m* de los objetos y los servicios al ejército. ~업자 proveedor, -dora *mf* [abastecedor, -dora *mf*] de los objetos militares. ~품 suministros *mpl* provistos por el proveedor.

군내 olor *m* desagradable, mal olor *m*. ~ 나는 김치 *kimchi* que huele mal [desagradablemente].

군단(軍團) legión *f*, [사단의 편제 단위] cuerpo *m* del ejército. ~장 comandante *m* del cuerpo de ejército.

군대(軍隊) ejército *m*, tropas *fpl*, fuerzas *fpl* militares, fuerzas *fpl* armadas. ~의 militar. ~를 모집하다 reclutar soldados. ~를 보내다 enviar tropas. ~에 입대하다 ingresar en el ejército, alistarse en el ejército. ¶~ 생활 vida *f* militar. ~식 estilo *m* militar. ~식으

로 a lo militar. ~ 훈련 instrucción f militar.

군더더기 superfluidad f, redundancia f. ~를 붙이다 añadir superfluidades.

군데 lugar m, sitio m, parte f. 한 ~ un lugar, un sitio, una parte. 여러 ~ varios lugares mpl, varios sitios mpl, varias partes fpl.

군데군데 varios lugares mpl [sitios mpl], varias partes fpl; [여기저기] acá y allá.

군도(軍刀) sable m, espada f del ejército.

군도(群島) archipiélago m, (grupo m de) islas fpl.

군락(群落) ① [많은 부락] muchas aldeas fpl, colonia f. ② ((식물)) vegetación f.

군란(軍亂) insurrección f de tropas, rebelión f del ejército; [쿠데타] golpe m de estado.

군략(軍略) estrategia f, estratagema f. ~의 estratégico. ~가 estratégico, -ca mf.

군량(軍糧) víveres mpl, vituallas fpl, provisiones fpl militares.

군령(軍令) ① [군사 법규와 명령] mandato m militar, orden f militar. ② [진중의 명령] orden f de guerra.

군림(君臨) ① [군주로서 그 나라를 거느려 다스림] reinado m. ~하다 reinar. 왕은 ~하나 통치하지 않는다 El soberano reina, pero no rige. ② [절대적 세력을 가진 사람이 남을 압도하는 일] reinado m, hegemonía f, dominación f. ~하다 dominar, reinar. 산업계에 ~하다 dominar en el mundo industrial.

군마(軍馬) ① [군사와 말] los soldados y los caballeros. ② [군대에서 쓰는 말] corcel m, caballo m de guerra.

군막(軍幕) tienda f militar.

군말 palabras fpl redundantes, comentarios mpl innecesarios. ~하다 decir las cosas innecesarias.

군모(軍帽) sombrero m militar, gorro m militar, gorra f militar, kepis m, quepis m.

군목(軍牧) capellán m.

군무(軍務) ① [사무] asuntos mpl militares. ② [복무] servicio m militar.

군무(群舞) baile m colectivo [en grupo].

군문(軍門) ① [군영의 문] puerta f del campamento militar. ② [군영의 경내] recinto m del campamento militar.

군민(軍民) el militar y el civil, el militar y el pueblo.

군민(郡民) habitantes mpl del condado.

군밤 castaña f tostada.

군밥 ① [군 식구에게 먹이는 밥] arroz m de hacer comer al huésped. ② [먹고 남은 밥] arroz m sobrante.

군번(軍番) ① [군인에게 매기는 일련 번호] número m serial. ② =인식표(placa de identidad).

군벌(軍閥) clan m [partido m] militar, camarilla f militarista, militaristas mpl. ~ 정치 política f militarista.

군법(軍法) ① [군대의 형법] ley f marcial, ley f militar. ② [군대 내의 규칙] reglamento m militar. ③ [병법과 전술] el arte militar y la operación militar. ¶~ 회의 consejo m de guerra, tribunal m de guerra.

군법무관(軍法務官) oficial m judicial militar.

군법정(軍法廷) tribunal m militar, tribunal m de guerra.

군복(軍服) uniforme m militar, traje m militar. ~을 입고 있다 tener puesto el uniforme militar, estar de uniforme.

군불 fuego m encendido para calentar los suelos. ~을 때다 ㉮ [방을 덥게 하려고 불을 때다] calentar los suelos. ㉯ ((속어)) fumar el cigarrillo.

군비(軍備) armamentos mpl, preparativos mpl de guerra, preparación f militar. ~를 정하다 hacer preparación militar. ~를 축소하다 reducir armamentos. ~를 확장하다 desarrollar armamentos. ¶~ 경쟁 competición f de armamentos. ~ 축소 desarme m, reducción f [limitación f] de armamentos. ~ 확장 expansión f de armamentos, expansión f militar.

군비(軍費) gastos mpl de guerra.

군사(軍士) soldado, -da mf.

군사(軍史) historia f de la guerra.

군사(軍使) enviado, -da mf militar.

군사(軍事) asuntos mpl militares. ~의 militar, estratégico, bélico. ~ 고문 consejero m militar. ~ 고문단 grupo m consultivo militar. ~ 교관 instructor m militar. ~ 교육 educación f militar. ~ 기지 base f militar. ~ 동맹 alianza f militar. ~력 poder m militar. ~ 법원 tribunal m de guerra, tribunal m militar. ~ 분계선 Línea f de Demarcación Militar. ~ 시설 instalaciones fpl militares. ~ 우체국

(casa *f* de) correos *mpl* militares. ~ 우편 correo *m* militar. ~ 원조 ayuda *f* militar. ~ 정부[정권] gobierno *m* militar. ~ 쿠데타 golpe *m* militar [de estado]. ~ 학 ciencia *m* militar. ~ 학교 escuela *f* militar. ~ 혁명 revolución *f* militar. ~ 훈련 disciplina *f* militar.

군사(軍師) estratega *mf*; estratégico, -ca *mf*, táctico, -ca *mf*, périto, -ta *mf* militar.

군사령관(軍司令官) comandante *mf* (del ejército).

군사령부(軍司令部) cuartel *m* general militar.

군사부(軍師父) el rey, el maestro y el padre. ~ 일체 Son iguales el favor del rey, el del maestro y el del padre.

군사설(一辭說) palabras largas y superfluas.

군살 ① [궂은살] aporisma *f*, equimosis *f*, carne *f* superflua. ~을 빼 다 deshacerse de la carne superflua. ~이 생기다 aporismarse. ② [군더더기 살] gordura *f*, [지방] grasa *f*.

군상(群像) ① [많은 사람들] mucha gente. ② [그림 · 조각에서] grupo *m*. ~ 화(畵) pintura *f* de grupo.

군색하다(窘塞一) ① [생활이 딱하고 어렵다] (ser) pobre, necesitado, indigente. 군색한 사람들 los necesitados, los pobres. ② [일이 떳떳 하지 못하거나 거북하다] (ser) pobre, malo. 군색한 변명 excusa *f* pobre, mala excusa *f*.

군생(群生) ① [많은 생물] muchos seres vivientes. ② [많은 백성] muchos pueblos. ③ [생물 등이 한 데 모여 남] gregarismo *m*, vida *f* gregaria. ~하다 vivir en grupos.

군서(群棲) ((생물)) gregarismo *m*. ~ 동물 animal *m* gregario.

군선(軍船) buque *m* de guerra, buque *m* naval, nao *m*.

군세(軍勢) poder *m* militar, situación *f* militar; [군] tropas *fpl*, ejército *m*. 새로운 ~ tropas *fpl* nuevas.

군소(群小) ① [많은 자잘한 것] muchas cosas pequeñas, insignificancia *f*. ~의 menor, pequeño, insignificante, muy poco. ② [많은 첩] muchas concubinas. ¶ ~ 국가 países *mpl* menores. ~ 정당 partidos *mpl* políticos menores.

군소리 ① [쓸데없이 중얼거리는 소 리] queja *f* vana, palabras *fpl* quejosas innecesarias. ② =군말. ③ =헛소리.

군속(軍屬) =군무원(軍務員).

군손질 adorno *m* innecesario, cuidado *m* innecesario.

군수(軍需) municiones *fpl* (de guerra). ~ 공업 industria *f* militar. ~

공장 fábrica *f* de municiones [de armamentos]. ~ 물자 materiales *mpl* militares. ~ 산업 industria *f* de municiones [de guerra]. ~품 materiales *mpl* militares [bélicos], municiones *fpl*, enseres *mpl* de guerra, pertrechos *mpl* militares.

군수(郡守) alcalde, -desa *mf*; gobernador, -dora *mf* del condado.

군시럽다 sentir picor [picazón · comezón], picar.

군식구(一食口) parásito, -ta *mf*; adlátere *m*.

군신(君臣) el soberano y los súbditos, el señor y el vasallo.

군신(軍神) dios *m* de guerra, Marte *m*, héroe *m* de guerra.

군악(軍樂) música *f* militar. ~기 instrumento *m* musical para la música militar. ~대 banda *f* militar. ~대원 músico *m* de banda. ~대장 director *m* de banda.

군영(軍營) campamento *m* militar.

군왕(君王) rey *m*, soberano *m*, monarca *m*.

군용(軍用) ① [군대에 쓰임] uso *m* militar. ~의 de uso militar, para uso bélico, militar. ② =군비. ¶ ~ 견 perro *m* de ejército. ~기 avión *m* militar [de guerra]. ~ 도로 camino *m* [ruta *f*] militar, ruta *f* estratégica. ~ 수송기 avión *m* de transporte militar. ~차 coche *m* militar. ~ 차량 vehículo *m* militar. ~ 철도 ferrocarril *m* militar. ~품 artículos *mpl* militares.

군웅(群雄) barones *mpl* locales, caudillos *mpl* rivales, señores *mpl* poderosos, líderes *mpl* rivales. ~ 할거 rivalidad *f* de barones locales [de señores poderosos].

군원(軍援) ((준말)) =군사 원조.

군율(軍律) ① =군법. ② [군대 내의 기율] disciplina *f* militar.

군은(君恩) favor *m* del rey.

군의(軍醫) ((준말)) =군의관. ¶ ~감 inspector *m* general de sanidad. ~관 cirujano *m* militar, médico *m* militar, médico *m* del ejército, médico *m* de la armada, oficial *m* médico.

군인(軍人) soldado, -da *mf*; militar *mf*; [해군] marina *f*, marino *m*, marineero *m*; [공군] soldado *m* de la fuerza aérea. ~의 militar. ~다 운 marcial, militar. ~이 되다 hacerse militar. ¶ ~ 가족 familia *f* de militares. ~ 생활 vida *f* militar. ~식 lo militar. ~식으로 a lo militar, militarmente. ~ 연금 pensión *f* militar. ~ 정신 espíritu *m* militar. ~ 정치 política *f* militar.

군자(君子) ① [학식과 덕행이 높은 사람] persona *f* virtuosa, hombre *m* virtuoso, hombre *m* bien nacido, hombre *m* de carácter noble, caballero *m*; [현인] sabio *m*. ② [벼슬이 높은 사람] hombre *m* de rango alto. ③ [아내가 남편을 가리키는 말] mi esposo, mi marido. ¶~ 대로행 El sabio va al camino grande / Pórtate honradamente para que sea el ejemplo de otro.

군자(軍資) ((준말)) =군자금(軍資金).
군자금(軍資金) ① [군사에 필요한 자금] fondos *mpl* militares, fondos *mpl* de guerra. ② [어떤 일을 하기 위한 자금] fondos *mpl*; [선거 자금] fondos *mpl* de campaña.
군장(軍裝) ① [군인의 복장] uniforme *m* militar. ② [군대의 장비] equipo *m* militar.
군적(軍籍) lista *f* [registro *m*] militar; [해군의] servicio *m* naval.
군정(軍政) ① ((법률)) administración *f* militar. ~을 실시하다 establecer la administración militar. ② [군 행정 사무] asuntos *mpl* militares. ¶~ 장관 gobernador *m* militar. ~청 cuartel *m* general de la administración militar.
군제(軍制) organización *f* [régimen *m*] militar.
군종(軍宗) asuntos *mpl* religiosos en el ejército. ~감실 Oficina *f* de Asuntos Religiosos en el Ejército. ~신부 padre *m* en el ejército.
군주(君主) rey *m*, soberano *m*, monarca *m*. ~국 monarquía *f*. ~제 sistema *m* monárquico, monarquismo *m*. monarquía *f*. ~주의 monarquismo *m*. ~주의자 monárquico, -ca *mf*.
군중(群衆) gentío *m*, multitud *f* de gente, muchedumbre *f*. ~대회 concentración *f*. ~심리 mentalidad *f* colectiva, sicología *f* [espíritu *m*] de populacho.
군집(群集) amontonamiento *m*, acumulación *f*, grupo *m*, asamblea *f*. ~하다 agruparse, aglomerarse, apiñarse, agolparse, congregarse, juntarse, reunirse en grupo.
군짓 conducta *f* innecesaria.
군청(郡廳) oficina *f* de *Gun*.
군청(群青) azul *m* ultramarino.
군청색(群青色) azul *m* ultramarino, azul *m* de ultramar. ~의 azul ultramarino, (de) ultramar. ~의 바다 mar *m* azul ultramarino.
군체(群體) ((생물)) colonia *f*.
군축(軍縮) ((준말)) =군비 축소.
군침 baba *f*. ~을 흘리다 babear, echar la baba. ~을 삼키다 tragar *su* saliva. ~이 돌다 ㉮ [식욕이 나다] hacerse la boca agua, hacerse agua la boca. ㉯ [이익·재물에 욕심이 동하다] codiciar.
군턱 papada *f*, doble barba *f*.
군티 defecto *m* ligero.

군표(軍票) vale *m* de guerra.
군핍(窘乏) mucha pobreza.
군함(軍艦) buque *m* de guerra, barco *m* de guerra.
군항(軍港) puerto *m* naval.
군호(軍號) contraseña *f*.
군혼(群婚) matrimonio *m* en grupo.
군화(軍靴) botas *fpl* militares.
굳건하다 (ser) firme, fuerte, sólido, estricto, riguroso. 굳건한 기초 bases *fpl* sólidas.
굳건히 firmemente, fuertemente, sólidamente, estrictamente, rigurosamente, sinceramente. ~ 맹세하다 jurar firmemente. ~ 믿다 creer firmemente. ~ 약속하다 prometer firmemente [sinceramente].
굳게 ① [단단하게] sólidamente, firmemente, fijamente, fuerte, fuertemente, estrechamente. ~ 얼다 helarse sólidamente. ~ 잡다 empuñar fuertemente. ② [뜻이 흔들리거나 바뀌지 않고] firmemente, estrictamente, rigurosamente, sinceramente, terminantemente. ~ 맹세하다 jurar firmemente. ~ 약속하다 prometer firmemente [sinceramente]. ~ 지키다 tener defensa firme.
굳기름 =지방(脂肪).
굳다 ① [무르지 않고 단단하다] (ser) duro, sólido. 체력이 ~ carecer de flexibilidad. 지면이 ~ El terreno es sólido [duro]. ② [무른 것이 단단해지다] solidificarse, endurecerse, ponerse sólido; [시멘트 등이] fraguar. 굳은 duro, firme, endurecido. ③ [견고·튼튼하다] fuerte, resistente. ④ [뜻이 흔들리지 않다] (ser·estar) sólido, firme, inquebrantable. 굳은 신념 convicción *f* sólida [profunda]. 굳은 약속 promesa *f* sincera. ⑤ [부드럽거나 매끄럽지 않다] ponerse tieso [rígido], estar tenso, ponerse tenso, eatar en estado de tensión. 굳은 표정 semblante *m*. ⑥ [근육이나 뼈마디가 뻣뻣해지다] endurecerse. 굳은 rígido, entumecido, agarrotado. 굳은 근육 músculo *m* entumecido.
굳세다 ① [굳고 힘이 세다] (ser) fuerte, vigoroso. 굳센 몸 cuerpo *m* fuerte. ② [뜻한 바를 굽히지 않고 나아가다] (ser) firme, sólido, férreo, de hierro. 굳센 의지 voluntad *f* férrea, voluntad *f* de hierro.
굳어지다 atiesarse, hacerse duro, secarse y endurecerse, ponerse tieso; [태도 따위가] ponerse reservado; [근육 따위가] endurecerse; [긴장되어] crisparse, ponerse nervioso [tenso·tirante], intimidarse; [의견·계획 등이] solidificarse. 굳어진 tieso, rígido, duro,

endurecido, yerto. 굳어져 있다 estar [quedar(se)] estirado [duro · rígido · endurecido]. 굳어진 얼굴로 con una cara de tensión.

굳은살 callo m.

굳이 firmemente, con firmeza, tercamente, tenazmente, con tesón, sólidamente, obstinadamente, porfiadamente, necesariamente, indispensablemente, no siempre.

굳히다 ① [엉기어 단단해지게 하다] solidificar, endurecer, cuajar. 시멘트를 ~ endurecer el cemento. ② [확고 부동한 것으로 하다] consolidar, asegurar, organizar. 기반[기초]을 ~ consolidar las bases.

굴 ① ((조개)) ostra f, Méj ostrón m, AmS ostión m. ② [굴의 살] carne f de la ostra. ¶~ 껍질 concha f de las ostras. ~ 양식 ostricultura f. ~장수 ostrero, -ra mf.

굴(窟) ① [땅이나 바위가 깊숙이 팬 곳] cueva f, caverna f. ~ 에 살다 vivir en una cueva. ② [터널] túnel m. ③ [짐승이 숨어 있는 구멍] guarida f, cubil m. 너구리 ~ tejonera f, guarida f del mapache. 사자 ~ zorrera f, raposera f. ④ ((준말)) =소굴(guarida).

굴곡(屈曲) ① [상하 또는 좌우로 꺾이고 굽음] flexión f, torcedura f, [해안선 따위의] irregularidad f, [광선의] refracción f, [길의] curva f, [강의] curva f, meandro m. ~하다 doblarse, torcerse, serpentearse. ~이 진 curvado, torcido, doblado, combado, refractado; [강이나 도로가] sinuoso, serpenteante; [해안선이] recortado, accidentado. ② [사람의 성함과 쇠함이 번갈아 오는 일] vicisitudes fpl, altibajos mpl. 인생의 ~ las vicisituedes de la vida.

굴근(屈筋) (=근육 m) flexor m; [동물의] nervio m maestro.

굴다¹ ((준말)) =구르다.

굴다² [부사형 술어 밑에서] comportarse, conducirse, actuar; [특히 어린이가] portarse; [대하다] tratar. 못살게 ~ tratar severamente, tratar con severidad, tratar con aspereza.

굴다리(窟-) viaducto m.

굴대 árbol m; [선반 따위로 공작물을 고정시키는] madrín m, mandrino m; [자동차의] eje m.

굴도리 (건축) viga f redonda.

굴뚝 chimenea f. ~ 같다 desear, querer, estar ansioso, tener muchos deseos, tener muchas ansias, tener sed. 나는 그녀를 만날 생각이 ~ 같다 Estoy ansioso por conocerla a ella. 아니 땐 굴뚝에 연기 날까 ((속담)) Cuando el río

suena, agua lleva / Donde fuego se hace, humo sale / Por el humo se sabe donde está el fuego.

굴뚝새 ((조류)) carrizo m, buscareta f, coletero m.

굴러가다 avanzar rodando.

굴러다니다 ① [데굴데굴 구르며 왔다 갔다 하다] venir e ir revolcándose. ② [정처없이 방랑하다] deambular, vagar, caminar sin rumbo fijo.

굴러먹다 volverse desvergonzado. 굴러먹은 여자 pícara f, mujer f desvergonzada, mujer f descarada; [불량한 여자] tunanta f, granuja f.

굴렁쇠 aro m, rueda f.

굴레¹ [마소의 목에서 고삐에 걸쳐 얽어 매는 줄] brida f, cabestro m, ronzal m. ~를 씌우다 embridar, poner*le* la brida. =기반(羈絆) (yugo). ¶~를 벗어나다 liberarse del yugo.

굴레² [어린애 머리에 씌우는 모자의 하나] gule, uno del gorro para el niño.

굴리다 ① [굴러 가게 하다] (hacer) rodar. 공을 ~ hacer rodar una pelota. 지면에 ~ hacer rodar por el suelo. ② [돈놀이하다] dedicar dinero; [빌려주다] prestar *su* dinero; [투자하다] invertir *su* dinero. 돈을 ~ dedicar dinero. ③ [아무렇게나 내버려 두다] descuidar. ④ [나무를 모나지 않게 깎다] redondear, poner redondo, alisar un tronco, cortar redondo. ⑤ ((속어)) =염(殮)하다. ⑥ [영업을 목적으로 차를 운행하다] dirigir, llevar, tener. 차를 세 대 ~ dirigir [llevar · tener] tres coches.

굴복(屈服) sumisión f, rendición f. ~하다 darse por vencido, bajar la cerviz; [···에게] ceder, rendirse, someterse, doblegarse; [수락하다] accedir. ~시키다 someter, doblegar, humillar, sujetar, subyugar, declararse vencido. 유혹에 ~하다 dejarse vencer por la tentación, ceder a la tentación, verse dominado por la tentación, verse vencido por la tentación.

굴비 corvina f amarilla secada.

굴성(屈性) ((식물)) tropismo m.

굴속(窟-) ① [굴의 안쪽] interior m de la cueva. ② [어두워 캄캄한 곳] lugar m oscuro, oscuridad f. ~ 같다 ser tan oscuro como una cueva.

굴신(屈伸) ① [몸을 앞으로 굽힘] inclinación f hacia adelante. ~하다 inclinarse hacia adelante. ② [겸손하게 처신함] modestia f, humildad f. ~하다 (ser) humilde, modesto.

굴욕(屈辱) humillación f, afrenta f, deshonra f, oprobio m. ~을 느끼

다 sentir una humillación, sentir una afrenta. ~을 받다 sufrir una humillación, sufrir una afrenta. ~을 주다 humillar, afrentar, avergonzar, hacer una afrenta. ¶~ 외교 diplomacia f humillante. ~적 humillante, afrentoso.

굴절(屈折) ① [휘어서 꺾임] doblamiento m, torcimiento m, torcedura f. ~하다 doblarse, torcerse. 된 심성 mentalidad f complicada. ② ((물리)) refracción f. ~하다 refractarse. ~시키다 refractar. ¶~각 ángulo m de refracción. ~계 refractómetro m. ~ 광선 rayo m refracto. ~ 렌즈 lentes mpl re- fractivos, refractor m. ~ 률 índice m de refracción. ~ 망원경 (teles- copio m) refractor m. ~어 lengua f flexiva.

굴조개(조개)) ostra f.

굴종(屈從) sumisión f, sujeción f (servil), obediencia f humilde. ~하다 someterse, sujetarse (servilmente). ~시키다 subyugar [sujetar] a una humilde servidumbre.

굴지(屈指) ① [손가락을 꼽음] el contar con sus dedos. ② [손가락을 꼽아 셀 만큼 뛰어남] eminencia f, prominencia f, importancia f. ~의 distinguido, destacado, prominente, importante, líder, puntero. 한국 ~의 실업가 negociante mf líder de Corea. ¶~성 ((생물)) geotropismo m.

굴진 hollín m oleaginoso que se acumula en la chimenea.

굴진(掘進) cavadura f. ~하다 cavar.

굴집(窟-) casa f cavada como una cueva.

굴착(掘鑿) excavación f. ~하다 excavar. ~기 (máquina f) excavadora f. ~삽 pala f excavadora. ~자 excavador, -dora mf.

굴참나무 ((식물)) roble m oriental.

굴하다(屈-) ① [몸을 굽히다] inclinarse. ② [힘이 부쳐 쓰러지다] ceder, rendirse, someterse, caerse. 역경에 굴하지 않다 aguantar [sobrellevar] la adversidad. ③ [복종하다] ceder, obedecer. 권력에 ~ ceder al poder. ④ [겁을 먹다] estar aterrorizado.

굵다 ① [둘레가 크다] (ser) grueso, gordo. ② [마음이 행동의 폭이 크다] (ser) magnánimo, generoso. ③ [목소리가 저음으로 우렁우렁 울려 크다] (ser) resonante, profundo. ④ [살찌고 잘지 않다] (ser) grueso.

굵직하다 (ser) algo grueso [grande · gordo · profundo].

굶기다 hambrear, causar [hacer] padecer hambre, privar de comida, hacer pasar hambre. 굶겨 죽이다 matar de hambre.

굶다 ① [주리다] pasar hambre, no comer, no tomar. 점심을 ~ no tomar el almuerzo, no almorzar. 굶어 죽다 morirse de hambre. ② [자기 차례를 거르다] saltarse, omitir. 굶어 보아야 세상을 안다 ((속담)) La riqueza es más conocida por su falta.

굶주리다 [먹을 것이 없어 주리다] pasar hambre, tener hambre. 굶주린 hambriento (de), famélico. 굶주린 이리 lobo m hambriento. ② [어떤 정신적인 것에 매우 모자람을 느끼다] anhelar, ansiar, tener ansias, tener sed, privar. 애정에 ~ tener sed de amor [cariño].

굶주림 el hambre f, inanición f. ~으로 죽다 morirse de hambre, morirse de inanición. ~을 면하다 engañar el estómago.

굷다 ① [그릇에 차지 아니하다] no estar lleno (en el recipiente). ② [한 쪽이 푹 꺼지어 있다] (estar) hundido, derrumbado.

굷어지다 ① [한 부분이 우묵하게 들어가다] hundirse, derrumbarse. ② [다 차지 않게 되다] no llenarse

굼뜨다 (ser) lento, tardo, lerdo.

굼벵이 ① ((곤충)) larva f (de una mosca), gorgojo m, cresa f, gusano m. ② [동작이 느린 사람] persona f perezosa [holgazana]; holgazán, -zana mf.

굼실거리다 retorcerse. 굼실거리며 나아가다 avanzar serpenteando [culebreando].

굼적 moviéndose lentamente. ~도 하지 않다 no haber movimiento el que menor.

굼틀 moviéndose. ~거리다 retorcerse, moverse, agitarse.

굽 ① [짐승의 발톱 · 발굽] ㉮ [말의] casco m. ㉯ [소의] pezuña f. 갈라진 ~ pezuña f partida, pezuña f hendida. ② [그릇 따위의 밑바닥 받침] fondo m. 사발의 ~ fondo m del plato. ③ [구두 바닥의 뒤쪽] tacón m, CoS taco m.

굽다¹ ① [불에] [고기 · 감자 · 밤 따위를] asar; [빵을] hacer, cocer; [커피콩을] tostar, torrefaccionar; [땅콩을] tostar; [프라이팬 위에서] freír; [벽돌 · 옹기 따위를] cocer. 구운 asado (al horno), tostado, torrefacto; [석쇠에] asado, a la(s) brasa(s). 구운 감자 patata f [AmL papa f] asada [al horno]. 구운 고기 asado m, carne f asada. 구울 고기 trozo m de carne para asar. 고기를 ~ asar la carne. ② [숯을 만들다] hacer carbón. ③ [벽돌 · 도자기 등을 만들 때 가마에 넣고 불을 때다] cocer. 벽돌을 ~ cocer ladrillos. ④ [사진의 음화를 인화지에 옮겨 양화로 만들다] impri-

mir. 사진을 ~ imprimir las fotografías.

굽다² ① [한쪽으로 휘어져 있다]
estar curvado, estar encorvado. ②
[한쪽으로 휘다] torcerse,
encorvarse, doblarse; [활처럼] arquearse; [강·길이] serpentear. 굽
은 [파이프·가지가] curvado, tor-
cido; [선·팔·다리가] torcido;
[등·사람이] encorvado; [길·도
로가] sinuoso, lleno de curvas; [강
이나 활처럼] arqueado; [강·길이]
sinuoso, serpenteante. 굽은 강 río
m serpenteante.

굽도리 partes *fpl* inferiores de la
pared de la habitación.

굽슬굽슬하다 (ser) rizado, ensortijado, *CoS* crespo, *Méj* chino.

굽실 adulando con bajeza, inclinándose. ～거리다 mostrarse servil,
hacer la pelotilla, dar coba, adular,
lisonjear, incensar, adular con
bajeza, arrastrarse.

굽실굽실 servilmente, con servilismo. ～하다 mostrarse servil, hacer
la pelotilla, dar coba, hacer zale-
mas.

굽어보다 ① [허리를 굽혀 아래를 내
려다보다] mirar hacia abajo. 탑에서 전
시가를 굽어본다 Desde la torre se
ve toda la ciudad. ② [아랫사람을
도우려고 살피다] atender, cuidar,
prestar*le* atención.

굽어살피다 ① prestar*le* atención. ②
((성경)) mirar. 주여 하늘에서 굽어
살피시며 ((이사야 63:15)) Mira,
Señor, desde el cielo.

굽이 curva *f*, recodo *m*, vuelta *f*. 강
의 ～ recodo *m* del río.

굽이감다 arrollar, envolver, devanar,
ovillar, torcer, hacer, girar, dar
cuerda, describir una curva, serpentear.

굽이돌다 describir una curva, serpentear. 굽이도는 시냇물 arroyo *m*
serpenteante.

굽이지다 serpentear, describir una
curva.

굽이치다 serpentear. 강물이 굽이친다
El río serpentea.

굽히다 ① [구푸리다] encorvar, curvar, arquear, doblar, plegar, torcer.
몸을 ～ inclinarse. 무릎을 ～ hin-
carse de rodillas, doblar las rodillas. ② [구푸리게 하다] desfigurar,
tergiversar, alterar, cambiar. 법을
～ tergiversar la ley. 진실을 ～
desfigurar la verdad.

굿 exorcismo *m*. ～하다 exorcizar.
～하는 사람 exorcista *mf*.

굿거리 danza *f* practicada durante el
exorcismo.

굿보다 ① [굿을 구경하다] ver la
representación de exorcismo. ②
[남의 일에 참견하지 않고 보기만

하다] mirar los toros desde la
barrera, nadar entre dos aguas, no
definirse.

궁(弓) arco *m*.

궁(宮) ① [집] casa *f*. ② ((역사)) =
대궐. 궁전. ③ =종묘. ④ [천구의
한 구분] signo *m*. ⑤ ((장기))
mate *m*.

궁궁다 (ser) más ancho de lo que se
piensa.

궁굴리다 (ser) tolerante.

궁궐(宮闕) palacio *m* real. ～ 같은
집 palacio *m*, mansión *f*, residencia *f* palaciega.

궁극(窮極) finalidad *f*, extremidad *f*.
～의 final, extremo. ～의 승리
victoria *f* final. ～에 가서는 al
final, en última instancia. ¶～ 목
적 último fin *m* [objeto *m*]. ～적
final, último, extremo, eventual,
concluyente, decisivo, terminante.

궁글다 (estar) hueco, vacío.

궁글막대 tornapuntal *m* de albarda.

궁금증(-症) ansiedad *f*. ～을 풀어
주다 satisfacer *su* curiosidad.

궁금하다 (estar) preocupado, inquieto, preocuparse, inquietarse. 수남
이가 ～ Estoy preocupado por
Sunam / Sunam me tiene preocupada.

궁기(窮氣) absoluta miseria *f*, pobreza *f* terrible, aparición *f* pobre, lo
lamentable, desdicha *f*.

궁끼다(窮-) estar en un aprieto
[apuro], quedar en la indigencia
[miseria], sufrir empobrecimiento.

궁내(宮內) palacio *m*, (interior *m*
del) palacio *m* real.

궁녀(宮女) dama *f* de honor, dama *f*
de palacio.

궁도(弓道) ① [궁술 닦는 일] tiro *m*
con arco, tiro *m* al arco. ② [궁술
의 도의] arte *m* de arco.

궁둥이 ① [엉덩이의 아랫 부분]
caderas *fpl*, nalgas *fpl*, trasero *m*,
culo *m*, trascorral *m*; [말 따위의]
ancas *fpl*. ～의 nalgar. ～가 큰
nalgón. ～이가 큰 사람 nalgón,
-gona *mf*. ～가 진득하지 못한 사
람 culo *m* de mal asiento. ～가 질
기다 quedarse mucho tiempo,
quedarse más de lo debido, abusar
de *su* hospitalidad. ② [옷에서, 궁
둥이가 닿는 부분] fondillos *mpl*.

궁둥짝 una cadera, ambas caderas
fpl.

궁리(窮理) ① [사리를 깊이 연구함]
estudio *m* [investigación *f*] de las
leyes de la naturaleza. ② [좋은 도
리를 발견하려고 곰곰 생각함] de-
liberación *f*, consideración *f*. ～하
다 deliberar, considerar, pensar,
meditar.

궁박하다(窮迫-) estar en un aprieto,
[en circunstancias necesitadas],

(ser) pobrísimo, muy pobre, sumido en la pobreza, sufrir privaciones, sufrir miseria. 재정적으로 ~ estar en dificultad financiera.

궁벽하다(窮僻−) (estar) apartado, aislado, remoto.

궁사(弓士) flechero, -ra *mf*.

궁사(弓師) arquero *m*.

궁상(窮狀) estado *m* miserable, condición *f* miserable, situación *f* miserable. ~을 맞다 tener naturaleza de pobre. ~스럽다 estar en la más absoluta miseria.

궁상(窮相) cara *f* pobre, apariencia *f* pobre, aspecto *m* miserable.

궁색(窮色) figura *f* miserable.

궁색하다(窮塞−) (ser) pobre, necesitado.

궁서(窮鼠) rata *f* en aprieto. 궁서가 고양이를 문다 ((속담)) Ciervo en aprieto es enemigo peligroso.

궁성(宮城) ① [궁궐의 성벽] muralla *f* del castillo del palacio. ② [궁궐] palacio *m* real.

궁수(弓手) ((역사)) arquero *m*.

궁술(弓術) ballestería *f*.

궁시(弓矢) el arco y la flecha.

궁실(宮室) ① [궁전] palacio *m* real. ② [집. 가옥] casa *f*.

궁여일책(窮餘一策) A falta de pan buenas son tortas / Cuando hay hambre no hay pan duro / En tiempos de guerra cualquier hoyo es trinchera.

궁여지책(窮餘之策) =궁여일책.

궁전(宮殿) =궁궐(宮闕).

궁정(宮廷) =궁궐(宮闕). ¶~ 문학 literatura *f* de corte. ~ 시인 poeta *m* de caballero. ~악 música *f* de corte. ~ 화가 pintor *m* de corte.

궁정(宮庭) patio *m* del [en el] palacio real.

궁줄(窮−) situación *f* pobre.

궁중(宮中) (seno *m* de la) corte *f* real. ¶~ 무용 danza *f* que había danzado en la corte real. ~ 문학 literatura *f* (escrita) sobre la vida en el palacio real. ~어[말] término *m* de la corte real.

궁지(窮地) aprieto *m*, apuros *mpl*, situación *f* difícil. ~에 몰리다 meterse en callejón sin salida, verse en un (gran) apuro [aprieto], meterse en un atolladero, caer en una situación crítica [difícil], verse entre la espada y la pared, confundirse totalmente, perturbarse totalmente, quedar(se) todo complejo. ~에 몰아넣다 meter [poner] un aprieto [en una situación difícil]. ~에 빠지다 estancarse, meterse en un aprieto [apuro].

궁체(宮體) estilo *m* del idioma coreano escrito por las damas de honor.

궁터(宮−) ruinas *fpl* del palacio antiguo.

궁핍(窮乏) escasez *f*, pobreza *f*, carencia *f*, necesidad *f*. ~하다 (ser) pobre, necesitado, escaso. ~하게 pobremente, con pobreza. ~한 생활을 하다 pasar estrecheces, pasar apuros económicos.

궁하다(窮−) ① [가난하다] (ser) pobre, necesitado. 궁한 사람을 돕다 ayudar a los necesitados. ② [넉넉하지 못하다] no ser suficiente, apurarse, estar [verse] en aprietos [en un aprieto · en apuros · en un apuro]. ③ [어떤 일을 처리할 도리가 없다] no saber cómo [qué] hacer. 말에 ~ cortarse hablando. ④ [극도에 이르러 있다] ponerse en un apuro, ponerse en un aprieto. 궁하면 통한다 ((속담)) Cuando una puerta se cierra, otra se abre / La necesidad es la madre de la habilidad / La necesidad hace maestro. 궁한 사람이 무엇을 가리랴 ((속담)) A caballo regalado no le mires el diente.

궁합(宮合) armonía *f* matrimonial pronosticada por el adivino, armonía *f* de carácter, afinidad *f*. 두 사람은 ~이 좋다 Hay alguna afinidad entre los dos.

궁형(弓形) forma *f* arqueada.

궂기다 ① [상사가 나다] morir, fallecer. ② [일에 헤살이 생겨 잘 안 되다] salir mal, fallar, fracasar.

궂다 ① [언짢고 거칠다] (ser) malo, de mal carácter, desagradable, sentirse mal, no sentirse bien. ② [날씨가 나쁘다] hacer mal tiempo. 궂은 날씨 mal tiempo *m*. ③ [눈이 멀다] hacerse ciego, perder *su* vista.

궂은일 desgracia *f*, desastre *m*, asunto *m* infeliz, acontecimiento *m* perjudicial. 좋은 일이 있으면 ~도 있다 ((서반아 속담)) Muchas veces la adversidad es causa de prosperidad / No hay mal que por bien no venga. 궂은일에는 일가만 한 이가 없다 ((속담)) Los parientes se ayudan unos a otros en la luta y la celebran.

궂히다 ① [죽게 하다] hacer morir, perder. 사람을 ~ hacer morir a la gente. 아내를 ~ perder a *su* mujer, *su* mujer fallecer. ② [일을 그르치게 하다] hacer estropear una cosa.

권(勸) [추천] recomendación *f*, [권고] consejo *m*; [장려] fomento *m*, estímulo *m*, exhortación *f*. ~하다 [권고] aconsejar [exhortar] (a *uno* que + *subj*); [장려] fomentar, estimular (a *uno* a + *inf* [a que +

subj]); [추천] recomendar; [권유]
invitar [incitar] (a *uno* a + *inf* [a
que + *subj*]). 담배를 ~하다 invitar a fumar.

권(卷) ① [책의 편차의 한 부분]
tomo *m*. 상~ el tomo primero.
중~ el tomo segundo. 하~ [상하
두 권일 때] el tomo segundo; [상
중하 세 권일 때] el tomo tercero.
제 일~ el tomo primero, el
primer tomo. ② [책을 세는 단위]
tomo *m*, volumen *m*. 세 ~ tres
tomos, volúmenes, tres libros. 열
~으로 된 선집 obras *fpl*
escogidas en diez tomos. ③ [영화
필름의 길이의 단위] rollo *m*. 필름
열 ~ diez rollos de película.

권고(勸告) consejo *m*, recomendación
f, exhortación *f*. ~하다 aconsejar,
advertir, recomendar, exhortar. …
의 ~로 según los consejos de
uno. ~에 따라 conforme a los
consejos. ~에 따르다 seguir los
consejos. 사직을 ~하다 aconsejar
dimitir, pedir la dimisión. ¶~ 사
직 consejo *m* a dimitir. ~자
consejero, -ra *mf*. ~장[서] consejo
m escrito.

권내(圈內) interior *m* de la esfera.
~에 en el ámbito, en la esfera,
en el alcance, en la órbita. 당선
~에 있다 [선거에서] tener la po-
sibilidad de ganar en la campaña
electoral. 우승 ~에 있다 tener la
posibilidad de obtener la victoria.

권농(勸農) promoción *f* [fomento *m*]
de la agricultura. ~하다 promover
[fomentar] la agricultura.

권능(權能) poder *m*, facultad *f*, atribución *f*, autoridad *f*, competencia
f. ~을 부여하다 conferir poderes,
otorgar poderes, autorizar, dar
poder.

권두(卷頭) principio *m* (de un libro),
comienzo *m* (de un libro). ~의 그
림 frontispicio *m*. ¶~언[사] prefacio *m* (de la revista).

권력(權力) poder *m*, autoridad *f*. ~
의 공백 vacío *m* de poder. ~을
잡다 tomar el poder, hacerse con
el poder, obtener [ocupar · asu-
mir] el poder. ~을 휘두르다 ejercer *su* poder [*su* autoridad]. ¶~
가 hombre *m* de poder. ~ 남용
abuso *m* de poder. ~자 poderoso,
-sa *mf*. ~ 투쟁 lucha *f* por el
poder.

권리(權利) ① [권세와 이익] el poder
y la ganancia. ② ((법률)) derecho
m. ~를 포기하다 renunciar a *sus*
derechos. ③ [특권] privilegio *m*.
~를 얻다 obtener un privilegio. ④ [권한]
autoridad *f*. ⑤ [소유권] título *m*.

⑥ [청구권] reclamo *m*. ¶~금
derecho *m*; [셋집 등의] fianza *f*,
Arg llave *f*.

권리 선언(權利宣言) ((역사)) Declaración *f* de Derechos (22 de enero
de 1689).

권말(卷末) final *m* (de un libro). ~
의 부록 apéndice *m*.

권모(權謀) ardid *m*, intriga *f*, maniobra *f*, táctica *f*. ~가 maquiavelista
mf, intrigante *mf*, maquinador,
-dora *mf*. ~ 술수 maquiavelismo
m, maniobra *f*. ~ 술수를 부리다
recurrir al maquiavelismo, recurrir
a una maniobra.

권문 세가(權門) familia *f* influyente.

권배(勸杯/勸盃) servicio *m* de una
copa, ofrecimiento *m* de una copa.
~하다 servir una copa, ofrecer
una copa.

권법(拳法) arte *m* de agitar *su* puño
vacío.

권부(權府) oficina *f* gubernamental
de ejercer poder.

권불십년(權不十年) Más dura será
la caída / La flor de la belleza es
poco duradera / La rosa y la
doncella pierden su flor.

권선(勸善) ① [선을 권하고 장려함]
promoción *f* de virtud, exhortación
f a la rectitud. ~하다 exhortar a
la rectitud, fomentar el bien. ②
((불교)) solicitación *f* de contribuciones para el propósito religioso.
~하다 pedir [rogar] que contribu-
ya. ¶~징악 la promoción de
virtud y la represión de vicio,
moralización *f*.

권세(權勢) poder *m*, influencia *f*,
autoridad *f*. ~에 아부하다 tomar
(a *uno*) por el cuello. ~를 부리다
ejercer *su* poder [*su* influencia]. ~
욕 anhelo *m* del poder, deseo *m*
por el poder.

권속(眷屬) ① [한집안 식구] *su* familia. 일가 ~ toda (la) familia. ②
((낮춤말)) mi mujer.

권솔(眷率) *su* familia.

권수(卷首) ① [책의 첫째 권] el tomo
primero. ② =권두(卷頭).

권수(卷數) número *m* de los libros,
número *m* de los volúmenes.

권업(勸業) promoción *f* [fomento *m*]
de industria. ~하다 fomentar
[promover] la industria.

권외(圈外) exterior *m* del ámbito. ~
에 fuera del ámbito, fuera de la
esfera, fuera del alcance. 정치 ~
에 fuera de la esfera política. 당선
~에 있다 no tener posibilidad de
ganar en la elección.

권운(卷雲) ((기상)) cirro *m*.

권위(權威) ① [영향을 끼칠 수 있는
능력이나 위신] autoridad *f*, prestigio *m*. ~ 있는 소식통에 따르면

según una fuente autorizada [fidedigna]. ~를 잃다 pestigiarse, perder la autoridad [el prestigio]. ② [어떤 방면의 권위자] autoridad f, experto, -ta mf. ~자 experto, -ta mf; maestro, -tra mf; [집합적] autoridad f. ~주의 autoritarismo m.

권유(勸誘) solicitación f, invitación f; [설득] persuasión f. ~하다 solicitar, invitar, incitar; [설득하다] persuadir. ~원[자] solicitante mf. ~장 (carta f de) solicitación f, invitación f.

권유(勸諭) amonestación f, consejo m. ~하다 amonestar, aconsejar, recomendar.

권장(勸獎) fomento m, promoción f, recomendación f. ~하다 fomentar, promover, recomendar. ~ 가격 precio m de recomendación.

권적운(卷積雲) cirrocúmulo m.

권좌(權座) poder m, poderío m.

권주(勸酒) servico m de vino, ofrecimiento m de vino. ~하다 servir vino, ofrecer vino. ~가 canción f de taberna.

권총(拳銃) pistola f, [연발의] revólver m; [작은] pistolete m, cahorrillo m. ~을 겨누고 a punta de pistola. ~을 겨누다 apuntar con una pistola. ~을 쏘다 disparar una pistola, descargar una pistola. 자동 ~ pistola f automática. 육연발 ~ revólver m (con seis cámaras). 콜트식 자동 ~ colt®. ¶~ 강도 ladrón m armado de pistola, atracador m [salteador m] con pistola.

권층운(卷層雲) cirroestrato m.

권태(倦怠) ① [싫증을 느껴 게을러짐] tedio m, aburrimiento m. ~를 느끼다 aburrirse, sentir tedio, hastiarse. ② [심신이 피로하고 나른함] fatiga f, cansancio m. ¶~감 hastío m, aburrimiento m, tedio m; ((의학)) cenestopatía f. ~기 período m de aburrimiento (en la vida matrimonial). ~증 síntoma m de aburrimiento.

권토중래(捲土重來) ¶~하다 volver a atacar después de recobrar las fuerzas.

권투(拳鬪) boxeo m, pugilato m, pugilismo m. ~계 círculos mpl boxísticos, mundo m boxístico. ~ 선수 boxeador, -dora mf; púgil mf; pugilista mf. ~ 시합 combate m pugilístico. ~장 cuadrilátero m, ring ing.m. ~ 장갑 guante m para el boxeador. ~ 팬 aficionado, -da mf al boxeo, entusiasta mf del boxeo.

권하다(勸一) ① [권고하다] recomendar, exhortar, aconsejar. 입원하도

록 ~ aconsejar que entre en el hospital. ☞권(勸). ② [음식을 먹도록 하다] servir, ofrecer, invitar. 술을 ~ server vino. ☞권(勸).

권학(勸學) fomento m de educación. ~하다 fomentar [promover] la educación.

권한(權限) derecho m, atribución f, poder m, autoridad f, competencia f; [관할] jurisdicción f. ~의 위임 delegación f de la autoridad. ~을 부여하다 autorizar [otorgar] poder, autorizar, conceder atribuciones. ¶~ 대행의 interino. 대통령 ~ 대행 Presidente m interino. ~외 fuera de las atribuciones, fuera del derecho, fuera de la competencia.

권화(權化) encarnación f, personificación f. 그녀는 미덕의 ~이다 Ella es la virtud personificada.

궐기(蹶起) levantamiento m. ~하다 levantarse. ~시키다 incitar [excitar] a levantarse. ¶~ 대회 concentración f.

궐내(闕內) (interior m del) palacio m real.

궐련(卷煙) cigarrillo m, pitillo m. ~을 피우다 fumar un cigarrillo. ¶~갑 cigarrillera f, pitillera f.

궐문(闕門) puerta f (principal) del palacio real.

궐석(闕席) ((법률)) rebeldía f. ~하다 estar en rebeldía. ~자 rebelde mf. ~ 재판 juicio m en rebeldía.

궐위(闕位) vacancia f, puesto m vacante, posición f vacante.

궤(軌) ① [수레의 두 수레바퀴 사이의 간격] intervalo m entre dos ruedas del carro. ② [수레바퀴의 자국] huella f de las ruedas del carro. ③ [무슨 일의 경로] curso m, ruta f. ¶~를 같이하다 el método de pensar es igual.

궤(櫃) cofre m, cajón m, caja f.

궤간(軌間) ① [궤도의 너비] ancho m de vía, entrevía f, CoS trocha f. 좁은 ~ vía f estrecha, CoS vía f angosta. ② [철도 레일의 안쪽 너비] ancho m de la parte interior del raíl.

궤도(軌道) ① [차가 지나 다니는 길] camino m del vehículo. ② [레일을 깐 기차나 전차의 길] vía f ((férrea)). ③ [꼭 밟아야 할 정도] justicia f, camino m verdadero. 본~에 오르다 ir por buen camino. 사업을 ~에 올리다 poner el trabajo en marcha. ④ [천체가 돌아가는 일정한 길] órbita f. ~의 orbital. 달의 ~ órbita f de la luna. ~에 진입하다 entrar en órbita. ⑤ [물체가 일정한 힘에 작용되어 운동할 때 그리는 일정한 경로] trayectoria f, recorrido m. 유도탄의 ~ trayecto-

ria *f* [recorrido *m*] del misil. ¶~
비행 vuelo *m* orbital. ~ 운동
moción *f* orbital.

궤란쩍다 (ser) insolente, descarado,
impertinente, fresco, atrevido.

궤멸(潰滅) destrucción *f*, demolición
f, aniquilación *f*, aniquilamiento *m*.
~하다 destruir, demoler, aniquilar.

궤변(詭辯) sofisma *f*, sofistería *f*,
falacia *f*. ~가 sofista *mf*. ~술
sofistería *f*.

궤양(潰瘍) ((의학)) úlcera *f*, llaga *f*.
~암 cáncer *m* ulceroso; [위에 생
기는] ulcerocáncer *m*..

궤적(軌跡/軌迹) ① [수레바퀴가 지나
간 자국] huella *f* de las ruedas. ②
[전인(前人)의 행적] acto *m* de *sus*
predecesores.

궤조(軌條) raíl *m*.

궤주(潰走) derrota *f*, desbandada *f*,
fuga *f* desordenada. ~하다 desbandarse, huir derrotado, huir en
desorden.

귀 ① [(해부)] ㉮ oreja *f*. ㉯ [청각]
oído *m*. ~에 익은 familiar, conocido. ~에 거슬리는 (목)소리 voz *f*
desagradable [chocante]. ~에 거슬
리는 음 sonido *m* desagradable
[chocante]. ~가 나쁘다 tener mal
oído, tener un oído malo, oír mal;
[난청] ser teniente. ~가 먹다 [일
시적으로] estar sordo; [영구히]
ser sordo. ~가 아프다 doler*le* el
oído, tener dolor de oído. ~가 어
둡다 tener el oído duro, ser duro
de oído. ~를 기울이다 aguzar el
oído, aguzar las orejas. ② ((준
말)) =귓바퀴. ③ ((준말)) =귀때.
④ [넓적한 물건의 모퉁이 끝] filo
m, corte *m*, borde *m*, esquina *f*;
[종이 따위의] borde *m*; [빵의]
corteza *f*; [직물의] orillo *m* [자루.
손잡이] asa *f*, adidero *m*. ⑤ [바늘
구멍] ojo *m*. 바늘 ~ ojo *m* de la
aguja. ⑥ ((준말)) =불귀. ⑦ [바둑
판의 모퉁이 부분] rincón *m*. ⑧
[돈머리에 좀더 붙은 우수리] suma
f impar.

귀-(貴) ① [상대편에 대한 존칭] su
(estimado). ~ 회사 su compañía,
ustedes. ② [희귀한. 존귀한] raro,
precioso. ~ 금속 metal *m* precioso.

귀가(歸家) vuelta *f* a casa, regreso
m a casa, llegada *f* a casa. ~하다
volver a casa. ~ 도중에 en camino de vuelta [de regreso] a casa,
de vuelta a casa, volviendo a
casa.

귀감(龜鑑) modelo *m*, buen ejemplo
m.

귀갑(龜甲) cáscara *f* de tortuga.

귀객(貴客) un huésped distinguido,
un huésped de honor.

귀거래(歸去來辭) regreso *m* [vuelta
f] a la tierra natal después de

presentar *su* dimisión de la oficina
gubernamental.

귀거슬리다 ser (muy) desagradable
al oído.

귀거칠다 ser desagradable escuchar.

귀걸이 ① [추위를 막는, 귀에 거는
제구] orejeras *fpl*. ② =귀고리.

귀결(歸結) consecuencia *f*, resultado
m, conclusión *f*. 당연한 ~로 como
consecuencia natural, como consecuencia lógica [necesaria]. ~에 이르
다 llevar a la conclusión. ¶~점
punto *m* de conclusión.

귀경(歸京) vuelta *f* a la capital,
vuelta *f* a Seúl. ~하다 volver
[regresar] a la capital [a Seúl].

귀고(貴稿) su manuscrito.

귀고리 pendiente *m*, zarcillo *m*, *AmL*
arete *m*; [길게 늘어뜨린] arracada
f; [다이아몬드나 진주가 박힌] dor-
milona *f*, *Urg* caravana *f*.

귀골(貴骨) ① [귀하게 생긴 골격]
físico *m* noble. ② [귀하게 될 골
상] facciones *fpl* nobles. ③ [귀하
게 자란 사람] persona *f* de nacimiento noble.

귀공자(貴公子) joven *m* noble.

귀관(貴官) ① [상급자가 하급자를 부
르는 말] tú. ② =관리(官吏).

귀국(貴國) su país, su estado, su
nación.

귀국(歸國) vuelta *f* [regreso *m*] a *su*
país. ~하다 volver [regresar] a
su país. ~길에 오르다 tomar el
camino de *su* país, ir con rumbo
a *su* país.

귀금속(貴金屬) metal *m* precioso
[noble]. ~상 ㉮ [가게] joyería *f*,
platería *f* orfebrería *f*. ㉯ [사람]
joyero, -ra *f*; platero, -ra *mf*;
orfebre *mf*.

귀기울이다 prestar*le* atención.

귀납(歸納) inducción *f*. ~하다 inducir, generalizar. ~의 inductivo. ~
법 método *m* inductivo, inducción
f. ~적 inductivo.

귀넘어듣다 no prestar atención, no
hacer caso, hacer caso omiso,
escuchar sin la debida atención.

귀농(歸農) vuelta *f* a la tierra, vuelta
f al cortijo, vuelta *f* a la hacienda.
~하다 volver a la tierra, volver
al cortijo.

귀담다 grabar en la memoria.

귀담아듣다 prestar*le* atención, hacer
caso, escuchar con atención [con
interés], aguzar los oídos, abrir el
oído.

귀대(歸隊) vuelta *f* a *su* batallón. ~
하다 volver a *su* batallón.

귀댁(貴宅) su familia, su casa.

귀돌 piedra *f* angular.

귀동(貴童) =귀동이.

귀동냥 sabiduría *f* adquirida de
oídos. 그는 ~으로 여러 가지 것을

알고 있다 El ha aprendido muchas cosas de oído.

귀동자(貴童子) hijo *m* precioso, hijo *m* amado.

귀두(龜頭) ① =귀부(龜趺). ② ((해부)) [자지의 대가리] balano *m*, bálano *m*. ~염 balanitis *f*.

귀둥이(貴一) niño *m* amado.

귀뚜라미((곤충)) grillo *m*. ~가 울다 chirriar el grillo.

귀뜨다 aprender a escuchar por primera vez después del nacimiento.

귀뜨이다 tener *su* atención llamada.

귀띔 insinuación *f*, indirecta *f*. ~하다 insinuar, dar la insinuación, dar la pauta.

귀로(歸路) regreso *m*, vuelta *f*. ~에 en camino de casa, en el camino de vuelta, en el camino de regreso. ~를 서두르다 apresurarse a volver, darse prisa a volver, apresurarse a volver a casa, encaminarse a casa a toda prisa. ~에 오르다 ponerse en camino de vuelta [de regreso] a casa.

귀리((식물)) centeno *m*, avena *f*. ~밭 avenal *m*.

귀머거리 sordo, -da *mf*.

귀먹다 tener el oído duro, ser duro de oído.

귀멀다 ser sordo.

귀면(鬼面) ① [귀신의 얼굴] cara *f* del espíritu. ② ((건축)) adorno *m* que pintó la cara del espíritu.

귀목 madera *f* de olmo.

귀물(貴物) artículo *m* precioso.

귀밀머리 cabello *m* que cubre los lados de la cabeza, pelo *m* suelto, pelo *m* desprendido, cabello *m* de los sienes, los lados de la cabeza.

귀밑샘 ((해부)) glándula *f* parótida.

귀밑털 patillas *fpl*, cabello *m* de las sienes.

귀밝다 tener buenos oídos.

귀부인(貴婦人) dama *f*.

귀빈(貴賓) huésped *mf* honorable [de honor]. ~관 casa *f* de recepción. ~석 tribuna *f* de honor, asientos *mpl* reservados para los invitados excelsos. ~실 sala *f* de huéspedes de honor, salón *m* de recepción de palacio.

귀뿌리 mejillas *fpl* de la región inferior de las orejas.

귀사(貴社) su compañía, ustedes.

귀상어 ((어류)) pez *m* martillo.

귀서(貴書) su (estimada) carta.

귀선(龜船) =거북선.

귀설다 estar desconocido, resultar desconocido, no estar familiarizado, no estar acostumbrado, ser extraño.

귀성(歸省) ida *f* a *su* casa paternal, visita *f* a *su* tierra nativa. ~하다 ir a *su* casa paternal, visitar a *su*

tierra nativa, volver [regresar] a la tierra natal [al pueblo natal]. ~객 gente *f* de volver a la tierra nativa. ~열차 tren *m* especial para la gente de volver a la tierra nativa. ~일 día *m* de volver a la tierra nativa.

귀소 본능(歸巢本能) instinto *m* de volver al hogar.

귀속(歸屬) pertenencia *f*, dependencia *f*, [소유권 등의] reversión *f*, revuelta *f*. ~하다 pertenerse, depender, revertir. 국가에 ~하다 revertir al estado. ~재산 propiedad *f* revertida al estado.

귀순(歸順) defección *f*, deserción *f*, sumisión *f*, obediencia *f*, sometimiento *m*, homenaje *m*. ~하다 defeccionar, desertar, someterse, obedecer, prometer fidelidad, prometer obediencia, hacer homenaje. ~병 soldado *m* sometido. ~자 desertor, -tora *mf*.

귀신((鬼神)) ① [죽은 사람의 넋] el alma *f* (difunta), espíritu *m*, duente *m*, fantasma *m*; [살인귀] ogro *m*; [악마] diablo *m*. ~의 diabólico. ~같은 diabólico, endemoniado. ~에 홀린 듯이 como (un) endemoniado, como un poseso. ② [사람에게 화복을 준다는 정령] dios *m*, demonio *m*, diablo *m*. ③ [특수한 재주가 있는 사람] maestro *m* supremo, fiera *f* +「현재 분사」, hacha *f* +「현재 분사」, bestia *f* +「현재 분사」. 그녀는 골프의 ~이다 Ella es una fiera [un hacha] jugando al golf. ¶~도 모르다 Nadie sabe / No sabe nadie. ~(이) 들리다 estar endemoniado, estar poseído por el demonio. 귀신이 곡한다 ((속담)) Es original y curioso. 귀신이 곡할 노릇이다 Es misterioso.

귀신같다(鬼神一) (ser) sobrenatural, poco natural, poco normal, (estar) espantoso. 그녀는 ~ Ella está espantosa.

귀신같이(鬼神一) sobrenaturalmente, espantosamente, de una manera espantosa, increíblemente, terriblemente mal, terriblemente.

귀싸대기 cara *f*, rostro *m*, la oreja y la mejilla. ~를 때리다 pegarle una bofetada, darle una bofetada, abofetear.

귀아프다 ① [너무 시끄러워서 듣기 싫다] ser desagradable a *su* oído, resultar desagradable a *su* oído. ② [잔소리를 너무 늘어놓아 듣기 싫다] dar una lectura larga. 귀아프도록 잔소리를 하다 reprender severamente, echar una buena regañina. ③ [너무 자주 들어 듣기

싫다] estar harto de oír, haber oído bastante.

귀앓이 =귓병(dolor de oído, otalgia).

귀양 destierro *m*, exilio *m*, expulsión *f*, extrañamiento *m*. ~살이 vida *f* en el exilio. ~지 exilio *m*, destierro *m*, lugar *m* de exilio.

귀어듭다 tener el oído duro, ser duro de oído.

귀엣말 susurro *m*, cuchicheo *m*, voz *f* baja, ruido *m* sordo. ~하다 cuchichear, decir al oído, hablar al oído, cuchichear. ~로 en susurros, en voz baja, cuchicheando.

귀여겨듣다 escuchar atentamente [con atención], prestar oído [un oído atento].

귀여리다 (ser) crédulo, estar dispuesto a creer.

귀여워하다 amar, querer, sentir cariño, tener cariño, mimar, acariciar, querer bien, echar a perder con mimos.

귀염 amor *m*, cariño *m*, afección *f*. ~을 받다 ser amado [querido], ser favorito. ¶~둥이 niño *m* mimado, niña *f* mimada. ~성 encanto *m*, atractivo *m*, afabilidad *f*, amabilidad *f*, gentileza *f*.

귀엽다 (ser) encantador, mimado, mono, atractivo, guapo, majo, querido, amado, caro, acariciado, lindo, bonito. 귀여운 소녀 muchacha *f* mona [linda].

귀울다 tener zumbido en los oídos, zumbar*le* los oídos.

귀울음 zumbido *m* de oídos.

귀의(歸依) ((종교)) conversión *f*. ~하다 convertirse (a una religión), creer (en una religión). 기독교[천주교]에 ~하다 convertirse al cristianismo [al catolicismo]. ¶~자 converso, -sa *mf*.

귀이개 mondaoídos *m*, limpiaoídos *m*, escarbaorejas *m*.

귀인(貴人) noble *mf*; persona *f* noble; dignatario, -ria *mf*; persona *f* de alcurnia. ~상 cara *f* [semblante *m*] noble.

귀일(歸一) unidad *f*, unificación *f*. ~하다 unificarse.

귀임(歸任) vuelta *f* a *su* puesto. ~하다 volver a *su* puesto.

귀재(鬼才) [세상에 드문 재능] talento *m* notable. ~의 notable, polifacético, versátil. ② [세상에 드문 재능을 가진 사람] genio *m* de talento notable; persona *f* versátil; persona *f* de gran versatilidad; persona *f* polifacética; experto, -ta *mf*. 컴퓨터의 ~ experto, -ta *mf* en informática.

귀접스럽다 ① [추하고 지저분하다] (ser) sucio, mugriento, roñoso, desordenado; [냄새가] nauseabun-

do, fétido, hediondo. ② [사람됨이 천하고 비루하다] (ser) bajo, vil, innoble, abyecto.

귀족(貴族) noble *mf*; aristócrata *mf*; ser *mf* de linaje, ser *mf* de familia; [시골의] hidalgo *m*. [전체] nobleza *f*, aristocracia *f*. ~ 계급 clase *f* aristocrática. ~적 aristocratismo *m*. ~ 문학 literatura *f* aristocrática. ~ 사회 sociedad *f* aristocrática. ~원 senado *m*, cámara *f* alta. ~적 noble, aristocrático. ~ 정치 aristocracia *f*. ~ 취미 aristocratismo *m*. ~화 aristocratización *f*.

귀중(貴中) Señores. 월출 편집국 ~ Señores Redacción de la Editorial Wolchul.

귀중품(貴重品) objetos *mpl* de valor, artículos *mpl* preciosos [valiosos · de valor], joya *f* u otros artículos de valor, cosas *fpl* preciosas, tesoro *m*.

귀중하다(貴重-) (ser) precioso, valioso, de gran valor [precio]; [존중할만한] apreciable, estimable.

귀지 cerilla *f*, cerumen *m*.

귀착(歸着) ① [돌아가 닿음] llegada *f*, regreso *m*. ~하다 llegar, volver, regresar. ② [의견이 낙착됨] conclusión *f*, consecuencia *f*, fin *m*. ~하다 concluir, llegar a la conclusión, resultar. ¶~점 deducción *f*, inferencia *f*.

귀찮다 fastidiarse, molestarse, dar rabia. 귀찮은 fastidioso, molesto, irritante, pesado, tedioso. 귀찮게 irritantemente. 귀찮은 사람 causa *f* del problema, perplejidad *f*, molestia *f*, oveja *f* negra; [부담] carga *f*, peso *m*. 귀찮게 하다 molestar, fastidiar, importunar, irritar. 만사가 ~ encontrar todo fastidioso [molesto].

귀찮아하다 fastidiar, molestar, irritar.

귀천(貴賤) rico y pobre, alto y bajo, noble y plebeyo, rangos *mpl*. ~의 차별 없이 sin distinción de rango [de clase · de alcurnia]. 사람은 ~이 없다 Todos somos de la carda. 직업에 ~ 없다 No hay profesión vil. 법 앞에는 ~이 없다 Ante la ley todos somos iguales.

귀청 tímpano *m*.

귀촉도(歸蜀道) ((조류)) =소쩍새.

귀촌(歸村) vuelta *f* a la aldea. ~하다 volver a la aldea.

귀추(歸趨) tendencia *f*; [결과] consecuencia *f*. 평화 문제의 ~ cuestión *f* de la paz. 당연한 ~로서 como una consecuencia natural.

귀태(貴態) figura *f* noble. ~가 나다 (ser) noble, elegante.

귀퉁이 ① [귀의 언저리] raíz *f* de la oreja. ② [물건의 쑥 내민 부분]

parte *f* saliente. ③ [사물의 구석] ㉮ [안에서 보는 경우] rincón *m*. 방의 ~에 en un rincón del cuarto. ㉯ [밖에서 보는 경우] esquina *f*. 탁자의 ~에 en una esquina de la mesa.

귀틀 armazón *m*. ~집 cabaña *f* de troncos.

귀하(貴下) ① [편지에서] [남자에게] señor (Sr.); [기혼녀에게] señora (Sra.); [미혼녀에게] señorita (Srta.). 김복남 ~ Señor Kim Boknam. ② [상대자를 높이어 이름 대신 부르는 말] usted. ~의 의견 에 찬동합니다 Estoy de acuerdo con usted.

귀하다(貴一) ① [신분·지위가 높다] (ser) noble, alto. 귀한 가문 familia *f* noble. 귀하신 몸 persona *f* de nacimiento noble, personaje *m* alto. ② [흔하지 않다] (ser) raro, poco común; [진귀하다] curioso. 아주 귀한 물건 cosa *f* muy rara, objeto *m* muy raro, curiosidad *f*. ③ [소중하다] (ser) inestimable, precioso; [존경할 만하다] venerable, honorable, respetable. 귀한 persona *f* respetable. 귀한 손님 visitante *m* bienvenido. 인명은 무엇보다는 ~ La vida humana es inestimable. ④ [귀염을 받을 만하 다] (ser) adorable, majo, amoroso. 귀한 자식 매 한 대 더 때리고 미운 자식 떡 한 개 더 준다 (《속 담》) Niño mimado, niño ingrato.

귀항(歸航) navegación *f* de vueltas. ~하다 navegar hacia *su* país, volver [regresar] al puerto.

귀항(歸港) vuelta *f* al puerto. ~하다 volver al puerto. ~선 barco *m* de vuelta.

귀향(歸鄕) regreso *m* (a casa), vuelta *f* (a casa). ~하다 volver a casa, regresar a casa, volver a *su* tierra natal.

귀화(歸化) ① [복종] lealtad *f*, sumisión *f*. ~하다 someterse. ② ((국 적)) [다른 나라의 국적을 얻어 그 국민이 됨] naturalización *f*. 외국인 의 ~ naturalización *f* de un extranjero. ~하다 naturalizarse. ~를 허가하다 conceder la ciudadanía. ③ ((생물)) naturalización *f*, aclimatación *f*. ~하다 naturalizar, aclimatar. ¶~국 *su* país adoptado. ~민 pueblo *m* naturalizado. ~ 법 ley *f* de naturalización. ~ 식물 planta *f* naturalizada. ~인 ciudadano *m* naturalizado. ~종 especie *f* naturalizada. ~증 carnet *m* [carné *m*] de naturalización. ~증 명서 certificado *m* de naturalización.

귀환(歸還) regreso *m*, vuelta *f*; [외지 에서의] vuelta *f*, repatriación *f*,

evacuación *f*. ~하다 volver, regresar. ~병 soldado *m* de vuelta. ~자 repatriado, -da *mf*.

귀휴(歸休) regreso *m* a casa, permiso *m*. ~병 soldado *m* licenciado. ~제 sistema *m* licenciado.

귓가 borde *m* de la oreja.

귓결 tiempo *m* libre de entreoír. ~ 에 por ventura, casualmente, por acaso, por casualidad, de casualidad, de manera fortuita. ~에 듣다 oír casualmente, entreoír.

귓구멍 agujero *m* de la oreja. ~을 후비다 escarbarse la oreja. ~이 넓다 escuchar cuidadosamente [con cuidado].

귓돌 piedra *f* principal.

귓등 región *f* exterior de la oreja.

귓문(一門) orificio *m* exterior de la oreja.

귓바퀴 ((해부)) aurícula *f*, pabellón *m* externo del oído. ~의 auricular.

귓밥 grosor *m* del lóbulo de la oreja.

귓병(一病) dolor *m* de oído.

귓불 [귓바퀴의 아래쪽으로 늘어진 살] lóbulo *m* (de la oreja), perilla *f* de la oreja.

귓속 parte *f* interior de las orejas.

귓속말 =귀엣말.

귓전 borde *m* de la aurícula. ~에 se oído, alrededor de las orejas. ~으로 듣다 oír casualmente, oír por casualidad.

귓집 orejeras *fpl*.

규격(規格) norma *f*, tipo *m*, modelo *m*, ley *f*, marco *m*, regla *f* fija. ~외의 fuera de serie. ~에 일치한 conforme al modelo, conforme a la norma. ¶~ 통일 unificación *f* normal. ~품 artículo *m* normalizado. ~화 estandarización *f*, normalización *f*. ~하다 estandarizar, normalizar.

규례(規例) reglas *fpl* y regulaciones, estándar *m*.

규명(糾明) examen *m* minucioso. ~ 하다 examinar a fondo, reducir al examen minucioso, examinar rigurosamente. 범행 동기를 ~하다 examinar a fondo los motivos del crimen.

규모(規模) escala *f*, dimensión *f*, graduación *f*, magnitud *f*, envergadura *f*; [설계] plan *m*, propósito *m*. ~가 큰 de gran escala, de gran envergadura. ~가 작은 de pequeña escala [envergadura].

규방(閨房) tocador *m*, alcoba *f*.

규범(規範) ① =본보기. ② ((철학)) norma *f*, regla *f*.

규사(硅砂) arena *f* silícea.

규산(硅酸/硅酸) sílice *m*, ácido *m* silícico. ~의 silícico.

규석(硅石) ① ((광물)) silicato *m*,

규소(硅素/珪素) ((화학)) silicio *m*.

규수(閨秀) ① =처녀(soltera). ¶김 씨 댁 ~ hija *f* del Sr. Kim. ② [학예에 뛰어난 여자] mujer *f* literaria.

규암(硅巖) ((광물)) cuarcita *f*.

규약(規約) estatuto *m*, reglamento *m*, acuerdo *m*, convenio *m*, pacto *m*, estipulación *f*, contrato *m*, término *m* de acuerdo. ~을 맺다 conciliar, hacer un contrato, pactar, contratar, estipular.

규율(規律) disciplina *f*, orden *m*. ~을 깨뜨리다 faltar a la disciplina. ~을 유지하다 mantener la disciplina. ~을 지키다 observar [guardar] la disciplina.

규정(規定) reglamento *m*. ~하다 reglamentar. ~의 regular, debido, estipulado, prescrito. ~되다 estipularse. ~대로 debidamente, conforme al reglamento.

규제(規制) [규칙] regulación *f*, reglamentación *f*; [제한] restricción *f*; [통제] control *m*. ~하다 regular, reglamentar, restringir, limitar, controlar.

규조(硅藻) diatomea *f*, diatomácea *f*. ~식물 diatomea *f*. ~토 diatomita *f*.

규준(規準) canon *m*, precepto *m*, modelo *m*.

규중(閨中) tocador *m*. ~처녀[처자] doncella *f*, virgen *f*, soltera *f*.

규칙(規則) regla *f*, reglamento *m*, norma *f*, orden *f*. 경기의 ~ las reglas del juego. 교통의 ~ las normas de circulación. 안전의 ~ las normas de seguridad. 테니스의 ~ el reglamento del tenis. ~대로 conforme a la regla. ~에 반(反)하여 contrario al reglamento, en contra del reglamento. ~에 의하면 según la regla, conforme a la regla. ~에 위배되다 ser contrario al reglamento, ser en contra del reglamento. ~을 만들다 fijar [hacer·establecer] una regla [un reglamento]. ~을 어기다 violar [contravenir·infringir·ir contra] una regla [las normas]. ~을 지키다 observar [obedecer·respetar] las reglas [las normas]. ¶~ 동사 verbo *m* regular. ~서 reglamento *m*; [취의서] prospecto *m*. ~ 위반 violación *f* [infracción *f*] a [de] la regla. ~적 regular, sistemático, ordenado, metódico. ~ 형용사 adjetivo *m* regular. ~ 활용 [동사의] conjugación *f* regular; [성·수의] inclinación *f* regular.

규탄(糾彈) acusación *f*, censura *f*, denuncia *f*, delación *f*. ~하다 acusar, censurar, incriminar, denunciar, acriminar, delatar. 정부를 ~하다 censurar el gobierno.

규폐(硅肺) ((의학)) =규폐증(硅肺症).

규폐증(硅肺症) ((의학)) silicosis *f*.

규합(糾合) convocación *f*. ~하다 convocar. 동지를 ~하다 convocar a los que tienen un mismo propósito.

규화(硅化) ((화학)) silicificación *f*. ~하다 silicificar.

규화(硅華) ((광물)) toba *f* silícea.

규환(叫喚) grito *m*, aclamación *f*. ~하다 gritar, dar un grito, aclamar. 아비~의 장면 escena *f* terrible de confusión, escena *f* terrible.

균(菌) ((준말)) ① =균류(菌類). ② =세균(細菌). ③ =병균(病菌). ¶~ 배양 cultivo *m* de un microbio. ~학 micetología *f*, micología *f*. ~혈증 microbiemia *f*, bacteremia *f*.

균독(菌毒) veneno *m* de seta.

균등(均等) igualdad *f*, paridad *f*, uniformidad *f*. ~하다 (ser) igual, uniforme. ~하게 igualmente, con igualdad, por igual, uniformemente. ~히 하다 igualar. ~히 나누다 dividir en partes iguales.

균류(菌類) hongos *mpl*. ~학 fungología *f*. ~학자 fungólogo, -ga *mf*.

균배(均配) división *f* en partes iguales. ~하다 dividir igualmente.

균분(均分) división *f* igual. ~하다 dividir igualmente. 유산을 ~하다 distribuir la herencia igualmente.

균열(龜裂) grieta *f*, raja *f*, rajada *f*, hendedura *f*, hendidura *f*, resquebradura *f* resquebrajadura *f*, resquebrajamiento *m*; [가는] fisura *f*, [벽·천정 따위의] cuarteo *m*; [성벽 따위의] brecha *f*. 땅의 ~ hendidura *f* [grieta *f*·rotura *f*] del suelo.

균일(均一) uniformidad *f*, igualdad *f*. ~하다 (ser) uniforme, igual. ~하게 uniformemente, igualmente, con igualdad. ~하게 하다 igualar, hacer uniforme. ¶~ 가격 precio *m* uniforme. ~ 요금 precio *m* uniforme. ~제 sistema *m* de razón uniforme.

균제(均齊) simetría *f*. ~가 잡힌 simétrico. ~가 잡힌 사람 persona *f* bien formada.

균종(菌腫) ((의학)) micetoma *m*.

균질(均質) homogeneidad *f*. ~의 homogéneo, normalizado.

균할(均割) división *f* igual. ~하다 dividir igualmente.

균형(均衡) balanza *f*, equilibrio *m*. ~이 잡힌 bien equilibrado. ~이 잡히지 않은 mal equilibrado. 국제 수지의 ~ equilibrio *m* de la balanza de pagos internacionales. ~을 깨

뜨리다 romper el equilibrio. ~을 잃다 perder el equilibrio, faltar*le* los pies. ~을 이루다 lograr el equilibrio. ~을 잡다 equilibrar, balancear. ~이 잡히다 equilibrar- se, balancearse.

굴(橘) naranja *f*. ~의 naranjero. ~ 껍질 cáscara *f* de la naranja. ~밭 naranjal *m*. ~빛 (color *m*) ana- ranjado *m*, naranja *m*. ~재배자 naranjero, -ra *mf*. ~장수 naranje- ro, -ra *mf*.

굴나무(橘─) ((식물)) naranjo *m*.

그 ① [지시 형용사] ese, esa, esos, esas; [문제의] en cuestión. ~ 소 년 ese muchacho el muchacho en cuestión. ~ 집 esa casa. ~ 책 ese libro. ~ 이야기 ese cuento. ② ((준말)) =그이(él, ella). ¶~의 su, suyo. ~를 le, lo, a él. ~에게 le, a él. ~의 것 el suyo, la suya, los suyos, las suyas, lo suyo. ~ 자신 él mismo, ella misma. ~ 자신을, ~ 자신에게 a sí mismo. ~ 에게서 온 편지 su carta. ③ ((준말)) 그 것. ¶~와 같은 물건 artículo *m* como eso.

그간(─間) entre tanto, entretanto, mientras tanto.

그것 ① [지시 대명사] ése, ésa, ésos, ésas; [중성] eso. ~을 lo, la. ~들 을 los, las. ~에 관해서 ~(는) sobre ese asunto, respecto de ese asun- to, acerca de eso, en cuanto a eso. ~은 무엇입니까? ¿Qué es eso? ~이 더 좋다 Eso es mejor / Es mejor así. 바로 ~이다 ¡Eso es! / ¡Justamente! / ¡Eso digo yo! ② [그 아이] ese niño, esa niña. ~들 참 귀엽기도 하지 ¡Qué gua- pos son ellos! ③ [그 사람] ese hombre, ese tipo.

그글피 cuatro días después.

그까짓 esa clase de, tal, de tal grado. ~ 일은 나도 할 수 있다 Si se trata nada más que de eso, puedo hacerlo yo también / Yo también puedo hacer tal cosa [una cosa así].

그끄러께 hace tres años.

그끄저께 hace tres días.

그나마 aun así, sin embargo, no obstante.

그날 ese día, el mismo día.

그날그날 cada día, todos los días, diariamente, día tras día, de día en día, día a día.

그냥 ① [그 모양 그대로] tal como está. ~ 두어라 Déjalo tal como está. ② [그대로 줄곧] continua- mente, solo, directamente. ~ 지나 치다 pasar de largo. 위스키를 ~ 마시다 beber [tomar] un whisky solo.

그네 columpio *m*, *RPI* hamaca *f*; [곡

예용] trapecio *m*. ~(를) 타다 jugar al columpio, columpiarse, *RPI* hamacar.

그네들 ellos, esas personas. ~에게 les, a ellos. ~을 los, a ellos.

그녀(─女) ella. ~의 su, suyo. ~를 la, a ella. ~에게 le, a ella. ~의 것 el suyo, la suya, los suyos, las suyas; [중성] lo suyo. ~ 자신 ella misma. ~ 자신에게 a sí misma.

그녀들 ellas. ~의 su, suyo. ~을 las, a ellas. ~에게 les, a ellas. ~을 las, a ellas. ~의 것 el suyo, la suya, los suyos, las suyas. ~ 자 신 ellas mismas. ~ 자신을 a sí mismas.

그년 esa mujer, esa bastarda, *Andes* esa guacha.

그놈 ese tipo, ese bastardo, *Andes* ese guacho.

그늘 ① [볕이나 불빛이 가려진 곳] sombra *f*. 나무의 ~ sombra *f* del árbol. ~에서 말리다 secar a la sombra. ② [부모나 어느 사람이 보살펴 주는 아래] cuidado *m*, protección *f*. 부모의 ~ cuidado *m* de los padres, protección *f* de los padres. ③ [드러나지 않은 곳] oscuridad *f*. ~에서 일하는 사람 sostenedor, -dora *mf* [partidario, -ria *mf*] por nadie conocido. ④ [불행이나 근심이 있어 흐려진 분위 기나 표정] atmósfera *f* sombría, carácter *m* sombrío.

그다지 [「못하다」・「않다」 따위 부 정의 말과 같이 쓰임] [형용사나 부 사 앞에서] muy; [명사 앞에서] mucho, mucha, muchos, muchas; [동사 뒤에서 동사 수식] mucho; [형용사나 부사 앞에서] tan; [명사 앞에서] tanto, tanta, tantos, tan- tas; [동사 뒤에서 동사 수식] tan- to; particularmente. ~ 덥지[춥지] 않다 No hace mucho calor [frío].

그대 ① [「자네」보다 좀 높인 말] tú. ~는 누구인고 ¿Quién eres tú? ② [애인끼리 「당신」의 뜻으로 쓰 인 말] tú. 내 사랑하는 ~여 [남자 에게] ¡Querido mío! [여자에게] ¡Querida mía!

그대로 tal como (está), mismo, co- mo, así, intacto. 있는 [사실] ~ sin exageración, justamente lo que es, francamente, abiertamente. 있 는 ~의 사실 la pura verdad. 있는 ~ 말하면 hablando francamente [abiertamente・sin reservas]. ~ 두다 mantener *algo* fijo, dejar *algo* tal como está. 있는 ~ 말하 다 hablar francamente.

그득 lleno. ~ 차다 [그릇이] llenarse. 먼지가 ~ 찬 lleno de polvo. 크림 으로 ~ 채운 케이크 pasteles *mpl* rellenos de nata [crema]. 담배 연 기로 ~ 찬 방 habitación *f* llena de humo. ~ 채우다 [병·잔·방등을] llenar; [케이크·샌드위치 등을] rellenar.

그득하다 estar lleno, llenarse.

그들 ① [그 사람들] ellos. ~에게 les, a ellos. ~을 los, a ellos. ~ 자신 ellos mismos. ~ 자신에게[을] a sí mismos, se. ~의 것 el suyo, la suya, los suyos, las suyas, lo suyo. ② [그것들] esos, esas.

그들먹하다 estar casi lleno.

그따위 esa clase (de), tal, cual, tal cosa, tal persona, cosas por el estilo, cosas de ésas, esas cosas, gente por el estilo. ~ 사소한 일로 울지 마라 No llores con tales nimiedades.

그때 entonces, en ese momento, por esos días, en [por] aquel entonces, esos días, en eso, cuando (관계 부사로 절을 이끔). ~까지 hasta entonces, hasta ese momento, hasta ese tiempo. ~까지(에)는 para entonces, para ese momento, para ese tiempo. ~부터 desde entonces, desde ese momento, a partir de ese momento; [현재까지] desde entonces hasta hoy.

그라비어 fotograbado m. ~ 용지 papel m de fotograbado. ~ 인쇄기 prensa f de fotograbado.

그라운드 campo m de juego.

그라인더 molinillo m.

그랑프리 Grand Prix, Gran Premio.

그래¹ [그리하여] y, por eso, por consiguiente, por lo tanto.

그래² [아랫사람에게 대답하는 말] sí; [부정] no. ~, 내 곧 갈게 Sí. Yo iré pronto.

그래그래 Sí, sí / Ahora me acuerdo / ¡Ah sí! ~ 알았다 알았어 Sí, sí, yo sé, yo sé.

그래도 a pesar de ello, no obstante, sin embargo, con todo, pero. ~ 가야 한다 A pesar de todo ello, hay que ir.

그래서 por eso, por lo tanto, por consiguiente. ~ 나는 그것을 용서할 수 없다 No por eso lo perdono.

그래프 ① [통계의 표] gráfico m, diagrama m, gráfica f. ~를 만들다 hacer un gráfico. ② [사진을 주로 한 잡지, 또는 화보] gráfico m. ¶~ 용지 papel m cuadriculado.

그래픽 ① [화보] gráfico m. ② [형용사] gráfico. ¶~ 디자이너 diseñador m gráfico, diseñadora f gráfica. ~ 디자인 diseño m gráfico. ~ 아트 artes fpl gráficas.

그랜드 magnífico, grandioso, grande, gran. ~ 오페라 gran ópera f. ~ 피아노 piano m de cola.

그램 [(수학) gramo m (gr.). ~ 원자 átomo-gramo m.

그러구러 de algún modo u otro,

poco a poco, gradualmente. ~ 나는 빚을 갚을 수 있었다 De algún modo u otro, pude pagar mis deudas.

그러그러하다 (ser) mediano; regular; mediocre; así, así; así, asá; indiferente; ni bueno ni malo; ni mejor ni peor. 그 소설은 어떻습니까? — 그러그러합니다 ¿Qué tal es esa novela? — Ni fu ni fa.

그러께 año antepasado, hace dos años.

그러나 pero, sin embargo, no obstante, con todo, con todo esto, con todo eso; [고어나 시어에서] mas; [하지만] a pesar de + ind, aunque + ind, a pesar de que + ind, aunque + ind, bien que + ind. 이것은 비싸다. ~ 질기다 Esto es caro pero duradero.

그러나저러나 salga lo que saliere, sea lo que se fuere, de todos modos, de todas formas, de todas maneras, en cualquier caso, de cualquier modo, sea como se fuere, igual, con todo eso.

그러내다 quitar.

그러넣다 poner, recoger.

그러니 ((준말))=그러하니.

그러니까 ((준말))=그러하니까.

그러니저러니 esto o eso, una cosa o otra. ~ 할 것 없이 sin decir esto o eso, con una buena gracia.

그러다 haciendo así. ~ 넘어질라 Te caerás haciendo así.

그러다가 haciendo así. ~ 혼날거다 Tú castigarás haciendo así.

그러담다 recoger (y poner).

그러당기다 recoger y tirar. 판돈을 ~ recoger el dinero en la mesa de juego.

그러들이다 recoger, coleccionar, hacer colección. 빚을 ~ recoger las deudas.

그러면 entonces, pues, bien, bueno, en ese caso, en tal caso, con que + ind, de modo que + ind. ~ 내일 오겠습니다 Entonces vendré mañana.

그러면 그렇지 como era de esperar. ~ 불평 안 할 리가 있나 Supongo que iba a protestar.

그러모으다 recoger, reunir, juntar. 낙엽을 ~ recoger las hojas caídas. 돈을 ~ reunir dinero.

그러므로 por eso, por (lo) tanto, y, por consiguiente, de modo que + ind, de manera que + ind, así, luego. 그는 에스빠냐에 있다. ~ 여기에 있는 사람은 그가 아니다 El está en España, por eso el que está aquí no es él.

그러안다 abrazar. 서로 ~ abrazarse uno de otro, estrecharse, fundirse.

그러자 con lo cual, en ese momento, y, cuando.

그러잖아도 para colmo (de). ~ 곤란한 터에 para colmo de apuros.

그러잡다 agarrar, tener (firmemente) agarrado, sujetar.

그러저러하다 (ser) así y así, tal cosa, cual cosa.

그러쥐다 agarrar, coger, asir.

그러하다 ser así. ¡Ya lo creo! / ¡Claro! / ¡Desde luego! / ¡Por supuesto!

그러하다 ser así. 물론 그러합니다 ¡Cómo no! / ¡Claro! / ¡Desde luego! / ¡Por supuesto!

그러한 tal, semejante. ☞그런

그러한즉 por eso, por consiguiente.

그럭저럭 aproximadamente, casi, como, poco más o menos, regular, sea como sea. ~ 하는 사이에[동안]에 mientras tanto, entretanto, entre tanto. ~ 지냅니다 Así, así.

그런고로 por eso, por consiguiente.

그런대로 de todos modos, de todas formas, igual, al [a lo · por lo] menos, a su modo, a su manera, en su género, en cierta medida. ~ 살다 vivir al día.

그런데 pero, sin embargo, y.

그런데도 y sin embargo, con todo esto, a pesar de todo.

그런즉 ((준말)) =그러한즉.

그럴듯하다 (ser) probable, verosímil, Puede ser, Pudiera ser. 그럴듯한 의견 opinión f probable.

그럴싸하다 =그럴듯하다.

그림[1] ((준말)) =그러면.

그림[2] ((감탄사)) ¡Por supuesto! / ¡Desde luego! / ¡Claro (que sí)! / ¡Cómo no! / ¡Ya lo creo!

그렁그렁 ① [액체가] casi lleno. 눈물이 ~한 눈 los ojos mpl casi llenos de lágrimas. ② [국물은 많고 건더기가 적어서 조화되지 않은 모양] acuosamente. 국물이 ~하다 La sopa es acuosa. ③ [물을 많이 먹어서 뱃속에 물이 가득히 괴어 있는 모양] hinchado de agua. ~하다 sentirse hinchado de agua.

그렇게 así, tan, tanto, de esa manea, de ese modo; [부정] (no) mucho. ~까지 hasta tal punto. ~ 생각한다 Creo que sí / Lo creo.

그렇고 말고 ((준말)) =그러하고 말고. ¶그녀는 사랑스런 소녀야 ~ ~ Ella es una chica encantadora ~ ¡Ya lo creo!

그렇다 ((준말)) =그러하다. ¶~면 si es 않다 No es así / No es eso / No es eso. 물론 ~ ¡Cómo no! / ¡Eso mismo! / ¡Claro que sí! / ¡Desde luego! / ¡Por supuesto!

그렇다면 entonces, si ello es así.

그렇잖다 no ser así.

그렇잖으면 ((준말)) =그렇지 않으면.

그렇지 Eso es / Así es / Cierto / Exacto.

그렇지마는 pero, sin embargo, no obstante, aunque.

그렇지 않으면 si no, o. 서둘러라 ~ 버스를 놓칠 것이다 Date prisa, o perderás el autobús.

그레이하운드 galgo m.

그레코로만 ① [그리스와 로마의 혼합양식] estilo m grecorromano. ② =그레코로만형. ¶~ 미술 bellas artes fpl grecorromanas. ~형 estilo m grecorromano, lucha f grecorromana.

그루 ① [나무·곡식 등의] tocón m, cepa f. 오래된 ~ tocón m antiguo. ② [식물 특히 나무를 세는 법] rastrojo m, tocón m, cepa f. 나무 한 ~ un árbol.

그루갈이 cultivo m secundario (de invierno).

그루터기 tocón m, tueca f, cepa f, pie m; [뿌리] raíz f; [곡물의] rastrojo m.

그룹 ① [동아리. 집단. 무리] grupo m. ~으로 en grupo, en conjunto. 세 ~으로 en grupos de tres. ~을 만들다 organizar un grupo, formar un grupo, agruparse. ② =분단(分團). ③ ((음악)) grupo m, conjunto m. 록 ~ un grupo de rock. ~ 사운드 grupo m de rock (de dos o tres músicos). ~ 섹스 sexo m en grupo.

그르다 ① [옳지 아니하다] estar equivocado, estar mal, ser incorrecto, ser erróneo, no tener razón. 그릇된 판단 juicio m equivocado. ② [될 가망이 없다] (ser) desesperado, imposible.

그르렁거리다 respirar con dificultad, resollar, roncar; [어린애가] gorjear.

그르치다 estropear, arruinar, afear, destruir. 몸을 ~ perderse.

그릇[1] ① [물건을 담는 기구] recipiente m, vasija f, receptáculo m, envase m. ② [사람의 능력이나 도량] calibre m, capacidad f, habilidad f. ~이 크다 ser un hombre de calibre, ser un hombre de mucha capacidad. ~이 작다 ser un hombre de poco calibre, ser un hombre de poca capacidad.

그릇[2] [그르게. 틀리게] mal, incorrectamente, erróneamente, equivocadamente, por equivocación, por error. ~ 하다 equivocar, cometer error. ~ 생각하다 entender mal, comprender mal.

그릇되다 equivocarse, fracasar, estropearse, echarse a perder. 그릇된 equivocado, falso, erróneo, incorrecto. 그릇된 생각 idea f equivocada [errónea].

그리 tan, así, tanto. ~ 크지 않다 No es tan grande.

그리고 y; [i‐ ·hi‐ 로 시작되는 단어 앞에서] e; y después, y también. 부친께서는 9월 ─ 모친께서는 10월에 돌아가셨습니다 Mi padre murió en septiembre, y después mi madre en octubre.

그리니치 ((지명)) Greenwich. ─ 천문대 Observatorio m de Greenwich. ─ 표준시 hora f (del meridiano) de Greenwich.

그리다[1] ① [보고 싶어 그리운 마음을 품다] anhelar, ansiar, añorar, encantar, echar de menos. 고향을 ─ añorar su patria. ② [사모하다] amar [querer] mucho [de verdad]. 나는 그녀를 그리고 있다 Yo la quiero mucho [de verdad].

그리다[2] ① [색채화를] pintar; [선화·도면을] dibujar, trazar. 고양이를 ─ dibujar un gato. 장미를 ─ pintar las rosas. 지도를 ─ dibujar [trazar] un plano. 초상화를 ─ pintar un retrato. ② [말이나 글로 나타내다] describir.

그리스 ((지명)) Grecia f. ─의 griego, helénico. ─ 신화 mitología f griega. ─어 griego m. ─인 griego, -ga mf. ─ 정교회 la Iglesia Ortodoxa Griega.

그리스도 el Cristo, Jesús Cristo, Jesús, el Santísimo, el Mesías, el (Divino) Nazareno. ─교 cristianismo m. ─ 교도 cristiano, -na mf.

그리움 deseo m ardiente.

그리워지다 echar de menos. 당신이 그리워지오 Te echo de menos. 부모님이 그리워진다 Echo de menos a mis padres.

그리워하다 recordar dulcemente, desear con ansia ver, añorar, echar de menos, sentir nostalgia, recordar con nostalgia, recordar con añoranza, pensar (con nostalgia), morirse, suspirar; [생각하다] recordar, acordarse. 고향을 ─ añorar el terruño, sentir nostalgia [añoranza] por su pueblo, echar de menos a su patria.

그리하다 hacer así.

그리하죽 por eso, por consiguiente.

그린 ① [녹색] (color m) verde m. ② [풀밭] plaza f con césped. ③ ((골프)) green m. ¶ ─ 베레 boina f verde. ─벨트 zona f verde. ─피 [골프] green fee ing.m.

그린란드 ((지명)) Groenlandia f. ─의 (사람) groenlandés, -desa mf.

그릴 ① [석쇠] parrilla f. ② [호텔 등의 간이 식당] grill m, restaurante m de servicio rápido.

그림 [액자에 넣어진] cuadro m; [착색화] pintura f; [선화] dibujo m; [삽화] ilustración f. ─ 같은 pintoresco. ─이 들어 있는 ilustrado. ─

의 기호 gusto m de dibujar. ─의 재능 talento m de bosquear. ─을 그리다 pintar, dibujar; [도형을 그리다] trazar, describir. ¶ ─의 떡 castillos mpl en el aire, objeto m deseable pero imposible de conseguir. 그녀는 ─의 떡이다 Ella es algo inaccesible [inalcanzable].

그림씨 ((언어)) adjetivo m.

그림 엽서(―葉書) postal f, trajeta f postal (ilustrada).

그림자 ① [햇빛이나 불빛을 가린] sombra f, silueta f. 건물의 ─ sombra f de un edificio. 나무의 ─ sombra f de un árbol. ② [거울이나 물에 비치는 물체의] reflejo m. 산들이 호수에 ─를 비추고 있다 Los cerros se reflejan en el lago. ③ [사람의 자취] rastro m, huella f, pisada f. ④ [얼굴에 나타난 표정] figura f, semblante m. ¶ ─놀이 silueta f. ─놀이극 sombras fpl chinescas.

그림책(―冊) libro m ilustrado.

그림첩(―帖) libro m de pinturas.

그립다 echar de menos. 그리운 querido, recordado; [향수에 젖은] nostálgico; [잊을 수 없는] inolvidable. 그리운 아내 esposa f querida, esposa f recordada. 내 그리운 연인에게 [편지 서두에서] Mi querido novio [Mi querida novia.

그만[1] ((준말)) 그만큼. ¶ ─ 돈은 나도 있다 Yo también tengo tal dinero.

그만[2] ① [그 정도까지만] hasta ese punto, lo suficiente, para. ─ 먹어라 Deja de comer. ─ 울어라 Deja de llorar. ② [그대로 곧장] en cuanto, tan pronto como, apenas, no bien. 그는 자리에 들자 ─ 잠들었다 En cuanto él se acostó se durmió. ③ [어쩔 도리가 없어서] inevitablemente, involuntariamente, sin querer. ─ 잊어버리다 olvidarse sin querer. ④ [감탄사적] ¡Basta! 이제 ─! ¡Ya basta!

그만그만하다 (ser) casi el mismo. 나이가 ─ ser de casi la misma edad.

그만두다 parar, dejar (de + inf), cesar (de + inf), abandonar; [사퇴하다] renunciar, negarse a + inf, retirarse. 담배를 ─ dejar de fumar. 술을 ─ dejar de beber.

그만이다 ① [그것뿐이다] ser sólo, no importa, da igual. 가면 ─ No importa si yo voy. ② [그것으로 마지막이다] ser el fin. 이것을 하면 오늘은 ─ Hoy es el fin si lo hacemos sólo. ③ [마음에 넉넉하다] (ser) suficiente, bastante. ④ [더할 나위 없다. 제일 낫다] (ser) el mejor. 그 사람의 요리 솜씨는 ─ El es un buen cocinero / El cocina muy bien.

그만저만 ¶ ~하다 no ser ni bueno ni malo; ni fu ni fa; así, así. 그 영화는 어떻느냐? - ~하다 ¿Qué tal es esa película? - Ni fu ni fa.

그만큼 tanto, hasta ese punto. ~이면 충분하다 Eso será bastante.

그만하다 ① [그저 비슷하다] no ser grande ni pequeño, no ser mejor ni peor. 아버님 병환이 ~ La enfermedad de mi padre no es mejor ni peor. ② [웬만하다] (ser) regular, (no ser) ni fu ni fa. 당신의 사업은 어때요? - 그저 그만합니다 ¿Qué tal es su negocio? - Ni fu ni fa. ③ [정도나 수량이 그것만하다] (ser) tanto. 그만한 돈은 내게도 있다 Yo también tengo tanto dinero.

그만한 tan, tanto. ~ 일은 나도 할 수 있다 Yo también puedo hacer tal cosa [una cosa así].

그맘때 casi ese tiempo, casi la misma edad. ~까지는 일이 끝날 것이다 Mi trabajo se terminará para casi ese tiempo.

그물 red f, malla f; [석쇠] parilla f; [투망] esparavel m; [수렵용의] red f de cazar; [창문의] tela f metálica, malla f metálica, RPI tejido m metálico, Col anjeo m. ~ 모양의 reticulado, reticular. (코가) 넓은 ~ malla f abierta. (코가) 가는 ~ malla f fina. ¶ ~눈[코] malla f de la red.

그믐 ((준말)) =그믐날. ¶섣달 ~ el último día de diciembre, el último día del año. ~께 los últimos días del mes, hacia el último día del mes. ~날 el último día del mes. ~달 luna f que sale hacia el último día de cada mes lunar. ~ 밤 la última noche del mes lunar. 그믐밤에 달이 뜨는 것과 같다 ((속담)) Es una cosa imposible. 그믐밤에 홍두깨 내민다 ((속담)) Lo inesperado ocurre de repente.

그분 ((높임말)) =그이. 그 사람. ¶~는 언제 가셨습니까? ¿Cuándo se fue él?

그사이 mientras tanto, entretanto, ínterin m, interin m. ~에 mientras tanto, entretanto, en el ínterin, en el interin.

그슬리다 quemar, abrasar [consumir] con fuego. 검게 ~ carbonizarse.

그악스럽다 (ser) fiero, feroz; [장난이] travieso; [너무하다] excesivo; [부지런하다] diligente, trabajador, laborioso. 우리 아이는 한창 그악스러운 나이입니다 Mi hijo está en la edad más traviesa.

그악하다 ① [모질게 사납다] (ser) fiero, feroz. 그악하게 con ferocidad, ferozmente. ② [억척스럽고

부지런하다] [일꾼이] trabajador, laborioso, diligente; [학생이] aplicado, diligente; [노력을] diligente, empeñoso. 그악하게 con diligencia, con aplicación.

그야 ((준말)) =그것이야(eso). ¶ ~ 물론이지 ¡Por supuesto! ~ 그럴 수 있지 Eso es bastante posible.

그야말로 verdaderamente, en realidad, realmente, bien que, de veras, a la verdad, totalmente, muy, completamente, mucho. ~ 아름답다 ¡Qué hermoso!

그 역시(-亦是) también. ~ 거짓말이다 Eso también es la mentira.

그예 por fin, al final, finalmente.

그윽하다 ① [깊숙하고 으늑하며 고요하다] (ser) silencioso, tranquilo, en calma, quieto, solitario, apartado, aislado. 그윽한 곳 lugar m aislado, lugar m solitario. ② [뜻과 생각이 깊다] (ser) profundo. 그윽한 마음씨 consideración f profunda. ③ [느낌이 은근하다] (ser) exquisito, delicioso. 그윽한 향기 aroma f exquisita, aroma f deliciosa.

그을다 ① [햇볕에] quemarse. 햇볕에 그을은 얼굴 cara f bronceada. ② [연기에] fumigar, humear, cubrirse de hollín, tiznarse, echar humo.

그을리다[1] [연기에] fumigar, humear; [별에] quemarse.

그을리다[2] [그을게 하다] hacer quemarse. 피부를 ~ hacer quemarse la piel.

그을음 hollín m, tizne m(f).

그이 él, ese hombre, esa persona. 내 사랑하는 ~ él que yo amo.

그이들 ellos, esos hombres, esas personas.

그자(-者) ese tipo. ☞그이

그자리 el mismo lugar, ese lugar.

그저 ① [그대로 사뭇] todavía, aún, continuamente, siempre, sin cesar. ~ 비가 온다 Sigue lloviendo. ② [별로 신기함이 없이] así así, así asá, regular, más o menos. ~ 그렇다 Así, así / Regular / Nada de particular. ③ [어쨋든 무조건하고] imprudentemente, de modo temerario, casualmente, sin objeto, sin norte, sólo, solamente, al azar. 그는 ~ 앉아 있다 El está sentado con apatía. ④ [아무런 생각 없이] meramente, simplemente, sencillamente, solamente. ~ 농담이다 Es una mera broma.

그저께 anteayer, antier. ~ 아침(에) anteayer por la mañana.

그전(-前) antes, en otros tiempos, antiguamente. ~에 en el pasado, antes, en otros tiempos, antiguamente. ~처럼 como antes, como siempre. ~ 주소 dirección f antigua. ~에 살다 vivir en el pasado.

그제 =그저께.

그제야 por primera vez, finalmente, por fin. 그는 ~ 바다를 보았다 El miró el mar por primera vez en su vida.

그중(一中) entre el resto, entre ellos, de muchos. ~ 가장 낫다 Es el mejor de muchos.

그지없다 ① [끝이 없다. 한이 없다] (ser) infinito, ilimitado, sin fin. 그지없는 기쁨 alegría f infinita. ② [이루 다 말할 수 없다] (ser) indescriptible, inefable, inenarrable.

그지없이 infinitamente, ilimitadamente, indescriptiblemente, inefablemente, inenarrablemente. ~ 넓은 바다 mar m inmenso.

그치다 ① [계속되던 움직임이 멈추게 되다] parar, cesar. 그칠 새 없이 continuamente, sin cesar, constantemente, incesantemente. 그치지 않고 나오다 manar [borbollar] inagotablemente [en porfusión]. 바람이 그쳤다 Cesó el viento. ② [어떤 상태에 머무르다] limitarse. …하는 것으로 ~ limitarse a + inf. ③ [하던 일을 멈추다] dejar [cesar] de + inf. 울음을 ~ dejar de llorar.

그토록 tan, tanto. ~ 어려운 일 trabajo m tan difícil.

그 후(一後) después, más tarde. ~ 15분 quince minutos después [más tarde]. ~ 일년 un año después [más tarde].

극(極) ① [절정] cenit m, climax m. ~에 달하다 ser el punto culminante, estar en la cima [en la cumbre · en la cúspide]. ② [남극과 북극] polos mpl. 지구의 양~ ambos polos mpl de la tierra. ③ (물리) ~전극(電極).

극(劇) =연극(演劇).

극감(極減) reducción f extrema. ~하다 reducir extremadamente.

극값(極一) ((수학)) valor m extremo.

극거리(極距離) codeclinación f.

극계(劇界) =극단(劇壇).

극광(極光) aurora f, luz f polar.

극구(極口) [갖은 말을 다함] todo tipo de palabras, toda clase de palabras. ~하다 decir todo tipo de palabras. ② [온갖 말을 다하여] con todo tipo de palabras, con toda clase de palabras. ¶~ 변명 todo tipo de excusas, todo tipo de pretextos, toda clase de excusas, toda clase de pretextos. ~ 변명하다 poner todo tipo de excusas, buscar toda clase de pretextos. ~ 칭찬 las alabanzas más altas, los elogios más altos. ~ 칭찬하다 poner por las nubes.

극권(極圈) círculos mpl polares.

극기(克己) abnegación f, estoicismo m. ~하다 abnegar. ~력 poder m de abnegar. ~심 espíritu m abnegado [de abnegación].

극단(極端) extremo m, extremidad f; [과도] exceso m. ~의 extremo, extremado, radical, ultra; [예외적인] excepcional; [과도한] exagerado, extraordinario. ~론 extremismo m. ~론자 extremista mf. ~적 extremo, extremado, radical, ultra; [과도한] exagerado, extraordinario. ~적으로 extremadamente, extraordinariamente. ~적인 대조 contraste m fuerte [radical]. ~인 예 ejemplo m [caso m] extremo.

극단(劇團) compañía f teatral.

극단(劇壇) mundo m teatral, círculos mpl teatrales.

극대(極大) ① [지극히 큼] lo grandísimo. ~의 grandísimo. ② ((수학)) máximo m. ~의 máximo. ~값 valor m máximo.

극도(極度) extremo m, grado m supremo. ~의 extremo, excesivo, extremado. ~로 con extremo, en extremo, en exceso, excesivamente, en sumo grado, en grado supremo, extremadamente. ~로 지치다 cansarse en extremo.

극돌기(棘突起) apófisis f espinosa.

극동(極東) ① [동쪽의 맨 끝] extremo m (del) este. ② [(지명)] el Lejano [Extremo] Oriente.

극락(極樂) ① [지극히 안락하여 아무 걱정이 없는 경우와 처지] situación f muy cómoda, dicha f, felicidad f absoluta. ② ((불교)) =극락 세계. ¶지상의 ~ el Paraíso Terrenal. ~에 가다 ir al cielo. ③ ((성경)) alegría f y gozo, alegría f. ¶~ 세계[정토] paraíso m, cielo m budista, Edén m, mundo m de suma alegría, los Campos Elíseos.

극락조(極樂鳥) ((조류)) el ave f del paraíso.

극량(極量) dosis f mínima [fatal].

극력(極力) con todo el poder, con toda fuerza, en la medida de lo posible, a más no poder. ~ 하다 hacer un supremo esfuerzo. ~ 노력하겠다 Haré todo lo posible / Haré el mayor esfuerzo posible.

극렬 분자(極烈分子) radical mf; extremista mf.

극렬하다(極烈一) (ser) severo, intenso, vehemente.

극렬하다(劇烈一) (ser) muy violento, muy feroz, muy fiero.

극론(極論) argumento m extremo, argumento m radical, sofistería f. ~하다 argumentar en términos extremados. ~으로 en términos extremados.

극론(劇論) discusión f radical. ~하다 discutir radicalmente.

극명하다 (ser) minucioso, detallado,

escrupuloso. 극명한 묘사 descripción f minuciosa.
극미하다(極美−) (ser) muy hermoso,
hermosísimo.
극미하다(極微−) (ser) microscópico,
infinitesimal.
극복(克服) subyugación f, conquista
f, vencimiento m, superamiento m.
~하다 vencer, superar, rendir,
subyugar, conquistar. 난관을 ~하
다 vencer [superar · salvar] las
dificultades.
극본(劇本) =각본(脚本)(guión).
극비(極秘) ((준말)) =극비밀(極秘密).
극비리(極秘裡) sumo secreto m,
mayor secreto m. ~에 con sumo
secreto, con el mayor secreto.
극비밀(極秘密) secreto m estricto
[capital]. ~의 estrictamente confidencial. ~로 en el mayor secreto,
con sumo secreto, con [bajo] la
mayor reserva. ~로 하다 guardar
[poner] en el más absoluto secreto.
극빈하다(極貧−) (ser) extremadamente pobre. 극빈하게 살다 vivir
en un nivel de pobreza extrema.
극상(極上) ① [서열 따위의] 제일
위] el primero. ② [품질 따위에서
의] 가장 윗길] lo mejor. ~의 de
calidad superior, superfino, óptimo,
supremo. ~품 artículo m de calidad superior.
극성(極性) polaridad f. ~의 polar.
극성(極星) ((천문)) estrella f polar.
극성(極盛) lo extremo, extremidad f,
[매우 성함] plena prosperidad f. ~
스럽다 (ser) muy próspero, ram-
pante; [성질이] extremo, impaciente, impetuoso, impulsivo, frenético, furioso. ~스레 impacientemente, con impaciencia, furiosamente. ~스레 일하다 trabajar furiosamente, trabajar como un loco.
극세하다(極細−) (ser) muy delgado,
muy fino.
극소(極小) ① [아주 작음] pequeñez f
mínima. ~하다 (ser) muy pequeño, pequeñísimo. ② ((수학)) =극
소값. ¶~값[値] valor m mínimo.
극소량(極少量) mínimum m.
극소수(極少數) número m mínimo.
극소하다(極少−) (ser) muy poco.
극시(劇詩) poesía f dramática, poema
m dramático.
극심하다(極甚/劇甚−) (ser) extremo,
excesivo, violento, intenso; [추위
가] severo; [손해가] muchísimo.
극심한 더위 calor m intenso. 극심
한 추위 frío m severo.
극악무도하다(極惡無道−) (ser) atroz.
극악하다(極惡−) (ser) atroz, malvado, diabólico. 극악한 사람 hombre
m malvado [perverso], monstruo
m, bribón m, persona f horrible.

극약(劇藥) medicina f [remedio m]
fuerte, medicamento m de empleo
peligroso; [독약] veneno m.
극양(極洋) mares mpl polares.
극언(極言) crítica f severa. ~하다
criticar severamente.
극영화(劇映畫) cinedrama m.
극예술(劇藝術) arte m dramático.
극우(極右) ((준말)) =극우익.
극우익(極右翼) ① [극단적인 우익 사
상] extrema derecha f, ultradere-
cha f. ~의 ultraderechista. ② [우
익파 사람] extrema derechista mf,
ultraderechista mf.
극작(劇作) teatro m, obra f dramática. ~하다 escribir un drama [una
obra dramática]. ~가 dramaturgo,
-ga mf. ~법[술] dramaturgia f,
dramática f.
극장(劇場) [연극용] teatro m; [영화
용] cine m. ~에 가다 ir a ver
una película, ir al cine. ¶~가
distrito m teatral.
극적(劇的) dramático. ~으로 dramá-
ticamente. ~ 장면(場面) escena f
dramática.
극점(極點) ① [극도에 다다른 점 · 맨
끝] punto m extremo, climax m.
② [북극점과 남극점] meridiano m.
극좌(極左) ((준말)) =극좌익. ¶~파
extremas izquierdistas fpl.
극좌익(極左翼) ① [극단적인 좌익 사
상] extrema izquierda f, ultraiz-
quierda f. ~의 ultraizquierdista. ②
[극단적인 좌익 사상을 가진 사람]
extrema izquierdista mf; ultraizquierdista mf.
극중(劇中) en la obra (de teatro). ~
의 사건 incidente m en la obra.
¶~ 인물 caracteres mpl en la
obra.
극지(極地) polo m, región f polar. ~
식물 planta f polar. ~탐험 expedición f polar. ~ 탐험가 explorador m polar.
극진하다(極盡−) (ser) atento, hospitalario, cariñoso, cordial. ~히
atentamente, cordialmente, hospitalariamente, cariñosamente, con
mucha hospitalidad, con la mayor
cuidado. ~히 맞이하다 recibir con
mucha hospitalidad.
극찬(極讚) alabanza f alta. ~하다
alabar mucho.
극초단파(極超短波) hiperfrecuencia f,
frecuencia f ultraalta, microonda f,
onda f ultracorta.
극치(極致) máximo grado m, colmo
m. 행복의 ~ colmo m de la felicidad.
극평(劇評) crítica f teatral; [신문 등
의] crónica f del teatro. ~을 하다
criticar obras teatrales. ¶~가

crítico, -ca *mf* teatral.

극피 동물(棘皮動物) equinodermo *m.*

극한(極限) último límite *m*, extremidad *f.* ~에 달하다 llegar al último límite. ¶~ 상황 situación *f* extrema. ~ 투쟁 lucha *f* a extremos, lucha *f* hasta el fin.

극한(劇寒/劇寒) frío *m* muy severo.

극해(極害) daño *m* muy severo.

극형(極刑) pena *f* capital. ~에 처하다 condenar a la pena capital.

극화(劇化) adaptación *f* teatral, dramatización *f.* ~하다 adaptar al teatro, dramatizar, teatralizar. 소설을 ~하다 dramatizar una novela, adaptar a la escena [al teatro] una novela.

극히(極-) muy, mucho, extremamente, extremadamente, sumamente, extraordinariamente. ~ 드문 일 cosa *f* muy rara. ~ 중요하다 ser sumamente importante.

근(根) ① [부스럼 속에서 곪아 단단하게 된 망울] clavo *m.* ② ((식물)) =뿌리. ③ ((화학)) =기(基). ④ ((수학)) raíz *f.*

근(筋) ((해부)) =힘줄. 근육. ~운동 movimiento *m* muscular.

근(斤) *gun* (600 g., 375 g.). ~으로 팔다 vender al peso.

근(近) casi, cerca de, alrededor de, unos, unas. ~ 한 달 동안 casi un mes. ~ 백 리 cerca de cien *ri*, cerca de cuarenta kilómetros.

근간(近刊) ① [최근 출판된 간행물] edición *f* recién publicada. ② [멀지 않아 곧 출간함. 또, 그 책] próxima publicación *f*; [책] libro *m* en preparación. ¶~서 [출판된] libro *m* recién publicado, libro *m* de reciente publicación.

근간(近間) ① [요즈음] estos días, nuestros días, recientemente. ② [가까운 시일의 미래] pronto, dentro de poco, en un futuro cercano, un día de estos, uno de estos días.

근간(根幹) ① [뿌리와 줄기] la raíz y el tronco. ② [근본] principio *m*, fundamento *m*, base *f.*

근거(根據) ① [사물의 토대] base *f*, fundamento *m.* …을 ~로 하다 basarse en *algo*, fundarse en *algo*. 과학적 ~가 있다 tener una base científica. ② [의론 등에 그 근본이 되는 사실] base *f*, fundamento *m*, autoridad *f*, razón *f.* ~ 있는 (bien) fundado, con fundamento. ~ 없는 낭설 rumor *m* infundado, sin fundamento, sin razón. ~ 없이 sin fundamento, sin fundado sin fundamento. ③ =근거지. ¶~지 base *f* de operación.

근거리(近距離) distancia *f* cercana, poca distancia *f*, cercanía *f.*

근검(勤儉) diligencia *f* y frugalidad,

economía e industria. ~하다 (ser) diligente y frugal. ~ 저축 economía *f* y ahorro.

근경(近景) vista *f* cercana, paisaje *m* cercano.

근계(謹啓) [남자에게] Muy señor mío; [부인에게] Muy señora mía; [아가씨에게] Muy señorita mía; [회사나 단체에게] Muy señores míos; [여자 단체에게] Muy señoras mías.

근교(近郊) alrededor *mpl*, cercanías *fpl*, afueras *fpl.* ~의 농민 campesinos *mpl* de los pueblos vecinos.

근근(僅僅) =겨우. 근근이.

근근이(僅僅-) con dificultad, difícilmente, a duras penas, con dificultades económicas. ~ 살아가다 ganarse la vida a duras penas, vivir a duras penas, vivir con dificultades económicas.

근기(根氣) ① [참을성 있게 배겨 내는 힘] paciencia *f*, perseverancia *f*, asiduidad *f*, aguante *m*, constancia *f.* ~ 있는 paciente, perseverante, asiduo; [지칠 줄 모르는] infatigable, incansable. ~ 있는 노력 esfuerzo *m* de paciencia. ② [근본이 되는 힘] fuerza *f*, vigor *m*, resistencia *f*, energía *f*, nervio *m.* ③ [음식의 든든한 기운] resistencia *f.*

근년(近年) estos años, estos últimos años, recientes años.

근농(勤農) labranza *f* [cultivo *m*] diligente. ~하다 cultivar [labrar] diligentemente. ~가 ② [집안] familia *f* que cultiva diligentemente. ④ [사람] agricultor, -tora *mf* diligente.

근대 ((식물)) remolacha *f* azucarera.

근대(近代) ① [가까운 시대] época *f* cercana. ② =요즈음. ③ =현대. ¶~적 건축물 edificio *m* contemporáneo. ~ [역사상 시대 구분의 하나] edad *f* [época *f*] moderna. ~의 moderno. ~ 문명 civilización *f* moderna. ~사 historia *f* moderna. ~ 사상 ideas *fpl* modernas. ~ 소설 novela *f* moderna. ~ 오종경기 pentatlón *m* moderno. ~주의 modernismo *m.* ~주의자 modernista *mf.* ~화 modernización *f.* ~화하다 modernizar.

근들거리다 mover ligeramente; [움직이게 하다] hacer mover ligeramente.

근뎅거리다 soler mover ligeramente

근돌기(筋突起) proceso *m* coronoides.

근동(近東) Cercano Oriente *m.*

근동맥(筋動脈) arteria *f* muscular.

근드렁거리다 mover lenta y suavemente.

근드적거리다 temblar ligeramente,

balancearse ligeramente.

근들거리다 [가지 · 나무가] balancearse; [건물 · 탑이] bambolearse, balancearse, oscilar; [가볍게] mecerse, balancearse, temblar, tambalearse, moverse, vacilar. 근들거리는 이 diente m flojo. 이가 근들거리고 있다 tener un diente flojo.

근래(近來) [부사적] estos días, recientemente, en estos últimos tiempos. ~의 reciente, moderno. ~에 보기드문 걸작 una obra maestra difícil de encontrar en estos últimos tiempos.

근량(斤量) peso m. ~을 속이다 dar el peso pequeño, engañar el peso.

근력(筋力) ① [근육의 힘] poder m muscular. ② [기력] energía f, fuerza f física. ③ [근육의 지속성] durabilidad f muscular.

근로(勤勞) labor f, trabajo m, servicio m, esfuerzo m. ~하다 laborjar (duro), hacer un esfuerzo. ~기준법 Ley f del Trabajo Normalizada. ~ 소득 ingresos mpl por trabajo personal, ingresos mpl en concepto de sueldo, ingresos mpl de trabajo. ~ 소득세 impuesto m de ingresos por trabajo personal. ~자 trabajador, -dora mf; obrero, -ra mf. ~ 정신 espíritu m de labor.

근린(近隣) ① [가까운 이웃] vecino m [próximo m] cercano. ② [가까운 곳] lugar m [sitio m] cercano, vecindad f, vecindario m. ~의 vecino, de la vecindad, limítrofe.

근면(勤勉) diligencia f, laboriosidad f, aplicación f. ~하다 (ser) diligente, trabajador, laborioso, aplicado. ~하게 diligentemente, aplicadamente. ~한 학생 estudiante m aplicado, estudiante f aplicada.

근무(勤務) servicio m, trabajo m. ~하다 servir, estar de servicio, trabajar, prestar servicio. ~ 중에 en acto de servicio, durante el ejercicio de su trabajo. 비서로 ~하다 trabajar de secretario [secretaria f]. 본사에 ~하다 trabajar en la oficina central. ¶ ~ 소집 reclutamiento m de servicio. ~ 수당 subsidio m de servicio. ~ 시간 horas fpl de trabajo, horas fpl de servicio, horas fpl de oficina. ~ 일지 diario m de servicio. ~자 persona f de servicio; trabajador, -dora mf. ~ 조건 condiciones fpl de trabajo. ~지 lugar m de trabajo. ~처 [일하는 데] trabajo m, oficina f. ~ 태도 conducta f, diligencia f.

근묵자흑(近墨者黑) Del amigo dañoso, como del tiñoso / Un amigo falso empuja al hombre al cadalso.

근방(近方) [근처] vecindad f, vecindario m; [주변] cercanías fpl, alrededores mpl, contornos mpl.

근배(謹拜) (Saluda) A usted atentamente / (Muy) Atentamente / Cordialmente.

근본(根本) ① [초목의 뿌리] raíz f de las plantas y de los árboles. ② [기초] base f, cimiento m, fundamento m. ③ [자라온 환경과 경력] el medioambiente y la carrera. ¶ ~적 básico, fundamental, radical, esencial. ~적으로 básicamente, fundamentalmente, radicalmente, a fondo. ~ 정신 espíritu m fundamental.

근사값(近似-) valor m aproximado.

근사하다(近似-) ① [거의 같다] (ser) aproximado. ② [그럴싸하게 괜찮다] (ser) probable, verosímil, gracioso, elegante, bonito, mono. 근사한 생각 opinión f probable.

근성(根性) carácter m, natural m, espíritu m, temple m, perseverancia f, temperamento m.

근세(近世) [오래 되지 아니한 세상] tiempos mpl recientes, tiempos mpl modernos. ~의 reciente. ((역사)) edad f [época f] moderna. ~의 moderno.

근소하다(僅少-) (ser) un poco, pequeño, trivial. 근소한 차이로 이기다 ganar por una mínima diferencia.

근속(勤續) servicio m continuo. ~하다 servir durante largo tiempo, prestar servicios continuos, seguir trabajando.

근수(斤數) número m de gun, peso m.

근수(根數) ((수학)) raíz f, radical m.

근시(近視) ① [근시안] corta vista f, vista f corta, vista f baja; ((의학)) miopía f. ~의 miope, corto de vista. ~의 사람 miope mf. ~이다 tener la vista corta, ser corto de vista, ser miope. ② [앞일을 바로 보지 못함] visión f corta. ¶ ~안 miopía f. ~안자 miope mf. ~안적 miope, corto de vista.

근신(謹慎) buena conducta f, reserva f, circunspección f; [개전] arrepentimiento m, penitencia f; [벌] reclusión f. ~하다 portarse bien; [집에서] recluirse en su domicilio.

근실거리다 picar, sentir comezón.

근실근실 picando. ~하다 picar, sentir comezón. 등이 ~하다 Me pica la espalda / Me pica en las espaldas.

근실하다(勤實-) (ser) activo, diligente, laborioso. 근실히 activamente, diligentemente, laboriosamente. ~ 일하다 trabajar diligentemente [como una abeja].

근심 ansiedad *f,* preocupación *f,* inquietud *f,* solicitud *f.* ~하다 inquietarse, fatigarse. ~의 원인 causa *f* de ansiedad. 가정의 ~ ansiedad *f* familiar, problemas *mpl* familiares. 쓸데없는 ~ ansiedad *f* innecesaria.

근심거리 preocupación *f.* ~ 없이 sin preocupaciones. ~가 전혀 없다 no tener ninguna preocupación.

근엄하다(謹嚴-) (ser) severo, serio, solemne, grave, formal, digno. 근엄히 seriamente, gravemente, severamente, solemnemente.

근영(近影) *su* última fotografía.

근원(根源) ① [본바탕] origen *m,* raíz *f,* fuente *f,* procedencia *f,* principio *m;* [근본 원인] causa *f* primera; [정수] esencia *f.* 사회악의 ~ raíz *f* del mal social. 욕심은 모든 악의 ~이다 ((서반아 속담)) La avaricia es la raíz de todos los males. ② [물이 흘러내리는 샘 줄기의 근본] origen *m.* ③ =금실지락(琴瑟之樂). ¶~지 fuente *f.*

근위(近衛) escolta *f* cerca del rey. ¶~대 la Guardia Real. ~병 solda- do *m* de la Guardia Real, miem- bro *m* de la Guardia Real, soldado *m* de la Guardia Nacional.

근육(筋肉) músculo *m;* [집합적] musculatura *f.* ~의 muscular. ~을 만들다 hacer músculos. ~을 단련하다 fortalecer los músculos. ¶~ 수축 contracción *f* muscular. ~ 운동 movimiento *m* muscular. ~ 조직 tejido *m* [sistema *m*] muscular, musculatura *f.* ~ 주사 inyección *f* intramuscular. ~질 musculatura *f.* ~통 dolor *m* muscular; ((의학)) mialgia *f,* miodinia *f.* ~학 miología *f,* sarcología *f.*

근인(近因) causa *f* inmediata.

근일(近日) ① [요사이] estos días, nuestros días, recientes días. ② [가까운 동안] pronto. ~ 중에 dentro de poco, un día de éstos, en lo futuro cercano, pronto.

근일점(近日點) [천문] perihelio *m.*

근자(近者) estos días; [부사적] recientemente. ~의 reciente. ~에 recientemente.

근작(近作) obra *f* reciente.

근저(根柢) fundamento *m,* cimiento *m,* base *f,* raíz *f,* fondo *m.*

근저당(根抵當) hipoteca *f* flexible, hipoteca *f* variable.

근절(根絶) erradicación *f,* extirpación *f,* desarraigo *m;* [절멸] extinción *f,* exterminación *f,* destrucción *f.* ~ 하다 erradicar, extirpar, desarraigar, arrancar.

근접(近接) aproximación *f,* proximidad *f;*((심리)) contigüidad *f.* ~하다

(estar) cerca, próximo, contiguo, aproximarse, acercarse.

근정(謹呈) presentación *f,* donación *f,* dedicación *f.* ~하다 donar, dar, regalar; [도서 따위를] presentar, hacer homenaje, dedicar.

근조(謹弔) condolencias *fpl,* pésame *m.* ~하다 dar el pésame, dar *sus* condolencias.

근조직(筋組織) tejido *m* muscular.

근종(筋腫) mioma *m.*

근지럽다 picar*le,* sentir comezón.

근지점(近地點) (천문) perigeo *m.*

근질거리다 sentir comezón muchas veces, picar con frecuencia.

근착(近着) llegada *f* reciente. ~하다 llegar recientemente.

근처(近處) vecindad *f,* vecindario *m,* cercanía *f.* ~의 cercano próximo, que está más cerca. ~에 en la vecindad, en la cercanía. 이 ~에 por aquí cerca, en este barrio, en esta vecindad.

근치(根治) cura *f* radical; [상처의] cicatrización *f.* ~하다 sanar [curar] radicalmente [completamente], cicatrizar.

근친(近親) pariente *m* cercano, pariente *f* cercana; familiar *mf;* allegado, -da *mf.* ~ 결혼 casamiento *m* consanguíneo. ~ 상간 incesto *m.*

근하(謹賀) ¡Felicidades! ~ 신년(新年) ¡Feliz Año Nuevo! / Le deseo un próspero Año Nuevo.

근해(近海) mares *mpl* cercanos, aguas *fpl* cercanas. ~의 costero, cerca del mar. ~를 따라 a lo largo de la costa, bordeando la costa. ¶~어 pez *m* de mares cercanos. ~ 어업 pesca *f* en mares cercanos a la costa.

근화(槿花) (식물) =무궁화(無窮花).

근황(近況) estado *m* [condición *f*] actual.

글 ① [학문] letras *fpl,* estudios *mpl,* saber *m,* conocimientos *mpl,* educación *f.* ~이 있다 ser educado. ~을 배우다 aprender, estudiar, perseguir *sus* estudios. ② [문장] oración *f,* composición *f,* artículo *m,* estilo *m,* frase *f,* literatura *f.* ③ [글자] escritura *f,* alfabeto *m,* caracteres *mpl.* ~을 모르다 ser iletrado. ~을 쓰다 escribir. ~을 예쁘게 쓰다 caligrafiar. ~을 잘 쓰는 사람 calígrafo, -fa *mf.*

글겅이 almohaza *f.*

글공부(-工夫) estudio *m* (de las letras). ~하다 aprender las letras, estudiar.

글구멍 talento *m* literario.

글귀 frase *f,* palabra *f,* verso *m,* pasaje *m,* oración *f.*

글그렁거리다 ronronear, respirar con

dificultad.

글동무 compañero, -ra *mf* de clase; condiscípulo, -la *mf*.

글동접(一同接) =글동무.

글라디올러스 ((식물)) gladíolo *m*.

글라스 ① [유리] cristal *m*, vidrio *m*. ② [유리컵] vaso *m* de cristal, copa *f* de cristal, caña *f* de cristal. ③ =안경. 쌍안경. ④ [유리 섬유] fibra *f* de vidrio.

글라이더 ((항공)) planeador *m*. ~로 비행하다 volar en planeador.

글라이딩 [활주] vuelo *m* sin motor.

글래머 glamour *ing.m*, encanto *m* sensual que fascina. ~ 걸 belleza *f*, guapa *f*. ~ 여인 mujer *f* guapa y atractiva, mujer *f* de buen tipo.

글러브 guante *m*.

글로리아 ① ((기독교)) Gloria *f*. ② [영광] gloria *f*.

글로불린 ((생화학)) globulina *f*.

글리세린 ((화학)) glicerina *f*.

글리코겐 glicógeno *m*.

글방(一房) escuela *f* privada, escuela *f* de la aldea.

글벗 amigo *m* literario, amiga *f* literaria.

글쇠 tecla *f*.

글썽거리다 soler tener los ojos anegados. 그 여자의 눈에 눈물이 글썽거렸다 Ella tenía los ojos anegados en lágrimas.

글썽글썽 con ojos de lágrimas. 그녀의 눈에 눈물이 ~하다 Sus ojos están empañados de lágrimas / A ella se le han humedecido de lágrimas los ojos.

글썽이다 tener los ojos mojados, asomar. 그녀의 눈에 눈물이 글썽인다 Ella tiene los ojos mojados de lágrimas / A ella se le asoman lágrimas en los ojos.

글쎄 bueno, entonces, pues, pues mire, mire. ~, 저는 잘 모르겠습니다 Pues mire, yo no sé bien / Mire, yo qué sé.

글쎄요 ((높임말)) =글쎄.

글쓰다 escribir, componer.

글씨 ① =글자(letra). ② [써 놓은 글자] escritura *f*, caligrafía *f*. ¶~본 modelo *m* [muestra *f*] de escritura. ~체 estilo *m* de letra.

글월 ① =글. 문장. ② =편지(便紙).

글자(一字) letra *f*, tipo *m*, caracteres *mpl*. ~ 그대로 literalmente, al pie de la letra. ~를 읽을 [쓸] 줄 모르는 (사람) analfabeto, -ta *mf*.

글재주(一才一) talento *m* literario.

글제(一題) título *m* [tema *m*] de un artículo [una composición · un poema].

글줄 unas líneas de escritura.

글짓기 composición *f*.

글피 día *m* siguiente a pasado mañana [después de pasado mañana]. ~는 휴일이다 Es fiesta el día siguiente a pasado mañana.

글하다 estudiar. 글하는 학생 estudiante *mf* que estudia.

긁다 ① [바닥이나 거죽을 문지르다] rascar; [자신의 몸을] rascarse. 등을 ~ rascarse la espalda. 머리를 ~ rascarse la cabeza, rascarse el pelo. ② [갈퀴 따위로 거두어서 그러모으다] juntar, recoger con un rastrillo, rastrillar. 낙엽을 긁어 모으다 recoger las hojas caídas. ③ [남을 건드려서 헐뜯다] ofender, provocar, irritar, meterse, pinchar, rezongar, hacer rabiar. ④ [약자의 재물을 훑어 들이다] explotar, sacar. 돈을 긁어 내다 sacar dinero. 긁어 부스럼 ((속담)) Quien se arriesga a ello se arrepiente / Vale más no meneallo.

긁어먹다 ① [물건에 묻은 것을 이나 칼 따위로] roer. ② [남의 재물을] explotar, vivir a costa, vivir a costillas.

긁어모으다 recoger, juntar.

긁적거리다 seguir [continuar] rascándose

긁적긁적 siguiendo [continuando] rascándose.

긁히다 rascarse, ser rascado. 긁힌 자국 rascadura *f*, rasguño *m*, arañazo *m*.

금[1] [가격] precio *m*, coste *m*, valor *m*. 적당한 ~ precio *m* razonable.

금[2] ① [구겼거나 접었거나 줄을 친 자국] pliegue *m*, doblez *f*; [선] línea *f*. ~을 긋다 trazar una línea. ② [갈라지지 않고 가늘게 터지기만 한 흔적] grieta *f*, raja *f*, rajada *f*, hendidura *f*, rendija *f*, resquebrajo *m*; [가는] fisura *f*, [벽 · 천 정 따위의] cuarteo *m*; [성벽 따위의] brecha *f*. ¶~이 가다 ㉮ [물건이 터져 금이 생기다] rajarse, agrietarse, henderse, resquebrarse, resquebrajarse. 금이 간 찻잔 taza *f* agrietada [rajada]. ㉯ [사이가 벌어지다] separarse. ~이 나다 ㉮ [옷이나 종이 따위가] plegarse. ㉯ = 금이 가다.

금[1](金) ① ((화학)) oro *m*. ~의 de oro, dorado. ~을 입힌 chapado en oro, enchapado en oro, bañado en oro. ~의 유출 salida *f* de oro, emigración *f* de oro, fuga *f* de oro. 반짝이는 것이 다 ~은 아니다 No es oro todo lo que reluce / No todo lo que brilla es oro. ② [오행의 하나] [방위] oeste *m*, occidente *m*; [계절] otoño *m*; [색] (color *m*) blanco *m*.

금[2](金) ((준말)) =금요일(金曜日).

금(琴) ((악기)) *gum*, uno del instrumento de cuerda con siete cuerdas.

금(禁) prohibición f. ☞금(禁)하다

-금(金) ① [금의 순도를 나타내는 말] oro m. 14~ oro m de catorce quilates. 18~ oro m de dieciocho quilates. ② [돈] dinero m. 기부~ donación f, contribución f.

금가다 ① [사이가 터져 금이 생기다] rajarse, agrietarse, henderse, resquebrarse. 금간 그릇 vasija f rajada. ② [서로의 사이가 벌어지다] separarse.

금가락지(金-) anillo m de oro.

금가루(金-) oro m en polvo.

금값(金-) ① [금의 값] precio m del oro. ② [금에 맞먹을 만큼 비싼 값] precio m carísimo.

금강(金剛) ① =금강석. ② ((불교)) sáns vajra. ③ =금강산.

금강경(金剛經) ((준말)) =금강반야바라밀경(金剛般若波羅蜜經).

금강력(金剛力) fuerza f hercúlea, fuerza f extraordinaria, fuerza f irresistible. ~을 내다 sacar una fuerza hercúlea.

금강 반야경(金剛般若經) ((불교)) = 금강반야바라밀경.

금강반야바라밀경(金剛般若波羅密經) ((불교)) Sutra f de Diamante.

금강사(金剛砂) ((광물)) esmeril m, carborundo m.

금강산(金剛山) ((지명)) el (Monte) Gumgang, el Gumgangsan. 금강산도 식후경이라 ((속담)) En barriga vacía, huelgan ideas.

금강석(金剛石) ((광물)) diamante m.

금갱(金坑) hoyo m de oro.

금계(錦鷄) ((조류)) faisán m de oro.

금계랍(金鷄蠟) quinina f.

금고(金庫) ① [돈·재물용 창고] depósito m para el dinero o los teseros. ② [돈과 중요 서류용 궤] caja f fuerte. ③ [국가나 공공 단체의 현금 출납 기관] tesorería f. ¶~털이 ㉮ [행위] asalto m [atraco m] de una caja fuerte. ㉯ [사람] atracador, -dora mf de caja fuerte.

금고(禁錮) ((법률)) prisión f, encarcelamiento m. ~ 1년형에 처하다 condenar a un año de prisión.

금고형(禁錮刑) ((법률)) =금고(禁錮).

금과옥조(金科玉條) regla f de oro. …을 ~로 삼다 no reconocer otra autoridad que algo, adherirse estrictamente a algo.

금관(金冠) ① [금으로 만들거나 장식한 관] corona f de oro. ② [충치를 치료한 다음, 금으로 모자처럼 만들어 씌우는 것] corona f de oro.

금관(金管) ① [황금으로 만든 통소] flauta f de oro. ② [금으로 만든 관] tubo m de oro. ¶~ 악기 bronces mpl, metales mpl.

금광(金鑛) ① [황금을 함유한 광석] mineral m de oro. ② [금광이 매장

되어 있는 광산] mina f de oro. ③ [금광이 매장된 광맥] yacimiento m de oro. ~을 발견하다 descubrir un yacimiento de oro.

금괴(金塊) lingote m de oro, tejo m de oro, macizo m.

금권(金權) poder m de dinero, influencia f monetaria. ~ 만능 El dinero responde a todo. ~ 정치 plutocracia f, política f plutocrática. ~ 정치가 plutócrata mf.

금궤(金櫃) caja f; [금식의] caja f fuerte.

금긋다 ① [금을 긋다] trazar una línea. ② [한도나 한계선을 정하다] limitar.

금기(禁忌) ① [꺼리어 피함] tabú m. ~하다 prohibir, abstenerse. ② ((의학)) contraindicación f.

금나다¹ [물건 값이 결정되다] el precio ser fijo.

금나다² [물건이 구기거나 깨어져 줄이 생기다] arrugarse, doblarse, plegarse.

금남(禁男) prohibición f de la entrada de los hombres; ((게시)) No entren los hombres. ~의 집 hogar m sin hombres algunos. ~의 섬 isla f de mujeres.

금낭(錦囊) bolsa f de seda.

금낭화(錦囊花) ((식물)) dicentra f, flor f del corazón.

금낮다 El precio es barato.

금년(今年) este año, año m en curso, año m corriente, presente año m. ~ 가을(에) el otoño de este año, este otoño. ~ 4월에 en abril de este año. ¶~생 nené m nacido [nena f nacida] este año; ((식물)) nueva planta f de este año..

금높다 El precio es caro.

금니(金-) diente m de oro, diente m orificado; [어금니] muela f de oro, muela f orificada; [일부만의] diente m [muela f] con estuche de oro. ~박이 el [la] que tiene el diente de oro.

금단(禁斷) prohibición f severa. ~하다 prohibir severamente. ~의 나무 árbol m de la ciencia del bien y del mal, árbol m del conocimiento del bien y del mal. ~의 열매 ㉮ fruto m prohibido. ㉯ ((성경)) fruto m del árbol de la ciencia del bien y del mal. ~ 증상 síntoma m de abstinencia; 중세 síndrome m de abstinencia, mono m.

금덩이(金-) pepita f de oro.

금도(襟度) magnanimidad f, generosidad f, tolerancia f. ~가 넓다 (ser) magnánimo, generoso.

금도금(金鍍金) doradura f, dorado m, plaqué m de oro, baño m de oro.

~하다 dorar, galvanizar con oro. ~된 dorado. ~한 chapado en oro, enchapado en oro, bañado en oro.

금동(金銅) cobre *m* enchapado de oro. ~불(佛) estatua *f* [imagen *f*] de Buda de cobre enchapada de oro.

금딱지(金-) cajita *f* de oro del reloj. ~의 chapado de oro, enchapado de oro, bañado de oro. ~ 시계 reloj *m* enchapado de oro.

금띠(金-) cinturón *m* de oro.

금력(金力) poder *m* de dinero, influencia *f* de dinero.

금렵(禁獵) veda *f*, prohibición *f* de caza.. ~하다 prohibir la caza.. ~! ((게시)) Coto / Vedado de caza. ¶~구 terreno *m* acotado, coto *m*. ~기 época *f* de veda.

금령(禁令) prohibición *f*, veda *f*. ~을 위반하다 violar la prohibición.

금리(金利) interés *m*, crédito *m*, renta *f*; [이자율] tasa *f* de interés, tipo *m* de interés. ~를 인상하다 aumentar el tipo de interés. ~를 인하하다 rebajar el tipo de interés. ¶~ 생활자 rentista *mf*.

금맥(金脈) ① [황금의 광맥] vena *f* de oro. ② =돈줄.

금메달(金-) medalla *f* de oro.

금메달리스트(金-) medallista *mf* de oro.

금명간(今明間) (entre) hoy o mañana, en un día o dos, dentro de un día o dos. ~에 찾아 뵙겠습니다 Le visitaré dentro de un día o dos.

금모래(金-) =사금(砂金).

금몰(金-) galón *m* de oro. ~한 제복 uniforme *m* galoneado de oro.

금물(金-) pintura *f* del color dorado.

금물(禁物) prohibición *f*, tabú *m*.

금박(金箔) pan *m* (de) oro, oro *m* en panes, oro *m* batido (en hojas). ~을 박다 montar con oro, engastar en oro. ~을 입히다 dorar, enchapar en oro.

금박이(金-) varias figuras *fpl* del polvo de oro en la tela.

금반지(金斑指) anillo *m* de oro.

금발(金髮) pelo *m* rubio, cabello *m* rubio. ~의 rubio, pelirrubio, blondo. ~의 사람 rubio, -bia *mf*. ~의 여인 (mujer *f*) rubia *f*. ¶~미인 belleza *f* rubia.

금방(今方) ahorita, ahora mismo, pronto, en este mismo instante, poco hace, recientemente, últimamente. ~ 오겠다 Vendré ahorita [pronto] / Hasta ahorita.

금방(金房) platería *f*.

금배(金杯) copa *f* de oro.

금번(今番) esta vez, ahora; [최근] recientemente; [얼마전] poco tiempo hace.

금병(金瓶) ① [금으로 만든 병] botella *f* de oro. ② [금도금한 병] botella *f* dorada [enchapada de oro].

금본위(金本位) =금본위 제도.

금본위 제도(金本位制度) patrón *m* oro.

금부처(金-) Buda *m* de oro; [금도 금한 부처] Buda *m* dorado.

금분(金盆) ① [금으로 만든 분(盆)] maceta *f* de oro, tiesto *m* de oro. ② ((천문)) luna *f*.

금분(金粉) ① =금가루(oro en polvo). ② [금빛갈 나는 가루] polvo *m* del color dorado.

금불(金佛) ① [황금제 불상] estatua *f* de Buda de oro. ② [금을 한 부처] estatua *f* de Buda dorada.

금불초(金佛草) ((식물)) helenio *m*.

금붕어(金-) ((어류)) pez *m* de colores, pececito *m* (rojo). ~ 어항 pecera *f* (redonda).

금붙이(金-) artículos *mpl* hechos de oro.

금비녀(金-) pasador *m* de oro, horquilla *f* de oro.

금빛(金-) color *m* dorado, color *m* de oro.

금사(金砂) ① =금가루. ② [금빛 모래] arena *f* de color dorado. ③ [장식품에 쓰이는 금박의 가루] polvo *m* de oro batido para el adorno.

금사(金絲) hilo *m* de oro.

금산(金山) [금광] mina *f* de oro.

금산²(金山) ((불교)) montaña *f* de oro, Buda *m*, cuerpo *m* de Buda.

금산(禁山) bosque *m* reservado.

금상(今上) rey *m* presente [actual]. ~ 폐하 Su Majestad el Rey.

금상(金賞) primer premio *m*.

금상(金像) ((불교)) estatua *f* de oro, estatua *f* enchapada de oro.

금상첨화(錦上添花) extra *m*, remate *m*. ~하다 añadir el lustre en lo que ya es brillante. 그것은 ~다 Eso es el remate.

금새 precio *m*.

금색(金色) =금빛.

금서(禁書) libro *m* prohibido. ~로 하다 catalogar (un libro) en el índice, prohibir la lectura (de un libro). ¶~ 목록 ((천주교)) [삭제 부분 지시의] Índice *m* Expurgatorio; [신자가 읽어서는 안되는] Índice *m* de libros prohibidos.

금석(今昔) el presente y el pasado. ¶~지감 sentimiento *m* causado por el contraste entre el presente y el pasado. ~지감을 느끼다 sentir profundamente el cambio de los tiempos.

금석(金石) ① [쇠붙이와 돌] (objetos *mpl* de) hierro y piedra. ② [대단 히 굳고 단단한 것] cosa *f* muy dura. ③ ((준말)) =금석 문자. ④

((광물)) =금돌. ¶ ~맹약 promesa *f* firme. ~ 문자 epígrafe *m*. ~지교 amistad *f* firme. ~지약 promesa *f* firme. ~학 epigrafía *f*.

금성(金星) ① ((천문)) Venus *m*, lucero *m*. ② [금빛 나는 또는 금으로 만든 별 모양의 기장] insignia *f* de la forma estrellar de oro.

금세 en un momento, en seguida, enseguida, dentro de poco, inmediatamente, pronto. ~ 돌아오겠습니다 Volveré dentro de poco.

금세(今世) ① ((불교)) =이승. ② [지금의 세상] mundo *m* presente, este mundo.

금세공(金細工) orfebrería *f*. ~사[장이] orfebre *m*, platero *m*. ~업[점] orfebrería *f*.

금세기(今世紀) este siglo.

금속(金屬) ((화학)) metal *m*. ~ 공업 metalurgía *f*, industria *f* metálica, sector *m* metálico. ~ 공예 artefacto *m* metálico. ~ 공예가 artista *m* metálico, artista *f* metálica. ~ 세공 trabajo *m* en metales, metalistería *f*. ~음 sonido *m* metálico. ~ 탐지기 detector *m* de metales. ~ 활자 tipo *m* metálico.

금수(禁輸) prohibición *f* de exportación e importación. ~품 artículos *mpl* prohibidos.

금수(禽獸) ① [짐승] bestia *f*, animal *m* cuadrúpedo. ② [무례하고 추잡한 행실을 하는 사람] persona *f* descortés y obscena. ~만도 못한 놈 tipo *m* peor que una bestia.

금수(錦繡) la seda y el tejido bordado. ~강산 ㉮ [비단에 수를 놓은 듯이 아름다운 산천] la montaña y el río hermosos como si se borden en la seda, tierra *f* hermosa. ㉯ [우리 나라] Corea.

금수출(金輸出) exportación *f* de oro.

금시(今時) ahora, estos días, nuestro día, hoy día, hoy.

금시계(金時計) reloj *m* de oro.

금시장(金市場) mercado *m* de oro.

금시초견(今始初見) vista *f* por primera vez.

금시초문(今始初聞) lo que he oído por primera vez. ~이다 no haberlas visto mas gordas.

금식(禁食) ayuno *m*. ~하다 ayunar, hacer ayuno. ~을 어기다 romper el ayuno. ¶ ~일 día *m* de ayuno; ((성경)) ayuno *m*.

금실(金−) hilo *m* de oro. ~로 수놓다 bordar con hilos de oro.

금실(琴瑟) ((준말)) =금실지락. ¶ ~지락(之樂) armonía *f* conyugal.

금싸라기(金−) artículo *m* precioso.

금액(金額) cantidad *f*, suma *f*. 상당한 ~ suma *f* considerable.

금어(禁漁) prohibición *f* de pesca, veda *f*. ~! ((게시)) Vedado de pesca. ¶ ~구 zona *f* vedada de pesca. ~기 época *f* de veda.

금어초(金魚草) ((hierba *f*)) becerra *f*.

금언(金言) proverbio *m*, adagio *m*, refrán *m*, máxima *f*, sentencia *f*, aforismo *m*, dicho *m*, apotegma *m*. ~집 refranero *m*.

금연(禁煙) prohibición *f* de fumar. ~하다 prohibir el fumar; [억제하다] dejar de fumar, abstenerse de fumar. ~! ((게시)) Se prohibe fumar / No fume(n) / No fumar / Prohibido fumar. ¶ ~ 구역 sección *f* para no fumadores. ~석 asiento *m* de no fumar. ~실 sala *f* para no fumadores. ~ 운동 campaña *f* de no fumar.

금옥(金玉) el oro y el jade.

금요일(金曜日) viernes *m.sing.pl.*

금욕(禁慾) abstinencia *f*, práctica *f* ascética, mortificación *f* [성욕의] continencia *f*. ~하다 abstenerse de los goces mundanos, reprimir la pasión, mortificarse. ~ 생활 vida *f* ascética. ~주의 asceticismo *m*. ~주의자 asceta *mf*.

금월(今月) este mes, mes *m* corriente [actual], mes *m* en curso.

금융(金融) financiación *f*, financiamiento *m*, finanzas *fpl*; [융자] crédito *m*, empréstito *m*. ~계 mundo *m* financiero, círculos *mpl* monetarios. ~ 기관 órgano *m* bancario. ~ 시장 mercado *m* monetario. ~ 실명제 sistema *m* financiero del nombre real. ~업 negocio *m* financiero. ~ 위기 crisis *f* monetaria. ~ 정책 política *f* financiera. ~ 회사 compañía *f* financiera.

금은(金銀) el oro y la plata. ~방 joyería *f*. ~보화 los tesoros; las cosas valiosas; los artículos preciosos; las joyas preciosas; el oro, la plata, el jade, la perla etc. ~ 복본위 제도 bimetalismo *m*. ~ 세공 orfrería *f*. ~ 세공사 orífice *m*; orfebre *m*, platero *m*.

금의(錦衣) ropa *f* de seda.

금의환향(錦衣還鄉) vuelta *f* a la tierra natal engloria ~하다 volver a la tierra natal en gloria.

금일(今日) hoy. ~까지 hasta hoy, hasta la fecha.

금일봉(金一封) una cantidad de dinero, una gratificación, un regalo de dinero. ~을 주다 gratificar con una cantidad de dinero, dar una gratificación, dar un regalo de dinero.

금잉어(金−) carpa *f* dorada.

금자(金字) letra *f* de oro.

금자둥이(金子−) niño *m* precioso, niña *f* preciosa.

금자탑(金子塔) ① =피라미드. ② [영

원히 전해질 만한 가치 있는 업적] obra *f* monumental. ~을 이루다 realizar una obra monumental.

금작화(金雀花) ((식물)) retama *f*, hiniesta *f*, cítiso *m*.

금잔(金盞) copa *f* de oro.

금잔디(金-) hermoso césped *m* otoñal.

금잔화(金盞花) ((식물)) maravilla *f*.

금장식(金粧飾) decoración *f* de oro. ~하다 decorar con oro.

금전(金錢) ① [쇠붙이로 만든 돈] moneda *f* de metal. ② [금화] moneda *f* de oro. ③ [돈] dinero *m*, moneda *f*; [현금] (dinero) efectivo *m*. ~의 가치 valor *m* en efectivo. ~적 욕망 codicia *f* de dinero. ¶~ 등록기 caja *f* registradora, registrador *m* de monedas. ~ 신탁 fideicomiso *m* de efectivo.

금제(金製) manufactura *f* (hecha) de oro. ~품 producto *m* de oro.

금제(禁制) prohibición *f*, interdicción *f*. ~물 artículo *m* prohibido.

금족(禁足) reclusión *f*, arresto *m*. 10일간의 ~을 명하다 condenar a diez días de arresto. ¶~령 orden *f* de reclusión.

금주(今週) esta semana.

금주(禁酒) ① [술을 못 먹게 금함] prohibición *f* de bebidas alcohólicas. ~하다 prohibir las bebidas alcohólicas. ② [술을 끊고 먹지 않음.] abstinencia *f* (de bebidas alcohólicas). ~하다 abstenerse de bebidas alcohólicas, dejar de beber. ~의 antialcohólico. ¶~가 abstemio, -mia *mf*. ~ 운동 campaña *f* antialcohólica, movimiento *m* antialcohólico, antialcoholismo *m*.

금준비(金準備) reserva *f* de oro.

금줄[1](金-) ① [금으로 만든 시계줄] cuerda *f* de reloj (enchapada) de oro. ② [금실로 꼬아 만든 줄] cuerda *f* de hilo de oro.

금줄[2](金-) =금맥(金脈).

금줄(禁-) cuerda *f* de paja colgada en la puerta principal cuando nace un niño.

금지(禁止) prohibición *f*, prescripción *f*; [사냥 따위의] veda *f*. ~하다 prohibir, impedir, prescribir, vedar. ~된 prohibido. ~ 구역 el área *f* limitada; [자동차의 속도 제한 지역] zona *f* con límite de velocidad; ((군사)) zona *f* restringida. ~령 orden *f* de prohibición, decreto *m* prohibitorio. ~안 proyecto *m* de ley de prohibición. ~ 조치 medidas *fpl* prohibicionistas, medidas *fpl* prohibitorias. ~품 artículo *m* prohibido.

금지옥엽(金枝玉葉) ① [임금의 자손이나 집안] persona *f* del naci-

miento real, príncipe *m* (왕자), princesa *f* (공주). ~으로 자라다 criarse como un príncipe [una princesa]. ② [귀여운 자손] hijos *mpl* preciosos.

금치산(禁治産) incapacitación *f*. ~ 선고 interdicción *f* civil. ~자 interdicto, -ta *mf*; incapacitado, -da *mf*.

금침(衾枕) la colcha y la almohada, la ropa de cama y almohada. 원앙~을 펴다 preparar la cama de matrimonio.

금테(金-) ① [안경의] armazón *m* dorado, armazón *m* de oro, montura *f* dorada, montura *f* de oro. ~ 안경 gafas *fpl* con montura de oro, gafas *fpl* de montura dorada. ② [액자의] marco *m* dorado, marco *m* de oro. ③ [책 따위의] bordes *mpl* dorados.

금팔찌(金-) pulsera *f* [brazalete *m*] de oro.

금패(金牌) placa *f* de oro.

금패(錦貝) ámbar *m* amarillo y transparente.

금패물(金佩物) ① [금으로 만든 패물] ornamentos *mpl* personales de oro. ② [금으로 만든 상패] medalla *f* de oro.

금품(金品) el dinero y los artículos de valor. ~을 강탈하다 desplumar el dinero y los artículos de valor.

금하다(禁-) ① [금지시키다] prohibir, vedar. 출입을 ~ prohibir la entrada. 흡연을 금함 ((게시)) No fumar / Se prohíbe fumar / No fume(n) / Está prohibido fumar. ② [화・웃음을] contener, reprimir; [감정을] reprimir.

금형(金型) molde *m*. ~을 뜨다 moldear, moldar, sacar molde.

금혼(禁婚) prohibición *f* del casamiento. ~하다 prohibir el casamiento.

금혼식(金婚式) bodas *fpl* de oro.

금화(金貨) moneda *f* de oro.

금환(金環) ① [금으로 만든 고리] anillo *m* de oro. ② [금반지] anillo *m* de oro, sortija *f* de oro.

금환식(金環蝕) eclipse *m* anular.

금후(今後) de aquí en adelante, de ahora en adelante, desde ahora en adelante.

급(急) ① [절박하여 지체할 겨를이 없음] emergencia *f*, urgencia *f*, peligro *m*. ~하다 (ser) emergente, urgente, peligroso. ~할 경우에 en caso de emergencia. ② [빨리 서두름] prisa *f*, apuro *m*, prontitud *f*, rapidez *f*. ~하다 correr prisa, darse prisa, estar de prisa, tener prisa. ③ [갑작스러움] lo imprevisto, lo inesperado, lo repentino. ~하다

(ser) repentino, imprevisto, inesperado.

급(級) ① [학급. 계급. 등급] clase *f*, grado *m*. 한 ~ 오르다 ascender un grado. 한 ~ 내리다 descender un grado. 그는 나보다 한 ~ 높은 지위에 있다 El ocupa un puesto superior al mío. ② [유도 · 태권도 · 권투 · 바둑 등 기술에 의한 등급] peso *m*, grado *m*. 그는 태권도 2~이다 El tiene el segundo grado inferior de taekwondo. ③ [단계. 정도] grado *m*. ④ [수준] nivel *m*, clase *f*. 대사 ~ 회담 conferencia *f* en el nivel de embajadores.

급각도(急角度) ángulo *m* agudo. ~의 사면 vertiente *f* [pendiente *f*] escarpada [empinada].

급감(急減) reducción *f* repentina. ~하다 reducir repentinamente.

급강하(急降下) (descenso *m* en) picado *m*, descenso *m* repentino, caída *f* abrupta, descendimiento *m* repentino. ~하다 picar, descender en picado.

급거(急遽) [갑작스레] de repente, repentinamente, de súbito, súbitamente; [급히] de prisa, apresuradamente, a todo correr. ~ 상경하다 darse prisa a Seúl, apresurarse a Seúl.

급격(急擊) ataque *m* [asalto *m*] repentino, incursión *f* repentina. ~하다 atacar [asaltar] repentinamente.

급격하다(急激−) (ser) rápido, repentino, súbito, improvisto, inesperado, brusco, radical. 급격한 변화 cambio *m* repentino. 급격한 진보 progreso *m* rápido.

급경사(急傾斜) pendiente *f* empinada, vertiente *f* escarpada [abrupta]; [치받이] ascenso *m* brusco; [내리받이] descenso *m* brusco.

급고(急告) noticia *f* urgente, aviso *m* urgente. ~하다 avisar urgentemente.

급구(急求) busca *f* rápida. ~하다 buscar rápidamente. ~! ((게시)) ¡Se busca!

급급하다(汲汲−) intentar + *inf*. 그는 돈을 벌려고 급급하고 있다 El está sediento de dinero / El no piensa más que ganar dinero.

급급하다(岌岌−) ① [높고 가파르다] (ser) alto y escarpado. ② [매우 위급하다] (ser) urgente.

급급하다(急急−) ① [사태가 매우 급하다] (ser) muy urgente. ② [성질이 매우 급하다] (ser) impaciente.

급기야(及其也) finalmente, al fin, por fin, en fin, con el tiempo.

급등(急騰) subida *f* veloz [rápida, repentina]. ~하다 subir rápidamente [repentinamente].

급락(急落) caída *f* [baja *f*] repentina. ~하다 bajar repentinamente. 주가가 ~했다 La cotización de las acciones ha bajado.

급랭(急冷) refrigeración *f* rápida. ~하다 enfriar rápidamente.

급료(給料) sueldo *m*, salario *m*, paga *f*. ~를 받다 cobrar [recibir] el sueldo. ~를 올리다 subir [aumentar] el sueldo. ~를 내리다 bajar [disminuir] el sueldo. ~를 지불하다 pagar el sueldo.

급류(急流) torrente *m*, corriente *f* rápida, rápidos *mpl*.

급매(急賣) venta *f* repentina. ~하다 vender repentinamente.

급모(急募) invitación *f* urgente; [신병 · 신입 회원 등의] reclutamiento *m* rápido. ~하다 invitar [reclutar] rápidamente.

급무(急務) negocio *m* [deber *m*] urgente, asuntos *mpl* urgentes.

급박하다(急迫−) (ser) apremiante, acuciante, urgente, grave. 급박한 문제 cuestión *f* urgente. 급박한 사태 situación *f* apremiante.

급변(急變) ① [갑자기 달라짐] cambio *m* repentino [brusco · súbito · imprevisto]; [악화] empeoramiento *m* repentino. ~하다 cambiar repentinamente [súbitamente · bruscamente · de repente], convertirse repentinamente; [병세가] empeorar, agravarse. ② [별안간 일어나는 변고] emergencia *f*, accidente *m*.

급보(急報) mensaje *m* urgente, despacho *m* especial, alarma *f*. ~하다 enviar un mensaje urgente, informar inmediatamente, informar [avisar] urgentemente [con urgencia]; dar la alarma.

급부(給付) [사회 보장의] subsidio *m*.

급비(給費) beca *f*. ~생 becario, -ria *mf*.

급사(急死) muerte *f* repentina. ~하다 morir repentinamente, morir de repente.

급사(急斜) =급경사. ¶~면 colina *f* escarpada, declinación *f* escarpada. ~지 tierra *f* muy escarpada.

급사(給仕) camarero, -ra *mf*; mozo, -za *mf*.

급살(急煞) ① [운수가 사나운 별] estrella *f* de mala suerte. ② [갑자기 닥친 재액] el peor hado. ~을 맞다 encontrar una muerte repentina, morir repentinamente [de repente].

급상승(急上昇) subida *f* [elevación *f*] abrupta, empinada *f*. ~하다 empinarse, elevarse [subir] abruptamente.

급서(急書) carta *f* urgente.

급서(急逝) =급사(急死).

급선무(急先務) el negocio (más) urgente, emergencia f. 당면한 ~ una imperiosa necesidad, una necesidad acuinate.

급선봉(急先鋒) cabeza f, líder m, vanguardia f.

급선회(急旋回) ① [급격한 선회] vuelta f rápida. ~하다 dar una vuelta rápida. ② [별안간 선회함] viraje m repentino; [태도의] cambio m repentino de su actitud. ~하다 virar repentinamente, cambiar su actitud.

급설(急設) instalaciones fpl rápidas. ~하다 instalar rápidamente.

급성(急性) ① [갑자기 일어나는 성질의 병] enfermedad f aguda. ~이 agudo. ② [성미가 급함, 또, 그 성질] mal genio m, poca paciencia f. ¶~ 간염 hepatitis f aguda. ~ 맹장염 apendicitis f aguda. ~병 enfermedad f aguda; [갑자기 일어난 병] enfermedad f repentina. ~ 전염병 epidemia f aguda, enfermedad f contagiosa aguda. ~ 폐렴 pulmonía f aguda.

급소(急所) ① [신체 중에서] parte f [punto m] vital. ~의 일격 golpe m definitivo de gracia]. ~를 찌르다 herir [tocar] en lo vivo [en el punto más sensible]. ② [요점] quid m, punto m clave [capital]. ~를 찌르다 dar en el quid [en el clavo].

급속도(急速度) velocidad f muy rápida, rapidez f, prontitud f.

급속하다(急速-) ① [매우 급하다] (ser) urgente, emergente. ② [몹시 빠르다] (ser) muy rápido, veloz, pronto. 급속히 urgentemente, rápidamente, con rapidez.

급송(急送) envío m rápido, envío m veloz. ~하다 enviar [mandar] rápidamente.

급수(級數) ① ((수학)) progresión f, serie f. ② [기술의 우열에 의한 등급] grado m.

급수(給水) abastecimiento m [suministro m · servicio m · distribución f] de agua; ((기계)) alimentación f, avance m. ~하다 abastecer [suministrar · distribuir · proveer de] agua. ~관 cañería f de agua; ((기계)) tubo m de alimentación. ~난 escasez f [falta f] de agua. ~전(栓) grifo m, toma f de agua [de alimentación]. ~차 camión m cisterna. ~탑 torre f de agua. ~ 탱크 depósito m de agua limpia. ~ 펌프 bomba f de agua.

급습(急襲) ataque m [asalto m] repentino, carga f, sorpresa f; [경찰의] redada f, registro m. ~하다 atacar [asaltar] de repente [repentinamente · por sorpresa]; [경찰이] hacer una redada [un registro].

급식(給食) abatecimiento m [suministro m] de comida. ~하다 proveer de comida, servir comida.

급여(給與) suministro m, concesión f, sueldo m. ~하다 suministrar, dar, conceder. ~금 sobresueldo m; [실업의] paro m, subsidio m de desempleo.

급우(級友) compañero, -ra mf de clase; condiscípulo, -la mf.

급유(給油) abastecimiento m de petróleo, suministro m de petróleo; [가솔린의] suministro m de gasolina; [연료의] repostaje m; [기계 · 기름의] lubrificación f, engrase m. ~하다 suministrar petróleo, suministrar gasolina, repostar, lubrificar, engrasar. ~기(器) surtidor m. ~기(機) avión m cisterna. ~선 petrolero m, buque m cisterna, barco m cisterna, buque m petrolero. ~소 estación f de petróleo; [주유소] gasolinera f.

급장(級長) monitor, -tora mf de clase.

급전(急電) telegrama m urgente.

급전(急錢) dinero m para el uso inmediato.

급전(急轉) cambio m repentino [súbito]. ~하다 cambiar repentinamente [súbitamente]. ~ 직하 precipitaciones fpl; [사건의] cambio m repentino.

급전(給電) suministro m [abatecimiento m] de la electricidad. ~하다 suministrar [abastecer] la electricidad.

급정거(急停車) parada f repentina. ~하다 parar de repente [repentinamente · bruscamente]. 자동차를 ~시키다 parar [frenar] el coche de repente.

급제(及第) aprobación f. ~하다 ser aprobado, pasar un examen, aprobar los exámenes, salir bien en los exámenes.

급조(急造) construcción f a toda prisa. ~하다 construir [hacer] a toda prisa. ~한 hecho [construido] a toda prisa. ~한 건물 edificio m hecho [construido] a toda prisa.

급증(急增) aumento m repentino, aumento m rápido. ~하다 aumentar de repente.

급진(急進) ① [급히 진행함] progreso m rápido. ~하다 progresar rápidamente. ② [급히 이상을 실현하고자 함] esfuerzo m que trata de realizar el ideal. ¶~ 사상 idea f [ideología f] radical. ~적 radical. ~주의 radicalismo m. ~주의자 radical mf; extremista mf. ~파 secta f radical; [사람] radical mf.

급진(急診) consulta f urgente. ~하다 consultar urgentemete.

급체(急滯) indigestión *f* urgente. ~
하다 tener una indigestión urgente.

급커브(急-) curva *f* cerrada [pro-
nunciada · brusca · aguda].

급템포(急-) velocidad *f* rápida,
tiempo *m* rápido.

급파(急派) envío *m* urgente. ~하다
enviar [mandar] urgentemente.

급하다(急-) ① [바빠서 우물쭈물할
틈이 없다] (ser) urgente, apremiante, apresurado, acuciante. 급
한 일 negocio *m* urgente, trabajo
m acuciante, tarea *f* urgente. ②
[성미가 팔팔해 잘 참지 못하다]
(ser) de mal genio, irascible. 급한
성미 disposición *f* irascible. ③ [병
세가 위독하다] estar muy grave.
④ [몹시 서두르거나 다그치는 경향
이 있다] darse prisa, tener prisa,
acelerarse, estar de prisa. 급할수
록 천천히 하라 ((서반아 속담))
Vísteme despacio, que tengo prisa.
⑤ [경사가 가파르다] (ser) empi-
nado, en picado. 급히 a toda
prisa, apresuradamente, precipitadamente, urgentemente, de (mucha) prisa, deprisa, a prisa, (muy)
aprisa, muy de prisa, con rapidez,
a todo correr. 급히 귀가하다 volver de prisa.

급행(急行) ① ((준말)) =급행 열차.
② [급히 감] ida *f* rápida [urgen-
te]. ~하다 acudir [ir] rápidamente
[de prisa · a toda velocidad]. ¶~
버스 autobús *m* de expreso. ~ 열
차 (tren) rápido *m*, expreso *m*,
exprés *m*. ~ 열차권 billete *m*
[*AmL* boleto *m*] del expreso. ~
요금 tarifa *f* del expreso. ~편
servicio *m* del expreso.

급환(急患) caso *m* emergente, caso
m urgente, caso *m* de urgencia,
enfermedad *f* repentina.

급회전(急回轉) vuelta *f* rápida. ~하
다 dar una vuelta rápida.

급훈(級訓) lección *f* de la clase.

긋다[1] ① [비가 잠깐 그치다] escampar. 비가 ~ escampar, cesar de
llover, aclararse el cielo nublado.
② [비를 잠시 피해 그치기를 기다
리다] refugiarse [guarecerse] de la
lluvia.

긋다[2] ① [줄을 치거나 금을 그리다]
trazar, dibujar, bosquejar. 직선을
~ trazar una línea recta. ② [성냥
알을] encender, prender. 성냥을 ~
encender la cerilla. ③ [외상값을]
cargar a *su* cuenta.

긍정(肯定) afirmación *f*; [단언] aserción *f*, aseveración *f*. ~하다 afirmar, aseverar. ~문 oración *f* afirmativa. ~적 afirmativo, aseverati-
vo, positivo. ~적으로 afirmativamente, positivamente.

긍지(矜持) orgullo *m*, dignidad *f*. ~
를 지키다 cumplir *su* orgullo [*su*
dignidad].

긍휼(矜恤) piedad *f*, compasión *f*,
misericordia *f*, simpatía *f*, lástima
f. ~하다 tener piedad [compasión],
compadecer, tener lástima.

기(忌) =기중(忌中). 상중(喪中).

기(氣) ① ((철학)) =원기(元氣). ②
[생활 · 활동의 힘] vitalidad *f*, poder *m*, fuerza *f*, espíritu *m*,
energía *f*. ③ [있는 힘의 전부]
todas *sus* energías, todas *sus*
fuerzas. ~를 쓰고 con todas *sus*
fuerzas, con todas *sus* energías,
desesperadamente, frenéticamente.
~를 쓰다 entusiasmarse. ④ =정
신력. ¶~를 펴지 못하다 encoger-
se de miedo, no sentirse a *sus*
anchas. ⑤ [숨쉴 때에 나오는 기
운] aliento *m*. ⑥ [뻗어 나가는 기
운] ánimo *m*. ~를 꺾다 desmoralizar, desanimar. ⑦ [객기로 쓰는
기운] valor *m* desacertado [ciego],
genio *m*, carácter *m*, humor *m*. ~
가 과하다 (ser) brusco, tener mal
genio. ⑧ =분위기. ¶살벌한 ~
atmósfera *f* belicosa.

기(起) primer verso *m* del poema
chino.

기(記) apunte *m*, nota *f*.

기[1](基) ((화학)) radical *m*.

기[2](基) [묘석 · 탑 등을 셀 때의 단
위] ¶탑 두 ~ dos pagodas.

기(期) [기한] término *m*, plazo *m*;
[시대] período *m*, época *f*; [단계]
etapa *f*. 결핵의 제3~ tercera etapa
f de la tuberculosis.

기(旗) bandera *f*, banderola *f*; [군기]
estandarte *m*, [합선의] pabellón *m*;
[삼각기] gallardete *m*; [작은 기]
banderita *f*. ~를 세우고 [넘어지
지 않도록] con bandera desplega-
da. ~를 게양하다 izar [enarbolar]
una bandera.

기각(棄却) rechazo *m*, rechazamiento
m. ~하다 rechazar. 공소를 ~하다
rechazar la apelación.

기간(基幹) núcleo *m*, pilar *m*. ~ 산
업 industria *f* clave.

기간(既刊) edición *f* ya publicada. ~
의 ya publicado, publicado anteriormente.

기간(期間) plazo *m*, término *m*, período *m*, duración *f*. 그 ~에
durante ese período, en ese plazo,
dentro de ese plazo.

기갈(飢渴) hambre y sed, el hambre
f, inanición *f*. ~을 면하다 mantenerse a flote, no pasar miseria.

기갑(機甲) lo blindado, lo acorazado,
armadura *f* ~ 병 soldado *m* blindado. ~ 부대 cuerpo *m* blindado.
~ 사단 división *f* blindada, división *f* acorazada. ~ 여단 briga-

da *f* blindada.

기강(紀綱) principios *mpl* fundamentales, disciplina *f* oficial; [질서] orden *m* público. ~을 바로잡다 mejorar el carácter (moral).

기개(氣槪) brío *m*, coraje *m*, espíritu *m*, orgullo *m*. ~가 있는 brioso. ~가 없는 [무기력한] débil, apocado, pobre de espíritu; [겁이 많은] tímido, pusilánime, cobarde. ~가 있다 tener el brío, tener el coraje.

기거(起居) *su* vida diaria. ~를 같이 하다 vivir juntos, convivir, habitar bajo el mismo techo.

기겁 sorpresa *f* repentina. ~하다 sorprenderse repentinamente.

기결(既決) lo ya decidido, lo ya determinado. ~의 decidido, determinado, resuelto; [죄가] convicto. ~수 reo *m* convicto, reo *f* convicta. ~안 asuntos *mpl* decididos.

기계(奇計) trampa *f*, ardid *m*, truco *m*, artificio *m* inesperado, estrategia *f* astuta, táctica *f* ingeniosa.

기계(棋界) mundo *m* de *baduc*, círculos *mpl* de *baduc*.

기계(器械) instrumento *m*, aparato *m*. ~ 체조 gimnasia *f* pesada, gimnasia *f* con aparatos.

기계(機械) máquina *f*; [집합적] maquinaria *f*. ~를 작동시키다 hacer funcionar [marchar] la máquina. ¶~공 mecánico, -ca *mf*. ~ 공업 industria *f* mecánica. ~ 공장 taller *m* de mecánica. ~공학 ingeniería *f* mecánica. ~ 언어 ((컴퓨터)) lenguaje *m* máquina. ~장치 mecanismo *m*. ~화 mecanización *f*. ~화하다 mecanizar. ~화 부대 unidad *f* mecanizada.

기고(寄稿) contribución *f*, colaboración *f*. ~하다 contribuir, colaborar, hacer una contribución. ~가 contribuidor, -dora *mf*; colaborador, -dora *mf*.

기고만장(氣高萬丈) euforia *f*, júbilo *m*. ~하다 estar eufórico.

기골(氣骨) ① [기혈과 골격] el ánimo y la constitución corporal. ~이 장대하다 estar de buena hebra. ② [씩씩한 의기] firmeza *f* de carácter, inflexibibilidad *f* de espíritu.

기공(技工) ① [손으로 가공하는 기술자] artesano, -na *mf*. ② =솜씨. ③ [능숙한 기술자] técnico, -ca *mf* hábil.

기공(起工) comienzo *m* (de construcción. ~하다 comenzar la obra, poner manos a la obra. ~식 (ceremonia *f* de) colocación *f* de la primera piedra de la piedra de fundación.

기공(氣孔) ① ((식물)) estoma *m*. ② ((동물)) estigma *m*.

기공(氣功) =단전 호흡(丹田呼吸).

기관(汽管) tubo *m* de vapor.

기관(汽罐) caldera *f*, caldera *f* de vapor. ~실 sala *f* de caldera.

기관(氣管) tráquea *f*. ~지 bronquio *m*. ~지염 bronquitis *f*. ~지염 환자 bronquítico, -ca *mf*. ~지 천식 asma *f* bronquial. ~지 폐렴 bronconeumonía *f*. ~지 폐렴 환자 bronconeumótico, -ca *mf*.

기관(器官) órgano *m*.

기관(機關) ① [활동의 장치를 갖춘 기계] máquina *f*. ② [엔진] motor *m*. ③ [개인이나 단체의 조직] órgano *m*, organismo *m*, organización *f*, medios *mpl*. 금융의 중심 ~ órgano *m* central del sistema monetario. ¶~ 단총 metralleta *f*. ~사[수] maquinista *mf*. ~실 sala *f* de motores. ~장 ㉮ jefe, -fa *mf* de máquinas. ㉯ [정부 기관의 장] jefe, -fa *mf* del órgano gubernamental. ~지(誌) órgano *m*. ~지(紙) órgano *m*. ~차 locomotora *f*. ~총 ametralladora *f*; [단기관총] metralleta *f*. ~총탄 metralla *f*. ~포 ametralladora *f*.

기괴망측하다(奇怪罔測—) (ser) escandaloso, monstruoso.

기괴하다(奇怪—) (ser) extraño, misterioso, raro, fantástico.

기교(技巧) arte *m*(*f*), técnica *f*; [숙련] habilidad *f*, destreza *f*; [손의] artificio *m*. ~를 부린 연주 ejecución *f* artísticamente elaborada. ¶~가 [회화·음악의] técnico *mf*; técnico, -ca *mf*.

기구(祈求) ruego *m*. ~하다 rogar.

기구(氣球) globo *m*, aeróstato *m*, globo *m* aerostático. ~를 올리다 lanzar un globo. ~를 타다 ir en globo. ¶~ 관측 aerostación *f*. ~위성 satélite *m* de globo.

기구(器具) utensilios *mpl*, instrumento *m*, aparato *m*.

기구(機構) [조직] organización *f*; [구조] mecanismo *m*, estructura *f*, mecánica *f*, maquinaria *f*. ~ 개편 reorganización *f* del sistema. ~를 개편하다 reorganizar el sistema.

기구망측하다(崎嶇罔測—) ① [운수가 사납기 짝이 없다] (ser) muy infeliz. ② [산길이 험하기 짝이 없다] (ser) muy accidentado, escabroso, escarpado.

기구하다(崎嶇—) (ser) infeliz. 기구한 운명 hado *m* extraño, destino *m* aciago, extraño destino *m*.

기권(棄權) renuncia *f*, renunciación *f*, abandono *m* (de un derecho); [투표의] abstencionismo *m*, abstención *f* de voto. ~하다 renunciar a *su* derecho, abstenerse de votar. 시합을 ~하다 abandonar un partido, retirarse de un partido.

기근(氣根) ((식물)) raíz *f* aérea.

기근(飢饉/饑饉) carestía *f* [escasez *f*] de víveres. 물 ~ escasez *f* [carestía *f*] de agua.
기금(基金) fondo *m*. ~을 만들다 crear [establecer] un fondo.
기기(器機/機器) aparato *m*.
기기괴괴하다(奇奇怪怪－) (ser) muy maravilloso, extravagante, curioso.
기기묘묘하다(奇奇妙妙－) (ser) maravilloso, misterioso.
기기하다(奇奇－) (ser) muy extraño.
기꺼워하다 estar contento [alegre].
기꺼이 con (mucho) gusto, gustosamente, de buen grado, de buena gana, con voluntad propia. ~ 승낙하다 consentir con (mucho) gusto, aceptar de buena gana.
기껍다 alegrarse con mucha cortesía.
기껏 =고작. 겨우.
기껏해야 a lo sumo, a más no poder, a lo más, todo lo má; [단순히] solamente, simplemente.
기나긴 muy largo, larguísimo. ~ 겨울 밤 noche *f* de invierno muy larga.
기내(機內) interior *m* del avión. ~에 a bordo. ~에서 en el avión. ¶ ~ 서비스 servicio *m* en el avión. ~식 comida *f* en el avión.
기네스 북 el Libro de Guinnes, *ing* Guinness Book.
기녀(妓女) =기생(妓生).
기념(記念/紀念) conmemoración *f*, recuerdo *m*, memoria *f*. ~하다 conmemorar. ~의 conmemorativo, conmemoratorio. ¶ ~비 monumento *m* (conmemorativo). ~사 discurso *m* de conmemoración. ~사진 foto *m* conmemorativa. ~식 ceremonia *f* conmemorativa. ~우표 sello *m* conmemorativo. ~일 día *m* de conmemoración, día *m* conmemorativo, aniversario *m*. ~장 insigna *f*, emblema *m*(*f*). ~주화[화폐] moneda *f* conmemorativa. ~탑 columna *f*, monumento *m*, torre *f* conmemorativa; [불교의] pagoda *f* conmemorativa. ~패 placa *f* conmemorativa. ~품 recuerdo *m*. ~ 행사 acontecimiento *m* conmemorativo.
기능(技能) habilidad *f*, destreza *f*, capacidad *f*, talento *m*. ~공 obrero *m* cualificado, obrera *f* cualificada. ~ 올림픽 대회 concurso *m* internacional de formación profesional. ~직 servicio *m* técnico. ~직 공무원 oficial *m* técnico.
기능(機能) función *f*, facultad *f*. ~의 funcional. ~을 발휘하다 funcionar. ¶ ~ 사회 sociedad *f* funcional. ~어 palabra *f* funcional. ~ 장애 impedimiento *m* funcional, desorden *m* funcional. ~ 저하 decadencia *f* funcional; ((의학)) depresión *f*. ~주의 funcionalismo *m*.
기니피그 ((동물)) cobayo *m*, cobaya *f*, conejillo *m* de Indias.
기다 ① [팔과 다리로] arrastrar(se). ② [기를 펴지 못하다] arrastrarse. 상관 앞에서 설설 ~ arrastrarse ante *su* superior.
기다랗다 (ser) más [muy] largo (de lo que se piensa). 기다란 행렬 procesión *f* muy larga.
기다리다 ① [사람이나 때를] esperar, aguardar. 기회를 ~ esperar una oportunidad. 나를 기다리지 마라 No me esperes. ② [기한을 물려서 유예해 주다] aplazar, posponer.
기단(基壇) ((건축)) estereóbato *m*, basa *f* sin molduras. ~석 piedra *f* de estereóbato.
기담(奇談/奇譚) cuento *m* extraño [curioso], chascarrillo *m*.
기대(期待) expectación *f*, expectativa *f*; [희망] esperanza *f*; [가능성] posibilidad *f*. ~하다 esperar + *inf*, tener esperanza(s) de que + *subj*, esperar que + *subj*. ~에 부응하다 responder a la esperanza.
기대다 ① [몸을] apoyar(se). 몸을 ~ apoyarse, respaldarse, agarrarse, asirse, aferrarse, sujetarse. 벽에 ~ apoyarse contra la pared, respaldarse] contra la pared. 몸을 지팡이에 ~ apoyarse en el bastón. ② [남을 의지하여 희망을 붙이다] arrimarse, confiar, tener confianza, contar, fiarse, asegurarse, apoyarse, buscar ayuda. 부모에게 ~ arrimarse a *sus* padres.
기도(企圖) intento *m*, plan *m*, proyecto *m*, empresa *f*, prueba *f*, trama *f*, maquinación *f*; [음모] complot *m*, intriga *f*. ~하다 intentar + *inf*, tratar de + *inf*, probar, proyectar, emprender, tramar, maquinar; [음모를] complotar, conspirar, intrigar. 자살을 ~하다 tratar de suicidarse.
기도(祈禱) oración *f*, rezo *m*. ~하다 orar, rezar a Dios, entonar una oración. ~의 힘 el poder de la oración. ¶ ~문 ㉮ [기도의 내용을 적은 글] oración *f*. ㉯ ((기독교)) =주기도문(el Padrenuestro). ~서 breviario *m*, devocionario *m*; [영국 국교회의] devocionario *m* tradicional de la Iglesia Anglicana.
기도(氣道) ((해부)) vía *f* respiratoria.
기도(棋道) arte *m* de *baduc*.
기독교(基督教) cristianismo *m*. ~의 cristiano. ~ 교회 iglesia *f* cristiana. ~국 país *m* cristiano; [집합적] Cristiandad *f*. ~도 cristiano, -na *mf*; [집합적] cristianismo *m*, fieles *mpl*. ~ 세계 cristiandad *f*. ~ 여자 청년회 Asociación *f* de Jóvenes Cristianas, Asociación *f* Cristiana

de Mujeres Jóvenes, YWCA f. ~ 청년회 Asociación f Cristiana de Jóvenes, Asociación f Cristiana de Hombres Jóvenes, YMCA f.

기동(起動) movimiento m. ~을 못 하는 환자 pariente, -ta mf que no se mueve.

기동(機動) maniobra f, movimiento m. ~하다 maniobrar, hacer una maniobra. ~ 경찰 policía f móvil; [데모 진압 등의] policía f antidisturbios. ~대 brigada f antiturbios. ~력 movilidad f, poder m móvil. ~ 부대 [육군의] cuerpo m motorizado; [해군의] fuerza f operativa. ~ 작전 operaciones fpl de maniobra. ~ 함대 flota f móvil. ~ 훈련 instrucción f motorizada. ~화 mecanización f, motorización f. ~화하다 mecanizar; ((군사)) motorizar.

기둥 ① [건축물의 보·도리 등을 받치는 나무] pilar m, poste m; [원주] columna f. ~을 세우다 erigir [levantar] un pilar. ② [의지가 될 만한 가장 중요한 사람] el alma f, sostén m. 한 집안의 ~ sostén m de la familia. ¶~감 ㉮ [집의 기둥을 만드는 재료] materiales mpl para los pilares. ㉯ [한 집안이나 한 단체 또는 나라의 의지가 될 만한 사람] persona f que será el sostén en el futuro. ~서방 proxeneta m, chulo m (de putas).

기득(旣得) lo adquirido, lo obtenido. ~의 adquirido, obtenido. ~권 derecho m adquirido.

기라성(綺羅星) ① [밤 하늘에 반짝이는 수많은 별] (numerosas) estrellas fpl brillantes. ㉯ [위세 있는 사람. 또는, 그들이 모인 모양] galaxia f. ~ 같은 고관들 galaxia f de dignatarios.

기략(機略) ingenio m, maña f, ingeniosidad f, táctica f, recursos mpl, ideas fpl. ~이 풍부한 사람 persona f ducha en tácticas, persona f de recursos, persona f de ideas.

기량(技倆/伎倆) habilidad f, talento m, destreza f, arte m(f), técnica f; [능력] capacidad f, facultad f. ~이 있는 hábil. ~을 펼치다 desplegar su arte.

기량(器量) capacidad f.

기러기 ((조류)) ánsar m, ganso m silvestre.

기러기발 ① [현악기의] puente m, cordal m. ② [기타의] traste m.

기력(氣力) ① [정신과 육체의 힘] ánimo m, energía f, vigor m, vitalidad f, virilidad f, espíritu m, brío m, fuerza f, aliento m; [건강] buena salud f. ~을 되찾다 recobrar [recuperar] el ánimo. ~을 상실하다 perder el vigor [la ener-

gía]. ② [압착한 공기의 힘] fuerza f del aire comprimido.

기로(岐路) viraje m decisivo, momento m crucial, punto m de bifurcación. ~에 서다 estar en una encrucijada, estar en el punto de bifurcación. 나는 생사의 ~에 서 있다 Me encuentro entre vida y muerte.

기록(記錄) ① [남길 필요가 있는 사항을 적는 일. 또 그 서류] anotación f, nota f, registro m; [문서] documento m; [연대기] crónica f; [의사록] el acta f. ~하다 anotar, registrar, dejar escrito [constancia], tomar nota. ② [경기 따위의 성적·결과] marca f, récord m. ~하다 marcar. ~을 갱신하다 renovar una marca [un récord]. ~을 깨뜨리다 batir el récord [la marca], superar la marca. ~을 보유하다 guardar un récord. ~을 세우다 [수립하다] establecer una marca [un récord]. ③ [신호·음·데이터 등의 정보를 장래에 참조·재생하기 위해 보존하는 방법] grabación f, disco f, copia f, dato m. 우리의 ~에 따르면 según nuestros datos. 디스크에 ~하다 hacer [grabar] un disco. ¶~계(係) sección f de anotación. ~ 문학 literatura f documental. ~ 보관소 archivo m. ~ 보유자 poseedor, -dora mf de un récord. ~ 사진 fotografía f documental. ~ 서류 expediente m. ~ 영화 (película f) documental f. ~원[자] anotador, -dora mf, escribiente mf; marcador, -dora mf. ~적 récord, inusitado, sin anales en la historia.

기뢰(機雷) ((준말)) =기계 수뢰. ¶~를 부설하다 fondear minas. ~ 부설함 minador m. ~정[함] torpedero m. ~ 탐지기 detector m de minas.

기류(氣流) corriente f atmosférica.

기르다 ① [동물을] criar, tener, pacer, dar de comer; [재배하다] cultivar, criar. 자녀를 ~ criar a un niño. ② [육체나 정신이 쇠하지 않게 하다] formar, enseñar, educar, cultivar. 제자를 ~ formar a sus discípulos. 잘 길러진 개 perro m bien amaestrado. ③ [버릇·병 따위를 악화시키다] empeorar, volver peor. ④ [머리나 수염을] dejarse (crecer). 머리를 ~ dejarse (crecer) el pelo.

기름 ① [불을 붙이면 대개 잘 타는 액상의 물질] aceite m, óleo m, grasa f. ~투성이의 aceitoso, oleoginoso, manchado de aceite, grasiento, graso, AmL grasoso. ~투성이의 머리카락 pelo m graso, AmL pelo m grasoso. ~투성이의

손 manos *fpl* grasientas. ~투성이의 옷 ropa *f* manchada de aceite. ~투성이의 음식 comida *f* aceitosa, comida *f* sin grasas. ~에 튀긴 생선 pescado *m* frito. ~ 없는 다이어트 dieta *f* sin grasas. ~에 튀기다 freír. ② ((준말)) =참기름. ③ ((준말)) =머릿기름. ¶머리에 ~을 바르다 ponerse [darse] laca en el pelo. ④ [기계에 치는 기름] grasa *f*. ~투성이의 grasiento, lleno de grasa, cubierto de grasa. ~을 넣다, ~을 치다 engrasar [lubricar]. ~을 바르다 enbadurnar de grasa. (천에서) ~을 빼다 desmugrar. ⑤ =석유. *m* grasa. ¶~걸레 hule *m*. ~기 ㉮ [기름덩이가 많이 섞인 고기] grasa *f*, gordo *m*, sebo *m*, carne *f* grasa, carne *f* grasienta. ㉯ [물건에 묻거나 섞여 있는 기름] grasa *f*, aceite *m*, materia *f* grasa. ~때 mancha *f* de grasa; [피륙의] juarda *f*. ~병 botella *f* de aceite. ~장수 aceitero, -ra *mf*. ~종이 papel *m* engrasado. ~집 aceitería *f*. ~통 aceitera *f*, engrasador *m*.

기름지다 ① [기름이 많이 끼어 있다] (ser) graso, estar lleno [cubierto] de grasa. 기름진 grasiento, pringoso, graso, pingüe. 기름진 음식 comida *f* grasa. ② [살에 기름이 많다] (ser) gordo, grasiento. ③ [땅이 걸다] (ser) fértil, rico. 기름진 농토 terreno *m* fértil. 기름진 땅 tierra *f* fértil.

기리다 alabar, elogiar, admirar.

기린(麒麟) [동물] jirafa *f*.

기린아(麒麟兒) niño *m* prodigio, joven *m* prometedor.

기립(起立) levantamiento *m*. ~하다 ponerse de pie, levantarse. ~해 있다 estar de pie. ~으로 표결하다 votar por levantados y sentados. ~! ¡De pie!

기마(騎馬) equitación *f*. ~의 montado, a caballo. ~로 a caballo. ~ 경찰관 policía *m* montado, policía *f* montada. ~ 경찰 policía *f* montada. ~ 경찰대 cuerpo *m* de la policía montada. ~대 ㉮ [군대의 말을 타는 부대] tropas *fpl* montadas. ㉯ ((준말)) =기마 경찰대. ~ 민족 raza *f* de equitación. ~병 caballería *f*. ~상 estatua *f* ecuestre. ~인 pueblo *m* de equitación. ~전(戰) simulacro *m* de combate a caballo. ~ 행렬 cabalgata *f*.

기막히다(氣一) ① [숨이 막히다. 기절하다] ahogarse, desmayarse, perder el sentido, desfallecer. ② [말이 하도 엄청나서 어이없다] Se me hace el nudo en la garganta. ③ [어떻다고 말할 수 없을 만큼 좋거나 정도가 높다] (ser) magnífico, espléndido, exquisito, impresionan-

te, imponente; [우수하다] excelente; [놀랍다] admirable, maravilloso, prodigioso, estupendo; [지독하다] formidable; [이상적이다] ideal. 기막히게 admirablemente, magníficamente, maravillosamente, excelentemente, espléndidamente, estupendamente. 기막힌 그림 pintura *f* maravillosa, cuadro *m* maravilloso.

기만(欺瞞) engaño *m*, trampa *f*, impostura *f*. ~하다 engañar. ~적인 engañoso, tramposo, impostor.

기말(期末) [학기말] fin *m* del semestre(2학기제의), fin *m* del trimestre(3학기제의). ~ 시험 examen *m* semestral.

기맥(氣脈) comunicación *f*. ~이 통하다 trabar relaciones en secreto. 그는 적과 ~이 통하고 있다 El tiene relaciones secretas con los enemigos.

기면(嗜眠) ((의학)) letargo *m*. ~증 hipnolepsia *f*.

기명(記名) firma *f*, registro *m*. ~하다 firmar, registrar. ~ 공채 bono *m* registrado. ~ 날인 firma *f* y sello. ~ 증권 título *m* nominativo. ~ 주식 acción *f* nominativa. ~ 채권 bono *m* registrado. ~ 투표 votación *f* [voto *m*] nominal.

기명(器皿) platos *mpl*.

기묘하다(奇妙一) (ser) extraño, curioso, extravagante, raro, singular. 기묘한 물고기 pez *m* raro.

기미 peca *f*, mancha *f* de (la) vejez, descoloramiento *m*. ~가 끼다 tener pecas, descolorarse.

기미(幾微/機微) =낌새. ¶물가가 오를 ~다 Los precios tienden a subir.

기민하다(機敏一) (ser) agudo, rápido, sagaz, ágil 기민하게 agudamente, rápidamente, ágilmente, hábilmente, con agilidad, a paso rápido.

기밀(機密) secreto *m*, confidencia *f*. ~의 secreto, confidencial. ~을 지키다 guardar el secreto. ~을 폭로하다 revelar secretos. ¶~ 문서 documentos *mpl* confidenciales. ~ 비 fondos *mpl* secretos. ~ 사항 asuntos *mpl* secretos. ~ 서류 documentos *mpl* confidenciales.

기반(基盤) base *f*, fundamento *m*. ...을 ~으로 하다 basarse en *algo*, fundarse en *algo*, tener *algo* como base, tener su base en *algo*, tener su fundamento en *algo*.

기발하다(奇拔一) (ser) original, raro, singular, extraordinario, fantástico; [기지가 풍부한] genial. 기발한 아이디어 idea *f* original.

기백(氣魄) espíritu *m* (vigoroso), el alma *f*, carácter *m*, ánimo *m* vehemente. ~으로 가득 찬 lleno de fuerza, lleno de vigor. 호쾌한 ~

espíritu *m* intrépido.

기법(技法) técnica *f*. ~을 터득하다 adquirir la técnia, llegar a dominar la técnica.

기벽(奇癖) hábito *m* excéntrico, excentricidad *f*, extravagancia *f*, particularidad *f*, singularidad *f*, rareza *f*.

기별(奇別/寄別) noticias *fpl*, nuevas *fpl*, información *f*, palabra *f*, carta *f*, aviso *m*. ~하다 hacer saber, decir, informar, avisar, notificar. ~을 듣다 tener noticias.

기병(騎兵) soldado *m* de caballería, jinete *m* (a caballo); [집합적] caballería *f*. ~대 tropa *f* de caballería. ~ 대대 batallón *m* de caballería. ~ 연대 regimiento *m* de caballería. ~ 중대 escuadrón *m*.

기복(起伏) vicisitudes *fpl*, altibajos *mpl*, ondulación *f*, desnivel *m*, desnivelación *f*. ~하다 subir y bajar, ser ondulado, ondular. ~이 많은 ondulado, accidentado. ~이 많은 인생 vida *f* llena de vicisitudes.

기본(基本) base *f*, fundamento *m*, principio *m*; [초보] elementos *mpl*, rudimentos *mpl*; [기준] norma *f*. ~을 이루다 ser fundamental, formar el trabajo preliminar, formar el trabajo de base. ~에서 시작하다 comenzar con el abecedario, comenzar con el abecé. ¶~권 derechos *mpl* fundamentales. ~급(료) sueldo *m* base. ~ 단위 unidad *f* fundamental. ~법 ley *f* fundamental. ~ 요금 tipo *m* [tasa *f* base]; [일정한] cuota *f* fija. ~임금 sueldo *m* base. ~적 básico, esencial, fundamental, principal, elemental, rudimentario, general. ~으로 básicamente, fundamentalmente, elementalmente, esencialmente. ~ 조건 condición *f* esencial. ~형 forma *f* fundamental.

기부(寄附) contribución *f*, donación *f*, subscripción *f*. ~하다 contribuir, donar, subscribir, hacer una contribución. 국립 도서관에 책을 ~하다 donar libros a la biblioteca nacional. ¶~금 contribución *f*, donación *f*, subscripciones *fpl*. ~자 donante *mf*. ~ 행위 donación *f*.

기분(氣分) ① [마음에 저절로 느껴지는 상태] humor *m*, sensación *f*, estado *m* de ánimo, disposición *f* de espíriru. ~(이) 좋은 agradable, grato, ameno, dulce; [유쾌한] refrescante; [쾌적한] confortable, cómodo. ~(이) 나쁜 desagradable; [혐오감을 일으키는] repugnante; [토할 것 같은] nauseabundo. ~ 좋게 agradablemente, de [con] buen humor, amigablemente; [유쾌히]

alegremente, con alegría; [쾌적하게] cómodamente, confortablemente, a gusto; [쾌히] con mucho gusto, gustosamente; [기꺼히] de buena gana, de buena voluntad, voluntariamente. ~이 좋다 sentirse bien, estar de (buen) humor, estar de fiesta, estar bien humorado, tener cara de buenos amigos. ~이 나쁘다 sentirse mal, estar indispuesto, indisponerse, estar de mal humor, estar de mal talante. ~을 내다 echar una cana al aire, divertirse. ② [감정] sentimiento *m*, disposición *f*. …에게 ~을 풀다 abrir el corazón a *uno*, desahogar *su* corazón con *uno*. ③ =분위기. ④ ((한방)) =원기(元氣). ¶~ 전환 diversión *f*, distracción *f*, recreación *f*. ~ 전환하다 divertirse, distraerse, despejarse. 여행은 ~ 전환으로 좋다 El viajar es una buena diversión.

기뻐하다 alegrarse (de + *inf*), tener gusto (en + *inf*), jubilar(se); [만족하다] (estar) contento, satisfecho. 경충경충 뛰며 ~ saltar de alegría.

기쁘다 (ser) feliz, alegre, contento, agradable, risueño, alegrarse. 기쁘게 alegremente, felizmente, jovialmente, con un gusto alegre, gozosamente, con gran placer [alegría]. 정말 ~ alegrarse mucho, regocijarse mucho, no caber en sí de alegría, sentirse muy feliz. 기뻐서 울다 llorar de alegría, verter lágrimas de alegría. 만나뵙게 되어 기쁩니다 Me alegro de verle a usted.

기쁨 placer *m*, alegría *f*, deleite *m*, delicia *f*, gozo *m*, goce *m*, júbilo *m*, regocijo *m*, gusto *m*, felicidad *f*, satisfacción *f*, dicha *f*. ~으로 con alegría, con placer, con gozo, con júbilo, con regocijo.

기사(技士) ① =주사(主事). ② ((준말)) =운전 기사.

기사(技師) ingeniero, -ra *mf*; técnico, -ca *mf*. ~장 jefe, -fa *mf* de máquinas [de ingenieros].

기사(起死) resucitación *f*. ~하다 resucitar. ~회생 resucitación *f*, renacer *m*, reanimación *f*. ~회생하다 resucitar, renacer, reanimar.

기사(記事) artículo *m*; [정기적인] columnas *fpl*, crónica *f*. ~를 게재하다 insertar, publicar. (여백을 메울) 짧은 ~를 쓰다 escribir un artículo de relleno.

기사(棋士) jugador, -dora *mf* de *baduk*; [장기의] jugador, -dora *mf* de ajedrez coreano.

기사(騎士) caballero *m*; [추상적] caballería *f*. ~도 caballería *f*. ~도 소설 novela *f* caballeresca.

기산(起算) comienzo *m* a contar. ~
하다 comenzar a contar. …부터 ~
하다 contar a partir de …. 오늘부
터 ~하여 contando desde hoy,
contando a partir de hoy.

기상(奇想) idea *f* fantástica. ~천외
lo original, lo fantástico, lo inima-
ginable.

기상(起床) levantamiento *m*, levantar
m. ~하다 levantarse. ~나팔
diana *f*. ~시간 hora *f* de levantarse.

기상(氣象) fenómeno *m* atmosférico;
[천후] tiempo *m*. ~ 관측 observación *f* meteorológico. ~ 관측기
meteoroscopio *m*. ~대 estación *f*
meteorológica, observatorio *m* meteorológico. ~ 예보 pronóstico *m*
del tiempo. ~위성 satélite *m*
meteorológico. ~청 Servicio *m*
Meteorológico Nacional, Departamento *m* Meteorológico. ~학 me-
teorología *f*. ~ 학자 meteorólogo,
-ga *mf*; meteorologista *mf*.

기상(機上) interior *m* del avión. ~에
서 a bordo, en el avión.

기색(氣色) [표정] aspecto *m*, apariencia *f*, expresión *f* (facial); [감
정] humor *m*, genio *m*; [표시]
signo *m*, señal *f*. 절망의 ~으로
con cara de desesperación, con
cara de desesperado. ~이 좋다
tener buena cara. ~이 나쁘다 tener mala cara.

기생(妓生) *kisaeng*, muchacha *f*
cantante y danzante.

기생(寄生) parasitismo *m*. ~하다 ser
parásito, vivir parásito [dentro]. ~
의 parasítico, parásito. ~ 동물
zooparásito *m*. ~ 미생물 micropa-
rásito *m*. ~ 상태 parasitismo *m*. ~
식물 planta *f* parásita.

기생 식물(氣生植物) ((식물)) planta *f*
aérea.

기생충(寄生蟲) ① ((동물)) parásito
m, helminto *m*, insecto *m* parásito. ② [남에게 의지해 살아가는 사
람] parásito *m*. ¶ ~ 감염 parasi-
tización *f*. ~병 enfermedad *f*
parasitaria. ~ 보유자 portador *m*
parásito, portadora *f* parásita. ~학
parasitología *f*. ~ 학자 parasitólo-
go, -ga *mf*.

기선(汽船) vapor *m*, barco *m* de [a]
vapor, buque *m* de [a] vapor; [정
기의] vapor *m* de servicio regular.

기선(基線) ① ((측량)) línea *f* básica.
② =간선(幹線).

기선(機先) iniciativa *f*. ~을 제(制)하
다 tomar iniciativa, tomar la delantera, coger la delantera.

기성(奇聲) grito *m* extraño. ~을 지
르다 dar un grito extraño.

기성(既成) lo hecho ya, lo establecido ya. ~의 cumplido, realizado,

hecho, establecido, fijo, de confección, preparado; [현존의] existente.
~ 개념 idea *f* preconcebida, idea
fija. ~복 ropa *f* hecha. ~ 세대
generación *f* existente. ~ 작가
escritor *m* conocido. ~품 artículo
m confeccionado [hecho]. ~화
zapatos *mpl* confeccionados.

기성(期成) resolución *f* a llevar a
cabo. ~하다 resolver a llevar a
cabo. ~회 comité *m* de acción.

기성(棋聖/碁聖) gran maestro, -tra
mf de baduc o ajedrez coreano.

기세(氣勢) espíritu *m*, vigor *m*, actividad *f*, animación *f*, entusiasmo
m, ardor *m*, fervor *m*. ~ 좋은
enérgico, animoso, vigoroso, vivo,
brioso. ~ 좋게 con fuerza, con
energía, con vigor, vivamente,
animosamente, con brío, violentamente, con ímpetu, con vehemencia, impetuosamente. ~ 좋은 목소
리 voz *f* muy viva, voz *f* muy
animada. 그는 ~ 좋게 나갔다 El
salió muy animado / El salió lleno
de animación.

기소(起訴) acusación *f*, procesamiento *m*. ~하다 acusar, procesar, procurar. ~되다 ser acusado.
¶ ~ 유예 suspensión *f* de la acusación. ~ 유예하다 suspender la
acusación. ~장 acusatoria *f*.

기수(基數) número *m* cardinal.

기수(旗手) abanderado *m*; [기병의]
portaestandarte *m*.

기수(機首) ((항공)) proa *f* (de un
avión). 비행기가 ~를 올린다[내린
다] El avión se encabrita [des-
ciende] de cabeza.

기수(騎手) jinete *m*, caballero *m*,
cabalgador *m*; [경마의] jockey *m*.

기숙(寄宿) hospedería *f*, alojamiento
m. ~하다 hospedarse, alojarse.
~사 dormitorio *m*, residencia *f*; [학
생의] internado *m*, pensión *f*. ~생
pensionista *mf*; (alumno *m*) interno *m*, (alumna *f*) interna *f*.

기술(技術) técnica *f*, arte *m(f)*; [과학
기술 일반] tecnología *f*; [기교]
habilidad *f* técnica. ~(상) técnico,
tecnológico. ~의 진보 mejora *f*
técnica. ¶ ~ 개발 desarrollo *m*
técnico. ~공 mecánico, -ca *mf*;
técnico, -ca *mf*. ~ 교류 intercambio *m* técnico. ~ 교육 formación *f*
profesional, formación *f* técnica. ~
도입 introducción *f* de tecnología. ~ 서적 libros *mpl* técnicos. ~
~ 수준 nivel *m* tecnológico. ~어
[용어] terminología *f* técnica. ~
원조 ayuda *f* técnica [tecnológica],
asistencia *f* técnica. ~ 이전(移轉)
transferencia *f* técnica. ~자 técnico, -ca *mf*; [기사] ingeniero, -ra
mf. ~적 técnico, tecnológico.

정보 información *f* técnica. ~ 제휴 cooperación *f* técnica. ~진 personal *m* técnico. ~ 학교 instituto *m* de formación profesional, escuela *f* politécnica. ~ 혁명 revolución *f* técnica.

기술(記述) descripción *f*, narración *f*. ~하다 describir, relatar, narrar.

기술(旣述) lo mencionado ya. ~하다 ya haber mencionado. ~한 바와 같이 como ya mencionado.

기슭 orilla *f*, borde *m*, base *f*; [산의] pie *m*, falda *f*. 강 ~에 a la orilla del río. 남산 ~에 al pie del monte Namsan.

기습(奇襲) ataque *m* imprevisto [por sorpresa]. ~하다 sorprender, atacar por sorpresa.

기승(氣勝) indomabilidad *f*, lo resuelto, lo decidido. ~하다 (ser) resuelto, decidido, valiente, valeroso, enérgico, ardiente, vehemente, lleno de vida. ~을 떨다[부리다] (ser) resuelto, decidido.

기승전결(起承轉結) introducción, desarrollo, cambio y conclusión.

기식(寄食) comida *f* y alojamiento. ~하다 gorronear, hacer vida de gorrón, vivir a costillas de los demás, vivir de gorra, gorrear. ~자 gorrón, -rrona *mf*; gorrero, -ra *mf*; parásito *m*.

기신거리다 mover sin fuerzas, agitar [mover] lánguidamente.

기신호(旗信號) señal *f* de bandera. ~하다 señalar con una bandera.

기쓰다(氣一) hacer todo lo que se puede, hacer cuanto se puede, hacer todo lo posible.

기아(棄兒) ① [몰래 아이를 내다 버림] abandono *m* a un niño. ~하다 abandonar a un niño. ② [몰래 버린 아이] bebé *m* [niño *m*] abandonado; niño *m* expósito, niña *f* expósita.

기아(飢餓) el hambre *f*, inanición *f*. ~ 다이어트 dieta *f* de hambre. ~ 동맹 huelga *f* de hambre.

기악(器樂) música *f* instrumental. ~ 곡 canción *f* de la música instrumental. ~부 partes *fpl* instrumentales. ~ 연주자 instrumentalista *mf*.

기안(起案) bosquejo *m*, proyecto *m*, designio *m*, dibujo *m*. ~하다 bosquejar, hacer un proyecto, designar, dibujar. ~자 dibujante *mf*.

기암(奇巖) roca *f* fantástica. ~ 괴석 las rocas y las piedras fantásticas. ~ 절벽 las rocas y los precipicios fantásticos.

기압(氣壓) presión *f* atmosférica. ~ 이 오른다[내린다] La presión atmosférica sube [baja]. ¶~계 barómetro *m*, manoscopio *m*, aero-

tonómetro *m*. ~골 depresión *f*, zona *f* de bajas presiones. ~ 요법 aeropiezoterapia *f*.

기약(期約) promesa *f*. ~하다 prometer. ~ 없이 sin promesa.

기어 ① [톱니바퀴] rueda *f* dentada. ② [변속 장치] caja *f* de engranajes, engranaje *m*; [자동차의] caja *f* de cambios, caja *f* (de cambio) de velocidades, marcha *f*, velocidad *f*, cambio *m*. ~를 넣다 embragar, engranar. ~를 바꾸다 cambiar la velocidad [la marcha], cambiar de marcha, cambiar de velocidad. ¶~ 오일 aceite *m* de engrase.

기어가다 avanzar arrastrándose.

기어들다 ① [몰래 들어오거나 들어가다] entrar en secreto. ② [움츠리며 들어가다] entrar achicándose.

기어오다 venir acá arrastrándose.

기어오르다 ① [기어서 높은 것으로 가다] trepar, encararse, subir a la altura arrastrándose. 나무에 ~ trepar a un árbol. ② [버릇없이 굴다] envanecerse, hincharse, inflarse, engreírse, hacerse presuntuoso [presumido · arrogante].

기어이(期於一) ① [반드시. 꼭] sin falta, sin duda. ~ 성공하겠다 Voy a tener buen éxito sin falta. ② [마침내] al fin, por fin, en fin, finalmente. 나는 ~ 이겨 냈다 Al fin yo gané.

기어코(期於一) =기어이.

기억(記憶) memoria *f*, recuerdo *m*. ~하다 recordar, acordarse, retener, rememorar, tener memoria, traer a la memoria; [암기하다] aprender de memoria, memorizar, conservar la memoria. ~할만한 memorable, recordable. ~에 남다 quedar en la memoria. ~에 남기다 guardar en la memoria. ~에서 사라지다 borrar(se) de la memoria. ~을 더듬다 exprimirse la memoria, buscar a tientas los recuerdos. ¶~ 상실 abulia *f*. ~ 상실증 amnesia *f*. ~ 상실증 환자 abúlico, -ca *mf*. ~ (m)nemotecnia *f*. 기억 용량 ((컴퓨터)) capacidad *f* de memoria. ~ 장치 ((컴퓨터)) banco *m* de memoria.

기억력(記憶力) memoria *f*, retentiva *f*. ~이 나쁜 olvidadizo, flaco de memoria. ~이 나쁜 사람 memoria *f* de gallo, memoria *f* de grillo. ~ 이 좋다 tener buena memoria [retentiva], ser de buena memoria [retentiva], tener (una) feliz memoria, ser fuerte de memoria. ~ 이 나쁘다 tener mala memoria [retentiva], ser de mala memoria [retentiva], tener una flaca memoria, ser débil de memoria. ~을 상실하다 perder la memoria.

기업(企業) empresa *f*, negocio *m*. ~가[인] empresario, -ria *mf*. ~합 cartel *m*. ~ 정신 espíritu *m* de empresa. ~주 empresario, -ria *mf*. ~ 진단 asesoría *f* de empresas, consultoría *f* gestión, consultoría *f* administrativa. ~체 empresa *f*, corporación *f*. ~화 [상업화] mercialización *f*; [공업화] industrialización *f*. ~화하다 comercializar, industrializar.

기여(寄與) contribución *f*, servicio *m*. ~하다 contribuir. 산업 발전에~ 하다 contribuir al desarrollo de la industria.

기역 *kiyeok*, nombre *m* de la primera letra de Hangul.

기연(綠緣) hado *m* extraño, coincidencia *f* curiosa.

기연(機緣) ① [어떠한 기회와 인연] la oportunidad y la relación, oportunidad *f*, ocasión *f*. ② ((불교)) afinidad *f*.

기염(氣焰) entusiasmo *m*, espíritu *m* alto. ~을 토하다 darse importancia, darse infulas, fanfarronear, jactarse; ponerse alegre bebiendo, calentarse bebiendo.

기예(技藝) arte *m*, talento *m*. ~학교 escuela *f* politécnica.

기예(氣銳) impetuosidad *f*. ~하다 (ser) energético, impetuoso.

기온(氣溫) temperatura *f* (atmosférica). ~의 변화 el cambio de la temperatura. ~이 오른다 La temperatura sube [baja]. ~이 25도이다 La temperatura es de veinte y cinco grados.

기와 teja *f*. ~를 이다 tejar, cubrir de tejas. ~를 이는 cubierto de tejas. ¶~장 tejera *f*, tejar *m*, tejería *f*, taller *m* de tejas, sitio donde se fabrican tejas. ~장이 tejero, -ra *mf*; persona *f* que fabrica tejas. ~지붕 tejado *m*. ~집 casa *f* (cubierta) de tejas.

기왕지사(旣往之事) asunto *m* [suceso *m*] (que se ha) pasado.

기용(起用) nombramiento *m*, empleo *m*. ~하다 nombrar, designar, elegir; [승진시키다] ascender, promover.

기우(杞憂) temor *m* imaginario, inquietud *f* infundada, preocupación *f* innecesaria. 그것은 ~에 지나지 않는다 Sus temores son infundados.

기우(奇遇) encuentro *m* casual, encuentro *m* inesperado. 여기서 만나다니 정말 ~다 ¡Qué sorpresa [casualidad] (es) encontrarte aquí!

기우(祈雨) oración *f* por lluvia. ~하다 orar para que llueva, hacer rogativas para pedir la lluvia. ~제 servicio *m* religioso para pedir la lluvia, ritual *m* para la lluvia.

기우듬하다 (ser) algo oblicuo, estar algo inclinado. 탁자가 ~ La mesa está algo inclinada.

기우뚱거리다 mecerse, balancearse, tambalearse, sacudirse.

기운 ① [힘] energía *f*, fuerza *f*, poder *m*. ~(이) 센 poderoso, fuerte, enérgico, energético. ~ 없는 débil, deprimido, abatido, sin brío, sin garra. ~을 다해서 con todas *sus* fuerzas, con toda *su* fuerza. ~이 센 남자 hombre *m* enérgico. ② [원기. 생기] vigor *m*, vitalidad *f*, espíritu *m*, valor *m*, coraje *m*, ánimo *m*, vida *f*, alegría *f*. ~있는, ~ 찬 vigoroso, animoso, valiente, corajudo, alegre; [노인이] lleno de vida, dinámico, saludable, robusto, fuerte como un roble, con una salud de hierro. ~이 없는 desanimado, desmoralizado. ~을 내다 animarse, alegrarse. ~이 넘치다 entusiasmarse, animarse. ③ [천지 만물의] el ánima *f*. ④ [독한 기운 따위] vapor *m*, gas *m*, señal *f*, indicio *m*, influencia *f*; [기미] aire *m*, gusto *m*, síntoma *f*, tacto *m*. 감기 ~ frío *m* ligero.

기운(氣運) tendencia *f* de tiempo.

기운(氣韻) atmósfera *f*, elegancia *f*, tono *m*.

기운(機運) la oportunidad y la fortuna, la ocasión y la suerte.

기울 salvado *m*, afrecho *m*.

기울기 ① [경사] pendiente *f*, declive *f*, inclinación *f*; [비탈길] cuesta *f*. 급한 ~ pendiente *f* grande. 완만한 ~ pendiente *f* pequeña, pendiente *f* suave. ② ((수학)) gradiente *m*.

기울다 ① [경사지다] inclinarse, ladearse, desviarse. 앞으로 ~ inclinarse hacia adelante. 뒤로 ~ inclinarse hacia atrás. ② [다른 것과 비교하여 그것보다 못하다] ser peor (que). ③ [한 편으로 쏠리다] inclinarse a un costado, escorar, ladearse. 옆으로 기운다 Se inclina a un lado. ④ [해나 달이 저물어 가다] inclinar, ir poniéndose. ⑤ [형세가 불리해지다] inclinarse, estar en decadencia. ⑥ [그러한 경향을 띠다] tender, inclinarse, ser propenso. 찬성으로 ~ inclinarse a la aprobación.

기울어뜨리다 inclinar (con todas *sus* fuerzas).

기울어지다 inclinarse. ☞기울다

기울이다 ① [일정한 기준에서 한 편으로 쏠리게 하다] inclinar, ladear. 몸을 앞으로 ~ inclinar al cuerpo hacia adelante. ② [어떤 방향으로 향하게 하다] (hacer) dirigir. 귀를 ~ prestar atención, aguzar. ③ [남기지 않고 총동원하다] concentrar, dedicarse, consagrar, aplicarse. 심혈을 ~ poner toda *su* energía [*su* alma], dedicarse con todo el corazón. ④ [형세를 불리하게 하다] arruinar, destruir, echar por tierra; [돈을] despilfarrar, derrochar; [재산을] dilapidar.

기웃거리다 estirarse, atisbar, mirar por un agujero sin ser visto, mirar a escondidas, mirar furtivamente, mirar (a hurtadillas), husmear, curiosear, fisgonear, echar una ojeada [una mirada] furtiva.

기웃하다 ① [형용사로, 조금 기울다] inclinarse un poco, ladearse un poco. ② [조금 기울이다] inclinar un poco, ladear un poco. 머리를 옆으로 ~ ladear la cabeza.

기원(祈願) ruego *m*, rezo *m*, petición *f*, oración *f*, súplica *f*, plegaria *f*, invocación *f*. ~하다 rogar, rezar (a Dios), orar, invocar, pedir, suplicar, ofrecer oraciones, elevar una oración.

기원(紀元) era *f*, época *f*. ~전 antes de Jesucristo, a.C., a.J.C. ~후 después de Jesucristo, d.C., d.J.C.

기원(起源) origen *m*, fuente *f*, manantial *m*, principio *m*, comienzo *m*, procedencia *f*. 생명의 ~ origen *m* de la vida.

기원(棋院) *kiwon*, salón *m* de *baduc*.

기율(紀律) disciplina *f*, regularidad *f*. ~ 있는 disciplinado, regular, ordenado. ~ 없는 indisciplinado. ~에 관한 disciplinal. ~ 바르게 disciplinadamente. ☞규율(規律)

기음 ((농업)) mala hierba *f*.

기이다 eludir, ocultar, velar, disimular. 남의 눈을 ~ eludir los ojos ajenos.

기이하다(奇異一) (ser) extraño, raro, singular, extraordinario, particular, curioso, excéntrico, extravagante. 기이한 광경 vista *f* curiosa. 기이한 행동 conducta *f* excéntrica.

기인(奇人) persona *f* excéntrica [extravagante]; extravagante *mf*; excéntrico, -ca *mf*.

기인(起因) causa *f*, raíz *f*, origen *m*. ~하다 provenir, resultar, originarse, proceder, venir, ser causado, deberse, ser debido.

기인(飢人) persona *f* hambrienta.

기일(忌日) aniversario *m* de la muerte.

기일(期日) fecha *f* (fija), día *m* fijo, día *m* convenido, data *f* [기한] término *m*, vencimieto *m*; ((주식)) fecha *f* fija de vencimiento. 정해진 ~에 a la fecha fija, a(l) día fijo. ~을 정하다 fijar la fecha. ~을 지키다 observar la fecha.

기입(記入) apunte *m*, anotación *f*, inscripción *f*; [기장] asiento *m*. ~

하다 apuntar, anotar, inscribir, asentar; [빈칸을] rellenar. 서류에 ~하다 rellenar el formulario. ~장 libro *m* de apunte.

기자(記者) periodista *mf*; [편집자] redactor, -tora *mf*; [로포 기자] reportero, -ra *mf*; cronista *mf*; [통신원] corresponsal *mf*. ~단 prensa *f* acreditada, asociación *f* de prensa, grupo *m* de periodistas. ~석 reservados *mpl* para la prensa. ~실 oficina *f* de prensa, sala *f* para periodistas, sala *f* de prensa, sala *f* de periodistas, centro *m* de prensa. ~증 pase *m* de periodista. ~ 클럽 club *m* de prensa. ~ 회견 rueda *f* de prensa, conferencia *f* de prensa. ~ 회견을 받다 recibir a la prensa, recibir a los periodistas.

기자(飢者) =기인(飢人).

기자감식(飢者甘食) A buena hambre no hay pan dura / La mejor salsa es el hambre.

기장[1] ((식물)) kaoliang *m*, mijo *m*.

기장[2] [옷 따위의 긴 정도] longitud *f*.

기장(記章/紀章) ((준말)) =기념장. ¶ ~의 emblemático. ~증 certificado *m* de medalla.

기장(記帳) asiento *m*; [숙제 등의] registro *m*. ~하다 anotar, registrar, asentar, contabilizar.

기장(機長) capitán *m* (del avión).

기재(奇才) ① [아주 뛰어난 재주] genio *m*, talento *m* notable. ② [아주 뛰어난 재주를 가진 사람] genio *m*. 문단의 ~ genio *m* literato.

기재(記載) descripción *f*, mención *f*. ~하다 escribir, describir, mencionar, hacer mención, apuntar, anotar, tomar notas; [신문에] publicar; ((부기)) registrar. ~ 누락 omisión *f*. ~ 사항 artículo *m* mencionado.

기저(基底) base *f*, fundación *f*.

기저귀 pañal *m*, sabanilla *f* de niño. ~를 채우다 poner pañales. ~를 갈아 주다 cambiar los pañales.

기적(汽笛) [기차의] pito *m*; [배의] sirena *f*. ~을 울리다 silbar, pitar, tocar el pito, sonar la sirena. ¶ ~ 소리 sonido *m* del pito, sonido *m* de la sirena.

기적(奇蹟)) milagro *m*, maravilla *f*. 한강의 ~ milagro *m* del río Han. ¶ ~적 milagroso, maravilloso. ~적으로 milagrosamente, maravillosamente. ~적으로 구조되다 salvarse de milagro.

기전(紀傳) biografía *f*.

기전(起電) generación *f* eléctrica. ~기 motor *m* eléctrico. ~력 fuerza *f* electromotriz.

기절(氣絶) ① [실신] desmayo *m*, desfallecimiento *m*; ((의학)) síncope *m*. ~하다 desmayarse, desfallecer, perder el sentido, perder el conocimiento, sincopizarse. ② [숨이 끊어짐] expiración *f*, muerte *f*. ~하다 exhalar el último suspiro, morir, expirar.

기점(起點) punto *m* de partida; [철도의] estación *f* terminal; [버스의] terminal *f*.

기점(基點) punto *m* de origen, punto *m* de referencia, punto *m* cardinal, punto *m* básico.

기정(既定) ¶ ~의 establecido, determinado, afirmado, fijo. ~의 방침에 따라 según el plan previsto de antemano, según la norma establecida. ¶ ~ 사실 hecho *m* consumado.

기제(忌祭) servicio *m* conmemorativo celebrado en el aniversario de la muerte.

기조(基調) ① (음악) [주조] tónica *f*, nota *f* tónica *f*, tono *m* (pre)dominante. ② [사상·학설 등의 기본적 경향] [논지] idea *f* (pre)dominante; [근저] base *f* [principio *m*] fundamental, fundamento *m*. ¶ ~ 연설 discurso *m* en el que se intenta establecer la tónica de un congreso o asamblea, discurso *m* inaugural.

기존(既存) ¶ ~의 ya existente, ya establecido, actual. ~의 시설 instalaciones *fpl* ya existentes.

기종(氣腫) ((의학)) enfisema *m*, neumatocele *m*, neumatosis *f*.

기종(機種) ① [항공기의 종류] tipo *m* de aviones. ② [기계의 종류] tipo *m* de máquinas.

기죽다(氣──) ponerse triste, ponerse melancólico, desanimarse, abatirse, sentirse muy deprimido, sentirse tímido, sentirse cohibido, cohibirse.

기준(基準) norma *f*, modelo *m*; [평가 등의] criterio *m*; [조건] condición *f*. ~을 설정하다 establecer [fijar] una norma. ¶ ~ 가격 precio *m* base [básico]. ~량 cantidad *f* normal. ~선 línea *f* de referencia. ~시가 tipo *m* central. ~예산 presupuesto *m* básico. ~율 tipo *m* básico. ~ 임금 sueldo *m* estándar. ~점 punto *m* de datos. ~ 환율 tasa *f* de cambio báscia.

기중(忌中) luto *m*, duelo *m*. ~의 de luto. ~이다 estar de luto.

기중기(起重機) grúa *f*. ~로 들어올리다 levatar con grúa. ¶ ~선 grúa *f* flotante. ~ 운전수 gruista *mf*. ~차 carro *m* de grúa.

기증(寄贈) donación *f*, contribución *f*, oferta *f*. ~하다 donar, hacer una donación, hacer un donativo. ~자 donante *mf*. ~자 카드 [혈액·장기 기증자가 휴대하는] tarjeta *f* de

donante. ~품 donativo *m*, donación *f*.

기지(基地) base *f*. 공군 ~ base *f* aérea. 해군 ~ base *f* naval.

기지(機智) ingenio *m*, prespicacia *f*, sagacidad *f*, agudeza *f*, sal *f*, gracia *f*. ~가 풍부한 ingenioso, agudo, sagaz, inteligente, chistoso.

기지개 estiramiento *m*, estirón *m*. ~를 켜다 estirarse, esperezarse, desperezarse.

기진(氣盡) agotamiento *m*, fatiga *f*. ~하다 estar agotado, estar exhausto, estar cansado.

기진맥진(氣盡脈盡) agotamiento *m* completo. ~하다 apurar [agotar·consumir] energía, agotarse.

기질(氣質) genio *m*, naturaleza *f*, disposición *f*, temperamento *m*, manera *f*, modo *m* de ser, espíritu *m*, mentalidad *f*, carácter *m*.

기차(汽車) ① =증기차. 화차. ② [열차] tren *m*. ~로, ~를 타고 en tren. ~ 안에서 en el tren. ~ 편으로 por tren, por ferrocarril, por vía férrea. ~로 가다 ir en tren. ~를 타다 coger el tren, *AmL* tomar el tren. ~를 놓치다 perder el tren. ¶ ~ 시간표 horario *m* de trenes. ~ 여행 viaje *m* en tren. ~ 요금 pasaje *m* de ferrocarril. ~표 billete *m*, *AmL* boleto *m*. ~ 시길 vía *f* férrea, ferrocarril *m*.

기차다(氣──) estar asombrado, quedarse atónito, quedarse pasmado, dejar atónito, dejar pasmado.

기착(寄着) escala *f*. ~하다 hacer escala. ~지 escala *f*.

기채(起債) emisión *f* de empréstito, flotación *f* de empréstito. ~하다 emitir bonos, emitir un empréstito, poner en circulación un empréstito. ~ 시장 mercado *m* de bonos, mercado *m* de obligaciones de renta fija, mercado *m* de capitales.

기척 signo *m*, señal *f*, nota *f*, indicio *m*, indicación *f*, rastro *m*. ~ 없이 사라지다 desaparecer sin dejar rastro.

기체¹(氣體) [기력과 체후] la energía y la salud, su salud.

기체²(氣體) ((물리)) gas *m*, vapor *m*, cuerpo *m* gaseoso. ~의 gaseoso. ~로 되다 gasificar. ~ 역학 aerodinámica *f*. ~ 연료 combustible *m* gaseoso. ~화 vaporización *f*, gasificación *f*. ~화하다 vaporizar, gasificar.

기체(機體) ① [기계의 바탕] máquina *f*. ② [비행기의 동체] fuselaje *m*, cuerpo *m* del avión.

기초(起草) anteproyecto *m*, delineamiento *m*. ~하다 preparar, esbozar, elaborar. ~자 persona *f* que redacta un anteproyecto de ley.

기초(基礎) fundamento *m*, base *f*, fondo *m*; [건물의] cimiento *m*. ~의 fundamental, básico, elemental. …을 ~로 a base de *algo*. ~가 단단한 회사 compañía *f* sólidamente establecida. …의 ~를 다지다 consolidar el fundamento [la base] de *algo*, fundamentar *algo*, poner los cimientos, sentar las bases, preparar las bases, prepararse. ¶ ~ 공사 cimentación *f*, cimientos *mpl*. ~ 공제 exención *f* [deducción *f*] básica de impuestos. ~ 대사 metabolismo *m* elemental. ~ 산업 industria *f* clave. ~적 fundamental, elemental, básico. ~ 지식 conocimiento *m* elemental. ~ 화장 maquillaje *m* fundamental. ~ 화장품 cosméticos *mpl* fundamentales. ~ 훈련 capacitación *f* básica; [스포츠의] entrenamiento *m* básico.

기총(機銃) ((준말)) =기관총. ¶ ~소사 ametrallamiento *m*. ~ 소사하다 ametrallar.

기축(基軸) eje *m*.

기치(旗幟) ① [군중에서 쓰던 기] bandera *f*. ② [태도나 행동을 구별하는 표] *su* actitud. ~를 선명히 하다 aclarar [definir] *su* actitud.

기침 tos *f*. ~하다 toser, tener tos; [가볍게] toser. 몹시 심한 ~을 하다 tener mala tos. ¶ ~약 [알약] pastilla *f* para la tos; [시럽] jarabe *m* para la tos.

기침(起寢) =기상(起床).

기타(其他) los otros, los demás, etcétera, etc. 피복, 서적 ~ 품목 ropa, libros, etc. 사전과 ~의 참고서 los diccionarios y otros libros de consulta.

기타 ((악기)) guitarra *f*. ~의 guitarresco. ~를 치다 tocar la guitarra. ¶ ~ 연주자 guitarrista *mf*. ~ 음악 música *f* guitarresca.

기타리스트 guitarrista *mf*.

기탁(寄託) depósito *m*. ~하다 depositar, poner en depósito. ~금 depósito *m*. ~ 도서 libro *m* depositado. ~물 depósito *m*. ~자 depositario, -ria *mf*. ~ 증서 certificado *m* de depósito.

기탄(忌憚) reserva *f*, vacilación *f*, escrúpulo *m*. ~하다 vacilar, titubear. ~없는 franco, abierto, directo, sincero. ~ 없이 sin reserva. ~없는 비평 crítica *f* abierta.

기통(汽筒/汽罐/汽筒) cilindro *m*. 4~엔진 un motor de cuatro cilindros. 6~ 자동차 automóvil *m* con motor de seis cilindros.

기특하다(奇特-) (ser) dingo de elogio, elogiable, meritorio. 기특한 사람 persona *f* laudable [digna de alabanza]. 기

기틀 punto *m* capital [clave], quid

m, quid *m* de la cuestión, base *f*. ~을 잡다 tomar la base. ~이 잡히다 funcionar el punto capital.

기포(起泡) burbujeo *m*. ~하다 burbujear.

기포(氣泡) [비누의] pompa *f*; [공기·가스의] burbuja *f*; [(자동차 등의) 도장면의] ampolla *f*; [렌즈·유리의] burbuja *f* de aire.

기폭(起爆) denotación *f*. ~약 explosivo *m* inicial. ~장치 artefacto *m* explosivo. ~제 detonador *m*.

기표(記票) votación *f*. ~소 cabina *f* de votación.

기품(氣品) dignidad *f*, nobleza *f*, elegancia *f*, gracia *f*, distinción *f*, refinamiento *m*, finura *f*. ~ 있는 digno, noble, elegante, gracioso.

기풍(氣風) ① [기질] disposición *f*, carácter *m*, genio *m*. ② [사람들의 공통적인 기질] moral *f*, tono *m*; [특성] rasgos *mpl*, características *fpl*; [정신] espíritus *mpl*.

기피(忌避) [꺼리어 피함] evasión *f*, insumisión *f* (al servicio militar). ~하다 evadir; [책임·의무 등을] eludir, rehuir. 병역을 ~하다 evadir el servicio militar. 책임을 ~하다 eludir la responsabilidad. ~ 소송 ((법률)) recusación *f*. ~하다 recusar. 재판을 ~하다 recusar a un juez. ~ 신청 petición *f* de recusación. ~ 인물 persona *f* desagradable, persona *f* poco grata. ~자 ㉮ [기피를 한 자] evasor, -sora *mf*; recusante *mf*. ㉯ [병역 기피자] prófugo *m*.

기필코(期必-) [꼭, 반드시] sin falta, sin duda, positivamente; [무슨 일이 있어도] a toda costa. 나는 ~ 성공하겠다 Sin falta tendré éxito.

기하(幾何) ① =얼마(¿Cuánto?). ② ((수학)) ((준말)) =기하학. ¶ ~ 급수 progresión *f* geométrica. ~ 평균 medio *m* geométrico. ~학 geometría *f*. ~ 학자 geómetra *mf*. ~학적 geométrico. ~적으로 geométricamente.

기하다(記-) anotar, apuntar.

기하다(期-) ① [기한을 정하다] fijar un plazo. ② [기약하다] prometer.

기하다(奇-) (ser) extraño, curioso, raro, maravilloso.

기한(期限) período *m*, término *m*; [기간] plazo *m*; [기일] fecha *f* fija, fecha *f* limitada, fecha *f* de expiración, vencimiento *m* (de un plazo). ~까지는 para la fecha fija. ~을 늘리다 prolongar el plazo. ~을 앞당기다 adelantar el plazo. ~을 연장하다 prorrogar el plazo. ~을 정하다 fijar un plazo. ~이 되다, ~이 오다 vencer. ¶ ~ 만료 expiración *f* del plazo. ~부로 a término, a plazo fijo.

기함(旗艦) ((군사)) capitana f.

기합(氣合) ① [호흡이 맞음] respiración f en armonía. ② [정신을 신체에 나타내어 어떤 일을 하는 기세] concentración f de espíritu (en el arte militar), vigor m de espíritu; [소리] alarido m, grito m, salvaje m (de guerra). ~를 넣다 [정신을 들이다] animar, exhortar, elevar la moral; [기합술로] fascinar con el grito. ③ [(속어)] [군대나 학교 등의] castigo m (disciplinario). ~을 받다 ser castigado. ~을 주다 castigar. ¶~술 arte m de fascinar por la concentración de espíritu.

기항(寄航) escala f. ~하다 hacer escala. ~지(地) escala f.

기항(寄港) escala f. ~하다 hacer escala, pasar por un puerto, arribar. ~지 (puerto m de) escala f.

기행(奇行) excentricidad f, conducta f extraña, singularidad f.

기행(紀行) memoria f de viaje, relación f de viaje. ~문 relato m de un viaje.

기현상(奇現象) fenómeno m extraño.

기형(奇形) forma f extraña.

기형(畸形/奇型) deformidad f, formación f defectuosa, deformación f, forma f defectuosa, monstruo m. ~의 deforme. ~아 niño, -ña mf deforme. ~학 teratología f.

기호(記號) signo m, marca f, señal f, símbolo m, emblema f; ((음악)) nota f, clave f. ~로 표시하다 expresar [representar] con signos. ¶~ 논리학 lógica f simbólica. ~론 semiótica f. ~학 semiología f.

기호(嗜好) gusto m, afición f, inclinación f, preferencia f. 내 ~에 맞는 작가 mi autor favorito, mi autora favorita. ~에 맞다 caer bien, gustar, ser al gusto, ser del gusto, agradar su gusto, venir bien a su gusto. ¶~품[식품] víveres mpl de lujo, lo que gusta más que todo, comida f favorita, pequeños lujos mpl (favoritos) de la mesa.

기혼(既婚) ¶~의 casado. ~ 남자 (hombre m) casado m. ~ 여자 (mujer f) casada f. ~자 casado, -da mf.

기화(奇貨) ① [진귀한 보화] tesoro m precioso. ② [못되게 이용하는 기회] oportunidad f que se aprovecha mal.

기화(氣化) volatilización f, gasificación f; [증발] evaporación f, vaporización f. ~하다 volatilizarse, evaporarse, vaporizarse, gasificarse. ~시키다 volatilizar, gasificar, evaporar, vaporizar. ¶~기 carburador m. ~열 calor m de vaporización.

기화(琪花) flor f hermosa.

기화 요초(琪花瑤草) las flores y las hierbas del país de las hadas, las flores y las hierbas hermosas.

기회(機會) oportunidad f, ocasión f. 노동의 ~ oportunidades fpl de trabajo. ~를 기다리다 esperar la oportunidad. ~를 노리다 acechar la ocasión, buscar la coyuntura. ~를 엿보다 esperar a ver de dónde sopla el viento, tomar una actitud oportunista. ~를 이용하다 [포착하다] aprovechar [aprovecharse de] la ocasión [la oportunidad]. ~를 놓치다 [잃다] perder [desperdiciar · dejar escapar] la oportunidad. ~를 포착하다 asir una oportunidad. ¶~주의 oportunismo m. ~주의자 oportunista mf.

기획(企劃) plan m, proyecto m, programa m, planificación f. ~하다 planear, proyectar. 새로운 사전을 ~하다 hacer planes [organizar un proyecto] para un nuevo diccionario. ¶~ 관리 planificación y administración. ~부 departamento m de planificación. ~실 oficina f de planificación. ~ 예산처 Ministerio m de Planificación y Presupueto. ~자 planificador, -dora mf; [도시의] urbanista mf. ~ 조정실 Oficina f de Planificación y Coordinación.

기후[1](氣候) clima m; [날씨] tiempo m, estado m atmosférico. ~가 좋은 bueno, agradable. ~가 나쁜 malo, desagradable. 불순한 ~ clima m desagradable. 온화한 ~ clima m benigno, clima m templado. ¶~ 변화 cambio m climático. ~ 순응[순화] aclimatación f. ~학 climatología f.

기후[2](氣候) =기체(氣體).

기흉(氣胸) ((의학)) neumotórax m.

긴급(緊急) emergencia f, urgencia f, apremio m, exigencia f; [긴박함] inminencia f. ~하다 (ser) urgente, apremiante, inminente, exigente. ~한 용무 negocio m urgente. ~한 경우에는 en caso de emergencia. ~을 요하다 ser urgente. ¶~ 각의 reunión f de emergencia del gabinete. ~ 구속 detención f urgente. ~ 동의 moción f de urgencia. ~ 명령 orden f de emergencia. ~ 사태 estado m de emergencia [de urgencia]. ~ 사태 선언 declaración f de urgencia. ~ 조치 decreto m de emergencia. ~ 통화 [화폐] moneda f urgente. ~ 피난 evacuación f de emergencia. ~ 회의 sesión f [reunión f] de emergencia.

긴맛 ((조개)) muergo m, mango m

de cuchillo, navaja f.

긴밀하다(緊密－) (ser) íntimo, estrecho, familiar. 긴밀한 intimidad f, estrechez f. 긴밀한 문제 problema m familiar. 긴밀한 접촉 contacto m estrecho, toque m estrecho. ～히 estrechamente, íntimamente. ～히 연락을 취하다 comunicarse estrechamente.

긴박하다(緊迫－) ponerse tenso [tirante · en tensión].

긴병(－病) larga enfermedad f, enfermedad f prolongada, enfermedad f crónica. ～을 앓다 sufrir de la enfermedad prolongada.

긴요하다(緊要－) (ser) importante, vital; [필요하다] necesario, esencial; [불가결하다] indispensable. 긴요한 문제 asunto m importante.

긴장(緊張) tensión f, tirantez f, esfuerzo m violento, seriedad f, [신경의] nerviosismo m. ～하다 ponerse tenso [nervioso], intimarse. ～된 분위기 aire m tenso, atmósfera f tensa. ～된 표정 cara f tensa [de tensión], expresión f de tensión. ～되어 있다 estar tenso [tirante]. ¶～감 tensión f, ambiente m de tensión. ～ 상태 estado m de tensión. ～ 완화 relajamiento m de la tensión.

긴축(緊縮) restricción f, reducción f, contracción f cercenamiento m, austeridad f, [절약] economía f. ～하다 restringir, reducir, restriñir, contraerse. ～된 contraído, tieso, bien cerrado, estricto. 재정을 ～하다 restringir las actividades financieras. ¶～ 예산 presupuesto m de austeridad. ～ 재정 financiación f restringida. ～ 정책 política f de austeridad, política f de restricción de crédito.

긴팔원숭이 ((동물)) gibón m.

긴하다(緊－) (ser) importante, útil, necesario, esencial, indispensable, urgente. 긴히 importantemente, necesariamente, útilmente, esencialmente, indispensablemente; [급히] urgentemente.

긷다 sacar, achicar. 물을 ～ sacar agua.

길[1] ① [사람 · 차 등이 왕래하는 곳] camino m; [도시의 가로] calle f; [도시 바깥의 한길] carretera f; [큰길] bulevar m, avenida f, calzada f; [국도] camino m real, carretera f; [고속 도로] autopista f; [통행] paso m, pasaje m. ～에서 en (el) camino, en la calle. ～을 따라 10 킬로미터 diez kilómetros siguiendo la carretera [el camino]. 영광에의 ～ camino m de la gloria. 평화로 이르는 ～ camino m hacia la paz. ② [사람으로서 지켜야 할

도리] razón f, motivo m. ③ [도중] en el camino, en la mitad del camino. …에의 ～에 있다 estar en camino de un sitio. …에의 ～에 오르다 ponerse en camino de un sitio, salir para un sitio. 세계 일주의 ～에 오르다 salir para dar una vuelta al mundo. ④ [여정] viaje m, itinerario m. ⑤ [방법. 수단] modo m, manera f, medio m, remedio m. 달리 ～이 없다 No hay otro remedio. ⑥ [방면. 분야] campo m, esfera f; [전문] especialidad f. ⑦ [거리] distancia f. 길을 무서워하면 범을 만난다 ((속담)) El que teme por dolor sufre del temor. 모든 길은 로마로 통한다 ((속담)) Todos los caminos llevan [conducen · van] a Roma / Por todas partes se va a Roma. 아는 길도 물어 가라 ((속담)) Quien pregunta no yerra.

길[2] ① [물건에 손질을 잘하여 생기는 윤기] brillo m, lustre m. ② [짐승을 잘 가르쳐서 부리기 좋게 된 버릇] domesticación f, mansedumbre f, docilidad f. ～을 들인 원숭이 mono m domesticado. ～을 들이다 domesticar, domar. ③ [익숙해진 솜씨] habilidad f, destreza f, maña f. ～이 난 hábil, diestro.

길가 borde m del camino, borde m de la carretera. ～에(서) al borde de la carretera, al borde del camino, a la vera del camino.

길거리 calle f, camino m. ～를 쏘다니다 vagar [deambular] por las calles. ～를 헤매다 quedarse sin casa ni hogar.

길이① [물건 따위가 높이 쌓인 모양] alto. ② ～ 쌓이다 amontonarse alto. ② [성이 나서 높이 뛰는 모양] muy, sumamente, extremadamente. 화가 나서 ～ 뛰다 estar muy enfadado [enojado], darle mucha rabia. ③ [풀이나 나무 따위가 높이 자란 모양] ～ 자라다 crecer alto.

길나다 ① [버릇이나 습관이 되어 버리다] acostumbrarse, habituarse. ② [윤기가 나다] (ser) brillante, lustroso.

길눈[1] [길을 찾아가는 정신] sentido m de dirección. ～이 밝다 tener un buen sentido de la dirección. ～이 어둡다 tener un mal sentido de la dirección.

길눈[2] [많이 온 눈] nieve f profunda como la estatura del hombre.

길다 ① [짧지 않다] (ser) largo. 긴 다리 puente m largo. 긴 머리 pelo m largo, cabello m largo. 긴 비명 (소리) largo grito m. ② [시간이 오래다] (ser) largo; [내구성이 있는] duradero. 긴 세월 largos años *mpl*, largo tiempo *m*. 긴 장마 estación *f* de las lluvias larga. 인생은 짧고 예술은 ~ La vida es corta, y el arte largo.

길동무 compañero, -ra *mf* de viaje.

길들다 ① [물건이] pulirse, darse brillo. ② [짐승이] (ser) domado, domesticado. 길든 domado, domesticado. 길들지 않는 개 pájaro *m* salvaje. 잘 길든 강아지 perrito *m* bien domado. ③ [익숙하게 되다] acostumbrarse, habituarse.

길들이다 ① [윤기 나게] dar*le* [sacar*le*] brillo, *AmL* lustrar. ② [짐승을] domar, amaestrar, adiestrar, domesticar, enseñar, educar. 길들일 수 없는 indomable, indomesticable. 개를 ~ domar a un perro. ③ [솜씨를] acostumbrar, habituar; [운동 선수를] entrenar; [군인을] adiestrar; [아이를] enseñar. 일에 ~ acostumbrarse al trabajo.

길디길다 (ser) larguísimo.

길떠나다 salir para un sitio lejano.

길라잡이 guía *mf*.

길마 albarda *f*. ~(를) 지우다 albardar, enalbardar, echar [poner] la albarda.

길모퉁이 esquina *f* (de la calle).

길목 ① [길의 중요로운 어귀] posición *f* estratégica [ventajosa], punto *m* importante. ② [큰 길에서 작은 길로 드는 목] (esquina *f* de) la calle.

길목² ((준말)) =길목버선.

길목버선 calcetines *mpl* de cuello alto.

길몽(吉夢) sueño *m* feliz [afortunado]. ~을 꾸다 tener un sueño feliz.

길바닥 ① =노면(路面)(firme). ② [길 가운데] centro *m* del camino..

길벌레 insecto *m* arrastrante.

길벗 compañero, -ra *mf* de viaje.

길보(吉報) buena noticia *f*, noticia *f* dichosa [fausta], nuevas *fpl* alegres, noticia *f* jubilosa.

길사(吉事) asunto *m* feliz [dichoso].

길상(吉相) cara *f* feliz, fisiognomía *f* feliz, semblante *m* bendecido.

길상(吉祥) agüero *m* feliz.

길서(吉瑞) buen agüero *m*.

길섶 =길가(borde del camino).

길세(一稅) =통행세(通行稅).

길손 viajero, -ra *mf*; viajante *mf*; pasajero, -ra *mf*; caminante *mf*.

길쌈 tejido *m*, el arte y modo de tejer. ~하다 tejer. ~꾼 tejedor, -dora *mf*.

길안내(一案內) ① [길을 안내하는 일] guía *f*. ② =길안내자. ¶~자 guía *mf*.

길어지다 alargarse, extenderse.

길옆 junto al camino.

길운(吉運) buena fortuna *f*, fortuna *f*

feliz, buen augurio *m*, feliz augurio *m*, suerte *f*.

길월(吉月) mes *m* de agüero feliz.

길이¹ ① [거리] longitud *f*, largo *m*; [소설 따위의] extensión *f*. 몸의 ~ longitud *f*. ~ 10미터 diez metros de largo, diez metros de longitud. ②[동안] duración *f*.

길이² [내내] mucho tiempo, largo tiempo, para siempre. ~ 보존하다 conservar para siempre.

길인(人) buen hombre *m*, persona *f* feliz, persona *f* beenaventurada.

길일(吉日) día *m* dichoso [feliz].

길잃은새 pájaro *m* perdido.

길잡이 guía *f*, manual *m*, faro *m*. 작문의 ~ manual *m* para la composición.

길조(吉兆) agüero *m* feliz [presagio], feliz [buen] agüero *m*, signo *m* favorable. ~를 나타내다 ser de signo favorable [de buen agüero], presagiar [agorar] bien.

길조(吉鳥) pájaro *m* de agüero feliz.

길짐승 animal *m* arrastrante.

길징(吉徵) =길조(吉兆).

길쭉길쭉 ¶~하다 (ser) largo. ~한 막대 bastón *m* largo.

길쭉하다 (ser) algo largo.

길책(一冊) libro *m* de muchos volúmenes.

길표(一標) =도표(道標).

길하다(吉一) (ser) feliz, afortunado, tener buena suerte.

길흉(吉凶) buen augurio y mal augurio, felicidad y desastre, fortuna *f*, suerte *f*. ~을 점치다 adivinar la fortuna [la suerte].

김¹ ((식물)) alga *f* marina.

김² ((준말)) =기음(mala hierba). ¶~(을) 매다 escardar, desherbar, desarraigar [arrancar] las malas hierbas.

김³ ① [기체] vapor *m*, humo *m*. ~이 나다 humear. ② [입에서 나오는 더운 기운] vaho *m*. ③ [음식의 특유한 향기나 맛] aroma *f* (peculiar), sabor *m* peculiar, olor *m* (pecuculiar). ~ 빠진 맥주 cerveza *f* insípida [sosa · desabrida]. ~ (이) 빠지다 (ser) insípido, soso, desabrido. 김 안 나는 숭늉이 더 뜨겁다 ((속담)) Perro ladrador, poco mordedor.

김⁴ [기회나 바람] ocasión *f*, oportunidad *f*. 말하는 ~에 a propósito de lo que se trata, en el curso de una conversación.

김매기 =제초(除草).

김매다 escardar. ☞김²

김밥 *kimbab*, comida *f* envuelta [enrollada] por el alga marina.

김장 *kimchang*, verduras *fpl* encurtidas preparadas para el invierno. ~하다 encurtir las verduras para el invierno. ~김치 *kimchi* encurtido en la temporada de *kimchang*. ~독 jarro *m* para *kimchang*. ~때 temporada *f* de *kimchang*. ~밭 plantío *m* de *kimchang*, campo *m* de *kimchang*. ~배추 repollos *mpl* para *kimchang*. ~철 temporada *f* de *kimchang*., el otoño tardío y el invierno temprano. ~파 cebolleta *f*, escalona *f*, escalonia *f*, cebolla *f* escalonia.

김치 *kimchi*, encurtidos *mpl* (de repollo), verduras *fpl* encurtidas. ~찌개 *kimchichigae*, sopa *f* de *kimchi*.

김칫국 *kimchitguk*, sopa *f* de *kimchi*. 김칫국부터 마신다 ((속담)) No hay que vender la piel del oso (antes de cazarlo).

깁다 coser; [헝겊을 대고] remendar, *AmL* parchar; [구멍이나 양말을] zurcir; [신발을] arreglar; ((의학)) [봉합하다] suturar, hacer una sutura. 구두를 ~ arreglar los zapatos. 양말을 ~ zurcir los calcetines. 옷을 ~ remendar la ropa.

깁스 ① =석고(石膏). ② (준말) =깁스 붕대. ¶~ 붕대 yeso *m*, vendaje *m* enyesado. 다리에 ~ 하다 enyesar una pierna, poner yeso en una pierna.

깃 [외양간의] lecho *m* de paja, paja *f*, hierba *f* seca.

깃² [새의] pluma *f*; [집합적] plumaje *m*. ~을 넣은 베개 almohada *f* rellenada de pajas. ~이 나다 emplumecer. ~을 뽑다 desplumar.

깃³ [화살의] pluma *f*.

깃⁴ (준말) =옷깃(cuello, cabezón).

깃⁵ (준말) =부싯깃(yesca).

깃대(旗―) ① [기를 달아매는 장대] el asta *f* de (la) bandera, mastil *m*. ((속어)) =기(旗).

깃들다 =깃들이다.

깃들이다 [짐승이] acogerse, recogerse en su guarida; [새가] anidar, posarse. ② [속에] anidar.

깃발(旗―) bandera *f*.

깃이불 colchón *m* de plumas.

깃저고리 ropitas *fpl* de recién nacido.

깃털 pluma *f*; [집합적] plumaje *m*. ~을 뽑다 desplumar. ~이 빠지다 desplumarse. ¶~ 베개 almohada *f* de plumas. ~ 이불 colchón *m* de plumas.

깃펜 pluma *f* (para escribir).

깊다 ① [깊이가] (ser) profundo, hondo. 깊은 우물 pozo *m* profundo. ② [학문과 지식의] (ser) profundo. 깊은 진리 profunda verdad *f*. ③ [심지(心志)가] (ser) prudente, profundo. 깊은 생각 pensamiento *m* profundo, reflexión *f*, meditación *f*. ④ [사귐 정분이] (ser) íntimo,

profundo. 깊은 우정 amistad *f* íntima. ⑤ [이슥하다] (ser) tarde, profundo. 깊은 밤 medianoche *f*, noche *f* profunda. ⑥ [잠이] (ser) profundo, pesado, de plomo. 깊은 잠 sueño *m* profundo [pesado · de plomo].

깊다랗다 (ser) muy profundo, profundísimo.

깊숙하다 (ser) profundo, hondo, recóndito. 깊숙한 곳 retirada *f*, fondo *m*. 깊숙한 방 habitación *f* más retirada de la casa. 깊숙한 숲 bosque *m* profundo.

깊이¹ profundidad *f*, profundo *m*. ~를 알 수 있는 sin fondo, insondable. ~를 알 수 없는 호수 lago *m* sin fondo. 연못의 ~ profundidad *f* del estanque.

깊이² [깊게. 깊도록] profundamente, con profundidad; [마음속에서] sinceramente, cordialmente, desde el fondo del corazón. ~ 감사하다 agradecer infinitamente [sinceramente]. ~ 생각하다 pensar bien [profundamente]. ~ 잠들다 dormirse profundamente.

까까머리 ① [머리] cabeza *f* rapada. ~를 하다 tener la cabeza rapada. ② [사람] tonsurado, -da *mf*.

까까중 ① [중] monje *m* budista con la cabeza rapada. ② =까까머리❷.

까끄라기 arista *f*.

까놓다 ① [숨김 없이 털어 놓다] desahogarse, abrir el pecho, abrir*le* el corazón, confiarse, descubrirse las cosas secretas. ② [껍데기를 까서 놓다] pelar (y poner), quitar*le* la concha, desconchar. ¶까놓고 abiertamente, francamente, públicamente, en público, a la vista de todos, a la vista de todo el mundo. ~ 말하면 francamente, hablando francamente.

까다¹ ① [재물이] 줄어지다] reducirse la fortuna [los bienes]. ② [(몸의 살이) 빠지다] adelgazar(se), ponerse delgado, enflaquecer(se), ponerse flaco.

까다² ① [껍데기를 벗기다] pelar, cascar, quitar*le* la concha, desconchar. 호두를 ~ cascar las nueces. ② [껍질이나 껍데기를 벗겨 따내다] descortezar, pelar, mondar, descascarar. 귤을 ~ mondar una naranja. ③ [새끼를 낳다] empollar, incubar, encobar huevos. 새들이 이 방금 깠다 Los pájaros acaban de salir del huevo. ④ ((속어)) golpear (y romper), dar un golpe (y romper). 다시 한 번 그런 짓을 하면 대가리를 까 버릴 테다 Si tú haces tal cosa de nuevo, te daré un golpe en la cabeza. ⑤ [결함을 들추어 공격하다] criticar. ⑥

[셈에서 일정한 양을 빼다] deducir, substraer.

까다³ [실천은 없고 입만 놀리다] decir con mucha labia [palabrería].

까다롭다 ① [성미가] (ser) de carácter difícil, de genio difícil, delicado, particular; [투정이 심한] exigente, quisquilloso; [성을 잘 내는] irascible, susceptible; [문제 따위가 복잡한] complicado, enredado. ② [별스럽게 까탈이 많다] tener mucho obstáculo.

까닭 ① [이유] razón f, motivo m, fundamento m; [원인] causa f. 무슨 ~으로 ¿Por qué? / ¿Con [Por] qué razón? / ¿Por qué motivo? 까닭 없이 sin razón, sin motivo. 아무런 ~ 없이 sin motivo alguno, sin razón alguna. 이런 ~으로 por esta razón. ② [연유] circunstancia f, caso m. ③ =속셈.

까딱수(-手) movimiento m arriesgado, medida f arriesgada.

까딱없다 (ser) sano y salvo.

까라지다 languidecer.

까마귀 ((조류)) cuervo m. ~ 떼 bandada f de cuervos. ~ 우는 소리 grazido m de un cuervo. ~가 운다 Un cuervo grazna [crascita]. ¶ ~ 소식 No hay noticia alguna.

까마득하다 ((준말)) =까마아득하다.

까마아득하다 estar muy lejos.

까막거리다 ① [등불 같은 것이] parpadear. ② [눈을 감았다 떴다 하다] pestañear, parpadear.

까막눈 los ojos de la persona ignorante.

까막눈이 analfabeto, -ta mf.

까막잡기 gallina f ciega.

까맣다¹ [매우 검다] (ser) negrísimo, muy negro.

까맣다² ① [아주 멀어서 아득하다] estar muy lejos. ② [도무지 기억이 없다] no tener memoria alguna. 까맣게 모르다 no darse cuenta de nada en absoluto, no saber nada. 까맣게 잊어 olvidar(se) completamente. 나는 그것을 까맣게 잊고 있었다 Le he olvidado completamente.

까매지다 oscurecerse, ennegrecerse, nublarse. 햇볕에 타서 ~ (ser) moreno, bronceado, tostado, broncearse, tostarse, quemarse.

까먹다 ① [껍데기를 벗기고 먹다] comer después de descascarar. ② [밑천을 다 없애다] gastarse, liquidarse. 밑천을 다 ~ gastarse todo su fondo. 재산을 다 ~ perder su fortuna, gastarse su fortuna. ③ [잊어 버리다] olvidar.

까무러뜨리다 ① [몹시 까무러지다] (ser) insensible, desvanecerse. ② [까무러치게 하다] hacer desvanecer.

까발리다 pelar, desenvainar, abrir.

까부라지다¹ ① [물건의 운동 등이] reducirse, disminuirse. ② [힘이 빠져 몸이] languidecer, sentirse cansado, encontrarse cansado.

까부라지다² [마음과 성정이 바르지 아니하다] (ser) deshonesto.

까부르다 aventar. 곡식을 ~ aventar el grano.

까불거리다 portarse [comportarse] displicentemente.

까불다 ① [경망하게 행동하다] portarse [comportarse] frívolamente. ② [몹시 아래위로 흔들리다] agitarse, sacudirse, bambolearse, dar bandazos. ③ [몹시 아래위로 흔들다] sacudir, zarandear. ④ ((준말)) =까부르다.

까불리다¹ [재물을 함부로 흩어 없애 버리다] gastar la propiedad imprudentemente.

까불리다² ① [까부름을 당하다] ser aventado. ② [까부르게 하다] hacer aventar.

까불이 persona f frívola.

까옥 graznando. ~하다 graznar.

까옥거리다 seguir graznando, continuar graznando.

까지 a, hasta; [늦어도 …까지] para; aun, incluso, el [la] mismo [misma] + 「명사」; [부정의 경우] ni siquiera, ni aun, para, antes de, antes (de) que + subj; [···할 때까지는] para que + subj (미래에서); [+ ind (과거에서)]; [그 위에] además, por añadidura. 다음 주~ hasta la semana próxima. 12월 11일 ~ hasta el (día) once de diciembre. 여기서 역~ de [desde] aquí a [hasta] la estación.

까지다¹ ① [껍데기나 옷이 벗겨지다] ㉮ [껍데기가] rasguñarse, rasparse, pelarse. ㉯ [옷이] quitarse. ② [몸의 살이나 재물이 줄게 되다] consumirse, atrofiarse; [재물이] disminuir, reducirse, menguar.

까지다² [닳고 닳아 지나치게 약다] (ser) demasiado astuto, demasiado sagaz. 어린아이가 너무 까졌다 El niño es demasiado astuto.

까치 ((조류)) marica f, urraca f. ~집 nido m de la urraca.

까치발 ((건축)) soporte m.

까치설날 la Nochevieja, el treinta y uno de diciembre, día m anterior del Año Nuevo; [밤] la noche de Fin de Año, víspera f del Año Nuevo.

까치설빔 ropa f para la Nochevieja.

까치저고리 chaqueta f coreana con varios colores puesta por los niños en el día de Año Nuevo.

까치콩 ((식물)) el haba f.

까칠하다 (estar) demacrado, ojeroso, escuálido, consumido, descarnado.

까칠한 얼굴 cara *f* descarnada.

까탈 estorbo *m*, obstáculo *m*, problema *m*, impedimento *m*. ~(을) 부리다 fastidia*rle* los planes, crear problemas, ser obstáculo. ~(이) 지다 encontrarse con problema, quedar totalmente paralizado.

까탈스럽다 ① [복잡하다] (ser) complicado, complejo. ② [어렵다] (ser) difícil. 이 문제는 좀 ~ Este problema es un poco difícil de solver. ③ [골치아프다] (ser) problemático, conflictivo, difícil. 일이 생각보다 ~ El trabajo es más problemático de lo que yo he pensado.

까루리 ((조류)) faisana *f*.

까광이 fragmento *m* de la cerámica sin esmaltar.

까풀 capa *f* dura, capa *f* de suciedad.

깍두기 namul *m* cortado en pedacitos con sal, ají crudo cortado en pedacitos, puerro, ajo y jengibre.

깍듯하다 [예절] (ser) cortés, amable, atento. 인사가 ~ ser cortés en *su* saludo.

깍듯이 cortésmente, con cortesía, amablemente, con amabilidad, atentamente. ~ 인사하다 saludar cortésmente.

깍쟁이 ① [인색하고 이기에 밝은 사람] tacaño, -ña *mf*; avaro, -ra *mf*. ② [약바른 사람] persona *f* astuta [taimada].

깍정이 ((식물)) cúpula *f*.

깍지[1] ① [알맹이를 까낸 꼬투리] vaina *f* vacía. ② [껍질] cáscara *f*.

깍지[2] [환 시위를 잡아 당길 때의] anillo *m* de cuero para el pulgar. ~를 끼다 estrechar entre *sus* brazos.

깎다 ① [연장의 날로] afilar, aguzar, raspar; [대패로] cepillar, acepillar; [껍질을] mondar. 사과를 ~ mondar la manzana. 연필을 ~ afilar [aguzar] el lápiz. ② [털이나 같은 것을] cortar, cortar; 돌물의 털을 esquilar; [수염을] afeitar; [자신의 수염을] afeitarse. 잔디를 ~ cortar el césped. 수염을 ~ afeitar*le*; [자신의] afeitarse, rasurarse, hacerse la barba. ③ [(일부를] 떼어 내다] rebajar, descontar. 물건 값을 ~ rebajar [descontar] el precio. ④ [남의 체면이나 명예를] deshonrar. ⑤ [공을 뱅글뱅글 돌게 하다] hacer girar.

깎아지르다 (ser) escarpado, cortado a pico. 깎아지른 듯하다 ser pino. 깎아지른 듯한 언덕 cuesta *f* bastante pina [escarpada].

깎이다[1] [깎음을 당하다] (ser) afilado, cortado, mondado.

깎이다[2] [깎게 하다] hacer afilar, hacer mondar.

깐깐하다 ① [질기게 차지다] (ser) engomado, adhesivo, pegajoso, pringoso. ② [성질이 깐질져 사근사근한 맛이 없다] (ser) pertinaz, tenaz. ¶깐깐히 adhesivamente, pegajosamente, pertinazmente, tenazmente, con tenacidad.

깐보다 conjeturar, hacer conjeturas.

깐작거리다 (ser) tenaz.

깐작깐작 tenazmente, con tenacidad.

깔개 alfombra *f*, estera *f*, esterilla *f*; [방 전체에 까는] moqueta *f*; [문 앞의]. felpudo *m*, *Col* tapete *m*; [목욕탕의] alfombrilla *f* [alfombra *f*] del baño; [테이블의] (mantel *m*) individual *m*; [테이블 중앙의 · 식탁 접시나 화분 밑의] salvamanteles *m*, *RPl* posafuentes *m*.

깔깔 a carcajadas. ~ 웃다 soltar carcajadas, reírse a carcajadas.

깔깔거리다 soltar carcajadas, reírse a carcajadas.

깔깔하다 ① [물건이] (ser) basto, ordinario, áspero, rugoso. ② [마음이]] (ser) muy exigente, susceptible. ¶깔깔히 bastamente, ordinariamente, ásperamente, rugosamente, exigentemente, susceptiblemente.

깔끄럽다 (ser) basto, áspero.

깔끔거리다 pinchar, arder, escocer.

깔끔하다 (ser) bonito y aseado. 깔끔한 집 casa *f* bonita y aseada. 깔끔하지 못한 desarreglado, descuidado, negligente, dejado, sin orden, relajado, sucio, desaseado.

깔다 ① [바닥에 펴 놓다] poner, extender. 요 위에 모포를 ~ extender [poner] una manta sobre el colchón. ② [그 위에 눌러 타고 앉다] sentarse en. 방석을 깔고 앉다 sentarse en un cojín. ③ [돈 · 물건을] dejar, prestar, invertir. 빚을 몇 군데 깔아 놓다 dejar [prestar] dinero a unas personas. ④ [눈을] mirar haica abajo. ⑤ [남을 억눌러 꼼짝 못하게 하다] dominar, llevar los pantalones, llevar los calzones. ¶깔아 뭉개다 echar bajo (a *uno*) por fuerza.

깔딱거리다 seguir bebiéndose de un trago; dar un grito ahogado, jadear, respirar entrecortadamente.

깔딱하다 ① [얼이 빠져 있다] estar distraído. ② [눈꺼풀이 꽹하다] estar demacrado con fatiga o hambre.

깔때기 embudo *m*. ~ 모양의 en forma de embudo.

깔리다 ① [깔음 당하다] ser aplastado. 그는 차에 깔렸다 El fue aplastado por un coche. ② [널리 분포되거나 · 매장되다] envolver, cubrir. 구름이 낮게 깔려 있다 El cielo está cubierto de nubes bajas.

깔보다 ① [(남을) 얕잡아보다] despreciar, menospreciar, subestimar, mirar encima del hombro, desdeñar, hacer poco caso, tener en menos [en poco]. 깔볼 수 없는 no despreciable, indespreciable, digno de consideración. ② [눈을 아래로 내려뜨고 흘겨보다] mirar de arriba a abajo [con desdén].

깔아뭉개다 ① [깔고 눌러 뭉개다] comprimir. ② [질질 끌거나 또는 숨기거나 알리지 아니하다] archivar, aparcar, aplazar.

깔쭉이 moneda f de plata laminada.

깔끔하다 (ser) basto, áspero.

깔축(이) 없다 no tener pérdida.

깜깜 estado m de ignorar nada. ~이다 ignorar nada. 깜깜 밤중이다 ((속담)) No saber es como no ver / Los ignorantes somos como ciegos.

깜깜하다 ① [몹시 어둡다] (ser) muy oscuro, oscurísimo. 깜깜한 밤 noche f muy oscura, noche f como boca de lobo. ② [아주 모르고 있다] no saber. 소식이 ~ no saber la noticia. ③ [전혀 지식이 없다] (ser) ignorante, ignorar.

깜둥개 perro m negro.

깜둥이 ① [까만 사람] persona f de piel morena. ② ((낮춤말)) negro, -gra mf; moreno, -na mf. ③ [검둥개] perro m negro.

깜박 ① [불빛이나 별빛 따위가] con un destello, con un centelleo. ~하다 parpadear, titilar. ② [눈을 잠간 감았다가 뜨는 모양] con un parpadeo, con un pestañeo. ~하다 parpadear, pestañear. ② [정신이나 기억이 잠깐 흐려지는 모양] ㉮ [부주의로] descuidadamente, desprevenidamente, sin prevención, por descuido. ㉯ [태만으로] por inadvertencia. ㉰ [정신없이] distraídamente. ㉱ [경솔히] a la ligera, irreflexivamente. ~하다 descuidarse, distraerse. ~잊다 olvidarse, escaparse de la memoria.

깜박거리다 ① [불빛이나 별빛 따위가] temblar, vacilar; [별이] rutilar; [불이] entremeior; [섬광] centellar. ② [눈을] parpadear [pestañear] repetidas veces. 눈이 ~ tener los ojos molestos [fatigados · deslumbrados].

깜박깜박하다 parpadeando, pestañeando, un abrir y cerrar de ojos, guiñando.

깜박등 (一燈) intermitente m.

깜박이다 [눈을] pestañear, parpadear.

깜부기 tizón m, tizoncillo m. ~병 tizón m, añublo m.

깜작 un abrir y cerrar de ojos.

깜작거리다 pestañear, parpadear.

깜작이 ((준말)) =눈깜작이.

깜작이다 guiñar, *Col* picar.

깜짝 [별안간 놀라는 모양] con sobresalto. ~ 놀라 asustado, alarmado, asombrado, sorprendente, pasmoso. ~ 놀라다 sentir un susto, amedrentarse, aterrorizarse, sorprenderse, asustarse, espantarse, asombrarse. ~이야 ¡Qué sorpresa! / ¡Qué susto!

깜찍스럽다 (ser) precoz.

깜찍하다 (ser) astuto, ladino, sagaz; [어린아이가] precoz y impertinente. 나이에 비해 ~ hablar como un adulto para su edad.

깝작거리다 portarse frívolamente.

깝죽거리다 portarse frívolamente.

깡그리 uno por uno, todo, de todo en todo, enteramente, totalmente, completamente, sin perdonar ni uno. 시내를 ~ 뒤지다 restrear la ciudad.

깡깡이 (악기) =해금(奚琴).

깡다구 ① [닭] gallina f, gallo m. ② [개] perro m. ③ =발악(發惡).

깡동치마 falda f corta.

깡마르다 (ser) flaco, flacucho, demacrado, ojeroso. 깡마른 사람 persona f flaca.

깡이 mujer f que tiene relaciones sexuales muchas veces.

깡충 a saltitos. 한 발로 ~ 뛰다 saltar a la pata coja, saltar con un solo pie, *Méj* brincar de cojito.

깡충깡충 brincando, a saltitos. ~ 뛰다 dar brincos, dar saltos, brincar. ~ 뛰어 가다 ir brincando, andar a saltos.

깡통 ① [얇은 쇠붙이로 만든 그릇] lata f, bote m. ~을 따다 [열다] abrir la lata. ~에 든 da lata, de lata. ~(에 든) 치즈 queso m en lata. 주스 한 ~ una lata de jugo. 석유 ~ lata f de petróleo [de keroseno]. ② [속에 든 것은 없이 소리만 요란한 사람] persona f de cabeza hueca. ¶~ 차다 hacerse mendigo. ~따개 abrelatas m.sing.pl, abridor m de latas.

깡패 tuno m, pillo m, truhán m, canalla m, granuja m, bribón m, rufián m.

깨 ① ((식물)) ajonjolí m, sésamo m, alegría f[갬] ajonjolí m silvestre. ② [참깨의 씨] semilla f del ajonjolí [del sésamo]. ~를 빻다 moler la semilla del ajonjolí. ~가 쏟아지다 vivir muy felizmente. 그 신혼 부부는 ~가 쏟아진다 La pareja recién casada vive muy felizmente.

깨개갱 aullando. ~하다 aullar.

깨갱 aullando. ~하다 aullar, gañir.

깨끗잖다 no limpiar.

깨끗하다 ① [청결하다] (ser) limpio, aseado. 방이 ~ El cuarto está

limpio. 물이 ~ El agua está limpia. ② [(지저분하지 아니하고) 말쑥하다] (estar · ser) limpio, nítido, pulcro; [정결된] ordenado. 깨끗한 부엌 cocina *f* limpia y bien ordenada. 깨끗한 시트 sábana *f* limpia. 깨끗한 공기 aire *m* puro. 깨끗하게 하다 limpiar, ordenar. 탁자를 깨끗하게 하다 limpiar la mesa; [정돈하다] ordenar la mesa. ③ [맑고 산뜻하다. 순수하다] (ser) claro, puro, inocente. 깨끗한 물 el agua *f* clara. 그의 정신은 ~ Su espíritu es inocente. ④ [올바르고 떳떳하다. 결백하다] (ser) limpio, honrado, honesto, casto. 깨끗한 돈 dinero *m* ganado con honradez [con el sudor de la frente]. 깨끗한 교제 relaciones *fpl* castas. 깨끗한 한 표 un voto limpio [casto]. ¶깨끗이 limpiamente, con limpieza, sin mancha, sin mácula, puramente, con pureza, inocentemente, claramente, castamente, aseadamente, purificadamente. [완전히] enteramente, completamente, perfectamente, por completo, del todo. ~하다 purificar, purgar, limpiar.

깨나른하다 (ser) lánguido.

깨다¹ ① [(잠 · 꿈 · 술기운 · 약기운 · 깊은 생각 등에서 벗어나) 정신이 들다] [맑아지다] despertarse, quitarse, pasarse. 꿈에서 ~ despertarse; [환상에서] sufrir un desencanto, desencantarse. …의 꿈을 ~ desilusionar a *uno*, defraudar a *uno* las esperanzas. …의 취기를 ~ quitar la embriaguez a *uno*, desembriagar a *uno*. 미혹에서 ~ desengañarse, desilusionarse. ② [지혜가 열리다] abrirse la sabiduría. ③ [자는 일을 그치다] despertarse. ¶깨우다. ¶깨어나다 [잠이나 꿈에서] despertarse. 6시에 ~ despertarse a la seis. ㉯ [술 · 약품 등에 취한 상태에서] pasarse. 마취에서 ~ pasarse la anestesia. ㉰ [까무러친 상태에서] revivir, resucitar, renacer. ㉱ [정신이, 어떤 것에 깊이 빠져 있다가] desengañarse, desilusionarse.

깨다² ① [갈라지거나 조각이 나게 하다] romper, quebrar, quebrantar, destruir, fracturar; [으깨다] aplastar; [분쇄하다] destrozar. 달걀을 ~ partir un huevo. 접시를 ~ romper un plato. ② [약속 따위를] romper, faltar. 계약을 ~ romper un contrato. 약속을 ~ faltar a la promesa [palabra]. ③ [방해하다] impedir. 흥미를 ~ restar interés. ④ [일정 수준을 넘어서다] batir, superar. 기록을 ~ batir el récord, superar la marca.

깨다³ [부화하다] incubar, empollar.

병아리가 깼다 Un polluelo salió del cascarón.

깨닫다 entender, comprender, percibir, notar, advertir, observar, enterarse, convencerse, darse cuenta, caer en la cuenta, percatarse. 위험을 ~ percibir el peligro. 잘못을 ~ reconocer [convencerse de] *su* error.

깨두드리다 romper (en pedazos).

깨물다 ① [(아래 윗니로) 으깨지게 물다] morder(se); [씹다] mascar, digerir. 손톱을 ~ morderse las uñas. ② [아래 윗니를 맞붙여 힘껏 물다] morderse. 입술을 ~ morderse los labios. ③ [(표정 · 감정 따위를 나타내지 않으려고) 꾹 참다] contener, reprimir.

깨부수다 ① [깨어서 부수다] romper. ② [무슨 일을 이룩하지 못하도록 방해하다] obstruir, impedir.

깨소금 ajonjolí *m* mezclado con sal.

깨알 grano *m* de la semilla de ajonjolí. ~같다 (ser) muy pequeño, minúsculo, diminuto, menudo. ~같이 como el grano de la semilla de ajonjolí; diminutamente, menudamente.

깨어나다 ☞깨다¹.

깨우다 ① [잠이나 술에서] despertar. 내일 몇 시에 깨울까요? ¿A qué hora he de despertarte mañana?

깨우치다 desengañar, desilusionar, volver a la realidad. 미혹을 ~ desengañar, meter en razón.

깨죽(-粥) gachas *fpl* de ajonjolí.

깨죽거리다 refunfuñar, rezongar.

깨지다 ① [단단한 물건이] romperse, destruirse, partirse, quebrarse, quebrantarse, fracturarse, destrozarse; [붕괴되다] derribarse; [기계 따위가] averiarse, dañarse; [산산이] estrellarse, hacerse añicos, dividirse en partes menudas; [계란 따위가] ser aplastado. 깨진 roto, quebrado, dañado, desmenuzado, hecho añicos; [고장난] descompuesto. 깨지기 쉬운 frágil, quebradizo, delicado, deleznable, fácil de romperse, fácil de quebrarse. 깨지지 않는 irrompible. 깨지기 쉬운 물건 objeto *m* frágil. ② [얻어맞거나 부딪쳐 상처가 나다] herir. ③ [진행되거나 약속한 일이] anularse. ④ [어떤 상태가 계속 유지되지 못하다] no mantenerse.

깨치다 entender, comprender.

깩 gritando, chillando. ~하고 쓰러지다 caerse con un chillido.

깩깩거리다 soler chillar.

깩소리 palabra *f* de queja [protesta]. ~(도) 못하다 no decir ni una palabra.

깻묵 oruja *f*, torta *f* de boruja de colza, pasta *f* oleaginosa.

깽깽 ladrando con ladridos agudos.

깽깽거리다 soler gemir [gimotear]; [개가] ladrar con ladridos agudos.

꽉 dando un grito.

꽉도요 ((조류)) agachadiza f.

꺼꾸러뜨리다 hacer caer.

꺼꾸러지다 caerse.

꺼그러기 trocitos mpl de las cáscaras del arroz o de la cebada.

꺼내다 ① [밖으로] sacar, extraer. 은행에서 돈을 ~ sacar dinero del banco. 호주머니에서 지갑을 ~ sacar el monedero del bolsillo. ② [제안하다] proponer; [제공하다] ofrecer, proporcionar. 의논을 ~ proponer una consulta.

꺼리다 temer, tener recelo, amedrentarse, abstenerse, refrenarse, contenerse, mostrarse indiferente, estar poco dispuesto, no querer, aborrecer, abominar, detestar; [피하다] evitar; [주저하다] vacilarse.

꺼림칙하다 inquietar [remorder] la conciencia.

꺼림하다 =꺼림칙하다.

꺼벙하다 (ser) grande pero tambaleante [poco firme].

꺼병이 ① [꿩의 어린 새끼] faisán m joven; pichón m. ② [겉모양이 잘 어울리지 아니하고 거칠게 생긴 사람] hombre m de aparición fea.

꺼지다¹ ① [불·거품 등이] apagarse, extinguirse. 불이 꺼졌다 La luz se apagó. ② [목숨이 끊어지다] morir, fallecer. ③ [사라지다] desaparecer, desvanecerse, borrarse, esfumarse.

꺼지다² [내려 앉아서 겉이 우묵하게 들어가다] hundirse, derrumbarse, romperse, estar hueco. 눈이 꺼져 있다 Sus ojos están huecos. 얼음이 꺼졌다 El hielo se rompió.

꺼풀 capa f.

꺽꺽 chillando. 장끼가 ~ 운다 El faisán chilla.

꺽꺽하다 (ser) áspero, rugoso.

꺽죽거리다 portarse [comportarse] con excesiva desenvoltura [con gran desparpajo].

꺽지다 (ser) robusto, corpulento, resistente, firme, fuerte, sólido.

꺾꽂이 esqueje m, ejertación f, injerto m, estaca f. ~하다 esquejar, meter en tierra un tallo [cogollo] que se arraiga.

꺾다 ① [휘어서 부러뜨리다] romper, desgajar, quebrar. ② [방향을] doblar, girar, torcer. 왼쪽으로 ~ doblar [torcer] a la izquierda. ③ [접어서 겹치다] doblar, plegar. ④ [몸의 어느 부위를 구부리다] doblar. 손가락을 꺾어 접다 contar con los dedos. ⑤ [억누르거나 못하게 하다] disuadir [quitar] las ganas, desanimar. 강자를 ~ que-brantar a los poderosos. ⑥ [이기다] ganar.

꺾쇠 ① [쇠못] laña f, grapa f. ② [키 큰 사람] persona f alta; hombre m alto, mujer f alta.

꺾쇠묶음 ((인쇄)) corchete m. ~을 열다[닫다] abrir [cerrar] corchetes.

꺾어지다 ① [부러져 동강이 나다] romperse. ② [종이 같은 것이 모지게 되다] doblarse. 반으로 ~ doblarse por la mitad.

꺾이다 ① [나뭇가지 따위가] romperse, quebrarse. ② [접어서 겹쳐지다] doblarse, plegarse. ③ [몸의 어느 부위가] doblarse. 손가락이 ~ doblarse los dedos. ④ [기운·기세·의견·말 따위가] doblegarse, rendirse, someterse. 기가 ~ desanimarse, desalentarse, perder el ánimo, perder el coraje.

꺾임새 pliegue m.

꺾자 (-字) tachadura f.

껄껄 a carcajadas, a mandíbula batiente, ruidosamente, groseramente; [냉소. 조소] burlonamente, con mofa. ~ 웃다 reírse a carcajadas, reírse a mandíbula batiente, risotear, dar una carcajada, soltar carcajadas.

껄껄대다 seguir [continuar] riéndose a carcajadas [soltando carcajadas].

껄껄하다 (ser) basto, áspero.

껄끄럽다 (ser) basto, áspero.

껌 chicle m, goma f de mascar. ~을 씹다 mascar [masticar] el chicle.

껌껌하다 ① [아주 꺼멓게 보이도록 몹시 어둡다] (ser) muy o(b)scuro, o(b)scurísimo, como boca de lobo. ② [마음이 몹시 음침하다] (ser) malévolo, malvado.

껍데기 ① [밤·달걀·조개 따위의] cáscara f; [조개의] concha f. ☞껍질. ② [속을 싼 겉의 물건] cubierta f. 이불 ~ cubierta f de la manta.

껍죽거리다 ① [잘난 체하다] darse aires. ② [까불거리다] portarse frívolamente.

껍질 ① [일반적] cáscara f. ② [알의] cáscara f, cascarón m; [과일의] piel f, cáscara f. [사과의] piel f, AmL cáscara f. ~을 벗기다 pelar (바나나·사과·감자의), mondar, descortezar. ~을 까다 [콩의] pelar, desvainar; [알의] pelar. ③ [패류의] concha f. ④ [거북·자라·달팽이 등 갑각류의] caparazón m, carapacho m, cascarilla f. ⑤ [굴의] desbulla f. [소라 따위의] opérculo m. ⑥ [호두·밤·개암 등 견과의] vaina f, cáscara f. ⑦ [나무의] corteza f. ⑧ [동물의 허물] despojos mpl (de los animales). ⑨ [치즈의] corteza f. ⑩ [벗겨진 껍

질] descamación *f.* ⑪ [벼 · 보리의] cáscara *f.*, cascarilla *f.*, cascabillo *m.* ⑫ [옥수수의] farfolla *f.*, chala *f.*

껑충 con un salto. 그는 이층에서 ~ 뛰었다 El saltó del [desde el] primer piso.

껑충껑충 saltando y saltando. 아이들 이 침대에서 ~ 뛰었다 Los niños saltaban sobre la cama.

껑충하다 (ser) larguirucho, larguru-cho, muy alto y flaco, largoruto.

께 ((높임말)) =에게(a). ¶선생님~ 여쭈어 보아라 Pregúntaselo al maestro.

께끄름하다 preocupar*le* (a), sentir un gran cargo. 나는 무척 께끄름했다 Me preocupó mucho.

께죽거리다 ① [자꾸 중얼거리다] re-funfuñar, rezongar, quejarse, re-clamar. ② [음식을] mascar [mas-ticar] secamente.

께죽께죽 refunfuñando, quejándose.

껴들다 ① [팔로] tener cogido entre *sus* brazos [*sus* manos], abrazar. ② [두 물건을] llevar ambos ense-guida.

껴안다 ① [두 팔로] abrazar, abarcar, llevar en (los) brazos. 서로 ~ abrazarse (el) uno de(l) otro, abarcarse. 꽉 ~ abrazar estrecha-mente, abarcar, estrechar entre los brazos. ② [혼자서 많은 일을] encargarse de muchos trabajos.

껴입다 llevar [tener puesto] (una camisa) debajo de *sus* prendas exteriores, llevar la ropa extra.

꼬기꼬기 arrugando. ~하다 estar todo arrugado.

꼬깃꼬깃 arrugando (y arrugando).

꼬꼬 ① ((유아어)) gallo *m.*, gallina *f.* ~가 순다 [암탉이 우는 소리] ¡Quiquiriquí!

꼬꼬댁 cacareando.

꼬꼬댁거리다 seguir cacareando.

꼬꼬댁꼬꼬댁 cacareando y cacare-ando.

꼬끼오 ¡Quiquiriquí! ~ 하고 울다 dar un quiquiriquí, hacer quiquiri-quí.

꼬다 ① [여러 가닥을] torcer. 꼬는 기계 máquina *f* de torcer. 새끼를 ~ hacer [torcer] la cuerda. ② [몸 · 다리 · 팔 따위를] cruzar; [비 비꼬다] contorsionarse, retorcerse. 다리를 ~ cruzar las piernas. ③ ((준말)) =비꼬다.

꼬드기다 ① [연실을 잡아 찾히다] tirar del hilo de la cometa. ② [남을] seducir, inducir, incitar, provo-car, solicitar, instigar, tentar.

꼬락서니 [상태] estado *m.*, condición *f.*; [광경] espectáculo *m.*; [외양] aspecto *m.*

꼬랑이 ① =꼬리(cola). ② [배추 · 무 따위의] pedacitos *mpl* de los raíces (del repollo o del nabo).

꼬리 ① ㉮ [소 · 말 · 물고기 · 새의] cola *f.* 소의 ~ cola *f* de la vaca. ~가 긴 de cola larga. ~가 긴 말 caballo *m* de cola larga. ~가 길다 La cola es larga. ㉯ [개 · 돼지 등 짧은 꼬리] rabo *m*, cola *f.* 토끼의 ~ rabo *m* del conejo. ~가 짧은 고양이 gato *m* de rabo corto. ② [치마의 아랫자락의 끝부분] parte *f* extrema inferior de la falda. ③ [(어떤 사물의) 맨 뒤끝] cola *f*, extremo *m*, punta *f.* ¶~가 길다 continuar la conducta malvada por mucho tiempo. ~를 감추다 escon-derse, ocultarse. ~를 물다 conti-nuar sin cesar. ~를 밟히다 des-cubrir el pastel, dejarse ver el engaño, dar una pista. ~를 잡다 encontrar *su* culpa. ~를 치다 ㉮ [꼬리를 좌우로 흔들다] colear, rabear, mover [menear · sacudir] la cola, mover el rabo. ㉯ [아영을 떨다, 유혹하다] hacer coqueterías, bailar el agua, dar coba, tentar, seducir. 꼬리가 길면 밟힌다 ((속담)) Tanto va el cántaro a la fuente que alguna vez se quiebra.

꼬리날개 cola *f* (del avión).

꼬리등뼈 ((해부)) =꽁무니뼈.

꼬리별 =혜성(彗星).

꼬리뼈 ((해부)) =미골(尾骨).

꼬리없는원숭이 ((동물)) macaco *m.*

꼬리지느러미 aleta *f* caudal.

꼬리표(-標) rótulo *m*, etiqueta *f*, marbete *m.*

꼬마 ① [작은 사물] cosa *f* pequeña, artículo *m* pequeño. ② ((준말)) =꼬마둥이. ③ [키가 작은 사람] persona *f* baja.

꼬마둥이 pequeño, -ña *mf*, peque-ñuelo, -la *mf*, chiquito, -ta *mf.*

꼬막 ((조개)) almeja *f*, berberecho *m*, chirla *f*; [큰] vieira *f.*

꼬맹이 =꼬마둥이.

꼬바기 「숫자」+ bien hechos. ~ 20 년 veinte años bien hechos.

꼬박 puntualmente, honestamente. ~ 지불하다 pagar puntualmente. 그는 시간을 ~ 지킨다 El es puntual.

꼬박꼬박 ① [순종하는 모양] obe-dientemente. ~ 어른의 말을 잘 듣 다 ser muy obediente a *sus* supe-riores. 세금을 ~ 내다 pagar *sus* impuestos regularmente. ② [몹시 기다리는 모양] esperando con preocupación [con ansiedad]. ③ [차례를 거르지 않는 모양] conti-nuamente, sin interrupción.

꼬박이 =꼬박.

꼬부라뜨리다 doblar, combar, flexio-nar, torcer, curvar, estornudar.

꼬부라지다 ① [한쪽으로 꼬붓하게 되 다] trabarse, torcerse. ② [성미나 마음이] (ser) deshonesto.

꼬부랑 글자 ① [서투르게 쓴 글씨] escritura *f* no cualificada. ② [서양 글자] letras *fpl* occidentales.

꼬부랑길 camino *m* tortuoso, camino *m* sinuoso.

꼬부랑 늙은이 viejo *m* [anciano *m*] encorvado.

꼬부랑말 lengua *f* occidental.

꼬부랑이 objeto *m* curvado.

꼬부랑하다 (estar) encorvado, torcido.

꼬부랑 할미 anciana *f* encorvada.

꼬부랑 할아범 anciano *m* encorvado.

꼬부리다 [철사 등을] torcer, curvar; [등이나 팔 등을] doblar, flexionar.

꼬불거리다 serpentear, zigzaguear.

꼬불꼬불 serpenteando. ～ 구부러지다 hacer meandros, serpentear. ～ 구부러진 sinuoso, tortuoso.

꼬이다¹ ① [일이] enredarse. 일이 ～ enredarse la madeja. ② [마음이 뒤틀리다] (ser) desagradable, malhumorado, deshonesto. ③ =얽히다

꼬이다² [꼬아지다] torcerse, retorcerse, contorcerse (por algún dolor), vacilar.

꼬장꼬장 ① [가늘고 긴 물건이 곧은 모양] recta *y* fuertemente. ～ 하다 (ser) recto y fuerte. ② [사람됨이 곧고 결백한 모양] severamente, inflexiblemente, rectamente. ～ 하다 (ser) severo, inflexible, recto. ③ [노인이 허리도 굽지 않고 정정한 모양] como un roble, con una salud de hierro.

꼬집다 ① [손가락이나 손톱으로] pellizcar, dar un pellizco. 팔을 ～ pellizcar el brazo. ② [남의 약점이나 비밀 같은 것을] (ser) sarcástico, mordaz, cínico, hacer un comentario cínico [sarcástico], hacer una observación cínica.

꼬집히다 pellizcarse.

꼬챙이 pincho *m*, asador *m*, espetón *m*, broqueta *f*, *RPI* brochette *m*. ～에 꿰다 ensartar en un pincho [en un asador · en una broqueta · en un espetón], clavar en broqueta.

꼬치 ① ((준말)) =꼬챙이. ② [꼬챙이에 꿴 음식물] ㉮ [둥그렇게 구운 것] asador *m*, espetón *m*. ㉯ [얇게 썬 것] pincho *m*, broqueta *f*, brocheta *f*, pinchito *m*. ③ =오뎅. ¶ ～안주 pincho *m*.

꼬치꼬치 ① [몸이 여위어 꼬챙이같이 마른 모양] muy flacamente. ② [끝까지 샅샅이 따지고 캐어 묻는 모양] con mucha curiosidad. ～ 캐묻다 (ser) curioso, preguntón, preguntar con mucha curiosidad.

꼬투리 ① [콩과 식물의 껍질] vaina *f*, cáscara *f*, casca *f*. 완두콩의 ～ vaina *f* de un guisante. ～를 까다 desgranar. ② [말이나 사실 따위의 실마리] causa *f*, razón *f*, origen *m*, pero *m*. ～를 잡다 inventar un pretexto, buscar pelea [camorra].

꼭 ① [단단히 힘을 주거나 누르거나 죄거나 하는 모양] fuertemente, con fuerza. ～ 죄다 apretar. ～ 껴안다 echarse en los brazos, abrazarse fuertemente. ② [애써 참거나 견디는 모양] pacientemente, con paciencia. ③ [깊숙이 숨거나 틀어박히는 모양] profundamente, con profundidad. ④ [어김없이. 정확히] justo, justamente, precisamente, exactamente, con precisión. ⑤ [반드시] ciertamente, seguramente, indudablemente, sin duda, correctamente, sin falta; […하지 않으면 …]아니하다 · …하면 … …하지] no … sin + *inf* [sin que + *subj*]. [무슨 일이 있어도] a toda costa, cueste lo que cueste, pase lo que pase. ～ 오너라 Ven sin falta. ⑥ [마치] como si + *subj*. 그는 ～ 미친 사람 같다 Parece como si él fuera loco.

꼭꼭¹ ① [지긋이 힘을 주어 누르거나 조르는 것을 더 세게 하는 모양] fuertemente, firmemente. 손발을 ～ 묶다 amarrar firmemente la mano y el pie. ② [무엇을 자꾸 찌르는 모양] picando *y* picando. ③ [어김없이 완전하게] sin falta, precisamente, con precisión, exactamente, con exactitud, regularmente, puntualmente, a su hora. 빚을 ～ 갚다 pagar *su* deuda regularmente, no dejar de pagar *su* deuda. ④ =꽁꽁.

꼭꼭² [암탉의 안는 소리] cloqueando *y* cloqueando. ～거리다 seguir cloqueando.

꼭대기 ① [제일 위가 되는 곳] cumbre *f*, cima *f*, lo más alto, cúspide *f*, corona *f*. 산의 ～에(서) en la cumbre de una montaña. ② [단체나 기관 따위의 제일 윗자리, 또는 그 자리에 있는 사람] [사람] jefe, -fa *mf*; líder *mf*. ③ [(사람의) 정수리] corona *f*, coronilla *f*.

꼭두각시 ① [여러 가지 이상 야릇한 탈을 씌운 인형] títere *m*, marioneta *f*. ～를 놀리는 사람 titiritero, -ra *mf*; titerero, -ra *mf*; titerista *mf*; persona *f* que maneja los títeres. ② [남의 조종에 의해 움직이는 사람] títere *mf*.

꼭두새벽 [이른 새벽] alba *f*, amanecer *m*, madrugada *f* temprana, las primeras horas de la mañana. ～에 al amanecer, muy de mañana, al romper el día, al alba, al rayar el alba, al romper el alba. ～부터 desde la mañana temprana.

꼭두서니 ① ((식물)) rubia *f*, granza

f. ② [꼭두서니를 원료로 하여 만든 빨간 물감, 또는 그 빛깔] rubia f (rojiza), granza f. ~(색)의 grancé, granza.

꼭뒤 ① [뒤통수의 한복판] centro m de la parte posterior de la cabeza. ② [활의 도고지 붙은 뒤] muesca f.

꼭지 ① [잎사귀나 열매를 지탱하는 줄기] tallo m. ② [그릇 뚜껑의 손잡이] el asa f. ~ la el asa de la tetera. ③ [종이연 머리의 가운데에 붙인 표] tira f decorativa pegada en el centro de la parte superior de la cometa.

꼴[생김새나 됨됨이] forma f. ~ 좋게 됐군! iPara que lo sepas! / iTómate ésa!

꼴[목초] pienso m, pasto m; [건초] heno m. ~을 주다 echar [dar] pienso.

-꼴 al tipo de, por unidad. 한 다발에 천 원~로 al tipo de mil wones un haz.

꼴깍 =꿀꺽.

꼴꼴 corriendo, saliendo. ~ 흐르다 correr, salir, rizarse.

꼴뚜기 ((동물)) chopo m, chopito m.

꼴리다 ① [생식기가] (el órgano genital) congestionarse por el deseo sexual, ponerse erecto. ② [무슨 일이 마음에 들지 아니하여 성이 몹시 치밀다] montar en cólera, explotar, saltar, ponerse furioso.

꼴망태 bolsa f de malla de pienso.

꼴보다 examinar su cara, mirar la aparición personal.

꼴불견(-不見) fealdad f, indecencia f. ~이다 ser feo, indecente.

꼴사납다 (ser) feo, indecoroso, indecente, vergonzoso, bochornoso, detestable, odioso, aborrecible. 꼴 사나운 짓 conducta f indecorosa. 꼴사납게 굴다 comportarse detestablemente.

꼴찌 el [lo] último, el [lo] ínfimo, zaga f. ~에서 두 번째 사람 persona f penúltima. ~다 ser el último [la última] de la cola.

꼴풀 hierba f para el pienso.

꼼꼼쟁이 persona f metódica, persona f puntual.

꼼꼼하다 (ser) puntual, honesto, ordenado, asiduo, minucioso, meticuloso, metódico, escrupuloso.

꼼꼼히 puntualmente, con puntualidad, asiduamente, con asiduidad. ~ 일하다 trabajar escrupulosamente. ~ 답장을 쓰다 responder puntualmente.

꼼짝못하다 frustrarse enteramente, estar en la merced; [가도 오도 못하다] atascarse, embarrancarse. 꼼짝못하게 하다 quedarse parado [elevado].

꼼짝없다 ① [꼼짝할 수 없다] no poder mover ni un paso. ② [조금도 움직이는 기색이 없다] estar quieto, estar inmovil. ③ [어떻게 할 방법이 없다] No hay más [otro] remedio / iQué le vamos a hacer! ¶꼼짝없이 sin movilidad, inevitablemente, forzosamente. 꼼짝없이 앉아 있다 permanecer sentado.

꼼꼼쟁이 persona f puntillosa y mezquina.

꼼꼼하다 (estar) algo húmedo.

꼽다 contar, numerar.

꼽재기 ① [때나 먼지 같은 더러운 것] suciedad f, mugre m, polvo m. ② [작은 사물] cosa f pequeña.

꼽추 =곱사등이.

꼽치다 ① [반으로 접어 한데 합치다] plegar en mitad y unir. ② [갑절을 하다] doblar, duplicar.

꼿꼿이 en línea recta, verticalmente; honestamente, honradamente; [꼼짝없이] sin poder hacer nada. ~하다 poner vertical.

꼿꼿하다 ① [굽은 데가 없이 쪽 바르다] (ser) recto, vertical. ② [굳세다] (ser) honesto, honrado. ③ [융통성이 없고 곧기만 하다] (ser) inflexible y firme. ④ [어려운 일을 당해 꼼짝할 수 없다] no poder hacer nada, quedarse inmóvil, paralizarse.

꽁[되게 앓는 소리. 또, 아픈 것을 참는 신음 소리] gimiendo, quejándose (de dolor). ~거리다 seguir gimiendo [quejándose de dolor].

꽁[2] ① [물체가 단단히 언 모양] helándose duro. ② [보이지 않게 단단히 숨는 모양] escondiéndose bien. ~ 숨어라 Escóndete bien.

꽁무니 ① [등마루뼈의 끝이 되는 부분] trasero m, parte f posterior del animal. ② [엉덩이를 중심으로 한 몸의 뒷부분] nalgas fpl, trasero m. ③ [뒤, 또는 맨 끝] cola f, trasero m. ¶~뼈 cóccix m, rabadilla f. ~ 지느러미 aleta f anal.

꽁보리밥 cebada f cocida sin arroz.

꽁생원(-生員) persona f malhumorada, persona f introvertida y de mentalidad cerrada.

꽁지 cola f, rabo m. 꽁지 빠진 장닭 같다 ((속담)) La aparición es miserable.

꽁초 colilla f, punta f de cigarrillo.

꽁치 ((어류)) escombro m, caballa f.

꽁하다 (ser) malhumorado, de mal humor, introvertido y de mentalidad cerrada. 꽁한 감정 reserva f fría; [악감정] animosidad f.

꽂다 ① [구멍에] hacer pasar (실을), meter, clavar, insertar, injerir. ② [꽃을] poner.

꽃을대 baqueta f.

꽃히다 meterse, clavarse. 옷에 꽂힌 꽃 flor *f* prendida en el vestido.

꽃 ① ((식물)) flor *f*. ~ 파는 소녀 vendedora *f* de flores, florera *f*, florista *f*. ② [꽃이 피는 나뭇가지] rama *f* que da flores. ③ [아름다운 여인] mujer *f* hermosa, belleza *f*. ④ [아름다운 것] hermosura *f*, belleza *f*. ⑤ [좋은 때를 만나 번영하는 것] prosperidad *f*. ¶ ~장수 florero, -ra *mf*.

꽃가게 floristería *f*, florería *f*, tienda *f* de flores. ~ 주인 florero, -ra *mf*; florista *mf*.

꽃가루 polen *m*.

꽃가지 rama *f* con flores.

꽃게 ((동물)) cangrejo *m* azul.

꽃구경 visita *f* de flores.

꽃구름 nubes *fpl* iridiscentes.

꽃꼭지 ((식물)) =꽃자루.

꽃꽂이 (arte *m* del) arreglo *m* de flores, arreglo *m* floral, (arte *m* de) disposición floral. ~하다 disponer [arreglar] las flores en un florero.

꽃나무 ① [꽃이 피는 나무] árbol *m* que da flores. ② =화초(花草).

꽃놀이 picnic *m* [recreación *f*] de ver las flores. ~ 가다 ir a ver las flores (de cerezo).

꽃눈 ((식물)) capullo *m*.

꽃다발 ramo *m* (de flores), ramillete *m*, manojo *f* [atado *m*·hacecillo *m*] de flores, pomo *m* de flores. 장미 ~ ramo *m* de rosas.

꽃다지 [첫 열매] primer fruto *m*.

꽃답다 (ser) hermoso como una flor, bien parecido, respetable, honorable. 꽃다운 나이 ser la flor y nata de la doncellez.

꽃대 ((식물)) tallo *m*.

꽃덮이 ((식물)) perianto *m*.

꽃돗자리 estera *f* de paja estampada.

꽃동산 ① [아름다운 꽃이 많이 핀 동산] jardincillo *m* con flores, jardín *m* florido, huerto *m* de flores. ② [낙원] paraíso *m*.

꽃등(-燈) lámpara *f* de papel con flores.

꽃마차(-馬車) coche *m* adorado con flores.

꽃말 lenguaje *m* de las flores.

꽃망울 capullo *m* (de flor).

꽃무늬 figuras *fpl* [dibujos *mpl*] florales (flores).

꽃바구니 cesta *f* para [de] flores.

꽃받기 ((식물)) receptáculo *m*.

꽃받침 ((식물)) cáliz *m*, pedúnculo *m*.

꽃밥 ((식물)) antera *f*.

꽃방석(-方席) estera *f* de juncia con flores.

꽃밭 ① [화원] jardín *m* de flores, jardín *m* florido, huerto *m* de flores, campo *m* de flores; [화단]

arriate *m*, plantío *m*, macizo *m*, parterre *m*; [높은 산의] zona *f* de flores alpinas. ② [여자들이 많이 모인 곳] sitio *m* [lugar *m*] que se reúnen muchas mujeres bellas; [화려한 장면] escena *f* magnífica.

꽃병(-瓶) florero *m*, jarrón *m*.

꽃봉오리 ① ((식물)) botón *m*, yema *f*. ~를 트다 echar botones [yemas]. ② [희망에 가득차고 앞날이 기대되는 어린 세대] juventud *f*, generación *f* joven.

꽃부리 ((식물)) corola *f*.

꽃분(-盆) =화분(花盆).

꽃불 ① [이글이글 타오르는 파란 불] fuego *m* encendido. ② [공중 높이 올리는 불] fuegos *mpl* artificiales, fuegos *mpl* de artificio.

꽃상추 ((식물)) endibia *f*, escarola *f*.

꽃샘 frío *m* en la estación floreciente, frío *m* primaveral. ~하다 hacerse frío en la estación floreciente de repente. ~바람 briza *f* fría en la estación floreciente.

꽃샘추위 =꽃샘.

꽃송이 flores *fpl*. 오렌지 ~ flores *fpl* de azahar.

꽃수(-繡) bordado *m* de flores.

꽃수레 coche *m* decorado con flores.

꽃술 columna *f*; [수술] estambre *m*; [암술] pistilo *m*.

꽃시계(-時計) reloj *m* floral.

꽃시장(-市場) mercado *m* de flores, feria *f* de flores.

꽃씨 semilla *f* de las plantas y de las hierbas.

꽃양배추 ((식물)) coliflor *f*.

꽃잎 ((식물)) pétalo *m*.

꽃자루 ((식물)) pezón *m*, pedúnculo *m*, rabillo *m*.

꽃재배(-栽培) floricultura *f*, cultivo *m* de las flores. ~자 floricultor, -tora *mf*; persona *f* dedicada a la floricultura.

꽃전차(-電車) tranvía *m* adornado con flores e iluminación.

꽃줄기 tallo *m* de una flor.

꽃집 =꽃가게.

꽃차(-車) carroza *f* [coche *m*·carro *m*] de festival.

꽃차례 ((식물)) inflorescencia *f*.

꽃철 tiempo *m* floreciente, estación *f* floral, estación *f* de flores.

꽃피다 estar en flor, florecer.

꽃향기(-香氣) aroma *f* de flores.

꽈르르 borbotando, gorgoteando, con un borboteo, con un gorgoteo.

꽈리 ((식물)) alquequenje *m*, vejiga *f* de perro. ~를 불다 soplar el alquequenje.

꽉 ① [힘껏] con toda fuerza, fuerte, fuertemente; [잘] bien. ~ 붙잡다 agarrarse bien. ~ 쥐다 agarrar bien. ~ 껴안다 apretar fuerte contra *su* seno [entre *sus* brazos], agarrar [asir] con toda fuerza [fuertemente], empuñar con fuerza, asir [coger] apretándolo, abrazar fuerte. ~ 잡으세요 Agarre bien / Agárrese bien. ② [가득 찬 모양] completamente, muy. ~ 차다 estar completamente lleno, estar de bote en bote. ③ [피로움을 굳이 참고 견디는 모양] con paciencia, pacientemente, estoicamente, con estoicismo.

꽉꽉 ① [잔뜩 힘을 들여서 여러번 단단히 누르거나 묶는 모양] fuerte, bien. ② [모두 다 가득히 찬 모양] abarrotado [atestado·lleno·repleto] de gente, de bote en bote, hasta el tope, hasta los topes.

꽉차다 (estar) de bote en bote, muy lleno, repleto, atestado.

꽐꽐 borboteando, gorgoteando, con un borboteo, con un gorgoteo. ~거리다 seguir borboteando, seguir gorgoteando.

꽝¹ [추첨 등에서 뽑히지 못하여 배당이 없는 것] billete m [número m] no agraciado [no premiado].

꽝² ① [무겁고 단단한 물건이] de golpe, estruendosamente, con estrépito; [소리] ¡Pumba! ¡Pum! ② [총포를 쏘거나 폭발물 같은 것이 터졌을 때] ¡Pum! / ¡Bang!

꽝꽝 haciendo ¡bang!, haciendo ¡pum!, produciendo un estruendo. ~거리다 seguir [continuar] haciendo ¡bang! [¡pum!].

꽤 bastante, considerablemente, notablemente. ~ 오래 전에 hace bastante tiempo, hace un tiempo considerable.

꽥 con un grito, con un chillido, gritando, dando un grito, chillando. ~하다 gritar, dar un grito, chillar.

꽥꽥 con un rechino, con un chirrido, gritando y gritando; [오리가] graznando, haciendo cua cua. ~하다 gritar, dar un grito, chillar, hacer cua cua.

꽥꽥거리다 seguir gritando [chillando], seguir haciendo cua cua.

꽹 ¡Bang! / ¡Pum!

꽹과리 ((악기)) kwaenggwari, gongo m tradicional coreano. ~를 치다 golpear el gongo.

꾀 ① [슬기] inteligencia f, ingenio m, recursos mpl, entendimiento m, sabiduría f, sagacidad f, capacidad f. ~가 있는 남자 hombre m de recursos. ~가 많은 여자 mujer f de muchos recursos. ② [계략. 계책] trampa f, ardid m, truco m, artificio m, estratagema f, recurso m, propósitos mpl, designios mpl, esquema f.

꾀꼬리 ① ((조류)) risueñor m. ②

[목소리가 고운 사람] persona f que tiene la voz hermosa.

꾀꼬리참외 ((식물)) melón m del color amarillo.

꾀꼴 cantando haciendo gorgoritos.

꾀꼴꾀꼴 siguiendo cantando haciendo gorgoritos. ~하다 seguir cantando haciendo gorgoritos.

꾀꾀 enjutamente, delgadamente. ~하다 (estar) demacrado, delgado, enjuto.

꾀다¹ ① [벌레나 동물 따위가] concurrir, pulular, hormiguear. ② [사람이] (estar) atestado [abarrotado·lleno] (de gente).

꾀다² [그럴듯하게 남을 속이거나 부추기어] persuadir, asociar, instigar, incitar; [권하다] invitar, convidar. 영화[산책]에 ~ invitar al cine [al paseo].

꾀바르다 (ser) astuto, zorro, inteligente, listo.

꾀배 dolor m de estómago falso. ~를 앓다 fingir tener dolor de estómago.

꾀병(-病) zanguanga f, enfermedad f falsa, simulación f de una enfermedad. ~을 부리다 encojarse, fingir [simular] estar enfermo, fingir una enfermedad.

꾀보 persona f astuta [taimada].

꾀부리다 eludir, rehuir, echarle la culpa.

꾀어내다 atraer, atraer con señuelo.

꾀잠 sueño m fingido.

꾀쟁이 =꾀보.

꾀죄죄하다 ponerse muy sucio, ensuciarse. 꾀죄죄한 muy sucio, desaseado, desaliñado, puerco.

꾀죄하다 ponerse sucio, ensuciarse, mancharse, estar desaseado.

꾀하다 intentar, trazar, proyectar, tramar, maquinar; [음모를] complotar, conspirar, intrigar.

꾐 chantaje m, extorsión f, incitación f; [유혹] tentación f, provocación f. ~에 빠지다 corresponder a la incitación.

꾸기적거리다 arrugar.

꾸다¹ [꿈을 보다] soñar (con). 고향의 꿈을 ~ soñar con su tierra natal.

꾸다² [빌어쓰다] pedir [tomar] prestado. 돈을 ~ pedir dinero prestado.

꾸러미 paquete m, bulto m, fardo m, bala f, farda f, fardel m. 옷 ~ farda f de ropa.

꾸르륵 ① [뱃속이나 대통 속의 담뱃진 따위가] gruñendo (de hambre). ~하다 gruñir de hambre. ② [닭이 놀랐을 때] con un cacareo, cacareando. ~하다 cacarear. ③ [물 따위가] borbotando, gorgoteando, con un borboteo, con un gorgoteo.

~하다 gorgotear, borbotar. ④ [가래가 목구멍에서] gorjeando. ~하다 gorjear.

꾸르륵거리다 seguir gruñendo (de hambre); seguir gorgoteando.

꾸르륵꾸르륵 siguiendo gruñendo, cacareando; gorgoteando.

꾸리다 ① [(짐 따위를) 싸서 묶다] empaquetar, envolver, liar, atar, hacer. 가방을 ~ hacer la maleta. 짐을 ~ hacer el paquete. ② [살림 따위를] administrar, manejar, llevar. 일가를 꾸려 나가다 dedicarse al gobierno de la casa.

꾸무럭거리다 mover lentamente, perder el tiempo, tardar, demorar.

꾸무럭꾸무럭 lentamente, perezosamente, con retraso, tardíamente, sin tardanza, sin retraso.

꾸물거리다 retorcerse.

꾸물꾸물 torpemente, perezosamente, haraganamente. ~하다 holgazanear, haraganear, demorarse.

꾸미다 ① [장식하다] adornar, decorar, ataviar, engalanar, paramentar. ② [꾀하다] tramar, maquinar. [음모를] complotar, conspirar, intrigar. ③ [(글 따위를) 지어서 들다] adornar, decorar. ④ [사실인 것처럼] crear, inventar, fabricar, forjar, hacer con artificio, crear con maña. 꾸민 이야기 historia f inventada [forjada]. [픽션] ficción f. ⑤ [바느질하여] hacer cosiendo.

꾸밈 [꾸미는 일] adornamiento m, adorno m, decoración f. ② ((언어)) =수식(修飾). ¶ ~(이) 없다 ㉮ =수수하다. ㉯ [언행이 솔직하다] (ser) franco, sincero.

꾸밈새 [장식] decoración f, adorno m; [모양] forma f.

꾸밈음(─音) ((음악)) floritura f.

꾸바 ((지명)) Cuba. ~의 cubano. ~ 사람 cubano, -na mf.

꾸벅 cabeceando, dando cabezadas. ~거리다 dar cabezadas, cabecear.

꾸벅꾸벅 cabeceando, dormiéndose, quedándose dormido.

꾸부렁길 camino m curvo, camino m tortuoso, ruta f en zigzag.

꾸부렁꾸부렁 curvando y curvando.

꾸부렁하다 cosa f curva, objeto m curvo, artículo m curvo.

꾸부렁하다 estar un poco curvado.

꾸부리다 torcer, curvar, doblar, flexionar.

꾸불꾸불 serpenteando, serpeando.

꾸불꾸불하다 serpentear, serpear; [상하나 좌우로] ondular. 꾸불꾸불한 serpentino, serpenteado, que está dando vueltas. 꾸불꾸불한 길 ruta f en zigzag, camino m tortuoso.

꾸역꾸역 en tropel, uno tras otro. 쏟아져 나오는 군중 bocanada f de gente. ~ 모여들다 precipitarse.

꾸준하다 (ser) constante, continuo, regular, infatigable, incansable, repetido, inagotable. 꾸준한 노력 esfuerzo m constante. 꾸준한 우정 amistad f constante.

꾸준히 regularmente, a un ritmo constante, incansablemente, con perseverancia, sin cesar, sin parar, continuamente, ininterrumpidamente, infatigablemente, una y otra vez. ~ 공부하다 estudiar infatigablemente.

꾸중 reproche m, reprobación f, censura f, reprimenda f, regañina f; [힐책] regaño m. ~하다 reprochar, reprobar, censurar, regañar, reñir, reprender, castigar. ~(을) 듣다 regañar.

꾸지람 =꾸중.

꾸지람하다 =꾸중하다.

꾸짖다 reprender, regañar, reñir, parar el macho. 호되게 ~ reprender severamente, echar una buena regañina.

꾹 ① [단단히 힘을 주거나 누르거나 죄거나 하는 모양] bien, fuerte, fuertemente. ~ 누르다 apretar [pulsar] fuerte. ② [애써 참거나 견디는 모양] con paciencia, pacientemente. ~ 참고 기다리다 esperar pacientemente. ~ 참다 aguantar con paciencia.

꾹꾹 =꼭꼭.

-꾼 experto, -ta mf. 노름~ jugador, -dora mf. 씨름~ luchador m.

꿀 miel f; [당밀] melaza f; [설탕을 섞은] jarabe m, almíbar m; [꽃의] néctar m. ~처럼 달콤한 사랑 amor m dulce como la miel.

꿀같다 ser dulce como la miel. 꿀같은 como la miel, meloso.

꿀떡 ① [물이나 침 따위가 목이나 좁은 구멍으로 단번에 넘어가는 소리, 또는 그 모양] de una vez, de un trago. ~ 마시다 tragarse de una vez. 침을 ~ 삼키다 tragar saliva. ② [분한 마음을 억지로 참는 모양] pacientemente, con paciencia.

꿀떡꿀떡 de un trago. ~ 마시다 beberse [tomarse] de un trago.

꿀꿀¹ [물 같은 액체가] borboteando, borbotando. ~거리다 borbotear, borbotar.

꿀꿀² [돼지가] gruñendo, con un gruñido.

꿀단지 jarro m para la miel.

꿀돼지 avaro, -ra mf; codicioso, -sa mf.

꿀떡¹ [꿀 혹은 설탕을 섞어 만든 떡] pastel m con miel [con azúcar].

꿀떡² [음식물 따위를] de una vez, de un trago. ~ 삼키다 tragar(se) de una vez [de un trago].

꿀떡거리다 seguir [continuar] tragando.

꿀떡꿀떡 tragando y tragando.

꿀렁 ① [물 따위가 그릇 속에 가득 차지 아니하여 흔들릴 때 나는 소리] salpicando. ~하다 salpicar. ② [착 달라 붙지 않고 들뜨고 부풀어서 들썩들썩하다] sueltamente, ancha- mente. ~하다 (ser) suelto, ancho.

꿀렁거리다 seguir salpicando.

꿀렁꿀렁 salpicando y salpicando. ~하다 salpicar; [옷이] (ser) suelto, holgado, amplio.

꿀리다 ① [구김살이 잡히다] arru- garse. 꿀린 모자 sombrero m arrugado. ② [경제 형편이 옹색하 게 되다] (ser) empobrecido, estar en circunstancias necesitadas. 살 림이 ~ estar en circunstancias necesitadas. ③ [마음이 켕기다] tener algo en su conciencia. ④ [힘이나 능력이] estar eclipsado, sucumbir, ceder.

꿀맛 ① [꿀의 단맛] sabor m dulce de la miel. ② [꿀처럼 단맛] sabor m dulce como la miel.

꿀물 el agua f con miel, el agua f melosa.

꿀밤 golpecito m dado en la cabeza. ~을 먹이다 ser dado un golpecito en la cabeza.

꿀벌 ((곤충)) abeja f. ~집 panal m.

꿀범벅 pudín m con miel.

꿀수박 sandía f con miel, azúcar y hielo.

꿀잠 sueño m profundo.

꿇다 arrodillarse, ponerse de rodillas. 무릎을 꿇고 arrodillado, de rodi- llas, de hinojos. 꿇어앉다 ㉮ arrodillarse, ponerse de rodillas, sentarse de rodillas. ㉯ [예배하기 위해] hacer una genuflexión.

꿇리다 hacer arrodillarse [ponerse de rodillas].

꿇앉히다 hacer arrodillarse.

꿈 sueño m, ensueño m; [악몽] pe- sadilla f, sueño m pesado; [환영] ilusión f. 나쁜 ~ pesadilla f, mal sueño m. 인생의 꿈 sueño m dorado. ~(을) 꾸다 ㉮ [자는 사이 에 꿈이 보이다] soñar. 꿈 꾸는 듯 한 눈으로 con unos ojos soñado- res.

꿈같다 parecer un sueño, (ser) irreal, de ensueño, soñador, fantasioso, fantástico, con visión de ensueño, utópico, ilusorio, quimérico. 꿈같은 이야기 cuento m de hadas, histo- ria f fantástica.

꿈결 ① [꿈을 꾸는 동안] (en medio de) un sueño, estado m soñador. ~에 medio dormido y medio des- pierto. ② [덧없이 지나가는 동안] lo vago, vacuidad f, incertidumbre f, lo incierto. ¶ ~같다 parecer en un sueño. ~같이 (como si estu- viera) soñando. ~같이 지내다

estar soñando.

꿈꾸다 ☞꿈

꿈나라 país m de los sueños; [꿈의 세계. 공상의 세계] mundo m de ensueño. ~로 가다 dormir (muy) profundamente.

꿈자리 sueño m. ~가 사납다 tener mal sueño. ~가 좋다 tener buen sueño.

꿈지럭 moviéndose lentamente. ~거 리다 seguir moviéndose lentamen- te.

꿈지럭꿈지럭 siguiendo moviéndose lentamente.

꿈쩍 moviéndose lentamente. ~거리 다 seguir [continuar] moviéndose lentamente. ~ 못 하다 deprimirse, dejarse abatir. ~ 아니하다 no in- mutarse, quedarse impasible.

꿈쩍꿈쩍 siguiendo [continuando] moviéndose lentamente.

꿈쩍없다 no moverse en absoluto, no moverse para nada, quedarse inmóvil, quedarse sin mover.

꿈틀 serpenteando, serpeando. ~거리 다 soler serpentear.

꿈틀꿈틀 siguiendo serpenteando.

꿉꿉하다 ser algo húmedo.

꼿꼿하다 ① [힘이 세고 단단하다] (ser) fuerte, firme, sólido, duro. 꼿 꼿한 결심 resolución f firme. 꼿꼿 한 의지 voluntad f firme, voluntad f fuerte. ② [성질이 엄격하다] (ser) severo, firme. ③ [흔들리거나 구부러지지 않고 쭉 바르다] (ser) recto, derecho. 꼿꼿한 자세 pos- tura f derecha.

꿍 ① [무거운 것이 바닥에 떨어져 울 리어 나는 소리] con un ruido sordo. ~하고 넘어지다[부딪치다] caer [chocar] con un ruido sordo. ② [큰 북을 울리는 소리] con un golpe, goleando, dando un golpe. ③ [멀리서 대포가 울리는 소리] con un estallido, con un estépido, con un estruendo, produciendo un estruendo.

꿍꽝 tronando, con un estruendo. ~ 거리다 seguir tronando.

꿍꿍¹ quejándose, gimiendo. ~거리다 quejarse, gemir.

꿍꿍² =쿵쿵. ¶나는 그가 계단을 ~ 올라가는 소리를 들었다 Lo oí subir pesadamente las escalas.

꿍꿍이 ((준말)) =꿍꿍이셈.

꿍꿍이셈 razones fpl ocultas. ~을 품 다 hacer a dos caras.

꿍꿍이속 sentido m oculto, segunda intención f.

꿍꿍이수작 gato m encerrado.

꿍하다 (ser) cabizbajo, apesadum- brado, hosco, huraño, de mal hu- mor, malhumorado.

찔찔 gorgoteando, borbotando, con gorgoteo, con borboteo. ~거리다

gorgotear, borbotar.
꿩 ((조류)) faisán *m*; [암컷] faisana *f*. 꿩 먹고 알 먹는다 ((속담)) Matar dos pájaros de un tiro.
꿰다 ① [구멍으로 실 따위를] pasar. 실에 ~ ensartar, enhebrar. ② [가운데를 뚫고 나가게 하다] ensartar. ③ [옷을 입거나 신을 신다] ponerse. ¶꿰어들다 ㉮ [꼬챙이 따위로 물건을 꿰어서 쳐들다] pinchar [arponear] y llevar. ㉯ [남의 허물을 들추어 내다] revelar, develar, desvelar, poner al descubierto, sacar a la luz. ¶꿰어뚫다 ㉮ [이쪽에서 저쪽까지 꿰어서 뚫다] aguijonear, agujerear, perforar, atravesar, hacer un agujero. ㉯ [겉에서 속까지 꿰어서 통하게 하다] ser consciente, darse cuenta. ㉰ [일을 속속들이 잘 알고 있다] ser muy versado. ¶꿰어매다 ㉮ [해지거나 뚫어진 데를 깁거나 얽다] coser; [옷을 수선하다] remendar. ㉯ [거두기 어려운 일을 매만져 탈이 없게 하다] [지붕 · 가구를 임시로] hacer*le* un arreglo; [옷을] remendar; [구멍을] poner*le* un parche. ㉰ =말막음하다. ¶꿰어차다 ㉮ [끈으로 꿰어서 허리춤이나 엉덩이에 매어 달다] colgar. ㉯ ((속어)) [제 것으로 만들다] hacer *suyo* (propio), captar.
꿰들다 ((준말)) =꿰어들다. ☞꿰다
꿰뚫다 ((준말)) =꿰어뚫다. ☞꿰다. ¶꿰뚫어 보다 penetrar, adivinar.
꿰뜨리다 pinchar, romper; [옷 · 신발 따위를] gastar; [기구 따위를] reventar.
꿰매다 ((준말)) =꿰어매다. ☞꿰다. ¶꿰맨 자리 costura *f*.
꿰미 bramante *m*, cordel *m*, cuerda *f*; [진주 · 구슬 · 염주알 등의] sarta *f*, hilo *m*.
꿰지다 ① [내미는 힘으로 약한 부분이 미어져 나가다] romperse, rasgarse. ② [제 안에서 탈이 나서 해지다] gastarse. ③ [틀어막았던 곳이 밀리어 터지다] revelarse.
꿰차다 ((준말)) =꿰어차다. ☞꿰다
꽥 chillando, gritando.
꽥꽥 chillando y chillando. ~거리다 seguir chillando.
뀌다 [(방귀를) 내어보내다] despedir, tirarse, echarse. 방귀를 ~ peder, peer, tirarse [echarse] un pedo, pedorrearse.
끄나풀 ① [끈 따위의 나부랑이] pedazo *m* de cuerda, cuerda *f*. ② [연줄] relación *f*, conexión *f*. ③ [남의 앞잡이] títere *m*; agnete *mf*.
끄다 ① [타거나 켜 있지 못하게] extinguir, apagar. 화재를 ~ extinguir el incendio. 라디오를 ~ apagar la radio. ② [전기나 동력이 통하는 길을 끊다] apagar, cortar, desconectar. ③ [(덩이로 된 물건을) 깨어 헤뜨리다] romper, agrietar, resquebrajar, destrozar, aplastar, machacar, prensar, pisar, partir. 얼음을 ~ romper el hielo. 흙덩이를 ~ romper el bulto de arcilla. ④ [빚 따위를 가리다] cancelar, saldar, liquidar, pagar.
끄덕 con la cabeza. ~거리다 seguir asintiendo con la cabeza; [인사로] seguir saludando con la cabeza; [졸려서] seguir dando cabezadas.
끄덩이 ① [머리털의 끝] punta *f* de la ramillete de pelo. ~를 잡다 agarrar del pelo. ② [실의 뭉친 끝] punta *f* de la ramillete de hilo. elo.
끄떡 con la cabeza. ~거리다 seguir asintiendo con la cabeza. ☞끄덕거리다
끄떡없다 no afectar nada, no hacer caso, no importar. 끄떡없이 sin hacer caso, sin importar.
끄르다 ① [맺은 것이나 맨 것을 풀다] [매듭을] desatar, deshacer; [구두끈을] desatar, *AmL* desamarrar (*RPI* 제외); [단추 · 버클 따위를] desabrochar. 매듭을 ~ desatar [deshacer] el nudo. 구두끈을 ~ [자신의] atarse [desamarrarse] los cordones de los zapatos; [남의] atar los cordones de los zapatos. ② [잠근 것을 열다] [문을] abrir; [지퍼를] abrir.
끄무레하다 [날씨 · 날이] estar nublado; [하늘이] estar nublado, estar nuboso, haber nubes.
끄물거리다 ser inestable, hacerse nublado de vez en cuando. 끄물거리는 날씨 tiempo *m* inestable.
끄물끄물 inestablemente. ~하다 ser inestable. 날씨가 ~하다 El tiempo es inestable.
끄집다 coger, sacar.
끄집어내다 ① [속에 든 것을] sacar. ② [이야기를] comenzar [empezar] (la conversación). ③ [결론 따위를] llegar a una conclusión.
끄집어내리다 [커튼 · 장식물을] quitar; [깃발을] bajar; [천막 따위를] desmontar.
끄집어당기다 arrastrar, tirar, *AmL* jalar; [가깝게 하다] acercar, arrimar. 소매를 ~ tirar de la manga, *AmL* jalar la manga.
끄트러기 ① [쓰고 남은 자질구레한 물건] cosas *fpl* sueltas, retales *mpl*, retazos *mpl*. ② [자질구레한 나뭇조각] astilla *f*.
끄트머리 ① [맨 끝 부분] punta *f*, [지팡이 · 우산의] contera *f*, regatón *m*; borde *m*, orilla *f*. ② [일의 실마리. 단서] pista *f*. ☞단서(端緖)
끈 ① [노. 줄] cordel *m*, cuerda *f*; [가는 삼 끈] bramante *m*; [구두 따위의] cordón *m*, soga *f*, [여러

가닥으로 꼰] trenza *f*, trencilla *f*, [혁대] correa *f*, cinturón *m*. ~으로 묶다 atar [liar · ligar] con una cuerda [con un cordel]. ~을 풀다 desatar la cuerda; [구두의] desatar los cordones. 구두의 ~을 묶다 atar los cordones de los zapatos. ② [옷이나 보자기 따위의] cordel *m*, cuerda *f*. ③ [부탁할 만한 연줄] (buen) respaldo *m*, amparo *m*, patrocinio *m*. ~이 있다 tener un buen respaldo [el amparo · el patricinio], estar bien relacionado.

끈기(―氣) ① [물건의 끈끈한 기운] pegajosidad *f*, glutinosidad *f*, viscosidad *f*. ~ 있는 pegajoso, glutinoso, viscoso. ② [쉽사리 단념하지 않고 끈질기게 참아 나가는 기운] paciencia *f*, perseverancia *f*, asiduidad *f*, aguante *m*, constancia *f*. ~ 있는 paciente, perseverante, asiduo, constante. ~ 있게 pacientemente, con paciencia, constantemente, con constancia.

끈끈이 ① [끈끈한 물질] liga *f*, papel *m* para coger [matar] moscas. ② [성미가 몹시 끈끈한 사람] persona *f* tenaz, gallito *m*.

끈끈이주걱 ((식물)) drosera *f*, rocío *m* de sol.

끈끈하다 ① [차지다] (ser) pegajoso, pringoso, engomado, adhesivo, viscoso, glutinoso; [쌀이] apelmazado. ② [성질이] (ser) tenaz, persistente. ¶끈끈히 pegajosamente, viscosamente, glutinosamente; tenazmente, persistentemente.

끈덕지다 (ser) tenaz, perseverante, paciente, persistente, 끈덕지게 tenazmente, con tenacidad, perseverantemente, pacientemente, persistentemente. 끈덕지게 질문하다 acosar con preguntas.

끈적거리다 ① [끈끈하여 자꾸 척척 들러붙다] (ser) pegajoso, viscoso, adhesivo. 끈적거리는 흙 tierra *f* pegajosa. ② [성질이 검질기어서 한 번 관계된 일에서 손을 떼지 아니하고 자꾸 굵적거리다] (ser) tenaz, perseverar, persistir. 끈적거리는 사람 persona *f* tenaz, persona *f* de tenacidad.

끈적끈적 pegajosamente, viscosamente, glutinosamente. ~하다 (ser) pegajoso, glutinoso, viscoso.

끈적이다 (ser) pegajoso, viscoso.

끈질기다 (ser) pertinaz, terco, obstinado, contumaz, testarudo, tenaz. 끈질기게 pertinazmente, tenazmente.

끊기다 ① [줄 · 고기 따위가] cortarse, romperse. ② [절멸하다] aniquilarse, extinguirse, desaparecer, acabar; [중절하다] interrumpirse, cesar (por un rato).

끊다 ① [자르다] cortar. 둘로 ~ cortar en dos. ② [(맺었던 교재나 관계를] 떼어 없애다] ㉮ cortar, romper, dejar de + *inf*. 우정을 ~ romper la amistad. ㉯ [중도에서 그만두거나 그치게 하다] dejar [privarse · abatenerse] de + *inf*. 술을 ~ privarse [abstenerse · dejar] de beber. ③ [표를 사다] sacar, comprar; [수표나 어음 따위를] librar. 표를 ~ sacar el billete [*AmL* el boleto]. ④ [옷감을 사다] comprar. ⑤ [연락을] cortar, interrumpirse.

끊어주다 cancelar, saldar, liquidar, pagar.

끊어지다 ① [연해 있던 것이 따로 떨어지다] cortarse, ser cortado; descontinuarse; [사지가] ser amputado. ② [절멸하다] aniquilarse, extinguirse, desaparecer, acabar. ③ [중절하다] interrumpirse, cesar. ④ [중단되다] ser cortado, cortarse, descontinuarse. ⑤ [맺어진 관계가 없어지게 되다] romperse, ser roto, cortarse, no tener (ningún) contacto. ⑥ [죽게 되다] morir, fallecer.

끊이다 ① [끊어지게 되다] cortarse, romperse. 관계가 ~ romperse la relación. ② [물건이나 일의 뒤가 떨어져 없이 되다] acabarse, agotarse, venderse.

끊임없다 (ser) continuo, incesante, ininterrumpido.

끊임없이 [중단없이] continuamente, de continuo, incesantemente, sin cesar, sin interrupción; [항상] siempre, todo el tiempo, constantemente. ~ 노력하다 esforzarse [hacer un esfuerzo] constantemente.

끌¹ [연장의 하나] tajadera *f*, cincel *m*, buril *m*, cortafrío *f*.

끌² [트림을 하는 소리] eructando, con un eructo.

끌꺽 ((준말)) =끄르륵끄르륵. ¶트림을 ~하다 eructar.

끌끌하다 (ser) limpio y puro, recto, honesto, honrado.

끌날 filo *m* del cincel.

끌다 ① [(바닥에 닿은 채로) 잡아당기다] tirar. ② [(수레나 말이나 소 따위를) 당겨 움직이게 하거나 부리다] tirar, conducir. 짐차를 ~ tirar del carro. ③ [길게 뻗쳐 늘이다] [전기 · 가스 · 물을] conectar. ④ [(감정을) 당겨 쏠리게 하다] llamar, atraerse, gozar. ⑤ [(어떤 사실이나 글이나 말 따위를) 따서 옮겨오거나 옮겨 가다] citar, mencionar, referir, indicar. ⑥ [(시간이나 일을) 늦추거나 미루다] prorrogar, posponer, aplazar, diferir, suspender, dilatar. ⑦ ((준말)) =

이끌다(conducir). ⑧ [자기가 뜻하는 대로 움직여 따르게 하다] conducir, llevar, guiar, iniciar. ⑨ [치마나 바지 끝을 바닥에 늘어뜨리다] arrastrar.

끌러지다 desatarse.

끌리다 ① [끎을 당하다] arrastrarse. ② [끌게 하다] hacer tirar [arrastrar].

끌어내다 sacar, invitar, arrastrar.

끌어내리다 cobrar, recoger, sacar; [기 · 닻을] arriar.

끌어넣다 arrastrar, conquistarse, ganarse, inducir.

끌어당기다 tirar de *algo* · *uno* cerca de sí, atraer [traer] *algo* · a *uno* hacia sí. 실을 ~ tirar del hilo hacia sí.

끌어대다 ① [돈 같은 것을] juntar [reunir] a duras penas. ② [끌어다가 맞대다] unir, reunir, congregar.

끌어들이다 ① [끌어서 안으로 들이다] conectar, conducir. ② [일이나 조직 따위에] implicar, enredar, envolver, invitar.

끌어매다 atar, sujetar, hacer, pegar. 매듭을 ~ hacer un nudo.

끌어안다 abrazar, darle un brazo, llevar en (los) brazos. 서로 ~ abrazarse (el uno al otro).

끌어올리다 alzar, elevar, levantar en alto. 값을 ~ elevar los precios.

끓는점(-點) ((물리)) punto *m* de ebullición.

끓다 ① [거품이] hervir, bullir. 끓기 시작하다 levantar el hervor. 냄비에서 끓어 넘치다 hervir hasta rebosar de la olla, irse de la olla. ② [흥분 상태로 되다] hervir, arder, calentarse. 속이 ~ irritarse, quejarse, agitarse. 화가 나서 속이 ~ arder de cólera [ira]. ③ [열이 심하여] calentarse demasiado. ④ [뱃속에서 소리가 나다] hacer ruido de tripas. ⑤ [가래가] resollar. ⑥ [많이 모이어 우글거리다] aglomerarse, apiñarse, pulular, revolotear, enjambrar, irrumpir.

끓어오르다 hervir.

끓이다 ① hervir; [국 따위를] cocer; [데우다] calentar. 국을 ~ cocer la sopa. 물을 ~ hervir agua. ② [끓게 하다] hacer hervir, hacer bullir. ③ [속을 태우다] agitarse, preocuparse.

끔벅 ① [별이나 등불 등이 잠깐 어두워졌다 밝아지는 모양] parpadeando. ② [눈을 잠깐 감았다 뜨는 모양] pestañenado.

끔벅거리다 ① [불빛이] seguir parpadeando. ② [눈을] seguir pestañeando, seguir guiñando el ojo.

끔벅이다 ㉮ [뻔히 보이는 물체가 잠깐 세게 어두워졌다가 밝아지다] parpadear, titilar. ㉯ [큰 눈을 잠깐 감았다 뜨다] pestañear, parpadear, guiñar el ojo, hacer un guiño, hacer una guiñada.

끔찍스럽다 (ser) horrible, horroroso, pavoroso, espantoso. 끔찍스레 horriblemente, horrorosamente, pavorosamente, espantosamente, cruelmente.

끔찍이 ① terriblemente, horriblemente, espantosamente; [몹시] muy, muchísimo, sumamente, -ísimo. ② [극진히] amablemente, cordialmente, bondadosamente, con gusto, por favor. ~ 사랑하다 amar muchísimo.

끔찍하다 (ser) horrible, espantoso, atroz, cruel.

끗수(-數) tanto *m*, puntos *mpl* de grado.

끙끙 gimiendo, quejándose. ~하다 gemir, decir gimiendo, quejarse, refunfuñar, rezongar, reclamar. ~ 앓다 gemir, decir gimiendo, quejarse, inquietarse, desazonarse, preocuparse; [개 따위가] gemir.

끙끙거리다 gemir, quejarse, inquietarse, preocuparse.

끝 ① [시간 · 공간 · 사물 등의] fin *m*, final *m*, término *m*, punta *f*, borde *m*, margen *m*. ~의 final, último. ~까지 hasta el fin, hasta lo último, a fondo. 세상의 ~ fin *m* del mundo. 시작과 ~ el comienzo y el fin. 일의 ~ fin *m* del trabajo. ~에서 ~까지 de cabo a cabo, desde extremidad hasta extremidad; [책의] desde forro hasta forro. ② [(길다란 물건에서의) 가느다란 쪽의 맨 마지막이 되는 부분] punta *f*, cabo *m*, extremidad *f*. ③ [서 있는 물건의 꼭대기] parte *f* superior, parte *f* de arriba; [나무의] copa *f*. ④ [(어떤 일에서의) 결과] resultado *m*, conclusión *f*. ¶~(이) 나다 acabar(se), terminar(se), concluir; [회의가] cerrarse; [기한이] expirar, vencer. 끝이 좋으면 만사가 좋다 ((속담)) Aquello es bueno que bien acaba / Bien está lo que bien concluye.

끝간데 límite *m*. ~를 모르다 no conocer límites.

끝끝내 ① [끝까지] hasta el fin. ② [마침내] al fin, en fin, por fin, finalmente.

끝나다 acabar(se), terminar(se), concluir; [회의가] cerrarse; [기한이] expirar, vencer. 일이 끝나자마자 en cuanto se termine el asunto.

끝내 =끝끝내.

끝내기 fin *m*, últimos movimientos *mpl*, último partido *m*.

끝내다 terminar, acabar. 책 읽기를 ~ terminar de leer un libro.

끝닿다 alcanzar a la cima, alcanzar

al fondo.

끝돈 resto *m*, restante *m*, demás *m*, balance *m*. ~을 치르다 pagar el resto.

끝동 puño *m*.

끝마감 acabamiento *m*, fin *m*, final *m*, término *m*, conclusión *f*. [마지막 손질] última pincelada *f*. ~하다 acabar, terminar; [마지막 손질을 하다] dar la última pincelada.

끝마치다 concluir, acabar, finalizar, terminar; [완성하다] completar, llevar *algo* a cabo, perfeccionar; [완수하다] cumplir. 일을 ~ terminar [acabar] el trabajo.

끝막다 acabar, terminar, concluir, finalizar, completar, llevar a cabo.

끝물 fruto *m* tardío.

끝손질 acabado *m*, fin *m*, terminación *f*, [그림 따위의] retoque *m*, mano *f*. ~하다 acabar, terminar; [완성하다] perfeccionar; [소설 따위를] concluir; [그림 따위를] dar el último toque [la última mano].

끝수(-數) fracción *f*. 5 이상의 ~를 올리다 elevar a una unidad la fracción que no sea inferior a cinco.

끝없다 [한이 없다] (ser) infinito, continuo, incesante, sin límite, interminable, insaciable. 끝없는 걱정 preocupaciones *fpl* continuas. 끝없는 망망대해 océano *m* infinito.

끝없이 sin cesar, incesantemente, continuamente, sin parar, constantemente, infinitamente, permanentemente, eternamente, para siempre. ~ 깊은 바다 abismo *m* sin fondo.

끝으로 por último, finalmente, en conclusión, para concluir, como conclusión.

끝일 ① [맨 나중의 일] último trabajo *m*. ② [어떤 일을 하고 나서 정리하는 일] solución *f*, resolución *f*, liquidación *f*.

끝자리 ① [맨 밑의 지위] puesto *m* más bajo, posición *f* más baja. ② [맨 끝의 좌석] último asiento *m*, asiento *m* final. ③ ((수학)) [수값의 마지막 자리] fracción *f*.

끝잔(-盞) última copa *f*, último vaso *m*.

끝장 ① [결말] fin *m*, conclusión *f*. ② [일의 맨 마지막] fin *m* del trabajo. ③ ((속어)) [실패·패망·죽음 따위] fracaso *m* (실패), derrota *f* (패망), muerte *f* (죽음). ¶~(을) 내다 terminar, dar fin, poner fin, concluir, acabar. ~(이) 나다 acabarse, estar perdido, estar acabado.

끝판 conclusión *f*, fin *m*, término *m*.

끼 comida *f*. 한 ~ una comida. 두 ~ dos comidas. 세 ~ tres

comidas. 한 ~를 거르다 pasar de una comida, saltar una comida, saltear una comida.

끼니 comida *f*. 세 ~ tres comidas.

끼넛거리 materiales *mpl* para la comida.

끼다¹ ((준말)) =끼이다.

끼다² ① [(수증기·연기·안개·구름 같은 것이) 퍼져서 서리다] envolver, cubrirse. ② [(때나 먼지 같은 지저분한 것이) 기어 붙다] estar sucio, estar manchado (de). 기름기가 낀 바지 pantalones *mpl* cubiertos [llenos] de grasa. ③ [(이끼나 녹 따위가) 물체를 덮다] estar musgoso, estar cubierto de musgo.

끼다³ ① [제 몸에] meter, cruzar. 끼고 자다 acostarse con otro. 아이를 끼고 자다 reposar estrechando a una criatura. 팔을 ~ cruzar los brazos. ② [걸려 있도록 꿰다·꽂다] ponerse. 장갑을 ~ ponerse los guantes. ③ [곁에 두거나 가까이 하다] acercar, aproximar. 해변을 끼고 걷다 andar por la playa. ④ [다른 것을 덧붙이거나 겹치다] cubrirse. 셔츠를 끼어 입다 cubrirse con camisa. ⑤ [남의 힘을 빌다] figurar [contarse] (entre). 열강의 대열에 ~ figurar [contarse] entre las grandes po- tencias.

끼루룩 graznando.

끼루룩거리다 soler graznar, graznar repetidas veces.

끼룩끼룩 grazgando y graznando.

-끼리 entre. 우리 ~ entre nosotros, entre usted y yo, entre tú y yo. 같은 패~의 싸움 lucha *f* intestina, lucha *f* fratricida.

끼리끼리 en grupos, de dos en dos. 사람은 ~ 모이기 마련이다 Cada oveja con su pareja / Dios los cría y ellos se juntan.

끼얹다 echar, verter, regar, salpicar, espolvorear. A에 B를 ~ espolvorear A con B; [액체를] rociar A con B. 꽃에 물을 ~ echar agua a las flores.

끼여들다 ① [좁은 틈 사이로] meterse. 손님 틈에 ~ meterse entre los convidados. ② [간섭하려 들다] meterse, entremeterse, entrometerse, interponerse. 대화에 ~ intervenir [entremeterse] en una conversación.

끼우다 ① [벌어진 사이에 끼어 넣다] insertar, meter, introducir, incluir, colocar, poner, encajar, ajustar, embutir, adaptar; [상안(象眼)하다] incrustar. 반지에 다이아몬드를 ~ guarnecer el anillo con diamante. ② [끼게 하다] hacer meter, hacer insertir.

끼이다¹ ① [틈에 박히다] insertarse, meterse, encajarse. ② [여럿 속

에 섞여 들다] juntarse, asociarse; [참가하다] participar, tomar parte. 대화에 ~ tomar parte en la conversación. 여행단에 ~ juntarse al grupo de viajeros.

끼이다² [사람을 싫어하다] odiar.

끼인각(-角) ángulo *m* incluido.

끼적거리다 garabatear, hacer garabatos.

끼치다¹ ① [(살가죽에 소름이) 돋다] estremecerse, temblar. 추위로 소름이 ~ estremecerse de frío. ② [덮치는 듯이 뿌려지다] salpicarse.

끼치다² ① [(남에게 은혜나 괴로움을) 입거나 당하게 하다] molestarse; [손해를] herir, lesionar, hacer*le* daño, perjudicar, dañar; [영향을] influir, influenciar, tener influencia; [원인이 되다] causar, hacer; [공헌하다] contribuir, hacer una contribución. 건강에 해를 ~ perjudicar a la salud. ② [뒷날에 남기다] legar*le*.

끽 gritando, dando un grito. ~하다 gritar, dar un grito.

끽끽 gritando, dando gritos, chillan-do. ~거리다 dar gritos, chillar.

끽다(喫茶) acción *f* de beber el té. ~점 cafetería *f*, café *m*.

끽소리 grito *m*, chillido *m*, alarido *m*. ~ 못하다 guardar silencio, ser silencioso, no poder decir ni una palabra.

끽연 (喫煙) =흡연(吸煙).

끽연실 (喫煙室) =흡연실(吸煙室).

끽해야 como máximo, a lo sumo. 그녀는 ~ 열아홉 살이다 Ella tiene diecinueve años de edad como máximo.

낄낄 soltando una risita. ~거리다 soltar una risita.

낌새 secretos *mpl*, insinuación *f*, indirecta *f*, incidio *m*, pista *f*. ~(를) 보다 tantear [sondear] los secretos. ~(를) 채다 sentir [notar] los secretos.

낑 con un gemido, gimiendo, con un quejido, quejándose.

낑낑 gimiendo y gimiendo, quejándose y quejándose. ~하다 soler gemir, soler quejarse.

낑낑거리다 soler gemir [quejarse].

ㄴ

나¹ [말하는 이가 자기 스스로를 가리키어 이르는 말] yo. ~의 [명사 앞에서] mi, mis; [명사 뒤에서] mío, mía, míos, mías. ~에게 me, a mí. ~를 me, a mí. ~의 것 el mío, la mía, los míos, las mías, lo mío. ~와 함께 conmigo. ~를 위해서, ~한테 para mí. ~ 자신 yo mismo, yo misma; [재귀 대명사] me. ~는 서반아를 다섯 번 여행했다 Yo viajé por España cinco veces. ~는 생각한다. 고로 존재한다 Yo pienso, luego existo.

나² ((준말)) =나이(ed")age.

나³ ((철학)) ego *m*, egotismo *m*.

나⁴ [받침 없는 체언 뒤에 쓰이어] o; [o~나 ho~로 시작되는 단어 앞에서] u. 사과~배 manzana u pera. 여자~ 남자 mujer u hombre.

나가다 ① [안에서 밖으로 가다·옮기다] salir, ir. 방에서 ~ salir del cuarto. 거리로 ~ salir a la calle. ② ㉮ [조직체 등에서 물러나다] retirarse. ㉯ [있던 데서 물러나다·떠나다] irse, marcharse, salir. 누나는 방금 나갔다 Mi hermana acaba de salir. ③ [출근하다. 출석하다. 참가하다] asistir, concurrir, estar presente, presentarse. ④ [진출하다] avanzar, entrar, meterse. ⑤ [퍼지다. 전파되다] difundirse, divulgarse, propagarse. ⑥ [버티다] aguantar, soportar, tolerar. ⑦ [물건이나 돈 따위가] 지급되다·pagarse. ⑧ ㉮ [출고·출간되다] publicarse. ㉯ [팔리다] venderse. ⑨ [[값이나 무게 따위가] 일정한 정도에 도달하다] valer; [무게가] pesar.

나가떨어지다 ① [뒤로 물러가면서 되게 넘어지다] derribarse, caerse. ② [심신이 녹초가 되다] (estar) agotado, exhausto.

나가쓰러지다 derribarse, caerse.

나가자빠지다 ① [뒤로 물러가면서 넘어지다] revolcarse, dar vueltas. ② [관계를 끊고 손을 떼다] retirar, cancelar, quebrar, ir a la bancarrota.

나귀 ((동물)) ((준말)) =당나귀.

나그네 ① [제 고장을 떠나 객지에 있는 사람] persona *f* que vive fuera de *su* patria. ② [여행 중인 사람] viajero, -ra *mf*; pasajero, -ra *mf*; vagamundo, -da *mf*. 나그네 인생 ((속담)) La vida es peregrinación.

나그넷길 viaje *m*.

나근거리다 doblar, flexionar, ser flexible.

나긋나긋하다 ① [입안에 닿는 맛이] ser suave (al paladar). ② [대하는 태도가] ser suave.

나긋하다 ① [보드랍고 연하다] (ser) suave y blando [tierno]. ② [상냥하고 친절하다] (ser) afable y amable.

나날 de día en día, de un día, día por día, día tras día, cada día. ~의 diario; [일상의] cotidiano.

나날이 todos los días, cada día (más), diariamente.

나누기 ((수학)) división *f*. ~하다 efectuar una división, dividir.

나누다 ① [여러 부분으로] dividir, partir, repartir, compartir; [토막으로] desmembrar, dividir en trozos; [토지를] parcelar. 책을 여러 장(章)으로 ~ dividir el libro en varios capítulos. ② [성질이나 종류에 따라 분류하다] clasificar. 책을 질에 따라 ~ clasificar por la calidad. ③ [분배하다] compartir, distribuir, repartir. 형제간에 ~ distribuir [repartir] entre los hermanos. ④ [음식 따위를 함께 먹다] compartir. ⑤ [말이나 이야기를] hablarse. ⑥ [고락을] repartir, compartir. 기쁨을 ~ compartir el gozo. ⑦ [나눗셈을 하다] dividir.

나누어지다 ① [분할되다] dividirse, apartarse, partirse; [분기되다] ramificarse; [둘로] bifurcarse; [분열되다] fraccionarse; [분산되다] divergirse, dispersarse; [배분되다] repartirse.

나누이다 =나누어지다.

나눗셈 ((수학)) división *f*. ~하다 dividir, ejecutar una división. ¶ ~기호[표] signo *m* de división.

나뉠다 oscilar volando.

나다 ① [태어나다. 출생하다] nacer, ver la luz (del día), venir al mundo, salir del vientre materno. 가난한 집에서 ~ nacer en una familia pobre. ② [자라다. 겉으로 나오다] salir, echar, crecer, salir a luz, nacer. ③ [발생하다] producirse, resultar, causar. ④ [뛰어난 사람이] 나오다] salir. ⑤ [(감정·심경 따위에) 어떤 변화가 일어나다] ocurrirse. 생각이 ~ ocurrirse, recordar, acordarse. ⑥ [(능률·기세·성과 따위가) 오르다] ganar, obtener. ⑦ [생산되다. 산출되다]

producirse. ⑧ [빈자리가 생기다] estar vacante, vacar, haber vacante. ⑨ [여가·여력 따위가 생기다] tener (tiempo libre). 짬이 ~ tener tiempo libre.. ⑩ [여분이나 여유가 생기다] sobrar. ⑪ [결과나 결말이 지다] salir, resultar. 끝장이 ~ acabar, terminar. ⑫ ㉮ [훌륭하다. 잘생기다] (ser) excelente, guapo. ㉯ [알려지다. 유명하다] hacerse, adquirir, circular, correr, gozar. 소문이 ~ correr el rumor. ⑬ [(신문·잡지 따위가) 실리다] publicarse, aparecer.

나다니다 callejear, pasearse, salir, tunar, vaguear.

나돌다 ① ((준말)) =나돌아다니다. ② [소문이 널리 퍼지다] difundirse. ③ [병 따위가 널리 퍼지다] propagarse, extenderse.

나돌아다니다 pasearse, callejear.

나뒹굴다 caerse. 말에서 ~ caerse del caballo.

나들이 callejeo *m*, salida *f*. ~하다 salir, callejear, pasearse.

나들이옷 galas *fpl*, traje *m* dominguero. ~을 입다 engalanarse, endomingarse, ponerse los vestidos de fiesta.

나라 ① [국가] país *m*, nación *f*, estado *m*; [조국] patria *f*, tierra *f* natal. ~를 위하여 목숨을 바치다 morir(se) por *su* patria, consagrar la vida al país. ② [국토] territorio *m* (nacional). ③ [접미사적,「세계」「세상」의 뜻] mundo *m*. 꿈~ [상상의] mundo *m* imaginario; [이상적인] mundo *m* ideal. ¶ ~ 글자 lengua *f* nacional. ~꽃 flor *f* nacional.

나락(奈落/那落) ① [지옥] infierno *m*, abismo *m*, Hades *m*. ② [벗어날 수 없는 극한 상황] situación *f* extrema inevitable.

나란하다 (ser) igual, equitativo, uniforme, ser en una línea.

나란히 en una línea, pararelamente; uno junto al otro, uno al lado del otro, una al lado de la otra; [가지런히] en orden.

나래[1] ((농기구)) aplanadora *f*, allanador *m*. ~꾼 nivelador, -dora *mf*.

나래[2] [배를 젓는 연장] remo *m*.

나루 embarcadero *m*. ~터 embarcadero *m*. ~턱 embarcadero *m*.

나룻 ① [수염] barba *f*, bigote *m*, patillas *fpl*. ② ((준말)) =구레나룻.

나룻배 balsa *f*, barcaza *f*, barca *f* (de pasaje), vapor *m* de río.

나르다 transportar, llevar, portear, portar. 장작을 ~ portear la leña.

나른하다 ① [몸이] (ser) lánguido, fatigado, endeble, pesado, abatido, decaído, desanimado, descaedido, indolente, apático. 다리가 ~ tener las piernas pesadas. 몸이 ~ sentir lánguido. ② [풀기가 없이 보드랍다] (ser) delicado, débil.

나른해지다 relajarse, hacerse indolente, languidecer.

나른히 lánguidamente, con languidez, fatigadamente, endeblemente, abatidamente.

나름 dependencia *f*. ~이다 depender. 자기 ~로 en *su* propia manera.

나릅 cuatro años de edad.

나릇 vara *f*.

나리[1] ① ((식물)) [백합] liliácea *f*; [흰백합] azucema *f*. ② ((식물)) [튤립] tulipero *m*, tulipán *m*. ③ ((식물)) ((준말)) =참나리.

나리[2] [높이어 부르던 말] señor *m*. ~마님 señor *m*.

나마 aunque, pero, sin embargo. 차린 것은 없으~ 많이 드세요 Que aproveche / ¡Buen provecho! / ¡Buen apetito!

-나마 aunque, pero, sin enbargo. 맛은 좋지 못하~ 좀 들어 보십시오 Aunque no tiene buen sabor, sírvase, por favor.

나막신 calzado *m* [zueco *m*] de madera, almadreña *f*.

나머지 ① [여분] sobra *f*, sobrante *m*. 만 원을 세 사람이 나누면 ~가 남는다 Sobra algo [queda un resto] al repartir diez mil wones entre los tres. ② [부족분] saldo *m*, resto *m*, remanente *m*. ③ [일정량에서 일부분을 제했을 때의 그 남은 수량] resto *m*. 두 사람은 차를 타고 가고, ~는 걸어갔다 Los dos tomaron el coche y los restos andaron de pie. ④ [결국] al fin, en fin, por fin, finalmente. ⑤ [뺄셈에서] resto *m*.

나목(裸木) árbol *m* desnudo.

나무 ① ((식물)) [수목] árbol *m*; [어린나무] árbol *m* nuevo, pimpollo *m*, arbolito *m*; ((원예)) resalvo *m*; [묘목] plantón *m*. ~를 심다 plantar un árbol. ② [목재] madera *f*. ~로 만든 (hecho) de madera. ③ ((준말)) =땔나무(leña). 나무에 잘 오르는 놈이 떨어지고, 헤엄 잘 치는 놈이 빠져 죽는다 ((속담)) Al mejor nadador se lo lleva el río. 열 번 찍어 아니 넘어가는 나무 없다 ((속담)) Muchos golpes derriban un roble. ¶ ~꾼 leñador, -ra *mf*. ~장수 vendedor, -dora *mf* de las leñas. ~진 pez *f*, resina *f*.

나무(南無) ((불교)) creencia *f* absoluta. ~아미타불 ㉮ ((불교)) Yo me convierto a Amitābha / Sálveme, Buda misericordioso / ¡Que descanse en paz su alma! ㉯ [공들여 해 놓은 일이 허사가 됨] El trabajo hecho con gran esfuerzo fue en vano.

나무늘보 ((동물)) perezoso *m.*

나무딸기 ((식물)) frambueso *m*, sangüesa *f.* ~의 열매 frambuesa *f.*

나무라다 ① [잘못을 들어 가볍게 꾸짖다] reprender, censurar, condenar, vituperar, criticar, acusar, recriminar, reprochar. ② [흠점을 지적하여 말하다] decir *su* tacha [*su* defecto]. 나무랄 데가 없다 (ser) a carta cabal; [완전하다] perfecto, impecable. 나무랄 데가 없는 사람 persona *f* intachable. 서투른 목수가 연장만 [무당이 장고만] 나무란다 ((속담)) El ciego que ha tropezado le echa la culpa al mal empedrado.

나무람 reprensión *f*, censura *f.*

나무진디 ((곤충)) cochinilla *f.*

나무하다 preparar las leñas.

나물 ① [먹을 수 있는 풀이나 나뭇잎 따위] hierba *f* comestible, hierba *f* sazonada [condimentada]. ~을 무치다 preparar las hierbas comestibles. ~을 캐다 recoger las hierbas comestibles. ② [오이·호박·무 따위의 채소를 잘게 썰어서 무친 반찬] *namul*, pepino *m* [nabo *m*] cortado en pedacitos con varios condimentos, calabaza *f* cortada en pedacitos con sal, ají en polvo, sésamo, vinagre, y aceite.

나박김치 nabo *m* cortado en pedacitos con ají, puerro, ajo, y perejil.

나발 [喇叭/囉叭] ① [악기] corneta *f*, trompa *f*, trompeta *f*, clarín *m*; [작은] trompetilla *f.* ② [객적거나 당치도 않는 말] lo absurdo. ¶~(을) 불다 ㉮ trompetear, tocar la trompeta. ㉯ [객적은 소리나 당치 않은 말을 함부로 떠벌이다] decir lo absurdo. ㉰ [허풍을 떨다] alardear, jactarse, vanagloriarse.

나방 ((곤충)) polilla *f*, alevilla *f.*

나병 [癩病] ((의학)) lepra *f.* ~ 요양소 leprosería *f*, lazareto *m.* ~원 leprosería *f.* ~자(환자) leproso, -sa *mf*; lazarino, -na *mf.*

나부 [裸婦] ① [벌거벗은 여자] mujer *f* desnuda. ② [나체화·나상 (裸像)] desnudo *m.* ~상(像) desnudo *m.*

나부끼다 ondear, flamear, tremolar.

나부랭이 ① [실·종이·헝겊 따위의 자질구레한 오라기] pedazo *m*, trozo *m*, pedacito *m*, trocito *m.* ② [하찮은 존재] persona *f* trivial.

나부죽하다 (ser) plano, llano.

나불거리다 ① [보드랍게 나붓거리다] revolotear. ② [경솔하게 입을 놀리다] charlar, chacharear, parlotear, cotorrear, (ser) hablador, charlatán, gárrulo.

나붓거리다 seguir revoloteando.

나붓하다 (ser) algo plano [llano].

나뿔다 ser puesto, ser pegado.

나비¹ [폭] anchura *f*, ancho *m.*

나비² ((곤충)) mariposa. ~를 잡다 cazar mariposas. ¶~ 넥타이 pajarita *f*, *AmL* corbata *f* de moño, *Chi* corbata *f* de humita, *Col* corbatín *m*, *Urg* moñita *f.* ~채 cazamariposas *m.sing.pl.*

나빠지다 empeorar(se). 점점 ~ ir de mal en peor.

나쁘다 ① [악하다] (ser) malo, malvado, maligno, perverso, malhechor, injusto, travieso. 나쁜 mal pensamiento *m.* 나쁜 친구 mal amigo *m* [compañero *m*], mala amiga *f* [compañera *f*]. 나쁜 날씨 mal tiempo *m.* ② [(튀튀이나 품질 따위가) 좋지 않다] (ser) malo. 머리가 ~ tener el mal cerebro. ③ [해롭다] perjudicar, dañar. 나쁜 [유해한] malo, perjudicial; [결함이 있는] defectuoso; [열악한] vicioso. 나쁜 공기 aire *m* vicioso. 나쁜 우유 leche *f* cortada. ④ [(먹은 것이) 양에 차지 않다] (ser) insuficiente, insatisfactorio, poco satisfactorio, deficiente, inadecuado, no bastante, escaso, poco, incompleto, imperfecto.

나삐 mal, viciosamente, defectuosamente, insuficientemente, deficientemente, imperfectamente. 남을 ~ 말하지 마라 No hables mal de otros.

나사 [螺絲] ① [우렁이 껍데기처럼 빙빙 비틀리게 고랑이 진 모양] espira *f.* ② [(준말)] =나사못. ¶~돌리개 destornillador *m.* ~못 tornillo *m.* ~층층대 escalera *f* de caracol.

나사 [羅紗] paño *m.* ~점 pañería *f.*

나사렛 ((지명)) ((성경)) Nazaret. ¶~ 예수 Jesús (el) nazareno, Jesús de Nazaret.

나상 [裸像] [(준말)] =나체상 (裸體像).

나상 [螺狀] =나선상 (螺旋狀).

나서다 ① [나가서거나 일어나 떠나다] salir. 밭을 갈러 ~ salir a arar el campo. ② [일정한 일을 직업적으로] iniciar. 경찰이 수사에 나섰다 La policía ha iniciado la investigación. ③ [나타나다] aparecer, presentarse. 인터뷰에 ~ presentarse a la entrevista. ④ [일을 맡아 보거나 또는 간섭하다] encargar, meterse, intervenir.

나선 [裸線] alambre *m* eléctrico desnudo.

나선 [螺旋] espiral *f*, hélice *f.* ~ 강하하다 [비행기 따위가] entrar en barrena. ¶~계단 escalera *f* de caracol. ~사(絲) espirema *f.* ~상 (狀) caracol *m*, forma *f* espiral. ~상 계단 escalera *f* de caracol. ~상 균 galaxia *f* [nebulosa *f*] espiral. ~성운 galaxia *f* [nebulosa *f*] espiral. ~식의 espiral, espiral, helicoidal. ~식 공

책 cuaderno *m* de espiral. ~식 안테나 antena *f* espiral. ~ 추진기 propulsor *m* de hélice. ~ 층(층)대 escalera *f* de caracol.

나선(螺線) ((수학)) hélice *f*, curva *f* helicoidal.

나신(裸身) cuerpo *m* desnudo.

나아가다 ① [앞으로 향하여 가다] avanzar, adelantar, marchar. ② ㉮ [병세가 호전되다] curarse, sanar, recobrar la salud. ㉯ [일이 잘 진전되다] adelantar, progresar, hacer adelantos [progresos], avanzar. ③ ㉮ [승급하다] ascender, elevarse. ㉯ [넓은 곳으로] salir. 사회로 ~ salir al mundo.

나아지다 mejorar(se).

나약하다(懦弱−) (ser) débil, endeble, flaco, flojo, blando.

나열(羅列) alineación *f*, desfile *m*, enumeración *f*. ~하다 alinear, desfilar, enumerar.

나오다[1] ① [밖 또는 앞을 향하여 오다] salir. 집에서 ~ salir de casa. ② [나타나다] crecer, aparecer, emerger, surgir, salir. ③ [해나 달이] salir, aparecer. 해가 ~ salir el sol. ④ [출석·출근하다] asistir, estar presente, presentarse; [참가하다] participar, tomar parte. ⑤ [유출하다] fluir, manar. ⑥ [발아하다] brotar, germinar. ⑦ [앞으로 불쑥 내밀다] salir. ⑧ [발행하다] salir, darse a luz, publicarse. ⑨ [게재하다] ser puesto, salir, publicar. ⑩ [생산되다] producirse. ⑪ [허가 따위가] otorgarse, concederse, dar. ⑫ [졸업하다] graduarse.

나오다[2] ① [진출·투신하다] presentarse, dedicarse. ② [주다] ofrecer; [내놓다] servir. ③ [길이 통하다] ir, llevar, salir. ④ [유래되다] derivarse.

나우 ① [좀 많게] bastante mucho. ② [(정도가) 좀 낫게] bastante bien.

나울거리다 agitar. ☞너울거리다

나위 valor *m*, necesidad *f*. 더할 ~ 없는 perfecto, impecable. 더할 ~ 없이 perfectamente, satisfactoriamente. 말할 ~ 없이 huelga decirlo, de más está decirlo.

나이 edad *f*, años *mpl*; [목축의] hierba(s) *f*(*pl*). ~ 덕택에 gracias a las experiencias de los años. ~에 비해 para *su* edad. 같은 ~의 소년들 los muchachos de una misma edad. 너 ~가 몇이냐? — 아홉 살입니다 ¿Cuántos años tienes tú? / ¿Qué edad tienes tú? — (Tengo) Nueve (años de edad). ¶ ~배기 persona *f* mayor de lo que aparenta [representa]. ~테[바퀴] anillo *m* anual.

나이지리아 ((지명)) Nigeria *f*. ~의 nigeriano. ~ 사람 nigeriano, -na *mf*.

나이터 [야간 시합] partido *m* nocturno.

나이트[1] [기사] caballero *m*, sir *m*.

나이트[2] [밤. 야간] noche *f*. ¶ ~ 가운 camisón *m*. ~ 게임 partido *m* nocturno, béisbol *m* nocturno. ~ 클럽 club *m* nocturno, cabaret *m*, café *m* cantante.

나이팅게일 ((조류)) ruiseñor *m*.

나일론 nilón *m*, nylón *m*.

나자빠지다 =나가자빠지다.

나전(螺鈿) (incrustación *f* de) nácar *m*, madreperla *f*. ~ 세공 obra *f* de nácar. ~ 칠기 ㉮ [도기] loza *f* laqueada de nácar. ㉯ [물건] objetos *mpl* laqueados de nácar.

나절 medio día *m*. 한~ medio día *m*. 반~ un cuarto del día.

나중 futuro *m*, porvenir *m*. ~의 futuro. ~에 en el futuro, después, luego, más tarde. ~에 만납시다 ¡Hasta luego! / Nos veremos otra vez.

나지막하다 (ser) algo bajo.

나직나직 en voz baja, en susurros. ~ 말하다 hablar en voz baja.

나직하다 (ser) bajo. 나직한 목소리 voz *f* baja.

나체(裸體) cuerpo *m* desnudo, desnudez *f*, desnudo *m*. ~의 desnudo, desnudado. ~로 desnudo. ~가 되다 desnudarse, desvestirse. ¶ ~미 belleza *f* del desnudo, hermosura *f* [belleza *f*] física. ~ 신 escena *f* de desnudo. ~주의 nudismo *m*, desnudismo *m*. ~주의자 nudista *mf*, desnudista *mf*. ~촌 villa *f* de desnudo. ~화 nudo *m*, desnudo *m*, pintura *f* desnuda.

나치스 ① [나치스트] nazis *mf*, nazista *mf*. ② [국가사회주의독일노동자당] Partido *m* Nacionalsocialista Alemán.

나치주의(−主義) nazismo *m*.

나치주의자(−主義者) nazista *mf*.

나침(羅針) =지남침(指南針). ¶ ~반 ㉮ ((물리)) compás *m*, brújula *f*. ㉯ [나침의] aguja *f* de marear.

나타나다 ① [겉으로 드러나다] aparecer; [등장하다] salir; [출두하다] comparecer, presentarse. ② [눈에 띄다] asomarse, aparecer, ponerse visible; [물속에서] emerger; [문득] surgir, salir de sopetón. ③ [없던 것이 생겨나다] ocurrir, originarse.

나타내다 ① ㉮ [보이다. 발휘하다] mostrar, enseñar, exponer, manifestar, exhibir. ㉯ [표현하다] expresar. ㉰ [의미하다] significar, querer decir. ㉱ [상징하다] simbolizar. ② [숨어 있는 것을] revelar, descubrir. ③ [저술하다] escribir, componer; [출판하다] publicar.

나태(懶怠) pereza *f*, indolencia *f*, ociosidad *f*, holgazana *f*, holgazanería *f*, haraganería *f*. ~하다 (ser) perezoso, holgazán, ocioso, haragán.
나토 Organización *f* del Tratado del Atlántico Norte, OTAN *f*, NATO *f*, Nato *f*, nato *f*.
나트륨 ((화학)) sodio *m*.
나팔(喇叭) trompeta *f*, trompa *f*, corneta *f*, ((성경)) cuerno *m*, cuatro vientos *mpl*. ~(을) 불다 ㉮ [나팔로 소리를 내다] tocar [sonar] trompeta. ㉯ ((속어)) [술 같은 것을 병째로 마시다] beber de la botella. ㉰ [어린애가 큰 소리로 울거나 외치다] llorar fuerte, gritar fuerte. ㉱ [어떤 사실을 크게 떠들어 선전하다] alardear, presumir, sacar pecho, vanagloriarse. ¶~소리 trompeteo *m*, sonido *m* de la trompeta, toque *m* de clarín, toque *m* de trompeta. ~수 corneta *mf*, trompeta *mf*, trompetista *mf*.
나팔거리다 revolotear, agitarse, ondear.
나팔관(喇叭管) ((해부)) oviducto *m*.
나팔꽃 ((식물)) dondiego *m* de día.
나포(拿捕) captura *f*, apresamiento *m*, presa *f*, arresto *m*. ~하다 capturar, apresar, prender, arrestar, apoderarse.
나푼거리다 agitarse ligeramente.
나풀거리다 agitarse toscamente.
나프타[1] ① ((화학)) nafta *f*. ② [조제 석유] nafta *f*.
나프타[2] [북미 자유 무역 협정] Tratado *m* Norteamericano de Libre Comercio, NAFTA *m*.
나프탈렌 ((화학)) naftalina *f*.
나한(癩漢) hombre *m* feo.
나화(羅花) flor *f* artificial de seda.
나환자(癩患者) lazarino, -na *mf*, leproso, -sa *mf*.
나흗날 ((준말)) =초나흗날.
나흘 ① [네 날] cuatro días. ② ((준말)) =초나흗날(el cuatro).
낙(樂) placer *m*, gozo *m*, delicia *f*, encanto *m*, deleite *m*; [오락] diversión *f*, recreación *f*; [위안 거리] distracción *f*, pasatiempo *m*. 고생 없는 ~은 없다 ((서반아 속담)) No hay miel sin hiel.
낙관(落款) rúbrica *f* [firma *f*] de escritor (작가의) [de pintor (화가의)]. ~하다 firmar y sellar.
낙관(樂觀) optimismo *m*. ~하다 ser optimista, ver con optimismo. ~론[주의] optimismo *m*. ~론자[주의자] optimista *mf*.
낙낙하다 (ser) algo amplio, holgado.
낙농(酪農) industria *f* lechera, lechería *f*, quesería *f*, vaquería *f*. ¶~가 agricultor, -tora *mf* de quesería; lechero, -ra *mf*, mantequero, -ra *mf*. ~업 agricultura *f* de quesería. ~장 establecimiento *m* de ganado lechero, *RPI* tambo *m*.
낙담(落膽) desaliento *m*, desánimo *m*, decepción *f*, descorazonamiento *m*; [실망] desilusión *f*, desesperanza *f*. ~하다 descorazonarse, desalentarse, desanimarse, decepcionarse, desilusionarse, desesperarse. ~하지 마세요 No se desaliente.
낙도(落島) isla *f* remota [lejana]. ~주민 habitantes *mpl* de la isla remota.
낙락 장송(落落長松) pino *m* alto y exuberante.
낙뢰(落雷) caída *f* de un rayo.
낙루(落淚) llanto *m*. ~하다 verter [derramar] las lágrimas, llorar.
낙마(落馬) caída *f* de un caballo. ~하다 caer(se) de un caballo.
낙망(落望) chasco *m*. ~하다 llevarse chasco.
낙반(落磐/落盤) derrumbamiento *m* en una mina, atierre *m*.
낙방(落榜) fracaso *m* en el examen. ~하다 fracasar [salir mal] en el examen.
낙법(落法) ((유도)) estado *m* pasivo.
낙본(落本) pérdida *f*. ~하다 perder.
낙상(落傷) herida *f* de la caída. ~하다 caerse y hacerse daño.
낙서(落書) garabateos *mpl*, garabatos *mpl*, garapatos *mpl*, garambainas *fpl*. ~하다 borrajear, garabatear, garapatear, emborronar. ~금지 ¡Se prohibe borrajear!
낙석(落石) desprendimiento *m*. ~위험 Desprendimiento de rocas.
낙선(落選) fracaso *m*; [선거의] derrota *f* [pérdida *f*] en una elección; [콩쿠르의] rechazamiento *m*. ~하다 ser derrotado, ser vencido, no ser aceptado, derrotarse en la elección. ~자 derrotado, -da *mf*, rechazado, -da *mf*.
낙성(落成) terminación *f* de una construcción [de obra]. ~하다 terminar, acabar. ~되다 terminarse, acabarse. ~식 inauguración *f*, ceremonia *f* de terminación.
낙수(落水) =낙숫물. ¶~받이 canalón *m*.
낙수(落穗) espigas fpl caídas.
낙숫물(落水-) gota *f* de lluvia [de agua] (que cae del borde del tejado). 낙숫물은 떨어지던 데 또 떨어진다 ((속담)) La cabra siempre tira al monte.
낙승(樂勝) victoria *f* fácil, paseo *m*. ~하다 vencer [ganar] fácilmente [con facilidad · sin dificultad].
낙심(落心) pérdida *f* de corazón, desesperación *f*, desánimo *m*, desaliento *m*, enervación *f* del corazón.

~하다 desanimarse, desalentarse, desesperar, perder las esperanzas, enervar el corazón.

낙양(落陽) sol m poniente, puesta f del sol.

낙엽(落葉) hojas fpl caídas, deshoje m; [집합적] hojarasca f. ~을 밟다 pisar las hojas caídas.

낙엽송(落葉松) alerce m, lárice m.

낙오(落伍) rezago m. ~하다 rezagarse. ~자 regazado, -da mf.

낙원(樂園) paraíso m, Eden m.

낙인(烙印) ① [소인] marca f de hierro candente. ~을 찍다 marcar [sellar] con hierro candente. ② [형벌] estigma f.

낙일(落日) sol m poniente, sol m que se pone; [일몰] puesta f del sol, ocaso m, ocaso m del sol.

낙자(落字) palabra f extraviada [suprimida], omisión f de palabras.

낙장(落張) hoja f omitida, falta f de páginas [de hojas] (de un libro). ~본(本) libro m en que faltan las páginas.

낙제(落第) fracaso m [suspenso m] (en el examen), reprobado m, suspensión f. ~하다 fracasar en el examen, suspenderse, ser reprobado, ser suspendido, recibir calabazas en un examen. ~시키다 suspender, reprobar, dar calabazas. ¶~생 suspendido, -da mf; reprobado, -da mf; fracasado, -da mf. ~점 suspenso f, punto m de reprobación [de fracaso].

낙조(落照) puesta f del sol, ocaso m, ocaso m del sol.

낙지 (동물) pulpo m.

낙지(樂地) =낙토(樂土).

낙진(落塵) lluvia f radiactiva, precipitación f radiactiva.

낙질(落帙) tomo m suelto.

낙차(落差) ① [물의] altura f de caída, desnivel m. ② [높이의 차] diferencia f de niveles.

낙착(落着) conclusión f, fin m, arreglo m, decisión f, convenio m. ~되다 concluirse, arreglarse, resolverse, solucionarse.

낙찰(落札) licitación f favorecida, oferta f favorecida, adjudicación f. ~하다 ser afortunado la oferta, triunfar en la licitación, ser aceptado su oferta. ~ 가격 precio m del mejor postor [de la mejor postora]. ~자 mejor postor m; adjudicatorio, -ria mf.

낙천(落薦) fracaso m en la solicitu d.~자 aspirante m infructuoso.

낙천(樂天) optimismo m. ~가 optimista mf. ~관 optimismo m. ~론 optimsmo m.

낙타(駱駝) (동물) [쌍봉 낙타] camello m; [암컷] camella f; [단봉 낙타] dromedario m. ~의 대상(隊商) caravana f de camellos.

낙태(落胎) aborto m (forzado), malparto m, prácticas fpl abortivas, aborto m provocado, feticidio m. ~하다 hacerse un aborto, abortar, malparir. ~시키다 abortar, hacer abortar, parir antes del tiempo en que el feto puede vivir. ¶ ~ 수술 operación f de aborto artificial. ~ 수술하다 operar aborto artificial. ~아 aborto, -ta mf. ~약 feticidio m, abortivo m.

낙토(樂土) paraíso m, cielo m.

낙하(落下) caída f, precipitación f. ~하다 caer(se), precipitarse.

낙하산(落下傘) paracaídas m.sing.pl. ~병(兵) paracaidista mf. ~ 부대 cuerpo m de paracaídas, tropa f de paracaidistas.

낙향(落鄕) huida f de la capital. ~하다 huir de la capital, huir de Seúl.

낙화(烙畵) pirografía f, dibujo m hecho sobre madera o loza con hierro candente.

낙화(落花) caída f de las flores, flores fpl caídas. ~하다 las flores caen. ~ 유수 ② [떨어지는 꽃과 흐르는 물] la flor caída y el agua corriente. ④ [남녀에게 서로 생각하는 정이 있음] amor m entre el hombre y la mujer.

낙화생(落花生) (식물) cacahuete m, AmL maní m. ~유 aceite m de cacahuete.

낙후(落後) abandono m, marginación f, aislamiento m. ~하다 abandonar los estudios, dejar de asistir al curso. ~자 [사회·그룹의] marginado, -da mf; [교육의] alumno, -na mf que no completa los estudios.

낚다 ① [고기를] pescar con [a] caña. ② [남을 꾀다] seducir. ¶낚아 올리다 pescar, coger, sacar del agua.

낚시 ① [물고기를 낚는 데 쓰이는, 바늘로 된 작은 갈고랑이] anzuelo m (de pesca), hamo m. ~하다 pescar a caña. ~에 채다 caer en [tragar] el anzuelo. ~ 가다 ir a pescar a caña. ~ 금지! ((게시)) ¡Prohibido pescar! / ¡Se prohíbe pescar! ② [남을 꾀는 꾀나 수단] estratagema f que seduce a otro. ③ ((준말)) =낚시질. ¶ ~꾼 pescador, -dora mf (de caña). ~ 도구 aparejos mpl de pesca, avíos mpl de pesca. ~ 미끼 cebo m, carnada f. ~ 질 pesca f a [con] caña. ~질하다 pescar con caña. ~질 가다 ir a pescar con caña, ir de pesca. ~찌 flotador m. ~터 piscina f para la pesca a caña, lugar m de pesca con caña.

낚싯대 caña *f* de pescar, caña *f* de bambú [cristal·huso·fondo].

낚싯바늘 ((속어)) =낚시❶.

낚싯밥 cebo *m*, carnada *f*.

낚싯배 barca *f* pescadora, barca *f* de pesca.

낚싯봉 plomo *m*.

낚싯줄 sedal *m* (de pescador), cordel *m* de pescar.

낚아채다 coger rápidamente, agarrar rápidamente, arrancar.

난(亂) ((준말)) =난리(亂離). ¶~을 일으키다 sublevar, rebelarse.

난(欄) [신문 따위의] columna *f*; [큰] sección *f*, [쪽] página *f*; [기입용 지의] blanco *m*, casilla *f* vacía.

난(蘭) ((준말)) =난초(蘭草).

난(難) difícil. ~공사 obra *f* difícil.

-난 difícultad *f*. 자금~ difícultad *f* económica.

난간(欄干) [계단·발코니 따위의] baranda *f*, barandilla *f*, barandal *m*; [계단의] pasamanos *m*; [다리·발코니 따위의] antepecho *m*, parapeto *m*, pretil *m*, balaustrada *f*.

난감하다(難堪-) ((문어)) insoportable, inaguantable, insufrible, intolerable.

난공(難攻) difícultad *f* del ataque. ¶~불가 calidad *f* inconquistable [inexpugnable], lo inexpugnable.

난공사(難工事) obra *f* de construcción difícil.

난관(難關) barrera *f* fuerte, difícultad *f*. ~을 타개하다 abrir camino a través de la barrera.

난국(難局) situación *f* [posición *f*] grave [crítica·difícil], momento *m* crítico, crisis *f*; [정치의] crisis *f* política. ~에 처하다 estar en una crisis, estar en una situación difícil, estar en un aprieto, estar en un apuro.

난기류(亂氣流) turbulencia *f*, aire *m* turbulento.

난다긴다하다 ☞날다❶.

난대(暖帶) zona *f* subtropical. ~림 bosque *m* subtropical. ~지방 región *f* subtropical.

난데 otra región *f*, otra comarca *f*.

난데없다 (ser) inesperado, imprevisto, repentino, súbito, abrupto; [당치않다] irrazonable, poco razonable, absurdo. 난데없이 repentinamente, de repente, súbitamente, de súbito, de improviso. 난데없이 나타나다 aparecer repentinamente [de repente].

난도(亂刀) destrozo *m*, hachazo *m*, machetazo *m*, puñalada *f*. ~질 puñalada *f*, destrozo *m*, hachazo *m*, machetazo *m*, cuchillada *f*, tajo *m*. ~질하다 apuñalar, dar de puñaladas, destrozar, cortar a tajos, acuchillar; [고기를] picar, moler, cortar en trozos pequeños.

난독(亂讀) lectura *f* caprichosa [variable], lectura *f* al tuntún. ~하다 leer (los libros) al tuntún [al alzar].

난독(難讀) difícultad *f* de leer. ~하다 ser difícil de leer.

난동(暖冬) invierno *m* moderado [templado].

난동(亂動) disturbio *m*, tumulto *m*. ~을 부리다 tumultuarse.

난든집 habilidad *f* experta, talento *m* hábil. ~(이)나다 tener mucha práctica, tener mucha experiencia, llegar a dominar.

난로(煖爐) estufa *f*, chimenea *f* (francesa), hogar *m* (doméstico).

난롯가(煖爐-) hogar *m*, alrededor [cerca] del hogar. ~에 앉다 sentarse al calor del fuego [junto a la chimenea].

난류(暖流) corriente *f* cálida.

난리(亂離) [전쟁] guerra *f*, [반란] rebelión *f*, sublevación *f*, revuelta *f*, [소요] disturbio *m*, tumulto *m*.

난립(亂立) abnegación *f*. ~하다 abnegar. 후보자가 ~하고 있다 Se presentan demasiados candidatos.

난마(亂麻) caos *m*, confusión *f*, desorden *m*. ~와 같다 estar en el estado caótico.

난막(卵膜) [알의] membrana *f* de huevo; [어란 따위의] corión *f*.

난맥(亂脈) ① [엉망] confusión *f*, desorden *m*, caos *m*. ② ((한방)) pulso *m* en desorden.

난무(亂舞) danza *f* desordenada. ~하다 danzar desordenadamente.

난문(難問) ① [이해하기 힘든 문제] pregunta *f* difícil de entender. ② ((준말)) =난문제(難問題).

난문제(難問題) problema *m* difícil de resolver, rompecabezas *m.sing.pl*. ~를 해결하다 solucionar un problema difícil.

난민(亂民) pueblo *m* descontrolado, alborotadores *mpl*, revoltosos *mpl*, insurgentes *mpl*.

난민(難民) náufrago, -ga *mf*; refugiado, -da *mf*, siniestrado, -da *mf*. ~구제 auxilio *m* de refugiados.

난바다 alta mar *f*, mar *f* abierta.

난반사(亂反射) ((물리)) reflección *f* irregular (difundida·extendida).

난발(亂發) ① [난사] tiro *m* sin puntería, descarga *f* irregular. ~하다 tirar sin puntería. ② =남발. ③ [함부로 떠벌림] fanfarronada *f*, fanfarronería *f*. ~하다 fanfarronear, alardear.

난발(亂髮) pelo *m* desgreñado.

난방(煖房/暖房) calefacción *f*. ~하다 calentar. ~된 방 habitación *f* con calefacción. ¶~기 aparato *m* de calefacción. ~장치[시설] calefacción *f*, radiador *m*; [설비] instalación f de calefacción.

난번(一番) fuera de servicio. ～이다 [의사·간호사가] no estar de turno; [경찰관·소방사가] no estar de servicio.

난병(難病) enfermedad f incurable [insanable·fatal·seria].

난봉 libertinaje m, desenfreno m. ～을 부리다[피우다] dedicarse al libertinaje intencional. ¶～꾼 Don Juan, libertino.

난사(亂射) tiro m sin puntería, descarga f irregular. ～하다 tirar sin puntería, disparar sin apuntar.

난사(難事) asunto m difícil (de resolver), custión penosa, dificultad.

난사람 persona f prominente [destacada].

난산(難産) ① ((의학)) parto m difícil [laborioso]. ～하다 tener un parto difícil [laborioso], dar a luz con dificultad. ② [일이 순조롭게 이루어지지 아니함] mucha dificultad.

난삽(難澁) sufrimiento m, angustia f, zozobra f, pena f, turbación f. ～하다 sufrir, estar en turbación.

난색(暖色) color m cálido [caliente].

난색(難色) desaprobación f, dificultad f. ～을 표하다 mostrarse poco dispuesto a aprobar.

난생 처음(一生一) primero después del nacimiento.

난선(難船) naufragio m. ～하다 naufragar.

난세(亂世) época f bélica [agitada·de disturbio], tiempos mpl turbulentos [disturbados].

난세포(卵細胞) óvulo m.

난센스 disparate m, absurdo m, absurdidad f, tonterías fpl, estupideces fpl, desatino m.

난소(卵巢) ovario m, overa f; [새의] huevera f. ～의 ovárico. ～관 ovariola f. ～염 ovaritis f. ～ 절제술 ovariectomía f.

난소(難所) paso m peligroso.

난수표(亂數表) tabla f de números aleatorios.

난숙(爛熟) demasiada madurez f. ～하다 (ser) demasiado maduro, pasado. ～기 madurez f.

난시(亂時) tiempo m desordenado.

난시(亂視) vista f confusa, astigmatismo m; [사람] astigmático, -ca mf. ～의 astigmático. ～ 검정기[측정기] astigmómetro m. ～안 ojos mpl astigmáticos. ～안경 anteojos mpl astigmáticos, gafas fpl astigmáticas.

난신¹(亂臣) [나라를 어지럽히는 신하] vasallo m traidor, vasallo m rebelde, súbdito m pérfido [rebelde].

난신²(亂臣) [난세의 충신] vasallo m leal en los días turbulentos.

난실(暖室) ① [따뜻한 방] habitación

f caliente. ② =온실(溫室).

난실(蘭室) ① [난초의 향기가 그윽한 방] habitación f llena de la aroma de la orquídea. ② [난초를 가꾸는 온실] invernadero m que se cultiva la orquídea.

난심(亂心) ① [어지러운 마음] locura f, demencia f, insania f. ② [미치광이] loco, -ca mf.

난외(欄外) margen m, borde m.

난용(亂用) abuso m, mal uso m, malversación f, despilfarro m. ～하다 despilfarrar, malversar, abusar.

난이(難易) dificultad y facilidad, dificultad f. …의 ～에 따라 conforme a la [al grado de] dificultad de algo. ¶～도 grado m de dificultad. ～율 ((제조)) grado m [nivel m] de dificultad.

난입(亂入) intrusión f, invasión f (repentina), irrupción f. ～하다 introducirse, forzar una entrada, irrumpir, entrar de rondón. ～자 intruso, -sa mf.

난자(卵子) ((생물)) óvulo m.

난자(亂刺) apuñalada f, cuchillada f, navajazo m; ((의학)) escarificación f. ～하다 apuñalar [acuchillar] violentamente; [피부를] escarificar.

난잡하다(亂雜一) ① [어수선하여 혼잡하다] (estar) desordenado, confuso, desarreglado, farragoso. 난잡하게 en desorden, desordenadamente, confusamente. ② [조촐하지 못하고 막되고 너저분하다] (ser) obsceno, lascivo.

난장(一場) mercado m especial del campo.

난장판(亂場一) confusión f, desorden f, caos m, revoltijo m. ～이 되다 estar en desorden. ～이군! ¡Qué desorden!

난쟁이 ① [왜인] enano, -na mf; pigmeo, -a mf; liliputiense mf. ② [키가 작은 사람] persona f baja.

난적(亂賊) traidores mpl, rebeldes mpl.

난전(亂戰) combate m confuso. 이 시합은 ～이다 Este partido es muy movido.

난점(難點) [어려운 점] dificultad f, punto m difícil [delicado]; [결점] defecto m, falta f.

난제(難題) problema m difícil (de resolver), proposición f difícil.

난조(亂調) situación f desordenada sin moderación, discordia f; ((음악)) discordancia f, disonancia f; [맥박의] irregularidad f. ～의 desconcertado, desordenado; [혼란한] confuso, discordante.

난중(亂中) período m de guerra; [부사적] en medio de la guerra. ～에 durante la guerra.

난중일기(亂中日記) El diario en la

guerra.

난중지난(難中之難) lo más difícil de todos, la cosa más difícil.

난증(難症) enfermedad *f* seria, caso *m* incurable.

난지(暖地) región *f* cálida.

난처(難處) posición *f* delicada. ~하다 quedar corrido, encontrarse en una posición delicada, quedar(se) [estar] perplejo; [처치에 궁하다] no saber qué [cómo] hacer, estar en dificultad. 그 입장 situación *f* apurada [difícil · perpleja · embarazosa].

난청(難聽) dificultad *f* al oir. ~이다 tener dificultad al oir, no oir bien. ¶ ~아(兒) niño, -ña *mf* que tiene dificultad al oír. ~자 persona *f* que tiene dificultad al oír. ~지역 [구역] zona *f* de bloqueo.

난초(蘭草) ((식물)) orquídea *f*.

난추니 ((조류)) gavilán *m*.

난층운(亂層雲) nimboestrato *m*.

난치(難治) dificultad *f* de curar, lo incurable. ~하다 (ser) casi incurable, difícil de curar. ~의 difícil de curar, casi incurable. ~병 enfermedad *f* crónica [incurable].

난침모(一針母) costurera *f* no residente.

난타(亂打) golpe *m* sin orden ni concierto. ~하다 golpear, dar repetidos golpes. ~전 combate *m* de repetidos golpes.

난태생(卵胎生) ovoviviparidad *f*. ~의, ~동물 ovovivíparo *m*.

난루(亂樓) gresca *f*, pelea *f*, lucha *f* [pelea *f*] confusa [libre], refriega *f*, reyerta *f*. ~하다 luchar [pelear] confusamente. ~극 escena *f* de pelea confusa.

난파(暖波) onda *f* cálida, ola *f* cálida.

난파(難破) naufragio *m*. ~하다 naufragar. ~선 barco *m* naufragado. ~자 náufrago, -ga *mf*.

난폭(亂暴) violencia *f*, violación *f*, brutalidad *f*, agresividad *f*, atrocidad *f*. ~하다 violentarse, proceder a violencia. ~한 violento, brutal, agresivo. ~하게 violentamente, agresivamente, brutalmente. ¶ ~자 violento, -osa *mf*, bruto, -ta *mf*.

난필(亂筆) escritura *f* apresurada.

난하다(亂一) ① [질서가 없고 난잡하다] (estar) desordenado, en desorden. ② [빛깔·무늬 등이] (ser) llamativo, ostentoso, chillón.

난항(難航) ① [곤란한 항행] navegación *f* borrascosa. ~하다 navegar borrascosamente. ② [일을 진행하는 데 있어서의 난관] dificultad *f*, camino *m* arduo. ~하다 no marchar bien, avanzar despacio, tener un camino arduo que recorrer.

난해하다(難解一) (ser) difícil de en-

tender, difícil de comprender, intrincado, ininteligible, incomprensible. 난해한 문제 cuestión *f* [problema *m*] difícil.

난행(亂行) ① [난폭한 행동] violencia *f*, actitud *f* violenta. ② [음란한 짓] libertinaje *m*, desenfreno *m*, calaverada *f*, lujuria *f*.

난향(蘭香) aroma *f* de la orquídea.

난형(卵形) forma *f* oval. ~의 oval, ovalado, ovoide, oviforme.

난형난제(難兄難弟) casi igualdad *f*. ~의 competido estrechamente, de dindán. A와 B는 ~다 A y B son igualmente [a cuál más] competentes / A es tan competente como B.

난황(卵黃) yema *f* (de huevo).

난후(亂後) después de (terminar) la guerra.

낟 grano *m* de los cereales.

낟가리 almiar *m* (de heno), montón *m* (de maderas).

낟알 grano *m*.

날¹ ① [하루 동안] día *m*. 어느 ~ [과거의] un día; [미래의] algún día. ~로 día a día, de día en día. ~이 갈수록 cada día más. 그 ~ 부터 desde aquel día, a partir de aquel día. 일년 중 가장 긴 ~ el día más largo del año. ② [하루의 낮의 동안] día *m*. ~새다 quebrar [rayar·reír·romper] el alba. ~이 저물다 atardecer, anochecer. ~이 저문다 Atardece. ③ ((준말)) =날씨. ¶~이 좋건 나쁘건 que llueva o no, con buen o mal tiempo. ~이 덥다 [춥다] Hace calor [frío]. 구름 한 점 없이 ~이 좋다 Hace buen tiempo sin una sola nube. ④ ((준말))=날짜. ¶졸업 ~을 정하다 fijar la fecha de la graduación. ⑤ [경우이면] en (el) caso de; [경우 앞에서] en (el) caso (de) que + *subj*. 화재가 일어나는 ~에는 en caso del fuego.

날² [연장의] filo *m*, corte *m*, hoja *f*. ~이 선 afilado, cortante. ~이 없는 embotado, obtuso. ~을 세우다 afilar, sacar filo, dar un filo [un corte]. ~이 서다 afilarse.

날³ [실·노끈 따위의] urdimbre *f*.

날- ① ⑦ [음식이나 열매를 익히지 아니한] crudo. ~고기 carne *f* cruda. ④ [아직 익지 아니한] verde. ~고추 ají *m* [chile *m*] verde. ② [마르지 아니한] mojado. ③ [가공하지 아니한] en bruto, no curtido. ④ [매우 악랄하고 지독한] sucio, astuto.

날가죽 piel *f* en bruto [no curtida]. ~을 벗기다 desollar [despellejar].

날감 caqui *m* verde, kaki *m* verde.

날강도(一強盜) salteador *m* astuto [sucio], salteadora *f* astuta [sucia].

날강목치다 excavar en vano.

날개 [새나 곤충류의] el ala f, [날개나 꼬리의 긴 깃] pluma f, [깃털] plumón m; [깃털 전체] pluma f, plumaje m; [폭탄·어뢰 따위의] timón m; [프로펠러·선풍기·터빈 따위의] paleta f. ~가 돋치다 venderse como (el) pan caliente. ~(가) 돋친 듯 como (el) pan caliente, como rosquillas. ~ 돋친 듯 팔리다 venderse como (el) pan caliente [como rosquillas].

날갯죽지 ㉮ [날개의 뿌리 부분] parte f de el ala está pegada. ㉯ ((속어)) =날개[1].

날갯짓 aleteo m, aletada f, batimiento m de alas. ~을 하다 aletear, batir [sacudir] las alas.

날것 crudeza f, lo crudo. ~으로 먹다 comer crudo.

날고기 carne f cruda; [생선] pescado m crudo.

날고추 ají m [chile m] verde, ají m [chile m] no secado.

날공전(-工錢) = 날삯.

날귀 dos filos.

날금 meridiano m.

날기와 teja f no cocida al sol.

날김치 kimchi verde en sazón.

날다[1] [항공기·새·곤충 따위가] volar; [활공하다] planear; [여기저기를] revolotear. 높이[낮게] ~ volar alto [bajo]. ② [빠른 동작으로 움직이다] correr, ir volando, salir volando. ③ [공중으로 몸을 솟구어 높이 뛰다] saltar alto. ④ [빛깔이 없어지다] descolorarse, perder color, desteñirse, despintarse; [얼룩이] salir, borrarse. ⑤ [냄새가 없어지다] desaparecer, disiparse, perder olor. ⑥ [액체가] evaporarse.

날다[2] ① [날실을] hilar. ② [(가마니 따위를 짜려고) 틀에 날을 걸다] enhebrar la urdimbre.

날다람쥐 ((동물)) ardilla f volante.

날도(-度) ((지리)) longitud f.

날도둑 ladrón m muy astuto.

날도둑질 robo m muy astuto.

날뜨다 despejar, aclarar, clarear.

날땅 terreno m incultivado.

날뛰다 ponerse violento, ponerse brutal, pugnar, alborotarse, desenfrenarse; [말이] desbocarse.

날라리 (악기)) nalari, trompeta f con el latón infundibuliforme en la flauta del bambú de ocho hoyos.

날래다 (ser) rápido, pronto, veloz; [몸이 가볍다] ágil. 날래 rápidamente, rápido, de prisa, pronto, ágilmente, con agilidad.

날렵하다 ① [재빠르고 날래다] (ser) ágil, veloz. 날렵하게 ágilmente, con agilidad, rápidamente. ② [매끈하게 맵시가 있다] (ser) elegan-te, fino.

날로[1] [날것인 그대로] crudo; [미가공의] fresco, natural. ~ 먹다 comer crudo.

날로[2] [나날이] de día en día, cada día, todos los días, diariamente.

날름 ① [날쎄게] como una flecha, con un movimiento rápido, rápidamente. ② [혀를] disparando. ~ 혀를 내밀다 sacar la lengua.

날름거리다 disparar. 혀를 ~ disparar la lengua.

날리다[1] [이름 따위를]널리 떨치다] ganar fama, conseguir prosperidad, ser popular. 이름을 ~ hacerse un nombre en el mundo.

날리다[2] [재물 따위를] perder (todo), gastar, derrochar, despilfarrar.

날리다[3] volarse, ser volado; [바람이] llevar(se), ser lanzado.

날리다[4] [날게 하다] volar, dejar [hacer] volar, pilotar, Andes hacer encumbrar, RPl remontar; [공·돌 따위를] lanzar, arrojar, tirar.

날림 mala hechura, mala confección f, mala construcción f, mala fabricación f. ~ 공사 obra f mal construida, obra f construida por chapuceros, trabajo m poco concienzudo, trabajo m mal hecho. ~ 공사를 하다 hacer el trabajo mal hecho, trabajar descuidadamente. ~집 casa f mal construida, casa f de muy mala calidad, casa f poco sólida.

날마다 todos los días, cada día, diariamente, de día en día, día tras día.

날목(-木) madera f mojada, madera f no secada.

날물 el agua f que sale.

날밑 guarnición f.

날바늘 aguja f sin hilo.

날바닥 suelo m sin alfombrar.

날반죽 masa f con agua fría. ~하다 amasar con agua fría.

날밤[1] noche f que uno se queda levantado toda la noche. ~을 새우다 quedarse levantado toda la noche.

날밤[2] [날것의 밤] castaña f cruda.

날벌레 insecto m volante.

날벼 (planta f de) arroz m no secado.

날벼락 =생벼락.

날변(-邊) interés m diario.

날보리 cebada f no secada.

날불한당(-不汗黨) sinvergüenza m [bribón m] descarado.

날붙이 instrumento m cortante, cuchillo m; [넓은 칼의] cuchilla f; [집합적] cuchillería f.

날삯 jornal m. ~꾼 jornalero, -ra mf.

날샐녘 alba f, aurora f, madrugada f.

~에 al rayar el alba, al alba, al amanecer.

날수(-數) número *m* de los días.

날숨 espiración *f*, exhalación *f*. **~ 쉬다** espirar, exhalar.

날실¹ [삶지 아니한 실] hilo *m* crudo.

날실² [피륙의] hilo *m* de urdimbre.

날쌀 arroz *m* crudo [no cocido].

날쌔다 (ser) ágil, rápido, veloz. 날쌔게 ágilmente, con agilidad, rápidamente, rápido, con rapidez, velozmente, con toda prontitud, como un rayo.

날씨 buen tiempo *m*. 좋은 ~ buen tiempo *m*. 나쁜 ~ mal tiempo *m*. 흐린 tiempo *m* nublado. 안개가 짙은 ~ tiempo *m* cargado. ~가 개다 aclararse el cielo, escampar, despejar. 오늘 ~는 어떻느냐? ¿Qué tiempo hace hoy? 아주 좋은 ~다 Hace muy buen tiempo. 궂은 ~다 Hace mal tiempo.

날씬하다 (ser) esbelto, delgado; [허리·목이] fino, delgado. 날씬한 허리 cintura *f* fina. 날씬한 여자 mujer *f* esbelta.

날아가다 volar, llevarse.

날아다니다 volar, revolotear.

날아오다 venir volando.

날아편(-阿片) =생아편(生阿片).

날염(捺染) estampación *f*. **~하다** estampar. **~공** estampador, -dora *mf*. **~ 공장** estampería *f*. **~기** máquina *f* de estampación. **~ 무늬** estampación *f*.

날인(捺印) selladura *f*. **~하다** sellar, poner el sello, estampar el sello. 서명 ~하다 sellar y firmar. **¶~자** sellador, -dora *mf*.

날일 jornal *m*, empleo *m* diario.

날전복(-全鰒) oreja *f* marina cruda.

날젖 leche *f* cruda.

날조(捏造) invención *f*, falsificación *f*, falsedad *f*. **~하다** forjar, inventar, fabricar, falsificar. ~ 기사 invención *f*, historia *f* inventada, informe *m* inventado. **~자** falsificador, -dora *mf*; falseador, -dora *mf*.

날줄 =날금.

날짐승 el ave *f* (*pl* las aves).

날짜 ① [작정된] fecha *f*, data *f*. ~가 없는 sin fecha. ~순으로 por orden de fechas. ~를 쓰다 poner fecha, datar, fechar. ~를 정하다 fijar la fecha, determinar el día. ~를 앞당기다 adelantar la fecha. ~를 연기하다 aplazar la fecha. ② [정한 날] día *m*. 회합 ~는 미정이다 No está determinado todavía el día de reunión. ③ [일수] (número *m* de) días *mpl*. **¶~ 변경선** línea *f* del cambio de fecha.

날짝 ① =날것. ② [일에 익숙하지 못한 사람] novato, -ta *mf*; novel *mf*; inexperto, -ta *mf*.

날짝지근하다 (estar) lánguido.

날찐 halcón *m* salvaje.

날치 ((어류)) volador *m*, pez *m* volante.

날치기 ① [행위] hurto *m*, ratería *f*, robo *m*. **~하다** hurtar, ratear, atrapar, sisar, robar. 그는 가방을 ~당했다 Le robaron la maleta de un tirón. ② [사람] hurtador, -dora *mf*; ermitaño *m* de camino. **¶~ 공사** obras *fpl* descuidadas. **~꾼** hurtador, -dora *mf*.

날카롭다 ① [끝이] (ser) agudo, puntiagudo, afilado; [잘 잘리는] cortante. ② [감각이] (ser) perspicaz, penetrante, sutil, fino. ③ [생각하는 힘이] (ser) perspicaz, sagaz, agudo. ④ [자극에 대한 반응이] (ser) agudo, intenso, nervioso. 날카로운 통증 dolor *m* agudo [intenso]. ⑤ [기세가 무섭다] (ser) agudo, intenso, penetrante, violento, impetuoso, mordaz. 날카로운 공격 ataque *m* violento. ⑥ [형세가] (ser) intenso, firme. 날카로운 대립 oposición *f* intensa, antagonismo *m* firme.

날큰거리다 (ser) suave y lánguido.

날큰하다 (ser) suave y lánguido.

날탕 malgastador, -dora *mf*; desperdiciador, -dora *mf*; [짓] desperdicio *m*.

날품 trabajo *m* diurno, trabajo *m* por día, obra *f* por paga [jornal] diaria. ~(을) 팔다 jornalar, ajornalar, trabajar por día. **¶~삯** jornales *mpl* diarios. ~팔이 ⑦ [날품을 파는 일] jornal *m*, trabajo *m* diurno, empleo *m* diario, trabajo *m* por día, obra *f* por paga [jornal] diaria. ~팔이로 일하다 trabajar a jornal. ㉯ (준말)=날품팔이꾼. ~팔이꾼 jornalero, -ra *mf*.

낡다 ① [오래 되어 헐고 너절하다] hacerse viejo, hacerse añejo, añejarse, envejecer(se). 낡은 옷 ropa *f* vieja [gastada]. ② [시대에 뒤떨어져 있다] (ser) anticuado. 낡은 사고 방식 idea *f* anticuada.

낡아빠지다 (ser) ruinoso, gastado, desvencijado, estropeado, ser más viejo que un palmar. 낡아빠진 집 casa *f* ruinosa.

남 ① [자기 외의 다른 사람] otro, -tra *mf*; ajeno, -na *mf*; los demás, otra persona *f*. ~의 otro, ajeno. ~에게 질세라 a porfía, a cual más o a cual mejor. ~의 들으면 안 되는 일 asunto *m* para guardar en secreto. ② [낯선 사람] extranjero, -ra *mf*; desconocido, -da *mf*; extraño, -ña *mf*. ~ 취급하다 tratar como a un extraño [a una extraña].

남(男) ① [사내. 남자] hombre *m*. ②

=정부(情夫). ③ =아들. ④ ((준말)) =남작(男爵).

남(南) ((준말))=남녘. 남방. 남쪽.

남(藍) ① ((식물))=쪽. ② ((준말)) =남(藍)빛. ③ =인디고(indigo).

남가일몽(南柯一夢) sueño *m* vano; [덧없는 영화(榮華)] gloria *f* fugaz.

남경(男莖) pene *m*, miembro *m* viril.

남계(男系) línea *f* masculina.

남구라파(南歐羅巴) Europa *f* Meridional.

남국(南國) país *m* sureño [(del) sur]. ~인 pueblo *m* sur. ~ 정서 sentimiento *m* del (país) sur.

남극(南極) polo *m* sur [antártico · austral]. ~의 antártico. ~광 aurora *f* austral, luz *f* meridional. ~권 círculo *m* (polar) antártico. ~대 Zona *f* Antártica. ~ 대륙 Antártida *f*. ~성(星) Canopo *m*. 조약 Tratado *m* Antático. ~지방 región *f* antártica. ~ 탐험 exploración *f* de la Antártida.

남근(男根) pene *m*, miembro *m* viril.

남기다 ① [나머지가 있게 하다] dejar, 남긴 밥 restos *mpl* [sobras *fpl*] (de comida). 음식을 접시에 ~ dejar comida en el plato. ② [남아 있게 하다] dejar (atrás); [보존하다] reservar. 유서를 ~ dejar una nota. ③ [이익이 생기게 하다] ganar, sacar ganancias, obtener beneficios, sacar provecho, beneficiarse. ④ [절약하다] ahorrar, economizar.

남김없이 de todo en todo, íntegramente, enteramente, totalmente, a fondo, sin excepción, como un solo hombre, todos juntos. 한 방울도 ~ hasta la última gota.

남남 los otros sin relaciones algunas. ~ 끼리 con las personas [los otros] sin relaciones algunas.

남남동(南南東) sudsudeste *m*. ~풍 viento *m* sudsudeste.

남남 북녀(南男北女) El hombre es bien parecido [guapo] en la región sur, y la mujer es hermosa en la región norte.

남남서(南南西) sudsudoeste *m*. ~풍 viento *m* sudsudoeste.

남녀(男女) hombre *m* y mujer, ambos sexos *m*. ~ 구별없이 [불문하고] sin distinción de sexo, sin distinguir sexos. ¶~ 공학 coeducación *f*. ~ 노소 hombres y mujeres de todas las clases. ~ 유별 distinción *f* entre los sexos. ~ 칠세 부동석 Un muchacho y una muchacha no deben sentarse juntos después de que ellos han alcanzado a los siete años de edad. ~ 평등[동등] igualdad *f* de los ambos sexos, igualdad *f* sexual. ~ 평등권[동등권] igualdad *f* de derechos en ambos sexos [entre los dos sexos].

남녘(南一) sur *m*, dirección *f* sur.

남다 ① quedar(se), permanecer; [잔존하다] sobrar, quedar, restar; [여분이 있다] estar de más, sobrar, abundar; [남아 돌아가다] superabundar, sobreabundar. 남아 있는 돈 dinero *m* que sobra, sobra *f* [resto *m*] del dinero. 뒤에 남은 처자(妻子) familia *f* desolada. 집에 ~ quedarse en casa. ② [이가 남다] [사람이 주어일 때] sacar ganancias, obtener beneficios; [사물이 주어일 때] (ser) lucrativo, rentable, redituable.

남다르다 (ser) raro, extraño, singular, excéntrico. 남다른 버릇 extraña manía *f*. 남다른 행실 porte *m* excéntrico.

남단(南端) extremo *m* meridional, extremo *m* (del) sur. 나라의 ~ el extremo sur del país.

남도(南都) ciudad *f* que está en la región sur.

남도(南道) región *f* sur de la provincia de *Gyeongkido*; las provincias de *Chungcheongdo*, *Cheolado* y *Gyeongsangdo*.

남동(南東) sudeste *m*, sureste *m*. 지방 región *f* sudeste. ~쪽 sudeste *m*, sureste *m*. ~풍 viento *m* del sudeste.

남동생(男同生) hermano *m* menor.

남루하다(濫褸一) (ser) hecho todo harapo [andrajo · guiñapo], andrajoso, traposo, roto, rasgado.

남매(男妹) ① [오빠와 누이] hermano *m* y hermana. ② =오누이.

남모르다 saber solo secretamente, esconderse. 남모르는 secreto, escondido, desconocido. 남모르는 고통 pena *f* secreta [desconocida].

남몰래 secretamente, en secreto, sin ser advertido de nadie. ~ 만나다 ver secretamente.

남문(南門) puerta *f* sur.

남미(南美) ((준말))=남아메리카.

남미 공동 시장(南美共同市場) Mercado *m* Común del Cono Sur, Mercosur *m*, MERCOSUR *m*.

남반(南半) mitad *f* de la parte sur del territorio del país. ~부 parte *f* de la mitad de la región sur.

남반구(南半球) hemisferio *m* austral.

남발(濫發) emisión *f* excesiva. ~하다 emitir excesivamente. 지폐의 ~ emisión *f* excesiva de papel moneda [billete].

남방(南方) ① =남쪽. ② =남녘. [남쪽 지방] región *f* sur; [열대 지방] región *f* tropical. ~에 가다 ir a la región tropical. ④ ((준말))= 남방 셔츠. ¶~인 sureño, -ña *mf*.

남방 셔츠(南方一) camisa *f*.

남배우(男俳優) actor *m*.

남벌(濫伐) derribo *m* indistinto de los árboles, tala *f* excesiva; [산림의] despoblación *f* forestal, desmonte *m*. ~하다 cortar al tuntún, talar excesivamente; [산림의] desmontar, cortar los árboles, talar el monte, despoblar de árboles.

남복(男服) ① [남자의 옷] traje *m* para hombres. ② [여자가 남자의 옷을 입음] acción *f* de vestirse como un hombre.

남부(南部) parte *f* sur [meridional], sur *m*. ~의 sur, del sur, meridional.

남부끄럽다 (estar) avergonzado, vergonzoso, dar vergüenza.

남부끄럽잖다 (ser) honorable, respectable, decente, noble.

남부럽다 (ser) envidioso, lleno de envidia; envidiar. 남부럽잖다 no ser envidioso, nada envidiable; [살림이 넉넉하다] adinerado, acaudalado, rico.

남부 여대(男負女戴) hombre *m* cargado en la espalda y mujer en la cabeza. ~하다 caminar sin rumbo fijo como refugiados.

남북(南北) ① [남쪽과 북쪽] el norte y el sur; [남북 방향] dirección *f* norte-sur. ② [머리통의 앞과 뒤] la parte delantera y la trasera de la cabeza. ③ [한쪽이 툭 내민 부분] la parte saliente. ¶ ~ 공동 성명 Declaración *f* Conjunta Norte-Sur. ~ 교류 intercambio *m* intercoreano. ~ 대화 conversación *f* [dialogo *m*] norte-sur. ~ 통일 unificación *f* norte-sur.

남빛(藍-) añil *m*, índigo *m*, azul *m* denso.

남산 딸각발이(南山-) sabio *m* muy pobre.

남상(男相) cara *f* hombruna. ~을 지르다 tener la cara hombruna.

남상(男像) figura *f* masculina.

남상거리다 estirar el cuello con avidez.

남새 hierbas *fpl* comestibles cultivadas, verduras *fpl*. ~밭 huerto *m*, huerta *f*.

남색(男色) sodomía *f*. ~가 pederasta *m*, sodomita *m*, invertido *m*; ((속어)) marición *m*.

남색(藍色) =남빛.

남생이 ((동물)) tortuga *f*.

남서(南西) sudoeste *m*, suroeste *m*. ~풍 viento *m* del sudoeste.

남성(男性) ① [남자] hombre *m*, varón *m*, macho *m*. ② [명사의 성의 하나] género *m* masculino. ¶ ~관 vista *f* masculina. ~답다 (ser) viril, varonil. ~ 대명사 pronombre *m* masculino. ~ 명사 sustantivo *m* [nombre *m*] masculino. ~미(美)

belleza *f* masculina. ~용 uso *m* masculino; [부사적] para hombres. ~적 varonil, viril, masculino. ~ 질환 andropatía *f*. ~ 호르몬 hormón *m* andrógeno.

남성(男聲) voz *f* varonil [masculina]. ~ 고음 tenor *m*. ~ 사중창 cuarteto *m* masculino. ~ 성가대 coro *m* de voces masculinos, coro *m* masculino.

남십자성(南十字星) =남십자자리.

남십자자리(南十字-) Cruz del Sur.

남씨(南-) =남위(南緯).

남아(男兒) ① [남자 아이] hijo *m*, niño *m*. ② [대장부] héroe *m*, hombre *m* valiente. 진정한 대한의 ~ verdadero coreano.

남아메리카(南-) ((지명)) América *f* del Sur. ~ 사람 sudamericano, -na *mf*. ~ 공동 시장 Mercosur *m*, MERCOSUR *m*, Mercado *m* Común del Cono Sur.

남아메리카주(南-洲) Continente *m* de la América del Sur.

남아프리카(南-) ((지명)) el Africa *f* del Sur, la Sudáfrica. ~의 sudafricano. ~ 사람 sudafricano, -na *mf*.

남아프리카 공화국(南-共和國) ((지명)) la República de Sudáfrica, la República de Africa del Sur. ~ 사람 suafricano, -na *mf*.

남양(南洋) ((지명)) ① Mar *m* del Sur. ② Océano *m* Pacífico.

남용(濫用) ① [함부로 씀] mal uso *m*. ~하다 hacer mal uso; [공금을] malversar. ② [권리나 권한 따위를] 지나치게 행사함] abuso *m*. ~하다 abusar. 권력을 ~하다 abusar de *su* autoridad.

남우(男優) ((준말)) =남배우(男俳優).

남우세 vergüenza *f*, ignominia *f*, oprobio *m*. ~하다 deshonrar(se), humillarse.

남위(南緯) latitud *f* sur. ~선 línea *f* de la latitud sur.

남의나이 edad *f* después de sesenta años.

남의눈 vista de los otros, observación *f*, atención *f*. ~을 끄는 atractivo, que llama la atención. ~을 끄는 여인 mujer *f* muy atractiva. ~을 끄는 미녀 belleza *f* que llama la atención.

남의달 mes *m* siguiente aproximado como el mes de parto.

남의집살이 =고용살이.

남자(男子) hombre *m*, varón *m*; [남자다운 사내] hombre *m* varonil. ~의 masculino, varonil. 몸집이 작은 ~ hombrecillo *m*, hombre *m* pequeño. 몸집이 큰 ~ hombre *m* grande, hombrón *m*. 땅딸막한 ~ (hombre *m*) rechoncho *m*, retaco *m*. 키가 큰 ~ hombre *m* alto. 키

가 작은 ~ hombre *m* bajo. ~ 못지 않은 여자 mujer *f* varonil.

남자답다(男子一) ser) varonil, viril, masculino. 남자답게 varonilmente. 남자다운 성격 carácter *m* varonil. 남자다운 남자 verdadero hombre *m*, hombre *m* de verdad. 남자다운 얼굴 semblante *m* varonil. 남자답지 못하다 no ser varonil [viril]. 남자답게 행동해라 Pórtate como un hombre / Sé un hombre.

남작(男爵) barón *m*. ~ 부인 baronesa *f*.

남장(男裝) disfraz *f* de hombre. ~하다 disfrazarse [vestirse] de hombre. ~의 disfrazado de hombre. ~ 미인 bella mujer *f* disfrazada de hombre. ~ 여인 mujer *f* que se viste de hombre, mujer *f* en atavío de hombre.

남정(男丁) varón *m* que pasó quince años de edad. ~네 hombre *m*.

남정(南征) subyugación *f* sur. ~하다 subyugar el sur.

남존 여비(男尊女卑) predominio *m* del hombre sobre la mujer, superioridad *f* de los hombres sobre las mujeres.

남종(南宗) ① ((불교)) secta *f* (del) sur, una secta del budismo. ② ((준말)) =남종화(南宗畵).

남종화(南宗畵) pintura *f* china de sud-escuela.

남중(南中) ((천문)) culminación *f*. ~하다 culminar.

남진(南進) ① [남쪽으로 진출함] avance *m* hacia el sur. ~하다 avanzar hacia el sur, dirigirse hacia el sur. ② =남하(南下).

남짓 y pico. 한 달 ~ un mes y pico.

남짓하다 haber y pico, haber y tantos. 이 학급에는 남학생이 십명 ~ En esta clase hay diez y tantos [y picos] alumnos.

남쪽(南一) sur *m*, sud *m*, mediodía *m*. ~의 (del) sur, meridional, austral. ~에 en el sur. ~으로, 을 향하여 hacia el mediodía, al sur. 서울의 ~에 있다 estar al sur de Seúl. ¶ ~나라 país *m* sur.

남창(男唱) ① [여자가 부르는 노래, 또는 그 사람] canción *f* cantada por un mujer en voz masculina; [사람] mujer *f* que canta en voz masculina. ② [남자가 부르는 노래] canción *f* del hombre, canción *f* cantada por un hombre, canción *f* que canta el hombre.

남창(男娼) hombre *m* que se prostituye.

남창(南窓) ventana *f* que da al sur.

남천(南天) cielo *m* meridional.

남첩(男妾) amado *m*.

남청(藍靑) añil *m*. ~색 añil *m*.

남초(南草) ((식물)) tabaco *m*.

남촌(南村) aldea *f* (que está en el) sur.

남측(南側) =남쪽.

남치(南一) productos *mpl* de la región sur.

남치마(藍一) falda *f* del añil.

남침(南侵) invasión *f* al sur. ~하다 invadir al sur.

남탕(男湯) baño *m* para hombres.

남파(南派) envío *m* al sur. ~하다 enviar al sur.

남편(男便) marido *m*, esposo *m*. ~의 권리 derechos *mpl* matrimoniales. ~ 있는 몸 (mujer *f*) casada *f*. ~을 섬기다 ser obediente a *su* esposo.

남편(南便) parte *f* sur.

남포 [다이너마이트] dinamita *f*. ~질 acción *f* de dinamitar [de volar con dinamita]. ~질하다 dinamitar, volar con dinamita.

남포등(一燈) lámpara *f*, lámpara *f* de querosene.

남폿불 luz *f* de (la) lámpara.

남풍(南風) ① [남쪽에서 부는 바람] viento *m* del sur. ② [남쪽 나라의 세력] influencia *f* del país sur.

남풍(嵐風) ventisca *f*.

남하(南下) marcha *f* hacia el sur. ~하다 dirigirse [ir] al [hacia el] sur, marchar hacia el sur.

남학교(男學校) escuela *f* de niños.

남학생(男學生) alumno *m*, estudiante *m*.

남한(南韓) Corea del Sur, Sudcorea. ~의 surcoreano, sudcoreano. ~ 사람 surcoreano, -na *mf*; sudcoreano, -na *mf*.

남해(南海) mar *m* (del) sur; [열대의] mar *m* tropical.

남해안(南海岸) costa *f* (del) sur.

남행(南行) ida *f* hacia el sur. ~하다 ir hacia el sur. ~ 열차 tren *m* hacia el sur.

남향(南向) ① [남쪽을 향함] mirada *f* al sur. ~의 hacia el sur, con vista al sur. ~한 집 casa *f* que da al sur. 집이 ~하고 있다 La casa da [mira] al sur. ~[남쪽 방향] dirección *f* sur. ¶ ~집 casa *f* hacia el sur, casa *f* que da [mira] al sur.

남화(南畵) ((준말)) =남종화(南宗畵).

남회귀선(南回歸線) trópico *m* de Capricornio.

남획(濫獲) [수렵의] caza *f* excesiva; [물고기의] pesca *f* excesiva. ~하다 cazar excesivamente, cazar en demasía, pescar excesivamente.

납 ① ((화학)) plomo *m*. ② ((준말)) =땜납. ¶ ~중독 ㉮ intoxicación *f* por plomo. ㉯ ((의학)) saturnismo *m*.

납(蠟) ((화학)) cera *f*. ~을 먹이다

encerar. ¶~공 obra *f* de cera. ~
공물 objeto *m* de cera.

납거미 ((동물)) araña *f*.

납골(納骨) acción *f* de poner las
cenizas en el osario. ~당 osario
m; [가족의] cripta *f* familiar; [교
회·묘지의 지하 납골소] cripta *f*.
~ 항아리 urna *f*.

납관(納棺) metedura *f* del cadáver
en el ataúd. ~하다 meter en el cadáver en el ataúd.

납금(納金) pago *m*; [바치는 돈] dinero *m* pagado. ~하다 pagar,
abonar.

납기(納期) tiempo *m* de paga, fecha
f de entrega.

납덩이 bulto *m* de plomo, lingote *m*
de plomo. ~같다 ㉮ [얼굴이]
estar pálido. ㉯ [몹시 피로하여]
ser tan pesado como plomo. ㉰
[어떤 분위기가] ser oscuro.

납득(納得) entendimiento *m*, convencimiento *m*, convicción *f*. ~하다
entender, consentir. ~시키다 convencer, persuadir, hacer entender.

납땜 soldadura *f*, peltre *m*. ~하다
soldar, estañar, religar. ~인두
soldador *m*. ~질 soldadura *f*. ~질
하다 soldar.

납량(納凉) goce *m* de la brisa fresca. ~하다 tomar el fresco, disfrutar del aire fresco.

납본(納本) presentación *f* de un
ejemplar de cada libro editado a
las autoridades. ~하다 presentar
un ejemplar de cada libro editado
a las autoridades.

납부(納付) pago *m*. ~하다 pagar. ~
금 dinero *m* pagado. ~ 기한 plazo *m* de pago. ~서 declaración *f*
de pago. ~액 cantidad *f* de pago.

납북(拉北) secuestro *m* [rapto *m*] al
norte. ~하다 secuestrar [raptar]
al norte. ~되다 ser secuestrado
[raptado] al norte. ¶~어선 barco *m* pesquero secuestrado a
Corea del Norte. ~ 어부 pescador
m secuestrado a Corea del Norte.
~ 인사 persona *f* secuestrada a
Corea del Norte.

납빛 color *m* plomizo. ~의 plomizo.

납석(蠟石) ((광물)) talco *m*.

납세(納稅) paga *f* de impuestos [de
contribución]. ~하다 pagar impuestos [contribución], contribuir.
~ 고지(서) aviso *m* [notificación
f] de contribución. ~ 기일 fecha *f*
de pagar contribución. ~ 대장
lista *f* de contribuyentes. ~ 신고
(서) declaración *f* de la renta. ~
신고를 하다 hacer la declaración
de la renta. ~액 cantidad *f* de
contribución. ~ 의무 obligación *f*
de impuestos. ~ 의무자 deudor,
-dora *mf* fiscal. ~자 contribuyen-

te *mf*.

납신거리다 decir con mucha palabrería [labia], charlar, parlotear,
chacharear.

납인형(蠟人形) muñeca *f* de cera.

납입(納入) pago *m*, entrega *f*. ~하다
pagar. A에 B를 ~하다 entregar B
de A, abastecer [proveer·surtir]
a A de B. ¶~ 고지 aviso *m* de
pago. ~ 고지서 notificación *f* de
impuestos. ~금 impuesto *m* pagado. ~액 importe *m* [monto *m*]
pagado.

납작[얇게 넓은 모양] planamente.
~한 얼굴 cara *f* plana.

납작[2] ① [입을 재빨리 딱 벌렸다가
닫는 모양] con *su* boca muy
abierta. ~ 받아먹다 tragarse [en-
gullirse] con *su* boca muy abierta.
② [몸을 냉큼 바닥에 바짝 대고 엎
드려 뻗치는 모양] planamente, llanamente, bajo. ~ 엎드리다 acostarse [tumbarse] plano.

납작감 caqui *m* redondo y plano.

납작보리 cebada *f* prensada.

납작코 nariz *f* chata, narices *fpl*
remachadas.

납작하다 (ser) llano, liso, plano, raso, chato. 납작하게 하다 aplastar;
[이론 따위로] anonadar. 코가 ~
ser chato, tener una nariz chata
[aplastada].

납작해지다 hundirse [derrumbarse·
desplomarse] (completamente).

납중독(一中毒) ① intoxicación *f* por
plomo. ② ((의학)) aturnismo *m*,
plumbismo *m*.

납지(蠟紙) papel *m* parafinado, papel
m de cera.

납지(蠟紙) ~은종이=은종이(papel de plata).

납촉(蠟燭) vela *f*, candela *f*; [교회의]
cirio *m*.

납치(拉致) secuestro *m*, plagio *m*,
rapto *m*. ~하다 secuestrar, raptar,
plagiar. ~되다 (ser) plagiado, secuestrado, raptado. 비행기를 ~하
다 secuestrar un avión. ¶~범
secuestrador, -dora *mf*.

납품(納品) entrega *f* (de mercancías).
~하다 entregar. ~한 물건 artícu-
los *mpl* entregados. ¶~서 recibo
m de expedición.

낫 hoz *f*, siega *f*; [자루가 긴] dalle
m, guadaña *f*; [풀 베는 큰] machete *m*. ~으로 베다 segar con
un hoz.

낫다[1] ① ㉮ [환자가] recuperarse,
restablecerse, curarse, recobrar
[recuperar] la salud. ㉯ ㄱ) [병이]
curarse, sanar. ㄴ) [상처가] curarse, cicatrizarse. ㄷ) [치료되다] ser
curable. 나을 수 없는 incurable. 나
을 수 있는 curable. ② [괴로움이]
mitigarse. 통증이 ~ mitigarse el
dolor.

낫다² [질이나 수준 따위의 정도가] ser mejor, superar, ser superior. 훨씬 ~ superar en [con] mucho. 성능이 ~ ser superior en calidad.

낫우다 hacer sanar de la enfermedad.

낫질 acción *f* de segar con hoz. ~하다 segar con hoz, guadañar.

낫표(-標) comillas *fpl* coreanas.

낭군(郎君) ① [자기 남편] mi marido, mi esposo. ② [(높임말)] su hijo. ③ = 귀공자(貴公子).

낭독(朗讀) lectura *f* en voz alta, recitación *f*; [배우가] declamación *f*. ~하다 leer *algo* en voz alta, recitar; declamar. ~법 (arte *m* de) recitación *f*, declamación *f*, elocución *f*. ~ 연설 discurso *m* leído. ~자 lector, -tora *mf*; recitador, -dora *mf*.

낭떠러지 precipicio *m*, despeñadero *m*, barranco *m*, acantilado *m*, peñasco *m*.

낭랑하다(浪浪-) ① [정처없이 떠돌 아다니다] vagabundear, vagamundear. ② [눈물이 흐르다] derramarse las lágrimas. ③ [비가 계속 내리다] continuar [seguir] lloviendo, llover continuamente.

낭랑하다(朗─-) ① [(빛이) 매우 밝다] (ser) muy claro. ② [(소리가) 맑고 또랑또랑하다] (ser) sonoro, resonante. 낭랑한 목소리로 읽다 leer in [con] una voz sonora [resonante].

낭만(浪漫) lo romántico. ~화하다 hacer romántico. ¶~적 romántico. ~적으로 románticamente. ~주의 romanticismo *m*. ~주의자 romántico, -ca *mf*.

낭보(朗報) noticia *f* alegre, buenas noticias *fpl*.

낭비(浪費) derroche *m*, gasto *m* inútil, despilfarro *m*, desperdicio *m*. ~하다 [돈·전력을] derrochar, despilfarrar; [음식을] tirar, desaprovechar, desperdiciar; [재능·능력을] desperdiciar, malgastar; [시간을] perder. 돈[시간]의 ~ despilfarro *m* de dinero [tiempo]. ¶~벽 vicio *m* malgastador. ~자 malgastador, -dora *mf*; derrochador, -dora *mf*.

낭설(浪說) rumor *m* falso. ~을 퍼뜨 리다 circular [correr] el rumor falso.

낭송(朗誦) = 낭독(朗讀).

낭인(浪人) vagabundo, -da *mf* sin trabajo; desocupado, -da *mf*.

낭자 moño *m*, Méj chongo *m*.

낭자(郎子) soltero *m*.

낭자(娘子) ① [처녀] soltera *f*. ② [(높임말)] (mujer *f*) joven *f*. ③ [어머니] madre *f*. ④ [아내] esposa *f*, mujer *f*.

낭자(浪子) ① = 낭인(浪人). ② [방황 하는 자식] hijo *m* vagante.

낭자(狼藉) ① [함부로 흩어져 있음] desorden *m*, confusión *f*, caos *m*. ~하다 (estar) desordenado, en desorden. ② [왁자하고 요란함] alboroto *m*, mucho ruido. ~하다 hacer mucho ruido.

낭자(囊子) [(식물)] asca *f*.

낭종(囊腫) [(의학)] quiste *m*.

낭중(囊中) interior *m* del bolsillo, *su* bolsillo. ~ 무일푼이다 estar sin un céntimo.

낭창거리다 ser maleable [flexible], encorvarse, curvarse, doblarse.

낭패(狼狽) fracaso *m*, frustración *f*, derrota *f*, preocupación *f*, inquietud *f*, confusión *f*, turbación *f*. ~하다 molestarse, preocuparse, perder la cabeza, confundirse, consternarse, turbarse, quedarse desconcertado; [상태] estar confuso.

낭포(囊胞) vesícula *f*.

낭하(廊下) ① = 행랑(行廊). ② [복도] corredor *m*, pasillo *m*, pasadizo *m*; [회랑] galería *f*. ~를 따라가 다 ir a lo largo de corredor.

낮 ① [해가 뜰 때부터 질 때까지] día *m*; [정오(쯤)] mediodía *m*. ~ 에 al día, al mediodía. ~동안 durante el día, de día. ~쯤에 hacia el mediodía. ~이나 밤이나 día y noche, de día y de noche. ~에 일하다 trabajar durante el día. ② [(준말)] = 한낮.

낮거리 coito *m* diurno.

낮교대(-交代) turno *m* diurno [del día].

낮다 ① [위아래의 길이가 짧다] (ser) bajo. 낮은 산 montaña *f* baja, monte *m* bajo. ② [(소리·압력· 강도 따위가) 약하다] (ser) débil, bajo. 낮은 목소리로 bajo, en voz baja. ③ ⑦ [질이] (ser) inferior. ④ [값이나 삯 따위가] (ser) poco. ④ [습도·온도 따위가] (ser) bajo.

낮도깨비 ① [낮에 나타난 도깨비] fantasma *m* embrujado a plena luz del día. ② [체면 없이 난잡한 짓을 하는 사람] bastardo, -da *mf* sinvergüenza.

낮도둑 ① [낮에 남의 물건을 훔치는 도둑] ladrón *m* diurno [del día]. ② [제 욕심만 채우는 사람] explotador, -dora *mf*, persona *f* glotona.

낮때 pleno día *m*, mediodía *m*. ~쪽 (에) hacia el mediodía.

낮말 palabra *f* (que se dice) de día. 낮말은 새가 듣고 밤말은 쥐가 듣 는다 ((속담)) Las paredes tienen ojos [oídos] / Las paredes oyen.

낮별 sol *m* del día.

낮술 ① [낮에 마시는 술] vino *m* que se bebe de día. ② [낮에 파는 술] vino *m* que se vende de día.

낮은음자리표(一音一標) clave *f* de fa.

낮일 trabajo *m* diurno [del día]. ~하 다 trabajar de día.

낮잠 siesta *f*, sueño *m* de la tarde. ~을 자다 dormir una siesta, tomar la siesta, sestear, echar(se) siesta, hacer siesta.

낮참(一站) merienda *f*. ~을 먹다 merendar, tomar la merienda.

낮추 bajo, abajo. ~보다 despreciar.

낮추다 ① [낮게 하다] bajar. 라디오 볼륨을 낮추어라 Baja la radio. ② [남을 깎아내리거나 헐다] despreciar, menospreciar. ③ [(「말씀」 「말」 따위와 함께 쓰이어) 「해라」 「하게」 따위의 말을 쓰다] tutear. 말씀을 낮추게 하시오 Tutéame.

낯 ① [안면] cara *f*, rostro *m*. ~ 모르는 사람 extranjero, -ra *mf*; forastero, -ra *mf*. ~을 씻다 lavarse la cara. ~을 씻기다 lavar la mano. ② [체면. 면목] dignidad *f*, honor *m*. 그 사람을 볼 ~이 없다 No puedo verme en su presencia / Tengo vergüenza de verle.

낯가림 acobardamiento *m* de los niños ante un desconocido. ~하다 acobardarse ante un desconocido.

낯가죽 cutis *f* [piel *f*] de la cara. ~ 이 두껍다 tener sinvergüenza, (ser) descarado, desvergonzado, impudente, sin vergüenza, fresco. ~이 두꺼운 남자 hombre *m* descarado.

낯빛 ① [얼굴색] complexión *f*, color *m*. ② [표정] semblante *m*, rostro *m*, cara *f*. 절망적인 ~으로 con cara desesperada [de desesperación]. ~ 을 변하다 desmudarse el aspecto del rostro, ponerse rojo la cara. ~ 이 변하다 desmudarse el rostro, ponerse pálido.

낯짝 ((속어)) =낯.

날 pieza *f*, pedazo *m*, unidad *f*.

낱값 =단가(單價).

낱개(一箇) pieza *f*, unidad *f*. ~로 uno a uno, uno a una; uno por uno, una por una; separadamente, al granel, en pieza suelta. ~로 팔 다 vender por pieza.

낱개비 una pieza de madera.

낱권(一卷) cada tomo.

낱낱 uno a uno, uno por uno. ~이 uno a uno, uno por uno, separadamente.

낱돈 (dinero *m*) suelto *m*, *AmL* sencillo *m*, *Méj* feria *f*.

낱말[1] [따로따로의 한 말] una palabra, un vocabulario.

낱말[2] [언어의 최소 단위] palabra *f*, vocabulario *f*.

낱알 cada grano.

낱장(一帳) una hoja (de papel), una copia (de fotografía).

낱흥정 transacción *f* uno a uno.

낳다[1] ① [뱃속의 아이나 새끼를] parir, alumbrar, dar a luz; [동물이] parir, engendrar, echar al mundo; [알을] poner huevos, aovar. 사내 아이를 ~ dar a luz un niño. ② [(어떤 결과를)] 11이루다] producir, dar. 걸작을 ~ producir una obra maestra.

낳다[2] ① [실을 만들다] hilar. ② [피 륙을 짜다] tejer, entretejer.

내[1] ① [불에 탈 때의] humo *m*.

내[2] [(준말)] =냄새(olor).

내[3] [물이 흘러가는 길] arroyo *m*, río *m*. ~를 건너다 cruzar [atravesar] el río.

내[4] ① [제일인칭 대명사 「나」의 특수형] yo. ~가 널 돕겠다 Yo te ayudaré. ② [(준말)] =나의. ¶~ 책 mi libro. ~ 사랑하는 아내 mi querida esposa. 내 돈 서 푼이 남 의 돈 칠백 냥보다 낫다 ((속담)) Más vale pájaro en mano que cien(to) [que buitre] volando. 내 밥 먹은 개가 발 뒤축을 문다 ((속 담)) Cría cuervos y te sacarán los ojos.

내(內) interior *m*; [부사적] en, dentro (de). 1주일 ~에 dentro de una semana.

내-(來) que viene, próximo, entrante, que entra, próximo. ~년 año *m* próximo [que viene].

-내 [처음부터 끝까지. 그 동안 죽 내 처] todo, de principio a fin. 일년~ todo el año.

내가다 sacar. 금고의 돈을 ~ sacar el dinero de la caja fuerte.

내각(內角) ángulo *m* interno.

내각(內閣) gabinete *m*, ministerio *m*, consejo *m* de ministros; [정부] gobierno *m*. ~의 경질 cambio *m* del gabinete. ¶~ 각료 miembros *mpl* del gabinete. ~ 경질 cambio *m* ministerial [del gabinete], cambio *m* del Ministerio. ~ 불신임안 moción *f* de censura contra el gabinete. ~ 수반 jefe, -fa *mf* del gabinete; primer ministro *m*, primera ministra *f*, *Esp* presidente *m* del Gobierno. ~ 책임제 gobierno *m* parlamentario.

내갈기다 ① [힘껏 갈기다] pegar, golpear, dar un golpe. 뺨을 ~ darle [pegarle] una bofetada, abofetear, pegarle en la cara. ② [글 씨를] garabatear, hacer garabatos; [글을 쓰다] escribir corriendo.

내강(內剛) voluntad *f* fuerte, fuerza *f* interior. ~하다 (estar) resuelto, decidido, tenaz.

내객(來客) visitante *mf*; visitador, -dora *mf*; [집합적] visita *f*. ~이 있다 tener una visita.

내걸다 poner, colocar, llevar. 간판을 ~ poner [colocar] un letrero. 플래

카드를 ~ llevar una pancarta.

내경(內徑) diámetro *m* interno. ~ 측정기 calibrador *m*.

내골격(內骨格) endoesqueleto *m*.

내공(內攻) ((의학)) retrocesión *f*, retroceso *m*. ~하다 retroceder.

내공(耐空) resistencia *f* en vuelo, aeronavegabilidad *f*. ~하다 hacer un vuelo de resistencia. ~ 비행 vuelo *m* de resistencia. ~성 aeronavegabilidad *f*. ~ 시간 duración *f* de vuelo.

내과(內科) tratamiento *m* interno, medicina *f* interna [general]. ~ 병동 sala *f* médica. ~ 병원 hospital *m*. ~의(醫) internista *mf*, médico, -ca *mf*; físico, -ca *mf*. ~ 의원 hospital *m*. ~ 질환 enfermedad *f* interna. ~ 치료 tratamiento interno. ~학 medicina *f* interna. ~ 환자 caso *m* médico.

내과피(內果皮) endocarpio *m*.

내관(內官) ① =내시. ② =고자.

내관(內棺) =관(棺).

내관(內觀) ① ((심리)) introspección *f*, examen *m* de conciencia, introversión *f*. ~하다 mirar lo interior de alguna cosa, hacer examen de conciencia. ② ((불교)) contemplación *f* [meditación *f*] interna.

내관(來觀) visita *f*, inspección *f*. ~하다 visitar, inspeccionar.

내구(來寇) invasión *f*. ~하다 invadir.

내구(耐久) ¶~의 duradero, durable, perdurable. ~ 경기 marcha *f* con equipo, marcha *f* deportiva. ~력 durabilidad *f*, (fuerza *f* de) resistencia *f*, duración *f*; [영구] permanencia *f*. ~력이 있는 duradero, durable, resistente. ~ 생산재 bienes *mpl* de producción duraderos. ~성 durabilidad *f*, duración *f*, (fuerza *f* de) resistencia *f*. ~ 소비재 bienes *mpl* de consumo duraderos. ~ 시험 prueba *f* de resistencia. ~재 bienes *mpl* duraderos.

내국(內國) interior *m* del país. ~ 공채 bono *m* interno, empréstito *m* interior [nacional]. ~ 무역 comercio *m* interior. ~법 ley *f* nacional, ley *f* civil. ~산 productos *mpl* nacionales. ~세 impuesto *m* interno. ~ 시장 mercado *m* doméstico. ~인 nacional *mf*. ~채 deuda *f* interna. ~ 항로 línea *f* nacional. ~ 환 giro *m* del país.

내굽다 doblar fuera, flexionar fuera. 팔이 들이굽지 내굽지 않는다 La sangre tira / Los lazos familiares son fuertes.

내규(內規) reglamento *m* interno, regla *f* privada.

내근(內勤) servicio *m* interior (de oficina). ~하다 trabajar dentro;

[의사·간호사가] estar de turno, estar de guardia; [경찰관·소방대원이] estar de servicio.

내기 apuesta *f*, juego *m*. ~하다 apostar, hacer apuesta, jugar. ~에 이기다 ganar una apuesta. ~에 지다 perder una apuesta.

-내기 ① [고장 사람] habitante *mf* del región. 서울 ~ seulense *mf*. ② [그 정도의 사람] tal persona *f*. 풋~ novato, -ra *mf*.

내깔기다 descargar con energía. 오줌을 ~ orinar.

내남없이 todo el mundo, todos. 그것은 ~ 다 아는 사실이다 Es una verdad conocida a todo el mundo.

내내 todo, por todo el tiempo, siempre, desde el principio hasta el fin, entero, durante.

내내년(來來年) año *m* después del próximo, dos años después.

내내 세세(來來世世) otra vida *f* después de la otra.

내내월(來來月) mes *m* después del próximo, dos meses después.

내년(來年) año *m* próximo [que viene], próximo año *m*.

내놓다 ① [밖으로 꺼내어 놓다] sacar, echar fuera, expulsar; [노출하다] exponer. ② ㉮ [숨겨진 것을] drerelar*, revelar, poner al descubierto, sacar a la luz. ㉯ [(작품이나 저술 따위를) 발표하다] publicar. ③ [(물건을) 팔거나 세를 주려고] venderse,* estar en venta, poner *algo* en venta [a la venta]. ④ [가지고 있던 것을] entregar, dar. ⑤ [일부를 제외하다] excluir, exceptuar, omitir. ⑥ [목숨·재산 따위를] abandonar, dejar, dimitir, renunciar, presentar *su* dimisión [*su* renuncia]. 가족을 위해 목숨을 ~ sacrificar *su* vida por *su* familia. ⑦ [제출하다] presentar. ⑧ [음식을 제공하다] servir, ofrecer. ⑨ [기부하다] donar, contribuir; [투자하다] invertir. 자금을 ~ invertir el fondo. ⑩ [짐승을 우리 에서] dejar salir, soltar.

내다¹ [연기나 불길이 아궁이로 되돌아 나오다] humear, echar humo.

내다² ① ㉮ [안에 있는 것을 밖으로] exponer. 화분을 밖으로 ~ exponer fuera la maceta. ㉯ [(비료 같은 것을) 밭으로 옮겨 가거나 밭에 주다] abonar, fertilizar. 밭에 거름을 ~ abonar el campo. ② [밖으로 나오게 하다] distinguir. 이름을 ~ distinguirse, destacarse. ③ [틈을 만들다] dedicar. 시간을 ~ dedicar tiempo. ④ [발차·출발시키다] tener un servicio. 임시 열차를 ~ tener un servicio del tren especial. ⑤ [(서류나 제물 따위를) 제출하거나 바치다] presentar, pagar; [청산

하다] liquidar, saldar; [투자하다] invertir; [물자를 공급하다] suministrar, proveer. 성금을 ~ contribuir (una donación. 세금을 ~ pagar un impuesto. ⑥ [길을 새로 만들다] abrir. ⑦ [새로 더하다] adicionar, añadir. 속력을 ~ acelerarse. ⑧ [일어나게 하다] emitir, hacer. 소리를 ~ hacer un ruido.

내다³ ① [곡식을 팔다] vender. 쌀을 ~ vender el arroz. ② [남을 대접하려고 제공하다] servir. 한 잔 ~ servir una copa. ③ [모를 옮겨 심다] transplantar. ④ [빚을] 얻다] conseguir, obtener. ⑤ [책·신문 따위를] 간행하다] publicar, tirar. ⑥ [살림·영업 따위를 새로 차리다] abrir, tener, poner. ⑦ [가지다] tener. 2인의 우승자를 ~ tener dos campeones. ⑧ [사고를] haber. ⑨ [방사하다] emitir.

내다보다 ① [밖을] mirar. 차창에서 밖을 ~ mirar por la ventana. ② [예측하다] prever.

내다보이다 ① [밖에 있는 것이 안에서 보이다] mirarse. ② [안이] verse. ③ [예견되다] preverse.

내닫다 entrar como una flecha, salir como una flecha, salir corriendo.

내달(來─) mes *m* próximo [que viene], próximo mes *m*. ~ 1일 el 1 del mes que viene.

내달리다 salir corriendo.

내담(內談) cuento *m* secreto, conversación *f* privada, conferencia *f* privada. ~하다 contar [hablar] secretamente [en secreto].

내담(來談) entrevista *f*. ~하다 entrevistar.

내대다 hacer*le* el vacío, tratar fríamente.

내던지다 arrojar, echar, lanzar, dar, entregar, [사표를 내다] renunciar, presentar la dimisión, [바치다] ofrender, consagrar; [희생하다] sacrificar. 생명을 ~ dar [entregar] la vida. 짐을 땅에 ~ arrojar el equipaje al suelo.

내돋다 aparecer, salir.

내돌리다 pasar [repartir·distribuir] sin la debida atención.

내동댕이치다 arrojar. 땅에 ~ arrojar al [contra el] suelo.

내두르다 ① [이리저리 휘두르다] blandir, balancear. 단도를 ~ blandir la daga. 팔을 ~ balancear los brazos. ② [남을 움직이게 하다] controlar, gobernar, reinar, llevar, conducir, guiar.

내둘리다¹ [정신이 아찔하여 어지러워지다] estar mareado.

내둘리다² [내두름을 당하다] ser controlado.

내디디다 ① [발을] dar un paso adelante, partir. ② [착수하다]

comenzar, empezar, dar un paso.

내딛다 ((준말)) =내디디다.

내뚫다 aguijerear, perforar.

내뛰다 saltar a todas *sus* fuerzas hacia adelante.

내뜨리다 tirar, *Méj* aventar.

내락(內諾) consentimiento *m* privado. ~하다 consentir privadamente, dar consentimiento privado. ~을 얻다 recibir [obtener] un consentimiento oficioso.

내란(內亂) [내전] guerra *f* civil; [반란] rebelión *f*, sublevación *f*. ~을 모 conspiración *f* de una rebelión. ~죄 rebelión *f*, traición *f*.

내려- ☞내리다²

내려가다 ☞내리다²

내려앉다 ☞내리다²

내려오다 ☞내리다²

내력(來歷) [유래] historia *f* (pasada), vida *f* pasada, cuento *m*; [기원] origen *m*, procedencia *f*.

내력(耐力) límite *m* aparente de elasticidad, límite *m* de deformación.

내륙(內陸) interior *m*. ~의 interior. ~국 país *m* interior. ~권 círculo *m* interior. ~ 지방 región *f* interior, zona *f* del interior. ~ 평야 llanura *f* interior.

내리 ① [위에서 아래로 향하여] (hacia・para) abajo. ② [줄곧. 계속해서] a través, continuamente, enteramente, sin cesar, siempre, de principio a fin. ~ 일하다 estar trabajando todo el tiempo.

내리갈기다 azotar, dar un golpe.

내리긋다 trazar una línea vertical.

내리까다 dar un golpe fuerte.

내리깎다 ① [값을 사정없이 깎아 내리다] rebajar el precio al azar. ② [남의 인격이나 체면·능력 등을 마구 떨어뜨리다] menospreciar.

내리깔기다 orinar arriba y abajo.

내리깔다 ① [시선을 아래로 보내다] mirar hacia abajo, bajar los ojos. ② [자리를 아래쪽에 깔다] extender la estera abajo.

내리꽂다 ① [위에서 아래로 힘차게 꽂거나 박다] clavar fuete. ② [새나 비행기 따위가 급강하하다] descender en picado.

내리누르다 ① [위에서 아래로 힘을 주어 누르다] prensar, presionar. ② [아랫사람을] oprimir, obligar, forzar.

내리다¹ ① [탈것에서] apearse, bajar(se). 3층에서 ~ bajar del piso. 버스[차]에서 ~ bajar de un autobús [de un coche]. 여기서 내립니다 [버스에서] ¡Bajan! / [택시에서] Me bajo aquí / Aquí estamos (다 왔습니다). ② [낮은 데로 옮아가거나 옮아았다] (hacer) descender, bajar, aterrizar. 비행기

가 ~ aterrizar el avión. ③ [비가] llover; [눈이] nevar. ④ [값이 떨어지다] bajar. ⑤ [온도가 낮아지다] bajar. ⑥ [살이 빠지다] enflaquecer(se), ponerse flaco. ⑦ [소화되다] digerirse. ⑧ [부었던 살이 가라앉다] mitigarse, calmarse. ⑨ [신이 몸에 접하다] estar endemoniado, estar poseído (por). ⑩ [뿌리가 땅에 박히다] echarse.

내리다² ① [(명령·지시·법령 따위를) 주다] dar, pronunciar, publicar, dictar. 명령을 ~ dar una orden. 판결을 ~ pronunciar la sentencia. ② [(벌이나 상 따위를) 아랫사람에게 주다] dar, entregar, otorgar, conceder. 상을 ~ entregar el premio. 벌을 ~ castigar, imponer [aplicar] un castigo. ③ [높은 데서 낮은 데로] bajar, rebajar, descontar, hacer bajar, depositar, poner abajo, desembarcar; [착륙하다] aterrizar. [앞을 가로막아 닫다] colgar, suspender. ⑤ [결론을 짓다] dar. ⑥ [소화하다. 삭이다] digerir. ⑦ [뿌리를 땅에 박다] echar raíces, arraigar. ¶ 내려가다 ㉮ [높은 데서 낮은 데로] bajar, descender, ir abajo. 강을 ~ ir río abajo, bajar el río. 계단을 ~ bajar la escalera. ㉯ [서울에서 지방에 가다] ir al campo. ㉰ [값이 떨어지다] bajar. ㉱ [온도가 떨어지다] bajar. ㉲ [먹은 음식이 잘 소화되다] degerir bien. ㉳ [아래쪽으로 옮겨가다] ser bajado de categoría; ((군사)) ser degradado. 내려갈기다 azotar. 내려긋다 trazar una línea vertical. 내려깔기다 orinar. 내려붙다 내려다보다 [높은 곳에서] mirar desde lo alto. ㉯ [남을 낮추어 보다] menospreciar, mirar por encima del hombro, mirar por abajo. 내려디디다 dar un paso. 내려뜨리다 dejar caer, tirar. 내려비치다 brillar. ㉯ dar un paso abajo. 내려쏟다 [액체·시멘트를] verter, echar; [쌀·가루를] echar. 내려쏟아지다 verterse, echarse, tirarse. 내려쓰다 llevar *algo* calado. 내려앉다 ㉮ [아래로 내려 앉다] bajar, sentarse al asiento más bajo; [비행기가] aterrizar, caer (사고로). ㉯ [낮은 자리 위에 앉다] bajar de categoría. ㉰ [건물·다리·산(山) 같은 것이 무너지다] derrumbarse, desmorongarse, desplomarse; [지붕·천정이] caerse, hundirse, venirse abajo, desplomarse. 내려오다 ㉮ [높은 데서 낮은 데로 향해 오다] bajar, descender. 산을 (山) ~ descender de [bajar (de)] la montaña. ㉯ [서울에서 시골로 떠나 오다] venir al campo, partir para el campo, salir

de Seúl al campo. ㉰ [긴 세월이 지나 오늘날까지 전해 오다] ser transmitido. 아버지로부터 아들에게 내려온 기술 arte *m* transmitido de padre a hijo. ㉱ [계통을 따라서 아래로 전해 오다] ser dado, ser mandado. 내려제기다 partir hacia abajo. 내려쫓다 ㉮ [높은 데서 낮은 데로 향해 쫓다] perseguir hacia abajo. ㉯ [서울에서 시골로 쫓다] perseguir hasta hacer abandonar la ciudad. 내려찍다 ㉮ [날붙이로] cortar hacia abajo. 도끼로 나무를 ~ cortar la madera con el hacha. ㉯ [사진을] sacar una fotografía arriba y abajo. 내려치다 ㉮ [아래로 향하여 단단한 바닥에 부딪게 하라] dar un golpe, golpear. 주먹으로 책상을 ~ dar un golpe en la mesa con el puño. 내려티다² ㉮ [금이나 줄을] dibujar hacia abajo. ㉯ [그물 따위를] tender las redes en el río abajo. ㉰ [셈·값을 합부로 내려 따지다] rebajar el precio a azar.

내리닫다 correr abajo.
내리닫이¹ [어린아이의 옷의 한 가지] túnica *f* [bata *f*] de los niños con una rendija de atrás.
내리닫이² ((건축)) ventana *f* de guillotina.
내리막 ① [내려가는 길이나 땅의 바닥] declive *m*, cuesta *f* descendente, cuesta *f* abajo. ② [사물의 한창 때가 지나 쇠퇴해 가는 판] declive *m*, decadencia *f*, bajada *f*, declinación *f*.
내리막길 camino *m* en bajada, cuesta *f* abajo.
내리받이 =내리막.
내리비추다 iluminar arriba abajo.
내리비치다 brillar arriba abajo.
내리사랑 amor *m* del mayor hacia los miembros jóvenes de una familia.
내리쏟다 vertir [echar] arriba abajo.
내리쓰다 escribir arriba abajo.
내리외다 seguir [continuar] aprendiendo de memoria.
내리읽다 ① [위에서 아랫쪽으로 글을 읽다] leer arriba abajo. ② [쉬지 않고 처음부터 끝까지 글을 다] seguir leyendo todo de principio a fin.
내리쬐다 arder, quemar, abrasar. 내리쬐는 태양 sol *m* ardiente, sol *m* abrasador.
내리찍다 ① [칼·도끼 따위로] cortar hacia abajo (con el hacha o con el cuchillo). 도끼로 장작을 ~ cortar las leñas con el hacha. ② [카메라로] sacar [hacer·tomar] una fotografía hacia abajo de lo alto.
내리치다 ① [아래로 향하여] dar

golpes hacia abajo. 머리를 ~ dar golpes en la cabeza. ② [비바람이 나 번개 따위가] bajar fuerte, venir fuerte. 번개가 ~ tronar fuerte.

내리퍼붓다 ① [비·눈 같은 것이 계속하여 마구 오다] ㉮ [비가] seguir [continuar] lloviendo a cántaros, diluviar, llover torrencialmente. ㉯ [눈이] seguir [continuar] nevando. ② [물 같은 것을] seguir echando (el agua).

내림 =내력(來歷).

내림² ((건축)) [정면] fachada *f*; [앞쪽에서 뒤쪽까지에 대해] ancho *m*, anchura *f*.

내림(來臨) su visita. ~하다 visitar.

내림대 varilla *f* usada por la hechicera.

내림세(-勢) tendencia *f* a la baja.

내림차(-次) ((수학)) series *fpl* descendentes.

내립떠보다 echar una mirada [una ojeada·un vistazo].

내막(內幕) condición *f* real, estado *m* real, hecho *m* interno, realidad *f* íntima, verdad *f*, circunstancias *fpl* privadas, secreto *m*, informes *mpl* confidenciales. 정계의 ~ mundo *m* político entre bastidores. ~을 조사하다 investigar los secretos. ~을 폭로하다 descubrir [revelar] los secretos [lo oculto].

내막(內膜) ① ((해부)) membrana *f* de forro. ② ((식물)) intina *f*, endospora *f*.

내맡기다 dejar, encomendar*le*, confiar*le*, confiar el cuidado. 자식놈을 ~ encomendar a *su* hijo, confiar el cuidado de *su* hijo.

내면(內面) lo [el] interior, lo [el] íntimo, parte *f* interior, fondo *m*, aspecto *m* interior. ~의 interior, interno, íntimo. 사회의 ~ aspecto *m* interno de la sociedad. 인간의 ~ fondo *m* [lo íntimo] de un ser humano.

내명(內命) orden *f* secreta.

내명년(來明年) el año después del próximo (año).

내몰다 expulsar, hacer salir, obligar a salir, echar. 집에서 ~ echar de casa.

내몰리다 ser expulsado.

내무(內務) ① [나라 안의 정무] negocios *mpl* interiores, asuntos *mpl* interiores. ② [어떤 기관에서의 내부의 사무] asuntos *mpl* interiores. ③ ((준말)) =내무 행정. ④ ((준말)) =내무부 장관. ~반 cuarteles *mpl*. ~부 Ministerio *m* del Interior [de Asuntos Interiores], *Méj* Secretaría *f* del Interior. ~부 장관 ministro, -tra *mf* del Interior [de Asuntos Interiores]. ~ 행정 administración *f* de asuntos inte-

riores.

내밀(內密) reserva *f*, secreto *m*. ~하다 (ser) secreto, confidencial, reservado. ~한 말 [정보] información *f* reservada [secreta], conversación *f* reservada [secreta]. ~히 confidencialmente, reservadamente, con reserva, en secreto, secretamente, privadamente, a puertas cerradas, en *su* corazón.

내밀다 ① [한쪽 끝이 길쭉하게 나오다] sobresalir, asomar, salir. 내민 [턱이] prominente, saliente; [이가] salido; [손톱·발톱이] que sobresale; [바위·절벽이] que sobresale, saliente. ② [안으로나 밖으로 나가게 하다] sacar, echar fuera, presentar, alargar, asomar, tender, servir, ofrecer. 손을 ~ tender [extender·alargar] la mano; [악수하기 위하여] dar la mano.

내밀리다 (ser) sacado, extendido, alargado, asomado.

내방(來訪) visita *f*. ~하다 visitar, hacer una visita. ~을 받다 recibir una visita. ¶~자 visitante *mf*; [집합적] visita *f*.

내배다 salir, saturar, filtrarse. 상처에서 피가 ~ salir sangre de la herida.

내뱉다 ① [입밖으로] arrojar, vomitar. 침을 ~ escupir. ② [말을 툭해 버리다] decir sobre la espalda, decir y dejar sin esperar contestación, cesar de hablar y marcharse. 그는 한마디 내뱉고는 나가 버렸다 El dijo una palabra y se marchó.

내버리다 ① [(못 쓸 것을) 영영 아주 버리다] tirar, arrojar, echar. ② [그대로 두고 돌보지 않다] abandonar, dejar. 딸을 ~ abandonar [dejar] a *su* hija. ¶내버려 두다 ㉮ [건드리거나 상관하지 않고 그대로 두다] dejar, desatender. 일을 내버려 두고 놀러 가다 salir a divertirse dejando *su* trabajo. ㉯ [돌보지 않다] abandonar, dejar. 처자를 내버려 두고 가다 abandonar [dejar] a *su* esposa y *sus* hijos.

내벽(內壁) ((건축)) pared *f* interior.

내보내다 ① [안에서 밖으로] enviar. 간첩을 ~ enviar un espía. ② [해고하다] despedir, destituir; [나가게 하다] hacer salir.

내복¹(內服) [속옷] ropa *f* interior.

내복²(內服) [약을 마시거나 먹음] uso *m* interior. ~하다 tomar *algo* de uso interior. 1일 3회 ~할 것 Será tomado tres veces al día. ¶~약 medicina *f* interna [de uso interno], medicamento *m* interno.

내부(內部) interior *m*, parte *f* interna [interior]. ~의 interior, interno; [국내의] doméstico, nacional. 집의

~ interior *m* de la casa. ~에(서) en el interior. ¶~ 감사 inspección *f* [control *m*] interior. ~ 사정 asuntos *mpl* interiores.

내부딛다 chocar [darse] contra. 문에 ~ darse contra la puerta.

내분(内紛) [불화] discordia *f* [querella *f*] (interna [intestina]); disensión *f*, desavenencia *f*, desacuerdo *m*; [입씨름] disputa *f*.

내분비(内分泌) secreción *f* interna, increción *f*. ~ 결핍증 anincretinisis *f*, falta *f* de una secreción interna. ~ 계통 sistema *m* endocrino. ~선 glándula *f* endocrina, glándula *f* de secreción interna. ~액 secreción *f* interna, hormón *m*, hormona *f*. ~학 endocrinología *f*.

내불다 soplar hacia afuera.

내불이다 fijar, pegar. 결과를 ~ fijar [pegar] los resultados. 고시를 ~ fijar [pegar] un aviso.

내비치다 ① [빛이 앞이나 밖을 향하여 비치다] (ser) transparente. ② [짐짓 말을 꺼내어 조금 말하다] insinuar, dar a entender, lanzar indirectas.

내빈(内賓) = 안손님.

내빈(来賓) huésped *mf*; visitante *mf*; invitado, -da *mf*; convidado, -da *mf*; [집합적] visita *f*. ~석 asientos *mpl* para huéspedes [para los invitados]. ~실 cuarto *m* de recepción. ~용 cosas *fpl* (especiales) para los invitados; [부사적] para los invitados.

내뻗다 extender, alargar, tender.

내뻗치다 salir a borbotones.

내뿜다 saltar, manar, emanar, chorrear, arrojar, lanzar, escupir, arrojar [expulsar] chorros.

내사(内事) asunto *m* interno.

내사(内査) inspección *f* secreta, investigación *f* secreta, examen *m* secreto. ~하다 inspeccionar [investigar · examinar] secretamente.

내사(来社) visita *f* a *su* compañía. ~하다 visitar a *su* compañía [*su* oficina].

내사(来事) asunto *m* futuro.

내사면(内斜面) sesgo *m* interior.

내색(─色) alusión *f*. ~하다 hacer la alusión. ~도 아니하다 no revelar nada (de *algo*) ni por asomo, no hacer la menor alusión.

내생(内生) ((생물)) endogénesis *f*.

내생(来生) ((불교)) renacimiento *m*.

내선(内線) ① [내부의 선] línea *f* interna, instalación *f* eléctrica en una casa. ② [구내의 전화선] extensión *f*; [교환대] centralita *f* (telefónica). ~을 부르다 llamar a la centralita.

내성(内省) ① =반성(反省). ② ((심리)) introspección *f*, reflexión *f* (de

uso interno). ~하다 dedicarse a la introspección, reflexionar, mirar el interior de sí mismo. ~적 introspectivo, reflexivo.

내성(耐性) ((의학)) resistencia *f*.

내세(来世) [불교] otra vida *f*, vida *f* futura, otro mundo *m*. ~를 믿다 creer en el otro mundo. ¶~관 vista *f* del otro mundo.

내세우다 ① [나와 서게 하다] hacer estar de pie. 맨 앞에 ~ hacer estar de pie al frente [a la cabeza]. ② [어떤 일을 하도록] 나서게 하다] nombrar, designar, proclamar. 후보로 ~ nominar como un candidato. ③ [어떤 의견이나 정책을 내어놓다] lanzar, dar a conocer. 새로운 정책을 ~ lanzar una nueva política.

내셔널 리그 Liga *f* Nacional.

내셔널리스트 nacionalista *mf*.

내셔널리즘 nacionalismo *m*.

내소박(内疏薄) malos tratos *mpl* a *su* esposo. ~하다 maltratar [tratar mal] a *su* esposo. ~당하다 ser separado por *su* esposa que maltrató.

내수(内需) consumo *m* interior [del país], consumo *m* nacional [doméstico]. ~ 산업 industria *f* para el consumo doméstico. ~용 uso *m* doméstico.

내수(耐水) impermeabilidad *f*, resistencia *f* al agua. ~에 resistente al agua, impermeable, a prueba de agua; [시계가] sumergible. ~복 ropa *f* [prenda *f*] impermeable. ~성 impermeabilización *f*.

내수장(内修粧) decoración *f* interior. ~하다 adornar el interior de la habitación, adornar [decorar] la habitación.

내숭 lo traicionero, lo traidor, malas artes *fpl*. ~하다 (ser) taimado, astuto, traicionero, traidor. ~스럽다 (ser) taimado, astuto, traicionero, traidor, insidioso. ~스레 taimadamente, astutamente, con astucia, traidoramente, a traición.

내쉬다 respirar, exhalar. 세게 내쉬세요 Respire usted fuerte.

내습(来襲) asalto *m*, invasión *f*, ataque *m*. ~하다 atacar de repente, asaltar.

내시(内侍) eunuco *m*.

내시경(内視鏡) endoscopio *m*.

내신(内申) reporte *m* reservado. ~서 reporte *m* reservado. ~성적 notas *fpl* de reporte reservado. ~제도 sistema *m* del reporte de los resultados escolares.

내실(内室) ① [부녀자들이 거처하는 방] cuarto *m* [la habitación *f*] para las mujeres. ② [남을 높이어「그의 아내」] su esposa, su señora.

내심(內心) ① [속마음] interior *m* del corazón, intención *f* real. ~으로 en *su* corazón, en el fondo de *su* corazón, en lo íntimo del alma. ~을 밝히다 revelar *su* intención secreta. ② [내심으로] en *su* corazón, en el fondo de *su* corazón, en lo íntimo del alma, interiormente.

내심원(內心圓) círculo *m* interior.

내쌓다 amontonar [apilar] fuera.

내앉다 sentarse adelante. 더 내앉으세요 Siéntese más adelante.

내야(內野) ① ((야구)) cuadro *m* (interior), campo *m* interno. ② ((준말))=내야수. ¶ ~수 jugador, -dora *mf* de cuadro [del cuadro interior]. ~ 안타[히트] golpe *m* de cuadro interior.

내약(內約) promesa *f* particular. ~하다 hacer un convenio no oficial, ponerse de acuerdo oficiosamente, acordar [prometer] particularmente, hacer un contrato particular.

내어가다 =내가다.

내어놓다 =내놓다.

내어쫓다 =내쫓다.

내역(內譯) detalle *m*, partida *f* de una cuenta.

내연(內緣) matrimonio *m* clandestino. ~의 처 mujer *f* ilegítima.

내연(內燃) combustión *f* interna. ~기관[엔진] motor *m* de combustión interna, motor *m* diesel. ~ 기관차 locomotora *f* diesel. ~ 터빈 turbina *f* de combustión interna, turbina *f* de gases.

내열(耐熱) termorresistencia *f*. ~의 termorresistente, termotolerante. ~ 시험 prueba *f* termorresistente. ~ 유리 cristal *m* [vidrio *m*] termorresistente. ~재 material *m* termorresistente.

내오다 sacar, traer. 정원으로 의자를 ~ sacar la silla en el jardín.

내왕(來往) ① [오고 감] ida *f* y venida. ~하다 ir y venir, venir e ir. ② [서로 사귀며 상종함] trato *m* social, asociación *f*.

내외¹(內外) ① [안팎] lo interior y lo exterior, dentro y afuera. ~에 상응하여 interior y exteriormente a la vez. ~의 정세 circunstancia *f* interior y exterior, situación *f* interior y exterior del país. 선 살 ~의 남자 hombre *m* que tiene alrededor de [que raya en los] cincuenta años de edad. ② [국내와 국외] el país y el extranjero. ~의 정세 situación *f* nacional e internacional. ③ [부부] marido y mujer, esposos *mpl*, esposo y esposa. ④ ((준말))=내외간. ⑤ [약] unos, cerca de, aproximadamente, más o menos. ¶ ~간 ㉮ [안과 밖의 사이] entre lo interior

y lo exterior. ㉯ =내외지간. ㉰ =내외¹(內外)❺. ~과 medicina *f* y cirugía. ~국 *su* país y el extranjero. ~ 동포 compatriotas *mpl* residentes dentro y fuera del país. ~분 marido y mujer, esposo y esposa, esposos *mpl*. ~ 사정 situación *f* doméstica y exterior. ~종 primos *mpl*. ~지간 entre marido y mujer.

내외²(內外) [부녀가 외간 남자를 피로 얼굴을 대하지 않고 피함] mantenimiento *m* mutuo de la distancia adecuada entre el hombre y la mujer. ~하다 mantenerse a la distancia adecuada uno de otro.

내용¹(內用) [안살림에 드는 씀씀이] gastos *mpl* en la vida doméstica.

내용²(內用) =내복(內服).

내용(內容) contenido *m*, materia *f*, asunto *m*, tenor *m*, substancia *f*. ~이 충실한 substancioso, substancial. ~이 충실한 책 libro *m* sólido [denso], obra *f* substancial. ¶ ~ 증명(서) certificado *m* de documento.

내용(耐用) resistencia *f* al uso.

내우(內憂) disturbios *mpl* interiores, preocupaciones *fpl* domésticas. ~외환 dificultades *fpl* [disturbios *mpl*] interiores y exteriores.

내원(內苑/內園) jardín *m* en el palacio real.

내원(來援) ayuda *f*, auxilio *m*, asistencia *f*, socorro *m*. ~하다 ayudar, auxiliar, asistir, socorrer.

내월(來月) mes *m* próximo [que viene], próximo mes *m*.

내응(內應) comunicación *f* secreta con enemigo, traición *f*, felonía *f*, perfidia *f*, deslealtad *f*. ~하다 comunicar secretamente con enemigo.

내의(內衣) ropa *f* interior, camiseta *f*.

내의(內意) [의중] intención *f* secreta [escondita]; [내명] orden *f* secreta.

내의(來意) objeto *m* [motivo *m*] de *su* visita. ~를 말하다 decir [declarar] el objeto [el motivo] de *su* visita. ~를 묻다 preguntar el objeto [el motivo] de *su* visita.

내이(內耳) ((해부)) oído *m* interno. ~염 otitis *f* interna.

내인(內人) =나인네.

내인(內因) factor *m* interno.

내일(來日) mañana *m*. ~ 오전(에) mañana por [*AmL* en] la mañana. ~ 오후(에) mañana por [*AmL* en] la tarde. ~ 저녁(에), ~ 밤에 mañana por [*AmL* en] la noche. ~에 대비하다 preparar(se) para mañana. ~ 만납시다 Nos veremos mañana / Hasta mañana. 오늘 할 수 있는 일을 내일로 미루지 마라

((속담)) No guardes [dejes] para mañana lo que puedas hacer hoy.

내자(內子) mi mujer, mi esposa.

내자(內資) capital m nacional. ~ 동원 movilización f de capital nacional.

내장(內粧) adorno m [decoración f] interior. ~하다 adorar [decorar] el interior.

내장(內障) ((준말)) =내장안. ¶~안 (眼) [백내장] catarata f; [흑내장] amaurosis f; [녹내장] glaucoma f.

내장(內臟) órganos mpl internos, intestinos mpl, entrañas fpl; [장부] viceras fpl; [동물의] tripas fpl; [새의] menudillos mpl; [새·짐승의] asadura f. ~ 파열 ranura f visceral. ~학 esplacnología f.

내재(內在) inmanencia f, inherencia f. ~하다 existir inmanente, ser inherente. 신(神)의 ~ inmanencia f divina. ¶~ 가치 valor m intrínseco. ~ 비평[비판] crítica f inmanente. ~성 inmanencia f. ~율 ley f inmanente. ~인 causa f inmanente. ~적 inmanente, inherente, intrínseco. ~ 철학 filosofía f inmanente.

내쟁(內爭) contienda f interna [civil].

내적(內的) interior, interno. ~ 모순 contradicción f interior. ~ 생활 vida f interior. ~ 요구 requerimiento m mental. ~ 요인 factor m interno.

내적(內賊/內敵) traidor m interior, ladrón m interior.

내전(內典) ((불교)) Escritura f Sagrada del Budismo.

내전(內電) telegrama m; [해외에서의] cablegrama m.

내전(內戰) guerra f civil.

내전(來電) ① [전보가 옴] venida f del telegrama; [온 전보] telegrama m que vino. ② [전화가 옴] venida f del teléfono; [온 전화] teléfono m que vino.

내접(內接) ((수학)) inscripción f. ~하다 inscribir. ~원 círculo m inscri(p)to.

내젓다 ① [손·손수건·기를] agitar. ② [팔·다리를] balancear. ③ [몸이나 병을] agitar. ④ [머리·꼬리·손가락을] menear, mover. ⑤ [배의 노를 젓다] remar.

내정(內廷) interior m del palacio real.

내정(內定) decisión f particular [oficiosa·informal·privada]; [인사의] designación f oficiosa. ~하다 decidir oficiosamente [oficialmente·informalmente].

내정(內政) ① [집안의 살림살이] gobierno m de la casa, administración f de la casa. ② [국내의 정치] asuntos mpl interiores, política f

interior, administración f doméstica. ¶~ 간섭 intervención f en los asuntos internos [interiores] (de un país). ~ 문제 cuestión f de la admi- nistración de la casa. ~ 불간섭 no intervención f. ~ 불간섭의 원칙 principio m de no intervención.

내정(內庭) ① =아낙. ② [안뜰] patio m, jardín m interior.

내정(內情) situación f interna, circunstancias fpl privadas, condiciones fpl internas; [실정] situación f verdadera. ~을 살피다 indagar [averiguar] la situación interna.

내정(來情) situación f futura.

내조(內助) ① [내부에서 부여하는 도움] ayuda f interior. ~하다 ayudar en el interior. ② [아내가 남편을 도와 줌] ayuda f de su esposa. ~하다 ayudar a su esposo.

내종(內從) ((준말)) =내종 사촌.

내종 사촌(內從四寸) primo m por la tía paterna, hijo m de la tía paterna.

내종 형제(內從兄弟) primo m por la tía paterna, hijo m de la tía paterna.

내주(來週) próxima semana f, semana f próxima [que viene].

내주다 ① [가졌던 것을] entregar, hacer entrega. 돈을 ~ entregar dinero. 급료를 ~ pagar el sueldo [el salario]. ② [차지한 자리를] entregar, transferir, ceder, rendir; [사임하다] dimitir, renunciar, presentar su dimisión [su renuncia]. 후임에게 자리를 ~ entregar su posición a un sucesor.

내주장(內主張) gobierno m dominado por mujeres. ~하다 llevar los pantalones [los calzones] en la casa, mandar [dominar] la mujer.

내증(內症) enfermedad f interna.

내지(內地) interior m del país.

내지(乃至) ① [얼마에서 얼마까지] de ··· a, desde ··· hasta. 40명 ~ 50명 de cuarenta a cincuenta, entre cuarenta y cincuenta personas. ② [또는, 혹은] o; [o-·ho-로 시작되는 단어 앞에서] u. 9 ~ 10명 nueve o diez personas. 7 ~ 8 siete u ocho.

내지르다 ① [앞이나 밖으로] dar patadas fuerte, patalear fuerte. ② [소리를] gritar a voz en cuello.

내직(內職) ① [가정 부인으로서의 직업] profesión f para las amas de casa. ② [가족이 틈틈이 하는 직업] profesión f que la familia trabaja a veces. ③ [본직 이외에 따로 하는 일] trabajo m secundario [suplementario]. ~하다 tener un trabajo secundario [suplementario]. ④ [집 안에서 할 수 있는

직업] profesión f casera.

내진(內診) ((의학)) examen m interno, endoscopia f. ~하다 hacer el examen interno.

내진(來診) consulta f en la casa del enfermo. ~하다 consultar en la casa del enfermo. ~을 청하다 mandar a buscar a un doctor, *AmL* mandar llamar a un doctor.

내진(耐震) resistencia f [prueba f] al terremoto.

내쫓기다 ser echado, recibir la orden de hacer salir, echar despedir.

내쫓다 echar, excluir, dejar fuera, hacer salir, hacer dejar, sacar, dar [intimar] la orden de dejar, espantar, ahuyentar; [라이벌·지도를] desbancar; [정부를] derrocar, hacer caer; [퇴거시키다] expulsar, echar, desalojar; [해고하다] despedir, echar, destituir. 방에서 ~ echar de la habitación. 거리로 ~ echar a la calle. 직장에서 ~ despedir de la oficina [del cargo].

내차다 patear; [사람을] dar patadas, patalear; [공을] dar*le* una patada, dar*le* un puntapié; [말을] cocear, dar coces, golpear con pies.

내착(來着) llegada f. ~하다 llegar.

내채(內債) ① ((경제)) ((준말)) =내국 공채. ¶~를 발행하다 levantar el empréstito nacional. ② [비밀한 빚] deuda f secreta.

내처 continuamente, sin cesar. ~ 똑 바로 가십시오 Siga todo derecho.

내척(內戚) pariente, -ta mf al lado de su padre.

내출혈(內出血) hemorragia f interna.

내측(內側) parte f interior.

내치(內治) ① [내복약을 써서 병을 고침] cura f por la medicina interna. ~하다 curar por la medicina interna. ② [나라 안의 정치] política f nacional, administración doméstica, asuntos mpl interiores. ③ [가정을 다스림] administración f doméstica [interna]. ~하다 administrar internamente. ④ [부인의 할 일] trabajo m para las mujeres.

내치다 ① [냅다 뿌리치다] deshacerse, zafarse, quitarse de encima, soltarse. ② [물체를 들어서 냅다 던지다] arrojar(se) fuertemente, abandonar. ③ [쫓아내거나 물리치다] expulsar, echar.

내치락들이치락 ① [마음이 변덕스러운 모양] caprichosamente. ~하다 (ser) caprichoso, antojadizo. ~하는 사람 persona f caprichosa. ② [병세가 더했다 덜했다 하는 모양] teniendo los altibajos. ~하다 cambiar constantemente, tener sus altibajos, tener las vicisitudes.

내친(內親) ① [아내의 친척] pariente,

-ta mf de su mujer. ② [마음 속으로 친하게 여김] acción f de parecer íntimo en el corazón. ③ =내척 (內戚).

내천걸음 el cruzar [el atravesar] el Rubicón. ~이라 물러설 수 없다 Obligado por las circunstancias no puedo retroceder.

내친김에 ya que estamos en el baile, ya que cruzamos el Rubicón.

내켜놓다 poner más adelante.

내키다 ① [하고 싶은 마음이 솟아나다] inclinarse, sentirse muy dispuesto, tener una inclinación, tener tendencia. 마음이 내키지 않는다 no sentirse muy dispuesto. ② [하고 싶은 마음이 솟아나게 하다] hacer sentirse muy dispuesto.

내탐(內探) pesquisa f secreta, investigación f secreta. ~하다 hacer una pesquisa secreta, pesquisar [investigar] secretamente.

내통(內通) colusión f, connivencia f, comunicación f secreta con enemigo, traición f, felonía f, deslealtad f. ~하다 coludir, actuar en colusión, actuar en connivencia, conspirar, confabular, comunicarse secretamente. 적과 ~하여 entenderse con el enemigo. ¶~자 traidor, -dora mf.

내팽개치다 echar, descuidar, desatender, dejar a un lado [de lado]. 밖에 ~ echar fuera.

내퍼붓다 ① [물 따위를] verter [echar] mucho. ② [비가] llover a cántaros.

내포(內包) ① [어떠한 뜻을 그 속에 포함함] connotación f. ~하다 connotar, abarcar, entrañar, comprender dentro de sí, contener en sí. 가능성을 ~하다 abarcar la posibilidad. ② ((논리)) intención f, comprensión f.

내피(內皮) ① [=속가죽]. ② [=보늬]. ③ ((식물)) endodermo m, pericarpio m. ④ ((해부)) endotelio m, película f interna. ~의 endotelial. ¶~ 세포 endoteliocito m. ~ 조직 tejido m endotelial. ~종 endotelioma m.

내핍(耐乏) austeridad f. ~하다 soportar [aguantar] pobreza, practicar austeridad. ~ 생활 vida f de privación [con estrechez], austeridad f de la vida. ~ 생활을 하다 vivir con [en la] estrechez, llevar una vida dura. ~ 예산 presupuesto m de austeridad.

내한(耐旱) resistencia f a la sequía. ~하다 (ser) resistente a la sequía.

내한(耐寒) resistencia f al frío. ~하다 (ser) resistente al frío. ~ 시험 prueba f a prueba de frío. ~ 식물 planta f resistente al frío. ~ 훈련 entrenamiento *m* [ejercicio *m*] contra el frío.

내한(來韓) venida *f* [visita *f*] a Corea. ~하다 visitar Corea, venira a Corea.

내항(內航) navegación *f* interior. ~하다 navegar en la costa interior.

내항(內港) puerto *m* interno.

내항(內項) término *m* interior.

내항(來航) venida *f* [llegada *f*] por el avión [por el mar]. ~하다 venir [llegar] por el avión [por el mar].

내해(內海) ① [대양과 통하는 바다] mar *m* interior. ② [큰 호수] lago *m* grande.

내향(內向) ① [안으로 향함] acción *f* de volverse hacia adelante. ~하다 volverse hacia adelante. ② ((의학)) aducción *f*. ~의 aductor. ¶~성 introversión *f*.

내홍(內訌) disturbio *m* interno.

내화(耐火) resistencia *f* al fuego, prueba *f* de fuego. ~의 refractario, a prueba de fuego, a prueba de incendios, ignífugo, resistente al fuego. ~ 건물 edificio *m* a prueba de fuego. ~력 resistencia *f* al fuego. ~ 벽돌 ladrillo *m* refractario [resistente al fuego]. ~복 ropa *f* a prueba de fuego. ~성 resistencia *f* al fuego, refractaridad *f*. ~ 시험 prueba *f* resistente al fuego. ~재 material *m* resistente al fuego.

내환(內患) ① [아내의 병] enfermedad *f* de *su* esposa. ② =내우.

내후년(來後年) año *m* después del año siguiente, después de tres años.

내훈(內訓) ① [내밀히 하는 훈령] instrucción *f* secreta. ② [집안의 부녀자들에 대한 훈계·교훈] lección *f* para las mujeres de la casa.

내흔들다 agitar, sacudir.

내흔들리다 agitarse, sacudirse.

냄비 pote *m*, marmita *f*, puchera *f*, [얕은] cazo *m*, cacerola *f*, [깊은] olla *f*, [토제] cazuela *f*. ~의 귀 el asa *f*. ~의 손잡이 mango *m*. ¶~뚜껑 cobertera *f* [tapa *f*] de olla [de cazuela]. ~ 요리 cazuela *f*.

냄새 olor *m*; [향기] perfume *m*, aroma *m*, fragnancia *f*, [악취] hedor *m*, mal olor *m*. ~가 좋은 bienoliento, perfumado, oloroso, fragante. ~가 나쁜 hediendo, que huele mal olor. ~(가) 나다 oler, exhalar [despedir] un olor; [향기가 나다] perfumar; [누구에게서] dar*le* a *uno* en la nariz, sospechar. 마늘 ~가 나다 oler a ajo. ~(를) 맡다 olfatear; [동물이] ventear.

냅다[1] [연기가 눈이나 목구멍을 자극하여 쓰라린 느낌이 있다] (ser·estar) ahumado, humoso, lleno de humo.

냅다[2] [몹시 세차게] muy fuerte, muy fuertemente, violentamente. ~ 던지다 tirar [echar·arrojar] (muy fuerte). ~ 갈기다 golpear muy fuerte, hacer un golpe muy fuerte.

냅킨 servilleta *f*. ~꽂이 servilletero *m*.

냇가 orilla *f*, ribera *f*, margen *m*, banda *f* de río. ~를 걷다 andar a lo largo del río.

냇내 olor *m* a humo.

냇둑 dique *m*.

냇물 río *m*.

냉(冷) ① ((한방)) [아랫배가 늘 싸늘한 병] estómago *m* frío. ② [아랫도리를 차게 하였을 때 생기는 병] enfriamiento *m*. ③ =대하증.

냉-(冷) con hielo, helado, enfriado, frío. ~맥주 cerveza *f* enfriada [fría]. ~우유 leche *f* fría. ~커피 café *m* con hielo.

냉가슴(冷-) preocupación *f* secreta, agonía *f* desconocida a otro. ~을 앓다 tener problemas estomacales, tener trastornos estomacales.

냉각(冷却) enfriamiento *m*, refrigeración *f*. ~하다 enfriar, refrigerar. ~되다 enfriarse, refrigerarse. ¶~기 refrigerador *m*, enfriadera *f*, [자동차의] radiador *m*. ~ 기간 tiempo *m* de refrigeración; [신경 안정 기간] tiempo *m* para calmar el nerviosismo; [노사간의] período *m* de reflexión. ~수 el agua *f* de enfriamiento [de refrigeración]. ~수 펌프 bomba *f* de agua del sistema de refrigeración. ~액 líquido *m* refrigerante. ~ 장치 ㉮ refrigerador *m*, enfriadera *f*, [자동차의] radiador *m*. ㉯ =냉방 장치. ~재(材) material *m* refrigerante. ~제(劑) refrigerante *m*. ~탑 torre *f* de enfriamiento.

냉국(冷-) sopa *f* fría.

냉기(冷氣) ① [찬 공기] (aire *m*) frío *m*, frialdad *f*, [서늘한 기운] (aire *m*) fresco *m*. ~가 돌다 hacer frío. ② [한랭한 기후] tiempo *m* frío.

냉난방(冷暖房) acondicionamiento *m* del ambiente, climatización *f*. ~완비 Ambiente climatizado. ~ 장치 aparato *m* acondicionador de ambiente.

냉담하다(冷淡) ① [무관심하다] (ser) indiferente, poco entusiasta. 냉담함 indiferencia *f*, desapego *m*, despego *m*, desinterés *m*, falta *f* de entusiasmo, desgana *f*. 냉담한 태도를 취하다 tomar una actitud de indiferencia. ② [쌀쌀하다] (ser) frío, insensible, seco, sin corazón, cruel, glacial, duro, poco compasivo. 냉담함 frialdad *f*, insensibilidad *f*. 냉담한 대답 respuesta *f* fría.

냉대(冷待) trato *m* frío [glacial], recepción *f* fría [glacial], poca hospitalidad *f*. ~하다 tratar fríamente. ~받다 ser tratado fríamente, recibir un trato frío.

냉대(冷帶) =아한대(亞寒帶).

냉동(冷凍) refrigeración *f*, congelación *f*, frigorificación *f*, enfriamiento *m*. ~하다 refrigerar, helar, congelar. 생선을 ~하다 refrigerar [congelar] pescado. ¶~ 건조 secación *f* congelada. ~ 고기 carne *f* congelada. ~기 congelador *m* frigorífico. ~기 congelador *m*. 마취 anestesia *f* congelada. ~선 barco *m* frigorífico. ~ 수송 transporte *m* congelado. ~ 식품 alimento *m* congelado. ~실 enfriadero *m*, nevera *f*. ~ 야채 verduras *fpl* congeladas. ~어 pescado *m* frigorífico. ~육 carne *f* congelada. ~ 장치 instalación *f* frigorífica. ~제 refrigerante *m*. ~ 창고 frigorífico *m*. ~ 트럭 camión *m* frigorífico. ~ 화차 vagón *m* frigorífico.

냉랭하다(冷冷一) ① [매우 차갑다] (estar) muy frío, muy glacial. 방 바닥이 얼음장같이 ~ El suelo está tan frío como el hielo. ② [푸대접하는 태도가 심하다] (ser) frío, indiferente. 냉랭한 태도 modales *mpl* fríos.

냉면(冷麵) *naengmyeon*, tallarín *m* con mostaza, vinagre, verduras crudas cortadas en pedacitos, carne de vaca cortada fina, sopa fría, y agua con nabo.

냉반(冷飯) comida *f* fría.

냉방(冷房) ① [찬 방] habitación *f* fría. ② [냉방 장치를 하여 덥지 않게 함] acondicionamiento *m* [refrigeración *f*] de aire, enfriamiento por aire. ~하다 acondicionar [refrigerar] el aire. (을) 완비한 con aire acondiciona- do, climatizado. ¶~병 acondicioningitis *f* aérea. ~ 장치 acondicionador *m* de aire, aire *m* acondicionado, sistema *m* de acondicionamiento [refrigeración] de aire, refrigeración *f*, equipo *m* de enfriamiento por aire.

냉병(冷病) complexión *f* friolenta.

냉소(冷笑) risa *f* falsa [burlona], mofa *f*, burla *f*, irrisión *f*; [조소] escarnio *m*. ~하다 soltar una risa sardónica, reir burlonamente, mofar, ridiculizar, escarnecer. ~자 cínico, -ca *mf*. ~주의 cinismo *m*. ~주의자 cínico, -ca *mf*.

냉수(冷水) el agua *f* fría. ~ 마찰 fricciones *fpl* con una toalla mojada [húmeda], frotación *f* con

agua fría. ~ 마찰하다 frotar con agua fría, friccionarse [frotarse] el cuerpo con una toalla mojada de agua fría, frotarse [darse] fricciones con una toalla mojada. ¶~욕 baño *m* de agua fría, baño *m* frío, ducha *f* fría.

냉습(冷濕) ① [차고 누짐] el frío y la humedad, humedad *f*. ~하다 (estar) frío y húmedo. ② ((한방)) enfermedad *f* causada por el frío y la humedad, reumatismo *m*.

냉시(冷視) = 멸시(蔑視).

냉엄(冷嚴) la gravedad y la severidad. ~하다 (ser) grave y severo. ~한 태도actitud grave y severa.

냉온대(冷溫帶) =아한대(亞寒帶).

냉우(冷雨) lluvia *f* fría.

냉우(冷遇) maltrato *m*, mal trato *m*. ~하다 tratar mal, maltratar.

냉육(冷肉) carne *f* fría [helada], (carne *f*) fiambre *m*. 송아지 ~ ternera *f* fiambre. ¶~ 요리 fiambre *m*.

냉이 ((식물)) bolsa *f* de pastor, pan *m* y quesillo.

냉장(冷藏) conservación *f* en cámara frigorífica. ~하다 conservar en refrigeración. ~한 frigorífico.

냉장고(冷藏庫) frigorífico *m*, nevera *f*, *AmL* refrigerador *m*, refrigeradora *f*, *Col* nevera *f*, *RPI* heladera *f*. ¶가스 ~ frigorífico de gas. 전기 ~ frigorífico *m* eléctrico.

냉전(冷戰) guerra *f* fría. ~중이다 estar en guerra fría. ~ 외교 diplomacia *f* de guerra fría.

냉정(冷情) frialdad *f*, indiferencia *f*. ~하다 (ser) frío, insensible, indiferente. ~한 사람 persona *f* fría, persona *f* insensible. ~히 fríamente, con frialdad, indiferentemente, con indiferencia, glacialmente. ~히 맞이하다 recibir glacialmente [fríamente].

냉정(冷靜) tranquilidad *f*, serenidad *f*, calma *f*, sangre *f* fría; [명석] lucidez *f*. ~하다 (ser) sereno, tranquilo, sosegado, de sangre fría, lúcido. ~을 유지하다 [잃다·되찾다] mantener [perder·recobrar] la presencia de ánimo [de espíritu]. ~히 tranquilamente, con tranquilidad, con calma, con sangre fría, con lucidez. ~히 대하다 mostrarse frío, tratar con despego; [여자가 남자를] dar calabazas.

냉주(冷酒) vino *m* frío, licor *m* frío.

냉증(冷症) complexión *f* friolenta.

냉지(冷地) ① [찬 땅] tierra *f* fría. ② [기후가 찬 지방] región *f* fría; [토질이 찬 땅] tierra *f* fría.

냉찜질 fomentación *f* fría. ~하다 fomentar fríamente.

냉차(冷茶) té *m* con hielo.

냉채(冷菜) verduras *fpl* con oreja marina, cohombro de mar, pollo, y hielo.

냉철(冷徹) sagacidad *f* fría. ~하다 (ser) frío y penetrante, sereno. ~히 con una fría perspicacia, con serenidad, serenamente, fría y transpa-rentemente.

냉커피(冷一) café *m* con hielo.

냉큼 pronto, prontamente, con presteza, en seguida, enseguida, inmediatamente. ~ 꺼져라 Vete inmediatamente / ¡Largo de aquí! / ¡Lárgate!

냉탕(冷湯) baño *m* con agua fría.

냉풍(冷風) viento *m* frío.

냉피해(冷被害) =냉해(冷害).

냉하다(冷一) ① [차다] (ser·estar) frío. 그녀는 쉽게 체질이다 A ella le afecta el frío. ② ((한방)) ⑦ [병으로 아랫배가 차다] estar frío. ④ [약재가 차다] ser frío.

냉한(冷汗) sudor *m* frío.

냉한(冷寒) =한랭(寒冷).

냉해(冷害) perjuicio *m* en frío, daños *mpl* causados por el frío.

냉혈(冷血) sangre *f* fría. ~ 동물 animal *m* de sangre fría. ~한 hombre *m* de la sangre fría, hombre *m* cruel [sin corazón].

냉혹하다(冷酷一) (ser) cruel, insensible. 냉혹한 사나이 hombre *m* cruel [inhumano].

냠냠 ① ((소아어)) [맛있는 음식] comida *f* sabrosa [rica·deliciosa]. ② [맛있는 음식을 먹으면서 내는 소리] ñam ñam. ~! ¡Hmm!, ¡qué rico!

냠냠거리다 ((소아어)) ① [맛있게 먹다] comer sabrosamente. ② [냠냠 소리를 자꾸 내다] relamerse.

냥(兩) ① [돈의 단위] *nyang*, unidad *f* de la moneda antigua de Corea. 돈 열 ~ diez *nyang*. ② [중량의 단위] *nyang*, diez *don*, 37.5 gramos. 금 한 ~ un *nyang* de oro.

너¹ tú. ~의 [명사 앞에서는] tu; [명사 뒤에서] tuyo, -ya, -yos, -yas. ~에게 a ti, te. ~ 한테 a ti, te. ~와 함께 contigo. ~ 자신 tú mismo, tú misma. ~의 것 el tuyo, la tuya, los tuyos, las tuyas, lo tuyo. 너 자신을 알라 Conócete a ti mismo.

너² [넷] cuatro. ~ 돈 cuatro *don*.

너구리 ((동물)) tejón *m*. ~ 굴 tejonera *f*.

너그러이 generosamente, liberalmente, con generalidad.

너그럽다 (ser) generoso, liberal.

너그럽게하다 (ser) generoso.

너나들이 amistad *f* íntima. ~하다 tutear.

너나없이 todos, -das; cada uno; unos de otras, unas de otros; recíprocamente; mutuamente.

너나할것없이 =너나없이.

너더댓 unos cuatro o cinco.

너더분하다 ① [여럿이 뒤섞이어서 지저분하다] (estar) desordenado, (todo) revuelto, hecho un lío, muy embrollado, estar fuera de lugar. ② [말이 번거롭고 길다] (ser) largo y aburrido [pesado], aburrido, pesado. 너더분한 말 palabra *f* larga y pesada.

너덕너덕 disparejamente, desigualmente. ~하다 [색·페인트가] (estar) disparejo, poco uniforme; [옷이] estar lleno de remiendo, estar hecho jirones.

너덜거리다 ① [종이가 없이 함부로 말을 지껄이다] charlar, chacharear, parlotear, cotorrear. ② [여러 가닥이 늘어져서 자꾸 흔들리다] oscilar [sacudir] muchas veces.

너덜너덜 andrajosamente. ~하다 [옷이] (estar) hecho jirones [tiras], cubierto de harapos [andrajos], harapiento, androjoso. muy gastado, ser un puro andrajo.

너덧 unos cuatro.

너도나도 cada uno; unos de otros, unas de otras; recíprocamente.

너도밤나무 ((식물)) haya *f*. ~ 열매 hayuco *m*.

너럭바위 roca *f* ancha y llana.

너르다 ① [넓다] [방이] (ser) ancho, amplio, espacioso; [공원이] grande, extenso. ② [너그럽다] (ser) generoso.

너리 ((한방)) piorrea *f* alveolar.

너머 (por) encima, a través (de), por. 담 ~로 내려다 보다 asomarse por encima del muro.

너무 demasiado, excesivamente, demasiado mucho. ~ 마시다 beber demasiado [excesivamente]. ~ 먹다 comer demasiado. 너무 고르다가 눈 먼 사위 얻는다 ((속담)) Si se selecciona demasiado, se puede seleccionar lo peor al fin.

너무하다 ① [사람·행동·태도가] (ser) poco razonable, irrazonable. ② [요구·값이] (ser) excesivo, poco razonable.

너벅선(一船) chalana *f*.

너부데데하다 tener la cara desagradablemente chata.

너부죽이 ⑦ [너부죽하게] algo planamente. ④ [천천히 배를 바닥에 대고 엎드리는 모양] postrándose. ~ 엎드리다 postrarse.

너볼거리다 ondear, agitarse.

너비 anchura *f*, anchor *m*, ancho *m*.

너비아니 tajadas *fpl* de asado (al horno).

너스레 ① [이리저리 걸쳐 놓는 막대기] soporte *m* de marco hecho por las ramitas entrecruzadas. ② [남을 농락하려고 늘어놓는 말이나 짓]

truco *m*, trampa *f*. ¶~(를) 떨다 decir tonterías, decir estupideces, decir disparates, darse importancia [inflas], fanfarronear.

너울¹ =면사포(面紗布).

너울² [바다의 사나운 큰 물결] gran ola *f* horrible del mar. ~(이) 지다 (ser) horrible en la distancia [en la lejanía·a lo lejos].

너울거리다 [파도가] hincharse; [차·배·비행기가] balancearse, bambolear(se), bambonear(se); [나무가] agitarse, mecerse con el viento; [깃발 따위가] ondear, flamear; [머리카락 따위가] ondularse, marcarse; [나무나 풀잎이] balancearse; [나무잎이] susurrar. 바람에 ~ hincharse al viento.

너이 ① [네 사람] cuatro personas. ② [넷] cuatro.

너저분하다 ser un confuso desorden [un caos], (estar) desordenado, desaliñado, descuidado. 너저분한 거리 calle *f* descuidada.

너절하다 ① [허름하고 추잡스럽다] (estar) gastado, muy usado; [자동차가] inservible. ② [변변하지 못하다] no tener ningún valor, no valer nada. ③ [품격이 낮다] (ser) vil, despreciable, infame, humilde, vulgar, pobre.

너털거리다 ① [여러 가닥이 어지럽게 늘어져 자꾸 흔들거리다] oscilar de manera temblorosa. ② [너털웃음을 자꾸 웃다] reírse a carcajadas, carcajearse, soltar risotadas, soltar carcajadas.

너털웃음 risotada *f*, carcajada *f*. ~을 웃다 reírse a carcajadas, carcajearse.

너테 hielo *m* añadido en el hielo.

너트 ① [암나사] tuerca *f*; [육각의] tuerca *f* hexagonal; [귀가 달린] tuerca *f* de orejas. ② [밤·호두 따위의 견과] nuez *f*.

너펄거리다 ondear bruscamente, agitarse bruscamente.

너푼거리다 ondear [agitarse] ligeramente.

너풀거리다 ① [기 따위가] ondear, agitarse. ② [새·나비가] revolotear.

너희 vosotros, -tras.

너희들 vosotros, -tras. ~의 vuestro. ~에게 a vosotros, os. ~을 a vosotros, os. ~의 것 el vuestro, la vuestra, los vuestros, las vuestras, lo vuestro.

넉 [넷] cuatro; [넷째] cuarto. ~ 달 cuatro meses. 종이 ~ 장 cuatro hojas de papel.

넉가래 pala *f* de madera. ~질 palada *f* con la pala de madera.

넉넉잡다 ¶넉넉잡아 한 시간은 기다렸다 He esperado una larga hora.

넉넉하다 ① [모자라지 아니하고 남음이 있다] (ser) abundante, copioso; [충분하다] suficiente, más que suficiente; [많은] muchos. 우리는 시간이 ~ Tenemos bastante tiempo. ② [살림살이가 유족하다] (ser) rico, adinerado, acaudalado, bueno. 넉넉한 가정 familia *f* adinerada, familia *f* acaudalada. ③ [도량이 넓다] (ser) generoso.

넉넉히 ① abundantemente, en abundancia, copiosamente, suficientemente, más que de ordinario, en una cantidad mayor que de costumbre. ② [살림살이가 유족하게] ricamente, con riqueza. ㉯ [도량을 넓게] generosamente, con generosidad.

넉동 [윷놀이에서] cuarto *mal*. 넉동 다 갔다 ((속담)) Ya (se) acabó.

넉살 audacia *f*, atrevimiento *m*, descaro *m*, insolencia *f*, impudencia *f*, frescura *f*, desvergüenza *f*. ~(이) 좋다 (ser) descarado, fresco, desvergonzado, atrevido, insolente.

넉장거리 acción *f* de caerse estirado de espalda. ~하다 caerse estirado de espalda.

넋 ① [혼백] el alma *f*, espíritu *m*, fantasma *m*. 죽은 ~ el alma *f* muerta, espíritu *m* muerto. ② [정신이나 마음] espíritu *m*, mente *f*. ~을 빼앗다 fascinar, mirar con admiración; [매료되다] encantarse, quedarse encantado [embelesado]. ~(을) 잃다 perder conocimiento, perder el control, robar el alma, estar loco.

넋두리 quejumbre *f*, queja *f*, refunfuño *m*, lamento *m*, lamentación *f*. ~하다 refunfuñar, gruñir, quejarse, lamentarse.

넌더리 disgusto *m*, aversión *f*, aborrecimiento *m*, odio *m*. ~(가) 나다 estar harto. ~(를) 내다 escarmentarse, tomar enseñanza de una experiencia. ~(를) 대다 portarse [comportarse] con asco [con repugnancia].

넌지시 por insinuación, tácitamente, por sugestión, por alusión, indirectamente, secretamente. ~ 알려 주다 insinuar, aludir. ~ 떠보다 incitar, tentar.

넌출 [포도의] vid *f*, parra *f*; [호박 따위의] zarcillo *m*. 포도 ~ [땅의] vid *f*; [기어오르는] parra *f*. ~이 지다 enredarse.

넌출문(-門) puerta *f* con cuatro puertas.

널¹ ① ((준말)) =널빤지. ② [널뛰기용 널빤지] balanchín *m*, subibaja *f*. ③ [시체 넣는] ataúd *m*.

널² ((준말)) =너를. ¶~ 만나러 왔

다 Vengo a verte.

널감 material *m* para el ataúd.

널다¹ [펼쳐 놓다] extender; [말리기 위해] tender colgar. 곡식을 ~ extender los cereales. 빨래를 ~ tender la ropa lavada.

널다² [(쥐·개 따위가) 이로 쏠거나 씹다] roer (en tiras).

널따랗다 (ser) bastante ancho, amplio, espacio, muy ancho. 널따란 공지 los espacios abiertos.

널뛰기 columpio *m*, balanchín *m*, subibaja *f*. ~ 하다 columpiarse.

널리 ① [너르게. 범위가 넓게] ampliamente, extensivamente, universalmente, mundialmente, muy, mucho, por [en] todas partes. ~ 읽히는 신문 periódico *m* muy leído. ~ 알리다 avisar por todas partes. ② [너그럽게] generosamente, con generosidad. ~ 용서해 주시기 바랍니다 Espero que usted me perdone generosamente.

널리다¹ [넓을 당하다] ser extendido, extenderse.

널리다² [너르게 하다] ampliar, ensanchar. 방을 ~ ampliar la habitación.

널마루 suelo *m* [piso *m*] de madera.

널빈지 postigo *m*.

널빤지 tabla *f*, tablero *m*, tablón *m*; [홈받이용의] tablestaca *f*.

널어놓다 extender, tender.

널장 una tabla, un tablón.

널조각 pedazo *m* de tabla.

널찍하다 (ser) espacioso, extenso, amplio, abierto; [바지·코트가] amplio, holgado; [핸드백·호주머니가] amplio. 널찍히 ampliamente, extensamente, espaciosamente.

널판(一板) tabla *f*, tablero *m*, tablón *m*.

널판기(一板기) [널뛰기용의] tabla *f* para el columpio.

널판대기 pedazo *m* grande de tabla.

널판자(一板子) = 널빤지.

널판장(一板墻) tapia *f* de madera, muro *m* de madera.

넓다 ① [폭·면적 따위가] (ser) ancho, anchuroso, extenso, vasto, espacioso, dilatado, amplio, holgado. 넓은 거리 calle *f* ancha. 넓은 도로 carretera *f* ancha. ② [마음이] (ser) generoso.

넓디넓다 (ser) muy espacioso, muy amplio, muy extenso.

넓어지다 ensancharse, ampliarse.

넓이 ① [넓은 정도] anchura *f*, anchor *m*, ancho *m*. ~ 10피트 diez pies de anchura. ② [면적] extensión *f*, el área *f*; [표면] superficie *f*.

넓적다리 ((해부)) muslo *m*; [소의] rodaja *f*, [돼지의] jamón *m*.

넓적뼈 ((해부)) hueso *m* ancho.

넓적코 nariz *f* (*pl* narices) chata.

넓적하다 (ser) plano, llano; [코가]

chato.

넓죽이 persona *f* que tiene cara ancha.

넓죽하다 (ser) plano y largo.

넓히다 ampliar, extender, alargar, tender; [크게 하다] agrandar; [좁은 것을] ensanchar.

넘겨다보다 codiciar.

넘겨쓰다 asumir la responsabilidad.

넘겨씌우다 culpar, echar*le* la culpa.

넘겨잡다 adivinar, prever, pronosticar, conjeturar, suponer.

넘겨주다 entregar, pasar.

넘겨짚다 conjeturar.

넘기다 ① [너비가 있는 것을] hojear. 책장을 ~ hojear el libro. ② [재산이나 권리·책임 따위를] transferir, traspasar, transmitir, ceder, entregar, cargar. ③ [넘어뜨리다] ⑦ [바로 세워진 것을] cortar, talar. ⓝ [승부에서] 상대편을 지게 하다] derribar, hacer caer al suelo, tirar al suelo, lanzar (hacia abajo). ④ [어떤 문제나 안건·사건 따위를] entregar, pasar. ⑤ [어떤 기회나 시일 또는 사태를] conquistar, superar, dominar, vencer.

넘나들다 frecuentar, ir con frecuencia a un lugar, visitar aquí y allá, ir y venir a menudo.

넘다 ① [일정한 범위나 기준 따위를 벗어나다] pasar. 여든 살이 넘은 노인 anciano, -na *mf* que tiene ochenta y tantos años. ② [날이 옆으로 기울어 쏠리게 되다] ser inclinado. ③ [속임수나 꾐에 빠지다] caer en una trampa. ④ [낮은 곳에서 높은 곳을 거쳐, 다른 곳으로 가다] atravesar, cruzar. ⑤ [수량이나 정도가 한계를 지나다] pasar, exceder, sobrepasar, superar. ⑥ [어떤 물건의 위를 지나다] pasar sobre. ⑦ [어떤 경계선을 거쳐 지나가다] pasar, traspasar, atravesar. ⑧ [(고비를) 벗어나다] conquistar, dominar, vencer. ⑨ [(중간의 것을) 건너 뛰다] saltar; [생략하다] saltarse. ¶넘어가다 [넘어서 가다] cruzar, atravesar; [장애물을] saltar, salvar. 다리를 ~ cruzar [atravesar] el puente. ⓝ [한쪽으로 쓰러지거나 쏠리다] caerse; [집·벽이] venirse abajo, derrumbarse; [건물·다리가] derrumbarse, desmoronarse, desplomarse; [지붕이] hundirse, venirse abajo. 집이 ~ venirse abajo la casa, derrumbarse la casa. ⓓ [권리나 책임 따위가 다른 곳으로 옮아가다] traspasar, transferir. ⓔ [제한된 때나 경우가 지나다] dominar, superar. ⓕ [다음 차례나 다른 경우로 옮아가다] volver. 이제 본론으로 넘어갑시다 Volvamos al tema. ⓖ [속임수에 빠지다] ser engañado, verse dominado, verse vencido. 유혹에 ~ verse dominado [vencido] por la tentación. [사람이 이편에서 딴 편으로 옮아가다] cambiar. [다른 사람에게 아주 마음이 쏠리다] ser atraído. [해·달이] ponerse. ⓐ [음식물이 목구멍을 지나가다] pasar. 넘어다보다 mirar por encima. 넘어서다 ㉮ [어떤 물건이나 공중을 넘어서 지나다] cruzar, atravesar. ㉯ [극복하다] vencer, superar, conquistar. 넘어오다 ㉮ 저쪽에서 이쪽으로 넘어서 오다] cruzar, atravesar. ㉯ [선 것이 쓰러져 이쪽으로 오다] caerse, venirse abajo, demoler, derribar. ㉰ [먹은 것이 입으로 도로 나오다] vomitar, devolver, arrojar, lanzar. ㉱ [책임·권리·관심 따위가 이쪽으로 옮겨 오다] ser transferido, ser traspasado, ser transmitido. .

넘버 ① [번호] número *m*. ② [자동차의 번호] (número *m* de) matrícula *f*. ~ 원 número uno [primero]. ~ 텐 [최악(의)] el peor.

넘버링 ① [번호를 매김] numeración *f*. ② [준말] =넘버링 머신.

넘버링 머신 numerador *m*.

넘보다 despreciar, menospreciar.

넘성거리다 curiosear, fisgonear, codiciar, desear.

넘실거리다 ① [탐이 나서] codiciar, estar ávido de. ② [바다 물결이] ondular, levantarse, hincharse, crecer, subir.

넘어- ☞넘다

넘어가다 ☞넘다

넘어뜨리다 ① [넘어지게 하다] hacer caer, tumbar, abatir, tirar, echar abajo, derribar (al suelo), echar al suelo. ② [패배시키다] vencer, derrotar, batir. ③ [죽이다] matar.

넘어오다 ☞넘다

넘어지다 ① [한쪽으로 쓰러져 가로놓다] caer(se), tumbarse; [도괴되다] hundirse, derrumbarse, derribarse; [걸려서] tropezar. ② [쓰러져 죽다] morir(se) de caída. ③ [어떠한 일에서 실패하거나 패하다] salir mal, fracasar, ser vencido; [파산하다] hacer quiebra.

넘치다 ① [액체 따위가] desbordar(se), rebosar, inundarse, embravecerse [agitarse] el mar; [냇물 따위가] derramarse. ② [기준을 벗어나 넘다] exceder, sobrepasar, pasar. ③ [기쁨 따위가] enaltecerse.

넙치 [어류] platija *f*, rodaballo *m*.

넙치눈이 persona *f* bizca.

넝마 [천] trapo *m*; [의류] andrajos *mpl*, harapos *mpl*. ~ 장수 trapero, -ra *mf*; chamarilero, -ra *mf*; chatarrero, -ra *mf*. ~ 전 trapería *f*. ~ 주이 trapero, -ra *mf*; andraje-

ro, -ra *mf*; chamarilero, -ra *mf*.

넣다 ① [속으로] meter, poner, echar, envasar. 주머니에 손을 ~ meter la mano en el bolsillo. ② [돈을 입금하다] pagar (en el banco). ③ [어떤 테두리 안에] incluir. ④ [(학교·직장·단체 따위의) 성원으로서] enviar, mandar. ⑤ [씨앗을 심다] plantar. ⑥ [제삼자를 개입시키다] meter, negociar. ⑦ [힘을 들이거나 어떤 작용을 하다] ejercer, añadir, aplicar, dar, hacer.

네 [너] tú. 그것은 ~ 가 해라 Hazlo.

네² [넷] cuatro. ~ 살 cuatro años (de edad). ~ 시간 cuatro horas.

네³ ① [윗사람의 말에 대답하는 말] [긍정 대답] Sí / Está bien // [부정 대답] No // [긍정] Bueno. ~, 가겠습니다 Sí, me voy. ② [되묻는 말] ¿Sí? ~, 벌써 떠났습니까? ¿Sí? ¿Ya se fue?

네⁴ ((준말)) =너의(tu, tuyo). ¶ ~ 부모님 tus padres.

네거리 encrucijada *f*, cruce *m*.

네거티브 ① [부정, 부정어] negación *f*, negativa *f*. ② [사진의 원판] negativa *f*, negativo *m*, placa *f* [prueba *f*] negativa. ③ ((전기)) polo *m* negativo. ④ ((수학)) cantidad *f* negativa. ⑤ [거부권] veto *m*, negación *f*. ¶ ~ 필름 negativo *m*.

네글리제 camisa *f* [bata *f*] de dormir, negligé *m*.

네기 ¡Caramba! / ¡Carambita!

네길 =네기.

네길할 =네기.

네눈박이 perro *m* con la mancha blanca en cada ojo.

네다리 cuatro patas.

네다섯 cuatro o cinco.

네댓 más o menos cuatro o cinco.

네덜란드 ((지명)) los Países Bajos, Holanda *f*. ~의 neerlandés, holandés. ~ 말 neerlandés *m*, holandés *m*. ~ 사람 neerlandés, -desa *mf*; holandés, -desa *mf*.

네모 ① [네 개의 모] cuadrado *m*; [직사각형] rectángulo *m*, cuadrilongo *m*. ② ((준말)) =네모꼴.

네모기둥 ((수학)) ~ 사각주.

네모꼴 ((수학)) =사각형.

네모나다 cuadrarse. 네모난 cuadrado, rectangular, cuadrilongo. 네모난 목재 madera *f* cuadrada.

네모지다 =네모나다.

네미 ((속어)) [욕] ¡Coño! / ¡Mierda!

네바퀴수레 carro *m* con cuatro ruedas.

네발 ① [짐승의 몸에 달린 발 넷] cuatro pies. ② =네다리. ¶~짐승 cuadrúpedo *m*, bestia *f*.

네안데르탈 인(-人) hombre *m* de Neandertal, neandertaloides *mpl*.

네온 ((화학)) neón *m*, neo *m*. ~ 관

(등)[방전관] tubo *m* de vacío de neón. ~사인 anuncio *m* de neón.

네이팜 ① [화학] napalm *m*. ~팜 (폭) 탄 bomba *f* de napalm.

네커치프 pañuelo *m*.

네트 ① [고기잡이나 보호용 그물] red *f*. ② ((준말)) =헤어네트 (redecilla). ③ ((운동)) red *f*.

네트워크 ① [(운하·철도 등의)] 망상 조직·연락망] red *f*. [가계들의] cadena *f*. ② [텔레비전·라디오의] cadena *f*. ③ ((전기)) [회로망] red *f*. ④ [(컴퓨터·인터넷)] red *f*.

네팔 [(지명)] Nepal *m*. ~의 nepalés. ~어 nepalés *m*. ~사람 nepalés, -lesa *mf*. ~왕국 Reino de Nepal.

네활개 cuatro miembros. ~를 뻗다 estirar las piernas y los brazos. ~를 뻗고 자다 [편안히] dormir a *sus* anchas; [푹 자다] dormir como un tronco. ~를 치다 pavonearse, andar [caminar] con aire arrogante.

넥타 néctar *m*.

넥타이 corbata *f*. ~ 핀 alfiler *m* de corbata, pisacorbata *f*.

넨장 ① ((준말)) =넨장맞을. ② ((준말)) =넨장칠.

넨장맞을 [(감탄사)] ¡Caramba! ¡Carambita! / ¡Caray! / ¡Carajo! ② [(형용사적)] maldito, condenado o. ~ 녀석 tipo *m* maldito [condenado].

넨장칠 =넨장맞을.

넵튠 ① [바다의 신] ((로마 신화)) Neptuno *m*; ((희랍 신화)) Poseidón *m*. ② [해왕성] Neptuno *m*.

넷 cuatro.

넷째 cuarto *m*. ~의 cuarto.

녀(女) ① [계집. 여자] mujer *f*. ② [딸] hija *f*. ③ [처녀] virgen *f*.

녀석 ① tipo *m*, tío *m*, *Méj* chavo *m*. 나쁜 ~ mal tipo *m*, *Méj* mal chavo. ② [어린아이를 귀엽게 이르는 말] lindo, -da *mf*.

년 ① =여자. ¶망할 ~ muchacha *f* maldita. 이 따윗 같은 ~아 ¡Puta! ② =어린아이.

년(年) año *m*. 1~ un año. 5~ cinco años. 2~에 한 번 cada dos años. 2~ 계속해서 dos años seguidos. 2003~에 en (el año) 2003 (dos mil tres).

노 [실·삼·종이 따위로 가늘게 비비거나 꼰 줄] cordoncillo *m*.

노(櫓) remo *m*; [국자 모양의] canalete *m*, zagual *m*, pagaya *f*. [함께 젓는] espadilla *f*; [노의 열] palamenta *f*. ~를 젓다 bogar, remar, bogar al remo.

노(爐) horno *m*, fogón *m* en el suelo, hogar *m*, chimenea *f* francesa; [용광로] fundición *f*.

노 no. ~라고 말하다 decir que no. ¶~ 스모킹 [금연] ((게시)) Prohi-

bido fumar / No fumar / No fume(n) / Se prohíbe fumar / [형용사적, 공항이나 기차에서] Para no fumadores. ~ 카운트 cuenta *f* nula. ~ 코멘트 sin comentarios. ~ 터치 ((게시)) Prohibido tocar / No tocar / No toque(n) / Se prohíbe tocar. ~ 팁 ((게시)) No se admiten propinas.

노경(老境) vejez *f*.

노고(勞苦) pena *f*, faena *f*, fatigas *fpl*, trabajo *m*, labor *f*; [노력] esfuerzo *m*. ~에 보답하다 compensar [corresponder a] los trabajos.

노곤하다(勞困−) ~하다 (estar) cansado, lánguido. 노곤한 fatiga *f*, cansancio *m*, languidez *f*.

노골적(露骨的) ① [숨기지 않는] franco, abierto; [대담한] intrépido. ~으로 francamente, sin ocultar, abiertamente. ~인 사람 persona *f* franca. ~인 태도 actitud *f* franca. ~으로 말하면 francamente dicho, francamente hablando. ② [음란한] lascivo, indecente. ~인 농담 chiste *m* lascivo. ② [현저한] destacado, notable, sorprendente, llamativo, atractivo.

노구(老軀) cuerpo *m* viejo, cuerpo *m* del viejo, cuerpo *m* decrepito. ~에도 불구하고 a pesar de *su* gran edad.

노국(露國) Rusia *f*.

노그라지다 ① [몹시 피곤하여 힘없이 되다] (estar) cansado, extenuado, agotado, exhausto. ② [한 군데로 마음이 쏠리어 정신을 못 차리다] estar loco.

노글노글하다 ① [무르녹게 노굿노굿하다] (ser) muy suave. ② [몸이 뼈가 없이 보들보들하다] ser muy suave sin huesos. ③ [유순하다] (ser) obediente, dócil, sumiso.

노긋노긋하다 ser muy suave.

노긋하다 ① [부드럽다] ser suave. ② [유순하다] (ser) obediente, dócil.

노기(老妓) *kisaeng f* vieja.

노기(老氣) ① [노련한 기운] ánimo *m* experto. ② [늙어서 점점 왕성해지는 기운] fuerza *f* llena de vigor del viejo.

노기(怒氣) cólera *f*, ira *f*, enfado *m*, enojo *m*; [격노] rabia *f*, furor *m*, arrebato *m*; [부정에 대한] indignación *f*. ~를 띤 colérico, furioso, indignado. ¶~ 등등 aire *m* muy furioso [colérico·enfadado]. ~ 등등하다 (ser) colérico, furioso, indignado, arder de [en] ira, montar en cólera. ~해서 muy furiosamente, muy enojosamente, con un aire muy furioso [colérico]. ~ 충천하다 estar muy colérico.

노기스 calibrador *m*.

노끈 ① [노] cordel *m*, cordoncillo *m*,

cuerda f, agujeta f. ~를 묶다 atar las agujetas. ~를 풀다 desatar las agujetas. ② [짧은 노의 토막] trozo m [pedazo m] del cordel corto.

노년(老年) ① [늙은 나이] edad f vieja, vejez f, edad f avanzada. ② [늙은 사람] persona f vieja; [남자] hombre m viejo; [여자] mujer f vieja. ¶ ~기(期) vejez f; [드묾] senectud f. ~기의 사람 persona f senescente. ~기에 접어들다 entrar en la vejez. ~층 generaciones fpl viejas. ~학 gerontología f.

노농(勞農) el obrero y el agricultor.

노느다 distribuir, repartir, compartir, dividir. 카드의 패를 ~ repartir [dar] las cartas.

노닐다 pasear(se), dar un paseo, perder el tiempo, holgazanear.

노다지 ① [광맥] mina f rica. ② [이익이 쏟아지는 일] bonanza f. ¶ ~판 bonanza f.

노닥거리다 soltar el mirlo, arengar.

노닥이다 charlar, chacharear, parlotear, cotorrear.

노대(露臺) balcón m, terraza f.

노대가(老大家) autoridad f veterana, maestro m viejo.

노대국(老大國) gran país m senil, viejo imperio m en decadencia.

노도(怒濤) olas fpl bramadas, onda f rabiosa, mar m tumultuoso [turbulento]. 적이 ~처럼 몰려들었다 Oleadas de enemigos avanzaron sobre nosotros.

노독(路毒) fatiga f del viaje, enfermedad f de viaje. ~을 풀다 hacer olvidar la fatiga del viaje, calmar [aliviar·relajar·mitigar] la fatiga del viaje.

노동(勞動) labor f, trabajo m. ~하다 trabajar. ~의 laboral, trabajador, de labor, de trabajo. 8시간 ~ trabajo m [jornada f] de ocho horas. ¶ ~계 mundo m laboral, círculos mpl laborales. ~ 계급 clase f obrera. ~ 계약 contrato m de labor, contrato m de trabajo. ~권 derecho m laboral. ~ 귀족 aristócrata mf laboral. ~력 población f activa, plantilla f de personal; [넓은 의미로] mano f de obra, trabajadores mpl. ~법 ley f laboral, derecho m laboral, derecho m de(l) trabajo. ~복 traje m de trabajadores. ~부 Ministerio m de Labor, Ministerio m de Trabajo, Méj Secretaría f de Trabajo. ~부 장관 ministro, -tra mf de Labor, ministro, -tra mf de Trabajo, Méj secretario, -ria mf de Trabajo. ~ 시간 horas fpl de trabajo. ~ 시장 mercado m laboral [de labor], mercado m de trabajo. ~ 운동 movimiento m obrero. ~ 인구

población f activa. ~자 obrero, -ra mf; trabajador, -dora mf; [미성년자] obrero, -ra mf de menor de edad; [일당의] jornalero, -ra mf; [인부] peón, -ona mf, [노동력] mano f de obra. ~자 계급 clase f obrera; [무산 계급] proletariado m. ~ 재해 accidente m laboral. ~ 쟁의 conflicto m laboral. ~절 ㉠ [근로자의 날] Día m del Trabajo, Día m de los trabajadores. ㉰ [메이 데이] el primero de mayo. ~ 조합 sindicato m (obrero). ~ 조합 운동 laborismo m, movimiento m obrero, movimiento m sindicalista. ~ 조합원 miembro mf de un sindicato, sindicalista mf. ~ 조합 주의 sindicalismo m. ~청 Dirección f del Trabajo. ~ 환경 medioambiente m laboral.

노동당(勞動黨) partido m laborista, partido m laboral. ~원 miembro mf del partido laborista.

노동조합총연합회(勞動組合總聯合會) Federación f General de los Sindicatos (Obreros).

노두(露頭) ① = 맨머리. ② ((광물)) afloramiento m, basset m.

노둔하다(老鈍-) ser aburrido debido a la vejez.

노둔하다(魯鈍/鷲鈍-) (ser) torpe, estúpido, tonto, bobo, lerdo.

노둣돌 bloque m, sillar m.

노랑(color m) amarillo m. ~이 ㉠ [노란 빛의 물건] objeto m amarillo. ㉰ [털빛이 노란 개] perro m pequeño amarillo. ㉰ [도량이 좁고 인색한 사람] tacaño, -ña mf, agarrado, -da mf; cicatero, -ra mf. ~ 이짓 tacañería f, mezquindad f. ~ 참외 melón m amarillo [dulce].

노랑나비 mariposa f amarilla.

노랑촉수(-觸鬚) salmonete m.

노랗다 ① [새뜻하고 매우 노르다] (ser) amarillo. 노랗게 되다 amarillear, ponerse amarillo [amarillento]. 노랗게 된 amarilleado. 노랗게 만들다 poner amarillo; [물들이다] teñir de amarillo. 노란 천 tela f amarilla. ② [다시 일어날 가망이 없다] no haber esperanzas de tener éxito otra vez. 싹수가 ~ tener una oportunidad escasa de éxito, no prometerse buen éxito.

노래 canción f, canto m; [민요] balada f, [서정풍의 서사시] romance m. ~하다 cantar, cantar una canción; [시가를] recitar; [찬송가를] salmodiar. ~말 = 가사(歌詞). ~방 orquesta f vacía. ~자랑 concurso m de cantantes aficionados.

노래기 ((동물)) miriápodo m.

노래지다 amarillear, amarillar, ponerse amarillo [amarillento].

노략(擄掠) = 노략질.

노략질 saqueo *m*, pillaje *m*, rapiña *f*. ~하다 saquear, pillar, despojar.

노려보다 ☞노리다

노력(努力) esfuerzo *m*. ~하다 esforzarse, hacer esfuerzos [un esfuerzo], procurar. ~가(家) trabajador, -dora *mf*; aplicado, -da *mf*.

노력(勞力) ① [정신적·육체적 힘을 들이어 일함] trabajo *m*, labor *f*; [번거로움] molestia *f*. ~을 아끼다 evitar la molestia; [자신의] ahorrarse el trabajo. ② [노동력] mano *f* de obra, trabajadores *mpl*.

노련(老鍊) experiencia *f*. ~하다 (ser) experto, experimentado, versado, veterano. ~가 hombre *m* experto, mujer *f* experta; veterano, -na *mf*; hombre *m* de experiencia. ~미 veteranía *f*.

노령(老齡) vejez *f*, ancianidad *f*, edad *f* senil [avanzada]. ~의 viejo, anciano, senil, avanzado de edad. ~기 edad *f* senil, vejez *f*. ~선 barco *m* [buque *m*] viejo. ~연금 pensión *f* a la vejez. ~함 buque *m* de guerra viejo.

노루 ((동물)) corzo, -za *mf*.

노르께하다 ser algo amarillo.

노르끄레하다 =노르께하다.

노르다 ser amarillo como oro.

노르딕 경기(一競技) ((스키)) pruebas *fpl* nórdicas.

노르딕 종목(一種目) =노르딕 경기.

노르무레하다 (ser) ligeramente amarillo.

노르스레하다 =노르스름하다.

노르스름하다 (ser) amarillento.

노르스름해지다 ponerse amarillento, amarillar, amarillecer.

노르웨이 ((지명)) Noruega *f*. ~의 noruego. ~어 noruego *m*. ~ 사람 noruego, -ga *mf*.

노른자위 ① [알의 노란빛의 부분] yema *f* (del huevo). ② [사물의] lo mejor, la crema, la flor y nata. ~땅 terreno *m* de crema. 사회의 ~ flor y nata de la sociedad, crema de la sociedad.

노름 juego *m*. ~하다 jugar, garitear. ~꾼 garitero, -ra *mf*; jugador, -dora *mf*; tahur, -ra *mf*. ~방 cuarto *m* de juego. ~빚 deudas *fpl* de juego. ~판 casa *f* de juego, timba *f*; [불법의] garito *m*. ~패 grupo *m* de los garitores.

노릇 ① [구실] papel *m*, rol *m*. 자식 ~ el papel de la hija. ② [일] trabajo *m*, tarea *f*. ③ [직책, 직업] trabajo *m*, empleo *m*. 선생 ~하다 trabajar en la enseñanza. ④ [행세, 행동] conducta *f*, comportamiento *m*. ~을 하다 conducirse, comportarse.

노릇노릇 amarillentamente. ~하다 (ser) amarillento. ~한 천 paño *m* amarillento, tela *f* amarillenta.

노릇하다 =노르스름하다.

노리개 ① [여자들의] chuchería *f* [baratija *f*] puesta por la mujer. ② [장난감] juguete *m*.

노리다[1] ① [눈에 독기를 올리어 겨우어 보다] fulminar con la mirada, quedarse mirando fijamente [de hito en hito], clavar los ojos, tener los ojos clavados. ② [벼르다] acechar, espiar; [미행하다] seguir, perseguir; [이용하다] aprovechar. ③ [기회를 엿보다] acechar, espiar, atisbar, escudriñar. 기회를 ~ acechar la ocasión [la oportunidad], buscar la coyuntura. ¶노려보다 mirar feroz y penetrante, mirar fijamente, apuñalar con la mirada, aojar, fascinar; [아니꼽게] mirar de reojo; [눈독을 들여] observar, notar, saber por intuición. 무서운 눈으로 ~ mirar airadamente.

노리다[2] ① [털이 타는 냄새가] (ser) nauseabundo, fétido, hediondo, oler como la grasa quemada. ② [마음 쓰는 것이 다랍다] (ser) tacaño, mezquino.

노리착지근하다 (ser) algo fétido.

노린내 olor *m* hediondo [fétido], olor *m* nauseabundo [apestoso]. ~ 나다 oler muy mal, apestar.

노릿하다 (ser) algo fétido, oler a un poco de pelo quemado. 노릿한 냄새 olor *m* algo fétido.

노망(老妄) chochera *f*, chochez *f*. ~하다 (estar) chocho, chochear. ~(이) 나다 aparecer la chochera. ~(이) 들다 chochear, chochar. ¶~병 presbiofrenía *f*.

노면(路面) superficie *f* del camino [de la calle]; [가로(街路)] calle *f*. ~을 보수하다 repavimentar el camino. ¶~ 포장 firme *m*, pavimento *m*. ~ 포장하다 revestir, recubrir; [아스팔트로] asfaltar.

노모(老母) madre *f* vieja. 팔순 ~ madre *f* vieja que tiene ochenta años de edad. ~를 봉양하다 atender a *su* madre vieja.

노모성 치매(老耄性癡呆) demencia *f* senil.

노목(老木) árbol *m* viejo.

노무(勞務) trabajo *m*, labor *f*. ~관 oficial *mf* de personal. ~ 관리(管理) dirección *f* de personal. ~ 수첩 tarjeta *f* de labor, folleto *m* de labor. ~자[원] obrero, -ra *mf*; trabajador, -dora *mf*; [인부] peón *m*; [날품팔이] jornalero, -ra *mf*.

노물(老物) ① [늙어서 쓸모없는 사람] persona *f* que no vale nada por la vejez. ② [낡은 물건] objeto *m* viejo, artículo *m* viejo.

노박이다 ① [계속해서 오래 붙박이

다] seguir siendo puesto mucho tiempo. ② [한 가지 일에만 줄곧 들러붙다] pegar continuamente.

노반(路盤) [도로의 기반] infraestructura *f*; [도로의 포장] firme *m*, calzada *f* (de carretera); [철로의] terraplén *m*. ~ 공사 obra *f* de infraestructura.

노발 대발(怒發大發) furia *f*, rabia *f*, cólera *f*. ~하다 enfurecerse, montar en cólera, ponerse hecho una furia, estar furioso, rabiar.

노방(路傍) borde *m* de un camino.

노벨상(一賞) Premio *m* Nóbel. ~을 수상하다 ser galardonado [laureado] con el Premio Nóbel. ~ 상자 ganador, -dora *mf* [laureado, -da *m*] con el Premio Nóbel.

노변(路邊) borde del camino.

노병(老兵) soldado *m* viejo.

노병(老病) enfermedad *f* senil, decrepitud *f*. ~으로 죽다 morir de vejez.

노부(老父) ① [늙은 아버지] padre *m* viejo. ② [자기의 늙은 아버지] mi padre viejo.

노부(老夫) hombre *m* viejo.

노부(老婦) mujer *f* vieja.

노부모(老父母) padres *mpl* viejos.

노부부(老夫婦) esposos *mpl* viejos.

노부인(老婦人) mujer *f* vieja.

노불¹(老佛) ① [늙은 부처] (estatua *f* de) Buda *m* viejo. ② [늙은 중의 경칭] sacerdote *m* budista viejo.

노불²(老佛) ① [노자와 석가] Lao-Tsé y Shakamuni. ② [도교와 불교] el taoísmo y el budismo.

노비(奴婢) sirvientes *mpl*, siervos *mpl*, siervo *m* y sierva *f*.

노비(老婢) criada *f* vieja.

노비(勞費) =노임(勞賃).

노비(路費) =노자(路資).

노사(老死) muerte *f* de vejez. ~하다 morir de vejez.

노사(老師) maestro *m* viejo.

노사(勞使) patrones y obreros, obreros y patrones. ~간의 obrero-patronal, entre patrones y obreros. ¶~ 관계 relaciones *fpl* laborales, relaciones *fpl* obrero-patronales. ~ 분규 conflicto *m* entre patrones y obreros. ~ 협조 cooperación *f* entre patrones y obreros.

노사(勞思) inquietud *f*, ansiedad *f*. ~하다 inquietarse.

노산(老産) ① [마흔 살이 넘어서 아이를 낳음] parto *m* de la mujer que tiene más de cuarenta años de edad. ② [늙어서 아이를 낳음] parto *m* de la mujer que dio a luz muchas veces.

노상 siempre, invariablemente, constantemente, por lo general, habitualmente, normalmente. ~ 책만 읽다 siempre leer los libros, soler leer los libros.

노상(路上) (en) el camino, (en) la calle, (en) la vía pública. ~ 강도 ㉮ [행위] salto *m*, robo *m* en los caminos, asalto *m* (en un camino), salteamiento *m*. ~ 강도를 하다 robar en el camino, saltear. ㉯ [사람] salteador, -dora *mf* (de camino). ~ 주차 aparcamiento *m* [*AmL* estacionamiento *m*] en la vía pública.

노상(路床) =노반(路盤).

노새((동물)) mulo *m*; [암컷] mula *f*.

노색(怒色) semblante *m* enfadado, cólera *f*, enfado *m*, ira *f*.

노서아(露西亞) ((지명)) Rusia.

노선(路線) ① [도로·선로·자동차 등의 교통선] ruta *f*, recorrido *m*, línea *f*. ② [방침] línea *f* (de conducta), política *f*, orientación *f*. ¶~도 mapa *m* de ruta. ~ 버스 autobús *m* de un trayecto fijo.

노소(老少) los jóvenes y los viejos [los ancianos]. ~ 동락하다 alegrarse juntos los jóvenes y los viejos.

노송(老松) ① [늙은 소나무] pino *m* viejo. ② ((준말)) =노송나무.

노송나무(老松一) ((식물)) (una especie de) ciprés (oriental de hoja delgada).

노쇠(老衰) decrepitud *f*, chochez *f*, debilidad *f* senil. ~하다 decrepitarse, hacerse senil, padecer debilidad senil, chochear, estar decrépito [chocho·caduco].

노숙(老熟) mucha experiencia. ~하다 tener mucha experiencia.

노숙(露宿) vivaque *m*, vivac *m*, campamento *m*. ~하다 vivaquear, acampar.

노스님(老一) sacerdote *m* budista viejo.

노스탤지어 [향수] nostalgia *f*.

노승(老僧) sacerdote *m* budista viejo, monje *m* budista viejo.

노심(勞心) ansiedad *f*, preocupación *f*, ansia *f*, solicitud *f*. ~하다 estar preocupado, estar inquieto, tener preocupado, preocuparse, inquietarse, devanarse los sesos.

노심초사(勞心焦思) =노심(勞心).

노아((성경)) Noé. ~의 방주 el arca *f* de Noé. ~의 홍수 aguas *fpl* de Noé, diluvio *m*.

노안(老眼) presbicia *f*, presbiopía *f*, vista *f* cansada, vista *f* senil. ~ 경 présbita, presbíope.

노안(老顔) cara *f* vieja [envejecida], rostro *m* viejo [envejecido].

노안경(老眼鏡) anteojos *mpl* convexos, gafas *fpl* convexas, gafas *fpl* [lentes *fpl*] de presbita.

노약(老若) viejos *mpl* y jóvenes.

노약(老弱) ① [늙은이와 연약한 어린

이] los viejos y los niños débiles.
② [늙은이와 병약한 사람] los viejos y los enfermizos. ③ [늙어서 기운이 쇠약한, 또는 그런 사람] debilidad *f* por vejez; [사람] persona *f* debilitada por vejez. ¶ ~자 los viejos y los debilitados. ~자·장애자 지정석 (Asiento *m*) Reservado *m*.

노어(露語) ruso *m*.

노엘 ① [크리스마스] la Navidad. ② [크리스마스 축가] villancico *m*.

노여움(怒-) ira *f*, cólera *f*, enfado *m*, enojo *m*. 할아버지의 ~을 사다 incurrir en el enojo de *su* abuelo.

노여워하다(怒-) enfadarse, enojarse, irritarse, enfurecerse.

노역(老役) papel *m* de viejo. ~을 해내다 desempeñar bien el papel de viejo.

노역(勞役) labor *f*, trabajo *m*; [고역] pena *f*, fatiga *f*, faena *f* laborisa.

노염(老炎) calor *f* tardío.

노엽다(怒-) (estar) ofendido, disgustado.

노예(奴隷) esclavo, -va *mf*; siervo, -va *mf*; [집합적] esclavitud *f*, esclavatura *f*. ~의 servil. ~ 근성 [상태] servilismo *m*. ~ 생활[제도] esclavitud *f*.

노옹(老翁) hombre *m* viejo y venerable.

노유(老幼) los niños y los viejos.

노을 bruma *f*, niebla *f*, calima *f*, neblina *f*.

노이로제 neurosis *f*. ~에 걸린 (사람) neurótico, -ca *mf*. ~에 걸리다 tener una neurosis, padecer una neurosis. ¶ ~ 환자 neurótico, -ca *mf*.

노익장(老益壯) edad *f* vieja vigorosa. ~을 자랑하다 gozar de la edad vieja vigorosa, ser saludable y fuerte.

노인(老人) viejo, -ja *mf*; anciano, -na *mf*. ~의 geriátrico. ~을 공경하다 respetar a los viejos. ¶ ~경 anteojos *mpl* convexos, gafas *fpl* convexas, gafas *fpl* de presbita, lentes *fpl* de presbita. ~병 enfermedades *fpl* de ancianos. ~병 전문의 geriatra *mf*; gerontólogo, -ga *mf*; geriátrico, -ca *mf*. ~병학 geriatría *f*. ~성 gerontal, senil. ~성 치매 demencia *f* senil. ~의 날 día *m* de los Ancianos. ~ 의학 gerontología *f*, medicina *f* geriátrica, geriatría *f*. ~장 señor *m* viejo, (hombre *m*) viejo *m*. ~ 정신병 psicosis *f* senil. ~ 정치 gerontocracia *f*. ~학 gerontología *f*.

노인당(老人堂) pabellón *m* para los ancianos.

노임(勞賃) salario *m*, sueldo *m*, pago *m*; [일당] jornal *m*.

노자(勞資) [노동과 자본] capital *m* y trabajo; [노동자와 자본가] trabajadores y capitalistas. ~ 관계 relaciones *fpl* entre el trabajo y el capital [entre los trabajadores y los capitalistas]. ~ 문제 problema *m* entre los trabajadores y los capitalistas. ~ 협조 acuerdo *m* del capital y el trabajo.

노자(路資) pasaje *m*.

노작(勞作) ① [힘써 일함] trabajo *m* (diligente), esfuerzo *m*. ② [역작] obra *f* laboriosa.

노작지근하다 estar muy cansado.

노장(老壯) los viejos y los jóvenes.

노장(老將) ① [늙은 장수] general *m* viejo. ② [경험이 많은 장수] general *m* experto [de mucha experiencia. ③ [노련한 사람] experto, -ta *mf*.

노장군(老將軍) general *m* viejo.

노적(露積) ① [곡식을 한데 쌓아 둠] amontamiento *m* de los cereales al aire libre. ② =노적가리. ¶ ~가리 montón *m* de cereales al aire libre.

노전사(老戰士) guerrero *m* viejo.

노점(露店) puesto *m*, caseta *f*, mesilla *f* de feria [de mercado], *Méj* tenderete *m*. ~상 vendedor, -dora *mf* de puesto [en calle], vendedor, -dora *mf* al aire libre.

노점(露點) ((물리)) punto *m* de rocío. ~ 습도계 higrómetro *m* de punto de rocío.

노정(路程) ① [길의 이수] trayecto *m*, distancia *f*. ② [여정] itinerario *m*, viaje *m*.

노조(勞組) ((준말)) =노동 조합.

노즐 tobera *f*, boquilla *f*.

노지(露地) terreno *m* descubierto. ~ 재배 cultivación *f* en terreno descubierto.

노질(老疾) ① [노병] enfermedad *f* senil, enfermedad *f* de vejez, decrepitud *f*. ~로 죽다 morir de vejez. ② [늙음과 병듦] la vejez y la enfermedad.

노질(櫓-) remo *m*. ~하다 remar.

노처(老妻) mi mujer vieja.

노처녀(老處女) solterona *f*.

노천(露天) aire *m* libre. ~에서 a cielo abierto, al raso; [야외에서] al aire libre. ¶ ~ 공연 función *f* al aire libre. ~ 시장 mercado *m* al aire libre.

노총(勞總) ((준말)) =노동 조합 총연합회.

노총각(老總角) solterón *m*.

노출(露出) ① [드러나거나 드러냄] revelación *f*, descubrimiento *m*, exhibición *f*. ~하다 revelar, descubrir, exhibir, exponer desnudo, dejar descubierto; [지표에] aflorar. ~된 expuesto, descubierto, desabrigado, desnudo. 가슴을 ~하고 con el pecho descubierto. ② ((사진)) exposición f. ~하다 exponer. ¶ ~계 exposímetro m, fotómetro m. ~광 exhibicionista f. ~증 exhibicionismo m. ~증 환자 exhibicionista mf.

노친(老親) ① [늙은 부모] sus padres viejos. ② ((높임말)) viejo, -ja mf.

노커 aldaba f, llamador m.

노크(老朽) aldabonazo m, llamada f. ~하다 llamar (a la puerta), golpear.

노태(老態) chochera f, chochez f. ~가 나다 chochear; [상태] estar decrépito [chocho・caduco].

노트[배의 속도] nudo m. 15~를 내다 hacer quince nudos.

노트[2] ① [수기, 각서] nota f, mensaje m. ② [주해, 주석] nota f, comentario m. ③ ((준말)) =노트북. ④ ((음악)) [음표] nota f. ⑤ [필기, 표기] nota f. ~하다 apuntar, anotar.

노트북 ① [공책] cuaderno m. ② ((컴퓨터)) ordenador m portátil, AmL computadora f portátil.

노티(老-) =노태(老態).

노파(老婆) vieja f, anciana f. ~심 solicitud f excesiva, precaución f inútil, exceso m de solicitud.

노페(老廢) decrepitud f, senectud f. ~하다 ser decrépito, ser inútil por la vejez. ~물 producto m de desecho.

노폭(路幅) anchura f del camino, anchura f de la carretera. ~이 넓은 가로 avenida f, bulevar m.

노하다(怒-) enfadarse, irritarse, encolerizarse, enojarse.

노하우 saber-cómo m.

노학자(老學者) estudioso m viejo y experto.

노형(老兄) usted.

노호(怒號) ① [큰 소리를 냄, 또는 그 소리] vociferación f, bramido m, rugido m, grito m de cólera. ~하다 vociferar, bramar, rugir. ② [바람이나 파도의 세찬 소리] rugido m del viento, rugido m de la ola.

노화(老化) envejecimiento m, avejentamiento m. ~하다 envejecer(se), avejentarse. ~ 현상 síntoma m de senilidad, retrogradación f.

노환(老患) enfermedad f senil.

노회(老會) ((기독교)) conferencia f de los pastores y los ancianos.

노회(老獪) astucia f, taimería f, picardía f, sagacidad f. ~하다 (ser) astuto, taimado, sagaz, ladino.

노획(鹵獲) apresamiento m, captura f. ~하다 apresar, capturar, tomar a viva fuerza, saquear, pillar. ~물 [품] botín m, trofeo m, despojos mpl, presa f. ~선 buque m capturado.

노획(虜獲) captura f viva. ~하다

capturar vivo.

노후(老朽) decrepitud f, desgaste m, caducidad f. ~하다 (estar) decrépito, gastado, desgastado, corroído, viejo, anticuado. ~ 도대 jubilación f. ~선 barco m inhabilitado. ~ 시설 equipo m anticuado. ~차 coche m inhabilitado.

노후(老後) vejez f, ancianidad f, [부사적] después de la vejez. ~의 안락 pasatiempo m [consolación f] de la vejez.

노히트노런 no golpe no carrera.

녹(祿) ((준말)) =녹봉(祿俸). ¶ ~(을) 먹다 recibir un estipendio.

녹(綠) ① ((준말))=동록(銅綠). ② [금속의 표면에 생긴 산화물] orín m, moho m [óxido m] que cría el hierro, herrumbre f. ~을 벗기다 desherrubrar, quitar el orín. ~을 예방하다 preservar del orín. ~(이) 슬다 enmohecerse, ponerse mohoso, oxidarse, herrumbrarse, tomarse de orín. 녹슨 oxidado, herrumbrado, mohoso, oriniento, herrumbroso. 녹슬지 않는 inoxidable. 녹슨 쇠 hierro m mohoso.

녹각(鹿角) el asta f, cuerna f, cuerno m del venado.

녹나무 ((식물)) alcanfor m.

녹내(綠-) olor m a orín.

녹내장(綠內障) ((의학)) glaucoma m.

녹녹하다 (estar) húmedo. ⊃녹녹하다

녹다 ① [고체가 액체 속에서] disolverse, licuarse, liquidarse; [고체가 액체로] derretirse, fundirse, deshacerse. 얼음이 ~ fundirse el hielo. ② [추워서 굳은 몸이] calentarse, entrar en calor. ③ [아주 지쳐서 맥이 풀리어 늘어지다] (estar) disipado, disoluto. ④ [손해・타격・패배 따위로] (여지없이 망하다) quebrarse, arruinarse, hacer bancarrota. ⑤ [몹시 반하거나 홀리어 마음이 노그라지다] estar locamente enamorado, enamorarse locamente.

녹다운 ((권투)) caída f (a tierra), knock-down ing.m, derribo m. ~시키다 derribar, tumbar, hacer caer. ~되다 ser derribado.

녹두(綠豆) ((식물)) soja f verde.

녹두새(綠豆-) ((조류))=파랑새.

녹록하다(碌碌/錄錄-) (ser) inútil, no servir para nada. 녹록한 사람 inútil mf, nadie; cualquiera m; hombre m de nada.

녹림(綠林) ① =불한당. 화적(火賊). ② [푸른 숲] bosque m verde.

녹말(綠末) almidón m.

녹물(綠-) el agua f del orín.

녹비(綠肥) abono m de los árboles verdes. ~ 작물 cosecha f de abono de los árboles verdes.

녹색(綠色) (color m) verde m; [초보

의] verdor *m*. ~의 (del color) verde. ~이 되다 verdear, verdecer. ~이 돌다, ~으로 보이다 verdear. ¶ ~당 Partido *m* Verde, Partido *m* Ecologista, los Verdes. ~ 당원 mf; ecologista *m*. ~ 신고 declaración *f* verde. ~ 혁명 revolución *f* verde.

녹수(綠水) el agua *f* clara que corre entre las plantas y las hierbas.

녹슴내비(mujer *f*) venérea *f*.

녹슬다 oxidarse, enmohecerse. ☞녹

녹신녹신 suave y flexiblemente, elásticamente. ~하다 (ser) muy suave y flexible, muy elástico.

녹신하다 (ser) blanducho, muelle, pulposo, esponjoso.

녹십자(綠十字) cruz *f* verde.

녹아웃 ((권투)) fuera de combate, nocauto *m* (「녹아웃」이라 읽음), K.O. *m* (「까오」라 읽음). 녹아웃승 victoria *f* por K.O.

녹엽(綠葉) hoja *f* verde.

녹옥(綠玉) ① [녹색의 구슬] bola *f* verde. ② ((광물)) esmeralda *f*.

녹용(鹿茸) nueva cuerna *f* blanda del venado [del ciervo].

녹음(綠陰) sombra *f* verde, enramada *f* sombreadora. ~방초 las sombras verdes y las plantas fragnantes.

녹음(錄音) grabación *f*, registro *m* sonoro, grabado *m*. ~하다 grabar, registrar. ~의 grabador. ~을 끝낸 레코드[테이프] grabación *f*. 테이프 ~ grabación *f* en una cinta magnetofónica. ¶ ~기 magnetófono *m*, magnetofón *m*, grabadora *f*. ~반 disco *m* grabado. ~방송 emisión *f* de grabados. ~실 estudio *m* [sala *f*] de grabación. ~ 장치 sistema *m* de registro sonoro. ~ 재생 reproducción *f* de una grabación. ~ 재생기 máquina *f* de reproducción de una grabación. ~ 재생 장치 aparato *m* para la reproducción del sonido [de una grabación]. ~ 테이프 cinta *f* magnética [magnetofónica · registradora del sonido · de grabación].

녹의(綠衣) ① [녹색의 옷] ropa *f* verde. ② [연두 저고리] blusa *f* de un verde amarillento.

녹이다 ① [액체가(에서)] 고체를 disolver, licuar, desleír; [열 따위가 고체를] fundir, derretir, deshacer. 소금을 물에 ~ disolver [licuar · deshacer] la sal en el agua. ② [반하게 하다] cautivar, encantar, hechizar, fascinar. 남자의 마음[간장]을 ~ cautivar [fascinar] a un hombre. ③ [손이나 몸을] calentarse.

녹지(綠地) terreno *m* verde. ~대 zona *f* verde. ~화 forestación *f*.

녹진녹진하다 (ser) todo suave y

pegajoso.

녹진하다 (ser) suave y pegajoso.

녹차(綠茶) té *m* verde.

녹청(綠青) verdete *m*, cardenillo *m*, verdín *m*, pátina *f*, color *m* de orín.

녹초 ① [맥이 풀어져 힘을 못쓰고 늘어진 상태] agotamiento *m*, cansancio *m*, fatiga *f*. ② [오래 되고 낡아 아주 결딴이 난 상태] lo muy gastado, lo inservible. ¶ ~가 되다 desalentarse, descorazonarse, desanimarse, perder el ánimo, hacer polvo, agotarse [rendirse] completamente.

녹초(綠草) hierba *f* verde.

녹토(綠土) tierra *f* verde.

녹혈(鹿血) sangre *f* del venado.

녹화(綠化) plantación *f* de árboles, forestación *f*. ~하다 llenar de árboles verdes, repoblar con árboles, forestar. ~ 사업 negocio *m* de forestación. ~ 운동 campaña *f* de repoblación forestal, campaña *f* de forestación.

녹화(錄畵) registro *m* de imágenes, grabación *f* (cinematográfica), grabado *m*; [텔레비전의] grabación *f* telescópica, telerregistro *m*. ~하다 grabar, registrar imágenes en banda magnética, telerregistrar. ~기 telerregistrador *m*. ~ 방송 emisión *f* televisada diferida.

논 arrozal *m*. ~에 물을 대다 regar el arrozal. ~을 갈다 cultivar [labrar] un arrozal. ~을 매다 escardar, desherbar, arrancar las malas hierbas de los sembrados.

논(論) ① [논의] discusión *f*; [토론] debate *m*; [논쟁] disputa *f*; [평론] comentario *m*, observación *f*, criticismo *m*; [이론] teoría *f*; [문제] cuestión *f*, problema *m*; [언쟁] pelea *f*, riña *f*. ~하다 discutir, reñir, pelearse, discutir, debatir, tratar, hablar, comentar, observar, hacer comentarios. ② [잘잘못을 따지어 말함] interrogatorio *m*, inquisición *f*. ~하다 preguntar, inquirir. ③ [의견, 견해] opinión *f*, parecer *m*. ④ ((준말)) = 논설(論說). ⑤ ((불교)) discusión *f*, debate *m*. ¶ ~하다 discutir, debatir.

논갈이 arado *m* del arrozal. ¶ ~하다 arar el arrozal.

논객(論客) controversista mf, polemista mf, discutidor, -dora *f*.

논거(論據) (base *f* de un) argumento *m*, razonamiento *m*, fundamento *m*.

논고(論考/論攷) estudio *m* (sobre la literatura coreana).

논고(論告) acusación *f* [juicio *m*] del fiscal, prosecución *f*. ~하다 entablar juicio (contra), procesar.

논공(論功) valoración f de los méritos, examen m del servicio, evaluación f del acto meritorio. ~하다 valorar [juzgar] el mérito, examinar el servicio, evaluar el acto meritorio. ~ 행상 recompensa f de mérito, atribución f de recompensas según méritos, concesión f de premios en consideración de los servicios.

논길 camino m del arrozal, camino m [sendero m·senda f] entre los arrozales.

논농사(-農事) labranza f, cultivo m (de arrozal). ~하다 cultivar arroz, cultivar el arrozal.

논다니 ramera f, puta f, prostituta f.

논단(論壇) ① [논의나 토론을 할 때 올라서는 단] plataforma f; [강연자용] estrado m, tribuna f; [악단용] estrado m. ② [언론계] prensa f.

논단(論斷) conclusión f. ~하다 concluir.

논도랑 zanja f alrededor del arrozal.

논두렁 caballón m entre los arrozales. ~길 sendero m [senda f] entre los arrozales.

논둑 terraplén m alrededor de un arrozal.

논란(論難) crítica f, censura f de las acciones ajenas, refutación f (lógica). ~하다 criticar, acusar, censurar, reprochar, controvertir, refutar.

논리(論理) ① [조리] lógica f, razón f. ~상 불가능을 할 imposibilidad f lógica. ~가 맞지 않다 ser ilógico, ser contrario a la lógica. ② ((논리)) lógica f. ¶~적 lógica. ~적으로 lógicamente. ~주의 logicismo m. ~학 lógica f. ~학자 lógico, -ca mf.

논마늘 ajos mpl del arrozal.

논마지기 unos acres de arrozales.

논매기 escarda f, escardadura f.

논매다 escardar, desherbar.

논머리 un borde de un arrozal.

논문(論文) ensayo m, trabajo m; [신문·잡지의] artículo m; [연구 논문] estudio m; [연구상의 전문 논문] tesis f.sing.pl; [학사·졸업 논문] tesina f, memoria f; [리포트] trabajo m, redacción f. ~ 시험 examen m de una tesis. ~ 제출 presentación f de una tesis. ~ 지도 교수 director, -tora mf de tesis. ~집 colección f de trabajos.

논문서(-文書) escritura f [título m] de propiedad de un arrozal.

논물 el agua f en un arrozal. ~을 대다 irrigar un arrozal.

논바닥 fondo m del arrozal.

논박(論駁) contraprotesta f, confutación f, refutación f ~하다 confutar, contradecir, refutar.

논발 el arrozal y el campo.

논배미 franja f del arrozal, parcela f del arrozal.

논법(論法) razonamiento m, argumentos mpl, lógica f, método m de la discusión.

논벼 arroz m (que se siembra) en el arrozal.

논병아리 ((조류)) somorgujo m pequeño.

논보리 cebada f (que se siembra) en el arrozal.

논봉(論鋒) fuerza f de una polémica. 예리한 ~ polémica f aguda.

논설(論說) ① comentario m, artículo m, disertación f, discurso m. ② [신문의 사설] editorial m, artículo m de fondo. ¶~ 위원 editorialista mf.

논술(論述) disertación f, enunciación f. ~하다 disertar, enunciar.

논스톱 [형용사적] [여행에서] directo, sin paradas; [기차에서] directo; [비행에서] sin escalas, directo. ~으로 [일이나 말을] sin parar; [항해나 비행을] sin hacer escalas, sin escalas; [기차를] directamente. ¶~ 비행 vuelo m sin escalas.

논어(論語) Lun Yi, Analectas fpl de Confucio.

논외(論外) irrelevancia f al tema; [부사적] fuera de la cuestión. ~의 irrelevante, intrascendente.

논의(論議) discusión f, debate m. ~하다 discutir, debatir. 정치상의 ~ discusión y política. ~할 여지가 없다 (ser) incontestable, indiscutible.

논일 cultivo m del arrozal, trabajo m en el arrozal. ~을 하다 cultivar el arrozal, trabajar en el arrozal.

논자(論者) disputador, -dora mf; polemista mf; [필자] autor, -tora mf.

논쟁(論爭) controversia f, debate m, disputa f, polémica f. ~하다 controvertir, disputar, argüir, polemizar. ~을 시작하다 entablar polémicas. 열띤 ~을 벌리다 discutir ardientemente. ¶~가 controversista mf. ~자 discutidor, -dora mf; polemista mf. ~점 punto m de debate.

논적(論敵) oponente mf; adversario, -ria mf (en discusión).

논전(論戰) controversia f, disputa f. ~하다 controvertir, disputar.

논점(論點) punto m en cuestión, asunto m en litigio, punto m de un argumento, punto m que se discute.

논제(論題) tema m, tesis f. ~에서 벗어나다 apartarse de su tema.

논조(論調) tono m del argumento. 격

한 ~로 en un tono vehemente de argumento.
논죄(論罪) fallo *m*, resolución *f*, juicio *m*, discusión *f*. ~하다 fallar, resolver, decidir.
논증(論證) ① [사물의 옳고 그름을 논술하여 증명함] argumento *m*. ~하다 argumentar. ② ((논리)) prueba *f*, demostración *f*. ~하다 probar, demostrar.
논지(論旨) objeto *m* del argumento, punto *m* en cuestión, lo esencial del argumento, razonamiento *m*.
논진(論陣) argumento *m*. ~를 펴다 argüir, argumentar, sostener.
논총(論叢) colección *f* de ensayos.
논파(論破) refutación *f*, controversia *f*. ~하다 refutar, controvertir, contradecir.
논평(論評) criticismo *m*, crítica *f*, comentario *m*, reseña *f*. ~하다 criticar, hacer la crítica, comentar, reseñar.
논풀다 cultivar (la tierra) para un arrozal, hacer la tierra para un arrozal.
논프로 aficionado, no profesional.
논픽션 no ficción *f*.
논하다(論-) [의론하다] discutir; [평론하다] comentar, hacer comentarios. 문학을 ~ comentar sobre la literatura.
놀 ((준말)) =노을.
놀고 먹다 vivir ociosamente.
놀다 ① [놀이를 하거나 하여 즐겁게 지내다] ㉮ [유희] jugar. 아이들과 ~ jugar con los niños. ㉯ [행락] gozar, divertirse, entretenerse, distraerse, recrearse. 놀러 가다 ir de paseo, hacer una excursión; [유흥] ir a [para] divertirse. ② [하는 일 없이] perder el tiempo, holgazanear, haraganear, flojear. ③ [실직되다] estar sin trabajo, estar sin tener empleo [puesto · colocación]. ④ [물자나 시설 따위가] estar sin cultivar [en barbecho], quedar sin ser utilizado. 놀고 있는 자본 capital *m* inactivo. ⑤ [박힌 것이 헐거워 움직이다] quedarse flojo, aflojarse, soltarse. ⑥ [이리저리 돌아다니다] deambular, errar, vagabundear, vagamundear. ⑦ [태아가 꿈틀거리다] moverse el feto.
놀라다 ① [뜻밖의 일에 가슴이 두근거리다] sorprenderse, asombrarse, pasmarse. ② [공포] asustarse, espantarse, aterrorizarse. ③ [감탄] maravillarse. admirarse, espantarse. 놀라운 maravilloso, admirable; [센세이션의] sensacional. 놀라운 일 maravilla *f*.
놀라움 ① sorpresa *f*, asombro *m*. 그 소식을 접하고 그의 ~은 컸다 Su asombro era grande al oir la noticia. ② [공포] susto *m*, espanto *m*. ③ [경탄] maravilla *f*, admiración *f*.
놀란가슴 corazón *m* palpitante, corazón *m* asustado.
놀란혼(-魂) =놀란가슴.
놀랍다 (ser) sorprendente, asombroso, maravilloso, admirable, sensacional, formidable. 놀랍게도 sorprendentemente, asombrosamente, maravillosamente, admirablemente, formidablemente. 놀라운 무기 el arma *f* formidable.
놀래다 ① [놀라게 하다] sorprender, asombrar. 네가 그런 일을 했다니 놀랬다 Me asombra que tú hayas hecho tal cosa. ② [공포] asustar, espantar, dar un susto. 개를 ~ asustar a un perro. ③ [경탄] maravillar, admirar. 그의 재능에 모두가 놀랬다 Su talento admiró a todo el mundo.
놀려대다 soler mofarse.
놀려먹다 mofarse al azar de otro.
놀리다 ① [조롱하다] reírse, mofarse, burlarse, hacer burla [mofa], tomar el pelo, dar [decir · gastar] una broma, chancearse, gastar chanzas, ridiculizar, poner en ridículo. 날 놀리지 마라 No me tome el pelo. ② [놀게 하다] dejar [hacer] jugar, hacer*le* mucho, permitir pasarse ociosamente, permitir que se pase ociosamente. 나는 아들을 놀릴 수는 없다 No puedo permitir que mi hijo se pase ociosamente. ③ [이리저리 움직이게 하다] mover. 손발을 ~ mover el miembro [las manos y los pies]. ④ [애를 태우다] impacientar. ⑤ [함부로 말하다] decir sin pensar. ⑥ [돈을] dejar dormir, dejar ocioso. 놀리는 돈 dinero *m* inactivo. ⑦ [논밭 따위를] dejar en barbecho [en reposo], dejar sin prevecho.
놀림 [조롱하는 짓] mofa *f*, burla *f*, broma *f*, chanza *f*. ~감[거리] objeto *m* de burlas, burla *f*, mofa *f*, hazmerreír *m*.
놀아나다 ① [얌전한 사람이 방탕해지다] llevar una vida libertina, abusar de disipación. ② [실속 없이 들뜬 행동을 하다] comportarse imprudentemente.
놀아먹다 ① [하는 일 없이 놀면서 지내다] vivir ociosamente. ② [방탕한 생활을 하다] llevar una vida libertina.
놀음 ① [어떤 몸짓을 하면서 재미나게 노는 일] juego *m*. ② ((준말)) =놀음놀이.
놀음놀이 juego *m*, juerga *f*, festejos *mpl*, diversión *f*. ~판 escena *f* de juerga.
놀음판 ((준말)) =놀음놀이판.

놀이 ① [노는 일] ㉮ [유희] juego m. ㉯ [소일. 기분풀이] diversión f, entretenimiento m, recreación f, pasatiempo m. ㉰ [행락] excursión f, paseo m. ㉱ [유흥] disipación f, libertinaje m. ~ 가다 ㉮ [행락] ir de paseo, hacer una excursión. ㉯ [유흥] ir a [para] divertirse. ② ((준말))=놀음놀이. ¶ ~터 [아이들의] campo m de juegos, patio m de recreo; [환락장] lugar m de diversión.

놀잇배 barco m de excursión.

놈¹ ① ((낮춤말)) hombre m, tipo m, sujeto m. 고약한 ~ carácter m desagradable. 더러운 ~ bastardo m sucio. =사내아이.

놈² [동물이나 물건 따위] cosa f, uno, lo. 그 ~을 이리 주오 Pásamelo, por favor.

놈팡이 ① =건달. ② [남의「남편」을 얕잡아 이르는 말] su marido.

놉 ① [품꾼] [농장의] jornalero, -ra mf; [공장의] obrero, -ra mf eventual. ② [품꾼을 부리는 일] trabajo m como eventual.

놋 ((준말)) =놋쇠(latón). ¶ ~단추 botón m de latón. ~ 세공 obra f de latón.

놋갓장이 latonero m.

놋갓점(-店) latonería f.

놋그릇 recipiente m de latón, receptáculo m de latón.

놋대야 lavabo m de latón, lavamanos m.sing.pl de latón.

놋대접 tazón m [cuenco m] de latón.

놋방울 campanilla f de latón.

놋상(-床) mesa f de latón.

놋쇠 latón m, cobre m amarillo.

놋숟가락 cuchara f de latón.

놋요강(-尿鋼) orinal m de latón.

놋점(-店) latonería f.

놋젓가락 palillos mpl de latón.

놋좆(橯-) tolete m, escálamo m.

놋칼 cuchillo m [espada f] de latón.

농(弄) ① [실없는 장난] travesura f, diablura f, =하다 gustarle una broma (a). ② ((준말))=농담.

농(農) ① [농업] agricultura f. ② [농군] agricultor, -tora mf. 농은 천하의 대본(大本) La agricultura es la base de la existencia del país.

농(膿) [고름] pus m. ~이 들다 generar [producir] pus, enconarse, supurar.

농(籠) caja f de mimbre empapelada.

농가(農家) [집] vivienda f del granjero, casa f de labrador [de labranza], alquería f; [농장] granja f; [가족] familia f agrícola.

농간(弄奸) treta f frauculenta, engaño m, fraude m, artería f, astucia f, mañas fpl, ardid m, truco m, artificio m. ~을 부리다 hacer travesuras, hacerle [gastarle] una broma, engañar.

농경(農耕) cultivo m, labor f, labranza f. ~ 민족 pueblo m agrícola. ~ 사회 comunidad f agrícola, sociedad f agrícola. ~ 시대 Edad f Agrícola.

농공(農工) ① [농업과 공업] la agricultura y la industria. ② [농부와 직공] el agricultor y el obrero.

농공상(農工商) la agricultura, la industria y el comercio.

농과(農科) departamento m [curso m] de agricultura. ~ 대학 facultad f de agricultura.

농구(農具) instrumento m [utensilio m] agrícola [de labranza]; [집합적] herramientas fpl agrícolas, aperos mpl de labranza.

농구(籠球) baloncesto m, AmL básquetbol m. ~공 balón m de baloncesto, AmL pelota f de básquetbol. ~ 선수 jugador, -dora mf de baloncesto, baloncestista mf; AmL basquetbolista mf. ~ 시즌 temporada f de baloncesto. ~장 campo m de baloncesto. ~ 팀 equipo m de baloncesto. ~화 zapatillas fpl (de deporte), playeras fpl.

농군(農軍) agricultor, -tora mf; labrador, -dora mf.

농기(農器) =농구(農具).

농기(農機) maquinaria f para la agricultura.

농기구(農器具) maquinaria f agrícola, aperos mpl de labranza.

농노(農奴) siervo, -va mf.

농뇨(膿尿) [의학] piuria f.

농담(弄談) chiste m, broma f, chanza f, chunga f, guasa f, chuscada f, chirigota f; [재치 있는] ocurrencia f. ~하다 bromear, decir un chiste, decir en broma, chancearse, chunguearse, contar chistes. ~으로 en broma, en chanza, en chuscada, en chirigota, en burlas. ~은 빼고 bromas aparte. 반 ~으로 en parte por diversión, medio en broma. ~으로 생각하다 tomar a broma. ~이 지나치다 bromear(se) demasiado. ¶ ~꾼 bromista m.

농담(濃淡) matiz m, tinte m; [명암] claro y sombra, ~도 profundidad f. ~법 claroscuro m, sombreado m, gradación f.

농도(濃度) densidad f, espesor m, espesura f, concentración f. ~계 densímetro m.

농락(籠絡) engatusamiento m, zalamería f, embaucamiento m, seducción f, engaño m. ~하다 engatusar, embaucar, camelar, seducir, engañar, fascinar.

농로(農路) camino m de labranza.

농루(膿漏) [의학] piorrea f, blenorrea f, blenorragia f, pioblenorrea f. ~안(眼) blenoftalmía f, oftalmía f purulenta.

농림(農林) la agricultura y la silvicultura. ~부 Ministerio m de Agricultura y Silvicultura. ~부 장관 ministro, -tra mf de Agricultura y Silvicultura. ~ 수산부 Ministerio m de Agricultura, Silvicultura y Pesca. ~ 수산부 장관 ministro, -tra mf de Agricultura, Silvicultura y Pesca. ~ 행정 administración f para la agricultura y la silvicultura.

농막(農幕) choza f de agricultor, morada f humilde.

농말(弄一) ＝농담(弄談).

농맹아(聾盲啞) el sordo, el ciego y el mudo.

농목(農牧) la agricultura y el pastoreo.

농무(農務) asuntos mpl agrícolas.

농무(濃霧) niebla f [neblina f] espesa [densa]; [바다 등의] bruma f densa.

농묵(濃墨) tinta f china espesa.

농민(農民) agricultor, -tora mf; labrador, -dora mf; [집합적] gente f agrícola; [자작농] agricultor, -tora mf; cultivador, -dora mf; [농촌 사람] campesino, -na mf.

농번기(農繁期) temporada f de mayor ocupación para labradores, estación f de labranza, estación f ocupada para labradores.

농변(膿便) pioquecia f.

농병(農兵) soldados mpl agrarios.

농본주의(農本主義) fisiocracia f.

농부(農夫) labrador m, granjero m, labriego m; campesino m; [자작농] agricultor m, cultivador m; [큰 농장의 주인] hacendado m, Méj ranchero m, RPl estanciero m, Chi dueño m de fundo; [가축의] ganadero m. ~가 canción f de campesina [de los agricultores].

농부(農婦) labradora f, agricultora f.

농사(農事) agricultura f, asuntos mpl agrícolas, labranza f, trabajo m [cultivo m] en el campo. ~하다 cultivar (la tierra), labrar, trabajar.~(-를) 짓다 cultivar, labrar. ¶ ~꾼 labrador, -dora mf; agricultor, -tora mf. ~법 método m de cultivo, método m de labranza. ~시험장 centro m experimental de agricultura, granja f de experimentos agrícolas, quinta f normal. ~일 trabajo m agrícola, trabajo m agropecuario, labranza f, trabajo m en el campo. ~일을 하다 cultivar, labrar, trabajar, ser agricultor. ~철 estación f de labranza.

농산물(農産物) productos mpl agrícolas. ~ 가격 precios mpl agrícolas. ~ 검사 inspección f de productos agrícolas.

농상(農商) ① [농업과 상업] la agricultura y el comercio. ② [농민과 상인] el agricultor y el comerciante.

농상공(農商工) la agricultura, el comercio y la industria.

농색(濃色) color m denso [espeso].

농성(籠城) ① [군사가 머물러 있는 성이 적군에게 에워싸임] sitio m. ~하다 sitiar, estar en sitio, quedarse sitiado. ② [성문을 굳게 닫고 성을 지킴] resistencia f al sitio [al cerco]. ~하다 resistir el sitio. ③ [어떠한 목적을 위하여 점이나 방이나 자리를 떠나지 않고 지킴] sentada f, encierro m, ocupación f, toma f (del lugar de trabajo). ~하다 encerrarse, estar encerrado, hacer una manifestación de brazos caídos. ¶ ~ 파업 huelga f de brazos caídos. ~ 항의 [투쟁] sentada f.

농수산(農水産) la agricultura y la industria pesquera.

농숙(濃熟) demasiada madurez f. ~하다 estar demasiado maduro.

농신(農神) dios m de agricultura.

농아(聾兒) niño m sordo.

농아(聾啞) sordomudez f, [사람] sordomudo, -da mf. ~ 교육 educación f para los sordomudos. ~ 문자 lenguaje m gestual. ~ 학교 escuela f de sordomudos.

농악(農樂) música f instrumental de campesinos. ~대 banda f de la música instrumental de campesinos.

농액(濃液) líquido m espeso.

농액(膿液) ((의학)) pus m.

농약(農藥) medicina f agrícola, producto m químico para agricultura; [살충제] insecticida m agrícola.

농양(膿瘍) ((의학)) absceso m.

농어 ((어류)) lobina f; lubina f, perca f, róbalo m.

농어촌(農漁村) pueblo m agrícola y pesquero.

농업(農業) agricultura f. ~의 agrícola. ~에 종사하다 dedicarse a [ocuparse en] la agricultura. ¶ ~ 경제 economía f agrícola. ~ 고등학교 escuela f superior de agricultura. ~국 país m agrícola. ~ 기계 máquina f agrícola; [집합적] maquinaria f agrícola. ~ 기사 ingeniero m agrícola. ~ 용수(用水) el agua f agrícola. ~ 인구 población f agrícola. ~ 정책 política f agrícola. ~ 차관 prestación f agrícola, préstamo m agrícola. ~ 학교 escuela f agrícola, escuela f agrónoma.

농업 은행(農業銀行) Banco m Agrícola.

농업 협동 조합(農業協同組合) (Asociación f) Cooperativa f Agrícola. ~ 중앙회 Federación f Nacional de Cooperativa Agrícola.

농염(濃艷) belleza f embelesadora, encanto m voluptuoso, fascinación f. ~하다 (ser) fascinante, encantador, hechicero, voluptuoso.

농예(農藝) tecnología f agrícola, la agricultura y la horticultura.

농우(農牛) ganado m agrícola, buey m de tiro.

농원(農園) huerta f, granja f, hacienda f.

농익다(濃-) (estar) demasiado maduro, pasado.

농자(農者) agricultura f.

농자천하지대본(農者天下之大本) La agricultura es una gran base del mundo.

농작(農作) agricultura f, labranza f, cultivo m, cultivo m de la tierra.

농작물(農作物) productos mpl agrícolas, cosechas fpl, cultivos mpl.

농잠(農蠶) la agricultura y la sericultura.

농장(農場) [작은] granja f, CoS, Chi charca f, [큰] cortijo m, hacienda f, finca f, Méj rancho m, RPl estancia f, Chi fundo m; [플랜테이션] plantación f. ~ 경영 administración f [dirección f] agrícola. ~ 관리인 administrador, -dora mf agrícola. ~ 노동자 trabajador, -dora mf agrícola. ~주 propietario, -ria mf de una granja.

농정(農政) administración f agrícola.

농주(農酒) licor m no refinado para la labranza.

농즙(濃汁) zumo m [AmL jugo m] denso [espeso].

농즙(膿汁) ((의학)) pus m.

농지(農地) tierras fpl de labranza, terreno m agrícola; [전답(田畓)] campo m. ~ 개발 explotación f de tierras de labranza. ~ 개혁 reforma f agraria. ~ 개혁법 ley f de reforma agraria. ~ 문제 problema m del agro, problema m del terreno agrícola. ~법 ley f agraria. ~ 분배 distribución f de tierras de labranza. ~세 impuesto m sobre terrenos agrícolas.

농지거리(弄-) chanza f, burla f, chiste m. ~하다 chancear(se), usar de chanzas.

농촌(農村) pueblo m [aldea f] agrícola; [전원] campo m; [농촌 지역] comunidad f rural, región f rural. ~의 rural, agrícola, rústico, campesino. ~ 경제 economía f rural. ~ 교육 educación f rural. ~ 문제 problema m rural. ~ 사회 comunidad f rural. ~ 생활 vida f

rústica. ~ 인구 población f rural. ~ 진흥청 Oficina f de Desarrollos Rurales.

농축(農畜) la agricultura y la ganadería. ~물 productos mpl agrícolas y ganaderos.

농축(濃縮) concentración f, condensación f, enriquecimiento m. ~하다 concentrar, condenar, enriquecer. ~된 concentrado. ¶ ~기(器) condensador m. ~액 extracto m. ~ 우라늄 uranio m enriquecido.

농탁하다(濃濁-) bromear.

농토(農土) tierras fpl de labranza, terreno m agrícola, campos mpl, terreno m destinado a la agricultura. 메마른 ~ tierra f estéril [árida·yerma]. ¶ ~ 개량 mejora f de tierras de labranza, mejora f de terreno agrícola.

농하다(弄-) bromear.

농하다(濃-) ① [빛깔이] (ser) oscuro, obscuro. ② [액체가] (ser) denso, espeso.

농학(農學) agronomía f, ciencia f de la agricultura. ~의 agronómico. ~ 박사 doctor, -tora mf en agricultura. ~부 facultad f de agronomía. ~자 agrónomo, -ma mf.

농한(農閑·農間) tiempo m libre en la hacienda. ~기 temporada f de desocupación para labradores.

농협(農協) (준말) =농업협동조합.

농후(濃厚) espesor m, densidad f. ~하다 [액체가] (ser) espeso, denso, pesado; [빛깔이 매우 짙다] oscuro, obscuro; [강렬한] fuerte. ~한 냄새 olor m fuerte.

높다 ① [아래에서 위까지 길이가 길다] (ser) alto, elevado. 높은 단 altar m alto. 높은 산 montaña f alta, monte m alto. 높은 집 casa f alta. ② ⑦ [신분·계급이나 지위가] (ser) importante, de importancia, de alta categoría. 높으신 분네들 personas fpl de importancia, hombres mpl de alta categoría. 높은 학식 conocimiento alto. ④ [(기세가) 힘차다] (ser) fuerte. ⑤ [대단하거나 굉장하다] (ser) mucho. ③ [온도·체온·비율·정도 등이] ⑦ (ser) alto. ④ [나이가 많다] tener muchos años. ④ [값이 비싸다] (ser) caro, costar mucho. ④ [소리의 진동수가 많다] (ser) alto. 높은 소리로 en voz alta. 높은 가지가 부러지기 쉽다 ((속담)) De muy alto grandes caídas se dan. 높은 나무에는 바람이 세다 ((속담)) Gran nave, gran tormenta.

높다랗다 (ser) bastante alto, altísimo, elevado, imponente.

높디높다 (ser) muy alto, altísimo.

높쌘구름 ((기상)) altocúmulo m.

높은음자리표(-音-標) ((음악)) clave f de sol.

높이¹ [높은 정도] altura f, alto m; [고도] altitud f, elevación f; [음 · 목소리의] tono m. ~ 100미터의 탑 torre f de cien metros de altura. ~가 20미터나 tener veinte metros de alto [de altura].

높이² [부사적] altamente, elevadamente. ~ 날아 오르다 [새가] volar alto; [글라이더가] planear; [새 · 연이] elevarse, remontarse, remontar el vuelo. ~ 던지다 arrojar alto.

높이다 ① [높게 하다] alzar, elevar, levantar; [증진하다] promover, acrecentar; [증대하다] aumentar; [개선하다] mejorar. 목소리를 ~ alzar [elevar] la voz. ② [(상대편에 대하여) 존경하다] respetar, estimar, apreciar, venerar, reverenciar, adorar. ③ [존경하는 말을 쓰다] usar términos respetuosos.

높이뛰기 salto m de altura, salto m en alto, salto m alto, salto m de palanca.

높지거니 muy alto, muy altamente.

놓다¹ ① [어떤 물건을 어떤 자리에서 다른 자리에 있게 하다] poner, colocar. ② [일정한 자리에 기계나 장치 등을] 시설하거나 구조물을 베풀다] instalar, establecer, construir. ③ [심어 가꾸거나 기르다] plantar; [씨를] sembrar. ④ [(주판이나 산가지로) 셈을 하다] calcular. ⑤ [장기나 바둑에서] 말이나 바둑돌을 밭에 두다] poner. ⑥ [(물건의 곁면을 아름답게 하기 위하여) 어떤 장식 따위를 하다] adornar, decorar; [수를] bordar. ⑦ [(팥 · 콩 따위 곡식이나 대추나 잣 따위 일정한 과실을) 음식에 섞어 넣다] mezclar. ⑧ [(이불 · 방석 · 옷 따위를 꾸밀 때에, 그 속에 솜이나 털 따위를) 넣다] enguatar, rellenar. ⑨ [가하고 있던 힘을 일부러 풀다] soltar. ⑩ [말을 존대해서 하지 않고 낮추어서 마구 하다] tutear. ⑪ [계속되던 일이나 행동이나 상태 따위를 그만두다] dejar, parar, cesar, abandonar; [사직하다] dimitir, renunciar, resignar. ⑫ [(일정한 임무를 주어) 보내다] soltar. ⑬ [침을 찌르다] poner, aplicar.

놓다² ① [불을] quemar, incendiar, pegar fuego. ② ㉮ [빨리 가게 하기 위하여] 힘을 더하다] añadir, adicionar. ㉯ [목을 놓아 울다] llorar desenfrenadamente [sin freno]. ③ [포탄이나 총알을] disparar.

놓아두다 dejar. 그녀 자신이 끝내도록 놓아두어라 Déjala terminar [que termine] sola. 나를 가만히 놓아두어라 Déjame en paz.

놓아먹다 (estar) sin educación, maleducado. 놓아먹은 자식 niño m maleducado, niña f maleducada.

놓아먹이다 pastar, pastorear, dejar (ganado) suelto. 놓아먹인 말 persona f maleducada.

놓아주다 ① [잡히거나 얽매인 것을] dejar [poner] en libertad, dejar suelto, soltar, libertar, dejar. 나를 놓아 주세요 Déjame ir. ② [용서하여 주다] perdonar.

놓이다 ① [놓음을 당하다] (ser) puesto, colocado, instalado, construido. ② [얹히어 있다] ser puesto, ser colocado. ③ [안심이 되다] sentirse a sus anchas, sentirse cómodo, sentirse a gusto. 마음이 ~ tranquilizarse.

놓치다 ① [모습을] perder de vista, dejar de ver, perder, dejar escapar, no darse cuenta, no notar; [대상이 주어질 때] escaparse; [보고도 못 본 체하다] pasar por alto, cerrar los ojos. 범인을 ~ dejar escapar a un criminal. ② [잡거나 얻거나 닥쳐온 것을 되잃어버리다] perder. 기차를 ~ perder el tren. 좋은 기회를 ~ perder una buena oportunidad [ocasión]. 놓친 고기가 더 크다 ((속담)) Los peces gordos no se deja pillar fácilmente.

뇌(腦) ① ((해부)) cerebro m, sesos mpl. ~의 cerebral. ② ((의학)) encéfalo m. ~의 encefálico. ¶ ~ 세포 neurona f. ~손상 lesión f cerebral. ~작용 acción f cerebral. ~절개술 encefalotomía f.

뇌경색(腦梗塞) infarto m cerebral.

뇌경화증(腦硬化症) encefalosclerosis f, cerebrosclerosis f.

뇌공동증(腦空洞症) siringoencefalia f, porencefalia f. ~의 porencefálico.

뇌관(雷管) pistón m, cápsula f (fulminante), detonador m. ~ 장치 llave f de percusión. ~ 화약 polvo m de percusión.

뇌까리다 repetir la misma palabra de manera desagradable.

뇌꼴스럽다 (ser) asqueroso, repugnante, detestable, odioso, aborrecible.

뇌다 ① [한 번 친 가루를] volver a cribar el polvo que cribó una vez. ② [한 번 한 말이나 과거의 일을] hablar larga y pesadamente, decer de una manera prolija [difusa · redundante].

뇌당(腦糖) cerebrosa f.

뇌동(雷同) marcha f con el flujo común. ~하다 seguir ciegamente a otros, ir con el flujo, resonar. ~자 seguidor, -dora mf inconsciente; adicto, -ta mf.

뇌동맥(腦動脈) arteria f cerebral. ~ 경화증 arteriosclerosis f cerebral. ~ 색전증 embolia f cerebral. ~ 엑스선 촬영 encefaloarteriografía f.

뇌력(腦力) capacidad *f* cerebral, poder *m* cerebral, coeficiente *m* intelectual.

뇌리(腦裡) cerebro *m*, *su* mente, *su* corazón. ~에 새기다 grabar en *su* memoria [en *su* mente].

뇌막(腦膜) ((해부)) meninge *f*. ~염 meningitis *f*.

뇌물(賂物) soborno *m*, cohecho *m*. ~로 como soborno. ~을 주다 sobornar, cohechar. ~을 받다 aceptar un soborno, dejarse sobornar, recibir un soborno. ¶ ~ 수수[수회] aceptación *f* de soborno. ~ 수회자 sobornado, -da *mf*. ~죄 crimen *m* de aceptación de soborno.

뇌병(腦病) enfermedad *f* cerebral, meningitis *f*, encefalopatia *f*.

뇌병원(腦病院) =정신 병원.

뇌빈혈(腦貧血) anencefalemia *f*.

뇌사(腦死) muerte *f* cerebral [clínica]. ~의 clínicamente muerto. ~자 persona *f* clínicamente muerta.

뇌색전증(腦塞栓症) ((의학)) embolia *f* cerebral.

뇌성(雷聲) trueno *m*. ~이 울리다 tronar.

뇌성 벽력(雷聲霹靂) trueno *m* y relámpago. 뇌성 벽력은 귀머거리도 듣는다 ((속담)) La verdad evidente la saben hasta los niños.

뇌성 마비(腦性痲痹) parálisis *f* cerebral.

뇌성 소아 마비(腦性小兒痲痹) parálisis *f* infantil cerebral.

뇌쇄(惱殺) ① [애가 타도록 몹시 피로워함] mucho dolor con mucha preocupación. ② [여성이 그 미모로] 남성의 마음을 끌어 매우 괴롭고 애타게 함] fascinación *f*, hechicería *f*. ~하다 fascinar, hechizar, embrujar, atraer irresistiblemente.

뇌수(腦髓) encéfalo *m*, seso *m*.

뇌수막염(腦髓膜炎) meningitis *f* cerebral, encefalomeningitis *f*.

뇌수면(腦睡眠) sueño *m* cerebral.

뇌수술(腦手術) neurocirugía *f*.

뇌수종(腦水腫) cefalohidrocele *m*, hidrocefalia *f*. ~의 hidrocéfalo. ~ 환자 hidrocéfalo, -la *mf*.

뇌신경(腦神經) nervios *mpl* craneales, nervios *mpl* cerebrales. ~막 neurilema *f*. ~막염 neurilemitis *f*. ~ 쇠약 encefalastenia *f*.

뇌심근염(腦心筋炎) encefalomiocarditis *f*.

뇌염(腦炎) ((의학)) encefalitis *f*.

뇌우(雷雨) aguacero *m* con truenos, tormenta *f*.

뇌운(雷雲) nubarrón *m*.

뇌일혈(腦溢血) hemorragia *f* cerebral, apoplejía *f*. ~을 일으키다 ser atacado por la hemorragia cerebral, sufrir de la apoplejía.

뇌전기 기록도(腦電氣記錄圖) electroencefalograma *m*.

뇌전도(腦電圖) electroencefalograma *m*. ~ 기록기 electroencefalógrafo *m*. ~ 의학 electroencefalografía *f*.

뇌조(雷鳥) ((조류)) perdiz *f* blanca.

뇌졸중(腦卒中) apoplejía *f*. ~ 환자 apoplético, -ca *mf*.

뇌종양(腦腫瘍) encefaloma *m*, rumor *m* cerebral.

뇌진탕(腦震盪) conmoción *f* cerebral, concusión *f* del cerebro. ~증 concusión *f* cerebral.

뇌척수(腦脊髓) ~의 cerebroespinal, encefalorraquídeo, cefalorraquídeo. ~막 meninge *f*. ~막염 meningitis *f* cerebroespinal. ~ 신경 nervio *m* craniospinal. ~액 líquido *m* cerebroespinal, líquido *m* encefálico.

뇌출혈(腦出血) =뇌일혈(腦溢血).

뇌충혈(腦充血) hiperemia *f* cerebral.

뇌파(腦波) electroencefalograma *m*. ~계 electroencefalógrafo *m*.

뇌하수체(腦下垂體) ((해부)) hipófisis *f*, glándula *f* pituitaria. ~ 기능 부전 hipopituitarismo *m*. ~ 기능 항진(증) hiperpituitarismo *m*. ~ 절제술 hipofisectomía *f*, pituitectomía *f*. ~ 호르몬 hormona *f* pituitaria.

누(累) molestia *f*, turbación *f*, complicidad *f*. ~를 끼치다 molestar, causar molestias.

누(樓) ① [(준말)] =누각(樓閣). ② =다락집.

누(壘) ((야구)) base *f*.

누가 ¿quién?; [어떤 사람] alguno, alguna. ~ 너에게 그것을 주었느냐? ¿Quién te lo dio? 당신들 중 ~ 그를 만나겠습니까? ¿Alguno de ustedes va a verle?

누가(累加) aumento *m* progresivo. ~하다 aumentar progresivamente.

누각(樓閣) ① =다락집. ② [한식 건물의] casa *f* con dos o tres pisos.

누계(累計) suma *f* (total). ~하다 sumar, totalizar.

누골(淚骨) hueso *m* lagrimal.

누관(淚管) (conducto *m*) lagrimal *m*. ~염 dacriocanaliculitis *f*, dacriosolenitis *f*. ~종 dacrioma *m*.

누구 ① [인칭대명사] ¿Quién? ~의 ¿de quién? ~에게[를] ¿a quién? ~를 기다리느냐? ¿A quién esperas? ~십니까? ¿Quién es? ~ 집 [함은] ¿Cómo se llama usted? // [전화에서] ¿Quién habla? [대답은] Habla ~] ¿De parte de quién? [대답은 (De parte) de ~]. ② [특정한 사람이 아닌 어떤 사람] alguien; alguno, -na. ~(라)도 cualquiera, quienquiera; [재귀대명사] se; [모두] todos, todo el mundo.

누구누구 ¿Quiénes? ~ 구별없이 질문하다 preguntar a cualquiera,

preguntar no importa a quién.

누그러뜨리다 [고통을] aliviar, calmar; [슬픔을] ahogar. 슬픔을 ~ ahogar las penas.

누그러지다 ① ㉮ [성·흥분이] apaciguarse, calmarse, tranquilizarse, aliviarse, aligerarse. 고통이 ~ aliviar [aligerar] la pena. ㉯ [분위기가] ponerse amistoso, pacificarse ㉰ [태도가] adoptar una postura conciliadora, hacerse conciliador [menos severo]. ② [추위·더위·병세·물가 따위가] mitigarse, aliviarse, atenarse, aligerarse.

누글누글하다 (ser) blanducho, muelle, pulposo, esponjoso, suave, blando. 누글누글해지다 ponerse blando, ponerse como unas gachas, reblandecerse, ablandarse.

누굿하다 ① [메마르지 않고 약간 눅눅하다] (estar) algo húmedo. ② [추위가]약간 눅다] no estar muy frío. ③ [성질이] 늘어지고 부드럽다] (ser) generoso, tranquilo, apacible, sosegado, afable, dulce, suave.

누기(漏氣) humedad f. ~ 냄새가 나다 oler a humedad. ~(가) 차다 (estar) húmedo. ~(가) 찬 방 habitación f húmeda.

누나 hermana f (mayor).

누낭(淚囊) dacriocisto m, saco m lagrimal.

누년(累年) cada año, todos los años.

누년(累年) muchos años.

누누이(屢屢ㅡ) repetidamente, repetidas veces, frecuentemente, muchas veces, minuciosamente, detalladamente. ~ 설명하다 explicar detalladamente.

누님 hermana f mayor.

누다 evacuar. 똥을 ~ evacuarse, defecar; [가축이] estercolar. 오줌을 ~ orinar(se), hacer aguas.

누대(累代) generaciones fpl sucesivas, muchas generaciones.

누대(樓臺) torre f, atalaya f.

누더기 harapos mpl, andrajos mpl. ~ 옷 ropa f andrajosa.

누덕누덕 con remiendos. ~하다 (ser) andrajoso, (estar) lleno de andrajos, lleno de remiendos.

누도(淚道) ((해부)) =눈물길.

누드 [나체] desnudez f, desnudo m. ~ 댄서 artista f de strip-tease. ~ 모델 modelo mf de desnudo. ~ 사진 (foto f de) desnudo m. ~ 쇼 strip-tease m. ~ 신 desnudo m, escena f de desnudo. ~ 화(畵) desnudo m.

누락(漏落) omisión f. ~하다 omitirse. 기입 ~ omisión f.

누란(累卵) situación f crítica, peligro m inminente. ~의 위기에 처하다 estar en peligro, estar pendiente de un hilo.

누렁 (color m) amarillo m oscuro. ~물 ㉮ [노란 물] el agua f amarilla. ㉯ [더러운 물] el agua f sucia. ~이 perro m grande y amarillo.

누렇다 (ser) muy amarillo.

누로(淚路) ((해부)) =눈도, 눈물길.

누룩 levadura f, malta f. ~ 냄새 olor m a levadura. ~ 덩이 masa f de levadura. ~ 밀 malta f hecha de arroz apelmazado.

누룩곰팡이 ((식물)) aspergillus m.

누룽지 arroz m a quemado, ReD concón m.

누르께하다 quemarse adecuadamente.

누르다[1] ① [힘을 가하여] prensar, aprensar, apretar(se), sujetar, oprimir(se). ② [무거운 것을 올려 놓다] poner un peso. ③ [어떤 심리 작용이 일어나지 못하게 하다] dominar, contener, ahogar, refrenar, calmar, apaciguar. 감정을 ~ ahogar el sentimiento. ④ [윽박지르다] oprimir, apretar, aplastar, desanimar. ⑤ [누름단추를] tocar.

누르다[2] [빛깔이] (ser) amarillo como oro.

누르디누르다 (ser) muy amarillo, amarillísimo.

누르락붉으락 poniéndose colorado con cólera, cambiando de semblante con enfado.

누르락푸르락 poniéndose pálido, cambiando de semblante con enfado.

누르스레하다 =누르스름하다.

누르스름하다 amarillear, (ser) amarillento, amarillo. 누르스름해지다 amarillecer, amarillear, ponerse amarillento.

누르퉁퉁하다 (ser) amarillento.

누른도요 ((조류)) becada f, chocha f.

누른빛 color m amarillo.

누름단추 botón m (de presión), pulsador m; [초인종] timbre m.

누름돌 piedra f de tener presada la cosa.

누름적(ㅡ炙) pincho m [kebab m] bañado en [cubierto de] huevo.

누름하다 =누르스름하다.

누릇누릇 amarillentamente. ~하다 ser amarillento, ser amarillo aquí y allá.

누리다[1] [즐기다] gozar, tener. 장수를 ~ gozar de la longevidad.

누리다[2] [냄새가] (ser) fétido, rancio. 누린 고기 carne f fétida.

누린내 ① [짐승의 고기에서] fetidez f, hedor m, olor m rancio, olor m fétido. ② [동물의 털이 불에 타는 냄새] olor m a quemado. ~가 나다 oler a quemado.

누릿하다 estar doradito.

누마루(樓ㅡ) suelo m superior, desván *m*, buhardilla *f*, ático *m*.

누만(累萬) ① [여러 만] decenas de miles. ② [많은 수] muchos números, muchísimos números.

누명(陋名) deshonor *m*, deshonra *f*, ignominia *f*, infamia *f*, mal nombre *m*, mala fama *f*, mala reputación *f*. ~을 벗다 borrar [limpiar] el deshonor. ~을 쓰다 ser deshonrado, ser estigmatizado, ser infamado.

누백(累百) centenares *mpl*.

누범(累犯) ofensa *f* repetida, ofensa *f* cumulativa, reincidencia *f*. ~자(者) reincidente *mf*.

누비 guateado *m*, acolchado *m*, acolchado *m*. ~옷 guateado *m*, acolchado *m*, acolchado *m*. ~이불 enredón *m*, RPI acolchado *m*. ~질 guateado *m*, acolchado *m*, acolchado *m*. ~질하다 guatear, acolchar, acolchonar.

누비다 ① [피륙을] guatear, colchar, acolchar, acolchonar. ② [이리저리 뚫고 쏘다니다] vagar, deambular.

누삭(屢朔) varios meses.

누산(累算) cuenta *f* del total, total *m*, suma *f*. ~하다 sumar, totalizar.

누상(樓上) en el desván. ~고 depósito *m* que está en el desván.

누선(淚腺) glándula *f* lagrimal. ~염 dacriadenitis *f*.

누선(樓船) barco *m* con el desván.

누설(漏泄/漏洩) ① [밖으로 샘] goteo *m*, filtración *f*. ~하다 gotear, hacer agua. ② [비밀이 새어 나감] divulgación *f*. ~하다 divulgar. ~되다 divulgarse. ¶~자 divulgador, -dora *mf*.

누수(漏水) escape *m* [fuga *f*・derrame *m*・salida *f*] de agua, gotera *f* (en un techo). ~를 막다 impedir el escape de agua.

누수(壘手) [(야구)] jugador, -dora *mf* de base.

누습(陋習) costumbre *f* despreciable, hábito *m* vicioso. ~을 타파하다 abolir las malas costumbres.

누습(漏濕) filtración *f* de la humedad.

누실(陋室) ① [누추한 방] habitación *f* sucia. ② [자기의 방] mi humilde habitación.

누실(漏失) pérdida *f*. ~하다 perder. ~량 cantidad *f* de pérdida.

누심(壘審) árbitro *m*, umpire *mf*.

누안(淚眼) ojos *mpl* llorosos.

누액(淚液) lágrima *f*. ~의 lagrimal.

누에 gusano *m* de seda. ~를 기르다 criar gusano de seda. ¶~고치 capullo *m* (de gusano de seda). ~똥 excremento *m* de gusano de seda. ~씨 variedad *f* de gusano de seda. ~알 huevecillo *m* de gusanos de seda. ~치기 sericul-

tura *f*.

누에나방 ((곤충)) palomilla *f* de gusano de seda.

누옥(陋屋) ① [누추한 집] casucha *f*, casuca *f*. ② [자기의 집] mi humilde casa.

누옥(漏屋) casa *f* que gotea.

누우(陋愚) la vileza y la estupidez. ~하다 (ser) vil y estúpido.

누워먹다 ① [음식을 누워서 먹다] comer echado [acostado・tendido・tumbado]. ② [거저먹다. 놀고 먹다] llevar una vida ociosa.

누이다¹ ["눕다"의 피동형] ponerse blanco y suave.

누이다² ["누다"의 사역형] [오줌을] hacer orinar; [똥을] hacer defecar.

누이다³ ["눕다"의 사역형] ① [눕히다] acostar, hacer dormir, poner a lado. ② [넘어뜨리다] hacer caer, derribar, derrumbar, echar abajo, tirar, lanzar hacia abajo.

누적(累積) acumulación *f*. ~하다 acumular. ~적자 déficit *m* acumulado.

누전(漏電) fuga *f* eléctrica, escape *m* eléctrico, corto circuito *m*. ~하다 haber escape de electricidad. ~계 indicador *m* de fugas [de tierra].

누점(淚點) (punto *m*) lagrimal *m*.

누지(陋地) ① [누추한 곳] lugar *m* sucio; [누추한 방] habitación *f* sucia. ② [자기의 사는 곳] mi humilde lugar.

누지다 (estar) húmedo.

누진(累進) promoción *f* sucesiva, avance *m* progresivo. ~하다 promoverse sucesivamente, avanzar progresivamente. ~ 과세 imposición *f* progresiva. ~세 impuesto *m* progresivo. ~ 세율 tipo *m* impositivo progresivo, tipo *m* del impuesto progresivo. ~ 세제 sistema *m* progresivo de tributación. ~ 소득세 impuesto *m* progresivo sobre la renta.

누차(屢次) ① [여러 차례] muchas veces, repetidamente, repetidas veces, a menudo. ② [가끔. 때때로] a veces, unas veces, algunas veces, de vez en cuando.

누추(陋醜) [지저분하고 더러움] suciedad *f*, porquería *f*, desaseo *m*. ~하다 (estar) desaseado, sucio. ② [자기의 거처] mi humilde casa.

누출(漏出) goteo *m*, escape *m*, fuga *f*, huida *f*, derrame *m*. ~하다 gotear, hacer agua, escaparse, salirse, derramarse.

누타(縷打) ((사격)) sencillo *m*.

눅눅하다 humedecerse, mojarse. 눅눅한 húmedo, mojado. 눅눅한 날씨 tiempo *m* húmedo.

눅다 ① [무르다] (ser) suave; [쇠가] dúctil. ② [뻣뻣하던 것이 습기를

받아 부드럽다] (ser) húmedo, suave y húmedo. ③ [너그럽다] (ser) generoso, plácido, apacible, tranquilo. ④ [날씨가 풀리어 푸근하다] (ser) templado, benigno. ⑤ [헐하다] (ser) barato, económico, de precio reducido.

녹신녹신 muy suave y flexiblemente, muy elásticamente. ~하다 (ser) muy suave y flexible, muy elástico.

녹신하다 (ser) suave y flexible, elástico.

녹실녹실 muy elásticamente. ~하다 (ser) muy elástico.

녹실하다 (ser) elástico.

녹이다 ① [부드럽게 하다] ablandar; [살갗을] suavizar. ② [마음을 풀리도록 하다] apaciguar, tranquilizar, calmar, mitigar, atenuar, aliviar, aplacar. ③ [습기를 더하여 부드럽게 하다] humedecer, mojar. ④ [언 성을] suavizar, moderar.

녹지다 (ser) templado, benigno, no muy frío.

녹진하다 (ser) 녹진하다.

눈 ① [보는] ojo m. 눈물을 머금은 ~ ojos mpl blandos, ojos mpl tiernos. 툭 튀어나온 ~ ojos mpl de besugo, ojos mpl de sapo. ② [시력] vista f, visión f. ~이 보이지 않다 no poder ver, perder (la) vista, ser invisible, ser imperceptible. ~이 나쁘다 tener mala vista, tener muy poca vista, ver mal. ~이 좋다 tener buena vista, tener muy buen ojo. ③ [사물을 인식, 판단하는 힘] buena vista f, observación f, vigilancia f. ④ [보는 모양이나 태도] la vista de los padres. ¶ ~을 감다 ⑦ [죽다] morir, fallecer. ④ [남의 허물이나 잘못을] pasar por alto, cerrar los ojos. ⑤ [위아래의 눈시울을 마주 붙이다] cerrar los ojos; [한쪽 눈만을 감다] cerrar un ojo. ~을 뜨다 ⑦ [감은 눈을 열다] abrir (los) ojos. ④ [시력이 생기다] tener (la) vista. ⑤ [깨달아 알게 되다] despertarse. ~을 붙이다 pegar los ojos, dormir un momento [un rato]. ~을 속이다 engañar, soflamar, usar de soflama, chasquear, defraudar un artículo falso como genuino. ~이 높다 ⑦ [여간 것은 시시하게 여길 만큼 거만하다] tener un gusto bien cultivado. ④ [사물을 분석, 식이 높다] ser un gran entendido, juzgar bien, tener buena vista, tener un buen ojo. ~이 뒤집히다 ⑦ [환장을 하다] cegarse, ofuscarse, deslumbrarse. ④ [몹시 놀라서 눈을 크게 뜨다] tener los ojos muy grandes. ~이 맞다 ⑦ [두 사람의 눈치가 서로 통

하다] tropezar con los ojos. ④ [남녀간에] enamorarse uno de otro, estar enamorado uno de otro. ~이 멀다 ⑦ [시력을 잃다] perder (la) vista. ④ [이성을 잃다] ser un esclavo. ~이 캄캄하다 ⑦ [정신이 아찔하고 생각이 꽉 막히다] estar mare- ado, tener vértigo. ④ [까막눈이다] no entender [saber] el abecé, ser muy ignorante, ser analfabético. ~ 뜬 장님[소경] persona f que no sabe lo que se ve. [글자를 모르는 사람] analfato, -ta mf.

눈² ((식물)) [싹] brote m, yema f, capullo m (꽃의), pimpollo m, vástago m. ~(이) 트다 brotar, echar brotes [retoños]; [씨앗이] germinar.

눈³ [자·자울·온도계 등의] escala f.

눈⁴ [그물 따위의] malla f.

눈⁵ [새하얀 작은 얼음 조각] nieve f. ~이 내리다 nevar, hacer nieve. ~이 녹다 desnevar, deshacerse [derretirse] la nieve. ~이 쌓이다 acumularse la nieve. ~으로 덮여 있다 estar cubierto de nieve. ~이 많이 내리고 있다 Está nevando mucho. 금년에는 ~이 많이 왔다 Este año ha nevado mucho.

눈가 borde m de los ojos.

눈가늠 =눈대중.

눈가루 copo m de nieve en polvo.

눈가림 engaño m, camuflaje m; [미봉책] recurso m provisional, medida f provisional. ~하다 engañar, camuflar.

눈가장 borde m del ojo.

눈가죽 párpado m.

눈겨룸 combate m de mirada. ~하다 tener un combate de mirada.

눈결 mirada f.

눈곱 legañas fpl, pitaña f, moco m de los ojos. ~이 끼다 tener los ojos llenos de legañas. ~만하다 ser muy pequeño.

눈구덩이 =눈구멍².

눈구름 ① [눈과 구름] la nieve y la nube. ② [눈을 머금은 구름] nube f cargada de nieve.

눈구멍¹ ① ((속어)) =눈¹. ② [눈방울이 박혀 있는 구멍] órbita f, cuenca f del ojo.

눈구멍² ventisquero m, hoyo m en la nieve acumulada durante una ventisca, acumulación f de nieve.

눈구석 rincón m del ojo.

눈금 escala f, graduación f.

눈기운 amenaza f de nieve [con nevar].

눈기이다 engañar.

눈길¹ [시선] mirada f.

눈길² [눈이 쌓인 길] camino m cubierto de nieve.

눈까풀 párpado m.

눈깔사탕(-砂糖) =알사탕.

눈깜작이 persona f parpadeante.

눈꺼풀 párpado m.

눈꼴 ① [눈의 모양새] forma f del ojo. ② [바라볼 때의] 눈] ojo m. ~(이) 사납다 (ser) afectado, cursi, amanerado, presumido, remilgado, dengoso, pedante. ~(이) 틀리다 estar harto de ver.

눈꽃 nieve f que se ve como si florezca en las ramas del árbol.

눈나오다 ① =억울하다. ② [놀라서] tener miedo, temer.

눈다랑어 ((어류)) una especie de la atún.

눈대중 =눈어림.

눈덩이 bola f de nieve.

눈독(-毒) ① [욕심을 내어 눈여겨 봄] acción f de echar el ojo. 재물에 ~을 들이다 echar el ojo a la propiedad. ② [눈의 독기] veneno m del ojo.

눈동자(-瞳-) niña f, pupila f.

눈두덩 lagrimal m, borde m del ojo.

눈딱부리 ojo m de sapo, ojos mpl reventones, ojos mpl resaltosos.

눈딱지 ojos mpl feos.

눈망울 ① [눈동자가 있는 부분] parte f que está la niña. ② =눈알.

눈매 ((준말))=눈맵시.

눈맵시 formación f de los ojos, mirada f, expresión f de los ojos, fisonomía f.

눈먼 돈 ① [임자 없는 돈] dinero m sin dueño. ② [우연히 생긴 공돈] dinero m imprevisto, ingresos mpl imprevistos, dinero m fácil.

눈물[1] ① [눈물샘에서 나오는 물] lágrima f. ~을 흘리다 derramar lágrimas, verter lágrimas, lagrimear. ~을 머금다 lagrimear, arrasarse de [en] lágrimas; [감동되어] llorar de emoción. ~을 짓다 llorar, conmoverse con ojos humedecidos, arrasarse de [en] lágrimas; [감동되어] llorar de emoción. ~이 지다 derramarse las lágrimas. ¶ ~겹다 enternecerse, (ser) lloroso, triste, emotivo. ~고랑 surco m lagrimal. ~길[관] (conducto m) lagrimal m. ~샘 glándula f lacrimal [lagrimal], carúncula f lagrimal. ~주머니 dacriocisto m, bolsa f lacrimal, saco m lagrimal.

눈물[2] [눈이 녹아서 된 물] nieve f deretida, el agua f de la nieve.

눈바람 =눈보라.

눈발 copo m de nieve.

눈방울 globo m ocular. ~을 굴리다 mirar con los ojos desorbitados, abrir los ojos como platos.

눈밭 tierra f cubierta de nieve.

눈벌판 =눈밭.

눈병(-病) ((의학)) oftalmía f, inflamación f de los ojos, dolor m de ojo, enfermedad f de ojos. ~이 나다 tener dolor de ojo, sufrir de la afección de los ojos..

눈보라 ventisca f, tempestad f [borrasca f] de nieve, tormenta f de nieve, ventisquero m, nevasca f, viento m nevoso, CoS nevazón m.

눈부시다 (ser) deslumbrante, deslumbrador, cegador, glorioso, espléndido; [휘황찬란하다] resplandeciente, brillante; [놀랍다] notable.

눈부처 imagen f de la persona reflejada en la niña.

눈비 la nieve y la lluvia.

눈빛[1] [눈에 나타나는 기색] expresión f de los ojos. 성난 ~ expresión f enojada.

눈빛[2] [눈의 빛깔] color m blanco.

눈사람 muñeco m de nieve, muñeca f de nieve, figura f de hombre hecho de nieve.

눈사태(-沙汰) alud f, avalancha f de nieve.

눈살 ceño m, entrecejo m, surco m, arruga f. ~을 찌푸리다 fruncir las cejas [el entrecejo], arrugar el entrecejo, fruncir el ceño.

눈서리 la nieve y la escarcha.

눈석임 deshielo m. ~하다 deshelar.

눈속임 engaño m, soflama f, trampa f. ~하다 engañar, soflamar, usar de soflama, chasquear.

눈송이 copo m de nieve.

눈시울 lagrimal m, ángulo m facial del ojo.

눈싸움[1] [눈겨룸] juego m de miradas fijas sin reir.

눈싸움[2] [설전(雪戰)] batalla f con bolas de nieve. ~을 하다 jugar arrojándose bolas de nieve.

눈썰미 ojos mpl agudos, ojos mpl diestros, ojos mpl hábiles, observación f aguda.

눈썹 ceja f. ~이 짙은 cejijunto. ~도 까딱하지 않다 no alterarse, no perder la tranquilidad.

눈알 ((해부)) globo m ocular, globo m del ojo. ~을 굴리다 mirar con ojos desorbitados.

눈앞 ① [아주 가까운 곳] sitio m [lugar m] muy cercano. ② [가까운 장래] futuro m cercano. ¶ ~이 캄캄하다 ㉮ [아무 것도 안 보이다] cegarse, deslumbrarse, ofuscarse. ㉯ [어찌 할 바를 모르다] no saber qué hacer.

눈약(-藥) colirio m, loción f para [de] los ojos, gotas fpl para los ojos. ~을 넣다 aplicar gotas a los ojos.

눈어림 estimación f general, cálculo

m. ~하다 estimar generalmente, calcular.

눈언저리 labio *m* [borde *m*] de párpado [palpebra].

눈엣가시 cosa *f* que ofenda la vista, obstáculo *m* a la vista.

눈여겨보다 tener cuidado, poner la mira, hacer la puntería.

눈요기 deleite *m* de los ojos. ~하다 deleitar los ojos.

눈웃음 sonrisa *f* bajo [con] *sus* ojos. ~(을) 짓다 sonreír bajo [con] *sus* ojos. ~(을) 치다 sonreír bajo [con] *sus* ojos.

눈인사(-人事) saludo *m* silencioso (con los ojos). ~하다 saludar con la cabeza, saludar con los ojos.

눈자위 borde *m* del ojo. ~가 꺼지다 morir, fallecer, dejar de vivir.

눈짐작 =눈대중.

눈짓 guiño *m*. ~하다 guiñar [한 눈으로] un ojo・[양 눈으로] los ojos], hacer señas con los ojos, cucar un ojo [los ojos]; [서로] cruzar miradas significativas, guiñarse, intercambiar una mirada.

눈초리 ① [눈이 귀쪽으로 째진 구석] rabillo *m* del ojo, ángulo *m* facial del ojo. ~의 주름 patas *fpl* de gallo. ② =시선(視線).

눈총 mirada *f*, mirada *f* aguda. ~을 맞다 (ser) detestado, odiado, aborrecido, verse como un adefesio.

눈치 ① [남의 생각이나 태도를 알아챌 수 있는 힘] sentido *m*, tacto *m*, intuición *f*, perspicacia *f*, agudeza *f*. ~가 빠르다 (ser) listo, sagaz, astuto, artero, vivo, perspicaz. ② [속으로 생각하는 바가 자연히 겉으로 들어나는 어떤 태도] señal *f*, indicación *f*; [태도] actitud *f*, expresión *f*, mirada *f*. ~(를) 보다 tratar de leer *su* corazón, sondar *su* motivo. ~(를) 채다 enterarse, notar, observar, advertir, darse cuenta.

눈칫밥 comida *f* para el que no da una calurosa acogida, sal *f* de otro. ~(을) 먹다 comer la sal de otro.

눈코 los ojos y la nariz. ~ 뜰 새 없다 estar muy ocupado, estar ocupadísimo, no tener tiempo (libre).

눈물이 región *f* saltona del lagrimal.

눋다 quemarse, dorar; [표면・일부가] chamuscarse, socarrarse, tostarse, torrarse; [새까맣게] carbonizarse. 눋은 밥 arroz *m* quemado. 밥이 ~ dorar el arroz blanco, quemarse el arroz blanco. ¶눌어붙다 ㉮ [뜨거운 바닥에 조금 타서 붙다] quemarse y pegarse. ㉯ [한 곳에 오래 있으면서 떠나지 아니하다] quedarse en *su* sitio, estar aferra-

do, adherirse, pegar. 한자리에 ~ quedarse en la misma posición, quedarse en el mismo lugar.

눌하다 (ser) amarillento.

눌러 ① [그대로 용서하는 너그러운 생각으로] generosamente, con generosidad. ② [「있다」「앉다」와 함께 쓰이어, 「계속 머물러」의 뜻을 나타내] quedándose continuamente, seguir [continuar] + 「현재분사」(-ando・-iendo). ~ 있다 arraigarse, echar raíces.

눌러쓰다 [모자 따위를] encasquetarse, calarse. 모자를 ~ encasquetarse [calarse] el sombrero.

눌러앉다 establecerse, instalarse, seguir [continuar] sentándose; [유임하다] quedarse en la misma posición. 눌러앉아 일하기 시작하다 empezar el trabajo con un propósito firme (de terminarlo).

눌리다[1] [「누르다」의 피동형] apretarse, oprimirse.

눌리다[2] [「눋다」의 사역형] quemar, tostar, carbonear, requemar, chamuscar, socarrar, torrar.

눌변(訥辯) torpeza *f* en hablar. ~다 ser lento en hablar; [웅변이 아닌] ser poco elocuente. ¶~가 orador, -dora *mf* [parlador, -dora *mf*] torpe; orador *m* [parlador *m*] desmañado, oradora *f* [parladora *f*] desmañada.

눌어보다 ☞눋다.

눌언(訥言) tartamudeo *m*, palabra *f* tartamuda.

눌은내 olor *m* a quemado.

눌은밥 ① [솥바닥에 눌어붙은 밥 찌꺼기에 물을 부어 불려서 긁은 밥] arroz *m* quemado con agua. ② [누룽지] arroz *m* a quemado, ReD concón *m*.

눕다 ① [등이나 옆구리를 바닥 위에 대고] acostarse, echarse, tenderse, tumbarse, yacer. 누워 있다 estar echado [acostado・tendido・tumbado]. ② [병으로] estar en cama. 병으로 ~ estar en cama de enfermo.

눕히다 acostar. 아이를 침대에 ~ acostar al niño en la cama.

뉘 [쓿은 쌀 속에 섞인] (grano *m* del) arroz *m* sin pelar.

뉘앙스 matiz *m*. ~를 붙이다 matizar.

뉘엿거리다 ① [해가 곧 지려고 하다] (el sol) va a ponerse. ② [게슬 듯이 자꾸 속이 메스꺼워지다] asquear, repugnar, sentir asco, sentir náuseas, nausear, tener el deseo de vomitar.

뉘엿뉘엿 ① [해가] yendo a ponerse. ② [속이] sintiendo náuseas [asco].

뉘우치다 arrepentirse. 자신의 잘못을

~ arrepentirse de *sus* culpas.

뉘우침 arrepentimiento *m*. ~없이 a pesar de la experiencia amarga, sin arrepentirse; [고집스레] obstinadamente.

뉴스 ① [알림] noticia *f*, novedad *f*, nueva *f*. ② [보도] informaciones *fpl*. ③ [라디오·텔레비전의] noticiario *m*. ¶ ~ 데스크 redacción *f*. ~룸 [신문사·라디오 방송국의] sala *f* de redacción; [도서관의] sala *f* de lectura de los periódicos. ~ 영화 nodo *m*. ~ 캐스터 locutor, -tora *mf*; presentador, -dora *mf*. ~ 해설 comentarios *mpl* de noticias. ~ 해설자 comentarista *mf* de noticias.

뉴욕 ((지명)) Nueva York *f*. ~의 neoyorquino. ~ 사람 neoyorquino, -na *mf*.

뉴질랜드 ((지명)) Nueva Zelandia *f*. ~의 neocelandés, neozelandés. ~ 사람 neocelandés, -desa *mf*; neozelandés, -desa *mf*.

뉴턴 neutonio *m*, newton *m*.

느근거리다 serpentear.

느글거리다 sentir náuseas.

느긋거리다 marearse, tener el estómago revuelto.

느긋하다 (ser) holgado; [쾌적하다] cómodo, confortable. 느긋한 기분이다 sentirse cómodo. 느긋하게 살다 vivir en la abundancia, llevar una vida holgada.

느끼다[1] [쉽게 목메어 울다] sollozar. 느끼면서 말하다 decir sollozando, decir entre sollozos.

느끼다[2] ① [감각·지각하다] sentir, tener una sensación, experimentar, percibir, estar consciente, darse cuenta. 기쁨을 ~ sentir alegría. ② [감동하다] conmoverse.

느끼하다 ① [기름기가 많은 음식을 먹은 뒤가] darse asco. ② [비위에 거슬릴 만큼 음식에 기름기가 많다] ser demasiado graso, estar demasiado condimentado [sazonado]. 느끼하게 먹다 comer hasta la saciedad, estar harto de comer.

느낌 ① [감각] sensación *f*; [촉각] tacto *m*. ② [인상] impresión *f*. ~이 좋은 simpático. 좋은[나쁜] ~을 주다 dar [hacer·causar·producir] buena [mala] impresión. ③ [감정] sentimiento *m*. ¶ ~표 marca *f* de exclamación.

느닷없는 (ser) totalmente inesperado [fortuito], caído del cielo.

느닷없이 ① [돌연] repentinamente, de repente, súbitamente, de súbito, impetuosamente, precipitadamente, de pronto, bruscamente. ~ 방문하다 visitar inopinadamente [a la hora menos pensada]. ② [생각지도 않게] de improviso, inopinada-

mente, inesperadamente, impensadamente. ③ [예고없이] sin dar aviso, sin previo aviso.

느럭느럭 lentamente, con lentitud, ociosamente. ~ 움직이다 mover ociosamente.

느렁이 =암노루. 암사슴.

느른하다 (ser) lánguido.

느릅나무 ((식물)) olmo *m*.

느리광이 rezagado, -da *mf*; lerdo, -da *mf*; persona *f* lenta.

느리다 ① [움직임이] (ser) lento. ② [짜임새나 꼬임새가] (ser) suelto, holgado, amplio, quedar flojo.

느림보 =느리광이.

느릿느릿 lentamente, despacio, perezosamente, con flojedad, a(l) paso de tortuga, a(l) paso de caracol. ~ 걷다 andar despacio.

느릿하다 (ser) un poco lento.

느물거리다 comportarse [portarse] insidiosamente [con astucia].

느슨하다 ① [잡아 맨 줄 같은 것이] estar flojo [suelto]. 느슨해지다 aflojarse, relajarse. ② [마음이나 맥이] languidecer, ser presa de la dejadez, sentir lánguido, aflojarse.

느지감치 bastante tarde. ~ 일어나다 levantarse bastante tarde por la mañana.

느지거니 =느지감치.

느지막하다 (ser) muy tarde.

느직하다 ① [좀 늦다] (ser) algo tarde. ② [좀 느슨하다] estar algo flojo [suelto].

느타리 ((식물)) agárico *m*.

느티나무 ((식물)) olmo *m*, zelcova *f*.

늑간(肋間) entre las costillas. ~ 신경 nervio *m* intercostal. ~ 신경통 neuralgia *f* intercostal. ~ 정맥 vena *f* intercostal. ~통 dolor *m* intercostal.

늑골(肋骨) ((해부)) costilla *f*. ~통 costalgia *f*.

늑대 ((동물)) lobo *m*.

늑막(肋膜) ((해부)) pleura *f*. ~염 pleuritis *f*, pleuresía *f*.

늑목(肋木) espalderas *fpl*.

늑연골(肋軟骨) costicartílago *m*.

늑장 actitud *f* lenta. ~(을) 부리다 holgazanear, haraganear.

는개 llovizna *f* fina.

는실난실 lascivamente, licenciosamente. ~하다 portarse [comportarse] lascivamente, flirtear; [애무하다] acariciarse, estar como dos tórtolos, hacerse carantoñas.

는적거리다 (ser) blanducho, muelle, pulposo, esponjoso.

는적는적 blanduchamente, blandamente, pulposamente, esponjosamente; [피륙 따위가] poco sólido. ~하다 [케이크·빵이] desmigajarse; [치즈가] desmudezarse fácilmente.

늦정거리다 ser demasiado blanducho [pulposo · esponjoso] a menudo.

늦정는정 demasiado blanduchamente [pulposamente · esponjosamente]. ~하다 ser demasiado blanducho [pulposo · esponjoso].

늦지렁이 líquido *m* pegajoso [viscoso · engomado · adhesivo].

늦질거리다 (ser) blanducho, pulposo, esponjoso.

늘 siempre, constantemente, todo el tiempo; [자주] a menudo, frecuentemente, con frecuencia; [중단 없이] continuamente, incesantemente. ~ 앓다 enfermarse con mucha frecuencia.

늘그막 segunda infancia *f*, vejez *f*, *sus* últimos años, ocaso *m* de su vida. ~에 en la segunda infancia, en *sus* últimos años.

늘다 ① [사물의 수량·크기 같은 것이] aumentar(se), multiplicarse, abultar, incrementarse; [배가 늘이] duplicarse; [번식하다] proliferar. ② [재주·실력·솜씨·기술·기능 같은 것이] avanzar, progresar, adelantar, hacer progresos, mejorar. 서반아어가 ~ hacer progresos en el español. ③ [(생활이) 넉넉해지다] hacerse rico. ④ [기간·기한·물체 따위가] alargarse, extenderse, prolongarse. ¶늘어가다 ir aumentando, estar en aumento, ir en aumento. 늘어나다 alargarse, extenderse, expandirse, dilatarse, crecer, estirarse, dar de sí. 늘어놓다 ㉮ [줄을 대어 벌여 놓다] colocarse [ponerse] en fila. ㉯ [여럿을 어수선하게 여기저기 두다] esparcir, desparramar. ㉰ [사업을 여러 곳에서 경영하다] extender *su* negocio en todas las direcciones. ㉱ [사람을 여기저기 보내어 연락지어 두다] enviar aquí y allá. ㉲ [말이나 글을 이것 저것 수다스럽게 꺼내어 벌여 놓다] hablar [parlotear] sin parar, enumerar. 늘어붙다 ㉮ agarrarse. 가지에 ~ agarrarse de [a] una rama. 끈적끈적한 물건이 몹시 들러붙다] pegarse. ㉯ [한 곳에 계속 있다] echar raíces, arraigar(se). 늘어서다 alinearse levantados, colocarse [ponerse] en fila, hacer cola. 늘어앉다 sentarse en fila, ponerse en fila. 늘어지다 colgar, pender, estar suspendido.

늘름 ① [혀끝이나 입술을] de un lengüetazo. ② [손을 빨리 내밀어 재빠르게] como una flecha, rápidamente, en un dos por tres.

늘름거리다 mover rápidamente.

늘리다 multiplicar, aumentar, incrementar, ampliar, acrecentar. 숫자를[중량을] ~ aumentar la cifra [el peso].

늘보 gandul *mf*; haragán, -gana *mf*; holgazán, -zana *mf*; posma *mf*.

늘보원숭이 ((동물)) lorí *m*.

늘비하다 estar en una hilera, ponerse en fila, ser expuesto, ser exhibido, ser presentado, ser formado.

늘씬늘씬 flojamente, sueltamente. ~한 그물 red *f* con mallas grandes.

늘쌍하다 (ser) basto, ordinario, burdo. 늘쌍한 천 tela *f* basta.

늘씬하다 ① [후리후리하다] (ser) esbelto, delgado; [허리·목이] fino, delgado. 늘씬한 다리 piernas *fpl* esbeltas. 늘씬한 허리 cintura *f* fina, cintura *f* delgada. ② [(「늘씬하게」의 꼴로 쓰이어) 지독하게] mucho, muy, tremendamente. 늘씬하게 때려주다 hacer papilla, dar*le* una paliza tremenda.

늘어- ☞늘어

늘어뜨리다 dejar colgado, suspender. 다리를 ~ dejar colgado las piernas. 꼬리를 ~ bajar la cola.

늘이다[1] [길이를] alargar, extender, prolongar, dilatar, estirar, ensanchar.

늘이다[2] ① [아래로 길게 처지게 하다] dejar caer, colgar, tender. ② [어떤 목적을 위하여 널리 벌여놓다] extender. ③ [(사람을) 여러 군데 파견하다] enviar por varios lugares.

늘자리 esterilla *f* de junco.

늘쩍지근하다 sentir lánguido, sentir cansado. 더워서 몸이 ~ El calor me hace sentir lánguido.

늘펑거리다 ser (muy) ocioso [holgazán · perezoso · grandul] a menudo.

늘채다 (ser) supernumerario.

늘컹거리다 (ser) suave y pastoso.

늘컹하다 =늘컹거리다.

늘푸른나무 ((식물)) =상록수.

늙다 ① [나이가 많아지다] envejecer(se), aviejarse, avejentarse, hacerse viejo. ② [한창 때를 지나 늙은이가 되다] hacerse viejo. ③ [오래되다] hacerse viejo.

늙다리 ① [늙은 짐승] animal *m* viejo. ② ((속어)) =늙은이.

늙바탕 edad *f* vieja, vejez *f*.

늙수그레하다 (ser) bastante viejo, ser bastante entrado en años, ser de (tener) (una) edad bastante avanzada.

늙숙하다 (ser) algo viejo y parecer como un caballero.

늙은이 persona vieja *f*, viejo, -ja *mf*; anciano, -na *mf*.

늠름하다(凜凜-) (ser) gallardo, animoso, varonil, masculino, viril, brioso, lleno de vida, imponente, fogoso. 늠름한 기상 semblante *m* varonil.

늘실거리다 mirar de reojo.

늡늡하다 (ser) de gran corazón, liberal, magnánimo.

능(陵) mausoleo m (real), tumba f real, panteón m (real), morón m.

능(綾) damasco m, una especie de la seda.

능가하다(凌駕-) superar, sobrepujar, sobrepasar.

능간(能幹) habilidad f, talento m.

능갈맞다 crear pretextos astutos de manera detestable.

능갈치다 crear [concebir] pretextos astutos.

능구렁이 ① ((동물)) boa f. ② [음흉스런 사람] perro m viejo.

능그다 pelar la cebada por tercera vez.

능글능글 astutamente, con astucia, arteramente, taimadamente, cucamente. ~하다 (ser) astuto, artero, taimado, impudente, cuco.

능글맞다 (ser) astuto, taimado, zorro, ladino, insidioso. 능글맞은 놈 tipo m astuto, tipo m taimado, tipo m zorro.

능금 manzana f (silvestre). ~나무 manzano m silvestre.

능놀다 trabajar lentamente yendo descansando.

능동(能動) actividad f. ~적 activo. ~적으로 activamente. ~주의 activismo m. ~태 voz f activa.

능두다 dejar bastante espacio.

능라(綾羅) la seda gruesa y la seda fina.

능란하다(能爛-) (ser) experto, hábil, diestro, ingenuo. 계산이 ~ ser hábil para la cuenta, ser experto en la cuenta.

능력(能力) capacidad f, facultad f, habilidad f; [적성] aptitud f, competencia f. ~이 있는 capaz, hábil; competente. ~이 없는 incompetente. …하는 ~이 있다 tener capacidad de + inf.

능률(能率) eficacia f; [사람·조직의] eficiencia f; [효율] rendimiento m. ~을 올리다 aumentar [promover] la eficacia. ¶~적 eficaz, eficiente. ~적으로 eficazmente, eficientemente. ~적으로 공부하다 estudiar eficazmente.

능멸(凌蔑/陵蔑) desprecio m, menosprecio m. ~하다 despreciar, menospreciar.

능묘(陵墓) ① [능과 묘] el mausoleo y la tumba. ② =능(陵).

능변(能辯) ① [말솜씨가 능란함. 또, 그 말] locuacidad f, facilidad f de palabra; [웅변] elocuencia f, oratoria f. ~하다 (ser) locuaz, elocuente. ② ((준말)) =능변가. ¶~가 elocuente mf; afluente mf.

능사(能事) trabajo m adecuado, su competencia. ~로 삼다 considerar como su trabajo.

능서(能書) =능필(能筆).

능선(稜線) cresta f.

능설(能說) explicación f hábil. ~하다 explicar hábilmente.

능소(陵所) lugar m que hay mausoleo, mausoleo m real.

능소 능대하다(能小能大-) (ser) versátil, polifacético.

능소니 ((동물)) cría f del oso; osito, -ta mf.

능수(能手) ① [능한 솜씨] habilidad f, capacidad f, aptitud f talenta. ② [솜씨가 능한 사람] experto, -ta mf. ~가(家) experto, -ta mf.

능수버들 ((식물)) sauce m llorón.

능숙(能熟) habilidad f, destreza f. ~하다 (ser) hábil, experto, diestro, ingenioso, experimentado. 서반아어가 ~하다 hablar muy bien el español, dominar (bien) el español. 화술이 ~하다 tener la lengua suelta.

능술(能術) el talento y la técnica.

능욕(凌辱/陵辱) ① [남을 업신여겨 욕보임] insulto m, ultraje m, afrenta f. ~하다 insultar, ultrajar, afrentar, violar. ② [여자를 강간하여 욕보임] violación f, acción f de forzar a una mujer. ~하다 violar, forzar a una mujer.

능준하다 (ser) suficiente, abundante.

능지(凌遲) ((준말)) =능지 처참. ¶~처참 crucifixión f. ~처참하다 crucificar, aspar.

능지기(陵-) conserje mf del mausoleo real.

능직(綾織) tela f cruzada [asargada], sarga f.

능청 astucia f, artimañas fpl, tretas fpl, engaño m, hipocresía f. ~(을) 떨다 demostrar astucia.

능청거리다 oscilar, vacilar. 능청거리는 지팡이 bastón m elástico.

능청맞다 =능청스럽다.

능청스럽다 (ser) astuto, zorro, falso, embustero, insidioso, hipócrita.

능청이 persona f astuta; perro m viejo; zorro, -rra mf.

능침(陵寢) =능(陵).

능통(能通) perfeccionamiento m, maestría f, destreza f, habilidad f, pericia f. ~하다 (ser) diestro, hábil, experto, bien versado. 영어와 서반아어에 ~하다 ser muy versado en inglés y español.

능필(能筆) caligrafía f [escritura f] hábil, buena caligrafía f, buena escritura f; [사람] calígrafo, -fa mf; pendolista mf.

능하다(能-) (ser) hábil, experto, perfecto. 그는 만사에 ~ El es un hombre de mundo.

늦가을 parte f posterior del otoño,

otoño *m* postrero, otoño *m* tardío.

늦감자 patata *f* tardía.

늦거름 abono *m* tardío.

늦겨울 parte *f* posterior del invierno, invierno *m* postrero, invierno *m* tardío.

늦김치 *kimchi m* sin pescados salados.

늦다 ① [일정한 때가 지나 뒤져 있다] (ser) tarde. 늦은 시각에 a hora avanzada, a altas horas. ② [속도가] (ser) lento, despacioso. ③ [지각하다] llegar tarde [atrasado], no llegar a tiempo. ④ [지연되다] atrasarse, retrasarse, demorarse. 지불이 ~ atrasarse en pagar. ⑤ [(줄·멜빵 따위가) 느슨하게 매여 있다] aflojarse, relajarse. ⑥ [일정한 때가 지나다] (ser) tarde, no tener remedio. 이제 너무 늦었다 Es demasiado tarde. ¶늦게 tarde, fuera de tiempo, pasado mucho tiempo. 밤 늦게 tarde por la noche, a hora avanzada de la noche, muy entrada la tarde. 아침 늦게 levantarse tarde.

늦더위 calor *m* del tardío verano.

늦되다 ① [곡식이나 열매 따위가] 제철보다 늦게 익다] madurar tarde. ② [나이에 비해 철이 늦게 들다] estar retrasado para *su* edad, tardar en madurar. ③ [어떤 일이 늦게서야 이루어지다] ser realizado tarde.

늦둥이 ① [나이가 많아 낳은 자식] niño *m* nacido [niña *f* nacida] tarde en *su* vida. ② [박력이 없고 또랑또랑하지 못한 사람] retrasado, -da *mf* mental.

늦바람 ① [저녁 늦게 부는 바람] brisa *f* de la noche. ② ((뱃사람 말)) viento *m* lento. ③ [나이들어 나는 난봉이나 호기] disipación *f* en *sus* últimos años, disipación *f* otoñal [crepuscular]. ~을 피우다 tener un asunto de amor secreto en *sus* últimos años.

늦밤 castaña *f* tardía.

늦배 cría *f* nacida tarde.

늦벼 arroz *m* tardío.

늦복(-福) ① [늘그막에 누리는 복] fortuna *f* que goza en *sus* últimos años. ② [뒤늦게 돌아오는 복] fortuna *f* que viene tarde.

늦봄 parte *f* posterior de la primavera, primavera *f* postrera [tardía].

늦부지런 ① [늙어서 부리는 부지런] diligencia *f* en *sus* últimos años. ② [뒤늦게 서두르는 부지런] diligencia *f* apresurada tarde.

늦새끼 ① [늙어서 난 짐승 새끼] cría *f* nacida del animal viejo. ② [짐승의 늦배의 새끼] cría *f* tardía.

늦서리 escarcha *f* tardía.

늦어도 lo más tarde, a más tardar.

나는 ~ 열 시까지는 귀가하겠다 Volveré a casa para las diez a más tardar. ~ 하지 않은 것보다 낫다 Más vale tarde que nunca.

늦여름 parte *f* posterior del verano, verano *m* postrero, verano *m* tardío.

늦잠 sueño *m* de la mañana. ~을 자다 dormir como un lirón. ¶~꾸러기[쟁이] dormilón, -lona *mf*.

늦장(-場) ① =늦장. ② [늦게 보러 가는 장] plaza *f* que va tarde.

늦장마 estación *f* de las lluvias tardía.

늦추 tarde. ~ 오다 venir tarde.

늦추다 ① [캥겼던 것을] aflojar, relajar, laxar. 줄을 ~ aflojar el cabo. ② [시간을] diferir, dilatar, dejar para otro tiempo, demorar, retardar, atrasar, retrasar. ③ [느리게 하다] reducir. 속도를 ~ reducir la velocidad.

늦추위 frío *m* tardío.

늦콩 alubia *f* tardía.

늦팥 haba *f* roja tardía.

늪 pantano *m*, laguna *f*, ciénaga *f*, fangal *m*, londachar *m*, lodazal *m*.

늪지(-地) ciénaga *f*, terreno *m* pantanoso, tremedal *m*.

닁큼 pronto, rápido, rápidamente.

닁큼닁큼 continuamente rápido.

니그로 ① [흑인종] negroide *m*, raza *f* negra. ② [흑인] negro, -gra *mf*; *AmL* moreno, -na *mf*.

니그로이드 [흑색 인종] negroide *m*.

니까라구아 ((지명)) Nicaragua *f*. ~의 nicaragüense, nicaragüero, nica. ~ 사람 nicaragüense *mf*.

니르바나 ((불교)) =열반(涅槃).

니스 barniz *m*. ~를 칠하다 barnizar.

니오븀 ((화학)) niobio *m*.

니제르 ((지명)) Níger *m*. ~의 nigerino. ~ 사람 nigerino, -na *mf*.

니카라구아 ((지명)) =니까라구아.

니커보커스 pantalones *mpl* bombachos; [골프용] pantalones *mpl* de golf.

니켈 ((화학)) níquel *m*. ~강 acero *m* níquel. ~ 도금 niquelado *m*, niqueladura *f*. ~ 도금공 niquelador *m*. ~동(銅) cobre *m* níquel. ~크롬강 acero *m* de níquel cromado. ~ 합금 aleación *f* de níquel. ~화 (moneda *f* de) níquel *m*.

니코틴 ((화학)) nicotina *f*. ~ 중독 (증) nicotinismo *m*.

니크롬 ((화학)) nicromo *m*.

니트 ① [옷] vestido *m* de punto. ② [복지] géneros *mpl* de punto.

니힐리스트 nihilista *mf*.

니힐리즘 nihilismo *m*.

닉네임 [별명] mote *m*, apodo *m*.

님프 ① ((신화)) ninfa *f*. ② [예쁜 소녀] ninfa *f*. ③ ((곤충)) ninfa *f*.

ㄷ

다¹(음악) do *m*.

다² ① [있는대로. 모조리] todo; [사람] todos, todo el mundo; [사물] todas las cosas. ② [남김없이] todo, enteramente, sin excepción. ③ [어떠한 것이든지] cualquiera. ④ [거의] casi. ⑤ [강조·조소] ¶별꼴 ~ 보겠네 ¡Qué espectáculo! ⑥ [있는 것 전부] todos.

다(茶) ① =차나무(茶). ② =차(茶).

다가가다 acercarse, aproximarse.

다가놓다 acercar, traer cerca.

다가들다 acercarse, aproximarse.

다가붙다 pegarse más cerca.

다가서다 acercarse, aproximarse.

다가앉다 sentarse más cerca.

다가오다 aproximarse, acercarse.

다각(多角) ① ((수학)) diversos ángulos *mpl*. ② [여러 방면이나 여러 부문] diversas direcciones *fpl*, diversas partes *fpl*. ¶ ~ 농업[영농] policultivo *m*. ~ 무역 comercio *m* multilateral. ~ 재배 cultivos *mpl* diversificados. ~형 polígono *m*.

다갈색(多褐色) (color *m*) moreno *m*.

다감(多感) sensibilidad *f*, impresionabilidad *f*, sentimentalismo *m*. ~하다 (ser) sensible, impresionable; [감상적인] sentimental.

다공(多孔) muchos agujeros. ~성 prosidad *f*.

다과(多寡) mucho y [o] poco; [양] cantidad *f*, [수] número *m*.

다과(茶菓) el té y la fruta.

다과(茶菓) el té y el pastel [los dulces], pastel *m* para el té, refrescos *mpl*, refresco *m* ligero. ~점 pastelería *f*, dulcería *f*, confitería *f* ~회 reunión *f* de té.

다국적(多國籍) multinación *f*. ~의 multinacional. ~군 fuerza *f* multinacional. ~ 기업 empresa *f* multinacional.

다그치다 acosar, apresurar (a *uno* a + *inf*), apurar (a *uno* a + *inf*).

다급하다 (ser) inminente, urgente, apremiante, tener mucha prisa. 다급한 경우에는 en caso de emergencia.

다난(多難) muchas dificultades. ~하다 (ser) muy difícil, estar lleno de dificultades.

다남(多男) muchos hijos. ~하다 tener muchos hijos.

다녀가다 pasar. 서울에 ~ pasar por Seúl.

다녀오다 pasar, estar de vuelta.

다년(多年) muchos [largos] años. ~간 por [durante] muchos años. ~근(根) raíz *f* perenne. ~생 식물 planta *f* perenne.

다뇨증(多尿症) ((의학)) poliuria *f*.

다니다 ① [늘 나갔다 오다] acostumbrarse a ir, ir regularmente, frecuentar, asistir, atender. ② [드나들다] frecuentar, acostumbrarse a ir, ir regularmente. ③ [지나가고 지나오고 하다] ir. 차가 다닐 수 있는 길 camino *m* transitable para coches. ④ [들러서 오다] pasar. ⑤ [(볼일이 있어서) 왔다갔다하다] visitar, ir.

다다르다 ① [목적한 곳에] llegar. 현장에 ~ llegar a la escena. ② [어떤 기준에] alcanzar. 절정에 ~ alcanzar a la cumbre [la cima].

다다익선(多多益善) Cuanto más, mejor.

다다하다(多多-) ser muchísimo.

다닥다닥 en grupo. 많은 오두막들이 역 주위에 ~ 모여 있다 Muchas chozas están agrupadas [concentradas] alrededor de la estación.

다닥치다 acercarse, estar próximo.

다단(多段) fases *fpl* múltiples, etapas *fpl* múltiples, varias etapas *fpl*. ~식 etapas *fpl* múltiples, fases *fpl* múltiples, varias etapas *fpl*. ~식 로켓 cohete *m* de etapas múltiples. ~식 미사일 misil *m* de fases múltiples.

다단조(-短調) do *m* menor.

다달거리다 tartamudear.

다달이 todos los meses, cada mes, mensualmente.

다당류(多糖類) polisacárico *m*.

다당제(多黨制) multipartidismo *m*.

다대 remiendo *m*, parche *m*.

다대(多大) gran cantidad *f* [número *m*], gran volumen *m*. ~하다 (ser) mucho, considerable, grande; [비상하다] serio, grave.

다도(茶道) (arte *m* para [de] la) ceremonia *f* del té.

다도해(多島海) archipiélago *m*.

다독(多讀) mucha lectura. ~하다 leer mucho.

다독거리다 recoger *algo* y presionarlo en orden.

다되다 ① [완성·완결되다] acabarse, terminarse, llevarse a cabo. 이제 다됐다 Ya está. ② [다 닳다. 다 없어지다] agotarse, acabarse, consumirse; [기한이] expirarse, vencer.

다듬거리다 tartamudear.

다듬다 ① [손질하거나 매만지다] alisar, arreglar, adornar. ② [나무·돌 등을] podar, cortar, quitar; [대패로] allanar, acepillar, alisar; [칼로] cortar, recortar, afeitar. ③ [짜임새 있게 손질하여 고치다] refinar, pulir, perfeccionar, adornar, elaborar. ④ [거친 바닥이나 거죽을 고르고 곱게 만들다] nivelar, aplanar, allanar, emparejar. ⑤ [옷감 따위를] curtir (pieles en blanco).

다듬이 ① ((준말)) =다듬잇감. ② ((준말)) =다듬이질.

다듬이질 curtidura f. ~하다 curtir, curtir pieles en blanco, adobar. ~하는 여인 curtidora f.

다듬잇감 material m para la curtidura.

다듬잇돌 piedra f para la curtidura.

다듬잇방망이 dos porras para la curtidura.

다듬질 toque m final. ~하다 dar le los últimos toques.

다라니(陀羅尼) ((불교)) sáns dhárani.

다락 ((건축)) ① alto piso m. ② = 다락집. ¶ ~같다 ② [물건 값이 매우 비싸다] ser muy caro, ser carísimo, costar mucho. ④ [덩치가 크다] ser muy grande, ser corpulento. ~방 desván m, buhardilla f. ~집 casa f alta.

다람쥐 ((동물)) esquirol m, ardilla f.

다랍다 ① [깨끗하지 못하다] (estar) sucio, manchado, puerco. ② [인색하다] (ser) mezquino, tacaño.

다랑어(-魚) ((어류)) atún m.

다래 ① [다래나무의 열매] fruto m de Actinidia arguta. ② [목화의 덜 익은 열매] cápsula f verde del algodón.

다래끼¹ [바구니의 일종] nasa f.

다래끼² ((의학)) orzuelo m (del ojo), blefaritis f.

다래다래 colgando en racimos.

다랭이 ((어류)) atún m.

다량(多量) gran cantidad f, abundancia f. ~의 mucho, abundante, una gran cantidad de. ~으로 abundantemente, copiosamente, en gran cantidad, en abundancia.

다루다 ① [맡아서 처리하거나 대하다] dominar, tratar, gobernar, manejar; [손으로] trabajar; [조작·처리하다] manejar, conducir. 다루기 쉬운 domable, fácil de manejar, sumiso. 다루기 어려운 indomable, difícil de manejar, inmanejable. ② [취급하여 이용하다] jugar, usar, manejar; [마차를] guiar. 다루기 쉬운 fácil de manejar. 다루기 어려운 difícil de manejar, inmanejable.

다르다 ser diferente [distinto], diferir, diferenciarse; [변화하다] va-

riar. 의견이 ~ diferir en la opinión.

다른 otro; [틀린] diferente, distinto, variado; [불일치한] discrepante. ~ 사람들 (los) otros (hombres).

다름 diferencia f. ~(이) 아니라 no otro. ~(이) 아니라 당신의 부탁이니 Ya [Puesto] que usted me lo ha pedido, y no otro. ~(이) 없다 (ser) igual; el mismo; no ser distinto (diferente). 완성한 것이나 ~(이) 없다 estar prácticamente terminado. ~없이 igualmente, equitativamente, de la misma manera, de la misma forma, de igual modo, del mismo modo.

다리¹ ① ⑦ ((해부)) pierna f; [동물의] pata f; [발톱이 있는 동물의 앞다리] garra f; [다리가 긴 새의, 비유적으로 인간이나 동물의] zanca f; [오징어의] tentáculo m; [발] pie m. ② [물체의] pata f, pie m. ~가 셋 달린 탁자 mesa f de tres pies. ③ [안경알의] patilla f (de los anteojos). ¶ ~뼈 hueso m de la pierna. ~살 región f interior del muslo. ~통 circunferencia f de la pierna. ~품 andar m, manera f de caminar, manera f de andar. ~을 팔다 ⑦ [길을 많이 걷다] caminar [andar] mucho. ④ [품삯을 받고 길을 다녀오다] estar de vuelta recibiendo el dinero.

다리² ① [교량] puente m. ② [중개, 매개] mediación f.

다리³ [월자(月子)] peluca f, postizo m, cabello m artificial, cabello m falso.

다리다 planchar. 바지를 ~ planchar los pantalones.

다리미 plancha f. 전기 ~ plancha f eléctrica. ¶ ~질 planchado m. ~질하다 planchar. ~판 tabla f de planchar.

다리쇠 trébedes fpl.

다림줄 plomada f.

다만 ① [오직 그 뿐] sólo, solamente, únicamente. ~ 한 번 sólo una vez. ② [단] pero, sin embargo.

다망하다(多忙—) estar muy [tan] ocupado, estar ocupadísimo.

다면(多面) diversos aspectos mpl. ~각 ángulo m poliédrico. ~체 poliedro m.

다모(多毛) mucho pelo. ~증 hipertricosis f, pilosis f.

다모작(多毛作) cultivo m múltiple.

다모하다(多毛—) tener mucho pelo en el cuerpo.

다목적(多目的) muchas aplicaciones, muchos fines. ~의 polivalente, plurivalente, con muchas aplicaciones; [기계] universal. ~ 기계 máquina f universal. ~댐 embalse m polivalente, embalse m con muchos fines, embalse *m* que sirve para muchas cosas.

다물다(-) cerrar. 입을 ~ callarse, dejar de hablar, quedar silencio.

다민족(多民族) multiraza *f*. ~ 국가 país *m* multiracial.

다박나룻 barba *f* descuidada.

다박머리 pelo *m* despeinado, pelo *m* alborotado.

다박수염(－鬚髯)＝다박나룻.

다반사(茶飯事) ((준말))＝항다반사.

다발 atado *m*, lío *m*, mazo *m*, envoltorio *m*, paquete *m*; [꽃 따위의] manojo *m*; [장작 따위의] gavilla *f*, haz *f*, fajo *m*.

다발(多發) ocurrencias *fpl* frecuentes. ~하다 ocurrir frecuentemente, ocurrir en muchos lugares. ~의 múltiple, múltiplex. ~기(機) avión *m* de muchos motores.

다방(茶房) café *m*, cafetería *f*.

다방면(多方面) muchas [diversas] direcciones, muchos lados.

다변(多辯) locuacidad *f*, charlatanería *f*, habladuría *f*, verborrea *f*, verborragia *f*. ~가 charlatán, -tana *mf*; parlachín, -china *mf*; hablador, -dora *mf* locuaz *mf*.

다변(多變) muchos cambios, muchas variedades, muchas alternaciones.

다변형(多邊形) ((수학))＝다각형.

다병(多病) muchas enfermedades, enfermedades *fpl* frecuentes.

다복(多福) bendición *f*, gran felicidad *f*, gran fortuna *f*. ~하다 (ser) muy feliz, bienaventurado. ~ 다남 muchas felicidades y muchos hijos, buena suerte *f*. ¶~하다 bendecir, tener buena suerte.

다부지다 ① [강단이 있다] (ser) decidido, resuelto, firme, sólido.. ② [보기보다 옹골차다] ser fuerte. 다부진 여자 mujer *f* fuerte.

다분(多分) mucha cantidad, gran cantidad. ~하다 (ser) mucho, tener gran [mucha] cantidad. ~히 ㉮ [꽤 많이] bastante mucho. ㉯ [아마] tal vez, quizá(s).

다분야(多分野) muchos aspectos.

다불다불 abundantemente, en abundancia, con abundancia, lujosamente, suntuosamente; [머리털의] en mechones. ~한 머리털 pelo *m* abundante.

다붓하다 (ser) denso, espeso.

다붙다 acercarse, aproximarse.

다붙이다 hacer quedarse juntos.

다비(茶毘/茶毗) ((불교)) cremación *f*, incineración *f*. ~하다 incinerar (un cadáver), cremar.

다뿍 hasta el borde.

다사(多士) ① muchos sabios, hombres *mpl* de talento. ~ 제제 muchos sabios excelentes, muchos hombres de talento.

다사(多事) muchos asuntos, acontecimientos *mpl* reunidos. ~하다 ㉮ [일이 많다] tener mucho trabajo. ㉯ [바쁘다] estar ocupado. ~다난 하다 (estar) ocupadísimo [muy ocupado] y tener muchas dificultades. ~다망하다 (estar) ocupadísimo [muy ocupado] por mucho trabajo.

다사롭다 hacer un poco de calor.

다산(多産) ① [아이나 새끼를] fecundidad *f*, productibilidad *f*. ~하 다 dar a luz mucho. ~의 fecundo, prolífico, fértil; [1회에] multípara. ② [물품을] mucha producción. ~ 하다 producir mucho. ¶~의(系) familia *f* prolífica. ~녀 mujer *f* prolífica. ~모 madre *f* prolífica. ~ 부(婦) mujer *f* prolífica.

다상(多相) diversas fases *fpl*. ~ 교류 corriente *f* polifásica. ~ 전류 corriente *f* eléctrica polifásica.

다색(多色) diversos colores *mpl*; ((광물)) policroísmo *m*. ~의 policromo, multicolor. ~ 인쇄 impresión *f* multicolor.

다색(茶色) ① [차의 빛깔] (color *m*) marrón *m* [castaño *m*]. ② [차의 종류] especie *f* del té.

다섯 cinco. ~ 사람 cinco personas.

다섯째 quinto *m*. ~의 quinto. ~ 날 quinto día *m*.

다세대(多世帶) muchas familias. ~ 주택 vivienda *f* de muchas familias.

다세포(多細胞) policélula *f*.

다소(多少) ① [많음과 적음] mucho y [o] pequeño; [수] número *m*; [양] cantidad *f*; [액수] suma *f*. ② [조금] un poco, algo; [어느 정도] hasta cierto punto. ~의 un poco de, más o menos, algo de. ~라도 경험이 있는 사람은 누구나 cualquier persona que tenga un poco de experiencia. ③ ((준말))＝다소 간. ¶~간 ㉮ [많고 적음의 정도] mayor o menor grado. ㉯ [부사적] más o menos, en mayor o menor grado.

다소(茶素) ((화학)) cafeína *f*.

다소곳＝다소곳이. ☞다소곳하다

다소곳하다 ① [고개를 좀 숙이고 말이 없다] (ser) cortés con la cabeza bajada. ② [온순한 태도가 있다] (ser) modesto, dulce, delicado, obediente. 다소곳한 태도 actitud *f* cortés y obediente. ¶다소곳이 ㉮ [고개를 숙이고] con *su* cabeza bajada. ㉯ [온순하게] modestamente, dulcemente, delicadamente, obedientemente, con obediencia.

다수(多數) muchos números; [대부분] mayoría *f*, gran [mayor] número *m*, gran [mayor · buena] parte *f*. ~의 muchos, numerosos;

[대부분의] la mayoría de, la gran [mayor·buena] parte de. 최대 ~의 최대 행복 la felicidad mayor de la mayoría absoluta.

다수결(多數決) decisión f por mayoría. ~로 결정하다 decidir por mayoría. ~의 원칙 principio m de la mayoría, gobierno m mayoritario [de la mayoría].

다수당(多數黨) partido m mayoritario, partido m de mayoría.

다수파(多數派) secta f mayoritaria.

다수확(多收穫) mucha cosecha, alto rendimiento m, alta producción f; rendimiento m [producción f] abundante. ~ 왕 rey m de mucha cosecha. ~ 작물 cereales mpl de mucha cosecha.

다스 한 ~ una docena. 반 ~ media docena f.

다스리다 ① [보살피며 통제하거나 관리하다] gobernar, mandar, manejar, administrar; [군림하다] reinar, dominar. 나라를 ~ gobernar el país. [국왕이] reinar en el país. ② [잘 처리하다] arreglar. ③ [수습하거나 평정하여 바라보다] sofocar, aplastar, reprimir, sojuzgar, dominar. [병을 고치다] curar; [상처를] cicatrizar, cerrar. [죄를] castigar.

다스하다 (ser·estar) templado, tibio, cálido, calentito. 제일 다스한 방la habitación más caliente.

다습(多濕) mucha humedad f. ~하다 (estar·ser) muy húmedo.

다습다 (ser·estar) un poco templado.

다시 ① [거듭 또] repetidamente, repetidas veces. ② [새로이] 고쳐서 또] otra vez, de nuevo, nuevamente, re-. ~ …하다 volver a + inf. ~ 하다[만들다] hacer otra vez [de nuevo·nuevamente], volver a hacer, rehacer. ③ [이전 상태로, 전과 같이] como antes. ④ [다음에 또] luego. ~ 만나자 Hasta luego / Hasta la vista. ⑤ [(하다가 그친 것을) 또 잇대어] continuamente. ¶ ~없다 (ser) único, sin igual, sin par, incomparable, inigualable. ~없는 아름다운 여인 la mujer de belleza sin par.

다시다 ① [침을] relamerse. 입맛을 ~ relamerse, pasarse la lengua por los labios. ② [음식을] comer un poco.

다시마 laminaria f, alga f (marina), planta f marina, kelp m.

다시증(多視症) ((의학)) poliopía f.

다식(多食) ① glotonería f, gula f, voracidad f. ~하다 comer demasiado [glotonamente]. ② ((의학)) polifagia f. ¶ ~증 polifagia f.

다식(多識) mucho conocimiento m. ~하다 conocer mucho.

다신교(多神敎) politeísmo m.

다신론(多神論) politeísmo m.

다실(茶室) =다방(茶房).

다액(多額) gran cantidad f [suma f].

다양(多樣) variedad f, diversidad f. ~하다 (ser) diverso, variado. ~성 diversidad f, variedad f. ~화 diversificación f. ~화하다 diversificarse.

다염기산(多鹽基酸) ((화학)) ácido m polibásico.

다오¹ [줄 것을 청하거나 요구하다] da. 술 한 잔 ~ Dame una copa de vino.

다오² [그 행동을 하여 줄 것을 청하거나 요구하다] deja + inf. 날 좀 도와 ~ Ayúdame. 날 좀 지나가게 해 ~ Déjame pasar.

다옥하다 (ser) frondoso.

다운 증후군(一症候群) síndrome m de Down, mongolismo m.

다원(多元) pluralidad f, ((철학)) pluralismo m. ~론 pluralismo m. ~론자 pluralista mf.

다원(茶園) plantación f de té, huerta f del té.

다육(多肉) gordura f. ~하다 (ser) gordo, rollizo; [식물 따위가] carnoso.

다음 ① [어떤 차례의 바로 뒤] próximo, que viene; [제2의] segundo. ~에 después, a continuación; [두 번째로] en segundo lugar. ~ 페이지 la página siguiente [que sigue]. ~ 일요일(에) el domingo que viene [que entra], el próximo domingo. (이) ~ 번(에) la próxima vez, la vez próxima. ~ 번부터 desde la próxima vez. ② [어떤 일이 끝난 뒤] después. ~한 일(에)-(에) después de algo [de + inf·(de) que + subj]. 일을 끝낸 ~ 쉬어라 Descansa después de terminar el trabajo. ③ [일정한 시간이 지난 뒤] luego. ~에 또 만납시다 Hasta luego / Hasta la vista. ④ [버금] segundo, próximo, después. 과장 ~의 직위 puesto m próximo del jefe de la sección. ⑤ [부사적] la próxima vez, otra vez, en otra ocasión, de nuevo.

다음(多音) polifonía f. ~자 polífono m. ~절 polisílabo m. ~절어 polisílabo m, palabra f polisilábica.

다의어(多義語) palabra f con muchas significaciones, vocablo m polisemo, polisemia f.

다이너마이트 ((화학)) dinamita f.

다이빙 saltos mpl, zambullida f, buceo m. ~하다 zambullirse. ~경기 saltos mpl acrobáticos. ~대 trampolín m, plataforma f, palanca f. ~탑 torre f de saltos.

다이아 ① =다이어그램❷. ② ((준말)) =다이아몬드.

다이아나 ((신화)) Diana f.

다이아몬드 ① ㉮ ((광물)) diamante m. ㉯ [절단용] brillante m, diamante m, cortavidrios m. ② ((야구)) [베이스 안쪽 지역] losange m, diamante m; [필드 전체] campo m (de béisbol). ③ [트럼프의] diamante m. ④ [약 4·5 포인트의 작은 활자] tipo m muy pequeño. ⑤ [마름모꼴] rombo m. ¶ ~ 반지 anillo m [sortija f] de brillantes [diamantes].

다이어그램 ① [도표, 도식] diagrama m. ② [열차 운행표] horario m de ferrocarriles, horario m de trenes.

다이얼 [전화의] disco m; [라디오의] dial m; [시계의] esfera f; [(계량기·라디오 등의) 표시판] cuadrante m. ~ 을 돌리다 [전화기의] marcar (el número); [금고 등의] girar el disco de combinación.

다작(多作) ① [작품 같은 것을] 많이 창작함] fecundidad f. ~하다 (ser) fecundo, prolífico. ② [농산물을 많이 만듦] producción f abundante. ~ 하다 producir abundantemente. ¶ ~가 escritor m fecundo [prolífico], escritora f fecunda [prolífica].

다장조(-長調) ((음악)) do m mayor.

다재(多才) ① [재주가 많음] talentos mpl variados, muchos talentos, versatilidad f. ~하다 (ser) versado en muchas cosas, de talentos variados, polifacético, versátil, multilátero, talentoso, habilidoso. ~한 인물 persona f polifacética. ② [인재가 많음] muchos hombres mpl de habilidad.

다정(多情) ① [인정이 많음] afabilidad f, amabilidad f, atención f, cortesía f, afecto m, cordialidad f, dulzura f, simpatía f, sociabilidad f, sentimiento m, sentimentalismo; [감정] emoción f. ~하다 (ser) afable, amable, atento, cortés, afectuoso, cariñoso, agradable, placentero, cordial, simpático, tratable, sociable, sencillo, asequible, sentimental, sensible. ② [교분이 두터움] amistad f (estrecha), intimidad f. ~하다 (ser) íntimo, familiar, cercano. ¶ ~ 다감 carácter m emotivo, sentimentalismo m. ~ 다감하다 (ser) sentimental.

다족류(多足類) miriápodos mpl.

다죄다 apretar tensamente.

다중(多重) lo múltiple. ~의 múltiple, múltiplex, multi-. ~ 방송 multiemisión f. ~ 채널 multicanal m.

다지기 picadura f.

다지다 ① [단단하게 하다] endurecer. 다져지다 endurecerse. ② [음식물에 고명을 더하여] apretar la comida condimentada [sazonada]. ③

[허전하거나 약한 것을] 굳고 튼튼하게 강화하다] endurecer, afianzar. ④ [마음을 굳게 갖게 하다] hacerse fuerte. ⑤ [칼질을 하여서 잘게 만들다] [고기를] picar, moler; [양파·과실을] picar (en trozos menudos). 다진 고기 carne f picada [molida], picadillo m. 잘게 다진 고기 carne f picadita, picadillo m.

다짐 promesa f, juramento m. ~하다 prometer, jurar, hacer (un) juramento.

다짜고짜(로) por [a la] fuerza, de grado, por fuerza, sin ensayo, sin preparación. ~ 노래하다 cantar sin ensayo [sin preparación].

다채롭다(多彩-) (ser) variado, diverso, jaspeado, pintarrajado, pintoresco, abigarrado; multicolor; [풍부하다] abundante.

다처(多妻) muchas esposas. ~제(制) poligamia f.

다치다 ① [상하다] herir(se), lastimarse. 다친 herido, lesionado, lastimado. 다치게 하다 herir, lesionar, lastimar. 머리를 ~ herir en la cabeza. ② [건드리다] tocar.

다큐멘터리 documental m. ~ 영화 (película f) documental f.

다크 호스 ① ((경마)) caballo m desconocido. ② [의외의 강력한 경쟁 상대] [후보자] candidato m improviso, candidata f improvisa; candidato m inesperado, candidata f inesperada; vencedor m inesperado, vencedora f inesperada; ganador, -dora mf sorpresa.

다투다 ① [싸우다] reñir, pelear, disputar; [서로] reñirse, pelearse, venir [llegar] a las manos. [서로 맞서서 힘을 쓰거나 애를 써서 겨루다] competir, contender, rivalizar. 다투어 a competencia, a porfía, cual más o a cual mejor. 기능을 ~ contender [rivalizar] en destreza. ③ [아주 절박하다] acercarse, apremiar. 시간을 다투고 있다 El tiempo apremia.

다툼 riña f, pelea f, querella f; [말다툼] disputa f, altercado m, camorra f.

다팔거리다 ondear, agitarse.

다팔머리 pelo m ondeante.

다하다 ① [다 없어지다] acabar(se), agotarse, faltar, consumirse. 힘이 ~ agotarse la fuerza. ② [필요한 물자나 심력 등이] agotar, consumir, usar, aprovechar. 전력을 ~ hacer sus mejores esfuerzos, esforzarse a más no poder. ③ [마치다] verificar, efectuar, completar, concluir, llevar a cabo; realizar; [직책을] desempeñar; [약속을] cumplir. 책임을 ~ llevar a cabo su responsabilidad.

다한증(多汗症) hiperhidrosis *f*.

다항식(多項式) expresión *f* integral, polinomio *m*.

다행(多幸) suerte *f*, buena suerte *f*, buena fortuna *f*, buena ventura *f*. ~하다 (ser) afortunado, dichoso, venturoso. ~입니다 Menos mal. ~히 afortunadamente, por suerte, felizmente, dichosamente, por fortuna, por dicha. ~히 비가 그쳤다 Afortunadamente [Por fortuna] ha cesado de llover.

다행스럽다(多幸－) (ser) feliz, afortunado, dichoso, estar bien. 그건 ~스런 일이다 Eso está bien.

다혈(多血) plétora *f*, lo sanguíneo, lo rubicundo. ~질 temperamento *m* sanguíneo, constitución *f* sanguínea. ~한 tipo *m* apasionado, tipo *m* ardiente.

다형(多形) multiforma *f*. ~의 variforme, multiforme, polimorfo.

다홍(－紅) ((준말)) =다홍빛. ¶~빛 [색] carmesí *m*. ~치마 falda *f* carmesí.

닥 ① [식물] =닥나무. ② [닥나무의 껍질] cáscara *f* de moral.

닥나무 ((식물)) moral *m*.

닥닥 ① [금이나 줄을 연해 힘있게 긋는 모양] rayando fuerte, siguiendo rayando. ② [물이 모두 세차게 얼어 붙는 모양] (helar) sólidamente. ~ 얼다 helar sólidamente. ③ [소리가 나도록 연해 긁는 모양] siguiendo arañando. ~ 긁다 seguir arañando.

닥뜨리다 ① [직면하다] estar frente a [ante], verse frente a [ante]. 곤란에 ~ [verse [frente a [ante] la dificultad. ② [함부로 다그지다] acosar, apremiar. 돈을 빨리 갚으라고 ~ acostar [apremiar] para que pague dinero.

닥치다[1] [가까이 다다르다] acercarse, aproximarse, estar a borde, estar junto. 재난이 ~ acercarse la calamidad.

닥치다[2] [입을 다물다. 말을 그치다] quedarse callado, callarse, hacer silencio. 입 닥쳐! ¡Cállate (la boca)! / ¡Cierra el pico!

닥터 [박사] doctor, -tora *mf*. [의사] médico, -ca *mf*; doctor, -tora *mf*.

닦다 ① [깨끗하게 하다] enjuagar, secar, limpiar, quitar, frotar. 먼지를 ~ quitar el polvo. 유리를 ~ limpiar el cristal. 방바닥을 ~ limpiar el suelo. 입을 ~ limpiarse la boca. 몸을 ~ enjuagarse el cuerpo. 접시를 ~ secar un plato. ② [윤기가 흐르도록 문지르다] pullir, pulimentar, alisar; [금속을] bruñir, esmerar, dar lustre, dar brillo, lustrar; [연마제로] apoma-

zar; [솔로] cepillar. 구두를 ~ dar lustre a zapatos. ③ [터나 길 따위를] nivelar, aplanar, allanar, emparejar, mejorar. ④ [토대나 기초를] solidificar, preparar [allanar] el terreno. ⑤ [셈을 맞추어서 명세를 밝히다] contar, tener una cuenta. 셈을 ~ hacer una cuenta, contar. ⑥ [학식·기예 등을] estudiar, aprender, refinar, perfeccionarse en la ciencia, entrenar, mejorar, cultivar, instruir, practicar, capacitar.

닦달(질) [갈아서·다듬는 것] pulimiento *m*, pulidez *f*, limpieza *f*. ~하다 pulir, pulimentar, limpiar. ② [남을 몹시 욱대기는 것] reprimenda *f*, regañina *f*, regañiza *f*. ~하다 reprender, regañar, reñir.

닦음질 [깨끗하게 닦는 일] limpieza *f*. ~하다 limpiar.

단[1] ① [짚·땔나무·푸성귀 같은 것의] haz *m*, atado *m*, lío *m*. ~을 묶다 atar. ② [짚·푸성귀 따위의 묶음을 세는 말] haz *m*, atado *m*. 장작 세 ~ tres haces de leña. 짚 ~ un haz de paja.

단[2] ((준말)) =옷단.

단(段) ① [책이나 신문 따위의] columna *f*. 2~ 기사 artículo *m* en dos columnas. ② [운동이나 바둑 등의 등급] *dan*, grado *m*. ③ [계단의] escalón *m*, grada *f*, peldaño *m*. ④ [땅의 넓이의 단위] *dan*, trescientos *pyeong*, 9.917 áreas.

단(團) cuerpo *m*, grupo *m*, partido *m*; [도둑·패인의] pandilla *f*, banda *f*; [젊은이들의] pandilla *f*; [경기단] equipo *m*. 일~의 군중 una muchedumbre de gente, una multitud de gente, un gentío.

단(壇) estrado *m*; [연단] tribuna *f*; [교회의] púlpito *m*; [제단] altar *m*; [오케스트라 지휘자의] podio *m*.

단(斷) decisión *f*, resolución *f*, juicio *m*, discreción *f*. ~을 내리다 decidir, determinar.

단(單) sólo, solamente, simplemente. ~ 한 번 solamente una vez, una sola vez.

단(但) pero, sin embargo, no obstante, aunque.

단가(短歌) ① ((문학)) *danga*, *sicho*, una especie del poema folclórico coreano. ② ((음악)) *danga*, voz *f* de la pieza corta antes de *pansori*.

단가(單價) coste *m* unitario, precio *m* por pieza [unidad], precio *m* unitario. ~ 천 원으로 a mil wones pieza [unidad].

단가(團歌) himno *m* de un grupo.

단감 caqui *m* dulce.

단감나무 ((식물)) caqui *m* dulce.

단강(鍛鋼) acero *m* forjado.

단거리(短距離) ① [짧은 거리] corta

distancia *f*, corto alcance *m*. ~의 [미사일·무기] de corto alcance; [비행기·비행선·헬리콥터] de autonomía limitada, de corto radio de acción; [예보] a corto plazo. ~를 달리다 correr la corta distancia. ② ((준말)) =단거리 달리기. ③ ((준말)) =단거리 경영(短距離競泳). ¶ ~ 경영 natación *f* de cincuenta metros o doscientos metros. ~ 달리기[경주] carrera *f* de velocidad, carrera *f* de corta distancia. ~ 달리기 선수 corredor, -dora *mf* de cortas distancias; (e)sprinter *mf*. ~ 탄도 미사일[유도탄] mísil *m* balístico de corto alcance.

단검(短劍) daga *f*, puñal *m*, espadín *m*, estilete *m*.

단것 los dulces, caramelo *m*, golosina *f*, *Chi*, *Méj* dulce *m*. ~은 피하십시오 Evite los dulces.

단견(短見) ① [얕은 식견이나 좁은 소견] conocimiento *m* superficial, mentalidad *f* cerrada, opinión *f* [vista *f*] corta de miras, opinión *f* [vista *f*] con poca visión de futuro. ② [자기 의견] mi opinión; [자기 식견] mi propio conocimiento.

단결(團結) unión *f*, consolidación *f*, asociación *f*, federación *f*, liga *f*, coalición *f*, solidaridad *f*, unidad *f*. ~하다 unirse, juntarse, coalizarse, asociarse, coligarse.

단결에 inmediatamente, ahora mismo, sin parar, de una vez, de una sentada, de (un) golpe, de un trago. 일을 ~ 하지 않다 no hacer absolutamente nada, no dar golpe, no pegar golpe. 쇠뿔도 단결[단김]에 빼라 ((속담)) A hierro caliente, batir de repente.

단계(段階) grado *m*, etapa *f*; [국면] fase *f*. 조사 준비 ~ etapa *f* de investigaciones y preparativos. ~를 밟아 por grados, por etapas, progresivamente. 현 ~로는 en la etapa actual.

단곡(短曲) pieza *f* corta de música, fragmento *m* de música.

단골 ① [늘 정해 놓고 거래하는 곳, 또는 그 사람] parroquia *f*, cliente, -ta *mf*; [집합적] clientela *f*. ② [(민속)] ((준말)) =단골 무당. ((준말)) =단골집. ¶ ~ 무당 *su* hechicera *f* regular. ~손님 parroquiano, -na *mf*; cliente, -ta *mf*; [집합적] clientela *f*. ~집 casa *f* [tienda *f*] habitual.

단공(鍛工) forja *f*; [사람] forjador *m*. ~하다 forjar.

단교(斷交) ① =절교(絶交). ② [외교 관계를 끊음] ruptura *f* [rompimiento *m*] de las relaciones diplomáticas. ~하다 romper las relaciones [negociaciones] diplomáticas (con un país).

단구(短句) frase *f* corta.

단구(短軀) estatura *f* corta [baja].

단군(檀君) Dangun, primer rey de Gochoson, fundador de la raza coreana. ~ 기원 era *f* de Dangun. ~ 신화 mitología *f* de Dangun.

단군 왕검(檀君王儉) =단군(檀君).

단권(單券) ((준말)) =단권책. ¶ ~책 libro *m* de un solo tomo.

단궤(單軌) monorriel *m*. ~ 철도(鐵道) monoferrocarril *m*.

단극(單極) unipolar *m*, monopolar *m*.

단근(單根) ① ((생물)) raíz *f* simple. ② ((화학)) radical *m* simple.

단근질 tortura *f* con el hierro al rojo vivo. ~하다 torturar con el hierro al rojo vivo.

단기(單記) ① [한 장에 하나만 기입] una sola anotación en un papel. ~하다 anotar sólo uno en un papel. ② [그 일만 적음] anotación *f* sobre esa cosa solamente. ~하다 anotar solamente esa cosa. ③ ((준말)) =단기 투표. ¶ ~명 escrutinio *m* uninominal. ~ 투표 votación *f* uninominal.

단기(短期) término *m* corto, corta duración *f*, corto plazo *m*, corto tiempo *m*. ~로 a corto plazo. ¶ ~ 금융 finanzas *fpl* a corto plazo. ~ 금융 시장 mercado *m* monetario a corto plazo. ~ 대부 préstamo *m* a corto plazo. ~ 대학 colegio *m* universitario para los dos primeros años. ~ 시장 mercado *m* a corto plazo. ~ 자금 fondo *m* a corto plazo. ~ 자본 capital *m* a corto plazo. ~ 차관 préstamo *m* a corto plazo. ~ 투자 inversión *f* a corto plazo.

단기(單旗) una sola bandera.

단기(團旗) bandera *f* de asociación.

단기(檀紀) ((준말)) =단군 기원.

단기간(短期間) corta duración *f*, corto tiempo *m* [período *m*], poco tiempo *m*, corto plazo *m*. ~에 en poco tiempo, en un corto período de tiempo, a corto plazo.

단김에 =단결에.

단꿈 feliz sueño *m*. ~을 꾸다 soñar un feliz sueño, soñar con los angelitos.

단내 ① [높은 열에 눌어서 나는 냄새] olor *m* a quemado. ~가 나다 oler a quemado [ahumado·chamusquina], oler a papel [paño] quemado. 이 밥은 ~가 난다 Huele algo a quemado. ② [몸의 열이 몹시 높거나 숨이 매우 가쁠 때에 콧구멍에서 나는 냄새] olor *m* viciado de su ventana de la nariz.

단념(斷念) abandono *m*, resignación *f*, renunciación *f*, conformidad. ~하다 abandonar, dejar, resignarse, renunciar, desistir, conformarse; [설득하여] persuadir, dejar de (+ *inf*). ~시키다 disuadir. 과감하게 ~하다 resignarse resueltamente.

단단하다 ① [굳다] (ser) firme, sólido, duro, tieso, adamantino, diamantino. 단단한 가구 muebles *mpl* sólidos. 단단한 토대 base *f* firme, base *f* sólida. ② [속이 차서 야무지다] (ser) sólido, firme, tenaz, acérrimo. 단단하게 sólidamente, firmemente, tenazmente. ③ [굳세다] (ser) fuerte. ④ [느슨하지 않다] (ser) fuerte. 단단하게 묶다 atar firmemente. ⑤ [미덥다] ser de carácter firme. ⑥ [쉽게 변하지 않다] (ser) firme, sólido. 단단한 결심 decisión *f* firme. ⑦ [확실하다] (ser) seguro, cierto. 단단한 장사 negocios *mpl* seguros.

단단히 ㉮ [견고히] sólidamente, firmemente, fijamente, fuerte(mente), a pie firme, estrechamente, bien. ~ 묶다 atar fuerte. ㉯ [굳게] firmemente, estrictamente, rigurosamente. ㉰ [크게] magnánimamente, severamente. ㉱ [잘] bien. 문을 ~ 잠그다 cerrar bien las puertas. ㉲ [크게] severamente, con severidad. ~ 꾸짖다 reprender severamente.

단도(短刀) puñal *m*, daga *f* corta, espada *f* corta.

단도 직입(單刀直入) franqueza *f*, sencillez *f*. ~적 directo, recto, franco, sin rodeos, precipitado, atropellado, rotundo, categórico. ~적으로 directamente, con franqueza, francamente, abiertamente, rotundamente, categóricamente, de plano, a boca de jarro. ~적으로 말하면 francamente hablando. ~으로 거절하다 negar rotundamente, negar categóricamente.

단독(丹毒) ((의학)) erisipela *f*.

단독(單獨) ① [단 하나] solo uno. ~의 solo. ~으로 solo. ② [단 한 사람] una sola persona. ~으로 a solas, individualmente; [혼자 힘으로] por sí mismo, independientemente, sin (la) ayuda de nadie. ~으로 비행하다 volar a solas. ~으로 행동하다 actuar independientemente, actuar por *su* cuenta. ③ [일방적으로 혼자] independiente. ¶~ 강화 paz *f* por separado, paz *f* separado. ~ 개념 concepto *m* simple [individual]. ~ 경영 administración *f* independiente. ~범 crimen *m* [delito *m*] cometido sin complicidad. ~ 비행 solo vuelo *m*. ~ 운영 operación *f*

unilateral. ~ 주택 casa *f*, [휴양지의 별장] chalé *m*, chalet *m*. ~ 해손 avería *f* particular. ~ 회견 entrevista *f* exclusive.

단돈(單-) muy poco dinero *m*. ~ 100원으로는 아무 것도 살 수 없다 Con sólo cien wones no se puede comprar nada.

단두(短頭) ((인류)) braquicefalia *f*.

단두(斷頭) decapitación *f*. ~하다 decapitar. ~대 guillotina *f*, cadalso *m*, patíbulo *m*.

단둘 sólo los dos.

단둘이 solos, -las. ~ 있을 때 말씀 드리겠습니다 Se lo diré cuando estemos solos.

단락(段落) ① [일의] conclusión *f*, terminación *f*, término *m*, fin *m*. ~을 짓다 terminar, concluir, poner fin. ② [문장의] párrafo *m*, calderón *m*, signo *m*; ((시학)) cesura; [구두점] puntuación *f*. 말의 ~ pausa *f* [intervalo *m*] de una charla.

단락(短絡) ((전기)) cortocircuito *m*, corto circuito *m*. ~하다 cortocircuitar.

단란(團欒) harmonía *f*, intimidad *f* familiar, grupo *m* amistoso. ~하다 hacer un grupo amistoso, sentarse al redondo (en un círculo). ~한 가정의 행복 felicidad *f* del hogar pacífico.

단려(端麗) gracia *f*, elegancia *f*, belleza *f*. ~하다 (ser) elegante, atractivo, estar lleno de gracia.

단련(鍛鍊) ① [쇠붙이를 불에 달구어 두드림] forja *f*, temple *m*. ~하다 forjar, templar. 쇠를 ~하다 forjar el hierro. ② [몸과 마음을 굳세게 닦음] entrenamiento *m*, ejercicio *m* duro, disciplina *f*, práctica *f* asidua. ~하다 entrenarse, ejercitarse, hacer ejercicio duro, practicar asiduamente. ~이 잘된 근육 músculo *m* bien formado. ③ ((익숙하게 익힘) ejercicio *m*. ~하다 ejercitarse, practicar. ④ [연단] ((성경)) prueba *f*.

단류기(斷流器) interruptor *m*.

단리(單利) ((경제)) interés *m* simple. ~로 계산하다 calcular a interés simple.

단막(單幕) un acto, una escena. ~극 drama *m* de un acto, drama *m* de una escena. ~물 pieza *f* [obra *f*] de un acto [de una escena].

단말(端末) ① = 끝. ② [처음과 끝] el principio y el fin. ③ ((준말)) = 단말기. ¶~ 기억 장치 ((컴퓨터)) memoria *f* de terminal. ~ 서버 ((컴퓨터)) servidor *m* de terminales. ~ 장치 ((컴퓨터)) adaptador *m* de terminal. ~ 제어기 ((컴퓨터)) controladora *f* de cláster.

단말기(端末機) terminal *m*.

단말마(斷末魔) última respiración *f*, *su* último momento.

단맛 dulzura *f*, sabor *m* dulce, gusto *m* dulce, sabor *m* azucarado. ~이 있다 tener un sabor dulce. ~이 나다 ser dulce. ~이 도는 suave. 단맛 쓴맛 다 보았다 ((속담)) Tener mucha experiencia / Ser un perro viejo / Conocer la vida.

단면(斷面) sección *f*, corte *m*. 사회의 한 ~ una escena [una fase · un aspecto] social, una muestra de la vida actual. ¶~도 plano *m* seccional, corte *m* transversal.

단명(短命) vida *f* corta, efimeridad *f*. ~의 de vida corta, efímero. ~의 정부 gabinete *m* efimero. ~으로 죽다 morir joven.

단모금(單 ─) un trago. 그는 ~에 맥주를 마셔버렸다 El se terminó la cerveza de un trago.

단모음(單母音) vocal *f* breve.

단무지 *danmuchi*, rábano *m* curado en salmuera, nabo *m* secado con sal.

단문(短文) ① [짧은 글] frase *f* corta; [작문] redacción *f* breve, composición *f* breve. ② [글 아는 것이 넉넉하지 못함] conocimiento *m* superficial.

단문(單文) oración *f* [frase *f*] simple.

단물 ① [짠맛이 없는 맹물] el agua *f* pura. ② [단맛이 있는 물] el agua *f* dulce. ~을 빨다 sacar jugo. ③ [알짜나 긴요한 잇속 있는 부분] la mejor parte. ~을 혼자서 다 빨아먹다 tomar la mejor parte.

단박 en seguida, enseguida, inmediatamente, de inmediato, directamente, instantemente, sin tardanza. ~ 낫다 curar inmediatamente.

단발(單發) ① [총알이나 포탄의 한 발] un tiro. ② [단 한 번의 발사] tiro *m* único. ③ ((준말)) =단발총. ④ ((준말)) =단발기. ¶~기 monomotor *m*. ~총 fusil *m* de tiro único.

단발(斷髮) corte *m* de pelo [de cabello]. ~하다 cortar cabellos, demochar [cercenar] el pelo, cortar el pelo, cortar la coleta. ~ 머리 cabeza *f* de pelo corto y redondeado [de pelo a lo paje]. ~ 미인 belleza *f* joven del pelo corto.

단밤 castaña *f* dulce.

단법 comida *f* de buen paladar.

단방(單方) ① [단 한 가지 약만을 쓰는 방문] prescripción *f* de única medicina. ② [신통하게 효력이 좋은 약] medicina *f* eficaz. ¶~약 única medicina *f* de curar la enfermedad.

단방(單放) ① [(총을 쏠 때의) 단 방] un solo tiro. ② [(뜸을 뜰 때의) 단 한 자리] un solo lugar del cauterio de moxa. ③ =단번.

단배 apetito *m* fuerte, deseo *m* fuerte de comer. ~(를) 주리다 (ser) subalimentado, desnutrido, pasar hambre a pesar del buen apetito.

단배(團拜) saludo *m* en grupo. ~하다 saludar en grupo. ~식 celebración *f* del día de Año Nuevo (de una organización).

단백(蛋白) ① [(알이나 달걀의) 흰자위] clara *f*, albúmina *f*. ② [단백질로 된 물건] albúmina *f*. ③ ((준말)) =단백질. ¶~뇨 albuminuria *f*. ~석 ópalo *m*.

단백질(蛋白質) albúmina *f*, proteína *f*. ~의 proteínico, proteico. ~을 함유한 albuminoso, que contiene proteína.

단번(單番) una sola vez. ~에 [단 한 번에] de una vez, de un golpe; [즉시] inmediatamente, en seguida, enseguida. ~에 맥주 한 병을 마시다 beber(se) una botella de cerveza de una vez.

단벌(單 ─) un solo [único] vestido [traje]. ~치기 ㉮ [옷 한 벌만으로 지내는 사람] persona *f* de pasar con un solo traje. ㉯ [한 벌만의 옷으로 지내는 일] lo que pasa con un solo traje.

단복(團服) uniforme *m*.

단본위(單本位) mononorma *f*. ~제(制) monometalismo *m*.

단봇짐(單褓 ─) bulto *m* cómodo, bulto *m* fácil de usar.

단봉낙타(單峰駱駝) dromedario *m*.

단분수(單分數) fracción *f* simple.

단불 fuego *m* muy vivo.

단비 lluvia *f* oportuna.

단비(單比) ((수학)) ratio *m* simple.

단비례(單比例) proporción *f* simple.

단사(單絲) un solo hilo.

단산(斷産) ① [아이 낳던 여자가 아이를 못 낳게 됨] cesación *f* natural de parto [alumbramiento]. ~하다 cesar de dar a luz naturalmente. ② [아이 낳는 것을 끊음] suspensión *f* de *su* parto [alumbramiento]. ~하다 suspender *su* parto [alumbramiento].

단상(單相) ① [단 하나의 위상] monofase *f*. ② ((준말)) =단상 교류. ③ ((준말)) =단상 회로. ¶~ 교류 corriente *f* monofásica, alterna *f* monofásica. ~ 회로 circuito *m* monofásico.

단상(壇上) estrado *m*, tribuna *f*. ~에 오르다 subir al estrado [a la tribuna].

단상(斷想) pensamiento *m* fragmentario.

단색(丹色) (color *m*) rojo *m*.

단색(單色) ① [단 한 가지 빛깔]

monocromo *m*, monocromía *f*. ② [단일한 빛] único color *m*. ¶ ~광 luz *f* monocromática. ~ 인쇄 imprenta *f* monocromática. ~판 edición *f* monocromática. ~화 pintura *f* monocromática.

단서(但書) estipulación *f*, cláusula *f* condicional, condición *f*.

단서(端緒) ① [일의 실마리] indicio *m*, guía *f*, señal *f*, punto *m* de partida, origen *m*. 문제 해결의 ~ clave *f*, llave *f* para resolver la cuestión. ② [일의 시초] comienzo *m*, origen *m*, principio *m*.

단선(單線) ① [외줄] una sola línea, línea *f* única. ② ((준말)) =단선 궤도. ③ ((준말)) =단선 철도. ¶ ~ 궤도[철도] vía *f* única, una sola vía, un solo carril.

단선(短線) línea *f* corta.

단선(斷線) ruptura *f* del cable eléctrico. ~하다 romper la línea, interrumpir la línea.

단성(單性) ((생물)) unisexualidad *f*. ~의 unicelular. ~ 생식 reproducción *f* unisexual, parenogénesis *f*. ~화(花) flor *f* unisexual.

단세포(單細胞) célula *f* simple. ~ 생물 mónada *f*, unicelulares *mpl*.

단소(短小) lo corto y lo pequeño. ~ 하다 (ser) corto y pequeño.

단소(短所) =단처(短處).

단소(短簫) ((악기)) *danso*, flauta *f* corta de bambú.

단속(團束) control *m*; [규제] regulación *f*, dirección *f*; [감시] supervisión *f*, inspección *f*, vigilancia *f*; [방어] defensa *f*, protección *f*. ~하다 controlar; [규제하다] reglamentar, disciplinar; [감시하다] supervisar, vigilar; [방어하다] defender, proteger.

단속(斷續) intermitencia *f*, interrupción *f* [suspensión *f*] temporal. ~하다 intermitir(se). ~기 interruptor *m*. ~기어 engranaje *m* intermitente. ~음 sonido *m* intermitente.

단속곳(單 ―) *dansokgot*, combinación *f* de mujer, enaguas *fpl*.

단수(段數) ① [단의 수] número *m* de las columnas. ② [술수를 쓰는 재간의 정도] grado *m* de talento que usa el truco mágico.

단수(單壽) =단명(短命).

단수(單數) ① [단일한 수] un solo número. ② ((언어)) singular *m*. ~의 singular. ~ 명사 sustantivo *m* [nombre *m*] singular.

단수(端數) fracción *f*, suma *f* fraccionaria, número *m* quebrado.

단수(斷水) suspensión *f* del suministro de agua. ~하다 suspender el suministro de agua.

단수로(短水路) piscina *f* de la longitud de veinte y cinco metros.

단순(單純) simplicidad *f*, sencillez *f*, llaneza *f*, ingenuidad *f*. ~하다 (ser) simple, sencillo, cándido, ingenuo, mero, puro. ~한 생각 idea *f* simple. ¶ ~ 개념 concepto *m* simple. ~화 simplificación *f*. ~화 하다 simplificar.

단술 *dansul*, bebida *f* dulce de arroz fermentado.

단숨에(單 ―) de un tirón, de un golpe, todo seguido, de una vez, de un trago. ~ 마셔 버리다 beber(se) [tomarse] de un golpe [de un trago · de un tirón].

단승식(單勝式) sistema *m* ganador.

단시(短詩) verso *m* corto, soneto *m*. ~ 작가 escritor, -tora *mf* de verso corto.

단시간(短時間) corto tiempo *m*.

단시일(短時日) pocos días, unos días. ~에 en pocos días.

단시합(單試合) =단식 경기.

단식(單式) ① [단순한 형식이나 방식] método *m* [sistema *m*] simple. ② ((준말)) =단식 부기. ③ ((준말)) =단식 경기. ④ ((준말)) =단식 탁구. ⑤ ((준말)) =단식 인쇄. ⑥ ((수학)) expresión *f* simple. ~ 경기 individuales *mpl*, *AmL* singles *mpl*. ~ 부기 contabilidad *f* por partida simple. ~ 시합 (partido *m* de los) individuales *mpl*. ~ 정구 individuales *mpl*. ~ 탁구 individuales *mpl*.

단식(斷食) ayuno *m*. ~하다 ayunar, practicar [observar] el ayuno. ~ 요법 dieta *f* absoluta, curación *f* por ayuno, pinoterapia *f*, limoterapia *f*. ~ 투쟁 huelga *f* de hambre.

단식구(單食口) familia *f* de una persona.

단신(單身) solo, persona sin acompañante. ~의 solo, sin acompañante, solitario; [총의] con un cañón. ~으로 solo; [혼자 힘으로] sin ayuda de nadie, por sí mismo. ~으로 여행하다 viajar solo.

단신(短身) (cuerpo *m* de) la estatura [talla] baja, cuerpo *m* pequeño.

단신(短信) ① [짤막하게 쓴 편지] carta *f* corta. ② [짤막하게 전해지는 뉴스] nueva *f* corta, noticia *f* corta.

단심(丹心) devoción *f*, sinceridad *f*.

단아하다(端雅 ―) (ser) elegante.

단안(單眼) ① [단 하나의 눈] un solo ojo. ② ((동물)) estema *m*, ocelo *m*. ~의 monóculo.

단안(斷案) ① [결정] decisión *f*. ~을 내리다 decidir, llegar a decisión. ② [결론] conclusión *f*. ~을 내리다 concluir, formar un juicio.

단안경(單眼鏡) monóculo *m*.

단애(斷崖) precipicio *m*; [산의] despeñadero *m*; [해안의] acantilado *m.* ~ 절벽 precipicio *m* [acantilado] *m* escarpado.

단야(短夜) [짧은 밤] noche *f* corta; [여름 밤] noche *f* veraniega.

단야(鍛冶) forja *f*, forjadura *f*. ~하다 forjar.

단어(單語) vocablo *m*, palabra *f*, vocabulario *m*, léxico *m*. ~장 cuaderno *m* de palabras. ~집 vocabulario *m*, glosario *m*.

단언(斷言) declaración *f*; [확언] afirmación *f*, aserción *f*. ~하다 declarar, decir rotundamente.

단역(端役) ① [연극·영화] [대수롭지 않은 역] papel *m* insignificante [secundario]. ② =단역 배우. ¶ ~ 배우 extra *mf*; actor, -triz *mf* que hace un papel secundario.

단연(斷煙) abstinencia *f* de tabaco. ~하다 dejar de fumar.

단연(斷然) =단연히.

단연코(斷然-) [힘줌말] =단연히.

단연히(斷然-) categóricamente, decididamente, resueltamente, positivamente, afirmativamente, rotundamente, firmemente, con firmeza.

단열(斷熱) suspensión *f* del calor. ~하다 suspender el calor. ~재(材) aislante *m* térmico.

단엽 비행기(單葉飛行機) monoplano *m.*

단오(端午) [민속] *dano*, el cinco de mayo del calendario lunar.

단옷날 día *m* de *dano*, el cinco de mayo del calendario lunar.

단원(單元) ① [단일한 근원] un solo origen. ② [철학] mónada *f.* ③ [학습 단위] unidad *f.*

단원(團員) miembro *m.*

단원(團圓) ① [둥근 것] lo redondo. ② [가정이 원만함] armonía *f* de una familia, familia *f* armoniosa, feliz familia *f.* ③ [결말. 끝] conclusión *f*, fin *m.*

단원제(單院制) sistema *m* unicameral, unicameralismo *m.*

단원 제도(-制度) =단원제(單院制).

단위(單位) ① [기준 수치] unidad *f.* ~로 por unidad. ② [어떤 조직을 구성하는 기본적 사물] unidad *f*, grupo *m*, núcleo *m.* ③ [일정한 학습량] unidad *f* [punto *m*] de valor [valuación]. ④ [수학·물리의 학] unidad *f.* ¶ ~ 면적 superficie *f* de unidad. ~ 부대 unidad *f.* ~ 조합 unión *f* local.

단위 생식(單爲生殖) =단성 생식.

단음(短音) [음악] sonido *m* corto.

단음(單音) ① [물리] sonido *m* simple. ② [음악] tono *m* monocorde. ③ [언어] monotonía *f.*

단음계(短音階) escala *f* menor.

단음절(單音節) monosílabo *m.* ~ 단어 palabra *f* monosílaba. ~어 monosílabo *m.*

단음정(短音程) intérvalo *m* menor.

단일(單一) ① [단 하나] unidad *f.* ~의 único, solo, unitario. ② [복잡하지 않음] simplicidad *f.* ③ [다른 것이 섞이지 않음] puridad *f.* ¶ ~ 국가 estado *m* unitario. ~ 민족 raza *f* unitaria. ~ 변동 환율 sistema *m* unitario de divisas de fluctuación. ~ 세율 tipo *m* del impuesto único. ~ 시장 mercado *m* único. ~ 호봉 nómina *f* única. ~ 호봉표 plantilla *f* única. ~화 unificación *f*, simplificación *f.* ~화하다 unificar, simplificar. ~ 환율 tipo *m* de cambio único. ~ 후보 candidato *m* único.

단자(單子) [철학] mónada *f.* ~론 monadismo *m.*

단자(短資) préstamo *m* a corto plazo. ~ 시장 mercado *m* a corto plazo. ~ 회사 compañía *f* de préstamo a corto plazo.

단자(端子) [전기] borna *f*, borne *m*, terminal *m.*

단자(團子/團餈) bola *f* de harina de arroz amasada, bola *f* hervida de harina de arroz.

단자음(單子音) consonante *f* única.

단작(單作) monocultivo *m.*

단잠 sueño *m* profundo. ~을 자다 dormir profundamente.

단장(丹粧) [화장] aseo *m*, acto *m* de vestirse, modo *m* de vestir; [장식] ornamento *m*, adorno *m*, decoración *f.* ~하다 embellecer, ornamentar, adornar, decorar.

단장(短杖) bastón *m.* ~을 짚고 andar con bastón. ~을 휘두르다 dar bastonazos.

단장(團長) jefe, -fa *mf* de grupo [de equipo]; [극단 따위의] director, -ra *mf.*

단장(斷腸) congoja *f*, sufrimiento *m*, corazón *m* herido [roto·lacerado].

단적(端的) franco, directo, claro, sin rodeos. ~으로 francamente, directamente, sin rodeos, sin ambigüedades.

단전(丹田) hipogastrio *m*, músculos *mpl* del bajo vientre, abdomen *m*, vientre *m*. ~에 힘을 주다 tensar los músculos del bajo vientre.

단전(斷電) suspensión *f* de suministro de energía. ~하다 suspender el suministro de energía, cortar la electricidad.

단절(斷折) =절단(切斷).

단점(短點) defecto *m*, falta *f*, demérito *m*, deficiencia *f*, punto *m* flaco. ~을 고치다 reparar [remediar] *sus* defectos.

단정(端正) decencia *f*, rectitud *f*, integridad *f*, sublimidad *f*, probidad *f.* ~하다 (ser) decente, recto, íntegro, sublime, probo, honrado. ~

히 decentemente, rectamente, íntegramente, sublimemente, correctamente, dignamente, honradamente.

단정(端整) limpieza *f*. ~하다 (estar) aseado, limpio. ~한 용모 rasgos *mpl* nobles y proporcionados.

단정(斷定) aserción *f*, afirmación *f*; [결정] decisión *f*, determinación *f*; [결론] conclusión *f*. ~하다 afirmar, asegurar, decidir, determinar. ~을 내리다 tomar una determinación, sacar una conclusión. ¶ ~적 tajante, categórico. ~적으로 tajantemente, categóricamente.

단조(單調) monotonía *f*. ~롭다 (ser) monótono, poco variado, prosaico. ~로운 풍경 paisaje *m* monótomo [uniforme].

단조(短調) ((음악)) menor *m*.

단조(鍛造) forja *f*, forjamiento *m*. ~하다 forjar.

단종(斷種) ((의학)) esterilización *f*, castración *f*. ~하다 esterilizar, castrar.

단좌하다(端坐一) sentarse bien, sentarse derecho.

단죄(斷罪) condenación *f*, juicio *m* de crimen; [참수] decapitación *f*, degollación *f*, degüello *m*. ~하다 condenar, declarar culpable.

단주(端株) paquete *m* de menos de cien acciones, pequeño lote *m*.

단주(斷酒) =금주(禁酒).

단지 jarro *m*, jarra *f*, cántaro *m*.

단지(團地) urbanización *f*, complejo *m* habitacional, *Méj* colonia *f*.

단지(斷指) corte *m* del dedo. ~하다 cortar el dedo.

단지(但只) sólo, solamente, meramente, simplemente. 그것은 ~ 시간 문제다 Es simplemente una cuestión de tiempo.

단지증(短指症) ((의학)) focomelia *f*.

단짝(單一) pareja *f*, íntimo [buen] amigo *m*, gran amigo *m*; íntima [buena] amiga *f*. ~을 이루다 emparejarse, formar [hacer] pareja.

단창(短槍) lanza *f* corta.

단채(單彩) color *m* monocromático. ~화 pintura *f* monocromática.

단처(短處) defecto *m*, falta *f*, tacha *f*; [단점] punto *m* débil, punto *m* flaco, lado *m* flaco. ~를 보충하다 remediar un defecto.

단철(鍛鐵/鍛鑯) hierro *m* forjado, hierro *m* batido.

단청(丹青) [채색] color *m*; [그림] pintura *f*. ~하다 dar los colores.

단체(單體) substancia *f* simple, elemento *m* simple.

단체(團體) corporación *f*, comunidad *f*, cuerpo *m*, partido *m*, asociación *f*, sociedad *f*, colectividad *f*, organización *f*, entidad *f*, grupo *m*; [동업의] gremio *m*. ~로 en grupo.

~ 경기[전] deporte *m* en equipo, competición *f* en equipos. ~ 관람 exposición *f* en grupo, visita *f* en grupo. ~ 교섭 negociación *f* gremial, negociación *f* colectiva, convenio *m* colectivo, negociación *f* para los contratos colectivos. ~ 교섭권 derecho *m* de negociación colectiva. ~ 생활 vida *f* en grupo. ~ 여행 viaje *m* colectivo, viaje *m* en grupo. ~ 협약 convenio *m* colectivo, acuerdo *m* colectivo. ~ 활동 actividad *f* en grupo.

단총(短銃) ① [짤막한 총] escopeta *f* corta. ② [권총] pistola *f*, revólver *m*, mosquetón *m*.

단추 botón *m*; [장식] tachón *m*; [커프스] gemelos *mpl*. 떨어진 ~ botón *m* desprendido. ~를 끼우다 abrochar. ~ 를 채우다 abotonar. ~ 를 벗기다 desabotonar. ~를 달다 poner [pegar] un botón. ¶ ~ 스고리 anillo *m* de abrochar. ~ 스구멍 ojal *m*.

단축(短縮) acortamiento *m*; [축소] disminución *f*, reducción *f*; [요약] abreviación *f*, contracción *f*. ~하다 acortar, disminuir, reducir, abreviar, contraer.

단출하다 ① [식구가] ser pequeño. 단출한 식구 familia *f* pequeña. ② [간편하다] (ser) sencillo, práctico, conveniente. 단출한 옷 prenda *f* práctica [conveniente]. 단출한 가정 hogar *m* sencillo.

단층(單層) ① [단 하나의 층] un solo piso, una sola planta. ② ((준말)) =단층집. ¶ ~집 casa *f* de un solo piso.

단층(斷層) falla *f*, dislocación *f*. ~면 plano *m* de la falla. ~산맥 cordillera *f* de la falla. ~ 지진 terremoto *m* dislocado.

단침(短針) ① [짧은 바늘] aguja *f* corta, aguja *f* pequeña. ② [시침] (aguja *f*) horaria *f*, horario *m*.

단칭(單稱) singular *m*.

단칸(單一) ① [단 한 간] una sola habitación, un solo cuarto. ② ((준말)) =단칸방. ¶ ~방 habitación *f* de seis pies cuadrados, una sola habitación. ~살림[살이] vida *f* en una sola habitación.

단칼(單一) un solo golpe de espada. ~에 con un solo golpe de espada.

단타(單打) sencillo *m*, sencillo jit *m*.

단타(短打) jit *m* corto.

단파(短波) ((물리)) onda *f* corta. ~ 방송 transmisión *m* en onda corta, radioemisión *f* [emisión *f* radiofónica] de onda corta. ~ 수신기 (radio *m*) receptor *m* [radiorreceptor *m*] de onda corta. ~ 안테나 antena *f* de onda corta.

단판(單一) una sola jugada, una sola

partida, una sola mano. ~ 승부 partida *f* de una sola jugada, un solo juego *m.* ~ 싸움 un solo [único] desafío.
단팥죽(一粥) *danpatchuk*, gachas *fpl* dulces de judías pintas [rojas] con bola de masa de arroz.
단편(短篇) ① [짤막하게 지은 글] obra *f* [pieza *f*] corta; [짤막한 영화] producción *f* de corto metraje. ② ((준말)) =단편 소설. ¶~ 소설 novelita *f*, cuento *m*, narración *f* corta, relato *m* breve, novela *f* de pieza corta. ~ (소설)집 colección *m* de cuentos. ~ 영화 (película *f* de) cortometraje *m.* ~ 작가 cuentista *mf.*
단편(斷片) fragmento *m*, pedazo *m*, trozo *m*, fracción *f*, menuzo *m.* ~적 fragmentario, quebrado, poco sistemático; [부분적인] parcial. ~적으로 fragmentariamente, a trozos.
단평(短評) crítica *f* corta, criticismo *m* corto, breve comentario *m.*
단풍(丹楓) ① ((준말)) =단풍나무. ② [단풍잎] hajas *fpl* amarillas, hojas *fpl* coloradas [otoñales], hojas *fpl* otoñales matizadas, follaje *m* carmesí. ~이 들다 estar matizado de rojo, colorarse. ~이 지다 ponerse colorado. ¶~놀이 excursión *f* para la admiración de las hojas rojas del otoño. ~놀이 가다 ir a admirar las hojas rojas del otoño. ~잎 ㉮ =단풍❷. ㉯ [단풍나무의 잎] hoja *f* del arce.
단풍나무(丹楓一) ((식물)) arce *m*, ácere *m*, meple *m*, maple *m.*
단합(團合) unión *f.* ~하다 unirse.
단항식(單項式) ((수학)) monomio *m.*
단핵(單核) mononúcleo *m.* ~ 세포 célula *f* mononuclear.
단행(單行) ① [한 가지만으로 된 출판] publicación *f* de una sola clase. ② [한 번만 한 행동] actitud *f* de una sola vez. ③ [혼자서 하는 행동] actitud *f* de una sola persona. ④ [단독 여행] un solo viaje. ¶~본 volumen *m* separado [independiente], publicación *f* en un libro.
단행(斷行) acción *f* decisiva, ejecución *f.* ~하다 ejecutar [realizar] con resolución, realizar con decisión, tomar la decisión, decidir(se).
단호하다(斷乎一) (ser) firme, decisivo, rotundo. 단호한 태도 actitud *f* firme [decidida·resuelta]. 단호한 태도로 en actitud firme.
단화(短靴) zapatos *mpl*, calzados *mpl.*
닫다[1] [달리다] [사람이] correr; [말이] galopar.
닫다[2] ① [열린 것을] cerrar. 문을 ~ cerrar la puerta. ② [(입을) 다물다] callar(se), no hablar, dejar de hablar, guardar silencio, cerrar la boca. ③ [하루의 일에서 잠깐 쉬다. 경영하던 것을 그만두다] cerrar. 가게[공장]를 ~ cerrar la tienda [la fábrica]. ④ [끝내다] terminar.
닫아걸다 cerrar. 문을 안으로 [밖으로] ~ cerrar la puerta por dentro [por fuera].
닫히다 cerrar(se). 문이 ~ cerrar(se) la puerta. (문이) 저절로 ~ cerrarse solo.
달[1] ((천체)) luna *f.* ~의 lunar. 지는 ~ luna *f* pálida en alba. ~이 이그러지다 decrecer [menguar] la luna. ~이 차다 crecer la luna. ¶~의 여신 ((신화)) Diana *f.* ~세계 luna *f*, mundo *m* lunar. ~착륙 alunizaje *m.* ~착륙하다 alunizar.
달[2] ① [달빛] luna *f*, luz *f* de la luna. ② [한 해의] mes *m.* ~마다 cada mes, todos los meses. 한 ~에 한 번 una vez al mes. ③ [해산할 달] mes *m* del parto. ~이 차다 cumplir el tiempo (previsto), estar en el último mes de embarazo, ser prematuro. 달도 차면 기운다 ((속담)) La flor de la belleza es poco duradera.
달가닥 con un golpe violento, con estrépito. ~거리다 hacer clic.
달가당 con un sonido metálico, con tintineo. ~거리다 repicar, tintinear.
달갑다 ① [마음에 들어 흐뭇하다] (ser) deseable, oportuno, agradable, grato. 달갑지 않은 손님 visita *f* importuna [poco grata·desagradable·indeseable]. 달갑지 않은 소식 noticia *f* desagradable [poco grata]. ② [불만이 없다] no vacilar, no titubear, estar contento.
달걀 huevo *m.* 갓 낳은 ~ huevo *m* fresco. 날 ~ hueveo *m* crudo. 반숙한 ~ huevo *m* suave pasado por agua. 부침 ~, 프라이한 ~ huevo *m* frito. 삶은 ~ huevo *m* pasa- do por agua, huevo *m* duro, huevo *m* cocido. 지진 ~, 휘저어 볶은 ~ huevo *m* revuelto. 썩은 ~ huevo *m* podrido.
달거리 ① ((의학)) fiebre *f* mensual. ② =월경(月經).
달견(達見) ① [사리에 통달한 견식] previsión *f*, gran lucidez *f*, perspicacia *f*, perspicacidad *f.* ② [뛰어난 의견] opinión *f* excelente, ideas *fpl* excelentes, vistas *fpl* excelentes.
달곰삼삼하다 (ser) algo dulce y insípido.
달곰새금하다 (ser) dulce y ácido.
달곰쌉쌀하다 (ser) dulce y amargo. ser) agridulce.

달곰하다 (ser) dulce, tener el sabor dulce.
달관(達觀) ① [사물에 대한 통달한 관찰] observación *f* versada. ~하다 observar versadamente. ② [활달하여 세속을 벗어난 높은 견식] conocimiento *m* profundo, sabiduría *f* profunda. 사물을 ~하다 ver las cosas con sabiduría [con filosofía · filosóficamente].
달구 [롤러식의] rulo *m*. ~질 apisonamiento *m*. ~질하다 apisonar la tierra.
달구다 calentar, poner. 쇠를 벌겋게 ~ calentar [poner] el hierro al rojo vivo [candente].
달구지 carro *m*, carreta *f*, carromato *m*, carruaje *m*. ~꾼 carrero, -ra *mf*; carretero, -ra *mf*.
달궁이 ((어류)) =달강어.
달그락 haciendo ruido, traqueando, repiqueteando. ~거리다 hacer ruido, chacolotear, traquetear; [타자기가] repiquetear.
달그랑 repicando. ~거리다 repicar, tintinear.
달나라 ① [달] luna *f*. ② [달의 세계] mundo *m* lunar.
달님 la Luna.
달다[1] ① [물이] (ser) cocinado demasiado, recocido, dejado pasar, tostado. 단 음식 comida *f* recocida. ② [몹시 뜨거워지다] calentarse, arderse. 시뻘겋게 단 쇠 hierro *m* ardiente. ③ [몸이 화끈해지다] arder. ④ [몹시 안타깝고 조마조마하다] preocuparse, inquietarse, (estar) inquieto, preocupado, nervioso, ponerse nervioso, (ser) impaciente, desear, estar ansioso. ⑤ [살이 얼어서 부르터 터지다] ampollarse (por la heladura).
달다[2] ① [물건을 높이] colgar, suspender, izar, llevar. 국기를 ~ izar la bandera. ② [물건을 일정한 곳에] llevar, poner, colocar; [옷에 단추 등을] coser, pegar, hacer. 간판을 ~ poner [colocar] un letrero. ③ [죽 잇대어] ligar, enlazar, poner. 열차에 식당차를 ~ enlazar [poner] el coche comedor [el vagón restaurante] al tren. ④ [가설하다] instalar. ⑤ [주석 · 제목 따위를 덧붙이다] anotar, poner notas (en un escrito · una cuenta · un libro]. ⑥ [장부에] cargar. ⑦ [저울로] pesar.
달다[3] [「달라」 「-다오」 로만 쓰임] da. 나에게 책을 달라 Dame el libro. 자유가 아니면 죽음을 달라 (Danos) Libertad o muerte.
달다[4] ① [맛이] (ser) dulce, azucarado. 단 것 [음식] dulces *mpl*. ② [입맛이 좋다] tener buen apetito. ③ [마음에 들다] gustar. ④ [잠이 달다] (ser) profundo, satisfactorio, grato. 단잠 sueño *m* profundo [dulce].
달달볶다 ① [깨나 콩 같은 것을] tostar. ㉯ [사람을] molestar, irritar, fastidiar.
달달하다 ser algo dulce.
달동네 barrio *m* de chabolas.
달라붙다 adherirse, pegarse (fuerte), rondar (fuerte), ser pegajoso.
달라지다 cambiar(se), variar. 의견이 ~ desviarse de opinión. 주소가 ~ tener *su* dirección cambiada.
달랑거리다 tintinear; ser frívolo; ser una familia pequeña; ser solo.
달랑달랑하다 ① =달랑거리다. ② [밑천 등이] ir a acabarse.
달래다 ① ㉮ [진정시키다] apaciguar, calmar, tranquilizar, aquietar. ㉯ [어르다] mecer, agradar, complacer, engatusar, halagar, acariciar, dar gusto, mimar. ② [꾀다] pretender, cortejar, galantear, sacudir. ③ [간청하다] solicitar, persuadir.
달러 dólar *m*. ~ 박스 mina *f* de oro.
달려가다 correr.
달려오다 venir corriendo, correr.
달력(-曆) calendario *m*, almanaque *m*.
달로켓 cohete *m* lunar. ~ 발사 lanzamiento *m* de una nave espacial a la luna.
달리 de otro modo, de otra manera; [틀리게] diferentemente, de manera [modo] diferente. ~ 방법이 없다 No hay otra manera / No hay más remedio.
달리기 carrera *f*, corrida *f*. ~를 하다 hacer una carrera, competir en una carrera. ¶~ 선수 corredor, -dora *mf*.
달리다[1] ① [물건의 한 끝이] colgar(se), pender. ② [열려서 붙어 있다] estar colgado. ③ [어떤 관계에 좌우되다] depender. 네 행복은 네 행동에 달렸다 Tu felicidad depende de tu conducta. ④ [매이거나 딸리다] tener personas a *su* cargo.
달리다[2] ① [힘에 부치다. 재주가 미치지 못하다] no ser igual, no ser bastante, no ser suficiente, ser inferior, faltar, carecer de. ② [뒤를 잇대지 못하게 모자라다] encontrarse apurado, encontrarse falto [corto]. 돈이 ~ encontrarse apurado de dinero.
달리다[3] ① [빨리 가게 하다] correr; [말이] galopar. 쏜살같이 ~ correr como una flecha. ② [뛰어 가게 하다] hacer correr.
달리다[4] [기운이] flaquear, decaer, estar cansado, sentir lánguido.
달리아 ((식물)) dalia *f*.

달리하다 diferenciarse de otro, variar, desviarse.

달마(達磨) ((인명)) Dharma.

달마 대사(達磨大師) ((인명)) =달마.

달마중 =달맞이.

달맞이 admiración f de la belleza de la luna, goce m de la claridad de la luna. ~하다 admirar la belleza [gozar de la claridad] de la luna.

달맞이꽃 ((식물)) onagra f.

달무리 halo m, halón m, corona f.

달밤 noche f iluminada por la luz de la luna, noche f de luna.

달변(一邊) interés m mensual.

달변(達辯) elocuencia f, oratoria f. ~가 (orador, -dora mf) elocuente mf.

달빛 luz f de la luna.

달삯 sueldo m mensual.

달성(達成) ejecución f, consecución f, logro m, [실현] realización f. ~하다 ejecutar, realizar, llevar a cabo, lograr, conseguir.

달싹하다 mover(se) ligeramente.

달아나다 escaparse, fugarse, irse.

달아매다 colgar.

달아보다 pesar.

달아오르다 enrojecerse, acalorarse.

달음박질 corrida f, marcha f rápida. ~하다 correr.

달음질 ① [빨리 뛰어 닫는 발걸음] paso m rápido. ~하다 andar con paso rápido. ② [달리기 경기] carrera f. ③ ((준말)) =달음박질.

달이다 ① [액체를] hervir, preparar, hacer. 차를 ~ hacer [preparar] té. 간장을 ~ hacer [preparar] la salsa de soja [soya]. ② [물에 넣어 끓여서 우러나도록 하다] hacer una decocción, poner en infusión [una tisana]. 달인 약 decocción f, infusión f, tisana f.

달인(達人) experto, -ta mf, périto, -ta mf; hombre m excelente, gran maestro m, gran maestra f; [전문가] especialista mf.

달짝지근하다 tener un poco de sabor dulce, ser algo dulce.

달착지근하다 tener un poco de sabor dulce, ser algo dulce.

달카닥 haciendo clic, con un clic. ~거리다 hacer clic, hace un ruido seco.

달카당 dando un portazo. ~거리다 seguir dando un portazo.

달콤새큼하다 (ser·estar) agridulce.

달콤하다 ① [맛이] (ser) algo dulce, dulzón, azucarado. ② [감미롭다] (ser) meloso, dulce, cariñoso, suave. 달콤한 말 palabras fpl adulatorias [dulces·melosas].

달팽이 ((동물)) caracol m, cóclea f. ~ 걸음 paso m de tortuga. ~관 conducto m coclear. ~ 요리 caracolada f.

달포 más de un mes.

달품 trabajo m pagado por el mes.

달필(達筆) ① [썩 잘 쓴 글씨] buena caligrafía f, buena letra f, buena mano f. ② [글씨나 글을 몹시 빠르게 잘 쓰는 사람] calígrafo, -fa mf.

닳하다 ① [일정한 표준이나 수량·정도에] alcanzar, ascender. 기준에 ~ alcanzar el nivel determinado. 목표에 ~ alcanzar el objetivo. ② [일정한 장소에] llegar. 목적지에 ~ llegar a su destino. ③ [목적을 이루다] cumplir, alcanzar.

닭 ((조류)) [수컷] gallo m; [암컷] gallina f, [병아리] polluelo m, pollito m. ~의 대가리 persona f estúpida. ~장수 gallinero, -ra mf.

닭고기 pollo m, carne f de gallina. ~ 수프 sopa f de pollo.

닭고집(一固執) tipo m terco.

닭구이 pollo m asado.

닭국 sopa f [caldo m] de pollo.

닭날 el Día de la Gallina.

닭똥 =닭의똥.

닭살 carne f de gallina, piel f de gallina.

닭싸움 pelea f de gallos, AmS riña f de gallos.

닭어리 =닭의어리.

닭울녘 al cantar el gallo.

닭의똥 estiércol m de la gallina.

닭의어리 gallinero m.

닭의장 gallinero m, gallinería f.

닭장(一欌) percha f, palo m.

닭장(一欌) gallinero m.

닮다 parecerse, asemejarse, ser parecido [similado]. 닮은 parecido, semejante; AmL pintado. 아주 ~ ser muy parecido. 많이 ~ parecerse mucho. 꼭 ~ parecerse como dos gotas de agua.

닳다 ① [해지다] gastar(se), romperse, desgastarse, consumirse. 구두가 ~ desgastarse los zapatos; [밑바닥이] destaconarse. ② [액체가 졸아들다] reducirse.

담 [돌 따위의] tapia f, muralla f, muro m, pared f, cerca f (판자 따위의), seto m, valla f, vallado m. ~(을) 쌓다 construir una cerca, erigir una barrera.

담(痰) [가래] escupitajo m, esputo m, gargajo m; ((의학)) flema f. ~을 뱉다 escupir, esputar, espectorar, gargajear.

담(曇) ((기상)) estado m nublado.

담(膽) ① ((해부)) =쓸개. ② ((준말)) =담력(膽力).

담가(擔架) camilla f, andas fpl, angarillas fpl, parihuelas f(pl).

담결석(膽結石) ((의학)) =담석(膽石).

담그다 ① [액체 속에] mojar, bañar, meter, remojar. ② [간장·김치·젓갈 따위를] conservar en vinagre, adobar, conservar en adobo;

[절이다] escabechar. 김치를 ~ encurtir *kimchi*. 오이를 ~ adobar pepinos.

담낭(膽囊) ((해부)) vejiga *f* de hiel, vesícula *f* biliar, colecisto *m*. ~염 colecistitis *f*.

담다 ① [그릇 속에] poner; [병에] embotellar, enfrascar, poner en botellas [en frascos]; [통에] embarrilar. ② [회화나 문장 등에] poner; [사상·계획을] incorporar; [포함하다] incluir, comprender.

담담하다(淡淡−) (ser) simple; [집착 없이] despegado, desinteresado.

담당(擔當) ① [(어떤 일을) 맡음] cargo *m*, (plaza *f* a) servicio *m*. ~하다 encargarse, hacerse cargo, tomar a *su* cargo. ② ((준말)) = 담당자. ¶~ 의사 médico, -ca *mf* responsable. ~자 encargado, -ga *mf*.

담대(膽大) audacia *f*, coraje *m*. ~하다 (ser) audaz, atrevido, osado.

담력(膽力) audacia *f*, bravura *f*, coraje *m*, valor *m*, osadía *f*.

담론(談論) discusión *f*, discurso *m*. ~하다 argüir, debatir, discutir.

담배 ① ((식물)) tabaco *m*. ② [담배 잎을 말려서 만든 흡연료] tabaco *m*; [궐련] cigarrillo *m*, pitillo *m*, cigarro *m* de papel; [여송연] cigarro *m*, cigarro *m* puro; [썹는 담배] tabaco *m* picado, *PRico* tabaco *m* hilado. ~ 한 갑 un paquete de cigarrillos, *AmL*, *ReD* una caja de cigarrillos. ~ 한 대 un cigarrillo. 순한 ~ cigarrillo *m* [tabaco *m*] rubio. 독한 ~ cigarrillo [tabaco *m*] negro. ~를 피우다 fumar(se) (cigarrillo); [여송연을] fumar un cigarro (habano). ~를 끊다 abstenerse [privarse] del tabaco, dejar de fumar. ¶~ 가게 estanco *m*, tabaquería *f*, *AmL* cigarrería. ~꽁초 colilla *f*, pitillo *m*. ~물부리 pipa *f*. ~밭 tabacal *m*. ~쌈지 cigarrera *f*, petaca *f*. ~장수 estanquero, -ra *mf*, tabaquero, -ra *mf*, cigarrero, -ra *mf*. ~중독 tabaquismo *m*, nicotismo *m*. ~통 ㉮ [담배를 담는 통] tabaquera *f*. ㉯ [살담배를 넣어 두는 통] cigarrera *f*.

담백하다(淡白−) (ser) sencillo, simple.

담뱃가루 polvo *m* del tabaco.

담뱃갑(−匣) tabaquera *f*, cigarrera *f*, pitillera *f*, cigarrillera *f*.

담뱃값 ① [담배의 값] precio *m* de los cigarrillos. ② [담배를 살 돈] dinero *m* para comprar dinero. ③ [약간의 돈] un poco de dinero.

담뱃대 pipa *f* (para el tabaco).

담뱃불 fuego *m* (de cigarrillos).

담뱃재 ceniza *f* de cigarrillos.

담뱃재털이 cenicero *m*.

담뱃진(−津) nicotina *f*.

담보(擔保) fianza *f*, prenda *f*, seguridad *f*, garantía *f*; ((법률)) hipoteca *f*, empeño *m*. ~하다 hipotecar, empeñar, dar en prenda, dar en fianza, prendar, tomar [depositar] en garantía. ~로 sobre prenda. ¶~권 derecho *m* sobre prendas. ~금 fianza *f*, prenda *f*. ~ 대부 préstamo *m* hipotecario. ~물 seguridad *f*, prenda *f*, hipoteca *f*, garantía *f*. ~자[인] avalista *mf*, garante *mf*. ~ 증서 escritura *f* de garantía.

담비 ((동물)) marta *f*.

담뿍 ((준말)) = 담뿍이.

담뿍이 lleno; [많이] mucho.

담뿍하다 (estar) lleno, repleto.

담색(淡色) color *m* claro.

담석(膽石) cálculo *m* [piedra *f*] biliar. ~ 절개술 colelitotomía *f*. ~증 colelitiasis *f*, colecistolitiasis *f*.

담세(擔稅) pago *m* de impuestos. ~자 contribuyente *mf*.

담소(談笑) conversación *f* informal, plática *f*, charla *f*. ~하다 charlar [conversar] amigablemente.

담소(膽小) timidez *f*. ~하다 (ser) tímido, cobarde, miedoso.

담수(淡水) el agua *f* dulce. ~어 pez *m* de agua dulce. ~호 lago *m* de agua dulce.

담시(譚詩) balada *f*, romance *m*.

담쌓다 ① [담을 만들다] poner un muro, cercar con un muro [una tapia], amurallar, fortificar. ② [교제를 끊다] romper, terminar.

담액(膽液) = 담즙(膽汁).

담요(毯−) manta *f*, *AmL* frazada *f*.

담임(擔任) ① ㉮ [어떤 일을 책임지고 맡아봄] cargo *m*, cuidado *m*. ~하다 tener cargo, encargarse. ㉯ [어떤 일을 책임지고 맡아보는 사람] encargado, -da *mf*, maestro, -tra *mf* de cargo. ② ((준말)) = 담임 교사. 담임 선생. ¶~ 선생[교사] profesor, -sora *mf* responsable; profesor *m* encargado, profesora *f* encargada; [초등 학교의] maestro, -tra *mf* responsable. ~자 encargado, -da *mf*.

담장(−墻) = 담.

담쟁이 ((준말)) = 담쟁이덩굴.

담쟁이덩굴 ((식물)) yedra *f*, hiedra *f*.

담즙(膽汁) ((해부)) bilis *f*; [동물의] hiel *f*. ~의 biliar, biliario.

담차다 (ser) audaz, atrevido.

담채(淡彩) ① ((미술)) colores *mpl* claros, colorido *m* delicado. ② ((준말)) = 담채화.

담채화(淡彩畵) lavado *m*, pintura *f* de colores claros.

담판(談判) negociación *f*, conversación *f*, conferencia *f*, discusión *f*.

~하다 entablar [entrar en] nego-ciaciones, negociar, conferir.

담합(談合) conferencia *f*, consulta *f*, [비밀의] confabulación *f*. ~하다 conferenciar, conferir, consultar; [비밀리에] confabular. ~ 입찰 li-citación *f* preestablecida.

담홍색(淡紅色) color *m* rosa, rosa *f* pálida. ~의 rojo claro, de (color) rosa, (de) salmón, de rosa pálida.

담화(談話) comunicación *f* oficiosa, comentario *m* oficioso, conversa-ción *f*, charla *f*, plática *f*, diálogo *m*. ~하다 conversar, platicar, charlar. ~를 발표하다 hacer un comentario oficioso. ~문 decla-ración *f*. ~실 sala *f* de reunión, sala *f* de charla, sala *f* social.

담황색(淡黃色) amarillo *m* limón. ~의 amarillo limón (남色 동형).

답(答) ① ((준말))=대답(對答). ¶문는 말에 ~하다 contestar a la pregunta. ② ((준말))=해답(解答). ③ ((준말))=회답(回答).

-답다 parecer, ser digno (de). -답지 않다 ser indigno, ser impropio, no ser digno. 사내다운 varonil, mas-culino, viril. 여자다운 femenino. 꽃~ revestirse de primavera. 신사 답지 않은 행동 acción *f* indigna [impropia] de un caballero.

답답하다 ① [애가 타고 답답하다] (ser) impaciente, (estar) irritado, preocupado, inquieto. ② [안타깝다] dar rabia, (ser) impaciente, la-mentable. ③ [숨을 쉬기가 가쁘다] (ser) pesado, opresivo, ponderoso, sentir opresión, respirar con dificul-tad; [통풍이 잘 안되어] (ser) mal ventilado, estar cargado, faltar el aire, estar viciado; [코가] tapado. ④ [고지식하여 딱하다] (estar) acartonado, estirado; [생각 등이 케케묵다] retrógrado.

답례(答禮) devolución *f* de saludo, [선물로] regalo *m* para correspon-der; [방문] visita *f* para corres-ponder. ~하다 responder el salu-do, devolver el saludo, devolver el regalo [la visita].

답방(答訪) visita *f* para correspon-der. ~하다 visitar en reciprocidad, devolver la visita.

답변(答辯) contestación *f*, respuesta *f*. ~하다 contestar, responder. ~서 escrito *m* de respuesta.

답보(踏步) =제자리걸음. ¶~ 상태 (estado *m* de) estancamiento *m*.

답사(答辭) respuesta *f*, discurso *m* en respuesta. ~하다 pronunciar [dar] un discurso de respuesta.

답사(踏査) exploración *f*, reconoci-miento *m*; [측량] medición *f*. ~하다 explorar, reconocer; catear,

medir, examinar personalmente.

답서(答書) respuesta *f*, contestación *f*. ~를 보내다 responder la carta.

답습(踏襲) sucesión *f*. ~하다 suce-der, seguir, seguir las pisadas.

답신(答申) informe *m*. ~하다 infor-mar. ~을 내다 presentar un in-forme.

답안(答案) contestación *f*, papel *m* de examen. ~을 쓰다 contestar a las preguntas del examen. ¶~지 papel *m* de examen.

답장(答狀) contestación *f*, respuesta *f*. ~하다 contestar, responder.

답전(答電) contestación *f* telegráfica, telegrama *m* en retorno [contesta-ción·respuesta]. ~하다 contestar telegráficamente [por telegrama].

답지(遝至) afluencia *f*, avalancha *f*, diluvio *m*, torrente *m*; [물건의] entrada *f*; [생각의] llegada *f*. ~하다 llegar una avalancha, afluir mucho, acudir en masa.

답파(踏破) caminata *f*, recorrido *m* a pie. ~하다 recorrerse a pie.

답하다(答－) ((준말)) ① =대답하다. ② =해답하다. ③ =회답하다.

닷 cinco. ~ 말 cinco *mal*.

닷새 ① [다섯 날] cinco días. ② ((준말))=닷샛날. 초닷샛날.

닷샛날 el 5 (del calendario lunar).

당(堂) ① ((준말))=당집. ② =대청 (大廳). ③ =신당.

당(黨) ① [정당] partido *m*. ~의 결정 decisión *f* del partido. ~에 가입하다 afiliarse a un partido. ~을 결성하다 formar un partido. ② [무리. 동아리] pandilla *f*, facción *f*. ~을 만들다 formar una facción, apandillarse. ③ [친척과 인척] pa-riente, -ta *mf*; parentesco, -a *mf*; [집합적] parentela *f*. ④ ((준말))=봉당(朋黨).

-당(當) por. 시간~ por hora. 1일 [1 개월]~ por día [mes]. 하루~ por día.

당가(黨歌) himno *m* del partido.

당고모(堂姑母) tía *f* (que es prima de *su* padre).

당고모부(堂姑母夫) esposo *m* de *su* tía (que es prima de *su* padre).

당과(糖菓) =캔디.

당구(撞球) billar *m*. ~하다, ~를 치다 jugar al billar. ¶~공[알] billa *f*, bola *f* de billar; mingo *m*; [붉은] bola *f* roja; [흰] bola *f* blanca. ~대 mesa *f* de billar. ~봉[큐] taco *m* (de billar); [짧은] retaco *m*; [긴] mediana *f*. ~장 salón *m* [sala *f*] de billar.

당국(當局) autoridades *fpl*, autoridad *f* competente. ~자 autoridades *fpl*.

당권(黨權) hegemonía *f* [hegemonía *f*] del partido.

당규(黨規) reglamento *m* del partido.

~를 어기다 violar el reglamento del partido.

당근 ((식물)) zanahoria f.

당기(黨紀) disciplina f del partido. ~를 깨뜨리다 romper [arruinar] la disciplina de partido.

당기(黨旗) bandera f del partido.

당기다¹ ① [끌어서 가까이 오게 하다] acercar, arrimar, tirar. 재떨이를 앞으로 ~ acercar el cenicero adelante. ② [줄을 팽팽하게 하다] estirar. 활시위를 ~ estirar la cuerda del arco. ③ [어떤 방향으로 잡아끌다] apretar. 방아쇠를 ~ apretar el gatillo. ④ [정한 기일이나 시간을] avanzar. 날짜를 ~ avanzar la fecha.

당기다² [입맛이 돋우어지다] estimular. 입맛을 ~ estimular su apetito. 입맛이 ~ estimularse.

당나귀(唐一) ((동물)) asno, -na mf; burro, -rra mf; borrico, -ca mf; [작은] borriquillo, -lla mf.

당내(黨內) interior m del partido; [부사적] dentro del partido. ~ 문제를 해결하다 resolver los asuntos del partido.

당년(當年) ① [그 해] ese año. ② [금년] este año. ~ 27세의 청년 joven m que tiene veintisiete años de edad este año. ③ [그 시대·연대] ese tiempo, esa época.

당뇨(糖尿) glicosuria f, glucosuria f, glicopoliuria f, glucorrea f. ~병 diabetes f, glucosuria f. ~병 환자 diabético, -ca mf; glucosúrico, -ca mf.

당당(堂堂) =당당히.

당당하다(堂堂一) (ser) imponente, majestuoso, magnífico, grandioso. 당당한 체격 estatura f imponente. 당당히 imponentemente, majestuosamente, soberbiamente, magníficamente, heroicamente; [정정당당히] con aire majestuoso, con dignidad; [공연히] públicamente. ~ 반론하다 replicar valientemente.

당대(當代) ① [그 시대] esa época, su época. ~의 영웅 héroe m de su época [de su tiempo]. ② [이 시대] nuestra época, esta época.

당도(當到) llegada f. ~하다 llegar, arribar, alcanzar. 목전에 ~한 위기 peligro m apremiante.

당돌하다(唐突一) (ser) audaz, atrevido, impertinente, directo, franco, rotundo, categórico.

당락(當落) ① [당을 위한 계략] estratagema f para el partido. ② [정당에서 쓰는 정략] política f del partido.

당량(當量) ((화학)) equivalente m.

당론(黨論) plataforma f [programa m·opinión f] del partido.

당류(糖類) sacárido m.

당리(黨利) interés m del partido, política f partidista. ~를 도모하다 promueve los intereses del partido. ~ 당략에 따르다 no pensar sino en el interés de su propio partido.

당면(唐麵) dangmyeon, fideo m [tallarín m] de patata en polvo.

당면(當面) ~하다 de hacer frente. ~하다 hacer frente. ~한 문제 problema m inmediato, cuestión f presente.

당명(黨名) nombre m del partido.

당명(黨命) orden f del partido.

당무(黨務) asuntos mpl del partido. ~를 처리하다 administrar los asuntos del partido. ¶~ 위원 miembro m ejecutivo [miembro f ejecutiva] del partido. ~ 위원회 comisión f directiva del comité m ejecutivo del partido. ~자 encargado, -da mf de los asuntos del partido.

당밀(糖蜜) almíbar m, sirope m, melaza f, melote m, jarabe m. ~주(酒) ron m.

당방(當方) ① [우리들. 우리 쪽] nosotros. ② [이 쪽] nuestra parte.

당번(當番) turno m (de servicio); [사람] persona f en turno. ~하다 empezar el turno, empezar la guardia. ~이다 tocarle; [경찰관·소방수가] estar de servicio; [의사·간호사가] estar de turno, [guardia]. ¶~제 sistema m de servicio.

당부 pedido m. ~하다 pedirle a uno (que + subj), decirle a uno (que + subj). ~받다 decirse, pedirse. 신신 ~하다 pedir de todo corazón.

당분(糖分) porcentaje m de azúcar. ~ 검량계[측정기] glucómetro m, sacarímetro m, sacarómetro m.

당분간(當分間) por el momento, por ahora, durante [por] algún tiempo. ~ 필요한 물건 artículos mpl necesarios de momento.

당비(黨費) gastos mpl del partido.

당사(當社) esta compañía [firma], nuestra compañía [firma], nosotros. ~의 주문 nuestro pedido.

당사(黨史) historia f del partido.

당사(黨舍) edificio m del partido, oficina f central del partido.

당사국(當事國) país m interesado.

당사자(當事者) partes fpl interesadas; interesado, -da mf; parte f.

당선(當選) ① [선거에 뽑힘] (triunfo m en la) elección f. ~되다 ser

elegido. 대통령에 ~되다 ser elegido presidente. ② =입선(入選).
¶ ~권에 들다 estar entre los elegidos. ~ 무효 anulación f de su elección. ~자 elegido, -da mf; [입상자] laureado, -da mf; premiado, -da mf; galardonado, -da mf; ganador, -dora mf (de un premio). ~작 obra f galardonada.

당세(黨勢) influencia f del partido.

당수(唐手) karate m.

당수(黨首) presidente, -ta mf [jefe, -fa mf] del partido.

당숙(堂叔) primo m del padre.

당시(當時) en aquellos días, en aquellos tiempos, en aquella época, de aquellos tiempos, entonces, en aquel entonces, en esos días, de entonces. ~의 대통령 el entonces presidente.

당신(當身) ① 「하오」할 자리에서 상대되는 사람에게] tú. ~의 [명사 앞에서] tu; [명사 뒤에서] tuyo. ~에게[을] te, a ti. ~ 자신 tú mismo. ~의 것 el tuyo. ~들 vosotros. ~들의 [명사 앞이나 뒤에서] vuestro. ~들에게[을] os, a vosotros. ~들 자신 vosotros mismos. ~들의 것 el vuestro. ② [부부간에 서로 상대방을 일컫는 말] tú. ③ [그 자리에 없는 웃어른을 높여 일컫는 제3인칭 대명사로] él, ella. ~의 su; [명사 뒤에서] suyo.

당아욱(唐─) ((식물)) malva f.

당연하다(當然─) tener razón, ser muy razonable, ser natural [lógico・justo・juicioso・propio・recto]. 당연한 결과 resultado m natural. 당연한 일 cosa f natural.

당연히(當然─) ① naturalmente, lógicamente, como una cosa natural. ② [정당하게] justo, justamente. ③ [필연적으로] necesariamente, forzosamente. ④ [불가피하게] inevitablemente. ⑤ [분명히] evidentemente, claramente.

당원(糖原) ((화학)) =글리코겐.

당원(黨員) partidario, -ria mf; miembro m (del partido). ~ 명부 lista f de miembros del partido. ~ 증 carné m [carnet m] del partido, certificado m del partido.

당의(糖衣) baño m [capa f] del azúcar, garapiña f. ~정 pasta f [tableta f] azucarada [con un baño de azúcar].

당의(黨意) opinión f del partido.

당의(黨議) consejo m del partido, principio m [política f] del partido; [당의 결정] decisión f del partido.

당인(黨人) =당원(黨員).

당일(當日) el mismo día, ese día; [지정일] el día señalado. ~의 de ese día, del día. 운동회의 ~ el (mismo) día de la fiesta atlética.

당자(當者) ① [바로 그 사람] la misma persona. ② =당사자.

당장(當場) en seguida, enseguida, inmediatamente, al instante, ahora, al momento, en el acto, a la vista. ~은 por el momento, por lo [por de] pronto, por ahora. 내일 ~ mañana mismo. 오늘 ~ hoy mismo. 지금 ~ ahora mismo.

당쟁(黨爭) contienda f de partidos, disputa f faccionaria.

당적(黨籍) registro m [matrícula f] de partido, lista f de los miembros del partido.

당조짐하다 supervisar estrictamente.

당좌(當座) ((준말)) =당좌예금. ¶ ~ 계정 cuenta f corriente. ~ 대부 préstamo m temporal, préstamo m provisional. ~대부금 préstamo m a la vista. ~ 대월 giro m en descubierto, crédito m disponible. ~ 수표 cheque m. ~ 예금 (depósito m en) cuenta f corriente.

당지(當地) este lugar [sitio]; [지방] esta región.

당지기(堂直─) sacristán m.

당직(當直) servicio m; [감시・선박의] guardia f. ~하다 servir, guardar. ~이다 estar de servicio [de guardia]. ¶ ~ 사관 oficial mf de guardia [de servicio]; [선박의] oficial mf de la cubierta. ~ 수당 pago m del servicio nocturno. ~ 일지 diario m de servicio. ~자 persona f de servicio; [선박의] marinero m de cubierta.

당직(黨職) puesto m del partido.

당집(堂─) templo m, relicario m, santuario m; [기독교의] capilla f, iglesia f.

당차다 (ser) pequeño pero fuerte.

당찮다 ((준말)) =당치아니하다. ¶당찮은 생각 idea f absurda.

당첨(當籤) premio m (de una suerte), suerte f premiada; [당첨권] billete m de lotería premiado, billete m [número m] que lleva premio. 복권에 ~되다 sacar un premio en la lotería, tocarle la lotería. ¶ ~금 premio m (en metálico). ~ 번호 número m afortunado, número m premiado. ~자 ganador, -dora mf.

당초문(唐草紋) arabesco m.

당초(當初) principio m, principios mpl, comienzo m. ~부터 desde principio, desde los principios. ~에 al principio.

당치아니하다 (ser) poco razonable, irrazonable, absurdo, insensato, disparatado, bárbaro, extravagante.

당칙(黨則) regla f [reglamento m] del partido.

당파(黨派) partido f, clan m; [분파] secta f, facción f. ~를 만들다

formar un partido. ¶ ~심[근성] espíritu *m* del partido. ~싸움 querellas *fpl* intrapartidarias, querellas *fpl* entre facciones.

당하다(當-) ① [일을] 만나다·겪다] tener, encontrar, encontrarse con, experimentar, sufrir. 패배를 ~ sufrir una derrota, ser derrotado. 불행을 ~ encontrar [encontrarse con] el desastre, experimentar la catástrofe. 상(喪)을 ~ tener la muerte en la familia. ② [능히 이겨내다·대적하다·해내다·감내하다] competir, igualar, comparar. ③ [사리에 맞다. 합당하다] (ser) razonable, apropiado, adecuado, correcto.

당해(當該) ¶ ~의 [문제의] en cuestión; [소관의] competente. ~ 관청 autoridades *fpl* competentes.

당헌(黨憲) constitución *f* del partido.

당혹(當惑) turbación *f*, confusión *f*, perplejidad *f*. ~하다 turbarse, confundirse, quedar perplejo.

당황하다(唐慌-) quedar(se) confuso [perplejo·embarazado].

닻 ① el ancla *f*, áncora *f*; [작은] arpeo *m*, anclote *m*. ~을 감다 levar anclas. ~ 을 내리다 echar anclas, anclar, fondear. ~을 올리다 levar anclas, zarpar, levarse, levantar ancla.

닻고리 anillo *m* para la estacha.

닻줄 estacha *f*, cable *m*, estay *m*.

닿다 ① [어떤 목적지에] llegar, arribar. 닿게 하다 hacer llegar, enviar, mandar, despachar. 집[학교]에 ~ llegar a casa [a la escuela]. ② [어떤 곳이나 정도에까지] tocar, alcanzar. 손이 닿는 곳에 al alcance de la mano, a *su* alcance. 손이 닿지 않는 곳에 fuera de *su* alcance. ③ [(서로 관련이) 맺어지다] tener relación [conexión], ponerse [mantenerse] en contacto.

닿소리 ((언어)) =자음(子音).

대¹ [식물의 줄기] tallo *m*, tronco *m*. ~가 생기다 echar tallos, entallecer(se). ② [가늘고 긴, 막대기 같은 것] palo *m*, bastón *m*, barra *f*, 등 [(준말)]=담뱃대. ④ =자루.

대² [식물의] bambú *m*.

대³ [다섯] cinco. ~ 자 가웃 cinco *cha* y media.

대(大) ① [큼] grandeza *f*. ~는 소(小)를 겸한다 Lo más comprende lo menos / Quien puede con lo más puede con lo menos. ② [큰 달] mes *m* grande. ~ 3월, 소 4월 marzo grande y abril pequeño.

대(代) ① [(준말)]=대신(代身). ② [시대] época *f*, edad *f*; [치세] reinado *m*. ③ [세대] generación *f*. ~를 잇다 heredar, suceder.

대(隊) ① [일단] equipo *m*, grupo *m*. ~를 만들다 formar un equipo. ② [대오] formación *f*; [군대의] tropa *f*. ~를 만들다 [정렬하다] ponerse en fila.

대(對) ① [서로 비슷하거나 같은 짝이나 상대] parejo *m* a taz a taz, par *m*, pareja *f*; homólogo, -ga *mf*. ② [사물을 상대·대립·대비됨] a, contra, versus, entre, por, frente a, en oposición a. 2 ~ 4 dos a cuatro. 한국 ~ 서반아의 시합 el partido entre Corea y España.

대(臺) ① [사방을 바라볼 수 있는 곳] altar *m*. ② [물건을 받치거나 올려 놓는 물건] soporte *m*, pie *m*, base *f*, fundamento *m*. ③ [자동차나 항공기 및 기계 같은 것의 수를 세는 데 사용함] unidad *f*. 라디오 두 ~ dos radios. ④ [수·연수·액수 따위의 다음에 쓰임] nivel *m*.

대가(大家) ① [거장] gran maestro *m*, gran maestra *f*; [권위자] autoridad *f*; [음악의] virtuoso, -sa *mf*. gran maestro *m*, gran maestra *f*. ② [명가] familia *f* distinguida, familia *f* noble, célebre familia *f*. ③ [큰 집] casa *f* grande.

대가(代價) ① [물건 값] precio *m*, valor *m*, importe *m*; [비용] coste *m*. ~를 치르다 pagar el precio. ② [무엇을 희생하여 얻은 결과] precio *m*.

대가(貸家) casa *f* de alquiler; ((게시)) Por alquiler / Alquiler / Se alquila la casa.

대가다 llegar a tiempo.

대가리 ① ((속어)) [머리] cabeza *f*. ② [짐승의 머리] cabeza *f*. ③ [어떤 사물의 앞 부분이나 꼭대기] cabeza *f*.

대가족(大家族) familia *f* grande.

대각(大覺) ① ((불교)) [크게 도를 깨침. 또, 그 사람] Ilustración *f*, logro *m* de la ilustración divina, percepción *f* de la verdad absoluta; [사람] Iluminado *m*. ~하다 lograr la ilustración divina, percibir la verdad absoluta. ② ((불교))=부처(Buda). ③ [크게 깨달음] gran ilustración *f*; [크게 깨달은 사람] iluminado, -da *mf*.

대각(對角) ángulos *mpl* opuestos. ~선(線) ((línea *f*) diagonal *f*.

대갈¹ [(준말)]=대가리. ¶ ~못 remache *m*, roblón *m*. ~ 장군 persona *f* de la cabeza grande.

대갈² [말굽에 박는 징] clavo *m* de herradura.

대갈(大喝) grito *m* fuerte. ~하다 gritar fuerte. ~ 일성 un grito fuerte.

대감(大監) Su Excelencia, Vuestra Excelencia.

대강(大江) ① [큰 강] río *m* grande. ② =양자강.

대강(大綱) ① [대강령] principio *m* fundamental. ② [대체의 줄거리] resumen *m*. ③ [부사적] casi, poco menos de, en general, brevemente, sucintamente, en resumen, sumariamente, más o menos. ~ 보다 dar una vista, hojear el libro.

대강(代講) acción *f* de enseñar [dar una clase] como un suplente, acción *f* de dar una conferencia como un suplente. ~하다 enseñar [dar una clase · dar una conferencia] como un suplente.

대개(大槪) ① [대부분] la gran parte (de), la buena parte, mayoría. ② [대체의 줄거리] resumen *m*. ③ [부사적] [주로, 일반적으로] por lo general, en general, generalmente, comúnmente, por lo común.

대거(大擧) en masa, en gran número, en tropel, en gran fuerza. 그들은 ~ 은행에 몰려갔다 Acudieron en tropel al banco.

대검(大劍) espadón *m*, espada *f* grande.

대검찰청(大檢察廳) Fiscalía *f* del Tribunal Supremo.

대견스럽다 (estar) muy orgulloso.

대견하다 ① [아주 소중하거나 대단하다] (ser) muy importante, extraordinario, excelente, sobresaliente. ② [마음에 퍽 흡족하다] (estar) suficiente y orgulloso.

대결(對決) confrontación *f*, careo *m*. ~하다 confrontarse, enfrentarse.

대경(大驚) gran sorpresa *f*. ~하다 sorprender mucho. ~ 실색 palidez *f* de horror. ~ 실색하다 palidecer [ponerse pálido] de horror.

대계(大計) resumen *m*, esquema *m*.

대계(大計) plan *m* a largo plazo, proyecto *m* de gran envergadura. 국가 백년 ~를 세우다 trazar un proyecto de gran envergadura para el futuro del Estado.

대고리 cesta *f* de mimbre.

대공(大工) gran maestro *m*.

대공(大公) ① [군주 집안의 남자] príncipe *m*. ② [유럽 소국의 군주의 칭호] gran duque *m*. ¶~국 Principado *m*.

대공(大功) gran mérito *m*, mérito *m* grande, servicio *m* extraordinario.

대공(大空) cielo *m* alto y extenso, firmamento *m*.

대공(對共) anticomunista *adj*.

대공(對空) antiaéreo. ~ 레이다 radar *m* de vigilancia aérea. ~ 미사일 misil *m* antiaérea. ~포 cañón *m* antiaéreo.

대공황(大恐慌) Gran Pánico *m*.

대과(大過) gran error *m*, error *m* grave. ~없이 sin gran error, sin error grave.

대과거(大過去) pluscuamperfecto *m*.

대관(大觀) ① [대국을 널리 관찰함] vista *f* general, perspectiva *f* general. ~하다 extender la vista. ② [큰 경치] paisaje *m* grande.

대관(戴冠) coronación *f*. ~하다 coronar. ~식 (ceremonia *f* de la) coronación *f*.

대관절(大關節) diablos, demonios, ocurrírsele. ~ 넌 누구냐? ¿Quién diablos [demonios] eres tú?

대교(大橋) puente *m* grande.

대교구(大敎區) gran parroquia *f*.

대구(大口) ((어류)) bacalao *m*, abadejo *m*, merluza *f*. ~ 새끼 cría *f* de bacalao. ~알 huevas *fpl* de bacalao. ~포 bacalao *m* seco, pezpalo *m*.

대구(對句) [대조적인] antítesis *f*; [유사의] paralelismo *m*. ~를 이루다 formar [hacer] una antítesis.

대구루루 rodando. ~하다 rodar. ~ 굴리다 hacer rodar.

대국(大局) situación *f* [condición *f*·estado *m*] general. ~을 관망하다 observar el estado general.

대국(大國) gran país *m*, país *m* grande; [강국] potencia *f*, nación *f* poderosa, estado *m* fuerte.

대국(對局) ① [어떤 형편이나 시국에 당면하여 대함] acción *f* de estar frente a una situación. ~하다 estar [verse] frente a una situación. ② [바둑이나 장기를 둠] acción *f* de jugar (al ajedrez o al *baduc*), juego *m*, contienda *f*. ~하다 jugar (al ajedrez o al *baduc*).

대군(大君) ① [(역사)] príncipe *m*. ② [군주] monarca *m*, soberano *m*.

대군(大軍) gran ejército *m*.

대군(大群) multitud *f*, grupo *m* grande; [동물의] gran manada *f*. 메뚜기의 ~ nube *f* de langostas.

대굴대굴 rodando continuamente, siguiendo rodando. ~ 구르다 seguir rodando.

대권(大權) prerrogativa *f* real. ~을 발동하다 usar la prerrogativa real.

대궐(大闕) =궁궐(palacio real).

대규모(大規模) gran escala *f*, escala *f* mayor, gran envergadura *f*. ~의, ~로 a [en] gran escala, en gran envergadura.

대금[1](大金) [액수가 많은 돈] dineral *m*, gran cantidad *f* de dinero, suma *f* [calidad *f*] grande de dinero. ~을 투자하다 invertir una gran cantidad de dinero, gastar un capitalazo.

대금[2](大金) ((악기)) *daegum*, instrumento *m* de percusión semejante al gongo.

대금(大쏫) ((악기)) *daegum*, una especie de la flauta.

대금(代金) precio *m*, coste *m*, importe *m*. ~을 지불하다[받다] pagar [cobrar] el importe. ¶~ 상환 entrega *f* al contado. ~ 지불 보증 crédere *m*.

대금(貸金) empréstito *m*, dinero *m* prestado, préstamo *m*.

대기(大氣) atmósfera *f*. ~의 압력 presión *f* atmosférica. ¶~권 atmósfera *f*, aerosfera *f*. ~ 오염 contaminación *f* de la atmósfera [del aire]. ~층 capa *f* atmosférica. ~ 환경 medio *m* ambiental.

대기(大器) ① [큰 그릇] vasija *f* grande. ② [뛰어난 넓은 기량] gran talento *m*, capacidad *f* excelente; [뛰어난 기량을 가진 사람] hombre *m* de gran talento, gran genio *m*. ¶~ 만성(晩成) Fruta que pronto madura, poco dura / Un gran talento suele madurar lentamente / Gran talento se madura tarde.

대기(待機) [어떤 때나 기회를 기다림] espera *f*. ~하다 esperar el tiempo [la oportunidad], esperar y ver, estar a la espectiva; [경찰 등이] estar en alerta. ~ 발령 nombramiento *m* de espera. ~ 상태 estado *m* stand-by. ~실 sala *f* de espera, antecámara *f*, antesala *f*; [국회 의원의] pasillo *m*.

대기업(大企業) empresa *f* [compañía *f*] grande [importante].

대길(大吉) gran dicha *f* [fortuna *f*].

대나무 bambú *m*.

대난(大難) calamidad *f*, desastre *m* serio, grandes dificultades *fpl*.

대납(代納) pago *m* por poderes [otro], pago *m* adelantado. ~하다 pagar por poderes, pagar por otro.

대낮 pleno día *m*, plena luz *f* (del día); [정오] mediodía *m*. ~에 a plena luz (del día), a pleno día.

대내(對內) lo interior, lo interior del país. ~의 interior, doméstico. ~ 문제 asuntos *mpl* interiores. ~ 정책 política *f* interior.

대농(大農) agricultura *f* a gran escala, cultivo *m* mayor, labranza *f* extensiva; [사람] agricultor *m* rico. ~가 casa *f* del cultivo mayor.

대뇌(大腦) ((해부)) cerebro *m*. ~의 cerebral. ~동맥 [정맥] arteria *f* [vena *f*] cerebral. ~막 membrana *f* cerebral.

대님 ligas *fpl*.

대다 ① [닿게 하다] tocar, aplicar, poner. 이마에 손을 ~ [자신의] ponerse la mano en la frente. ② [서로 맞대어 비교하다] comparar. ③ [서로 연결이 되게 하다] comunicar, unir, conectar. ④ [정해진 시간에] 가 닿다] llegar a tiempo. 시간에 ~ llegar a tiempo. ⑤ [(노

름·내기 등에서) 돈이나 물건을 걸다] apostar. 만원을 ~ apostar diez mil wones. ⑥ [어떤 것을 목표로 삼고 겨누거나 또는 향하다] apuntar. ⑦ [물을] regar. ⑧ [마련하여 주다] preparar; [돈을] recaudar. ⑨ [말하여 일러 주다] avisar, confesar, decir. 사실대로 ~ decir la verdad.

대다수(大多數) (gran) mayoría *f*, mayor parte *f*, gran parte *f*.

대단원(大團圓) ① [일의 끝] final *m*, fin *m*, cabo *m*; [비극의] catástrofe *f*. ② [영화나 연극 따위의] desenlace *m*. ~의 막을 내리다 llegar al desenlace.

대단찮다 no ser mucho [grande], (ser) ordinario, común, corriente, mediocre, trivial, poco. 대단찮은 돈 un poco de dinero.

대단하다 ① [비할 바 없이 심하거나 많다] (ser) considerable, inmenso, enorme, severo, intensivo, serio, extraordinario, grave, grande, mucho. ② [출중하게 뛰어나다] (ser) extraordinario, sobresaliente, excelente, imponente, maravilloso, admirable, estupendo, magnífico, estupendo. 대단한 미녀 mujer *f* de una belleza extraordinara, belleza *f* maravillosa. ③ [아주 중요하다] ser muy importante.

대단히 muy, mucho, muchísimo, extremadamente, sumamente, seriamente, severamente.

대담(大膽) osadía *f*, audacia *f*, atrevimiento *m*, denuedo *m*, braveza *f*, intrepidez *f*. ~하다 (ser) osado, audaz, atrevido, intrépido, arrojado, denodado, temerario.

대담(對談) diálogo *m*, conversación *f*, coloquio *m*; [인터뷰] entrevista *f*. ~하다 dialogar, tener una entrevista, entrevistarse.

대답(對答) contestación *f*, respuesta *f*, réplica *f*. ~하다 contestar, responder. 질문에 ~하다 contestar [responder] a la pregunta, replicar.

대대(大隊) [보병] batallón *m*; [기병·기갑의] escuadrón *m*; [포병·공군 등] grupo *m*. ~장 comandante *mf* de batallón.

대대(代代) sucesiones *fpl*, generaciones *fpl* (sucesivas). ~로 de generación en [a] generación.

대대적(大大的) grande, espléndido, enorme, vasto. ~으로 a [en] gran escala, a [de] escala grande.

대덕(大德) ① [넓고 큰 인덕] gran benevolencia *f* [virtud *f*]. ② ((불교)) = 부처. ③ ((불교)) = 고승.

대도(大盜) gran ladrón *m*.

대도(大道) ① [큰 길] carretera *f* (principal), camino *m* real. ② [큰 도] provincia *f* grande. ③ [사람이

해야 할 바른 길] gran moral *f*
principal, gran principio *m*.

대도시(大都市) metrópoli *f*, ciudad *f*
principal, ciudad *f* grande. ~의
metropolitano.

대독(代讀) lectura *f* por poder(es). ~
하다 leer por poder(es), leer en
nombre de *uno*. ~자(者) lector,
-tora *mf* por poder(es).

대동(大同) ① [큰 세력이 합동함]
unión *f* de gran fuerza. ② [천하가
번영하여 화평하게 됨] paz *f* del
mundo con prosperidad. ③ [대체
로 같음] igualdad *f* general. ¶ ~
단결 unión *f*, formación *f* de una
coalición. ~ 소이하다 Es casi
[prácticamente] lo mismo / No
hay más que una pequeña diferencia.

대동(帶同) acompañamiento *m*. ~하
다 acompañar.

대동맥(大動脈) ① ((해부)) aorta *f*.
~의 aórtico. ② [교통의 중요한 간
선] arteria *f*. ¶ ~염 aortitis *f*.

대동사(代動詞) (언어) pro-verbo *m*.

대두(大斗) *daedu*, medida *f* de veinte
litros. ~ 닷 말 cinco *mal* según
daedu.

대두(大豆) ((식물)) soja *f*, soya *f*.

대두(擡頭) subida *f*, encumbramiento
m. ~하다 encumbrarse, obtener
[cobrar] fuerza.

대들다 oponer, desafiar, resistir,
revelarse, revolucionar, sublevarse.

대들보(大一) ① [큰 들보] viga *f*
(transversal), cuartón *m*, madero
m grueso, soporte *m* principal. ②
[한 집안이나 한 나라의] pilar *m*,
apoyo *m*, sostén *m*.

대등(對等) igualdad *f*, paridad *f*. ~하
다 (ser) igual, parejo. ~하게
igualmente, con igualdad.

대뜸 en seguida, enseguida, inmediatamente, de inmediato.

대란(大亂) ① [크게 어지러움] gran
disturbio *m*. ② [큰 난리] gran
rebelión *f*, gran conmoción *f*.

대략(大略) ① [큰 계략] gran plan
m. ② [대체의 개략] resumen *m*,
sumario *m*; [부사적] sumariamente; [약] casi, algo, más o menos,
aproximadamente, unos, cerca de,
alrededor de.

대량(大量) ① [많은 분량이나 수량]
gran masa *f*, gran cantidad *f*, gran
número *m*. ~으로 en (gran)
cantidad, en serie, en masa, a [en]
gran escala, (de) por junto. ② [큰
도량] gran generosidad *f*. ¶ ~ 생
산 producción *f* en serie [masa],
producción *f* en [de] gran masa,
fabricación *f* en serie. ~ 소비
consumo *m* de masas. ~ 수요
demanda *f* de masas. ~ 실업
desempleo *m* masivo. ~ 판매

venta *f* en masa. ~ 해고 despido
m colectivo.

대령(大領) coronel, -la *mf*; [해군]
capitán *m* de navío.

대령(待令) espera *f* de la orden. ~하
다 esperar la orden.

대로 ① [어떤 뜻에 따라] según,
conforme a. 규칙 ~ conforme a
las reglas. ② [어떤 말이 뜻하는]
그 모양과 같이] según, conforme,
tal como. 배운 ~ 해라 Hazlo según lo aprendiste. ③ [각각. 따로
따로] separado, solo, por separado.

대로(大怒) ira *f*, cólera *f*, furia *f*. ~
하다 estar enfadado, montar en
cólera.

대로(大路) bulevar *m*, carretera *f*.

대롱거리다 pender, colgar, suspenderse, balancearse, columpiarse.

대류(對流) ((물리)) convección *f*. ~
권 ((기상)) troposfera *f*.

대륙(大陸) continente *m*. ~의 continental. ~간 탄도 유도탄 proyectil
m balístico intercontinental. ~(성)
기후 clima *m* continental. ~붕
plataforma *f* continental. ~풍(風)
continentalismo *f*.

대리(代理) [행위] delegación *f*, agencia *f*, representación *f*; [사람]
representante *mf*; su(b)stituto, -ta
mf; reemplazante *mf*; suplente *mf*;
apoderado, -da *mf*. ~하다 su(b)s-
tituir, reemplazar. ~의 delegado,
encargado, apoderado, substitutivo;
[임시의] interino. ~로 por poderes, por poder. ¶ ~ 경작 cultivo
m por poderes. ~ 공사 encargado,
-da *mf* de negocios. ~권 poder
m, representación *f*, agencia *f*. ~
대사 encargado, -da *mf* de negocios. ~모 madre *f* suplente, madre
f de alquiler. ~인 agente *mf*; representante *mf*; ((법률)) procurador, -dora *mf*; [법정의] abogado,
-da *mf*. ~점 agencia *f*, representante *m*. ~ 투표 votación *f* [voto
m] por poderes [por poder].

대리석(大理石) ((광물)) mármol *m*.

대립(對立) oposición *f*, confrontación
f, careo *m*; [적의] antagonismo *m*.
~하다 oponerse, ser opuesto. ~
개념 concepto *m* coordinado. ~
상태 estado *m* de confrontación.
~ 의견 opinión *f* contraria. ~자
[정책의] opositor, -tora *mf*; [토론
의] adversario, -ria *mf*; oponente *mf*.

대마(大麻) ((식물)) cannabis *m*, cáñamo *m* índico [de la India]. ☞삼

대마초(大麻草) marijuana *f*, marihuana *f*. ~를 피우다 fumar la
marijuana. ~ 밀매자 traficante *mf*
ilegal de marijuana.

대막대기 palo *m* [bastón *m*] de
bambú.

대만(臺灣) ((지명)) Taiwan, Formosa. ~의 (사람) taiwanés, formoseño.

대만원(大滿員) público m atestado [abarrotado·lleno de gente], gran concurrencia f. ~의 atestado, abarrotado, lleno de gente, de gran concurrencia. 해변은 ~이다 La playa está de bote en bote.

대망(大望) (gran) ambición f, aspiración f, gran deseo m. ~을 이루다 realizar [lograr] su gran ambición. ~을 품다 abrigar [guardar·tener] una ambición.

대망(待望) esperanza f. ~의 비가 내리기 시작했다 Comenzó a caer la tan esperada lluvia.

대매출(大賣出) ganga f, grandes ventas fpl; [정리] liquidación f, saldo m. ~하다 vender a bajo precio, liquidar. ~(합니다) ((게시)) Grandes rebajas / Liquidación / Oferta.

대머리 ① [상태] calvicie f, calvez f, cabeza f calva, cabeza f pelada. ~의 calvo. ② [사람] calvo, -va mf.

대면(對面) entrevista f. ~하다 entrevistarse, tener una entrevista.

대명사(代名詞) ((언어)) pronombre m. ~의 pronominal.

대명 천지(大明天地) mundo m muy claro.

대모(代母) ((천주교)) madrina f.

대모(玳瑁/瑇瑁) ((동물)) carey m.

대목 tiempo m más importante, momento m decisivo.

대목(大木) [큰 건축물을 잘 짓는 기술을 가진 목수] carpintero m maestro. ② =목수(carpintero).

대못 clavo m de madera.

대못(大一) clavo m largo y grueso.

대무(對舞) contradanza f.

대문(大門) puerta f (principal).

대문자(大文字) (letra f) mayúscula f. ~로 쓰다 escribir con mayúsculas.

대문장(大文章) ① [훌륭하고 썩 잘된 글] escritura f autoritaria. ② [사람] gran escritor m.

대물(對物) ¶ ~의 real, objetivo. ~ 계약 contrato m real. ~ 렌즈 lente m objetivo.

대물부리 pipa f de bambú.

대미(大尾) fin m, final m.

대미(對美) con [hacia] los EE.UU. ~ 관계 relación f con los EE.UU.

대미사(大一) ((천주교)) gran misa f.

대바구니 cesto m de bambú.

대바늘 aguja f de bambú.

대발 persiana f de bambú, zarzo m, valla f, cañizo m.

대밭 bosquecillo m de bambú.

대번에 [곧] en seguida, enseguida, inmediatamente, directamente, instantáneamente; [쉽사리] fácilmente, con facilidad; [단숨에] de (un) golpe.

대범스럽다(大汎/大泛一) =대범하다.

대범하다(大汎/大泛一) (ser) generoso, de gran corazón.

대법관(大法官) juez mf del Tribunal Supremo.

대법원(大法院) Corte f Suprema, Tribunal m Supremo. ~장 presidente, -ta mf de la Corte Suprema (de Justicia).

대법회(大法會) ((불교)) gran misa f budista, misa f budista sublime.

대변(大便) excremento m, mierda f, aguas fpl mayores, necesidad f mayor; [배설] evacuación f. ~을 보다 evacuar (el vientre), hacer de vientre, cargar. ¶ ~ 검사 examen m del excremento.

대변(代辯) procuración f, representación f, agencia f, substitución f, delegación f. ~하다 representar, ejecutar, hablar, hablar en nombre de, substituir, ser delegado. 신문은 여론을 ~한다 El periódico es portavoz de la opinión pública. ~인[자] portovoz mf; AmL vocero, -ra mf. ~지(紙) órgano m.

대변(貸邊) ((경제)) haber m, crédito m. 차변과 ~ debe m y haber.

대변혁(大變革) gran revolución f, gran cambio m, gran reforma f.

대별(大別) clasificación f general. ~하다 hacer una clasificación general.

대보다 comparar. 키를 서로 ~ compararse la estatura uno del otro.

대보름(大一) ((준말)) =대보름날.

대보름날(大一) daeboreumnal, el 15 de agosto del calendario lunar.

대본(貸本) libro m de préstamo, libro m prestado. ~ 서점[점] biblioteca f pública (que permite sacar libros en préstamo). ~업 negocio m de prestar libros.

대본(臺本) [연설의] texto m; [오페라의] libreto m; [연극·영화·방송의] guión m. ~을 쓰다 escribir el guión; [연설의] redactar.

대본당(大本堂) basílica f.

대본산(大本山) sede m de una secta.

대본영(大本營) cuartel m general.

대부(代父) ① ((천주교)) padrino m. ② [마피아의] padrino m.

대부(貸付/貸附) préstamo m, crédito m, empréstito m. ~하다 prestar, hacer [dar·facilitar] un préstamo. ~계 sección f de préstamo. ~계정 cuenta f de del préstamo, cuenta f de empréstitos. ~금 préstamo m, empréstito f.

대부모(代父母) ((천주교)) padrinos mpl, padrino y madrina.

대부분(大部分) ① [전체에 가까운 수효나 분량] la mayor parte, la

mayoría, la buena parte, la gran parte. ② [부사적] en *su* mayoría, en *su* mayor parte, casi todo(s), mayormente, sobre todo, principalmente, más que nada, en general.

대북(對北) contra [hacia] el norte. ~ radiodifusión *f* (de propaganda) hacia el norte [Corea del Norte].

대분수(帶分數) ((수학)) número *m* mixto, fracción *f* mixta.

대불(大佛) gran estatua *f* de Buda, imagen *f* colosal de Buda.

대비 escoba *f* de bambú fino.

대비(大一) escoba *f* grande.

대비(大妃) reina *f* madre.

대비(大悲) ((불교)) *sáns* Mahākaruna, gran piedad *f* [compasión *f*].

대비(對比) ① [비교] comparación *f*; [대照] contraste *m*. ~하다 comparar, contrastar. ② ((심리)) correlación *f*. ~하다 correlacionar, establecer una correlación.

대비(對備) preparación *f*, provisión *f*, prevención *f*. ~하다 preparar(se), hacer preparación, prevenir. 만일을 ~해서 para prevenirse contra una emergencia.

대빗 peine *m* de bambú.

대사(大事) cosa *f* [asunto *m*] importante.

대사(大使) embajador, -dora *mf*. 서반아 왕국 주재 대한 민국 ~ embajador, -dora *mf* de la República de Corea en el Reino de España. ¶~급 회담 conferencia *f* a nivel de embajadores. ~ 대리 encargado, -da *mf* de negocios a.i. [ad interim]. ~ 일행 grupo *m* del embajador.

대사(大師) ① ((불교)) =불보살(佛菩薩). ② [덕이 높은 선사] gran instructor *m* del budismo, santo budista *m*. ③ [남자 중] sacerdote *m* budista, monje *m* budista.

대사(大蛇) serpiente *f* grande, boa *f*.

대사(大赦) ((법률)) amnistía *f*, indulto *m* general. ~하다 amnistiar. ~령 decreto *m* de amnistía. ~령을 내리다 conceder una amnistía.

대사(臺詞/臺辭) diálogo *m*; [긴] parlamento *m*, texto *m*; papel *m*, parte *f*.

대사관(大使館) embajada *f*. 대한 민국 주재 서반아 ~ Embajada *f* de España en la República de Corea. ¶~ 직원 empleado, -da *mf* de la embajada.

대사립 puerta *f* de bambú.

대상(大祥) segundo aniversario *m* de la muerte.

대상(大商) gran comerciante *mf*.

대상(大喪) fallecimiento *m* [muerte *f*] del rey, luto *m* para el rey.

대상(代償) compensación *f*, recompensa *f*.

대상(隊商) caravana *f*.

대상(對象) objeto *m*, sujeto *m*; [목표] blanco *m*. ~의 objetivo. 공격의 ~ blanco *m* de los ataques. 연구의 ~ objeto *m* del estudio.

대서(大書) escritura *f* grande. ~하다 escribir grande. ~ 특필 noticias *fpl* sensacionales. ~ 특필하다 dar noticias sensacionales.

대서(代書) ① [남을 대신하여 글씨나 글을 씀] escribanía *f*, escritura *f* por otro. ~하다 escribir, hacer de escribano. ② =대서인. ④ =대필. ¶~료 honorarios *mpl* de escribano. ~소 despacho *m* de amanuense, oficina *f* de escribano profesional, oficina *f* de pendolista público, puesto *m* de solicitud por escrito. ~인 amanuense *m*, escribiente *mf*; escribano, -na *mf*.

대서(代署) firma *f* como un suplente.

대서다 ① [뒤를 따라 서다] estar de pie detrás (de otro). ② [바짝 가까이 서다] estar de pie cerca. ③ [달려들어 대항하다] ponerse (volverse) en contra, desafiar.

대서양(大西洋) ((지명)) (Océano *m*) Atlántico *m*. ~의 atlántico. ~ 헌장 Carta *f* del Atlántico.

대석(臺石) pedestal *m*.

대석(臺石) ① =댓돌. ② [동상 같은 것의 밑받침] base *f*.

대선거구(大選擧區) distrito *m* [circunscripción *f*] electoral mayor.

대설(大雪) [많은 눈] nieve *f* fuerte, gran nevada *f*.

대성(大成) ① [크게 이룸] éxito *m* completo. ~하다 concluir con buen éxito. ② [큰 인물이 됨] llegada *f* a ser hombre de categoría. ~하다 llegar a ser hombre de categoría, concluir con buen éxito. ~할 인물 hombre *m* prometedor.

대성(大姓) gran apellido *m*.

대성(大聖) ① [지극히 거룩한 사람] gran sabio *m*, mahatma *m*. ~ 간디 el Mahatma Gandhi. ~ 소크라테스 el gran sabio Sócrates. ~ 공자(Confucio). ③ [올바른 깨달음을 얻은 사람] ilustrado, -da *mf*.

대성(大聲) voz *f* grande [fuerte], vozarrón *m*. ~을 지르다 vociferar, desgañitarse, gritar, dar a gritos, berrear, chillar. ¶~ 일갈[질호] reprensión *f* en voz alta. ~ 일갈하다 reprender en voz alta, bramar, rugir. ~ 통곡 llanto *m* fuerte. ~통곡하다 llorar fuerte, lamentar [llorar] amargamente.

대성공(大成功) gran éxito *m*. ~하다 tener gran éxito.

대성당(大聖堂) catedral *f*.

대성전(大聖殿) ((천주교)) basílica *f*.

대성황(大盛況) gran prosperidad *f*, condición *f* próspera, gran éxito *m.* ~을 이루다 hacer *su* agosto.

대세(大勢) ① [대체의 형세] situación *f* [tendencia *f*] general. ~에 따르다 seguir la tendencia general, dejarse llevar por la corriente, seguir la corriente. ② [세상이 돌아가는 형편] situación *f*, tendencia *f*. ③ [큰 권세] poder *m*, influencia *f*. ④ [병이 위급한 형세] condición *f* grave [crítica·seria], estado *m* crítico.

대소(大小) lo grande y lo pequeño. 사회의 ~ 사건 acontecimiento *m* grande y pequeño de la sociedad. ¶ ~변 el excremento y la orina, necesidades *fpl*. ~변을 보다 hacer *sus* necesidades, orinar. ~변의 *f* 중을 들다 ayudar a satisfacer *sus* necesidades naturales. ~사 asunto *m* grande y pequeño, todo tipo [toda clase] de asuntos. ~상(喪) dos primeros aniversarios de la muerte.

대소동(大騷動) ① [혼란] confusión *f*, desorden *m*. ② [소동] alboroto *m*, tumulto *m*. ~을 벌이다 alborotar mucho, promover un gran tumulto, hacer [meter] mucho ruido.

대소쿠리 cesto *m* de bambú.

대솔(大一) pino *m* grande.

대수 asunto *m* importante. ~로이 importantemente, preciosamente. ~롭다 (ser) importante. ~롭지 않다 (ser) insignificante, sin importancia, no importante, de poca monta. ~롭지 않게 여기다 no hacer caso, menospreciar, tener en poco [en menos].

대수(代數) ① ((수학)) ((준말)) = 대수학(代數學). ② =환(環)(anillo). ¶ ~ 방정식 ecuación *f* algebraica. ~식 expresión *f* algebraica. ~학 ((수학)) algebra *f*. ~ 학자 algebrista *mf*.

대수술(大手術) operación *f* mayor, gran operación *f*. ~하다 hacer una gran operación.

대순 = 죽순(竹筍).

대숲 arbusto *m* [matorral *m*] de bambúes, espesura *f* de bambúes.

대승(大乘) ((불교)) sáns Mahāyāna. ~ 불교 Mahāyāna. ~적 견지 punto *m* de vista imparcial.

대승(大勝) gran triunfo *m* [victoria *f*], victoria *f* aplastante [gloriosa]. ~하다 alcanzar [obtener] una victoria aplastante [un gran triunfo].

대승리(大勝利) gran victoria *f*. ~하다 conseguir una gran victoria.

대승정(大僧正) arzobispo *m*.

대식(大食) glotonería *f*, gula *f*, voracidad *f*. ~하다 glotonear, comer mucho, comer vorazmente. ~가 (家) glotón, -tona *mf*; comilón,

-lona *mf*; tragón, -gona *mf*.

대신(大臣) ministro *m*.

대신(代身) ① [남의 일을 대행함] reemplazo *m*, sustitución *f*; [사람] su(b)stituto, -ta *mf*; suplente *mf*; reemplazante *mf*. ~하다 sustituir(se), reemplazar, suceder, suplir. ② [대체, 대용] su(b)stitutivo *m*. ~하다 su(b)stituir, reemplazar. ③ (어떤 사정이나 일을) 다른 것으로 때움] cambio *m*, compensación *f*. ~하다 compensar. ~ 다른 물건을 보내겠습니다 Le enviaremos otro artículo en compensación.

대실(貸室) alquiler de habitaciones / ((게시)) Se alquilan habitaciones.

대심(對審) ((법률)) confrontación *f* [careo *m*] de la parte.

대안(代案) segundo proyecto *m*, plan *m* [proyecto *m*] sustitutivo. ~을 내놓다 presentar el plan sustitutivo.

대안(對岸) orilla *f* [ribera *f*] opuesta, otra orilla *f*, otro lado *m* del río, banda *f* de allá del río.

대야 jofaina *f*, palangana *f*.

대양(大洋) océano *m*. ~의 oceánico.

대양주(大洋洲) ((지명)) la Oceanía. ~의 oceánico. ~ 사람 oceánico, -ca *mf*.

대어(大魚) pez *m* grande [gordo]. ~를 낚다 obtener un hombre muy talentoso. ~를 놓치다 desperdiciar la ocasión [la oportunidad] capital.

대업(大業) gran negocio *m*, gran obra *f*. ~을 성취하다 realizar una gran obra.

대여(貸與) préstamo *m*, empréstito *m*, prestación *f*. ~하다 prestar, dar prestado, prestar dinero, hacer usar una cosa; [학생에게] prestar dinero como ayuda para sus estudios. ~ 장학금 beca *f* prestante. ~ 장학생 estudiante *mf* que recibe una beca en forma de préstamo.

대여섯 unos cinco o seis.

대역(大逆) (gran) traición *f*. ~ 무도 traición *f* atroz. ~ 무도하다 (ser) delincuente de traición.

대역(代役) deber *m* [cargo *m*·misión *f*] importante, su(b)stituto *m*, suplencia *f*; [사람] testaferro *m*, hombre *m* de paja, suplente *mf*; ((극)) sobresaliente *mf*; ((영화)) doble *mf*. ~하다 suplir, su(b)stituir. ~을 쓰다 utilizar el testaferro [un hombre de paja]. ~을 완수하다 cumplir *su* cargo importante.

대역(對譯) traducción *f* [versión *f*] paralela [colateral]. ~하다 traducir paralelamente. ~ 시리즈 serie *f* de traducción [versión] paralela. ~판 edición *f* bilingüe, edición *f* interlineal.

대연(大宴) banquete *m*, gran fiesta *f*.

대열(隊列) filas *fpl*, líneas *fpl*.

대엿새 unos cinco o seis días.

대엿샛날 el cinco o el seis.

대영제국(大英帝國) ((지명)) Reino *m* Unido de Gran Bretaña e Irlanda del Norte.

대오(大悟) ① ilustración *f* espiritual. ② ((불교)) Ilustración *f* Divina.

대오(隊伍) filas *fpl*, formación. ~를 짓다 formar filas.

대오리 tira *f* de bambú.

대왕(大王) ① ((역사)) ((높임말)) = 선왕(先王). ② [훌륭하고 뛰어난 임금] gran rey *m*, el Grande, Magno. 세종 ~ Sechong el Grande. 알렉산더 ~ Alejandro Magno.

대외(對外) con [contra·hacia] el exterior. ~ 관계 asuntos *mpl* exteriores, relaciones *fpl* exteriores, relación *f* internacional. ~ 무역 comercio *m* exterior. ~비(秘) secreto *m* exterior. ~적 exterior; [국제적] internacional. ~ 원조(援助) ayuda *f* para el exterior. ~ 투자 inversión *f* extranjera.

대요(大要) resumen *m*, compendio *m*, sumario *m*; [학술의] principio *m* general; [부사적] en resumen. ~를 말하다 exponer en resumen, resumir.

대용(代用) su(b)stitución *f* [reemplazo *m*] provisional. ~하다 su(b)stituir, usar en lugar. ~식 alimento *m* sucedáneo [substitutivo], víveres *mpl* substitutivos. ~품 substitutivo *m*, su(b)stituto *m*, sucedáneo *m*, artículo *m* [producto *m*] sucedáneo.

대우(大雨) lluvia *f* torrencial, turbión *f*, chaparrón *m*.

대우(待遇) tratamiento *m*, trato *f*, acogida *f*; [여관 등의] servicio *m*, recepción *f*; [급료] sueldo *m*. ~하다 tratar, recibir, acoger.

대우(對偶) ((수학)) contraposición *f*.

대우주(大宇宙) macrocosmos *m*.

대운(大運) buena suerte *f*, mucha suerte, gran fortuna *f*.

대운하(大運河) canal *m* grande.

대웅성(大熊星) Osa *f* Mayor.

대웅전(大雄殿) Gran Templo *m*.

대웅좌(大熊座) Osa *f* Mayor.

대원(隊員) miembro *mf* (del equipo).

대원수(大元帥) generalísimo *m*.

대월(貸越) cuenta *f* pendiente; [은행의] descubierto *m*, balance *m* descubierto. ~금 cantidad *f* en descubierto.

대위(大尉) capitán *mf*; [해군] teniente *mf* de navío [de marina], capitán *mf* de corbeta.

대위법(對位法) contrapunto *m*.

대음순(大陰脣) labio *m* mayor.

대응(對應) correspondencia *f*, homología *f*. ~하다 corresponder. ~ 책 contramedida *f*, contramaniobra *f*, contraataque *m*. (반대의) ~책을 강구하다 preparar una contramaniobra.

대의(大意) idea *f* principal [general], substancia *f* de un escrito, esquema *m*, resumen *m*. 강연의 ~ resumen *m* de la conferencia.

대의(大義) gran obligación *f* de moral, santa causa *f*, lealtad *f* y patriotismo. ~ 명분 la santa causa y la obligación de cada uno.

대의(代議) representación *f*. ~원 representante *mf*; delegado, -da *mf*.

대인(大人) ① =거인(巨人). ② =성인(成人). ③ [높은 관직에 있는 사람] alto funcionario *m*.

대인(對人) ¶~의 personal. ~ 관계 relaciones *fpl* personales.

대인기(大人氣) gran popularidad *f*, gran fama *f*, gran reputación *f*.

대일(對日) con [hacia·sobre·contra] el Japón. ~ 감정 sentimiento *m* hacia el Japón. ~ 무역 comercio *m* con el Japón.

대임(大任) misión *f* importante; [중책] mucha responsabilidad. ~을 다하다 cumplir (con) una misión importante.

대입(代入) substitución *f*. ~하다 substituir. ~법 substitución *f*.

대자[대나무] regla *f* de bambú.

대자² [다섯 자] cinco medidas.

대자(大字) letra *f* grande.

대자 대비(大慈大悲) gran misericordia *f* y compasión. ~하다 ser el más misericordioso y compasivo.

대자리 estera *f* de bambú.

대자보(大字報) cartel *m*.

대자연(大自然) (Madre) Naturaleza *f*.

대작(大作) obra *f* monumental, gran obra *f*; [걸작] obra *f* maestra.

대작(代作) ① [남을 대신한 작품] obra *f* artística escrita por otro. ~하다 escribir (una obra artística) por [para] otro, escribir de negro.

대작(對酌) acción *f* de beber (vino) juntos. ~하다 beber juntos, beber cara a cara, beber frente a frente.

대장(大將) ① ((군사)) capitán *m* general. ② [한 무리의 우두머리] jefe, -fa *mf*.

대장(大腸) intestino *m* grueso. ~염 catarro *m* crónico, colitis *f*.

대장(隊長) capitán *m*; comandante *mf*; caudillo *m*; jefe, -fa *mf*.

대장(臺長) director, -tora *mf*.

대장(臺帳) libro *m* mayor, libro *m* de contabilidad. ~에 기입하다 inscribir en el libro mayor.

대장간(-間) herrería *f*.

대장경(大藏經) Canon *m* Budista.

대장균(大腸菌) colibacilo *m*. ~증

colibacilosis *f.*

대장부(大丈夫) héroe *m*, hombre *m* cabal, hombre *m* de honor. ~답다 tener el aire majestuoso como un héroe.

대장장이 herrero *m.*

대저(大抵) generalmente, en general, comúnmente, por lo común.

대저울 (balanza *f*) romana *f.*

대적(大賊) ① [큰 도둑] gran ladrón *m.* ② [떼도둑] ladrones *mpl* en grupo.

대적(大敵) enemigo *m* formidable, enemigo *m* fuerte.

대적(對敵) rivalidad *f.* ~하다 igualar, rivalizar, parangonarse.

대전(大全) enciclopedia *f*; [전집] colección *f* completa.

대전(大典) ① [중하고 큰 의식] ceremonia *f* importante y grande; [즉위식] ceremonia *f* de la coronación. ② [중대한 법전] código *m* importante.

대전(大戰) gran guerra *f.*

대전(帶電) electrización *f*, carga *f* eléctrica. ~하다 electrizarse.

대전(對戰) ① [서로 맞서 싸움] batalla *f* entre rivales. ~하다 combatir, luchar, batallar. ② [경기 따위에서 맞서 겨룸] competencia *f*, partido *m.* ~하다 competir.

대전제(大前提) premisa *f* mayor.

대전차(對戰車) antitanque *m.* ~포 cañón *m* antitanque.

대절(貸切) ((구칭)) =전세(專貰).

대점(貸店) alquiler de tienda; ((게시)) Se alquila tienda.

대점포(貸店鋪) =대점(貸店).

대접 carne *f* del ingle de la vaca.

대접 cuenca *f*, taza *f.*

대접(待接) ① [마땅한 예로서 대함] trato *m*, tratamiento *m*, recepción *f*, recibimiento *m*, acogimiento *m*, acogida *f*; [환대] hospitalidad *f.* ~하다 tratar, recibir, acoger. ~을 잘하다[잘못하다] dar bien [mal] trato. ② [음식을 차려서 손님을 접대함] servicio *m*, ofrecimiento *m.* ~하다 servir, ofrecer, agasajar. 식사를 ~하다 servir, ofrecer una comida, invitar a comer.

대정맥(大靜脈) (해부) vena *f* cava.

대제(大帝) gran emperador *m*, el Grande. 까를로스 ~ Carlomagno.

대제(大祭) gran fiesta *f.*

대제사장(大祭司長) ((성경)) primer sacerdote *m*, sumo sacerdote *m.*

대조(對照) contraste *m*; [비교] comparación *f.* ~하다 contrastar, comparar. ~적 contraste. ~표 lista *f* de control, lista *f* de comprobación.

대종(大宗) ① [대종가의 계통] linaje *m* de familia principal. ② [사물의 주류] corriente *f* dominante, línea *f*

central.

대종상(大鐘賞) Premio *m Daechong*, Premio *m* de Gran Campana.

대좌(對坐) ~하다 sentarse cara a cara [frente a frente].

대좌(臺座) pedestal *m*, peana *f.* [소형의] basa *f* de un busto; [기계 등의] soporte *m.*

대죄(大罪) gran crimen *m*, delito *m* grave, gran delito *m*; [종교·도덕상의] pecado *m* capital [mortal].

대죄(待罪) acción *f* de esperar el juicio. ~하다 esperar la decisión oficial del castigo, esperar el juicio.

대주교(大主教) ((천주교)) arzobispo *m.* ~의 arzobispal, arquiepiscopal. ~의 직 dignidad *f* arzobispal. ~관 Palacio *m* Arzobispal [Arquiepiscopal. ~구 arzobispado *m.*

대주다(① [끊이지 않게 잇대어서 주다] proveer, suministrar, proporcionar. 아들에게 학비를 ~ proveer a *su* hijo de gastos escolares. ② [방향이나 주소를] decir, avisar. 범인의 집을 ~ decir la casa del criminal. ③ [그릇이나 자루를] abrir. 자루를 ~ abrir el saco.

대중 ① [겉으로 대강 어림함] cálculo *m* aproximado. ~하다 hacer un cálculo aproximado. ② [어떠한 표준] estándar *m.* ~ ~(을) 잡다 ㉮ [어림하다] hacer un cálculo aproximado. ㉯ [기준을 정하다] distinguir, entender.

대중(大衆) ① [많은 인민들] multitud *f*, masas *fpl*, pueblo *m*, público *m*; [군중] gentío *m.* ~의 popular, de masas, masivo. ~에게 호소하다 apelar [recurrir] a la multitud. ② [일반 근로 계급] clase *f* obrera. ③ ((불교)) [많은 스님] muchos monjes. ④ ((불교)) [모든 사람] todo el mundo, gran asamblea *f.* ¶~ 가요 canción *f* popular, canto *m* folclórico. ~ 목욕탕 baño *m* público. ~ 미술 bellas artes *fpl* populares. ~ 소설 novela *f* popular. ~ 잡지 revista *f* popular. ~화 popularización *f.* ~화하다 popularizar.

대증 요법(對症療法) alopatía *f.* ~ 의사 alópata *mf*; médico *m* alópata.

대지(大地) tierra *f*, tierra *f* firme. 만물의 근원인 ~ tierra *f* madre, madre tierra *f.*

대지(大指) pulgar *m*, dedo *m* pulgar.

대지(大智) ① gran sabiduría *f*; [사람] sabio *m.* ② ((불교)) la Gran Sabiduría.

대지(垈地) terreno *m*, solar *m.* ~를 사다 [팔다] comprar [vender] un terreno.

대지(貸地) alquiler *m* de terreno.

대지(臺地) meseta *f*, rasa *f.*

대지(臺紙) cartón *m*, cartulina *f*.

대지주(大地主) gran hacendado, -da *mf*; gran terrateniente *mf*.

대지진(大地震) gran terremoto *m*.

대지팡이 bastón *m* de bambú.

대진(診) examen *m* a un enfermo por otro doctor. ~하다 examinar a un enfermo por [en lugar de] otro doctor.

대진(對陣) campamento *m* frente a frente. ~하다 acampar [asentar los reales] frente a frente.

대질(對質) afrontamiento *m*, acareamiento *m*. ~하다 afrontar, acarear. ~ 신문 repreguntas *fpl*, *Chi* contrainterrogación *f*. ~ 신문하다 repreguntar, *Chi* contrainterrogar.

대질리다 ser desacatado.

대집행(代執行) ((법률)) ejecución *f* por poderes.

대쪽 pieza *f* [pedazo *m*] de bambú. 성미가 ~ 같은 사람 persona *f* resuelta, persona *f* decidida, persona *f* franca, persona *f* sin dobleces, hombre *m* de corazón recto.

대차(大差) gran diferencia *f*. ~로 이기다 ganar por una gran diferencia. 두 사람은 ~가 없다 No hay gran diferencia entre los dos.

대차(貸借) ((경제)) debe *m* y haber. ~를 청산하다 liquidar cuentas. ¶~ 대조표 balance *m*.

대찰(大利) gran templo *m* budista, monasterio *m* budista.

대책(對策) medidas *fpl*, contramedidas *fpl*. ~을 세우다 tomar unas medidas.

대처(帶妻) matrimonio *m*, casamiento *m*. ~하다 casarse con una mujer. ~승 ((불교)) sacerdote *m* budista casado. ~자 (hombre *m*) casado *m*.

대처(對處) medidas *fpl* oportunas. ~하다 tomar medidas, hacer frente.

대척(對蹠) oposición *f* diametral; [지구상의] antipodismo *m*.

대천(大川) [큰 내] río *m* grande; [이름난 내] río *m* conocido.

대천바다(大千-) mar *m* inmenso, mar *m* muy grande y extenso.

대천사(大天使) archiángel *m*.

대첩(大捷) gran victoria *f*, gran triunfo *m*. ~하다 ganar una gran victoria.

대청 membrana *f* blanca del interior de bambú.

대청(大廳) habitación *f* principal recubierta de tabla, gran salón *m*.

대청 마루(大廳-) ((건축)) =대청(大廳).

대청소(大清掃) limpieza *f* general. ~를 하다 hacer limpieza general.

대체(大體) lo principal, lo esencial, resumen *m*. ~로 [일반적으로] en general, generalmente, por lo ge-

neral, por regla general; [보통] de ordinario, por lo común; [대부분] en la mayor parte, en la mayoría. ~적 aproximado, sumario, general, principal, esencial.

대체(代替) su(b)stitución *f*, reemplazo *m*, cambio *m* de propiedad [de dueño]. ~하다 su(b)stituir, reemplazar. ~물 sucedáneo *m*, su(b)stitutivo *m*, substituto *m*. ~ 에너지 energía *f* alternativa. ~지(地) terreno *m* su(b)stitutivo.

대체(貸替) transferencia *f*, traspaso *m*. ~하다 transferir, traspasar. ~로 송금하다 enviar dinero por transferencia. ¶~ 수표 cheque *m* de transferencia. ~ 예금 ahorros *mpl* de transferencia.

대초원(大草原) pampa *f*.

대추 ① [대추나무의 열매] azufaifa *f*. ② ((한방)) azufaifa *f* secada.

대추나무 ((식물)) azufaifo *m*.

대추야자(-椰子) ① ((식물)) azufaifa *f* =대추야자나무. ② [열매] dátil *m*.

대추야자나무(-椰子-) ((식물)) datilera *f*, palmera *f* datilera.

대출(貸出) (servicio *m* de) préstamo *m*. ~하다 prestar, arrendar, conceder el uso. 도서관에서 책을 ~하다 sacar [tomar] un libro prestado de la librería. ¶~ 금리 tipo *m* de interés sobre crédito. ~ 액 cantidad *f* de préstamos. ~ 이자 interés *m* de préstamo.

대충 casi, cerca de, poco menos de, en general, generalmente, aproximadamente. ~ 견적하다 estimar aproximadamente.

대충 자금(對充資金) fondo *m* de contrapartida.

대취(大醉) borrachera *f* [embriaguez *f*] completa. ~하다 emborracharse mucho, estar completamente borracho, ser como una cuba.

대치(代置) sustitución *f*, reemplazo *m*. ~하다 sustituir, reemplazar.

대치(對峙) confrontación *f*, oposición *f*. ~하다 confrontarse, hallarse cara a cara, estar frente a frente.

대침(大針) ① [큰 바늘] aguja *f* grande, agujón *m*. ② [시계의 분침] minutero *m*.

대침(大鍼) aguja *f* larga con la punta redonda.

대칭(大秤) báscula *f* grande.

대칭(對稱) ① ((언어)) segunda persona *f*. ② ((수학)) simetría *f*. ¶~축 eje *m* de simetría.

대타(代打) ((야구)) relevo *m*.

대타자(代打者) bateador, -dora *mf* de revelo.

대토(代土) cambio *m* del terreno. ~하다 cambiar del terreno.

대통(-筒) pieza *f* de bambú.

대통(大通) ¶~하다 abrir bien, abrir

grande, estar abierto. 운수 ~하다
tener una racha de buena suerte
extrema.

대통(大桶) [큰 통] tubo *m* grande.

대통(大統) línea *f* real. ~을 잇다
subir al trono, heredar la línea
real.

대통령(大統領) presidente, -ta *mf*. ~
의 presidencial. ~에 선출되다 ser
elegido presidente. ~에 취임하다
tomar posesión de *su* cargo de
Presidente del Estado. ¶~ 각하
Su Excelencia el Presidente. ~ 관
저 palacio *m* presidencial. ~ 교서
mensaje *m* presidencial. ~ 당선자
presidente *m* electo. ~ 선거 elección *f* presidencial. ~ 연두 교서
mensaje *m* de Año Nuevo del
Presidente. ~ 취임식 ceremonia *f*
de toma de posesión del presidente. ~ 특사 enviado, -da *mf* especial del presidente, enviado, -da
mf presidencial.

대퇴(大腿) ((해부)) muslo *m*. ~골
fémur *m*. ~부 región *f* femoral.

대파(大破) gran deterioro *m*, ruina
f. ~하다 destruir completamente.
~되다 ser completamente
construi- do.

대파(代播) siembra *f* de la planta
substitutiva en el arrozal seco. ~
하다 sembrar la planta substitutiva en el arrozal seco.

대판(大一) ~으로 en [a] gran
escala. ~으로 싸우다 tener una
gran pelea, pelearse furiosamente
[con furia].

대판(版) [종이의] tamaño *m* grande; [책의] formato *m* grande.

대패 cepillo *m*; [큰] garlopa *f*; [골 파
는] cepillo *m* bocel. ~로 밀다
cepillar, acepillar, alisar con el
cepillo. ¶~질 acepilladura *f*. ~질
하다 acepillar, cepillar. ~ㅅ날
cuchilla *f*. ~ㅅ밥 virutas *fpl*,
laminillas *fpl* de madera.

대패(大敗) ① [큰 실패] gran fracaso
m. ② [싸움에서 크게 패함] derro-
ta *f* completa, derrota *f* seria.

대평원(大平原) pampa *f*, llanura *f*.

대포(大一) vaso *m* grande. ~로 마
시다 beber con el vaso grande.
¶~ㅅ술 vino *m* que se bebe con
vaso grande. ~ㅅ잔 vaso *m*
grande. ~ㅅ집 taberna *f*, bodegón
m.

대포(大砲) ① ((군사)) cañón *m*, pieza *f* de artillería; [집합적] artillería
f. ~를 쏘다 descargar un cañón,
disparar un cañón, cañonear(se).
~ 소리 estruendo *m* del cañonazo. ② [거짓말. 허풍] mentirón *m*,
jactancia *f*.

대폭(大幅) ① [큰 폭] ancho *m* [an-
chura *f*] grande, gran envergadura

f [escala *f*]. ② [썩 많이] considerablemente, marcadamente, fuertemente, bruscamente. ¶~ 삭감
reducción *f* [rebaja *f*] brusca. ~
인상 aumento *m* brusco, el alza *f*
brusca. ~적 de gran envergadura,
a gran escala.

대표(代表) ① representación *f*, delegación *f*. ~하다 representar. ~시
키다 delegar. ② ((준말)) =대표자.
¶~권 derecho *m* representativo.
~단 representación *f*. ~번호
número *m* centralita. ~부 misión
f, delegación *f*. ~ 이사 director,
-tora *mf* general; presidente, -ta
mf de mesa directiva [de la junta
directiva]. ~자 representante *mf*;
delegado, -da *mf* ; ~작 obra *f* maestra. ~적 representativo.

대풍(大風) viento *m* fuerte, ventarrón *m*, huracán *m*; [비·천둥·번
개를 동반한] turbonada *f*.

대풍(大豐) cosecha *f* abundante,
cosecha *f* récord.

대풍년(大豐年) gran año *m* abundante, gran año *m* récord.

대피(待避) desvío *m*. ~하다 desviar,
ponerse a cubierto. ~의 área *f*
de reposo. ~선 desviadero *m*;
((철도)) apartadero *m*, vía *f*
muerta. ~소[호] refugio *m*.

대필(大筆) ① [큰 붓] pluma *f* china
grande. ② [썩 잘 쓴 글씨] caligrafía *f*, muy buena escritura *f*;
[사람] calígrafo, -fa *mf*.

대필(代筆) escritura *f* por otro. ~하
다 hacer de negro, escribir por
[en vez de] otro, escribir un libro
firmado por otro. ~자 negro, -gra
mf; amanuense *mf*.

대하(大河) gran río *m*. ~ 소설 novela *f* río, novelón *m*.

대하(大蝦) ((동물)) langosta *f*.

대하(帶下) ① [냉(冷)] leucorrea *f*;
[월경] menstruación *f*. ② ((준말))
=대하증. ¶~증 leucorrea *f*.

대하다¹(對一) [상대하다] oponerse,
encararse; [대상으로 하다. 관하다]
referirse a. 대해서 sobre, acerca
de, con respecto a. 적에 대한 공격
ataque *m* al [contra el] enemigo.
조국에 대한 사랑 amor *m* a la
patria.

대하다²(對一) [마주 보다] presentarse. 나는 부친을 대할 낯이 없다
No me atrevo a presentarme ante
mi padre.

대하다³(對一) =접대하다. ¶손님을
반갑게 ~ recibir muy bien a un
invitado.

대학¹(大學) ① [종합 대학교] universidad *f*. ~의 universitario. ~에 입
학하다 ingresar [entrar] en la
universidad. ~을 졸업하다 gra-
duarse en [de] la universidad. ②

=단과 대학(facultad). ¶~가(街) barrio m universitario, ciudad f universitaria. ~ 교수 catedrático, -ca mf. ~ 병원 hospital m universitario [de universidad]. ~ 생 (estudiante mf) universitario, -ria mf. ~ 생활 vida f universitaria. ~ 원 escuela f (de) posgrado. ~원생 estudiante mf de la escuela (de) posgrado; posgraduado, -da mf. ~ 입시 examen m de ingreso en la universidad. ~ 졸업 graduación f de una universidad. ~ 졸업장 diploma m (de una universidad). ~ 총장 presidente, -ta mf [rector, -tora f] de (la) universidad. ~ 학장 decano, -na mf.

대학²(大學) ((책)) Los Grandes Conocimientos.

대학교(大學校) universidad f.

대학자(大學者) hombre m sabio [docto].

대한(大寒) ① [지독한 추위] frío m severo. ② [24절후의 마지막 절후] daehan, vigesimocuarta estación f del año, última estación f del año.

대한(大韓) ((준말)) =대한 민국.

대한 민국(大韓民國) República f de Corea.

대한해(大韓海) Mar m de Corea.

대한 해협(大韓海峽) Estrecho m de Corea.

대합(大蛤) ((조개)) almeja f.

대합실(待合室) sala f de espera; [병원 따위의] antesala f; [극장 등의] vestíbulo m.

대항(對抗) oposición f, confrontación f; [적대] antagonismo m; [경쟁] rivalidad f. ~하다 oponerse, rivalizar, competir, emularse, confrontar, rivalizar. ~ 시합 partido m. ~ 책 contramedida f.

대해(大海) océano m.

대행(代行) reemplazo m. ~하다 reemplazar, ejecutar en nombre (de), actuar como poder(es); ((법률)) actuar como procurador. 사무를 ~ 하다 reemplazar en sus funciones. ¶~자 poder habiente mf; mandatario, -ria mf; representante mf; agente mf, apoderado, -da mf.

대헌장(大憲章) Carta f Magna.

대혁명(大革命) ① [큰 혁명] gran revolución f. ② =불란서 혁명.

대협곡(大峽谷) gran desfiladero m, Méj gran cañón m.

대형(大形/大型) tipo m [modelo m] grande, gran dimensión f, tamaño m grande, gran tamaño m. ~차 coche m (de model) grande.

대형(隊形) formación f, orden m. 전투 ~으로 있다 estar en orden de batalla.

대화(對話) diálogo m, plática f, coloquio m; [회화] conversación f.

~하다 dialogar, conversar. ~술 dialogismo m. ~자 interlocutor, -tora mf. ~제 dialogismo m, estilo m dialogal, estilo m conversacional, diálogo m.

대화²(對話) ((책)) Los Diálogos.

대회(大會) reunión f, congreso m; [총회] asamblea f general; [회의] conferencia f, convención f; [스포츠의] competición f deportiva, juego m. ~를 열다 celebrar una reunión. 공산당 ~ congreso m del partido comunista. ¶~장 sala f de la convención.

대흉(大凶) ① [몹시 흉함] mucha fealdad f. ② [큰 흉년] gran año m de mala cosecha.

대희(大喜) gran placer m [alegría f]. ~하다 alegrarse [regocijarse] mucho, no caber en sí de alegría, sentirse muy feliz.

댁¹(宅) su casa, su residencia, su familia, su hogar.

댁내(宅内) su familia. ~ 두루 평안 하십니까? ¿Todos están bien en su casa? / ¿Toda su familia está bien?

댁²(宅) tu mujer, tu esposa.

댁대구루루 rodando. ~ 구르다 revolcarse.

댄서 bailarín, -rina mf; danzante, -ta mf; [플라멩코의] bailador, -dora mf (de flamenco).

댄스 baile m, danza f. ~하다 bailar, danzar. ~ 교사 profesor, -sora mf de baile. ~ 교습 clase f de baile. ~ 교습소 escuela f de baile. ~ 음 악 música f de baile. ~ 홀 sala f [salón m] de baile, sala f de fiestas.

댐 dique m, presa f, embalse m, AmS represa f.

댓 unos cinco. ~ 사람 unas cinco personas.

댓가지 rama f del bambú.

댓돌(臺―) pedestal m.

댓바람에 de (un) golpe, a la vez, inmediatamente, de inmediato.

댓잎 hoja f del bambú.

댓조각 pedazo m del bambú.

댓줄기 tallo m del bambú.

댓진(―津) nicotina f acumulada en la pipa. ~이 끼다 estar atascado.

댕그랑거리다 tintinear.

댕기 daengki, cinta f [moña f] de coletas. ~를 매다 ponerse la cinta de coletas.

댕기물떼새 ((조류)) el ave f fría.

댕댕 repiqueteando, repicando, dando ruidos engordecedores [metálicos]. 종이 ~ 울린다 La campana repiquetea [repica].

댕댕하다 ① =옹골차다. ② [팽팽하다] (ser) elástico, gelatinoso. ③ =다부지다.

더 más; [아직] todavía; [더 많은 시간] más tiempo. …보다 ~ más que *algo*. ~ 중요한 más importante.

더구나 ((준말)) =더군다나.

더군다나 además; por añadidura; encima; … y, además [encima]; en adición; e incluso; [그 위에 더 나쁜 것은] … y, para colmo ….

더기 meseta *f*.

더껑이 película *f*, capa *f* de suciedad.

더께 capa *f* de polvo.

더구나 ((준말)) =더더군다나.

더더군다나 ((힘줌말)) =더군다나.

더덕 ((식물)) rapónchigo *m*.

더듬거리다 ① [말을] tartamudear; balbucear, balbucir; [외국어를] chapurrear, chapurrar. 더듬거리며 balbuciendo, con balbuceos. ② [잘 보이지 않다] titubear, tentar. 더듬 거리며 걷다 andar a tientas, caminar trabajosamente.

더듬다 ① [손으로] palpar, tentar, buscar. ② [말을] tartamudear. ③ [어렴풋한 생각이나 기억을] recordar (*su* memoria). 기억을 ~ 하다 tratar de recordar, recordar *su* memoria.

더듬더듬 ① [깜깜한 곳에서] a tientas. ~ 읽다 deletear. ② [말이 순하게 나오지 않고] balbuciendo, con balbuceos. ~ 말하다 balbucear, balbucir.

더디 tarde, lentamente. ~ 오다 tardar en llegar, tardarse.

더디다 [느리다] ser lento; [늦다] ser tarde, tardarse. 걸음이 ~ tardar en andar. 일손이 ~ ser lento, trabajar despacio.

더러¹ ① [어쩌다] de vez en cuando, de cuando en cuando, algunas veces, de tarde en tarde, a veces, ocasionalmente, por contingencia. ② [얼마쯤] unos, un poco.

더러² [에게] a. 그 친구 ~ 도와 달라고 부탁해라 Pide a ese amigo que te ayude.

더러움 suciedad *f*, mancha *f*, marca *f* manchada.

더러워지다 ponerse sucio.

더럭 de repente, repentinamente, de súbito, súbitamente. 겁이 ~ 나다 tener miedo de repente.

더럼 ((준말)) =더러움. ¶ ~(을) 타다 ser fácil de ensuciar.

더럽다 (ser · estar) sucio, cochino, inmundo, asqueroso; ensuciarse. 더러운 옷 ropa *f* sucia.

더미 montón *m*, pila *f*. 쌀 ~ montón *m* de arroz.

더미씌우다 echar*le* la culpa, culpar.

더벅머리 [더부룩하게 난 머리털] cabello *m* despeinado [desgreñado]; [더부룩하게 머리털이 난 아이] niño *m* despeinado.

더부룩하다 (ser) abundante, copioso, extenso, extensivo, dilatado, espacioso, vasto; [털이 많은] peludo, velludo, largo y tupido [y espeso].

더부살이 [남의 집에] vivienda *f* en la otra casa; [주인의 집에서의] vivienda *f* en la casa de *su* patrón. ~하다 vivir en la otra casa; [주인의 집에] vivir en la casa de *su* patrón.

더불어 con, juntos. 나이와 ~ con *sus* años de edad, con *su* edad. ~ 살다 vivir juntos. ~ 일하다 trabajar juntos.

더블 ① [두 겹. 두 갑절] doble *m*. ~로 주문하다 doblar los pedidos. ② =더블즈. ¶ ~ 베드 cama *f* de matrimonio. ~ 베이스 contrabajo *m*. ~ 보기 bogey *m* doble. ~ 펀치 puñetazo *m* doble.

더블즈 ((테니스·탁구)) dobles *mpl*.

더없이 el más, sumamente. ~ 아름답다 ser el más hermoso.

더욱 más, más y más, tanto más, más aún, en creciente, con creces. ~ 노력하다 hacer más esfuerzo.

더욱더 más, más y más, tanto más, más aún. ~ 악화되어 가다 ir cada vez peor [de mal en peor].

더위 ① [여름철의 더운 기운] calor *m*. 숨막히는 ~ calor *m* sofocante. ② [여름에 너무 더워서 생긴 병] insolación *f*. ~를 먹다 sufrir del calor, estar afectado por insolación, tener insolación. ~를 타다 ser muy sensible al calor.

더치다 agravarse, empeorar(se).

더펄개 perro *m* peludo [lanudo].

더펄이 cabeza *mf* loca; alocado, -da *mf*; cabeza *mf* de chorlito.

더하기 adición *f*. ~하다 sumar, hacer una adición.

더하다¹ ① [전보다 더욱 심하여지다] [격화되다] intensificarse, incrementarse, arreciar(se), recrudecir; [악화되다] agravarse, empeorar; [증가하다] aumentar, crecer. ② [이전보다 더욱 많이 하거나 세게 하다] hacer más, hacer más fuerte.

더하다² [보태다] añadir, agregar, sumar, adicionar, juntar.

더함(一層) más, más y más. ~ 노력하다 esforzarse más, hacer más esfuerzos.

덕(德) virtud *f*, moralidad *f*. ~이 높은 virtuoso, de alta virtud.

덕담(德談) palabras *fpl* que se desea la felicidad.

덕망(德望) influencia *f* moral, alta reputación *f*. ~가 persona *f* de alta reputación.

덕분(德分) favor *m*, gracia *f*. 선생님

~에 gracias a usted.

덕성(德性) moralidad f, virtud f. ~을 기르다 cultivar la moralidad [las virtudes].

덕스럽다(德-) (ser) virtuoso, benigno. 덕스럽게 생기다 tener facciones virtuosas.

덕육(德育) educación f moral.

덕적덕적 densamente cubierto. 때가 ~ 묻다 estar densamente cubierto de mugre.

덕정(德政) administración f benevolente [benigna], gobierno m benevolente [benigno].

덕지덕지 pegajosamente, viscosamente; [일면에] por toda superficie; [두툼게] espesamente, pesadamente, profusamente; [무궤도하게] descuidadamente. ~하다 (ser) pegajoso, viscoso, volverse pegajoso.

덕택(德澤) favor m, gracia f, ayuda f, asistencia f. 근면[노력]의 ~ fruto m de un esfuerzo constante. …의 ~으로 gracias a uno.

덕행(德行) virtud f, conducta f virtuosa.

덖다¹ [때가 찌들다] estar manchado [ensuciado]. 때가 ~ ensuciarse.

덖다² [커피콩을] tostar, torrefaccionar; [고기·감자·밤을] asar; [땅콩을] tostar.

던적스럽다 [비열하다] (ser) tacaño, mezquino, abyecto, innoble, vil, despreciable, infame; [추잡스럽다] indecente, obsceno.

던져두다 [방치하다] dejar a un lado, dejar.

던지기 lanzamiento m.

던지다 ① [물건을] tirar, echar, arrojar, lanzar. 공을 ~ tirar una bola [una pelota]. ② [자신의 몸을] arrojarse, echarse, tirarse, meterse. ③ [투표를] votar, dar su voto. ④ [내버리다] tirar. 양심을 헌신 짝같이 ~ tirar la conciencia como un zapato viejo.

던지럽다 (ser) tacaño, mezquino, abyecto, vil, innoble, despreciable.

덜 ① [어떤 한도에 미치지 못하게] menos. ~ 먹다 comer menos. ② [불충분하거나 불완전하게] poco, medio. ~ 구운 poco hecho, poco cocido.

덜거덕거리다 hacer mucho ruido, matraquear. 버스가 덜거덕거린다 El autobús traquetea / El autobús da tumbos.

덜깨기 [늙은 수꿩] faisán m viejo.

덜다 ① [빼다] substraer, restar. ② [감하다] reducir, aligerar, mitigar.

덜덜¹ [무섭거나 추워서] con estrépito agudo. ~ 떨다 temblar, temblequear, estremecerse, amilanarse.

덜덜² [수레바퀴 등이] traqueteando, vibrando. ~거리다 traquetear.

덜되다 ① [다 되지 않다] (ser) incompleto, inacabado, sin terminar, inconcluso. 아직 덜된 연구 estudios mpl inconclusos. ② [경솔하고 건방지다] (ser) inútil, no servir para nada.

덜렁거리다 ① [소리가] tintinear. ② [행동이] (ser) inquieto, brusco, rudo, impolítico, atolondrado.

덜렁이 frívolo, -la mf.

덜되다 (ser) inquieto, mal criado.

덜미 ((준말))=뒷덜미. 목덜미. ¶ ~(를) 짚다 agarrar por el pescuezo [por el cogote], coger alrededor del cuello.

덜어내다 sacar. 그릇에서 밥을 ~ sacar un poco de arroz del tazón.

덜커덕거리다 repiquetear.

덜커덩거리다 aporrear, golpear.

덜컥 con sobresalto, con susto. 가슴이 ~하다 asustarse, sobresaltarse, entremecerse, tener un sobresalto, sobrecogerse. ~거리다 traquetear, traquear, moverse mucho.

덜하다¹ ① [전보다 조금 적어지다] mitigarse, calmar(se), moderarse, suavizarse, sosegarse. 병세가 ~ mitigarse la enfermedad. 통증이 ~ mitigarse el dolor. 바람이 덜했다 Calmó el viento. ② [줄이다. 감하다] reducir.

덜하다² [심하지 않거나 적다] (ser) menos. 그는 너보다 수입이 ~ El gana menos que tú.

덤 extra f, adición f, adehala f; [선물] regalo m, obsequio m, AmC alipego m. ~으로 끼워주다 añadir un extra.

덤덤하다 ① [아무 표정도 나타내지 않고 묵묵하다] enmudecer, (ser) taciturno, guardar silencio, callarse. ② [일을 당하여도] 아무 느낌이 없다] no tener ninguna sensación.

덤벙거리다 seguir salpicando.

덤벨 pesa f, halterio m, halteras fpl.

덤벼들다 ((준말))=덤비어들다.

덤불 arbusto m, mata f; [숲] maleza f, cañaveral m; [넓은] matorral m; [가시의] zarzal m.

덤비다 ① [대들다] desafiar; [항의하다] protestar violentamente; [말대답하다] replicar violentamente; [싸움하다] buscar camorrea. 덤벼라 ¡Ven! / ¡Lánzate! ② [서둘다] apresurar, darse prisa.

덤비어들다 saltar, echarse, arrojarse, lanzarse, abalanzarse.

덤프차(-車)=덤프 트럭.

덤프 트럭 carro m de volteo.

덤핑 dumping m, dúmping m, venta f con rebaja, liquidación f. ~하다 hacer dúmping, vender con rebaja, liquidar.

덥다 [기후가] hacer calor; [몸이]

tener calor; [음식이] estar caliente.
더운 caluroso, cálido. 더운 기후
tiempo *m* cálido. 더운 나라 país *m*
caluroso. 더운 날 día *m* caluroso.
날씨가 몹씨 ~ hacer calor sofocante; [몸이] tener mucho calor.

더워지다 calentarse.

덥석 rápido, rápidamente, de repente,
repentinamente; [단단히] firmemente, con firmeza, fuerte, bien.
손을 ~ 쥐다 agarrar *su* mano de
repente.

덧 tiempo *m* muy corto.

덧- doble, más.

덧나다¹ ① [병이] inflamarse, agravarse, madurar. 병이 ~ agravarse
la enfermedad. ② [노염이 일어나
다] irritarse, enfadarse, enojarse.

덧나다² [덧붙어 나다] salir [crecer]
encima [arriba], crecer extra. 이
가 ~ crecer un diente salido.

덧니 diente *m* salido. [부러진 이 뿌
리] raigón *m*. ~박이 persona *f*
con diente salido.

덧대다 añadir [agregar] *algo* en otra
cosa.

덧문(-門) ① puerta *f* movediza,
puerta *f* deslizadera, puerta *f* corrediza exterior. ② [덧창] contraventana *f* corrediza.

덧버선 calcetines *mpl* exteriores.

덧붙이다 ① [말을] añadir, agregar,
adicionar, anejar, anexionar, adjuntar, suplir. 한마디를 ~ añadir
una palabra. ② [있는 위에 더 붙
게 하다] pegar, sujetar, fijar.

덧셈 adición *f*, suma *f*. ~하다 sumar, hacer una adición. ¶ ~표[부
호] signo *m* de más, más *m*.

덧신 chanclo *m*, *Arg*, *Chi* galocha *f*.

덧없다 ① [흐르는 시간이 허무하게
빠르다] (ser) fugaz, efímero. 덧없
는 세월 tiempo *m* fugaz. ② [허전
하고 헛되다] (ser) vano, inútil,
transitorio, malogrado, infructuoso,
triste, pesaroso, trágico. 덧없는 인
생 vida *f* transitoria. ③ [갈피를
잡을 수 없다] no tener ni pies ni
cabeza, no lograr entender.

덧저고리 bata *f*, túnica *f*; [어부·농
부·예술가의] blusón *m*, bata *f*;
[임산부의] vestido *m* premamá,
vestido *m* de futura mamá; [어린
이의] vestido *m* con canesú de
nido de abeja.

덩굴 enredadera *f*, sarmiento *m*; [감
기는] zarcillo *m*; [땅을 기는] parra
f, serpa *f*, tallo *m* delgado; [손
((식물)) hiedra *f*, yedra *f*. ~ 식물
enredadera *f*.

덩그렇다 ① [높이 솟아] (ser) alto *y*
grande. ② [큰 건물의 안이] (ser)
grande y hueco.

덩달다 seguir [imitar] ciegamente [a
ciegas]. 덩달아 ciegamente, a

ciegas. 덩달아 하다 seguir [imitar]
ciegamente [a ciegas].

덩실거리다 bailar, saltar. 덩실거리며
기뻐하다 bailar [saltar] de gozo,
no caber en sí de gozo.

덩실하다 (ser) grandioso.

덩어리 ① [크게 뭉쳐진 덩이] masa
f, bulto *m*, mole *m*; [돌 따위의]
bloque *m*; [빵 따위의] trozo *m*,
pedazo *m*; [흙이나 설탕 따위의]
terrón *m*; [피의] cuajarón *m*,
grumo *m*; [지방·버터 따위의]
pella *f*. ② [집단] masa *f*, grupo *m*.
한 ~가 되어 en masa, en grupo.

덩이 masa *f*, bulto *m*, pepita *f*,
terrón *m*, pedazo *m*, trozo *m*. 금 ~
una pepita de oro.

덩치 cuerpo *m*, corpachón *m*, estatura *f*, tipo *m*, figura *f*, tamaño *m*,
volumen *m*. ~가 큰 [짐이] voluminoso, grande; [사람이] corpulento, de cuerpo gigantesco.

덩크 슛 chut *m* de machacar.

덫 ① [짐승을 꾀어 잡는 기구] trampa *f*, cepo *m*, garito *m*; [그물의]
red *f*, lazo *m*; [바구니의] armadijo
m. ~을 놓다 tender [armar] una
trampa. ② [계교] trampa *f*, ardid
f, treta *f*, maña *f*. ~에 걸려 들다
caerse en la trampa.

덮개 ① [이불·처네 등] funda *f*; [호
주머니의] cartera *f*; [음식 용기의]
envoltura *f*; [봉투의] solapa *f*. ②
[뚜껑] tapa *f*, tapadera *f*.

덮다 ① [씌우거나 위에] cubrir,
tapar. ② [보호하기 위하여 위를]
cubrir, tapar, poner, extender. ③
[펼친 책을] cerrar. ④ [빈 데 없이]
cubrir. ⑤ [잘못 따위를] disfrazar.

덮밥 arroz *m* tapado.

덮어놓고 atrevidamente, ciegamente,
sin reserva. ~ 낙관하다 estar
demasiado optimista.

덮어씌우다 cubrir, cargar.

덮치다 ① [위에 겹쳐 누르다] sujetar. ② [여러 가지 일이 한꺼번에
닥치다] suceder todo al mismo
tiempo. 엎친 데 덮친다 Las desgracias nunca vienen solas. ③ [뜻
밖에, 또는 갑자기 들이치다] [공
격] [공격하다] atacar, embestir.
ㄴ) [습격하다] asaltar, caer; [경찰
등이] entrar violentamente [con
fuerza]. ㄷ) [재해 따위가] sorprender, venir, asaltar, azotar, sobrevenir.

데 ① [곳. 장소] lugar *m*, sitio *m*,
punto *m*; [부분] parte *f*; [특징]
figura *f*, aspecto *m*. 강한 ~ punto
m fuerte. 약한 ~ punto *m* débil.
② [경우. 처지] caso *m*, circunstancia *f*, situación *f*. 배 아픈 ~ 잘
듣는 약 medicina *f* eficaz en el
caso de tener dolor de estómago.
③ [일. 것] cosa *f*.

데구루루 rodando. 언덕 아래로 ~ 구르다 rodar cuesta abajo.

데굴데굴 siguiendo rodando, rodando continuamente, rodando repetidas veces. ~ 구르다 rodarse, rodar rítmicamente.

데꺽 sin problemas algunos, fácilmente, con facilidad, rápida y fácilmente. ~ 승낙하다 consentir con facilidad.

데다¹ ① [불이나 뜨거운 기운으로] quemarse, escaldarse. 나는 혀를 데었다 Me quemé la lengua. ② [일에] tener la experiencia amarga, saber por experiencia propia, temblar (de miedo). ③ [불이나 뜨거운 기운을] quemar, escaldar. 다리를 ~ quemar la pierna. 손을 ~ quemar una mano. 국에 덴 놈 냉수 보고도 분다 ((속담)) Gato escaldado del agua fría huye.

데다² ((준말)) = 데우다(calentar). ¶ 솥에 물을 ~ calentar el agua en la olla.

데드라인 fecha f límite [tope], plazo m de entrega.

데드 볼 pelota f muerta, pelotazo m.

데려가다 llevar, acompañar, conducir, dirigir, guiar.

데려오다 llevar, acompañar, traer.

데릴사위 hombre m que se casa con heredera. ~가 되다 casarse con una herencia.

데면데면하다 ① [조심성이 없다] (ser) descuidado, poco atento, distraído. ② [붙임성이 없고 대수롭지 않게 대하다] (ser) desagradable, áspero, desabrido, descortés, intratable, antipático, brusco.

데모 manifestación. ~하다 manifestarse, hacer una manifestación. ~대 grupo m de manifestantes, manifestación f. ~대원 manifestante mf.

데뷔 estreno m, debut m. ~하다 estrenarse.

데삶다 dar un hervor, hervir suavemente.

데생 boceto m, bosquejo m, esbozo m. ~하다 bosquejar, esbozar.

데생각하다 (ser) imprudente.

데생기다 (ser) inmaduro.

데시그램 decigramo m.

데시리터 decilitro m.

데시미터 decímetro m.

데시벨 decibel m, decibelio m.

데시아르 deciárea f.

데알다 saber superficialmente.

데우다 calentar. 다시 ~ volver a calentar, calentar otra vez.

데이비스 컵 Copa f de Davis.

데이터 ① [자료] dato(s) m(pl); [정보, 지식] información f. 한국에 관한 ~ datos mpl sobre Corea. ~를 수집하다 coleccionar datos, re-

copilar información. ② ((컴퓨터)) datos mpl.

데이트 ① [날짜] fecha f, data f. ② [이성의 친구와의 약속] cita f. ~하다 tener una cita.

데치다 [끓는 물에 슬쩍 삶아 내다] cocer ligeramente, hervir, saltear, rehogar, freir ligeramente [con poco aceite·con agua caliente], dar un hervor. 시금치를 ~ saltear [cocinar] la espinaca. 야채를 ~ saltear las legumbres en [con] agua caliente, cocer la verdura.

데카그램 decagramo m.

덴마크 ((지명)) Dinamarca f. ~의 dinamarqués, danés. ~ 사람 danés, -nesa mf; dinamarqués, -quesa mf. ~어 dinamarqués m.

덴둥 dindán, tintin.

뎅그렁거리다 tintinear.

도 [및] y, e; [···도 역시] también; [··· 도 ···이 아니다] (no ···) tampoco, no ··· ni, ni siquiera; [···까지도] aun, hasta, incluso; [부정문에서] ni. 나~ 피곤하다 Yo también estoy cansado. 나는 가겠다 ~ 나~ Me voy ~ Yo también. 나는 가지 않겠다 ~ 나~ Yo no me voy ~ Yo tampoco.

도(度) ① [각도·온도의] grado m. 45~의 각 ángulo m de cuarenta y cinco grados. ② ((물리·화학)) [경도·비중·농도 같은 것의 단위] grado m. (술의 함유 도수) 43~의 브랜디 coñac m (cuya graduación es) de cuarenta y tres grados. ③ [시력이나 안경의 강약을 나타내는 단위] grado m. ~가 강한 안경 gafas fpl [anteojos mpl] de cristales gruesos. ④ [음정을 나타내는 단위] grado m. ⑤ [정도·한도] grado m, medida f, extensión f. ~를 넘다 ser exceso, excederse, pasar el límite, traspasar el límite. ⑥ [지구의 경도·위도의 단위] grado m. 50~ cincuenta grados. ⑦ [화상의 정도] grado m. 3~ 화상 quemaduras fpl de tercer grado.

도¹(道) [행정 구역의 하나] Do, provincia f, Méj, Ven estado m, Col, Per, Salv, departamento m.

도²(道) ① [마땅히 지켜야 할 도리] razón f, justicia f. ② ((종교)) camino m, enseñanza f, doctrina f. ~를 깨닫다 experimentar el despertamiento espiritual. ~를 가르치다 moralizar. ③ [기예나 방술·무술 등에서의 방법] arte m(f).

도가니¹ [소의 볼기에 붙은 고깃덩어리] carne f de bola [de cadera].

도가니² ① [우묵한 그릇] crisol m. ② [열광적으로 들끓는 상태] escena f 열광의 ~ (una escena de) gran entusiasmo m.

도감(圖鑑) enciclopedia *f* ilustrada, diagrama *m* explicativo.

도강(渡江) (a)travesía *f* de un río. ~하다 atravesar [cruzar] el río.

도개교(跳開橋) puente *m* basculante [levadizo · giratorio · soliviadura].

도검(刀劍) armas *fpl* blancas.

도계(道界) límite *m* provincial.

도공(刀工) espadero *m*.

도공(陶工) alfarero, -ra *mf*; ceramista *mf*; cerámico, -ca *mf*.

도공(圖工) ① [도화와 공작] el dibujo y la labor. ② =제도공

도관(陶棺) ataúd *m* de cerámica.

도관(導管) (tubo *m* de) conducto *m*, tubo *m*, caño *m*, cañuto *m*, cañería *f*, tubería *f*, arcaduz *f*.

도괴(倒壞) caída *f*, hundimiento *m*, derrumbe *m*. ~하다 caer, hundirse, derrumbarse.

도교(道敎) (종교) taoísmo *m*. ~의 taoísta. ~ 신자 taoísta *mf*.

도교육위원회(道敎育委員會) Junta *f* de Educación Provisional.

도구(道具) ① [연장] instrumento *m*; [공구] herramienta *f*; [세대 도구] utensilios *mpl*. ~를 사용하다 usar un instrumento. ② [어떤 목적을 이루기 위해 이용하는 수단이나 방법] medio *m*, instrumento *m*, vehículo *m*. 선전을 ~로 하다 aprovechar para la propaganda.

도굴(盜掘) ① [몰래 광물을 채굴하는 일] extracción *f* ilegal. ~하다 extraer ilegalmente. ② [고분 같은 것을 허가 없이 파내는 일] robo *m* de la tumba. ~하다 robar la tumba. ¶~범 ladrón, -drona *mf* de la tumba.

도금(鍍金) baño *m*, enchapado *m*, chapado *m*, chapeado *m*; [전기 도금] galvanización *f*; [금도금] doradura *f*, dorado *m*; [은도금] plateadura *f*, plateado *m*. ~하다 bañar, recubrir, planchear, chapear; [금도금하다] dorar; [은도금하다] platear. ~공 [금속의] chapista *mf*; [금의] dorador, -dora *mf*; [은의] plateador, -dora *mf*. ~ 하다 arte *m* de chapado [금 dorado · 은 plateado]. ~관 chapa *f* galvanizada.

도급(都給) contrata *f*, destajo *m*. ~을 맡다 contratar, destajar. ~으로 일하다 trabajar por contrata, trabajar a destajo. ~(을) 주다 hacer contratar, dar una contrata. ¶~ 공사 trabajos *mpl* [obras *fpl*] por contrata. ~인(업자) contradista *mf*, destajista *mf*. ~일 trabajo *m* por contrata, (trabajo *m* a) destajo *m*. ~제 sistema *m* de contrata.

도기(陶器) [토기] vajilla *f* de baro (cocido), loza *f*, china *f*, (objetos *mpl* de) porcelana *f*, vajilla *f*; [오지그릇] cerámica *f*. ~공 alfarero, -ra *mf*. ~ 공장 alfarería *f*. ~술 alfarería *f*, cerámica *f*. ~점 tienda *f* de cerámicas.

도깨비 ① [잡귀신] fantasma *m*, apariciones *fpl*, espectro *m*, deunde *m*, trasgo *m*, monstruo *m*. ② [주착 없이 망나니짓을 하는 사람] pícaro, -ra *mf*; pillo, -lla *mf*. ¶~ 굴 casa *f* embrujada [encantada], vivienda *f* de un trasgo. ~방망이 lámpara de Aladino. ~불 fuego *m* fatuo.

도끼 el hacha *f*, [큰 도끼] hachote *m*; [작은] hachuela *f*, [손도끼] hacheta *f*. ~자루 mango *m* de hacha.

도난(盜難) robo *m*, asalto *m*. ~당하다 ser robado, ser víctima de un robo. ~ 방지의 contra (el) robo. ¶~기 경보기 alarma *f* antirrobo [contra los ladrones]. ~ 보험 seguro *m* contra (el) robo. ~ 사건 robo *m*. ~ 신고 declaración *f* del robo. ~ 탐지기 alarma *f* para ladrón que escale una casa.

도내(道內) interior *m* de la provincia. ~의 provincial, de la provincia. ~에(서) en la provincia.

도넛 buñuelo *m*, rosquilla *f*. ~반 disco *m* de cuarenta y cinco rotaciones.

도달(到達) llegada *f*, arribo *m*; [위치의] logro *m*, consecución *f*; [목적(지)의] logro *m*; [야망의] realización *f*, logro *m*; [행복의] conquista *f*. ~하다 llegar, arribar; alcanzar, lograr, conseguir; [목적(지)에] alcanzar, lograr; [야망에] realizar, lograr; [행복에] conquistar; [나이에] llegar, alcanzar. ~ 거리 alcance *m*; [항속의] autonomía *f*. ~지점 (lugar *m* de) destino *m*.

도당(徒黨) pandilla *f*, banda *f*, facción *f*; [분파] secta *f*; [이해를 같이 하는] clan *m*.

도대체(都大體) ahora bien, pues bien; [의문문에서] demonios, diablo(s). ~ 이것은 뭘까? Pero ¿qué será esto? / ¿Qué diablo será esto? ~ 넌 어디서 나타났지? ¿De dónde demonios has salido tú?

도덕(道德) moral *f*, moralidad *f*, virtud *f*, modales *mpl*, educación *f*; [공덕심] civismo *m*. ~을 존중하다 respetar la moral. ¶~가 moralista *mf*. ~심 espíritu *m* moral. ~ 재무장 운동 Movimiento *m* de Rearme Moral. ~적 moral; [윤리적] ético; [교훈적] edificante.

도도록하다 (ser) hinchado, inflamado, elevado. 도도록한 젖가슴 pecho *m* hinchado, pecho *m* lleno.

도도하다 (ser) arrogante, altivo, orgulloso, altanero, soberbio. 도도히

arrogantemente, altivamente, orgullosamente, altaneramente, soberbiamente. ~ 굴다 comportarse arrogantemente.

도도하다(滔滔-) ① [물이] (ser) rápido, veloz. 도도하게 흘러가는 강물 un río de corriente rápida. ② [말하는 모양이 거침없다] (ser) elocuente, con fluidez, con soltura.

도돌이표(-標) ((음악)) guión m.

도둑 ① [도둑질] robo m, hurto m. ~(을) 맞다 robar*le*, robarse, ser robado. 나는 지갑을 ~맞았다 Se me ha robado la cartera / Me han robado la cartera. ② [사람] ladrón, -drona *mf*. ~이야! ¡Ladrón! ¶~개 ㉮ [주인 없는] perro m callejero. ㉯ [길을 잃은] perro m perdido. ~고양이 ㉮ [주인 없는] gato m callejero. ㉯ [길을 잃은] gato m perdido. ~년 ladrona *f*. ~놈 ladrón m. ~장가 casamiento m secreto con una mujer. ~질 robo m, hurto m, latrocinio m; [약탈] salteamiento m, saqueo m, pillaje m. ~질하다 robar, hurtar, cometer robo, ratear; [강탈하다] arrebatar; [날치기하다] saltear; [약탈하다] saquear, pillar.

도드라지다 ① [겉으로 드러나서 또렷하다] (ser) destacado, prominente, importante, notable; [현저하다] extraordinario, excepcional. ② [도독록하게 내밀다] sobresalir, hincharse. 도드라진 saltón; [턱이] prominente; [이가] salido; [손톱이] que sobresale.

도떼기시장(-市場) mercado m irregular, mercado m de pulga.

도라지 ((식물)) campanilla *f* (china).

도락(道樂) ① [취미] pasatiempo m, afición *f*, gusto m, distracción *f*, diversión *f*, hobby *ing.m*. ② [방탕] libertinaje m, desenfreno m.

도란거리다 murmurar juntos, hablar en voz baja en grupo, cuchichear en grupo.

도랑 riacho m, riachuelo m, arroyuelo m, acequia *f*, zanja *f*, foso m, cuneta *f*, sumidero m; [연못의 배수구] arbollón m, albañal m, desagüe m; [하수관] atarjea *f*; [배수관] desaguadero m; [수로] canal m. ~을 파다 abrir zanjas, hacer zanjas; [관개용] hacer acequias; cavar una cuneta. ¶~물 el agua *f* del riacho.

도랑치마 *chima* m corto, falda *f* corta.

도래(到來) llegada *f*, venida *f*, advenimiento m. ~하다 llegar, venir, arribar, advenir, aportar.

도래(渡來) [사람의] visita *f*; [새의] migración *f*; [사물의] introducción *f* (del extranjero), importación *f*.

~하다 introducirse, venir (del extranjero).

도량(度量) generosidad *f*, magnanimidad *f*. ~이 넓다 (ser) generoso, dadivoso, magnánimo. ~이 좁다 (ser) mezquino, tacaño, soez.

도량형(度量衡) pesa(s) y medida(s). ~기 instrumentos *mpl* de medir.

도레미 ① ((음악)) do re mi. ② ((속어)) música *f*.

도레미파 ((음악)) escala *f* musical, solfa *f*. ~로 노래하다 cantar solfa.

도려내다 vaciar, ahuecar, cavar, escavar, escoplear, talatrar con cuchillo; [구멍을] agujerear, abrir un agujero.

도련(刀鍊) recorte m. ~(을) 치다 recortar. ¶~칼 cuchillo m de recortar el papel, tenazas *fpl* de papel.

도련님 ① ((높임말)) =도령. ② [결혼하지 아니한 시동생] cuñado m, hermano m político.

도령(총각) solterón m, muchacho m.

도로 ① [되돌아서서] volver a + *inf*. 도중에서 ~ 가다(오다) volver a mitad de camino. ② [본래와 같이] 다시. 먼저와 다름이 없이] volver a + *inf*. ~ 주다 volver a dar. ③ [또 다시] otra vez, de nuevo, nuevamente, re-.

도로(道路) camino m; [가로] calle *f*; [자동차 전용의] carretera *f*; [한길] camino m real. ~를 따라서 a lo largo de la carretera. ~ 위에 en la calle. ~를 만들다 construir una carretera. ¶~ 공사 construcción *f* de una carretera, obras *fpl* de carretera; [도로 보수] reparación *f* de camino, mejoramiento m de calle. ~ 교통법 ley *f* de la circulación por carretera. ~망 red *f* de carreteras. ~ 인부 (peón m) caminero m. ~ 지도 mapa m de carreteras. ~ 표지 señal *f* de circulación.

도로아미타불(-阿彌陀佛) Así pierdo todo cuanto he ganado / Buscar una aguja en un pajar.

도록(圖錄) libro m ilustrado.

도롱뇽 ((동물)) salamanquesa *f*.

도롱태 ① [나무로 만든 수레] carro m de madera. ② [바퀴. 굴렁쇠] aro m, rueda *f*.

도료(塗料) pintura *f*, materia *f* de tinte.

도루(盜壘) robo m [hurto m] de base. ~하다 robar [hurtar] la base.

도륙(屠戮) matanza *f*, carnicería *f*. ~하다 matar atrozmente, hacer una carnicería.

도르다¹ ① [게우다. 토하다] vomitar. ② [몫몫이 나누어 돌리다] repartir,

distribuir. 카드의 패를 ~ repartir [dar] las cartas. ③ [이리저리 형편에 맞추어 돌려대다] anticipar, adelantar. ④ [남을 속이다] engañar. ⑤ [남의 것을 몰래 빼어돌리다] esconder(se), tener una reserva secreta, esconder secretamente.

도르래 ① [장난감의 한 가지] molinete m, molinillo m. ② [(물리)] polea f, garrucha f.

도리 [(건축)] viga f, travesaño m.

도리(道理) ① [마땅히 행하여야 할 바른 길] camino m recto, razón f, justicia f [정의], verdad f [진리], principio m [원리]. ~에 맞는 razonable, puesto en razón, juicioso, racional. [논리적] lógico. ~에 맞지 않는 [어긋난] irrazonable, desrazonable, irracional, absurdo, ilógico, contrario a la razón. ② [(나아갈) 방도] remedio m, medio m.

도리깨 mayal m, batidor m.

도리깨질 trilladura f a mano. ~하다 trillar a mano.

도리도리 ¡Sacude la cabeza!

도리어 [반대로] al contrario, por el contrario; [오히려] antes (bien), más bien.

도림(桃林) ① [복숭아나무 숲] bosque m de los melocotoneros. ② [소] vaca f.

도립(道立) establecimiento m provincial. ~의 provincial. ~ 공원 parque m provincial. ~ 병원 hospital m provincial.

도마 tajo m (de cocina), tabla f de picar, picador m, tajador m; [정육 점용] tabla f de carnicería, tajo m.

도마(跳馬) [(체조)] salto m de potro, salto m de caballo.

도마뱀 [(동물)] lagarto m; [암컷] lagarta f; [작은] lagartija f.

도마뱀붙이 [(동물)] geco m.

도막 pedazo m, fragmento m, trozo m; [고기의] tajada f; [나무의] astilla f; [빵의] rebanada f; [케이크의] trozo m, pedazo m; [양파·오이의] rodaja f; [참외의] raja f.

도망(逃亡) fuga f, huida f, escape m, escapada f, afufa f, evasión f. ~하다 fugarse, huir, escaparse, evadirse, largarse, afufar(se). [을] 가다 huir, escaparse, fugarse, evadirse, lagarse, irse por (sus) pies, afufar(se), tomar las afufas. ¶ ~병 desertor m, soldado m fugitivo. ~자 fugitivo, -va mf; [탈주자] desertor, -tora mf.

도말다 [책임을] asumir; [일을] hacerse cargo, dirigirlo todo.

도매(都買) compra f al por mayor. ~하다 comprar al por mayor.

도매(都賣) venta f al por mayor. ~하다 vender al por mayor. ~ 가격 precio m al por mayor. ~ 물가 지수 índice m de precios al por mayor. ~상 [가게] casa f mayorista; [장사] comercio m al por mayor; [장수] mayorista mf, comerciante mf al por mayor, comerciante mf mayorista. ~ 시장 mercado m al por mayor.

도면(圖面) dibujo m, diseño m, plano m, mapa m. 상세한 ~ dibujo m detallado, plano m de detalles.

도모(圖謀) plan m, proyecto m, designio m. ~하다 formar un plan, proyectar, trazarse un plan, formar proyectos.

도목수(都木手) jefe m de los carpinteros.

도무지 no por cierto, nada de eso, de ninguna manera.

도미 [(어류)] besugo m.

도미(渡美) ida f [visita f] a los Estados Unidos de América. ~하다 ir [visitar] a los Estados Unidos de América.

도미노 dominó m. ~ 이론 teoría f de dominó. ~ 현상 fenómeno m de dominó.

도미니까 공화국(-共和國) [(지명)] República f Dominicana. ~의 dominicano. ~ 사람 dominicano, -na mf.

도미니카 [(지명)] Dominica. ~의 dominicano. ~ 사람 dominicano, -na mf.

도민(島民) habitante mf de la isla.

도민(道民) habitante mf provincial.

도박(賭博) [노름] juego m; [내기] apuesta f. ~하다 jugar; [내기하다] apostar. ~을 열다 tener una sesión de juego. ~으로 파산하다 perder la fortuna en el juego. ¶ ~꾼 jugador, -dora mf. ~장 casa f de juego; [비합법의] garito m; [카지노] casino m.

도발(挑發) provocación f, incitación f, excitación f, estímulo m, incentivo m. ~하다 provocar, excitar, seducir, incitar, segerir. ~자 provocador, -dora mf. ~적 provocativo, provocante, incitante. ~적으로 provocativamente, de un modo provocativo.

도배(徒輩) grupo m, compañía f.

도배(塗褙) empapelado m. ~하다 empapelar, entapizar. ~장이 empapelador, -dora mf. ~지 papel m de empapelar. (벽에) ~지를 바르다 empapelar paredes.

도벌(盜伐) malcorte m. ~하다 derribar árboles en secreto.

도법(圖法) dibujo m, gráfica f, esquema m.

도벽(盜癖) cleptomanía f. ~이 있는 cleptómano.

도벽(塗壁) empapelado m. ~하다 empapelar, entapizar.

도별(道別) clasificación *f* por provincia.

도보(徒步) andadura *f*. ~로 a pie, andando, caminando. ~ 여행 viaje *m* pedestre. ~ 여행을 하다 hacer un viaje pedestre. ~ 여행가 viajero, -ra *mf* pedestre.

도복(道服) ① [도사가 입는 옷] vestimenta *f* de los taoístas. ② [무도 수련 때 입는 운동복] ropa *f* de deporte para el entrenamiento (del arte marcial).

도부(到付) [떠돌아다니며 물건을 팖] venta *f* en las calles, venta *f* de puerta en puerta, buhonería *f*. ~하다 vender en las calles, vender de puerta en puerta. ~(를) 치다 vender en las calles [de puerta en puerta]. ¶~ㅅ장수 vendedor *m* ambulante.

도불(渡佛) ida *f* [visita *f*] a Francia. ~하다 ir [visitar] a Francia.

도사(道士) ① [도를 닦는 사람] persona *f* aplicada al budismo. ② ((불교)) budista *m* iluminado. ③ [도교를 믿고 수행하는 사람] taoísta *mf*. ④ ((속어)) experto, -ta *mf*; perito, -ta *m*.

도사(導師) ((불교)) maestro *m* espiritual en el budismo.

도사리다 ① [두 다리를 꼬부려서 서로 어긋매껴 앉다] sentarse con las piernas cruzadas. ② [마음을 가라앉히다] tranquilizar, calmar.

도산¹(倒産) [파산] quiebra *f*, bancarrota *f*. ~하다 quebrar, hacer quiebra, hacer bancarrota. ~자 bancarrotero, -ra *mf*.

도산²(倒産) ((의학)) parto *m* de nalgas. ~ 아이 bebé *m* que viene de nalgas.

도산매(都散賣) venta *f* al por mayor y al por menor. ~하다 vender al por mayor y al por menor. ~되다 venderse al por mayor y al por menor.

도살(屠殺) ① [도륙] matanza *f*. ~하다 matar. ② [육식을 위하여 육축을] 잡아 죽임] carnicería *f*. ~하다 hacer una carnicería, matar reses. ~ 업자 carnicero *m*. ~자 matachín *m*, carnicero *m*. ~장 matadero *m*.

도살(盜殺) ① [남 몰래 사람을 죽임] asesinato *m*. ~하다 asesinar. ② [가축을 허가없이 도살함] matanza *f* secreta. ~하다 matar en secreto.

도상(途上) ① [일이 진행되는 과정에 있음] proceso *m*. 개발~에 있다 estar en vías [en proceso de] de desarrollo. ② [길 위] en el camino.

도상(圖上) en el mapa, en el plano. ~ 연습 maniobras *fpl* militares en el mapa. ~ 작전 operaciones *fpl*

militares en el mapa.

도색(桃色) ① [연분홍빛] (color *m*) rosa *m*. ~의 rosado, róseo, (de color) rosa. ② [젊은 남녀간의 색정적인 것] amorío *m*, obscenidad *f*, pornografía *f*, indecencia *f*, deshonestidad *f*, indecorosidad *f*. ¶~ 문학 pornografía *f*, literatura *f* pornográfica. ~ 사진 fotografía *f* obscena. ~ 신문 prensa *f* amarilla. ~ 영화 película *f* pornográfica. ~ 잡지 revista *f* pornográfica.

도서(島嶼) islas *fpl*; [군도] archipiélago *m*.

도서(圖書) ① [책] libro *m*. ~를 수집하다 coleccionar los libros. ② [그림과 글씨] el cuadro y la escritura. ¶~ 담당자 bibliotecario, -ria *mf*. ~ 대출 préstamo *m* de libros. ~명 nombre *m* de los libros. ~ 목록 catálogo *m* de publicación, catálogo *m* de libros. ~실 biblioteca *f*. ~ 열람실 sala *f* de lectura. ~ 열람자 lector, -ra *mf*. ~ 출판 publicación *f*. ~ 카드 ficha *f*, tarjeta *f* de lector, *Méj* credencial *f* del lector.

도서관(圖書館) biblioteca *f*. ~원 bibliotecario, -ria *mf*. ~장 director, -tora *mf* de la biblioteca. ~판 edición *f* especial para bibliotecas. ~학 biblioteconomía *f*, bibliotecología *f*.

도선(渡船) transbordador *m*, ferry *ing.m*, barco *m* [vapor *m*] de transporte, barca *f* de pasaje; [작은] balsa *f*, barca *f*. ~장 embarcadero *m*.

도선(導線) ((물리)) alambre *m* [cable *m*] conductor.

도선(導船) pilotaje *m*. ~하다 pilotar. ~료 derechos *mpl* de pilotaje. ~사 piloto *m*. ~선 barco-piloto *m*.

도설(圖說) ilustración *f*, diagrama *m* explicativo; [책] libro *m* ilustrado.

도섭 capricho *m*, antojo *m*, maña *f*.

도성(都城) ① [서울] capital *f*, Seúl. ② [도읍 둘레에 둘린 성락] muralla *f* alrededor de la capital. ¶~지(址) ruinas *fpl* de la capital con muralla.

도수(度數) ① [회수] (número *m* de) veces *fpl*, frecuencia *f*. ② [각도·온도·광도 등의] grado *m*. 안경의 ~ poder *m* de las gafas. ~가 높은 안경 gafas *fpl* fuertes, gafas *fpl* con lentes pesadas.

도수(徒手) =맨손(manos vacías). ¶~ 체조 =맨손 체조.

도수(屠獸) matanza *f*. ~하다 matar. ~장 matadero *m*.

도술(道術) mágica *f* taoísta.

도시(都市) ciudad *f*; [수도] capital *f*; [대도시] metrópoli *f*. ~의 municipal, urbano. ~ 가스 gas *m* de ciudad. ~ 경관 paisaje *m* urbano. ~ 계획 planificación *f* urbana, urbanización *f*, (plan *m* de) urbanismo *m*. ~ 공학 ingeniería *f* urbana. ~ 국가 ciudad *f* estado. ~ 생활 vida *f* urbana.

도시락 ① [흔히 점심밥을 휴대하는 데 쓰이는] caja *f* de mimbre. ② [휴대용 음식 그릇] fiambrera *f*. ¶ ~통 fiambrera *f*, merendero *m*.

도식(徒食) vida *f* perezosa [holgazana]. ~하다 vivir en ociosidad.

도식(倒植) ((인쇄)) carácter *m* invertido, letra *f* invertida.

도식(圖式) esquema *m*; [그래프] diagrama *m*, gráfico *m*. ~화 esquematización *f*. ~화하다 esquematizar.

도심(都心) centro *m* de la ciudad. ~지(대)[지역] zona *f* central de la ciudad, centro *m* de la ciudad.

도심(盜心) propensión *f* al robo, manía *f* por hurto.

도안(圖案) diseño *m*, dibujo *m*, croquis *m*, esbozo *m*, boceto *m*, trazado *m*, bosquejo *m*. ~하다 deseñar, hacer un diseño, dibujar. ~가 diseñador, -dora *mf*; dibujante *mf*.

도야(陶冶) cultivación *f*, educación *f*, capacitación *f*, entrenamiento *m*. ~하다 cultivar, entrenar, educar.

도약(跳躍) ① [뛰어오름] salto *m*; ((항공)) despegue *m*. ~하다 saltar, brincar. ② ((운동)) [뛰기 경기] pruebas *fpl* de saltos. ③ ((운동)) [뜀뛰기 운동] ejercicio *m* de saltos. ¶ ~ 경기 pruebas *fpl* de saltos. ~대 pista *f* de despegue. ~ 운동 ejercicio *m* de saltos. ~ 종목 pruebas *fpl* de saltos. ~판 ((체조)) trampolín *m*; ((육상)) listón *m* de llamada.

도열병(稻熱病) añublo *m* de arroz.

도예(陶藝) (arte *f*) cerámica *f*. ~가 ceramista *mf*.

도와주다 ((힘줌말)) ☞돕다

도외시(度外視) ¶ ~하다 no hacer caso, hacer la vista gorda, pasar por alto, omitir de consideración, marginar. ~되다 marginarse.

도요새 ((조류)) agachadiza *f*, becada *f*, chocha *f*.

도용(盜用) uso *m* fraudulento; [표절] plagio *m*; [편취] peculado *m*. ~하다 hacer un uso fraudulento, plagiar. ~자 plagiario, -ria *mf*.

도우(屠牛) matanza *f* de la vaca. ~하다 matar la vaca.

도우미 ayudante, -da *mf*; asistente, -ta *mf*; auxiliador, -dora *mf*.

도움 ayuda *f*, auxilio *m*, asistencia *f*, salvación *m*, socorro *m*, amparo *m*, cooperación *f*, favor *m*, protección *f*; [지원] apoyo *m*. ~을 주다 ayudar, auxiliar, socorrer, asistir.

도원경(桃源境) ① [무릉 도원처럼 아름다운 지경] paraíso *m* terrenal. ② =이상향(理想鄕)(utopía).

도읍(都邑) capital *f*, Seúl. ~지(地) capital *f* de un país.

도의(道義) moral *f*, moralidad *f*, ética *f*, virtud *f* moral. ~심 sentido *m* moral, sentido *m* de moralidad. ~적 moral, ético. ~적으로 moralmente, éticamente. ~적 책임 responsabilidad *f* moral.

도의원(道議員) =도의회 의원.

도의회(道議會) asamblea *f* provincial. ~의원 consejal, -la *mf*.

도이칠란트 ((지명)) Alemania. ~의 alemán. ☞독일

도인(道人) =도사(道士).

도일(渡日) ida *f* [visita *f*] al Japón. ~하다 ir [visitar] al Japón.

도입(導入) introducción *f*, inducción *f*; [수입] importación *f*. ~하다 introducir, inducir, meter; importar. 신기술을 ~하다 introducir las nuevas técnicas.

도자기(陶瓷器) cerámica *f*, porcelana *f*, china *f*. ~가게 tienda *f* de cerámica, tienda *f* de porcelana, alfarería *f*. ~공 ceramista *mf*.

도작(盜作) plagio *m*, obra *f* hurtada. ~하다 plagiar. ~자 plagiario, -ria *mf*.

도작(稻作) cultivo *m* [cosecha *f*] del arroz. ~하다 cosechar [cultivar] el arroz.

도장(刀匠) cuchillero *m*, espadero *m*.

도장(道場) escuela *f*, gimnasio *m*.

도장(塗裝) pintura *f*. ~하다 pintar, cubrir con pintura. ~공 pintor, -tora *mf*. ~ 공장 taller *m* de pintura.

도장(圖章) sello *m*, estampa *f*. ~을 위조하다 falsificar el sello. ~을 찍다 poner sello, sellar. ¶ ~집 ㉮ =도장포(圖章舗). ㉯ [도장 주머니] bolsa *f* para el sello. ~칼 [돌의] cincel *m*; [목재의] formón *m*, escoplo *m*; [동판의] cuchillo *m* grabador, cuchillo *m* de grabado. ~포 tienda *f* del sello.

도장나무(圖章-) ((식물)) =회향목.

도저하다(到底-) ① [썩 잘되어 대단히 좋다] (ser) excelente, bueno, magnífico. ② [바르고 곧아서 훌륭하다] (ser) recto, honrado, honesto.

도저히 de ninguna manera, de ningún modo. ~ …할 수 없다 Es absolutamente [en absoluto] imposible + *inf* [que + *subj*]. ~ 그 시각에는 도착할 수 없다 Es imposible en absoluto llegar a esa hora.

도적(盜賊) =도둑.

도전(挑戰) desafío *m*, reto *m*, duelo *m*, provocación *f*. ~하다 desafiar, retar; [결투하다] arrojar el guante. ~자 desafiador, -dora *mf*; [선수권의] aspirante *mf*. ~장 carta *f* [cartel *m*] de desafío.

도전(導電) conducción *f* eléctrica. ~율 conductividad *f*. ~체 conductor *m* eléctrico.

도정(道政) administración *f* provincial.

도정(道程) itinerario *m* [trayecto *m*] de viaje, distancia *f*, jornada *f*.

도정(搗精) moledura *f* de los cereales. ~하다 moler los cereales. ~공장 fábrica *f* de moler los cereales. ~료 precio *m* de moler los cereales. ~업 industria *f* de moler los cereales.

도제(徒弟) aprendiz, -za *mf*; [문하생] pupilo, -la *mf*; [제자] discípulo, -la *mf*. ~로 들어가다[삼다] entrar [meter] de aprendiz.

도제(陶製) fabricación *f* cerámica.

도주(逃走) huida *f*, fuga *f*, escape *m*, afufa *f*. ~하다 huir, fugarse, escaparse, desertar, zafarse, tomar soleta, darse a la fuga. ~시키다 poner en fuga, hacer huir.

도중(途中/道中) mitad *f* del camino, medio camino *m*, medio *m* del camino. ~에(서) en el camino, en mitad del camino, en medio del camino; [중도에서] a medio camino. 여행 ~ en el viaje. 학교에 가는 ~에 en el camino a la escuela. ~에서 돌아오다 volverse en la mitad del camino.

도지다 ① [병이] recaer, reincidir, tener [sufrir] una recaída, recrudecerse. ② [(노여움이) 다시 나타남] volver a caer, volver. 나쁜 버릇이 ~ volver a los malos hábitos.

도 지방 경찰청(道地方警察廳) Jefatura *f* Regional de Policía.

도지사(道知事) gobernador, -dora *mf*.

도착(到着) llegada *f*, arribo *m*. ~하다 llegar, arribar, alcanzar; [우연히] advenir; [항구에] aportar. ~가격 coste, seguro y flete; *AmL* costo, seguro y flete; CI&F. ~불 pago *m* a la entrega, pago *m* al recibo de la mercancía. ~순 comunicado *m* de llegada. ~순 orden *m* de llegada. ~ 순으로 por orden de llegada. ~ 승객 pasajero *m* de llegada. ~ 시간 hora *f* de llegada. ~역 estación *f* de llegada. ~ 열차 tren *m* de llegada. ~지 destino *m*, lugar *m* de llegada. ~항 puerto *m* de llegada.

도착(倒錯) ① [(위아래가) 거꾸로 되어 뒤집힘] inversión *f*. ~하다 invertir. ② [사회와 도덕에 어긋진 행동을 나타냄] perversión *f*, inversión *f*, aberración *f*.

도처(到處) todas partes *fpl*. ~에 en

[por] todas partes, en cualquier lugar [sitio], donde quiera, aquí y allí. ~로 por todas partes. 나라 ~에 por todo el país. 세계 ~에 por todas partes [por todos los rincones] del mundo.

도청(盜聽) escucha *f* clandestina, escucha *f* a hurtadillas; [전화 도청] escucha *f* telefónica. ~하다 escuchar clandestinamente [secretamente], escuchar a hurtadillas, escuchar a las puertas, oir a ocultas; colocar micrófonos ocultos. 전화를 ~하다 intervenir (el teléfono), interceptar secretamente mensajes telefónicos. ¶~기 micrófono *m* oculto. ~방지 teleseguridad *f*. ~ 사건 escándalo *m* de intervenir (el teléfono). ~ 장비 aparato *m* de escucha clandestina. ~ 장치 escuchas *fpl* telefónicas.

도청(道廳) oficina *f* provincial, oficina *f* [sede *m*] del gobierno provincial. ~ 소재지 capital *f* de la provincia.

도체(導體) conductor *m*.

도축(屠畜) carnicería *f*, matanza *f*. ~세 impuesto *m* de la carnicería. ~자 carnicero *m*. ~장 matadero *m*.

도취(陶醉) ① [술의] embriaguez *f*, borrachera *f*. ~하다 embriagarse, emborracharse. ② [좋아하거나 즐기는 것에] embelesamiento *m*, éxtasis *m*. ~하다 extasiarse, encantarse, quedar encantado. ~되어 있다 estar extasiado.

도치(倒置) ((언어)) inversión *f*. ~하다 invertir. ~되다 invertirse. ~문(文) oración *f* invertida. ~법(法) inversión *f*.

도킹 ((물리)) acoplamiento *m*. ~하다 acoplarse. ~시키다 acoplar.

도탄(塗炭) miseria *f*, angustia *f*, aflicción *f*. ~에 빠지다 sumirse [caerse] en una miseria extremada.

도태(淘汰/陶汰) ① [여럿 중에서 불필요한 부분이 줄어 없어짐] eliminación *f*, destitución *f* de los ineficaces; [인원의] reducción *f* de los números de oficiales. ~하다 eliminar, escoger, deponer, destituir. ② ((생물)) selección *f*. ~하다 seleccionar.

도토(陶土) arcilla *f* (figulina), barro *m* de alfarero, caolín *m*.

도토리 ((식물)) bellota *f*. ~묵 gelatina *f* de almidón de bellota. ~밭 bellota *m* de bellota.

도토리나무 ((식물)) =상수리나무.

도롱하다 [우동포동하다] (ser) rollizo, regordete; [뚱뚱하다] gordiflón, gordinflón; [살이 많이 찌다] corpulento; [땅딸막하다] rechoncho, barrigón, amondongado, panzudo.

도통(道通) ilustración *f* espiritual. ~하다 lograr la ilustración, ser espiritualmente iluminado. ~한 사람 iluminado, -na *mf.*

도판(圖板) ilustración *f*, grabado *m*, lámina *f*, diagrama *m*, gráfica *f*, esquema *m.*

도편수(都－) jefe *m* [maestro *m*] de los carpinteros.

도포(塗布) aplicación *f*, baño *m*. ~하다 aplicar, bañar.

도포(道袍) *dopo*, atuendo *m* de gala coreano (en tiempos antiguos).

도표(道標) ① [길표] poste *m* indicador, hito *m*, mojón *m.* ② ~지점. 지표. ③ [이정표] hito *m*, mojón *m*, mojón *m* kilométrico.

도표(圖表) diagrama *m*, gráfica *f*, gráfico *m*, esquema *m*, tabla *f.* ~로 설명하다 explicar con un gráfico.

도품(盜品) objeto *m* robado.

도피(逃避) escape *m*, huida *f*, fuga *f*, escapada *f*. ~하다 escapar, huir, fugarse, afufar(se). 외화의 ~ fuga *f* de divisas. ~ 생활 vida *f* de escape del mundo. ~소 (lugar *m* de) refugio *m*. ~ 여행 viaje *m* de escape. ~자 fugitivo, -va *mf*; refugiado, -da *mf*. ~ 장소 santuario *m*, refugio *m*; [도적들의] escondrijo *m*. ~지 refugio *m*, santuario *m*. ~처 guarida *f.* ~ 행각 fuga *f.*

도핑 dopaje *m*, drogado *m.* ~ 테스트 prueba *f* antidoping.

도하(都下) ① [서울 지방] distrito *m* metropolitano, distrito *m* de Seúl, región *f* seulense, distrito *m* de Seúl. ② [서울 안] (interior *m* de) Seúl, capital *f*, metrópoli *f.*

도하(渡河) ＝도강(渡江). ¶～하다 cruzar el río. 작전 operación *f* de vado.

도학(道學) ① [도덕에 관한 학문] filosofía *f* moral, moral *f*, ética *f.* ② ＝유학(儒學). ~자[가] moralista *mf*, ético, -ca *mf.*

도함수(導函數) ((수학)) derivada *f.*

도합(都合) total *m*, suma *f* total.

도항(渡航) viaje *m* por el mar, navegación *f*, travesía *f*; [외국으로] viaje *m* al extranjero. ~하다 viajar por el mar, navegar, ir al extranjero.

도해(圖解) explicación *f* gráfica, ilustración *f*, diagrama *m* explicativo. ~하다 ilustrar.

도형(圖形) figura *f*, diagrama *m.* ~ 기하학 geometría *f* descriptiva.

도형(徒刑) (pena *f* de) trabajos *mpl* forzados. ~수 presidario, -ria *mf.* ~장 presidio *m.*

도홍(桃紅) ((준말)) ＝도홍색. ¶～색[빛] (color *m*) rosa *m*, color *m* de rosa.

도화(桃花) flor *f* del melocotonero.

도화(陶畵) cuadro *m* en la porcelana.

도화(圖畵) ① [그림과 도안] el cuadro y el dibujo. ② [그림을 그림] el pintar, el dibujar. ¶～ 연필 lápiz *m* para dibujar. ~지 papel *m* para dibujar [de dibujo].

도화(導火) ① [폭약을 터지게 하는 불] fuego *m* para explotar el explosivo. ② [사건 발생의 동기] motivo *m.* ~선 ㉮ [폭발물의] cebo *m*, espoleta *f*, pebete *m*; [램프 따위의] mariposa *f*, yesca *f* [reguero *m*] de pólvora); [가스 기구 따위의] piloto *m.* ㉯ [유인] estímulo *m*, impulso *m*, incentivo *m*, motivo *m*, móvil *f.*

도회(都會) ((준말)) ＝도회지(都會地).

도회지(都會地) ciudad *f*, pueblo *m*, población *f*, distrito *m* urbano. ~ 생활 vida *f* urbana.

독 jarro *m*, jarra *f*, pote *m*, tinaja *f*; [큰] cántaro *m.* 밑 빠진 ~에 물 붓기다 ser como si echara agua sobre el suelo sediente, ser acto poco efectivo.

독(毒) ① [건강이나 생명을 위태롭게 하는 성분] veneno *m*, ponzoña *f*, hierbas *fpl*; [동물의] veneno *m*; ((의학)) tóxico *m.* ~을 넣은 envenenado. ~이 있는 venenoso, ponzoñoso. ~을 마시다 beber veneno. ② [해(害)] daño *m*, perjuicio *m*, injuria *f*, agravio *m*, mal efecto *m.* ~이 오르다 (ser) malicioso, rencoroso, venenoso.

독가스(毒－) gas *m* tóxico, gas *m* venenoso, gas *m* sofocante.

독감(毒感) ① [지독한 감기] resfriado *m* severo. ② ((의학)) influenza *f*, gripe *f.*

독개미(毒－) hormiga *f* venenosa.

독거미(毒－) araña *f* venenosa.

독경(讀經) ((불교)) salmodia *f* [lectura · recitación *f*] de una sutra budista. ~하다 salmodiar las sutras, recitar las sutras.

독과점(獨寡占) acaparamiento *m*, el monopolio y el oligopolio. ~하다 acaparar.

독균(毒菌) fungo *m* venenoso.

독기(毒氣) ① [독의 성분이나 기운] toxicidad *f*, virulencia *f.* ② [사납고 모진 기운] malicia *f*, malevolencia *f*, acrimonia *f.* ~를 품은 malicioso, malévolo, acrimonioso. ~ 있는 말 palabras *fpl* maliciosas.

독나방(毒－) ((곤충)) palomilla *f* de mata de hierba oriental.

독농(篤農) agricultor, -tora *mf* fiel. ~가 agricultor, -tora *mf* diligente.

독니(毒－) colmillo *m* venenoso, colmillo *m* ponzoñoso.

독단(獨斷) ① [자기 혼자의 결정·판단] decisión *f* arbitraria, juicio *m* arbitrario. ② ((철학)) dogma *m*. ~가 dogmatizador, -dora *mf*, dogmatista *mf*. ~론 dogmatismo *m*. ~ 비평 criticismo *m* dogmático. ~적 arbitrario, dogmático. ~적으로 arbitrariamente, dogmáticamente. ~주의 dogmatismo *m*. ~주의자 dogmatista *mf*.

독대 red *f* para pescar con dos bambúes cortos.

독대(獨對) sola entrevista *f*. ~하다 entrevistarse solo, tener una sola entrevista.

독두(禿頭) =대머리. ¶~병 alopecia *f*.

독려(督勵) ánimo *m*, estimulación *f*. ~하다 estimular, animar, alentar, incitar, espolear.

독력(獨力) *su* propia fuerza. ~으로 con *su* propia fuerza, sin ayuda ajena, sin ayuda de nadie, por sí solo.

독립(獨立) independencia *f*. ~하다 independizarse, emanciparse. ~시키다 independizar. ~을 획득하다 obtener la independencia. ¶~국 estado *m* independiente. ~군 tropas *fpl* independientes. ~기념관 Salón *m* de Independencia. ~사상 idea *f* independiente. ~선언 declaración *f* de (la) independencia. ~선언서[선언문] Declaración *f* de Independencia. ~서에 서명하다 firmar la Declaración de Independencia. ~운동 movimiento *m* de independencia. ~주택 casa *f* separada. ~채산제 (sistema *m* de) autofinanciamiento *m*, autofinanciación *f*, autonomía *f* financiera.

독메(獨一) montaña *f* solitaria, monte *m* solitario.

독무(獨舞) sola danza *f*.

독무대(獨舞臺) ① [혼자서 연기하기] sola representación *f*. ② [한 사람의 연기가 특히 뛰어남] sobresaliente *m* de una representación. 그 연주회는 그녀의 ~였다 En el concierto ella sobresalió entre todos los músicos. ③ [경쟁자가 없음] esfera *f* incomparabale de actividad, *su* monopolio.

독물(毒─) el agua *f* del veneno.

독물(毒物) ① [독이 들어 있는 물질] substancia *f* tóxica, tóxico *m*. ~을 검출하다 detectar la substancia tóxica. ② [성질이 악독한 사람이나 짐승] persona *f* maligna; [짐승] animal *m* maligno. ¶~ 검출 detección *f* de substancia tóxica. ~ 중독 toxicomanía *f*. ~ 중독자 toxicómano, -na *mf*. ~학 toxicología *f*. ~학자 toxicólogo, -ga

mf.

독미나리(毒─) ((식물)) cicuta *f* menor [acuática].

독방(獨房) ① [혼자서 쓰는 방] habitación *f* sencilla. ② [교도소·구치소의] celda *f* (aislada), celda *f* (separada). ~에 넣다 meter en el calabozo. ¶~ 감금 reclusión *f* solitaria.

독배(毒盃/毒杯) vaso *m* del veneno. ~를 들다[마시다] beber [tomar] veneno [ponzoña].

독백(獨白) ① ((연극)) monólogo *m*, soliloquio *f*. ~하다 monologar, soliloquiar. ¶[혼자서 중얼거림] el habla *f* a solas. ~하다 hablar a solas [consigo mismo·para sí].

독버섯(毒─) hongo *m* venenoso.

독보(獨步) ① [홀로 걸음] el caminar solo. ~하다 caminar [andar] solo. ② [남이 따를 수 없게 뛰어남] lo único, lo incomparable. ¶~적 solo, sin igual, sin par, incomparable, sin rival, único.

독보리(毒─) ((식물)) cizaña *f*.

독본(讀本) libro *m* de lectura.

독부(毒婦) mujer *f* malvada, diabla *f*, mujer *f* depravada, vampiresa *f*.

독불 장군(獨不將軍) fanfarrón *m*, fantasmón *m*.

독사(毒死) muerte *f* por el veneno. ~하다 morirse de veneno.

독사(毒蛇) ① [이빨에 독이 있어 독액을 분비하는 뱀] serpiente *f* venenosa. ② [살무사] víbora *f*.

독살(毒殺) ① [독약으로 죽임] envenenamiento *m*, emponzoñamiento *m*. ~하다 envenenar, emponzoñar, atosigar, matar con veneno. ~되다 ser matado por envenenamiento, morir envenenado. ② [독한 마음을 먹은 살기] ponzoña *f*, veneno *m*, malevolencia *f*. ~을 부리다 portarse con maldad. ~스럽다 (ser) ponzoñoso, malicioso, maligno, malintencionado, estar lleno [cargado] de veneno. ~자 envenenador, -dora *mf*.

독생자(獨生子) ((성경)) unigénito *m*, Hijo *m* unigénito, Hijo *m* único.

독서(讀書) lectura *f*. ~하다 leer. ~가 aficionado, -da *mf* a la lectura. ~계 mundo *m* de la lectura, los lectores. ~광 ratón *m* de biblioteca, maniaco, -ca *mf* por la lectura. ~대 atril *m*. ~벽 manía *f* de leer, hábito *m* de lectura. ~삼매 absorción *f* a la lectura. ~실 sala *f* de lectura. ~열 deseo *m* para la lectura. ~ 인구 población *f* de lectura. ~ 주간 Semana *f* de la Lectura.

독선(獨善) confidencia *f* excesiva en sí, egotismo *m*, fariseísmo *m*. ~가 persona *f* farisaica. ~적 arbitrario, egocéntrico, excesivamente confidente en sí. ~으로 arbitrariamente, en tono de superioridad moral. ~주의 fariseísmo m.

독선생(獨先生) maestro, -tra mf que enseña a un solo niño. ~을 앉히다 invitar al maestro que enseña a su propio niño solamente.

독설(毒舌) acrimonia f, palabras fpl injuriosas, palabra f rencorosa [maliciosa], lengua f maliciosa, [viperina], calumnia f, maldición f. ~을 퍼붓다 hablar con acrimonia, usar [emplear] la lengua maliciosa. ¶~가 lengua f viperina [de víbora].

독성(毒性) virulencia f, toxicidad f. ~이 있는 virulento, tóxico, venenoso, ponzoñoso.

독소(毒素) ① [독] veneno m, ponzoña f, ((의학)) toxina f [사체] ptomaína f. ② [해로운 요소] elemento m tóxico.

독수(毒水) el agua f venenosa.

독수(毒手) =독아(毒牙).

독수(獨守) ⑦ [혼자 지킴] sola defensa f. ~하다 defender solo. ② =독숙(獨宿). ~ 공방 soledad f [vida f solitaria] en la ausencia de su esposo; [별거. 사별] vida f solitaria en separación, viudez f, viudedad f, [독거] vida f solitaria. ~ 공방하다 vivir separada, vivir como la viuda.

독수리(禿─) ((조류)) el águila f, [새끼] aguilucho. ~자리 [천문가] el Aguila. ~집 nido m del águila.

독순법(讀脣法)=독순술(讀脣術).

독순술(讀脣術) labiolectura f, arte m de interpretar el movimiento de los labios. ~로 이해하다 leer en los labios.

독습(獨習) estudio m sin maestro. ~하다 estudiar sin maestro, aprender solo [a solas], aprender sin ayuda de nadie. ~서 manual m sin maestro. ~자 persona f autodidacta.

독식(獨食) ① [혼자서 먹음] comida f a solas. ~하다 comer solo. ② [이익을 혼자서 차지함] posesión f exclusiva de la ganancia. ~하다 poseer la ganancia exclusivamente.

독신(獨身) ① [형제 자매가 없음] el único hijo. ② [배우자가 없는 사람] soltero, -ra mf, [노총각. 노처녀] solterón, -rona mf. ~ [독신 생활] soltería f, celibato m, vida f solitaria, vida f de soltero. ~1 ~녀 célibe f, soltera f, manceba f, chica f soltera, solterona f. ~ 생활 soltería f, vida f de soltera. ~자 célibe mf, soltero, -ra mf, mancebo, -ba mf.

독신(瀆神) profanación f.

독실(獨室) habitación f individual, habitación f sencilla.

독실(篤實) sinceridad f, rectitud f, probidad f. ~하다 (ser) sincero, probo, [신앙심이] fiel, devoto. ~한 신자 fiel mf; devoto, -ta mf.

독심(毒心) malicia f.

독심술(讀心術) adivinación f del pensamiento, arte m de leer el pensamiento.

독아(毒牙) colmillo m venenoso, colmillo m ponzoñoso.

독안(獨眼) un solo ojo, tuerto m. ~의 monóculo, tuerto.

독액(毒液) líquido m tóxico; [동물의] veneno m.

독야 청청하다(獨也靑靑─) ① [홀로 푸르다] (ser) verde solo [a solas]. ② [홀로 높은 절개를 드러내고 있다] conservar [mantener] la sola integridad alta.

독약(毒藥) veneno m, ponzoña f. ~학 toxicología f.

독어[1](獨語) [혼잣말] palabra f para sí; [독백] soliloquio m, monólogo m. ~하다 hablar para sí, soliloquiar.

독어[2](獨語) [독일어] alemán m.

독연(獨演) monólogo m, sola representación f. ~회 recital.

독일(獨逸) Alemania f. ~의 alemá n.~의 alemán m. ~인 alemán, -na mf. ~학 germánistica f.

독자(獨子) ① [외아들] hijo m único, solo hijo m. ② =독신(獨身).

독자(獨自) ¶~의 [독특한] original, singular; [개인적인] personal, individual; [자신의] propio. ~ 노선 línea f propia. ~성 originalidad f, singularidad f, individualidad f. ~적 original, singular, personal, individual, propio. ~적으로 originalmente, singularmente, personalmente, individualmente.

독자(讀者) lector, -tora mf; leyente mf; [신문의] abonado, -da mf, subscriptor, -tora mf. ~란 columna f de lectores. ~층 público m.

독재(獨裁) ① dictadura f, despotismo m, autocracia f. ~하다 tener (un país) bajo su dominio despótico. ② ((준말))=독재 정치. ¶~ 국가 estado m despótico. ~ 군주 monarca m despótico. ~자[가] dictador, -dora mf. ~적 dictatorial, despótico. ~ 정치 autocracia f. ~ 제 autocracia f. ~주의 régimen m dictatorial.

독점(獨占) monopolio m, monopolización f (exclusiva); [전유] acaparamiento m, posesión f exclusiva. ~하다 monopolizar; acaparar, tener posesión exclusiva. ~ 가격 precio m de monopolio, precio m monopolizado. ~권 (derecho *m* de) monopolio *m*, derecho *m* exclusivo. ~ 기업 empresa *f* monopolista. ~ 사업 empresa *f* monopolítica. ~자 monopolista *mf*. ~자본 capital *m* monopolista, capital *m* monopolítico. ~ 자본가 monopolista *mf*. ~적 monopolístico, exclusivo, privativo. ~적으로 exclusivamente. ~주의 monopolismo *m*. ~ 판매 venta *f* exclusiva. ~ 허가 licencia *f* exclusiva.

독종(毒種) persona *f* maligna.

독종(毒腫) absceso *m* venenoso.

독주(毒酒) ① [독한 술] bebida *f* [licor *m*] fuerte, licor *m* de sabor fuerte. ② [독을 탄 술] bebida *f* venenosa, licor *m* venenoso.

독주(獨奏) solo *m*, recital *m*. ~하다 tocar solo, ejercer solo. ~가 solista *mf*. ~곡 solo *m*. ~회 recital *m*.

독지(篤志) benevolencia *f*, caridad *f*. ~가 persona *f* caritativa, persona *f* benévola.

독직(瀆職) prevaricación *f*, malversación *f*. ~하다 prevaricar. ~ 사건 caso *m* de prevaricación. ~자 prevaricado, -da *mf*. ~죄 prevaricato *m*.

독차지(獨一) monopolio *m*, monopolización *f*, posesión *f* exclusiva. ~ 하다 monopolizar, acaparar, ocupar, tomar.

독창(獨唱) solo *m*, recital *m*. ~하다 cantar solo [recital]. ~곡 solo *m*. ~ 미사 misa *f* rezada. ~자 solista *mf*. ~회 recital *m*.

독창(獨創) originalidad *f* iniciativa, invención *f*, invento *m*. ~력 facultad *f* creadora. ~성 originalidad *f*. ~적 original, creativo.

독채(獨一) casa *f* independiente.

독초(毒草) ① [독풀] hierba *f* [planta *f*] venenosa. ② [쓰고 독한 담배] tabaco *m* amargo y venenoso.

독촉(督促) apremio *m*. ~하다 apremiar; [요구하다] exigir, pedir. 지불을 ~하다 requerir [intimar] el pago. 대답을 ~하다 exigir una respuesta. ¶~장 recordatorio *m*; [세금 등의] aviso *m*; [차용금의] carta *f* de cobranza.

독충(毒蟲) ① [독벌레] insecto *m* venenoso, bicho *m* venenoso. ② ((동물)) =살무사.

독침(毒針/毒鍼) ① [벌의] aguijón *m* venenoso. ② [독을 묻힌 바늘이나 침] aguja *f* envenenada.

독탕(獨湯) baño *m* privado. ~하다 tomar un baño privado.

독특하다(獨特一) (ser) peculiar, especial, particular, típico, característico; [특이하다] original, único, singular. 독특함 peculiaridad *f*.

독파(讀破) lectura entera [completa]. ~하다 leer entero [todo].

독풀(毒一) hierba *f* venenosa.

독필(毒筆) pluma *f* aguijoneada.

독하다(毒一) ① [독기가 있다] (ser) venenoso, ponzoñoso, tóxico, emponzoñado, deletéreo; [해독이 있다] dañoso, nocivo. ② [진하다] (ser) fuerte. 독한 술 bebida *f* [licor *m*] fuerte. 독한 담배 tabaco *m* fuerte. ③ [잔인하다] (ser) malicioso, maligno, malévolo. ④ [굳세다] (ser) firme. ⑤ [맹렬하고 호되다] (ser) fuerte, terrible, severo, intenso.

독학(獨學) estudio *m* sin maestro, instrucción *f* por sí mismo, autodidáctica *f*, autodidaxia *f*. ~하다 estudiar sin maestro, estudiar por sí mismo, instruir por sí mismo. ~생 estudiante *mf* que estudia sin maestro. ~자 persona *f* que estudia sin maestro; autodidacto, -ta *mf*.

독해(讀解) comprensión *f* de lectura. ~하다 comprender la lectura. ~력 comprensión.

독회(讀會) lectura *f*.

독후(讀後) después de leer, después de la lectura. ~감 impresión *f* después de leer.

돈¹ ① dinero *m*; [동전] moneda *f*; [지폐] billete *m*; *AmL* plata *f*. ② [물건의 값] precio *m*. ③ [재산. 재물] bienes *mpl*, propiedad *f*, fortuna *f*, riqueza *f*, hacienda *f*, tesoros *mpl*. 돈만 있으면 귀신도 부릴 수 있다 ((속담)) Poderoso caballero es don dinero. 돈만 있으면 처녀 불알도 산다 ((속담)) Quien dinero tiene, logra cuanto apetece.

돈² [무게의 단위] *don*, medida *f* coreana de peso que equivale a 0.1325 onzas o 3.7565 gramos.

돈궤(一櫃) hucha *f*, alcancía *f*; [금고] caja *f* fuerte, caja *f* de caudales.

돈끼호떼 Don Quijote. ☞동끼호떼

돈놀기 apuesta *f*. ~하다 apostar.

돈냥(一兩) un poco de dinero, unos céntimos, *AmL* unos centavos. ~ 이나 있는 집안 familia *f* con buena fortuna, familia *f* adinerada, familia *f* acaudalada.

돈놀이 usura *f*. ~하다 hacer usura, dedicarse a la usura.

돈독(一毒) mal gusto *m* para dinero.

돈독하다(敦篤一) =돈후(敦厚)하다.

돈맛 amor *m* de dinero. ~을 들이다 amar dinero. ~을 알다 llegar a amar dinero.

돈벌다 ganar dinero, hacer dinero.

돈벌이 el ganar dinero, lucro *m*, ganancia *f*, prosperidad *f*. ~하다 hacer dinero, ganar dinero, lucrarse, hacer una fortuna. ~가 좋다 ser hábil para [en] ganar dinero.

돈벼락 riqueza *f* súbita [inesperada · improvista]. ~(을) 맞다 hacer ser rico súbitamente.

돈복(－福) suerte *f* con dinero.

돈사(豚舍) =돼지우리.

돈아(豚兒) mi hijo.

돈육(豚肉) carne *f* de cerdo.

돈주머니 bolsa *f*, bolso *m*, bolsillo *m*, monedero *m*, portamonedas *m*, cartera *f*, *AmS* billetera *f*.

돈줄 filón *m*, mina *f* de oro. ~을 잡다 descubrir una mina de oro, encontrar un filón.

돈지갑 [지폐용] cartera *f*, billetero *m*, billetera *f*. ② [동전용] portamonedas *m.sing.pl*, monedero *m*. ③ [주머니] bolso *m*.

돈지랄 gasto *m* de dinero en manera loca. ~하다 gastar dinero en manera loca.

돈키호테 =동끼호떼.

돈푼 suma *f* pequeña de dinero. ~이나 모으다 ahorrar la suma pequeña de dinero.

돈 후안 ① ((인명)) Don Juan. ② ((음악)) Don Juan (de Richard Strauss). ③ [바람둥이] donjuán *m*, Don Juan *m*.

돋구다 excitar, estimular, incitar, provocar, despertar, suscitar. 식욕을 ~ estimular el apetito.

돋다¹ ① [해나 달이] salir. 해가 돋는다 Sale el sol. ② [싹 등이] brotar, germinar. 싹이 돋는다 Las hojas brotan. ③ [어떤 기색이] aparecer, nacer, manifestarse, mostrarse, nacer. ④ [입맛이] abrirse. 식욕이 ~ abrirse el apetito, abrirse la gana de comer.

돋다² ((준말)) =돋우다.

돋보기 ① =노인경(老人鏡). ② [근시경과 원시경] las gafas de miopía y las gafas contra la hipermetropía. ③ ((물리)) =확대경(擴大鏡).

돋보이다 destacar(se). 돋보이는 que tiene buena apariencia [buena vista · buen aspecto].

돋우다 ① [위로 끌어올리거나 높아지게 하다] levantar, alzar, subir, izar. ② [도드록하게 만들다] levantar, subir, amontonar. 땅을 ~ levantar el terreno, amontonar el camino. ③ [기분·느낌·의욕 등 감정을] 자극하여 일으키다] excitar, entusiasmar, estimular, despertar, incitar, instigar, provocar, agravar. 용기를 ~ animar, alentar, dar coraje.

돋을볕 sol *m* de la mañana.

돋을새김 relieve *m*.

돌 ① [난 뒤에 해마다 돌아오는 그날] aniversario *m*. 다섯 ~ quinto aniversario *m*. ② ((준말)) =첫돌.

③ [만 1년이 된 날] aniversario *m*.

돌² ① [모래보다 큰 것] piedra *f*; [자갈] guija *f*, guijarro *m*. ② =석재(石材). ③ ((의학)) =담석(膽石).

돌가루 piedra *f* en polvo.

돌감 caqui *m* [kaki *m*] silvestre.

돌개바람 torbellino *m*, remolino *m*.

돌게 ((동물)) =가재.

돌격(突擊) ataque *m*, acometida *f*, embestida *f*, asalto *m*, arremetida *f*, carga *f*. ~하다 atacar, acometer, embestir, asaltar, arremeter, hacer un ataque impetuoso, cargar. ~! ¡Al ataque! / ¡A la bayoneta! ¶~대 tropas *fpl* de asalto, cuerpo *m* embestidor. ~대원 soldado *m* de las tropas de asalto. ~전 asalto *m*, ataque *m*, incursión *f*.

돌결 grano *m* de una piedra.

돌계단(－階段) escalón *m* de piedra.

돌계집 =석녀(石女).

돌고드름 ((광물)) estalactita.

돌고래¹ ((동물)) delfín *m*.

돌고래² [돌 방고래] salida *f* humos de piedra (del hipocausto coreano).

돌기(突起) resalte *m*, salida *f*, protuberancia *f*, excrecencia *f*; [신체의] apéndice *m*, apófisis *f*. ~하다 resalir, sobresalir, estar prominente, formarse una resalte.

돌김 ((식물)) *dolkim*, el alga *f* marina que crece sobre la piedra del mar.

돌날 día *m* del primer aniversario.

돌다 ① [회전하다] girar, dar vueltas, doblar, torcer, revolverse; [공이나 바퀴가] rodar, hacer rodar sobre un eje. ② [순환하다] circular; [순회하다] rondar, hacer una ronda. ③ [(소문이나 돌림병 따위가) 퍼지다] correr, salir, divulgarse, rumorear(se); [병이] propagarse, extenderse. ④ [(금전·물건 따위가)] 융통되거나 유통되다] circular. 돈이 ~ circular dinero. ⑤ [일정한 기능을 나타내어 움직이다] mover, funcionar, manejar, actuar. ⑥ [표면에 나타나거나 생기다] aparecer (en la superficie). 군침이 ~ hacérse*le* la boca agua, hacérse*le* la boca. ⑦ [빛이나 윤기가 나타나다] aparecer el lustre [el brillo]. 취기가 ~ embriagarse, emborracharse. ⑧ [어질 해지다] estar mareado. 눈이 ~ desmayarse, sentir vaquido. ⑨ [방향을 바꾸다] doblar. ⑩ [반대편으로 옮다] virar, pasar. 반대파로 ~ virar [pasar] a la oposición. ⑪ [정신 상태에 이상이 생기다] estar loco, perder la cabeza.

돌다리¹ [도랑의] puente *m* pequeño sobre la acequia.

돌다리² [돌로 놓은 다리] puente *m*

돌담 muro *m* (de piedra); [(성(城)의] muralla *f*.

돌대가리 ① ((속어)) persona *f* muy tonta. ② [완고한 사람] cabezón, -zona *mf*; cabezota *mf*; cabezudo, -da *mf*.

돌덩어리 =돌멩이.

돌덩이 ((속어)) una piedra.

돌도끼 ((역사)) el hacha *f* de piedra.

돌돌 ① [여러 겹으로 둥글게 말리는 모양] enrollando, enroscando. 종이를 ~ 말다 enrollar el papel. 철사를 ~ 말다 enroscar el alambre. ② [둥근 물건이 가볍고 빨리 구르는 소리] rodando. ~ 구르다 rodar.

돌떡 *dolteok*, tarta *f* hecha para *su* primer cumpleaños.

돌려- =돌작³.

돌려나기 ((식물)) verticilo *m*.

돌려짓기 =윤작(輪作).

돌리다¹ [이치에 그럴싸한 일로 남에게 속다] ser engañado.

돌리다² ① [회전시키다] dar vuelta(s), hacer girar, voltear. 열쇠를 ~ dar vuelta a la llave. ② [다른 쪽으로 바꾸다] dirigir. 눈을 ~ dirigir una mirada. ③ [어떤 것의 둘레로 둥글게 움직이게 하다] hacer mover redondo. ④ [여기 저기 돌아다니게 하다] hacer recorrer. 순찰을 ~ hacer patrullar. ⑤ [융통해 주거나 배당하여 보내다] distribuir. ⑥ [융통하다] [빌려 주다] dejar, prestar; [빌리다] pedir prestado. ⑦ [노염이나 좋지 않은 감정을] 풀다] cambiar, tranquilizar, calmar. ⑧ [기계 따위가] 기능을 제대로 발휘하 되다] hacer funcionar. ⑨ [영화 따위를] 보이게 하다] hacer verse. 영화의 필름을 ~ hacer ver el filme. ⑩ [고립시키다. 따돌리다] aislar, rechazar, rehuir, evitar. ⑪ [(하고자 하는 말의 내용을) 완곡하게 말하다] insinuar, decir con rodeos, decir con circunloquios. ⑫ [어떤 테두리 안에서 차례로 전하다] circular, hacer circular; [넘기다] pasar, entregar. ⑬ [관심이나 주의를] 다른 데 쏠리게 하다] desviar, eludir, cambiar.

돌리다³ ① [뒤로 미루다] demorar, retardar, aplazar, diferir, posponer. ② [소문 따위를] 널리 퍼지게 하다] hacer correr. 이상한 소문을 ~ hacer correr el rumor extraño. ③ [한 무리 가운데서 고립되다] ser aislado entre un grupo. ④ [(시간·여유·능력 따위를) 쪼개어 쓰다] asignar, destinar, dedicar. ¶돌려놓다 ㉮ [방향을 다른 쪽으로] volver. ㉯ [고립시키거나 제외·도외시하다] aislar. 돌려보내다 ㉮ [가져온 것을] rehusar, rechazar.

㉯ [(찾아온 사람을) 그냥 보내다] hacer volver, hacer regresar. 돌려보다 ver por turnos. 돌려쓰다 pedir prestado. 돈을 ~ pedir prestado (dinero). 돌려주다 ㉮ [도로 보내 주다] devolver. ㉯ [돈을 융통해 주다] dejar, prestar, anticipar, adelantar.

돌림 ① [차례대로 돌아가는 일] turno *m*, rotación *f*. ~으로 por turnos. ② [(준말)] =돌림병. ③ =항렬(行列).

돌림감기(-感氣) =인플루엔자.

돌림병(-病) =유행병(流行病).

돌멘 =고인돌.

돌멩이 piedra *f*, pedrejón *m*, guijarro *m*, matacán *m*.

돌무더기 montón *m* de piedras.

돌무덤 tumba *f* de piedra.

돌무지 terreno *m* pedregoso.

돌문(-門) puerta *f* de piedra.

돌미나리 ((식물)) perejil *m* silvestre.

돌발(突發) estallido *m*, sobrevenida *f*, venida *f* imprevista. ~하다 sobrevenir, estallar, ocurrir de improviso, ocurrir de repente. ~ 사건 emergencia *f*, suceso *m* inesperado, suceso *m* imprevisto. ~ 사고 accidente *m*. ~적 repentino, improviso, impensado, inesperado.

돌배¹ ((식물)) pera *f* silvestre.

돌배² ((민속)) barco *m* de piedra.

돌배나무 ((식물)) peral *m* silvestre.

돌변(突變) cambio *m* repentino [inesperado]. ~하다 cambiar repentinamente [inesperadamente].

돌보다 ① [보살피다] cuidar, tener cuidado, atender, hacerse cargo, encargarse; [환자를] atender, cuidar; [어린이를] cuidar, ocuparse, encargarse; [애완 동물·식물을] cuidar; [기계·자동차를] cuidar; [자신의 몸을] cuidarse. ② [도와주다] ayudar, asistir, auxiliar.

돌부리 punta *f* de una piedra.

돌부처 ① [(불교)] estatua *f* de Buda de piedra. ② [감각이 둔하거나 고집이 센 사람] (hombre *m*) caprichoso *m* y insensato, persona *f* terca [testaruda·tenaz].

돌산(-山) monte *m* [montaña *f*] pedregoso y rocoso.

돌소금 ((광물)) sal *f* de piedra, sal *f* de gema.

돌솥 olla *f* de piedra.

돌아가다 ① [다시 가다] volver, regresar. 집에 ~ volver a casa. 돌아가는 길에 camino de casa, en el camino de vuelta [de regreso]. ② [회전하다] girar. ③ [일정한 방향으로 에돌아 가다] doblar, torcer. 왼쪽[오른쪽]으로 ~ torcer a la izquierda [a la derecha]. ④ [둘러서 가다] pasar. ⑤ [움직이다·가동하다] funcionar. ⑥ [죽다] morir.

돌아눕다 darse la vuelta en la cama.

돌아다니다 ① [여기저기 쏘다니다] recorrer, correr. ② [널리 유행하다] estar extendido. 독감이 돌아다닌다 La influenza está extendido.

돌아다보다 ① [뒤돌아보다] volverse para mirar, mirar hacia atrás. ② [지나온 행적을] reflexionar.

돌아보다 ① [몸이나 고개를] volverse (para mirar), volver la cabeza, mirar hacia atrás, mirar alrededor de sí, mirar a todos lados. 사람을 ~ volverse para mirar. ② [지난 일을] refexionar. 과거를 ~ reflexionar sobre el pasado. ③ [두루 돌아다니며 살피다] visitar, hacer visitas, ir de visita, patrullar, estar de patrulla. ④ [돌보며] cuidar, tener cuidado, atender. 입

돌아서다 ① [뒤로 향하고 서다] volverse. ② [관계를 끊고] alejar, distanciar, discrepar. ③ [배신하다] traicionar. ④ [병세나 기세가] mejorar.

돌아앉다 sentarse hacia la otra dirección.

돌아오다 ① [떠났던 자리로 다시 오다] volver, regresar. ② [차례나 차지가 되다] tocar*le*. ③ [가까운 길을 두고 먼길로] venir dando un rodeo. ④ [둘러서 오다] venir pasando.

돌연(突然) [갑자기] de repente, repentinamente, bruscamente, de súbito, de pronto, súbitamente, de golpe; [불의에] inesperadamente, improvisadamente, de improviso.

돌연 변이(突然變異) mutación f.

돌이키다 ① [돌리다. 돌리게 하다] darse la vuelta, volverse. ② [회상하거나 생각하다] recordar. ③ [본디의 모습으로 돌아가다] recuperar, recobrar, restablecer. ④ [마음을] cambiar.

돌입(突入) penetración f. ~하다 penetrar.

돌잔치 banquete m [fiesta f] (del día) del primer aniversario.

돌절구 mortero m de piedra.

돌진(突進) lanzamiento m, arranque m, avance m, acometida f. ~하다 lanzarse, abalanzarse, arrojarse, echarse, arrancarse.

돌쩌귀 gozne m, charnela f, bisagra f, charneta f.

돌출(突出) ① [갑자기 쑥 나가거나 나옴] salida f súbita. ~하다 salir súbitamente. ② [쑥 내밈. 쑥 불거짐] resalte m, saliente f(m). ~하다 sobresalir, volar, salir afuera, resalir, resaltar. ¶~부 ㉮ saliente m, prominencia f. ㉯ ((건축)) saledizo m. ~부분 [과속 방지턱] guardia f tumbada.

돌층계(一層階) escalera f de piedra;

[현관의] escalinata f (de piedra).

돌파(突破) ruptura f, rompimiento m. ~를 romper, abrir paso, vencer la dificultad, subir más de. ~구 brecha f. ~구를 열다 abrir brecha.

돌팔매질 pedrada f, guijarrazo m.

돌팔이 [점쟁이] adivino, -na mf ambulante; [의사] curandero, -ra mf. ~의원 matasanos m.sing.pl; curandero, -ra mf; medicastro, -tra mf; medicucho, -cha mf; Per médico m boliviano, médica f boliviana.

돌풍(突風) ráfaga f de viento, racha f, ventolera f. ~이 분다 El viento sopla en ráfagas.

돌확 mortero m de piedra.

돔 cúpula f, Arg domo m.

돕다 ① [조력하다] ayudar; [지원하다] apoyar, asistir; [보좌하다] auxiliar, prestar auxilios; [구제하다] salvar, prestar socorro; [기여하다] contribuir. 서로 ~ ayudarse (uno a otro · uno de otro). ② [몸의 기운이나 기능을 좋아지게 하다] promover, contribuir. 원기를 ~ promover el ánimo. 성공을 ~ contribuir al éxito.

돗바늘 aguja f para la estera.

돗자리 estera f (de paja). ~를 깔다 tender una estera. ~에 싸다 envolver en estera.

동[1] [묶음] lío m, fardo m, AmL atado m; [신문·편지의] paquete m; [돈의] fajo m; [나무 토막. 나뭇가지] haz m, AmL atado m.

동[2] [한복의] puño m, punta f.

동[3] [(상추 따위의) 꽃이 피는 줄기] tallo m [caña f] de lechuga.

동(同) ((준말)) =동일. 동등. ¶경리 부장과 ~부 차장 el director del departamento de contabilidad y el subdirector del mismo.

동(東) este m, oriente m, levante m. ~의 este, oriental, del este. ~이 트다 amanecer, empezar a clarear el día, romper el alba, romper el día.

동(洞) ① [마을] aldea f, pueblo m. ② [행정 구역] Dong. ③ [동사무소] oficina f de Dong. ~장 jefe, -a mf de Dong.

동(胴) ① [가슴을 가리는 물건] armadura f (del cuerpo), coraza f (del cuerpo). ② [동부(胴部)] tronco m del cuerpo, cuerpo m.

동(銅) ((광물)) cobre m. ~광 mina f de cobre. ~광석 mineral m de cobre. ~색 color m de cobre. ~판 plancha f de cobre. ~화(貨) moneda f de cobre.

동가식 서가숙(東家食西家宿) vagabundeo m, vagabundería f, vagabundez f, vagabundaje m, vagamundería f; [사람] vagabundo, -da *mf.* ~하다 vagabundear, llevar la vida vagabunda.

동감(同感) ① [같은 느낌] igual [mismo] sentimiento *m*, misma opinión *f.* ~이다 ser de la misma opinión, tener igual sentimiento, tener el mismo sentimiento. ② [동의] asentimiento *m*, acuerdo *m*, avenencia *f*, concordia *f*, convenio *m*. ③ [동정] afecto *m*, simpatía *f*.

동갑(同甲) la misma edad. 그와 나는 ~이다 El y yo somos de la misma edad / El y yo tenemos la misma edad.

동강 pedazo *m*, trozo *m*, parte *f*. 세 ~ tres pedazos, tres trozos, tres partes. ~(을) 내다 romper en dos pedazos. ~(이) 나다 romperse en dos pedazos.

동거(同居) convivienda *f*, cohabitación *f*. ~하다 convivir, cohabitar, vivir en una misma casa, vivir [habitar] con otra persona, residir con otro. ~인 conviviente *mf*.

동검(銅劍) espada *f* de cobre.

동격(同格) ① [동등한 지위] el mismo rango, la misma categoría, el mismo estado, la misma posición social. ② ((언어)) aposición *f*.

동결(凍結) ① [얼어붙음] congelación *f*. ~되다 helarse, congelarse. ② ((경제)) congelación *f*. ~하다 [자산 등을] congelar.

동경(東京) Tokio.

동경(東經) longitud *f* este. ~ 30도 15분 treinta grados quince minutos de longitud este.

동경(銅鏡) espejo *m* de cobre.

동경(憧憬) deseo *m* ardiente [vehemente], anhelo *m*, aspiración *f*, golondro *m*, sueño *m* dorado, adoración *f*. [숭배] admiración *f*. ~하다 anhelar, desear vehemencia, ansiar, admirar, adorar.

동계(冬季) estación *f* invernal [del invierno]. ~의 invernal, de(l) invierno. ~ 대회 los Juegos de Invierno. ~ 올림픽 경기 대회 los Juegos Olímpicos de Invierno, la Olimpiada de Invierno. ~ 휴가[방학] vacaciones *fpl* de invierno.

동계(同系) el mismo linaje, la misma línea.

동고 동락(同苦同樂) acción *f* de sufrir y disfrutar juntos. ~하다 sufrir y disfrutarse juntos.

동공(瞳孔) (해부) pupila *f*, niña *f*.

동광(銅鑛) ① [구리를 캐는 광산] mina *f* de cobre. ② [구리를 함유한 광석] mineral *m* de cobre.

동구(東歐) Europa *f* Oriental.

동구(洞口) ① [동네의 길목 첫머리] entrada *f* de la aldea. ② ((불교)) entrada *f* del templo budista.

동구라파(東歐羅巴) =동구(東歐).

동국(同國) ① [같은 나라] el mismo país. ② [그 나라] ese país; [이 나라] este país. ~인 compatriota *mf*; paisano, -na *mf*.

동굴(洞窟) cueva *f*, caverna *f*; [자연의] gruta *f*. 알따미라 ~ Cueva *f* de Altamira. ¶~ 벽화 pintura *f* rupestre. ~ 탐험 espeleología *f*. ~ 탐험가 espeleólogo, -ga *mf*. ~ 학 espeleología *f*. ~ 학자 espeleólogo, -ga *mf*.

동궁(東宮) príncipe *m* heredero.

동권(同權) derechos *mpl* iguales, mismos derechos *mpl*.

동그라미 ① [원] círculo *m*. ~를 그리다 trazar un círculo. ② ((속어)) dinero *m*.

동그래에이 @.

동그랑쇠 ① =굴렁쇠. ② =삼발이.

동그랗다 (ser) redondo, circular. 그 란 얼굴 cara *f* redonda.

동그래지다 hacerse redondo.

동그스레하다 =동그스름하다.

동그스름하다 ser algo redondo.

동글납작하다 (ser) redondo y plano.

동글다 (ser) redondo.

동글리다 hacer en círculo.

동글반반하다 (ser) redondo y plano.

동글붓 cepillo *m* con punta redonda.

동급(同級) ① [같은 등급] el mismo grado. ② [같은 학급] la misma clase. ¶~생 condiscípulo, -la *mf*, compañero, -ra *mf* de clase.

동기(冬期) invierno *m*, estación *f* invernal.

동기(同氣) hermanos *mpl*. ~간(에) entre los hermanos.

동기(同期) ① [같은 시기] el mismo período, la misma época, período *m* correspondiente. ② ((물리)) sincronismo *m*. ③ ((준말)) =동기생.

동기(動機) motivo *m*. 범행의 ~는 돈 이었다 El dinero fue el motivo del crimen.

동기(童妓) *kisaeng f* muy joven.

동기(銅器) utensilios *mpl* de cobre.

동끼호떼 ① ((인명)) Don Quijote. ② ((문학)) El Quijote; [원제목] El ingenioso hidalgo don Quijote de la Mancha (라 만차 마을의 재치 있는 시골 양반 끼호떼). ③ [공상적 이상가] quijote *m*. ¶~식 quijotismo *m*. ~형 quijotismo *m*, quijotería *f*, tipo *m* quijotesco.

동나다 acabarse, agotarse; [상품이] agotar, agotar las existencias.

동남(東南) ① [동쪽과 남쪽] el este y el sur. ② [남동(南東)] sudeste *m*, sureste *m*. ¶~풍 viento *m* (del) sudeste.

동남(童男) niño *m*, muchacho *m*. ~ 동녀 niño y niña, niños *mpl*.

동남아 방위 조약 기구(東南亞防衛條約機構) =동남 아시아 조약 기구.

동남 아시아(東南─) ((지명)) Sudeste

m de Asia, Sudeste *m* Asiático, el Asia *f* del Sureste.

동남 아시아 조약 기구(東南 Asia 條約機構) Organización *f* del Tratado del Sudeste de Asia.

동냥 ① mendiguez *f*, mendicidad *f*. ~하다 mendigar. ② ((불교)) limosna *f*. ~하다 pedir limosna.

동냥아치 mendigo, -ga *mf*.

동네 aldea *f*, población *f* pequeña.

동녀(童女) ① [계집아이] niña *f*, chica *f*. ② ((준말))=동정녀.

동년(同年) ① [같은 해] el mismo año. 2003년 1월과 ~ 6월에 en enero de 2003 y en junio del mismo año. ② [같은 나이] la misma edad.

동년배(同年輩) los mismos años, la misma edad.

동녘(東一) este *m*.

동댕이치다 [힘차게 내던지다] tirar (a la basura), arrojar, lanzar. 화가 나서 책을 ~ el libro con ira [con furia]. ② [하던 일을 딱 잘라 그만두다] abandonar, dejar, renunciar.

동독일(東獨逸) ((지명)) Alemania *f* Oriental.

동동 [발을] pataleando. 발을 ~ 구르다 patear, patalear.

동동거리다 patear, patalear.

동동주(-酒) *dongdongchu*, licor *m* que flota los granos de arroz.

동등(同等) igualdad *f*. ~하다 (ser) igual, el mismo (que); [가치가 같은] equivalente; [같은 수준의] del mismo nivel. ~하게 igualmente, por igual, con igualdad, en igual término, al igual, equitativamente. 인간은 법 앞에서 ~하다 El hombre es igual ante la ley. ¶~권 igual derecho *m*, el mismo derecho.

동떨어지다 distar, estar lejos, estar alejado, alejarse, estar a lo lejos, estar distante, ser muy diferente.

동라(銅鑼) ((악기)) gong *m*, gongo *m*, batintín *f*.

동락하다(同樂一) divertirse juntos, compartir su alegría.

동란(動亂) disturbio *m*, tumulto *m*, alboroto *m*, confusión *f*, desorden *m*, motín *m*, agitación *f*; [폭동] rebelión *f*, sublevación *f*; [전쟁] guerra *f*.

동량(棟樑) ① [기둥과 들보] el poste y la viga. ② ((준말))=동량지재. ¶~지재 gran habilidad *f*, pilar *m*.

동력(動力) ① ((기계)) potencia *f*, energía *f*, poder *m*, fuerza *f* motriz; [기관] motor *m*; ((역학)) fuerza *f* dinámica; ((물리)) momento *m* de fuerzas. ②=원동력. ¶~선(船) lancha *f* a [de] motor, (lancha) motora *f*. ~선(線)

línea *f* de alto voltaje, electroducto *m*, línea *f* de energía. ~ 자원부 Ministerio *m* de Energía y Recursos. ~ 자원부 장관 ministro, -tra *mf* de Energía y Recursos.

동렬(同列) ① [같은 줄] la misma fila. ② [같은 수준이나 위치] el mismo nivel, la misma posición. ③ [같은 반열] el mismo rango.

동록(銅綠) verdín *m*, cardenillo *m*. ~이 슬다 formar verdín.

동료(同僚) colega *mf*, compañero, -ra *mf*; socio, -cia *mf*.

동류(同類) ① [동종] igual clase *f*, igual especie, la misma clase, la misma especie. ② [같은 무리] semejante *mf*; [공모자] cómplice *mf*. ¶~항 términos *mpl* semejantes.

동률(同率) la misma proporción, empate *m*.

동리(洞里) ① [마을] aldea *f*. ② [동(洞)과 리(里)] *Dong* y *Ri*.

동맥(動脈) arteria *f*. ~ 경화증 arteriosclerosis *f*. ~류(瘤) aneurisma *f*. ~염 arteritis *f*. ~학 arteriología *f*. ~혈 sangre *f* roja [arterial]. ~혈전 trombo *m* arterial.

동맹(同盟) alianza *f*, liga *f*, unión *f*, confederación *f*. ~하다 ligarse, aliarse, confederarse, unirse, formar una alianza. ~국 países *mpl* aliados, potencias *fpl* aliadas, los Aliados. ~군 fuerzas *fpl* aliadas, ejércitos *mpl* aliados, los aliados. ~ 태업 sabotaje *m*, saboteo *m*. ~파업 huelga *f*, paro *m*, huelga *f* de obreros. ~파업자 huelganista *mf*, huelguista *f*.

동메달(銅一) medalla *f* de bronce.

동면(冬眠) hibernación *f*. ~하다 hibernar, invernar, pasar el invierno.

동명(同名) el mismo nombre. ~ 이인 homónimo, -ma *mf*. ~인 tocayo, -ya *mf*.

동명(洞名) nombre *m* de *Dong*.

동명사(動名詞) ((언어)) gerundio *m*.

동명태(凍明太) abadejo *m* congelado.

동모(同謀) conspiración *f*. ~하다 conspirar. ~자 conspirador, -ra *mf*.

동무 ① [늘 친하게 함께 어울려 노는 사람] amigo, -ga *mf*. ~가 되다 hacerse amigo. ② [동지] compañero, -ra *mf*; camarada *f*.

동문(同文) la misma escritura, el mismo contenido, el mismo texto.

동문(同門) ① [같은 학교나 같은 스승 밑에서 배운 사이 또 그 사람] estudio *m* con el mismo maestro; [동무] compañero, -ña *mf* de estudios; discípulo, -la *mf* de estudios; compañero, -ra *mf* de clase; [졸업생] ex-alumno, -na *mf*. ② [같은 종파. 또 그 사람] la misma secta *f*; [사람] sectario, -ria *mf*. ¶~ 수

학 estudio *m* bajo el mismo maestro. ~ 수학하다 estudiar bajo el mismo maestro. ~회 Asociación *f* de Ex-alumnos.

동문(東門) puerta *f* en el este.

동문(洞門) ① [동굴의 입구] entrada *f* de la cueva. ② [동네 입구에 세운 문] puerta *f* en la entrada de la aldea.

동문 서답(東問西答) contestación *f* irrelevante [intrascendente · incoherente · muy garrafal]. ~하다 contestar irrelevantemente.

동물(動物) animal *m*; [집합적, 한 지대나 한 지방의] fauna *f*. ~의 animal. ~ 모양의 zooide. ~ 검역 cuarentena *f*, inspección *f* médica de los animales. ~계 reino *m* animal. ~ 시험[실험] examen *m* animal. ~ 애호 zoofilismo *m*. ~ 애호가 aficionado, -da *mf* del animal. ~원 parque *m* zoológico, jardín *m* zoológico, zoo *m*. ~학 zoología *f*. ~ 학자 zoólogo, -ga *mf*.

동민(洞民) habitante *mf* de *Dong*.

동반(同伴) acompañamiento *m*. ~하다 acompañar, ir juntos, ir en compañía, ir con. 부인 ~으로 en compañía de *su* esposa, con *su* esposa, acompañado por [de] *su* esposa. ¶~자 acompañante *mf*.

동반구(東半球) hemisferio *m* este.

동반장(洞班長) jefe, -fa *mf* de *Dong* y *Ban*.

동방(東方) ① [동쪽] este *m*, oriente, *m*, levante *m*. ~의 (del) este, oriental. ② [동부 지역] región *f* (del) este, región *f* oriental. ¶~ 박사 los tres Reyes Magos. ~예의지국 Corea.

동방(東邦) ① [동쪽의 나라] país *m* (del) este, país *m* oriental. ② [우리 나라] nuestro país, Corea.

동방(洞房) ① [침실] dormitorio *m*, alcoba *f*. ② [(준말)] =동방 화촉. ¶~ 화촉 ceremonia *f* de dormir en la habitación de *su* novia por la noche nupcial después de las bodas. ~ 화촉을 밝히다 dormir [acostarse] en la habitación de *su* novia por la noche nupcial después de las bodas.

동배(同輩) igual *mf*, camarada *mf*; compañero, -ra *mf*; colega *mf*. ~로 취급하다 tratar de igual a igual.

동백(冬柏) ① [동백나무의 열매] fruto *m* de camelia. ② =동백나무. ¶~기름 aceite *m* de camelia. ~꽃 (flor *f* de) camelia *f*.

동백나무(冬柏-) ((식물)) camelia *f*.

동병 상련(同病相憐) simpatía *f* mutua.

동복(冬服) ropa *f* [traje *m* · vestido *m*] invernal.

동복(同腹) nacimiento *m* uterino; [사람] niño *m* uterino [nacido de la misma madre].

동본(同本) familia *f* ancestral, origen *m* familiar.

동봉(同封) adjunción *f*; [동봉물] adjunto *m*, incluso *m*; [동봉 서류] carta *f* adjunta [incluida]. ~하다 adjuntar, acompañar. ~물 incluso *m*, adjunto *m*. ~ 편지 carta *f* adjunta [inclusa].

동부(東部) parte *f* este [oriental]. ~ 전선 frente *f* de batalla oriental.

동부인(同夫人) acompañamiento *m* con *su* esposa. ~하다 acompañarse con [de] *su* esposa.

동북(東北) ① [동쪽과 북쪽] el este y el norte. ② [북동] nordeste *m*, noreste *m*. ~의 nordeste, noreste, nororiental.

동북 아시아(東北−) ((지명)) el Asia *f* Nordeste.

동분모(同分母) igual denominador *m*.

동분 서주(東奔西走) paseo *m* sin rumbo fijo, vagancia *f* por las calles. ~하다 andar ocupado de un lado a otro, pasear sin rumbo fijo.

동사(凍死) muerte *f* de [por el] frío. ~하다 morir(se) de frío. ~자(者) muerto, -ta *mf* de frío.

동사(動詞) verbo *m*. ~의 verbal. 규칙[불규칙] ~ verbo *m* regular [irregular].

동사무소(洞事務所) oficina *f* de *Dong* [un barrio · una aldea].

동산(東山) montecito *m*.

동산(動産) bienes *mpl* muebles [mobiliarios]. ~의 mobiliario.

동산(銅山) mina *f* de cobre.

동삼(童參) ((준말)) =동자삼(童子蔘).

동상(同上) ídem, como el anterior, lo mismo (que arriba), indicado.

동상(凍傷) sabañón *m*, quemadura *f* por el frío, congelación *f*. ~에 걸린 congelado; [(식물)] quemado. ~에 걸리다 tener un sabañón, ser congelado, ser quemado.

동상(銅像) estatua *f* de bronce.

동색(銅色) color *m* cobre [cobrizo].

동생(同生) hermano, -na *mf* menor.

동서(同書) el mismo libro, dicho libro *m*; [같은 작품] la misma obra; [그 책] ese libro; [문제의 책] libro *m* en cuestión. ~에서 인용 Ibídem, ibíd.

동서(同棲) cohabitación *f*, convivencia *f*, concubinato *m*. ~하다 cohabitar, convivir, vivir juntos.

동서(同壻) cuñado, -da *mf*.

동서(東西) ① [동쪽과 서쪽] el este y el oeste. ② [동양과 서양] el Oriente y el Occidente. ¶~ 남북 puntos *mpl* cardinales; norte, sur, este y oeste.

동서양(東西洋) el Oriente y el Occidente.

동석(同席) presencia *f* delante de otro [otros]. ~하다 sentarse a la misma mesa, presenciar. ~자 los presentes.

동선(銅線) alambre *m* [cable *m*] conductor, alambre *m* de cobre.

동성(同性) ① [같은 성질] el mismo carácter. ② [(남녀·암수의) 같은 성] el mismo sexo, homogeneidad *f*. ~의 del mismo sexo, homosexual, homogéneo. ~애 homosexualidad *f*, [여성간의] lesbianismo *m*. ~애자 homosexual *mf*; sodomita *m*; lesbiana *f*.

동성(同姓) el mismo apellido. ~ 동명 el mismo apellido y el mismo nombre, el mismo nombre con el mismo apellido. ~ 동본 con el mismo origen familiar con el mismo apellido.

동수(同數) el mismo número.

동숙(同宿) vivienda *f* [hospedería *f*] en el mismo hotel. ~하다 alojarse [hospedarse] en el mismo hotel; [하숙집에서] alojarse en la misma pensión.

동승(同乘) acción *f* de tomar [montar] en el mismo coche [en el mismo tren]. ~하다 subir en el mismo coche, ir montado en un mismo coche.

동시(同時) el mismo tiempo, la misma época, el mismo período. ~의 simultáneo, sincrónico; [병발의] concurrente, contemporáneo, coetáneo. ~에 al mismo tiempo, a la vez, simultáneamente. ¶ ~ 녹음 grabación *f* simultánea, sincronización *f*. ~ 발생 sincronismo *m*, simultaneidad *f*. ~ 통역 interpretación *f* [traducción *f*] simultánea.

동시(童詩) verso *m* infantil.

동시대(同時代) la misma época. ~의 contemporáneo. ~인 contemporáneo, -a *mf*.

동식물(動植物) animales *mpl* y vegetales [plantas]; [어느 지역·시대의] fauna *f* y flora. ~계 reino *m* animal y vegetal.

동실동실하다 (ser) rellenito [regordete] y redondo, regordete, gordinflón, rechoncho.

동심(同心) ① [같은 마음] el mismo corazón, el mismo sentimiento; [일치] acuerdo *m*, unanimidad *f*. ② ((수학)) concentricidad *f*. ¶ ~각 ángulo *m* concéntrico. ~원 círculos *mpl* concéntricos.

동심(童心) corazón *m* infantil.

동아리¹ [큰 물건의 한 부분] una parte. 아랫~ parte *f* inferior. 윗~ parte *f* superior.

동아리² [한 패를 이룬 무리] grupo *m*, facción *f*, asociación *f*.

동아시아(東一) el Asia Oriental, el Asia (del) Este.

동아줄 soga *f*, mamora *f*, cuerda *f*, cabo *m*, cordel *m*, estrenque *m*, guindaleta *f*, crizneja *f*, liñuelo *m*; [굵은 줄] sirga *f*, toa *f*.

동안 ① [기간] período *m*, periodo *m*, duración *f*. ② [부사적] por, durante, mientras (que). 오랫~ (por) mucho [largo] tiempo. 10년 ~ (por) diez años.

동안(東岸) costa *f* (del) este, costa *f* oriental; [강의] orilla *f* [ribera *f*] (del) este.

동안(童顔) cara *f* [rostro *m*·semblante *m*] infantil.

동야(凍野) tundra *f*.

동양(東洋) Oriente *m*, Este *m*. ~의 oriental, del Oriente, del Este. ~사 historia *f* oriental. ~인 oriental *mf*. ~학 orientalismo *m*. ~화(畵) pintura *f* oriental. ~ 화가 pintor, -tora *mf* oriental.

동업(同業) [직종의] la misma profesión; [업종의] el mismo comercio. ~자 socio, -cia *mf*. ~ 조합 gremio *m*.

동여매다 ① [묶어서 흩어지지 않게 하다] atar, *AmL* amarrar; [곡식을] agavillar; [두르다. 감다] envolver. 기둥에 ~ atar al poste. ② ~속박하다.

동요(動搖) trepidación *f*, estremecimiento *m*, temblor *m*; [급격한] sacudida *f*; [심리적인] disturbio *m*, turbación *f*, perturbación *f*, agitación *f*; ((의학)) fluctuación *f*. ~하다 trepidar, estremecerse, temblar, oscilar, vacilar, turbarse, perturbarse, perder *su* calma, agitarse.

동요(童謠) canción *f* infantil, canción *f* de [para] niños, rimas *fpl* de niño. ~ 작가 escritor, -tora *mf* de canciones infantiles. ~집 canciones *fpl* infantiles.

동우회(同友會) asociación *f* de compañeros.

동원(動員) movilización *f*. ~하다 movilizar. ~령 orden *f* de movilización. ~령을 발하다 dar la orden de movilización.

동월(同月) ① [같은 달] el mismo mes. ~ 동일(同日)에 en el mismo mes y día. ② [그 달] ese mes, mes *m* del curso, mes mes correspondiente.

동위(同位) la misma posición, el mismo puesto, el mismo rango. ~ 각 ángulo *m* correspondiente. ~ 원소 isótopo *m*.

동유럽(東一) Europa *f* Oriental.

동음(同音) el mismo sonido; ((음성학)) homofonía *f*.

동의(同義) la misma significación, el

mismo sentido. ~의 sinónimo. ~어 sinónimo m.

동의(同意) ① [같은 뜻] la misma significación. ② [같은 의견] la misma opinión. ③ [의견을 같이함] asentimiento m, consentimiento m, asenso m; [승인] aprobación f, sí. ~하다 asentir, acceder, consentir; [승인하다] aprobar.

동의(動議) moción f, proposición f. ~안 moción f. ~안을 제출하다 presentar una moción.

동이 jarro m, jarra f.

동이다 atar, amarrar, liar, ligar; [끈으로] atar con cuerda; [사슬로] encadenar; [가죽으로] atar con una correa.

동인(同人) ① [같은 사람] la misma persona. ② [앞서 말한 그 사람] esta [dicha·susodicha] persona f. ③ [문예의] miembro mf de un círculo literario. ¶ ~ 잡지 revista f de un círculo literario.

동인(動因) causa f motiva, motivo m.

동인도(東印度) ((지명)) las Indias Orientales.

동일(同一) igualdad f, identidad f, homogeneidad f. ~하다 (ser) igual, mismo, idéntico. ~ 노동동일 임금 igual remuneración f por igual trabajo. ~시 identificación f, asimilación f. ~시하다 identificar, asimilar. ~인 identidad f.

동자(童子/僮子) niño m.

동자(瞳子) pupila f, niña f del ojo.

동작(動作) movimiento m, acción f, gesto m. ~하다 mover, accionar, gestionar.

동장(洞長) ① [동네의 우두머리] jefe, -fa mf de una aldea. ② [행정 구역의] jefe, -fa mf de Dong.

동장군(冬將軍) invierno m, gran nevada f, frío m muy severo del invierno.

동적(動的) dinámico, cinético.

동전(銅錢) moneda f de cobre.

동절(冬節) invierno m.

동점(同點) la misma nota; [시합에서] empate m. ~이 되다 empatarse, estar empatado, empatar el juego.

동정 tirilla f de camisa; [접는 솔라파 f, cuello m; [옷의] collar m.

동정(同情) compasión f, lástima f, simpatía f, conmiseración f, piedad f. ~하다 tener compasión, compadecer; [입장을 이해하다] comprender la situación. ~심 compasión f, piedad f, delicadeza f; [위로하는 마음] miramiento m, consideración f.

동정(東征) conquista f del oriente.

동정(動靜) [움직임] movimiento m; [상황] situación f. 정계의 ~ condición f del mundo político, pers-

pectiva f de situación política. ~을 살피다 indagar [averiguar] los movimientos.

동정(童貞) ① [상태] castidad f, virginidad f. ~을 잃다 perder [romper] su castidad [su virginidad]. ~을 지키다 guardar [mantener] su castidad [su virginidad]. ④ [사람] virgen mf; hombre m casto [virgen], mujer f casta [virgen].

동제(銅製) fabricación f de cobre. ~ 메달 medalla f de cobre. ~품 objeto m de cobre.

동조(同調) ① [음악] la misma melodía. ② [문학의] el mismo tono y ritmo. ③ [찬동] acuerdo m, simpatización f. ~하다 ponerse de acuerdo, simpatizar, ponerse del lado, adoptar [tomar] el partido. ④ [무선·라디오의] sintonización f, sintonía f. ~하다 sintonizarse. ~시키다 sintonizar. ¶ ~자 simpatizante mf.

동족(同族) la misma familia, la misma sangre; [종족] la misma tribu, la misma raza; [혈족] la misma sangre, consanguinidad f, consanguineidad f. ~ 상잔 guerra f fratricida, guerra f implacable, guerra f despiadada, pelea f y matanza entre la misma raza. ~애 amor m fraternal [fraterno].

동종(同宗) ① [같은 일가] la misma familia. ② [같은 종파] la misma secta.

동종(同種) ① [동류] la misma especie, la misma clase, el mismo género. ~의 상품 artículos mpl del mismo género. ~의 식물 plantas fpl congéneres. ② [같은 인종] la misma raza. ③ [그 종류] esa especie, esa clase, ese género.

동지(冬至) ① [이십사 절후의 하나] solsticio m hiemal, solsticio m de invierno, el día más corto del año. ② ((준말)) =동짓달. ¶ ~섣달 noviembre y diciembre del calendario lunar. ~ㅅ날 día m del solsticio hiemal. ~ㅅ달 mes m de noviembre del calendario lunar.

동지(同志) ① [뜻이 서로 같음] la misma intención, el mismo corazón. ② ((준말)) =동지자. ¶ ~애 compañerismo m, amistad f entre compañeros [camaradas]. ~자 camarada mf, compañero, -ra mf; personas fpl de la misma idea.

동질(同質) la misma calidad, homogeneidad f. ~의 de misma calidad, homogéneo.

동쪽(東─) este m, oriente m, levante m. ~의 (del) este, oriental.

동차(動車) =기동차(汽動車).

동참(同參) ① [어떤 식이나 모임에] 함께 참가함] coparticipación f. ~

하다 coparticipar. ② =동료(同僚).

동창(同窓) ① [같은 학교에서 배움] estudio m en la misma escuela. ② ((준말)) =동창생. ¶ ~생 condiscípulo, -la mf; compañero, -ra mf de colegio; [졸업생] graduado, -da mf (en la misma escuela). ~회 [조직] asociación f de graduados. ④ [회합] reunión f de ex-alumnos.

동창(東窓) ventana f que da al este.

동체(同體) ① [같은 한 몸] el mismo cuerpo. ② [같은 물체] el mismo artículo.

동체(胴體) ① [몸] cuerpo m, tronco m. ② ((항공)) fuselaje m. ¶ ~ 착륙 aterrizaje m de [sobre la] panza, barrigazo m. ~ 착륙하다 aterrizar sobre la panza.

동침(同寢) acción f de acostarse con otro. ~하다 acostarse juntos, dormir con otro en el mismo lecho.

동태(凍太) ((준말)) =동명태(凍明太).

동태(動態) movimiento m.

동토(凍土) tierra f helada, suelo m helado. ~대 tundra f.

동통(疼痛) dolor m sordo, redolor m. ~을 느끼다 ⑦ [아픈 데가 주어일 때] dolerle a uno sordamente. ④ [사람이 주어일 때] sentir dolor sordo (de).

동트기(東−) amanecer m, amanecida f, el alba f.

동트다(東−) amanecer, clarear, alborear. 동틀 때 al rayar [romper] el alba, al amanecer, al clarear [despuntar] el día. ☞동(東)².

동판(銅板) lámina f de cobre, plancha f [chapa f] de cobre.

동판(銅版) imprenta f de plancha f de cobre, grabado m a media tinta.

동포(同胞) ① [동기. 형제 자매] hermanos mpl. ② [같은 겨레] compatriota mf; paisano, -na mf.

동포애(同胞愛) fraternidad f, confraternidad f, hermandad f.

동풍(東風) viento m este, viento m del este, subsolano m.

동하다(動−) ① [움직이다] moverse; [군대가] hacer entrar en acción. ② [어떤 감정이] 일어나다] sentir, titubear, vaciilar, morirse. 식욕이 ~ sentir el apetito (de comer). ③ =도지다.

동학(同學) =동문(同門). 동창(同窓).

동학(교)(東學(敎)) =천도교(天道敎).

동해(東海) ① [동쪽의 바다] mar m (del) este. ② [지명] Mar m del Este. ③ [성격] Mar m Muerto. ¶ ~안 ⑦ [육지의 동쪽에 있는 해안] costa f este de la China. ④ [우리 나라 동해의 연안] litoral m del Mar Este (de nuestro país).

동행(同行) [어떤 곳에 함께 감]

acompañamiento m. ~하다 acompañar (a), ir con, viajar juntos. ~자 acompañante mf.

동향(同鄕) la misma tierra natal, el mismo suelo natal, el mismo país. ~인 paisano, -na mf.

동향(東向) ① [동쪽으로 향함] hacia el este. ② [동쪽 방향] dirección f (del) este.

동향(動向) tendencia f, inclinación f, movimiento m. 경제 ~ tendencias fpl económicas.

동혈(洞穴) caverna f, cueva f.

동형(同形) [사물의 형식이 같음. 형상이 같음] la misma forma. ~의 de la misma forma. ~ ((화학)) isomorfismo m. ~의 isomorfo.

동형(同型) ① [타입이 같음] la misma tipo. ② [그 타입] ese tipo.

동호(同好) la misma afición, el mismo gusto. [사람] persona f de la afición similar. ~인 persona f de la misma afición. ~회 sociedad f de aficionados.

동화(同化) asimilación f, asimilabilidad f, semejanza f, adaptación f, integración f, ((생물)) anabolismo m. ~하다 asimilar, adaptarse. ~ 작용 (procedimiento m de) asimilación f, asimilabilidad f; adaptación f; [세포의] metabolismo m; [음식물의] anabolismo m.

동화(童話) cuento m infantil, cuento m de hadas, cuento m para niños, cuento m de niños. ~의 나라 país m de las hadas. ¶ ~극 drama m infantil. ~ 작가 escritor, -tora mf de cuentos infantiles. ~집 colección f de cuentos infantiles. ~책 libro m infantil [de cuentos infantiles].

동화(童畫) dibujo m infantil.

동화(銅貨) moneda f de cobre.

동활자(銅活字) tipo m de cobre.

동활차(銅滑車) garrucha f móvil.

돛 vela f, [큰] velacho m; [집합적] velaje m, velamen m; [주 돛] vela f mayor. ~(을) 달다 levantar velas, alzar velas, izar velas; [출범하다] hacer a la vela, hacerse [darse] a la vela, dar (la) vela.

돛단배 navío m velero, velero m.

돛대 mástil m, palo m, árbol m; [앞돛대] trinquete m.

돛배 vela f, barco m [buque m] de (la) vela.

돼지 ((동물)) cerdo, -da mf; puerco, -ca mf; [새끼 돼지] gorrino m, lechón m, cochinillo m; [거세된 돼지] cerdo m castrado. ~고기 carne f de cerdo, carne f de puerco. ~우리 pocilga f, porqueriza f.

돼지감자 ((식물)) cotufa f.

되 doe, medida f coreana de capacidad.

되가지다 volver a poseer, poseer de nuevo. ①

되갈다 ① [논밭을 다시 갈다] volver a arar, arar de nuevo, arar otra vez. ② [가루 등을 다시 갈다] volver a moler [machacar], moler [machacar] de nuevo [otra vez].

되감다 rebobinar, volver a bobinar, bobinar de nuevo [otra vez].

되걸리다 tener [sufrir] una recaída. 감기에 ~ volver a coger un resfriado, volver a resfriarse.

되게 muy, mucho, sumamente, extremadamente, extraordinariamente, severamente, con severidad. ~ 걱정하다 preocuparse mucho.

되넘기다 revender.

되넘다 volver a cruzar [atravesar], cruzar [atravesar] de nuevo.

되놓다 poner otra vez [de nuevo · nuevamente], volver a poner.

되되다 hablar larga y pesadamente.

되는대로 al azar, sin pensar, a (la) buena ventura, sin orden ni concierto, al (buen) tuntún, sin ton ni son, a la buena de Dios; [계획없이] sin plan fijo. ~ 말하다 disparatar, decir disparates.

되다¹ ① [직업 · 신분 따위] hacerse [(llegar a) ser] + 「명사」 (관사 없이). 대통령이 ~ hacerse presidente. ② [상태] volverse, ponerse, quedar. 슬프게 ~ volverse triste. ③ [···로 변하다] cambiarse [convertirse · trasformarse · transformarse] (en + 「명사」 (관사 없이)). 얼음이 물로 된다 El hielo se convierte en agua. ④ [결과가 ···이 되다] resultar, hacerse, ser, seguir. ⑤ [시간 · 수량 따위가] hacer(se), cumplir. 봄이 되면 en (la) primavera. ⑥ [구성되다] formarse, componerse, constituirse.

되다² [되 따위나 말 따위로] medir. 쌀을 ~ medir arroz.

되다³ ① [힘에 겹다] (ser) duro, penoso, pesado, fuerte. 된 일 trabajo *m* duro. 일이 너무 ~ El trabajo es demasiado duro [pesado]. ② [지어 놓은 밥 따위가] espeso, denso, duro. 죽이 ~ Las gachas son espesos. ③ [(줄 같은 것이) 몹시 캥겨서 팽팽하다] (ser) tenso. 되게 동이다 atar fuerte. ④ [호되다] (ser) severo, intenso, duro, fuerte, pesado.

되도록 todo lo posible, lo más [mejor] posible. ~ 빨리 cuanto (más) antes, lo más pronto posible, lo antes posible.

되돌아가다 volver, regresar, volver pie atrás, *AmL* devolverse (*RPl* 제외). 도중에서 ~ volver [regresar] a mitad de camino.

되돌아들다 regresar, volver.

되돌아오다 volver, devolver.

되롱거리다 colgar, pender, balancearse; [그네에서] columpiarse.

되먹다 volver a comer, comer de nuevo, comer otra vez.

되묻다 volver a preguntar, preguntar de nuevo, repetir la pregunta.

되밀다 volver a empujar, empujar de nuevo.

되바라지다 ① [나이 어린 사람이] (ser) precoz e impertinente, descarado, insolente. 되바라진 사람 persona *f* descarada. ② [너그럽지 못하고 포용성이 없다] (ser) de mentalidad cerrada, intolerante, intransigente, avaro, egoísta, mezquino. ③ [아늑한 맛이 없다] (ser) incómodo.

되박다 reimprimir, volver a imprimir.

되받다 ① [도로 받다] devolver, volver a recibir. ② [꾸짖음에 대하여 반항하다] volver a reprender.

되부르다 volver a llamar, rellamar, llamar otra vez [de nuevo].

되살다 resucitar, revivir, renacer, reanimar.

되살리다 [사람을] resucitar, volver a la vida; [경제를] reactivar, estimular; [회망 · 흥미 · 우정을] hacer renacer, reavivar.

되새 ((조류)) pinzón *m* de las montañas.

되새기다 ① [입맛이 없어 내씹다] volver a mascar, mascar de nuevo, mascar otra vez. ② [반추하다] rumiar. ③ [골똘하게 연해 생각하다] meditar, reflexionar, recordar, acordarse.

되새김 = 반추(反芻). 새김질(rumia).

되씹다 ① [한 말을 연해 자꾸 되풀이 하다] reiterar, repetir, insistir sobre la misma cosa. ② = 되새기다.

되어가다 [일이나 물건이 거의 이루어져 가다] llegar a ser, estar acercándose, desarrollarse, tomar forma. 잘 ~ salir bien, resultar bien. ② [어떤 때가 거의 다 되다] acercarse.

되우 muy, mucho. ~ 앓다 estar muy enfermo, doler mucho, tener mucho dolor.

되작거리다 [방 · 서랍을] revolver; [집 · 건물을] registrar (de arriba a abajo). ☞뒤척거리다

되작이다 = 되작거리다.

되잡다 volver a coger, coger de nuevo [otra vez].

되지못하다 ① [잘 이루어지지 못하다] no ser terminado, no ser logrado. 식사가 다 ~ la comida no está lista. ② [사람답지 못하다] no servir para nada, ser inútil, no ser decente [decoroso]; [건방지다] descarado, impudente.

되찾다 recobrar, recuperar; [명성·재산 따위를] reconquistar, revindicar. 돈을 ~ recobrar el dinero.

되팔다 volver a vender, vender de nuevo, *Méj* rescatar.

되풀다 ① [묶은 것을] volver a desatar. ② [다시 해결하다] volver a resolver, resolver de nuevo.

되풀이¹ [반복] repetición f, reiteración f; [노래·시의] estribillo m. ~하다 repetir, reiterar. ~해서 repetidamente, repetidas veces. ~되다 repetirse.

되풀이² ① [되로 계산] cálculo m por el *doe*. ~하다 calcular por el *doe*. ② [곡식을 되로 파는 일] venta f por el *doe*. ~하다 vender por el *doe*.

된서리 escarcha f severa [pesada]. ~(를) 맞다 ㉮ [되게 내린 서리를 맞다] sufrir de la escarcha pesada. ㉯ [모진 재앙을 당해 풀이 꺾이다] sufrir un gran golpe, pasar necesidades, sufrir un gran revés.

된서방 esposo m severo. ~(을) 맞다 sufrir un gran revés.

된소리 sonido m fuerte.

된장(-醬) doenchang, masa f fermentada de sojas, pasta f de soja [soya] fermentada.

된장국(-醬-) doenchangguk, sopa f de doenchang, sopa f de soja fermentada.

될성부르다 (ser) prometedor. 될성부른 나무는 떡잎부터 알아본다 ((속담)) La primera impresión es la más duradera / Los genios se revelan ya en su tierna infancia.

됨됨이 ① [사람의] su carácter, su personalidad, su disposición, su natural. ② [물건의] composición f, naturaleza f, factura f; [옷의] confección f.

됫글 conocimiento m superficial, conocimiento m poco aprendido.

두 [둘] dos, un par (de). ~ 번 dos veces.

두¹(頭) ((속어)) =골치. ¶아이고 ~야 ¡Qué dolor de cabeza!

두²(頭) [짐승의 수효를 세는 단위] cabeza f. 말 다섯 ~ cinco caballos. 소 천한 ~ mil una vacas.

두각(頭角) coronilla f (de cabeza), prominencia f, ilustración f. ~을 나타내다 distinguirse, señalarse, sobresalir (entre otros).

두개(頭蓋) cráneo m, caja f ósea.

두개골(頭蓋骨) cráneo m, calavera f.

두건(頭巾) capote m, toca f, capucha f, capirote m, caperuza f, cofia f. ~을 쓰다 ponerse un capote. ~을 벗다 quitarse un capote.

두견(杜鵑) ① ((조류)) =두견이. ② ((식물)) =진달래.

두견새(杜鵑-) ((조류)) =두견이.

두견이(杜鵑-) cuclillo m, cuco m.

두견화(杜鵑花) =진달래꽃.

두고두고 ① [여러 번에 걸쳐서] muchas veces. ~ 먹다 comer muchas veces. ② [오래도록] (por) mucho tiempo. ~ 후회하다 arrepentirse mucho tiempo. ③ [영원히] para siempre.

두골(頭骨) [(해부)] hueso m craneal.

두근거리다 palpitar, latir, agitarse, ponerse tictac. 가슴이 ~ palpitar [latir] el corazón, tener el corazón palpitante.

두근두근 con una rápida sucesión de golpecitos. ~하다 palpitar, latir. 심장[가슴]이 ~해서 con palpitaciones en el corazón.

두꺼비 ((동물)) sapo m.

두꺼비집 ((속어)) =안전 개폐기.

두껍다 (ser) grueso, voluminoso; [벽 따위가] espeso. 두꺼운 책 libro m voluminoso [grueso].

두껍디두껍다 (ser) muy grueso.

두께 espesor m, espesura f, densidad f, grosor m, grueso m; [지경] diámetro m.

두끼 dos comidas. 하루에 ~만 먹는 다 comer sólo dos comidas al día.

두뇌(頭腦) ① [머릿골] cerebro m, seso m. ~의 cerebral. 인간의 ~ cerebro humano. ② [머리] cabeza f. ㉯ [지성] inteligencia f. ¶~ 노동 trabajo m intelectual. ~ 노동자 trabajador, -dora mf intelectual [mental]; intelectual mf. ~ 유출 fuga f de cerebros. ~ 집단 gabinete m estratégico, comité m asesor.

두다 ① [일정한 곳에] poner, colocar. 손을 무릎 위에 ~ poner las manos en las rodillas. ② [일정한 곳에] dejar. 편지를 집에 두고 오다 dejar la carta en su casa. ③ [일정한 상태로] dejar. 나를 가만히 두세요 Déjeme tranquilo [en paz]. ④ [설치하다] poner, instalar. 파출소를 ~ instalar un puesto de policía. ⑤ [고용하거나 거느리다] tener, emplear. ⑥ [유숙하게 하다] cuidar, hospedar, alojar. ⑦ [기억하다] recordar. ⑧ [사이에 끼우거나 넣거나 섞다] insertar, meter, poner, mezclar. ⑨ [시간적·공간적·신분적 거리나 간격을] dejar (un intervalo). 사이를 두고 ~ a intervalos. ⑩ [바둑·장기 따위를] jugar. 장기를 ~ jugar al *changki*.

두더지 ((동물)) topo m.

두덜거리다 refunfuñar, gruñir, regañar, murmurar, rezongar, hablar entre dientes.

두둑 surco m; [두덩] dique m.

두둑하다 ① muy grueso [voluminoso]. ② [넉넉하다] (ser) suficiente, abundante, bastante, mucho, satisfactorio.

두둔 protección f. ~하다 proteger, resguardar, defender, secundar, respaldar, apoyar.

두둥실 flotando ligeramente. ~ 뜨다 flotar ligeramente.

두드러기 ((한방)) urticaria f.

두드러지다 destacarse, distinguirse, sobresalir, descollar.

두드리다 ① [소리가 나도록] llamar, tocar. 문을 ~ llamar a la puerta. ② [타격을 가하다. 때리다] golpear, dar un golpe, pegar, batir; [가볍게] tocar, dar una palmadita; [주먹으로] aporrear, dar*le* una paliza; [벌로] azotar, dar*le* una paliza; [손바닥으로 뺨을] pegar*le* [dar*le*] una bofeada, abofetear; [몽둥이·채찍으로] golpear. 등을 ~ dar*le* una palmada [una palmita] en la espalda.

두들기다 azotar, apalear, golpear, dar un golpe, dar de golpes, pegar, batir, sacudir.

두락(斗落) =마지기.

두런거리다 murmurar. 두런거리는 소리 murmullo m, susurro m.

두렁 dique m, caballón m, terraplén m de arrozal. ~길 senda f [sendero m] de dique.

두레 ((농기구)) dure, gubia f de agua usada en irrigación.

두레박 acetre m, cubo m de pozo.

두레우물 pozo m profundo (que usa el acetre).

두려움 temor m, miedo m, terror m, pavor m, horror m, espanto m, timidez f, pavidez f, pavura f, pánico m; ((은어)) canguelo m.

두려워하다 ① [겁을 내다] temer, tener miedo. ② [공경하고 어려워하다] temer. 하나님을 ~ temerse a Dios.

두렵다 ① [마음에 꺼려 무섭다] temer, tener miedo. 두려워서 tímidamente, con miedo, con temor, medrosamente. ② [염려스럽다] estar [tener] preocupado. ③ [위풍이 있어 송구한 느낌이 있다] sentirse sobrecogido [intimidado].

두령(頭領) líder mf; dirigente mf; jefe, -fa mf.

두루 ① [빠짐없이 골고루] sin excepción, perfectamente; [전면적으로] en todo, por todas partes, todo alrededor; [일반적으로] generalmente, universalmente. 세상을 ~ 돌아다니다 recorrer todo el mundo. ② =널리.

두루두루 ① [(강조)] =두루. ¶팔도 강산을 ~ 여행하다 viajar por todo el país. ② [모나지 않고 둥글게] sociablemente.

두루마기 *durumaki*, abrigo m típico coreano.

두루마리 papel m de carta enrollado, rollo m de papel [de pergamino · de escritura], papel m enrollado para escribir carta, rollo m.

두루뭉실하다 ① [모나지도 둥글지도 않고] (ser) algo redondo. ② [행·성격 따위가] no ser claro.

두루미 ((조류)) grulla f.

두르다 ponerse, llevarse, arrollarse, ceñirse, envolverse, enroscarse alrededor; [울타리를] cercar. 몸에 누더기를 ~ envolverse de andrajos.

두름 cordel m. 굴비 한 ~ un cordel de veinte corvinas secadas.

두리기둥 columna f redonda.

두리넓적하다 (ser) redondo y llano.

두리번거리다 mirar con asombro, mirar alrededor, estar alerta. 주위를 ~ mirar alrededor con mirada inquieta, recorrerlo todo con la mirada.

두리번두리번 con miradas asustadizas, con ojos inseguros. ~하다 estar lleno de miradas asustadizas.

두말 duplicidad f, lengua f doble, equivocación f. ~ 하다 faltar a *su* palabra, mentir, decir mentiras. ~ 말고 inmediatamente, en seguida, enseguida, el presente, el momento. ~ 없이 sin decir más, sin queja alguna; [즉석에서] inmediatamente; [즉시] en seguida, enseguida; [주저하지 않고] sin vacilación alguna.

두메 aldea f remota [apartada · solitaria], lugar m [sitio m] remoto [apartado · solitario · aislado]. ~에 살다 vivir en la aldea remota. ¶~ 산골 distrito m montañoso (lejano de la ciudad).

두목(頭目) jefe m, cabecilla m, líder m, dirigente m, cabeza f, caudillo m, cacique m.

두문(杜門) encierro m en el cuarto. ~ 불출 reclusión f, encierro m en el cuarto. ~ 불출하다 encerrarse, recluirse.

두문자(頭文字) ① [성명의] letra f inicial. ② [대문자] letra f mayúscula.

두발(頭髮) pelo m, cabello m.

두방망이질 golpe m con ambas manos. ~하다 golpear con ambas manos.

두 번(一番) [2회] dos veces; [재차] otra vez, de nuevo, nuevamente; [두 번째] segunda vez.

두부(豆腐) tofu m, cuajada f de soja.

두부(頭部) ① ((해부)) cabeza f. ~의 cefálico. ② [물건의 윗부분] parte f superior.

두상(頭上) ① [머리] cabeza f. ② [머리 위] coronilla f de la cabeza.

두서(頭緒) ① [일의 단서] pista f. ② [조리] lógica f, razón f. ¶~없다

(ser) incoherente, prolijo y confuso, deshilvanado. ~없는 이야기 divagaciones fpl. ~없이 sin ton ni son, sin orden ni concierto. ~없이 말하다 hablar sin ton ni son, charlar sin orden ni concierto.

두서너 dos, tres o cuatro; unos. ~가량 unos, dos o tres.

두서넛 dos, tres o cuatro; unos.

두세 dos o tres. ~번 dos o tres veces.

두셋 dos o tres. ~째 el segundo o el tercero.

두손들다 ① [완전히 포기하거나 체념하다] resignarse, fastidiar, molestar, cansar. 나를 me fastidió. 들었다 Ella me fastidió. ② [아주 항복하다] rendirse, someterse, tirar la toalla.

두수없다 No hay otro remedio.

두습 dos años de edad del caballo o de la vaca.

두억시니 demonio m, diablo m.

두엄 abono m orgánico [vegetal], abono m (de estiércol y de orina del ganado con hierbas y pajas).

두옥 (斗屋) choza f, cabaña f, barraca f, chabola f, chamizo m.

두유 (豆乳) sopa f densa de soja.

두이레 decimocuarto día m después del nacimiento del niño.

두절 (杜絶) interrupción f, cesación f, cese m. ~하다 interrumpir. ~되다 interrumpirse, cesar, parar.

두주 (斗酒) barril m de vino. ~ 불사하다 beber como un cosaco, chupar como una esponja.

두쪽 [두 편] dos partes.

두창 (痘瘡) ((의학)) divieso m.

두텁다 (ser) cordial, cariñoso, afectuoso, benigno, caritativo, misericordioso, franco, sencillo, amable, afable, hospitalario, compasivo, humano, blando, ardiente, fiel; [신앙심] piadoso, devoto, religioso.

두통 (頭痛) dolor m de cabeza; [편두통] jaqueca f, ((의학)) cefalalgia f, [만성 두통] cefalea f. ~거리 molestia f, causa f del problema, perplejidad f, oveja f negra; [부담] carga f, peso m. ⓓ [사람] hombre m intratable [difícil (de tratar)].

두룰두룰 desigualadamente, desniveladamente, disparejamente. ~하다 (ser) desnivelado, desigual, disparejo.

두름하다 ① [좀 두껍다] (ser) muy grueso, voluminoso, 두툼한 책 libro m voluminoso. ② [어지간히 넉넉하다] (ser) bastante suficiente.

두호 (斗護) protección f, patrocinio m, auspicio m. ~하다 proteger, patrocinar, auspiciar.

둑 orilla f, ribera f, magen m, banda f, ribazo m; [인공의] dique m,

malecón m; [댐] presa f. ~을 만들다 represar, construir una presa. ~을 쌓다 construir un dique.

둔각 (鈍角) ((수학)) ángulo m obtuso.

둔감 (鈍感) insensibilidad f, falta f de sensibilidad física o moral, torpeza f. ~하다 (ser) insensible, poco sensible.

둔갑 (遁甲) ((민속)) transformación f, disfraz f, desaparición f. ~하다 transformar, disfrazarse. ~술 arte m de invisibilidad.

둔기 (鈍器) el arma f desafilada.

둔덕 lugar m empinado, colina f, cerro m, collado m.

둔마 (鈍馬) caballo m lento.

둔부 (臀部) nalgas fpl, ancas fpl, caderas fpl, asentaderas fpl.

둔재 (鈍才) ① [재능이 굼뜸] torpeza f, estupidez f, necedad f. ② [재능이 굼뜬 사람] persona f estúpida [torpe・tonta].

둔주곡 (遁走曲) ((음악)) fuga f.

둔치 ribera f, orilla f, litoral m.

둔탁 (鈍濁) pesadez f, torpeza f, estupidez f, lentitud f, sordez f. ~하다 (ser) pesado, torpe, estúpido, lento, sordo. ~한 소리 sonido m sordo.

둔하다 (鈍一) ① [깨우침이 늦고 재주가 없다] (ser) lerdo, torpe, estúpido, tonto, bobo, imbécil. 둔한 사람 hombre m estúpido [lerdo・tonto・bobo・torpe・imbécil]. ② [동작이 느리다] (ser) lento.

둔화 (鈍化) entorpecimiento m, debilitación f, debilidad f. ~시키다 embotar, enromar, entorpecer, debilitar. ~되다 embotarse.

둘 dos. ~ 다 [모두] ambos, -bas mf; los dos, las dos; [부정으로] ni uno ni otro, ni una ni otra. ~씩 dos por dos, de dos en dos. ~로 나누다 dividir en dos, partir en dos. ~도 없다 ㉮ [오직 그것뿐이다] (ser) sin igual, sin par, incomparable, sólo, único. ~도 없이 sólo, solamente, únicamente. ~도 없는 친구 el mejor amigo, la mejor amiga. ㉯ [아주 귀중하다] (ser) preciosísimo, muy precioso.

둘둘 rodando. ~ 감다 ovillar, enrollar.

둘레 circunferencia f, periferia f, alrededor m. 연못의 ~ circunferencia f del estanque.

둘소 =둘암소.

둘암소 vaca f estéril.

둘암캐 perra f estéril.

둘암탉 gallina f estéril.

둘암퇘지 puerca f [cerda f] estéril.

둘이 ① [두 사람] dos personas, los dos. ~ 서로 껴안았다 Los dos se abrazaron uno a otro. ② [두 사람이서] juntos. ~ 같이 가자 Vámonos juntos.

둘째 segundo *m*. ~의 segundo. ~로 segundo, en segundo lugar. ~ 아들 segundo hijo *m*. ¶ ~손가락 dedo *m* índice, dedo *m* mostrador, dedo *m* saludador.

둥 tam-tam.

둥그렇다 (ser) redondo, circular.

둥그스름하다 =둥그스름하다.

둥그스름하다 (ser) un poco redondo.

둥글넓데데하다 (ser) redondo, llano y largo.

둥글넓적하다 (ser) redondo y llano.

둥글다 ① [모가 없이 보름달이나 바퀴 같다] (ser) redondo, circular; [구형의] esférico, globoso. 둥글게 en redondo [círculo], redondamente, circularmente. 둥근 눈 ojos *mpl* redondos. ② [모가 없이 원만하다] (ser) pacífico, amistoso.

둥글둥글 ① [여럿이 모두 둥근 모양] en redondo, redondamente. ② [원을 그리며 연해 돌아가는 모양] redondeando. ③ [모가 없이 원만한 모양] amigablemente, cordialmente, pacíficamente.

둥둥[1] [큰 북을 계속해 치는 소리] rataplán *m*. 북을 ~ 울리다 tocar el tambor fuertemente.

둥둥[2] ((끝말)) =둥실둥실.

둥둥[3] [어린 아기를 어르는 소리] ¡Cucú! 우리 아기 ~ ¡Cucú, bebé mío!

둥실 flotando alto en el aire, flotantemente, boyantemente.

둥실둥실 flotantemente, boyantemente, flotando alto en el aire.

둥실둥실하다 (ser) rellenito, llenito, regordete, rechoncho, corpulento, voluminoso.

둥우리 ① [댑싸리나 짚의] cesta *f* (de paja·de bambú). 대~ cesta *f* de bambú. ② [새 따위의] ㉮ [야생 새의] nido *m* (artificial) de pájaros. ㉯ [꿀벌의] colmena *f*.

둥지 [새·파충류의] nido *m*; [말벌의] avispero *m*; [개미의] hormiguero *m*; [쥐의] ratonera *f*, nido *m*. ~ (를) 치다 anidar, hacer *su* nido.

뒝벌 ((곤충)) abejorro *m*.

뒤 ① [등이 있는 쪽. 정면의 반대쪽] parte *f* trasera, parte *f* de atrás, parte *f* posterior; [등] espalda *f*; [꽁무니] zaga *f*. ② [나중. 미래] futuro *m*, porvenir *m*. ③ [[차례에서) 다음·나중] final, último. 한 사람 ~에 또 한 사람 uno tras otro. ~로 돌리다 postergar. ~로 미루다 posponer, postergar, aplazar. ④ [어떤 일이 끝난 다음] después (de). 식이 끝난 ~ después de terminar la ceremonia. ⑤ [어떤 일의 결과] consecuencia *f*. ⑥ [행적. 흔적. 자취] rastro *m*, huella *f*, vestigio *m*, pisada *f*. ~에서 욕하다 hablar mal en *su* au-

sencia. ⑦ [배후. 이면. 사회적 배경] fondo *m*, espalda *f*, revés *m*, lado *m* reverso. ⑧ [돈. 자금] dinero *m*, fondo *m*, capital *m*. ⑨ [가계를 이을 대(代)] herencia *f*, sucesión *f*, generación *f*. ~를 잇다 suceder. ⑩ [대주거나 이바지하는 힘] apoyo *m* (económico), respaldo *m*, ayuda *f* (económica). ~를 대다 sostener, mantener, sustentar. ⑪ [똥] estiércol *m*, excremento *m*; [아이의] caca *f*. ⑫ [엉덩이] ancas *fpl*, caderas *fpl*. ⑬ [지난날] pasado *m*. ~를 돌아보다 pensar en el pasado. ¶ ~(를) 보다 excrementar, deponer [arrojar] los excrementos. ~를 쫓다 ㉮ perseguir, seguir, correr atrás, correr. 범인의 ~를 쫓다 perseguir al criminal. ㉯ =추종하다.

뒤껄 patio *m* trasero, jardín *m* trasero, RPI fondo *m*.

뒤꽁무니 =꽁무니.

뒤꿈치 ((준말)) =발뒤꿈치.

뒤끓다 ① [뒤섞여 끓다] hervir, silbar. 주전자의 물이 뒤끓는다 La tetera hierve (silba) ② [많은 수효가] estar atestado [abarrotado]. 백화점은 손님으로 뒤끓고 있다 El almacén está atestado [abarrotado] de gente.

뒤끝 fin *m*, conclusión *f*, resultado *m*, último trabajo *m*. ~을 맺다 resolver, solucionar, poner fin, poner punto final.

뒤늦다 llegar demasiado tarde, llegar muy tarde. 뒤늦게 demasiado tarde.

뒤다 [판자가] combarse; [궁형으로] arquearse.

뒤덮다 cubrir, taparse [cubrirse] con un velo, velar.

뒤덮이다 estar cubierto. 눈으로 뒤덮여 있다 estar cubierto de la nieve.

뒤둥그러지다 ① [뒤틀려서 우그러지다] (ser) deformado, torcido. ② [생각이나 성질이 비뚤어지다] (ser) retorcido, avieso, deshonesto.

뒤떨어지다 ① [뒤에 처지다] quedarse atrás, rezagarse. 뒤떨어지지 마세요 No se quede atrás / No se rezague. ② [뒤에 남아 있다] quedarse atrás. ③ [남만 못하다] ir en zaga, quedarse en zaga, atrasarse, quedar atrás, rezagarse. ④ [시대에 맞지 않다] no estar al día, rezagarse del tiempo.

뒤뚱 tambaleándose. ~거리다 tambalearse.

뒤뚱뒤뚱 inseguramente, vacilantemente, apeonando, andando a pie. ~ 걸어가다 caminar con paso inseguro [vacilante].

뒤뜰 patio *m* posterior, patio *m* de detrás.

뒤로돌아 ((군사)) ¡Media vuelta!

뒤로하다 (dejar y) salir. 고국을 ~ salir de la patria.

뒤룩뒤룩 [군살이] gordamente, corpulentamente, obesamente. ~하다 (ser) gordo (y grasa), corpulento, obeso.

뒤미처 pronto, dentro de poco, inmediatamente, de inmediato, ahora mismo, sin demora.

뒤바꾸다 invertir. 뒤바꾸어 al contrario, por el [lo] contrario, al revés, de un modo opuesto; [순서를] con el orden invertido; [위아래를] de arriba abajo. 순서를 ~ invertir el orden.

뒤바꾸이다 invertirse, ser invertido. 순서가 ~ ser invertido el orden.

뒤바뀌다 ((준말)) =뒤바꾸다.

뒤범벅 confusión f, mezcla f (desordenada), revoltillo m, enredo m, embrollo m, fárrago m. ~이 된 farragoso. ~이 된 원문 texto m farragoso. ~을 만들다 mezclar, confundir, trabucar.

뒤섞다 mezclar confusamente.

뒤섞이다 entremezclarse, mezclarse, confundirse, complicarse.

뒤숭숭 confusión f excesiva, lío temible. ~하다 (ser) inseguro, peligroso, inquietado, inquietante.

뒤안길 camino m del callejón.

뒤얽다 enredar, complicar, enmarañar, embrollar.

뒤얽히다 [실 따위가] enredarse; [일이] complicarse, enmarañarse, embrollarse.

뒤엉키다 ① [밧줄·실 따위가] enredarse. ② [이야기 따위가] confundirse, mezclarse; [사건 따위가] enredarse, complicarse. 뒤엉킨 일 asunto m enredado [complicado].

뒤엎다 ① [전복하다] revolver, revolcar, volcar, voltear, trastumbar, trastornar, trastrocar; [계획 따위를] perturbar, desarreglar, desordenar. 판단을 ~ perturbar el juicio. ② [거꾸로] poner al revés, echar abajo, volver de arriba abajo, zozobrar, subvertir. ③ [타도하다] derribar.

뒤웅박 calabaza f (seca empleada como vasija).

뒤잇다 seguir, suceder.

뒤적거리다 [방·서랍을] revolver; [집·건물을] registrar (de arriba a abajo); rebuscar, hurgar.

뒤좇다 seguir (detrás de uno).

뒤좇아가다 [뒤를 지체하지 않고 따라가다] seguir, perseguir; [사냥개와 함께] cazar con perros. ② [남의 뜻을 따라 그대로 하다] hacer según la voluntad del otro.

뒤좇아오다 venir siguiendo (detrás de uno).

뒤주 arcón m de arroz.

뒤죽박죽 confusión f, desorden m, tumulto m, disturbio m, alboroto m, discrepancia f, imparidad f; [부사구] sin orden ni concierto, cualquier manera, desordenadamente, en desorden, en confusión, confusamente.

뒤쥐 ((동물)) musgaño m.

뒤지(-紙) papel m higiénico; [두루마리의] rollo m de papel higiénico.

뒤지다[1] ① [뒤떨어지다] atrasarse, quedar atrás, rezagarse. 정세의 변화에 ~ atrasarse en el cambio de situaciones. ② [미치지 못하다] estar fuera del alcance, no alcanzar.

뒤지다[2] ① [들추거나 헤치다] registrar, palpar, tentar. 호주머니를 ~ [남의] registrar el bolsillo; [자기의] palpar el bolsillo. ② [책갈피나 서류를] hojear. 사진첩을 ~ hojear el álbum.

뒤집다 ① [안팎을] darle la vuelta. 뒤집어 입다 ponerse al [del] revés. ② [일의 순서 따위를] invertir. 순서를 ~ invertir el orden. ③ [뒷면이나 밑면을 아래로 하거나 거꾸로 하게 하다] echar abajo, poner boca abajo, volver (al revés). ④ [일이나 계획을] cambiar, alterar, modificar, corregir; cancelar, abolir. ⑤ [말이나 태도를] cambiar, invertir. ⑥ [형세를] invertir, trocar. ⑦ [전복시키다] trastornar, volcar, zozobrar; [정부 등을] derribar, derrocar. 정부를 ~ derribar [derrocar] al gobierno. ⑧ [종의의 학설이나 이론을] anular, invalidar.

뒤집어쓰다 ① [몸에] cubrirse, ponerse, taparse. 오바를 머리까지 ~ cubrirse [taparse] con el abrigo. ② [머리에] ponerse, cubrirse, envolverse, arroparse, enrollarse. 모자를 ~ ponerse el sombrero, cubrirse. ③ [남의 허물을] ser objeto ~ atribuirse [echarse·cargar con·tomar sobre sí] la culpa. ④ [액체나 가루 따위를] llenarse, cubrirse, echarse sobre sí, salpicar. 물을 ~ echarse (el) agua, tomar un baño, bañarse; [젖다] mojarse; [배가] encapillarse. 먼지를 ~ cubrirse [llenarse] de polvo, empolvarse todo el cuerpo. ⑤ [생김새가 아주 닮다] ser muy parecido, parecerse. ⑥ [책임을] forzar a encargarse.

뒤집어씌우다 echar, achacar, imputar. 죄를 ~ achacar [imputar·echar] la culpa.

뒤집어엎다 =뒤집다.

뒤집히다 invertirse, trocarse, voltear, dar un salto mortal, saltar en salto mortal. 눈이 ~ perder la cabeza, enloquecer, volverse loco.

뒤쪽 parte *f* de atrás.

뒤쫓아가다 perseguir, seguir, ir a la zaga, seguir la pista, correr (tras). 앞차를 ~ seguir al coche que va adelante.

뒤쫓아오다 perseguir, seguir. 나를 뒤 쫓아오지 마라 No me sigas.

뒤차(一車) [다음 차] tren *m* próximo, coche *m* que sigue [que viene detrás]; [끝 차] los últimos vagones del tren.

뒤창 =뒤축.

뒤채 casa *f* de atrás, casa *f* trasera.

뒤처리(一處理) arreglo *m* [limpieza *f*] (de un suceso o una fiesta), orden, despacho. ~하다 arreglar, despachar, retirar, proceder a la limpieza, volver a poner en orden.

뒤척거리다 revolver, rebuscar, hurgar, buscar. ⇒뒤적거리다

뒤척뒤척 revolviendo, rebuscando, hurgando.

뒤축 ① [신이나 버선 따위의] ㉮ [신의] tacón *m*. ~이 높은 [낮은] 구 두 zapatos *mpl* de tacón alto [bajo]. 구두 ~을 갈다 cambiar el tacón a los zapatos. ㉯ [양말 따위의] talón *m*. 스타킹의 ~ talón de medias. ② ((준말)) =발뒤축.

뒤치다 dar*le* la vuelta; [책장을] hojear.

뒤치다꺼리 ① [뒤에서 도와 주는] cuidado *m*, atención *f*. ~하다 atender, cuidar; [어린아이를] cuidar. 어린이를 ~ cuidar a [de] un niño. ② [지불] pago *m*. ~하다 pagar el disparate.

뒤칸 último vagón *m*.

뒤탈(一頉) segunda siega *f*. ~이 나 다 costar mucho lo que ha hecho uno sufrir de la segunda siega.

뒤통수 occipucio *m*, región *f* occipital, parte *f* trasera de la cabeza.

뒤틀다 ① [꼬아서 비틀다] torcer; [몸을] retorcerse. 고통으로 몸을 ~ retorcerse de dolor. ② [일이 곧 게 나가지 못하도록 하다] frustrar, despistar, desbaratar. 계획을 ~ frustrar [desbaratar] el plan.

뒤틀리다 ① ㉮ [꼬아서 비틀리다] torcerse, retorcerse, encorvarse. ㉯ [일이] (ser) frustrado, desbaratado. ② [감정이나 심사가 사납고 험해지 다] (estar) retorcido, avieso. 세상 과 뒤틀려 등지다 ser cínico, ser misántropo.

뒤편(一便) parte *f* de atrás, trasero *m*.

뒤흔들다 ① [마구 흔들다] estremecer, sacudir, hacer oscilar, hacer temblar. 대지를 ~ hacer temblar la tierra. ② [충격적인 영향을 미치 게 하다] trastornar.

뒤흔들리다 estremecerse, sacudirse; trastornarse.

뒷가지 (언어) =접미사(sufijo).

뒷간(一間) baño *m*, servicio *m*, aseo *m*, retrete *m*, excusado *m*.

뒷갈망 arreglo *m*, liquidación *f*. ~하 다 arreglar, liquidar, enderezar, ordenar.

뒷거래(一去來) =암거래(暗去來).

뒷걸음 retroceso *m*.

뒷걸음질 ① [뒷걸음을 치는 짓] retroceso *m*, desandamiento *m*, vuelta *f* (hacia) atrás, paso *m* atrás. ~하다 retroceder, dar (un paso) atrás. ② [질병의] recaída *f*. ~하다 recaer, tener recaída. ③ [퇴보] reversión *f*, retrogresión *f*, degeneración *f*. ~하다 retroceder, volver hacia atrás; [퇴보하다] retrogradar, desandar. ~(을) 치다 echarse (para) atrás, dar (un paso) atrás, retroceder, vacilar.

뒷골 =뒤통수.

뒷골목 callejuela *f*, callejón *m*.

뒷공론(一公論) ① [일이 끝난 뒤의 공연한 평론] discusión *f* ociosa. ~ 하다 discutir ociosamente. ② [소 문] chismorreo *m* privado; [험담] murmuraciones *fpl*.

뒷구멍 ① [뒤쪽에 있는 구멍] agujero *m* de atrás. ② =똥구멍(ano). ¶~의 병 enfermedad *f* anal. ③ [숨겨서 넌지시 행동하는 길이나 수] puerta *f* falsa, vía *f* injusta, secreto *m*, clandestinidad *f*.

뒷길 ① [집채나 마을의] camino *m* apartado [vecinal], carretera *f* secundaria [vecinal]. ② [지난날의] provincia *f* occidental, provincia *f* septentrional.

뒷날 ① [다음날] día *m* siguiente. ② [장래] futuro *m*, porvenir *m*; [부사 적] otro día, en el futuro.

뒷다리 ① [짐승의] patas *fpl* traseras. ~로 서다 levantarse sobre las patas traseras; [말 따위가] encabritarse. ② [두 다리를 앞뒤로 벌렸을 때 뒤에 놓인 다리] pierna *f* de atrás. ③ [책상이나 의자 따위 의] pata *f* de atrás.

뒷담당(一擔當) =뒷갈망.

뒷덜미 nuca *f*, cogote *m*.

뒷돈 [자금] capital *m*, fondo *m*; [비 상금] dinero *m* de reserva, fondo *m* extra.

뒷동산(一東山) colina *f* (que hay) detrás (de casa).

뒷마당 patio *m* trasero, patio *m* que hay detrás (de casa).

뒷말 =뒷공론.

뒷맛 ① [음식을 먹고 난 뒤의 맛]

dejo *m*, regusto *m*, sabor *m* de boca. ② [어떤 일을 끝마친 뒤의 느낌] dejo *m*, resabio *m*, regusto *m*, sabor *m* de boca. ~이 쓰다 tener un dejo desagradable.

뒷맵시 apariencia *f* [figura *f*] de espalda, figura *f* de detrás.

뒷면(一面) reverso *m*, revés *m*, dorso *m*; [화폐의] cruz *f*, [양복지의] envés *m*, contrahaz *f*; [서류의] respaldo *m*; [발의] planta *f*, [레코드의] segunda cara *f*.

뒷모습(一貌襲) aspecto *m* de atrás.

뒷모양(一模樣) ① [뒤로 드러내는 모양] aspecto *m* de atrás. ② [일의 끝난 뒤의 체면] honor *m*, prestigio *m*.

뒷문(一門) ① [집의] puerta *f* trasera, puerta *f* dorsal, puerta *f* de atrás [de detrás], puerta *f* posterior, puerta *f* en la parte trasera; [통용구] puerta *f* de servicio; [뒷입구] entrada *f* trasera. ② [정당하지 못한 수단·방법으로 해결하는 길] método *m* ilícito, resolución *f* incorrecta..

뒷물 el agua *f* que lava el ano o el pene del hombre, lavado *m* del ano o del pene del hombre.

뒷바라지 patrocinio *m*, ayuda *f*, asistencia *f*; [공급] suministro *m*, aprovisionamiento *m*, provisión *f*, ~하다 patrocinar, ayudar, atender; [공급하다] proveer, suministrar*le*, proporcionar*le*.

뒷바퀴 rueda *f* trasera, rueda *f* de atrás.

뒷받침 respaldo *m*, apoyo *m* (económico), ayuda *f* (económica); [사람] partidario, -ria *mf*. ~하다 respaldar, apoyar, ayudar, mantener.

뒷발 ① [네발 짐승의 뒤에 달린 두 발] patas *fpl* traseras. ~로 서다 [말이] encabritarse; [개가] ponerse en dos patas. ② [뒤로 차는 발길] acción *f* de cocear con *su* talón.

뒷발질 acción *f* de cocear con *su* talón. ~하다 cocear [dar coces] con *su* talón.

뒷발톱 ① [마소의] casco *m* trasero. ② =며느리발톱.

뒷방(一房) habitación *f* de atrás.

뒷소문(一所聞) chismorreo *m* sobre unos acontecimientos pasados.

뒷수습(一收拾) acuerdo *m*, convenio *m*, pago *m* de disparate ajeno. ~하다 acordar, pagar disparate ajeno.

뒷일 asuntos *mpl* futuros; [죽은 뒤의] asuntos *mpl* después de la muerte.

뒷입맛 dejo *m*, regusto *m*, sabor *m* de boca; ((속어)) deje *m*. ~이 좋다 [나쁘다] tener un dejo agradable [amargo].

뒷자리 asiento *m* trasero [de atrás].

뒷전 ① [뒤쪽이 되는 부분] parte *f* trasera, parte *f* de atrás, fondo *m*; [자동차의] asiento *m* de atrás, asiento *m* en la parte trasera. ② [뱃전의 뒷부분] popa *f*. ③ =배후.

뒷조사(一調査) investigación *f* minuciosa [meticulosa]. ~하다 investigar minuciosamente.

뒷좌석(一座席) asiento *m* trasero [de atrás].

뒷주머니 [바지의] bolsillo *m* trasero.

뒷줄 línea *f* trasera, cola *f* trasera.

뒷지느러미 ((어류)) aleta *f* anal.

뒷짐 acción *f* de sujetarse el uno al otro detrás de *su* espalda. ~(을)지다 juntar las manos detrás de *su* espalda.

뒷집 casa *f* de detrás, *AmL* casa *f* de atrás.

뒹굴다 rodar, darse vuelta, revolcarse; [사람이] caerse de costado; [물건이] caer de lado; [눕다] acostarse.

듀엣 ((음악)) dúo *m*, dúeto *m*.

드나나나 si se entra o se sale, si se está en casa o se sale de casa.

드나들다 ① [출입하다] entrar y salir; [방문하다] visitar frecuentemente, frecuentar. ② [바뀌다] cambiarse frecuentemente. ③ [고르지 못하고 들쭉날쭉하다] zigzaguear, (estar) sinuoso, lleno de curvas, curvado, torcido, recortado, accidentado.

드날리다¹ [손으로] volar; [글라이더나 기구를] pilotar; [연을] hacer volar.

드날리다² =날리다.

드넓다 ser muy extenso. 드넓은 들판 campo *m* muy extenso.

드높다 ser muy alto.

드디어 finalmente, al fin, en fin, por fin. ~ 나는 해냈다 Al fin lo conseguí.

드라마 drama *m*, teatro *m*.

드라마틱 dramático, teatral. ~하다 ser dramático.

드라이버 ① [운전수] conductor, -tora *mf*; [직업 운전수] chófer *mf*, chofer *mf*; [경주 자동차의] piloto *mf*. ② [나사돌리개] destornillador *m*. ③ ((골프)) madera *f* número uno.

드라이브 paseo *m* [viaje *m* · excursión *f*] en coche, paseo *m* en automóvil. ~하다 pasearse [dar un paseo] en coche.

드라이어 secador *m*.

드라이 클리닝 limpieza *f* en seco. ~하다 limpiar en seco.

드러나다 [세상에] revelarse, descubrirse, hacerse público.

드러내다 mostrar, manifestar(se), exponer; [비밀을] descubrir, revelar, delatar. 이를 ~ mostrar los dientes [los colmillos].

드러눕다 acostarse, echarse, tenderse, tumbarse, reposar. 드러누워 있다 estar tendido, yacer.

드러눕히다 acostar, tender, tumbar.

드럼 ① ((악기)) tambor *m*. ② ((준말)) =드럼통.

드럼통(一桶) bidón *m*.

드렁거리다 ① [우렁차게 울리는 소리를] seguir sonando fuerte. ② [코를] roncar.

드레스 vestido *m*.

드로잉 ① [제도] dibujo *m*. ~하다 hacer un dibujo. ② ((운동)) sorteo *m*.

드르렁 roncando, ronquido ruidoso. ~거리다 roncar.

드르렁드르렁 siguiendo roncando. ~ 코를 골다 roncar ruidosamente.

드르르[1] ① [미끄럽게 구르는 소리] rodando, sin parar. ② [연하게 떠는 모양] temblando.

드르르[2] [일이나 글을 읽을 때 막힘없이] fluentemente, con fluidez.

드리다[1] ((준말)) =드리우다.

드리다[2] ① [윗사람에게] dar, presentar, servir; [선물하다] regalar, obsequiar. ② [신·하나님·부처에게] ofrecer, dedicar. 기도를 ~ rezar, orar. ③ [윗사람에게 말씀을] decir, preguntar.

드리다[3] [가게의 문을 닫다] cerrar.

드리다[4] [집 지을 때 방·마루 등을] instalar, poner, establecer, construir. 가게를 ~ instalar la tienda.

드리우다 dejar colgado, suspender.

드릴 [송곳] taladro *m*, taladradora *f*.

드릴러 perforadora *f*, barrenadora *f*, taladradora *f*.

드림 [증정] presentación *f*.

드문드문 difusamente, de modo poco denso; [산재해] esporádicamente; [가끔가끔] a veces, algunas veces, unas veces, de vez en cuando, de cuando en cuando. ~하다 (ser) raro, poco denso; [산재하다] disperso, esparcido; [부족하다] escaso. ~한 머리카락 pelo *m* raro.

드물다 (ser) raro, poco común, poco frecuente; [이상하다] extraornario, inusitado; [예외적이다] excepcional. 드문 물건 cosa *f* rara, objeto *m* raro, curiosidad *f*. 드문 일 rareza *f*, excepción *f*.

드새다 pasar la noche (en el hotel).

드세다 (ser) poderoso, fuerte, influyente.

드시다 tomar; [마시다] beber. 어서 드세요 Sírvase usted, por favor.

드잡이 acción *f*. ~ 장면 escena *f* de acción.

득(得) [이익] ganancia *f*, beneficio *m*, lucro *m*; [유리] ventaja *f*. ~이 있는 ganancioso, provechoso, ventajoso. ~을 얻다 ganar, lucrarse, beneficiarse, sacar provecho.

득남(得男) adquisición *f* [engendro *m*] del varón. ~하다 adquirir varón, tener un hijo varón, engendrar un hijo.

득도(得道) logro *m* de Nirvana, ilustración *f* espiritual. ~하다 lograr la ilustración espiritual, lograr la Nirvana.

득세(得勢) adquisición *f* del poder. ~하다 ㉮ [세력을 얻다] ganar [adquirir] el poder. ㉯ [시세가 좋게 되다] ganar la oportunidad.

득시글거리다 aglomerarse, apiñarse, pulular, bullir, hormiguear, abundar, enjambrar.

득시글득시글 en [a] manadas, enjambrando, aglomerándose, apiñándose, pululando. ~하다 bullir, hormiguear, pulular, apiñarse.

득실(得失) ventaja *f* y desventaja, pro y contra, mérito *m* y demérito. ~을 논하다 discutir sobre las ventajas y las desventajas.

득의(得意) ① [성공] prosperidad *f*. ~의 절정에 있다 estar en *su* gloria. ② [자랑. 자만] orgullo *m*, engreimiento *m*, soberbia *f*, arrogancia *f*, altivez *f*, altanería *f*. ¶~만면 cara *f* rebosante de orgullo, aire *m* triunfante. ~만면하여 con la cara rebosante de orgullo, con aire triunfante. ~만면이다 estar orgulloso, enorgullecerse. ~만면해 있다 estar en el apogeo de la gloria. ~양양 orgullo *m*. ~양양하다 estar más contento que unas pascuas, estar orgulloso, jactarse.

득점(得點) puntos *mpl* (obtenidos); ((운동)) tantos *mpl* (ganados), puntos *mpl*; [두 팀의] tanteo *m*; [시험 등의] nota *f*, marca *f*. ~하다 marcar (un punto), meter, hacer, obtener [ganar] puntos, ganar tantos en un juego, meter un gol.

득책(得策) medida *f* provechosa, procedimiento *m* ventajojo.

득표(得票) votos *mpl* ganados, votos *mpl* (obtenidos). ~수 números *mpl* de votos (obtenidos).

든든하다 ① [무르지 않고 아주 굳다] (ser) fuerte, sólido, firme, robusto, corpulento, durable. 든든한 사람 persona *f* fuerte. ② [속이 배서 여무지다] (ser) fuerte, sólido, maduro. ③ [약하지 않고 굳건하다] (ser) resistente, sólido, fuerte. 든든한 구두 zapatos *mpl* fuertes. ④ [마음이] (ser) seguro, fidedigno, fiable, fiel, leal, digno de confianza, tranquilizador. 든든한 자리 posición *f* segura. ⑤ [배가 부르다] estar lleno [harto]. ⑥ [잘못이나 모자람이 없다] no cometer error, no faltar.

듣지 o (··· o ···), sea (··· sea ···), bien (··· bien ···). 배~ 사과~ 맘대로 사게 Compra sea peras sea manzanas.

든직하다 (ser) tranquilo, sereno, dueño en *sí* (mismo), sosegado. 든직한 사람 persona *f* serena, persona *f* dueña en sí mismo.

듣기 escucha *f*, oído *m*.

듣다[1] ① [귀로] oír, escuchar. 라디오를 ~ escuchar [oír] la radio. 음악을 ~ escuchar [oír] la música. ② [칭찬이나 꾸중을] tener. 내 꾸지람이 그에게 듣는 것 같다 Parece que mi reprimenda ha tenido en él. ③ [이르거나 시키는 말에 잘 따르다] obedecer, escuchar, seguir. 부모의 말을 ~ obedecer a los padres. ④ [소원·청 따위를] aceptar, tener en cuenta, hacer caso. 내 충고를 듣지 않고 sin tener en cuenta mis consejos.

듣다[2] ① [약 따위가] tener [hacer·surtir·producir] efecto. ···에 잘 듣다 ser eficaz [bueno] para *algo*, ir bien a *algo*. ② [기계나 기구 또는 장치 따위가] funcionar, marchar bien, responder.

들[1] [벌판] campo *m*; [평야] llano *m*, lla- nura *f*, [초원] pradera *f*, *AmL* [대초원] pampa *f*, sabana *f*, [황야] yermo *m*; [농지] heredad *f*, finca *f* de abranza; [초지] prado *m*. ~에서 일하다 trabajar en el campo.

들[2] [등. 따위] etcétera. 소, 말, 돼지, 개, 닭 ~을 가축이라 한다 Dicen que la vaca, el caballo, el cerdo, el perro y la gallina son animales domésticos.

들개 ((동물)) gozque *m*.

들것 camilla *f*, andas *fpl*, angarillas *fpl*, parihuelas *fpl*.

들고나다 ① [남의 일에 참견하여 일어나다] meterse, entrometerse, inmiscuirse, interferir. ② [집안의 물건을 팔려고 가지고 나가다] llevar para vender los artículos de la casa.

들고일어나다 ① [세차게 일어나다] levantarse violentamente. ② [어떤 일에] levantarse, alzarse.

들고파다 dedicarse, estudiar mucho, investigar, estudiar como loco, empollar.

들국화(−菊花) ((식물)) crisantemo *m* silvestre, santimonias *fpl*.

들기름 aceite *m* de sésamo silvestre.

들깨 ((식물)) sésamo *m* silvestre.

들꽃 flor *f* silvestre.

들끓다 agitarse, alborotarse, hervir, bullir, pulular, abundar. 들끓고 있다 estar atestado [abarrotado], estar en confusión (excesiva). 사람으로 ~ hervir de gente.

들날리다 hacer célebre, ser popular, ganar la fama, ganar la reputación, ser conocido. 명성을 전세계에 ~ ser conocido por todo el mundo.

들녘 campo *m*, llanura *f*, llano *m*.

들놀이 excursión *f*, picnic *ing.m*. ~하다 hacer una excursión. ~ 가다 ir de excursión, ir de picnic.

들다[1] ① [날이 청명해지다] despejarse, aclararse, serenarse. ② [(땀이) 식다·그치다] dejar de sudar.

들다[2] [연장의 날이 잘 베어지다] cortar. 잘 ~ cortar bien.

들다[3] [나이가] tener muchos años.

들다[4] ① [들어가다. 들어오다] entrar. 방으로 ~ entrar en el cuarto [en la habitación]. 잠자리에 ~ acostarse, meterse en la cama. ② [어떤 절기나 때가 되거나 돌아오다] comenzar, empezar, venir. 겨울철에 ~ empezar el invierno. ③ [(그릇이나 자루에) 담기다] contener, ser incluido. ④ [병이 생기다] caerse enfermo, coger, sufrir de, tener. 감기가 ~ tener un resfriado, resfriarse, contraer un resfriado, coger [agarrar·pescar] el resfriado. ⑤ [품질이나 성질이 알맞게 되다] madurar, saber. 맛이 ~ tener (un) sabor [gusto]. 철이 ~ venir a tener el buen sentido. ⑥ [버릇이나 마음에 어떤 상태가 생기다] sentir, tener. 서로 애정이 ~ tenerse el amor [el cariño]. ⑦ [뿌리 같은 것이 살이 올라 굵어지다] hacerse grande. ⑧ [빛깔이 옮거나 배다] teñirse. ⑨ =입주하다. ⑩ [숙소를 정하다] elegir [escoger] alojamiento. ⑪ [입학하다. 가입하다. 합격하다] ingresar, entrar; afiliarse, hacerse miembro, inscribirse, incorporarse, ser aprobado, tener éxito, salir bien. 대학교에 ~ ser aprobado en la universidad. ⑫ [(금융 기관에) 저축하다] ahorrar. ⑬ [여럿 사이에 끼이다] meterse, entremeterse. ⑭ [(음식을) 먹다·마시다] tomar, comer, beber, servir, apetecer. 어서 드십시오 Sírvase, por favor. ⑮ [소요되다] costar. 여행 경비로 2백만 원이 들었다 Me costó con dos millones de wones para los gastos de viaje / Los gastos de viaje me costaron dos millones de wones.

들다[5] ① [놓인 것을] levantar, alzar, elevar, subir. 한 손을 들고 con la mano en alto. 양손을 ~ levantar las manos. ② [(어떤 물건을) 손에 쥐다] llevar (en la mano), tener [llevar] a mano, tomar, coger. 들고 가다 llevar(se) consigo. 책을 ~ tomar un libro. ③ [사실·예를 인용하다] dar, citar, mencionar, alegar.

들들볶다 ① [콩·깨 등을] tostar *algo* removiendo. 깨를 ~ tostar los ajonjolíes removiéndolos. ② [사람을] molestar mucho.

들뜨다 ① [틈이 생기다] despegarse. ② [마음이] alegrarse, animarse. ③ [살빛이] hacerse amarillo y hinchado. 들뜬 얼굴 cara *f* amarilla y hinchada.

들락거리다 =들랑거리다.

들락날락 entrando y saliendo incesantemente, en sucesión rápida, uno después otro. ~하다 entrar y salir incesantemente [frecuentemente], venir e ir incesantemente.

들랑거리다 frecuentar, seguir entrando y saliendo.

들러리 [신랑의] padrino *m* (de boda), testigo *m*, amigo *m* que acompaña al novio el día de la boda; [신부의] madrina *f* (de boda), dama *f* de honor; [소녀 들러리] niña *f* que acompaña a la novia. ~(를) 서다 servir como un padrino [una madrina].

들러붙다 adherirse, pegarse, aglutinarse, agarrar, tenerse; [남녀가] coquetearse. 착 ~ pegarse [adherirse] tenazmente, agarrar fuerte.

들르다 pasar; [배가] tocar; [항공기·선박이] hacer escala.

들리다¹ [나쁜 귀신·넋·도깨비 따위가] estar poseído. 귀신이 ~ estar poseído por el demonio.

들리다² [물건이] gastarse. 밑천이 ~ gastarse el capital.

들먹거리다 seguir temblando.

들보 ((건축)) viga *f*, madero *m* largo y grueso, cruzado *m* de viga.

들볶다 maltratar, molestar, fastidiar, dar*le* la lata, atormentar, vejar, afligir, dar tormento, torturar, remorder. 자녀들을 ~ maltratar a *sus* hijos [a *sus* niños].

들볶이다 maltratarse, molestarse.

들새 ((조류)) pájaro *m* silvestre, el ave *f* silvestre.

들소 ((동물)) bisonte *m*.

들썩거리다 seguir poniéndose inquieto, moverse inquieto.

들썩이다¹ [자동사] ① [물건이 들렸다 가라앉았다 하다] levantarse y caerse. ② [마음이 흔들리다] (estar) nervioso, ponerse inquieto. 들썩이지 마라 ¡Estáte quieto! ③ [어깨나 궁둥이가] menearse, contonearse.

들썩이다² [타동사] ① [갬직한 물건을 들었다 놓았다 하다] levantar y poner. ② [남의 마음을 흔들리게 하다] hacer ponerse inquieto. ③ [어깨나 궁둥이를 가벼이 아래위로 움직이다] (hacer) menear, contonear. 궁둥이를 ~ contonearse, contonear [menear] las caderas.

들쑤시다 ((준말)) =들이쑤시다.

들쑥날쑥 =들쭉날쭉.

들쓰다 ponerse, cubrirse, echarse sobre sí. 먼지를 ~ cubrirse de polvo, empolvarse todo el cuerpo.

들씌우다 echar. 물을 ~ echar el agua.

들어가다 ① [안으로] entrar. 방안으로 ~ entrar en el cuarto [en la habitación]. 아무도 집안으로 들어가지 말 것 Que nadie entre en casa. ② [입학하다] ingresar, entrar, pasar. 초등 학교에 ~ pasar a [ingresar en·entrar en] la escuela primaria. ③ [가입하다] asociar, agregarse, incorporarse, unirse, alistarse. 군에 ~ alistarse en el ejército. 정당에 ~ alistarse en el partido político. ④ [들어차다] caber. ⑤ [침입하다] penetrar, rebasar, invadir.

들어맞다 ① [틀리지 않고 꼭 맞다] estar de acuerdo, coincidir, concordar, cuadrar. ② [빈틈이 없이 꽉 차게 끼이다] [옷·신발이] quedar perfecto [bien]; ajustar(se); [구멍·소켓·열쇠 등이] encajar. ③ [제자리에 명중하다] acertarse.

들어먹다 [돈을] despilfarrar, derrochar; [재산을] dilapidar.

들어박히다 encerrarse, resguardarse. 방에만 ~ encerrarse en *su* habitación [*su* cuarto].

들어붓다 ① [비가] llover a cántaros, llover fuerte. ② [술을] beber mucho, chupar, tomar [beber] a grandes tragos, beber como un cosaco, chupar como una esponja. ③ [그릇에 담긴 물건을] verter, echar. 기름을 들어부으세요 Vierta [Eche] el aceite.

들어서다 ① [밖에서 안으로] entrar. 구내에 ~ entrar en el local. ② [들어차다. 자리잡다. 들어앉다] llenarse, estar lleno [abarrotado·atestado] (de), construirse. 빌딩이 많이 들어섰다 Se han construido muchos edificios. ③ [막 대들고 버티고 서다] acercarse. ④ [계통을 잇다] establecerse, formarse. ⑤ [어느 시기에 접어들다] llegar. 장마철에 ~ llegar a la temporada de lluvia.

들어앉다 ① [안으로 다가앉다] sentarse más cerca. ② [자리를 차지하고 앉다] asumir, empezar a desempeñar, ponerse a trabajar, establecerse, echar raíces. ③ [직장을 그만두고 집 안에 있다] jubilarse, retirarse; [군대에서] retirarse (del servicio activo); [운동 선수가] retirarse; [사직하다] dimitir, renunciar, dimitir *su* cargo, presentar *su* dimisión [renuncia].

들어오다 ① [밖에서 안으로] entrar, penetrar, pasar; [선박이] llegar. 들어오세요 Pase (usted) / Adelante. ② [가입하다] asociar, agregarse, incorporarse, unirse, alistarse. ③ [이해가 되다] entender, comprender. ④ [수입이 생기다] ingresar, ganar.

들어올리다 levantar, elevar, alzar, subir. 손으로 ~ levantar con la mano.

들어주다 ① [남이 드는 것을 대신 들다] comer [tomar · beber] en vez de los demás. ② [청원 따위를] admitir, adoptar, aceptar, tener en cuenta; [요구를] acceder, consentir, convenir; [충고 따위를] obedecer, escuchar, seguir.

들엉기다 coagularse.

들오리 pato *m* silvestre, ánade *m*.

들은풍월(-風月)) saber *m* [conocimientos *mpl*] por el oído, ideas *fpl* cogidas de otros.

들음직하다 valer la pena de oír. 들음직한 것 cosa *f* que vale la pena.

들이[1] =용적(容積).

들이[2] ① ((준말)) =들입다.

들이갈기다 golpear fuerte, dar un golpe fuerte.

들이다[1] [「들다[1]②」의 사역형] [땀을 그치게 하다] hacer cesar el sudor.

들이다[2] ① [안으로 들게 하다] introducir, meter, hacer entrar, hacer pasar. 집안으로 ~ introducir [meter · hacer entrar] en casa. ② [자·자금·인력·공 따위를] invertir, gastar, emplear, tener en cuenta, hacer caso. ③ [습관으로 굳어지게 하다] domar, domesticar. ④ [물감을] teñir. ⑤ [들어와 살게 하다] alquilar, arrendar. ⑥ [가입시키다] hacer afiliarse. ⑦ [사람을 고용하다] emplear. ⑧ [잠이 들게 하다] invitar a dormir. ⑨ [맛이 붙게 하다] adquirir el sabor.

들이닥치다 acercarse, aproximarse, estar próximo.

들이대다 ① [부드럽지 않은 말로] resistir abiertamente, desafiar, ataca. ② [물건을] dirigir, apuntar, echar delante, poner delante de las narices. ③ [남의 뒤를 돈이나 물건으로] suministrar continuamente.

들이마시다 [기체를] respirar, inspirar, aspirar, inhalar, tomar; [액체를] beberse [tomarse] de un trago, sorber (빨대로); [술 따위를] tomar [beber] a grandes tragos, chupar. 공기를 ~ aspirar el aire. 깊이 ~ respirar hondo, inspirar profundamente.

들이밀다 ① [안으로] empujar hacia adentro. ② [함부로] empujar al azar.

들이받다 darse [chocar] (contra); [뿔

로] cornear, dar una cornada [cornadas].

들이붓다 ① [물 따위를] echar (el agua), arrojar. ② [포탄을] tirar copiosamente (balas).

들이쉬다 respirar, inspirar, aspirar.

들이차다 ① [안으로] dar patadas hacia adentro. ② [세게 차다] dar patadas fuertes.

들이치다[1] [비나 눈 따위가] penetrar, entrar, golpear.

들이치다[2] [세차게 치다] atacar, asaltar.

들이켜다 beberse. 단숨에 ~ beberse de un tirón. 컵[술]을 ~ apurar [agotar] la copa (la caña).

들이퍼붓다 ① [비나 눈이] caerse mucho. 비가 ~ llover a cántaros. ② [액체를 그릇에] verter [echar] fuerte.

들일 labor *f* [trabajo *m*] de campo.

들입다 por la fuerza, violentamente, fuerte, fuertemente; [계속적으로] continuamente, sin cesar. ~ 패다 golpear mucho. ~ 달아나다 corretear, irse correteando. ~ 마시 다 beber(se) uno tras otro.

들장미(-薔薇)) ((식물)) agavanza *f*, agavanzo *m*, rosa *f* silvestre.

들쥐 ((동물)) ratón *m* de campo.

들짐승 animal *m* salvaje.

들쩍지근하다 (ser) algo dulce.

들쭉날쭉 desigual, de modo irregular, de modo poco uniforme. ~하 다 (ser) desigual, irregular, desnivelado, *AmL* disparejo; [바위·절 벽이] recortado, con picos; [암초 이] accidentado, escarbroso; [바 위·산·해안이] escarpado; [칼· 칼날이] serrado, dentado; [잎이] dentado.

들창(-窓)) tragaluz *m*, claraboya *f*, lumbrera *f*, [지하실의] ventana *f* del sótano.

들창코 nariz *f* respingona.

들척지근하다 ser *algo* dulce.

들추다[1] [지난 일·숨은 일을] revelar.

들추다[2] [자꾸 뒤지다] hurgar, rebuscar.

들추어내다 exponer desvergonzadamente a la vista, revelar, divulgar, descubrir.

들치기 ① [행위] hurto *m* (en las tiendas), ratería *f* (en las tiendas). ② [사람] ladrón *m*, -drona *mf* (que roba en las tiendas).

들키다 ser visto; [발견되다] descubrirse, encontrarse, hallarse, encontrarse.

들통(-桶/筒)) cubo *m*, balde *m*. ~ (이) 나다 ㉮ [들판이 나다] trascender, echar la soga tras el caldero, enseñar [sacar] la [su] pata. ㉯ ((은어)) =들키다.

들판 [벌판] campo *m*, llanura *f*,

páramo *m*, prado *m*, pradera *f*. 풀 이 마른 ~ campo *m* seco.

들풀 hierbas *fpl* silvestres.

듬뿍 ((준말)) =듬뿍이.

듬뿍듬뿍 muy abundantemente.

듬뿍이 a montones, en [con] abundancia, abundantemente, mucho, copiosamente; [충분히] suficientemente.

듬뿍하다 ser abundante, abundar, haber gran cantidad.

듬성듬성 aquí y allí, a grandes trechos, esparcidamente.

듯직하다 ① [사람됨이 수더분하다] (ser) bonachón, buenazo. 듬직한 사람 persona *f* bonachona; bonachón, -chona *mf*; buenazo, -za *mf*; pedazo *m* de pan, pastaflora *f*. ② [나이가 제법 많다] tener bastantes años (de edad).

듭시다 ① ((존대말)) [들어가다] entrar, meterse. 임금께서 침소에 듭신다 El rey se mete en la cama. ② [들어갑시다] Vamos a entrar / Entremos. ③ [먹읍시다] Vamos a tomar [comer] / Tomemos / Comemos.

듯싶다 parecer. 비가 올 ~ Parece que va a llover.

듯이 con aire + *adj*. 고통스러운 ~ con ansia, con aire dolorido, en ademán doloroso.

듯하다 parecer + '명사' [*inf*·que + ind [*subj*]·como], ser … como, asemejarse. 미친 듯한 사내 hombre *m* maniático [lunático·excéntrico].

등 [신체의] espalda *f*; [동물의] lomo(s) *m*(*pl*); [의자의] respaldo *m*; [옷의] espalda *f*; [손의] dorso *m*. ~의 dorsal. ~의 폭 anchura *f* de espaldas. 의자의 ~ respaldo *m*. 짐승[책]의 ~ lomo *m*. ~을 돌리다 ㉮ [외면하다] volver el rostro [la cara], dar [volver] las espaldas, volverse de espaldas. ㉯ =결별하다. ㉰ =배신하다. 배척하다.

등¹(等) ((준말)) =등급(等級). ¶콩쿠르에서 1[2·3]~이다 ser primero [segundo·tercero] en un concurso.

등²(等) ((준말)) =들².

등(燈) luz *f*, lámpara *f*, farol *m*, linterna *f*. ~을 밝히다 encender la luz.

등¹(藤) ① [등나무의 줄기] tallo *m* del mimbre. ② ((준말)) =등나무.

등²(藤) ((식물)) mimbre *m*, ratán *m*.

등가(等價) ① ((경제)) equivalencia *f*, mismo precio *m*, mismo valor *m*. ~의 equivalente; [가격이] del mismo precio; [가치가] del mismo valor. ② ((화학)) equivalencia *f*.

등가구(藤家具) mueble *m* de mimbre.

등가죽 piel *f* de la espalda.

등각(等角) ángulos *mpl* iguales.

등각류(等脚類) isópodos *mpl*.

등각삼각형(等脚三角形) triángulo *m* isósceles.

등갈비 chuleta *f* [costilla *f*] de lomo.

등갓(燈－) pantalla *f* (de lámpara).

등거리(等距離) equidistancia *f*.

등걸 tocón *m*, cepa *f*. ~을 캐내다 cavar el tocón de un árbol. ¶~불 fuego *m* de tocón. ~숯 carbón *m* hecho de tocones.

등걸잠 sueño *m* con ropa sin cubierta.

등고 곡선(等高曲線) =등고선.

등고선(等高線) curva *f* [línea *f*] de nivel, cota *f*.

등골¹ ① ((해부)) =척추골. 등골뼈. ② [척수] espina *f* dorsal. ③ [등 뒤 한가운데로 고랑이 진 곳] surco *m* central de la espalda. ¶~을 뽑 다 explotar, desplumar. ~을 서늘 하게 하다 poner*le* los pelos de punta. ~이 빠지다 sentirse débil del trabajo duro. ~이 서늘하다 tener [sentir] frío en la espalda. ~이 오싹하다 estremecerse.

등교(登校) asistencia *f* [ida *f*] a la clase. ~하다 ir [asistir] a la escuela.

등귀(騰貴) el alza *f*, subida *f*, encarecimiento *m*. ~하다 alzar, subir los precios, encarecerse.

등극(登極) ascensión *f* al trono. ~하 다 ascender al trono.

등급(等級) ① [신분·값·품질 따위 의] clase *f*, grado *m*, clasificación *f*, graduación *f*, rango *m*; [계급] categoría *f*. ~을 매기다 clasificar. ② [별의] magnitud *f*. ③ [급이 같음] igualdad *f* de la clase.

등기(登記) ① [등기부에 기재하는 일] registro *m*, inscripción *f*, asiento *m*. ~하다 registrar, inscribir (en un registro), proceder al registro, certificar una carta, matricular, protocolar, encartar, asentar un libro. ~된 registrado, certificado. ~되다 certificarse, registrarse. ② ((준말)) =등기 우편. ¶~료 derechos *mpl* de la certificación, derechos *mpl* del registro. ~번호 número *m* de registro, número *m* registrado [de matrícula]. ~부 (libro *m* de) registro *m*. ~부 등본 copia *f* del registro. ~소 oficina *f* de Registros Civiles, oficina *f* del registro. ~우편 (correo *m*) certificado *m*; [겉봉에] Certificado.

등나무 ((식물)) ratán *m*, mimbre *m*. ~ 의자 silla *f* de mimbre [de rejilla].

등단(登壇) subida *f* a la tribuna [a la plataforma]. ~하다 subir a la tribuna [a la plataforma].

등달다 estar [ponerse] nervioso, esforzarse demasiado, preocuparse.

등대(燈臺) faro *m*. ~지기 guardián *m* de faro; torrero, -ra *mf*; farero, -ra *mf*. ~ㅅ불 luz *f* de(l) faro.

등대다 depender, apoyarse. 미국에 ~댄 정권 régimen *m* apoyado por los Estados Unidos de América. 아들에게 ~ apoyarse en *su* hijo.

등덜미 pescuezo *m*, parte *f* superior de la espalda. ~를 잡다 agarrar por el pescuezo [por el cogote].

등뒤 espalda *f*. ~에서 a *sus* espaldas.

등등(等等) etcétera (약자: etc.), y otras cosas por el estilo; [드믈] y otras hierbas. 김 씨 ~ el señor Kim y otros señores.

등등하다(騰騰-) [서슬푸르다] (ser) poderoso, influyente; [의기양양하다] triunfador, jubiloso, exultante (de energía); [도도하다] imperioso, dominante. 기세 ~ (estar) muy animado, de buen humor.

등딱지 caparazón *m*, carapacho *m*, concha *f*, cáscara *f*.

등락(騰落) fluctuación *f*, oscilación *f*, la subida y la bajada. ~하다 subir y bajar, oscilar, fluctuar.

등록(登錄) registro *m*, inscripción *f*, matrícula *f*, matriculación *f*, asiento *m*, anotación *f*, apuntación *f*. ~하다 registrar, inscribir, matricular, asentar, anotar. ~금 derechos *mpl* de registro [de matrícula]. ~번호 número *m* de registro [de matrícula]. ~상표 marca *f* registrada. ~증 certificado *m* de inscripción. ~필 Registrado, Matriculado.

등마루 columna *f* espinal.

등반(登攀) trepa *f*, subida *f*; [바위의] escalada *f*; [등산] alpinismo *m*, montañismo *m*. ~하다 trepar, escalar, subir. ~대 grupo *m* de alpinismo, partida *f* de trepa. ~자 trepador, -dora *mf*; [바위의] escalador, -dora *mf*; [등산가. 등산자] alpinista *mf*, *AmL* andinista *mf*.

등받이 ① =등거리. ② [의자의] respaldo *m* de silla.

등번호(-番號) número *m* del jugador.

등변(等邊) lados *mpl* iguales, lados *mpl* equiláteros.

등본(謄本) copia *f* certificada, duplicado *m*; ((법률)) tenor *m*.

등분(等分) división *f* en partes iguales. ~하다 dividir en partes iguales.

등불(燈-) luz *f*, lámpara *f*, luz *f* de (la) lámpara. ~을 켜다[끄다] encender [apagar] la lámpara.

등비(等比) razón *f* de igualdad, ratio *m* igual, ratio *m* geométrico, analogía *f*. ~급수 series *fpl* geométricas, progresión *f* geométrica. ~수열 progresión *f* geométrica.

등뼈 espina *f* dorsal, columna *f* dorsal, espinazo *m*; [물고기 등의] esquena *f*. ~동물 vertebrado *m*, animal *m* vertebrado.

등사(謄寫) reproducción *f*, copia *f*, transcripción *f*. ~하다 reproducir, copiar, reproducir copias, transcribir. ~기[판] mimeografía *f*. ~물 material *m* mimeografiado. ~원지 estêncil *m*. ~인쇄기 multicopista *f*. ~지 papel *m* para copia.

등산(登山) alpinismo *m*, montañismo *m*, *AmL* andinismo *m*. ~하다 practicar el alpinismo [el montañismo], hacer alpinismo [*AmL* andinismo], escalar montañas, subir a la montaña. ~가[객] alpinista *mf*; montañista *mf*; *AmL* andinista *mf*. ~모 gorra *f* alpinista. ~복 ropa *f* de alpinistas. ~용 지팡이 alpenstock *m*. ~화 botas *fpl* de alpinista.

등살 espina *f* dorsal, espinazo *m*.

등성이 ① [등성마루의 위] sobre la cadena. ② ((준말)) =산등성이.

등세공(籐細工) obra *f* de mimbre.

등속(等速) velocidad *f* uniforme. ~선 línea *f* uniforme. ~운동 moción *f* [movimiento *m*] uniforme.

등수(等數) ① [차례] orden *m*, rango *m*, clase *f*. ~를 정하다 clasificar. ② [같은 수] número *m* igual. 찬반이 ~이다 El voto es dividido igualmente.

등식(等式) ((수학)) igualdad *f*.

등신(等身) tamaño *m* natural. ~대 (大)의 de tamaño natural. ~대의 상 estatua *f* de tamaño natural. ~불 estatua *f* de Buda de tamaño natural. ~상 estatua *f* de tamaño natural, estatua *f* [figura *f*] de cuerpo entero.

등신(等神) estúpido, -da *mf*; tonto, -ta *mf*; bobo, -ba *mf*; torpe *mf*.

등심(-心) lomo *m* de vaca [de buey]; [쇠고기] solomillo *m*, solomo *m*, filete *m*.

등심(燈心) mecha *f*, pabilo *m*.

등심초(燈心草) ((식물)) junco *m*.

등쌀 molestia *f*, fastidio *m*, irritación *f*, acoso *m*.

등압(等壓) igual presión *f*. ~선 isobara *f*, líneas *fpl* isobáricas.

등에(곤충이) tábano *m*.

등온선(等溫線) isoterma *f*, línea *f* isoterma, isotérmico *m*.

등외(等外) ~ ~의 fuera de selección. ~상 premio *m* no clasificado, premio *m* fuera de selección.

등용(登用) adoptación *f*; [임용] nombramiento *m*; [승진] promoción *f*. ~하다 adoptar; [임용하다] nombrar (a [para] un puesto); [승진하다] promover. ~되다 nombrarse, ser nombrado.

등용문(登龍門) puerta *f* del éxito [del triunfo], camino *m* de la gloria.

등원(登院) asistencia *f* al parlamento. ~하다 asistir al parlamento.

등유(燈油) quesoreno *m*, aceite *m* [petróleo *m*] para lámpara.

등의자(藤椅子) silla *f* de mimbre.

등자(鐙子) estribo *m*. ~에 발을 걸다 ponerse de estribo.

등잔(燈盞) recipiente *m* para la luz de lámpara. 등잔 밑이 어둡다 ((속담)) El que está cerca es el que ve menos. ¶~불 luz *f* de (la) lámpara

등장(登場) entrada *f* en escena. ~하다 salir, entrar en escena; [나타나다] aparecer. ~ 인물 personaje *m*.

등재(登載) registro *m*, récord *m*. ~하다 registrar, anotar.

등정(登頂) subida *f* a la cumbre. ~하다 subir [llegar] a la cumbre.

등정(登程) salida *f*, partida *f*, ida *f* al viaje. ~하다 salir, ir al viaje.

등줄기 partes *fpl* prominentes de columna (vertebral). ~가 오싹했다 Por la espalda sentí un escalofrío de miedo.

등지(等地) (y) tales lugares *mpl*. 서울, 부산 ~ Seúl, Busan, y tales lugares.

등지느러미 aleta *f* dorsal.

등지다 ① [남과] contrariar, oponerse. 형제간에 등지고 살다 vivir oponiéndose entre hermanos. ② [무엇을 등 뒤에 두어 의지하다] apoyar. 그는 벽을 등지고 있었다 El estaba apoyado [se apoyaba] contra la pared. ③ [배반하다] traicionar, ponerse [volverse] en contra de. 조국을 ~ traicionar a su patria. ④ [멀리하다] alejarse; [등지고 있다] (estar) alejado, distanciado. 정계를 ~ alejarse de la política. ⑤ =떠나다.

등짐 carga *f* llevada en su espalda, mochila *f*. ~장수 vendedor, -dora *mf* ambulante.

등쪽 ((해부)) dorsal *m*.

등차(等差) ① [등급의 차이] diferencia *f* del grado. ② ((수학)) igual diferencia *f*. ¶~ 급수 progresión *f* aritmética. ~ 수열 serie *f* aritmética.

등창(-瘡) ((한방)) absceso *m* en su espalda.

등청(登廳) [부처에] ida *f* al ministerio; [시청에] ida *f* al ayuntamiento. ~하다 ir al ministerio [palacio del gobierno], ir al ayuntamiento.

등촉(燈燭) luz *f* de (la) lámpara y la de una vela.

등치다 ① [남의 등을 두드리다] dar*le* una palmada [una palmadita] en la espalda. ② [남의 재산을 빼앗다] chantajear, hacer*le* chantaje, intimidar, amenazar con chantaje.

등판(登板) ((야구)) subida *f* al montículo. ~하다 subir al montículo.

등하불명(燈下不明) El que está cerca es el que ve menos.

등한(等閑/等閒) negligencia *f*, descuido *m*. ~하다 (ser) negligente, descuidado. ~히 negligentemente, con descuido. ~히 하다 desatender, descuidar. 일을 ~히 하다 descuidar su trabajo. ~시 negligencia *f*, descuido *m*. ~시하다 descuidar, desatender, no hacer caso, menospreciar, dejar intacto, ser negligente, hacer caso omiso.

등행(登行) subida *f* a la altura. ~하다 subir a la altura.

등허리 ① [등과 허리] la espalda y la cintura. ② [등의 허리 부분] región *f* de la cintura de la espalda.

등화(燈火) =등불. ¶~ 가친(可親) Es bueno para leer libros cerca de la luz de lámpara, que hace mucho fresco en otoño. ~가친지절 buena estación *f* para leer libros cerca de la luz de lámpara [para familiarizarse con los libros]. ~ 관제 control *m* [restricción *f*] del alumbrado, apagón *m*.

디데이 ① [공격 개시 예정일] el día D. ~로 como el día D. ② [계획 실시 예정일] el día señalado.

디디다 ① [밟다] pisar, dar un paso, apoyar. 발을 땅바닥에 ~ apoyar el pie en el suelo. ② [반죽한 누룩이나 메주 등을] pisar la pasta de trigo malteada en tarta.

디디티 ((약)) diclorodifenil *m* tridoroecano, D.D.T. *m*, DDT *m*.

디딜방아 rueda *f* de andar.

디딤돌 pasadera *f*, estriberón *m*.

디스카운트 [할인] descuento *m*, rebaja *f*. ~하다 descontar, rebajar.

디스켓 disquete *m*.

디스코 ① ((준말)) =디스코테크. ② ((준말)) =디스코 댄스. ③ ((준말)) =디스코 뮤직. ④ =고고(gogo). ¶~ 댄스 baile *m* disco, baile *m* de discoteca. ~ 뮤직 música *f* disco.

디스코테크 discoteca *f*.

디스크 disco *m*. ~에 취입하다 grabar un disco. ¶~ 메모리 memoria *f* en disco. ~ 서버 servidor *m* de disco. ~ 자키 pinchadiscos *mf*.

디스토마 ((동물)) dístoma *f*, duela *f*.

디스플레이 exposición *f*, muestra *f*; ((컴퓨터)) pantalla *f*.

디아스타아제 diastasa *f*, amilasa *f*.

디엔에이 ácido *m* desoxirribonucleico, ADN *m*, DNA *ing.m*. ~ 분석 análisis *m* del ADN.

디엠지 zona *f* demilitarizada.

디자이너 diseñador, -dora *mf*; dibujante *mf*; [복식의] modista *mf*; modisto *m*.

디자인 diseño *m*, dibujo *m*, boceto *m*. ~하다 diseñar, dibujar.

디저트 postre *m*. ~로 de postre. ~ 로 무엇을 드시겠습니까? ¿Qué quiere usted de postre?

디젤 Diesel *m*, diesel *m*. ~ 기관 motor *m* Diesel [diesel]. ~ 기관차 locomotora *f* diesel. ~ 자동차 automóvil *m* de Diesel.

디지털 digital, dedalera. ~ 텔레비전 televisión *f* digital. ~ 텔레비전 방 송 emisión *f* de televisión digital.

디프레션 ((경제)) depresión *f*.

디프테리아 ((의학)) difteria *f*. ~ 혈 청 suero *m* antidiftérico.

디플레이션 ((경제)) deflación *f*.

딜러 corredor, -dora *mf* de bolsa [de valores]. 외환 ~ agente *mf* de cambio.

딜럭스 lujo *m*. ~ 의 de lujo, lujoso. ~판 edición *f* de lujo. ~ 호텔 hotel *m* de lujo.

딜레마 ① =양도 논법. ② [진퇴 양 곡의 난처한 지경] dilema *m*. ~에 빠지다 caerse en un dilema.

딩굴다 ① [누워서] rodar. ② [빈둥빈 둥 놀다] holgazanear, haraganear, flojear. ③ [여기저기 널려 굴 다] (estar) dispersado.

딩딩하다 ① [힘이 세다] (ser) fuerte, robusto, poderoso, corpulento, potente, saludable, fuerte como un roble, con una salud de hierro. ② [마주 켕겨 팽팽하다] (quedarse) apretado, ajustado, ceñido. ③ [본 바탕이 튼튼하다] (ser) estable, seguro, firme.

따갑다 ① [몹시 더운 느낌이 있다] (estar) caliente, tener calor. ☞뜨겁 다. ② [바늘같이 뾰죽한 끝으로 찌르 는 듯한 느낌이 있다] sentir [tener] un cosquilleo [un hormigueo], hacer escocer.

따개 abridor *m*; [병따개] abrebotellas *m.sing.pl*; [깡통 따개] abrelatas *m*.

따귀 ((준말)) =빰따귀. ¶ ~를 때리 다 pegar*le* [dar*le*] una bofetada.

따끈따끈 =뜨끈뜨끈.

따끈하다 (estar) todavía caliente, tibio. 아주 ~ ser muy caliente. 따 근한 커피 한 잔 una taza de café tibio.

따끈히 calientemente. 물을 ~ 끓이다 hervir el agua caliente. 우유 를 ~ 데우세요 Calienta la leche.

따끔거리다 picar, escocer. 연기 때문 에 눈이 따끔거린다 Me pican [escuecen] los ojos con el humo.

따끔따끔 picando y picando, esco-

ciendo y escociendo. ~하다 picar, escocer. ~한 느낌 picazón *m*. ~ 한 통증 escozor *m*, dolor *m* que escuece.

따끔하다 escocer, picar, tener [sentir] un cosquilleo [hormigueo].

따님 su hija.

따다[1] ① [달렸거나 붙었거나 돋은 것 을] recoger, recolectar, cosechar. 감을 ~ recoger un kaki. ② [진집 을 내거나 찔러서] abrir (con lanceta), sajar, cortar, eliminar. 종기 를 ~ abrir un absceso. ③ [붙었 거나 막힌 것을] abrir, descorchar. ④ [골라뽑아 쓰다] citar, elegir, escoger. ⑤ [노름이나 내기 따위에 서 돈이나 물건을] ganar, obtener, conseguir. ⑥ [자격이나 점수 따위 를] sacar, obtener, recibir. 박사 학 위를 ~ obtener el doctorado.

따다[2] ① [집에 찾아온 사람을 만나 주지 않다] fingirse salir, hacer como si no estar, negarse a ver. ② [필요 없거나 싫은 사람을 돌려 내서] excluir, no incluir.

따돌리다 despistar, poner en cuarentena, excluir, expulsar, excomulgar, dejar al margen [a un lado]. 따돌림을 당하다 quedarse al margen.

따다[3] [다르다] (ser) diferente, distinto, otro, separado. 딴 남자 otro hombre *m*. 딴 여자 otra mujer *f*.

따다쓰다 plagiar, cometer plagio. 남 의 글을 ~ plagiar un libro ajeno.

따돌리다 despistar, poner en cuarentena.

따뜻하다 ① [온도·날씨가] (ser) templado; [물이] tibio; [기후나 날 씨가] 화창하다 cálido, apacible. 따뜻한 겨울 invierno *m* templado. ② [감정이나 분위기가] (ser) afectuoso, cordial, afable, cariñoso, de corazón tierno, benigno, apacible, benévolo, bondadoso, compasivo, humano, piadoso. 따뜻한 가 정 hogar *m* feliz [dulce]. ¶ 따뜻하게 afectuosamente, cordialmente, afablemente, cariñosamente, con cariño, benignamente, amistosamente, amigablemente, templadamente, felizmente, dulcemente. 따뜻이 맞 이하다 recibir cariñosamente.

따라 ((준말)) =따라서.

따라가다 acompañar, seguir.

따라붙다 adelantar, pasar.

따라오다 seguir, ir detrás.

따라잡다 alcanzar, dar alcance.

따라서 por eso, por (lo) tanto, por consiguiente, de modo [de manera] que + *ind*, luego.

따라지 ① [체구가 작은 사람] enano, -na *mf*. ② [노름판에서, 한 끗] un punto. *m*. ③ [따분한 존재] existencia *f* miserable.

따로 separadamente, distintamente, individualmente, a parte, uno por otro, uno tras otro. ~하다 separarar, dividir.

따로따로 separadamente, uno por [de] otro, una por [de] otra, aparte. ~되다 separarse uno de otro [una de otra].

따르다¹ ① [남의 뒤를 쫓다] seguir, acompañar, seguir el ejemplo. 바짝 ~ pisar los talones. ② [어떤 것을 본떠서 그와 같이 하다. 어떤 것에 의거하다] conformarse; [지키다] observar; [의거하다] depender. …에 따라 según *algo*, de acuerdo con *algo*, conforme a *algo*. ③ [복종하다] obedecer; [굴복하다] someterse. 내 말을 따라라 Haz lo que yo te digo. ④ [남을 좋아하여 가까이 붙쫓다] encariñarse, tomar afecto [cariño]. ⑤ [아울러 이루어지거나 함께 나아가다] seguir. …을 따라서 a lo largo de *algo*.

따르다² [액체를] echar, verter. 술을 ~ echar el vino [la bebida], servir el vino [la bebida].

따르르¹ ① [구르는 모양] rodando. ~ 구르다 revolcarse. ② [세차게 떠는 모양] 또, 그 소리 vibrando.

따르르² ① [글을] con fluidez, con soltura. ~ 읽다 leer con fluidez [con soltura]. ② [막힘이 없이] sin cesar.

따르릉 tintín *m*.

따름 sólo, solamente, meramente, solo. 그는 일개 학생일 ~이다 El es un simple [mero] estudiante / El no es más que estudiante.

따먹다 ① [과실을] coger [recoger] las frutas y comerlas. ② [장기·바둑 따위에서] tomar, coger, apoderarse. ③ ((속어)) [정조를 유린하다] deshonrar, violar.

따발총(多發銃) ((속어)) metralleta *f*.

따분하다 aburrirse. 따분한 tedioso, aburrido; [단조로운] monótono. 따분함 tedio *m*, aburrimiento *m*; [단조로움] monotonía *f*. 따분하게 하다 aburrir, molestar, cansar.

따스하다 (ser) algo templado.

따습다 (ser) suficientemente templado.

따오기 ((조류)) ibis *m*.

따위 y otras cosas por el estilo, y otros, y tal cosa, etcétera (약자 etc.). 너 ~에게는 tanto a ti como a otro.

따지다 ① [수를 계산하다] calcular, contar, computar. 이자를 ~ contar el interés. ② [시비를 밝히어 가르다] poner en tela de juicio, distinguir entre lo que está bien y lo que está mal.

딱¹ ① [단단한 물건이 부딪치거나 부러질 때 나는 소리] con un golpe seco. 주먹으로 ~ 머리를 때리다 golpear con un puño la cabeza. 손벽을 ~ 치다 dar palmadas. ② [가늘고 단단한 것이 부러 지면서 나는 소리, 또는 그 모양] con un chasquido. ~ 부러지다 romperse con un chasquido. ③ [단단한 것을 좀 세게 한 번 두드리는 소리] golpeando fuerte. ④ [몸시 들어붙거나 들어붙는 모양] justo, justamente. ~ 끼이다 [맞다] encajar, ajustar(se), atascarse. ⑤ [활짝 벌라지거나 크게 벌리는 모양] mucho. ~ 벌어진 어깨 hombros *mpl* robustos [mazinos]. 입을 ~ 벌리다 abrir mucho la boca.

딱² ① [(행도이나 말을) 단호하게] decisivamente, rotundamente, determinadamente, positivamente, a todo trance. ~ 잘라 결론짓다 no vacilar en tratar un problema. ② [아주. 매우] muy, mucho. ③ [한정해서 꼭·그 뿐] sólo, solamente. ~ 한 잔만 sólo una copa.

딱따구리 ((조류)) (pájaro *m*) carpintero *m*, picamaderos *m.sing.pl*, picaposte *m*.

딱딱 ① [단단한 물건이 연해 마주치는 소리] batiendo, castañeteando. 손벽을 ~ 치다 batir palmas, dar una palmada. ② [단단한 물건이 계속해서 꺾이는 소리, 또, 그 모양] con un chasquido. 나뭇가지를 ~ 부러뜨리다 romper las hojas con un chasquido.

딱딱거리다 hablar severamente [con severidad·con rigor·con dureza]. 그렇게 딱딱거리지 마라 No hables tan severamente.

딱딱이 =야경꾼(sereno). ② [밤에 야경꾼이 치는 나무 토막] bloque *m* de madera.

딱딱하다 ① [매우 굳고 단단하다] (ser·estar) duro, endurecido, rígido, sólido, firme, resistente, consistente, compacto, fuerte. ② [태도나 말씨가 또는 분위기 따위가] (ser) formal, rígido, tieso, desmañado, demasiado serio, duro, severo, torpe, desagradable, ceremonioso.

딱딱해지다 ① [매우 굳고 단단해지다] endurecerse, endurarse, atiesarse, ponerse tieso. ② [태도나 말씨가 또는 분위기 따위가] ponerse reservado, quedarse duro [rígido·tieso].

딱새 ((조류)) papamoscas *m.sing.pl*.

딱성냥 una especie de la cerilla.

딱정벌레 ((곤충)) escarabajo *m*.

딱지¹ ① [헌데나 상한 자리의] costra *f*, postilla *f*, escara *f*. ② [종이에 붙은 티] mota *f* en papel. ③ [게·소

라·거북 따위의 겉껍질] cáscara f. 호두의 ~ cáscara f de nuez. ④ [몸시계나 손목시계의 겉뚜껑] caja f. 금~ 시계 reloj m de oro.

딱지²(-紙) =퇴채.

딱지(-紙) [우표] sello m, estampilla f; [수입인지] timbre m; [상표] etiqueta f, marbeta f, rótulo m.

딱총(-銃) ① petardo m; [연속해서 울리는] buscapies m.sing.pl. ② [장난감 권총] pistola f del juguete.

딱하다 (ser) deplorable, lamentable, lastimoso, doloroso, penoso, miserable. 딱하게 생각하다 compadecer, compadecerse, tener compasión, sentir compasión [piedad].

딴 en su parte, a su juicio, con la suya, como, en cuanto a, respecto a. 내 ~은 en cuanto a mí, en lo que a mí respeta, en mi parte, a mi juicio.

딴것 el otro, la otra; otra cosa f. ~을 보여 주세요 Enséñeme otro.

딴딴하다 (ser) duro, endurecido, sólido, firme.

딴뜻 ① [이견] opinión f diferente. ② [악의] malicia f, mala intención f.

딴마음 ① [딴 것을 생각하는 마음] otro motivo m, otra intención f ② [배반하는 마음] traición f, intención f traidora [traicionera], negras intenciones fpl, doble juego m.

딴말 palabra f absurda [irrelevante], mentira f. ~하다 hacer una palabra absurda [irrelevante], mentir, decir mentiras.

딴맛 ① [본디의 맛과] 달라진 맛] sabor m diferente. ② [색다른 맛] sabor m raro [extraño·particular.

딴머리 peluca f.

딴사람 ① [다른 사람] otro hombre m, otra persona f. ② [전과 달라진 사람] persona f diferente (que antes), hombre m distinto (que antes).

딴사설(-辭說) otra historia f, otro cuento m.

딴살림 vida f separada; [부부의 별거] separación f, divorcio m limitado. ~을 하다 vivir en una casa separada, vivir por separado, vivir aparte.

딴생각 ① [엉뚱한 생각] segunda intención f, motivo m oculto. ② [다른 대로 쓰는 생각] otra idea f, otro plan m [concepto m·motivo m].

딴소리 =딴말.

딴은 bueno, bien, de veras, no me digas, ya lo creo. ~ 그렇소 De veras tú tienes razón.

딴전 musaraña f. ~을 부리다 mirar las musarañas.

딴죽 corchete m de pierna. ~을 걸다 poner una [la] zancadilla.

딴쪽 otra dirección f, otro lado m.

딴판 ① [전혀 다른 판] estado m completamente diferente de asuntos. ~이다 ser muy diferente. ② [부사적] muy, completamente.

딸 hija f. 첫 ~ primera hija f. 막내~ hija f menor, última hija f.

딸기 ((식물)) fresa f. ~나무 fresera f, fresa f. ~밭 fresal m. ~잼 mermelada f de fresas.

딸깍발이 [가난한 선비] sabio m pobre. ② [일본 사람] japonés, -nesa mf; nipones, -sa mf.

딸꾹거리다 hipar.

딸꾹딸꾹 siguiendo hipando.

딸꾹질 hipo m. ~하다 hipar, tener [padecer] hipo, darle hipo.

딸리다 tener, ser de, pertenecer. 딸린 식구 cargas fpl familiares. 나에게 딸린 식구 mi (propia) familia.

딸아이 ① [아이인 딸] hija f. ② [자기의 딸] mi hija, mi hijita.

딸자식(-子息) =딸아이.

땀¹ ① [피부에서 나는 액체] sudor m. ~에 젖어서 sudoroso, profusamente sudado. ~으로 흥건한 손 mano f pegajosa con sudor. ② [노력] esfuerzo m, palza f. ~을 흘려 재산을 모으다 amontonar riquezas asiduamente [diligentemente · con esfuerzo].

땀² [바느질의] punto m, puntada f.

땀구멍 agujero m de sudor.

땀내 olor m a sudor. ~나다 oler a sudor.

땀땀이 cada punto, cada puntada.

땀띠 ((의학)) erupción f provocada por el sudor. ~가 나다 [생기다] salpullirse. ¶~ 약 polvos mpl de talco, polvo m perfumado.

땀방울 gotas fpl de sudor.

땀샘 glándula f sudorípara.

땅 ① [지구의 겉면·물·육지] tierra f, globo m terráqueo [terrestre], mundo m. ② [영토] territorio m. ③ [지방. 곳] región f, comarca f, lugar m, sitio m, localidad f. ④ [논과 밭] el arrozal y el campo. ⑤ [대지. 토지. 토양] terreno m, suelo m, tierra f. 비옥한 ~ tierra f fértil. 메마른 ~ tierra f estéril. ~을 파다 cavar la tierra. 땅 짚고 헤엄치기 ((속담)) Huevo de Colón de Juanelo.

땅강아지 ((곤충)) grillo m real, cortón m, alacrán m cebollero.

땅개 ① ((속어)) [키가 몹시 짤막한 개] perro m de aguas, perro m muy bajo. ② [키가 작고 됨됨이가 단단하며, 잘 싸다니는 사람] persona f baja y vagabunda.

땅거미¹ crepúsculo m vespertino. ~가 질 때나 atardecer, al ponerse el sol, al obscurecer. ~가 지다 Atardece / Va a atardecer.

땅거미[2] ((동물)) araña *f* de tierra.
땅고집 obstinación *f* severa.
땅광 =지하실(地下室).
땅굴(-窟) ① túnel *m* subterráneo. ② =토굴(土窟).
땅기다 tener un calambre, tener una punzada, tener un dolor agudo.
땅꾼 cogedor, -dora *mf* de los serpientes.
땅내 olor *m* a tierra.
땅덩이 ① [국토] territorio *m*. ② [대륙] continente *m*. ③ [지구] tierra *f*.
땅딸막하다 (ser) rechoncho, regordete, cachigordo, tozo, gorde y bajo, barrigón, amondongado.
땅딸보 (hombre *m*) rechoncho *m*, retaco *m*.
땅땅[1] [총이나 포가] teniendo un sonido metálico, haciendo estruendo. ~거리다 seguir teniendo un sonido metálico.
땅땅[2] [쇠붙이가] repicando, sonando. ~거리다 seguir repicando.
땅땅[3] [기세 좋게 으르대는 모양] alardeando, jactándose, vanagloriándose. ~거리다 alardear, jactarse, vanagloriarse, fanfarronear, andar con aire arrogante.
땅뙈기 parcela *f* [terreno *m*·solar *m*] del arrozal.
땅문서(-文書) escritura *f* del terreno, documento *m* de la tierra, título *m* de propiedad.
땅바닥 terreno *m*, suelo *m*, tierra *f*. ~에 앉다 sentarse a tierra, sentarse en el suelo. ~에 넘어지다 caer a tierra.
땅벌 ((곤충)) abejorro *m*.
땅벌레 ((곤충)) larva *f*, gorgojo *m*.
땅볼 roletazo *m*, rola *f*.
땅속 =지하(地下).
땅울림 fragor *m* de la tierra, sonido *m* retumbante, retumbo *m*. ~하다 rugir la tierra.
땅임자 terrateniente *mf*, propietario, -ria *mf* de tierra.
땅재주 voltereta *f*. ~를 넘다 dar volteretas.
땅차(-車) niveladora *f* [removedora *f*] a tracción.
땅켜 ((지질)) =지층(地層).
땅콩 cacahuete *m*, *Méj* cacahuate *m*, *AmS* maní *m*.
땅파다 cavar (el terreno).
땅파먹다 cultivar, labrar.
땋다 trenzar, hacer trenzas, hacer una trenza. 땋은 머리 cabello *m* [pelo *m*] trenzado, trenza *f*. 머리를 ~ trenzar el cabello.
때[1] ① [시간] tiempo *m*; [시각] hora *f*; [시점] momento *m*; [부사절을 이끌 때] cuando. …할 ~에 en el momento de *algo*, al + *inf*, cuando + *ind* [미래의 경우: + *subj*], mientras (que) + *ind*; […라면] si + *ind*. 내가 어릴 ~부터 desde mi infancia, desde mi niñez, desde pequeño, desde niño. ② [좋은 기회나 운수, 알맞은 시기] (buena) ocasión *f*, (buena) oportunidad *f*, buena suerte *f*, momento *m* favorable. ~를 놓치지 않고 sin perder tiempo, sin pérdida de tiempo, sin más tardar. ③ [끼니] comida *f*, [끼니를 먹는 시간] hora *f* de comer. ④ [어떤 경우] caso *m*, ocasión *f*. …할 ~에는 en caso de *algo*, en (el) caso de que + *subj*. ⑤ [가] [시대. 연대] época *f*, período *m*, tiempo *m*. [나] [그 당시] entonces, aquella época, aquel tiempo. 그 ~의 국무 총리 primer ministro de entonces. ⑥ [영화] prosperidad *f*, gloria *f*.
때[2] ① [몸이나 옷에 묻은] suciedad *f*, pringue *m*; [기름의] mugre *f*, [배밑바닥의] el agua *f* de pantoque [de sentina]. ② [불순하고 속된 것] grosería *f*, vulgaridad *f*, ordinariez *f*. ③ [까닭없이 뒤집어 쓴 더러운 이름] difamación *f*, tacha *f* [mancha *f*] en *su* honor, vergüenza *f*, deshonra *f*, deshonor *m*. ④ [어린 티나 시골티] tosquedad *f*, patanería *f*, tochedad *f*, rudeza *f*.
때까치 ((조류)) alcaudón *m*.
때깔 el color y el encanto.
때꼽재기 un poco de suciedad, un poco de mugre.
때다 [불을] hacer fuego. 아궁이에 불을 ~ hacer fuego en la cocina.
때때 ((준말)) =때때옷. ¶~옷 vestido *m* [traje *m*] pintoresco para niños, vestido *m* lleno de colores para niños.
때때로 a veces, unas veces, algunas veces, de vez en cuando, de cuando en cuando; [드문드문] raras veces; [어떤 경우에는] en ciertos casos, en ciertas circunstancias.
때로 ① [경우에 따라] en ciertos casos, en ciertas circunstancias. ② [이따금] algunas veces, a veces, una veces, de vez en cuando.
때리다 ① [맨손으로나 손에 쥔 물건으로 치다] golpear, dar un golpe, pegar, batir, dar la lata, dar el rato; [손바닥으로] dar una bofetada; [주먹으로] dar un puñetazo, dar de puñetazos; [가볍게] tocar, golpear ligeramente, dar una palmita. ② [비난하다] atacar, criticar. 신문에서 ~ ser atacado en la prensa.
때맞추다 (ser) oportuno, puntual.
때마침 oportunamente, a buena hora, en tiempo oportuno, convenientemente, favorablemente, a la sazón,

(precisamente) en ese momento [en ese instante · entonces]; [다행히] felizmente, afortunadamente; [시기가 나쁘게] inoportunamente; [불운하게도] desgraciadamente, por desgracia.

때문 por; [전치사구] a causa de, por causa de, debido a, por [a] consecuencia de, con motivo de, por razones de, en cuenta de; [접속사] como, puesto que, porque, pues, que. 멀기 ~에 a causa de la lejanía. 병 ~에 por causa de la enfermedad, por motivos [por razones] de salud.

때묻다 ① [때가 묻어 더러워지다] ensuciarse. 때묻은 옷 ropa f ensuciada. ② [순수성을 잃거나 마음이 더러워지다] (ser) corrupto, impuro.

때물 lo poco refinado, lo poco pulido, rusticidad f, tosquedad f, zafiedad f, grosería f, suciedad f, mugre f. ~ 벗은 소녀 muchacha f libre de vulgaridad. ~을 벗다 (ser) refinado, urbano, elegante, pulido, bruñido.

때아닌 [철 아닌] inoportuno, intempestivo, extemporal, impropio de la estación, extemporáneo, fuera de estación; [예기치 않은] inesperado; [돌연한] repentino, súbito. ~ 개화 floración f inpropia de la estación. ~ 천둥이 울렸다 Se produjo un trueno extemporáneamente.

때우다 ① ㉮ [깨어진 곳을] soldar. 솥을 ~ soldar la olla. ㉯ [깁다] remendar. ② [간단한 음식으로] contenerse, pasar(se), sustituir, reemplazar. 하루 한 끼니로 ~ contenerse con una comida por día. ③ [어떤 일을] 다른 수단을 써서 간단히 해치우다] arreglar, pasar(se). ④ [큰 액운을 작은 괴로움으로 면하다] dispensarse, excusarse, eximirse.

땔감 combustible m, leña f. ~을 공급하다 abastecer de combustible.

땔나무 [장작] leña f (para la lumbre); [짚단을 묶은 것] gavilla f; [나무 조각] astilla f; [섶] matorral m. ~ 한 단 una haz de leña.

땜¹ ((준말)) =땜질. ¶~장이 caldereo, -ra mf; [땜납의] soldador, -ra mf. ㉮ [깨어지거나 구멍 진 것을 때워 고치는 일] soldadura f. ~질하다 soldar. ㉯ [떨어진 옷의 깁는 일] remiendo m, arreglo m. ~질하다 remendar, arreglar. ㉰ [한 부분만 고치는 일] reparación f de una parte. ~질하다 reparar solamente una parte.

땜² [어떤 액운을] escape m (del desastre). ~하다 prevenir (el desastre) con el menor sacrificio.

땟국 suciedad f, mugre f, roña f. ~

이 낀 mugriento, roñoso, guarrísimo. 얼굴에 ~이 끼다 tener suciedad en la cara.

땟물 ① [겉으로 나타나는 자태] figura f, forma f, aparición f. ~이 훤하다 ser guapo, apuesto, bien parecido. ② [때를 씻어낸 물] el agua f sucia.

땅¹ [뜻밖에 좋은 수가 나오는 일] un golpe de suerte imprevista.

땅² [얇고 작은 쇠붙이의 그릇을 칠 때에 나오는 소리] con gran estruendo, con sonido metálico.

땅감 caqui m menos maduro.

땅땡이 ① [아이들의 장난감] una especie de sonajero. ② ((속어)) campana f.

땡추중 monje m indigno.

떠꺼머리 ① [혼인할 나이가 넘은 총각·처녀의] trenza f. ② ((준말)) =떠꺼머리 총각. ③ ((결말)) =떠꺼머리 처녀. ¶~처녀 solterona f (con trenza). ~총각 solterón m (con trenza).

떠나다 ① [자리를] abandonar, dejar, apartarse, marcharse. 고향을 ~ abandonar la tierra natal. ② [목적지를 향하여] salir, partir, ponerse en marcha. ③ [어떤 일과 관계를 끊다] dejar aparte; [은퇴하다] retirarse. 무대를 ~ retirarse de la escena. ④ [사라지다] desaparecer, dejar de aparecer, dejar de verse. ⑤ [죽다] morir, fallecer.

떠다밀다 ① [손으로 세게 밀다] empujar fuerte. ② [제 일을 남에게 넘기다] cargar a otro.

떠돌다 ① [정처 없이 이리저리 돌아다니다] vagabundear, errar, andar vagando, andar vagabundo, vagamundear. 시내를 ~ errar por la ciudad. ② [물위나 공중에] 떠서 이리저리 움직이다 · 떠다니다] flotar, sobrenadar, derivarse. 배가 큰 바다를 떠돌아다녔던 El barco estaba [iba] a la deriva en el océano. ③ [(분위기나 표정에) 어떤 기미가 나타나다] un secreto aparecer en su semblante. ④ [(소문 따위가) 근거도 없이 여러 사람의 입에 오르내리다] correr. 소문이 ~ correr el rumor.

떠돌아다니다 errar, vagar, andar [pasar] de un sitio a otro, ambular, vagabundear, vagamundear.

떠돌이 vagabundo, -da mf; vagamundo, -da mf.

떠들다¹ ① [(큰 소리로) 시끄럽게 지껄이다] hacer un ruido, alborotar, agitar, causar sensación, escandalizar, meter ruido, armar algarabía, hacer estrépito; [불만으로] protestar, alborotarse; [즐거워서] armar [meter] bulla [juerga · jolgorio],

hacer [dar] una escena. ② [소문이
나 여론 따위가] hacerse pasar.

떠들다² [덮이거나 가린 것의 한 부분
을] levantar el rincón de una
cosa. 뚜껑을 ~ levantar la tapa.

떠들썩하다¹ ① [물건이] ser levantado. ② [붙인 곳의 한 부분이 떨어
져] ser quitado.

떠들썩하다² ① [즐겁다] (ser) jovial,
alegre. 떠들썩하게 alegremente,
con alegría. 떠들썩한 웃음 (소리)
risa alegre y ruidosa. ② [활기차
다] (estar) animado; [시끄럽다]
bullicioso, alborotador, tumultuoso,
ruidoso; [갈채·노여움·축하 등으
로] poner el grito en el cielo. ③
[사람이 많이 다니다] ser de mu-
cho tránsito, muy frecuentado,
muy concurrido.

떠름하다 ① [맛이] (ser) áspero, de
sabor astringente. ② [말·행동이]
(ser) vago, indistinto; [기분이]
sombrío. 떠름한 대답 respuesta f
adusta. 떠름한 생각 pensamientos
mpl vagos, ideas fpl confusas. 떠
름한 얼굴을 하다 poner (la) cara
de desagrado.

떠맡기다 cargar. 빚을 ~ cargar su
deuda.

떠맡다 recibir [guardar] en depósito
[en consignación]; [담당하여] encargarse, echarse sobre las espaldas; [남의 대신으로] encargarse
de algo en lugar [en vez], asumir,
reemplazar. 빚을 ~ encargarse de
la deuda. 책임을 ~ asumir [to-
mar] la responsabilidad.

떠받다 [염소가] embestir, topetar;
[머리로] darle un topetazo [cabe-
zazo].

떠받들다 ① [번쩍 쳐들어 위로 올리
다] levantar, alzar. ② [공경하여
섬기다] servir fielmente, atender
bien, cuidar bien. ③ [소중히 다루
다] apreciar mucho.

떠받치다 sostener, apoyar, soportar.
지붕을 ~ sostener el tejado.

떠받히다 ser embestido. 황소에게 ~
ser embestido por el buey.

떠버리 charlatán, -tana mf; parlanchín, -china mf; tarabilla mf.

떠벌리다 ① [지나친 과장으로] fanfarronear, exagerar, alardear, jactarse. 소문을 ~ exagerar un rumor. ② [굉장한 규모로 차리다]
levantar [erigir] en gran escala.

떠보다 [무게를] pesar; [남의 속마음
을] tantear, sondear.

떠오르다 ① [부상하다] emerger,
surgir, ponerse a flote. [비행기가]
despegar(se). 공항을 ~ despegar-
(se) del aeropuerto. 해가 ~ salir
el sol. ② [생각·기억 따위가]
ocurrir, recordar, acordarse. 갑자기
생각이 ~ ocurrírsele. 갑자기 좋은

생각이 떠오른다 Se me ocurre
una buena idea.

떡¹ teok, torta f de arroz (glutinoso);
[(성경)] pan m. ~ 먹듯 muy
fácilmente, con mucha facilidad.

떡² [버티는 꼴] firmemente; [벌리는
꼴] muy abierto. ☞떡

떡가래 ① [가래떡의 낱개] un pedazo
de la torta de arroz. ② [(은어)]
estiércol m, mierda f.

떡가루 torta f de arroz en polvo.

떡갈나무 [(식물)] roble m, encina f.

떡국 teokguk, caldo m coreano con
torta de arroz, sopa f de tortas de
arroz del Día del Año Nuevo.

떡두꺼비같다 (ser) robusto, macizo,
corpulento, de construcción sólida,
de físico robusto.

떡메 mazo m para martillar la torta
de arroz.

떡방아 molino m de arroz en polvo.

떡벌어지다 ① [넓게 퍼지다] (ser)
muy ancho. 떡벌어진 어깨 hom-
bros mpl anchos, espaldas fpl
anchas. 어깨가 떡벌어진 ancho de
hombros, ancho de espaldas. 어깨
가 ~ ser ancho de hombros, ser
ancho de espaldas, tener los hombros anchos, tener las espaldas
anchas. ② [소문이 널리 나다]
divulgarse el rumor. ③ [벌어지다
나다] agrietarse bien. 떡벌어진 밤
송이 racimo m de castaña bien
agrietado. ④ [잔치가 크게 열리다]
(el banquete) ser celebrado.

떡벌이다 ① [넓게 퍼지게 하다]
hacer divulgar. ② [소문을 널리 내
다] correr el rumor. ③ [잔치를 크
게 열다] celebrar el banquete.

떡보 persona f que come bien la
torta de arroz.

떡보(-褓) paño m de envolver para
las tortas de arroz.

떡볶이 pedazo m de torta de arroz
tostado con carne y condimento.

떡산적(-散炙) pincho m de torta de

떡살 diseño m de la torta de arroz
de madera.

떡소 relleno m de la torta de arroz.

떡시루 vaporera f de barro para la
torta de arroz.

떡쌀 arroz m para la torta.

떡잎 [(식물)] cotiledón m, brote m,
retoño m, hoja f de semillas. 될성
부른 나무는 떡잎부터 알아본다
[(속담)] El genio ya expone en la
niñez.

떡판(-板) ① [기름떡을 올려 놓는
판] tabla f de hacer la torta de
arroz. ② [(속어)] [여자 엉덩이]
nalgas fpl de la mujer.

떨거지 parentela f, parientes mpl.

떨기 [한 송이] un ramo, un racimo;
[한 뿌리] una raíz, una planta. 한

～ 꽃 un ramo de flores, *Méj* un bonche de flores; [작은] un ramillete de flores.

떨기나무 ((식물)) arbusto *m*; [작은] mata *f*.

떨다¹ ① [물체가] temblar, retemblar. ② [간지러울 만큼 인색하여 몹시 잔달게 굴다] (ser) mezquino, avaro, tacaño. ③ [두려워하다] temer, tener miedo. ④ [작은 폭으로 자꾸 되풀이하여 흔들다] temblar, estremecer(se); [추위로] tiritar; [오한이 들다] calofriarse, sentir calofríos; [부들부들] temblequear; [흥분하여] vibrar. ⑤ [성질이나 행동을 자꾸 경망스럽게 하다] actuar, hacer. 애교를 ～ halagar, hacer*le* un cumplido. ⑥ [(음성 따위의) 울림을 심하게 일으키다] gorgoritear, temblar.

떨다² ① [붙은 것을] sacudir. 먼지를 ～ sacudir el polvo. ② [전체의 계산에서 일부를] deducir, descontar. ③ [(돈·재물 등을) 죄다 써서 없애다·탕진하다] [돈을] despilfarrar, derrochar; [재산을] dilapidar. ④ [(팔다 남은 것을) 죄다 팔거나 사다] [팔다] agotar, agotar las existencias, liquidar; [사다] comprarse todas las existencias. ⑤ [(남의 재물을) 훔치거나 부당한 방법으로 빼앗다] robar, privar.

떨떠름하다 ① [마음이 내키지 아니하다] (ser) vago, indistinto; [기분이] sombrío. 떨떠름한 얼굴을 하다 poner (la) cara de desagrado. ② [맛이 매우 떠름하다] (ser) muy áspero, de sabor astringente.

떨떨하다 ① [격에 맞지 않아 좀 천하다] (ser) humilde, modesto. ② [마음에 조금 흡족하지 못한 듯하다] sentirse inclinado.

떨리다¹ [떨다¹ ①과 ④의 피동형] temblar, estremecerse; [추위·발열로] tiritar; [진동하다] vibrar. 떨리는 목소리로 con voz temblorosa [temblona·trémula]. 가슴이 ～ [감동하다] temblar de emoción, quedarse emocionado.

떨리다² [「떨다²」의 피동형] sacudirse. 먼지가 ～ sacudirse el polvo.

떨어내다 sacudir(se).

떨어뜨리다 ① [위에서 아래로] caer, hacer caer. 차서 tirar a patadas [a puntapies]. ② ㉮ [매달렸던 것을] hacer caer. ㉯ [(붙은 사이를) 틈이 벌게 하다] hacer agrietarse [grietarse]. ③ [가졌던 물건을] caer, dejar caer. ④ [뒤에 처지게 하다] dejar detrás. ⑤ ㉮ [값을 싸게 하다] rebajar, descontar. ㉯ [질을 나쁘게 하다] bajar, rebajar. ⑥ [고개를 숙이다. 시선을 아래로 내리깔다] bajar. 고개를 ～ bajar la cabeza. 시선을 ～ bajar la vista, bajar los ojos. ⑦ [옷이나 신발 따위를] gastar. ⑧ [밴 아이를] abortar, hacerse un aborto, practicar un aborto. ⑨ [명예나 위신 따위에 흠이 가게 하다] defamar, hacer el defecto en el honor. ⑩ [(시험·선거·입찰 등에서) 뽑히지 못하게 하다] eliminar; [경매에서] rematar. ⑪ [좋지 못한 상태에 빠지게 하다] caer en el mal estado. ⑫ [쓰이고 있는 물품의 뒤가 달리게 하다] agotar, consumir. ⑬ [줄 물품 중에서 얼마를 남기다] dejar algo. ⑭ [속력 따위를] reducir. ⑮ [온도를] bajar (la temperatura). 체온을 ～ bajar la temperatura.

떨어먹다 [돈을] despilfarrar, derrochar, gastarse (todo), vaciar; [재산을] dilapidar.

떨어버리다 eliminar.

떨어지다¹ ① [아래로 내려지다] caer(se); [특히 꽃잎이] deshojarse; [전락하다] precipitarse, derrumbarse, derrocarse; [허물어지다] desplomarse; [방울이] gotear, chorrear; [해·달이 지다] ponerse. 계단에서 ～ caer(se) por la escalera. ② [붙었던 것이] quitarse, despegar, desprenderse, ser arrancado, arrancarse, romperse. ③ [(돈·물품 따위가) 빠지다] tirarse. ④ [(시험·입찰·선거·선발 따위에서) 뽑히지 못하다] salir mal, no tener éxito. ⑤ [(옷·신발·소지품 따위가) 해어지다] (estar) gastado, raído, desgastado. ⑥ [값이 내리다] bajar. ⑦ [이익이 나다] ganar, ganar la ganancia [los ingresos·las rentas]. ⑧ [공간적으로 멀다] (ser) remoto, distante, lejano, alejarse, apartarse. ⑨ [헤어지다] separarse, despedirse. 가족과 떨어져 살다 vivir separado de la familia. ⑩ [쓰던 물품이나 돈의 뒤가 달리다] agotarse, acabarse, terminar(se), consumirse. 쌀이 ～ agotarse el arroz. ⑪ [수준·정도 따위가] bajar. ⑫ [유산하다] abortar, tener un aborto, sufrir un aborto.

떨어지다² [(수준이나 정도 따위가) 못하다] bajar. 그는 인기가 떨어졌다 El bajó su popularidad.

떨이 venta *f* de saldos, liquidación *f*. ～하다 liquidar (las existencias).

떨치다¹ [위세가 널리 알려지다] ejercer. 위세를 전세계에 ～ ejercer la influencia por todo el mundo.

떨치다² ① [세게 흔들어서] hacer caer. ② [(명예나 욕심 따위를) 버리다] abandonar.

떫다 ① [맛이 거세어서 입안이] (ser) áspero, astringente. ② [(하는 짓이) 덜되고 떨떨하다] disgustar, causar disgusto.

떳떳하다 (ser) honorable, limpio, justo, legítimo, franco, sentirse orgulloso.

떵떵거리다 vivir en el estilo de lujo, vivir bien.

떼¹ [무리] grupo *m*; [군집] muchedumbre *f*, tropa *f*; [폭도 따위의] banda *f*, horda *f*; [야생 동물들의] manada *f*; [가축의] rebaño *m*, hato *m*, manada *f*; [나는 새의] bandada *f*; [날지 못하는 새의] manada *f*; [어г] banco *m*, cardumen *m*; [고래의] grupo *m*; [벌레의] enjambre *m*.

떼² [뿌리째 떠낸 잔디] tepe *m*; [잔디] césped *m*, césped *m*. ~를 뜨다 recortar el césped. ~를 입히다 cubrir de césped.

떼³ = 뗏목.

떼⁴ [의견이나 요구를 억지로 고집하는 것] importunidad *f*, porfía *f*. ~를 쓰다 importunar, porfiar, obstinarse.

떼다¹ ① [붙어 있는 것을] despegar, apartar, desprender cosas pegadas. ② [한 동아리로 있는 두 사이를 떨라놓다] separar. ③ [봉한 것을 떼어서 열다] despegar, abrir. ④ [아기를 유산시키다] hacer un aborto. ⑤ [걸음을 옮기어 놓다] mover. ⑥ [말을 하려고 입을 열다] abrir. ⑦ [첫머리를 시작하다] comenzar, empezar, abrir. ⑧ [전체에서 한 부분을 덜어내다] restar, deducir, descontar. 봉급에서 ~ deducir del sueldo. ⑨ [나쁜 버릇이나 병을 고치다] mejorar, enmendar, corregir; [병을] curar. ⑩ [먹던 것을 못 먹게 하다, 또아니 먹다] prohibir comer, no comer. ⑪ [배우던 것을 끝내다] terminar, acabar. 독본을 ~ terminar un libro de texto. ⑫ [문서를 만들어 주다·받다] emitir.

떼다² [하고서도 아니한 체하다] fingir no hacer. 시치미를 ~ fingir ignorancia.

떼도둑 grupo *m* de ladrones.

떼돈 mucho dinero inesperado.

떼밀다 empujar, echar. (사람을) 밖으로 떼밀어 내다 empujar [echar] afuera.

떼어놓다 separar, desunir.

떼어먹다 no pagar; [횡령하다] arrebatar, usurpar, desfalcar.

떼이다 ① [빌려준 것을] resultar irrecuperable. ② [뗌을 당하다] ser despegado. 명찰을 ~ ser despegada la etiqueta.

뗏목 balsa *f*, almadía *f*.

뗏장 tepe *m*, *Andes* champa *f*.

또 otra vez, de nuevo, nuevamente; [반복해서] repetidamente, repetidas veces; [그 위에] y, además; [한편] cambio; [별개의] otro, otra. ~ 한

번 otra vez, una vez más. ~ 봅시다 Hasta luego / Hasta la vista.

또는 o; [o-·ho-로 시작하는 단어 앞에서] u. 7 ~ 8 siete u ocho.

또다른 otro, segundo. ~ 부정 otra negación *f*, segunda negación *f*.

또다시 ① [두 번째, 재차] segundo, por segunda vez, otra vez. ② [한 번 더] una vez más.

또닥거리다 dar un toque, dar un golpecito, dar un golpe, *darle* palmaditas; [손으로 다지다] apisonar con las manos; [비가] golpetear, tamborilear. 코드를 ~ ((컴퓨터)) teclear un código.

또랑또랑하다 (ser) muy claro.

또래 (de) la edad, (del) tamaño *m*.

또렷또렷 todo claramente, todo vistosamente, todo vívidamente.

또렷하다 (ser) claro, vivo, distinto, nítido. 또렷한 색 color *m* vivo [fresco·resplandeciente].

또박또박 ① [한 마디 한 마디 똑똑하게] articuladamente, con pronunciación clara y distinta. ~ 말하다 hablar articuladamente. ② [어떤 규칙이나 차례 따위를] puntualmente, exactamente, con exactitud, correctamente. 집세를 ~ 내다 pagar el alquiler de casa puntualmente.

또아리 almohadilla *f* de la cabeza de la forma de anillo. ~치다 enrollarse, enroscarse.

또한 ① [마찬가지로] también. 나 ~ 그렇다 También soy yo. ② [그 위에 더] y, además, y también. 그는 영어도 하고 ~ 서반 아어도 한다 El habla español además de inglés.

똑¹ [좀 작은 것이 떨어지는 소리나 모양] con un golpe, con un toque.

똑² [아주 틀림없이] exactamente, precisamente, puntualmente, completamente. 둘이 ~ 닮았다 Los dos son como dos gotas de agua.

똑같다 (ser) igual, (exactamente) parecido, ser como dos gotas de agua. 똑같은 날에 en el mismo día.

똑같이 igual, igualmente; [같은 양으로] por igual, equitativamente; [한결같이] del mismo modo, equitativamente, en [a] partes iguales; [공평하게] imparcialmente, de la misma manera, de la misma forma, (por) igual, equitativamente; [차별없이] sin discriminación.

똑딱거리다 dar un golpe, tabletear; [굽이 높은 구두가] taconear; [컴퓨터 키보드 등을] teclear.

똑딱단추 [옷의] (cierre *m*) automático *m*, broche *m* de presión; [핸드백이나 목걸이의] broche *m*.

똑딱선(-船) lancha *f* motora.

똑똑 ① [작은 물건이] gota a gota, tamborileando, dando golpes ligeros. ② [작고 단단한 물건이] con chasquido, con ruido seco. ③ [조금 단단한 물건을] dando unos golpecitos. 문을 ~ 두드리다 llamar [golpear] a la puerta.
똑똑하다 ① [소리가 매우 또렷하다] (ser) claro, evidente, nítido. 똑똑한 발음 pronunción *f* clara. ② [사리에 밝고 야물다] (ser) inteligente, listo, genial. ③ [분명하고 정확하다] (ser) evidente y exacto.
똑똑히 ① [분명히] vivamente, claramente, distintamente, con claridad, perfectamente. ~ 말하다 hablar claramente [con claridad]. ② [영리하게. 현명하게] inteligentemente, bien. 일처리를 ~ 하다 despachar el asunto inteligentemente.
똑바로 ① [곧바로] derecho, directamente; [직선으로] en línea recta; [수직으로] verticalmente. ~ 위에 justamente arriba. ~ 하다 poner derecho, enderezar; [자신의 몸을] ponerse derecho, enderezarse. ② [조금도 틀림없이] honradamente, honestamente, francamente.
똘똘 liando, envolviendo, arrollando. ~ 말다 liar, envolver, arrollar.
똘똘이 niño, -ña *mf* inteligente; niño *m* sabio, niña *f* sabia.
똘똘하다 (ser) inteligente, sabio.
똘배 pera *f* silvestre.
똘배나무 ((식물)) peral *m* silvestre.
똥 [사람이나 동물의] estiércol *m*, excremento *m*, fimo *m*, aguas *fpl* mayores, freza *f*, mierda *f*; [어린이의] caca *f*; [새 · 파리의] excremento *m*; [소 따위의] boñigas *fpl*, bosta *f*, caca *f*; [말의] cagajón *m*; [마소의] bosta *f*; [개의] canina *f*, heces *fpl*; [닭의] gallinaza *f*.
똥값 precio *m* muy barato.
똥개 perro *m* criollo.
똥거름 fimo *m*, fiemo *m*, excremento *m*.
똥구멍 ano *m*.
똥끝 punta *f* de excremento.
똥독 jarra *f* para el estiércol.
똥독(–毒) veneno *m* de estiércol.
똥똥하다 (ser) muy gordo, gordísimo, rechoncho. 똥똥한 아이 niño *m* gordísimo, niña *f* gordísima.
똥물 ① [똥이 풀려 섞인 물] el agua *f* excremental. ② [구토가 심할 때 나오는 누르스름한 물] el agua *f* amarillenta al vomitar mucho.
똥바가지 calabaza *f* de estiércol.
똥배 barriga *f*, panza *f*.
똥싸개 cagón, -gona *mf*.
똥오줌 el estiércol y la orina, excrementos *mpl*.
똥요강 orinal *m* para estiércol.
똥자루 estiércol *m* largo y grueso.
똥주머니 escoria *f*, tonto, -ta *mf*, inútil *mf*, calamidad *f*.
똥줄 (tronco *m* de) estiércol *m* de pasar evacuaciones incontrables rápidamente.
똥집 ① ((속어)) =대장(大腸). ② =체중(體重). ③ =위(胃)(estómago).
똥차(–車) ① [똥을 실어나르는 차] coche *m* que transporta el estiércol. ② ((속어)) =고물차.
똥칠(–漆) mancha *f* en *su* reputación. ~하다 ㉮ [똥을 묻히다] hacer embadurnar [untar] el excremento. ㉯ [치욕을 당하다] deshonrarse, deshonorarse. 얼굴에 ~ manchar *su* reputación, deshonrar, desacreditar, deshonrar el nombre.
똥통(–桶) ① [똥을 담는 통] cubo *m* de estiércol. ② [좋지 않거나 낡아 빠진 것] mala cosa *f*, cosa *f* vieja.
똥파리 ① [똥에 모이는 파리] moscas *fpl* de acudir en el estiércol. ② ((곤충)) mosca *f* de estiércol.
뙈기 ① [논밭의 한 구획] una sección del campo o del arrozal. ② [작은 한 조각] un pedacito, un trocito.
뙤약볕 sol *m* fuerte [abrasador]. ~을 쪼이다 exponerse al sol abrasador. ~을 쪼이며 [아래] bajo el sol abrasador.
뚜 [기적 · 나팔 등의 외마디 소리] pitando, tocando el claxon [la bocina]. ~(하고) 울리다 pitar, tocar el claxon [la bocina].
뚜껑 tapa *f*, tapadera *f*, tapón *m*, tapador *m*, cubierta *f*, cobertera *f*, solapa *f* (봉투의), cartera *f* (호주머니의), portezuela *f* (호주머니의); [만년필 · 연필의] capuchón *m*.
뚜뚜 siguiendo pitando [sonando]. 기적을 ~ 울리다 pitar, tocar un silbato [pito].
뚜렷이 evidentemente, claramente, vivamente, distintamente.
뚜렷하다 [명백하다] (ser) evidente, claro, obvio, nítido, vívido, manifiesto, visible; [확실하다] cierto, seguro, confirmado. 뚜렷한 기억 recuerdo *m* vívido.
뚜벅거리다 caminar [andar] con aire arrogante, caminar erguido.
뚜쟁이 proxeneta *mf*, chulo *m* (de putas); alcahuete, -ta *mf*, rufián, -fiana *mf*.
뚝¹ ① [좀 큰 것이] con estrépito. 호박이 ~ 떨어진다 La calabaza cae con estrépito. ② [굵고 단단한 것이] bruscamente. ~ 부러지다 romperse [cortarse] bruscamente.
뚝² ① [계속되던 것이 갑자기 그치는 모양] decidamente, de una vez para siempre, en seco, de repente. 술을 ~ 끊다 dejar de beber

decidamente [de una vez para siempre]. 실이 ~ 끊겼다 Se cortó en seco el hilo. 전화가 ~ 끊겼다 Se cortó la línea de repente. ② [(거리·순위·성적 따위를) 두드러지게 떨어지는 모양] de un golpe. 그는 성적이 ~ 떨어졌다 Sus notas bajaron mucho de un golpe.

뚝³ [(행동이나 말을) 단호하게] con firmeza, firmemente, con resolución, con decisión, resueltamente.

뚝딱 ① [무엇을 거침 없이 시원스럽게 해치우는 모양] rápido, rápidamente, en un abrir y cerrar de ojos. 밥 한 그릇을 ~ 해치우다 comer un cuenco [un tazón] en un abrir y cerrar de ojos. ② [단단한 물건을 계속 두드릴 때에, 한 번 나는 소리] repiquetear, chacoloteando.

뚝딱거리다 ㉮ [좀 단단한 것을] hacer ruido, chacolotear, repiquetear. ㉯ [갑자기 놀라거나 겁이 났을 때] latir con fuerza, palpitar.

뚝뚝¹ ① [큰 것이] goteando, gota a gota, a gotas esparcidas, en granos [piezas·pizcas·gruesos·pedazos]. ~ 떨어지다 caer agitándose; [비가] hacer ruido acompasado; [눈물이] escurrir. ② [굵거나 큰 물건이] con chasquido, con ruido seco. ③ [단단한 것이] dando unos golpecitos.

뚝뚝² ① [여럿 사이의 거리가] mucho, muy. 사이를 ~ 떼어놓다 alejarse [distanciarse] mucho el intervalo. ② [값·순위 같은 것이] mucho, muy. 물건 값이 ~ 떨어지고 있다 El precio sigue bajando mucho.

뚝뚝하다 ① [맛이 없이] (ser) duro, fuerte, resistente. 뚝뚝한 말씨 expresión f dura. ② [인정미가 없이] (ser) duro, severo, insociable, poco sociable, huraño.

뚝배기 tazón m [cuenco m·bol m] de barro.

뚝심 fuerza f física, resistencia f, aguante m; [당해 내는 힘] entereza f, fortaleza f.

똘똘 rodando. ~ 말다 rodar.

뚫다 ① [구멍을] agujerear, perforar, taladrar, ahuecar, barrenar, punzar, horadar, hacer una perforación, hacer, abrir; [관통하게] atravesar. ② [막힌 것을] abrir. 산길을 ~ abrir el camino en la montaña. ③ [어떤 장애나 난관 따위를] superar, dominar, vencer, salvar. ④ [어떤 일을 할 길을] buscar.

뚫리다 abrirse, agujerearse.

뚱기다 ① [현악기 따위의 줄을] rebotar. ② [암시해 주다] informar.

뚱딴지¹ [완고하고 우둔하며 무뚝뚝한 사람] persona f estúpida.

뚱딴지² ((식물)) cotufa f.

뚱뚱보 =뚱뚱이.

뚱뚱이 gordo, -da mf.

뚱뚱하다 (ser) gordo, gordezuelo, gordete, grueso, corpulento, inflado, barrigón, barrigudo, amondongado, rechoncho; [포동포동하다] regordete, rellenito.

뚱보 ① [심술난 것처럼 뚱한 사람] persona f callada y lúgubre. ② ((준말)) =뚱뚱보.

뚱하다 ① [말수가 적고 붙임성이 없다] (ser·estar·quedarse) taciturno, silencioso, callado. ② [못마땅하여 시무룩하다] (ser) poco sociable, huraño, hosco.

뛰놀다 dar saltitos, brincar saltitos, retozar.

뛰다¹ ① [자기 몸을 위로 솟게 하여 오르다] saltar. 껑충껑충 ~ rezotar, saltar, brincar. ② [맥이나 심장 따위가] latir, palpitar. ③ [매우 세게 위로 흩어져 오르다] saltar. ④ [탄력 있게 계속 튕기어 오르다] saltar. ⑤ [빨리 달리다] correr (rápido). ⑥ =도망하다. ⑦ [값 따위가] subir vertiginosamente. ⑧ [순서를] saltar(se), omitir. ⑨ [아주 굳센 태도를 보이다] saltar. 화가 나서 펄쩍 ~ saltar con cólera.

뛰다² [그네나 널을] columpiarse.

뛰어나가다 salir precipitadamente, saltar, lanzarse.

뛰어나다 superarse, excederse, sobresalir, distinguirse, destacarse, encimarse, ser excelente, aventajar, superar, sobrepujar; [어떤 일에서만] pintarse solo para + inf. 뛰어 나게 ser fuerte, ser hábil. 뛰어난 extraordinario, excepcional, excelente, sobresaliente, distinguido, eminente, célebre. 뛰어난 건축가 maestro, -tra mf en obras. 뛰어난 인물 persona f extraordinaria.

뛰어나오다 salir precipitadamente, lanzarse, abalanzarse, saltar; [별안간 나타나] aparecer repentinamente [de repente].

뛰어내리다 saltar. 열차에서 ~ saltar del tren.

뛰어넘다 saltar. 담[도랑]을 ~ saltar una cerca [una zanja].

뛰어 다니다 recorrer, correr de una parte a otra, travesear, juguetear, andar saltando.

뛰어들다 ① [빨리] pisar hacia el interior. ② [갑자기] entrar de repente. ③ [무조건 마구] entrar por fuerza, entrar de rondón [con ímpetu]. ④ [참견하여 끼어들다] entremeterse. 대화에 ~ entremeterse en una conversación. ㉮ [높은 데서] zambullirse, chapuzarse, arrojarse. 물에 ~ zambullirse [chapuzarse] en el agua.

뜀뛰기 salto *m*.

뜀박질 ① [뜀을 뛰는 짓] salto. ~하다 saltar. ② [달음박질] carrera *f*, jogging *ing.m*. ~하다 correr.

뜀틀 trampolín *m*. ~ 운동 salto *m* de trampolín.

뜨개바늘 ((준말)) =뜨개질바늘.

뜨개질 punto *m*, labor *m* [trabajo *m*] de punto, punto *m* de media, labor *f*. ~하다 hacer punto (de aguja).

뜨개질바늘 aguja *f* de hacer punto, *AmL* aguja *f* de tejer, *Chi* palillo *m*; aguja *f* de gancho para hacer crochet, aguja *f* de medias (de punto), aguja *f* de hacer medias.

뜨겁다 ① [열이 몹시 나다] (estar) caliente, tener calor. 뜨거울 때에 en caliente. 뜨거운 물 [차] el agua *f* [el té *m*] caliente. ② [얼굴이 몹시 화끈하다] arder. 낯이 뜨거워지다 arder*le* la cara. ③ [열정에 차다] estar lleno de ardor.

뜨끈뜨끈 tiernamente, calientemente. ~하다 (ser) recién sacado del horno, tierno, caliente. ~한 빵 pan *m* tierno. ~한 밤 castañas *fpl* calientes.

뜨끈하다 (estar) bastante caliente.

뜨끔거리다 picar, doler, tener dolor.

뜨끔하다 ① [찔리거나 맞아서] pinchar, *Méj* picar. 수염이 ~ pinchar*le* [*Méj* picar*le*] con la barba. ② [양심에 자극되어] sentir el aguijón, tener remordimientos.

뜨내기 trotamundos *mf.sing.pl*; vagabundo, -da *mf*. ~손님 cliente *m* pasajero [de paso]. ~장사 negocio *m* [comercio *m*] casual.

뜨다¹ ① [물 위에] flotar, sobrenadar. ② [공중으로 솟아오르다] salir; [이륙하다] despegarse. ③ [착 달라붙지 않고] quedar flojo; [벽지가] despegarse. ④ [가라앉거나 차분하게 되지 못하다] tener el gusanillo. ⑤ [꾸어준 돈이나 물건이] 못 받게 되다] acabarse, no quedar nada. ⑥떠내려가다 llevarse, ser arrastrado (por las aguas). 홍수로 다리가 떠내려갔다 La riada se llevó el puente. 떠다니다 ⑦ [하늘이나 물위를] flotar, sobrenadar. ④ [정처없이] errar, vagar, vagabundear.

뜨다² ① [제 몸의 훈김에 썩으려고 변하다] hacerse rancio, *con* la humedad [a moho]. ② [메주나 누룩이] fermentar. ③ [병 따위로 얼굴빛이] hacerse amarillento.

뜨다³ [(이승이나 자리에서) ausentarse. 자리를 ~ ausentarse del asiento. ~을 뜨다 morir, fallecer.

뜨다⁴ ((한방)) cauterizar, dar cauterio, cauterizar cn moxa. 뜸을 ~ aplicar la moxa, cauterizar con moxa.

뜨다⁵ ① [떼어내다] recortar, cortar, eliminar. 뗏장을 ~ recortar el tepe. ② [물건을 많은 양에서] sacar, coger, recoger. 물을 ~ sacar el agua. ③ [옷감을] comprar. ④ [죽은 짐승의 몸뚱이를] cortar en partes; [고기의 살을] cortar. ⑤ [물 위나 물 속에 있는 것을] coger. ⑥ [종이나 김을] fabricar.

뜨다⁶ [(감거나 감겨진 눈을) 벌리다, 또는 잃었던 시력을 되찾다] abrir; [시력을 되찾다] recuperar [recobrar] la vista. 눈을 ~ abrir los ojos. ¶뜬눈 ojos *mpl* abiertos. 뜬 눈으로 밤을 새다 velar, pasar la noche [trasnochar] en vela [sin pegar los ojos·sin dormir ni un instante].

뜨다⁷ ① [실·노·말총 따위로 코를 얽어서 그물·장갑·탕건 등을] tejer, entretejer. ② [실을 뀀 바늘로] coser. ③ [살갗에 먹실을 꿰어 그림·글자 등을] tatuar.

뜨다⁸ [(놓여 있는 무거운 물건을) 위로 쳐들어 올리다] levantar, alzar. ② ((씨름)) levantar.

뜨다⁹ [(본을 받아서) 그와 똑같게 하다] copiar, imitar. 수본을 ~ copiar el dibujo de bordado del modelo original.

뜨다¹⁰ [(저울로 물건의 정도를) 헤아리다] pesar. 쇠고기를 저울로 ~ pesar la carne con balanza. ② [상대방의 속마음을] sondear, tantear.

뜨다¹¹ ① [움직이거나 나아가거나 또는 발육 상태가] (ser) lento. ② [느낌이 둔하다] (ser) torpe, lerdo, lento, corto de entendederas. ③ [말수가 적다] (ser) taciturno. 말이 뜬 아가씨 señorita *f* taciturna. ④ [무디다] (ser) romo, embotado, desafilado, sin filo, sin corte; [연필이] desafilado, que no tiene punta. ⑤ [다리미·인두 같은 쇠붙이가 불에] 다는 성질이 둔하다] ser lento a calentarse. ⑥ [공간적으로나 시간적으로] estar lejos, hacer mucho tiempo. ⑦ [동안이 생기다] tener un intervalo.

뜨덤뜨덤 titubeando, balbuceando. 글을 ~ 읽다 leer titubeando.

뜨뜻하다 (estar) tibio, templado, caliente. 뜨뜻한 옷 ropa *f* de abrigo, ropa *f* templada.

뜨물 [(쌀 씻은 물) el agua *f* que ha estado lavado el arroz. ② =진 딧물.

뜨습다 estar muy caliente.

뜨악하다 (ser) reacio, renuente, sentirse inclinado (a + *inf*), no querer + *inf*, no estar dispuesto a + *inf*.

뜨음하다 disminuir, (estar) ralo, poco denso; [산재하다] disperso, esparcido; [부족하다] escaso. 뜨음하게 difusamente, de modo poco denso;

esporádicamente. 발길이 ~ ir menos frecuentemente.

뜨이다 ① [감았던 눈이 열리다] abrir, despertar(se), ser abierto. ② [몰랐던 사실이나 숨겨졌던 본능을 깨달게 되다] aguzar el oído. ③ [눈에 들어오다. 또 발견되다] (ser) manifiesto, notorio, evidente, hacerse abrir (los ojos), atraer la atención. ④ [두드러지게 드러나다] (ser) llamativo. 눈에 뜨이는 미인 belleza f llamativa.

뜬구름 nube f errante [flotante].

뜬소문(-所聞) rumor m infundado.

뜯기다 ① [빈대 · 모기 등에] ser picado. 나는 모기에 많이 뜯겼다 Me picaron los mosquitos. ② [남에게] extorsionado, sacado. ③ [내기에 지다] perder de apuesta. ④ [마소에게 풀을] pastar, pacer. ⑤ [머리털 따위를] (ser) desplumado, depilado, arrancado.

뜯다 ① [붙은 것을 떼다] quitar, sacar; [기계를] desmontar; [건축장의 발판을] desmantelar, desmontar; [가구를] desmontar, desarmar; [선박 · 건물을] desmantelar; [풀을] pastar, pacer; [털 따위를] desplumar, depilarse. ② [남을 졸라서 조금씩 얻어오다] extorsionar. ④ [이로 물어 떼다] morderse. 갈비를 ~ morderse la costilla. ⑤ [물것들이 물다] picar. 모기가 뜯었다 Picaron los mosquitos. ⑥ [현악기의 줄을] tocar.

뜰 patio m, jardín m.

뜸² ((화학)) =발효(醱酵).

뜸² [거적처럼 엮어 만든 물건] estera f de junco.

뜸³ ((한방)) moxa f, moxiterapia f. ~을 뜨다 cauterizar (con moxa). ¶ ~ 쑥 moxa f. ~ 요법 cauterio m. ~자리 moxa f.

뜸 [훈씬 열을 가한 뒤에 푹 익게 하는 일] acción f de reposar (bien). ~을 들이다 dejar reposar. ~이 들다 reposar bien.

뜸부기 rascón m.

뜸질 cauterización f, moxa f, moxiterapia f. ~하다 cauterizar, dar cauterio, cauterizar con moxa.

뜸하다 ((준말)) =뜨음하다.

뜻 [의향] intención f, idea f; [의지] voluntad f, mente f, deseo m; [목적] propósito m, objeto m, fin m, objetivo m; [희망] esperanza f; [야망] ambición f, aspiración f. ~을 받다 obedecer. ~을 세우다 proponerse un fin en la vida. ~(이) 깊다 [의미 있다] (ser) expresivo, significativo; [유익하다] útil, provechoso. 뜻이 있는 곳에 길이 있다

((속담)) Querer es poder.

뜻글 ((언어)) ((준말)) =뜻글자.

뜻글자 ((언어)) ideograma m.

뜻대로 ① [마음 먹은 대로] como su voluntad. ~ 되다 salirse con la suya. ② [의미와 같이] como la significación, como el significado.

뜻밖 sorpresa f, repentón m, lance m inesperado [imprevisto]. ~의 inesperado, impensado, imprevisto. 뜻밖에 inesperadamente, de improviso, sin pensarlo.

뜻하다 ① [계획하다] planear, planificar, programar, aspirar, esperar; [결심하다] decidir, determinar. ② [의미하다. 뜻하다] significar, querer decir. 이것은 무엇을 뜻합니까? ¿Cómo se dice esto? / ¿Qué quiere decir esto?

띄다 ((준말)) =뜨이다 ①.

띄어쓰기 palabras fpl espaciadas.

띄어쓰다 escribir dejando espacios (entre palabras), dejar espacios.

띄엄띄엄 a intervalos, con interrupciones.

띄우다¹ ① [사이가 뜨게 하다] espaciar, poner espacio. ② [편지를] mandar, enviar. ③ [표정을 겉으로 나타내다] tener, poner, asomar. 미소를 ~ sonreír.

띄우다² ① [뜨게 하다] hacer flotar (volar), poner a flote. ② [연을 날리다] hacer volar la cometa. ③ [메주 따위를 뜨게 하다] fermentar.

띠¹ ① [가슴이나 허리의 끈] faja f, apretador m, cinturón m, alezo m [일산부의], pretina f, banda f; [허리띠 · 태권도나 유도 등의] cinturón m, cinto m, Méj cinta; [장식용] fajín m; [책의] faja f, [탄띠] cartuchera f, canana f; [총의] cinturón m (con pistolera). 검은 ~ [태권도 · 유도 등의] cinturón m [cinto m] negro, Méj cinta f negra; [사람] cinturón mf [Méj cinta mf] negro [negra f]. ② [주로 아이를 업을 때의] paño m ancho y largo para los niños.

띠² ((식물)) cañavera f.

띠³ [사람이 난 해의 상징] signo m zodiacal nacida.

띠다 ① [띠를 감거나 두르다] ponerse, ceñir. ② [물건을 지니고 있다] llevar, tener. ③ [임무나 사명을 가지다] cargar, ser investido; [상태] estar a cargo, estar encargado. ④ [어떤 빛깔을] tener, llevar. ⑤ [감정을] tener, presentar. ⑥ [사상적 빛깔을] tomar, tener, llevar.

띵하다 tener dolor sordo, doler*le* sordamente. 골이 ~ tener dolor de cabeza sordo, doler*le* sordamente la cabeza.

ㄹ

라 ((음악)) la *m*. ~ 장조 la *m* mayor. ~ 단조 la *m* menor.

라놀린 ((화학)) lanolina *f*.

라는 ((준말)) =라고 하는. ¶이것이 장미~ 꽃이다 Esta flor se llama rosa.

라 단조(-短調) ((음악)) (tono *m* de) re *m* menor.

-라도 ① [조차도] aun, aun cuando. 언제~ 오십시오 Venga cuando quiera. ② [또] también, lo mismo da, igualmente. ③ [마저] aunque, bien que. ④ [그러나] pero, mas, sin embargo. ④ [그러나] pero, mas, sin embargo.

라돈 ((화학)) radón *m* (Rn). ~계 ((물리)) radonoscopio *m*.

라듐 ((화학)) radio *m*, rádium *m*.

라디안 ((수학)) radián *m*.

라디에이터 radiador *m*.

라디오 ① [방송] radio(difusión) *f*. ~를 듣다 escuchar [oir] la radio. ~로 방송하다 emitir por radio. 나는 그것을 ~로 들었다 Lo oí por el [la] radio. 휴대용 ~ radio *f* portátil, radio *f* a transistores, transistor *m*. ② =무선 전화. 무선 전신.

라디오존데 ((기상)) radiosonda *f*.

라벨 etiqueta *f*, marbete *m*.

라빠스 ((지명)) La Paz (볼리비아의 수도). ~ 사람 paceño, -ña *mf*.

라쁠라따강(-江) el Río de la Plata.

라우드스피커 altavoz *f*.

라운드 [회전] vuelta *f*; ((권투)) asalto *m*; ((골프)) recorrido *m*.

라운지 salón *m*, sala *f* de descanso.

라이너 ((야구)) pelota *f* raza.

라이벌 rival *mf*, competidor, -dora *mf*.

라이선스 permiso *m*, licencia *f*.

라이온스 클럽 Club *m* de Leones.

라이터 encendedor *m*, mechero *m*. ~돌 piedra *f* para [de] encendedores. ~용 가스 gas *m* para encendedores. ~용 기름 aceite *m* para encendedores.

라이트급(-級) peso *m* ligero [*AmL* liviano]. ~ 챔피언 campeón *m* de (los) peso(s) ligero(s).

라이트 미들급(-級) peso *m* super-welter [medio ligero].

라이트 웰터급(-級) peso *m* super [welter] ligero.

라이트 플라이급(-級) peso *m* mos-ca ligera.

라이트 헤비급(-級) peso *m* pesado.

라이트 훅 gancho *m* de derecha.

라이플 rifle *m*, carabina *f*.

라인 ① [줄. 선] línea *f*, raya *f*, fila *f*, hilera *f*, cola *f*. ② =행(行)(línea). ③ =항로(línea). ④ ((복식)) =윤곽(línea). ⑤ =계열(línea).

라인업 alineación *f*, formación *f*.

라일락 ((식물)) lila *f*.

라 장조(-長調) ((음악)) re *m* mayor.

라조(-調) ((음악)) re *m*.

라켓 raqueta *f*; ((탁구)) pala *f*. ~을 휘두르다 blandir la raqueta.

라텍스 látex *m.sing.pl.*

라트비아 ((지명)) Latvia *f*, Letonia *f*. ~의 letón, -tona *mf*; latvio, -via *mf*. ~어 letón *m*, latvio *m*.

라틴 latín *m*. ~의 latino. ~ 문학 literatura *f* latina. ~ 뮤직 música *f* latina. ~ 민족 raza *f* latina. ~어 latín *m*. ~풍(風) latinismo *m*.

라틴 아메리카 América *f* Latina. ~의 latinoamericano. ~ 사람 latinoamericano, -na *mf*. ~ 협회 Sociedad *f* [Asociación *f*] Latinoamericana.

락토오스 ((화학)) lactasa *f*.

-란(卵) huevo *m*. 수정~ huevo *m* fecundado.

-란(亂) guerra *f*. 임진~ Guerra *f* de *Imchin*.

-란(欄) columna *f*. 광고~ columna *f* de anuncios. 문예~ columna *f* literaria.

란도셀 mochila *f*, morral *m*.

란셋 ((의학)) lanceta *f*.

란제리 lancería *f*, ropa *f* blanca [interior] de mujer.

랑데부 cita *f*; [선박 따위의] reunión *f*. ~하다 citar, reunir.

랠리 ① [탁구·테니스 따위의] ataque *m* sostenido. ② [자동차 경주] recuperación *f*, recobro *m*.

램 ((컴퓨터)) RAM.

램프 lámpara *f*, linterna *f*, farol *m*. ~ 갓 pantalla *f*. ~ 그을음 negro *m* de humo. ~불 luz *f* de (la) lámpara. ~ 심지 mecha *f* de lámpara. ~ 전구 bombilla *f* eléctrica.

랩소디 ((음악)) rapsodia *f*.

랭크 rango *m*, grado *m*, clase *f*; [순위] lugar *m*.

랭킹 clasificación *f*, ranking *ing.m*.

량(輛) un coche, un vagón. 화차 20 ~ veinte vagones de carga.

러너 corredor, -dora *mf*.

러닝 corrida *f*, carrera *f*. ~ 메이트 compañero, -ra *mf* de candidatura;

[대통령 출마자의] candidato, -ta *mf* a la vicepresidencia. ~ 셔츠 camiseta f.

러브 ① [사랑. 애정] amor *m*, cariño *m*. ② [애인. 연인] amante *mf*. ③ ((테니스)) [무득점] cero *m*. 30-- treinta-cero. ¶~ 게임 ((테니스)) juego *m* en blanco, juego *m* a cero. ~ 레터 carta f de amor, carta f amorosa. ~ 세트 ((테니스)) set *m* en blanco, set *m* a cero. ~ 올 ((테니스)) cero-cero.

러시 ① [돌진] acometida f, embestida f. ② [쇄도] afluencia f (de gente), riada f. ③ ((축구)) ataque *m*; ((럭비)) carga f. ¶~ 아워 hora f punta, hora · f de mayor [más] tránsito [tropel], hora f de mayor afluencia.

러시아 ((지명)) Rusia f. ~의 ruso. ~어 ruso *m*. ~인 ruso, -sa *mf*.

러키 buena fortuna f, buena suerte f, dicha f, ventura f. ~하다 (ser) afortunado, dichoso, venturoso. ~ 세븐 séptimo *m* dichoso. ~ 존 zona f afortunada. ~ 펀치 puñetazo *m* afortunado.

럭비 rugby *m*. ¶~를 하다 jugar al rugby. ¶~공 pelota f de rugby. ~ 선수 jugador *m* de rugby. ~식 축구 rugby *m*. ~화(靴) botines *mpl* de rugby.

럭스 lux *m*.

런던 ((지명)) Londres. ~의 (사람) londinense.

런치 comida f, almuerzo *m* (ligero), merienda f, bocadillo *m*; [정식(定食)] cubierto *m*.

럼주(─酒) ron *m*; [물을 탄] bebida f de ron y agua, brebaje *m*.

레 ((음악)) re *m*.

레그혼 leghorn f.

레몬 ((식물)) limón *m*. ~나무 limonero *m*. ~색 color *m* de limón. ~수(水) limonada f. ~ 압착기 exprimidor *m* de limón, prensalimones *m*. ~즙[주스] zumo *m* [*AmL* jugo *m*] de limón.

레미콘 hormigón *m* ya mezclado; [차] hormigonera f, mezcladora f.

레바논 ((지명)) (el) Líbano. ~의 libanés. ~인 f sama libanés, -nesa *mf*.

레벨 [수준] nivel *m*.

레스토랑 restaurante *m*.

레슨 lección f. ~을 받다 tomar lecciones. A한테 피아노 ~을 받다 tomar lecciones de piano con A.

레슬러 [레슬링 선수] luchador, -dora *mf*. 프로 ~ luchador *m* profesional.

레슬링 lucha f, match *m*. ~를 하다 luchar. ~ 선수 luchador, -dora *mf*. ~ 시합 combate *m* de lucha (libre), combate *m* de match.

레시버 receptor *m*.

레이 gran collar *m* de flores. …의 목에 ~를 걸다 poner a *uno* un gran collar de flores.

레이더 radar *m*. ~의 radárico, de radar. ~ 기지 estación f de radar. ~ 망 red f de radar. ~ 안테나 antena f de radar. ~ 탐지 detección f radárica.

레이디 dama f, señora f. 퍼스트 ~ [대통령의 부인] primera dama f (de la nación). ¶~ 킬러 conquistador *m*, tenorio *m*, donjuán *m*, castigador *m*.

레이서 [경기용의 자동차·오토바이· 요트·동물 따위. 또, 그 경기자] [자동차] coche *m* de carrera(s); [자전거] bicicleta f de carrera(s); [말] caballo *m* de carrera(s); [개] perro *m* de carrera(s); [경기자] corredor, -dora *mf*.

레이스[1] puntas *fpl*, encaje *m*; [견(絹)] blonda f. ~를 달다 adornar con encaje. ~를 짜다 hacer encaje. ¶~ 사[실] hilo *m* de encaje. ~ 장갑 guantes *mpl* de encaje. ~ 장식 entrelazamiento *m*.

레이스[2] ① [경주] carrera(s) f(pl). ~를 하다 competir en la carrera, efectuar carreras. ~에 출전하다 tomar parte en las carreras. ② = 경조(競漕).

레이아웃 ① [집의] distribución f. ② [((도시·정원의)] 배치(도)·설계 [(법)] trazado *m*, plan *m*. ③ [(책· 신문·잡지·광고 등의] 디자인 *m*, maquetación f, disposición f. 포스터의 ~을 하다 disponer los caracteres (y los dibujos) en el cartel. ¶~ 아티스트 maquetador, -dora *mf*, diagramador, -dora *mf*.

레이온 rayón *m*, seda f artificial.

레이저 ((물리)) láser *m*, laser *ing. m*. ~ 메서 máser *m* óptico. ~의 lasérico. ~ 광선 rayo *m* (de) láser. ~ 내시경 endoscopio *m* láser. ~ 무기 el arma f láser. ~ 수술 cirugía f con láser. ~ 카메라 cámara f lasérica.

레인 코트 impermeable *m*, ropa f impermeable, ropa f para lluvia, *Arg* piloto *m*, *Urg* pilot *m*; [두꺼운 복지의] gabardina f.

레일 raíl *m*, riel *m*, rail *m*, carril *m*; [노선] vía f ferrea; [철도] ferrocarril *m*. ~을 깔다 poner raíles, poner carriles.

레임 덕 fracaso *m*, caso *m* perdido. ~ 대통령 presidente *m* que no ha sido reelegido, en los últimos meses de su mandato.

레저 [여가] tiempo *m* libre, tiempo *m* desocupado y de descanso; [오락] pasatiempo *m*. ~를 즐기다 gozar de las horas desocupadas. ¶~ 복 ropa f deportiva, chandal *m*. ~ 붐 boom *m* de recreación, auge *m* de recreación. ~ 산업 industria *f* de recreación, industria *f* del ocio, sector *m* del ocio. ~ 센터 centro *m* deportivo, polideportivo *m*, centro *m* recreativo, centro *m* de ocio. ~ 스포츠 deporte *m* del ocio. ~ 시설 instalaciones *fpl* para el ocio.

레지 moza *f* de la cafetería.

레지스탕스 [저항] resistencia *f*. ~의 투사 resistente *mf*.

레커차(－車) grúa *f* remolque.

레코드 ① [음반] disco *m*. ② [기록] récord *m*. ③ [녹음] grabación *f*. ¶~ 수집가 discófilo, -la *mf*. 음악 música *f* de discos. ~점 tienda *f* de discos, disquería *f*, casa *f* de música. ~ 콘서트 concierto *m* de discos. ~판 disco *m*. ~플레이어 tocadiscos *m*. ~헤드 ((컴퓨터)) cabeza *f* de registro. ~ 회사 compañía *f* discográfica.

레크레이션 recreo *m*, recreación *f*, diversión *f*, entretenimiento *m*. ~센터 centro *m* de recreo.

레테르 marbete *m*, etiqueta *f*, rótulo *m*. ~(를) 붙이다 pegar una etiqueta, poner una etiqueta, rotular.

레퍼리 árbitro *mf*, *AmL* réferi *m*, referí *mf*.

레퍼토리 repertorio *m*. ~가 넓다 [좁다] tener un repertorio vasto [limitado].

레프트 ① [왼쪽] izquierda *f*. ② =좌익. ③ ((준말)) =레프트 윙. ④ ((준말)) =레프트 필드. ⑤ ((준말)) =레프트 필더. ⑥ ((준말)) =레프트 하프. ¶~ 백 defensa *f* izquierda. ~ 윙 [정치의] izquierda, el ala *f* izquierda. [운동의] banda *f* izquierda, el ala *f* izquierda, extremo *m* izquierdo. ~ 인너 exterior *m* izquierda. ~ 잽 corto *m* izquierdo. ~ 필더 [야익수] jardinero *m* izquierdo, jardinera *f* izquierda. ~ 필드 campo *m* izquierdo, jardín *m* izquierdo; ((야구)) exterior *m* izquierdo. ~ 하프 medio *m* izquierdo. ~ 훅 gancho *m* de izquierda.

렌즈 lente *m(f)*, vidrio *m* óptico. [카메라의] objetivo *m*. ~를 맞추다 enfocar la cámara. ¶~ 덮개 parasol *m*. ~ 조리개 (apertura *f* del) diafragma *m*.

렌치 llave *f*, desvolvedor *m*.

렌터카 coche *m* de alquiler.

로¹ ① [수단·도구·기구] en, a, con, por. 기차[비행기·버스·지하철· 택시]~ en tren [avión·autobús· metro·taxi]. 도보~ a pie, andando. 서반아어~ en español, en castellano. 전화~ por teléfono. 연필·쓰다 escribir con lápiz. 잉크·쓰다 escribir con tinta. ②

[이유·원인] de, por, a [por] causa de, a consecuencia de, debido a, por motivos de, por razones de. 부주의로~ por descuido. 건강상의 이유~ por una razón de salud. 나쁜 관리~ debido a una mala administración. ③ [재료·원료] de. 포도~ 포도주를 만들다 hacer vino de las uvas. ④ [신분·자격] como, por, en calidad de. 대표~ como representante. ⑤ [한정된 시간·때] con. 12월 31일~ 계약을 철회하다 abolir el contrato con el (día) treinta y uno de diciembre. ⑥ [방향] a, para. 해변가~ 가다 ir a la playa. 서울~ 떠나다 salir [partir] para Seúl. ⑦ [비율·기준] por, según. 무게[타·날개]~ 팔다 vender por peso [por docena·por pieza]. ⑧ [판단의 기준] por. 그가 말하는 걸~ 판단해서 a juzgar por lo que dice él. ⑨ [경유] por. 비상구~ 나오다 salir por la salida de emergencia. ⑩ [양태] por. 무례한 태도~ en actitud descortés. ⑪ [평가] por. 내 삼촌은 부자~ 알려져 있어서 Mi tío pasaba por rico. ⑫ [기타] por, de, como. 법률~ 금지되어 있다 estar prohibido por la ley.

로² [법·법률] ley *f*, derecho *m*. 로스쿨 facultad *f* de Derecho.

로고 logo *m*, logotipo *m*.

로그 ((수학)) logaritmo *m*. ~자 escala *f* logarítmica. ~표 tabla *f* de logaritmos. ~ 함수 función *f* de logaritmo.

로는 para. 초심자~ 그는 좋은 편이다 Para ser un principiante él está bastante bien.

로데오 rodeo *m*, función *f* de vaqueros.

로도 en. 그곳은 기차~ 자동차~ 갈 수 있다 Usted puede ir allí o en tren o en coche.

로듐 ((화학)) rodio *m*.

로드 쇼 estreno *m* (especial), espectáculo *m* callejero. [라디오의] programa *m* de emisiones del equipo móvil desde distintas localidades; [극장의] gira *f* de una compañía de teatro.

로디지아 ((지명)) Rhodesia, Rodesia. ~의 rodesiano. ~ 사람 rodesiano, -na *mf*.

로마 ① ((지명)) Roma *f*. ~의 romano. ~는 하루 아침에 이루어지지 않았다 ((서반아 속담)) Roma no se ganó Zamora en una hora / Roma no se construyó en un solo día / No se fundó Roma en una hora. ~에서는 ~ 사람처럼 행동해라 ((서반아 속담)) Cuando a Roma fueres, haz lo que vieres. 모든 길은 ~로 통한다 ((서반아 속담))

Todos los caminos llevan [conducen·van] a Roma / Por todas partes se va a Roma. ② ((준말)) =로마 제국. ③ ((준말)) =로마 가톨릭 교회. ¶~ 교황 el Papa, el Santo Padre. ~ 교황청 el Vaticano. ~력 calendario *m* romano. ~ 법 ley *f* romana. ~ 법전 código *m* de las leyes romanas. ~ 사람 romano, na *mf*. ~ 숫자 números *mpl* romanos. ~식 ((건축)) orden *m* romano. ~자 letra *f* romana, letra *f* latina, caracteres *mpl* romanos. ~자로 쓰다 escribir en letras latinas, escribir en alfabeto romano, deletrear con letras romanas. ~ 카톨릭 catolicismo *m*. ~교도 católico, -ca *mf*. ~ 카톨릭 교회 Iglesia *f* Católica romana.

로망 ((문학)) novela *f*.

로망스 episodio *m* romático. ~어 romance *m*, lenguas *fp* románticas, lenguas *fpl* romances. ~어 연구 estudios *mpl* románticos. ~어 학 자 roman(c)ista *mf*.

로맨스 ① [전기담] romance *m*, novela *f*. ② [연애 (사건)] amor *m*, aventura *f* (sentimental), amorío *m*. 두 사람 간에는 ~가 싹텄다 Ha nacido el amor entre ellos. ③ ((음악)) romanza *f*. ④ [로망스] episodio *m* romántico, cuento *m* de amor, cuento *m* de enamorados, historia *f* de amor. ¶~ 그레 이 hombre *m* atractivo de pelo entrecano.

로맨틱 romántico, encantador. ~한 생 애 carrera *f* romántica. ~한 음악 música *f* romántica.

로봇 [인조 인간] autómata *m*, robot *m*; máquina *f* automática; [허수아 비 같은 사람] títere *m*, figura *f* decorativa. ~ 공학 robótica *f*. ~ 운전 robotización *f*. ~ 작동 robotización *f*. ~ 컨트롤 언어 lenguaje *m* de control de robots. ~ 파일럿 piloto *m* automático.

로비 ① [대합실·복도·현관·응접실 따위를 겸한 넓은 방] vestíbulo *m*, salón *m*; [극장의] foyer *m*, salón *m* de descanso; salón *m* [sala *f*] de entrada de un hotel; pasillo *m*, antecámara *f*. ② [국회의] sala *f* donde el público puede entrevistarse con los representantes de un cuerpo legislativo; [정치 압력 단 체] cabilderos *mpl*, grupo de presión, lobby *m*. ~를 하다 presionar, ejercer presión (sobre). ¶~ 활동 cabildeo *m*. ~ 활동가 cabildero.

로비스트 miembro *mf* de un grupo de presión.

로사리오 ((천주교)) rosario *m*. ~의 기도 rosario *m*.

로서 ① [어떠한 자격·지위·신분을 가지고] como, por, en calidad de. 대표~ como representante. 나~는 por lo que toca a mí, en cuanto a mí, por lo que a mí respecta. 친 구~ 충고하다 aconsejar como ami- go. ② [어떤 동작의 「그곳으 로부터 시작됨」] de. 바람이 남쪽 바다~ 불어왔다 El viento soplaba del mar (del) sur.

로션 loción *f*.

로스구이 solomillo *m*, carne *f* asada, rosbif *m*.

로스트 asación *f*, [요리] asado *m* (al horno), carne *f* de vaca asada, carne *f* asada, rosbif *m*. ~하다 asar. ~ 비프 asado *m*, carne *f* asada. ~ 치킨 pollo *m* asado.

로열 박스 palco *m* real.

로열 젤리 jalea *f* real.

로열티 [저작권의] derechos *mpl* de autor; [특허권의] derechos *mpl* de invento.

로제타(一石) rossita *f*, piedra *f* de Rossita.

로커 [자물쇠 달린 서랍이나 반닫이 따위] armario *m* (ropero), trapuilla *f*, cajón *m* con llave; [역·버스 터 미널·공항 등의] (casilla *f* de la) consigna *f* (automática). ~ 룸 vestuario *m* (con armarios·con casilleros).

로케이션 rodaje *m* exterior, rodaje *m* fuera del estudio.

로켓 ① cohete *m*. ② [우주선] cohete *m* espacial. ③ [미사일] cohete *m*, misil *m*. ~ 발사 cohetería *f*, disparo *m* de cohetes. ~ 발사기 lanzacohetes *m*, lanzamisiles *m*. ~ 추진 propulsión *f* a cohete. ~탄 (proyectil *m*) cohete *m*. ~포 lanzacohetes *m*, canón *m* cohete.

로코코 rococó *m*. ~ 양식 estilo *m* rococó. ~ 예술 arte *m* rococó. ~ 음악 música *f* rococó.

로큰롤 ((음악)) rocanrol *m*, rock and roll *m*. ~ 가수 rockero, -ra *mf*.

로터리 glorieta *f*, plaza *f* circular, *AmL* rotonda *f*, *Per* óvalo *m*.

로터리 클럽 el Club de Rotarios, la Sociedad Rotaria, el Rotary Club. ~ 회원 rotariano, -na *mf*.

로테이션 rotación *f*, alternación *f*. ~ 으로 por turno. 일의 ~ rotación *f* de trabajos [de puestos].

로프 [줄·끈] cuerda *f*, soga *f*, [금속 제의] cable *m*.

록[1] [바위] roca *f*; [돌] piedra *f*. ~클 라이머 escalador, -dora *mf* (de rocas). ~클라이밍 (técnica *f* de) escalada *f* (de roca).

록[2] ((음악)) =로큰롤. ¶~ 그룹 grupo *m* de rock.

롤 ① [두루마리] rollo *m*, arrollador

m. ② [롤러] cilindro *m*, rodillo *m*, allanador *m*, rodillo *m*. ③ [코일] bobina *f*. ¶~빵 panecillo *m*, francesilla *f*, mollete *m*. ~지(紙) papel *m* en rollos. ~ 축(軸) eje *m* de rodillo. ~ 필름 película *m* en rollo, bobina *f* en rollo; ((사진)) película *f* en carrete.

롤러 rodillo *m*, cilindro *m*, allanador *m*, aparato *m* enrollador, arrollador *m*, aplanador *m*, apisionadora *f*, máquina *f* apisionadora; laminador *m*; ((사진)) rodillo *m* de caucho. ~로 땅을 고르다 apisionar. ¶~ 베어링 cojinete *m* de rodillos, rodamiento *m* de rodillos, *RPI* rulemán *m*. ~스케이터 patinador, -dora *mf* (sobre ruedas). ~ 스케이트 patín *m* de ruedas. ~ 스케이트 경기 patinaje *m* (con patines de ruedas). ~ 스케이트장 pista *f* de patinaje (sobre ruedas). ~ 스케이팅 patinaje *m* (sobre [de] ruedas).

롬 ((컴퓨터)) ROM *f*, memoria *f* indeleble. ~ 메모리 memoria *f* de sólo lectura.

롱런 ((영화·연극)) representación *f* de larga duración, larga temporada *f* de representaciones.

롱 톤 tonelada *f* larga (2,240 파운드); gran tonelada *f* (1,016 킬로그램).

롱 히트 jit *m* largo.

뢴트겐 Röntgen *m*, roentgen *m*, roentgenio *m*. ~ 검사 examen *m* radiográfico; [투시에 의한] examen *m* radioscópico, radioscopio *m*. ~과 radiología *f*, roentgenología *f*. ~과 기사 radiógrafo, -fa *mf*; radiólogo, -ga *mf*. ~과 의사 radiólogo, -ga *mf*; roentgenólogo, -ga *mf*. ~ 단층 사진 tomograma *m*. ~ 단층 촬영기 tomógrafo *m*. ~ 사진 fotografía *f* de rayos X, radi(o)grafía *f*, roentgenograma *m*. ~ 사진을 찍다 sacar una radiografía, radiografiar. ~ 사진술 radiografía *f*, radiografía *f*. ~선 rayos *mpl* X, rayo *m* de Röentgen. ~선 투시기 roentgenoscopio *m*. ~선 촬영기 roentgenógrafo *m*. ~선 촬영법 roentgenografía *f*. ~선학 roentgenología *f*. ~ 요법 roentgenoterapia *f*, radioterapia *f*. ~ 촬영 roentgenografía *f*.

루(樓) torre *f*, edificio *m* alto, restaurante *m*, casa *f* de dos pisos.

루마니아 ((지명)) Rumania *f*. ~의 rumano. ~ 사람 rumano, -na *mf*. ~어 rumano *m*.

루머 [소문] rumor *m*.

루멘 lumen *m.sing.pl.*

루비 ((광물)) rubí *m*. ~ 반지 anillo *m* de rubí. ~색 rojo *m* rubí, color

m de rubí. ~ 혼식 [결혼 40주년] bodas *fpl* de rubí.

루주 colorete *m*, afeite *m* que se ponen en el rostro las mujeres. ~를 바르다 pintarse, dar colorete, ponerse colorete.

루트¹ ((수학)) raíz *f* (cuadrada), radical *m*.

루트² ruta *f*, vía *f*. 정규 ~로 por la vía oficial. 새로운 판매 ~를 찾다 buscar una nueva ruta de venta.

루페 lupa *f*. ~를 보다 mirar con lupa.

루프 lazo *m*, alamar *m*, presilla *f*, recodo *m*, vuelta, rizo *m*. ~선(線) línea *f* ferroviaria que describe un círculo. ~ 안테나 antena *f* de cuadro.

룩셈부르크 ((지명)) Luxemburgo *m*. ~의 (사람) luxemburgués, -guesa *mf*. ~어 luxemburgués *m*.

룰 regla *f*. ~을 지키다 respetar [observar] las reglas. ~을 어기다 violar las reglas, infringir las reglas.

룰렛 ruleta *f*.

룸 [방] cuarto *m*, habitación *f*. 원 하우스 casa *f* de una habitación. ¶~ 메이트 compañero, -ra *mf* de habitación [de cuarto]. ~ 서비스 servicio *m* a las habitaciones, servicio *m* de habitaciones, servicio *m* de comida en la habitación. ~ 쿨러 acondicionador *m* de aire, aparato *m* de acondicionamiento de aire.

룸바 rumba *f*.

룸펜 vago, -ga *mf*; vagabundo, -da *mf*.

류머티즘 reumatismo *m*, reuma *m*, reúma *f*. ~성 폐렴 neumonía *f* reumática. ~ 환자 reumático, -ca *mf*.

류트 ((악기)) laúd *m*.

륙(六) seis.

륙(陸) [뭍. 육지] tierra *f*.

륙색 mochila *f* (de lona), barjuleta *f*, saco *m* de excursionista, *Col*, *Ven* morral *m*.

-률(律) ley *f*, código *m*. 도덕~ ley *f* moral, código *m* ético.

-률(率) tipo *m*, tasa *f*, porcentaje *m*, nivel *m*. 합격~ porcentaje *m* de aprobación.

르네상스 Renacimiento *m*. ~ 건축 arquitectura *f* renacentista [del Renacimiento]. ~ 시대의 arte renacentista [del Renacimiento]. ~ 양식 estilo *m* renacentista [del Renacimiento].

르포 ((준말)) =르포르타주.

르포르타주 reportaje *m*.

를 a, por, que. 우표~ 수집하다 coleccionar los sellos.

리(里) ri, unos cuatrocientos metros.

십(十) ~ cuatro kilómetros. 백(百) ~ cuarenta kilómetros.

리(理) razón f, posibilidad f. 그의가 알 ~가 있나 ¿Cómo puede él saberlo?

리(厘/釐) ri, un décimo por ciento.

리그 liga f. ~전 juego m de [en] liga, campeonato m de liga. ~ 챔피언 campeón m de liga.

리넨 hilo m, lino m.

리놀륨 linóleo m.

리더 [지도자] líder mf; jefe mf, director, -tora mf; [정당 따위의] dirigente mf. ~십 liderazgo m, dirección f, caudillaje m, jefatura f, (dotes mpl) de mando m, liderato m; [능력] calidades fpl de mando.

리드 ① [지도. 지휘. 앞섬] posición f de mando, dirección f. ~하다 guiar, dirigir, conducir. 상대방을 ~하다 [댄스에서] guiar los pasos de su pareja, dirigir el baile. ② [선두. 수위. 우세] ventaja f. ~하다 [득점 따위로] llevar la delantera, ir ganando. 3점 ~하다 llevar una ventaja de tres puntos.

리듬 litmo m. ~ 댄스 baile m rítmico. ~ 체조 gimnasia f rítmica.

리라 ((악기)) lira f.

리마 ((지명)) Lima (페루의 수도). ~의 (사람) limeño, -ña mf.

리모컨 (준말) =리모트 컨트롤.

리모트 컨트롤 mando m a distancia, telecontrol m, telemando m, tele-dirección f. ~식 장난감 juguete m teledirigido, juguete m dirigido a distancia.

리무진 limusina f.

리바이벌 resucitación f, reanimación f, restauración f, restablecimiento m; [극장의] reposición f; [종교의] despertamiento m religioso.

리벳 remache m, roblón m.

리보 핵산 ((一核酸)) ácido m ribonucleico, ARN m, RNA m.

리본 cinta f, listón m; [매듭] lazo m, moña f, moño m.

리볼버 revólver m.

리비도 libido m.

리사이틀 ((음악)) recital m. 바이올린 ~을 열다 dar un recital de violín.

리셉션 recepción f. ~을 열다 dar [organizar] una recepción.

리스 arriendo m, arrendamiento m. ¶ ~ 계약 contrato m de arrendamiento. ~ 보험 seguro m de arrendamiento. ~ 산업 industria f de arrendamiento.

리스트 lista f. ~를 작성하다 hacer una lista. ~에 오르다 aparecer [figurar] en la lista.

리시버 ① [(테니스 · 탁구)] restón m, resto m. ② [무선 수신기. 라디오] ③ [음성 전류를 소리로 바꾸는 장치로, 직접 귀에 대어서 쓰는 것] audífono m.

리아스식 해안 ((一式海岸)) costa f tipo rías.

리어카 carro m remolcado, remolque m.

리치 ((권투)) envergadura f.

리코더 ① [옛날 플루트의 일종] flauta f dulce. ② [(영국의)] 지구 법원 판사] abogado m que actúa como juez a tiempo parcial. ③ [녹음기] grabadora f. ④ [기록기] contador m, indicador m. ⑤ [기록 담당자] archivero, -ra mf; archivista mf. ⑥ [디스크 녹음 예술가] artista mf que graba discos.

리콜제 ((一制)) (sistema m de la) retirada f (del mercado).

리퀘스트 petición f, instancia f. ~곡 música f solicitada (por un radiooyente). ~ 프로그램 programa m solicitado (por un radiooyente o un televidente).

리터 litro m.

리터치 retoque m. ~하다 retocar.

리턴 매치 (partido m de) desquite m, revanda f.

리트머스 ((화학)) tornasol m. ¶ ~(용)액 tintura f de tornasol. ~ 시험지[종이] papel m de tornasol.

리포트 reportaje m, reporte m, informe m; [구두의] relación f; [학교의] redacción f; [연구 리포트] trabajo m.

리프트 levantamiento m, alzamiento m; [승강기] ascensor m, elevador m; [화물 승강기] montacargas m.sing.pl; [스키장의] telesilla m, telesquí m.

리플렉스 앵글 ángulo m cóncavo.

리플렉스 카메라 (cámara f) réflex f.

리허설 ensayo m, recitación f. …의 ~을 하다 ensayar, recitar.

린네르 lino m, lienzo m.

린치 linchamiento m. ~를 가하다 linchar.

릴 ① [철사 · 실 · 데이프용] carrete m. ② [필름의] rollo m. ③ [낚싯대의 손잡이 쪽에 다는] carrete m, carretel m. ~ 낚시 pesca f con caña de pescar con carrete. ~ 낚싯대 caña f de pescar con carrete.

릴레이 ① [릴레이 경주] carrera f de tanda [relevos], (carrera f de) relevos mpl. ~하다 suceder. ② ((방송)) [중계] repetidor m, relé m. ③ [계전기] relé m. ¶ 400미터 ~ los cuatrocientos metros relevos. 800미터 자유형 ~ cuatro por doscientos metros relevos libres. ~ 경주[레이스] (carrera f de) relevos mpl. ~ 선수 corredor, -dora mf de relevos.

림프 linfa f. ~관 conducto m linfático, vaso m linfático. ~선[샘] glándula f linfática. ~선염 linfadenitis *f*. ~액 linfa *f*.

립스틱 ① [(막대꼴의) 입술 연지]
pintalabios *m*, lápiz *m* de labios,
barra *f* de labios, *AmL* lápiz *m*
labial. ② [내용물] rouge *m*, carmín *m*, colorete *m*. ~을 바르다
llevar [tener] los labios pintados,
pintarse los labios.

링 ① [권투 따위의] cuadrilátero *m*,
ring *ing.m*. ~에 오르다 subir al
cuadrilátero. ② [피임용·] dispositivo *m* intrauterino; [코일 모양의]
espiral *f*. ③ ((체조)) anilla *f*. ¶ ~
사이드 lados *mpl* de ring, cercanías *fpl* del cuadrilátero, ringside
ing.m. ~라이드 좌석 [권투 경기에
서] asiento *m* junto al cuadrilátero; [다른 행사의] asiento *m* [buta-

ca *f*] de primera fila.

링거 ((준말)) =링거액. ¶ ~액 solución *f* [líquido *m*] de Ringer. ~
주사 inyección *f* de solución de
Ringer.

링게르 =링거.

링크[1] ① ((경제)) vínculo *m*, lazo *m*,
enlace *m*; ((주식)) relación *f*. ②
[연결. 유대. 관련] vínculo *m*, lazo
m. ③ [(사슬의) 고리] eslabón *m*.
④ [커프스 버튼] gemelo *m*, *Col*
mancorna *f*, *Chi* collera *f*, *Méj*
mancuernilla *f*, mancuerna *f*. ⑤
((컴퓨터)) enlace *m*, montaje *m*.

링크[2] [스케이트장] patinadero *m*,
pista *f* [sala *f*] de patinaje [pati-
nar].

링크스 [골프장] campo *m* de golf.

마¹ ((음악)) mi *m*.

마² ((식물)) ñame *m*.

마¹(馬) [장기] caballo *m*.

마²(馬) ((동물)) caballo *m*.

마(麻) ((식물)) cáñamo *m*.

마(魔) ① [요사스런 방해물] diablo *m*, demonio *m*, mal augurio *m*. ~의 건널목 paso *m* a nivel del diablo. ~의 산 montaña *f* del diablo. ② ((준말)) =마귀.

마(碼) yarda *f*.

마가린 margarina *f*.

마가목 ((식물)) acafresna *f*, serbal *m*, serbo *m*.

마가복음(-福音) ((성경)) El (Santo) Evangelio según San Marcos.

마각(馬脚) pata *f* del caballo.

마감 cierre *m*, clausura *f*, cesación *f*, conclusión *f*, acabamiento *m*; terminación *f*, fin *m* límite; [기한] plazo *m*, término *m*. ~하다 cerrar, acabar, concluir, terminar, poner fin. ~뉴스 noticias *fpl* de cierre. ~일 día determinado, fecha *f* límite, fecha *f* de cierre. ~시간 hora *f* de cerrar.

마개 [병의] tapón *m*; [코르크 제품의] corcho *m*; [수도·가스·통 따위의] llave *f* de paso, llave *f* de cierre; [욕조 따위의] tapón *m*; [술통의] botana *f*. ~를 하다 taponar. ~를 빼다 destapar, destaponar. ¶ ~뽑이 abridor *m*; [코르크 마개의] sacacorchos *m.sing.pl*; [깡통의] abrelatas *m.sing.pl*; [병의] abrebotellas *m.sing.pl*.

마구 ① [함부로] temerariamente, imprudentemente, al azar, a lo loco, a la diabla, descuidadamente, desatentamente, negligentemente, a viva fuerza, a ciegas, a tontas y locas, a diestro y siniestro, sin ton ni son, excesivamente, extraordinariamente, locamente. ¶ ~ 퍼마시다 beber demasiado. ② [몹시] duro, fuerte, mucho; [대량으로] en gran cantidad.

마구(馬具) arreos *mpl*, guarniciones *fpl*, arneses *mpl*, jaeces *fpl*.

마구간(馬廄間) pesebre *m*, establo *m*; [경마장의] caballeriza *f*.

마구잡이 conducta *f* hecha al azar.

마권(馬券) billete *m* del concurso hípico; [연승식] billete *m* de apuesta emparejada.

마귀(魔鬼) ① demonio *m*, diablo *m*. ② ((기독교)) Satán *m*, Satanás

마그나 카르타 Magna Carta *f*.

마그네사이트 ((광물)) magnesita *f*.

마그네슘 ((화학)) magnesio *m*.

마나구아 ((지명)) Managua.

마나님 [나이 많은 여자] señora *f* de edad, anciana *f*; [호칭] señora *f*, señorita *f*.

마냥 ① [한없이] infinitamente, perpetuamente. ② [실컷] hasta la saciedad. ~ 먹다 comer hasta la saciedad.

마네킹 ① maniquí *m*, figurín *m*. ② ((준말)) =마네킹 걸.

마네킹 걸 maniquí *f*, modelo *f*.

마녀(魔女) bruja *f*, hechicera *f*.

마노(瑪瑙) ((광물)) ágata *f*.

마누라 esposa *f*, mujer *f*.

마는 pero, sin embargo, aunque, mientras, sólo, solamente; ((시어·고어)) mas.

마늘 ① ((식물)) ajo *m*. ② [조미료로의] ajo *m*. ~ 냄새가 나는, ~ 맛이 나는 a ajo. ~ 냄새 olor *m* a ajo. ~ 한 쪽 un diente de ajo. ¶ ~장아찌 ajos *mpl* conservados en vinagre y salsa. ~종 tallo *m* del ajo. ~쪽 diente *m* del ajo.

마니아 ① [열광, 열중] manía *f*. ② [열광자] maníaco, -ca *f*.

마닐라 ((지명)) Manila.

마님 dama *f*, señora *f*, señorita *f*.

마다 [하나 하나를 빠뜨리지 않고 모두] cada; todos los +「남성 복수 명사」, todas las +「여성 복수 명사」; [부사절을 이끌 때] cada vez que, siempre que. ~ cada estación, todas las estaciones. 날~ cada día, todos los días.

마다하다 hacer caso, escatimar, decir que no (querer), rechazar, rehusar. 돈을 ~ rechazar [rehusar] dinero.

마담 ① [부인] madama *f*, señora *f*. ② [술집이나 다방, 또는 여관 따위의 안주인] tabernera *f*, dueña *f*, ama *f*, gerente *f*, encargada *f*.

마당¹ ① [집의] patio *m*, jardín *m*. ② [어떤 일이 진행되는 자리나 장소] lugar *m*, sitio *m*. ¶ ~발 pies *mpl* planos. ~비 escoba *f* para el patio. ~질 trilla *f* en el patio.

마당² [판소리의] *madang*. 판소리 다섯 ~ cinco *madang* de *pansori*.

마대(麻袋) costal *m* de cáñamo.

마도로스 marinero *m*. ~ 파이프 pipa *f* (del marinero).

마돈나 ① [성모 마리아] Nuestra

Señora. ② [성모 마리아의 화상] madona f. ③ [기품 있는 여자나 애인] madona f.

마드리드 ((지명)) Madrid. ~의 (사람) madrileño, -ña mf.

마들가리 ① [나무의 가지가 없는 줄기] ramita f. ② [땔나무의 잔 줄거리] tallito m de la leña. ③ [해진 옷의 남은 솔기] costura f del vestido muy gastado. ④ [새끼나 실 같은 것이 흩어 맺힌 마디] curva f [vuelta f] del hilo [cuerda de paja].

마디 ① [나무나 풀의] nudo m. ~투성이의 nudoso. ~가 없는 sin nudos. ② [사이를 두고 고리처럼 도드라지거나 잘룩한 곳] lugar m fino. ③ [관절] articulación f, juntura f; [손가락의] nudillo m. ④ ((언어)) =절(節). ⑤ [노래나 말 따위의 한 도막] un tono, una palabra, una frase, una canción. ⑥ ((음악)) =소절(小節).

마디다 [쓰는 물건이] durar mucho, (ser) durable, duradero. ② [자라는 정도가] didida·느리다 (ser) crecer despacio.

마따나 como. 자네 말~ 그것이 더 좋겠네 Sería mejor como tú dices.

마땅찮다 (준말) =마땅하지 아니하다(no ser oportuno).

마땅하다 ① [대상이나 상태가] 잘 어울리거나 알맞다] (ser) conveniente, oportuno. ② [정도가 알맞다] (ser) competente, capaz. ③ [그렇게 되어야 옳다] (ser) debido.

마땅히 como es debido, debidamente, convenientemente.

마뜩잖다 (준말) =마뜩하지 아니하다(ser desagradable).

마뜩하다 (ser) satisfactorio, agradable, simpático, aceptable. 마뜩하지 아니하다 (ser) desagradable.

마라톤 ① ((지명)) Maratón. ② (준말)) =마라톤 경주. ¶~ 경주(競走)) (carrera f de) maratón m(f). ~ 선수 maratonista mf.

마력(馬力) fuerza f de caballo. 150-의 엔진 motor m de ciento cincuenta caballos (de vapor).

마력(魔力) poder m mágico, fuerza f mágica.

마련 preparación f. ~하다 preparar. 자금을 ~하다 hacer [preparar·disponer·reunir] el fondo.

마렵다 darle la gana de orinar o evacuar. 오줌이 ~ darle la gana de orinar.

마로니에 ((식물)) castaño m (de Indias); [열매] castaña f de Indias.

마루 ① [널빤지를 깔아 놓은 곳] piso m, suelo m. ~를 깔다 entablar el suelo. ② [지붕] caballete m; [산꼭대기] cresta f, cadena f.

마르다¹ ① [물기가] secarse, enju-

garse, marchitarse, ahornagarse, morirse. 마른 seco, desecado, muerto. 마른 나무 árbol m marchito. ② [갈증이 나다] tener sed. 목이 ~ tener sed. ③ [(내·못·강 따위의 물이) 줄어들어 없어지다] secarse. 강물이 ~ secarse el río. ④ [몸이] adelgazar(se), ponerse flaco [delgado], enflaquecerse. 마른 flaco, delgado, enjuto. ¶~버짐 empeine m (escamoso). ~하늘 cielo m despejado, cielo m sin nubes.

마르다² [옷감을] cortar. 스커트를 ~ cortar una falda.

마르모트 ((동물)) marmota f.

마름¹ [이엉의] atado m de paja tejido para el tejado de paja.

마름² ((식물)) castaña f de agua.

마름³ [소작 관리인] supervisor m del cortijo arrendatario.

마름모(꼴) ((기하)) rombo m.

마름쇠 caltropo m.

마름자 regla f que mide una yarda para el corte de la ropa.

마름질 corte m. ~하다 cortar (un vestido).

마리 mari, número m de los animales o los insectos. 개 한 ~ un perro. 개미 한 ~ una hormiga.

마리화나 marijuana f, mariguana f, marihuana f.

마마¹(媽媽) ① [천연두] viruela f. ~ 자국 cacaraña f.

마마²(媽媽) ((역사)) ① [아주 존귀한 사람을 부를 때] Su Majestad. 상감 ~ Su Majestad el Rey. ② [벼슬아치의 첩] concubina f.

마마 보이 niño m de mamá.

마멸(磨滅) desgaste m, merma f. ~시키다 mermar, gastar (por el roce), desgastar. ~되다 desgastarse, mermarse.

마모(磨耗) desgaste m, abrasión f. ~하다 gastar. ~되다 gastarse.

마무리 última etapa f antes de la terminación, fase f final, orden m, arreglo m, acabado m, fin m, ajuste m, terminación f; [그림 위의] retoque m, mano f. ~하다 terminar, acabar, arreglar, ordenar; [완성하다] perfeccionar; [소설 따위를] concluir; [그림 따위를] dar el último toque, dar la última mano.

마물(魔物) espíritus mpl malignos.

마법(魔法) magia f, arte m de magia, hechicería f, brujería f. ~의 mágico. ~으로 por arte de magia. ~을 걸다 hechizar, encantar. ~을 사용하다 emplear [practicar] la magia. ¶~사(師) mago, -ga mf.

마부(馬夫) cochero m, arriero m.

마분지(馬糞紙) cartón m piedra.

마비(痲痺/麻痺) ((의학)) parálisis f, perlesía f, paralización f, entumecimiento *m*, anestesia *f*. ~되다 paralizarse, entumecerse, adomecerse, entorpecerse; [무감각하게 되다] insensibilizar. ~시키다 paralizar, causar parálisis, entumecer.

마비풍(麻脾風) ((의학)) difteria *f*.

마사(馬事) asuntos *mpl* del caballo. ~회 asociación *f* de asuntos del caballo.

마사지 ① =안마(按摩). ② [살갗을 문질러 건강하게 하는 미용법] masaje *m*. ~하다 masajear, masar, efectuar el masaje, dar masajes, dar friegas. ~사 masajista *mf*.

마상(馬上) sobre el caballo. ~에서 a caballo, en [sobre] el caballo. ~의 상(像) estatua *f* ecuestre. ¶~객 jinete *mf*, amazona *f*.

마성(魔性) diablura *f*, lo diabólico. ~의 diabólico, demoníaco. ~을 지닌 여자 vampiresa *f*, mujer *f* diabólica, tentadora *f*.

마소 el caballo y la vaca.

마수 [그날 영업의 운수] suerte *f* del día considerada de la primera venta. ② [준말]=마수걸이. ¶~걸이 primera venta *f* del día. ~걸이하다 hacer la primera venta del día.

마수(魔手) diablura *f*, mano *f* de asesino, mala influencia *f*. ~를 뻗치다 intentar apoderarse, meter mano, hacer diablu- ra.

마술 ((준말)) =승마술. ¶~ 경기 prueba *f* hípica.

마술(魔術) magia *f*, brujería *f*, el arte *f* mágica, hechicería *f*, magia *f* negra; [요술] juego *m* de mano. ~을 쓰다 practicar brujería, usar magia, escamotear magia. ~을 걸다 hechizar, embrujar. ¶~사 mago, -ga *mf*; mágico, -ca *mf*, nigromante *mf*; [요술쟁이] juglar *mf*; jugador, -dora *f* de manos, prestidigitador, -dora *mf*.

마스코트 mascota *f*.

마스크[1] ⑦ ㉮ [탈] máscara *f*, careta *f*; [큰 탈] mascarón *m*. ~를 쓰다 ponerse máscara. ~를 벗다 quitarse la máscara. ㉯ ((펜싱·아이스하키)) careta *f*; [의사·간호원의] mascarilla *f*; [다이빙용의] gafas *fpl* [anteojos *mpl*] de bucear [de buceo]; [먼지·연기용의] mascarilla *f*. ② [감기 방지용의] mascarilla *f* ~ 위생~ mascarilla *f* higiénica. ③ [얼굴 모양] rasgo *m*, facción *f*, apariencia *f*, aspecto *m*; [위장] disfraz *f*. ⑤ ((준말))=데드마스크. ⑥ =방독면. ⑦ [사진)] ocultador *m*. ⑧ ((컴퓨터)) máscara *f*; [탈을 쓴 사람] enmascarado, -da *mf*.

마스크[2] [가면극] mascarada *f*.

마스터 ① [대가. 명장] maestro, -tra *mf*. ② [통달] dominación *f*,

sabiduría *f* a fondo. ~하다 dominar, saber a fondo, llegar a ser maestro [perito], perfeccionarse. ~ ((컴퓨터)) terminal *m* maestro; [복사용] original *m*. ¶~ 카드 tarjeta *f* maestra. ~ 키 ㉮ [걸쇠. 맞쇠] (llave *f*) maestra *f*. ㉯ [해결의 열쇠] llave *f* maestra principal. ㉰ ((컴퓨터)) clave *f* maestra. ~ 플랜 plan *m* general [maestro], proyecto *m* básico.

마스트 [돛대] mástil *m*, árbol *m*; [앞의] trinquete *m*; [뒤의] palo *m* de mesana.

마시다 ① [액체를] beber, tomar; [삼키다] tragar, engullir. 커피 한잔 ~ tomar una taza de café. ② [공기 등을] aspirar. 신선한 공기를 ~ aspirar [tomar] el aire fresco.

마애(磨崖/磨厓) escultura *f* en la roca. ~하다 esculpir en la roca.

마애불(磨崖佛) (estatua *f* de) Buda *m* esculpido en la roca.

마야 ((역사)) Maya *m*. ~의 maya. ~ 문명 civilización *f* maya. ~ 문화 cultura *f* maya. ~어 maya *m*. ~인 maya *mf*. ~족 los mayas.

마약(痲藥) droga *f*, estupefaciente *m*, narcótico *m*; [마취약] anestésico *m*; [환각제] (droga) estimulante [excitante *f*]. ~ 남용 toxicomanía *f*. ~ 남용자 toxicómano, -na *mf*. ~ 단속 control *m* narcótico. ~ 단속법 ley *f* de control narcótico. ~ 단속자 inspector, -tora *mf* de droga. ~ 밀매 contrabando *m* [tráfico *m*] de drogas. ~ 밀매자 contrabandista *mf* de drogas, traficante *mf* (de drogas). ~법 ley *f* de drogas. ~ 상용자 toxicómano, -na *mf*; drogadicto, -ta *mf*. ~ 중독 toxicomanía *f*, narcotismo *m*. ~ 중독자 toxicómano, -na *mf*; drogadicto, -ta *mf*.

마오쩌둥 ((인명)) Mao Tse-Tung, Mao Zedong (1893-1976). ~주의 maoísmo *m*. ~주의자 maoísta *mf*.

마왕(魔王) Satán *m*, Satanás *m*, Demonio *m*, Diablo *m*.

마요네즈 (salsa *f*) mayonesa *f*.

마우스피스 ① ((음악)) boquilla *f*. ② [송화기의 수화기] micrófono *m*. ③ ((권투)) protector *m* bucal [de dentadura].

마운드 ① ((야구)) puesto *m* del lanzador, lomita *f*, montículo *m*. ② [무덤] tumba *f*, sepulcro *m*.

마유(馬乳) leche *f* de caballo.

마유(魔乳) primer leche *f* que sale del pecho.

마육(馬肉) carne *f* de caballo.

마을 ① [동리] aldea *f*, pueblecito *m*. ② [이웃에 놀러 가는 일] ida *f* a jugar a la vecindad, visita *f* a la vecindad. 밤낮 ~만 다닌다 ir a jugar a la vecindad día y noche. ¶ ~ 문고 biblioteca *f* pequeña en la aldea. ~ 사람 [큰 마을의] vecino, -na *mf*; [작은 마을의] aldeano, -na *mf*.

마음 ① el alma *f*, corazón *m*, mente *f*; [정신] espíritu *m*; [심상] mentalidad *f*; [생각] idea *f*, pensamiento *m*; [기질] naturaleza *f*, índole *f*, disposición *f*. ~이 좋은 afable, afectuoso, cariñoso, de corazón tierno, de carácter amable. ~이 넓은 magnánimo, tolerante, generoso, abierto de espíritu. ~이 좁은 estrecho de espíritu, estrecho de corazón, poco indulgente. ② [심정] corazón *m*; [감정] sensación *f*, sentimiento *m*, sensibilidad *f*, compasión *f*, pasión *f*; [기분] estado *m* anímico. ~에 드는 favorable, grato, agradable, deseable. ~에 드는 인상 impresión *f* favorable, impresión *f* agradable, buena impresión *f*. ~에 들지 않은 인상 impresión *f* desfavorable, impresión *f* desagradable, mala impresión *f*. ~에 들지 않은 인물 hombre *m* indeseable; [외교의] persona *f* no grata. ③ [충심] corazón *m*, todo corazón *m*. ~ 뿐인 선물 pequeño regalo *m*. ④ [사려] pensamiento *m*; [인정] consideración *f*, simpatía *f*, compasión *f*, conmiseración *f*, comprensión *f*. ⑤ [유의. 주의] atención *f*, interés *m*, cuidado *m*; [기억] memoria *f*. ~의 준비 actitud *f* [preparación *f*] mental (para). ~의 준비를 하다 prepararse [disponerse] mentalmente. ⑥ [의지] voluntad *f*; [의향] intención *f*, designo *m*, inclinación *f*; [취미. 기호] gusto *m*, afición *f*. ~을 떠보다 sondear, tantear, buscar la intención. ⑦ [성의. 정성] cuidado *m*, esmero *m*, sinceridad *f*. ~을 다하다 cuidar con esmero, tener mucho cuidado. ¶ ~에 들다 [사물이 주어일 때] gustar, agradar, satisfacer; [사람이 주어일 때] estar contento [satisfecho], encontrar a *su* gusto. ~을 끌다 hacer tener el interés, atraer el interés, atraer. ~을 놓다 confiar(se), poner confianza, fiarse, sosegarse, tranquilizarse, quedarse tranquilo; [방심하다] descuidarse. ~을 먹다 [의도하다] intentar + *inf*, tener la intención de + *inf*, pensar + *inf*, desear + *inf*, proyectar + *inf*, ir a + *inf*; [결심하다] decidir + *inf*. ~을 쓰다 prestar atención, preocuparse, estar nervioso.

마음가짐 [태도] actitud *f* [postura *f*] mental; [각오] preparación *f*; [결심] resolución *f*, determinación *f*.

마음결 natural *m*, carácter *m*, genio *m*, temperamento *m*, manera *f* de ser, modo *m* de ser. ~이 곱다 tener muy buen carácter [genio].

마음껏 sin reserva, satisfactoriamente, con satisfacción, como quiera, hasta que esté contento, a *su* voluntad propia, al máximo, a *sus* anchas, con toda libertad. ~ 즐기다 gozar [disfrutar] hasta la saciedad. ~ 마시다 beber hasta saciarse.

마음대로 a voluntad, a *su* disposición, a discreción, francamente, con franqueza. 제 차를 ~ 쓰세요 Tiene usted mi coche a su disposición. ~ 드세요 Sírvase usted a su discreción.

마음보 naturaleza *f*, disposición *f*, espíritu *m*, temple *m*, humor *m*, genio *m*.

마음속 *su* corazón, *su* mente, fondo *m* del corazón.

마음씨 corazón *m*, carácter *m*, natural *m*, disposición *f*, naturaleza *f*, temperamento *m*.

마음좋다 ① [인정이 있다] (ser) bondadoso, de buen corazón, cariñoso, afectuoso, comprensivo. ② [너그럽다] (ser) generoso.

마이너 리그 liga(s) *f(pl)* menor(es). ~의 선수 jugador *m* de la liga menor.

마이너스 ① ((수학)) [음수] menos *m*. ② [뺄] substracción *f*, resta *f*. ③ [음전극·음전하, 또는 그 기호인 「-」] signo *m* (de) menos, menos *m*, signo *m* de substracción [de resta]. ④ [적자] déficit *m*. ⓑ [손실] pérdida *f*. ¶ ~ 기호 signo *m* (de) menos, signo *m* de substracción. ~ 성장 crecimiento *m* en menos.

마이동풍(馬耳東風) indiferencia *f* muy grande. ~으로 como si dijera truco.

마이신 ((준말)) =스트렙토마이신.

마이크 ① ((물리)) ((준말)) =마이크로폰. ¶ ~를 통해서 por micrófono. ~ 앞에 서다 ponerse al micrófono. ② ((은어)) [입] boca *f*.

마이크로 micro-. ~ 그래프 micrógrafo *m*. ~ 그램 microgramo *m*. ~리더 microlector *m*. ~미크론 micromicrón *m*. ~미터 micrómetro *m*. ~바 microbar *m*. ~버스 microbús *m*. ~볼트 microvoltio *m*. ~암페어 microamperio *m*. ~와트 microvatio *m*. ~웨이브 microonda *f*. ~칩 (micro)chip *m*, pastilla *f* de silicio. ~ 컴퓨터 microordenador *m*, *AmL* microcomputadora *f*. ~폰 micrófono *m*. ~필름

마일 milla *f* (1.609 metros).

마일리지 distancia *f* recorrida (en

millas), kilometraje; [비행에서] millaje *m.*

마작(麻雀) mayón *m,* ma(h)-jong *m.* ~하다 jugar al mayón.

마장 *machang,* distancia *f* corta de cuatro kilómetros más o menos, un *ri.*

마장(馬場) ① [조마장] campo *m* de equitación, picadero *m.* ② [경마장] hipódromo *m.*

마저[1] [남김없이] sin resto, todo, lo ··· todo.

마저[2] [까지도] aun, hasta, incluso, el mismo [la misma] +「명사」; [부정의 경우] ni siquiera, ni aun. 어린아이~ hasta el niño.

마적(馬賊) bandidos *mpl* de montaña.

마조(一調) ((음악)) tono *m* mi.

마주 opuesto, de enfrente, cara a cara. ~ 대하다 estar [encontrarse] cara a cara, estar frente a [por] frente; […과] estar enfrente de *algo,* estar frente a [de] *algo.* ~ 보다 mirar uno a otro, estar [encontrarse] cara a cara, estar frente a [por] frente; […과] estar frente a [de] *algo,* estar enfrente de *algo.* ~ 서다 hacerse cara a cara, estar(se) (de pie) cara a cara. ~ 앉다 sentarse cara a cara, sentarse frente. ~ 잡다 tomarse, cogerse. 손을 ~ 잡다 tomarse las manos. ~치다 [뜻밖에 만나다] encontrar, encontrarse, verse, tropezar. ~하다 poner enfrente.

마주르카 ((음악)) mazurca *f.*

마중 ida *f* [salida *f*] a ver, encuentro *m,* reunión *f,* sesión *f,* mitin *m.* ~하다 recibir. ~ 하러 가다 ir a buscar [a recibir].

마지기 *machiki,* parcela *f* del arrozal o del campo de necesitar un *mal* de semilla, *ReD* tarea *f.*

마지막 [맨 나중. 끝. 최종. 최후] fin *m,* final *m,* el último, lo último; [임종] el último momento, (*su*) muerte *f,* [형용사] último, final, postrero; [남성 단수 명사 앞에서] postrer. ~까지 hasa el fin. ~으로 por último, al fin, finalmente, en último lugar. ~ 한 방울까지 hasta la última gota. ¶~숨 último aliento *m,* última respiración *f.*

마지못하다 (ser) inevitable, ineludible, obligatorio, reglamentario.

마지못해 [부득이하여] inevitablemente, ineludiblemente; [마음에도 없이] de [a] mala gana, a [con] disgusto, a regañadientes, sin querer, de mal aire [talante], a contrapelo, con repugnancia, contra *su* voluntad [*su* deseo], a duras penas, con sorna.

마지아니하다 no saber cómo + *inf.*

마진 margen *m;* ((주식)) cobertura *f.*

마차(馬車) carruaje *m,* coche *m,* carro *m,* carromato *m;* [의식용] carroza *f,* [승합] diligencia *f,* [1두마차] berlina *f,* [두 바퀴 짐마차] carretón *m;* [4인승 지붕 없는 마차] birlocho *m.*

마찬가지 [동일] igualdad *f,* identidad *f,* monotonía *f,* [유사] semejanza *f,* parecido *m,* aire *m,* retrato *m.* 형제와 ~로 대우하다 tratar como *su* hermano.

마찰(摩擦) fricción *f,* rozamiento *m,* roce *m;* [행위] frotamiento *m,* frotamiento *m,* frote *m;* [알력] desavenencia *f,* rozamiento *m.* ~하다 friccionar, frotar, restregar.

마천루(摩天樓) rascacielos *m.*

마초(馬草) forraje *m.* ~를 주다 dar forraje.

마취(痲醉) anestesia *f,* narcotismo *m,* narcotización *f,* estupefacción *f.* ~하다 anestesiar, narcotizar, aplicar anestesia. ~시키다 anestesiar, narcotizar. ¶~약 ㉮ [마취용] anestésico *m,* narcótico *m,* opiato *m.* ㉯ =마약. ~제 anestésico *m,* estupefaciente *m,* narcótico *m,* opiato *m.*

마치[1] ((연장)) [망치] martillo *m,* macito *m,* martinete *m,* gatillo *m,* bandarria *f,* pilón *m;* [작은] martillejo *m;* [장도리] maza *f,* [큰] mazo *m,* machota *f,* mallo *m.*

마치[2] como si, cual si, así, como por decirlo así. ~ 자기의 딸처럼 como si fuera *su* propia hija.

마치다[1] [결리다] sentirse apurado, pasar apuros, pellizcar.

마치다[2] ① [끝내다] terminar, acabar, cumplir, concluir, finalizar. 일을 ~ terminar [acabar · despachar] *su* tarea [el trabajo]. ② [완성하다] completar, consumar, llevar a cabo, perfeccionar; [수행하다] acompañar; [졸업하다] graduarse. 대학을 ~ graduarse de la universidad.

마침 justo, justamente, oportunamente, en el momento oportuno [conveniente · adecuado]. ~ 그 때에 justo entonces. ~ 가지고 있다 llevar [tener] consigo.

마침내 finalmente, al fin, en fin, por fin, (al fin y) al cabo.

마침표(一標) punto *m.*

마카로니 macarrones *mpl.*

마케팅 mercadotecnia *f,* mercadeo *m.*

마크 ① [기호. 상표. 표지] señal *f,* signo *m,* marca *f.* ~하다 [감시] fijar la atención. ② ((준말)) =트레이드마크.

마키아벨리즘 maquiavelismo *m.*

마태복음(一福音) ((성경)) El Santo Evangeilo según San Mateo.

마투리 unos *males* sueltos.

마파람 viento *m* (que sopla) del sur.

마패(馬牌) rótulo *m* redondo de hierro de cobre.

마포(麻布)=삼베.

마피아 mafia *f*. ~의 mafioso. ~ 단원 mafioso *m*.

마필(馬匹) ① [(수를 헤아릴 때의) 말] caballo *m*. ② [말] caballo *m*. ~을 돌보다 cuidar al caballo.

마하 mach *adj*. ~ 3 tres Mach.

마호가니 ((식물)) caoba *f*.

마호메트 Mahoma (570?-632). ~의 mahometano, mahomético. ~교 mahometismo *m*. ~교도 mahometano, -na *mf*; mahometista *mf*.

마흔 cuarenta. ~ 살 cuarenta años. ~ 번째 cuadragésimo *m*.

막¹ [이제 방금] ahora mismo, en este mismo instante, hace poco, recientemente. ~ 나가려고 할 때 cuando yo estaba a punto de salir, cuando yo iba a salir. 나는 ~ 도착했다 Acabo de llegar.

막² [(준말)] =마구.

막(幕) ① [막사] barraca *f*, cobertizo *m*, caseta *f* provisional. ② [장막] cortina *f*. ③ [(연극) 막] telón *m*. ~이 열린다[오른다] Se levanta [alza] el telón. ④ [장면] acto *m*. 제1~ el primer acto.

막(膜) ① [(해부)] membrana *f*. ② [표피] película *f*, capa *f*. [액체의 표면에 끼는 막] nata *f*. 우유의 ~ capa *f* de nata.

막가다 actuar [comportarse] con bravuconería.

막간(幕間) entreacto *m*, intermedio *m*. ~에 en el entreacto, para llenar el intervalo [la laguna]. ~극 entreacto *m*, intermedio *m*.

막강(莫强) poder *m*, poderío *m*, vigor *m*. ~하다 (ser) poderoso, potente, vigoroso, enorme.

막걸리 makgoli, bebida *f* tradicional coreana.

막내 el hijo menor, el menor de los hijos, benjamín *m*.

막노동(-勞動) trabajo *m* duro.

막다 ① [통하지 못하게 하다] cerrar, impedir, estorbar, poner un obstáculo; [장애물로] bloquear. 가는 것을 ~ estorbar [impedir] el paso. ② [가리거나 둘러싸다] cerrar, tapar, obstruir. ③ [남의 뜻을 받아들이지 아니하다] no aceptar. 비난의 소리에 귀를 ~ no prestar oído a la censura. ④ [맞서 버티다] defenderse. 적의 침입을 ~ defenderse contra [resistir a] la invasión del enemigo. ⑤ [무엇이 미치지 못하게 하다] proteger(se), detener, interceptar. 추위를 ~ protegerse el frío. ⑥ [예방하다] prevenir, tomar precaución (contra); [방지하다] impedir.

막다르다 ① [더 나아갈 수 없게 막혀 있거나 끊겨 있다] no tener salida. 막다른 sin salida. ② [일이 더는 어찌할 수 없는 형편에 있다] verse en una situación apurada, llegar a un punto muerto [a un callejón sin salida]. 막다른 지경 situación *f* apurada.

막다른골목 ① [골목] callejón *m* sin salida(s). ~에 들어가다 meterse en un callejón sin salida. ~으로 몰다 acorralar en un callejón sin salida. ② [사태] situación *f* apurada. ~에 몰리다 verse en una situación apurada.

막달 mes *m* de parto.

막담배 tabaco *m* de mala calidad.

막대(기) palo *m*, bastón *m*, barra *f*; [가는] varilla *f*, vara *f*; [장대높이뛰기의] pértiga *f*.

막대자석 imán *m* de barra.

막대하다(莫大-) (ser) inmenso, colosal, enorme, descomunal.

막되다 ① [사납고 우악하다] (ser) mal educado, descortés, inculto, desatento, desconsiderado, grosero. ② [거칠고 나쁘다] (ser) rudo, basto, tosco, grosero, rústico, vulgar.

막된놈 patán *m*, zoquete *m*, paleto *m*, palurdo *m*, pataco *m*, pardal *m*, payo *m*, cateto *m*.

막둥이 =막내아들.

막론하다(莫論-) ① [의논을 중지하다] parar argumento. ② [말할 나위 없다] no hay necesidad de + *inf*, no tener necesidad de + *inf*. 청우(晴雨)를 ~ 막론하고 llueva o haga sol, con lluvia o con sol.

막료(幕僚) oficial *mf* de estado mayor.

막막하다(漠漠-) (ser) vasto, amplio, espacioso, extenso, infinito.

막막하다(寞寞-) (ser) solitario, aislado, desierto, desolado. 막막한 생활 vida *f* solitaria.

막말 el habla brusca [violenta·tosca]. ~하다 hablar al azar [a diestro y siniestro], decir bruscamente.

막무가내(莫無可奈) tozudez *f*, terquedad *f*, inflexibilidad *f*. ~로 tercamente, obstinadamente, testarudamente, tozudamente.

막바지 ① [막다른 곳] callejón *m* sin salida, fin *m* de un camino. ② [극한] extremidad *f*, límite *m*, confín *m*, lindero *m*; [절정] clímax *m*, culminación *f*, cenit *m*, crisis *f*, punto *m* crítico.

먹벌다 trabajar como un jornalero.

막벌이 ganancia *f* del sueldo como un jornalero. ~하다 trabajar como un jornalero. ~꾼 jornalero, -ra *mf.*

막사(幕舍) ① [막집. 천막집] casa *f* provisional, casa *f* de tienda. ② ((군사)) cuartel *m*, campamento *m*.

막상 [급기야] últimamente, al fin y al cabo; [실제로] actualmente, realmente, en realidad.

막상(莫上) el mejor, (lo) máximo, (lo) sumo. ~막하 igualdad *f*, semejanza *f*, similitud *f*, parecido *m*.

막심하다(莫甚-) (ser) excesivo, extremo, inmenso, enorme, tremendo, serio, pesado.

막역하다(莫逆-) (ser) íntimo, familiar, estrecho, conocido. 내 막역한 친구 mi amigo íntimo, mi amiga íntima.

막연하다(漠然-) (ser) vago, impreciso, confuso, ambiguo, equívoco, o(b)scuro.

막이 protección *f*, prevención *f*.

막일 trabajo *m* manual, trabajo *m* a mano, trabajos *mpl* dispares, trabajo *m* duro, trabajo *m* penoso. ~하다 trabajar duro. ~꾼 trabajador, -dora *mf* manual [a mano].

막장 ① [갱도의 막다른 곳] lugar *m* sin salida. ② [갱도 끝에서의 채굴하는 일] minería *f* en el extremo de la galería de mina.

막중하다(莫重-) (ser) muy precioso, sin precio, inapreciable, muy importante, no tener precio.

막지르다 ① [앞길을 막다] interrumpir, afrontar, enfrentar, hacer frente, bloquear, impedir, cortar. 길을 ~ impedir el paso, bloquear el paso. ② [함부로 냅다 지르다] dar (al azar); [발로] patalear, dar patadas; [칼로] apuñalar, acuchillar; [소리를] gritar alto, gritar en voz alta. 소리를 ~ gritar, chillar.

막차(-車) último tren *m* [autobús *m*] (del día).

막판 [마지막판] escena *f* final; [중대한 때] momento *m* crítico. ~에 와서 en el momento crítico.

막하(幕下) subordinado *m* del jefe.

막후(幕後) detrás de la cortina [la escena], en el fondo, en los antecedentes. ~의 인물 hombre *m* detrás de la escena. ¶ ~ 교섭 negociaciones *fpl* detrás de la escena.

막히다 [구멍·관 따위가] cerrarse, obstruirse, atascarse; [장애물로] ser bloqueado; [말이] balbucear; [가슴에] sentir cargado el estómago; [숨이] ahogarse, sofocarse. 말이 ~ no saber qué decir, cortarse hablando.

막힘없이 [술술] corrientemente, fluidamente, con fluidez. 그는 서반아어를 ~ 말한다 El habla español

corrientemente [fluidamente · con fluidez].

만[1] [동안이 얼마 계속되었음] después de … de ausencia. 10년~에 귀국하다 volver a *su* país después de diez años de ausencia.

만[2] [단지] sólo, solamente, simplemente, no … más que, pero. 한 번 ~ solamente una vez, nada más que una vez.

만[3] [그러나] pero. 받기는 받는다 달갑지 않다 Lo recibo, pero no me siento bien.

만(卍) ((불교)) esvástica *f*, cruz *f* gamada *f*; [표지] cruz *f* budista.

만(萬) diez mil.

만(灣) golfo *m*; [작은] bahía *f*. 페르시아~ Golfo *m* de Persia. 영일~ Bahía *f* de Yeong-il.

만(滿) completo, entero, cumplido. 하루 todo el día. ~ 세 시간 tres horas completas [enteras · largas]. ~ 1 년 todo el año, un año completo [entero]. 만 열 살 diez años cumplidos.

만가(挽歌/輓歌) ① ((민속)) canción *f* funeral. ② [죽은 사람을 애도하는] elegía *f*, réquiem *m*, epicedio *m*.

만감(萬感) diluvio *m* de emoción. ~이 북받쳤다 Se amontonan mil emociones en el corazón.

만강(萬康) paz *f*, tranquilidad *f*, seguridad *f*, sanidad *f*, salud *f*, bienestar *m*. ~하다 (ser) pacífico, saludable, sano, seguro, tranquilo.

만강(滿腔) ¶ ~의 incondicional, de todo corazón, sin reservas.

만개(滿開) ① [만발] plena floración *f*, plenitud *f*. 꽃이 ~했다 Las flores están en su plenitud. ② [활짝 열어 놓음] acción *f* de abrir la puerta completamente.

만고(萬古) antigüedad *f*, tiempo *m* antiguo [remoto], época *f* antigua; [영원] eternidad *f*, perpetuidad *f*, permanencia *f*. ~에 en la antigüedad, en el mundo antiguo.

만국(萬國) todas las naciones del mundo, el mundo entero, todo el mundo; ((성경)) naciones *fpl*, todas las naciones. ~의 universal, internacional, del mundo. ~에 en todo el mundo, por todo el mundo. ¶ ~기 banderas *fpl* de todas las naciones [todos los países] (del mundo), lanilla *f* (para banderas), estameña *f*, banderas *fpl*. ~ 박람회 Exposición *f* [Feria *f*] Internacional [Universal]. ~사 historia *f* universal. ~ 우편 연합 Unión *f* Postal Universal, UPU *f*.

만군(萬軍) ① [많은 군사] muchos soldados. ② ((성경)) todo el ejército, los ejércitos.

만기(滿期) vencimiento *m* (del plazo), cumplimiento *m*, expiración *f*. ~의 vencido, de vencimiento. 보험 증권의 ~ expiración *f* de la póliza. 어음의 ~ vencimiento *m* de la letra [del efecto · del giro]. ~에 al vencimiento. ~가 되다 vencer, cumplirse un plazo, expirar.

만끽(滿喫) pleno gozo *m*, pleno disfrute *m*. ~하다 gozar [disfrutar] plenamente, saborear suficientemente, saciarse.

만나다 ① [사람을] ver, encontrar; [우연히] encontrarse [topar]; tener una entrevista; [방문자를] recibir; [서로] verse (uno de otro), entrevistarse, reunirse, encontrarse. 만날 장소 [시간] lugar *m* [hora *f*] de cita. 길에서 ~ encontrarse en el camino. ② [비바람을 맞게 되다] encontrarse, coger. 비를 ~ encontrarse con lluvia. ③ [어떤 일을 겪게 되다] pasar, sufrir, padecer, experimentar; [재난이 주어 질 경우] coger.

만나이(滿-) edad *f* cumplida.

만난(萬難) todos los obstáculos. ~을 무릅쓰고 venciendo todos los obstáculos, superando todas las dificultades [todos los obstáculos].

만날(萬-) [늘] siempre, constantemente; [매일] todos los días, cada día.

만년(晩年) ① [노년] vejez *f*. ② [인 생의 끝 시기] últimos años (de la vida). ~에 en edad avanzada, en *sus* últimos años.

만년(萬年) ① [썩 많은 햇수] muchos años. ② [매우 오랜 세월] largo tiempo *m*, mucho tiempo.

만년필(萬年筆) (pluma *f*) estilográfica *f*, *AmL* pluma *f* fuente, *CoS* lapicera *f*. ~용의 estilográfico. ~ 용 잉크 tinta *f* estilográfica. ~로 쓰다 escribir con la estilográfica.

만능(萬能) omnipotencia *f*. ~의 omnipotente, todopoderoso; [여러 용 도의] multiuso, para todo uso, universal, versátil.

만다라(曼陀羅) pintura *f* budista, *sáns* mandala.

만담(漫談) cuento *m* cómico, historieta *f* cómica, charla *f* humorística [cómica], bufones *mpl*, chiste *m*, broma *f*, gag *ing.m*. ~하다 bromear, chunguearse, contar un chiste. ~가 bromista *mf*; cómico, -ca *mf*.

만당(滿堂) toda la casa, toda la compañía, todo el salón, todo el público, todo el auditorio. ~하다 estar lleno.

만대(萬代) todas las generaciones,

todas las edades, eternidad *f*.

만도린 ((악기)) mandolina *f*, *AmL* bandolín *m*, *AmS* bandolina, *Chi* mandolino *m*.

만두(饅頭) *mandu*, ravioles *mpl* [canalones *mpl*] coreanos (de forma cilíndricas), bollo *m* rellenado de pasta de judías azucaradas, *Arg* empanada *f*. 고기 ~ *Arg* empanada *f* de carne. ¶ ~국 sopa *f* de *mandu*. ~소 relleno *m* de *mandu*.

만들다 ① [창조하다] crear. 강좌를 ~ crear una cátedra. ② [제작·제 조하다] hacer, fabricar, manufacturar, elaborar, preparar; [생산하 다] producir. ③ [양조하다] hacer, fabricar, destilar, preparar (la bebida). ④ [작성하다] hacer, formar, componer; [논문·서류를] redactar; [책을] escribir. 졸업 논문을 ~ redactar la tesis de licenciatura. 교향곡을 ~ componer una sinfonía. ⑤ [건축·건조하다] construir, edificar. 다리를 ~ construir un puente. ⑥ [설계하다] trazar, proyectar, diseñar. ⑦ [재배하다] cultivar. 쌀을 ~ cultivar el arroz. ⑧ [주조하다] acuñar. 돈을 ~ acuñar moneda. ⑨ [형성하다] hacer, formar. ⑩ [구성·조직·조성하다] construir, formar, organizar, establecer. 학교를 ~ establecer la escuela [el colegio]. 클럽을 ~ organizar el club. ⑩ [양성·육성·도 야하다] criar, fomentar, favorecer, cultivar, desarrollar. 건강한 몸을 ~ desarrollar un cuerpo sano. ⑪ [장만·마련하다] preparar, hacer, reunir, organizar. 돈을 ~ hacer [preparar·reunir] dinero. ⑫ [상처 따위를 내다] herir, dañar, lastimar, lesionar, causar lesión, causar daño, perjudicar, rasguñar, arañar, rascar. ⑬ [조리하다] preparar, guisar, cocinar, cocer, asar, preparar. 요리를 ~ preparar la comida.

만료(滿了) terminación *f*, acabamiento *m*, vencimiento *m*, expiración *f*. ~하다 terminar, acabar(se), vencer, expirar.

만루(滿壘) ((야구)) bases *fpl* llenas. ~ 홈런 ((야구)) jonrón *m* con casa llena, jonrón *m* barrebases.

만류(挽留) detención *f*. ~하다 detener.

만류(灣流) corriente *f* de golfo.

만리(萬里) ① [천리의 열 갑절] diez mil *ri*, cuatrocientos kilómetros. ② [매우 먼 거리] distancia *f* muy lejana, muy larga distancia *f*.

만리 장성(萬里長城) Gran Muralla *f*.

만만하다 ① [연하고 부드럽다] (ser) suave, dulce, tierno, dócil, manejable. 만만한 음식 comida *f* tierna. ② [다루기 쉽다] (ser) fácil de tratar. 만만한 일 obra *f* fácil, trabajo *m* fácil. ③ [대수롭지 않다] (ser) insignificante, despreciable, trivial, de poca importancia.

만만하다(滿滿一) estar lleno (de). 야심 ~ estar lleno de ambición.

만면(滿面) (toda la) cara *f*, (todo el) rostro *m*. 그녀는 ~에 웃음을 함빡 머금었다 Ella tiene la cara muy sonriente.

만무하다(萬無一) no poder ser, (ser) imposible, increíble, no hay razón (que). 그럴 리가 ~ Eso no puede ser el caso / Eso es imposible / Eso no es posible.

만물(萬物) ① [우주에 존재하는 모든 것] todo lo creado, creación *f*, naturaleza *f*. ② [온갖 물건] todas las cosas, todos los artículos. ~ 박사 enciclopedia *f* [diccionario *m*] ambulante, enciclopedia *f* viviente, enciclopedia *f* [diccionario *m*] andante. ~상 [장사] comercio *m* de artículos diversos; [가게] tienda *f* de comestibles, almacén *m*. ~ 상점 almacén *m*. ~의 영장 señor *m* de todo lo creado, rey *m* de la creación.

만민(萬民) [모든 백성] todo el pueblo, toda la nación; [전인류] toda la humanidad, todos los hombres.

만반(萬般) todas las preparaciones, todas las cosas, todos asuntos.

만발(滿發) plena floración *f*. ~하다 estar en plena floración.

만방(萬方) todas direcciones *fpl*, todas partes *fpl*.

만방(萬邦) todas las naciones, todos los países, naciones *fpl* del mundo, todo el mundo, mundo *m* entero.

만백성(萬百姓) todo el pueblo, toda la gente.

만병(萬病) cualquiera enfermedad *f*, todas las enfermedades. ~ 통치 cura *f* perfecta de todas las enfermedades. ~ 통치약 panacea *f*, curalotodo *m*, sanalotodo *m*.

만보(漫步) callejeo *m*, paseo *m*. ~하다 callejear, pasearse, deambular.

만복(萬福) todas las bendiciones, muchas bendiciones, prosperidad *f*. 귀하의 ~을 빕니다 Yo le deseo a usted que tenga la prosperidad [la bendición].

만복(滿腹) hartura *f*, estómago *m* lleno. ~하다 hartarse, estar lleno, estar harto, estar saciado, estar con el estómago lleno, no poder comer más.

만부당(萬不當) ((준말)) =천부당 만부당. ¶~하다 (ser) absurdo, irrazonable, poco razonable, enteramente [absolutamente] injusto. ~ 한 말 comentarios *mpl* absolutamente irrazonables.

만부득이(萬不得已) inevitablemente. ~한 사정 circunstancias *fpl* inevitables.

만사(萬事) todo, lo todo, todas las cosas. ~가 끝났다 Todo está perdido / Todo se ha perdido / Todo se acabó. ~가 순조롭다 Todo va [marcha] bien.

만삭(滿朔) mes *m* de parto [de parturición]. ~의 여인 mujer *f* parturienta.

만상(萬象) forma *f* de todos los artículos.

만새기 ((어류)) delfín *m*.

만석(萬石) ① [곡식의 일만 섬] diez mil sacos (de cereales). ② [썩 많은 곡식] bastantes cereales *mpl*. ~꾼 multimillonario, -ria *mf*.

만선(滿船) carga *f* completa [llena]. [배] barco *m* [buque *m*] lleno de gente [peces]. ~기 bandera *f* con carga completa.

만성(晚成) maduración *f* tardía, maduramiento *m* tardío. ~하다 madurar tarde.

만성(慢性) estado *m* crónico, achaque *m*. ~의 crónico, inveterado. ~이 되다 ponerse crónico. ¶~ 질환 enfermedad *f* crónica.

만세(萬世) vida *f* eterna, eternidad *f*, todas las generaciones.

만세[1](萬歲) ① [만년] diez mil años. ② [영원히 삶] vida *f* eterna; [길이 번영함] prosperidad *f* eterna. ③ [귀인의 사거(死去)] fallecimiento *m* del noble.

만세[2](萬歲) [(감탄사)] ¡Viva! ~를 부르다 vitorear, aplaudir con vítores. ~ 삼창을 하다 dar tres (veces) vivas. 대한 민국 ~ ¡Viva la República de Corea!

만수(萬壽) longevidad *f*, vida *f* larga. ~ 무강 longevidad *f*, vida *f* larga. ~ 무강하다 vivir mucho tiempo, divertirse de longevidad. ~을 빌다 rezar [rogar] por la longevidad.

만수(滿水) el agua *f* llena. ~가 되다 estar lleno de agua.

만시(晚時) acción *f* de ser más tarde que la hora fijada. ~지탄 acción *f* de arrepentirse de perder la oportunidad.

만신창이(滿身瘡一) ① [온몸이 성처 투성이임] todo el cuerpo lleno de heridas. ② [성한 데가 없을 만큼 결함이 많음] muchos defectos.

만심(慢心) orgullo *m*, engreimiento *m*, soberbia *f*, altivez *f*, altanería *f*, ensoberbecimiento *m*, presunción *f*, arrogancia *f*, envanecimiento *m*, vanagloria *f*, jactancia *f*, ostentación *f*. ~하다 enorgullecerse, estar orgulloso [engreído · altivo · soberbio · arrogante · altanero · jactancioso], envanecerse, engreírse.

만약(萬若) si, en caso (de) que + *subj*. ~ 내가 돈이 있다면, 차를 한 대 사겠는데 Si yo tuviera dinero, compraría un coche.

만연(蔓延/蔓衍) ① [돌림병이나 어떤 병폐 따위가] propagación *f*, extensión *f*, difusión *f*. ~하다 propagarse, extenderse, pervalecer, pulular, abundar. ② [식물의 줄기가 널리 뻗음] lo que el tallo de la planta extiende por todas partes

만연하다(漫然一) (ser) hecho o dicho al azar, casual, aleatorio. 만연히 sin rumbo, sin norte.

만용(蠻勇) temeridad *f*, atrevimiento *m*, osadía *f*, vigor *m* brutal, ferocidad *f*. ~을 부리다 abusar del vigor brutal.

만우절(萬愚節) día *m* de (los) Inocentes, día *m* de los Santos Inocentes.

만원(滿員) un lleno completo [total]; ((게시)) Lleno / Completo / [표·좌석의] No hay billete [localidades] / [빈자리 없음] No hay lugar. ~이 되다 llenarse de gente).

만월(滿月) [완전하게 둥근 달] luna *f* llena, plenilunio *m*. ~이다 La luna está llena. ② =만삭(滿朔).

만유(萬有) todas las cosas, creación *f*, natura *f*, universo *m*. ~ 인력 gravitación *f* universal, atracción *f* universal. ~ 인력의 법칙 ley *f* de la gravitación universal.

만유(漫遊) excursión *f*, viaje *m* de recreo. ~하다 ir de excursión, recorrer, hacer un viaje de recreo.

만인(萬人) todo el mundo. ~지상(之上) puesto *m* del primer ministro.

만일(萬一) ① [행여나 하는 미심스러운 경우] acaso, si acaso + *ind*, si por casualidad + *ind*, si por ventura + *ind*, si + *subj*, quizá, quizás, por casualidad. ~의 경우 에는 por si acaso, en caso de emergencia [urgencia], cuando haya emergencia, cuando peor, en caso de que sea peor; […에 어떤 일이 있을 때] en caso de que ocurra *algo* a *uno*; [사건이 일어날 때] si llega el caso de los casos. ② [어떠한 가정의 조건을 전제로 함] si, cuando + *subj*, en caso (de) que + *subj*, con tal (de) que + *subj*; [가정하여] dado que + *subj*. ~비가 오면 si llueve.

만자(卍字) cruz *f* gamada, svástica *f*. ~기 bandera *f* de cruz gamada.

만장(滿場) todos los asistentes, todo el público [auditorio], toda la sala [asamblea]. ~일치 unanimidad *f*, acuerdo *m* total de las opiniones, pareceres *mpl*, sufragios *mpl*.

만장(輓章/挽章/挽丈) elegía *f*, treno *m*, oda *f* funeral.

만재(滿載) carga *f* llena, capacidad *f* llena, carga *f* completa. ~하다 (estar) completamente cargado, abarrotado, lleno por completo.

만적거리다 [손가락으로] manosear, tocar repetidamente con la mano, marrar; [가지고 장난하다] jugar.

만적이다 manosear ligeramente con la mano.

만전(萬全) integridad *f*, perfección *f*. ~의 perfecto, completo. ~의 준비 preparación *f* perfecta, todos los preparativos necesarios

만점(滿點) calificación *f* máxima, máxima puntuación *f*, marca *f* completa, todos los puntos. ~을 받다 obtener la máxima puntuación, adquirir la marca completa.

만조(滿朝) ① [온 조정] toda la corte (real). ② =만조 백관. ¶ ~ 백관 todos los oficiales de la corte.

만조(滿潮) plenamar *m*, marea *f* alta, mar *f* llena, mar *f* plena, aguas *fpl* llenas. ~ 때에 a la pleamar.

만족(滿足) ① [바라던 대로 이루어져 흐뭇함] satisfacción *f*, contento *m*. ~하다 satisfacerse, contentarse, saciarse, estar contento. ~시키다 satisfacer, dar satisfacción, contentar, complacer, contemplar. ② [충분하고 넉넉함] suficiencia *f*, abundancia *f*. ~하다 (ser) suficiente, abundante. 만 원으로 ~하 다 estar suficiente con diez mil wones. ¶ ~감 sentimiento *m* satisfecho, satisfacción *f*. ~감을 느 끼다 sentirse satisfecho.

만종(晩種) [늦벼] arroz *m* tardío.

만종(晩鐘) campanada *f* de anochecer, toque *m* de queda.

만종(晩鐘) ((미술)) El Angelus.

만좌(滿座) todos los asistentes, toda la concurrencia, público *m*. ~중 delante de todos los asistentes.

만주(滿洲) ((지명)) la Manchuria. ~사람 manchú, -chúa *mf*. ~어 manchú *m*. ~족 manchúes *mpl*.

만지다 ① [문지르거나 주무르다] tocar, palpar, sentir; [스치다] pacer, apacentar, rozar; [흐트러진 머리카락을] peinar. 만지지 마십시오 No toque (usted). ② [다루거나 손질하다] alterar, modificar. 규약을 ~ 다 alterar [modificar] los estatutos.

만지작거리다 manosear, tocar repetidamente con la mano.

만질만질하다 ser suave. 만질만질한 명주 seda *f* suave.

만찬(晩餐) ① [저녁 식사] cena *f*, comida *f*. ② ((성경)) la Cena.

만천하(滿天下) todo el mundo, universo *m*.

만추(晩秋) otoño *m* tardío.

만춘(晩春) primavera *f* tardía.

만취(滿醉) borrachez *f*, embriaguez *f*.

~하다 emborracharse.

만큼 tan +「형용사」「부사」+ como, tanto +「명사」+ como, tanto +「명사」+ tanto como; [어느 정도] ¿Cuánto (tiempo)?; […할 만큼의] tanto +「명사」+ cuanto. 시간이 얼마~ 걸리느냐? ¿Cuánto (tiempo) se tarda? 그는 나~ 키가 크다 El es tan alto como yo.

만태(萬態) ① [여러 가지 형태] varias frases *fpl*, varias formas *fpl*. ② ((속말)) =천자 만태.

만판 ① [마음껏] cuanto se quiere [quiera], cuanto más, todo lo posible, cuanto pueda uno. 부귀 영화를 ~ 누리다 gozar de la riqueza y la prosperidad cuanto se quiera. ② [마냥] enteramente, totalmente, por completo, por entero.

만평(漫評) crítica *f* literaria, chisme *m* errante, chisme *m* literario. ~하다 criticar literariamente.

만필(漫筆) notas *fpl*, ensayos *mpl*, apunte *m*. ~가(家) columnista *mf*; articulista *mf*.

만하다 ① [가치가 있다] valer la pena (de) + *inf*. merecer la pena (de) + *inf*. 감상할 만한 apreciable, digno de admiración, que vale la pena de (leer). 가볼 ~ Vale la pena de visitar. ② [가능하다] ser probable [apto · adecuado · apropiado · conveniente]. 먹을 ~ ser bueno para comer.

만학(晩學) estudio *m* tardío, educación *f* tardía, enseñanza *f* tardía. ~하다 estudiar [aprender] tarde en *su* vida.

만학(萬壑) valle *m* profundo. ~ 천봉(千峰) los valles profundos y los picos numerosos.

만행(蠻行) conducta *f* salvaje [violenta], salvajismo *m*, barbarie *f*.

만혼(晩婚) matrimonio *m* tardío.

만화(萬化) ((속말)) =천변 만화. ¶ ~ 방창(方暢) crecimiento *m* lujoso de todas las cosas en primavera. ~ 방창하다 todas las cosas crecer lujosamente en primavera.

만화(漫畵) caricatura *f*, dibujo *m* cómico; [연재 만화] historieta *f* (cómica), tira *f* cómica. ~의, ~ 같은 caricatural, caricaturesco. ~ 같은 이야기 relato *m* caricaturesco. ¶~가 caricaturista *mf*, dibujante *mf* de caricaturas. ~ 영화 (película *f*) dibujos *mpl* animados. ~ 잡지 tebeo *m*, revista *f* de tiras cómicas. ~책 libro *m* de historietas, comic *ing.m*.

만화경(萬華鏡) calidoscopio *m*, caleidoscopio *m*. 인생의 ~ calidoscopio *m* de la vida.

만회(挽回) recobro *m*, recuperación *f*, restauración *f*. ~하다 recobrar,

recuperar, restaurar.

많다 ① ㉮ [수가] (ser) muchos, numeroso. ㉯ [양이] (ser) mucho. ㉰ [풍부하다] (ser) abundante, copioso, suficiente, rico, profuso. ㉱ [무수하다] (ser) innumerable, un sinnúmero (de). 많은 사람 mucha gente, muchas personas, muchos hombres, mucha alma. 많은 손해 muchos daños, muchas pérdidas. 돈이 ~ tener mucho dinero, ser muy rico. 자식이 ~ tener muchos hijos. ② [잦다] (ser) frecuente, repetido a menudo.

많아야 a lo más, a lo sumo. 출석자 수는 ~ 열 명일 것이다 Los asistentes serán diez a lo más.

많이 ① [다수] mucho, bastante, abundantemente, en abundancia, en gran número, fluentemente, afluentemente, copiosamente. ~ 벌다 ganar mucho [en abundancia]. ② [자주] frecuentemente, con frecuencia, a menudo.

맏- mayor, primero. ~아들 hijo *m* mayor, primogénito *m*.

맏누이 hermana *f* mayor.

맏동서(-同壻) cuñado *m* mayor.

맏딸 hija *f* mayor, (hija *f*) primogénita *f*.

맏며느리 primera nuera *f*, nuera *f* mayor.

맏물 primera espiga *f* de arroz, primera cosecha *f* de la sazón.

맏배 primera cría *f* del animal.

맏사위 hijo *m* político mayor, yerno *m* mayor.

맏상제(-喪制) enlutado *m* [doliente *m* · plañidero *m*] mayor.

맏손녀(-孫女) nieta *f* mayor.

맏손자(-孫子) nieto *m* mayor.

맏아들 (hijo *m*) primogénito *m*, hijo *m* mayor.

맏언니 hermana *f* mayor.

맏이 ① [여러 형제나 자매 중 맨 손위] el (hijo) mayor, la (hija) mayor. ② [손위 사람] superior *mf*; mayor *mf*; jefe *m* de familia.

맏자식(-子息) [맏아들] (hijo *m*) primogénito *m*; [맏딸] (hija *f*) primogénita *f*; [적자] hijo *m* heredero; [적녀] hija *f* heredera.

맏조카 sobrino *m* [sobrina *f*] mayor.

맏형(-兄) hermano *m* mayor.

말¹ ((동물)) caballo *m*; [암컷] yegua *f*; [새끼] potro, -tra *m*f*; [작은 말] caballito *m*, caballo *m* pequeño; [조랑말] jaca *f*; [종마] caballo *m* padre, semental *m*; [승마용] caballo *m* de montar, caballo *m* de silla; [경마용] caballo *m* de concurso; [준마] corcel *m*, caballo *m* muy ligero; [귀부인용] palafrén *m* [여윈 말] rocín *m*, rocinante *m*

(동꼬로떼가 타던 말의 이름에서 유래됨). ~을 타다 montar a caballo. ¶~ 가죽 cuero *m* de caballo. ~고기 carne *f* de caballo. ~도둑 ladrón *m* cuatrero.

말² ① ((식물)) lenteja *f* de agua. ② ((준말)) = 바닷말.

말³ ① [언어] palabra *f*, vocablo *m*, término *m*, dicción *f*, lenguaje *m*, lengua *f*, idioma *m*, el habla *f*; [이야기] cuento *m*, narración *f*, relato *m*, historia *f*; [대화] dialecto *m*; [연설] discurso *m*; [강연] conferencia *f*; [담화. 회화] conversación *f*, plática *f*; [목소리] voz *f*; [잡탐] charla *f*, cháchara *f*; [화제] tema *m*, tópico *m*; [보고] información *f*; [소식] noticia *f*. 두 가지 이상의 뜻을 갖는 ~ palabra *f* de doble sentido, juego *m* de palabras, paronomasia *f*. 발음하기 어려운 ~ trabalenguas *m.sing.pl.* [속담] refrán *m*, proverbio *m*, adagio *m*, aforismo *m*, sentencia *f*, máxima *f*. 헌 짚신도 제 짝이 있다는 ~이 있다 Hay un refrán que dice: Cada uno con su pareja. ③ [소문] rumor *m*. 나쁜 ~ mal rumor *m*. ④ [꾸중. 잔소리] regaño *m*, trepe *m*, reprensión *f*, reprimenda *f*, reconvención *f*, reñidura *f*, admonición *f*. ⑤ [전갈] recado *m*, mensaje *m* (verbal). ⑥ [주장] demanda *f*, reclamación *f*. ⑦ [뜻] sentido *m*, significación *f*, significado *m*.

말⁴ ① [곡식·액체·가루 따위의 분량을 되는 데 쓰는 그릇] *mal*, medida *f* de unos dieciocho litros. ② [곡식·가루·액체 따위의 분량을 헤아리는 단위] *mal*, dieciocho litros más o menos. 쌀 열 ~ diez *mal* de arroz, unos ciento ochenta litros.

말⁵ ① [장기·고누·윷 등에 군사로 쓰는 물건] pieza *f*. ② [장기짝의 하나] caballo *m*.

말⁶ [심이지의] Caballo *m*.

말갈기 crin *f*.

말갛다 ① [깨끗하고 맑다] (ser) claro, limpio, puro. 말간 물 el agua *f* clara. ② [의식이] 분명하다] (ser) obbio, claro.

말경(末境) ① [말년] edad *f* avanzada. ② [끝판] fin *m*, conclusión *f*, final *m*, terminación *f*.

말고 no … sino, en vez de, en lugar de, excepto, salvo, menos, a excepción de. 너 ~ 누가 그런 짓을 했겠느냐? ¿Quién podía hacerlo sino tú?

말고기 carne *f* de caballo.

말고기자반 persona *f* con la cara colorada por la borrachez.

말고삐 brida *f*, rienda *f*, freno *m*.

말공대(－恭待) expresiones *fpl* corteses, lengua *f* cortés. ~하다 hablar en lengua cortés.

말괄량이 doncella *f* pizpireta y respingona.

말구유 pesebre *m*, comedero *m*.

말구종(－驅從) mozo *m* de cuadra.

말굴레 brida *f*.

말굽 casco *m*, pezuña *f* del caballo. ~ 소리 ruido *m* de cascos. ~쇠 herradura *f*. ~자석 imán *m* que tiene forma de herradura.

말귀 ① [말뜻을 알아듣는 총명] sentido *m*, oído *m*, audición *f*, comprensión *f*, entendimiento *m*. ~가 무디다 tener mal oído. ~가 밝다 tener buen oído. ~가 빠르다 ser rápido entender lo que se dice. ② [말이 뜻하는 내용] sentido *m* de una palabra.

말그스름하다 ser algo claro.

말기(末期) último período *m*, fin *m*, final *m*. [최종 단계] última etapa *f*, ocaso *m*.

말꼬리 ① [말의 꼬리] cola *f* del caballo. ② [말끝] fin *m* de *sus* palabras. ~를 잡다 pararse en una expresión de poco importancia, coger la palabra, saltar sobre la palabra.

말꼬투리 = 말꼬리❷.

말꼴 heno *m*, pienso *m*, forraje *m*. 푸른 ~ heno *m* verde. ~을 주다 dar forraje al caballo.

말꾸러기 ① [잔말이 많은 사람] parlanchín, -china *mf*, charlatán, -tana *mf*, tarabilla *mf*. ② = 말썽꾼.

말꾸러미 firmemente, fijamente, con ojos fijos. ~ 바라보다 mirar fijamente.

말끔 todo, completamente, enteramente, por completo, totalmente, a fondo. 지난 일을 ~ 잊다 olvidar-(se) completamente lo pasado.

말끔하다 (ser) limpio, pulcro, ordenado, puro, sin mezcla.

말끔히 claramente, evidentemente, limpiamente, aseadamente. ~ 씻다 limpiar lavándolo.

말끝 ① [말꼬리] fin *m* de *sus* palabras, lapsus linguae. ~에 en conclusión. ② [말의 첫머리] principio *m* de *sus* palabras.

말년(末年) ① [일생의 마지막 무렵] última etapa *f* de *su* vida, ocaso *m*. ② [말기] último período *m*.

말다¹ [피륙·종이 따위를] enrollar, arrollar, liar; [포장하다] envolver; [끈 따위로] atar con cuerda, poner las cuerdas; [실을] devanar. 돗자리를 ~ enrollar la estera. 담배를 ~ liar un pitillo [un cigarrillo].

말다² [국수·밥 따위를] mezclar, meter. 국수를 ~ meter el tallarín

en el agua de la sopa.

말다³ [[어떤 일을]] 그만두다] cesar, parar, ceder, renunciar, discontinuar, interrumpir, dejar de + *inf*, suspender. 먹다 만 밥 comida *f* no acabada de comer. 먹다 만 사과 manzana *f* empezada.

말다⁴ [금지] no, abstenerse (de). … 하지 말 것 Prohibido [No·Se prohíbe] + *inf*, No + *subj*. 나를 잊지 마라 No me olvides. 거짓말을 하지 마라 No digas mentiras / Di la verdad.

말다툼 disputa *f*, riña *f*, altercado *m*. ~하다 disputar, reñir.

말단(末端) punta *f*, cabo *m*, extremidad *f*. ~의 terminal, extremo. ~ 공무원 funcionario *m* público más bajo.

말대꾸 =말대답.

말대답(−對答) réplica *f*. ~하다 replicar; [반론하다] oponer, objetar, contradecir.

말더듬이 tartamudo, -da *mf*.

말동무 =말벗.

말똥 cagajón *m*.

말똥가리 ((조류)) halcón *m* coreano.

말똥거리다 mover (los ojos) con expresión ausente.

말똥말똥 fijamente, bien, con una mirada fija. ~하 tener los ojos abiertos de par en par.

말똥구리(昆蟲) =쇠똥구리.

말뚝 ① estaca *f*; [작은] estaquilla *f*. ~을 박다[세우다] estacar, clavar [poner] estacas. ② =말뚝잠.

말뚝잠 sueño *m* ligero [poco profundo], duermevela *f*. ~을 자다 dormitar, descabezar [echarse] un sueño, echar [dar] una cabezada.

말줄 significado de una palabra.

말띠 ((민속)) nacimiento *m* del Año del Caballo.

말라게나 malagueña *f*. ~를 부르다 cantar malagueñas.

말라깽이 persona *f* muy flaca.

말라리아 malaria *f*, paludismo *m*. ~ 열 fiebre *f* palúdica. ~열 환자 palúdico, -ca *mf*. ~ 요법 terapia *f* palúdica.

말라리아모기 ((昆蟲)) =학질모기.

말라빠지다 (estar) enjuto, delgado, flaco, flacucho.

말라죽다 marchitarse.

말랑거리다 sentir suave [tierno].

말랑말랑 sintiendo suave [tierno].

말랑하다 ① [물건이] (ser) suave, tierno, maduro. ② [사람의 성질이] (ser) tierno.

말려들다 ① [감기어 안에 들어가다] ser atrapado, ser llevado. 기계에 ~ ser atrapado por una máquina. ② [사건 따위에] comprometerse, envolverse, implicarse. 분쟁에 ~ implicarse en un enredo.

말로(末路) última parte *f* de la vida, última fase *f*, parca *f*, fin *m*. 영웅의 슬픈 ~ fin *m* miserable de un héroe.

말리다¹ [감기다] enrollarse, arrollarse, envolverse, liarse, devanar.

말리다² [말게 하다] hacer enrollar, hacer envolver, hacer devanar.

말리다³ [남의 행동을] impedir, estorbar, disuadir, parar, detener, hacer parar. 싸움을 ~ impedir una riña.

말리다⁴ [건조시키다] secar, agostar, enjugar [낟알이 나도록] resecar; [건물을] desecar, dejar seco; [바람을 넣어서] airear. 말린 고기 [육류] carne *f* secada; [생선] pescado *m* secado.

말마디 una palabra, una frase; [꾸지람] regaño *m*, trepe *m*, reprensión *f*.

말막음 impedimento *m* de la palabra. ~하다 ocultar, mantener secreto, acallar, callar.

말매미 ((昆蟲)) una especie de la cigarra.

말머리 ① [말의 첫머리] abertura *f* de palabras. ② [화제] sujeto *m*, tema *m*. ~를 돌리다 cambiar *su* sujeto [tema].

말머리아이 niño *m* que concibe y da a luz tan pronto como se casa.

말먹이 pienso *m*, forraje *m*.

말몰이 [말을 몰고 다니는 일] espoleo *m*, acción *f* de espolear un caballo. ② [준말] =말몰이꾼. ¶ ~꾼 cochero *m* de caballo de carga.

말문(−門) *su* boca al decir. ~이 막히다 quedarse atónito, quedarse boquiabierto, cortarse, cohibirse.

말미 =휴가(休暇).

말미(末尾) ① [책이나 문서 따위의] 끝 부분] pie *m*. 본 서류의 ~에 al pie de la presente. 서류의 ~에 서명하다 firmar al pie de un documento. ② [말단] fin *m*, final *m*, término *m*, conclusión *f*.

말미암다 venir, surgir (a raíz), obtenerse, prevenir, tener *su* origen, derivar(se). 폭풍우로 말미암아 por la tormenta, a causa de la tormenta, debido a la tormenta.

말미잘 ((동물)) estrellamar *m*, anemona *f* de mar, hongo *m* marino.

말밑굽 =말굽.

말방울 campanilla *f* del caballo.

말버릇 hábito *m* en habla, frase *f* favorita. ~처럼 늘 siempre decir que …, decir casi invariablemente que ….

말버짐 ((의학)) tiña *f*, empeine *m*, fungo *m*, hongo *m*.

말벌 ((昆蟲)) avispa *f*.

말법(−法) =어법(語法).

말벗 compañero, -ra *mf* de conversación; interlocutor, -tora *mf*.

말보¹ [노상 이야기거리가 많은 사람] hablador, -dora *mf*; charlatán, -tana *mf*.

말보² [쌓여 있는 말] palabra *f* amontonada por mucho tiempo.

말복(末伏) *malbok*, la última de tres décadas de la canícula, el último de tres períodos de los calores caniculares.

말본 gramática *f*, fraseología *f*.

말불버섯 ((식물)) bejín *m*.

말살(抹殺) raspadura *f*, borradura *f*, liquidación *f*, eliminación *f*, tachón *m*. ~하다 borrar, raspar, tachar, cancelar, eliminar, anular, liquidar.

말상(一相) cara *f* caballuna, cara *f* de caballo; [사람] persona *f* con la cara caballuna.

말상대(一相對) = 말벗.

말석(末席) [좌석의] asiento *m* ulterior, último asiento *m*. ~에 앉다 sentarse en el extremo [al cabo] de la mesa. ~을 차지하다 ocupar el último asiento. ② [사회적 지위나 직장의] puesto *m* inferior, último puesto *m*.

말세(末世) edad *f* de decadencia, fin *m* del mundo, edades *fpl* futuras; [최후의 심판일] día *m* del juicio universal.

말소(抹消) borradura *f*, raspadura *f*, borrador *m*, canceladura *f*, anulación *f*, cancelación *f*; [상쇄] compensación *f*. ~하다 borrar, cancelar, abolir, anular, tachar, compensar. ~되다 borrarse, cancelarse, abolirse, anularse.

말소리 voz *f*, voz *f* hablante; [속삭임] murmullo *m*, susurro *m*.

말속 sentido *m* de *sus* palabras, *su* intención.

말솜씨 expresión *f*, circunlocución *f*, dicción *f*, locución *f*, modo *m* de hablar. ~가 좋은 elocuente.

말수¹(一數) [말로 된 수량] cantidad *f* medida por el *mal*.

말수²(一數) [말의 수효, 또는 말하는 횟수] número *m* de palabras, número *m* de boca, el habla *f*. ~가 많은 locuaz, hablador, charlatán. ~가 적은 taciturno, de pocas palabras, callado, silencioso.

말술 ① [한 말 가량의 술] bebida *f* de unos dieciocho litros. ② [많은 술] mucha bebida, mucho vino. ~로 마시다 beber como un pez.

말실수(一失手) = 실언(失言).

말싸움 = 말다툼.

말썽 disputa *f*, querella *f*, complicación *f*, riña *f*, pendencia *f*. ~없이 sin queja, sin protesta; [이의없이] sin hacer objeción; [무사히] bien, a [en] salvo; [원만히] amigable-mente, amistosamente. ~을 일으키다 tener complicaciones después, tener dificultades, causar problemas, armar líos. ¶ ~거리 riña *f*, disputa *f*, pendencia *f*. ~꾸러기[꾼] alborotador, -dora *mf*; agitador, -dora *mf*; molestia *f*, causa *f* del problema; oveja *f* negra.

말쑥하다 ① [말끔하고 깨끗하다] (estar·ser) limpio, aseado, límpido. 말쑥한 집 casa *f* bonita y aseada. ② [세련되고 아담하다] (ser) elegante, gallardo, galano, gracioso, dandi. 말쑥한 복장을 하고 있다 estar [ir] muy bien vestido.

말씀 ① ((높임말)) = 말. ¶선생님의 (지금 하신) ~대로 하겠습니다 Yo haré como usted desea. ② [상대방을 높이어 자기의「말」] mi (humilde) palabra. 제가 한 ~을 올리겠습니다 Yo le diré una palabra.

말씨 expresión *f*, dicción *f*, lenguaje *m*, maneras *fpl*, modales *mpl*, ademán *m*, manera *f* de hablar, dialecto *m*, fraseología *f*.

말씨름 = 입씨름.

말없이 en silencio, calladamente, sin una palabra; [조용히] silenciosamente; [무단으로] sin permiso, sin aviso; [말썽 없이] sin problemas algunos.

말엽(末葉) ① [말기] fin *m*, fines *mpl*, finales *mpl*. ② = 후손(後孫).

말오줌나무 ((식물)) saúco *m*, baya *f* de saúco.

말일(末日) ① [(어떤 시기나 기한의) 마지막 날] último día *m*. ② [그믐날] último día *m* del mes.

말장난 juegos *mpl* de palabras, *Méj* albur *m*. ~하다 hacer juegos de palabras, *Méj* alburear.

말재간(一才幹) = 말재주.

말재주(一才一) talento *m* de hablar; [능변] elocuencia *f*., labia *f*.

말조심(一操心) cuidado *m* de hablar. ~하다 tener cuidado de *su* habla, usar prudencia en habla.

말주변 talento *m* de hablar, (manera *f* de) expresión *f*, giro *m* (de la frase); [능변] elocuencia. ~이 없다 no saber expresarse bien, tener dificultad en darse a entender.

말직(末職) puesto *m* inferior, posición *f* más baja.

말질(末職) riña *f*, disputa *f*, altercado *m*, argumento *m*, querella *f*. ~하다 reñir, disputar, altercar.

말짜 ① [가장 나쁜 것] lo peor, cosa *f* de la cualidad más baja. ② [버릇없이 구는 사람] persona *f* maleducada, persona *f* descortés.

말짱하다 ① [홈이 없고 온전하다] (ser) impecable, irreprochable, intachable. ② [깨끗하다] (estar) limpio, ordenado, bien cuidado, arreglado. 말짱한 옷 ropa *f* limpia. ③ [정신이 맑고 또렷하다] (ser) claro, evidente. ④ [속셈이 있고 약삭빠르다] (ser) astuto. ⑤ [전혀 터무니없다] (ser) absurdo.

말참견(一參見) comentario *m* impertinente. ～하다 meter el pico (en) todo, meterse en camisa de once varas; [간섭하다] intervenir, meterse, meter cuchara.

말채찍 fusta *f*, *AmL* fuete *m*. ～으로 때리다 pegar*le* con la fusta.

말초(末梢) ① [나뭇가지의 끝] copa *f* de árbol. ② [사물의 말단. 끝부분] punta *f*; [지팡이·우산의] contera *f*, regatón *m* (*pl* regatones). ③ [하찮은 일] cosa *f* sin (ningún) valor, cosa *f* inútil, cosa *f* que no sirve para nada, friolera *f*, fruslería *f*, trivialidad *f*. ④ ((해부)) periferia *f*. ～(부)의 perifiérico. ¶～ 기관 órgano *m* final. ～ 신경 nervio *m* periférico, periferia *f* nerviosa. ～ 신경계(통) sistema *m* nervioso periférico, sistema *m* de periferia nerviosa.

말총 crin *m* de caballo.

말치레 uso *m* de las palabras melosas. ～하다 usar las palabras melosas.

말치장(一治粧) ＝말치레.

말캉거리다 (ser) suave.

말캉말캉 suavemente, con suavidad. ～하다 (ser) muy suave.

말캉하다 (ser) suave.

말코[1] [베틀의] rodillo *m* de telar.

말코[2] [말의 코] hocico *m* del caballo.

말타아제 ((화학)) maltasa *f*.

말토오스 ((화학)) maltosa.

말투 manera *f* de hablar, expresión *f*; [어조] tono *m*. 능란한 ～ expresión *f* hábil.

말판 tabla *f* de juego [de dado].

말편자 herradura *f*.

말하다 ① [느낌이나 생각을 말로 나타내다] decir, hablar; [표현하다] expresar; [언급하다] referirse, mencionar, tratar. 좋게 ～ hablar bien. 나쁘게 ～ hablar mal, denignar; [중상하다] calumniar. 서반아어로 ～ hablar en español. 서반아어를 ～ hablar español. ② [기별하여 알리다] decir, contar, informar, anunciar, denunciar, delatar, avisar, advertir, proponer. ③ [부탁하다] decir, aconsejar, recomendar; [명령하다] mandar hacer, ordenar, mandar, disponer. ④ [(남의 행동을) 평하거나 논하다] comentar, criticar. ⑤ [지적하거나 뜻하다] significar, querer decir, decirse. 이것은 서반아어로 무엇이라고 말합니까? ¿Cómo se dice esto en español? / ¿Qué significa [quiere decir] esto en español?

말하자면 por así decirlo, por decirlo así, digamos, dijéramos, como (si) dijéramos; [한 마디로 말하면] en una palabra. 그는 ～ 애어른이다 El es, por así decirlo, un niño maduro.

말향(抹香) incienso *m*.

말향고래(抹香一) cachalote *m*.

맑다 ① [(유리나 물 같은 것이) 투명하다] (ser) claro, transparente, cristalino, limpio, aclararse, clarificarse, ponerse transparente. 맑은 물 el agua *f* clara [transparente]. ② [날씨가] aclararse, ponerse claro el tiempo. 맑은 하늘 cielo *m* claro. ③ [상쾌하고 신선하다] (ser) fresco. ④ [잘 트이어 탁한 맛이 없다] (ser) claro, cristalino. ⑤ [조촐하고 순진하다] (ser) inocente. ⑥ [(정신이) 또렷하다] (ser) vivo, muy expresivo.

맑스그레하다 (ser) jugoso.

맘모스 ＝매머드.

맘보 ((음악)) mambo *m*. ～를 추다 bailar el mambo. ¶～바지 pantalones *mpl* pitillo.

맛[1] [혀를 자극하는 사물을 성질] sabor *m*, gusto *m*, paladar *m*, sazón *m*. ～이 좋은 sabroso, rico, delicioso, agradable, gustoso, suculento, exquisito, apetitoso, de buen sabor [paladar]. ～이 나쁜 desabrido, de sabor [gusto] desagradable. 좋은 ～ buen sabor *m*, gusto *m* agradable [exquisito]. 강한 마늘 ～ un fuerte sabor [gusto] a ajo. 귤 같은 ～ sabor *m* a naranja. ～(이) 있다 (ser) sabroso, delicioso, rico, exquisito, suculento, gustoso, agradable al gusto, de buen sabor [gusto·paladar]. 정말 ～(이) 있군요! ¡Qué exquisito! / ¡Qué sabroso [rico·delicioso]!

맛[2] ((조개)) navaja *f*. ～젓 navajas *fpl* encurtidas, navajas *fpl* saladas.

맛깔 sabor *m*, gusto *m*. ～스럽다 (ser) de muy buen paladar, agradable, sabroso, delicioso, rico, apetitoso, comestible, comible, pasable. ～스런 음식 comida *f* agradable [de muy buen paladar].

맛나다 (ser) sabroso, delicioso, rico, de muy buen paladar. 맛난 요리 plato *m* sabroso [delicioso·rico·de muy buen paladar].

맛살 carne *f* dentro de la navaja.

망(望) guardia *f*, vigilancia *f*, desvelo *m*. ～(을) 보다 guardar, custodiar. ～(을) 서다 hacer guardia, montar la guardia.

망(望/朢) ① [만월] luna *f* llena. ② [음력 보름] el quince del mes lunar.

망(網) red *f*; [투망] esparavel *m*; [수

협용의] red *f* de cazar; [철망] tela *f* metálica.

망가뜨리다 romper, quebrar, destruir, quebrantar, infringir, violar. 계획을 ~ destruir el proyecto.

망가지다 romperse, quebrarse, destruirse, quebrantarse, hundirse.

망각(忘却) olvido *m*, descuido *m*. ~하다 olvidar.

망간 (網巾) manganeso *m*.

망건 (網巾) tocado *m*.

망고 ((식물)) mango *m*.

망구(望九) ochenta y un años de edad.

망구다(ㄷ一) hacer arruinar.

망구순(望九旬) ＝망구(望九).

망국(亡國) ① [나라가 망함] ruina *f* del país, decaimiento *m* [decadencia *f*·ruina *f*] nacional. ② [망한 나라] país *m* arruinado, nación *f* conquistada. ¶ ~민 pueblo *m* sin patria. ~ 민족 raza *f* sin patria.

망그러뜨리다 romper, destruir, demoler, derribar, echar abajo. 기계를 ~ romper la máquina.

망그러지다 romperse, destruirse. 망그러진 의자 silla *f* rota.

망극(罔極) inconmensurabilidad *f*, inmensidad *f*, inestimabilidad *f*. ~하다 (ser) inconmensurable, inestimable, inapreciable, inpenetrable, inmenso, grande. ~한 은혜 gran favor *m* de *sus* padres [*su* rey]. ¶ ~지통(之痛) el mayor dolor *m*, mayor pesar, la mayor aflicción.

망나니 ① [언행이 막된 사람] rufián, -fiana *mf*; canalla *m*; libertino, -na *mf*. ② ((고제도)) [사형 집행인] ejecutor *m*, verdugo *m*.

망년회(忘年會) banquete *m* para despedida del año, reunión *f* de despedida del año que se va, fiesta *f* de fin de año.

망대(望臺) ＝망루(望樓).

망동(妄動) acción *f* imprudente. ~하다 portarse imprudentemente, portarse ciegamente.

망동어(望瞳魚) ((어류)) ＝망둥이.

망둥이 ((어류)) gobio *m*.

망라(網羅) inclusión *f* por entero. ~하다 incluir [comprender·contener] todo algo abarcar; [수집하다] recoger todo algo.

망령(亡靈) espíritu *m* muerto, el alma *f* en pena; [유령] aparición *f*, fantasma *m*, espíritu *m*.

망령(妄靈) chochera *f*, chochez *f*, noñez *f*, segunda niñez *f*, decrepitud *f*, viejo chocho *m*. ~이 들다 chochear, aniñarse, hacerse decrépito, caducar. ~되다 aniñarse. ~되이 aniñadamente. ~스럽다 (ser) infantil, pueril.

망루(望樓) atalaya *f*, vigía *f*, torre *f* albarrana. 소방 ~ atalaya *f* de

bomberos, torre *f* para vigilar los incendios.

망륙(望六) cincuenta y un años de edad.

망막(茫漠) vastedad *f*, extensión *f*. ~하다 ⑦ [넓고 멀다] (ser) vasto, extenso. ~한 평원 llanura *f* vasta. ④ [뚜렷한 구별이 없다] (ser) vago, impreciso, oscuro, obscuro. ~한 전도 perspectivas *fpl* vagas.

망막(網膜) ((해부)) retina *f*.

망망(茫茫) inmensidad *f*. ~하다 (ser) vasto, extenso, amplísimo. ~한 바다 océano *m* sin límites. ¶ ~ 대양[대해] mar *m* sin límites.

망망하다(忙忙一) estar muy ocupado, tener mucho que hacer.

망명(亡命) expatriación *f*, exilio *m*, destierro *m*. ~하다 expatriarse, exiliarse, exilarse. ~가[객] exiliado, -da *mf*; exilado, -da *mf*; expatriado, -da *mf*. ~ 정권 régimen *m* exiliado. ~ 정부 gobierno *m* en (el) exilio. ~지 (lugar *m* de) exilio *m*, destierro *m*.

망발(妄發) el habla *f* ignominiosa, el habla absurda [imprudente·insensata·irrazonable·poco razonable]. ~하다 hacer el habla ignominiosa.

망백(望百) noventa y un años de edad.

망부(亡父) difunto padre *m*, padre *m* muerto.

망부(亡夫) difunto esposo *m*, esposo *m* muerto.

망부(亡婦) ① [죽은 며느리] nuera *f* muerta, difunta nuera *f*. ② ＝망처 (亡妻).

망부석(望夫石) *mangbuseok*, fiel esposa *f* legendaria que murió y se convirtió en una piedra de esperar a *su* esposo

망사(網紗) gasa *f*, cendal *m*. 명주 ~ gasa *f* de seda. ~창 ventana *f* de gasa.

망상(妄想) obsesión *f*, fantasía *f* (libre), quimera *f*, idea *f* quimérica. ~하다 embelesarse, arrobarse, extasiarse. ~에 잠기다 hacerse morosa delectación.

망석중이 ① [꼭두각시] marioneta *f*, títere *m*. ② [사람] marioneta *f*, títere *m*. ~극[놀이] (función *f* de) títere *m*.

망설거리다 vacilar, titubear.

망설망설 vacilando, titubeando.

망설이다 hesitar, vacilar, titubear, oscilar, dudar, quedar(se) confuso [perplejo·embarazado], no saber qué hacer.

망신(亡身) vergüenza *f*, deshonra *f*, deshonor *m*, infamia *f*, ignominia *f*, oprobio *m*, humillación *f*, afrenta *f*. ~을 당하다 sufrir una humillación, dar espectáculo, dar espectáculo. ~을 주다 poner el pie sobre el cuello [sobre el pescuezo], humillar.

망아(忘我) el olvidar a sí mismo.

망아지 potro *m*, potrillo *m*.

망언(妄言) palabra *f* absurda, palabra *f* insensata, palabra *f* imprudente. ~하다 decir absurdamente.

망연자실(茫然自失) perplejidad *f*. ~하다 no saber qué hacer, quedar perplejo, atontarse, quedar atontado. ~하여 con aire perplejo, perplejamente.

망연하다(茫然-) ① [넓고 멀어서 아득하다] (ser) vasto, infinito, sin límites, extenso. ② [아무 생각 없이 멍하다] (estar) distraído, despistado, perplejo.

망우(忘憂) ① [근심을 잊는 일] olvido *m* de la ansiedad. ② =망우물. ¶ ~물 licor *m*, alcohol *m*. ~초 tabaco *m*; [궐련] cigarrillo *m*; [여송연] cigarro *m*.

망운(亡運) fortuna *f* de arruinar.

망울 ① [혹. 결절] bulto *m*; [머리에 생긴 혹] chichón *m*; [석탄·쇠·진흙·치즈 따위의] trozo *m*, pedazo *m*; [설탕의] terrón *m*. ② [콩의] =꽃망울. ③ ((속말)) =눈망울. ④ ((의학)) =임파선종. ¶ ~지다 ⑦ tener un bulto, tener un nudo. ④ [임파선염이] tener linfadenitis.

망원(望遠) larga vista *f*. ~ 렌즈 teleobjetivo *m*.

망원경(望遠鏡) [지상용] catalejo *m*; [천체용] telescopio *m*.

망월¹(望月) [보름달] luna *f* llena.

망월²(望月) [달을 바라봄] mirada *f* de la luna. ~하다 mirar la luna.

망은(忘恩) ingratitud *f*. ~하다 perder *su* gratitud.

망자(亡者) ((불교)) difunto, -ta *mf*; muerto, -ta *mf*; fallecido, -da *mf*.

망종(亡終) tiempo *m* [hora *f*] de la muerte, última hora *f* de *su* vida, lecho *m* de muerte.

망종(亡種) villano, -na *mf*; rufián *m*.

망주석(望柱石) un par de postes de piedra delante de la tumba.

망중한(忙中閑) momento *m* de descanso en medio de *su* ocupada vida.

망처(亡妻) esposa *f* muerta.

망측하다(罔測-) (ser) feo; [추잡하다] antipático, desagradable, mal intencionado, sucio, indecente, lascivo; [불쾌하다] ofensivo, repugnante, asqueroso, provocativo; [상스럽다] bajo, vulgar, abominable.

망치 martillo *m*; [큰] mazo *m*, maceta *f*, [작은] martillejo *m*. ~로 때리다 martillar.

망치다(亡-) ① [집안·나라 등을] 망하게 하다] arruinar, destruir. 집안을 ~ arruinar el hogar. ② [잘]

못하여 아주 그르치게 하다] estropear, echar a perder, arruinar, destruir, dañar, perjudicar. 건강을 ~ perder la salud.

망칠(罔七) sesenta y un años de edad.

망태기(網-) bolsa *f* de malla.

망토 manto *m*; [소매 없는] capa *f*, *Méj* rebozo *m*.

망팔(望八) setenta y un años de edad.

망하다¹(亡-) [제구실을 못하고 끝장이 나다] deteriorar, echar a perder; [파산하다] hacer bancarrota, quebrar, arruinarse. 회사가 망했다 Ha quebrado la compañía.

망하다²(亡-) [몹시 고약하다] (ser) muy feo, indecoroso; [다루기가 힘들다] difícil de tratar.

망향(望鄕) nostalgia *f*, añoranza *f*. ~가 canción *f* de nostalgia. ~병 nostalgia *f*.

망혼(亡魂) espíritu *m* [el alma *f*] del muerto, difunto espíritu *m*, fantasma *m*, espíritu *m*.

맞- ① [서로 마주 대하는 뜻] que da, frente, opuesto, frente a frente, cara a cara. ~대면 entrevista *f* cara a cara. ② [서로 어슷비슷함을 나타내는 말] igual, equivalente, rival. ~먹다 ser igual, ser equivalente.

맞걸다 jugarse, apostarse.

맞겨루다 rivalizar, competir.

맞고소(-告訴) contrademanda *f*, contradenuncia *f*, reconvención *f*. ~하다 reconvenir.

맞꼭지각(-角) ((수학)) ángulo *m* opuesto [vertical].

맞다¹ ① [눈이나 총알이나 화살 따위가] acertar, dar. ② [어떤 일이 헤아렸던 대로 되다] acertar, realizarse. 예언이 맞았다 Se realizó su predicción.

맞다² ① [오는 사람을] recibir, acoger. 손님을 ~ recibir a la visita. 반가이 ~ dar la bienvenida. ② [때가 오는 것을 당하다] llegar, dar comienzo. 장년기를 ~ llegar a la edad madura. ③ [남편·아내·사위·며느리를] ser recibido, recibir, adoptar, invitar, dar*le* la bienvenida, dar*le* la acogida. 며느리를 ~ ser recibido como nuera. ④ [때림을 당하다] ser golpeado, ser pegado, ser azotado. 빰을 ~ recibir un golpe en la mejilla, ser dado un sopapo en la mejilla. ⑤ [도둑을 당하다] ser robado. 나는 도둑을 맞았다 Me han robado. ⑥ [퇴짜를 당하다] ser rechazado. ⑦ [야단을 당하다] ser reprendido. ⑧ [주사·침 따위의 놓음을 당하다] ser inyectado. 침을 ~ ser aplicado una acupuntura. ⑨ [(서명 날인

을) 찍어 받다] ser firmado y sellado. ⑩ [성적 평점을 받다] ser calificado, ser puesto nota. ⑪ [떨어지거나 날아온 것을 몸에 받다] exponer; [비를] mojarse. 비를[비]~ mojarse por [bajo] la lluvia, estar expuesto a la lluvia.

맞다³ ① [틀리거나 어긋남이 없다] (ser) correcto, exacto, tener razón. 당신의 말이 ~ Tiene usted razón. ② [서로 어긋나지 않고 일치하다] concordar, convenir, acordar, estar de acuerdo. ③ [(어떤 사실이나 정도가) 알맞다] venir bien, estar bien, sentar bien. ④ [감정·마음·입맛 따위에] 들다] venir*le* bien, convenir*le*, ser conveniente.

맞닥뜨리다 estar [verse] frente a [ante]. 심각한 문제에 ~ estar frente a un grave problema.

맞닥치다 encontrar, encontrarse, topar, toparse, tropezar, encontrarse cara a cara, estar frente a frente. 난관에 ~ verse enfrentado.

맞담배 cigarrillo *m* que fuma en presencia de *su* mayor [superior]. ~를 피우다 fumar en presencia.

맞닿다 tocar uno a otro. 손과 손이 ~ tocarse las manos.

맞대다 ① [마주 대다] hacer frente, afrontar. ② [서로 마주 대하다] mirar cara a cara [frente a frente·mano a mano]. 무릎을 맞대고 이야기하다 tener un vis a vis, conversar cara a cara [frente a frente·mano a mano].

맞대면(-對面) entrevista *f* cara a cara. ~하다 entrevistar cara a cara.

맞대하다(-對-) estar frente a frente, encontrarse cara a cara.

맞돈 dinero *m* contante, dinero *m* (en) efectivo. ~으로 바꾸다 cambiar en dinero contante. ~으로 지불하다 pagar en dinero contante [al contado].

맞들다 ① [두 사람이 물건을 마주 들다] levantar juntos. 책상을 ~ levantar la mesa juntos. ② [협력하다] colaborar, cooperar, trabajar juntos.

맞먹다 ① [상당하다] ser igual, corresponder. ② [필적하다] rivalizar, comparar, hacer comparación.

맞물다 engranar, endentar.

맞물리다 engranarse, endentarse.

맞바꾸다 trocar, cambalachear, jear, trujamanear.

맞바라보다 mirarse el uno al otro.

맞바람 viento *m* opuesto [contrario], viento *m* de frente; ((항해)) viento *m* por la proa. ~을 받다 tener viento contrario.

맞받다 ① [정면으로 받다] recibir de frente. ② [어떤 노래나 말을 곧 이

어받다] responder inmediatamente. ③ [마주 들이받다] chocar frontalmente [de frente].

맞벌이 trabajo *m* de los esposos para ganar la vida. ~하다 ganar por ambos. ~ 부부 esposos *mpl* de contribuir con los ingresos de la familia, pareja *f* de dos cheques del sueldo.

맞보기 gafas *fpl* transparentes.

맞부딪치다 chocar, topar(se), chocar un golpe, encontrarse. 전봇대에 ~ chocar [tocar] con un poste eléctrico.

맞부딪히다 ser chocado (un golpe).

맞붙다 ① [서로 마주 닿아서 붙다] no separarse, quedarse juntos, pegarse [adherirse·ceñirse] bastante bien. ② [내기·싸움에서] rivalizar, competir, contender, luchar.

맞붙들다 cogerse el uno al otro.

맞붙어 cuerpo a cuerpo. ~ 싸우다 luchar cuerpo a cuerpo.

맞붙이다 ① [마주 붙이다] unir. ② [(두 사람을) 서로 만나보게 하다] enfrentar.

맞붙잡다 agarrarse el uno al otro.

맞상대(-相對) lucha *f* de hombre a hombre, combate *m* individual.

맞서다 ① ((준말)) =마주서다. ② [마주 겨루다] enfrentarse, rivalizar, competir, contender, resistir, desafiar. 권력에 ~ resistir la autoridad, rebelarse contra la autoridad. ③ [(어떤 상황을) 직접 겪게 되다] hacer frente, confrontar, afrontar. 위기와 ~ hacer frente al peligro. 적과 ~ afrontar a los enemigos.

맞선 entrevista *f*, careo *m*, entrevista *f* de los jóvenes casaderos, que ha sido desconocidos. ~ 결혼 matrimonio *m* arreglado.

맞소송(-訴訟) oposición *f*.

맞수 ((준말)) =맞적수.

맞아들이다 invitar, recibir, adoptar. 며느리를 ~ adoptar a una nuera.

맞은편(-便) [마주 상대되는 편] lado *m* opuesto, otro lado *m*; [상대편] otro partido *m*, partido *m* oponente. ~에 al otro lado. ~ 집 casa *f* de enfrenfrente.

맞이 reunión *f*, sesión *f*, encuentro *m*, recepción *f*, cita *f*, bienvenida *f*, acogida *f*. ~하다 encotrar, encontrarse; [접대하다] recibir; [환영하다] dar la bienvenida, acoger, aceptar, aprobar, saludar.

맞잡다 ① ((준말)) =마주 잡다(to-marse). ☞마주. ② [서로 협력하다] cooperar, colaborar, trabajar juntos, ayudarse el uno al otro.

맞잡이 ① [서로 힘이 대등한 두 사람] igual *mf*; par *mf*. ② [서로 같다는 뜻을 나타내는 말] igualdad *f*.

맞장구 afirmación *f* oportunamente dicha. ~를 치다 afirmar con palabras agudas y oportunas, concordar, asentir.

맞적수(-敵手) buen rival *m*, buena rival *f*; par *mf*; igual *mf*; ((바둑)) jugador, -dora *mf* de *baduc* con habilidad igual.

맞절 saludo *m* mutuo, saludo *m* el uno al otro, reverencia *f* mutua. ~하다 saludarse (el uno al otro), hacer una reverencia mutua.

맞접다 doblar juntos.

맞추다 ① [적합하게 하다] ajustar, aplicar, adaptar. A를 B에 ~ ajustar [aplicar·adaptar] A a B. ② [대조하다] confrontar, cotejar. 번역을 원문과 ~ confrontar [cotejar] la traducción con el original. ③ [어떤 것을 무엇에 맞게 하다] adaptar, adecuar, arreglar, conformar, ajustar, poner, sintonizar. ④ [조립하다] congregar, allegar, juntar, reunir, convocar. ⑤ [옷 따위를] hacer(se), encargar. 옷을 ~ encargar [hacerse] el traje. 신발을 ~ mandar hacer un par de zapatos. ⑥ [주문하다] pedir, dar un pedido. 맞춘 hecho de encargo, hecho a la medida(s). ⑦ [접합시키다] juntar, unir. ⑧ [약속하다] prometer, comprometer, hacer una promesa, dar *su* palabra, designar, fijar. 날짜를 ~ designar [fijar] la fecha. ⑨ [알아맞히다] acertar, adivinar. 못 ~ equivocarse.

맞춤 [주문] pedido *m*; [주문한 물건] (artículo *m*) pedido *m*. ~복 traje *m* (hecho) a (la) medida.

맞춤법(-法) ortografía *f*. 한글 ~ ortografía *f* de Hangul. 현행 ~ ortografía *f* actual, sistema *m* ortográfico actual.

맞히다¹ [물음에 옳은 답을 대다] responder correctamente. 답을 ~ hacer una respuesta correcta.

맞히다² ① [적중시키다] acertar, atinar, dar, pegar, golpear, chocar, tocar. 화살로 과녁을 ~ acertar, dar en el blanco. ② [비나 눈 따위에] exponerse. 비에 ~ mojarse por [bajo] la lluvia. ③ [추측하다] adivinar.

맡기다 confiar, depositar, delegar, encargar, dejar, consignar, encomendar al cuidado, dar en cargo, confiar en depósito, poner bajo cuidado. 경영을 ~ dejar el manejo en la mano.

맡다¹ ① [보관하다] guardar [recibir] en depósito [en consigna·en consignación]. 하물을 ~ guardar el equipaje en depósito [en consigna]. ② [담당하다. 감독하다] encargarse ③ [허가 등을 얻다]

obtener.

맡다² ① [냄새를] oler, olfatear. 장미 냄새를 ~ oler una rosa. ② [깜새를 알다] husmear, olerse.

맡아보다 dirigir.

매¹ [때리는 막대기] látigo *m*, azote *m*; [회초리] vara *f*, varilla *f*. ~를 맞다 ser azotado.

매² ((조류)) halcón *m*, azor *m*, cernícalo *m*, gerifalte *m*, halcón *m* peregrino. ~ 사냥 halconería *f*, cetrería *f*. ~ 사냥꾼 halconero *m*.

매³ [염소 따위의 울음소리] balido *m*. 염소가 ~ 울다 balar, dar balidos.

매(枚) =장(張)(hoja).

매각(賣却) venta *f*. ~하다 vender. ~ 공고 aviso *m* público de venta. ~(대)금 lo recaudado de venta.

매개(媒介) mediación *f*, intervención *f*, transmisión *f*. ~하다 mediar, actuar como mediador, transmitir.

매거(枚擧) numeración *f*. ~하다 numerar, contar, mencionar. 일일이 ~할 수 없다 tener demasiado numeroso para mencionarse, ser innumerable.

매관(賣官) =매관매직(賣官賣職).

매관매직(賣官賣職) corrupción *f* en la administración de personal gubernamental, tráfico *m* de puestos oficiales. ~하다 traficar en posiciones gubernamentales.

매국(賣國) traición *f* a la patria. ~하다 traicionar a *su* país [a la patria]. ~노 traidor, -dora *mf* a la patria; traicionero, -ra *m* ~적(的) desleal con [a] la patria. ~적(敵) traidor, -dora *mf* desleal a la patria. ~ 행위 acto *m* antipatriótico.

매기(每期) [기간] cada período, cada término; [회기] cada sesión; [지불의] plazo *m*.

매기(買氣) tendencia *f* de compra, interés *m* comprador; [경향] tendencia *f* alcista.

매기(賣氣) tendencia *f* de venta.

매기다 ① [일정한 평가를 하여 정하다] decidir, fijar; [과하다] imponer, cargar. 값을 ~ tasar, fijar el precio. ② [기록하여 놓다] marcar, anotar, tomar nota. 점수를 ~ marcar una nota [un tanto·un gol].

매끄럽다 ① [반드럽다] (ser) liso, suave, terso; [미끄럽다] resbaladizo, resbaloso; [막힘이 없다] corriente; [음성이] suave; ((생물)) glabro. ② [약바르다] (ser) astuto, sagaz, taimado, pícaro, zorro.

매끈하다 (ser) suave, resbaladizo; [머리·모피가] lacio y brillante.

매너 modales *mpl*, maneras *fpl*, costumbres *fpl*, educación *f*. ~가 좋다 [나쁘다] tener buena [mala] educación.

매너리즘 manerismo *m*. ~에 빠지다 amanerarse.

매년(每年) cada año, todos los años.

매니저 [회사·백화점의] director, -tora *m*, gerente *mf*; [상점·식당의] gerente *mf*, encargado, -da *mf*; [자금 등의] administrador, -dora *mf*; [팝 그룹이나 권투 등의] manager *mf*; [스포츠의] entrenador, -dora *mf*, *AmL* director *m* técnico, directora *f* técnica; [흥행의] empresario, -ria *mf*.

매니큐어 manicura *f*. ~를 (칠)하다 arreglarse las manos [las uñas], hacerse la manicura.

매다¹ ① [끈이나 줄 따위를] atar, ligar, trabar. 끈으로 ~ atar con cuerdas, enlazar. ② [(어떤 물건을) 꾸미어 만들다] [장정하다] encuadernar; [클립으로] unir con un clip; [호치키스로] coser con grapas. 책을 ~ encuadernar un libro. ③ [달아나거나 떨어지지 못하게] amarrar. 배를 부두에 ~ amarrar [atar] un barco al muelle.

매다³ [논 같은데 난 잡풀을] escardar, desyerbar. 김을 ~ escardar, desyerbar, desherbar.

매달(每−) cada mes, todos los meses; [부사적] mensualmente.

매달다 colgar, suspender. 천정에 램프를 ~ colgar la lámpara del techo.

매달리다 ① [매달다의 피동형] colgarse, suspenderse. 매달려 있다 estar colgado [suspendido], pender. ② [붙잡고 늘어지다] abrazar(se), agarrar(se), aferrarse, asirse, sujetarse, estar aferrado. 나무에 ~ abrazarse a un árbol. 난간에 ~ agarrarse a la barandilla, apoyarse en la barandilla. 난로에 ~ arrimarse a la estufa. ③ [어떤 일에 깊이 관계하여] estar (completamente) ocupado. 책상에 매달려 공부하다 estudiar pegado a la mesa. ④ [어느 것에 붙어 힘을 입다] depender, apoyarse. 지팡이에 ~ apoyarse en el bastón. ⑤ [애원하다] suplicar, implorar, rogar.

매대기 untadura *f*, untamiento *m*. ~를 치다 [페인트나 기름을] embadurnar, pintarrajear; [버터를] untar.

매도(罵倒) injuria *f* brutal [violenta], insulto *m*, crítica *f* acerba, ultraje *m*. ~하다 decir injurias, injuriar violentamente, insultar, criticar acerbamente, jurar, echar palabrotas [injurias].

매도(賣渡) venta *f* (y entrega). ~하다 vender (y entregar), deshacerse. ¶~ 계약 contrato *m* de venta. ~인 vendedor, -dora *mf*. ~ 증

서 certificado *m* de venta.

매독(梅毒) ((의학)) sífilis *f*, avariosis *f*, gálico *m*, enfermedad *f* venérea. ~균 보균자 portador, -dora *mf* de sífilis. ~ 환자 sifilítico, -ca *mf*.

매듭 ① [마디를 이룬 것] nudo *m*, atadura *f*. ~을 느슨히 하다 aflojar el nudo. ② [(어떤 일에서) 쉽사리 풀리지 않고 맺히거나 막힌 부분] punto *m*. ③ [일에 대한 결속] fin *m*, conclusión *f*. ¶~을 짓다 ⑦ [매듭을 만들다] anudar, atar con nudos, hacer un nudo. ㉯ [결말을 짓다] ajustar, liquidar, saldar, arreglar, terminar, concluir, resolver, poner fin. ~을 풀다 desatar, deshacer el nudo.

매력(魅力) encanto *m*, atractivo *m*, atracción *f*, gracia *f*, fascinación *f*. ~이 없는 sin encanto; [순진한] inocente. 여성적인 ~ atractivo *m* femenino. ~이 넘치는 여인 mujer *f* voluptuosa [atractiva]. ¶~적 encantador, atractivo; [섹시한] voluptuoso.

매료(魅了) encanto *m*, fascinación *f*, hechicería *f*, seducción *f*. ~하다 encantar, fascinar, cautivar, hechizar, seducir. ~되다 quedar encantado, quedarse embelesado.

매립(埋立) entierro *m*, sepultura *f*, terraplén *m*, terraplenamiento *m*. ~하다 [땅에] enterrar, sepultar, soterrar; [구덩이 따위를] llenar, rellenar, explanar, terraplenar. 늪을 ~하다 desecar un pantano. 바다를 ~하다 ganar terreno al mar. ¶~ 공사 obras *fpl* de terraplenamiento [de terraplenación], obras *fpl* de saneamiento, obras *fpl* de desecación. ~지 terreno *m* terraplenado; [해안의] tierra *f* ganada al mar.

매만지다 ① [가다듬다] adjustar, arreglar, ordenar, poner en orden. ② [손질하다] cuidar, tener cuidado.

매매(賣買) compraventa *f*; [거래] comercio *m*, negocio *m*, tráfico *m*, transacción *f*. ~하다 comprar y vender, traficar, comerciar, negociar. ~ 가격 precio *m* de venta. ~ 계약 contrato *m* de compraventa. ~ 계약증 nota *f* de contrato. ~ 기준 가격 cotización *f*. ~ 증서 nota *f* de contrato.

매머드 ① [(동물)] mamut *m*. ② [거대한 (것)] gigantesco, mastodonte, super-, enorme, colosal. ¶~ 계획 proyecto *m* colosal. ~ 기업 empresa *f* gigantesca. ~ 대학 universidad *f* enorme. ~ 도시 ciudad *f* enorme.

매명(每名) cada persona, cada uno, cual uno.

매명(賣名) propaganda *f* de un nombre.

매목(埋木) madera *f* fósil.

매몰(埋沒) entierro *m*. ~하다 enterrar, sepultar. ~되다 enterrarse, sepultarse.

매몰스럽다 (ser) frío, cruel, despiadado, indiferente, insensible. 매몰스레 fríamente, cruelmente, con crueldad, despiadadamente, indiferentemente, insensiblemente. 매몰스레 굴다 tratar fríamente. 매몰스레 말하다 hablar cruelmente.

매몰차다 ① [매우 매몰하다] (ser) cruel, atroz, frío, despiadado, desalmado, sin corazón. 매몰찬 사람 persona *f* sin corazón. ② [목소리가 높고 날카로우며 옹골차다] (la voz) ser alta, fina y sólida.

매몰하다 (ser) frío, helado, glacial, hélido, insensible, indiferente, seco, cortante.

매무새 apariencia *f* de *su* ropa, elegancia *f* de *su* traje, atuendo *m*, atavío *m*, vestido *m*. ~가 좋다 [나쁘다] estar bien [mal] vestido. ~를 고치다 [옷의] adjustar *su* ropa; [머리의] arreglarse *su* pelo.

매물(賣物) artículo *m* [objeto *m*] en venta. ~로 내놓다 poner en venta. ~! ((게시)) Se vende / En venta.

매미 ((곤충)) cigarra *f*, chicharra *f*. ~채 mataciagalas *m.sing.pl.*

매번(每番) cada vez; [언제나] siempre; [자주] frecuentemente, cada frecuencia, muchas veces, a menudo.

매복(埋伏) acecho *m*, emboscada *f*, asechanza *f*. ~하다 acechar, emboscarse. ~시키다 emboscar. ¶~ 장소 emboscada *f*. ~전 combate *m* de emboscada.

매부(妹夫) cuñado *m*.

매부리[1] [매를 부리는 사람] halconero, -ra *mf*; cetrero, -ra *mf*.

매부리[2] [매의 부리] pico *m* del halcón. ~코 ㉮ [코] nariz *f* aguileña, nariz *f* de pico de loro. ② [사람] persona *f* aguileña, persona *f* de nariz aguileña.

매사(每事) todo, cada cosa, cada caso. ~에 a cada cosa, en cada caso, en todo. ~에 반대하다 oponer a cada cosa.

매상(買上) compra *f*, adquisición *f*. ~하다 comprar, adquirir. ~ 가격 precio *m* de compra.

매상(賣上) venta *f*. ~하다 vender. ~ 계산서[계정서] cuenta *f* de ventas. ~고 suma *f* vendida. ~금 importe *m* de (las) ventas.

매석(賣惜) retención *f* sin vender. ~하다 retener sin vender.

매설(埋設) instalación *f* subterránea, instalación *f* debajo de la tierra. ~하다 instalar [poner·colocar] debajo de la tierra.

매섭다 (ser) severo, violento, feroz, furioso, intenso, recio. 매서운 눈초리 mirada *f* feroz.

매수(枚數) número *m* de hojas. 필요한 종이의 ~ número *m* de hojas de papel necesarias.

매수(買收) ① [사들임] compra *f*. ~하다 comprar. ② [금품으로] soborno *m*, cohecho *m*. ~하다 sobornar, cohechar.

매수(買受) compra *f*. ~하다 comprar. ~ 대금 importe *m* pagado. ~인 comprador, -dora *mf*.

매스 masa *f*, montón *m*. ~ 게임 manifestación *f* gimnástica de masa. ~ 미디어 los medios de comunicación (de masas·en masa), los medios masivos de difusión. ~ 커뮤니케이션 comunicación *f* en masa, prensa *f*, periodismo *m*.

매스컴 ((준말)) =매스커뮤니케이션.

매시간(每時間) cada hora, por hora. ~ 80킬로미터로 a ochenta kilómetros por hora.

매식(買食) cena *f* (a)fuera, acción *f* de comer en el restaurante. ~하다 cenar (a)fuera, comer en el restaurante.

매실(梅實) ciruela *f*. ~주 vino *m* de ciruelas.

매실나무 (식물) ciruelo *m*.

매씨(妹氏) *su* hermana.

매암 acción *f* de dar vueltas. ~(을) 돌다 ㉮ [원을 그리며 빙빙 돌다] girar, dar vueltas, rodar. ㉯ [제자리에 서서 몸을 빙빙 돌리다] girarse en *su* lugar. ㉰ [하는 일이 제자리걸음 하듯 하다] incubarse, estar latente.

매암매암 chirriando, piando, gorjeando. ~ 울다 chirriar, gorjear, piar, cantar. 매미가 ~ 운다 La cigarra canta [chirria].

매양(每樣) siempre, cada vez; cuandoquiera que, siempre que, cada vez que.

매연(煤煙) ① [그을음 연기] hollín *m*, negro *m* de humo. ~으로 오염된 holliniento, manchado con hollín. ② [석탄의 그을음] humo *m* de carbón. ~ = 철매. ¶~ 차량 vehículo *m* que descarga en humo de escape.

매염(媒染) ((화학)) mordancia *f*. ~제(료) mordente *m*.

매옴 sabor *m* algo picante. ~하다 (ser) algo picante.

매우 muy, mucho, -ísimo. ~ 잘 muy bien. 그는 서반아어를 ~ 잘 한다 El habla muy bien el español [español muy bien]. 나는 ~ 기쁘

다 Me alegro mucho.

매운탕(－湯) *maeuntang*, sopa *f* de pescado picante.

매월(每月) cada mes, todos los meses; [부사적] mensualmente.

매음(賣淫) prostitución *f*. ～하다 prostituirse, ganar con su cuerpo. ～굴 prostíbulo *m*, burdel *m*, lupanar *m*. ～녀[婦] prostituta *f*, ramera *f*. ～행위 prostitución *f*.

매이다 ① [맴을 당하다] ser atado, ser sujetado. ② [부림·구속을 받게 되다] ser encadenado.

매인(每人) cada persona, cada uno. ～당 por capita, por persona.

매일(每日) todos los días, cada día; [부사적] diariamente, a [de] diario; [나날이. 매일매일] día tras día, de día en día. ～의 diario; [일상의] cotidiano. ～의 사건 sucesos *mpl* diarios. ～ 아침 (오전)에 todas las mañanas. ～ 오후(에) todas las tardes, cada tarde. ～ 밤(에) todas las noches, cada noche.

매일반(－一般) todo el mismo. 엎어지나 잦혀지나 ～이다 Los dos tienen parte de la culpa.

매입(買入) compra *f*, adquisición *f*; [조달] abastecimiento *m*. ～하다 comprar, adquirir, hacer una compra, hacer adquisición. ～ 가격 precio *m* de compra.

매잡이 ① [매를 잡는 사람] halconero, -ra *mf*. ② [매를 잡는 사냥] halconería *f*. ～하다 cazar el halcón.

매장(埋葬) ① [장사를 지내는 일] entierro *m*, inhumación *f*, sepultura *f*. ～하다 enterrar, inhumar, sepultar, dar sepultura. ② [못된 짓을 한 사람을] ostracismo *m* social. 사회에서 ～되다 ser entregado al olvido. ¶～꾼 trabajador *m* sepultador. ～비 gastos *mpl* de entierro. ～식 entierro *m*, exequias *fpl*, funeral *m*, ritos *mpl* fúnebres, ritos *mpl* funerarios. ～인 sepulltero, -ra *mf*. ～지 lugar *m* de enterrar, cementerio *m*, Per panteón *m*. ～ 허가서 permiso *m* de enterramiento *m* (subterráneo), licencia *f* [certificado *m*] de entierro.

매장(埋藏) ① [묻어서 감추어 둠] escondimiento *m*. ～하다 esconder en la tierra. ② [(지하자원이) 땅 속에 묻힘] entierro *m* en la tierra, depósito *m* de minerales. ～하다 enterrar en la tierra. ¶～량 reservas *fpl*. ～ 문화재 patrimonio *m* enterrado en la tierra. ～ 매장물 propiedad *f* enterrada; [광물질] depósitos *mpl*; ((법률)) tesoro *m* (escondido). ～지 lugar *m* enterrado, lugar *m* escondido.

매장(賣場) mostrador *m*; [카페의]

barra *f*; [은행·우체국의] ventanilla *f*, [백화점 따위의] sección *f*, departamento *m*.

매절(賣切) agotamiento *m* de existencias. ～되다 agotarse, acabarse.

매점(買占) acopio *m*, acaparamiento *m*, monopolio *m*. ～하다 acopiar, acaparar, monopolizar. ～매석 acaparamiento *m* y acumulación. ～자 acaparador, -dora *mf*.

매점(賣店) puesto *m*, tenderete *m*; [신문·꽃·청량 음료 등의] quiosco *m*, kiosco *m*. 신문 ～ quiosco *m* [puesto *m*] de periódicos.

매정스럽다 (ser) insensible, cruel, duro de corazón, despiadado. 매정스레 insensiblemente, cruelmente, con insensibilidad, con crueldad.

매정하다 (ser) frío, cruel, seco, desabrido, adusto, duro, inhumano, despiadado, indiferente, insensible, empedernido, sin calor.

매제(妹弟) cuñado *m*.

매주(每週) cada semana, todas las semanas. ～의 semanal.

매주(買主) comprador, -dora *mf*; [총] demanda *f*; [증권의] alcista *mf*; especulador, -dora *mf* al alza; [손님] cliente *mf*.

매주(賣主) vendedor, -dora *mf*.

매직 [마술] magia *f*; [마술의] mágico. ～ 잉크 roturador *m*, color *m* [pintura *f*] para marcar.

매진(賣盡) agotamiento *m*, éxito *m* de taquilla. ～하다 agotar, venderlo todo. ～되다 agotarse. [좌석] ～! ((게시)) Agotadas las localidades.

매진(邁進) avance *m*, lucha *f* por alcanzar, esfuerzo *m* por alcanzar. ～하다 avanzar, seguir adelante, luchar [esforzarse] por alcanzar.

매질 ① [매로 때리는 일] azotaina *f*, zurra *f* de azotes, vapuleo *m*, paliza *f*. ～하다 azotar, dar azotes, dar una paliza, dar látigazos. ② [선도하기 위한 비판이나 편달] crítica *f*, criticismo *m*. ～하다 criticar, animar, alentar.

매질(媒質) ((물리)) médium *m*.

매체(媒體) medio *m*, médium *m*.

매초(每秒) cada segundo, todos los segundos.

매초롬하다 poseer la belleza sana.

매춘(賣春) prostitución *f*. ～하다 prostituirse. ～시키다 prostituir. ¶～부 prostituta *f*, ramera *f*.

매출(賣出) venta *f*, saldo *m*, liquidación *f*; [증권 따위의] emisión *f*. ～하다 vender. ～ 가격 precio *m* de ventas.

매치 ① [시합. 경기] combate *m*, match *ing.m*, partido *m*, juego *m*. ② [좋은 적수] buen rival *m*, buen competidor *m*. ③ [조화를 이룸]

armonía f, concordia f. ~하다 pegar,hacer juego, armonizar. ¶ ~ 포인트 última jugada f, [득점] punto m decisivo.

매캐하다 ① [연기의 냄새가] (ser) humeante, humoso. ② [곰팡내가] (ser) mohoso, enmohecido, rancio, oler a humedad.

매콤하다 (ser) algo picante, fuerte. 매콤한 냄새 olor m algo picante.

매콤하다 (ser) algo picante. 매콤한 냄새 olor m algo picante.

매탄(煤炭) carbón m.

매트 ① [돗자리. 거적] estera f, esterilla f. ② [현관의 깔개] felpudo m, esterilla f, Col tapete m. ③ [욕실 바닥의] alfombrilla f, alfombrita f, tapete m del baño. ④ [개인용 탁자의] (mantel) individual m; [식탁의 중앙의 접시나 꽃병 등의 밑에 까는] salvamanteles m. ⑤ [체조] colchoneta f de salto; [레슬링] colchoncillo m de lucha; [권투] lona f. ¶ ~ 운동 [체조] ejercicio m de suelo, gimnasia f en el suelo; [남자의] movimiento m masculino en el suelo; [여자의] ejercicios mpl femeninos en el suelo.

매트리스 colchón m (pl colchones).

매파(一派) halcón m, gavilanes mpl.

매파(媒婆) casamentera f vieja.

매판 esterilla f para el molinillo.

매판(買辦) comprador m. ~ 자본 capital m comprador.

매표(買票) compra f de billetes; [투표의] compra f de votos. ~하다 comprar billetes; comprar votos.

매표(賣票) venta f de billetes. ~하다 vender billetes [AmL boletos]. ~ 구 taquilla f, ventanilla f. ~소 [탈 것의] mostrador m [taquilla f] [de venta de pasajes [billetes]; [극장의] taquilla f, AmL boletería f. ~ 원 taquillero, -ra mf. ~창구 ventanilla f.

매품(賣品) mercaderías fpl en venta; ((게시)) En venta.

매한가지 igualdad f, identidad f. ~로 igual, mismo. ~로 igualmente, en la manera igual, también, asimismo. ~다 dar lo mismo. 새것이나 ~이다 ser como nuevo.

매해(每一) cada año, todos los años.

매형(妹兄) cuñado m.

매호(每戶) cada casa.

매호(每號) cada número.

매혹(魅惑) atractivo m, atracción f, encanto m, fascinación f, seducción f. ~하다 atraer, encantar, fascinar, seducir. ¶ ~적 encantador, atractivo, fascinante, seductivo, voluptuoso.

매화(梅花) ① [식물] ① =매화나무. ② =매화꽃. ¶ ~꽃 flor f de ci-

ruelas. ~주 vino m de ciruelas.

매화나무(梅花一) [식물] ciruelo m.

매회(每回) cada vez, todas las veces; [토너먼트·퀴즈의] cada vuelta; [복싱·레슬링의] cada asalto, cada round; [골프의] cada vuelta, cada recorrido; [야구의] cada entrada, cada manga.

매흙 greda f gris fina. ~모래 arena f gris fina. ~질 revoque m de la pared con la greda gris fina. ~질 하다 revocar la pared con la greda gris fina.

맥(脈) ① [해부] ① [준말] =혈맥. ② [준말] =맥박. ③ [광맥] = 광맥. ④ [준말] =맥락. ⑤ [식물] =잎맥. ⑥ [지맥] sitio m [lugar m] favorable topográficamente. ⑦ [기운이나 힘] espíritu m, ánimo m, vigor m, energía f. ¶ ~ (을) 못 추다 ㉮ [힘이 풀리어 힘을 못 쓰다] (estar) cansado, exhausto. ㉯ [정신을 빼앗겨 이성을 잃다] perder su razón. ~(을) 짚다 pulsar, tomar el pulso.

맥(貘) [동물] tapir m, danta f.

맥고(麥藁) paja f. ~ 모자 sombrero m de paja.

맥관(脈管) vaso m sanguíneo.

맥놀이(脈一) pulsación f.

맥동(脈動) pulsación f, palpitación f.

맥락(脈絡) hilo m (de argumento), coherencia f; [관련] conexión f, relación f.

맥락막(脈絡膜) [해부] coroides f, membrana f coroidea.

맥류(麥類) cebada f, trigo m.

맥맥하다 ① [코가 막혀서] (estar) mal ventilado, ahogado, cargado, de bochorno. 맥맥한 코 nariz f mal ventilada. ② [기막혀] (estar) perplejo, no saber qué hacer.

맥박(脈搏) pulso m, pulsación f, latido m. ~의 efigmico. 미약한 ~ pulso m formicante. 불규칙한 ~ pulso m arrítmico. 정상적 ~ pulso m normal [regular]. ¶ ~계 pulsímetro m.

맥박치다 palpitar. 심장이 맥박친다 El corazón palpita.

맥빠지다 ① [피곤하다] (estar) cansado, agotado, exhausto. ② [낙심하다] (estar) desanimado, desalentado.

맥시(스커트) maxifalda f.

맥아(麥芽) malta f. ~당 maltosa f. ~ 식초 vinagre f de malta.

맥적다(脈一) ① [열적고 계면쩍다] (estar) vergonzoso, ignominioso, deshonroso, escandaloso; [서술적] tener vergüenza, avergonzarse. 자네를 만나기가 ~ Me avergüenzo de verte. ② [심심하고 흥미가 없다] (estar) aburrido, pesado, cansado, fastidioso, molesto.

맥주(麥酒) cerveza f. ~의 cervecero. ~ 한 잔 un vaso de cerveza, una (caña de) cerveza. 김빠진 ~ cerveza f estropeada [agriada]. 독한 ~ cerveza f fuerte [doble]. 싱거운 ~ cerveza f floja. ~ 한 잔 합시다 Tomemos una caña de cerveza. ¶~박(찌끼) pozos mpl de cerveza. ~병(甁) ⑦ [맥주의 병] botella f de cerveza. ⓝ [헤엄을 칠 줄 모르는 사람] el que no nada. ~ 양조 cerveceo m. ~ 양조자 cervecero, -ra mf. ~장 cervecería f. ~ 제조 elaboración f [fabricación f] cervecera. ~ 제조업 industria f cervecera. ~ 제조 회사 cervecería f. ~집 cervecería f. 홀 cervecería f.

맨¹ [오로지] exclusivamente, justamente, ni más ni menos, exactamente, sólo, solamente. ~ 외국 서적 뿐이다 Son los libros extranjeros solamente.

맨² [가장] el más, extremo. ~ 밑의 el más bajo. ~ 뒤의 postrero, último. ~ 위의 el más alto.

맨- desnudo, vacío. ~발 pies mpl desnudos.

맨 꼭대기 el más alto.

맨 꼴찌 el más último.

맨꽁무니 sin reservas, con las manos vacías; [사람] persona f con las manos vacías.

맨 끝 fin m, terminal f. ~의 final.

맨 나중 fin m, último m; [부사적] finalmente, por último. ~의 final.

맨둥맨둥하다 (ser) peludo, calvo, sin árboles. 맨둥맨둥한 산 monte m [montaña f] sin árboles.

맨 뒤 fin m, último m.

맨드라미 ((식물)) amaranto m, gallocresta f, cresta f de gallo.

맨땅 suelo m desnudo.

맨땅바닥 terreno m (desnudo).

맨머리 cabeza f pelada, cabeza f calva; [모자를 쓰지 않은 머리] cabeza f sin sombrero. ~로 나가다 salir sin sombrero.

맨 먼저 [최초] principio m, comienzo m; [최초의] primero, al principio; [무엇보다 먼저] ante todo, antes de (que) nada. 내가 ~ 도착했다 Yo llegué primero.

맨몸 ① [벌거벗은 몸] piel f (desnuda), cuerpo m desnudo, cueros mpl, desnudez f, desnudo m. ~의 (completamente) desnudo. ~로 en cueros (vivos), en pelota, en carnes. ② [아무 것도 지니지 아니한 몸] el estar sin un céntimo, cuerpo m que no tiene nada.

맨 밑 el (fondo) más bajo.

맨바닥 suelo m raso.

맨발 descalcez f, pies mpl desnudos.

맨션 mansión f, casa f de piso, Méj

casa f de condominios; [한 구획] piso m, apartamento m, palacio m.

맨손 manos fpl vacías, manos fpl desnudas; [무기 없는 손] mano f sin armas. ~의 manivacío, desarmado. ~으로 sin armas, con las manos vacías, manivacíamente. ¶~바닥 palma f de la mano vacía. ~제조 ejercicios mpl gimnásticos, gimnasia f sueca.

맨송맨송하다 ① [몸에 털이 없이 반반하다] (ser) pelón, calvo, peludo, desnudo m. 턱이 ~ (ser) imberbe, barbilampiño, desbarbado, no tener barba. ② [산에 나무가 없이 반반하다] (ser) pelado, sin árboles. 맨송맨송한 산 monte m [montaña f] sin árboles. ③ [술을 마신 뒤에 취하지 아니하다] (estar) sobrio, despejado.

맨 아래 el fondo más bajo. ~의 (el) más bajo.

맨 앞 cabeza f, vanguardia f, (el) primero. ~의 delantero, primero, principal, más destacado.

맨 위 cima f, cumbre f, pico m, cúspide f, máximum m, máximo m, ápice m; [머리의] corona f. ~의 (el) más alto.

맨입 estómago m vacío, boca f vacía. ~에 술을 마시다 beber en el estómago vacío.

맨주먹 puño m desnudo, mano f vacía. ~의 desarmado. ~으로 sin armas.

맨 처음 principio m, comienzo m, primero m. ~의 primero, inicial. ~부터 desde el principio. ~에 al principio, en un principio.

맨투맨 de hombre a hombre; [스포츠의] individual. ~으로 de hombre a hombre; [스포츠의] con un marcaje individual. ~ 디펜스 defensa f individual. ~ 오펜스 ofensiva f individual.

맨홀 registro m, pozo m de inspección, boca f de alcantarilla. ~ 뚜껑 tapa f de registro, tapa f de boca de alcantarilla.

맵다 ① [고추나 겨자의 알알한 맛이나 냄새와 같다] (ser) picante, acre, a pimienta. 매운 소스 salsa f acre. 국이 무척 ~ La sopa tiene (un) sabor [gusto] picante / La sopa sabe picante. ② [(성미가) 사납고 독하다] (ser) severo, estricto, intenso, duro. 매운 추위 frío m severo. ③ [결기가 있고 몹시 야무지다] (ser) robusto, corpulento, firme, tenaz; [줄의] resistente, fuerte; [문의] sólido. ④ [매우 춥다] hacer mucho frío. 살을 에는 듯한 매운 바람 viento m cortante.

맵시 elegancia f, forma f hermosa [atractiva]; [옷 따위의] estilo m.

~ 있는 elegante. ~ 있게 elegantemente, con elegancia.

맵싸하다 (ser) picante, acre; [공기 따위가] irritante, agrio. 목구멍이 ~ Tengo la garganta irritada.

맵자하다 tener una forma firme [sólida].

맵짜다 (ser) picante y salado.

맷돌 mortero m, molino m a mano, molinillo m (de especias), piedra f molar, muela f, piedra f de molino, rueda f de molino, molino m de piedra. ~에 갈아 moler.

맷집 cuerpo m que tolera bien el azote.

맹견(猛犬) perro m feroz [fiero]. ~ 주의! ((게시)) ¡Cuidado con el perro feroz [fiero]!

맹공(猛攻) =맹공격(猛攻擊).

맹공격(猛攻擊) ataque m violento [intenso・feroz]. ~하다 atacar intensamente [violentamente・ferozmente]. ~을 가하다 lanzar un ataque intenso [feroz・violento].

맹금(猛禽) ((조류)) el ave f de rapiña, el ave f rapaz. ~류 rapaces fpl.

맹꽁맹꽁 graznando, croando. ~하다 graznar, croar.

맹꽁이 ① ((동물)) una especie de la rana pequeña. ② [뒵뒵이가 답답한 사람] idiota mf. ③ ((은어))=자물쇠, 열쇠. ④ ((은어)) =수갑.

맹도견(盲導犬) perro m de ciego.

맹랑하다(孟浪一) ① [허망하다] (ser) falso, postizo, ficticio. ② [근거(가) 없다] (ser) infundado, sin fundamento, falto de motivo [de razón]. ③ [터무니없다] (ser) absurdo, fabuloso, desatinado, disparatado. ④ [믿을 수 없다] (ser) increíble.

맹렬하다(猛烈一) (ser) violento, furioso, impetuoso. 맹렬한 공격 ataque m violento, ataque m furioso. 맹렬히 violentamente, furiosamente, impetuosamente, como loco(s). ~ 공부하다 dedicarse intensamente al estudio, estudiar con ahinco, estudiar como loco.

맹목(盲目) ceguedad f, ceguera f. ~ 적 ciego. ~적으로 ciegamente, a ciegas. ~적인 사랑 amor m ciego. ~적인 사랑을 하다 amar ciegamente.

맹물 ① [아무 것도 타지 않은 물] el agua f sin mezclar nada. 맛이 ~ 이다 [국이] Es un aguachirle / [커피가] Sabe a chicoria / CoS Tiene gusto a jugo de paraguas / Méj Tiene a gusto a té de calcetín. ② [하는 짓이 싱겁고 야 믈지 않은 사람] persona f insulsa [sosa]; soso, -sa mf.

맹방(盟邦) =동맹국(同盟國).

맹성(猛省) reflexión f seria. ~을 촉

구하다 incitar la reflexión seria.

맹세 juramento m, jura f, promesa f; [신에 대한] voto m. ~하다 juramentarse, jurar, prestar juramento, hacer (un) juramento; [약속하다] prometer, hacer una promesa; [신에게] hacer voto. 거짓 ~ juramento m falso. ¶~코 Dios es testigo (de que), pongo a Dios por testigo (de que), lo juro; ((법률)) bajo juramento. ~코 나는 죄가 없 습니다 Soy inocente, lo juro / Dios es testigo de que soy inocente / Pongo a Dios por testigo de que soy inocente.

맹수(猛獸) fiera f, bestia f feroz; [고양이과의] bestia f félida.

맹습(猛襲) ataque m furioso, asalto m, acometida f impetuosa. ~하다 atacar furiosamente.

맹신(盲信) credulidad f, fe f ciega, confianza f ciega. ~하다 ser crédulo, creer ciegamente. ~자 persona f crédula.

맹아(盲兒) niño m ciego.

맹아(盲啞) el ciego y el mudo, el ciego y el (sordo)mudo. ~ 교육 educación f de ciegos y sordomudos. ~자 el minusválido y el sordomudo. ~ 학교 escuela f de ciegos (y sordomudos).

맹아(萌芽) ① [싹틈] germinación f. ② [싹] germen m, yema f, simiente m, brote m, retoño m, botón m. ③ [시초] indicio m, germen m.

맹약(盟約) compromiso m de honor; [동맹] pacto m de alianza, alianza f, confederación f, liga f, coalición f; [서약] promesa f. ~을 맺다 concluir el pacto.

맹연습(猛練習) entrenamiento m intensivo [severo]. ~하다 entrenarse intensivamente. ~를 과하다 someter a un entrenamiento intensivo.

맹위(猛威) violencia f, furor m, ferocidad f. ~을 떨치다 rabiar, enfurecer.

맹인(盲人) ciego, -ga mf. ~ 교육 educación f para los ciegos.

맹자(孟子) ((인명)) Mencio.

맹장(盲腸) ((해부)) intestino m ciego, apéndice m. ~ 수술 operación f para apendicitis. ~염 apendicitis f, tiflitis f. ~ 절개 cecotomía f. ~ 절제 수술 apendectomía f.

맹장(猛將) caudillo m bravo [audaz], general m bravo.

맹점(盲點) punto m ciego. 법의 ~을 이용하다 aprovechar [sacar partido de] las oscuridades de la ley.

맹종(盲從) obediencia f ciega. ~하다 obedecer [seguir] ciegamente.

맹주(盟主) jefe m, líder m, dirigente

m, poder *m* dirigente; [나라] nación *f* [país *m*] dirigente.

맹추 tonto, -ta *mf*; bufón, -fona *mf*;
simplón, -plona *mf*.

맹타(猛打) ① [몹시 세게 때림] golpe
m fuerte. ② ((운동)) golpes *mpl*
fuertes y seguidos.

맹탕(―湯) ① [맹물처럼 싱거운 국]
sopa *f* insípida [desabrida]. ② [싱
거운 일] cosa *f* lerda; [싱거운 사
람] persona *f* lerda.

맹폭(猛爆) ((준말)) =맹폭격(猛爆擊)

맹폭격(猛爆擊) bombardeo *m* intensivo [pesado]. ~하다 bombardear
intensivamente [pesadamente].

맹호(猛虎) ① [사나운 범] tigre *m*
feroz [fiero・furioso]. ② [매우 사
나운 사람] persona *f* feroz [fiera.

맹화(猛火) llama *f* rabiosa [furiosa],
fuego *m* espantoso [devorador];
[겹화] fuego *m* de infierno; [화재]
incendio *m* violento.

맹활동(猛活動) actividad *f* [acción *f*]
vigorosa.

맹활약(猛活躍) gran actividad *f*, actividad *f* notable. ~하다 desplegar
[mostrar] gran actividad.

맹훈련(猛訓練) entrenamiento *m* intensivo [duro]. ~하다 entrenar
intensivamente [duramente].

맺다 ① [끈이나 실 따위의 끝과 끝
을] anudar, enredar. ② [어떤 형태
를 이루다] producir. 열매를 ~ dar
fruto. ③ [계속해 오던 일을 마무리
하다] terminar, acabar, concluir.
④ [사람이나 조직 따위가 서로 어
떤 관계를 짓거나 이루다] formar,
hacer, unir, ligar, trabar, enlazar.
맺어지다 ligrase, unirse. 우정을 ~
contraer [trabar] amistad.

맺히다 ① [열매가] darse fruto, fru-
tar, fructificar. ② [매듭이] formarse nudos, hacerse nudos. ③
[원한 따위가] estar reprimido,
estar contenido. 원한이 ~ estar
lleno de rencor. ④ [눈물・이슬 따
위가] formarse. 이슬 맺힌 rociado,
húmedo. 이슬 맺힌 풀잎 brizna *f*
de hierba rociada. 눈물이 ~ formarse la lágrima. 이슬이 ~ formarse el rocío. ⑤ [꼭 다물리다]
cerrarse. 꼭 맺힌 입 boca *f* bien
cerrada. ⑥ [살 속의 피가] mùñti-
다] coagularse.

말갛다 (ser) clarísimo, muy claro.

머금다 ① [입 속에] tener. 입에 물을
~ tener el agua en la boca. ②
[눈에 눈물을] tener, tener lleno,
asomar, deja asomar. 눈에 눈물을
~ tener lágrimas en los ojos,
tener los ojos llenos de lágrimas,
dejar asomar las lágrimas a los
ojos. ③ [생각 따위를] guardar. 앙

심을 ~ guardar rencor. ④ [지니
거나 띠다] llevar. ⑤ [어떤 감정을
조금 나타내다] radiar, aparecer.

머드팩 [미용의] mascarilla *f* facial.

머루 ① ((식물)) parra *f* silvestre. ②
=왕머루. ③ =산포도(山葡萄).

머름 ((건축)) revestimiento *m* de
paneles de madera, boiserie *f*.

머리 ① [사람의] [두부] cabeza *f*; [두
개골] cráneo *m*. ~ 위에 sobre la
cabeza, encima de la cabeza; [위
쪽] arriba. ~가 큰 cabezudo,
cabezón. ~끝에서 발끝까지 de
pies a cabeza. ~를 긁다[긁적이다]
rascarse la cabeza. ~를 끄덕이다
[긍정의 뜻으로 위아래로] afirmar
con la cabeza, decir que sí con la
cabeza. ~를 들다 levantar [alzar]
la cabeza. ② [얼굴 이외의 부분]
cabeza *f*. ③ [일부 짐승의 대가리]
cabeza *f*. 소~ cabeza *f* de la
vaca. ④ ((준말)) =머리털(pelo,
cabello). ¶~를 감다 lavarse el
pelo. ~를 밀다 raparse la cabeza.
⑤ [두뇌] cerebro *m*; [뇌수] seso
m. ~를 쓰는 일 trabajo *m* intelectual. ~ 회전이 빠른 inteligente.
~ 회전이 느린 duro de molleras
[entenderas]. ~가 좋다 ser inteligente [listo], tener la cabeza clara.
~가 나쁘다 tener la cabeza
hueca, ser poco inteligente, ser
torpe. ⑥ [어떤 물체의] 꼭대기]
cumbre *f*, cima *f*. ⑦ [어떤 집단
의] 우두머리] jefe, -fa *mf*, líder
mf, dirigente *mf*, capitán *m*. ⑧ [맨
처음] principio *m*, comienzo *m*. ⑨
[일부 물건의 앞 부문] parte *f*
delantera. ⑩ [어떤 일의 시작]
comienzo *m*, principio *m*. ~그
물 redecilla *f*. ~글자 (letra *f*) inicial *f*; [대문자] (letra *f*) mayúscula
f [capital *f*]. ~꾸미개 ornamento
m de pelo. ~끄덩이 mechón *m* de
pelo. ~끝 extremo *m* del pelo,
coronilla *f* de la cabeza. ~띠 filete
m, prendedero *m*, cinta *f*, lista *f*,
tira *f*. ~말[글] prefacio *m*, introducción *f*, prólogo *m*, preámbulo
m. ~말 cabecera *f*, lado *m* de cama. ~모양 peinado *m*, corte *m*
[estilo *m*] de(l) pelo. ~빗 cepillo
m (del pelo). ~쓰개 tocado *m*,
sombrero *m*, gorro *m*, casco *m*,
capucha *f*, velo *m*. ~채 mechón
m largo de pelo. ~치장 adorno *m*
para el cabello. ~치장하다 adornar para el cabello. ~카락 cabello
m, pelo *m*. ~털 cabello *m*, pelo
m. ~핀 horquilla *f*, *AmS* pasador
m. ~형 peinado *m*, tocado *m*,
corte *m* de pelo.

머리골 ㉮ =뇌수(腦髓). 뇌(腦). 두뇌
(頭腦). ㉯ ((속어)) =머리.

머릿기름 aceite *m* [loción *f*] para el

cabello; [포마드] pomada *f*.
머릿기사(-記事) artículo *m* de primera plana.
머릿내 olor al cabello.
머릿니 ((곤충)) piojuelo *m*.
머릿돌 piedra *f* principal.
머릿방(-房) habitación *f* pequeña de atrás.
머릿병풍(-屛風) biombo *m* para la cabecera.
머무르다 quedarse, permanecer; [움직이지 아니하다] parar; [남아 있다] quedar; [유숙하다] alojarse. 집에 ~ quedarse en casa.
머무적거리다 vacilar, titubear.
머뭇거리다 ((준말)) =머무적거리다.
머슴 mozo *m* de labranza, peón *m* de labranza, sirviente *m*, criado *m*, servidor *m*, doméstico *m*, empleado *m*, lacayo *m*, labrador *m*.
머쓱하다 ① [어울리지 않게 키가 크다] (ser) desgarbado, larguirucho. 머쓱한 사나이 hombre *m* larguirucho. 그는 키가 커쓱하니 크다 El es alto y larguirucho. ② [기가 죽어 있다] (estar) desanimado, desalentado.
머위 ((식물)) fárfara *f*, tusilago *m*.
머줍다 (ser) estúpido, lerdo, torpe, tardo, perezoso, morozo.
머지않아 [불원간] dentro de unos días; [이윽고] pronto, dentro de poco (tiempo), poco después, en un futuro cercano.
머춤하다 parar un momento [un rato], calmarse.
머큐로크롬 mercurocromo *m*.
머큐리 ① ((신화)) Mercurio *m*. ② ((천문)) [수성] Mercurio *m*. ③ ((화학)) [수은] mercurio *m*.
머플러 ① [목도리] bufanda *f*, tapaboca *f*. ② [소음기] silenciador *m*.
먹 ① [고형의] *meok*, barra *f* de tinta china. ~을 갈다 frotar la barra para hacer la tinta china. 붓에 ~을 적시다 mojar el pincel en tinta. ② ((준말)) =먹물. ¶ ~으로 쓰다 escribir con tinta china.
먹감 caqui *m* negro, kaki *m* negro.
먹감나무 caqui *m* negro.
먹거리 comida *f*, alimento *m*; [식량] provisiones *fpl*, combustibles *mpl*.
먹고살다 vivir, ganarse la vida.
먹구렁이 ((동물)) boa *f* negra.
먹구름 nube *f* negra, nubes *fpl* oscuras.
먹그림 ① [먹으로만 그린 그림] dibujo *m* a tinta china, pintura *f* hecha con tinta china. ② =묵화.
먹다[1] [귀가] quedarse sordo. 귀를 ~ [일시적으로] estar sordo de un oído; [영구적으로] ser sordo de un oído.
먹다[2] ① [어떤 재료를 갈거나 자르거나 깎거나 하다] serrar, aserrar,

cortar bien. 대패가 잘 ~ El cepillo de carpintero sierra bien. ② [물감이] teñir; [풀이] almidonar; [화장이] arreglarse. 이 천은 물감이 잘 먹지 않는다 Esta tela no se tiñe bien. ③ [(노력·금전 따위가)] gastar. ④ [벌레에 의하여 헐어 들어가다] carcomer, roer.
먹다[3] ① [음식 등을] comer, tomar. 먹을 수 있는 comestible. 먹을 것을 주다 dar de comer; [유아 등에게] ayudar a comer; [목축에게 풀을] hacer pacer. ② [피우다] fumar. 담배를 ~ fumar (un cigarrillo). ③ [자기의 것으로 하거나 차지하다] apropiarse. 뇌물을 ~ recibir el soborno. ④ [(어떤 수입의 는 이익으로 하여)] 제 것으로 차지하다] ganar. 1할을 먹는 장사 negocio *m* que gana un diez por ciento. ⑤ [(마음·뜻·생각 따위를)] 품다] abarcar, fijar, hacer, pensar + inf, intrigar, conspirar. 앙심을 ~ tener*le* [guardar*le*] rencor. ⑥ [어떤 나이에] [먹다] tener años (de edad). 네 살 먹은 아들 hijo *m* que tiene años de edad. ⑦ [(남을 비방하거나 모략을 쓰거나 하여) 해를 입히다] hacer*le* daño, perjudicar. ⑧ [(꾸지람·욕·원망·책망 따위를)] 당하거나 듣다] (ser) reprendido, reñido, insultado, ofendido. ⑨ [(공포감이나 위협감을)] 느끼다] sentir, tener. 겁을 ~ tener*le* terror [pavor], temer, tener*le* miedo. ⑩ [점수를 잃다] perder. ⑪ [(더위와 같은 병에)] 걸리다] ser afectado.
먹도미 ((어류)) dorada *f*.
먹똥 ① [먹물이 말라 붙은 검은 찌꺼기] poso *m* secado de la tinta china. ② [먹물이나 그 방울이 튀어 난 자국] manchas *fpl* de tinta china.
먹먹하다 (estar) sordo. 귀가 ~ estar sordo, quedar ensordecido.
먹물 ① [벼루의] el agua *f* de tinta china. ② [먹빛같이 검은 물] tinta *f*, sepia *f*. 오징어의 ~ tinta *f* del calamar.
먹보 ① [식충이] comilón, -na *mf*. ② [탐심이 많은 사람] codioso, -sa *mf*, avaro, -ra *mf*.
먹빛 color *m* negro.
먹성(-性) apetito *m*, capacidad *f* para comer.
먹실 hilo *m* teñido por la tinta china.
먹을거리 comida *f*, alimento *m*.
먹음직스럽다 (ser) apetecible, apetitoso, apetitivo, sabroso. 먹음직스런 요리 plato *m* apetitoso.
먹음직하다 =먹음직스럽다.
먹이 [사료] ceba *f*, alimento *m*. ~사

슬[연쇄] cadena f alimenticia [trófica]. ~ 피라미드 pirámide m alimenticio.

먹이다¹ ① [화살을 시위에 메다] encordar el arco, poner las cuerdas al arco. ② [맞은편 쪽으로 톱을 밀어주다] dar empujando la sierra hacia el lado de enfrente. ③ [(가축을] criar.

먹이다² ① [먹게 하다] hacer comer; [유아 등에게] ayunar a comer; [목축에게 풀을] hacer pacer. 약을 ~ hacer tomar un medicamento. ② [가축을 기르다] criar. ③ [금품을 주다] sobornar, cohechar. 돈을 ~ sobornar. ④ [욕되게 하다. 겁나게 하다] imponer, aplicar, infligir, asustar, amedrentar, aterrar, aterrorizar, amenazar. 겁을 ~ intimidar. ⑤ [더위로 인한 병이 나게 하다] causar la enfermedad. ⑥ [물감을] teñir; [풀을] almidonar; [초를] encerar; [기름을] untar aceite. ⑦ [솜틀이나 씨아에 솜을 넣어 주다] introducir. ⑧ [돈·자금을 들이다] gastar. 자금을 ~ gastar el fondo. ⑨ [(주먹이나 발길로) 치다] pegar, dar. 한 대 ~ pegar [dar] un golpe. ¶먹여살리다 dar de comer, alimentar, mantener, sostener. 가족을 ~ mantener a la familia.

먹자판 gran banquete m.

먹장 pedazo m de tinta china. ~ 구름 nube f densa y negra, nube f oscura.

먹종이 =복사지(複寫紙).

먹줄 cordel m remojado en tinta (para linear).

먹지(-紙) =복사지(複寫紙).

먹칠(-漆) ① [먹을 칠함] acción f de embadurnar la tinta china. ~하다 embadurnar la tinta china. ② [명예를 더럽힘] deshonor m. ~하다 deshonrar.

먹황새 ((조류)) cigüeña f con cabeza negra.

먹히다 ① [먹음을 당하다] (ser) comido, devorado, tragado. 먹느냐 먹히느냐의 싸움 lucha f de vida o muerte, guerra f de sobrevivencia, guerra f de supervivencia. ② [금전·노력 따위가] costar. 여비는 십만 원 먹혔다 El viaje me costó cien mil wones. ③ [빼앗기다] (ser) estafado, engañado, timado.

먼길 viaje m [camino m] lejano, distancia f lejana. ~을 가다 hacer un viaje lejano, ir a un camino lejano.

먼나라 país m lejano.

먼눈① [소경의 눈] ojos mpl ciegos.

먼눈² [먼 곳을 바라보는 눈] ojos mpl que mira el lugar lejano.

먼데 ① [거리가 먼 곳] lugar m [sitio m] lejano. ~에서 de lejos, desde lejos. ~서 오다 venir desde lejos. ② [뒷간] excusado m, retrete m, servicio m.

먼동 cielo m oriental del alba. ~이 트다 amanecer, empezar a clarear el día, romper el alba [el día]. ~이 틀 때 al amanecer, al rayar [romper] el alba, al alba. ~이 트기 전 antes de amanecer [alba].

먼먼 muy lejano. ~ 옛날 tiempos mpl muy antiguos.

먼발치 ¶~에(서) en la distancia, en la lejanía, a lo lejos.

먼빛 vista f lejana, lugar m lejano. ~으로 de la distancia [lejanía]

먼산(-山) monte m lejano, montaña f lejana.

먼저 ① [순위] primero, primeramente, antes, en primer lugar, ante todo. 무엇보다도 ~ antes de todo, antes que nada, ante todo. 당신이 ~ (하세요) Usted, primero. ② [이전에] hace, antes, anteriormente, temprano, recientemente, últimamente. ~ 떠나다 salir [partir] más temprano. ③ [미리] por adelantado, por anticipado. 돈을 ~ 치르다 pagar por adelantado [por anticipado].

먼지 polvo m; [자욱한 먼지] polvareda f. ~투성이의 polvoriento, cubierto de polvo. ~로 가득찬 lleno [cubierto] de polvo. ~를 털다 limpiar el polvo, quitar el polvo, desempolvar; [흔들어서] sacudir el polvo, despolvar.

먼지떨이 sacudidor m, recogedor m, zorros mpl.

먼촌(-寸) pariente m lejano.

먼촌(-村) aldea f aislada.

멀거니 distraídamente, con expresión ausente, estúpidamente. ~ 바라보다 mirar con expresión ausente.

멀건이 persona f distraída.

멀겋다 ① [흐릿하게 맑다] (ser) nebnloso, brumoso, de calima. 멀건 하늘 cielo m neblinoso, cielo m brumoso. 하늘이 멀겋게 개다 El cielo despeja un poco. ② [(눈에) 생기가 없어 멍청하다] estar pálido. ③ [몹시 묽다] [수프·소스가] (ser) muy claro, poco espeso; [포도주가] de poco cuerpo, aguado; [맥주가] aguado; [물처럼] acuoso.

멀다¹ [시력을 잃다] ser ciego, perder la vista. 눈 먼 사람 ciego, -ga mf; persona f ciega. 눈이 ~ cegar, perder la vista. 돈에 눈이 ~ ser ciego por dinero.

멀다² ① [(공간적으로) 거리가 많이 떨어져 있다] estar lejos. 먼 lejano, remoto, distante, alejado. 먼 나라 país m lejano. 먼 도시 ciudad f alejada [remota·lejana]. 먼 곳에

en la distancia, en la lejanía, a lo lejos. ② [(시간적으로) 동안이 오래다] (ser) lejano, remoto. 먼 옛날에 en el pasado remoto. 먼 장래에 en el futuro lejano [remoto]. ③ [소리가 또렷하지 아니하고 약하다] (ser) débil. ④ [관계가 열다] (ser) distante. 멀고도 가까운 것은 남녀의 사이다 Distante y, a pesar de todo, muy estrecha es la relación entre el hombre y la mujer. ⑤ [혈연 관계가 열다] (ser) remoto, lejano. 먼 조상 antepasados *mpl* remotos.

멀떠구니 buche *m*.

멀뚱거리다 tragarse con la vista.

멀뚱멀뚱¹ distraídamente, con la vista. ~하다 (ser) distraído. ~ 쳐다보다 tragarse con la vista.

멀뚱멀뚱² [눈만 멀거니 뜨고 정신 없이 있는 모양] sin comprender. ~ 바라보다 mirar sin comprender.

멀리 lejos. ~(에) [보다·듣다] a lo lejos, a gran distancia, en la lejanía. 매우 ~ muy lejos, en el quinto pino. ~에서 ~(에) 살다 vivir lejos de *un sitio*. ~ 가다 ir lejos. ~ 보다 ver a lo lejos. 오다 [거리를 두다] alejar. 사람을 멀리하고 en secreto, en privado. A에서 B를 ~ alejar B de A. 와 [피하거나 관계를 끊다] alejar, mostrarse indiferente [frío]. 담배를 ~ dejar de fumar.

멀리뛰기 salto *m* de longitud, salto *m* largo. ~를 하다 dar un salto de longitud.

멀미 ① [배·비행기·차 등의 흔들림을 받아서 일어나는 어질증] mareo *m*. ~하다 marearse, tener mareo. 뱃~ mareo *m* (en los viajes por mar). 비행기~ mareo *m* (al viajar en avión). 차~ mareo *m* (por viajar en coche). ~가 나다 marearse, sentir mareo. ¶~약 pastilla *f* [píldora *f*] contra el mareo.

멀쑥하다 ① [멋없이 크고 묽게 생기다] (ser) desgarbado, larguilucho, delgado y alto. ② [물기가 많아지지 않고 묽다] acuoso, aguado, poco espeso. 멀쑥한 국물 sopa *f* poco espesa. 죽이 ~ Las gachas son acuosas. ③ [지저분함이 없고 멀끔하다] (ser) bonito, lindo, limpio, arreglado, cuidado. 멀쑥한 얼굴 cara *f* limpia, rostro *m* limpio.

멀어지다 ① [소원하게 되다] estar separado, vivir separado. 그의 멀어진 아내 su esposa, de quien está separado. 사이가 서로 ~ estar separado el uno al otro. ② [거리가] alejarse, irse perdiendo en la distancia. ③ [소리가] irse apagando, irse extinguiendo.

멀었다 ① [시간적으로나 공간적으로 멀다] (estar) lejos. 서울까지는 아직 ~ Todavía está lejos hasta Seúl. ② [능력·재주 등이 훨씬 못 미치다] faltar. 그는 재능이 ~ Le falta un talento.

멀쩡하다 ① [흠이 없이 온전하다] (ser·estar) entero, completo, intacto, impecable, en buenas condiciones. ② [몸에 탈이 없이 성하다] (ser) sano, fuerte. ③ [겉보기와는 달리 엉뚱하다] (ser) extraordinario, extravagante, fantástico, irrazonable, poco razonable. ④ [부끄러워하는 빛이 없이 뻔뻔스럽다] (ser) descarado, desvergonzado, sinvergüenza, insolente.

멀찍멀찍 en la buena distancia.

멀찍하다 estar bastante lejos.

멀티- multi-, múltiple. ~플레이어 multijugador *m*.

멀티플 múltiplo *m*; [형용사적] múltiple.

멈추다 ① [행동을 그만두게 하다] parar(se), detenerse; [⋯하는 것을 멈추다] dejar de + *inf.* 멈춰 서다 pararse, detenerse. 울음을 ~ dejar de llorar. 시계가 멈추었다 El reloj (se) paró. ② [(눈·비) 등이] cesar, suspenderse, terminar. 비[바람]가 ~ cesar la lluvia [el viento]. ③ [(움직이던 사물이나 하던 일을) 멎도록 하다] parar, detener; [⋯하는 것을 멈추다] cesar de + *inf.* 차를 ~ parar [detener] el coche. 달리기를 ~ cesar de correr. ④ [무엇을 보다] mirar.

멈칫하다 parar repentinamente un momento, estremecerse, hacer un gesto de dolor.

멋 ① [세련된 몸매] elegancia *f*, estilo *m*; [맵시 부리기] afectación *f*, sutileza *f*, dandismo *m*. ~을 내다 cubrir las apariencias. ② [풍취] gusto *m*, encanto *m*, atractivo *m*, elegancia *f*, sabor *m*.

멋대로 [좋을대로] a su capricho, a su guisa, a su modo, a su antojo, a sus anchos; [자유로이] libremente, con toda libertad; [독단으로] arbitrariamente; [무단으로] sin permiso, autoritariamente; [자발적으로] por su propia voluntad, por sí mismo. ~ 하는 caprichoso; [이기적인] egoísta; [독단적] arbitrario. ~(하게) 두다 dejar + *inf.* ~ 행동하다 obrar a su guisa, portarse a su antojo [a sus anchos·a sus anchas].

멋어지다 (ser) espléndido, magnífico, maravilloso, soberbio, excelente, lleno de esplendor, brillante, estupendo.

멋모르다 no saber, no saber nada, ser ignorante, no tener idea. 멋모

르고 inadvertidamente, sin saberlo, sin dar*se* cuenta.

멋쟁이 dandi *m*; elegante *mf*; majo, -ja *mf*; petimetre, -tra *mf*.

멋지다 (ser) muy elegante, gracioso, magnífico, maravilloso, estupendo.

멋쩍다 ① [하는 짓이나 모양새가] (ser) extraño. ② [쑥스럽고 어색하다] (estar) concertado, confuso. 멋쩍게 con (un) aire confuso, vergonzosamente, ruborosamente.

멍² ① [퍼렇게 맺힌 피] morado *m*, moretón *m*, cardenal *m*, magulladura *f*, moradura *f*, contusión *f*. ② [일의 내부에 탈이 생긴 것] problema *m*, daño *m*, perjuicio *m*. ¶ ~이 들다[지다] ser contusionado, tener un morado. 눈에 ~ tener un ojo negro. 속에 ~ tener un problema. 사랑에 가슴이 ~ estar enfermo de amor, estar perdidamente [locamente] enamorado.

멍² (준말) =명군.

멍게 (동물의) ascidia *f*.

멍군 defensiva *f* contra un (jaque) mate. ~하다 hacer un movimiento defensivo contra un (jaque) mate.

멍군 장군 Es difícil decir cuál de los dos está equivocado.

멍멍 ¡Guau-guau! ~ 짖다 hacer guau-guau.

멍멍하다 estar [quedar] aturdido.

멍석 estera *f* (de paja). ~을 깔다 cubrir la estera. ¶~자리 asiento *m* de estera de paja.

멍에 ① [마소의] yugo *m*. ② [억누름과 고통스러운 구속] yugo *m*. ~를 벗다 liberarse del yugo.

멍울 ① [우유나 풀 따위의 작고 둥글게 엉기어 굳은 덩이] bulto *m*. ② =임파선염.

멍청이 persona *f* estúpida; tonto, -ta *mf*; bobo, -ba *mf*; idiota *mf*.

멍청하다 (ser) estúpido, tonto, bobo, idiota, torpe, necio, imbécil.

멍텅구리 =명청이.

멍하다 despistarse, distraerse, estar despistado, estar distraído; [지각이] chochear, llegar a la decrepitud. 멍하니 ㉮ [방심하여] fuera de sí, con cara inexpresiva, en vago, vagamente, estúpidamente, atontadamente, con estupor, con la mirada perdida.

멎다 parar(se), detenerse.

메¹ [치거나 박을 때에 쓰는 물건] mazo *m*, pisón *m*, pilón *m*, maza *f*, mandarria *f*.

메² [산] monte *m*, montaña *f*.

메가 mega-. ~사이클 megaciclo *m*.

메가미터 megámetro *m*.

메가바 megabar *m*, megabario *m*.

메가바이트 ((컴퓨터)) megaocteto *m*.

메가볼트 megavoltio *m*. ~암페어 megavoltioamperio *m*.

메가비트 ((컴퓨터)) megabidígito *m*.

메가사이클 megaciclo *m*.

메가암페어 megamperio *m*.

메가와트 megavatio *m*.

메가킬로미터 megakilómetro *m*.

메가톤 megatón *m*, megatonelada *f*.

메가폰 megáfono *m*, portavoz *m*.

메가헤르츠 megahercio *m*.

메그옴 ((물리)) megaohmio *m*.

메기 (어류) siluro *m*.

메기다 poner [meter·fijar] la flecha en el arco, asestar.

메꽂다 (ser) terco.

메뉴 menú *m*, lista *f* de platos.

메다¹ [구멍 따위가] atascarse, obstruirse, clavarse. 가슴이 ~ [음식물로] sentir pesadez de estómago, hacer mal la disgestión. 목이 ~ no saber qué decir, atragantarse al hablar.

메다² (준말) =메우다¹. ¶구멍을 ~ llenar el hoyo.

메다³ ① [어깨에] llevar [cargar] al hombro, llevar a los hombros, cargar sobre los hombros [al hombro], llevar a las cuestas, suspender de *su* hombro. ② [어떤 책임을 지거나 임무를 맡다] asumir. 중책을 ~ asumir una alta responsabilidad.

메달 medalla *f*, [큰] medallón *m*.

메달리스트 medallista *mf*; medallero, -ra *mf*.

메뚜기 (곤충) saltamontes *m*.

메렝게 [춤의 하나] merengue *m*.

메리야스 tela *f* de punto. ~공 mediero, -ra *mf*; calcetero, -ra *mf*. ~ 공장 fábrica *f* [taller *m*] de punto. ~기(機) máquina *f* de hacer punto de medias. ~ 셔츠 camisa *f* de punto, camiseta *f*. ~ 제품 artículo *m* [géneros *mpl*] de punto.

메마르다 ① [땅이] (ser) seco, árido; [불모의] estéril, infecundo, erial. 메마른 땅 tierra *f* árida [estéril]. ② [피부 따위가] (ser) reseco, muerto de sed. ③ [마음이] (ser) empedernido, cruel, inhumano, insensible, severo, seco. 인정이 ~ tener el corazón seco.

메모 ① (준말) =메모랜덤. ② [잊지 않기 위해 적음] apunte *m*, notas *fpl*. ~하다 apuntar. ¶~ 용지 papel *m* para borrador. ~장 bloc *m* de notas. ~판 ㉮ =전언판. ㉯ [메모하기 위한 소형 흑판] pizarra *f* pequeña para el apunte.

메모랜덤 [비망록. 메모 각서] memorándum *m*.

메모리 ① [기억(력)] memoria *f*. ② ((컴퓨터)) [기억 장치] archivo *m* electrónico de datos. ¶~칩 chip *m* de memoria.

메밀 ((식물)) alforfón *m*, trigo *m*

sarraceno [rubión·negro]. ~가루 harina f de alforfón, alforfón m en polvo. ~국수 fideos mpl [tallarines mpl] · espaguete m] de alforfón. ~꽃 flor f de alforfón. ~묵 gelatina f [pasta f] de alforfón.

메부수수하다 (ser) rudo, rústico, grosero; [교양이 없다] inculto.

메스 bisturí m, escalpelo m, cuchillo m; [종기의 절개] apostemero m. ~를 가하다 [수술하다] cortar [abrir] con bisturí. [단호한 수단을 쓰다] aplicar el bisturí. 재정 상태에 ~ aplicar el bisturí a la situación financiera.

메스껍다 estar mareado, tener ganas de vomitar [de devolver], sentir náuseas, tener náuseas, tener asco; [주어가 사물일 때] darle asco. 나는 ~ Me da asco.

메슥거리다 tener [sentir] náuseas, tener [sentir] asco; [주어가 사물일 때] darle náuseas [asco].

메시아 Mesías m. ~의 mesiánico.m.

메시지 mensaje m; [짧은] recado m; [성명] declaración f.

메신저 mensajero, -ra mf. ~ 보이 recadero m, AmL mandadero m.

메아리 eco m; [숲의 요정] deríada f.

메우다¹ ① [구멍·빈곳 따위를] cerrar, llenar, rellenar, tapar, obstruir, explanar, terraplenar, colmar; [장애물로] bloquear. 그라운드를 꽉 메운 관중 público m que llene el campo de juegos. ② ㉮ [부족을] proveer, suministrar, surtir. ㉯ [손실 따위를] cubrir, subsanar, liquidar, saldar. 적자를 ~ cubrir el déficit. ㉰ [여백 따위를] rellenar, cubrir. ㉱ [결원을] suplir, cubrir, lenar.

메우다² ① [테를] enarcar, enzunchar. ② [멍에를] uncir. ③ [활의 시위를 얹다] extender la cuerda del arco.

메이데이 el primero de mayo, el día del trabajo [de los trabajadores].

메이드 인 코리아 Hecho en Corea.

메이저 ((전자)) máser m.

메이커 (compañía f) fabricante f; [제조자] fabricante m; manufacturero, -ra mf.

메이크업 ① [분장] maquillaje m. ~하다 maquillarse, pintarse, hacerse el maquillaje. ~를 지우다 quitar el maquillaje. ② [화장품. 분장품] cosméticos mpl.

메조¹ mijo m no apelmazado.

메조² ((음악)) [조금·약간] mezzo, medio, semi.

메조소프라노 mezzo soprano f, medio soprano f; [가수] mezzosoprano f.

메주 mechu, sojas fpl [soyas fpl] fermentadas, malta f de soja. ~를 쑤다 hervir sojas [soyas]. 제주가

~다 ser una persona corta de entendederas, ser una persona torpe. ¶ ~콩 sojas fpl, soyas fpl.

메지다 no ser apelmazado.

메질 martilleo m, martillazos mpl. ~하다 martillar, golpear.

메추라기 ((조류)) codorniz f.

메추리 ((준말)) =메추라기.

메카 ① [(지명)] la Meca. ② [귀의·숭배의 대상이 되는 곳] meca f. 스포츠의 ~ la Meca del deporte.

메케하다 ① [연기 냄새가 나다] echar humo. 메케한 que echa humo, humeante. 방이 ~ La habitación es humeante. ② [곰팡내가 나다] oler a humedad, oler a moho.

메탄 ((화학)) metano m.

메탄가스 grisú m, (gas m de) metano m.

메탄올 metanol m, alcohol m metílico.

메틸 ((화학)) metilo m.

메틸알코올 =메탄올.

멕시코 ((지명)) México, Méjico, los Estados Unidos Mexicanos. ~만 Golfo m de México. ~의 mejicano, mexicano. ~만 Golfo m de México. ~ 사람 mejicano, -na mf; mexicano, -na mf. ~시 ciudad f de México.

멘델(의) 법칙 (-法則) mendelismo m.

멘스 ((준말)) =멘스트루아찌온.

멘스트루아찌온 [월경] menstruación f.

멜로드라마 melodrama m..

멜로디 melodía f.

멜론 ((식물)) melón m. ~밭 melonar m.

멜빵 ① [짐을 어깨에 메는 줄] parihuelas fpl, cargaderas fpl, bandolera f. ② [바지나 치마의] tirantes mpl, Arg tiradores mpl, Chi suspensores mpl.

멤버 miembro mf; [클럽의] socio, -cia mf; afiliado, -da mf; [회원의 수] número m de socios, número m de afiliados.

멥쌀 arroz m (común) [ordinario].

멧굿 exorcismo m con acompañamiento musical.

멧나물 =산나물.

멧닭 urogallo m, gallo m lira.

멧대추 datil m silvestre.

멧대추나무 ((식물)) datilero m silvestre.

멧도요 ((조류)) becada f, chocha f.

멧돼지 ((동물)) (puerco m) espín m, jabalí m.

멧부리 pico m más alto de la montaña.

멧새 ((조류)) gorrión m, triguero m.

멧줄기 =산줄기.

멧짐승 =산짐승.

멧토끼 ((동물)) =산토끼.

며 y, e. 나무~ 바다~ los árboles y el mar.

-며 ① [열거] y, e; o, u. 그녀는 얼굴도 고우~ 행실도 얌전하다 Ella es guapa y tiene buena conducta. ② […면서] mientras, entre, durante, con, -ando, -iendo. 미소하~ con sonrisa, sonriendo.

며느리 nuera f, hija f política.

며느리발톱 espolón m.

며루 ((곤충)) larva f de la típula.

며칠날 qué día del mes. 오늘이 ~입니까? ¿Cuál es la fecha de hoy? / ¿A cuántos estamos hoy?

며칠 ① ((준말)) =며칟날. ¶결혼식은 ~이냐? ¿En qué día es la boda? ② [몇 날] ¿Cuántos días? ~ 동안 서울에 머물고 계십니까? ¿Cuánto tiempo lleva usted en Seúl?

먹[1] ((해부)) garganta f, gaznate m, esófago m. ~을 따다 degollar, cortar el cuello.

먹[2] ((준말)) =먹서리.

먹[3] ((준말)) =미역[1].

멱(冪) ((수학)) potencia f.

먹감다 ((준말)) =미역감다.

멱살 ① [사람의] garganta f. ② [옷의 깃 부분] cuello m. ~을 잡다 asir*le* [coger*le*] por el cuello.

멱서리 saco m de paja, fardo m.

면[1](面) ① [얼굴] cara f, rostro m, faz f. ~ 전에서 en presencia, ante, frente. ② [물체의 면] cara f. ③ [표면] superfie f, sobrefaz f. ④ [체면] prestigio m, dignidad f, honor m. ⑤ [지면] página f.

면[2](面) [행정 구역의 하나] *Myeon.* ~사무소 Oficina f de *Myeon.*

면(眠) [누에의 잠] dormida f.

면(綿) ① [무명] algodón m. ② [무명실] hilo m de algodón.

면(麵) fideo m, tallarín m.

면-(綿) algodón m. ~내의 ropa f interior de algodón.

-면 si, cuando, mientras + *subj*; [부정] si no, a menos que + *subj.* 눈이 내리~ si nieva; [혹시] cuando nieve.

면경(面鏡) espejo m pequeño.

면계(面界) límite m entre *Myeon* y *Myeon.*

면담(面談) entrevista f. ~하다 tener una entrevista (personal), entrevistar. 주인과 ~하고 싶소 Quiero hablar con su patrón. ¶~ 시간 hora f de entrevista.

면대(面對) =대면(對面).

면도(面刀) ① [수염을 깎는 일] afeitado m. ~하다 afeitar; [자신이] afeitarse. ② ((준말)) =면도칼. ¶~기 afeitadora f. ~날 면도칼의 날 hoja f de navaja. ④ [안전면도기에 끼워서 쓰는 칼날] hoja f [cuchilla f] de navaja de afeitar (de seguridad). ~칼 navaja f (de afeitar). ~ 칼날 cuchilla f, hoja f de afeitar, gillete®.

면류(麵類) fideos *mpl*, tallarines *mpl*.

면류관(冕旒冠) diadema f, corona f de laurel, laurel m.

면면(面面) ① [각 방면] todas las direcciones, todos los aspectos. ② [[여러 사람들의] 얼굴들] todos y cada uno, miembros *mpl*, personal m. 새 내각의 ~ los ministros del nuevo gabinete. ③ =면면이. ¶~이 cada uno, cada cual.

면모(面貌) ① [얼굴의 모양] cara f, rostro m, semblante m. ② [모습이나 상태] aspecto m, apariencia f.

면목(面目) ① [낯] cara f, rostro m. ② [체면] honor m, honra f; [명성] fama f, reputación f; [자존심] amor m propio, pundonor m. ~을 세우다 ganar el honor. ③ [태도나 모양] aspecto m, apariencia f. ~을 일신하다 cambiar completamente de aspecto [de apariencia].

면밀(綿密) minucia f, minuciosidad f. ~하다 (ser) minucioso, detallado. ~히 minuciosamente, detalladamente.

면박(面駁) refutación f [confutación f] a su cara. ~하다 reprochar [refutar·rebatir] a su cara.

면방적(綿紡績) hilandería f de algodón. ~기(機) máquina f de hilar.

면부득하다(免不得—) (ser) ineludible, inexorable, inevitable.

면사(綿絲) hilo m de algodón.

면사포(面紗布) velo m nupcial.

면상(面上) ① [얼굴의 위] sobre [en] la cara. ~에 미소를 띄우고 con una sonrisa en la cara. ② [얼굴의 바닥] su cara.

면상(面相) aspecto m, semblante m, cara f, rostro m.

면서기(面書記) oficial *mf* de *Myeon.*

면세(免稅) exención f de impuestos [de tasas], franquicia f. ~점(店) tienda f libre, *Méj* tienda f sin impuestos. ~ 지역 zona f libre [franca]. ~ 품 artículo m libre de impuestos.

면소(免訴) ((법률)) absolución f. ~하다 absolver. ~되다 absolverse.

면수(面數) número m de páginas.

면식(面識) conocimiento m (personal). ~이 있는 (사람) conocido, -da *mf.* ~이 있다 conocer.

면양(綿羊/緬羊) ((동물)) carnero m; [암컷] oveja f.

면업(綿業) industria f algodonera.

면역(免役) [병역의] exención f del servicio militar. ~하다 eximir del servicio militar. ~되다 eximirse del servicio militar.

면역(免疫) inmunidad f. ~의 inmunológico. ~하다 inmunizar. ~되다 inmunizarse. ¶~성 inmunidad f.

면의원(面議員) miembro *mf* de la

asamblea de *Myeon*.

면장(免狀) ① ((준말)) =면허장. ② ((준말)) =사면장.

면장(面長) alcalde, -desa *mf*; jefe, -fa *mf* de *Myeon*.

면적(面積) extensión *f*, el área *f* (*pl* las áreas), superficie *f*. 한국의 ~ superficie *f* de Corea.

면전(面前) presencia *f*. ~에서 delante (de), a la vista, en *su* presencia, ante, a las barbas (de), a *su* vista, en *su* cara.

면접(面接) ① [대면] entrevista *f*. ~하다 recibir para una entrevista, entrevistar, tener entrevista, ver, recibir. ② ((준말)) =면접 시험. ¶ ~ 시험 examen *m* oral.

면제(免除) exención *f*, exoneración *f*, franquicia *f*. ~하다 exentar, eximir. 병역을 ~하다 exentar*le* el servicio militar.

면제품(綿製品) artículos *mpl* de algodón.

면죄(免罪) absolución *f*, exoneración *f*, exculpación *f*; [종교상의] remisión *f* de pecado; [(천주교)] jubileo *m*, perdón *m*, indulgencia *f*. ~하다 descargar, absolver, exonerar, exculpar. ~부 indulgencia *f*.

면지(面紙) ((인쇄)) guarda *f*.

면직(免職) desposición *f*, destitución *f* del servicio, destitución *f* del empleo; [해고] despedida *f*. ~하다 destituir, deponer, despedir, descargar. ~되다 ser destituido [despedido], recibir calabazas.

면직물(綿織物) tejido *m* de algodón.

면책(免責) ① [책임을 면함] exención *f* de responsabilidad [de obligación]. ~하다 exentar la responsabilidad. ② [책망을 면함] exención *f* de reproche. ~하다 exentar el reproche. ③ ((법률)) [채무를 면함] exención *f* de deuda. ~하다 exentar la deuda. ¶ ~ 특권 [외교관의] inmunidad *f* diplomática.

면책(面責) reconvención *f* [reproche *m*] personal. ~하다 reprobar [reprender] personalmente, vituperar.

면하다(面−) hacer frente, encararse, hacer cara, afrontar, dar, mirar. 큰 길에 면한 방 habitación *f* que da a la calle mayor.

면하다¹(免−) ① [벗어나다] escapar, librarse, huir. 죽음을 ~ escapar la muerte. 위험을 ~ escapar [librarse] de un peligro. ② [회피하다] evitar, esquivar, eludir. ③ [면제하다] dispensarse, eximirse. 책임을 ~ eximirse [dispensarse] de la responsabilidad.

면하다²(免−) ① [관직을] deponer, destituir. ② [세금이나 벌금 따위를] exentar, libertar, exceptuar, dispensar. 세금을 ~ exentar de impuestos.

면학(勉學) estudio *m*, persecución *f* de conocimiento [de estudios], persecución *f* académica. ~하다 estudiar, perseguir el estudio [el conocimiento]. ~ 분위기를 조성하다 crear una atmósfera académica.

면허(免許) autorización *f*, licencia *f*, permiso *m*, carné *m*, carnet *m*. ~하다 licenciar, dar licencia [permiso]. ~를 얻다 [받다] sacar la licencia. ¶ ~료 honorarios *mpl* de licencia. ~세 impuesto *m* de licencia. ~ 소지자 titular *mf* de un permiso [una licencia]. ~ 시험 examen *m* para licencia, examen *m* para la concesión de licencias. ~장[증] diploma *m*, patente *f*; [허가증] licencia *f*, permiso *m*, autorización *f*; [증서] certificado *m*.

면화(棉花) [식물] =목화(木花).

면회(面會) entrevista *f*, visita *f*. ~하다 ver, entrevistarse, tener una entrevista, visitar. ~를 신청하다 solicitar una entrevista. ¶ ~ 시간 hora *f* de recepción. ~실 sala *f* de recepción; [형무소·수도원의] locutorio *m*. ~인 visita *f*. ~일 día *m* de recepción. ~자 visitante *mf*; [집합적] visita *f*.

멸공(滅共) extirpación *f* de comunismo. ~ 정신 firme espíritu *m* anticomunista.

멸균(滅菌) esterilización *f*, pasterización *f*, pasteurización *f*. ~하다 esterilizar, paterizar, pasteurizar. ~기 esterilizador *m*. ~ 작용 acción *f* esterilizante.

멸망(滅亡)) caída *f*, hundimiento *m*, derrumbamiento *m*; [괴멸] aniquilación *f*. ~하다 caerse, arruinarse, extinguirse; [몰락하다] decaer. ~시키다 arruinar; [괴멸시키다] destruir, exterminar, aniquilar.

멸문(滅門) exterminio *m* de toda la familia. ~하다 exterminar toda la familia, ser exterminada toda la familia. ~지화(之禍) desastre *m* que extermina toda la familia.

멸족(滅族) extirpación *f* [exterminio *m* · aniquilación *f*] de toda la familia. ~하다 extirpar [exterminar · aniquilar] toda la familia.

멸종(滅種) extinción *f*, extirpación *f* de la raza. ~하다 extirpar la raza. ~되다 extinguirse, exterminarse, desaparecer. ~된 extinto.

멸치 ((어류)) anchoa *f*. ~젓 anchoas *fpl* saladas.

멸하다(滅−) destruir, exterminar, extirpar. 나라를 ~ arruinar [destruir] la nación. 적을 ~ destruir [conquistar] al enemigo.

명¹(命) [이름] nombre *m*.

명²(名) [사람의 수] persona *f*. 백 ~ cien personas.

명(命) ① =목숨. ¶ ~이 길다 gozar de la longevidad. ~이 짧다 La vida es corta. ~이 길면 욕되는 일 이 많다 Deja que la vida sea corta, o la vergüenza será muy larga. ② (준말) =운명(運命). ③ ((준말)) =명령. ¶ ~에 의해 por orden, según el mandato. ④ ((준말))=임명(nombramiento).

명(銘) [기념비] monumento *m*; [비문] inscripción *f*; [묘비] epitafio *m*.

명-(名) [뛰어난] excelente, bueno; [유명한] célebre, ilustre, famoso, notable, sabio. ~연설 discurso *m* excelente.

명가(名家) buena familia *f*, familia *f* famosa, célebre familia *f*.

명가수(名歌手) célebre cantor, -tatriz *mf*; cantor *m* [cantante *m*] famoso, cantatriz *f* famosa.

명감독(名監督) director *m* famoso, directora *f* famosa; célebre director, -tora *mf*.

명검(名劍) espada *f* excelente, espada *f* famosa.

명견(名犬) [이름난 개] célebre perro *m*; [훌륭한 개] buen perro *m*.

명견(明見) opinión *f* sabia, opinión *f* clara. ~ 만리 perspicacia *f* honda, capacidad *f* de visión.

명경(明鏡) ① [맑은 거울] espejo *m* muy claro. ② [분명한 증거] evidencia *f* clara. ¶ ~ 지수 el espejo claro y el agua tranquila.

명곡(名曲) música *f* famosa, clásicas músicas *fpl*, obra *f* maestra de música, fragmento *m* de música célebre. ~을 감상하다 apreciar la música famosa. ¶ ~ 감상 apreciación *f* de la música famosa. ~ 집 colección *f* de músicas famosas.

명공(名工) =명장(名匠).

명관(名官) gobernador *m* reputado.

명구(名句) sentencia *f*, aforismo *m*. ~ 집 colección *f* de sentencias.

명군(名君) rey *m* sabio.

명궁(名弓) ① ((준말)) =명궁수(名弓手). ② [이름난 썩 좋은 활] arco *m* renombrado. ¶ ~수 buen arquero *m*, buena arquera *f*.

명금(鳴禽) ① ((조류)) el ave *f* canora.

명기(名妓) célebre kisaeng *f*.

명기(名器) ① [진귀한 그릇] vasija *f* famosa, vasija *f* rara. ② [유명한 악기] instrumento *m* músico famoso.

명기(明記) anotación *f* [apuntación *f*] clara, apunte *m* claro. ~하다 anotar [apuntar · escribir] clara-

mente [precisamente], consignar.

명년(明年) el año próximo [que viene], el próximo año.

명단(名單) lista *f* de nombres, lista *f* de personas.

명담(名談) palabra *f* ingeniosa [aguda · graciosa · famosa].

명답(名答) respuesta *f* ingeniosa.

명답(明答) =확답(確答).

명답변(名答辯) respuesta *f* excelente, contestación *f* excelente.

명답안(名答案) papel *m* de examen sobresaliente.

명당(明堂) ① [좋은 묏자리] lugar *m* [sitio *m*] propicio para la tumba. ② [좋은 자리] lugar *m* [sitio *m*] ideal [excelente]. ③ ((관상)) frente *f* del hombre.

명도(明渡) entrega *f*, evacuación *f*. ~하다 entregar, evacuar. 집을 ~ 하다 evacuar la casa.

명란(明卵) ① [명태의 알] hueva *f* del abadejo. ② ((준말)) =명란젓. ¶ ~젓 hueva *f* del abadejo salada.

명랑(明朗) jovialidad *f*, alegría *f*. ~ 하다 (ser) jovial, alegre, risueño, de buen humor, festivo.

명령(命令) orden *f*, mandato *m*; [훈령. 지시] dirección *f*, instrucciones *fpl*; [취소 명령] contraorden *f*. ~ 하다 ordenar, mandar. ~ 계통 línea *f* de mando. ~문 oración *f* exhortativa. ~법 (modo *m*) imperativo *m*. ~서 orden *f*, directriz *f*, ((법률)) orden *f* judicial, precepto *m*. ~ 위반 violación *f* de una orden. ~적 imperativo, perentorio. ~형 forma *f* imperativa.

명론(名論) opinión *f* [argumento *m*] excelente.

명료(明瞭) claridad *f*, lucidez *f*. ~하 다 (ser) claro, lúcido, distinto.

명리(名利) fama [honor *m*] y riqueza, ricos *mpl* y honor.

명마(名馬) buen caballo *m*.

명망(名望) alta reputación *f* [fama *f*]; [인망] popularidad *f* ~ 있는 reputado, popular. ~을 얻다 ganar fama. ~을 잃다 perder *su* popularidad. ¶ ~가 persona *f* de alta reputación, hombre *m* popular.

명맥(命脈) vida *f*, hilo *m* de vida, existencia *f*. ~을 이어가다 mantener vivo, quedarse con vida, quedar en existencia.

명멸(明滅) parpadeo *m*. ~하다 parpadear, pestañear, oscilar, temblar, vacilar.

명명(命名) denominación *f*, bautizo *m*. ~하다 denominar, nombrar, llamar, bautizar. ~되다 (ser) denominado, nombrado, bautizado. ¶ ~법 nomenclatura *f*. ~식 ceremonia *f* de bautismo, bautismo *m*. ~ 자 padrino *m*.

명명백백(明明白白) mucha claridad. ~하다 (ser) obvio, claro, evidente.

명목(名目) ① [표면상의 이름] nombre *m*, título *m*. ~상의 nominal. ② [구실] pretexto *m*, excusa *f*.

명문(名文) prosa *f* bella, oración *f* bien escrita, escritura *f* excelente. ~가 estilista *mf*. ~ 대작 gran obra *f* bella. ~집 antología *f*, selección *f* de textos; [교재용의] crestomatía *f*.

명문(名門) ① [이름 있는 집안] casa *f* ilustre, familia *f* célebre [distinguida·noble]. ~의 linajudo. ② ((준말)) =명문교. ¶~가 casa *f* [familia *f*] solariega. ~의 linaje renombrado y la familia próspera. ~교 célebre escuela *f*.

명문(明文) [밝힘글] texto *m* formal. ② =증서. ¶~화 formalización *f*, formulación *f*. ~화하다 formalizar, formular.

명물(名物) ① =명산물. ② [유명하거나 특별히 있는 물건] producto *m* especial [famoso]. ③ [인기 있는 사람] hombre *m* popular.

명민(明敏) sagacidad *f*, perspicacia *f*, inteligencia *f*, clarividencia *f*. ~하다 (ser) sagaz, perspicaz, inteligente, clarividente.

명반(明礬) ((화학)) alumbre *m*.

명반석(明礬石) [(광물)] alunita *f*.

명배우(名俳優) gran actor *m*, gran actriz *f*, célebre actor *m*, célebre actriz *f*, célebre estrella *f*.

명백하다(明白一) (ser) evidente, claro, manifiesto, patente; [의문의 여지가 없는] obvio, indudable. 명백한 evidencia *f*, claridad *f*. 명백한 사실 verdad *f* evidente. 명백히 evidentemente, claramente, desnudamente, obviamente, indudablemente.

명복(冥福) [사후의 행복] felicidad *f* después de la muerte. 고인의 ~을 빌다 rogar por el descanso del alma de un difunto, orar [rezar] por un difunto. ~을 빕니다 Que en paz descanse [Q.E.P.D.].

명부(名簿) lista *f*, nómina *f*, rol *m*; [등록부] matrícula *f*, registro *m*. ~를 작성하다 hacer una lista.

명부(冥府) ① =저승. ② ((불교)) corte *f* del otro mundo.

명분(名分) su obligación moral; [정당성] justificación *f*, justicia *f*, [이유] causa *f* justa.

명사(名士) ① [이름난 선비] célebre sabio *m*. ② [명성이 널리 알려진 인사] personalidad *f*, personaje *m* distinguido; [집합적] celebridades *fpl*, notables *mpl*. 의학계의 ~ celebridad *f* del mundo médico.

명사(名詞) su(b)stantivo *m*, nombre *m*. ~구 frase *f* del substantivo. ~절 oración *f* del substantivo.

명사수(名射手) buen tirador *m*, buena tiradora *f*; [활의] buen arquero *m*, buena arquera *f*.

명산(名山) célebre montaña *f*, montaña *f* notable [famosa], monte *m* famoso [notable].

명산물(名産物) producto *m* célebre.

명상(冥想/瞑想) meditación *f*, contemplación *f*. ~하다 meditar, contemplar. ~에 젖다 absorberse [sumergirse] en la meditación. ¶~가 meditador, -dora *mf*. ~곡 meditación *f*. ~력 poder *m* meditabundo. ~록 meditaciones *fpl*. ~적 meditabundo, contemplativo, sensativo, meditativo.

명색(名色) nombre *m*, título *m*, designación *f*.

명석하다(明晳一) (ser) inteligente, prudente, talentudo, juicioso, penetrante, perspicaz, claro, lúcido, distinto, largo de vista. 두뇌가 명석한 소년 muchacho *m* despejado.

명성(名聲) reputación *f*, fama *f*, renombre *m*, prestigio *m*. ~이 있는 reputado, famoso, renombrado, célebre.

명성(明星) ① [(천문)] =샛별. ② [학문과 기예가 뛰어난 사람] estrella *f*. 문단의 ~ estrella *f* literaria.

명세(明細) detalle *m*. ~하다 (ser) detallado, minucioso. ~서 especificación *f*, detalle *m*.

명소(名所) lugar *m* [sitio *m*] interesante [de interés], lugar *m* [sitio *m*] famoso [célebre]. ~ 안내소 la Guía de los Lugares Interesantes.

명수(名手) experto, -ta *mf*; maestro, -tra *mf*; virtuoso, -sa *mf*; perito, -ta *mf*; hombre *m* [mujer *f*] de gran talento. 사격의 ~ excelente tirador, -dora *mf*. 피아노의 ~ virtuoso, -sa *mf* del piano.

명수(名數) número *m* de personas.

명수(命數) [운명과 재수] el destino y la fortuna; [수명] duración *f* de su vida; [운명] destino *m*.

명승(名勝) ① [훌륭하고 이름난 자연 경치] paisaje *m* natural pintoresco. ② =명승지. ¶~ 고적 el paisaje natural pintoresco y las ruinas, famoso lugar *m* histórico, sitio *m* célebre e histórico. ~ 고적을 탐방하다 visitar los sitios célebres e históricos. ~지 lugar *m* [sitio *m*] interesante [de interés], lugar *m* [sitio *m*] de paisaje hermoso.

명승(名僧) célebre sacerdote *m*, sacerdote *m* eminente [distinguido].

명시(名詩) poema *m* célebre. ~선 colección *f* [antología *f*] de las célebres obras poéticas.

명시(明示) amotación *f* [indicación *f*] clara, elucidación *f*. ~하다

aclarar, especificar, manifestar, elucidar, indicar claramente, ilustrar, explicar, dilucidar.

명신(名臣) célebre vasallo *m*.

명실(名實) nombre *m* y realidad, fama *f* y hecho. ~ 이 같다 tener lo mismo que de nombre; así en nombre como en realidad [palabra y hecho]; no sólo en nombre, sino también en realidad.

명심하다(銘心一) grabar en *su* corazón [en *su* mente].

명아주(식물)) pata *f* de gallo.

명안(名案) buena idea *f*, excelente idea *f*, plan *m* magnífico.

명암(明暗) luz *f* y sombra, claridad *f* y oscuridad; ((미술)) claroscuro *m*. 인생의 ~ el haz y envés de la vida, el aspecto bueno y malo de la vida. ¶~도 ㉮ [별의] brillo *m*, resplandor *m*. ㉯ ((미술)) lo vivo. ㉰ ((사진)) intensidad *f* ligera. ~ 등 intermitente *m*, *Col*, *Méj* direccional *f*, *Chi* eñalizador *m*. ~ 법 claroscuro *m*.

명야(名譽) medicina *f* bien reputada.

명약 관화(明若觀火) lo meridiano [~ 하다 (ser) meridiano, obvio. ~한 사실 verdad *f* meridiana.

명언(名言) dicho *m* acertado [docto], palabra *f* acertada; [유명한 말] célebre frase *f*; [기억할 만한 말] dicho *m* inmortal, palabra *f* memorable. ~집 colección *f* de célebres frases.

명역(名譯) traducción *f* excelente [apta], buena traducción *f*.

명연기(名演技) representación *f* excelente.

명예(名譽) ① [훌륭하다고 일컬어지는 이름] honor *m*, honra *f*, fama *f*, reputación *f*, dignidad *f*, prestigio *m*, blasón *m*. ② [특별히 주는 칭호] honoris causa, honorario *m*. ~ 회장 presidente *m* honorario [de honor], presidenta *f* honoraria [de honor]. ¶~롭다 (ser) honroso, honorario, glorioso, honorífico. ~롭게 honoríficamente. ~로이 honrosamente, honorariamente, honoríficamente. ~스럽다 (ser) honorable, honroso. ~ 교수 catedrático *m* honorario [honoris causa]. 박사 doctor, -tora *mf* honoris causa. ~ 박사 학위 doctorado *m* honoris causa. ~심[욕] deseo *m* de honor, amor *m* de la gloria, apetito *m* por fama, ambición *f*. 회원 miembro *m* honorario.

명왕성(冥王星) ((천문)) Plutón *m*.

명우(名優) ((준말)) =명배우(名俳優).

명월(明月) ① [밝은 달] luna *f* clara. ② [음력 팔월 보름날 밤의 달] luna *f* llena (de agosto del calendario lunar).

명의(名義) [이름] nombre *m*. ~상의 nominal. ~ 변경하다 transferir al nombre.

명의(名醫) gran médico *m*, gran médica *f*, célebre médico, -ca *mf*.

명인(名人) experto, -ta *mf*; maestro, -tra *mf*; virtuoso, -sa *mf*; perito, -ta *mf*; diestro, -tra *mf*.

명일(名日) ① =명절. ② =명절.

명일(明日) mañana *f*.

명일(命日) día *m* de aniversario de la muerte.

명작(名作) obra *f* maestra [excelente · famosa]. ~ 소설 novela *f* sobresaliente, célebre novela *f*.

명장(名匠) (gran) maestro *m*.

명장(名將) gran general *m*.

명저(名著) obra *f* maestra.

명절(名節) día *m* festivo, *AmL* día *m* feriado.

명제(命題) proposición *f*, tesis *f*.

명주(明紬) seda *f*. ~ 같은 sedoso, sedeño. ~실 hilo *m* de seda. ~옷 ropa *f* de seda.

명주(銘酒) licor *m* de una marca famosa, licor *m* de cualidad alta.

명줄(命一) ① [혈육으로서의 대를 잇는 줄] línea *f* de generación. ② ((속어)) =수명(壽命).

명중(命中) acierto *m*, acertamiento *m*, blanco *m*, diana *f*, impacto *m*. ~하다 dar en el blanco, acertar, dar, hacer impacto. ~률 porcentaje *m* de acierto. ~수 número *m* de los blancos. ~탄 balazo *m* [certero · bien asestado]; [사격에서] blanco *m*; [활에서] blanco *m*, diana *f*; [대포에서] impacto *m*.

명찰(名札) tarjeta *f*, tarjeta *f* de negocios (상업의), plancha *f* con el nombre, etiqueta *f* de nombre, etiqueta *f* de identificación, placa *f* con nombre.

명찰(名刹) célebre templo *m* budista.

명창(名唱) gran cantante *m*, gran cantatriz *f*.

명창(名娼) célebre prostituta *f*.

명철(明哲) sagacidad *f*, perspicacia *f*, inteligencia *f*, prudencia *f*, sutileza *f*, astucia *f*, penetración *f*. ~하다 (ser) sagaz, perspicaz, inteligente.

명치 (해부)) epigastrio *m*. ~뼈 hueso *m* encima del epigastrio.

명칭(名稱) nombre *m*, título *m*, nomenclatura *f*, denominación *f*. ~을 붙이다 [회사 · 도시에] poner*le* nombre; [선박에] bautizar, poner*le* nombre; designar, nombrar. ~을 바꾸다 cambiar el nombre, dar un nuevo nombre.

명콤비(名一) buena pareja *f*, pareja *f* excelente. ~를 이루다 hacer una buena pareja.

명쾌하다(明快一) (ser) claro y preciso, nítido, lúcido, bien definido.

명탐정(名探偵) célèbre detective *mf*; detective *mf* renombrado.

명태(明太) ((어류)) abadejo *m*.

명태어(明太魚) (어류) =명태(明太).

명토(冥土) otro mundo *m*; [지옥] infierno *m*.

명판(名判) ① [훌륭하게 내린 판결, 또는 판단] buen juicio *m*, juicio *m* excelente. ② ((준말)) =명판관.

명판관(名判官) juez *mf* excelente.

명패(名牌) ① =문패. ② =명찰.

명편(名篇) libro *m* bien escrito; obra *f* excelente, célebre obra *f*.

명필(名筆) ① [매우 잘 쓴 글씨] buena caligrafía *f*. ② ((준말)) =명필가. ¶~가 caligrafo, -fa *mf*.

명하다(命-) ① [명령하다] mandar, ordenar. 지불을 ~ mandar*le* pagar. ② [임명하다] nombrar.

명함(名銜/名啣) ① [성명・주소・신분 등을 적은 종이쪽] tarjeta *f* (de visita); [상용의] tarjeta *f* de negocios. ~의 교환 tarjeteo *m*, cambio *m* frecuente de tarjetas. ~을 두고 가다 dejar *su* tarjeta. ② [높이어 말할 사람의 것] su estimado nombre. ¶~곽 tarjetero *m*. ~판 tamaño *m* de la tarjeta de visita. ~판 사진 fotografía *f* de tamaño de la tarjeta.

명현(名賢) ① sabio *m* notable. ② (성현) [동방 박사] los Reyes Magos.

명화(名花) ① [이름난 꽃] célebre flor *f*, flor *f* famosa. ② [아름다운 여자] mujer *f* hermosa, belleza *f*; [기생] *kisaeng f*.

명화(名畵) ① [유명한 그림] célebre cuadro *m*, célebre pintura *f*. ② [유명한 화가] pintor *m* [pintora *f*] famosa; célebre pintor, -tora *mf*. ③ [유명한 영화] célebre película *f*, obra *f* maestra de cine; [우수한 영화] película *f* excelente.

명확하다(明確-) (ser) cierto, evidente, preciso, claro, exacto, puntual, positivo, indubitable, indudable; [결정적인] decisivo. 명확한 claridad *f*, certeza *f*, exactitud *f*, precisión *f*, certidumbre *f*. 명확히 claramente, ciertamente, evidentemente, exactamente, precisamente. ~ 대답하다 contestar claramente.

몇 ① [의문] ¿Cuánto?, ¿Cuánta?, ¿Cuántos?, ¿Cuántas?, ¿Qué? 너는 ~ 살이냐? ¿Cuántos años (de edad) tienes? /¿Qué edad tienes? 지금 ~ 시입니까? ¿Qué hora es ahora? ② [얼마 안 되는 수] unos, algunos, varios. 방에는 ~ 사람, 바깥에 ~ 사람 있다 Unas personas están en el cuarto y unas fuera (del cuarto).

몇몇 [「몇」을 강조하는 말] unos, un poco de, varios. 응접실에는 ~

사람 앉아 있었다 Unas personas estaban sentadas en el salón de recepciones.

모¹ ① [옮겨심기 위해 기른 어린 벼] planta *f* de arroz joven. ~를 심다 plantar las plantas de arroz jóvenes. ② =모종. 묘목(苗木).

모² [윷놀이에서] mo, cinco puntos hechos tirando los cuatro yut.

모³ ① [뽀족한 끝] ángulo *m*. ② [성질・행동 따위의] rudeza *f*. ③ [사물을 보는 측면이나 각도] lado *m*, flanco *m*. ④ =각(角). ⑤ =모서리. ⑥ [두부모나 묵모] pastilla *f*. 두부 한 ~ un tofu, una pastilla de tofu.

모(毛) [털] pelo *m*, cabello *m*, lana *f*.

모(母) ① [어머니] madre *f*. 갑돌이는 김씨래요 Se dice que el apellido de la madre de *Gabdol* es Kim. ② [「어머니」를 「어미」로 흥하게 이르는 말] madre *f*. 또순이 ~ madre *f* de *Tosuni*.

모(某) ① [아무개] cierta persona, don Fulano de Tal. ~ 부인, ~ 양(讓) Fulana de Tal. ② [아무 어떤] un, una; cierto, -ta; no sé cuantos. ~ 소년 un muchacho.

모가비 jefe, -fa *mf* (de una banda).

모가지 ① ((낮은말)) =목. ② ((속어)) =면직, 파면.

모개로 en total. 이 배 ~ 얼마입니까? ¿Cuánto valen [cuestan・son] estas peras en total?

모계(母系) línea *f* materna. ~ 가족 familia *f* materna. ~ 유전 herencia *f* materna. ~ 제도 matriarcado *m*. ~ (중심) 사회 sociedad *f* matriarcal.

모계(謀計) ① [꾀와 계교] el ingenio y la confabulación. ② [군사상의 이익을 위하여 적을 속임] trampa *f*, ardid *m*, truco *m*, estratagema *f*, artificio *m*, complot *m*, conspiración *f*. ~를 꾸미다 conspirar.

모골(毛骨) el pelo y el hueso. ~이 송연하다 estremecerse.

모공(毛孔) poro *m*.

모과(木瓜) ((식물)) membrilla *f* china, papaya *f*.

모과나무(木瓜-) ((식물)) membrillo *m* chino, papayo *m*.

모관(毛管) ① ((준말)) =모세관. ② ((준말)) =모세 혈관(毛細血管).

모교(母校) el alma *f* máter.

모국(母國) patria *f*, madre *f* patria. ~를 방문하다 visitar *su* madre patria.

모국(某國) un país, cierto país.

모권(母權) derecho *m* materno, autoridad *f* materna.

모근(毛根) raíz *f* del pelo.

모금 [액체] bocanada *f*, [약] dosis *f*; [담배] cigarrillo *m*, pitillo *m*. 담배 한 ~ un cigarrillo, un pitillo. 술

한 ~ una bocanada de bebida.
모금(募金) colecta *f*, recaudación *f*, petición *f* de donativos. ~하다 colectar, recaudar. ~에 응하다 contribuir a una colecta. ¶~ 운동 campaña *f* para la recaudación de donativos.
모기 ((곤충)) mosquito *m*, cínife *m*, *AmL* zancudo *m*. ~가 물다 picar el mosquito. ~에 물리다 ser picado por los mosquitos. ¶~떼 nube *f* de mosquitos. ~장 mosquitera *f*, mosquitero *m*. ~향 incienso *m* de mosquitos, matamosquitos *m*, palitos *mpl* matamosquitos.
모나코[1] ((지명)) Mónaco *m*. ~의 monegasco. ~ 공국(公國) el Principado de Mónaco. ~ 사람 monegasco, -ca *mf*. ~어 monegasco *m* (이탈리아어와 불란서어의 혼합).
모나코[2] ((지명)) [모나코의 수도] Mónaco.
모내기 trasplante *m* [plantación *f*] del arroz, el plantar del arroz. ~하다 trasplantar el arroz. ~철 temporada *f* del trasplante del arroz.
모내다 ① [벼의] trasplantar el arroz. ② [각을] hacer ángulo.
모녀(母女) madre *f* e hija. ~간(에) entre madre e hija.
모년(某年) un año, cierto año.
모노드라마 monodrama *m*.
모노레일 monorriel *m*, monocarril *m*.
모노타이프 monotipo *m*.
모놀로그 monólogo *m*.
모눈 cuadrícula *f*. ~의 cuadricular. ~종이 papel *m* cuadricular.
모니터 ① [감시용 텔레비전 화면] monitor *m*. ~하다 radiocaptar. ② [(라디오나 텔레비전의) 모니터] monitor, -tora *mf*. ③ [라디오 청취자] radioescucha *mf*. ④ ((물리)) =방사능 탐지기. ⑤ ((컴퓨터)) monitor *m*.
모닝 드레스 chaqué *m*, traje *m* de chaqué, frac *m*, *CoS* jaquet *m*.
모닝 커피 café *m* de la mañana.
모닝 코트 chaqué *m*, frac *m*.
모닥불 hoguera *f*, fogata *f*, alcandora *f*. ~을 지피다 hacer fuego (al aire libre), encender la hoguera.
모던 [현대의. 근대의] moderno. ~하다 (ser) moderno. ~ 댄스 danza *f* moderna. ~ 디자인 diseño *m* moderno. ~ 발레 baile *m* moderno. ~ 아트 el arte *f* moderna. ~ 재즈 jazz *m* moderno.
모델 ① [모형] modelo *m*. ② [본보기. 모범] ejemplo *m*. ③ ((미술·문학)) modelo *mf*. 사진의 ~이 되다 servir de modelo de una foto. ④ ((건축)) modelo *m*. ⑤ ((준말)) =패션 모델. ¶~ 소설 novela *f* a base de un modelo. ~ 양(孃) modelo *f*. ~ 케이스 ejemplo *m* [caso *m*] a seguir. ~ 하우스 casa *f* en miniatura, casa *f* a escala. ~ 학교 escuela *f* modelo.
모독(冒瀆) profanación *f*, envilecimiento *m*, corrupción *f*, contaminación *f*, polución *f*; [신성 모독] blasfemia *f*. ~하다 profanar, envilecer, degradar; blasfemar.
모두 todo, lo todo, todos; [사람] todo el mundo, todos, todos los hombres; [물건] todas las cosas; [함께] todos juntos; [합계] total *m*; [부사적] en total, en todo, totalmente, enteramente, íntegramente, del todo, sin excepción; [모두 중에서] entre todos; [일치해서] unánimemente, por unanimidad. 가족 ~에게 안부 전하여 주십시오 — 당신도(요) Recuerdos [Saludos] a todos — Igualmente.
모두(冒頭) principio *m*, comienzo *m*. ~에 al principio. ~ 진술 alegación *f* de apertura, declaración *f* de apertura.
모든 todo, toda, todos, todas; toda clase de. ~ 것 todo. ~ 사람 todos, todos los hombres, todo el mundo, toda la gente. ~ 남자 todos los hombres. ~ 여자 todas las mujeres.
모들뜨기 persona *f* bizca [bisoja].
모들뜨다 biscar, bizquear.
모듬냄비 sopa *f* de pescado.
모뜨다 ① [흉내내어 하다] imitar, seguir, copiar. ② =모하다.
모라토리엄 ((법률)) moratoria *f*.
모락모락 ① [힘차게 잘 자라는 모양] rápido, rápidamente, bien. ~ 자라다 criarse bien. ② [연기·냄새 따위가] densamente, espesamente, pesadamente. 김이 ~ 나다 echar vapor denso.
모란(牧丹) ((식물)) peonía *f*. ~꽃 peonía *f*.
모래 arena *f*. ~가 많은 arenoso. ~가 섞인 arenisco. 가는 ~ arena *f* fina, arenilla *f*. 굵은 ~ arena *f* gruesa, arenaza *f*. ¶~강변 ㉮ [모래가 깔려 있는 강가] orilla *f* (de un río) de arena. ㉯ =모래톱. ~땅 terreno *m* arenoso, terreno *m* arenisco *m*, arenal *m*. ~밭 ㉮ =모래톱. ㉯ [모래가 많이 섞인 땅] terreno *m* arenoso. ~ 부대 saco *m* de arena. ~ 사막 desierto *m* de arena. ~사장 banco *m* de arena. ~ 상자 arenillero *m*, depósito *m* de arena; [어린이 놀이터의] cajón *m* de arena; ((철도)) arenero *m*. ~성 castillo *m* de arena. ~시계 reloj *m* de arena. ~ 언덕 colina *f* de arena; [해안의] duna *f*, médano *m*. ~자갈 gravilla *f*, grava *f* fina. ~주머니 ㉮ [모래

를 담은 포대] saco *m* de arena, saco *m* terrero. ㉰ [새 따위의] molleja *f*, ventrículo *m*. ㉱ ((군사)) saco *m* de tierra. ~찜(질) baño *m* de arena. ~찜질하다 bañar en arena. ~ 채취 extracción *f* de arena. ~톱 banco *m* de arena; [강 어귀 등의] barra *f* de arena. ~통 [증기 기관차의] arenero *m*. ~펄 marisma *f* arenosa. ~흙 terreno *m* arenoso.

모래무지 ((어류)) gobio *m*, coto *m*.

모래집 ((해부)) amnios *m.sing.pl.*

모래집물 ((생리)) =양수(羊水).

모략(謀略) intriga *f*, estratagema *f*, ardid *m*, treta *f*, artificio *m*. ~을 꾸미다 intrigar, urdir una estratagema. ¶~가 intrigante *mf*, maquinador, -dora *mf*. ~ 선전 propaganda *f* taimada.

모레 pasado mañana. ~ 아침(오후) (에) pasado mañana por la mañana [por la tarde]. ~ 밤에 만나자 Hasta [Nos veremos] pasado mañana por las Noche.

모로 ① [비스듬히] diagonalmente, oblicuamente, al sesgo. ~ 자르다 cortar diagonalmente. ② [옆으로] de lado, de costado, de reojo, de soslayo, de refilón. ~ 걷다 andar de lado, andar de costado.

모로코 ((지명)) Marruecos *m*. ~의 marroquí·marroquín. ~인 marroquí *mf*.

모르다 ① [알지 못하다] no saber, desconocer, no conocer, ignorar, ser ignorante, no estar enterado, no estar informado [al tanto · al corriente], estar en ignorancia. 모르겠습니다 No lo sé. ② [이해하지 못하다] no entender, no comprender. ③ [인식하지 못하다] ignorar, no reconocer. 돈을 ~ ser indiferente de dinero, no apreciar el valor de dinero.

모르몬트 ((동물)) =기니 피그.

모르몬교(-敎) mormonismo *m*. ~도 mormón, -mona *mf*.

모르쇠 ignorancia *f* fingida. ~로 잡아 떼다(가다) fingir ser ignorante.

모르타르 mortero *m*, argamasa *f*.

모르핀(약) morfina *f*. ~광 morfinomanía *f*; [사람] morfinómano, -na *mf*. ~ 상용 morfinomanía *f*. ~ 상용자 morfinómano, -na *mf*. ~ 중독 morfinismo *m*. ~ 중독 환자 morfinómano, -na *mf*, morfinomaníaco, -ca *mf*.

모름지기 por supuesto, ¡cómo no!; necesariamente, [사람이 주어일 때] deber + *inf*, tener que + *inf*. 교수라 ~ 연구를 열심히 해야 한다 Los catedráticos tienen que estudiar mucho.

모리(牟利/謀利) lo provechoso, rentabilidad. ~하다 servir, aprovechar, ser útil. ~(지)배 especulador, -dora *mf*; logrón, -grona *mf*.

모면(謀免) escape *m*, evasión *f*, fuga *f*, escapatoria *f*. ~하다 escapar(se), evadirse, fugarse, eludir, evitar, esquivar.

모멸(侮蔑) desprecio *m*, menosprecio *m*, desdén *m*, desacato *m*. ~하다 despreciar, menospreciar, desacatar, desestimar, desdeñar. ~감 sensación *f* despreciativa. ~적 despreciativo, desdeñoso. ~적 언사 palabra *f* desdeñosa, palabra *f* despreciativa.

모모(某某) fulano (de tal). ~한 notable, distinguido, conocido, famoso, célebre, ilustre. ~한 인사 alguien; [저명 인사] persona *f* distinguida, personalidad *f*.

모반(母斑) ((의학)) marca *f* [mancha *f*] de nacimiento, antojo *m*.

모반(謀反/謀叛) ① [반란] rebelión *f*, levantamiento *m*, sublevación *f*, revuelta *f*, agitación *f*. ~하다 rebelarse, amotinarse, levantarse. ② [반역] traición *f*, insurrección *f*. ~하다 traicionar, insurreccionarse. ③ [음모] conspiración *f*. ~하다 conspirar.

모발(毛髮) cabello *m*, pelo *m*. ~ 건조증 xerasia *f*. ~ 검사 tricoscopia *f*. ~병 tricosis *f*. ~ 세포 célula *f* pilosa. ~ 영양 tricotropia *f*. ~ 탈락 alopecia *f*.

모방(模倣) imitación *f*; [모작] copia *f*. ~하다 imitar, copiar. ~자 imitador, -dora *mf*; imitante *mf*; copiador, -dora *mf*; copista *mf*.

모범(模範) modelo *m*, ejemplo *m*, ejemplar *m*, paradigma *m*. ~이 되다 servir de modelo [ejemplo]. ~을 보이다 dar ejemplo, mostrar un ejemplo. ¶~ 공무원 funcionario, -ria *mf* del Estado ejemplar. ~ 농장 cortijo *m* modelo, hacienda *f* modelo. ~ 답안 contestación *f* modelo. ~ 부락 aldea *f* modelo, aldea *f* ejemplar. ~ 생 estudiante *mf* ejemplar, estudiante *mf* modelo. ~ 소년 chico *m* modelo. ~ 시민 ciudadano, -na *mf* modelo [ejemplar]. ~ 아동 niño, -ña *mf* modelo; niño, -ña *mf* ejemplar. ~ 용사 soldado *m* ejemplar. ~ 운전사 conductor, -tora *mf* ejemplar. ~적 ejemplar, modelo. ~적으로 ejemplarmente. ~적인 생활 vida *f* ejemplar. ~적인 품행 conducta *f* ejemplar. ~ 청년 joven *m* de vida ejemplar. ~ 학교 escuela *f* modelo. ~ 해답 corrección-modelo *f*, modelo *m* de corrección.

모법(母法) ley *f* madre.

모병(募兵) recluta *f*, conscripción *f*,

alistamiento *m* de conscripto. ~하다 reclutar, alistar. ~관 reclutador *m*.

모본(模本) ① =본보기. ② =모형(模型). ③ =모방(模倣).

모사(毛絲) hilo *m* de lana, hilaza *f* de lana, estambre *m*.

모사(茅舍) =모옥(茅屋). ② ((낮춤말)) mi (humilde) casa.

모사(模寫) copia *f*, reproducción *f*. ~하다 copiar, reproducir, duplicar, imitar.

모사(謀士) [좋은 뜻으로] táctico, -ca *mf*; estratega *mf*; estratégico, -ca *mf*; [나쁜 뜻으로] intrigante *mf*; maquinador, -dora *mf*; maquiavelista *mf*.

모사(謀事) planificación *f*. ~하다 planear, planificar, proyectar, trazar, tramar, intrigar. ~꾼 intrigante *mf*; 모사는 재인(在人)이요 성사(成事)는 재천(在天) ((속담)) El hombre propone y Dios dispone.

모새 arena *f* fina y suave.

모색(摸索) investigación *f*. ~하다 tentar (el camino), requerir, buscar a tientas, tantear, palpar.

모샘치 (어류) gobio *m*.

모생약(毛生藥) regenerador *m* del cabello.

모서리 borde *m*, margen *m*, orilla *f*, esquina *f*, ángulo *m*; [암석 따위의] diente *m*, púa *f*, mella *f*; ((건축)) arista *f*.

모선(母船) buque *m* madre, buque *m* factoría, buque *m* nodriza, madre *f* de barcos.

모선(母線) ((수학)) generadora *f*, generatriz *f*.

모성(母性) maternidad *f*.

모세관(毛細管) ① ((해부)) =모세 혈관. ② ((물리)) tubo *m* capilar.

모세포(母細胞) blasto *m*.

모세 혈관(毛細血管) vasos *mpl* capilares. ~의 capilar.

모션 movimiento *m*; [몸짓] gesto *m*, moción *f*.

모순(矛盾) ① [창과 방패] la lanza y el escudo. ② =자가 당착. ③ [논리] contradicción *f*, incompatibilidad *f*, contradictoria *f*, discrepancia *f*; [불일치] desacuerdo *m*. ~되다 contradecirse, estar en contradicción·ser inconsistente [incompatible·inconsecuente], discrepar, desavenirse, discordarse.

모숨 un puñado.

모스크 mezquita *f*.

모슬렘 musulmán, -mana *mf*; mahometano, -na *mf*.

모습 ① [생김새] figura *f*, forma *f*, imagen *m*, postura *f*, efigie *f*, vestigio *m*, huella *f*, señal *f*. 변해 버린 ~ figura *f* muy decaída. ② [체격] tipo *m*, talle *m*, planta *f*. ③

[윤곽] silueta *f*, contorno *m*, perfil *m*. ④ [양상] aspecto *m*, aire *m*, apariencia *f*, presentación *f*.

모시 ① tejido *m* [textura *f*] de ramio. ② ((준말)) =모시풀.

모시(某時) cierta hora *f*, cierto tiempo *m*.

모시다 ① [섬기다] servir, asistir, atender, cuidar, servir (como) criado, presentar *sus* respetos. 모시고 가다 acompañar. ② [지위에] nombrar, designar, elevar, recibir, tener. 김 씨를 회장으로 ~ recibir [tener] al señor Kim como presidente. ③ [신령으로 받들다] deificar, endiosar. ④ [인도하다] conducir, guiar. ⑤ [초청하다] invitar.

모시조개 ((조개)) almeja *f*.

모시풀 ((식물)) ramio *m*.

모심기 trasplante *m* [plantación *f*] del arroz, el plantar de arroz.

모심다 trasplantar el arroz, plantar el arroz.

모씨(某氏) Fulano *m*, Fulano *m* de Tal, cierto señor *m* [caballero *m*].

모아들다 congregarse, reunirse, juntarse, enjambrar, apiñarse.

모암(母巖) ((광물)) matriz *f*.

모양(模樣/貌樣) ① [형태] forma *f*, apariencia *f*, aire *m*, aspecto *m*, diseño *m*, figura *f*, dibujo *m*, trazo *m*; [몸의] físico *m*, postura *f*. 집의 ~ apariencia *f* de una casa. ③ [상태] estado *m* de asuntos; [방법] modo *m*, manera *f*. 이 ~으로 en esta manera, en este modo. ¶ ~새 ㉮ [모양의 됨됨이] forma *f*, figura *f*, apariencia *f*. ㉯ ((속어)) [체면] honor *m*, dignidad *f*, decencia *f*, decoro *m*, cara *f*, rostro *m*.

모어(母語) ① =모국어(母國語). ② ((언어)) lengua *f* madre.

모여들다 concurrir, pulular, hormiguear, agolparse, apiñarse, congregarse, infestarse, reunirse.

모옥(茅屋) [초가집] cabaña *f* de paja; [초라한 집] choza *f*.

모욕(侮辱) insulto *m*, ofensa *f*, agravio *m*, afrenta *f*, ignominia *f*, injuria *f*, infamia *f*. ~하다 insultar, ofender, injuriar, afrentar, infamar. ~을 당하다 recibir [sufrir] un insulto. ¶ ~죄 desacato *m*.

모월(某月) un mes, cierto mes. ~ 모일 el xxx del mes de xxx, un cierto día de un cierto mes.

모유(母乳) leche *f* materna, pecho *m* de madre.

모으다 ① [흩어진 것을] reunir, unir, recoger, juntar, compilar, allegar, recolectar, cosechar, coger. ② [모집하다] buscar, abrir suscripción; [병사·노무자 등을] reclutar, hacer una leva [una recluta]. 학생을 ~ abrir suscripción de alumnos. ③

[집중시키다] concentrar, atraerse. gozar. 관심을 ~ atraerse la atención. ④ [돈이나 재물 따위를 벌어서 축적하다] ahorrar, amontonar, acumular, ganar, recaudar;. [절약하다] economizar; [저장하다] almacenar, poner en reserva; [비축하다] amasar. 돈을 ~ ganar [ahorrar] dinero. ⑤ [수집하다] coleccionar, juntar, hacer una colección. 우표를 ~ coleccionar sellos. ⑥ [나뭇쪽을 한데 맞추어 무엇을 만들다] reunir, unir, pegar, juntar, acoplar. 탑을 ~ pegar la torre.

모음(母音) ((언어)) vocal f. ~의 vocal, bocálido. ~ 변화 gradación f vocálica. ~자 vocal f. ~ 조화 armonía f vocálica. ~화 vocalización f. ~화하다 vocalizar.

모의(模擬) imitación f, remedo m. ¶ ~ 국회 asamblea f nacional fingida, parlamento m fingido [simulado], cortes fpl de imitación. ~ 법정 corte f de prueba, corte f de práctica. ~ 비행 장치 simulador m de vuelo. ~ 시험[고사] examen m de prueba [práctica], examen m supuesto. ~ 재판 juicio m de práctica [de prueba]. ~전(戰) simulacro m. ~ 투표 sondeo m informal de opinión.

모의(謀議) complot m, conjura f, conspiración f, intriga f. ~하다 tramar un complot, conjurarse, conspirar, intrigar.

모이 alimento m; [사료] cebo m, alimento m; [곡식] granos mpl. ~를 주다 dar de comer.

모이다 ① [회의 등에] reunirse, congregarse, juntarse, agruparse, emjambar. 모여 나가다 salir juntos [en grupo]. 떼지어 ~ agruparse, reunirse en grupo, aglomerarse. ② [집중되다] concentrarse. 이 거리에는 은행들이 모여 있다 En esta calle se concentran los bancos. ③ [금전등이] acumularse, amontonarse.

모인(某人) un tal; un tal señor, una tal señora; una persona, cierta persona.

모일(某日) un día, cierto día.

모임 reunión f, asamblea f, junta f, mitin m; [친한 사람들 끼리의] tertulia f; [밤의] velada f. 가족 ~ reunión f familiar.

모자(母子) madre f e hijo. ~ 가정 familia f de viuda [sin padre]. ~ 간 entre la madre y su hijo. ~원 residencia f para familias sin padre.

모자(帽子) sombrero m; [차양이 있는] gorra f; [테가 없는] gorro m; [파나마모자] panamá m; [학생·기수·군인의] gorra f, [간호사의]

coña f; [법관의] birrete m; [추기경의] birreta f, solideo m; [총칭] tocado m. ~걸이 percha f, [가지 달린] perchero m. ~ 상자 sombrerera f. ~점 sombrerería f; [여자용] modistería f. ~점 주인 sombrerero, -ra mf; modista mf. ~챙 el ala f (del sombrero). ~표 insignia f de gorro.

모자라다 ① [부족하다] carecer, faltar. 모자라는 escaso, pobre; [불충분한] insuficiente. 모자라는 봉급 sueldo m escaso. 모자라는 자원 recursos mpl insuficientes. …이 carecer de algo; [사물이 주어일 때] faltarle, hacerle falta. ② [지능이 낮다] (ser) lerdo, estúpido, tonto, torpe, mantecato, necio.

모자반 ((식물)) saigazo(s) m(pl).

모자이크 mosaico m. ~하다 cortar y encajar.

모작(模作) imitación f de la obra de otro. ~하다 imitar [copiar] la obra de otro.

모정(母情) cariño m materno, afecto m materno.

모정(慕情) anhelo m, ansia f, ansiedad f, añoranza f, amor m, cariño m, afecto m.

모조(模造) ① [모방하여 만듦] imitación f. ~하다 imitar. ~의 de imitación; [위조의] falso; [인공의] artificial. ② ((준말))=모조품. ③ ((준말))=모조지. ¶ ~ 가죽 cuero m artificial. ~ 다이아몬드 diamante m falso. ~ 보석 joya f de imitación. ~지(紙) vitela f. ~ 진주 perla f de imitación, perla f artificial. ~품 imitación f, objeto m imitado, artículo m contrahecho; [위조품] falsificación f, objeto m falsificado.

모조리 todo, enteramente, totalmente, cualquier cosa y todo, de pe a pa, lo más posible, cuanto pueda.

모종(苗種) plantón m, planta f de semillero; [나무의] árbol m joven, pimpollo m. ~하다 plantar, sembrar, plantar unos plantones.

모종(某種) cierto género, cierta clase, cierta especie. ~의 cierto. ~의 이유로 por cierta razón.

모주 ((준말))=모주망태. ¶ ~망태 [꾼] borracho, -cha mf; gran bebedor, -dora mf.

모주(母酒) ① =밑술. ② =재강. ¶ ~ 집 tienda f de licor crudo.

모지다 ① [뾰족하다] (ser) angular, cuadrado; afilado. ② [성질·일 따위가] (ser) anguloso.

모지랑붓 pluma f china gastada.

모지랑비 escoba f gastada.

모지랑이 artículo m gastado.

모직(毛織) género m [tejido m · tela f] de lana. ~의 de lana, lanero. ~

공업 industria *f* lanera. ~ 공장 fábrica *f* de lanas. ~물 género *m* [paño *m*·tejido *m* de lana, textura *f* de lana, paño *m*. ~물 공업 industria *f* manufacturera de lana. ~물 공장 fábrica *f* de tejidos de lana. ~물상=모직상. ~물업 industria *f* textil de lana. ~물 제조 업자 fabricante *mf* de lana. ~상 lanero, -ra *mf*; comerciante *mf* de lana.

모질다 ① [잔인하다] (ser) cruel, atroz, bruto, salvaje, monstruo. 모질게 cruelmente, atrozmente, brutamente. ② [배겨내다] (ser) paciente, perseverante, persistente, porfiado, tenaz. ③ [심하다] (ser) violento, fuerte, feroz, furioso, recio, intenso. 모진 더위 calor *m* intenso. 모진 추위 frío *m* intenso.

모집(募集) [병사·노무자 등의] recluta *f*, reclutamiento *m*, leva *f*; [지원자 등의] busca *f*. ~하다 reclutar, hacer una leva [una recluta], buscar. ② [기금 등의] solicitación *f*. ~하다 juntar. ~광고 anuncio *m* [aviso *f*] de reclutamiento [de suscripción].

모쪼록=아무쪼록.

모처(某處) cierto lugar *m* [sitio *m*].

모처럼 ① [오래간만에] a largos intérvalos, después de mucho tiempo. ② [벼른 끝에] con esfuerzos, con dolores; [각별히] en especial, especialmente.

모체(母體) ① [어미 되는 몸] cuerpo *m* de la madre. ② [기원] origen *m*, procedencia *f*.

모충(毛蟲) oruga *f*.

모친(母親) madre *f*.

모친상(母親喪) muerte *f* [luto *m*] de su madre.

모태(母胎) ① [어미의 태 안] seno *m* [vientre *m*] materno, matriz *f* [útero *m*] de madre. ② [어떤 일의 토대] fundación *f*, base *f*.

모택동(毛澤東) Mao Tse-tung. ~주의 maoísmo *m*. ~주의자 maoísta *m*.

모터 ① [전동기. 발동기] motor *m*. ② [자동차] automóvil *m*. ¶ ~보트 (lancha *f*) motora *f*, lancha *f* a motor, bote *m* de motor, gasolinera *f*, autobote *m*, lancha *f*. ~사이 클 motocicleta *f*. ~쇼 exposición *f* de automóviles, salón *m* del automóvil. ~카 automóvil *m*.

모텔 parador *m*, motel *m*.

모토 lema *m*, mote *m*, divisa *f*; [신조] principio *m*.

모퉁이 esquina *f*, rincón *m*, ángulo *m*, recodo *m*. 길 ~ esquina *f*, rincón *m*. 위험한 ~ vuelta *f* [curva *f*] peligrosa. 길 ~에서 en la esquina de la calle.

모퉁잇돌 ㉮ =주춧돌. ㉯ ((성경)) esquina *f*, columna *f*.

모티브 motivo *m*, móvil *m*.

모판(─板) semillero *m*, almácigo *m*. ~흙 tierra *f* de semillero.

모포(毛布) manta *f*, cobertor *m* de lana.

모표(帽標) ((준말)) =모자표(帽子標).

모피(毛皮) piel *f*, pellejo *m*, forro *m* de pieles. ~로 만든 장갑 guantes *mpl* de cuero forrados de piel. ¶ ~상 ㉮ [장사] negocio *m* de piel. ㉯ [장수] peletero, -ra *mf*. ~오바 abrigo *m* de piel. ~점 peletería *f*, cuerería *f*. ~ 제품 pieles *fpl*, pedazo *m* de piel.

모필(毛筆) pincel *m* (chino), cepillo *m* de escribir. ~로 쓰다 escribir con pincel.

모하메드 ((인명)) Mahoma.

모하메드교(─敎) =이슬람교.

모함(母艦) ① ((준말)) =항공 모함. ② ((준말))=잠수 모함.

모함(謀陷) calumnia *f*, difamación *f*. ~하다 calumniar, difamar, hacer caer en la trampa, atrapar.

모항(母港) puerto *m* de origen, puerto *m* familiar [madre]. ~을 설치하다 establecer un puerto madre.

모해(謀害) complot *m* [conspiración *f*] de hacer daño. ~하다 tramar hacer daño.

모험(冒險) aventura *f*. ~하다 aventurarse, arriesgarse, jugarse el todo por el todo, correr [tener] una aventura. ~을 하지 않는 자는 바다를 건너지 못한다 ((서반아 속담)) Quien no se aventura no pasa la mar. ~을 하지 않았던 자는 아무 것도 얻지 못했다 ((서반아 속담)) Quien no se aventuró, ni perdió ni ganó. ¶ ~가 aventurero, -ra *mf*. ~담 aventura *f*, relatos *mpl* [cuento *m*] de aventuras. ~소설 novela *f* de aventura. ~심 espíritu *m* aventurero. ~적 aventurero. ~으로 aventureramente. ~ 정신 espíritu *m* aventurero. ~주의 aventurismo *m*. ~주의자 aventurista *mf*.

모형(母型) matriz *f*, molde *m*.

모형(模型/模形) ① [틀] molde *m*. ② =모형(母型). ③ ((미술)) modelo *m*. ¶ ~비행기 aeromodelo *m*, planeador *m*, aeroplano *m* modelo. ~ 비행기 경기 aeromodelismo *m*. ~선 buque *m* en miniatura, buque *m* a escala. ~ 자동차 automodelo *m*. ~ 자동차 경기 automodelismo *m*.

모호하다(模糊/糢糊─) (ser) vago, ambiguo, equívoco, evasivo; [확실한] incierto, inseguro; [의심스러운] dudoso. 모호함 vaguedad *f*, imprecisión *f*, ambigüedad *f*. 모호

한 기억 memoria *f* incierta.

모회사(母會社) compañía *f* principal [matriz·propietaria de acciones], sociedad *f* de control.

모후(母后) madre *f* del rey.

목¹ ① ((해부)) [사람의] cuello *m*; [동물의] cuello *m*, pescuezo *m*. ② ((준말)) =목구멍. ¶나는 ~이 아프다 Me duele la garganta. 그것은 ~ 아픈 데 좋다 Es bueno para el dolor de garganta. ③ [(어떤 사물의 목)] gollete *m*, cuello *m*; [현악기의] clavijero *m*, mástil *m*. 병의 ~ cuello *m* de botella. ④ [통로의 딴 곳으로는 빠져나갈 수 없는 중요하고 좁은 곳] posición *f* importante. ⑤ ((준말)) =목소리. ¶~(이) 마르다 [물이 마시고 싶어지다] tener sed. ~이 말라 죽겠다 Me muero de sed / Tengo mucha sed / Tengo muchas ganas de beber agua. ④ [애타게 바라다] desear con inquietud. ~(이) 쉬다 enroquecer(se), ponerse ronco. ~이 쉰 ronco. ~쉰 소리 voz *f* ronca [bronca·áspera]. ⑦ [물이 몹시 마시고 싶다] tener mucha sed. ~이 타 죽겠다 ¡Me muero de sed! ④ [몹시 애타게 기다리다] desear con inquietud, tener sed [ansias], estar sediento. 지식에 목이 탄 사람들 los que tienen sed [ansias] de saber, quienes están sedientos de saber.

목² ((광물)) escombro *m*, escoria *f*.

목¹(木) ① =목명. ② ((민속)) este *m*, oriente *m*. ③ ((민속)) primavera *f*. ④ ((민속)) color *m* azul.

목²(木) ((준말)) =목요일(jueves).

목³(木) ((악기)) instrumento *m* de fricción de madera.

목(目) ① [항목] artículo *m*, párrafo *m*. ② ((생물)) orden *m*. ③ ((바둑)) punto *m*.

목가(牧歌) pastorela *f*, pastoral *m*, bucólica *f*, égloga *f*, idilio *m*. ~적 pastoral, pastoril, bucólico. ¶~적으로 pastorilmente. ~적인 음악 música *f* pastoril.

목각(木刻) ① [나무에 새김] entalladura *f* [talladura *f*·tallado *m*·escultura *f*] en madera. ~하다 tallar en madera. ~의 esculpido en madera. ② ((준말)) =목각화(木刻畵). ③ ((준말)) =목각 활자. ¶~ 인형 muñeca *f* de madera. ~판 tabla *f* tallada en madera. ~화 grabado *m*, tallado *m* en madera. ~ 활자 (letras *fpl*) mayúsculas *fpl* de imprenta.

목간(沐間) ① ((준말)) =목욕간. ② [목욕함] acción *f* de bañar. ~하다 bañar. ¶~통 bañera *f*.

목갑(木匣) caja *f* de madera.

목걸이 collar *m*; [짧은] gargantilla *f*.

진주 ~ collar *m* de perlas. 개의 ~ collar *m* de perros.

목검(木劒) espada *f* de madera.

목격(目擊) observación *f*, presencia *f*. ~하다 presenciar, asistir, ser testigo, ver, observar. ~담 historia *f* de observación. ~자 testigo *mf*; testigo *mf* ocular.

목공(木工) ① [목재를 다루어서 물건을 만드는 일] trabajo *m* en [de] madera, artesanía *f* en madera, carpintería *f*, ebanistería *f*. ② [목수] carpintero, -ra *mf*, ebanista *mf*; obrero, -ra *mf* de madera; maderero, -ra *mf*. ¶~ 공사 (obra *f* de) carpintería *f*, ebanistería *f*, maderaje *m*. ~구 utensilios *mpl* para trabajos en madera. ~기계 máquina *f* para trabajos en madera. ~ 기술 carpintería *f*. ~ 도구 herramientas *fpl* de carpintero. ~ 선반 torno *m* para la carpintería. ~소 tienda *f* de carpintero. ~품 objeto *m* [obra *f*] en [de] madera.

목곽(木槨) pared *f* de tumba del príncipe heredero. ~묘[분] tumba *f* del ataúd de madera.

목관(木棺) ataúd *m* de madera.

목관(木管) pipa *f* [tubo *m*] de madera.

목관악기(木管樂器) ((악기)) instrumentos *mpl* de viento de madera, instrumento *m* de viento-madera; [총칭] maderas *fpl*.

목구멍 garganta *f*; [식도] estómago *m*. ~의 gutural. ~이 아프다 dolerle la garganta, tener dolor de garganta.

목근(木根) raíz *f* de un árbol.

목근(木槿) ((식물)) =무궁화(無窮花).

목금(木琴) ((악기)) xilófono *m*, xilórgano *m*. ~을 켜다 tocar el xilófono. ~ 연주가 xilofonista *mf*.

목기(木器) tazón *m* de madera, vajilla *f* de madera. ~전(廛) tienda *f* de tazones de madera.

목다리(木―) muleta *f*. ~로 걷다 andar con muletas.

목단(牧丹) ① ((식물)) =모란. ② ((식물)) ((준말)) =목단피.

목단피(牧丹皮) ((한방)) cáscara *f* de la raíz de peonía.

목덜미 nuca *f*, cogote *m*, cerviz *f*, pescuezo *m*; [의복의] cuello *m*, escote *m*. ~를 잡다 asir [coger] por la nuca [por el cuello]; [동정을] agarrar por el cuello.

목도(木刀) espada *f* de madera.

목도(目睹) =목격(目擊).

목도리 bufanda *f*, tapaboca *f*, chupete *m*, chalina *f*, toquilla *f*, embozo *m*; [숄] chal *m*; [깃(털)의 (부인용)] boa *m(f)*.

목도장(木圖章) sello *m* de madera.

목돈 cifra *f* redonda, cantidad

importante [considerable], bastante dinero *m*, buena cantidad *f* de dinero.

목동(牧童) pastor *m*, pastorcillo *m*, zagal *m*; [소의] vaquero *m*; [거세한 소의] boyero *m*; [양의] ovejero *m*; [산양의] cabrero *m*; *Arg*, *Urg* gaucho *m*.

목뼈 ((해부)) vértebra *f* cervical.

목련(木蓮) ((식물)) magnolia *m*.

목련화(木蓮花) magnolia *f*.

목례(目禮) saludo *m* silencioso (con los ojos). ~하다 saludar con los ojos [con la cabeza].

목로(木櫨) mesa *f* para los vasos del licor en la taberna. ~ 술집[주점] taberna *f*, bar *m*, tasca *f*, *AmS* cantina *f*.

목록(目錄) catálogo *m*; [리스트] lista *f*, [재산의] inventario *m*; [문헌 따위의] repertorio *m*; [목차의] contenido *m*; [선수의] certificado *m*. ~ 작성 catalogación *f*.

목마(木馬) caballo *m* de madera, caballo *m* mecedor (장난감); [회전목마] tiovivo *m*. 트로이의 ~ caballo *m* de Troya.

목마름 =갈증(渴症).

목말 montadura *f* [sentada *f*] sobre los hombros (de los otros). ~(을) 타다 montar sobre los hombros. ~(을) 태우다 llevar (a *uno*) sobre los hombros.

목면(木棉/木綿) ① ((식물)) algodonero *m*, algodón *m*. ② [무명] algodón *m*. ¶~물 tejido *m* de algodón. ~사 hilo *m* de algodón.

목물 ① [사람의 목에까지 닿을 만한 깊이의 물] el agua *f* que llega hasta el cuello. ② [(바닥에 엎드려서) 허리에서 목까지를 물로 씻는 일, 또는 그 물] baño *m* ligero, el agua *f* del baño ligero. ~하다 bañar ligeramente, tomar un baño ligero.

목물(木物) artículo *m* de madera.

목민(牧民) reinado *m* [dominio *m*] sobre el pueblo. ~하다 gobernar al pueblo, reinar sobre el pueblo. ~(지)관 gobernador *m*.

목밑샘 ((해부)) =갑상선(甲狀腺).

목발(木一) muleta *f*. ~을 짚고 걷다 andar con muletas.

목불(木佛) Buda *m* de madera.

목비 un período de lluvia fuerte en la estación de plantar el arroz.

목비(木碑) lápida *f* [monumento *m*] de madera.

목뼈 hueso *m* de la nuca; ((해부)) vértebra *f* de la nuca.

목사(牧使) ((고제도)) gobernador *m*.

목사(牧舍) establo *m* de la granja.

목사(牧師) ((기독교)) pastor, -tora *mf*. 기독교의 ~ pastor, -tora *mf* protestante. 김 ~님 Reverendo

pastor Kim. ¶~관 residencia *f* [casa *f*] de pastor, vicaría *f*. ~직 clerecía *f*, vicariato *m*, [특히 천주교에서] ministerio *m* sacerdotal, sacerdocio *m*.

목산(目算) ((수학)) =암산(暗算).

목상(木像) ① [목우(木偶)] imagen *f* [estatua *f*] de madera. ② [나무로 만든 조각] escultura *f* de la estatua en madera.

목상자(木箱子) caja *f* de madera.

목석(木石) ① [나무와 돌] el árbol y la piedra; [생명이 없는 것] objetos *mpl* inanimados. ② [무디고 무뚝한 사람] persona *f* insensible.

목선(木船) barco *m* de madera.

목성(一聲) voz *f*.

목성(木星) ((천문)) Júpiter *m*.

목세공(木細工) (obra *f* de) carpintería *f*, ebanistería *f*, maderaje *m*.

목소리 ① [사람의] voz *f*. 높은·[큰] ~ voz *f* alta. 낮은·[작은] ~ voz *f* baja. 쉰 ~ voz *f* ronca. 아름다운 ~ voz *f* dulce. 음악적인 ~ voz *f* música [musical], voz *f* melodiosa. 통명스런 ~ voz *f* seca. 성난 [화난] ~ grito *m* de colera. 민중의 ~ voz *f* del pueblo.

목수(木手) carpintero, -ra *mf*. ~연장 herramienta *f* de carpintero. ¶~ 도구 herramientas *fpl* de carpintero. ~일 carpintería *f*.

목숨 vida *f*. 귀한 ~ vida *f* preciosa. 초로 같은 ~ vida *f* frágil [que bradiza·delezanable·débil], vida *f* [existencia *f*] como gota de rocío. ~(을) 걸다 arriesgar la vida. ~을 걸고 por [a costa de] *su* vida, con [a] riesgo [con peligro] de *su* [la] vida, hasta *su* [la] muerte. ~을 건 일 trabajo *m* con riesgo de la vida.

목양(牧羊) cría *f* de ovejas. ~하다 criar las ovejas.

목양(牧養) =목축(牧畜).

목양말(洋襪) calcetines *mpl* de algodón.

목요일(木曜日) jueves *m*. 매주 ~마다 cada jueves, todos los jueves.

목욕(沐浴) baño *m*. ~하다 bañarse, tomar un baño. ~시키다 bañar. ¶~료(값) precio *m* del baño. ~물 (el agua *f* para) el baño. ~ 수건 toalla *f* (de baño). ~실 cuarto *m* de baño. ~실 딸린 방 habitación *f* con baño. ~장 lugar *m* [sitio *m*] para el baño. ~ 재계 (abstinencia *f* y) ablución *f* de agua fría, ablución *f* sintoísta, purificación *f* de alma y cuerpo. ~ 재계하다 purificarse [mortificarse] con agua fría, hacer abstinencia y ablución, purificarse de alma y cuerpo. ~탕 (cuarto *m* de) baño *m*. ~통 bañera *f*, bañe-

ría f, cubo m de baño.
목운동(-運動) ejercicio m de cuello.
목인(牧人) pastor, -tora mf.
목자(牧者) ① [양을 치는 사람] pastor, -tora mf; manadero, -ra mf; guarda m de ganado. ② ((기독교)) pastor, -tora mf.
목장(牧場) ① [목축장] granja f, ganadería f, AmS rancho m; [목초지] prado m, pasto m; [작은 목초지] pradejón m; [집합적] pradera f; [소의] finca f (ganadera), AmL hacienda f (ganadera), Méj rancho m ganadero, RPI estancia f, Chi fundo m. ② =방목지.
목장갑(木掌匣) guantes mpl de algodón.
목재(木材) madera f (para construcción). ~의 maderero f. ~ 가옥 casa f de madera. ~ 공업 industria f maderera. ~ 공장 aserradero m. ~상 ㉮ [장사] negocio m [comercio m] de madera. ㉯ [장수] maderero, -ra mf; comerciante mf de madera. ~소 aserradero m, aserrería f. ~ industria maderera. ~ 저장소 maderería f. ~ 펄프 pulpa f de madera. ~ 회사 compañía f maderera.
목적(目的) objeto m, objetivo m, fin m, finalidad f; [의도] propósito m, intención f. ~ 없는 [방랑] sin rumbo (fijo); [삶] sin norte; [토론] que no conduce a nada. ~ 없이 [걷다] sin rumbo (fijo); [살다] sin objeto, sin norte; [말하다] sin ton ni son. ~ 없는 생활 vida f sin objeto. ~격 caso m acusativo. ~론[관] teleología f. ~세 impuesto m de objeto. ~어 complemento m. ~지 destino m, destinación f; [여행의] fin m del viaje. ~항(港) puerto m de destino, puerto m de destinación.
목전(目前) lugar m [sitio m] muy cercano. ~의 inmediato, inminente, urgente, de enfrente, todo cercano. ~에 delante de (los ojos), a la vista, a los ojos, a las barbas. en su presencia, en el acto, en el mismo sitio.
목정강이 hueso m de cuello, vértebra f cervical.
목젖 ((해부)) úvula f, epiglotis f.
목제(木製) manufactura f de madera [hecha de madera]. ~의 de madera, hecho de madera. ~품 artículo m hecho de madera, artículo m [objeto m] de madera.
목조(木造) construcción f de madera. ~ 가옥 casa f de madera. ~ 건물 edificio m de madera. ~ 건축 construcción f de madera. ~물 obra f de madera. ~선[선박] bar-

co m de madera. ~탑 pagoda f de madera.
목조(木彫) escultura f [talla f] de madera, arte m de trabajar la madera.
목질(木質) ① [나무로 된 것] cosa f hecha de madera. ② ((식물)) [리그닌] lignina f. ③ [나무의 질] calidad f de la madera. ~부 partes fpl leñosas. ~ 섬유 fibra f leñosa. ~소[素] lignina f.
목차(目次) índice m, tabla f de materiales, tabla f de contenido.
목책(木柵) cerca f de madera.
목청 ① ((해부)) [성대] cuerdas fpl vocales. ~을 울리다 vibrar las cuerdas vocales. ② [목에서 울려 나는 소리] voz f, tono m. ~을 높여 en voz alta, a gritos. ¶ ~껏 a voces, con todo el pulmón, con la máxima voz, a voz en cuello. ~껏 소리지르다 gritar con todo el pulmón [con la máxima voz·a voz en cuello].
목초(木草) el árbol y la hierba.
목초(牧草) pasto m, hierba f, pastoreo m; [꼴] pienso m, heno m. ~를 뜯어먹다 pacer, pastar.
목축(牧畜) ganado m, cría f de ganado. ~하다 criar el ganado. ~가 ganadero, -ra mf. ~ 농업 agricultura f ganadera. ~림 bosque m de pastoreo. ~ 시대 época f ganadera. ~업 ganadería f. ¶ ~업자 ganadero, -ra mf; ranchero, -ra mf. ~장 apacentadero m. ~지대 zona f ganadera.
목측(目測) cálculo m con los ojos. ~하다 calcular con los ojos, medir con los ojos, medir a ojo (de buen cubero). ~으로 a ojo (de buen cubero).
목침(木枕) almohada f de madera.
목침대(木寢臺) cama f de madera.
목탁(木鐸) ① ((불교)) zoquete m [tarugo m] (en el templo budista), gong m de madera. ② [세상 사람을 가르쳐 바로 이끌 만한 사람이나 기관] líder mf; dirigente mf; [식자] docto, -ta mf; sabio, -bia mf; erudito, -ta mf. 사회의 ~ líder mf de la sociedad.
목탄(木炭) ① [숯] carbón m de madera, carbón m de leña, carbón m vegetal. ② ((미술)) carboncillo m, RPI carbonilla f. ¶ ~ 가스 gas m de carbón. ~지(紙) papel m de carboncillo. ~차(車) coche m del motor de carbón vegetal. ~화(畵) dibujo m al carboncillo [al carbón], carboncillo m.
목통(木桶) cubo m de madera.
목판(木板/木版) ① ((인쇄)) grabado m en madera, plancha f de madera, xilografía f. ② =목판본. ¶ ~

가 xilógrafo, -fa *mf*; grabador, -dora *mf*. ~본 libro *m* xilográfico, libro *m* grabado en madera. ~술 xilografía *f*, tallado *m* en madera, grabado *m* en madera. ~ 인쇄 impresión *f* xilográfica. ~ 조각 grabadura *f* en madera. ~화(畵) xilografía *f*, grabado *m*.

목표(目標) fin *m*, objeto *m*, meta *f*, objetivo *m*, intención *f*, propósito *m*, gol *m*, guía *f*, blanco *m*. ~하다 apuntar, hacer puntería. ~물 blanco *m*, objetivo *m*. ~ 반경 radio *m* de blanco. ~액 cantidad *f* meta. ~일 día *m* de meta.

목피(木皮) corteza *f*.

목하(目下) por el momento, (por) ahora, por el presente, al presente, de presente, actualmente. ~의 actual, presente, de momento, existente.

목합(木盒) cuenco *m* de madera con tapa.

목향(木香) ((식물)) enula *f* campana.

목형(木型) modelo *m* de madera; [구 두 제조·보관용의] horma *f* (de zapatos). ~공 obrero, -ra *mf* de modelo de madera.

목화(木花) ((식물)) algodón *m*, algodonero *m*. ~꽃 flor *f* de algodonero. ~밭 algodonal *m*, plantación *f* de algodón. ~ 산업 industria *f* algodonera. ~솜 algodón *m* en rama. ~송이 hilo *m* de algodón en bolas. ~씨 semillas *fpl* de algodón.

목화(木靴) botas *fpl* de madera.

목화나무(木花-) ((식물)) algodonero *m*.

목활자(木活字) tipo *m* de madera.

목회(牧會) pastoreo *m*, pastoría *f*. ~하다 pastorear. ~학 teología *f* pastoral.

몫 [여럿으로 나누어 가지는 각 부 분] parte *f*, cupón *m*, porción *f*; [재산의] lote *m*; [분담금] cuota *f*, parte *f* porcional; [출자금] aportación *f*. 한 사람 ~ una ración. (半) 사람 ~ [분량] media ración *f*. ~을 주다 dar una porción, distribuir porción, prorratear. ~을 받다 cobrar *su* cuota [*su* parte]. ② ((수 학)) cociente *m*.

몫몫이 cada parte, todas las partes, cada porción, todas las porciones.

몬떼비데오 ((지명)) Montevideo. ~ 사람 montevideano, -na *mf*.

몬순 monzón *m*. ~의 monzónico. ~ 림 bosque *m* monzónico. ~ 지대 región *f* monzónica.

몬존하다 (ser) tranquilo, calmado.

몰(歿) muerte *f*, fallecimiento *m*. ~하다 morir, fallecer, dejar de existir. 1995년 9월 30일 ~ fallecido [muerto] el treinta de septiembre

de(l año) 1995.

몰[장식 끈] galón *m*.

몰[2] ((화학)) mol *m*.

몰각(沒却) indiferencia *f*, ignorancia *f*, borradura *f*, desaparición *f*. ~하 다 despreciar, ignorar, hacer caso omiso; [잊다] olvidar.

몰강스럽다 (ser) cruel, brutal, despiadado, duro de corazón.

몰골 figura *f*, hechura *f*, forma *f*. ~ 사나운 옷 ropa *f* indecorosa, ropa *f* informe, ropa *f* sin forma.

몰교섭(沒交涉) aislamiento *m* total, incoherencia *f*. ~하다 no tener relación, nada tener que ver.

몰년(歿年) [죽은 해] año *m* de la muerte; [죽은 해의 나이] edad *f* del año de la muerte.

몰다 ① [마소·차 따위를] llevar, conducir, guiar. 차를 ~ conducir [*AmL* manejar] un coche. 말을 ~ estimular [impeler·incitar] al caballo. ② [쫓다] perseguir, dar caza, cazar. 토끼를 ~ dar caza a la liebre. ③ [내쫓다] ahuyentar. ④ [궁지에] arrinconar, poner en un aprieto. ⑤ [구박하다. 나무라 다] condenar, censurar, reprobar, criticar. ⑥ [죄인 등으로] cargar (en cuenta).

몰두(沒頭) inmersión *f*, sumersión *f*, dedicación *f*. ~하다 absorberse, dedicarse.

몰락(沒落) arruinamiento *m*, decadencia *f*, ruina *f*, caída *f*, hundimiento *m*, derrumbamiento *m*. ~ 하다 arruinarse, caer, venir a menos, decaer, hundirse; [파산하다] hacer bancarrota, quebrar.

몰래 secretamente, en secreto, privadamente, ocultamente, reservadamente, con reserva, a puertas cerradas, clandestinamente, confidencialmente, a hurtadillas. ~ 만 나다 citar clandestinamente.

몰리다 congregarse, atroparse, agolparse, arremolinarse, apiñarse; [한 장소로] acudir.

몰리브덴 ((화학)) molibdeno *m* (Mo).

몰사(沒死) aniquilamiento *m*, aniquilamiento *m*, anulación *f*, anonadación *f*, extinción *f*, apagamiento *m*. ~하다 aniquilarse, anonadarse.

몰살(沒殺) carnicería *f*, matanza *f*, masacre *f*, mortandad *f*, degollina *f*, aniquilamiento *m*, exterminio *m*, exterminación *f*; [민족의] genocidio *m*. ~하다 hacer una carnicería, exterminar, aniquilar.

몰상식(沒常識) carencia *f* de sensatez, falta *f* de sentido común. ~하 다 (ser) sandio, desatinado, carecido de sensatez.

몰수(沒收) decomiso *m*, confiscación *f*. ~하다 decomisar, confiscar, incautarse. ~ 경기[게임] juego *m* confiscado. ~금 dinero *m* decomisado. ~물[품] artículo *m* [objeto *m*] confiscado, confiscación *f*. ~시탈 juego *m* confiscado.

몰식자(沒食子) ((한방)) agalla *f*. ~산(酸) ácido *m* gálico.

몰아 en suma global, a granel, en masa, en conjunto. ~ 지불하다 pagar en suma global. ~ 사다 comprar en suma global. ~ 팔다 vender en masa.

몰아(沒我) absorbimiento *m*, modestia *f*, abnegación *f*, renunciación *f*, desinterés *m*, desprendimiento *m*.

몰아내다 expulsar, ahuyentar.

몰아넣다 meter, hacer entrar.

몰아세우다 reprender fuerte.

몰약(沒藥) ((식물)) mirra *f*.

몰염치(沒廉恥) desvergüenza *f*, infamia *f*, ignominia *f*, insolencia *f*, desfachatez *f*, descaro *m*, impudencia *f*. ~하다 (ser) insolente, descarado, desvergonzado, sinvergüenza, desvergonzarse.

몰이 caza *f*, cacería *f*. ~하다 cazar. ~하러 가다 ir de caza, ir de cacería, cazar.

몰이해(沒理解) falta *f* de comprensión, incomprensión *m*. ~하다 (ser) incomprensivo, porfiado.

몰인정(沒人情) falta *f* de cariño [de compasión·de corazón], desamor *m*; [무정] inhumanidad *f*, dureza *f* de corazón, crueldad *f*, saña *f*. ~하다 (ser) poco benévolo, poco caritativo, sin corazón, cruel, inhumano, despiadado, sañudo.

몰입(沒入) absorción *f*, inmensión *f*, devoción *f*, sumersión *f*, zampuzo. ~하다 absorberse, estar absorto.

몰지각(沒知覺) falta *f* de discreción, indiscreción *f*, irreflección *f*, desconsideración *f*. ~하다 (ser) irreflexivo, incauto, desconsiderado.

몰취미(沒趣味) falta *f* de gusto, insulsez *f*, sosería *f*, aridez *f*. ~하다 (ser) soso, árido, insulso, insípido.

몰하다(歿―) morir, fallecer.

몸 ① [신체] cuerpo *m*, carne *f* viva, lo vivo; [전신] sistema *m*, todo el cuerpo; [체격] constitución *f*; [모습] figura *f*. ② [건강] salud *f*. 어린 ~으로 a pesar de ser joven. ~이 편하지 않다 estar enfermo [malo·mal]. ~에 좋다 ser bueno para la salud. ③ [사람 자신] sí mismo. 내 ~ yo mismo, mi cuerpo. ~에 걸치다 ponerse. ~에 익다 acostumbrarse, estar acostumbrado. ~을 던지다 arrojarse, echarse. ~으로 희생하다 sacrificarse. ④ [지위. 신분] posición *f*, puesto *m*. 귀한 ~ persona *f* de nacimiento noble [alto], figura *f*

importante, personaje *m*. ⑤ [월경] menstruación *f*, menstruo *m*, regla *f*, período *m*, mes *m*, flores *fpl*. ⑥ [사람] persona *f*, hombre *m*. 귀한 신 ~ persona *f* noble. 천한 ~ persona *f* humilde. ¶ ~(을) 가지다 ㉮ [아이를 배다] estar encinta [embarazada·preñada]. ㉯ [월경을 하다] menstruar, tener menstruación. ~을 더럽히다 violar, deshonrar. ~을 가지다 ㉮ [일에 열중하다] absorberse, entregarse, dedicarse. ㉯ [(자살하려고) 죽을 곳에 뛰어들거나 떨어지다] lanzarse [caerse] en el lugar de morir.

몸가짐 conducta *f* (moral), proceder *m*, costumbres *fpl*, hábitos *mpl*. ~이 좋은 사람 hombre *m* de hábito serio, persona *f* que se comporta bien, persona *f* bien educada.

몸가축 cuidado *m* de *su* aspecto personal. ~하다 cuidar de [atender a] *su* aspecto personal. ~을 잘하다 tener cuidado de *su* aspecto, estar bien cuidado.

몸값 rescate *m*, precio *m* de posesión de una persona. ~을 치루다 rescatar, redimir.

몸단속 protección *f*. ~하다 proteger.

몸단장(―丹粧) =몸치장.

몸때¹ [몸에 앉은 때] suciedad *f*, mugre *f*, inmundicia *f*, mancha *f* del cuerpo.

몸때² [월경 때] período *m* menstrual, tiempo *m* de la menstruación.

몸뚱이 cuerpo *m*.

몸마디 ((동물)) segmento *m*.

몸말 ((언어)) sujeto *m*.

몸매 figura *f*, forma *f*, físico *m*, postura *f*. ~가 좋은 bien proporcionado, de buen talle. ~가 나쁜 mal proporcionado, de mal talle. 우아한 ~ figura *f* elegante.

몸무게 peso *m* del cuerpo. ~가 많이 나가다 pesar mucho.

몸보신(―補身) vigorización *f* [tonificación *f*] de *su* cuerpo. ~하다 vigorizar [dar vigor·tonificar] *su* cuerpo.

몸부림 esfuerzo *m*, contienda *f*, ansiedad *f*, zozobra *f* (조바심); [말의] pateadura *f*, 빚 때문에 ~하다 estar en abismo de deuda.

몸살 fatiga *f* general, agotamiento *m* completo. ~이 나다 padecer de fatiga, adolecer de fatiga.

몸서리 ① [무서워서 몸이 떨리는 일] temblor *m*, estremecimiento *m*, escalofrío *m*. ~(를) 치다 estremecerse. ② [싫증이 나서 떨리는 일] fatiga *f*, hastío *m*, molestia *f*, fastidio *m*, pesadez *f*, aburrimiento *m*, saciedad *f*, hartazgo *m*.

몸소 personalmente, en persona, por sí mismo. ~ 보이는 모범 ejemplo *m* personal. ~ 익히다 aprender por experiencia.

몸수색(-搜索) registro *m*, cacheo *m*. ~하다 registrar, cachear.

몸시계(-時計) ＝회중 시계.

몸엣것 sangre *f* menstrual.

몸저눕다 caer enfermo [en cama].

몸조리(-調理) cuidado *m* de la salud; [병후의] recuperación *f*. ~하다 cuidar.

몸조심(-操心) ① [건강을 유지하기 위한 조심] cuidado *m* de la salud. ~하다 cuidarse. ~하세요 [usted에게] ¡Cuídese! / [tú에게] ¡Cuídate! ② [언행을 조심함] prudencia *f*, discreción *f*, cuidado *m*. ~하다 portarse prudentemente.

몸종 sierva *f*, doncella *f*.

몸집 tamaño *m* del cuerpo, talle *m*, constitución *f*, complexión *f*; [신장] estatura *f*, talla *f*.

몸짓 gesto *m*, ademán *m*, gesticulación *f*, señas *fpl*, moción *m*. ~하다 hacer (un) gesto, gesticular, asumir *su* postura, colocarse en cierta postura.

몸차림 atavío *m*, arreglo *m* personal, atuendo *m*. ~하다 asearse, ataviarse, arreglarse, vestirse.

몸채 casa *f* [edificio *m*] principal.

몸체(-體) cuerpo *m*.

몸치장(-治粧) atavío *m*, adorno *m*, ornamento *m*. ~하다 ataviarse, adornarse, asearse, ataviarse.

몸털 vello *m* del cuerpo.

몸통 ① [사람의 몸의 둘레] tronco *m*, cuerpo *m*; [동상의] torso *m*; [상반신] medio cuerpo *m* de arriba. ~이 길다 [짧다] ser largo [corto] de (medio) cuerpo (de arriba). ② [의복의] cuerpo *m*. ③ [큰 북 따위의] caja *f*. ④ [갑옷 따위의] peto *m*, pechera *f*, plastón *m*. ⑤ [비행기의] cuerpo *m*, casco *m*. ⑥ [배의] casco *m*.

몸피 físico *m*, constitución *f*.

몹시 ① [심히. 대단히] muy, mucho, sumamente, excesivamente, extremamente, inmensamente, maravillosamente, terriblemente. ~ 가난하다 ser muy pobre, ser tan pelado como una rata. ② [잔혹하게] cruelmente; [심하게] severamente, con severidad, violentamente.

몹쓸 ① [나쁜. 악한] malo, malvado, perverso, pernicioso, maligno, incorrecto, inmoral; [사악한] malo, perverso, malvado, impío, inicuo, malintencionado. ~ 인간 hombre *m* malvado. ② [악성의] maligno, peligroso, vicioso, virulento. ~ 병 enfermedad *f* maligna (viciosa).

못¹ [뾰족한 물건] clavo *m*, puntilla *f*. ~에 걸다 colgar de un clavo. ~(을) 박다 ㉮ [물건에 못을 박다]

clavar, clavatear, clavar un clavo. 십자가에 ~ crucificar. ㉯ [고정시키다] fijar, establecer. ㉰ [원통한 생각을 마음속 깊이 맺히게 하다] herir los sentimientos, clavar una daga al corazón. ㉱ [단정적으로 말하다] advertir.

못² [굳은살] callo *m*, callosidad *f*. ~이 잔뜩 박인 calloso, que tiene callos. ~이 잔뜩 박인 손 manos *fpl* callosas. ~이 생기다 encallecer, salir el callo. ~(이) 박이다 tener callos, encallecer(se), endurecerse la piel, salirse el callo.

못³ [물이 괸 곳] estanque *m* (인공의), charca *f* (자연의), laguna *f* (강·호수 등으로 통하는); [웅덩이] jofaina *f*; [저수지] depósito *m*, cisterna *f*, pantano *m*, balsa *f*; [물고기 사육용의] piscina *f*; [물이 괸 곳] charco *m*.

못걸이 percha *f*, gancho *m*.

못나다 [사람이 똑똑하지 못하다] (ser) estúpido, torpe, bobo, tonto. 못난 남자 hombre *m* estúpido. 못난 여자 mujer *f* estúpida. 못난 녀석 simplón *m*, tonto *m*, bobo *m*. ② [모양이 잘 생기지 못하다] (ser) feo. 얼굴이 ~ tener la cara fea.

못난이 tonto, -ta *mf*; bobo, -ba *mf*; estúpido, -da *mf*; [겁쟁이] cobarde *mf*.

못내 ① [그지없이] inconmensurablemente, incalculablemente; [대단히] muy, mucho, sumamente, profundamente. ② [잊지 않고] inolvidablemente; [늘] siempre, continuamente, constantemente, invariablemente, perpetuamente; [부정] nunca, jamás. ~ 잊지 못하다 nunca olvidar, no olvidar nunca.

못되다 (ser) maligno, malo, malino, perverso. 못된 남편 esposo *m* [marido *m*] maligno. 못된 나무에 열매만 많다 ((속담)) El pobre tiene muchos hijos. 못된 송아지 엉덩이에서 뿔이 난다 ((속담)) El hombre inhumano se comporta con altivez. 못된 일가가 항렬만 높다 ((속담)) Hierba mala presto crece / La cosa inútil es más próspera.

못마땅하다 (ser) desagradable, desapacible, ingrato, molesto, enojoso, fastidioso.

못바늘 alfiler *m*, clavija *f*.

못비 lluvia *f* suficiente para el trasplante de arroz.

못뽑이 sacaclavos *m.sing.pl*, arrancaclavos *m.sing.pl*.

못살다 vivir pobre. 못사는 사람들 los pobres, los necesitados. 굴다 meterse, molestar, hacer rabiar, fastidiar; [학대하다] maltratar, tratar mal, vejar, atormentar.

못생기다 ① [얼굴이] (ser) feo. 못생긴 얼굴 cara *f* fea, facción *f* fea. 못생긴 남자 hombre *m* feo. 못생긴 여자 mujer *f* fea. ② [어리석다] (ser) tonto, bobo, torpe, estúpido, imprudente.

못서까래 viga *f* redonda.

못쓰다 ① [어떤 행동을 해서는 안된다] no deber + *inf*; [비인칭] No hay que + *inf*, no + *subj*, no + *ind*「미래」; [금하고 있다] prohibirse + *inf*; [허가되지 아니하다] no poderse + *inf*, no permitirse + *inf*. 너 그런 짓을 하면 못쓴다 Tú no debes hacerlo. ② ㉮ [쓸 수 없게 되다] ser inútil, ser malo, no valer nada, no servir, empeorar(se) mucho, no funcionar, averiarse, estar averiado; [부적당하다] (ser) impropio, inconveniente, poco adecuado, poco apropiado. 못쓸 물건 artículo *m* poco adecuado [apropiado], malos artículos *mpl*. ㉯ [건강 상태가 나쁘다] (estar) mal, malo, enfermo. 그 환자는 이제 못쓰게 되었다 El enfermo no tiene cura.

못자리 ① [묘판] plantel *m* (para el vástago de arroz), sementero *m*, sementera *f*, almáciga *f*, semillero *m*, vivero *m*. ② [논에 볍씨를 뿌리는 일] sembradura *f* de las semillas de arroz. ~하다 sembrar las semillas de arroz.

못줄 línea *f* para plantar a la intemperie las hileras de la planta de semillero de arroz.

못질 acción *f* de clavar. ~하다 clavar (un clavo). ~한 상자 caja *f* clavada.

못하다¹ [할 수가 없다] no poder (hacer). 걷지 ~ no poder andar, *AmL* no poder caminar.

못하다² [질이나 양・정도가] ser inferior, ser peor, no llegar a la altura, estar por debajo, ser insuficiente. 서반아어로는 내가 그녀보다 ~ Ella me supera en español / No llego a su altura en español.

못하다³ ① [술・담배를] no tener (la) costumbre de + *inf*. 술을 ~ no tener (la) costumbre de beber. 나는 담배를 못한다 No tengo costumbre de fumar. ② [부정] no. 먹지 ~ no comer. 보지 ~ no ver.

몽경(夢境) sueño *m*.

몽고(蒙古) ☞ Mongol(Mongol)

몽골 Mongol, Mogol, la Mongolia. ~의 mogol, mongol, mogólico, mongólico. ~말[어] mogol *m*, mongol *m*. ~ 사람 mogol, -la *mf*; mongol, -la *mf*.

몽글다 (ser) sin aristas.

몽니 carácter *m* perverso [avieso・depravado], temple *m* [humor *m*]

vicioso, obstinación *f*, terquedad *f*, perversidad *f*. ~쟁이 persona *f* enfadada y codiciosa; terco, -ca *mf*; perverso, -sa *mf*.

몽당붓 cepillo *m* de escribir pequeño y grueso.

몽당비 escoba *f* mocha, escoba *f* muy gastada.

몽당솔 pino *m* bajo.

몽당연필(-鉛筆) lápiz *m* muy gastado.

몽당이 ① [뾰족한 끝이 닳아 거의 못쓸 정도가 된 물건] cabo *m* muy gastado. ② [공 모양으로 감은 실뭉치] ovillo *m* de un hilo.

몽당치마 falda *f* corta.

몽둥이 palo *m*, bastón *m*; [가는] vara *f*; [곤봉] garrote *m*, porra *f*.

몽땅¹ [죄다] todo, totalmente, en total, plenamente, de lleno, colmadamente, bastante, ampliamente, copiosamente, abundantemente, enteramente, completamente, en masa.

몽땅² [대번에 자르는 모양] de una vez, de golpe.

몽똑 desafilándose. ~하다 desafilarse, no tener punta, (ser) pequeño y grueso. ~한 desafilado, que no tiene punta. ~한 연필 lápiz *m* desafilado.

몽롱(朦朧) ① [달빛이] 흐릿함] poca claridad *f*. ~하다 (ser) poco claro. ~한 달빛 luz *f* de la luna poco clara. ② [어렴어릿하여 매우 희미함] mucha tenuidad *f*. ~한 그림자 sombra *f* muy tenue. ③ [가물가물하여 분명하지 않음] vaguedad *f*, obscuridad *f*. ~하다 (ser) vago, indistinto, confuso, opaco; [기분이 상쾌하지 않다] sombrío. ④ [어물어물하여 똑똑하지 않음] vacilación *f*. ~하다 (ser) vacilante, titubeante. ~한 대답 contestación *f* [respuesta *f*] vacilante [titubeante].

몽매(蒙昧) ignorancia *f*. ~하다 (ser) ignorante, salvaje, incivil. ~한 백성 pueblo *m* incivil.

몽매(夢寐) sueño *m*. ~에도 despierto o dormido, constantemente, todo el tiempo.

몽상(夢想) ensueño *m*, sueño *m*, ilusión *f*, visión *f*. ~하다 soñar, forjarse [hacerse] ilusiones.

몽설(夢泄) polución *f* nocturna, sueño *m* húmedo. ~하다 tener una polución nocturna, tener un sueño húmedo.

몽실몽실하다 (ser) rellenito, llenito, regorte, bien redondo, gordo.

몽유병(夢遊病) sonambulismo *m*, somnambulismo *m*. ~ 환자 sonámbulo, -la *mf*; somnámbulo, -la *mf*.

몽정(夢精) polución *f* nocturno, sueño *m* húmedo. ~하다 tener una polución, tener un sueño húmedo.

몽치 garrote *m*, cachiporra *f*, porra *f*. ~로 때리다 aporrear, dar *le* garrotazos, golpear [dar un golpe] con el garrote.

몽타주 montaje *m*. ~ 사진 fotomontaje, foto *f* robot.

몽혼(夢魂) el alma *f* del sueño.

몽혼(曚昏) anestesia *f*. ☞마취(痲醉)

몽환(夢幻) fantasía *f*, ensueño *m*, fantasmas *mpl*, visión *f*. ~의 fantástico, fantasioso, soñador.

묘(墓) tumba *f*, sepulcro *m*, sepultura *f*, montículo *m* funerario; [공동묘지] cementerio *m*, camposanto *m*.

묘(廟) [종묘] mausoleo *m*; [문묘] santo lugar *m*, santuario *m*.

묘기(妙技) [솜씨] destreza *f* (exquisita), habilidad *f* (exquisita), maravilla *f*; [연극 따위의] representación *f* maravillosa, función *f* maravillosa; [서커스의] espectáculo *m* espléndido, número *m* espléndido; [야구 따위의] juego *m* excelente.

묘령(妙齡) edad *f* casadera, edad *f* núbil. ~의 en la flor de la vida [de la doncellez]. ~의 여인 muchacha *f* a la flor de doncellez. ~에 달하다 llegar a la edad casadera.

묘목(苗木) árbol *m* joven, planta *f* de semillero, pimpollo *m*, jovenzuelo *m*. 뽕나무의 ~ árbol *m* joven del moral.

묘미(妙味) sabor *m* exquisito, encanto *m* verdadero, encanto *m* (indefinible), primor *m*, hermosura *f*, belleza *f*. 인생의 ~ encanto *m* de la vida. ~를 맛보다 gozar plenamente del placer, deleitarse. 시의 ~를 이해하다 entender la hermosura de la poesía.

묘비(墓碑) lápida *f* (sepulcral), piedra *f* sepulcral. ~명(銘) epitafio *m*, inscripción *f* sobre una lápida sepulcral.

묘사(描寫) descripción *f*, representación *f* (gráfica), interpretación *f*, delineamiento *m*, delineamento *m*, dibujo *m*, bosquejo *m*, trazado *m*. ~하다 describir, representar, hacer una descripción, delinear, dibujar, bosquejar, pintar.

묘소(墓所) cementerio *m*.

묘수(妙手) ① [묘한 솜씨] habilidad *f* excelente [extraña]; [바둑·장기 등의] buena jugada *f*; ② [기술이 능통한 사람] hombre *m* talento.

묘안(妙案) buena idea *f*, idea *f* [plan *m*·proyecto *m*·designio *m*] excelente. 나에게 ~이 떠올랐다 Se me ocurrió una buena idea.

묘약(妙藥) específico *m*, remedio *m*

infalible.

묘역(墓域) cementerio *m*.

묘지(墓地) cementerio *m*, camposanto *m*, campo *m* santo, sepulcro *m*, panteón *m*; [교회의] cementerio *m*, camposanto *m*. 공동 ~ cementerio *m* (general). 공원 ~ parque *m* de cementerio. 국립 ~ Cementerio *m* Nacional. 유엔 ~ Cementerio *m* Conmemorativo de las Naciones Unidas.

묘지(墓誌) epitafio *m*, inscripción *f* sobre lápida sepulcral..

묘지기(墓直 ─) guardián *m* del cementerio.

묘책(妙策) plan *m* [proyecto *m*·idea *f*] hábil [genial], proyecto *m* excelente, plan *m* ilustrado.

묘판(苗板) ① = 못자리. ② = 모판.

묘포(苗圃) criadero *m*, vivero *m*, semillero *m*.

묘하다(妙─) [기묘하다] (ser) extraño, curioso, singular; [보통이 아닌] raro, original, extraordinario. 묘하게 extrañamente, curiosamente, singularmente, raramente, extraordinariamente. 묘한 남자 hombre *m* raro. 묘한 복장 ropa *f* extraña. 묘한 얼굴 cara *f* perpleja.

묘혈(墓穴) fosa *f*. 스스로 ~을 파다 cavar fosa para *sí* mismo, cavar *su* propia fosa, atraerse *su* propia ruina [pérdida].

무 ((식물)) rábano *m*, nabo *m*. ~김치 kimchi *m* de rábano, rábano *m* encurtido. ~다리 piernas *fpl* gordas. ~말랭이 pedazos *mpl* de rábano secado. ~밥 comida *f* de rábanos en pedacitos. ~순(筍) brote *m* de rábano. ~씨 semilla *f* del rábano. ~장아찌 pedazos *mpl* de rábano secado y sazonado con soja. ~즙 rábano *m* [nabo *m*] rallado. ~짠지 kimchi *m* de rábano bien salado. ~찌개 sopa *f* de rábanos con carne, puerro y salsa china. ~채 rábano *m* rallado, rábano *m* cortado en juliana. ~청 partes *fpl* de rábano, hojas *fpl* y tallos de rábano. ~트림 eructo *m* mal oliente después de comer el rábano crudo. ~ㅅ국 sopa *f* de rábanos cortados en juliana, sopa *f* de nabo.

무(無) ① [공허함] vacío *m*, vacuidad *f*. ② ((철학)) nada.

무가(武家) familia *f* [casta *f*] militar.

무가(無價) ① [값이 없음] lo que no hay precio. ② [값을 매길 수 없을 만큼 귀중함] mucha preciosidad.

무가당(無加糖) ¶~의 sin azúcar.

무가지(無價紙) periódico *m* gratuito.

무가치(無價値) nonada *f*, desmerecimiento *m*. ~하다 nada tener valor. ~의 sin valor, que no vale

nada.
무간섭(無干涉) no intervención *f*.
무간하다(無間―) (ser) íntimo, familiar, amistoso, cordial. 무간한 친구 amigo *m* íntimo, amiga *f* íntima; buen amigo *m*, buena amiga *f*. 무간한 사이가 되다 intimar.
무감각(無感覺) insensibilidad *f*, entumecimiento *m*, aterimiento *m*, callosía *f*, [무기력] letargo *m*. ～하다 (ser) insensible, entumecido, entorpecido, paralizado, inconsciente, calloso; [무기력하다] letárgico. ～해지다 paralizarse, entumecerse. ¶ ～증 anestesia *f*.
무개(無蓋) ¶ ～의 abierto, descubierto. ～ 마차 coche *m* abierto. ～차 ㉮ [지붕이 없는 차량] vehículo *m* [coche *m*] abierto. ㉯ ＝무개 화차. ～ 화차 vagón *m* abierto; [지붕도 옆도 없는] vagón *m* de plataforma.
무겁다 ① [무게가] (ser) pesado, de peso. 무거운 짐 cargo *m* pesado. ② [중대하다] (ser) serio, grave, importante. 무겁게 쓰다 dar una posición importante. ④ [기분이] (ser) pesado. 마음이 ～ tener el corazón pesado. ⑤ [병이] (ser) serio, grave, malo, crítico, gravarse, empeorarse. 무거운 병 enfermedad *f* grave [seria]. 무거운 병에 걸리다 caer [ponerse] enfermo seriamente. ⑥ [입이] (ser) taciturno callado, silencioso, quieto; [행동이] prudente, serio, grave, pesadísimo, trabajoso.
무게 ① [중량] peso *m*. ② [가치나 중대성의 정도] importancia *f*. ③ [사람의 위신이나 신중성] dignidad *f*, prestigio *m*, gravedad *f*, majestuosidad *f*. ～가 얼마나 됩니까? ―5킬로그램입니다 ¿Cuánto pesa? ―(Pesa) Cinco kilómetros. ¶ ～ 중심 centro *m* de gravedad.
무결석(無缺席) asistencia *f* completa, asistencia *f* regular.
무경험(無經驗) inexperiencia *f*, falta *f* de experiencia. ～의 [간호사·조종사가] sin experiencia; [운전수·수영하는 사람이] inexperto, novato. ～자 inexperto, -ta *mf*, novato, -ta *mf*.
무계획(無計劃) falta *f* de plan, falta *f* de proyecto. ～하다 no tener proyecto [plan]. ～의 sin proyecto, sin plan. ～하게 여행하다 viajar sin [fijar] plan.
무고(無故) ¶ ～하다 (ser) sano y salvo; [서술적으로] estar bien; [건강하다] ser sano, gozar de la salud.
무고(無辜) inocencia *f*. ～하다 (ser) inocente, innocuo, sosegado, apacible, pacífico. ～한 백성 pueblo *m* inocente.
무고(誣告) acusación *f* falsa, calumnia *f*. ～하다 acusar falsamente, calumniar, denigrar, infamar. ～자 acusador *m* falso, acusadora *f* falsa; calumniador, -dora *mf*. ～죄 calumnia *f*, libelo *m*.
무곡(舞曲) ① [춤과 악곡] la danza y la música. ② ((음악)) danza *f*, música *f* de baile, música con danza. 서반아 ～ 제 5번 danza *f* española No. 5.
무골 호인(無骨好人) perfecto bonachón *m*.
무골충이(―蟲―) estría *f* decorativa cortada en el borde.
무공(武功) brillante servicio *m* militar, mérito *m* militar, hazaña *f*. ～을 세우다 distinguirse en el campo de batalla. ～ 포장 Medalla *f* de Mérito Militar. ～ 훈장 Orden *f* de Mérito Militar.
무관(武官) oficial *m* militar [marino]. 공사관부 ～ agregado *m* militar a la legación. 대사관부 ～ agregado *m* militar [해군 naval] a la embajada. ¶ ～ 학교 Academia Militar.
무관(無冠) ＝무위(無位). ¶ ～의 sin título, sin jerarquía, sin corona. ～의 제왕 periodista *mf*.
무관계하다(無關係―) no tener relación, no relacionarse, ser independiente.
무관심(無關心) indiferencia *f*, falta *f* de interés, desapego *m*, despego *m*. ～하다 no hacer caso, no preocuparse, no dársele un pepino, ser indiferente, no cuidarse nada, quedarse indiferente, no tener interés.
무관하다(無關―) ((준말)) ＝무관계하다.
무교육자(無教育者) persona *f* que no tiene educación, persona *f* iliterada.
무구(武具) armadura *f*, armas *fpl*, arnés *m*.
무구(無垢) ① [순수함] puridad *f*. ～하다 (ser) puro. ② [순결함] inocencia *f*, puridad *f*, lo inmaculado, lo impecable. ～하다 (ser) puro, cándido, inmaculado, impecable, inocente, sin mancha, sin tacha.
무국적(無國籍) pérdida *f* de nacionalidad. ～의 apátrida. ～자 apátrida *mf*, persona *f* sin patria; el que no tiene patria.
무궁(無窮) eternidad *f*, infinidad *f*, inmortalidad *f*. ～하다 (ser) eterno, infinito, inmortal. ～한 생명 vida *f* eterna. ¶ ～ 무진 infinidad *f*, infinitud *f*, inmensidad *f*, cúmulo *m*, montón *m*, sinnúmero *m*, sinfín *m*. ～ 무진하다 (ser) infinito, interminable, inextinguible, inagotable,

inacabable, sin fin, incalculable.

무궁화(無窮花) ① [(식물)] malvavisco *m*. ② [국화] flor *f* nacional de Corea. ¶ ~ 대한장 Gran Orden *f* de Mugunghwa. ~ 동산(삼천리) (tierra *f* hermosa de) Corea.

무궤도(無軌道) ① [궤도가 없음] sin riel. ② [상규에서 벗어나 있음] lo extravagante. ~하다 (ser) extravagante, desarreglado, desordenado. ¶ ~ 전차 tranvía *f* sin riel.

무균(無菌) asepsia *f*. ~의 aséptico, sin bacilo, sin microbio; [살균한] esterilizado; [파스텔식 살균한] pasterizado. ~의 우유 leche *f* esterizada, leche *f* pasterizada.

무급(無給) ¶ ~의 no pagado, no remunerado. ~으로 일하다 trabajar sin cobrar nada. ¶ ~ 조수 ayudante *m* no remunerado.

무기(武器) el arma *f* ~를 들다 tomar las armas, levantar con armas. ~를 버리다 dejar las armas. ¶ ~고 arsenal *m*, armería *f*. ~류 armas *fpl*, armamento *m*. ~상 comerciante *mf* de armas. ~ 원조 ayuda *f* de armas. ~ 제조 fábrica *f* de armas.

무기(無期) ((준말)) =무기한. ¶ ~수 condenado, -da *mf* a cadena perpetua. ~ 연기 aplazamiento *m* indefinido. ~ 연기하다 aplazar indefinidamente. ¶ ~ 정학 suspensión *f* de escuela por el período indefinido. ~ 징역 prisión *f* por vida con trabajo forzado, trabajos *mpl* forzados a perpetuidad, presidio *m* perpetuo. ~ 징역에 처하다 condenar a presidio perpetuo. ~형 cadena *f* perpetua.

무기(無機) ① [생명이나 활력을 가지고 있지 않음] inercia *f*, languidez *f*. ② [(준말)] =무기 화학. ③ ((준말)) =무기 화합물. ~물 materia *f* inorgánica, substancia *f* inorgánica. ~비료 fertilizante *m* inorgánico. ~ 화학 química *f* inorgánica.

무기력(無氣力) inercia *f*, astenia *f*, atonía *f*, languidez *f*, languideza *f*. ~하다 (ser) inerte, lánguido, sin energía, abatido, amilanado, exánime, inactivo, flojo.

무기명(無記名) ① [성명을 적지 않음] lo que no anota el nombre y apellido. ~의 no registrado, sin nombre, sin inscripto. ② ((준말)) =무기명식. ¶ ~ 수표 cheque *m* en blanco. ~ 정기 예금 depósito *m* fijo [regular] no inscripto. ~ 주권 título *m* al portador. ~ 주식 acción *f* al portador. ~ 증권 título *m* al portador. ~ 채권 bono *m* al portador. ~ 투표 voto *m* secreto, votación *f* secreta, balota *f* secreta.

무기한(無期限) ① [일정한 기한이 없음] período *m* indefinido. ~의 ilimitado, indefinido, sin plazo fijo. ~으로 infinitamente, ilimitadamente, indefinidamente, sin límite. ② [부사적] infinitamente, indefinidamente, sin límite. ¶ ~ 파업 huelga *f* ilimitada.

무난(無難) [안전] seguridad *f*, [무던함] lo impecable, lo intachable, lo perfecto; [쉬움] facilidad. ~하다 ㉮ [어렵지 않다] no ser difícil. ㉯ [무던하다] (ser) pasable, sano, ileso. ~히 seguramente, impecablemente, intachablemente, perfectamente, sanamente, ilesamente, sin novedad, fácilmente, con facilidad. 그는 그 곡을 ~ 연주했다 El tocó la pieza más o menos bien.

무남 독녀(無男獨女) única hija *f* (sin hijos).

무너뜨리다 derrivar, subvertir, demoler, derruir, destruir, romper, quebrar, quebrantar, rebajar; [붕괴하다] desintegrar, desmoronar.

무너지다 ① [허물어져 내려앉거나 흩어지다] derrumbarse, derribarse, decaer, desmoronarse, desplomarse, romperse; [지붕이] hundirse, venirse abajo. ② [계획이나 구상 따위가] fallar.

무녀(巫女) hechicera *f*, exorcista *f*, bruja *f*.

무녀리 ① [태로 낳는 짐승의 맨 먼저 나온 새끼] primogénito, -ta *mf* de cría. ② ((속어)) [언행이 좀 모자라서 못난 사람] simplón, -lona *mf*; bobo, -ba *mf*, bobalicón, -cona *mf*.

무노동 무임금(無勞動無賃金) Si no trabajan, no cobran.

무논 arrozal *m* de regadío.

무능(無能) ① [재능이 없음] carencia *f* de talento. ② ((준말)) =무능력. ¶ ~하다 (ser) incompetente, incapaz, nulo. ~한 남자[여자] hombre [mujer *f*] incapaz.

무능력(無能力) incompetencia *f*, ineficacia *f*, carencia *f* de habilidad, inhabilidad *f*, ((법률)) incapacidad *f*. ~하다 (ser) incompetente, incapaz, nulo. ~자 incapaz *mf*; persona *f* incapaz [incompetente].

무늬 figura *f*, modelo *m*, dibujo *m*, mosaico *m*, aguas *fpl*; [줄무늬] raya *f*, lista *f*. ~가 든 dibujado, adornado. ~가 있는 비단 seda *f* floreada.

무단(無斷) lo que no recibe el permiso previo. ~으로 sin aviso, sin permiso. ~히 sin aviso, sin decir nada; [허가없이] sin permiso. ~히 결근하다 faltar al trabajo sin avisar. ¶ ~ 결근 falta *f* al trabajo sin permiso. ~ 결석 ausencia f a la clase sin permiso. ~ 복사본 edición f pirata. ~ 전재(轉載) toda la publicación sin permiso. ~ 전재를 금함 Reservados todos los derechos. ~ 출입 entrada f sin autorización en propiedad ajena. ~ 출입하다 entrar sin autorización en propiedad ajena. ~ 출입 금지 ((게시)) Prohibido el paso, propiedad privada. ~ 출입자 intruso, -sa mf. ~ 해적판 edición f pirata. ~ 횡단 cruce m de la calzada imprudente. ~ 횡단자 peatón m imprudente.

무담보(無擔保) lo no garantizado. ~ 의 no garantizado, sin garantía, que no tiene prenda. ~로 sin prenda, sin garantía, al descubierto.

무당 chamán m; exorcista mf; hechicero, -ra mf; brujo, -ja mf; sacerdotista mf.

무대(舞臺) escenario m, escena f, tablado m, tablas fpl. ~에 서다 pisar las tablas; [배우가 되다] salir a escena, salir al escenario. ¶~ 각색 adaptación f teatral. ~ 감독 ㉠ [연출] acotación f, dirección f de escena. …의 ~ 감독을 하다 dirigir la tramoya de algo. ㉡ [사람] director, -tora mf de escena; [연극의] regidor, -dora mf de escena; [영화의] director, -tora mf de producción; regidor, -dora mf. ~ 담당자 tramoyista mf, maquinista mf. ~ 디자인[미술] escenografía f. ~ 디자이너[미술가] escenógrafo, -fa mf. ~ (소)도구 accesorios mpl. ~ 쇼 función f [representación] teatral, espectáculo m. ~ 예술 arte m escénico, arte m teatral, escenotecnia f. ~ 음악 música f escénica. ~ 의상 vestuario m (de teatro). ~ 장치 decorado m, decoración f escénica, escenografía f. ~ 장치하다 montar una decoración, hacer el decorado. ~ 장치가 escenógrafo, -fa mf. ~ 조명 iluminación f de escena.

무더기 pila f, montón m, rimero m. ~ 책 ~ montón m de libros. 한 ~ 에 천 원 mil wones el lote.

무더위 calor m sofocante [canicular · bochornoso · asfixiante].

무던하다 ① [너그럽다] (ser) generoso, simplón, magnánimo. ② [어지간하다] (ser) considerable, tolerable. ③ [충분하다] (ser) suficiente, bastante. ¶무던히 ㉠ [너그럽게] generosamente, con generosidad, bondadosamente, satisfactoriamente. ㉡ [어지간히] considerablemente, bastante, muy; [몹시] sumamente, excesivamente, extremamente. ~ 애쓰다 hacer un esfuerzo considerable. ㉢ [충분히] suficientemente.

무덤 tumba f, sepulcro m, sepultura f, panteón m, cementerio m.

무덥다 (estar) sofocante, asfixiante, bochornoso, ahogante. 무더운 날씨 tiempo m sofocante.

무도(武道) arte m militar. ~장 sala f de arte militar.

무도(無道) maldad f, inhumanidad f, iniquidad f, acción f malvada. ~하다 (ser) malvado, inhumano.

무도(舞蹈) baile m, danza f; [2인의] vals m, contradanza f, rigodón m. ~하다 bailar, danzar. ~의 상대 pareja f. ¶~곡 música f de baile. ~극 drama m de baile. ~병 corea f, baile m de San Vito. ~장 salón m de baile. ~ 학교 escuela f de baile. ~화 manoletinas fpl, bailarinas fpl, zapatillas fpl de baile. ~회 baile m, danza f, sarao m, fiesta f de baile.

무두장이(-匠-) curtidor, -dora mf.

무두질 curtimiento m, curtido m, zurra f. ~하다 curtir, zurrar, adobar, amasar. 가죽을 ~하다 adobar [aderezar] pieles.

무드 humor m, ambiente m, atmósfera f, clima m.

무득점(無得點) ¶~의 sin tantos, sin tallas. ~으로 끝나다 no ganar tantos, quedarse a cero.

무디다 ① [끝이나 날이] (estar) desfilado, (estar) embotado, cortar mal, no cortar bien. 무딘 sin filo, sin corte, desafilado. 무딘 칼 espada f embotada [sin filo · desafilado]. 무디게 하다 desafilar. ② [깨닫는 힘이 약하다] (ser) estúpido, torpe. 무디게 하다 embotar.

무뚝뚝하다 (ser) bronco, áspero, descortés, tosco, grosero, rudo, brusco, seco, insociable.

무럭무럭 [냄새·연기가] densamente; [성장이] rápidamente, bien, de prisa, aprisa, pronto, enseguida; [눈에 띄게] a ojos vistas, perceptiblemente, visiblemente. ~ 자라다 crecer a ojos vistas; [건강하게 자라다] crecer muy sano.

무려(無慮) [대략] unas, unos, poco más o menos, aproximadamente, casi, no menos que; [엄청나게] abundantemente, con abundancia. ~ 백만 관중이 모였다 No menos que un millón de espectadores fueron congregados.

무력(武力) poder m [fuerza f] militar. ~에 호소하다 acudir a las armas. ¶~ 간섭 intervención f armada. ~ 공격 ataque m armado. ~ 도발 provocación f militar. ~ 침략 agresión f armada. ~ 침

범 invasión *f* armada. ~ 행사 uso *m* de las fuerzas armadas, uso *m* de las armas. ~ 행사를 하다 usar las armas [las fuerzas armadas]. ~ 혁명 revolución *f* armada.

무력(無力) falta *f* de fuerza, impotencia *f*; [약함] debilidad *f*, ((의학)) acratia *f* ~하다 (ser) falto de fuerza, impotente, débil. ~증 adinamia *f*, astenia *f*.

무렵(때) tiempo *m*; [쯤] más o menos, aproximadamente, alrededor de, hacia, a eso de, cerca de, […할 때] cuando. 정오 ~ hacia mediodía, alrededor del mediodía.

무례(無禮) falta *f* de urbanidad, descortesía *f*, insolencia *f*. ~하다 (ser) mal educado, descortés, desatento, falto de urbanidad, falto de cortesía, impolítico, insolente.

무뢰한(無賴漢) canalla *m*, pillo *m*, pillastre *m*, pícaro *m*. ~처럼 행동하다 portarse como un canalla.

무료(無料) [값이나 삯을 받지 않음] gratuidad *f*; ~의 gratuito, gratis, libre. ~로 gratis, sin pagar nada, gratuitamente, de balde, de rositas. ~로 일하다 trabajar gratis. ② ~무급. ¶ ~강습회 curso *m* gratuito. ~ 배달 entrega *f* gratuita a domicilio. ~ 봉사 servicio *m* gratuito, servicio *m* voluntario. ~ 숙박소 asilo *m*, casa *f* cuna. ~ 입장 entrada *f* libre. ~ 입장권 billete *m* gratuito, entrada *f* gratuita.

무료(無聊) tedio *m*, fastidio *m*, aburrimiento *m*; [단조로움] monotonía *f*. ~하다 (estar) tedioso, fastidioso, aburrido, encontrarse [estar] con aburrimiento, aburrirse. ~를 달래다 divertir[se] el tiempo.

무르녹다 [과실이나 음식이] madurarse, estar en plena floración, (estar) maduro; [술이] añejo; [그늘 같은 것이] (ser) espeso, denso, intenso. 신록이 무르녹은 6월 junio *m* que el verde fresco está en su momento.

무르다[1] [물렁물렁하게 되다] ablandarse; [요리가 되어] estar bien cocido, estar tierno. 무른 감자 patata *f* bien cocida.

무르다[2] ① [샀거나 바꾸었던 물건을] cancelar (la compra). ② [이미 한 일을] retractar el movimiento. ③ [있던 자리에서 뒤로 옮다] apartarse, ponerse a un lado.

무르다[3] ① [단단하지 않고 여리다] (ser) blando, tierno, mullido, frágil, quebradizo, flojo, fláccido. 무른 감 caqui *m* blando. ② [물기가 많아] 뺏뺏하지 않다] no ser duro [tieso·rígido]. ③ [마음이나 힘이] (ser) indulgente, tolerante, blando,

débil, delicado, tímido.

무르익다 ① [과실·곡식 따위가] madurar bien [perfectamente]. 무르익은 bien maduro. ② [시기·계획 따위가] madurar. 무르익은 표현 expresión *f* madura.

무릅쓰다 arriesgar, desafiar, arrostrar. …을 무릅쓰고 a pesar de *algo*, pese a *algo*. 반대를 무릅쓰고 aplastando la resistencia. 위험을 ~ arriesgarse con riesgo, con peligro.

무릇 [대체로 보아. 대지] generalmente, en general, por lo general, por regla general. ~ 사람은 자기의 본분을 지켜야 한다 El hombre debe ser fiel a sus deberes.

무릎 rodilla *f*. [동물의] codillo *m*; [바지의] rodillera *f*, rodilla *f*. ~(을) 꿇다 ㉮ ponerse [hincarse] de rodillas, arrodillarse, doblegar las rodillas, doblar las rodillas. ㉯ [항복하다] rendirse, someterse, tirar la toalla.

무리[1] ① [사람의] grupo *m*, tropel *m* de gente, muchedumbre *f*, tropa *f*, multitud *f*, gentío *m*. ② [폭도 등의] banda *f*, cuadrilla *f*, camarada *f*. ③ [짐승의 떼] rebaño *m* (목축의), manada *f* (같은 종류의), grey *m* (양·돼지 따위의), bandada *f* (새·물고기의), vecera *f* (돼지의), lechigada *f* (한배의 돼지 새끼·강아지). ④ [벌레의] enjambre *m* (꿀벌의), nube *f* (나는 벌레의). ~를 이루다 enjambrarse. ⑤ [어군(魚群)] banco *m*, cardume *m*.

무리[2] ((천문)) halo *m*, corona *f*, halón *m*, nimbo *m*.

무리[1](無理) irracinalidad *f*, injusticia *f*, violencia *f*, sinrazón *f*, despropósito *m*, imposibilidad *f*. ~하다 [불가능한] (ser) imposible, impracticable, irrealizable; [이치에 맞지 않는] irracionable, irrazonable.

무리[2](無理) ((수학)) grupo *m*. ~수 número *m* irracional, número *m* inconmensurable. ~식 expresión *f* irracional. ~ 함수 función *f* irracional.

무마(撫摩) ① [손으로 어루만짐] caricia *f*, toque *m*. ~하다 dar*le* palmaditas, acariciar, hacer caricias. ② [마음을 달래어 위로함] consolación *f*, consuelo *m*, alivio *m*. ~하다 aplacar, calmar, mitigar, apaciguar, pacificar. ¶ ~비 precio *m* del silencio.

무면허(無免許) no autorización *f*. ~의 sin patente, no autorizado, sin permiso, sin licencia, ilegal. ~ 운전 conducción *f* sin carnet de conducir [de conductor]. ~ 운전을 하다 conducir un coche sin licencia [sin permiso]. ~ 의사 médico, -ca *mf* sin licencia; médico *m*

clandestino, médica _f_ clandestina;
[돌팔이 의사] matasanos _m_; curandero, -ra _mf_.

무명 algodón _m_. ~베 algodón _m_. ~
실 hilo _m_ de algodón. ~옷 ropa _f_
de algodón.

무명(武名) fama _f_ militar, honor _m_
como guerrero. 전투에서 ~을 떨
치다 obtener distinción en la
batalla.

무명(無名) el no tener nombre. ~의
anónimo, desconocido, sin nombre;
[명의가 없는] sin razón social,
injustificable. ~으로 anónimamente. ~의 신인 debutante _mf_ sin
fama. ¶~씨 anónimo, -ma _mf_;
persona _f_ anónima, nadie. ~ 용사
soldado _m_ desconocido. ~ 용사의
묘 tumba _f_ del soldado desconocido. ~ 인사 individuo _m_ oscuro,
individua _f_ oscura.

무명지(無名指) ⇒약손가락.

무모(無毛) falta _f_ de pelos. ~의
lampiño, falto de pelo, pelón, pelado. ~증 atriquia _f_, atricosis _f_, ((의
학)) alopecia _f_.

무모(無謀) temeridad _f_. ~하다 (ser)
temerario, suicida, arriesgado, demasiado atrevido; [무분별한] imprudente, irreflexivo, inconsiderable.

무미(無味) ① [맛이 없음] insipidez _f_.
~하다 (ser) insípido, soso, de mal
gusto, sin sabor, sin gusto. ② [재
미가 없음] lo no interesante. ③
[취미가 없음] el no tener gusto.

무미 건조(無味乾燥) insipidez _f_. ~하
다 (ser) insípido, sin gracia, llano,
insulso, prosaico, sin sabor, soso.

무반주(無伴奏) ¶~의 [노래] sin
acompañamiento; [악기] solo. ~
합창 coro _m_ sin acompañamiento.

무방(無妨) no daño _m_, no obstáculo
_m_. ~하다 [상관없다] no importar;
[곤란하지 아니하다] no tener dificultad; [해도 좋다] poder, estar
bien.

무방비(無防備) ¶~의 desarmado,
sin armas, indefenso, abierto. ~
국가 país _m_ indefenso. ~ 도시
ciudad _f_ abierta. ~ 상태 estado _m_
indefenso.

무배당(無配當) dividendos _mpl_ no
decretados. ~주(株) acción _f_ de
dividendos no decretados.

무배란(無排卵) anovulación _f_. ~(성)
의 anovular. ~성 월경 menstruación _f_ anovular.

무법(無法) desorden _m_, anarquía _f_,
ilegalidad _f_, injusticia _f_, ultraje _m_,
sinrazón _f_. ~하다 (ser) descontrolado, anárquico, donde no rige
la ley, injusto, ilícito, irrazonable,
violento, exorbitante. ~으로 injustamente, violentamente, bru-

talmente.

무병(無病) buena salud _f_. ~하다
gozar de buena salud, estar sano
y salvo. ~ 장수 longevidad _f_ sin
enfermedad.

무보수(無報酬) impago _m_. ~의 gratuito; [자원의] voluntario. ~로
gratuitamente, de balde, gratis;
[자원으로] voluntariamente. ~로
일하다 trabajar gratuitamente [de
balde · gratis].

무분별(無分別) falta _f_ de juicio,
imprudencia _f_, irreflexión _f_, insensatez _f_; [경솔] ligereza _f_. ~하다
(ser) imprudente, inconsiderable,
irreflexivo, insensato, ligero.

무불통지(無不通知) conocimiento _m_
extenso, sabiduría _f_ extensa. ~하
다 conocer [saber] extensamente,
ser erudito. ~한 사람 enciclopedia
_f_ [diccionario _m_] andante.

무비(無比) lo incomparable. ~의 sin
igual, sin par, incomparable, sin
rival, sin semejanza.

무비 [영화] película _f_, filme _m_. ~ 스
타 estrella _f_ de cine. ~ 카메라
filmadora _f_, tomavistas _m_; [직업적
인] cámara _f_ cinematográfica. ~
필름 película _f_.

무사(武士) guerrero _m_, soldado _m_,
caballero _m_. ~도 caballería _f_,
caballerosidad _f_, cortesía _f_.

무사(無死) [(야구)] no out _ing.m_, no
down _ing.m_. ~ 만루(滿壘) [Las
bases están cargadas con no out.

무사(無私) imparcialidad _f_, desinterés
_m_, abnegación _f_. ~하다 (ser) imparcial, desinteresado, desprendido.

무사(無事) [안전] seguridad _f_; [평온]
paz _f_, tranquilidad _f_, sosiego _m_;
[건강] buena salud _f_. ~하다 [안전
하다] (ser) seguro; [평온하다]
(ser) pacífico, estar tranquilo; [건
강이] estar bien, gozar de buena
salud, pasarlo bien; [안전하다]
estar en paz [en seguridad]. ~히
bien, sin novedad, sano y salvo,
sin accidente, sin contratiempo, a
salvo; [상품 등이] perfectamente,
en buen estado, en debida forma.
~히 도착하다 llegar sano y salvo.

무사고(無事故) sin accidente. ~의,
~로 sin (un) accidente. ~ 비행
vuelo _m_ sin accidente. ~ 운전
conducción _f_ sin accidente. ~차
coche _m_ sin accidente.

무사마귀 ((의학)) verruga _f_.

무산(無産) carencia _f_ de propiedades.
~ 계급 proletariado _m_. ~ 대중
proletario _m_. ~ 운동 movimiento
_m_ proletario. ~자 proletario, -ria
_mf_.

무산(霧散) dispersión _f_, disipación _f_.
~되다 dispersarse, disiparse, venirse abajo, desbaratarse. ~시키다

dispersar, disipar.

무산소(無酸素) no oxígeno *m*. ~ 상 태 estado *m* sin oxígeno. ~증(症) anoxia *f*.

무상(無上) ① supremacía *f*. ~의 supremo, sumo, altísimo. ~의 기 쁨 placer *m* [gozo *m*] supremo. ~의 영광 honor *m* supremo. ② ((불교)) supremo, incomparable, sin igual, sin par.

무상(無常) ① ((불교)) rueda *f*. 인생 ~ rueda *f* de la fortuna. ② [모든 것이 늘 변함] mutabilidad *f*, inestabilidad *f*, transitoriedad *f*, fugacidad *f*. ~하다 (ser) transitorio, fugaz, pasajero. ~ 출입 visita *f* libre, entrada *f* libre. ~ 출입하다 visitar libremente.

무상(無想) falta *f* de pensamientos, serenidad *f* de mente. ~ 무념 libertad *f* de toda preocupación. ~ 무념으로 libre de todas las ideas y de todos los pensamientos, con perfecta serenidad de mente.

무상(無償) no indemnización *f*, no compensación *f*, lo gratuito. ~으로 gratuito, sin recompensa, libre de cargo. ~으로 gratuitamente, gratis, de balde, sin pagar nada. ~ 교육 educación *f* gratuita. ~ 군사 원조 ayuda *f* militar gratuita. ~ 대부 préstamo *m* libre. ~ 배급 distribución *f* gratuita. ~ 원조 ayuda *f* gratuita. ~주 dividendo *m* en acciones, emisión *f* de acciones liberadas. ~ 증자 capitalización *f* gratuita.

무색(-色) color *m* teñido. ~옷 ropa *f* colorante.

무색(無色) ① [아무 색깔이 없음] acromatismo *m*; [투명함] transparencia *f*, trasparencia *f*. ~하다 no tener color, (ser) transparente, incoloro, neutral. ~ 투명한 incoloro y transparente. ~ 투명한 액체 líquido *m* incoloro y transparente. 정치적으로 ~이다 ser neutral políticamente, carecer de color político. ② [무안] vergüenza *f*, deshonor *m*, deshonra *f*, desgracia *f*, humillación *f*.

무색소(無色素) falta *f* de pigmento.

무생(無生) ① ((준말)) =무생물. ② ((불교)) no renacimiento *m*. ¶ ~ 물 objetos *mpl* inanimados, natura *f* inanimada.

무서리 primera escarcha *f* en el otoño tardío.

무서움 miedo *m*, temor *m*, horror *m*, espanto *m*, ferocidad *f*, lo terrible, lo espantoso, terror *m*.

무서워하다 temer, sentir [tener] miedo, asustarse, espantarse, atemorizarse.

무선(無線) ① [전선이 없음] falta *f* de alambre. ~의 sin alambre, sin hilo, inalámbrico. ② ((준말)) =무선 전신. ③ ((준말)) =무선 전화. ¶ ~ 검파기 radiodetector *m*. ~공 radiotelegrafista *mf*. ~ 공학 radioingeniería *f*. ~ 방송 radio *f*, radiodifusión *f*. ~ 방송국 estación *f* de radiodifusión. ~[기사] radiotelegrafista *mf*; [비행기의] radionavegante *mf*. ~ 전보 radiotelegrama *m*. ~ 전신 radiotelegrafía *f*. ~ 전화 teléfono *m* inalámbrico. ~ 통신 comunicación *f* sin hilos. ~ 통신 장치 equipo *m* de radiocomunicación. ~ 항법 radionavegación *f*. ~ 호출기 busca *m*, *Méj* bip *m*, *Chi* bíper *m*. ~ 회로 circuito *m* de radiófono.

무섭다 ① [두려운 느낌이 들다] (ser) terrible, espantoso, horrible, tremendo, temible, horroroso; dar*le* miedo, tener miedo. ② [지독하다] (ser) terrible, tremendo, horrible, severo. 무서운 구두쇠 tacaño, -ña *mf* terrible.

무성(無性) ((생물)) asexualidad *f*. ~의 asexual, asexuado. ~ 생식 reproducción *f* asexual. ~ 세대 generación *f* asexual. ~화(花) flor *f* neutra [asexuada].

무성(無聲) silencio *m*, taciturnidad *f*, falta *f* de voz. ~의 sin voz, silencioso, callado, sordo, mudo, sin ruido. ~ 영화 película *f* muda. ~ 영화 시대 tiempos *mpl* de película muda. ~음 sonido *m* sordo.

무성의(無誠意) doblez *f*, disimulación *f*. ~하다 (ser) doble, poco sincero.

무성하다(茂盛-) crecer frondoso [espeso]. 무성한 숲 bosque *m* espeso. (잎이) 무성한 식물 vegetación *f* frondosa.

무세(武勢) poder *m* del ejército.

무세(無稅) exención *f* de derechos, dispensa *f* de impuestos. ~의 libre [exento] de derechos [de impuestos], franco de derechos. ~ 수입품 artículos *mpl* importado libres de impuestos. ~품 artículos *mpl* libres (de impuestos), mercaderías *fpl* libres de impuestos

무소(動物) =코뿔소.

무소득(無所得) no ganancia *f*, no beneficio *m*. ~하다 no obtener ganancia [beneficio].

무소 불능(無所不能) omnipotencia *f*. ~하다 (ser) omnipotente, todopoderoso.

무소속(無所屬) independencia *f*, neutralidad *f*. ~의 independiente. ~ 의원 parlamento, -ta *mf* [diputado, -da *mf*] independiente.

무소식(無消息) sin noticias, no tener noticias. ~이 희소식 ((서반아 속 담)) Sin noticias, buenas noticias.

무소유(無所有) no posesión f.

무속(巫俗) costumbre f de las hechiceras.

무쇠 ① [[주물용] 철합금] hierro m colado, hierro m fundido. ② [씩 강하고 굳셈] fuerza f, poder m.

무수(無水) ¶ ~의 anhidro. ~물 anhídrido m. ~알코올 alcohol m anhidro.

무수(無數) sinnúmero m, innumeralidad m, muchedumbre f. ~하다 (ser) innumerable, infinito, incalculable, un sinnúmero (de). ~히 innumerablemente, infinitamente, incalculablemente.

무수입(無收入) no ingresos mpl. ~으로 sin ingresos.

무수정(無修正) no revisión f. ~으로 sin revisión.

무순(無順) sin orden.

무술(巫術) ① [무당의 방술] método m y técnica del hechicero. ② [샤머니즘] chamanismo m. ~을 행하다 practicar el chamanismo.

무술(武術) artes fpl militares. ☞무예

무슨 ¿qué?, ~ 까닭으로 ¿Por qué?, ¿Para qué?, ¿Por qué razón? ~ 일입니까? ¿Qué le pasa? ~ 일로 왔느냐? ¿Para qué vienes?

무승부(無勝負) empate m. ~로 되다, ~로 끝나다 empatar, emparejar, acabar en un empate. ~다 Quedamos empatados [iguales] / Quedó el partido en empate.

무시(無視) desatención f, descuido m, incuria f, indiferencia f. ~하다 no prestar atención, no hacer caso, hacer caso omiso. desatender, subestimar, despreciar, menospreciar, ignorar.

무시무시하다 (ser) terrible, espantoso, horroroso, formidable. 무시무시한 광경 escena f terrible. 무시무시한 얼굴 figura f terrible.

무시험(無試驗) no examen m. ~의 libre del examen. ~으로 sin examen, sin examinarse. ~ 입학 admisión f sin examen. ~제 sistema m sin examen.

무식(無識) ignorancia f, analfabetismo m. ~하다 (ser) ignorante. ~의 소치로 por ignorancia. ~을 폭로하다 revelar su ignorancia. ¶ ~쟁이[꾼] persona f ignorante; ignorante m.

무신경(無神經) insensibilidad f, apatía f. ~의 insensible, calloso. ~한 남자 hombre m poco delicado. ~하는 ~이다 El carece de delicadeza / Le falta delicadeza.

무신고(無申告) no aviso m. ~로 sin aviso. ~ 집회 reunión f (celebrada) sin aviso.

무신론(無神論) ((철학)) ateísmo m. ~자 ateísta mf, ateo, -a mf.

무심(無心) [생각 없음] inadvertencia f, falta f de intencionalidad f, desinterés m, falta f de atención, distracción f, despiste m; [순진함] inocencia f; [무감각] insensibilidad f; [무관심] indiferencia f. ~하다 (ser) inocente, inofensivo, descuidado, negligente, indiferente.

무심결(無心一) momento m involuntario [inconsciente]. ¶ ~에 [아무 생각없이] sin querer [intención], de improviso; [저도 모르게] inconscientemente, sin saberlo, sin darse cuenta, instintivamente.

무심코(無心一) [아무 생각없이] involuntariamente, sin querer [pensar], sin designio premeditado; [문득] casualmente, por casualidad; [부주의하게] con descuido; [저도 모르게] inconscientemente, sin saberlo [darse cuenta], instintivamente; [무관심하게] indiferentemente.

무아(無我) éxtasis m, desinterés m, abnegación f. ~경 éxtasis m.

무악(舞樂) ① [춤출 때 연주하는 아악] danza f y música de la corte. ② [노래와 춤] canción f y baile, danza f con música.

무안(無顏) vergüenza f, deshonor m, deshonra f, desgracia f, humillación f. ~하다 tener vergüenza, avergonzarse, sonrojarse.

무안타(無安打) no hit m, sin hit m.

무액면(無額面) ¶ ~의 sin valor a la par, sin valor nominal. ~ 주식 acción f sin valor nominal.

무어 ((준말)) =무엇. ① [놀람을 나타내는 말] ¡Qué! ¡Qué! / ¿Cómo? ¿Qué dices? / ¿Eh? ~, 다시 한 번 말해 봐 ¡Qué! Dímelo otra vez. ② [아이들이 친구끼리 부를 때] 수옥아, ~ 왜 그래? Su Ok, ¿qué te pasa?

무언(無言) silencio m, callada f, taciturnidad f. ~의 silencioso, callado, tácito. ~으로, ~ 중에 en silencio, silenciosamente. ~의 반항 resistencia f pasiva.

무엄(無嚴) impudencia f, insolencia f, inmodestia f. ~하다 (ser) impudente, descarado, indecente, insolente.

무엇 ¿qué?, ¿cuál? ~이 어쨌다고? ¿Qué? / ¿Qué dices? ~일까? ¿Qué será? ~을 드릴까요? ¿Qué quiere [desea] usted? / ¿En qué puedo servirle a usted? / ¿Qué se le ofrece a usted? ~을 드시겠습니까? ¿Qué desea [quiere] usted tomar?

무엇 때문에 ¿Por qué?, ¿A qué?, ¿Para qué? ~ 그런 짓을 했느냐? ¿Por qué lo hiciste?

무엇보다도 ante todo, sobre todo, por encima de todo, más que todo, más que nada. ~ 중요한 것 lo más importante de todo.

무엇이든 cualquiera, cualquier cosa, todo. ~ 좋다 Cualquiera bien. 네 마음에 드는 것을 ~ 골라라 Elige cualquiera que te gustes.

무엇하다 (ser) delicado, embarazoso, violento, penoso, lamentable, insatisfatorio, poco satisfactorio, deficiente poco convincente, difícil decir [describir]. 말씀드리기 좀 무엇합니다만 francamente, sinceramente, para serte franco, hablando francamente, Perdóneme mi franqueza, pero ….

무역(貿易) comercio *m* exterior [internacional·extranjero], intercambio *m* comercial. ~하다 comerciar, negociar, traficar. ~계 mundo *m* comercial, círculos *mpl* comerciales. ~ 박람회 feria *f* comercial, feria *f* de muestras. ~ 사절단 misión *f* comercial. ~상 [수출상] exportador, -dora *mf*; [수입상] importador, -dora *mf*; [수출입상] exportador e importador. ~[수출입업] comercio *m* exterior [internacional]. ~ 상사 casa *f* comercial. ~ 수지 balanza *f* comercial. ~ 신용장 crédito *m* comercial. ~ 업자 comerciante *m* exterior [internacional]. ~외 거래 transacción *f* [negocio *m*] invisible. ~ 수입 ganancias *fpl* [beneficios *mpl*] invisibles. ~외 수지 comercio *m* invisible. ~외 수출 exportación *f* invisible. ~ 자금 fondo *m* comercial. ~ 자유화 liberalización *f* del comercio. ~ 전쟁 guerra *f* comercial. ~ 정책 política *f* del comercio exterior. ~ 제재 sanción *f* comercial. ~ 통제 control *m* comercial. ~품 mercancías *fpl* de comercio exterior. ~풍 vientos *mpl* alisios, monzón *m*. ~항 puerto *m* comercial. ~ 허가장 permiso *m* para el comercio. ~ 협력 기구 Organización *f* para la Cooperación Comercial. ~ 협정 acuerdo *m* [convenio *m*] comercial, acuerdo *m* [tratado *m*] de comercio. ~ 협회 Asociación *f* del Comercio Exterior. ~ 회사 sociedad *f* comercial; [수출입 회사] casa *f* exportadora e importadora.

무연(無煙) ¶~의 sin humo. ~탄 carbón *m* sin humo, antracita *f*. ~ 화약 pólvora *f* sin humo.

무연(無緣) sin relaciones. ~ 묘지 cementerio *m* [*Méj* panteón *m*] ~

무연고(無緣故) =무연(無緣).

무예(武藝) artes *fpl* marciales, artes *fpl* militares.

무욕(無慾) libertad *f* de codicia, generosidad *f*. ~하다 (ser) desinteresado, generoso.

무용(武勇) valentía *f*, bravura *f*, valor *m*, braveza *f*, coraje *m*, acto *m* heroico; [무훈] hazaña *f*, proeza *f*. ~담 cuento *m* [historia *f*] de hazaña. ~전(傳) historia *f* heroica, vida *f* de héroe.

무용(無用) ① [용무 없음] no negocio *m*. ~의 sin negocio, que no tiene negocio. ② [무익. 불필요] inutilidad *f*. ~하다 (ser) inútil, inservible, innecesario, superfluo. ~의 inútil, innecesario. ~자 출입 금지 ((게시)) No se permite entrar exceptuando sobre negocios / Entrada prohibida al público.

무용(舞踊) danza *f*, baile *m*. ~하다 danzar, bailar. ~가(家) bailador, -dora *mf*; danzante *mf*; [직업적인] bailarín, -rina *mf*. ~곡 canción *f* de baile. ~극 drama *m* de baile. ~ 단 cuerpo *m* [compañía *f*] de baile. ~복 ropa *f* de baile. ~ 선생 profesor, -sora *mf* de baile, instructor, -tora *mf* de baile. ~ 수 bailarín, -rina *mf*. ~ 연구소 escuela *f* [academia *f*] de baile. ~ 음악 música *f* de baile.

무운(武運) suerte *f* guerrera, suerte *f* bélica, fortuna *f* [suerte *f*] militar, buen éxito *m* militar. ~ 장구 buena suerte *f* militar por largo tiempo.

무운(無韻) no rima *f*. ~의 sin rima. ~시 verso *m* libre [sin rima].

무위(武威) gloria *f* [honra *f*·prestigio *m*·fama *f*] militar.

무위(無爲) ociosidad *f*, desocupación *f*, holganza *f*, pereza *f*. ~하다 (ser) ocioso, desocupado, perezoso.

무위 도식(無爲徒食) vida *f* ociosa. ~하다 llevar una vida ociosa, vivir ociosamente, vivir en ociosidad, zanganear. ~으로 재산을 탕진하다 dilapidar [malgastar] *su* hacienda y arruinarse.

무의(無醫) no médicos *mpl*. ~의 sin médicos. ~촌 *Myeon* sin médicos. ~촌 aldea *f* sin médicos.

무의미(無意味) insignificancia *f*, inutilidad *f*, nulidad *f*, futilidad *f*. ~하다 (ser) insignificante, fútil, ruin, trivial, despreciable, desdeñable, absurdo, inútil, vacío, sin sentido.

무의식(無意識) inconsciencia *f*, sin conocimiento; ((심리)) inconsciente *m*. ~ 상태에 있다 encontrarse [estar] en un estado inconsciente. ~적 inconsciente, involuntario. ~ 적으로 inconscientemente, involuntariamente.

무이자(無利子) no interés *m*.

무익(無益) inutilidad *f*. ~하다 (ser)

inútil, inservible. ~하게 inútilmente.

무인(武人) =무사(武士)(guerrero). ¶~석(石) estatua *f* de guerrero de piedra delante de la tumba.

무인(拇印) =손도장.

무인(無人) ① [사람이 없음] lo que no hay personas. ~의 deshabitado, inhabitado, desierto. ② [일손이 모자람] falta *f* de la mano de obra. ¶~도 isla *f* deshabitada [inhabitada · desierta]. ~ 로켓 cohete *m* sin tripulación. ~ 비행기 avión *m* sin piloto. ~ 운전 conducción *f* [*AmL* manejo *m*] sin tripulación. ~ 위성 satélite *m* sin [no] tripulado. ~ 절도(絶島) isla *f* inhabitada y remota. ~지경 región *f* inhabitada, desierto *m*, tierra *f* de nadie. ~ 지대 región *f* inhabitada, tierra *f* de nadie. ~ 차단기 paso *m* a nivel sin guardián. ~ 판매기 máquina *f* expendedora, distribuidor automático. ~ 판매대 puesto *m* de autoservicio.

무인(舞人) danzante *mf*, bailador, -dora *mf*.

무인칭(無人稱) impersonalidad *f*. ~의 impersonal. ~ 동사 impersonal *m*, verbo *m* impersonal. ~ 문장 oración *f* impersonal.

무일푼(無一一) no tener ni un céntimo. ~으로 sin dinero, sin blanca. ~이다 no tener ni un céntimo [un real · una blanca], no tener ni cobre en el bolsillo, estar sin dinero, estar sin blanca.

무임(無賃) gratuidad *f*. ~의 libre, gratuito. ~으로 gratis, de balde, gratuitamente. ~ 승객 pasajero, -ra *mf* libre; gorrero, -ra *mf*. ~ viaje *m* sin pagar. ~ 승차권 pase *m* libre.

무임소(無任所) sin cartera. ~ 국무위원 ministro, -tra *mf* del Estado, ministro sin cartera. ~ 장관 ministro, -tra *mf* sin cartera.

무자격(無資格) descalificación *f*, falta *f* de capacidad, inhabilidad *f*, incapacidad *f*, incompetencia *f*, ineptitud *f*, desmerecimiento *m*. ~하다 no tener capacidad [competencia]. ~ 교사 maestro *m* no titulado, maestra *f* no titulada; maestro, -tra *mf* que no tiene licencia. ~ 의사 médico *m* no calificado, médica *f* no calificada. ~자 incompetente *mf*; persona *f* descalificada [no calificada].

무자본(無資本) falta *f* de capital [de fondos]. ~으로 sin capital, sin fondos.

무자비(無慈悲) crueldad *f*, ferocidad *f*, inhumanidad *f*, barbarie *f*, brutalidad *f*, salvajismo *m*, falta *f* de compasión, falta *f* de corazón. ~하다 (ser) cruel, inhumano, bárbaro, feroz, sanguinario.

무자식(無子息) sin hijos, sin heredero. ~이다 no tener hijos. 무자식 상팔자 ((속담)) El amor de niños es un estorbo eterno.

무작정(無酌定) falta *f* de un plan definido, temeridad *f*, irreflexión *f*, imprudencia *f*, precipitación *f*.

무장(武裝) armamento *m*, equipo *m* bélico. ~하다 armar, equipar; [자신의] armarse. ~한 armado. ~을 해제하다 desarmar, desguarnecer. 소총으로 ~하다 armarse con [de] un fusil. ¶~ 간첩 espía *m* armado. ~ 경관 policía *m* armado. ~병 soldado *m* armado. ~ 봉기 rebelión *f* armada. ~선 barco *m* armado. ~ 중립 neutralidad *f* armada. ~해제 desarme *m*.

무저항(無抵抗) no resistencia *f*. ~의 no resistente. ~주의 principio *m* de no resistencia. ~주의자 no resistente *mf*.

무적(無敵) ¶~의 sin par, sin igual, invencible, incomparable, sin rival, inigualable. ~의 용사 hombre *m* de valor sin par [sin igual]. ¶~함대 ㉮ [겨룰 만한 적이 없는 강한 함대] armada *f* invencible. ㉯ ((역사)) Armada *f* Invencible.

무적(無籍) falta *f* de un domicilio registrado, falta *f* de record. ~자 persona *f* que no tiene domicilio registrado; vago, -ga *mf*.

무전(無電) ① ((준말)) =무선 전신. ¶~을 치다 radiografiar, enviar [poner] un radiograma. ~으로 구조를 요청하다 pedir el socorro por radiograma. ② ((준말)) =무선 전화. ¶~기 aparato *m* de radio. ~기사 radiotelegrafista *mf*. ~실 sala *f* de radiograma, sala *f* radiotelegráfica.

무전(無錢) sin blanca, sin cuartos, sin tener dinero. ~ 여행 viaje *m* sin dinero, viaje *m* vagabundo. ~유죄 유전 무죄 Para los ladroncillos se hicieron cárceles y presidios; para los grandes ladrones siempre hay cuentas de perdones. ~ 취식 fuga *f* sin pagar la comida. ~ 취식하다 fugar sin pagar la comida, comer y beber sin dinero [sin pagar la cuenta]. ~ 취식자 trampista *mf* de restaurante.

무절제(無節制) intemperancia *f*, inmoderación *f*, incontinencia *f*. ~하다 (ser) intemperante, inmoderado, incontinente.

무정(無情) falta *f* de corazón, crueldad *f*, inhumanidad *f*. ~하다 (ser) insensible, inhumano; [냉혹하다] cruel, duro; [무자비하다] despiadado.

무정란(無精卵) huevo *m* no fecundado.

무정부(無政府) anarquía *f*. ~ 상태 anarquía *f*, estado *m* anárquico. ~ 주의 anarquismo *m*. ~주의자 anarquista *mf*.

무정형(無定形) amorfía *f*. ~ 금속 metal *m* amorfo. ~ 물질 su(b)stancia *f* amorfa. ~ 상태 estado *m* amorfo. ~ 수정 cuarzo *m* masivo.

무제(無題) no título *m*. ~시 poema *m* sin título.

무제한(無制限) sin límites, sin restricción. ~의 no límites, no restringido, ilimitado; [자유스런] libre.

무조건(無條件) sin condición. ~의 incondicional. ~ 반사 reflejo *m* incondicionado. ~ 신용장 crédito *m* al descubierto, crédito *m* abierto. ~적 incondicional.

무좀 ((의학)) eccema *m*, eczema *m*.

무죄(無罪) inocencia *f*, inculpabilidad *f*, sin culpa. ~ 방면 absolución *f*.

무주택(無住宅) sin casa, sin hogar. ~ 비율 ratio *m* sin hogar. ~ 민 masas *fpl* sin hogar. ~ 인구 población *f* sin casa. ~자 persona *f* sin casa. ~증명 persona *m* de verificar *su* estado sin hogar.

무중력(無重力) ingravidez *f*. ~의 sin gravitación, ingrávido. ~ 상태 estado *m* sin gravitación, estado *m* de ingrávido, estado *m* ingrávido.

무지(無知) ignorancia *f*, estupidez *f*. ~하다 (ser) ignorante, estúpido, iliterato. ~하게 ignorante, estúpidamente. ~한 사람 persona *f* ignorante. ~막지하다 (ser) ignorante y zafio. ~막지한 짓 atrocidad *f*. ~ 몽매 ignorancia *f*. ~ 몽매하다 (ser) ignorante.

무지각(無知覺) insensibilidad *f*, insensatez *f*. ~하다 (ser) insensible, insensato.

무지개 arco *m* iris. ~가 서다 aparecer arco iris. ~[빛색] color *m* irisado. ~빛을 내다 irisar.

무지근하다 ① [뒤가 잘 안나와서 기분이 무겁다] estar estreñido, estar cargado, *Chi* estar estítico. ② [머리가 멍하고 가슴이 무엇에 눌리는 듯하다] sentir pesado [aburrido].

무지렁이 ① [어리석고 무식한 사람] zote *mf*, zopenco, -ca *mf*, tonto, -ta *mf*. ② [헐어 못 쓰게 된 물건] artículo *m* gastado.

무직(無職) sin ocupación, sin trabajo, sin empleo. ~이다 no tener empleo. ~자 ((준말)) =무직업자.

무직업(無職業) sin ocupación, sin trabajo, sin empleo. ~자 persona *f* desempleada [sin ocupación].

무진장(無盡藏) cantidad *f* inagotable. ~하다 (ser) inagotable.

무질서(無秩序) desorden *m*, confusión *f*, tumulto *m*. ~하다 (estar) desordenado, confuso, tumultuario, estar hecho un lío.

무찌르다 ① [처부수다] vencer. 상대 팀을 ~ vencer al equipo adversario. ② [살육하다] matar, quitar la vida, matar atrozmente, hacer una carnicería.

무차별(無差別) ① [차별이 없음] falta *f* de distinción. ~하다 (ser) indistinto. ~하게 indistintamente. 남녀 ~하게 sin distinción de sexo. ② ((철학)) indiferencia *f*.

무착륙(無着陸) no aterrizaje *m*. ~하다 no aterrizar. ~으로 sin aterrizar, sin aterrizaje.

무참하다(無慘-) ① [잔혹하다] cruel, atroz, horrible, de sangre fría. ② [비참하다] (ser) lastimero, patético, conmovedor, lastimoso, trágico, horrible, horroroso.

무책임(無責任) irresponsabilidad *f*. ~하다 no tener sentido de responsabilidad; (ser) irresponsable.

무척 muy, mucho, sumamente, extremamente, en extremo, en suma grado. ~ 여위다 adelgazar mucho. ~ 사랑하다 amar [querer] con locura, amar [querer] mucho.

무척추(無脊椎) lo invertebrado. ~의 invertebrado. ~ 동물 invertebrados *mpl*, animal *m* invertebrado.

무청(蕪菁) ((식물)) (hojas *fpl* y ramas del) nabo *m*.

무취(無臭) no olor *m*. ~의 inodoro, sin olor.

무취미(無趣味) falta *f* de gusto, insulsez *f*, sosería *f*, aridez *f*. ~하다 (ser) insulso, soso, árido, insípido, prosaico. ~한 사람 persona *f* que no tiene gusto.

무탈(無頉) sin problemas algunos.

무턱대고 [무분별하게] indiscretamente, imprudentemente, desatentamente; [준비없이] sin preparación alguna, al buen tuntún; [되는대로] al azar, sin orden ni concierto, a lo loco; [무차별하게] sin distinción, ciegamente, a ciegas, a viva fuerza, a ojos cerrados, promiscuamente, atrevidamente.

무테(無-) sin montura [armazón]. ~ 안경 gafas *fpl* [anteojos *mpl*] sin montura [sin armazón].

무통(無痛) anodinia *f*, aponia *f*. ~의 indoloro, sin dolor. ~ 분만 anodinia *f*, parto *m* sin dolor [indoloro]. ~약 analgesia *f*.

무투표(無投票) ¶ ~의 sin votación. ~ 당선 elección *f* sin votación. ~ 당선되다 ser elegido sin votación.

무패(無敗) no derrota *f*.

무표정(無表情) sin expresión. ~하다 (ser) inexpresivo.

무풍(無風) calma *f* chicha [muerta]. ~의 sin viento, encalmado. ~지대 zona *f* de calmas chichas.

무학(無學) analfabetismo *m*. ~자 analfabeto, -ta *mf*.

무한(無限) infinidad *f*, inmensidad *f*, sinnúmero *m*, sinfín *m*, eternidad *f*, ((철학)) infinitud *f*. ~의 infinito, indefinido, ilimitado, eterno, interminable, inextinguible. ~ 궤도 carril *m* [riel *m*·raíl *m*] sin fin, riel *m* inacabable. ~ 궤도 차량 vehículo *m* a oruga. ~ 급수 serie *f* infinita. ~대 infinidad *f*; ((수학)) infinito *m*. ~소 cantidad *f* infinitesimal. ~ 책임 responsabilidad *f* ilimitada. ~ 책임 사원 socio *m* colectivo, socia *f* colectiva. ~ 회사 sociedad *f* ilimitada.

무한량(無限量) cantidad *f* infinita.

무한정(無限定) ① infinidad *f* ② [부사적] infinitamente, indefinidamente, sin límites.

무해(無害) inocuidad *f*. ~하다 (ser) inofensivo, inocuo, innocuo.

무허가(無許可) no permiso *m*, no licencia *f*. ~의 sin permiso, sin licencia. ~ 건물 edificio *m* sin permiso [sin licencia]. ~ 영업 comercio *m* clandestino. ~ 판자집 choza *f* [casucha *f*] sin licencia.

무혈(無血) no sangre *f*. ~의 sin sangre, sin derramamiento de sangre, incruento. ~ 쿠데타 golpe *m* de estado sin derramamiento de sangre. ~ 혁명 revolución *f* pacífica, revolución *f* sin derramamiento de sangre.

무혐의(無嫌疑) ¶~하다 (ser) insospechado, libre de sospecha.

무형(無形) inmaterialidad *f*, invisibilidad *f*. ~의 inmaterial, incorpóreo, invisible, abstracto. ~ 문화재 propiedad *f* cultural intangible, bienes *mpl* culturales incorpóreos. ~물 cosa *f* inmaterial, entidad *f* incorporal, incorporeidad *f*. ~ 세계 mundo *m* inmaterial. ~ 자본 capital *m* intangible. ~ 자산 bienes *mpl* intangibles, inmovilizado *m* inmaterial. ~ 재산 activo *m* inmaterial.

무호동중이작호(無虎洞中狸作虎) En el país de los ciegos, el tuerto es rey / Cuando el gato no está los ratones bailan.

무화과(無花果) ① [열매] higo *m*. ② ((준말))=무화과나무.

무화과나무(無花果-) higuera *f*.

무환자나무(無患子-) jabonero *m*.

무효(無效) anulación *f*, invalidez *f*, invalidación *f*, [효과가 없는 것] ineficacia *f*, inutilidad *f*, ((법률)) nulidad *f*. ~하다 ser nulo, ineficaz. ~의 nulo, ineficaz; [기한이

끝난] expirado, caducado. ~ 소송 proceso *m* declarado nulo por contener vicios de procedimiento, proceso *m* en el cual el jurado no llega a un acuerdo. ~ 투표 voto *m* anulado, voto *m* inválido.

무훈(武勳) hazaña *f* [proeza *f*] militar. ~을 세우다 distinguirse [señalarse] en el campo de batalla.

무휴(無休) sin descanso. ~하다 no descansar, no tener descanso. 연중 ~ 간행하다 publicar diariamente todo el año.

무희(舞姬) bailarina *f*, danzarina *f*, bailadora *f*, danzante *f*, danzadora *f*.

묵 jalea *f*, gelatina *f*. 도토리 ~ jalea *f* de bellota. 메밀 ~ jalea *f* de trigo rubión [sarraceno], jalea *f* de alforfón.

묵객(墨客) calígrafo *m*, -fa *mf*; pintor, -tora *mf*; artista *mf*.

묵계(默契) entendimiento *m* [comprensión *m*·acuerdo *m*] tácito [secreto], acuerdo *m* implícito. ~하다 acordar implícitamente [tácitamente].

묵과(默過) connivencia *f*, confabulación *f*, consentimiento *m*. ~하다 hacer la vista gorda, confabularse, dominar con la vista, pasar por alto, no fijarse, perdonar.

묵념(默念) ① =묵상(默想). ② [묵도] rezo *m* silencioso. ~하다 rezar silenciosamente.

묵다[1] [일정한 때를 지나서 오래되다] (ser) añejo, anticuado, antiguo, viejo. 묵은 누룩 vieja levadura *f*. 묵은 술 vino *m* añejo. ② [(밭이나 논 등이) 사용되지 않아 그대로 남아 있다] no cultivar. 묵은 땅 terreno *m* no cultivado.

묵다[2] [일정한 곳에서] alojarse, hospedarse, apearse, estar, quedarse, parar(se), pasar la noche. 호텔에 ~ parar en un hotel.

묵도(默禱) oración *f* mental, rezo *m* silencioso. ~하다 orar mentalmente [en silencio], rezar mentalmente [en silencio].

묵례(默禮) reverencia *f*, saludo *m* en silencio. ~하다 hacer una reverencia, saludar en silencio.

묵묵(默默) silencio *m*, callada *f*. ~하다 quedarse callado. ~히 silenciosamente, en silencio, calladamente, sin decir nada. ~히 일하다 trabajar silenciosamente.

묵비(默秘) reserva *f* mental. ~하다 guardar reserva mentalmente, mantener silencio. ~권 derecho *m* de guardar reserva, derecho *m* de mantener silencio, derecho *m* de callar, previlegio *m* contra la propia incriminación.

묵사발(─沙鉢) ① [묵을 담은 그릇] vasija *f* de jalea. ② ((속어)) confusión *f*, desorden *m*.

묵살(默殺) acción *f* de no prestar atención. ～하다 no hacer caso, no prestar atención, pasar por alto, hacer la vista gorda; [제안 따위를] no dar debido curso, enterrar; [사람을] ignorar.

묵상(默想) contemplación *f*, meditación *f*, pensamiento *m*, aprobación *f* tácita, cogitación *f*. ～하다 contemplar, meditar. ～에 골몰하다 entregarse a la meditación, meditar. ¶～ 기도 oración *f* de meditación.

묵시(默示) revelación *f*, inspiración *f*. ～하다 revelar.

묵시록(默示錄) ((성경)) Apocalipsis *m*.

묵언(默言) silencio *m*. ～하다 callar(se), guardar silencio, enmudecer.

묵음(默音) ¶～의 mudo. 서반아어 알파벳에서 아체(h)는 ～이다 La hache en el alfabeto español es muda / La hache en el alfabeto español no se pronuncia.

묵인(默認) aprobación *f* tácita, consentimiento *m* tácito. ～하다 aprobar tácitamente, dar *su* aprobación tácita, consentir tácitamente; [보고도 못본체하다] cerrar *sus* ojos, hacer la vista gorda.

묵주(默珠) [(천주교)] rosario *m*. ～의 기도(祈禱) Rosario *m*.

묵중(默重) tranquilidad *f*, calma *f*, taciturnidad *f*, discreción *f*. ～하다 callarse, estar tranquilo. ～한 callado, silencioso, tranquilo. ～히 a lo discreto, discretamente, calladamente, silenciosamente.

묵즙(墨汁) [먹물] tinta *f* china, tinta *f* indiana, fluido *m* de escritura.

묵지(墨紙) papel *m* carbón. ～를 대고 쓰다 copiar en papel carbón.

묵직하다 ① [제법 무겁다] pesar un poco, ser algo pesado; [체격이] corpulento; [위엄이 있는] imponente. 묵직한 건물 edificio *m* imponente. ② [틀지고 무게가 있다] (ser) serio, grave, tácito, solemne; [감정이 없는] impasible. 입이 ～ ser algo tácito. ③ [기분이] (ser) pesado, deprimido, triste.

묵향(墨香) perfume *m* [olor *m*] de la tinta china.

묵허(默許) consentimieno *m* tácito. ～하다 consentir (acceder) tácitamente.

묵화(墨畵) dibujo *m* [pintura *f*] con tinta china. ～(를) 치다 dibujar con tinta china.

묶다 ① [새끼나 끄나풀로] atar, amarrar, vendar, liar, arreglar. 머리를 ～ atar el cabello, arreglar

los pelos; [자신의 머리를] atarse el caballo. ② [몸을] atar, ceñir. 목을 ～ atar por el cuello. 허리를 ～ atar por la cintura.

묶음 atado *m*, lío *m*, envoltorio *m*, mazo *m*; [종이의] rezma *f*, mano *f*, fajo *m*; [뜯어내게 된] talonario *m*.

묶이다 atarse, amarrarse, vendarse. 시간에 ～ estar sujeto al tiempo, tener limitación de tiempo.

문(文) ① =문자. 글. ② [문장] oración *f*; [문학. 학문] literatura *f*, letras *fpl*, pluma *f*. ～은 무(武)보다 강하다 La pluma es más poderosa que la espada.

문(文) [신의 크기를 나타내는 단위] *mun*, número *m* de los calzados (unos 2.4 centímetros). 몇 ～ 신으십니까? ¿Qué número calza usted?

문(門) [여닫는 물건] puerta *f*; [자동차 따위의] portezuela *f*; [격절장치의] cancela *f*; [창의 안 문] contraventana *f*, puerta *f* ventana, postigo *m*; [공항·버스 터미널 등의] puerta *f* de embarque; [집·건물의 정문] puerta *f* de la calle; [회전 문] puerta *f* giratoria; [((안팎으로 열리는] 자동 문] puerta *f* de vaivén; [정문. 앞문] puerta *f* principal; [좌우로 열리는 유리 문] puerta *f* ventana; [뒷문] puerta *f* trasera; [업무용 출입구] puerta *f* de servicio; [두 짝 문] puerta *f* de dos hojas. ～의 등(燈) lámpara *f* [linterna *f*] de puerta. ～의 손잡이 mango *m* [botón *m* · pomo *m*] de puerta. 접는 ～ puerta *f* plegadiza. 안쪽으로 여는 ～ puerta *f* que abre hacia dentro. 5번 ～ puerta *f* (de embarque) número cinco. ～을 열다[닫다] abrir [cerrar] la puerta. ～을 두들기다 llamar a la puerta.

문(門) ① [동식물 분류학상의 한 단위] subreino *m*, filo *m*, filum *m*. ② [집안] familia *f*.

문(門) [포나 기관총 따위를 세는 단위] pieza *f*, tipo *m*. 기관총 3～ tres ametralladoras. 대포 5～ cinco cañones.

문(紋) =무늬.

문(問) ① =물음. 질문. ② =문제.

문간(門間) entrada *f*, puerta *f*, portal *m*. ～방 habitación *f* de al lado de la entrada. ～채 recibidor *m*.

문갑(文匣) cajita *f* para cartas.

문고(文庫) ① [책·문서 따위를 담아 두는 상자] caja *f* para libros [documentos]. ② [서고] archivo *m*, biblioteca *f*. ③ [총서] colección *f* (de obras literarias), biblioteca *f*. ④ =문고관. ¶～본 libro *m* de rústica, libro *m* de bolsillo, *Méj* libro *m* de pasta blanda. ～판 edición *f* en rústica, edición *f* de bolsillo, *Méj* edición *f* de pasta blanda.

문고리(門一) [손잡이] picaporte *m*; [노커] llamador *m*; *AmL* aldaba; [걸어 잠그는 데 쓰임] pestillo *m*, pasador *m*, cerrojo *m*.

문과(文科) departamento *m* de filosofía y letras, sección *f* literaria, las humanidades, las artes liberales. ~계 rama *f* de filosofía y letras. ~계에 진학하다 tomar la rama [elegir estudiar la carrera] de filosofía y letras. ~ 대학 Facultad *f* de Filosofía y Letras, Facultad *f* de Humanidades. ~생 estudiante *mf* de la Facultad de Filosofía y Letras.

문관(文官) ① ((역사)) [문과 출신의 벼슬아치] oficial *m* [funcionario *m*] civil; [집합적] servicio *m* civil. ② =군무원. ¶~ 시험 examen *m* del servicio civil. ~의 우위 superioridad *f* del servicio civil al servicio militar.

문교(文敎) ① [문화에 관한 교육] educación *f* sobre la cultura. ② [문교부가 맡아보는 교육 행정] administración *f* educativa del Ministerio de Educación. ~ 당국 autoridades *fpl* del Ministerio de Educación. ~ 정책 política *f* educativa, política *f* de educación. ~ 행정 administración *f* educativa.

문교부(文敎部) Ministerio *m* de Educación. ~ 검정필 aprobado por el Ministerio de Educación. ~ 장관 ministro, -tra *mf* de Educación.

문구(文句) frase *f*, palabra *f*, pretexto *m*, dicción *f*, fraseología *f*, sentencia *f*, cláusula *f*.

문구(文具) ① ((준말)) =문방 제구. ② =문식(文飾).

문구멍(門一) agujero *m* en la puerta [la ventana].

문기둥(門一) poste *m* [jamba *fl*] de la puerta.

문단(文段) párrafo *m*.

문단(文壇) mundo *m* literario, círculos *mpl* literarios. ~의 거성 magnate *mf* [potentado, -da *mf*] literario, -ria. ¶~인 escritor, -tora *mf*; literato, -ta *mf*; hombre *m* de letras; hombre *m* literario.

문단속(門團束) cierre *m* de las puertas (con llave). ~하다 cerrar las puertas (con llave). ~ 잘 하십시오. Cierre bien las puertas / Tengan bien cerradas las puertas.

문답(問答) ① [물음과 대답] las preguntas y las respuestas. ~하다 preguntar y responder. ② [대화] diálogo *m*. ~하다 dialogar, sostener un diálogo. ③ [교리상의] catecismo *m*. ~하다 catequizar. ¶ ~식 método *m* de preguntarse y

responderse.

문둥병(一病) lepra *f*, elefancía *f*.

문둥이 ① [나병자] leproso, -sa *mf*; lazarino, -na *mf*. ② ((은어)) habitantes *mpl* de la provincia de *Gyeongsang*.

문두드러지다 ① [썩어서] pudrirse, corromperse, decaer, declinar. ② [익어서] estar demasiado maduro, estar pocho. ③ [해어지다] estar gastado [roto · usado]. ④ [상처 · 피부가] estar dolorido [doloroso]. ⑤ [눈이] estar legañoso [lagañoso · pitarroso · cejajoso].

문득 [갑자기] repentinamente, de repente, súbitamente, de súbito, de pronto; [우연히] por casualidad, casualmente, accidentalmente; [생각지 않게] de improviso, inesperadamente; [아무 생각 없이] involuntariamente, sin querer. ~ 생각이 나다 ocurrirse.

문란(紊亂) desorden *m*, desarreglo *m*, confusión *f*, desconcierto *m*; [질서의] disturbio *m*, perturbación *f*, desbarajuste *m*; [마음의] turbación *f*. ~하다 desordenarse, desarreglarse, confundirse, descomponer; [질서가] desorganizarse, perturbarse; [마음이] desconcertarse.

문례(文例) modelo *m*, ejemplo *m* de frase, frase *f*. ~를 들다 dar un ejemplo. 편지 ~집 epistolario *m*, manual *m* de epístolas.

문루(門樓) portería *f*.

문리(文理) ① [문맥] contexto *m*. ② [글의 뜻이나 사물의 이치를 깨달아 아는 힘] poder *m* de saber el sentido de la oración. ~과(문과와 이과) departamento *m* de humanidades y ciencia(s). ¶~과 departamento *m* de humanidades y ciencias. ~과 대학 facultad *f* de humanidades y ciencias.

문맥(文脈) contexto *m*, argumento *m*. ~(상)의 contextual. ~을 더듬다 seguir el hilo del argumento. ~을 설명하다 contextualizar.

문맹(文盲) ① [무식하여 글을 모름] analfabetismo *m*. ~의 analfabeto, analfabético. ② [까막눈이] analfabeto, -ta *mf*. ¶~률 tasa *f* de analfabetismo. ~자 analfabeto, -ta *mf*; analfabético, -ca *mf*. ~ 퇴치 [타파] cruzada *f* [campaña *f*] contra analfabetismo.

문명(文明) civilización *f*; [문화] cultura *f*. ~의 civilizado, ilustrado. ~의 발상지 cuna *f* de la civilización. ~화하다 civilizar. ~화되다 civilizarse. ¶~국 país *m* civilizado. ~ 비평 crítica *f* [criticismo *m*] sobre la civilización. ~ 비평가 crítico, -ca *mf* sobre la civilización. ~사 historia *f* de civilización. ~ 사회 sociedad f civilizada. ~ 세계 mundo m civilizado. ~ 시대 edad f ilustrada. ~ 이기(利器) facilidades fpl de la civilización, comodidades fpl de la vida moderna. ~인 gente f civilizada.

문무(文武) la pluma y la espada. ~ 겸전하다 sobresalir en la pluma y la espada. ~관 el oficial civil y el militar. ~ 백관 todos los oficiales civiles y militares.

문물(文物) civilización f, cultura f.

문민정부(文民政府) gobierno m civil.

문밖(門一) ① [문의 바깥] exterior m de la casa, el aire libre; [부사적] fuera de la casa. ② [교외] suburbios mpl [afueras fpl] de la ciudad.

문방(文房) ① =서재(書齋). ② ((준말))=문방구. ¶~구 artículos mpl de papelería. ~점 papelería f. ~점 주인 papelero, -ra mf.

문벌(門閥) ① [계통] linaje m. ~이 좋은 de buen linaje, de alta alcurnia, de buena familia. ② [명문] buen linaje m, buena familia f.

문법(文法) ① =법규. 법령. ② [문장의 작법 및 구성법] método m de composición. ③ ((언어)) gramática f. ~(상)의 gramático, gramatical. ~책 (libro m de) gramática f. ~ 학자 gramático, -ca mf.

문병(問病) visita f a un paciente. ~ 하다 visita a un paciente. ~객 visitante mf a un paciente.

문빗장(門一) pasador m, cerrojo m, aldaba f. ~를 지르다 cerrar con aldaba.

문살(門一) enrejado m de la puerta corrediza de papel.

문상(問喪) condolencia f, pésame m. ~하다 expresar sus condolencias, dar el pésame, dar la condolencia, condolerse. ~ 가다 ir a dar el pésame [la condolencia]. ¶~객 doliente mf.

문서(文書) escrito m, escritura f; [기록. 자료] documento m, el acta f; [서류] documento m, papel m, pieza f, nota f; [편지] carta f, correspondencia f. ~로 por [en] escrito. ~로 만들다 poner por escrito.

문선(文選) antología f. ② ((인쇄)) escogimiento m. ③ ((준말))=문선공. ¶~공 escogedor, -dora mf de tipos [de letras de imprenta].

문설주(門一) jamba f [poste m · pilar m] de puerta.

문신(文臣) ministro m civil.

문신(文身) tatuaje m, figura f dibujada en el cutis con tinta indeleble. ~하다 tatuarse el cutis, pintar(se) el cutis con figuras.

문안(門一) ① [문의 안] interior m de la puerta. ② [성문의 안] interior m de la puerta del castillo. ~ 에 살다 vivir en la ciudad. ③ [문 중의 안] en la familia, en el clan.

문안(文案) borrador m, minuta f, plan m de una composición, borrador m de una composición, diseño m de una composición. ~ 을 작성하다 hacer un borrador [una minuta].

문안(問安) consolación f, compasión f. ~하다 consolar.

문약(文弱) afeminación f. ~하다 afeminar. ~해지다 afeminarse.

문양(紋樣) figura f.

문어(文魚) ((동물)) pulpo m.

문어(文語) palabra f literaria, lenguaje m literario; [쓰는 말] lengua f escrita, lenguaje m escrito. ~체 estilo m literario.

문예(文藝) ① [학문과 예술] la ciencia y los artes. ② [문학] literatura f, bellas artes fpl. ¶~가 literato, -ta mf. ~란 columna f literaria. ~면 página f de literatura. ~ 부흥 el Renacimiento. ~ 부흥 시대 época m del Renacimiento. ~ 비평 crítica f literaria. ~ 비평가 crítico m literario. ~ 사전 diccionario m de literatura. ~ 인 hombre m literario; artista m literario, artista f literaria. ~ 작품 obra f literaria. ~ 잡지 revista f literaria. ~ 평론 comentario m literario. ~ 평론가 comentarista mf literaria.

문외한(門外漢) lego, -ga mf; profano, -na mf; forastero, -ra mf; extraño, -ña mf; seglar mf.

문의(問議) interrogación f, pregunta f. ~하다 interrogar, inquirir, preguntar. ~서 carta f de interrogación. ~처 referencia f, información f.

문인(文人) hombre m de letras; literato, -ta mf. ~극 representación f teatral por hombres de letras. ~ 사회 círculos mpl literarios, mundo m literario. ~ 협회 Asociación f de Hombres de Letras. ~화 pintura f en el estilo de pintura de letras. ~ 화가 pintor, -tora mf en el estilo de pintura de letras.

문인(門人) =문하생(門下生).

문자¹(文字) ① [한자 숙어 · 성구 · 문장] modismo m de los caracteres chinos. ② ((속어))=학식. ¶~(를) 쓰다 usar el modismo en caracteres chinos.

문자²(文字) ① [글자] letra f, escritura f, carácter m. ~를 쓰다 escribir (letras). ② [말] palabra f. ¶~ 그대로 literalmente, a la letra, al pie de la letra. ~ 그대로

해석하면 interpretando literalmente. ~반(盤) esfera f, mostrador m, muestra f.

문장(文章) ① [글] composición f, (el) escribir, escritura f; [논문] ensayo m, artículo m; [산문] prosa f, traducción f inversa; [문] frase f, oración f; [문체] estilo m; [원문] texto m. ② ((준말)) =문장가. ¶~가 estilista mf; buen escritor m, buena escritora f.

문전(門前) delante de la puerta. ~에(서) delante de la puerta, enfrente de la puerta, a la puerta. ~에서 돌려보내다 dar con la puerta en las narices. ¶ ~ 걸식 mendiguez f de puerta en puerta. ~ 걸식하다 mendigar [pedir limosna] de puerta en puerta. ~ 성시(成市) mucha visita, muchos visitantes. ~ 성시하다, ~를 이루다 tener mucha visita; [주어가 장소일 때] estar llenos de visitantes. ~ 옥토(沃土) terreno m fértil que está cerca delante de la casa.

문제(問題) ① [해답을 필요로 하는 물음] pregunta f, cuestión f. ~를 풀다 resolver las cuestiones. ② [연구·논의하여 해결해야 할 사항, 논쟁을 일으킨 사건] cuestión f, problema m. ~의 en cuestión. ~의 사람 persona f en cuestión, persona f de que se trata. ③ [세상의 주목이 쏠리는 것] tema m, tópico m; [건] asunto m. ~의 en cuestión, mencionado. ~의 인물 persona f en cuestión, la misma persona. ④ [성가신 일] cosa f fastidiosa, asunto m fastidioso. ¶ ~극 teatro m de tesis. ~ 소설 novela f de tesis. ~시하다 poner en duda [en tela de juicio]. ~아 niño, -ña mf de problema. ~점 punto m en cuestión. ~지 papel m del examen. ~집 ejercicios mpl, cuestionarios mpl.

문중(門中) familia f, clan m. ~ 회의 reunión f de una familia.

문지기(門-) ① [출입문을 지키는 사람] portero, -ra mf. ~를 하다 guardar la puerta; [직업적으로] estar de portero. ~의 집 portería f. ② [골키퍼] portero, -ra mf, guardameta m.

문지르다 ① [비비다] estregar, friccionar, fregar, frotar, restregar, refregar, limpiar, calentar frotando. ② [쓰다듬다] acariciar, pasar la mano. 등을 ~ pasar la mano por la espalda.

문지방(門地枋) umbral m.

문진(文鎭) pisapapeles m.sing.pl.

문집(文集) colección f de prosas, colección f de obras literarias; [선집] antología f, florilegio m, obras

fpl escogidas.

문짝(門-) puerta f, [여는 문의 한 짝] hoja f.

문책(文責) responsabilidad f de [por el] artículo. ~ 재기자(在記者) La responsabilidad recaerá sobre el redactor. ~ 편집자 El editor tiene toda la responsabilidad de este artículo.

문책(問責) censura f, reprimenda f, reprobación f, reproche m. ~하다 censurar, reprochar, reprender, reprobar, echar en cara.

문체(文體) estilo m. ~를 모방하다 imitar el estilo. ¶ ~론 estilística f.

문초(問招) cuestión f de tormento. ~하다 cuestionar, indagar, interrogar, poner en duda.

문턱(門-) umbral m. ~에 걸터앉다 sentarse en el umbral. ~을 넘다 pasar [atravesar] el umbral.

문틈(門-) abertura f entre las partes de una puerta.

문패(門牌) etiqueta f con la dirección, placa f [letrero m] (con el nombre que se pone en la puerta), placa f de la puerta, lámina f del nombre.

문풍지(門風紙) burlete m.

문필(文筆) letras fpl, el arte f literaria; [신문·잡지업] periodismo m. ~로 생활하다 vivir de su pluma, ganarse la vida por la literatura, ganarse la vida con la pluma. ¶ ~가[인] escritor, -tora mf (de profesión); literato, -ta mf; [저널리스트] periodista mf. ~ 생활 carrera f de las letras. ~업 trabajo m literario.

문하(門下) ① [문객이 드나드는 권세가 있는 집] familia f [casa f] influyente. ② [학문의 가르침을 받는, 스승의 아래] bajo la pedagogía, disciplinado. ¶ ~생[인] ㉮ [권세가 있는 집에 드나드는 사람] hombre m que frecuenta la casa influyente. ㉯ [문하에서 배우는 제자] discípulo, -la mf; alumno, -na mf; seguidor, -dora mf.

문학(文學) literatura f, letras fpl. ~을 지망하다 aspirar a la literatura. ¶ ~가[자] literato, -ta mf; hombre m de letras. ~ 개론 introducción f a la literatura. ~계 mundo m literario, círculos mpl literarios. ~관 vista f de literatura. ~도(徒) aficionado, -da mf a la literatura. ~론 teoría f literaria. ~ 박사 doctor, tora mf en Filosofía y Letras. ~ 박사 학위 doctorado m en Filosofía y Letras. ~부 facultad f de la literatura. ~ 비평 crítica f literaria. ~ 비평가 crítico m literario. ~사(士) licenciado, -da mf en Filosofía y Letras. ~사

(史) historia *f* de la literatura. ~ 상 premio *m* literario, premio *m* de literatura. ~서 libro *m* literario, obra *f* literaria. ~ 소녀 muchacha *f* sentimental que es aficionada a la literatura. ~열 interés *m* literario. ~인 =문학가. ~ 작품 obras *fpl* literarias. ~잡지 revista *f* literaria. ~적 literario *adj.* ~적으로 literariamente. ~청 년 joven *m* que tiene aspiraciones literarias. ~ 평론 crítica *f* literaria, criticismo *m* literario. ~ 평론 가 crítico *m* literario, crítica *f* literaria. ~ 혁명 revolución *f* literaria. ~회 sociedad *f* literaria, liceo *m*.

문헌(文獻) documentos *mpl*, datos *mpl*, referencias *fpl*; [집합적] literatura *f*, bibliografía *f*. ~ 목록 bibliografía *f*. ~ 수집 colección *f* de datos, colección *f* de documentos. ~학 filología *f*, bibliografía *f*, bibliología *f*.

문호(文豪) gran escritor *m* [escritora *f*] (magistral); escritor, -tora *mf* eminente; maestro, -tra *mf*.

문화(文化) cultura *f*. ~의 cultural. ~ 혁명 revolución *f* cultural.

문화 관광부(文化觀光部) Ministerio *m* de Cultura y Turismo. ~ 장관 ministro, -tra *mf* de Cultura y Turismo.

묻다¹ [묻이나 가루 따위가] adherirse, pegarse. 잉크가 옷에 묻는다 La tinta mancha el vestido.

묻다² ① [보이지 않게 쌓아 덮다] enterrar, sepultar, cubrir con tierra. 불을 재 속에 ~ tapar [cubrir] las brasas con ceniza. ② [속 깊이 감추다] ocultar, esconder, disimular, encubrir, guardar un secreto, tapar.

묻다³ [질문하다] preguntar, inquirir, hacer una pregunta, interrogar, dirigir una pregunta; [조사하다] investigar, averiguar, indagar, informarse. 아는 길도 물어 가라 (속담) Quien pregunta no yerra.

묻히다¹ [묻게 하다] hacer pegar [adherir]; [더럽히다] manchar, untar, embadurnar.

묻히다² [매장되다] enterrarse, hundirse, estar enterrado, cubrirse, estar cubierto; [무덤에] sepultarse; [굴 따위에] llenarse.

물¹ ① [빛깔] color *m*. ② ((준말)) =물감. ③ [나쁜 생각이나 행동] mala idea *f*, mal actitud *f*.

물² ① [수소와 산소의 화합물] el agua *f*. ~이 스며드는 permeable. ~이 스며들지 않는 impermeable. 마시는 [마실 수 있는] 물 el agua potable. (마소 따위에) ~을 먹이는 곳 abrevadero *m*. ~을 마시는 곳

fuente *f* (de agua potable). 깨끗한 [더러운·뜨거운·미지근한·찬] 물 el agua *f* limpia [sucia·caliente· tibia·fría]. ② [홍수] inundación *f*, diluvio *m*. ~에 잠기다 inundarse (con agua), quedar inundado, quedar sumergido. ¶ ~ 부족 carestía *f* de agua. ~ 자원 recursos *mpl* de agua.

물³ [생선의 싱싱한 정도] frescura *f*. ~ 좋은 새우 camarones *mpl* muy frescos. ~ 간 생선 pescados *mpl* pasados.

물가 [바다의] costa *f*; [해변의] playa *f*; [연해지] litoral *m*; [바다·강의] ribera *f*, orilla *f*; [바다·호수의] margen *m*(*f*).

물가(物價) precios *mpl*. ~의 앙등 alza *f* de los precios. ~의 하락 baja *f* de los precios. ¶ ~고 subida *f* de los precios, el alza *f* de los precios, precios *mpl* altos. ~ 등귀[상승] subida *f* [elevación *f*· alza *f*] de (los) precios. ~ 변동 variación *f* [fluctuación *f*] de (los) precios. ~ 인하 disminución *f* de (los) precios. ~ 지수 índice *m* de precios. ~ 통제 regulación *f* [control *m*] de (los) precios. ~표 precios *mpl* circulantes.

물갈퀴 ① [오리 등의] aleta *f*, membrana *f* interdigital. ~가 있는 palmeado. ~의 palmípedo. 손바닥 모양의 ~가 있는 palmeado. ② [잠 이별할 때의 물건] aleta *f*. ¶ ~발 pata *f* palmeada.

물감 [색소] materia *f* de tinte, tinte *m*, color *m*, colorante *m*, matiz. ~ 을 들이다 teñir.

물개¹ [동물] foca *f*, lobo *m* marino, lobo *m* de mar, oso *m* marino, otaria *f*. ~ 자지 pene *m* de foca.

물개² ((동물)) =수달(水獺).

물거품 ① [물의 거품] burbuja *f*, espuma *f*. ~ 같은 espumoso; [비유적] efímero, fugaz, transitorio, pasajero. ~이 일다 burbujear, borbotar, espumar, echar espuma(s) [espumarajos]. ② [노력이 헛된 상태] estado *m* en vano [en humo]. 내 노력도 ~이 되었다 Mi esfuerzo resultó en vano.

물건(物件) objeto *m*, cosa *f*; [상품] artículo *m*, género *m*, mercancía *f*.

물걸레 mopa *f* seca, *AmL* fregona *f* seca.

물것 insecto *m* picante; [모기] mosquito *m*; [빈대] chinche *m*; [벼룩] pulga *f*, [이] piojo *m*.

물결 ola *f*, onda *f*. 잔 ~ oleadita *f*. 큰 ~ oleaje *m*, marejada *f*. ~이 일다 rizarse, ondear, murmullar.

물고기 ((어류)) pez *m*; [생선] pescado *m*. 물을 떠난 ~ gallina *f* en corral ajeno, *RPl* sapo *m* de otro pozo. ~를 잡다 pescar.

물고문(―拷問) tormento *m* por agua. ~하다 dar tormento por agua.

물구나무서기 ((준말))=물구나무서기 운동. ~ 운동 salto *m* mortal, voltereta *f*, volteo *m*, tumba *f*.

물구나무서다 ponerse con los pies hacia arriba, dar un salto mortal, voltear a patas arriba. 물구나무서서 con un salto mortal, a patas arriba. 물구나무서서 걷다 andar sobre las manos.

물권(物權) derecho *m* real.

물그릇 tazón *m* [cuenco *m*] para agua.

물기(―氣) ① [습기] humedad *f*. ~가 있는 húmedo, liento, aguanoso, mojado. ② [과실의] jugo *m*, jugosidad *f*, suculencia *f*.

물기둥 columna *f* de agua.

물긷다 coger [sacar] agua.

물길 vía *f* fluvial, vía *f* navegable, canal *m* navegable.

물깊이 profundidad *f* de agua.

물끄러미 fijamente. ~ 바라보다 mirar fijamente, fijarse. ~ 한 곳을 바라보고 있다 tener la mirada fija.

물난리(―亂離) inundación *f*, diluvio *m*. 거리에 ~가 났다 El agua inundó las calles.

물놀이 ① [잔잔한 물결의 움직임] movimiento *m* de la ola tranquila. ② [물가에서 하는 놀이] chapoteo *m*, juego *m* en [con] el agua. ~하다 jugar con el agua, chapotear [guachapear] en el agua.

물다¹ ① [(습기나 더위로) 떠서 상하다] acedarse, pudrirse. ② ((준말))=물쿠다.

물다² ① [치러 주다] pagar. 세금을 ~ pagar el impuesto. 빚을 ~ pagar la deuda. ② [관상하다] indemnizar, compensar, reembolsar.

물다³ ① [이나 입술 등으로] llevar en la boca. 담뱃대를 입에 물고 con pipa en la boca. 손가락을 입에 물고 con un dedo en la boca. ② [입속에 넣어 가지고 있다] tener en la boca. ③ [아래 웃니로] morder. 짖는 개는 잘 물지 않는다 Perro ladrador, poco mordedor. ④ [곤충이나 벌레 따위가] picar. 벼룩이 ~ picar la pulga. 모기가 ~ Los mosquitos pican. ⑤ [물고기가 먹이를] tomar forraje, picar.

물대기 riego *m*. ~하다 regar. 충분한 ~ riego *m* bastante.

물덤벙술덤벙 ciegamente, a ciegas, a tientas, sin objeto, sin norte, sin ton ni son, sin rumbo (fijo), al azar, caprichosamente, sin orden ni concierto. ~하다 comportarse [actuar] ciegamente.

물독 jarra *f* de agua.

물동 dique *m*, presa *f*, embalse *m*.

물동량(物動量) cantidad *f* de movilización de materiales.

물동이 cántaro *m*, acuario *m*, jarra *f* de agua.

물들다 teñirse.

물들이다 teñir. 머리를 검게 ~ teñir el pelo en negro.

물때¹ ① [아침・저녁의] pleamar *f*, flujo *m*, curso *m*, marcha *f*. ~를 기다리다 esperar la marea alta.

물때² [물에 섞인 때] el agua *f* de pantoque, sarro *m*, residuo *m* calcáreo; [보일러의] incrustación *f*.

물때새 (조류) chorlito *m*.

물똥 ① [뛰어서 생기는 물의 크고 작은 덩이] bulto *m* de agua por salpicadura. ② ((준말)) =물찌똥.

물량(物量) cantidad *f* de materiales [de recursos].

물렁거리다 ablandarse.

물렁하다 ① [물건이] (ser) blando, tierno. ② [성질이] (ser) suave, dulce.

물레 rueca *f*, torno *m* de hilar, desmotadera *f* de algodón.

물레방아 aceña *f*, molino *m* de agua, rueda *f* hidráulica.

물레방앗간(―間) molino *m* de agua.

물려받다 heredar, suceder.

물려주다 transferir, ceder, traspasar, dejar; [왕위를] abdicar; [유증이나 동산을] legar; ((법률)) enajenar.

물론(勿論) por supuesto, claro, naturalmente, sin duda, desde luego. ~입니다 ¡Por supuesto! / ¡Desde luego! / Ya lo creo / ¡Cómo no! / ¡Claro (que sí)!

물리(物理) [사물의 바른 이치] leyes *fpl* de la naturaleza, derecho *m* natural. ② ((준말)) =물리학. ¶ ~ 요법 fisioterapia *f*. ~ 작용 acción *f* física. ~ 물리 física *f*. ~ 학자 físico, ―ca *mf*.

물리다¹ [다시 대하기가 싫을 만큼 매우 싫증이 나다] cansarse, aburrirse, hartarse, hastiarse; [상태] estar cansado, estar harto. 물릴 때까지 hasta la saciedad, hasta hartarse, hasta más no poder.

물리다² [푹 익어서 무르게 하다] ablandar, poner blando. 물린 고구마 batata *f* ablandada.

물리다³ ① [연기하다] aplazar, retrazar, posponer, diferir, demorar, prorrogar, dilatar, suspender, retardar. 다음 주까지 ~ aplazar [posponer] hasta la semana que viene. ② [옮겨 놓다] echar, mover, retirar, empujar. 탁자를 앞으로 ~ echar [mover] la mesa hacia adelante. ③ [직위나 재물・권리 따위를] ceder, transferir, traspasar; ((법률)) enajenar; [유증] legar. ④ [밥상 따위를] retirar,

물리다⁴ levantar. 식사를 ~ retirar el servicio de la mesa, levantar los manteles.

물리다⁴ [동물에] ser mordido, morderse; [벌레에] ser picado, picar(se).

물리다⁵ [샀거나 바꾸었던 물건을] devolver.

물리다⁶ [값을 치르게 하다] imponer. 벌금을 ~ imponer una multa, multar.

물리치다 ① [거절하여 받지 아니하다] rechazar, rehusar, negar, repulsar. 제안을 ~ rechazar la propuesta. ② [적을 쳐서 물러나게 하다] poner en fuga. 적을 ~ poner en fuga al enemigo.

물마개 [병 따위의] tapón m; [코르크로 만든] corcho m; [수도 따위의] llave f de paso; [구멍을 막는] estaquilla f, tapón m; [배밑바닥 따위의] tapón m.

물마루 cresta f.

물만두(-饅頭) empanada f hirvienda en agua.

물맛 sabor m del agua. ~이 좋다 El sabor del agua es muy bueno.

물망(物望) espectación f (expectativa f] popular, favor m popular. ~(에) 오르다 ganar el apoyo popular, subir en popularidad.

물망초(勿忘草) nomeolvides ff.

물맞이 baño m en agua mineral. ~ 하다 bañarse en agua mineral.

물매¹ [한목에 여러 개로 많이 때리는 매] azote m duro. ~맞다 ser azotado duro. ¶~질 azotaina f dura. ~질하다 azotar duro, dar azotes duros.

물매² [짤막한 몽둥이] palo m corto.

물매³ [지붕이나 낟가리 따위의 비탈진 정도] inclinación f, pendiente f, declive m. 급한 ~ pendiente f grande. 완만한 ~ pendiente f pequeña [suave]. 지붕의 ~ pendiente f [inclinación f] del tejado.

물매⁴ = 맷돌.

물매암이 ((곤충)) girino m.

물멀미 mareo m (en los viajes por mar). ~하다 marearse (en los viajes por mar).

물목 bifurcación f.

물물 교환(物物交換) trueque m, intercambio m de mercancías. ~하다 trocar. A를 B와 ~하다 trocar A con [en・por] B.

물밑 fondo m (del agua・del río・del lago); [해면 아래] debajo del agua.

물바다 mar m de agua.

물받이 canalón m; [지상에 걸쳐 놓고 물을 끄는] encañado m.

물방개 ((곤충)) escarabajo m acuático, ditisco m.

물방아 molino m de agua, aceña f.

물방앗간(-間) molino m. ~ 주인 molinero, -ra mf.

물방울 gota f de agua; [거품] burbujo m, ampolla f.

물배 estómago m lleno de agua.

물뱀 ((동물)) serpiente f acuática, serpiente f marina.

물레 ((곤충)) insecto m de agua.

물범 ((동물)) =바다표범.

물베개 almohada f de agua.

물벼락 vertimiento m repentino de agua. ~(을) 맞다 rociarse, ser vertido con agua de repente.

물병(-瓶) cántaro m (para agua), jarro m, cacharro m, porrón m, botella f de agua, acuario m, jarra f; [목이 길고 가는] garrafa f.

물보라 espuma f (del mar), (niebla f] acuosa f, rociada f (de agua), salpicadura f (de agua).

물부리 boquilla f, pipa f.

물분(-粉) cosmético m líquido.

물비누 jabón m líquido.

물비린내 olor m a pescado del agua.

물빛¹ [엷은 남빛] color m de agua-marina, color m verde mar.

물빛² [물감의 빛] color m, tono m.

물뿜이 rociador m, rociadera f, regadera f, Bol, Col, Per regador m.

물살 corriente f (de agua). ~을 거슬러 contra la corriente. ~을 따라다 ir a lo largo de la corriente.

물새 ① el ave f acuática, chorlito m, el ave f palmípeda. ② ((준말)) 물총새.

물샐틈없다 no (poder) pasar ni una hormiga. 물샐틈없이 sin (poder) pasar ni una hormiga.

물세(-稅) impuesto m del agua.

물세례(-洗禮) ① ((기독교)) bautismo m, baptismo m. ② =물벼락.

물소 ((동물)) búfalo m.

물소리 sonido m del agua; [졸졸거리는 소리] murmullo m.

물속 en el agua, en el fondo del agua.

물수건(-手巾) toalla f mojada.

물수리 ((조류)) halieto m, aleto m.

물수제비뜨다 hacer cabrillas (pijotas) en el agua.

물시계(-時計) reloj m de agua.

물실호기(勿失好機) A hierro candente [Al hierro caliente], batir de repente.

물심(物心) lo material y lo moral. ~양면 dos lados materiales y morales. ~ 양면으로 tanto material como moralmente, física y espiritualmente.

물싸움 disputa f [lucha f] por el agua.

물써다 menguar (la marea).

물썽하다 (ser) crédulo, (estar) débil.

물쓰듯 como agua, abundantemente, a espuertas. ~하다 gastar como agua [abundantemente · a espertas], malgastar, derrochar. 돈을 ~ 하다 gastar dinero como agua [abundantemente · a espuertas].

물썬 ① [짙은 냄새를 확 풍기는 모양] oliendo fuerte. ~하다 oler fuerte. ② [푹 익어서 물렁물렁하게 무른 모양] tiernamente, suavemente. ~하다 (ser) tierno, suave.

물약(-藥) medicamento m líquido, epócema f, poción f.

물어뜯다 morder, mordiscar.

물욕(物慾) ambiciones fpl mundanas, deseo m de ganancias materiales.

물웅덩이 charco m, navajo m.

물위 ① [수면] superficie f del agua. ② [상류] corriente f superior.

물음 pregunta f, cuestión f, interrogación f. 다음 ~에 답하시오 Contéstese a las preguntas siguientes. ¶ ~표 punto m de interrogación, interrogante m.

물의(物議) escándalo m público. ~를 일으키다 dar [causar · armar · promover] un escándalo público.

물자(物資) material m; [자원] recursos mpl; [상품] artículo m, mercancía f.

물자동차(-自動車) ① =살수차(撒水車), [물을 운반하는 자동차] coche m de transportar el agua.

물장구(질) chapoteo m. ~(를) 치다 chapotear.

물장난 chapoteo m. ~하다 chapotear, guachapear.

물장사 comercio m de agua.

물장수 vendedor, -dora mf de agua.

물적(物的) material. ~ 생산 producción f material. ~ 증거 prueba f material.

물정(物情) condiciones fpl de los asuntos. 세상 ~에 밝다 saber de toda costura. 세상 ~에 어둡다 ser ignorante del mundo.

물주(物主) financiero, -ra mf; [노름판의] banca f. ~가 되다 financiar, suministrar fondos. ~를 파산시키다 hacer saltar la banca.

물줄기 corriente f, curso m de agua, columna f de agua.

물증(物證) prueba f [evidencia f] material.

물질(物質) materia f, substancia f. ~ 명사 nombre m material. ~ 문명 civilización f material. ~욕 deseo m de posesiones materiales. ~적 material, físico, corporal. ~적으로 materialmente, físicamente, corporalmente. ~주의 materialismo f. ~주의자 materialista mf.

물집 ((의학)) ampolla f. ~이 생기다 ampollarse. 내 손에 ~이 생겼다 Se me ampolló en la mano.

물찌똥 excrementos mpl sueltos,

heces fpl sueltas.

물차(-車) =물자동차.

물체(物體) cuerpo m, objeto m, substancia f. ~의 거리 distancia f de objeto.

물총(-銃) pistola f de agua.

물총새 ((조류)) guardarrío m, martín m pescador.

물침대(-寢臺) cama f de agua.

물컥 hediondamente, fétidamente, apestosamente. 생선 썩은 냄새가 ~ 나다 apestar a pescado podrido.

물컹거리다 (ser) muy tierno, muy blando; muy suave.

물컹물컹 muy tiernamente, muy suavemente. ~하다 (ser) muy tierno, muy suave.

물컹하다 (ser) muy tierno, muy suave; [과일이] muy blando; [땅이] húmedo y mullido. 물컹한 땅 tierra f húmeda y mullida.

물크러지다 ① [과일이] echarse a perder, estropearse, pudrirse. ② [종기가] enconarse, ulcerarse. 물크러진 종기 llaga f purulenta. ③ [시체 따위가] descomponerse, pudrirse.

물큰 con un olor fuerte, fuerte, pronunciadamente, acremente; [악취가] hediondamente, fétidamente, apestosamente. ~하다 (ser) fuerte, pronunciado, acre; [악취가] hediondo, fétido, apestoso.

물탱크 depósito m de agua.

물통(-桶) cubo m [balde m] para agua, pozal m, lata f de agua, cantimplora f.

물표(物票/物標) tarja f, (chapa f de) contraseña f, talón m.

물푸레나무 ((식물)) reseda f.

물풀 ((식물)) planta f acuática.

물품(物品) objeto m, cosa f; [상품] artículo m, mercancía f. ~명 nombre m del artículo. ~ 보험 seguro m de bienes. ~세 impuesto m sobre mercancías.

물행주 trapo m (húmedo), bayeta f (húmeda), RPI fregón m.

묽다 ① [물기가 너무 많다] (ser) acuoso; [국이나 소스 등이] claro, poco espeso; RPI chirle. 묽은 국 sopa f clara, sopa f poco espesa. 묽은 죽 gachas fpl acuosas. ② [사람이 싱겁다] (ser) débil. 묽은 사람 persona f débil.

묽디묽다 (ser) muy acuoso; muy claro, poco espeso.

뭇¹ [[고기잡이용]] 큰 작살] arpón m grande.

뭇² [[장작이나 채소 따위의] 묶음] haz f, lío m, manojo m, fajo m, gavilla f; [작은] manojuelo m, manojo m pequeño. 장작 한 ~ un haz de leña.

뭇³ ① [생선 열 마리나 자반 열 개 또는 미역 열 장] *mut*, diez pescados, diez algas marinas. ② [볏단을 세는 단위] gavilla *f* de paja. 볏집 두 ~ dos gavillas de paja de arroz.

뭇매 tunda *f* entre todos. ~를 때리다 apalear [pegar·batanear] entre muchos, dar una tunda. ¶ ~질 paliza *f* entre muchos.

뭇발길 paso *m* de mucha gente. ~질 patada *f* de mucha gente. ~질 하다 dar unas patadas.

뭇사람 muchas personas, mucha gente, público *m*, muchedumbre *f* de personas.

뭇섬 archipiélago *m*.

뭇소리 charla *f* de muchas personas.

뭇시선(-視線) vista *f* de muchas personas, ojos *mpl* de todos.

뭇짐승 diversos animales *mpl*.

뭉개다¹ ① [미적거리다] demorarse, dilatarse, entretenerse (el remolón), andar muy despacio. ② [힘에 부치는 일을 미적미적하다] no saber qué hacer.

뭉개다² [으깨다] machacar, romper (con violencia), destrozar, hacer pedazos [trizas].

뭉게구름 ((기상)) cúmulo *m*.

뭉게뭉게 en nubes espesas [densas], espesamente, densamente. 구름이 ~ 피어 오른다 Las nubes se amontonan.

뭉구리 ① [바짝 깎은 머리] pelo *m* [cabello *m*] rapado. ② [중] sacerdote *m* [monje *m*] budista.

뭉그러뜨리다 demoler, derribar, destruir, echar abajo; [흙·치즈 등을] desmenuzar; [빵을] desmigajar. 담을 ~ desmenuzar el muro.

뭉그러지다 [건물·교량이] derrumbarse, desmoronarse, desplomarse; [지붕이] hundirse, venirse abajo; [케이크·치즈·흙이] desmenuzarse; [벽이] desmoronarse. 벽이 ~ desmoronarse la pared.

뭉그적거리다 demorarse, dilatarse, tardar mucho, entretenerse. 뭉그적거리지 마라 No te entretengas.

뭉근하다 (ser) lento. 뭉근한 불 fuego *m* lento.

뭉기다 demoler, derribar, echar abajo, destruir.

뭉떵 en pedazos, en trozos.

뭉떵뭉떵 en trozos gruesos. 생선을 ~ 토막치다 cortar un pescado en trozos gruesos.

뭉뚝 desafilándose. ~하다 desafilarse, no tener punta. 뭉뚝한 [연필이] desafilado, que no tiene punta; [끝·언저리가] romo; [칼·칼날이] desafilado. 뭉뚝함 [칼날의] falta *f* de filo; [끝의] lo poco afilado. 뭉한 물건 objeto *m* contundente.

뭉뚱그리다 liar [atar] groseramente.

뭉우리돌 piedra *f* redonda y lisa [suave], roca *f* alisada por la erosión.

뭉치 atado *m*, lío *m*, fajo *m*, mazo *m*, manojo *m*, haz *f*, fardel *m*, bulto *m*, envoltorio *m*, paquete *m*. 편지 ~ paquete *m* de cartas. 돈 ~ fajo *m* de billetes (de banco).

뭉치다 ① [여럿이 뭉쳐서 한 덩어리가 되다] coagularse. 뭉친 피 sangre coagulada. ② [여럿이 어떤 둘레로 굳게 단결하다] unir(se). 뭉치면 살고 헤어지면 죽는다 Unidos venceremos / Si se une se vive, y si se desune, se muere. ③ [여럿을 합쳐서] juntar, englobar.

뭉크러뜨리다 desmenuzar, desmigajar.

뭉클뭉클하다 (estar) lleno de grumos, grumoso, hacerse grumos.

뭉클하다 ① [먹은 음식이] (ser) pesado, indigesto. ② [큰 감동이나 슬픔·노여움 등의 감정으로] estar muy emocionado, ahogarse, asfixiarse, entrecortarse.

뭉텅 en grupos, en bulto.

뭉텅뭉텅 en masa, en conjunto.

뭉텅이 bulto *m*, masa *f*, lío *m*, fardo *m*; [신문·편지의] paquete *m*; [돈의] fajo *m*; [나뭇가지의] haz *m*.

뭉툭하다 [꼬리·나무가] (ser) mocho; [사람이] achaparrado, retacón; [다리가] corto; [연필이] pequeño y grueso.

물 ① [육지] tierra *f*; [배에서 본 육지] playa *f*. ~의 terrestre. ② [섬에서 본 본토] continente *m*, tierra *f* firme.

뭐¹ ((준말)) =무어. ¶그것이 ~냐? ¿Qué es eso? 손에 든 ~니? ¿Qué es en la mano? 나는 ~가 뭔지 모르겠다 No entiendo nada [ni jota].

뭐² ① [왜 그래?] ¿Por qué?, ¿Qué? 철수야! — ¡Cheolsu! — ¿Por qué? ② [그게 정말이야?] ¿De veras?, ¿Verdad?, ¿Es verdad? ③ [상대편이 한 말을 다시 되물을 때] ¿Qué (dice)?, ¿Cómo (dice)? 선생님 저 좀 봐주세요 — ~? Señor, míreme, por favor. — ¿Qué dice?

뮤지컬 musical *m*. ~ 드라마 drama *m* musical. ~ 코미디 comedia *f* musical, zarzuela *f*. ~ 박스 caja *f* de música.

뮤직 música *f*. ~ 드라마 drama *m* musical. ~ 박스 caja *f* de música. ~ 센터 equipo *m* de música. ~ 홀 teatro *m* de variedades.

뮤추얼 펀드 ① ((경제)) fondo *m* mutuo. ② ((주식)) fondo *m* de pensiones, fondo *m* de inversión mobiliaria.

미 cohombro *m* [pepino *m*] de mar.

미[1](美) [아름다움] hermosura *f*, belleza *f*. ~의 연구 estudio *m* de hermosura. 예술의~ hermosura *f* del arte. 자연의 ~ hermosura *f* de naturaleza.
미[2](美) ① ((준말)) =미국. ② ((준말)) =미주(美洲).
미[3](美) [성적이나 등급에서] bueno.
미가(米價) precio *m* del arroz.
미각(味覺) paladar *m*, (sentido *m* de) gusto *m*, sabor *m*. 세계의 ~ sabor *m* internacional.
미간(未刊) lo que aún no ha sido publicado. ~의 inédito, no publicado, que no se ha publicado aún.
미간(眉間) ((준말)) =양미간(兩眉間).
미간지(未墾地) ((준말)) =미개간지.
미감아(未感兒) [결핵의] niño, -ña *mf* que no está infectado por tuberculosis; [나병의] niño, -ña *mf* que no está infectado por lepra.
미감(美感) sentido *m* de la belleza, sentimiento *m* sobre la belleza, sentimiento *m* hermoso.
미개(未開) ① [꽃이 아직 피지 않음] no florecimiento *m*. ② [땅이 아직 개척되지 않음] incultura *f*, inexploración *f*. ~하다 (ser) inculto. ~한 토지 terreno *m* inculto [inexplorado]. ③ [문화 수준이 낮음] barbarie *f*, barbaridad *f*, salvajada *f*, salvajería *f*. ~하다 (ser) primitivo, salvaje, bárbaro, inculto. ¶~국 país *m* inculto [primitivo · salvaje]. ~인 hombre *m* primitivo; salvaje *mf*, gente *f* inculta. ~지 ㉮ [미개한 땅] tierra *f* inculta. ㉯ ((준말)) =미개척지.
미개간(未開墾) lo inculto. ~의 incultivado, yermo, inculto, baldío. ~지 tierra *f* inculta, yermo *m*.
미개발(未開發) ¶~의 subdesarrollado, no desarrollado. ~국 país *m* subdesarrollado. ~ 지역 el área *f* subdesarrollada.
미개척(未開拓) inexploración *f*. ~의 inexplorado, sin explotar. ~ 분야 [방면] campo *m* inexplorado. ~ 시장 mercado *m* potencial. ~지 tierra *f* inexplorada [sin explotar].
미결(未決) ① [아직 결정되거나 해결되지 아니함] lo pendiente, lo no decidido, lo no resuelto. ~의 pendiente, no decidido. ② ((법률)) inderterminación *f* del crimen.
미결수(未決囚) reo *m* no convicto.
미결제(未決濟) lo pendiente, lo no arreglado, lo no solucionado.
미경험(未經驗) inexperiencia *f*. ~의 inexperto. ~자 principiante *mf*, novato, -ta *mf*, persona *f* inexperta [novata · sin experiencia]
미곡(米穀) ① [갖가지 곡식] diversos cereales *mpl*. ② [쌀] arroz *m*. ¶ ~ 도매상 comerciante *mf* por al mayor de arroz; mayorista *mf* de arroz. ~상 ㉮ [미곡을 팔고 사는 장사] comercio *m* en arroz (y cereales). ㉯ [미곡을 팔고 사는 장수] comerciante *mf* en arroz (y cereales); arrocero, -ra *mf*. ㉰ [미곡을 팔고 사는 가게] tienda *f* de arroz (y cereales). ~ 시장 mercado *m* de arroz (y cereales).
미골(尾骨) ((해부)) coxis *m*, cóccix *m*, rabadilla *f*.
미공인(未公認) ¶~의 no oficial, extraoficial.
미관(美觀) vista *f* hermosa [bella · pintoresca]. ~을 해치다 estropear la vista, echar a perder la belleza del paisaje.
미관(微官) oficial *m* pequeño. ~ 말직 el puesto más bajo (del gobierno).
미구(未久) ¶~에 pronto, dentro de poco, en el futuro cercano, al poco rato, en breve, próximamente.
미국(美國) los Estados Unidos de América, los EEUU, los EE UU. ~의 (사람) estadounidense *mf*.
미군(美軍) fuerzas *fpl* estadounidenses.
미궁(迷宮) laberinto *m*, misterio *m* indescifrable. ~의 laberíntico. 사건은 ~에 빠졌다 El caso se ha convertido en un misterio indescifrable / El caso está enrollado en el misterio.
미기(美技) representación *f* excelente, juego *m* excelente.
미꾸라지 ((어류)) locha *f*. 미꾸라지가 용됐다 ((속담)) La persona humilde e insignificante se hizo grande.
미끄러지다 ① [경사지거나 미끄러운 곳에서] deslizar(se), resbalar(se); [스케이트로] patinar; [스키로] esquiar; [자동차 따위가] patinar. 미끄러지기 쉬운 resbaladero, resbaladizo. 미끄러진 자국 resbaladura *f*. 미끄러지기 쉬운 곳 resbalera *f*, sitio *m* resbaladizo. ② ((속어)) [뽑거나 고른 대상 가운데에 들지 못하다] fracasar, salir mal. 시험에 ~ fracasar [salir mal] en el examen.
미끄럼 deslizamiento *m*, desliz *f*, resbalón *m*; [스케이트] patinaje *m*. ~대[틀] ㉮ [놀이의] deslizadera *f*, tobogón *m*. ㉯ [기계의] resbaladera *f*. ㉰ [진수의] plataforma *f* de corredera.
미끄럽다 (ser) resbaloso, resbaladizo, escurridizo; [부드럽다] suave; [문 따위가] correr, deslizar(se). 미끄러운 길 camino *m* resbaladizo.
미끈거리다 [표면 · 땅이] (ser) resbaladizo; [물고기 · 비누가] resbaladizo, escurridizo.
미끈하다 (ser) lacio y brillante, bien

vestido [arreglado], acicalado, pulcro, bonito, lindo, guapo; [머리카락이] bien peinado.

미끼 ① [낚싯밥] cebo *m*. ② [사람이나 동물을 꾀어내기 위한 물건이나 수단] añagaza *f*, señuelo *m*, reclamo *m*, cimbel *m*, cebo *m*.

미나리 (식물) perejil *m*.

미나리아재비 (식물) botón *m* de oro, ranúnculo *m*.

미남(美男) (준말) =미남자(美男子).

미남자(美男子) hombre *m* guapo [bien parecido], hombre *m* guapo, guapo [buen・real] mozo *m*, mozo *m* [hombre *m*] garrido [gallardo・de buen tipo].

미납(未納) falta *f* de pago; [체납] atraso *m* [retraso *m* de pago. ~의 no pagado, atrasado. ~금 caídos *mpl*, atrasos *mpl*, suma *f* no pagada, suma *f* pendiente. ~자 persona *f* atrasada en el pago.

미녀(美女) mujer *f* guapa [bien parecida]; [집합적] belleza *f*. ~ 선발대회 concurso *m* de belleza. ~ 선발 대회 당선자 ganadora *f* en el concurso de belleza.

미늘 [낚시의] lengüeta *f*; [작살의] punta *f* de presa.

미니 mini *m*; ((컴퓨터)) mini *m*, miniordenador *m*, mini *m*, minicomputador *m*, minicomputadora *f*. [미니 스커트] mini *f*, minifalda *f*. ~ 골프 minigolf *m*, golfito *m*. ~ 스커트 mini *f*, minifalda *f*.

미다¹ [찢어지다] romperse, rasgarse.

미다² [팽팽하게 캥긴 가죽이나 종이 따위를] romper a empujones.

미다³ [업신여기다] despreciar, desestimar, menospreciar.

미닫이(문) puerta *f* (de) corredera, puerta *f* corrediza. ~창 ventana *f* corredera, ventana *f* corrediza.

미달(未達) ① [모자람. 못 미침] falta *f*, escasez *f*, carencia *f*. ~하다 faltar, carecer (de), no tener. 연령 ~의 menor de edad. ② =미달성.

미담(美談) episodio *m* edificante, historia *f* hermosa [alentadora], anécdota *f* laudable. ~집 colección *f* de episodios edificantes.

미답(未踏) lo inexplorado. ~의 inexplorado.

미당기다 empujar y tirar.

미대다 ① [남에게 밀어 넘기다] cargar. ② [(일을) 질질 끌다] aplazar, posponer, retrasar, *AmL* postergar, demorar.

미덕(美德) virtud *f*, carácter *m* noble, buenos rasgos *mpl*. 정직은 ~이다 La honradez es una virtud.

미덥다 (ser) confiable; [장래가 촉망되다] prometer. 미더운 사람 persona *f* confiable.

미도착(未到着) no llegada *f*. ~하다

no llegar aún. ~의 por llegar, aún no llegado.

미동(美童) ① [잘생긴 사내아이] muchacho *m* [chico *m*] guapo. ② [남색의 상대 아이] sodomita *m*.

미동(微動) sacudida *f* ligera, temblor *m* pequeño. ~도 않다 no hacer el menor movimiento, no moverse un ápice; [감정이] (ser) sólido, firme, resistente; [태연하다] no turbarse, no inmutarse.

미드필드 centro *m* del campo, *AmL* mediocampo *m*.

미들 centro *m*, medio *m*, mitad *f*. ~급 (권투) peso *m* mediano.

미등(尾燈) piloto *m*, farol *m* trasero, luz *f* trasera [posterior], lámpara *f* posterior; [열차의] farol *m* de cola.

미디어 medio *m*.

미라 momia *f*.

미래(未來) ① [앞으로 올 때] futuro *m*, porvenir *m*, tiempo *m* venidero. ~의 futuro, venidero, que viene. ~가 있는 prometiente, prometedor, lleno de esperanza. ~에~(는) en (lo) futuro, en el futuro. ~의 아내 futura esposa *f*. ② [(언어)] tiempo *m* futuro. ③ ((불교)) [내세] la otra vida. ¶~ 완료 futuro *m* perfecto. ~주의 futurismo *m*. ~파 futurismo *m*; [사람] futurista *mf*. ~파 예술 arte *m* futurista. ~학 futurología *f*. ~학자 futurólogo, -ga *mf*.

미량(微量) cantidad *f* mínima [muy pequeña], micro *m*. ~ 분석 microanalisis *f*. ~ 전기계 microelectrómetro *m*.

미레자 regla *f* T.

미레질 acepilladura *f* inversa. ~하다 acepillar al revés.

미려(美麗) hermosura *f*, belleza *f*. ~하다 (ser) hermoso, bello, bonito.

미력(微力) poder *m* pequeño, humilde empeño *m* [esfuerzo *m*], pobre habilidad *f*, habilidad *f* pequeña. ~을 다하다 esforzarse todo lo que pueda, hacer lo mejor, empeñarse humildemente.

미련 tontería *f*, tontera *f*, tontada *f*, tontedad *f*, bobada *f*, bobera *f*, bobería *f*, estupidez *f*, necedad *f*. ~하다 (ser) tonto, atontado, bobo, estúpido, torpe, necio, insensato. ~쟁이[통이] persona *f* tonta [boba・tonta], bobo; -ba *mf*; borrico, -ca *mf*; tonto, -ta *mf*.

미련¹(未練) [(기술 따위가) 아직 익숙하지 못함] inexperiencia *f*. ~하다 (ser) inexperto.

미련²(未練) [단념하지 못하는 마음] sentimiento *m*, pesar *m*; [애착] apego *m*, cariño *m*, afecto *m*.

미로(迷路) ① [한 번 들어가면 다시

빠져나오기 어려운 길] laberinto *m*, dédalo *m*. ~에 빠지다 perderse [meterse] en el laberinto. ② ((해부)) oído *m* interno. ③ ((심리)) laberinto *m*.

미루다 ① [연기・지연하다] prorrogar, diferir, suspender, posponer, dilatar, aplazar, trasladar, retardar. ② [전가하다] echar. 일을 남에게 ~ imputar, echar la culpa a otro. ③ [추측하다] inferir, deducir, colegir, concluir, juzgar, estimar, considerar, suponer, adivinar.

미류나무(美柳─) ((식물)) álamo *m*.

미륵(彌勒) ① [돌부처] (estatua *f* de) Buda *m* de piedra. ② ((준말)) = 미륵 보살. ¶ ~ 보살 Mesías *m* Budista, Buda *m* próximo.

미리 [앞서] de antemano, en [con] anticipación, anticipadamente, previamente, anteriormente; [전에] antes. ~ 대비하다 prevenir, preparar de antemano.

미립(微粒) partícula *f*, granillo *m*.

미립자(微粒子) ((물리)) corpúsculo *m*, partícula *f*.

미만(未滿) menos, debajo, bajo. 20세 ~ 입장 금지 ((게시)) Prohibida la entrada a menores de veinte años.

미망인(未亡人) viuda *f*. ~의 viudal. ~이 되다 quedar viuda, enviudar, perder *su* esposo.

미모(美貌) rostro *m* hermoso, cara *f* hermosa, buena fisonomía *f*, buen semblante *m*, buenas ficciones *fpl*; [아름다운] belleza *f*, hermosura *f*.

미목(眉目) ① [눈썹과 눈] las cejas y los ojos. ② [용모] semblante *m*, rasgo *m*, cara *f*, rostro *m*, fisonomía *f*. ~이 수려하다 ser apuesto [bien parecido・guapo].

미몽(迷夢) ilusión *f*, alucinación *f*, fascinación *f*. ~에서 깨어나다 despertarse de la ilusión.

미묘(微妙) delicadeza *f*, finura *f*, sutileza *f*. ~하다 (ser) delicado, delicioso, fino, sutil.

미문(美文) frase *f* [prosa *f*] bella. ~체 estilo *m* florido.

미물(微物) ① [작고 보잘것없는 물건] friolera *f*, fruslería *f*, bagatela *f*. ② [동물] animal *m*; [벌레] insecto *m*. ③ [변변치 못한 인간] persona *f* humilde.

미미하다(微微─) (ser) pequeñísimo, escaso, insignificante, débil, tenue.

미발견(未發見) no descubrimiento *m*. ~의 no descubierto, por descubrir.

미발달(未發達) no desarrollo *m*. ~의 sin desarrollar, subdesarrollado.

미발표(未發表) no publicación *f*. ~의 no publicado.

미병(美兵) soldado, da *mf* estadounidense.

미복(美服) ropa *f* hermosa, vestido *m* elegante [hermoso], ropa *f* lujosa, prenda *f* rica de vestir.

미봉(彌縫) contemporización *f*, remiendo *m*. ~하다 contemporizar, remedar [reparar] provisionalmente. ~책 expediente *m* (temporario), medida *f* provisional [de circunstancias].

미분(微分) ((수학)) diferencial *f*, cálculo *m* diferencial. ~의 diferencial. ~ 계수 coeficiente *m* diferencial. ~ 기하학 geometría *f* diferencial. ~ 방정식 ecuación *f* diferencial. ~ 적분학 cálculos *mpl* diferencial e integral, cálculo *m* infinitesimal, análisis *m* infinitesimal. ~학 cálculo *m* diferencial.

미분자(微分子) átomo *m*, partícula *f*, corpúsculo *m*, molécula *f*.

미불(未拂) atrasos *mpl*, suma *f* pendiente, monto *m* no pagado, falta *f* de pago. ~의 no pagado; [연체] atrasado.

미비(未備) [불완전. 불충분] imperfección *f*, insuficiencia *f*, lo poco adecuado; [부족] falta *f*, deficiencia *f*, carencia *f*; [미비점] defecto *m*. ~하다 (ser) imperfecto, defectuoso, deficiente, incompleto. ~한 점 defecto *m*, imperfección *f*.

미사(美辭) lengua *f* florida, lengua *f* simbólica. ~ 여구(麗句) lengua *f* florida, todas especies *fpl* de palabras floridas. ~ 여구를 늘어놓다 juntar todas especies de palabras floridas.

미사 ① ((천주교)) misa *f*. ~를 듣다 oír misa. ② ((음악)) = 미사곡. ¶ ~곡 misa *f*.

미사일 misil *m*, mísil *m*, misile *m*, proyectil *m*, vector *m*. ~ 기지 base *f* de (lanzamiento de) misiles. ~ 발사기 lanzamisiles *m*. ~ 실험 prueba *f* de misiles.

미상(未詳) desconocimiento *m*. ~의 desconocido, no conocido.

미색(美色) [아름다운 색깔] color *m* hermoso; [여자의 아름다운 용모] semblante *m* hermoso; [미인] mujer *f* hermosa, belleza *f*.

미생물(微生物) microbio *m*, microrganismo *m*, microorganismo *m*. ~의 microbiano, micróbico. ~ 계 mundo *m* del microorganismo. ~학 microbiología *f*. ~ 학자 microbiólogo, ga *mf*.

미성(美聲) voz *f* dulce [hermosa・argentina・suave・agradable].

미성년(未成年) minoridad *f*, minoría *f* de edad. ~의 menor de edad.

미세하다(微細─) (ser) menudo, diminuto, fino, minucioso, microscópico, pequeñísimo, delicado.

미션 ① [사절(단)] misión *f*. ② ((준말)) = 미션 스쿨. ¶ ~ 스쿨 escuela *f* de (la) misión.

미소(微笑) sonrisa *f*. ~하다 sonreír, reír un poco [levemente] y sin ruido, embora una sonrisa. ~를 띠고 있는 사람 persona *f* sonriente; [남자] hombre *m* sonriente; [여자] mujer *f* sonriente.

미소년(美少年) chico *m* [muchacho *m* · joven *m*] guapo.

미소하다(微少) muy poco.

미속(美俗) costumbre *f* hermosa.

미송(美松) pino *m* de Oregón.

미수 ① [꿀물 따위에 미숫가루를 탄 여름철의 음료] bebida *f* con murque en el agua de miel. ② ((준말)) =미숫가루.

미수(未收) ① [돈이나 물건의] lo no recobrado. ~의 no recobrado, sin cobrar. ② ((준말)) =미수금. ¶~금 suma *f* no recobrada, dinero *m* no cobrado.

미수(未遂) tentativa *f*, conato *m*. ~의 intentado, atentado, incompleto, imperfecto, no acabado.

미숙(未熟) ① [덜 익음] inmadurez *f*. ~하다 (ser) inmaduro. ② [사람이나 동물이] inmadurez *f*. ~하다 (ser) inmaturo. ③ [일에 익지 못하여 서투름] inexperiencia *f*. ~하다 (ser) inexperto, sin experiencia, inmaduro, verde, prematuro. ~한 표현 expresión *f* no elaborada [no trabajada].

미숙련(未熟練) no especialización *f*, no calificación *f*, poca habilidad *f*. ~하다 (ser) poco hábil. ~공(工) obrero *m* no especializado [no cualificado]. ~자 persona *f* no especializada [no cualificada].

미술(美術) bellas artes *fpl*, arte *m(f)*. ~가 artista *mf*; [화가] pintor, -tora *f*. ~ 감독 director, -tora *mf* de bellas artes. ~ 감식안 ojos *mpl* para belleza, ojos *mpl* artísticos. ~계 mundo *m* de bellas artes, círculos *mpl* de bellas arte ~관 museo *m* de arte. ~ 교육 educación *f* artística. ~ 대학 facultad *f* de bellas artes, colegio *m* de bellas artes. ~ 도안 dibujo *m* del arte. ~사 Historia *f* del Arte. ~사가 historiador, -dora *mf* del arte. ~상 mercante, -ta *mf* (de arte); traficante *mf* de arte. ~서 libro *m* de bellas artes. ~ 애호가 aficionado, -da *mf* a las bellas artes. ~ 원 Academia *f* de Arte. ~ 전람회 exposición *f* de obras de arte. ~품 objeto *m* de arte, obra *f* artística, obra *f* de arte. ~ 학교 escuela *f* de Bellas Artes.

미숫가루 arroz *m* tostado en polvo, murque *m*.

미스[1] ① [잘못] error, culpa, fallo. ~를 범하다 errar, cometer un error

[una equivocación]. ② =미스테이크.

미스[2] señorita *f* (Srta.), Miss *ingf*. ~ 코리아 la señorita Corea.

미스터 señor *m* (Sr.). ~ 김, 오랜만입니다 Sr. Kim, hace mucho (tiempo) que no le vi [veo].

미스테이크 error *m*, equivocación *f*, falta *f*.

미스프린트 errata *f*, error *m* de imprenta.

미시 경제(학)(微視經濟(學)) microeconomía *f*.

미식(米食) comida *f* de arroz. ~하다 comer arroz.

미식(美式) estilo *m* estadounidense. ~으로 a lo estadounidense. ~ 축구 fútbol *m* americano, rugby *m*.

미식(美食) comida *f* deliciosa, bocado *m* exquisito, golosina *f*, gastronomía *f*, manjar *m* delicioso [exquisito]. ~하다 darse buena mesa. ~의 gastronómico. ~가 gastrónomo, -ma *mf*.

미식(美飾) adorno *m* hermoso, decoración *f* hermosa. ~하다 adornar [decorar] hermosamente.

미신(迷信) superstición *f*. ~을 믿다 creer en la superstición. ~을 타파하다 acabar con las supersticiones.

미아(迷兒) niño *m* perdido [extraviado], niña *f* perdida [extraviada]. ~가 되다 perderse, extraviarse.

미안(未安) lo desagradable, lo molesto. ~하다 sentir. 대단히 ~합니다 Lo siento mucho. 늦어서 ~합니다 Siento mucho haberle hecho esperar.

미안(美顔) cara *f* hermosa, rostro *m* hermoso. ~수 loción *f* de belleza, loción *f* para la cara. ~ 술 tratamiento *m* facial (de belleza), trato *m* de hermosura, arte *m* [cultura *f*] de belleza. ~술사 especialista *mf* de belleza.

미약(媚藥) afrodisíaco *m*.

미약(微弱) delicadez *f*, debilidad *f*. ~하다 (ser) delicado, débil, tenue, insignificante.

미얀마 ((지명)) Myanmar. ~ 사람 birmano, -na *mf*.

미역[1] [몸을 씻는 일] baño *m* (de agua fría) (en el río · en el mar). ~감기 baño *m* (en el agua · en el mar). ~감다 bañarse en el agua, tomar un baño frío.

미역[2] ((식물)) alga *f* marina, (una especie de) alga *f* comestible. ~국 sopa *f* de alga marina.

미열(微熱) fiebre *f* ligera, un poco de fiebre, décimas *fpl* (de fiebre), destemplanza *f*. ~이 있다 tener un poco de fiebre, tener décimas, tener destemplanza.

미온(微溫) tibieza *f*. ~하다 (ser)

tibio. ~계 micropirómetro *m.* ~수
el agua *f* tibia [templada].

미완(未完) inacabamiento *m.* ~하다
no acabar, no terminar. 그는 ~의
대기이다 El tiene aún mucho
talento por explotar.

미완료(未完了) =미완(未完).

미완성(未完成) inacabamiento *m.* ~
하다 no haber acabado [termina-
do] aún. ~의 inconcluso, inacabado, incompleto, imperfecto, no
acabado, no concluido. ~으로
incompletamente. ¶~ 피에자 *f*
inconclusa, pieza *f* incompleta. ~
교향곡 Sinfonía Inconclusa [Inaca-
bada·Incompleta]. ~作 obra *f*
inacabada; [미술·문학의] torso *m.*
~품 obra *f* incompleta, objeto *m*
incompleto.

미용(美容) embellecimiento *m*, belleza *f* (femenina). ~과 건강에 좋다
ser bueno para la salud y la
belleza. ~사 peluquero, -ra *mf.*
~ 성형 cirugía *f* cosmética. ~술
tratamiento *m* de belleza, arte *m*
para la belleza. ~식 comida *f*
especial para guardar la línea,
comida *f* para la belleza. ~원
salón *m* de belleza, peluquería *f.*
~ 체조 calistenia *f*, gimnasia *f*
estética. ~ 학교 escuela *f* de
belleza. ~ 학원 instituto *m* de
belleza.

미욱하다 (ser) estúpido, torpe, tonto,
bobo, idiota. 미욱한 사람 persona *f*
estúpida [tonta].

미움 odio *m*, aborrecimiento *m*,
aversión *f*, rencor *m*, tema *m.* ~
을 받다 incurrir en la hostilidad,
llevarse el aborrecimiento, ser
odiado [aborrecido·detestado], ser
objeto del odio, no ser amado.

미워하다 odiar, detestar, aborrecer,
abominar, tener odio. 서로 ~
odiarse, aborrecerse (uno de otro).

미음(米飲) *mium*, gachas *fpl* claras
[poco espesas] (de arroz para los
enfermos o los niños). ~을 쑤다
preparar [hacer] *mium*. ~을 먹이
다 dar de comer las gachas claras.

미익(尾翼) cola *f.*

미인[1](美人) [용모가 아름다운 여인]
mujer *f* hermosa [guapa·bella·
linda·bonita]. [집합적] belleza *f*,
hermosura *f.* ~계 banda *f* circular
de la belleza femenina, mari *m*
complaisant, chantaje *m* de seducción de acuerdo con *su* marido. ~
(선발) 대회 concurso *m* de belleza.

미인[2](美人) [미국 사람] estadounidense *mf*; norteamericano, -na *mf.*

미장(美匠) diseño *m* decorativo, diseño *m* artístico. ~ 특허 patente *f*

de diseño decorativo.

미장(美粧) arte *m* [cultura *f*] de
belleza. ~원 salón *m* de belleza,
peluquería *f.*

미장(美裝) atavío *m* rico, engalana-
miento *m*, tocado *m* elaborado. ~
하다 (ser) ricamente ataviado,
finamente vestido, engalanado.

미장이 albañil *m*, enjalbegador *m*;
[석고] yesero *m.*

미적(美的) estético, artístico. ~으로
estéticamente, artísticamente. ¶~
가치 valor *m* estético. ~ 감각
sentido *m* estético.

미적(微積) ((수학)) ((준말)) =미적
분. ¶~분 cálculo *m* infinitesimal
[diferencial e integral].~분학 ((준
말)) =미분 적분학.

미적거리다 empujar poco a poco.

미적지근하다 ① [조금 더운 기운이
있는 듯 없는 듯하다] (estar) tibio.
물이 ~ El agua está tibia. ② [태
도나 행동이] (ser) blando, tibio,
poco enérgico, indeciso, irresoluto.

미점(美點) ① [성품이 아름다운 점]
(buena) calidad *f*, virtud *f*, excelencia *f.* ② =장점(長點).

미정(未定) indeterminación *f*, indecisión *f.* ~의 indeterminado, indeciso, irresoluto.

미제(未濟) atraso *m.* ~의 pendiente,
no pagado, indeterminado, irre-
suelto. ~액 suma *f* no pagada.

미제(美製) manufactura *f* [fabricación
f] estadounidense, artículo *m* hecho en los Estados Unidos de
América; [상표에] Hecho en los
Estados Unidos de América, Hecho en U.S.A.

미주(美洲) ((지명)) América *f.* ~ 기
구 Organización *f* de (los) Estados
Americanos, OEA. ~ 회의 conferencia *f* interamericana.

미주(美酒) licores *mpl* deliciosos.

미주 신경(迷走神經) (nervio *m*) vago *m*, nervio *m* neumogástrico.

미주알 parte *f* final del intestino; [항
문] ano *m.*

미주알고주알 inquisitivamente, curiosamente. ~ 캐는 inquisitivo,
curioso, preguntón. ~ 캐는 사람
persona *f* curiosa; persona *f* inqui-
sitiva; preguntón, -tona *mf.*

미증유(未曾有) ¶~의 inaudito, sin
precedentes, nunca visto, fenomenal, que no se ha visto ni oído.

미지(未知) desconocimiento *m.* ~의
desconocido, incógnito. ~의 세계
mundo *m* desconocido. ¶~수
incógnita *f.*

미지근하다 ① [더운 기가 조금 있는
듯하다] (estar) tibio, templado. 미
지근한 물 el agua *f* tibia. 미지근한
방바닥 suelo *m* (del cuarto) tibio.
② [행동이나 태도가] (ser) manso,

blando, apacible, benévolo, lenitivo, indulgente, evasivo, que no compromete a nada, discutible, vago, dudoso. 미지근한 대답 respuesta *f* evasiva [que no compromete a nada·discutible·vaga·dudosa].

미지불(未支拂) no pago *m*. ~하다 no haber pagado aún.

미진(未盡) [끝내지 못함] no agotamiento *m*, interminación *f*. ~하다 no agotar, no acabar, no terminar. ② [흡족 하지 못함] insatisfacción *f*. ~하다 no satisfacer.

미진(微塵) átomo *m*, fragmento *m*.

미진(微震) terremoto *m* leve, temblor *m* ligero, microseísmo *m*, microsismo *m*. ~계 microsismógrafo *m*.

미착수(未着手) ¶~의 no empezado.

미처 [아직] todavía, aún; [지금까지] hasta ahora; [앞서] antes; [미리] de antemano, por anticipado, anticipadamente, con anticipación, previamente, con antelación. ¶~하다 no desatendido, descuidado.

미처리(未處理) ¶~하다 no desatendido, descuidado.

미천(微賤) humildad *f*, rango *m* humilde, bajeza *f*, vileza *f*, ruindad *f*, humilde condición *f* [posición *f*] social. ~하다 (ser) humilde, modesto, oscuro, de origen humilde.

미취학(未就學) ¶~의 (de edad) preescolar, no escolarizado. ~ 아동 (niño, -ña *mf* de edad) preescolar *mf*.

미치광이 ① [미친 사람] loco, -ca *mf*; demente *mf*; alienado, -da *mf*; persona *f* loca. ② [몹시 경망스럽고 수 없는 사람] excéntrico, -ca *mf*; loco, -ca *mf*. ③ [일에 지나칠 만큼 열중하는 사람] maniaco, -ca *mf*; maníaco, -ca *mf*. ~처럼 [열광적으로] con frenesí.

미치다[1] ① [정신에 이상이 생겨, 언어 행동이 이상하게 되다] volverse loco, enloquecer; [사람] ser loco; [정신 나가다] estar loco. 미친 loco. 미친 사람 persona *f* loca; loco, -ca *mf*; maniaco, -ca *mf*; maníaco, -ca *mf*; demente *mf*; alienado, -da *mf*; tocado, -da *mf*. ② [어떤 일에 지나칠 정도로 열중하다] absorberse, dedicarse, entregarse, congrarse, entusiasmarse, apasionarse. 미쳐 있다 (estar) absorto, enfrascado, entusiasmado, loco. 독서에 ~ estar absorto en la lectura.

미치다[2] ① [가 닿다] llegar, alcanzar. 손이 미치는 곳에 a *su* alcance, al alcance de la mano. ② [어떤 문제나 일에 말이나 생각이) 이르다] llegar. ③ [어떤 대상에 작용이] 끼치게 되다] extender, repercutir.

미크로경제학(−經濟學) microecono-

mía *f*.

미크로그램 microgramo *m*.

미태(媚態) coquetería *f*. ~를 부리다 coquetear, hacer coqueterías.

미터 ① [길이의 단위] metro *m*. ② [전기·가스 따위의 자동 계량기] medidor *m*. ~기 contador *m*; [택시의] taxímetro *m*. ~법 sistema *m* métrico. ~ 원기 metro *m* patrón, prototipo *m* de metro. ~자 regla *f* métrica. ~제 sistema *m* métrico. ~톤 tonelada *f* métrica.

미투리 zapatos *mpl* de cáñamo.

미트 ① ((야구)) manopla *f*, guante *m* (de béisbol). ② [벙어리 장갑] mitón *m*, manoplas *fpl*.

미팅 reunión *f*, mitin *m*.

미품(美品) artículo *m* de buena cualidad.

미풍(美風) costumbres *fpl* finas, buenas costumbres *fpl*, buenas maneras *fpl*; [미덕] virtud *f*. ~ 양속 costumbres *fpl*, moral *f* pública, ética *f* pública.

미풍(微風) brisa *f*, viento *m* suave; ((시어)) aura *f*, céfiro *m*. ~이 분다 Sopla la brisa / *AmS* Brisa.

미필(未畢) interminación *f*. ~하다 no haber terminado. ~자 persona *f* que aún no ha completado.

미학(美學) estética *f*. ~의, ~적 estético, -ca *mf*. ~자 estético, -ca *mf*.

미해결(未解決) lo pendiente, no solución. ~하다 no haber solucionado [resuelto]. ~의 pendiente, desarreglado, por solucionar [resolver], que no está aún resuelto. ~ 문제 problema *m* pendiente. ~ 분 쟁 litigio *m* no resuelto. ~ 사건 suceso *m* por resolver.

미행(尾行) persecución *f* oculta. ~하다 perseguir [seguir] ocultamente [en secreto], seguir las pisadas [la pista], buscar el bulto, ir detrás, seguir, seguir como su sombra, espiar. ~자 perseguidor, -dora *mf*.

미행(美行) buena conducta *f*, conducta *f* hermosa.

미행(微行) ((官律)) incógnito *m*, visita privada *f*. ~하다 viajar de incógnito, visitar privadamente.

미혹(迷惑) confusión *f*, molestia *f*, incomodidad *f*, fastidio *m*, lata *f*, inconveniencia *f*, engorro *m*. ~하다 molestarse, ser molestado, tener molestias [problemas] a causa, ser vejado, ser fastidiado, ser incomodado, ser encocorado.

미혼(未婚) no casamiento *m*. ~의 soltero, no casado; ((법률)) célibe. ~모 madre *f* soltera. ~자 soltero, -ra *mf*; célibe *mf*.

미화(美化) embellecimiento *m*; [이상화] idealización *f*. ~하다 embellecer, hermosear, idealizar, acicalar.

~원 basurero, -ra *mf*. ~ 작업 obras *fpl* de embellecimiento.

미화(美貨) dólar *m* estadounidense.

미확인(未確認) no identificación *f*, no confirmación *f*. ~의 no identificado, no confirmado. ~ 비행 물체 objeto *m* volante [volador] no identificado, OVNI *m*.

미흡(未洽) insuficiencia *f*. ~하다 (ser) insuficiente, no estar satisfecho.

미희(美姬) chica *f* [doncella *f*] hermosa [bella]; [집합적] belleza *f*.

믹서 ① [콘크리트를 만드는 기계] mezcladora *f*, hormigonera *f*. ② [과실 따위의 즙을 내는 기계] batidora *f*, *AmS* licuadora *f*. 만능 ~ licuadora *f* versátil.

민가(民家) casa *f* (privada·particular), caserío *m*.

민간(民間) pueblo *m*. ~의 popular; [공(公)에 대한] privado, particular; [군(軍)에 대한] civil. ~기 avión *m* civil. ~ 기업 empresa *f* del sector privado, empresa *f* privada. ~ 단체 organización *f* privada [no gubernamental]. ~ 사업 empresa *f* privada. ~ 사절 misión *f* civil; [사람] enviado, -da *mf* civil. ~ 설화 folclore *m*, cuento *m* popular. ~ 신앙 creencia *f* folclórica. ~ 외교 diplomacia *f* no oficial, diplomacia *f* no gubernamental. ~ 요법 remedio *m* folclórico. ~인 civil *mf*. ~ 자본 capital *m* privado. ~ 투자 inversión *f* del sector privado. ~ 항공 aviación *f* civil.

민감(敏感) susceptibilidad *f*, sensibilidad *f*, delicadeza *f*, viveza *f*. ~하다 (ser) sensible, susceptible.

민경(民警) el civil [el pueblo] y la policía.

민관(民官) el civil y el oficial.

민국(民國) ① [민주 정치를 시행하는 나라] república *f*. ② ((준말)) =대한 민국. ③ ((준말))=중화 민국.

민군(民軍) =민병(民兵).

민권(民權) derecho *m* civil. ~을 신장하다 extender el derecho civil. ~을 옹호하다 defender el derecho civil.

민꼬리닭 gallo *m* [gallina *f*] sin cola.

민달팽이 ((동물)) babosa *f*.

민담(民譚) =민간 설화(民間說話).

민도(民度) nivel *m* cultural y moral del pueblo. 이 나라는 ~가 높다 [낮다] El nivel cultural de este país es alto [bajo].

민둥민둥하다 ① [산에 나무가 없어서 번번하다] (ser) pelado, calvo, desmontada, sin árboles. ② [머리가] volverse [quedarse] calvo.

민둥산(─山) monte *m* pelado, montaña *f* pelada [calva], monte *m* [montaña *f*] sin árboles, colina *f* desmontada, cerro *m* pelado.

민들레 ((식물)) diente *m* de león.

민란(民亂) rebelión *f*, sublevación *f* [levantamiento *m*·revuelta *f*·insurrección *f*] (del pueblo). ~을 일으키다 sublevarse, rebelarse, alzarse.

민력(民曆) almanaque *m* privado.

민망(憫惘) lástima *f*, compasión *f*, miseria *f*, tristeza *f*. ~하다 ⑦ [측은하다] (ser) lastimoso, lastimero, patético, conmovedor, miserable, triste. ~한 생각이 들다 sentir compasión. ④ [난처하다] (ser) embarazoso, difícil, engorroso.

민머리 ① [벼슬을 못한 사람] persona *f* sin puesto gubernamental. ② [정배기까지 벗어진 대머리] cabeza *f* calva, calvicie *f*. ③ [쪽찌지 않은 머리] pelo *m* sin moño.

민며느리 chica *f* que es llevada por la familia del esposo futuro.

민무늬근(─筋) músculo *m* liso.

민물 el agua *f* dulce. ~게 ástaco *m*, cangrejo *m* de río. ~ 고기 pez *m* de agua dulce.

민박(民泊) hospedaje *m* en la residencia privada. ~하다 hospedarse [alojarse] en la residencia privada. ~집 residencia *f* privada, casa *f* de huéspedes.

민방위(民防衛) defensa *f* civil. ~ 훈련 capacitación *f* de defensa civil.

민법(民法) derecho *m* [código *m*] civil. ~학 derecho *m* civil. ~학자 civilista *mf*.

민병(民兵) miliciano, -na *mf*; [집합적] milicia *f*, guardia *f* nacional. ~대 cuerpo *m* de milicia.

민본주의(民本主義) democracia *f*.

민비녀 pasador *m* sencillo sin figura de dragón.

민사(民事) ① [법률] caso *m* [pleito *m*·acción *f*] civil. ~의 civil. ② [백성의 일] asuntos *mpl* del pueblo. ¶~ 사건 caso *m* [causa *f*] civil. ~ 소송 proceso *m* [pleito *m*] civil. ~ 재판 juicio *m* civil.

민생(民生) bienestar *m* público, vida *f* nacional. ~고 dificultades *fpl* económicas del pueblo, crisis *f* (económica) del pueblo. ~ 문제 problemas *mpl* sobre el bienestar público.

민선(民選) elección *f* popular. ~의 elegido por sufragio. ~ 의원 parlamentario *m* elegido por sufragio.

민성(民聲) voz *f* del pueblo, voz *f* popular, opinión *f* pública.

민속(民俗) costumbres *fpl* del pueblo, costumbres *fpl* folclóricas, folclore *m*. ~의 folclórico. ~ 공예품 objetos *mpl* de artesanía folclórica. ~극 drama *m* folclórico. ~ 무용 baile *m* folclórico. ~ 문학

literatura f folclórica. ~ 예술 arte m folclórico. ~ 음악 música f folclórica. ~ 자료 datos mpl folclóricos. ~주 vino m folclórico. ~촌 aldea f [villa f] folclórica. ~학 folclore m. ~ 학자 folclorista mf.

민수(民需) demanda f civil. ~ 산업 industria f civil. ~ 품 artículos mpl de civil, artículos mpl de paisano.

민숭민숭하다 ① [털이 날 자리에 나지 않아 밋밋하다] ㉮ [머리가] (ser) calvo, sin pelo. 민숭민숭해지다 quedarse calvo [pelón]. ㉯ [몸이] (ser) sin vello. 털이 ~ (ser) lampiño, barbilampiño, no tener barba. ㉰ [동물이] (ser) pelado, sin pelo. ② [산에 나무나 풀이 없다] (ser) pelado, desnudo, sin árboles. 민숭민숭한 산 montaña f sin árboles. ③ [술을 마셨어도 취한 기운이 없다] (estar) sobrio, despejado, no estar borracho.

민숭하다 ① [털이 없어 번번하다] (ser) calvo. ② [나무나 풀이 없어 번번하다] (ser) pelado, sin árboles. ③ [술을 마셔도 정신이 멀쩡하다] (estar) sobrio. ☞민숭민숭하다

민습(民習) costumbres fpl del pueblo.

민심(民心) opinión f pública, sentimiento m popular, voluntad f popular, favor m del pueblo m. ~을 얻다 [잃다] ganar [perder] el favor del pueblo. 민심이 천심(天心) ((속담)) Lo que el pueblo quiere, Dios lo quiere.

민악(民樂)=속악(俗樂).

민약론[1](民約論) teoría f del contrato social.

민약론[2](民約論) ((책)) El contrato social.

민어(民魚) pescado m scia- enoide.

민영(民營) operación f privada. ~의 privado. ~ 사업 empresa f privada, negocio m privado.

민예(民藝) arte m folclórico. ~품 obra f de arte folclórico.

민완(敏腕) destreza f, habilidad f, capacidad f. ~하다 (ser) capaz, hábil, diestro, mañoso, sagaz. ~가 hombre m muy perspicaz, capacitado m, hombre m apto, hombre m hábil [diestro], hombre m de facultad [de aptitud]. ~ 형사 detective mf perspicaz.

민요(民窯) horno m privado para la porcelana. [도자기] cerámica f hecha en el horno privado para la porcelana.

민요(民謠) canción f popular [tradicional], balada f, [4행의 짧은] copla f. ~ 가수 cantante mf de canción popular [tradicional]. ~ 대회 concurso m de canción popular.

민원(民願) petición f [aplicación f · solicitud f] civil. ~ 봉사 servicio m rápido de peticiones civiles. ~ 상담소 oficina f de asuntos civiles. ~ 서류 documento m de asuntos civiles.

민의(民意) voluntad f del pueblo; [여론] opinión f pública. ~를 묻다 consultar al pueblo.

민정(民政) gobierno m civil [no militar]; [군대에 대하여] administración f civil; [공화 정치] democracia f, gobierno m democrático; [국민에 의한 정부] gobierno m por el pueblo. ~을 실시하다 establecer un régimen civil.

민정(民情) ① [백성들의 사정과 형편] situación f material y moral, condiciones del pueblo. ~을 시찰하다 observar las condiciones del pueblo. ② =민심(民心).

민족(民族) raza f, [국민] pueblo m, nación f. ~의 racial, étnico, nacional, etno-. ~사(史) etnohistoria f. ~성 carácter m étnico, característica f racial [etnológica]. ~애 amor m nacional [racial]. ~ 자결 autodeterminación f de pueblo. ~ 자결권 derecho m del pueblo a determinar por sí mismo, autodeterminación f. ~ 자결주의 principio m de autodeterminación de su pueblo. ~ 자본 capital m nacional. ~적 étnico, racial. ~적 긍지 orgullo m nacional. ~적 정신 espíritu m racial. ~주의 nacionalismo m; [인종주의] racismo m. ~주의자 nacionalista mf; racista mf. ~중흥 restauración f racial. ~학 etnología f, etnografía f. ~ 학자 etnólogo, -ga mf; etnógrafo, -fa mf. ~혼 el alma f nacional, espíritu m nacional. ~ 화해 reconciliación f nacional.

민주(民主) democracia f. ~의 democrático, demócrata. ~ 공화국 república f. ~ 공화당 Partido m Republicano y Democrático. ~ 국가 estado m democrático. ~적으로 democráticamente. ~ 전선 frente m democrático. ~ 정당 partido m democrático. ~ 정치 política f democrática. ~주의 democracia f. ~주의자 demócrata mf. ~화 democratización f. ~화하다 democratizar f.

민중(民衆) pueblo m, masa f, público m. ~의 popular. ~가 drama m popular. ~ 대회 concentración f popular. ~ 예술 arte m popular. ~ 운동 movimiento m popular.

민첩(敏捷) agilidad f, ligereza f, presteza f, vivacidad f, prontitud f.

~하다 (ser) ágil, listo, presto.
민룻하다 (ser) plano e inclinado.
민패 artículo *m* liso [sencillo].
민폐(民弊) molestia *f* pública [privada]; [금전의 갈취] extorsión *f* de los oficiales públicos; [공직자의 비행] procedimiento *m* ilícito.
민화(民話) cuento *m* [historia *f*] popular.
민화(民畵) cuadro *m* [pintura *f*] popular.
민활하다(敏活一) (ser) ágil, vivaz.
믿다 creer, dar fe [creencia]; [확신하다] estar seguro; [신뢰하다] confiar(se), fiar, creer, contar, tener confianza [creencia·fe]; dar crédito. 믿을 만한 creíble, confiable, fidedigno, digno de confianza, que merece crédito. 믿을 수 없는 increíble, indigno de confianza, difícil de creer. 믿는 도끼에 발등 찍힌다 ((속담)) A buena fe, un mal engaño / Por la confianza se nos entra el engaño.
믿음 [신뢰] confianza *f*, confidencia *f*, crédito *m*; [신앙] devoción *f*, piedad *f*, fe *f*, creencia *f*. ~이 깊은 (사람) religioso, -sa *mf*; devoto, -ta *mf*; piadoso, -sa *mf*. ~이 없는 (사람) infiel *mf*; pagano, -na *mf*.
밀 ((식물)) trigo *m*. ~밭 trigal *m*.
밀(蜜) cera *f* de abeja [cera].
밀가루 harina *f*, harina *f* de trigo. 반죽 masa *f*, pasta *f* de trigo; [버터를 섞은] hojaldre *m*; [생선이나 통닭 튀김용의] rebozado *m*, pasta *f* para rebozar; [지짐이용의] masa *f*. [케이크용의] masa *f*.
밀감(蜜柑) ① ((식물)) naranjo *m*, mandarino *m*. ② [귤] naranja *f*, mandarina *f*. [작은] clementina *f*.
밀계(密計) plan *m* secreto, treta *f*, estratagema *f*. ~를 꾸미다 formar una intriga, intrigar en secreto, tramar secretamente.
밀고(密告) denuncia *f*, delación *f*, soplo *m*, soplonería *f*. ~하다 denunciar, delatar, soplar, soplear, acusar, dar [ir con] el soplo. ~자 denunciante *mf*; delator, -tora *mf*; soplón, -plona *mf*; acusón, -sona *mf*.
밀교(密敎) budismo *m* esotérico.
밀국수 fideo *m* [tallarín *m*] de trigo.
밀기름(蜜一) pomada *f* hecha de cera y aceite de ajonjolí.
밀기울(蜜一) acemite *m*, farfolla *f*; [사료] salvado *m*, afrecho *m*.
밀깜부기 bola *f* de tizón de trigo.
밀다 ① [떼밀다] empujar. 뒤로 ~ empujar hacia atrás. 앞으로 ~ empujar hacia adelante. 서로 ~ empujarse, empellarse. ② [깎다] afeitar, allanar. 대패로 ~ acepi-

llar. 턱수염을 ~ afeitarse, hacerse la barba. ③ [추천하다] recomendar, proponer; [지명하다] nombrar; [지지하다] apoyar, sostener.
밀담(密談) conversación *f* secreta [confidencial·reservada·privada]; [소곤소곤하는 말] cuchicheo *m*. ~하다 conversar a puerta cerrada, hablar confidencialmente [en secreto].
밀대 ① [물건을 밀어 젖힐 때 쓰는 나무 막대] bastón *m* de empujar. ② [소총의] mecanismo *m* de retroceder.
밀도(密度) densidad *f*. ~계 densímetro *m*. ~측정 densimetría *f*.
밀도살(密屠殺) matanza *f* [carnicería *f*] secreta [clandestina·ilegal]. ~하다 hacer una carnicería clandestina, matar clandestinamente.
밀떡 *milteok*, pan *m* de trigo.
밀뜨리다 empujar de repente a la fuerza.
밀랍(蜜蠟) cera *f* de abeja.
밀레니엄 milenio *m*. ~의 milenario. ~ 버그 chinché *m* milenario. ~ 베이비 bebé *m* milenario.
밀렵(密獵) caza *f* furtiva. ~하다 cazar furtivamente [en vedado]. ~자 [꾼] cazador *m* furtivo.
밀령(密令) orden *f* secreta.
밀리그램 miligramo *m*.
밀리다 ① [미처 처리하지 못한 일이나 물건이 쌓이다] haber montado, estar sin pagar, no pagar(se). 밀린 빚 deuda *f* no pagada. ② [넓을 당하다] empujarse.
밀리리터 mililitro *m*.
밀리미터 milímetro *m*.
밀림(密林) selva *f*, jungla *f*, floresta *f* densa. ~의 selvático. ~전 guerrilla *f* de las selvas. ~ 지대 zona *f* selvática.
밀막다 rehusar bajo el pretexto.
밀매(密賣) contrabando *m*, matute *m*, venta *f* ilícita [clandestina]. ~하다 vender clandestinamente, vender ilícitamente, [ilegalmente], pasar [meter] de contrabando, dedicarse al contrabando. ~자 contrabandista *mf*. ~품 artículos *mpl* contrabandeados.
밀매매(密賣買) contrabando *m*. ~하다 contrabandear, pasar de contrabando, hacer contrabando.
밀매음(密賣淫) prostitución *f* ilegal. ~하다 prostituir ilegalmente.
밀명(密命) orden *f* secreta, mandato *m* secreto.
밀모(蜜毛) pelo *m* espeso.
밀모(密謀) intriga *f*, manejo *m*, trama *f*. ~하다 intrigar, tramar.
밀무역(密貿易) contrabando *m*. ~하다 entrar [sacar] de contrabando [de matute·clandestinamente]. ~

자 contrabandista *mf*.

밀물 creciente *f*, creciente *f* del mar, creciente *f* de la marea, pleamar *f*, marea *f* alta [creciente·ascendiente·menguante·entrante].

밀방망이 rodillo *m* (de pastelero).

밀밭 trigal *m*.

밀보리 ① [밀파 보리] el trigo y la cebada. ② ((식물)) centeno *m*.

밀봉(密封) cierre *m*, relleno *m*, sello *m* (hermético), precinto *m*. ~하다 [창문이나 문을] condenar, cerrar; [틈을] tapar, rellenar; [편지나 소포를] cerrar; [밀랍으로] sellar (herméticamente), lacrar; [테이프로] precintar; ~ 교육 enseñanza *f* secreta, capacitación *f* secreta.

밀봉(蜜蜂) abeja *f* (de miel).

밀부(密夫) adúltero *m*.

밀부(密婦) adúltera *f*.

밀사(密事) secreto *m*.

밀사(密使) emisario, -ria *mf*; enviado *m* secreto, enviada *f* secreta.

밀서(密書) ① [밀파 보내는 편지] carta *f* [comunicación *f*] secreta, carta *f* confidencial, mensaje *m* [despacho *m*] secreto. ~를 보내다 enviar [mandar] la carta secreta. ② [비밀 문서] documento *m* secreto.

밀선(密船) barco *m* [buque *m*] contrabandista.

밀송(密送) envío *m* secreto. ~하다 enviar secretamente.

밀수(密輸) exportación *f* e importación secretas, contrabando *m*. ~하다 pasar [meter] de contrabando, contrabandear, hacer contrabando. ~ 감시선 guardacostas *m*. ~선 barco *m* contrabandista. ~업 contrabando *m*. ~업자 contrabandista *mf*. ~품 artículo *m* de contrabando.

밀수(蜜水) agua *f* melosa.

밀수입(密輸入) importación *f* clandestina, contrabando *m*. ~하다 importar clandestinamente, importar de contrabando, hacer contrabando. ~자 contrabandista *mf*. ~품 artículo *m* contrabandista, artículo *m* de contrabando.

밀수출(密輸出) exportación *f* clandestina, contrabando *m*. ~하다 exportar clandestinamente [de contrabando], hacer contrabando. ~업자 contrabandista *mf*.

밀실(密室) cuarto *m* secreto; [폐문의] cuarto *m* cerrado; ~에 감금하다 recluir en un cuarto.

밀쌀 grano *m* de trigo.

밀썰물 menguante *m* y corriente, flujo *m* y marea, bajamar *f*, reflujo *m* del mar.

밀약(密約) tratado *m* secreto, promesa *f* secreta. ~하다 hacer un tratado [contrato] secreto. ~이 있다 existir un entendimiento secreto. ~을 맺다 contratar un pacto secreto.

밀어(密漁) pesca *f* ilícita [furtiva·prohibida]. ~하다 pescar ilícitamente [furtivamente].

밀어(密語) palabra *f* secreta.

밀어(蜜語) cuchicheo *m* [murmullo *m*·susurro *m*] dulce, murmullo *m* de amantes.

밀어내다 [밖으로] empujar afuera.

밀월(蜜月) ① [결혼하고 나서, 즐거운 한두 달] luna *f* de miel. ② ((준말)) =밀월 여행. ¶ ~ 여행 viaje *m* de luna de miel, viaje *m* de novios. ~ 여행을 하다 pasar la luna de miel.

밀음쇠 hebilla *f*.

밀입국(密入國) ingreso *m* [entrada *f*] ilegal. ~하다 entrar en un país ilegalmente.

밀접(密接) estrechamiento *m*. ~하다 (ser) estrecho, íntimo. ~한 관계에 있다 tener [estar en] relaciones estrechas.

밀정(密偵) ① [사람] espía *mf*; agente *m* secreto. ~ 노릇을 하다 espiar. ② [염탐] espía *f* secreta. ~하다 espiar secretamente.

밀주(密酒) destilación *f* ilícita, licor *m* destilado clandestinamente.

밀집(密集) agrupación *f*, congregación *f*. ~하다 apiñarse, agruparse, aglomerarse, remolinarse, juntarse en masa. ~ 부대 tropas *fpl* concentradas. ~ 지구 barrio *m* apiñado. ~ 지대 zona *f* densa.

밀짚 paja *f* de trigo. ~ 모자 sombrero *m* de paja de trigo.

밀착(密着) ① [꼭 붙음] adherencia *f* perfecta, pegamiento *m*, pegadura *f*. ~하다 adherir(se) bien, pegarse, pegarse perfectamente, adherirse bien. ② ((사진)) contacto *m*. ¶ ~ 렌즈 lentilla *f*, lente *f* de contacto.

밀치다 empujar por la fuerza.

밀치락달치락하다 empujarse, atropellarse, contender [pugnar·rempujarse] varias personas, acudir en tropel.

밀치이다 empujarse.

밀크 leche *f*. ~커피 café *m* con leche.

밀탐(密探) investigación *f* secreta, espionaje *m*. ~하다 investigar secretamente, espiar.

밀통(密通) ① [몰래 정을 통함] relación *f* ilícita, fornicación *f*; [기혼자의] adulterio *m*. ~하다 adulterar, cometer adulterio, poner los cuernos, fornicar. ② [소식이나 사정을] 몰래 알려 줌] aviso *m* secreto. ~하다 avisar secretamente.

밀파(密派) envío *m* secreto. ~하다

밀폐(密閉) cierre *m* hermético. ~하다 cerrar herméticamente.

밀항(密航) travesía *f* clandestina, navegación *f* secreta. ~하다 viajar de polizón, navegar clandestinamente [en secreto]. ~선 barco *m* de contrabando. ~자 polizón *mf*; [배 안에서 발견된] llovido, -da *mf*.

밀회(密會) encuentro *m* secreto de los enamorados, cita *f* secreta [de los amantes], entrevista *f* clandestina. ~하다 verse [reunirse] en secreto, tener una entrevista clandestina, citarse los amantes, tener encuentro secreto, tener una cita (secreta).

밉다 ① [생김새가 불품이 없다] tener la buena figura. ② [하는 짓이나 말이 마음에 거슬려 싫다] (ser) odioso, aborrecible, abominable, maligno, malévolo, destestable.

밉살스럽다 (ser) odioso, aborrecedor, detestable.

밉상(-相) cara *f* vergonzosa, semblante *m* vergonzoso.

밋밋하다 (ser) liso y suave, largo y fino. 밋밋한 턱 barbilla *f* lampiña.

밍밍하다 ① [음식 맛이] ser muy insípido [desabrido]. ② [술이나 담배 맛이] ser muy suave [rubio].

밍크 ((동물)) visón *f*. ~ 모피 piel *f* de visón. ~ 코트 abrigo *m* de visón.

및 y, e, también, así como, también como, tanto como, lo mismo que, además de. 서반아어 ~ 영어에 있어서 en español e inglés.

밑 ① [물체의 아래나 아래쪽] fondo *m*, suelo *m*. 나무 ~에 debajo del árbol. ② [물체의 아랫부분이나 아래쪽] parte *f* inferior. ③ [어떤 조직체 등에서의] 아래나 하부] parte *f* inferior. ~의 사람 *su* inferior, *su* subordinado.

밑각(-角) ángulo *m* de base.

밑거름 ① [기비(基肥). 원비(原肥)] abono *m* principal. ② [몸이나 그 밖의 손실을 돌보지 않고 바치는 일] sacrificio *m*.

밑구멍 ① [밑으로나 밑바닥에 뚫린 구멍] agujero *m* en el fondo, agujero *m* del fondo. ② [항문] ano *m*. ③ [여자의 음부] vulva *f*.

밑그림 boceto *m*, esbozo *m*, bosquejo *m*; [자수 따위의] diseño *m*. ~을 그리다 bosquejar, esbozar, hacer un boceto, diseñar.

밑넓이 dimensiones *fpl* de base, superficie *f* de base.

밑돌다 romper, estar por debajo (de). 10초(秒)를 ~ romper los diez segundos.

밑동 raíz *f*, fondo *m*, base *f*.

밑둥치 raíz *f* (del árbol).

밑들다 crecer grande, formar la raíz [el bulbo].

밑면(-面) ((수학)) base *f*.

밑면적(-面積) =밑넓이.

밑바닥 ① [(그릇 따위의) 바닥이 되는 부분] fondo *m*, suelo *m*, base *f*. 맨 ~ lo más profundo. 독의 ~ fondo *m* del tarro. 바다의 ~ fondo *m* del mar. ② [(비유적으로 쓰여) 사회의 맨 하층] bajos fondos *mpl* de la sociedad. ③ [빤히 들여다보이는 남의 속뜻] *sus* pensamientos más íntimos.

밑바탕 ① [본질] esencia *f*. ② [기초] cimiento *m*, base *f*, fundación *f*, fundamento *m*. ③ [본성] naturaleza *f* original, carácter *m* inherente. ④ [소질] propensión *f*.

밑반찬 acompañamiento *m* encurtido, salado o conservado [guarnición *f* encurtida, salada o conservada] que se puede comer mucho tiempo.

밑받침 soporte *m*, apoyo *m*, almohadilla *f*.

밑밥 carnada *f*.

밑변(-邊) ((수학)) base *f*.

밑불 piloto *m*.

밑살 ① [항문이 있는 쪽의 살] carne *f* hacia el ano. ② =미주알. ③ ((속어)) [보지] vulva *f*. ④ [소의 볼깃살] (filete *m* de) cadera *f*.

밑수(-數) =기수(基數).

밑술 licores *mpl* crudos.

밑신개 asiento *m* del vaivén.

밑쌀 grano *m* básico usado preparando los cereales mezclados.

밑씨 ((식물)) óvulo *m*.

밑씻개 papel *m* higiénico.

밑알 huevo *m* del nido.

밑조사(-調査) examen *m* [investigación *f*·interrogatorio *m*] preliminar.

밑줄 raya *f*, línea *f* lateral. ~을 긋다 subrayar.

밑지다 ① [손해를 보다] perder. 밑지는 장사 negocio *m* de pérdida sin ganancia. ② [(딴일 때문에) 손해를 입다] perder.

밑짝 par *m* inferior.

밑창 ① [구두나 신 따위의] suela *f*. ② [배나 그릇 따위의 맨 밑바닥] fondo *m*.

밑천 ① [무슨 일을 하는 데 드는 돈이나 물건] capital *m*, dinero *m* contante, fondo *m*; [원금] principal *m*; [원가] precio *m* de coste, costo *m*; [돈] dinero *m*. ② =본전(本錢). ③ [자지] pene *m*.

밑층(-層) [아래층] piso *m* bajo, planta *f* baja; [하층] capa *f* de más abajo.

밑화장(-化粧) base *f* de maquillaje, fundación *f*.

ㅂ

바¹ ((음악)) fa *m*.

바² [방법. 일] cosa *f*, lo que. 그가 말하는 ~ lo que él dice.

바³ [술집] bar *m*. ~ 걸 camarera *f*, moza *f*.

바⁴ ((기상)) [기압의 단위] bar *m*.

바가지 ① [액체용] cucharón *m* de calabaza, calabaza *f*, calabacera. ② [요금 따위의] sobrecarga *f*, recargo *m*. ¶~ 요금 precio *m* abusivo.

바겐 ganga *f*, RPI pichincha *f*.

바겐세일 venta *f* de gangas [de liquidación], saldos *mpl*.

바구니 cesta *f*, [큰] cesto *m*; [손잡이 달린] canasta *f*, canasto *m*.

바구미 ((곤충)) gorgojo *m*.

바글거리다 ① [물이] hervir (a fuego lento), bullir. ② [거품 따위가] burbujear, borbotar. ③ [벌레 따위가] hormiguear, pulular.

바깥 parte *f* exterior; [겉면] exterior *m*; [옥외] aire *m* libre, fuera de casa. ~의 exterior, externo, fuera de la casa. ~에 al aire libre, fuera de casa. ~에서 al aire libre, afuera. ¶~양반[주인][남자 주인] dueño *m*, amo *m*; [남편] mi marido. ~쪽 exterior *m*. ~채 dependencia *f*.

바께쓰 cubo *m*, pozal *m*.

바꾸다 ① [교환하다] cambiar, intercambiar; [변형하다] transformar, transmutar, metamorfosear; [전환하다] convertir. 돈을 ~ cambiar dinero. 수표를 현금으로 ~ cobrar un cheque. ② [고치다] reformar, rehacer, corregir, enmendar; [갱신하다] renovar, reanudar. ③ [변경하다] cambiar, modificar, trasladar, transformar, convertir; [높이·음성을] modular. ④ [대체하다] su(b)stituir, reemplazar.

바꾸이다 cambiar(se); [변화하다] mudarse, alterarse, variar, convertirse, transformarse, reformarse, renovarse, ser convertido, ser transformado.

바뀌다 ((준말)) =바꾸이다.

바나나 banana *f*, *Cuba*, *ReD* plátano *m* (요리용), guineo *m* (식용으로 쩌 먹음). ~나무 plátano *m*, banano *m*. ~밭[농장] bananal *m*, bananar *f*, bananera *f*.

바느질 labor *f* de aguja; [재봉] costura *f*. ~하다 hacer labor de aguja; [재봉하다] coser, hacer una costura. ~감 costura *f*, labor *f*. ~고리 costurero *m*, cajita *f* de agujas. ~삯[값] paga *f* de costura. ~실 hilo *m* de coser. ~품 labores *fpl* de aguja.

바늘 ① [옷 따위를 짓거나 깁는 데 쓰이는] aguja *f*. ~로 찌르다 pinchar [picar·punzar] con una aguja. ~에 실을 꿰다 ensartar [enhebrar] una aguja. ~을 찌르다 clavar una aguja. ② [낚싯바늘] anzuelo *m*. ~에 물다 caer [picar] en el anzuelo. ③ [자석의] aguja *f* (magnética·imanada); [시계·저울 따위의] manecilla *f*; [초침] segundero *m*. ④ [외과의] aguja *f* de cirugía; [주사의] aguja *f* de inyección. ¶~겨레 acerico *m*, acerillo *m*, almohadilla *f*, cojinete *m*. ~에 물다 caer (de la aguja). ~구멍 agujero *m* muy pequeño. ~구멍으로 황소바람 들어온다 Gota a gota la mar se apoca. ~방석 ㉑ [바늘겨레] cojinete *m*. ④ [앉아 있기에 불안한 자리] asiento *m* incómodo para estar sentado. 바늘 도둑이 소 도둑 된다 ((속담)) El que hace un cesto hace ciento.

바다 ① [짠물이 괴어 있는 부분] mar *m(f)*; [대양] océano *m*. ~의 del mar, marino, marítimo, oceánico. ~가 친[험한] mar *m* agitado [borrascoso·encrespado·picado], mar *f* gruesa. ② [매우 넓거나 큼] mar *m*. 눈물의 ~ mar *m* de lágrimas. ③ [큰 호수] lago *m* grande.

바다표범(—豹—) ((동물)) lobo *m* marino, foca *f*.

바닥 ① [편평한 부분] parte *f* llana; [땅의] tierra *f*, terreno *m*; [마루의] suelo *m*, piso *m*. ② [밑바닥] fondo *m*, suelo *m*, parte *f* inferior. ③ [피륙의 짜임새] trama *f*, tejido *m*. ~이 고운 천 tela *f* con el tejido fino. ④ [수량이 다한 상태] agotamiento *m*. ~나다 agotarse. ⑤ [거리를 이루고 있는 지역] el área *f*, zona *f*. ⑥ [산지에 대하여 평지] tierra *f* plana, tierra *f* llana. ⑦ [면적] superficie *f*.

바대 culera *f*, fondillos *mpl*; [무릎의] rodillera *f*; [천 조각] pieza *f* [trozo *m*·pedazo *f*] de tela.

바동거리다 esforzarse, menearse,

retorcerse, forcejar, forcejear.

바둑 *baduc*, juego *m* coreano de fichas blancas y negras, juego *m* parecido a las damas. ~을 두다 jugar al *baduc*. ¶ ~돌 pieza *f*, piedra *f*. ~무늬 figura *f* [diseño *m*] con manchas blancas y negras. ~판 tabla *f* de *baduc*.

바둑이 perro *m* con manchas.

바드득 con un sonido chirriante. ~하다 chirriar, rechinar, crujir.

바드득거리다 chirriar.

바득바득 persistentemente, obstinadamente, porfiadamente, tenazmente, importunamente, pertinazmente, insistentemente. ~ 우기다 mantenerse [seguir] obstinadamente en *sus* treces, mantenerse obstinadamente firme.

바듯하다 ① [꼭 끼다] (estar) apretado, ajustado. ② [어떠한 정도나 시간에 간신히 미치다] alcanzar difícilmente. 이것은 내가 별 수 있는 바듯한 금액이다 Esta es la cantidad límite de dinero que puedo ofrecer. ¶바듯이 apenas, difícilmente, con dificultad. ~ 살아가다 vivir con arreglo a los ingresos.

바디 caña *f*, junquillo *m*.

바라다 ① [소원하다] desear, querer, tener ganas de; [부탁하다] pedir. 우리를 방문하시기를 바랍니다 Queremos que nos visita usted. ② [기대·예기하다] esperar, tener esperanza. 그러기를 바랍니다 Espero que sí.

바라보다 ① mirar, ver; [응시하다] contemplar; [주의깊게] observar; [감심하여] admirar. ② [관망하다] percibir [examinar] con la vista. ③ [나이에서] frisar. 쉰을 ~ frisar en los cincuenta años.

바라지¹ cuidado *m* (atento, atención *f*, asistencia *f*, provisión *f*; [음식의] suministro *m*, aprovisionamiento *m*. ~ 하다 [환자를] atender, cuidar; [병자·아이·동물을] cuidar, cuidar de; [아이를] cuidar, ocuparse, encargarse; [손님·관광객을] atender.

바라지² [(햇빛용의) 작은창] tragaluz *m*, claraboya *f*, lumbrera *f*.

바라지다¹ ① [갈라져서 사이가 뜨다] romperse, desprenderse. ② [넓게 퍼져서 활짝 열리다] ensancharse, abrirse.

바라지다² ① [키가 작고 가로 퍼져 뚱뚱하다] (ser) bajo y gordo, rechoncho, bajo y fornido. 바라진 놈 tipo *m* bajo y fornido. ② [그릇의 속은 얕고 위가 납작하다] (ser) poco profundo. 바라진 대접 cuenco *m* poco profundo. ③ =되바라지다. ¶바라진 아이 niño *m*

descarado [fresco·atrevido], niña *f* descarada [fresca·atrevida].

바라크 barraca *f*.

바람¹ ① [공기의 흐름] viento *m*; [미풍] brisa *f*; [강풍] viento *m* fuerte, ventarrón *m*; [폭풍] tempestad *f*, tormenta *f*, borrasca *f*; [선풍기] corriente *f*. ② [속이 빈 물체 속에 넣는 공기] aire *m*. ③ [(주로 이성 관계로 일어나는) 들뜬 마음이나 짓] veleidad *f*, inconstancia *f*, volubilidad *f*; [행위] amorío *m*, aventura *f* amorosa. ~난 veleidoso, inconstante, voluble; [남자가] mariposón; [여자가] coqueta. ¶~결 ㉮ [바람의 움직임] movimiento *m* del viento. ㉯ [풍편(風便)] rumores *mpl*, habladurías *fpl*. ¶~에 들은 소문 rumor *m*, voz *f* no confirmada que corre entre el público. ~구멍 respiradero *m*. ~기 ㉮ [바람의 기운·기세] fuerza *f* del viento. ㉯ [이성에게 쉬 끌리는 들뜬 성질] libertinaje *m*, indecencia *f*, volubilidad *f*, inconstancia *f*, infidelidad *f*, liviandad *f*. ~둥이[쟁이] hombre *m* lascivo, mujer *f* lasciva; Don Juan, tenorio *m*, galanteador *m*, coquetón *m*, castigador *m*. ~막이 parabrisa *f*, parabrisas *m*, guardabrisa *f*, paravientos *m*. ~받이 lugar *m* expuesto [azotado] por el viento.

바람² =소망(所望).

바람³ ① [결] ímpetu *m*, motivo *m*, incentivo *m*; [결과] consecuencia *f*, resultado *m*; [영향] influencia *f*, efecto *m*; [과정] proceso *m*. 충돌하는 ~에 por la fuerza de impacto. ② [몸에 차려야 할 것을 차리지 않고 나서는 차림, 또는 그 행색] sin *su* ropa. 셔츠 ~으로 en mangas de camisa.

바람개비 cataviento *m*.

바람직하다 ser deseable, ojalá (que + *subj*). 바람직한 일 una cosa deseable. 바람직하지 못한 인물 hombre *m* indeseable; [외교에서 기피 인물] persona *f* non grata.

바랑 mochila *f*.

바래다¹ ① [퇴색하다] descolorarse, descolorirse, desteñirse, perder el color. ② [표백하다] blanquear. 햇볕에 ~ blanquear al sol.

바래다² [배웅하다] escoltar.

바래다주다 llevar, acompañar.

바로¹ ① [곧게, 바르게] en línea recta, rectamente. ② [지체하지 않고 곧] inmediatamente, pronto, al instante, en el acto, en seguida, enseguida, en el mismo tiempo, al momento, sin tardanza, en un instante. 서울에 닿자 ~ luego que llegue a Seúl. ~ 갑니다 Ya voy / Voy ahora mismo / Me voy ahora. ③ [곧장] derecho, directamente. ~ 가다 seguir (todo) derecho, ir directamente. ④ [멀지 아니하고 썩 가까이] justamente, directamente, muy cerca. ~ 뒤에 justamente detrás. ~ 아래에 directamente [justamente] abajo [bajo]. 다리 ~ 아래에 justamente bajo el puente. ⑤ [다름아닌] el mismo, la misma, precisamente. ~ 본인 la misma persona. ⑥ [정당하게] con justicia, legítimamente, justamente; [옳게] correctamente; [참되게] honradamente, honestamente; [솔직히] francamente (dicho); [엄정하게] estrictamente. ⑦ [정확히] exactamente, con exactitud, precisamente. ~ 그 때에 en el preciso momento, a la hora.

바로² ((구령)) ¡Vista al frente!
바로미터 [기압계] barómetro *m*.
바로잡다 ① [굽은 물체를] enderezar, poner derecho. ② [잘못된 것을] corregir, rectificar, enmendar, reformar, renovar.
바로크¹ [음악] barroco.
바로크² barroco. ~식의 barroco. ~ 식 건물 edificio *f* barroco. ¶ ~ 건축 arquitectura *f* barroca. ~ 양 식 estilo *m* barroco. ~ 예술 arte *m* barroco. ~ 음악 música *f* barroca. ~ 회화 pintura *f* barroca.
바르다¹ ① [붙이다] pegar, empastar, empapelar. ② [묻히다] pintar [페인트 따위를]; [니스를] varnizar, laquear, esmaltar; [기름 따위를] untar. ③ [이긴 흙 따위를 벽 따위건을] embadurnar, pintarrajear, untar; [회반죽 따위를] enseyar.
바르다² ① [껍질을 벗기거나 알맹이를 집어 내다] cascar, partir. ② [필요한 것 [필요하지 않는 것]만 골라내다] quitar. 생선의 살을 ~ quitar la carne de un pescado.
바르다³ ① [어그러지거나 비뚤어지거나 굽지 아니하다] (ser) recto, erguido. ② [도리나 사리에 맞아 참되다] (ser) verdadero. ③ [정직하다] derecho, justo; [정확하다] correcto, exacto; [정당하다] legar; [합법적이다] legítimo. ③ [정직하다] (ser) honrado, honesto; [솔직하다] franco.
바르르 ① [물이 끓어오르는 모양이나 소리] bullendo, burbujeando, hirviendo. ② [갑자기 성을 내는 모양] en un ataque de furia. ~ 화를 내다 ponerse hecho una furia, enfurecerse, montar en cólera. ③ [가볍게 발발 떠는 모양] temblando, tiritando. 무서워 ~ 떨다 temblar de miedo.
바르셀로나 ((지명)) Barcelona. ~의

(사람) barcelonés, -nesa *mf*.
바르작거리다 retorcerse, menearse, serpentear, culebrear.
바른길 ① [곧은 길] camino *m* recto. ② [정당한 길] camino *m* justo.
바른말 [옳은 말] verdad *f*, palabra *f* razonable; [직언] palabra *f* franca [sincera].
바른쪽 derecha *f*, lado *m* derecho.
바리 ① [놋쇠로 만든 밥그릇] vasija *f* de latón para la comida. ② ((준말)) =바리때. ¶ ~때 vasija *f* de madera para la comida del sacerdote budista.
바리캉 maquinilla *f* (eléctrca) para cortar el pelo.
바리케이드 barrera *f*, empalizada *f*, barricada *f*.
바리톤 ((음악)) barítono *m*.
바림 degradación *f*; ((회화)) esfumación *f*. ~하다 degradar; ((회화)) difuminar, esfumar.
바벨 ((지명)) ((성경)) Babel. ~탑 la Torre de Babel.
바보 idiota *mf*, estúpido, -da *mf*; tonto, -ta *mf*, bobo, -ba *mf*. ~짓 tontería *f*, estupidez *f*, bobería *f*, bobera *f*. ~짓을 하다 hacer una tontería.
바비큐 barbacoa *f*, parrilla *f*, AmL asador *m*; [음식] parrillada *f*.
바쁘다 ① [다망하다] estar ocupado. 바쁜 사람 persona *f* ocupada. ② [몹시 급하다] ser muy urgente, tener prisa.
바삐 [바쁘게] ocupadamente; [급히] de prisa, apresuradamente; [즉시] en seguida, inmediatamente, en el acto. ~ 서둘러라 Date prisa / Apresúrate.
바삭거리다 seguir susurrando [crujiendo].
바삭바삭하다 susurrar, crujir.
바셀린 ((화학)) vaselina *f*.
바순 ((악기)) fagot *m*. ~ 연주자 fagot *mf*, fagonista *mf*.
바스락거리다 (hacer) susurrar [crujir].
바스켓볼 ① [농구] baloncesto *m*, AmL básquetbol *m*. ② =바스켓볼공. ¶ ~ 공 balón *m* de baloncesto, pelota *f* de básquetbol. ~ 선수 jugador, -dora *mf* de baloncesto (de básquetbol); baloncestista *mf*, AmL basquetbolista *mf*.
바스크 ((지명)) el País Vasco, las (Provincias) Vascongadas. ~의 (사람) vasco, -ca *mf*. ~어 euskera *f*, vasco *m*, vascuence *m*.
바싹 ① [물기가 아주 없어 마르거나 타 버린 모양] completamente, resecamente, agostándose, desecándose. ~ 마르다 desecarse. ~

말리다 desecar. ② [아주 가까이 다가가는 모양] de cerca. ~ 매달리다 agarrar [asir] para detener. ~ 뒤따르다 seguir muy de cerca. ③ [몹시 긴장하는 모양] muy tensamente, en estado de tensión. ④ [몹시 죄는 모양] fuerte, bien. ~ 죄다 atar fuerte, asegurar bien. ⑤ [외곬으로 우기는 모양] tercamente. ~ 우기다 persistir [insistir] tercamente. ⑥ [많이 줄어드는 모양] completamente, mucho.

바야흐로 ① [한창] en *su* apogeo, en plena marcha, en pleno funcionamiento; [바로] justamente, exactamente, ni más ni menos, precisamente, recién, recientemente, en el instante, completamente, realmente, en realidad, verdaderamente. ② [이제 곧] estar a punto de + *inf*, estar al + *inf*, casi, cerca (de), por poco.

바위 roca *f*, peña *f*; [울퉁불퉁한] peñasco *m*, peñón *m*, risco *m*; [암초] arrecife *m*, escollo *m*. ¶ ~굴 cueva *f* de una roca. ~옷 ((식물)) musgo *m*. ~돌 =바위. ~ㅅ장 roca *f* ancha.

바이러스 virus *m*. ~의 viral, vírico. ~ 간염 hepatitis *f* vírica. ~병 enfermedad *f* viral, virosis *f*.

바이블 [성서] Biblia *f*. ② [성서처럼 권위 있는 전적] biblia *f*, libro *m* de cabecera.

바이어 [사는 사람] comprador, -dora *mf*; [수입상] importador, -dora *mf*.

바이오 bio-. ~ 산업 bioindustria *f*.

바이올린 ((악기)) violín *m*. ~을 연주하다 tocar el violín. ¶ ~ 독주 solo *m* de violín. ~ 연주가 violinista *m*.

바이타민 =비타민.

바자 bazar *m*; [자선시] kermesse *m*, bazar *m* de beneficencia.

바장이다 pasear(se) [dar un paseo] sin rumbo (fijo).

바주카포 bazooka *m*, bazuca *m*.

바지 pantalones *mpl*. ~를 입다[벗다] ponerse [quitarse] los pantalones.

바지라기 concha *f* corbícula.

바지락 [준말] =바지락조개.

바지락조개 ((조개)) almeja *f*.

바지선(一船) barcaza *f*, gabarra *f*.

바지저고리 ① [바지와 저고리] los pantalones y la chaqueta. ② [제 구실을 못하는 사람] inútil *mf*; calamidad *f*.

바짝 =바싹. ¶ ~ 말라 버리다 desecarse, secarse, resecarse; [시들다] marchitarse.

바치다[1] ① [웃어른이나 신께] ofre-

cer, ofrendar, consagrar, poner una ofrenda, presentar, dedicar. 묘에 꽃을 ~ poner flores ante la sepultura. ② [자기의 정성이나 힘·목숨 등을] dedicar, consagrar, sacrificar. 목숨을 ~ sacrificarse. ③ [세금이나 공납금 따위를 내다] pagar.

바치다[2] [음식 따위에] estar loco, ser demasiado aficionado.

바커스 [주신(酒神)] Baco *m*.

바 코드 código *m* de barras.

바퀴[1] [도는] rueda *f*. ~살 radio *m* [raya *f*] de una rueda, rayo *m*. ~자국 rodera *f*, rodada *f*.

바퀴[2] [도는 횟수] vuelta *f*, revolución *f*, rotación *f*. 한 ~ una vuelta, una revolución.

바퀴[3] ((곤충)) cucaracha *f*.

바퀴의자(一椅子) silla *f* de ruedas.

바탕 ① [성질] natural *m*, naturaleza *f*, disposición *f*, temperamento *m*, carácter *m* (verdadero); [재질] dotación *f*, abilidad *f*, talento *m*; [소지. 소질] inclinación *f*, constitución *f* (física). ② [직물의] textura *f*, tejido *m*, tela *f*, fibra *f*, material *m*, plano *m*, fondo *m*; [품질] calidad *f*. ③ [뼈대. 틀] cuerpo *m*, armazón *f*, estructura *f*, marco *m*. ④ [기초. 근본] fundación *f*, base *f*. …에 ~을 두다 basarse en *algo*.

바탕[2] [활을 쏘아 살이 미치는 거리] alcance *m* de una flecha.

바터 trueque *m*, permuta *f*, espalda *f* con espalda, toma *f* y da acá. ~ 무역 comercio *m* de trueque. ~제 ㉮ combalache *m*, sistema *m* de trueque [de permuta]. ㉯ = 바터 무역.

바티칸 ① ((준말)) =바티칸 궁전. ② ((준말)) =바티칸 시. ③ ((준말)) =바티칸 시국. ④ =교황청. ¶ ~ 궁전 Palacio *m* del Vaticano. ~ 시 Ciudad *f* del Vaticano. ~ 시국 Estado *m* de la Ciudad del Vaticano.

박[1] ① ((식물)) calabaza vinatera. ~을 타다 cortar [partir] la calabaza vinatera en dos. ② ((준말)) =바가지. ¶ ~꽃 flor *f* de calabaza vinatera.

박[2] ① [긁거나 가는 소리] con una escofina [ralladura] vigorosa. ② [찢는 소리] con un rasgón, con un desgarrón.

박격포(迫擊砲) mortero *m* de [para] trinchera.

박다 ① [말뚝 따위를] estacar, apostar; [쐐기 따위를] acuñar, meter cuña(s), sujetar con cuñas; [못으로] sujetar con clavos. 못을 ~ clavar, enclavar, clavetear. ② [쏘아 넣다] entrar como un disparo. ③ [소를 넣다] llenar. ④ [촬영하다] sacar; [인쇄하다] imprimir, tirar. ⑤ [찍어내다] formar, dar una forma [perfil], modelar. ⑥ [재봉하다] coser. ⑦ [상감하다] embutir, incrustar.

박달나무 (식물) abedul m.

박답(薄畓) arrozal m seco.

박대(薄待) maltrato m, maltratamiento m. ~하다 maltratar, tratar mal.

박덕(薄德) virtud f escasa. ~하다 la virtud ser escasa.

박동(搏動) palpitación f del pulso. ~하다 palpitar el pulso.

박두(迫頭) urgencia f, presión f, apremio m, premura f, inminencia f, amago m. ~하다 (ser) inminente, urgente, apremiante.

박람회(博覽會) exposición f, feria f de muestras. ~장 sede f de feria [exposición]. ~출품자 expositor, -tora mf.

박력(迫力) vigor m, fuerza f, agudeza f, intensidad f. ~ 있는 vigoroso, enérgico, poderoso, emocionante. ~이 있다 tener vigor [fuerza].

박리(薄利) ganancia f [utilidad f] pequeña. ~로 팔다 vender a utilidad pequeña. ¶~ 다매 pequeñas ganancias fpl y rápidas ventas.

박멸(撲滅) destrucción f, exterminio m, aniquilación f. ~하다 hacer desaparecer completamente, exterminar, aniquilar.

박명(薄命) infortunio m, desventura f, desdicha f, mala suerte f. ~하다 (ser) infeliz, desdichado, infortuno, de mala suerte.

박물(博物) ① [넓은 견문] conocimiento m amplio. ② [참고] referencia f. ③ ((준말)) =박물학. ¶~관 museo m. ~학 historia f natural. ~학자 naturalista mf.

박박[1] ① [세게 갈거나 긁는 소리] raspando, rascándose, rozando, fuerte, con fuerza, bruscamente. 바가지를 ~ 긁다 raspar fuerte la calabaza. ② [잇따라 되바라지게 찢는 소리] rompiendo en pedazos, arrebatando, arrancando. 종이를 ~ 찢다 romper el papel en mil pedazos. ③ [세게 문지르거나 닦는 모양] frotando fuerte, restregando, refregando, masajeando bien. 그는 무릎을 ~ 문질렀다 El se frotó bien la rodilla.

박박[2] ① [얼굴이 몹시 얽은 모양] picado de (muchas) viruelas. ~ 얽다 tener la cara picada de viruela(s). ② [머리를 아주 짧게 깎아 버린 모양] muy corto, al rape. 중처럼 머리를 ~ 깎다 te-

ner el pelo (cortado) al rape.

박복(薄福) desgracia f, infortunio m, desventura f, desdicha f, mala suerte f. ~하다 (ser) desgraciado, desfortunado, desdichado. ~한 여인 mujer f infortunada [desdichada].

박봉(薄俸) poca remuneración f, [sueldo] escaso [pequeño], mal [poco] sueldo m. 입에 풀칠도 안 되는 ~ sueldo m de hambre.

박빙(薄氷) capa f fina [delgada] de hielo, hielo m fino [delgado].

박사(博士) doctor, -tora mf. ~의 doctoral. ~가 되다 doctorarse, sacar el título [obtener el grado] de doctor. ~ 과정 (curso m de) doctorado m. ~ 과정 학생 estudiante mf de doctorado; doctorando, -da mf. ~ 논문 tesis f doctoral. ~ 타이틀 título m de doctor, doctorado. ~ 학위 doctorado m. ~ 학위를 받다 doctorarse. ~ 학위를 수여하다 doctorar.

박살 rompimiento m en pedazos. ~(을) 내다 hacer pedazos, hacer trizas, romper, desgarrar. ~(이) 나다 hacerse pedazos, quedar hecho trizas, romperse.

박새 (조류) paro m.

박색(薄色) ① [아주 못생긴 얼굴] cara f muy fea, rostro m muy feo, aspecto m muy feo. ② [아주 못생긴 여자] mujer f muy fea.

박속 parte f comible de la calabaza.

박수 ((민속)) adivino m, hechicero m, brujo m, encantador m.

박수(拍手) palmoteo m, palmada f. ~하다 palmotear, batir palmas, dar palmadas, aplaudir. ~ 갈채 aplauso m.

박식(博識) extensos conocimientos mpl, extensa sabiduría f, cultura f enciclopédica. ~하다 (ser) docto, bien conocido, muy sabio.

박애(博愛) filantropía f, benevolencia f, caridad f, humanidad f. ~하다 (ser) filantrópico, humanitario, benévolo, caritativo.

박약(薄弱) debilidad f, flaqueza f. ~하다 débil, flaco.

박음쇠 engrapador m, grapadora f, cosepapeles m.sing.pl.

박음질 pespunte m. ~하다 pespuntar.

박이다[1] ① [한 곳에 붙어 있거나 끼어 있다] atascarse, atrancarse, meterse; [박여 있다] estar metido. ② [마음이나 몸에 꼭 배다] quedar profundo, adquirir malas costumbres, acostumbrarse (a + inf), tener la manía (de + inf).

박이다[2] [인쇄물을 찍다] hacer imprimir; [사진을] hacer sacar (la foto).

박이부정(博而不精) Aprendiz de todo, maestro de nada / Aprendiz de todo y oficial de nada.

박자(拍子) compás *m*, ritmo *m*, cadencia *f*, medida *f*, batuta *f*. ~에 맞추다 acompasar.

박작거리다 apiñarse, bullir, empujar, dar empujones, hormiguear.

박장대소(拍掌大笑) carcajada *f*. ¶ ~하다 soltar a carcajadas, reír(se) a carcajadas.

박정(薄情) frialdad *f*, insensibilidad *f*, desafecto *m*, crueldad *f*. ~하다 (ser) frío, insensible, indiferente, impasible, duro de corazón, desafecto, seco, desabrido, adusto.

박제(剝製) disección *f*, desecación *f*. ~하다 disecar. ~되다 disecarse. ~사 taxidermista *mf*; disecador, -dora *f*. ~술 taxidermia *f*, arte *m* de disecar animales. ~ 표본 espécimen *m* de animales disecados. ~품 artículo *m* disecado.

박쥐 ((동물)) murciélago *m*.

박진(迫眞) verosimilitud *f* (a la vida), verdad *f* a la vida. ~하다 (ser) muy real, verosímil, verdadero a la vida [la naturaleza]. ~감 sentido *m* de verosimilitud. ~력 poder *m* de verosimilitud. ~성 verosimilitud *f* (a la vida).

박차(拍車) ① [승마 구두의] espuela *f*. ② [어떤 일의 촉진을 위하여 더하는 힘] aceleración *f*. ~를 가하다 expedir, acelerar, apresurar, dar prisa, espolear, picar con espuela, estimular.

박차다 ① [발길로] patear, dar patadas [puntapies], dar coces. ② [애로나 장애를] rechazar, rehusar.

박치기 cabezazo *m*. ~하다 dar*le* un cabezazo.

박탈(剝奪) privación *f*, despojo *m*. ~하다 privar, despojar, quitar. 공민권을 ~하다 despojar el derecho civil.

박테리아 bacteria *f*, microbo *m*.

박토(薄土) terreno *m* estéril.

박하(薄荷) hierbabuena *f*, menta *f*.

박하다(薄一) ① [인색하다] (ser) tacaño, mezquino; [인정이 없다] inhumano, frío, insensible. 점수가 ~ ser severo [estricto] en las notas. ② [얇다] (ser) escaso, exiguo. 박한 봉급 sueldo *m* escaso.

박학(博學) erudición *f*, gran cultura *f*, estudio *m* extenso, conocimiento *m* amplio. ~하다 (ser) erudito, docto, sabio, letrado.

박해(迫害) persecución *f*. ~하다 perseguir, acosar, hostigar, vejar, oprimir. 종교상의 ~ persecución *f* religiosa. ~를 받다 sufrir persecución. ~를 받는 자 perseguido, -da *mf*. ¶ ~자 perseguidor, -dora *mf*.

박히다 ① [어떤 물건이] meterse, clavarse. 나뭇조각이 ~ meterse una astilla ② [사진이나 인쇄물이] imprimirse.

밖 ① [바깥] parte *f* exterior, exterior *m*; [부사적] afuera. ~의 de fuera, exterior, externo. ~에 de fuera, exterior, externo. ~에 (de la casa), afuera, al [en el] aire libre. ~으로 afuera, hacia fuera. ~에서 de [desde] fuera. ~에 나가다 salir a la calle. ② [이외] excepción *f*.

밖에 solamente, sólo, no más que. 한 번 ~ sólo [solamente] una vez. 이것 ~ 없다 No hay más que éste.

반(反) ((철학)) antítesis *f*.

반(半) medio *m*, mitad *f*; [부사적] medio. ~의 medio. ~만 (sólo) a medias. 1킬로 ~ (un) kilo y medio. 1시간 ~ (una) hora y media. ~ 년 medio año *m*.

반(班) ① [반열] casta *f*, clase *f*, posición *f* social. ② [집단. 조] partido *m*, grupo *m*, compañía *f*, unidad *f*; [학급] clase *f*; [군대의] sección *f*. 2학년 A ~ clase A del segundo curso. ③ [행정 구역의] *Ban*, asociación *f* vecina. ¶ ~장 (長) jefe, -fa *mf* de *Ban*.

반(盤) tabla *f*, tablero *m*, plato *m*, plancha *f*, disco *m*, bandeja *f*.

반가공품(半加工品) artículos *mpl* semimanufacturados.

반가워하다 alegrarse, tener mucho gusto. 소식을 듣고 ~ alegrarse de oír la noticia.

반가이 de buena gana, con mucho gusto. ~ 맞이하다 dar la bienvenida, recibir con gusto.

반감(反感) antipatía *f*, antagonismo *m*, repugnancia *f*, repulsión *f*, aversión *f*, sentimiento *m* desfavorable. ~을 사다 revocar antipatía.

반감(半減) reducción *f* a la mitad. ~하다 reducir [disminuir] a la mitad. ~되다 reducirse a la mitad, disminuir(se) a la mitad.

반갑다 alegrarse, (ser) contento, satisfecho, alegre, gozoso, feliz, dichoso, afortunado. 반가운 소식 noticia *f* alegre. 만나뵈어 반가웠습니다 Me alegré de verle.

반값(半一) medio precio *m*, mitad *f* de(l) precio.

반개(半個) medio, media pieza *f*. 사과 ~ media manzana *f*.

반걸음(半一) medio paso *m*.

반격(反擊) contraataque *m*, contraofensiva *f*. ~하다 contraatacar, dar un contraataque, repeler.

반경(半徑) radio *m*, semidiámetro *m*. ~ 10킬로미터 안에 en un

radio de diez kilómetros.

반골(反骨/叛骨) desafío *m*, acto *m* de rebeldía.

반공(反共) anticomunismo *m*. ~하다 oponerse al comunismo. ~의 anticomunista.

반공일(半空日) sábado *m*.

반과거(半過去) ((언어)) pretérito *m* imperfecto.

반관(半官) ¶ ~의 semi-oficial. ~ 반민 administración *f* semigubernamental.

반구(半球) hemisferio *m*. ~의 hemisférico.

반국가적(反國家的) antinacional.

반군(反軍) oposición *f* a las autoridades militares.

반군(反軍) ((준말)) =반란군.

반기(反旗) ① [반대의 뜻을 나타내는 행동] actitud *f* opuesta. ② =반기(叛旗).

반기(半期) [반년] semestre *m*; [1기의 반] mitad *f* del periodo. ~의 semestral. ~로 semestralmente.

반기(半旗) bandera *f* a media asta. ~를 게양하다 colocar la bandera a media asta.

반기(叛旗) rebelión *f*, bandera *f* de sublevación *f*. ~를 들다 rebelarse, sublevarse.

반기(叛旗) bandera *f* de rebelión. ~를 게양하다 alzar [levantar] la bandera de rebelión.

반기다 alegrarse. 손님을 ~ alegrarse de ver a la visita.

반나마(半一) más de la mitad.

반나절(半一) mitad *f* de medio día.

반나체(半裸體) semidesnudez *f*, seminudez *f*. ~의 medio desnudo, semidesnudo, seminudo.

반날(半一) medio día *m*.

반남(半一) medio día *m* de.

반납(返納) pago *m* de la mitad. ~하다 pagar la mitad.

반납(返納) devolución *f*, restitución *f*. ~하다 devolver, restituir.

반년(半年) medio año *m*, seis meses; [반기] semestre *m*.

반닫이(半一) armario *f*.

반달¹(半一) ① [반쯤 이지러진 달] media luna *f*. ② [속손톱] blanco *m* de la uña.

반달²(半一) [한 달의 절반] medio mes *m*, quincena *f*, quince días.

반달음(半一) =반달음질.

반달음(박)질 el andar con paso rápido como la carrera.

반당(反黨) [반역자] traidor, -dora *mf*; [반당 행위] actividades *fpl* antipartistas. ~ 분자 elementos *mpl* antipartistas.

반대(反對) ① [역] contrariedad *f*, oposición *f*, contrario *m*, lo contrario, lo opuesto, lo inverso. ~의 contrario, opuesto, inverso. ~로 al [por el·por lo] contrario,

al revés, a la inversa; [반면에] en cambio. ~ 방향으로 en (la) dirección opuesta [contraria], con rumbo contrario, en sentido opuesto [inverso]. ② [불찬성. 이의] objeción *f*, oposición *f*. ~하다 [불찬성] oponerse, contrariar; [반론] contradecir; [항의] protestar. ~의 opuesto. ¶ ~ 개념 concepto *m* contrario. ~ 급부 contraprestación *f*. ~당 (partido *m* de) la oposición. ~론 opinión *f* opuesta, parecer *m* opuesto. ~말 (어) antónimo *m*. ~말 사전 diccionario *m* de antónimos. ~ 무역풍 contraalisios *m*. ~ 방향 dirección *f* opuesta, sentido *m* contrario. ~ 색 color *m* antagónico. ~ 세력 oposición *f*. ~ 신문(訊問) repregunta *f*, interrogatorio *m* contradictorio. ~ 의견 opinión *f* disidente. ~ 의사 intento *m* en contra. ~자 [정책 등의] opositor, -tora *mf*; [토론의] adversario, -ria *mf*, oponente *mf*; [스포츠의] contrincante *mf*, rival *mf*; oponente *mf*. ~쪽 otro lado *m*. ~ 투표 voto *m* en contra, votación *f* en contra. ~파 (partido *m* de) la oposición.

반도(半島) península *f*. ~의 peninsular. ~국 país *m* peninsular. ~인 peninsular *mf*.

반도(叛徒) insurgente *mf*, rebelde *mf*; insurrecto, -ta *mf*.

반도체(半導體) semiconductor *m*.

반독립국(半獨立國) =반주권국.

반동(反動) reacción *f*. ~하다 reaccionar. ~의 reaccionario.

반드럽다 ① [매우 매끄럽다] (ser) liso, suave, terso. ② [약삭빠르다] volverse desvergonzado.

반드르르 lustrosamente, brillantemente, lisamente, bruñidamente, glaseadamente, satinadamente. ~하다 (ser) lustroso, brillante, liso, bruñido, glaseado, satinado.

반드시 [틀림없이. 꼭] sin falta, sin duda; [확실히] ciertamente, seguramente, indudablemente; [기필코] a toda costa, cueste lo que cueste; [항상] siempre, invariablemente; [필연적으로] necesariamente, inevitablemente.

반들거리다 ① [매끈매끈하게 되다] brillar, refulgir, relucir. ② [약게 만 굴다] (ser) astuto, sagaz.

반들거리다² [게으르게 놀기만 하다] holgazanear, haraganear.

반듯하다 ① [굽지 않고] (ser) recto, sin curvas. 반듯한 선 línea *f* recta. ② [흠점이 없다] (estar) ordenado, arreglado, pulcro. ③ [생김새가] (ser) bonito, lindo. 반듯한 얼굴 cara *f* bonita. ¶반듯이

[바르게] directo, directamente; [정연하게] en orden. 반듯이 놓다 poner derecho, poner en orden. 반듯이 눕다 acostarse boca arriba. 반듯이 누워 있다 estar acostado [tendido] boca arriba.

반등(反騰) reactivación f. ~하다 reactivarse.

반디 ((곤충)) luciérnaga f.

반딧불레 ((곤충)) luciérnaga f.

반딧불 luz f de las luciérnagas.

반라(半裸) ((준말)) =반나체. ¶ ~의 여인 mujer f medio desnuda.

반란(反亂/叛亂) rebelión f, sublevación f, insurrección f, levantamiento m. ~하다 rebelarse, sublevarse. ~을 일으키다 rebelarse, sublevarse. ~을 진압하다 apaciguar [reprimir] una rebelión. ¶ ~군 tropas fpl [fuerzas fpl] rebeldes, ejército m insurgente. ~자 rebelde mf; insurgente mf.

반려(伴侶) compañero, -ra mf. ~자 acompañante mf; compañero, -ra mf; compañero, -ra mf de viaje.

반려(返戾) [세금의] devolución f de derechos pagados; [운임의] reembolso m de flete. ~하다 devolver, reembolsar, reenviar.

반론(反論) refutación f, rebatimiento m. ~하다 refutar, rebatir, contradecir.

반만년(半萬年) cinco mil años.

반말(半-) [낮춤말] lengua f grosera [ordinaria], palabra f insolente [descortés · maleducada]. ~하다 decir groseramente [solventemente], hablar descortésmente.

반면(反面) [반대쪽의 면] otra parte f, otro lado m; [부사적] en cambio. 그 ~에 mientras tanto, entretanto, por otra parte, por otro lado.

반면(半面) ① [전면의 절반] media página f, mitad f de una página. ② [사물의] un lado, un costado; [타면] el otro lado, reverso m. 달의 ~ disco m de la luna. ③ [얼굴의] mitad f de la cara, media cara (en perfil), perfil m. ¶ ~상 hemiedría f. ~ 화상 retrato m de perfil.

반모음(半母音) (letra f) semivocal f.

반목(反目) enemistad f, hostilidad f, antagonismo m, contienda f, oposición f, rivalidad f, riña f, pendencia f, disensión f. ~하다 enemistarse, contrariarse, estar en hostilidad, contrariarse, oponerse, estar en daga desenvainada.

반문(反問) interrogación f, réplica f. ~하다 interrogar, replicar, responder a una pregunta con otra, devolver la pregunta.

반미(反美) ¶ ~의 antiestadounidense. ~ 감정 sentimiento antiestadounidense.

반미치광이(半-) persona f medio loca; medio loco m, media loca f.

반민주(反民主) antidemocracia f.

반바지(半-) pantalones mpl cortos, calzones mpl, calzas fpl.

반박(反駁) refutación f, confutación f, contradicción f. ~하다 refutar, rebatir, confutar, contradecir.

반반(半半) mitad f, mitad f por mitad. ~의 mitad y mitad. ~으로 a medias.

반반하다 ① [판판하다] (ser) liso, suave, llano, plano, raso, terso. 반반한 길 camino m llano. ② [예쁘장하다] (ser) gentil, donoso, guapo, hermoso, lindo, bello, atractivo. ③ [지체가 있다] (ser) decente, respetable, bueno.

반발(反撥) ① [되오름] repulsión f, antipatía f. ~하다 repulsar. ② [반항하여 받아들이지 않음] reacción f. ~하다 reaccionar.

반백(半白) ~의 =반백(斑白).

반백(斑白/頒白) pelo m [cabello m] canoso. ~의 entrecano, canoso. ~의 노인 viejo m [anciano m] entrecano [canoso].

반복(反復/反覆) repetición f, reiteración f; [노래 · 시의] estribillo m. ~하다 repetir, reiterar.

반분(半分) mitad f, partes fpl iguales, división f igual. ~하다 dividir en dos, hacer mitad y mitad, repartir por partes iguales, partir [dividir] por (la) mitad.

반비례(反比例) (수학) razón f inversa. ~하다 estar en razón f inversa.

반사(反射) reflexión f. ~하다 reflejar. ~되다 reflejarse. ¶ ~각 ángulo m de flexión. ~경 reflector m, espejo m reflejante. ~광선 luz f reflejada [reflejante · refleja]. ~기 reflector m, reverbero m, telescopio m de reflexión. ~등 luz f reflejante [refleja]. ~로(爐) horno m de reverbero, reverberador m. ~ 망원경 telescopio m reflector, telescopio m de reflexión. ~면 plano m de reflexión. ~ 운동 movimiento m reflejo. ~율 reflexividad f. ~ 이익 intereses mpl reflejos. ~ 작용 acción f refleja; ((심리)) reflexión f.

반사 반생(半死半生) =반생 반사.

반색 mucha alegría, gran alegría f. ~하다 alegrarse mucho, regocijarse.

반생 반사(半生半死) media vida y media muerte. ~하다 ser más muerto que vivo. ~의 entre vida y muerte, medio muerto, más muerto que vivo.

반석(盤石/磐石) ① [넓고 편편하게 된 큰 돌] roca f, peña f, peñasco m, risco m. ② [아주 안전하고 견고함] firmeza f. ~ 같다 ser (tan) firme como una roca. ③ ((성경)) piedra f, roca f, peña f, refugio m, protector m, defensor m.

반성(反省) reflexión f. ~하다 reflexionar. 자신을 ~하다 reflexionar sobre sí mismo.

반소매(半一) media manga f, manga f de medio largo.

반소설(反小說) antinovela f.

반송(返送) devolución f, remesa f en devolución, reexpedición f, reenvío m. ~하다 remitir en devolución, devolver [volver] (a su remitente), reexpedir, reenviar.

반송(搬送) transportación f y envío m. ~하다 transportar y enviar. ~대 cinta f [correa f] transportadora, Méj banda transportadora.

반송장(半一) medio muerto m.

반수(半數) mitad f (del número total). 위원의 ~ la mitad de los miembros del comité.

반숙(半熟) media madurez f. ~의 medio maduro, medio cocido. 계란을 ~으로 하다 pasar un huevo por agua. ¶ ~란 huevo m pasado por agua.

반시간(半時間) media hora f, treinta minutos. ~마다 cada media hora.

반식민지(半植民地) semicolonia f. ~의 semicolonial.

반신(半身) medio cuerpo m, mitad f del cuerpo. ~ 불수 hemiplejía f. ~ 불수 환자 hemipléjico, -ca mf. ~상 estatua f de medio cuerpo, media estatura f, [흉상] busto m de que ~. ~ 초상 medio retrato m, retrato m de media estatura.

반신(半信) suspicacia f, desconfianza f. ~하다 (ser) suspicaz, desconfiado, desconfiar, recelar. ~ 반의 incertidumbre f, duda f. ~ 반의하다 dudar (acerca de · sobre si + ind), estar en duda (de · de si + ind), no estar en duda (de · de que + subj).

반신(返信) contestación f, respuesta f. ~하다 contestar, responder. ~ 료 franqueo m con respuesta pagada.

반액(半額) medio precio m, mitad f de precio; [승차권의] medio billete m; [입장료의] media entrada f. ~으로 a medio precio, por la mitad del precio.

반양자(反陽子) antiprotón m.

반어(反語) ironía f, anagrama m. ~를 쓰다 hablar irónicamente.

반역(反逆/叛逆) traición f, rebelión f, insurrección f, sublevación f. ~하다 rebelarse, sublevarse, alzar-

se, traicionar.

반영(反映) reflejo m, reflexión f; [영향] influencia f. ~하다 reflejarse. ~시키다 reflejar.

반영구적(半永久的) casi permanente, semipermanente.

반올림하다(半一) rodondear por exceso.

반원(半圓) semicírculo m.

반월[1](半月) [반달] media luna f.

반월[2](半月) [반달] medio mes m.

반음(半音) ((음악)) semitono m. ~ 계 escala f cromática.

반응(反應) reacción f, respuesta f; [효과] efecto m. ~하다 reaccionar.

반의(反意/反義) ① [뜻에 반대함] oposición f a la significación. ② [반대의 뜻] significación f contraria.

반의식(半意識) semiconsciencia f.

반일(反日) anti-Japón. ~의 antijaponés. ~ 감정 sentimiento m antijaponés.

반일(半一) ① [하루의 절반이 걸리는 일] trabajo m de medio día. ② [절반의 일] mitad f de un trabajo.

반일(半日) medio día m.

반입(搬入) introducción f. ~하다 introducir.

반자 techo m, cielo m raso. ~를 도리다 revestir el techo.

반작 brillando, reluciendo, resplandeciendo, destellando. ~거리다, ~이다 brillar, relucir, resplandecir, destellar, centellear, refulgir; [눈이] chispear. ☞번적(이다)

반작반작 brillantemente, con resplandor, relucientemente. ~하다 relucir, resplandecer, brillar, descentellear; [눈이] chispear.

반작용(反作用) reacción f, acción f recíproca. ~하다 reaccionar. ~의 reactivo. 작용과 ~ acción f y reacción.

반장(班長) ① [학급의] jefe, -fa mf de clase. ② [한 반의 일을 맡아보는 사람] jefe, -fa mf de Ban.

반장화(半長靴) botas fpl de media caña.

반전(反戰) anti-guerra f. ~ 운동 movimiento m contra la guerra.

반절(半折) división f por la mitad. ~하다 partir [dividir] por la mitad.

반점(半點) ① [온전한 점수의 절반] media nota f. ② [아주 조금] muy poca cantidad f. ③ [반 시간] media hora f. ④ [문장 부호의 한 가지] coma f.

반점(斑點) mácula f, mancha f, pinta f. ~이 있는 manchado. ~이 있다 llevar manchas.

반정부(反政府) antigobierno m. ~의

contra el gobierno, antiguberna- mental. ~ 활동 actividades *fpl* subversivas contra el gobierno.

반제(返濟) devolución *f*, restitución *f*; [반금(返金)] reembolso *m*. ~하다 devolver, reembolsar, restituir. ~금 pago *m*, reembolso *m*.

반제국주의(反帝國主義) antiimperia- lismo *m*. ~의 antiimperialista.

반제품(半製品) semiproducto *m*, producto *m* semiacabado, artículo *m* mediohecho.

반주(伴奏) acompañamiento *m*. ~하 다 acompañar. ~로 con acompa- ñamiento. ~ 없이 sin acompaña- miento. 피아노로 ~하다 cantar con acompañamiento de piano.

반주(飯酒) bebida *f* alcohólica con la comida.

반주그레하다 (ser) atractivo, guapo.

반죽 amasamiento *m*. ~하다 ama- sar.

반증(反證) contraprueba *f*, prueba *f* [testimonio *m*] de lo contrario, prueba de refutación. ~하다 confutar, presentar una contra- prueba, dar [ofrecer · presentar] las pruebas de lo contrario.

반지(斑指/半指) anillo *m*; [장식을 한] sortija *f*. 금[은]~ anillo *m* de oro [plata].

반지르르 suavemente, lustrosamen- te, brillantemente.

반지름 radio *m*, semidiámetro *m*.

반질거리다 ① [몹시 윤이 나고 미끈 거리다] (ser) suave, lustroso, brillante, lacio o brillante. ② [몹 시 교활하게 반들거리다] (ser) astuto, ladino, taimado.

반짝¹ ① [아주 가볍게 얼른 드는 모 양] fácilmente, ligeramente, leve- mente. 돌을 ~ 들어 올리다 le- vantar la piedra fácilmente. ② [물건의 끝이 얼른 높이 들리는 모 양] alto.

반짝² ((센말)) =반작.

반쪽(半~) mitad *f*.

반찬(飯饌) alimento *m* subsidiario, aderezo *m*, platos *mpl*, alimentos *mpl* simples (que acompañan al arroz), (plato *m* de) acompaña- miento *m*, guarnición *f*. ~이 많다 tener muchas guarniciones [mu- chos acompañamientos].

반창고(絆瘡膏) esparadropo *m*, par- che *m*, emplasto *m*, emplasto *m* adhesivo, tafetán *m* inglés; [1회 용] tirita *f*.

반체제(反體制) antiestablecimiento *m*. ~ 운동 movimiento *m* contra el régimen establecido, movi- miento *m* de antiestablecimiento. ~ 인사 persona *f* de antiestable- cimiento.

반추(反芻) rumia *f*, rumiadura *f*. ~

하다 rumiar; [비유적] reflexionar repetidas veces. ~ 동물[류] ru- miante *m*.

반출(搬出) ¶ ~하다 llevar fuera.

반칙(反則) infracción *f*, transgresión *f*, violación *f*; [스포츠의] falta *f*. ~을 범하다 cometer [hacer] una falta.

반타작(半打作) ¶ ~하다 compartir la cosecha igualmente con el terrateniente.

반투명(半透明) ((물리)) tra(n)sluci- dez *f*, semitransparencia *f*. ~하다 (ser) traslúcido, tra(n)sluciente. ~체 cuerpo *m* semitransparente.

반파(半破) destrucción *f* parcial. ~ 하다 destruir parcialmente. ~되 다 ser parcialmente destruido. ¶ ~ 가옥 casa *f* parcialmente des- truida, casa *f* medio rota [arrui- nada].

반품(返品) artículo *m* [género *m*] devuelto, mercancía *f* devuelta; [반품하는 것] devolución *f* de género. ~하다 devolver.

반하다 ① [연모하다] enamorarse. 반해 있다 estar enamorado. 홀딱 반해 있다 estar locamente ena- morado. ② [감탄하여 마음이 끌 리다] admirar. ③ [넋을 잃다] ol- vidarse de sí mismo, propasarse.

반하다(反一) [대립하다] ser opuesto [contrario]; [위반하다] quebrantar, contravenir, infringir. 자신의 의지 에 반해서 contra *su* voluntad.

반합(飯盒) cantinas *fpl*.

반항(反抗) [저항] resistencia *f*; [반 대] oposición *f*; [불복종] insubor- dinación *f*, desobediencia *f*; [도전] desafío *m*, acto *m* de rebeldía; [반역] revuelta *f*, levantamiento *m*, sublevación *f*; [혐오] hostili- dad *f*. ~하다 resistir, oponerse, rebelarse, sublevarse, desobede- cer.

반향(反響) eco *m*, retumbo *m*, re- percusión *f*, resonancia *f*. ~하다 hacer eco, resonar.

반환(返還) vuelta *f*, devolución *f*, rehabilitación *f*, restauración *f*, retrocesión *f*, restitución *f*; [환불] reembolso *m*, repago *m*, amorti- zación *f*. ~하다 volver, devolver, retornar, hacer retrocesión; reem- bolsar, repagar.

반회전(半回轉) media vuelta *f*; [승 마의] caracoleo *m*. ~하다 cara- colear, hacer caracoles.

받다¹ ① [주는 것을] recibir; [취득 하다] ganar, obtener; [향유하다] gozar. 선물을 ~ recibir un rega- lo. 교습을 ~ tomar [recibir] lec- ciones. 박사 학위를 ~ obtener [tener] un doctorado. ② [급료 · 서류 따위를] recibir, cobrar, obtener; [받아들이다] aceptar. 급료를 ~ percibir [cobrar] el salario. 수수료를 ~ cobrar una comisión. 통지를 ~ recibir un aviso. ③ [던지거나 떨어진 것을] coger. 공을 손으로 ~ parar [coger] una pelota con la mano. ④ [우산 따위를] abrir. ⑤ [도매로 사다] comprar al por mayor. ⑥ [접객업자가] admitir; [대접하다] servir como criado, presentar *sus* respetos; [매춘부가] prostituirse. ⑦ [응답하다] contestar, responder. ⑧ [바람·햇볕 따위를] tomar, calentarse. ⑨ [의견이나 평가 따위를] tener, ganar. ⑩ [작용이나 영향 따위를] recibir, tener. 감명을 ~ emocionarse, impresionarse. ⑪ [밑에서 괴다] soportar, sostener. ⑫ [조산하다] ayudar el parto, asistir [atender] en el parto. ⑬ [음식 같은 것이] sentir bien. ⑭ [흐르거나 떨어지는 것을] tomar, recibir.

받다² ① [머리나 뿔 따위로] herir con los cuernos, cornear, acornear, dar cornadas, coger. ② [차 따위가] atropellar, derribar.

받들다 ① [썩 공경하여] respetar, honrar, servir, atender, hacer honor, adorar, venerar, rendir culto. A씨를 회장으로 ~ recibir [tener] al señor A como presidente. ② [밑에서 받아 올려 들다] levantar, alzar. ③ [가르침이나 명령·의도 등을] apoyar, sostener; [보좌하다] ayudar, auxiliar, asistir; [따르다] obedecer, seguir; [신봉하다] creer. 명령을 ~ obedecer la orden.

받들어총(—銃) ¡Presente armas! ~을 하다 presentar las armas.

받아쓰기 dictado *m.* ~하다 hacer un dictado, escribir al dictado.

받아쓰다 hacer un dictado, escribir al dictado.

받치다 ① [괴다] sostener, apoyar, soportar. ② [우산이나 양산 따위를 펴서] tener abierto. ③ [다른 물건을 껴 대다] forrar.

받침 ① [물건의 밑바닥을 받치어 괴는 물건] apoyo *m,* sostén *m,* soporte *m,* pilar *m.* ② ((언어)) consonante *f* de la voz final del alfabeto coreano.

받히다¹ [모개로나 도매로 팔다] vender al por mayor.

받히다² [「받다²」의 피동형] resultar cogido, ser cogido, ser derribado, acornearse, cornearse, darse cornadas, atropellarse. 소에게 ~ ser acorneado por la vaca.

발¹ ① ((해부)) pie *m* (복사뼈 아래); [다리 전부] pierna *f;* [무릎 아래] cañilla *f* de pierna; [짐승의] pata *f;* [사자·범 따위 발톱이 있는] zarpa *f;* [달리는 동물의] trotón *m;* [들러붙는 발] chupador *m.* 오른~ pie *m* derecho. 왼~ pie *m* izquierdo. ② [물건의 밑을 받치게 된 짧은 부분] pata *f;* [잔의] pie *m.* ③ [걸음] paso *m.* ~이 둔하다 ser pasado en el andar. ~이 빠르다 ser ligero en el andar. ④ =발걸음.

발² [엮어 만든 물건] persiana *f* de bambú (fino). ~을 내리다 [치다] colgar una persiana de bambú. ~을 걷다 levantar una persiana de bambú.

발³ [길이] braza *f.* 깊이가 여덟 ~이다 tener ocho brazas de profundidad.

발(發) [방(放)] tiro *m,* cartucho *m,* bala *f,* disparo *m.* 한 ~ un tiro, un disparo. 한 ~로 de un tiro.

발가락 dedo *m* (del pie).

발가벗기다 desnudar totalmente.

발가벗다 desnudarse.

발가숭이 desnudez *f* completa, desabrigo *m.* ~의 completamente desnudo. ~로 되다 desnudarse completamente.

발각(發覺) revelación *f,* descubrimiento *m.* ~되다 revelarse, descubrirse.

발간(發刊) publicación *f,* impresión *f.* ~하다 publicar, dar a luz.

발개지다 ruborizarse. 얼굴이 ~ ruborizarse, ponerse colorado.

발걸음 paso *m,* huella *f;* [걷는 법] manera *f* de andar, andadura *f.* ~이 빠르다 tener los pies rápidos, ser ligero de pies. ~이 느리다 ser lento de pies, ser lento para andar.

발걸이 [사다리·의자 따위의] travesaño *m;* [자전거의] pedal *m;* [발 놓는 데] apoyapiés *m,* reposapiés *m.*

발견(發見) descubrimiento *m,* encuentro *m,* hallazgo *m.* ~하다 descubrir, encontrar, hallar. ~되다 ser descubierto. 금광을 ~하다 descubrir una mina de oro. 온천을 ~하다 descubrir [encontrar] manantiales. ¶ ~자 descubridor, -dora *mf.*

발광(發光) radiación *f,* irradiación *f,* fotogenia *f.* ~하다 radiar, irradiar, emitir rayos.

발광(發狂) locura *f,* demencia *f,* manía *f,* frenesí *m.* ~하다 volverse loco, enloquecer, perder la razón.

발군(拔群) preeminencia *f,* supremacía *f,* primacía *f.* ~하다 sobresalir, destacarse.

발굴(發掘) excavación *f,* desenterramiento *m;* [시체의] exhumación *f.* ~하다 excavar, desenterrar, ex-

humar.
발굽 casco *m*, pezuña *f*, pesuña *f*.
발권(發券) emisión *f* de valores, emisión *f* fiduciaria. ~하다 emitir valores.
발그레하다 [얼굴·혈색이] (ser) rubicundo; [하늘·일몰·빛이] rojizo. 발그레해지다 [사람·얼굴이] enrojecer, ponerse rojo; [수줍어서·당황해서] ruborizarse, sonrojarse, ponerse colorado.
발급(發給) expedición *f*, emisión *f*. ~하다 expedir, emitir, poner en circulación; [영장 등을] dar, decretar. 비자를 ~하다 expedir el visado [*AmL* la visa]. 여권을 ~하다 expedir el pasaporte. ¶ ~소[지] lugar *m* de expedición. ~일 fecha *f* de expedición.
발기(勃起) ① [별안간 불끈 일어남] ira *f*, furia *f*, cólera *f*, enojo *m*, enfado *m*. ~하다 enojar, enfadar. ② [음경의] erección *f*, turgencia *f*. ~하다 entrar en erección, ponerse turgente, erguirse. ¶ ~근 músculo *m* eréctil. ~ 불능 invirilidad *f*.
발기(發起) [새로운 일을 시작함] promoción *f*, proyección *f*; [제안] propuesta *f*. ~하다 promover, proyectr, organizar. ~인[자] promotor, -tora *mf*; fundador, -dora *mf*. ~회 junta *f* de promotores.
발기다 abrir; [달걀을] cascar, romper; [껍질이 단단한 호두·개암·밤 등을] cascar, partir; [껍데기에서 벗기다] [완두콩을] pelar, desvainar; [달걀·참새우 등을] pelar; [홍합·대합조개] quitar*le* la concha, desconchar.
발기발기 destrozadamente, en pedazos, en pedacitos. ~ 찢다 romperse [rasgarse] en pedazos.
발길 ① [차는 힘] puntapié *m*, patada *f*, coz *f*. ~로 차다 patear, tirar coces, dar patadas, dar puntapiés, dar coces. ② [발걸음] paso *m*. ~이 뜸하다 ir menos frecuentemente. ~ 닿는 대로 가다 andar al azar, andar a la ventura, seguir adelante sin rumbo fijo.
발깍 en un arrebato [un arranque] repentino, en pasión violenta. ~ 성이 나다 perder el control, montar en cólera.
발꿈치 talón *m*, calcañal *m*, calcañar *m*, calcaño *m*. ~뼈 calcáneo *m*, hueso *m* del talón.
발끈 de [en] cólera, en un ataque de furia. ~하다 ㉮ [성을 내다] enajenarse [quedar enajenado] de cólera, enfurecerse, ponerse furioso, montar en cólera. ㉯ [냉정을 잃다] perder el control, perder los estribos, darse por sentido.
발끝 punta *f* de(l) pie; [구두의] punta *f* del calzado. 머리에서 ~까지 de pies a cabeza, desde la coronilla hasta la punta de los pies, de arriba abajo.
발단(發端) comienzo *m*, punto *m* de partida, origen *m*, principio *m*, estreno *m*, inauguración *f*, salida *f*. ~하다 tener (*su*) origen.
발달(發達) desarrollo *m*, crecimiento *m*; [진보] progreso *m*, avance *m*. ~하다 desarrollar, crecer, progresar, avanzar.
발돋음하다 alzarse, enderezar de espalda; [발끝으로] estar en punta de pie, ponerse de puntillas, levantarse sobre la punta de los pies, empinarse.
발동(發動) [적용] ejercicio *m*, uso *m*; [일의] función *f*, moción *f*. ~하다 ejercitar, hacer entrar en vigor, funcionar, poner en moción, mover.
발동기(發動機) motor *m*. ~(기)선 bote *m* motor, motonave *f*.
발뒤꿈치 talón *m*.
발뒤축 talón *m*, calcañal *m*, calcañar *m*, calcaño *m*, taco *m*.
발등 arco *m* del pie; [윗 표면] empeine *m* del pie. …의 ~을 밟다 pisar *su* pie.
발딱 de un salto; [갑자기] de repente, repentinamente, de súbito, súbitamente. 자리에서 ~ 일어서다 levantarse (del asiento) de un salto.
발라드 balada *f*.
발랄(潑剌) vivificación *f*, actividad *f*. ~하다 (ser) vivo, activo. ~하게 vivamente, activamente. ~한 동작 movimiento *m* vivo [activo].
발레 ballet *m*, baile *m* clásico. ~댄서 bailarín, -rina *mf*. ~학교 escuela *f* de ballet. ~화(靴) zapatilla *f* de ballet.
발레리나 balerina *f* (de ballet); [주역] primera balerina *f*.
발령(發令) nombramiento *m* oficial, anuncio *m* oficial, proclamación *f*. ~하다 anunciar oficialmente el nombramiento, proclamar.
발로(發露) expresión *f*, manifestación *f*, signo *m*, señal *f*. ~하다 expresar, manifestar. 애국심의 ~ manifestación *f* de patriotismo.
발리다 ① [속의 것을] abrir, cascarse, pelar, desvainar, descascarar. ② [사이를] ensanchar, ampliar; [펴다] desplegar, desdoblar, abrir. ③ [불까다] castrar, capar.
발맞추다 acomodar *su* paso.
발매 deforestación *f*, despoblación *f* forestal, aserradura *f*. ~하다 deforestar, aserrar.

발매(發賣) venta *f*; [우표의] emisión *f*. ~하다 vender, poner en venta. ~를 금지하다 prohibir la venta. ~ 중이다 estar en venta. ¶ ~ 가 precio *m* de venta; [우표의] tipo *m* de emisión. ~ 금지 prohibición *f* de venta; ((게시)) Prohibida la venta; [책의] Prohibida la publicación. ~소[처] agente *m* de venta. ~원 distribuidor *m*.

발명(發明) invención *f*. ~하다 inventar. ~가[자] inventor, -tora *mf*. ~왕 rey *m* de los inventores. ~특허 patente *f* de invención. ~품 invención *f*, invento *m*.

발목((해부)) tobillo *m*. ~을 삐다 torcerse el tobillo.

발문(跋文) epílogo *m*.

발바닥 planta *f* (del pie), suela *f*.

발발(勃發) [전쟁의] estallido *m*; [적 대 행위가] comienzo *m*, iniciación *f*; [콜레라·인플루엔자의] brote *m*; [감정의] arrebato *m*, arranque *m*. ~하다 estallar, declararse, ocurrir de repente.

발병(一病) dolor *m* de pie, los pies doloridos. ~이 나다 tener dolor de pie, doler*le* el pie.

발병(發病) inicio *m* de enfermedad. ~하다 enfermar, caer enfermo, ponerse enfermo.

발뺌 evasiva *f*, evasión *f*, subterfugio *m*, escapatoria *f*; [구실] excusa *f*; [핑계] pretexto *m*; [알리바이] alibí *m*, coartada *f*. ~하다 excusarse, dar excusas, dar evasivas, dar pretextos, hacer excusas, hacer una evasiva.

발사(發射) descarga *f*, disparo *m*, tiro *m*; [마사일·로켓의] lanzamiento *m*. ~하다 disparar, descargar, tirar, hacer fuego; [로켓의] lanzar.

발산(發散) emisión *f*, [향기의] emanación *f*, exhalación *f*. ~하다 emitir, emanar, exhalar.

발상(發祥) principio *m*, origen *m*. ~지 cuna *f*. 문명의) ~지 cuna *f* de la civilización.

발상(發喪) publicación *f* [anuncio *m*] de la muerte. ~하다 anunciar la muerte.

발상(發想) idea *f*, concepción *f*, expresión *f* de pensamiento.

발생(發生) ocurrencia *f*, estallido *m*; [열·전기 등의] generación *f*. ~하다 ocurrir, estallar, surgir, nacer; [열·전기 등이] engendrarse, producirse.

발설(發說) revelación *f*, divulgación *f*, anuncio *m*, publicación *f*. ~하다 revelar, divulgar, anunciar, publicar.

발성(發聲) pronunciación *f*, proclamación *f*, primera voz *f* de un vítor. ~하다 proferir, pronunciar, articular. ~ 영화 cine *m* [película *f*] parlante. ~ 장치 mecanismo *m* de producción de voz.

발소리 pasos *mpl*, pisadas *fpl*, ruido *m* de pasos, pisadura *f*, repique *m* de zapatos.

발송(發送) expedición *f*, envío *m*, despacho *m*. ~하다 expedir, remitir, despachar, transmitir, enviar, efectuar la expedición. ~인 [자] expedidor, -dora *mf*; remitente *mf*; [화주] consignador, -dora *mf*.

발신(發信) envío *m*, remisión *f*, expedición *f*. ~하다 enviar, remitir, expedir. ~국 estación *f* de remitente; [전보의] oficina *f* de remisión. ~기 transmisor *m*. ~소 oficina *f* de remisión. ~인[자] remitente *mf*. ~일 día *m* de remisión. ~지 lugar *m* de envío.

발아(發芽) [종자의] germinación *f*; [잎 등의] brote *m*. ~하다 germinar, brotar, retoñar. ~기 período *m* de germinación. ~력 poder *m* germinativo. ~율 tasa *f* de germinación.

발악(發惡) inhumanidad *f*, atrocidad *f*, [욕] vilipendio *m*, lengua *f* abusiva. ~하다 difamar, baldonar, vilipendiar, calumniar.

발안(發案) propuesta *f*, proposición *f*, [동의] moción *f*. ~하다 proponer, sugerir, presentar moción.

발암(發癌) carcinogénesis *f*, producción *f* de cáncer. ~ 물질 substancia *f* carcinógena.

발언(發言) palabras *fpl*, declaración *f*; [견해] observación *f*, [제안] proposición *f*. ~하다 hablar, tomar la palabra, hacer una declaración, hacer una proposición. ~권 derecho *m* a hablar. ~자 el que habla; orador, -dora *mf*.

발열(發熱) acceso *m* [ataque *m*] de fiebre, pirexia *f*. ~하다 tener fiebre. ~의 pirético. ~기 calentador *m*. ~량 valor *m* calórico, valor *m* calorífico, potencia *f* calorífica. ~ 물질 pirógeno *m*. ~제 agente *m* pirético. ~체 pirógeno *m*, elemento *m* de calefacción.

발원(發源) ① [(강 따위의) 물의 근원] fuente *f*, nacimiento *m*. ~하다 nacer. ② [(사상·사물 등의) 일어나는 근원] origen *m*.

발원(發願) oración *f*, plegaria *f*. ~하다 rezar, orar, rezar una oración.

발육(發育) crecimiento *m*, desarrollo *m*. ~하다 crecer, desarrollar(se). ~이 좋다[나쁘다] crecer bien [mal]. ¶ ~기 período *m* de desarrollo. ~ 기관 órgano *m* del de-sarrollo. ~ 부전 crecimiento *m* [desarrollo *m*] insuficiente.

발음(發音) pronunciación *f*; [명확한] articulación *f*. ~하다 pronunciar, articular. ~ 기관 órganos *mpl* vocales.

발자국 huella *f*, pasos *mpl*, pista *f*, pisada *f*, vestigio *m*, impresión *f* del pie. ~을 남기다 dejar la huella.

발자취 ① [발자국] huella *f*, pisada *f*. ~를 더듬다 seguir la pista. ② [더듬어 온 길] curso *m*.

발작(發作) ataque *m*, acceso *m*; [발작의 격발] paroxismo *m*; ((의학)) espasmo *m*. ~을 일으키다 tener [sufrir] un acceso [un ataque]. ¶ ~증 síntoma *m* paroxismal.

발장단(-長短) zapateo *m*. ~을 맞추다 zapatear.

발전(發展) evolución *f*, crecimiento *m*, desarrollo *m*; [진보] progreso *m*, avance *m*; [확장] expansión *f*; [번영] prosperidad *f*. ~하다 desarrollarse, evolucionar, crecer, prosperar. ~ 도상국 país *m* en vías [en proceso] de desarrollo.

발전(發電) electrización *f*, generación *f* (de electricidad), producción *f* de la fuerza [de la energía] eléctrica. ~하다 generar, producir. ~기 dínamo *m*, generador *m* de energía eléctrica. ~소 central *f* eléctrica.

발정(發情) celo *m*, excitación *f* sexual. ~하다 encelarse, calentarse. ~기 pubertad *f*, época *f* de celo, estro *m*. ~ 호르몬 proestrógeno *m*, hormón *m* estrogénico.

발족(發足) inauguración *f*, fundación *f*. ~하다 inaugurar, fundar. ~되다 fundarse, inaugurarse.

발주(發注) pedido *m*. ~하다 hacer [colocar] un pedido. ~자 pedidor, -dora *mf*.

발진(發疹) erupción *f*, exantema *f*. ~하다 acardenalarse.

발진(發進) [비행기의] despegue *m*; [로켓의] lanzamiento *m*. ~하다 despegar, lanzar.

발진티푸스 ((의학)) tifo *m* [tifus *m*] eruptivo.

발차(發車) partida *f*, salida *f*. ~하다 partir, salir, arrancar, marchar. ~ 시각[시간] hora *f* de salida. ~ 신호 señal *f* de salida. ~ 플랫폼 andén *m* de salida.

발췌(拔萃) extractos *mpl*, trozos *mpl* escogidos. ~하다 entresacar, extratar, resumir, hacer un extracto. 신문 기사에서 ~하다 ser un extracto de un artículo del periódico. ¶ ~ 개헌안 proyecto *m* de ley de enmienda seleccio-

nada.

발칙스럽다 (ser) insolente.

발칙하다 ① [몹시 버릇없다] (ser) muy descortés, maleducado. ② [하는 짓이 아주 괘씸하다] resultar odioso, aborrecible.

발코니 balcón *m*, terraza *f*.

발탁(拔擢) selección *f*, elección *f*, distinción *f*. ~하다 escoger, elegir, distinguir, promover (por selección), elevar.

발톱 [사람의] uña *f*; [맹수의] garra *f*, zarpa *f*, garfa *f*, pezuña *f*, pesuña *f*, pesuno *m* (소·말의).

발파(發破) explosión *f*, destrucción *f*, ruina *f*. ~하다 explotar, volar, abrir, perforar (con barrenos), arruinar, destruir. 바위를 ~하다 volar una roca.

발판(-板) ① [걸쳐 놓은 것] andamio *m*, andamiaje *m*, asarela *f*, trampolín *m* [배로 건너가기 위한] plancha *f*. ② [비계에 걸쳐 놓은 널] tabla *f* en el andamio. ③ [발 밑에 괴는 물건] escabel *m*, taburete *m*. ~에 오르다 poner *su* pie en un escabel. ④ =도약판. ⑤ [어떠한 목적을 이루기 위한] punto *m* de apoyo. ~을 구축하다 tener un punto de apoyo.

발포(發布) promulgación *f*, proclamación *f*. ~하다 promulgar, proclamar.

발포(發泡) ~하다 espumar, echar espuma(s), echar espumarajos. ~정 pastilla *f* efervescente. ~제 agente *m* de espuma.

발포(發砲) disparo *m*, descarga *f* de armas de fuego. ~하다 disparar, hacer fuego, tirar, descargar.

발표(發表) anuncio *m*, declaración *f*; [공표] publicación *f*; [표명] manifestación *f*; [표현] expresión *f*. ~하다 anunciar, declarar, publicar, manifestar, expresar.

발하다(發-) ① [꽃이 피다] florecer, echar flor. ② [(기운이나 열이나 빛 따위가) 생기거나 일어나다·일어나게 하다] emitir, emanar, radiar; [향기를] exhalar, despedir.

발한(發汗) transpiración *f*, diaforesis *f*, perspración *f*, sudor *m*. ~하다 sudar, transpirar, resudar. ~제 sudorífico *m*.

발행(發行) [책 등의] publicación *f*, edición *f*, expedición *f*; [지폐·국채·우표·주식 등의] emisión *f*; [어음·수표의] giro *m*. ~하다 publicar, editar, sacar a luz, emitir, poner en circulación; expedir; [수표 등을] girar. ~ 가격 precio *m* de emisión, tipo *m* de emisión. ~고 (cantidad *f* de) circulación *f*.

~권 derecho *m* de publicación. ~ 금지 prohibición *f* de la publicación. ~부수 tirada *f*. ~세 impuesto *m* de publicación. ~소 lugar *m* [oficina *f*] de publicación, lugar *m* de expedición, oficina *f* de expedición; [출판사] (casa *f*) editorial *f*, *ReD* editora *f*. ~인[자] ㉮ [출판물의] editor, -tora *mf*. ㉯ [어음이나 수표의] girador, -dora *mf*; librador, -dora *mf*. ~일 fecha *f* de publicación, fecha *f* de expedición. ~지 lugar *m* de publicación.

발화(發火) encendido *m*, ignición *f*, inflamación *f*. ~하다 encenderse, incendiarse, inflamarse. ~전 bujía *f* de encendido, bujía *f* de ignición. ~점 punto *m* de combustión, temperatura *f* de ignición.

발효(發效) (comienzo *m* de) vigencia *f*. ~하다 ponerse [entrar] en vigencia [en vigor]. 조약의 ~ vigencia *f* del tratado.

발효(醱酵) fermentación *f*, fermento *m*. ~하다 fermentar. ~시키다 fermentar. ~되다 fermentarse.

발휘(發揮) demostración *f*, manifestación *f*, revelación *f*. ~하다 demostrar, mostrar, desplegar, manifestar, revelar.

밝다 ① [빛이] (ser) claro, brillante, iluminoso. 밝게 claramente, brillantemente. 밝은 방 habitación *f* clara. 밝은 색 color *m* claro; [화사한] color *m* alegre, color *m* vivo. 밝게 하다 abrillantar, dar brillo, dar lustre, iluminar, alumbrar, aclarar, hacer más claro. ② [장래성이 있다] tener mucho porvenir, ser prometedor, ser brillante. ③ [명랑하다] alegre, risueño, jovial, claro como el sol. 밝은 마음 corazón *m* alegre. ⑤ [공명하다] (ser) limpio, 밝은 정치 política *f* limpia. ⑤ [정통하다] (ser) versado, ser un entendido, entener, saber al dedillo, ser conocedor, estar familiarizado, conocer. 세상 물정에 밝은 사람 hombre *m* de mundo. ⑥ [날이] clarear, amanecer. 날이 밝기 전에 antes de amanecer.

밝히다 ① [밝게 하다] alumbrar, poner luz. 등불을 ~ alumbrar la luz. 홀을 ~ alumbrar el salón. ② [밤을] pasar toda la noche, velar. 뜬눈으로 밤을 ~ velar toda la noche, pasar la noche sin dormir [en vela]. ③ [일의 옳고 그름을 가려 분명하게 하다] revelar, descubrir. 진상을 ~ aclarar la realidad del asunto, descubrir la verdad. 사고의 원인을 ~ averiguar la causa del accidente.

④ [사실이나 형편 따위를] asegurarse, comprobar. 신분(身分)을 ~ comprobar la identidad. ⑤ [특별히 좋아하다] tener debilidad, ser aficionado.

밟다 ① [발로] pisar, hollar. 밟아 고른 길 camino *m* aplanado. 눈을 ~ pisar la nieve. ② [어떤 곳에 가다] ir, pisar. 고향 땅을 ~ pisar el suelo de *su* pueblo natal. ③ [남의 뒤를] seguir [perseguir] a otro en secreto. ④ [(전에 다른 사람이 한 일을) 그대로 되풀이하다] seguir, seguir la pista, seguir la trayectoria. 전철을 ~ seguir en la velación, repetir la misma derrota, cometer el mismo fracaso. ⑤ [어떤 순서나 절차를] pasar; [이행하다] cumplir; [마치다] terminar, completar. 정규 과정을 ~ terminar el curso regular.

밟히다[1] [밟음을 당하다] pisarse.

밟히다[2] [밟게 하다] hacer pisar.

밤[1] [해진 뒤부터 새벽 밝기 전까지의 동안] noche *f*. ~에 de noche, por [*AmL* en] la noche. ~마다 cada noche, todas las noches. ~을 (을) 새우다 hacer noche, pernochar, pasar la noche.

밤[2] [밤나무의 열매] castaña *f*. ~ 장수 castañero, -ra *mf*.

밤거리 calle *f* nocturna. ~의 여인 buscona *f*, puta *f* calleja. ~를 걷다 andar la calle de noche.

밤길 viaje *m* nocturno. ~을 가다 caminar de noche.

밤나무 ((식물)) castaño *m*. ~ 숲 castañal *m*, castañar *m*.

밤낚시 pesca *f* nocturna. ~하러 가다 ir a pescar a caña por la noche.

밤낮 día y noche, día tras día, de día y de noche, siempre.

밤눈 visión *f* nocturna. ~(이) 어둡다 tener la ceguera nocturna.

밤새껏 toda la noche.

밤새우다 velar (toda la noche), trasnochar, pasar una noche, pasar la noche en vela.

밤색(-色) (color *m*) castaño *m*, color *m* de castaña, (color *m*) marrón *m*.

밤손님 ladrón, -drona *mf*.

밤송이 racimo *m* de castaña.

밤알 castaña *f*. ~을 줍다 recoger las castañas.

밤이슬 ① [밤사이에 내리는 이슬] rocío *m* nocturno [de la noche]. ~을 맞다 exponerse al rocío de la noche. ② [(은어)] ladrón, -drona *mf*.

밤일 ① [밤에 하는 일] trabajo *m* nocturno. ~하다 hacer un trabajo nocturno, trabajar por la noche [de noche]. ② ((속어)) [방사] cópula *f*, coito *m*, relaciones *fpl* sexuales. ~하다 copular, coitar, tener relaciones sexuales.

밤잠 sueño *m* nocturno.

밤중(-中) medianoche *f*. ~에 a medianoche, en plena noche.

밤참(-站) tentempié *m* nocturno, comida *f* ligera de la noche.

밤톨 ① [밤의 낱개] castaña *f*. ② [밤의 낱개만한 크기] cosa *f* muy pequeña, tamaño *m* de la castaña.

밤하늘 cielo *m* nocturno, cielo *m* de (la) noche.

밥 ① [곡식으로 지은 음식] comida *f*, [쌀밥] arroz *m* blanco, arroz *m* cocido. ~을 먹다 comer, tomar. ~을 짓다 cocer [preparar] arroz. ② [식사] comida *f*, [아침] desayuno *m*; [점심] almuerzo *m*; [저녁밥] cena *f*.

밥값 precio *m* de la comida.

밥공기(-空器) tazón *m* (de arroz · para la comida).

밥그릇 tazón *m* (de arroz), taza *f*.

밥맛 ① [밥의] sabor *m* de la comida. ② [입맛] apetito *m*. ~이 없다 no tener apetito.

밥물 ① [밥을 지을 때 쓰는 물] el agua *f* para hervir el arroz. ② [밥이 끓을 때 넘어 흐르는 물] el agua *f* que se derrama [sale] cuando el arroz hierve.

밥벌레 zángano *m*; abejón *m*; perezoso, -sa *mf*; holgazán, -zana *mf*; haragán, -gana *mf*.

밥벌이 modo *m* de vivir, sustento *m*, mantenimiento *m*. ~하다 ganarse la vida, ganarse el pan, ganarse los garbanzos.

밥보 comilón, -lona *mf*.

밥상(-床) mesa *f*; [1인용의] mesa *f* individual; [다리가 낮은] mesita *f* para comer. ~을 차리다 poner la mesa. ~을 치우다 levantar [quitar · retirar] la mesa.

밥솥 olla *f* [fogón *m*] (de arroz). 전기 ~ olla *f* eléctrica (de arroz).

밥술 ① [밥의 몇 숟가락] unas cucharas de arroz. ② =밥숟가락.

밥쌀 arroz *m* para la comida, arroz *m* para cocinar.

밥알 cada grano del arroz cocido.

밥주걱 paleta *f*, cucharón *m*.

밥줄¹ [직업] profesión *f*.

밥줄² ((해부)) =식도(食道).

밥집 comedor *m* muy barato.

밥통(-桶) ① [밥을 담는 통] portacomidas *m.sing.pl*. ② [위] estómago *m*. ③ [밥만 먹고 제 구실을 못하는 어리석은 사람] zángano *m*; perezoso, -sa *mf*; holgazán, -zana *mf*; haragán, -gana *mf*. ④ ((속어)) =일자리.

밥투정 queja *f* de la comida. ~하다

quejarse de la comida.

밥풀 [밥알] grano *m* de arroz cocido; [풀] engrudo *m* de arroz.

밧줄 cuerda *f*, lía *f*, soga *f* (basta); [가는] bramante *m*, guita *f*, [철삭] cable *m*.

방(房) [개개의] habitación *f*, cuarto *m*; [집의 구성 요소로] pieza *f*; [공동으로 사용하는] sala *f*.

방(放) tiro *m*, disparo *m*. 한 ~ un disparo, un tiro. 두 ~ dos disparos, dos tiros. 한 ~으로 de un tiro. 한 ~ 쏘다 disparar un tiro.

방갈로 bungalow *m*, choza *f* con galerías.

방값(房-) =방세(房貰).

방계(傍系) línea *f* [rama *f*] colateral [transversal].

방고래 salida *f* de humos un hipocausto.

방공(防共) defensa *f* anti-comunista, defensa *f* contra comunismo. ~하다 defender contra comunismo.

방공(防空) defensa *f* antiaérea.

방과후(放課後) después de la clase.

방관(傍觀) contemplación *f* indiferente. ~하다 hacer de mirón, quedarse de espectador. ~자 mirón, -rona *mf*, espectador, -dora *mf*.

방광(膀胱) ((해부)) vejiga *f*. ~ 결석 cálculo *m* vesical. ~염 cistitis *f*, urocistitis *f*.

방구석(房-) [방의 한 구석] rincón *m*; [방안] interior *m* de una habitación; [방] habitación *f*, cuarto *m*.

방귀 ventosidad *f*, pedo *m*. ~(를) 뀌다 ventosear(se), ventear, peer, irse de copa, soltar un pedo, soltar ventosidades, tirarse un pedo, echarse un pedo. ¶ ~쟁이 pedorrero, -ra *mf*.

방글거리다 sonreír alegremente [radiantemente].

방글방글 sonriendo, con cara risueña, con sonrisa. ~ 웃다 sonreír (radiantemente), sonreír alegremente.

방금(方今) ahora mismo, en este mismo momento, en este mismo instante, poco hace. 그는 ~ 도착했다 El acaba de llegar.

방긋 con una sonrisa (repentina). ~ 웃다 sonreír. ~거리다 seguir sonriendo. ~이 sonriendo, con cara risueña, con sonrisa.

방긋방긋하다 seguir sonriendo.

방년(芳年) edad *f* florida. ~ 16세 edad *f* florida de diez y seis años (de edad).

방뇨(放尿) urinación *f*, micción *f*. ~하다 orinar(se), mear.

방담(放談) el habla *f* en alto tono, plática *f* sin restricción, palabra *f* impensada. ~하다 hablar con toda libertad.

방대하다(尨大/厖大ー) (ser) enorme, colosal, inmenso, gigantesco, extenso, vasto, voluminoso, masivo.

방도(方道/方途) modo *m*, forma *f*, manera *f*, método *m*, medio *m*, medida *f*.

방독(防毒) protección *f* del veneno, antigas *m*. ~하다 proteger del [contra el] veneno. ~면[마스크] careta *f* [máscara *f*] antigas, careta *f* contragases. ~복 ropa *f* antigas. ~실 cámara *f* antigas.

방랑(放浪) vagabundeo *m*, vagabundez *f*, vagabundaje *m*. ~하다 errar, vagar, vagabundear. ~객 vagabundo, -da *mf*, trotamundos *mf*, bohemio, -mia *mf*. ~기 anales *mpl* de vagabundeo. ~벽 hábito *m* de vagabundear. ~생활 vagabundería *f*, vida *f* bohemia [gitana]. ~시 poesía *f* bohemia. ~자 vagabundo, parra *f*.

방류(放流) desembarque *m*, desagüe *m*. ~하다 desembarcar, descargar, desaguar; [물고기를] soltar peces (en un río [en un lago] para criarlos). 물고기를 ~하다 soltar peces en el río, poblar el río de peces.

방망이 ① [두드리거나 다듬는 데 쓰는 도구] palo *m*, bastón *m*. ② [곤봉] garrote *m*, parra *f*.

방매(放賣) venta *f*. ~하다 vender.

방면(方面) ① [방향] dirección *f*; [지방] región *f*, el área *m*; [분야] campo, aspecto, esfera. ② [전문적으로 뜻을 두거나 생각하는 분야] campo *m*, aspecto *m*, esfera *f*, materia *f*.

방면(放免) liberación *f*, soltura *f*. ~하다 soltar, librar, libertar, poner en libertad, absolver.

방명(芳名) ① [그의 이름] su nombre. ② [좋은 평판] buena fama *f* [reputación *f*]. ¶~록 Libro *m* de Visitantes. ~록에 서명하다 firmar el Libro de Visitantes.

방목(放牧) apacentamiento *m*, pastoreo *m*, pasto *m*. ~하다 pastar, pastorear, apacentar. 소를 ~하다 pastar el ganado vacuno. ¶~장 prado *m*, potrero *m*, pasto *m*, pastura *f*. ~지 pastos *mpl*, pradera *f*, tierra *f* de pastoreo.

방문(訪問) visita *f*. ~하다 visitar, hacer una visita, ir a ver. ~을 받다 recibir una visita. ~객[자] visitante *mf*, visitador, -dora *mf*; [집합적] visita *f*. ~단 grupo *m* de visitantes.

방문(榜文) letrero *m*, cartel *m*, aviso *m*; [데모 때의] pancarta *f*. ~을 내붙이다 poner el aviso.

방물 artículos *mpl* menudos; [집합적] mercería *f*. ~장수 mercero, -ra *mf*.

방미(訪美) visita *f* a los Estados Unidos de América. ~하다 visitar a los Estados Unidos de América.

방바닥(房ー) suelo *m* (de la habitación).

방방곡곡(坊坊曲曲) todas partes [todos los rincones] del país, todo el país. ~에 por todas partes del país, por todo el país.

방범(防犯) prevención *f* de crimen. ~하다 prevenir [evitar] el crimen. ~ 대원 guardia *m* nocturno. ~ 벨 alarma *f* antirrobo. ~ 순찰대 patrulla *f* de prevención de crímenes.

방법(方法) modo *m*, manera *f*; [계통을 세운] método *m*, proceso *m*; [수단] medio *m*, medida *f*. 새로운 ~ nuevo método *m*. ¶~론 metodología *f*.

방벽(防壁) barrera *f*, baluarte *m*, barricada *f*; [성벽] muralla *f*.

방부(防腐) prevención *f* contra putrefacción, antisepsia *f*, asepsia *f*, asepsis *f*, desinfección *f*, embalsamamiento *m*. ~하다 prevenir contra putrefacción. ~용 solución *f* antiséptica. ~재(材) material *m* antiséptico. ~제 preservativo *m*; [식품 등의] antipútrido *m*; ((의학)) antiséptico *m*; [용액] solución *f* antiséptica. ~ 처리 tratamiento *m* antiséptico; [시체의] embalsamamiento *m*.

방비(防備) defensa *f*, protección *f*; [공사] fortificación *f*. ~하다 defender, proteger, fortificar.

방사(房事) coito *m*, cópula *f*, relaciones *fpl* sexuales, unión *f* sexual. ~하다 copular(se), coitar, tener relaciones sexuales.

방사(放射) ① [광열의] radiación *f*; [빛이나 열 따위의] emisión *f*; [라디움 등의] emanación *f*. ~하다 emitir, radiar, emanar. 태양은 빛과 열을 ~한다 El sol radia su luz y calor. ② =발사(發射).

방사(放飼) pasto *m*, pastura *f*. ~하다 pastar, apacentar, pastorear. ~지(地) pastura *f*.

방사능(放射能) radia(o)ctividad *f*. ~의 radiactivo. ~ 검사 cheque *m* de radiactividad. ~ 검출 lectura *f* de radiactividad. ~ 구름 nube *f* radiactiva. ~ 연구 estudio *m* de radiactividad. ~ 오염 contaminación *f* radiactiva. ~재 polvo *m* radioctivo. ~ 측정 observación *f* de radiactividad. ~ 측정기 detector *m* radiactivo, detector *m* de radiación. ~ 폐기물 desechos *mpl* radiactivos, residuos *mpl* radiactivos.

방사선(放射線) radiación *f*, rayo *m* radiactivo. ~ 요법 radioterapia *f*. ~학 radiografía *f*. ~ 학자 radiógrafo *m*.

방사성(放射性) radi(o)actividad *f*. ~ 낙진 lluvia *f* radiactiva, precipitación *f* radiactiva. ~ 동위 원소 isótopo *m* radiactivo, radioisótopo *m*. ~ 물질 substancia *f* radiactiva, material *m* radiactivo. ~ 오염 contaminación *f* radiactiva. ~ 폐기물 desechos *mpl* [residuos *mpl*] radiactivos.

방석(方席) cojín *m*, almohadón *m*, almohadilla *f*.

방성(放聲) grito *m*. ~ 통곡 llanto *m* fuerte y amargo. ~ 통곡하다 llorar fuerte y amargamente.

방세(房貰) alquiler *m* de la habitación, alquiler *m* del cuarto.

방송(放送) emisión *f*, transmisión *f*, difusión *f*; [라디오의] radioemisión *f*, radiodifusión *f*; [텔레비전의] televisión *f*. ~하다 emitir, difundir, transmitir, radiar; [라디오로] radiodifundir; [텔레비전으로] televisar. ~ 공사 corporación *f* radiodifusora. ~국 (estación *f*) emisora *f*, difusora *f*, estación *f* de emisión, estación *f* transmisora; [라디오의] estación *f* radiodifusora, radioemisora *f*. ~극 teatro *m* radiofónico, drama *m* de radio. ~ 대학(교) universidad *f* a distancia, *Esp* Universidad *f* Nacional de Educación a Distancia, la UNED. ~망 red *f* de estaciones emisoras; [텔레비전의] red *f* televisora. ~ 시간 horas *fpl* de emisión, tiempo *m* de emisión, tiempo en antena. ~실 estudio *m* (de emisión). ~원 presentador, -dora *mf*, locutor, -tora *mf*. ~중 en el aire. ~ 중이다 estar en el aire. ~ 청취자 radioyente *mf*, radioescucha *mf*. ~ 통신 대학 Universidad *f* Nacional de Educación a Distancia, UNED *f*; universidad *f* a distancia. ~ 프로그램 programa *m* (de radio · de televisión), emisión *f*.

방수(防水) impermeabilidad *f*, resistencia *f* al agua. ~하다 impermeabilizar. ~ 가공 impermeabilización *f*. ~ 가공하다 impermeabilizar. ~림 bosque *m* impermeable. ~모 lona *f* impermeabilizada, sombrero *m* impermeable. ~벽 pared *f* impermeable. ~복 ropa *f* impermeable. ~ 시계 reloj *m* sumergible, reloj *m* hecho a prueba de agua. ~ 외투 abrigo *m* impermeable. ~ 장치 imper-

meabilización *f*, aparato *m* impermeable. ~ 처리 impermeabilización *f*. ~ 처리하다 impermeabilizar. ~포 tela *f* impermeable. ~화 zapatos *mpl* impermeables.

방수(放水) desagüe *m*; [배수] drenaje *m*. ~하다 desaguar, drenar. ~관 tubo *m* [caño *m* · cañería *f*] del desagüe, bajante *m*. ~로 canal *m* de desagüe, cauce *m* desaguadero *m*; [하수도] acequia *f*.

방습(防濕) protección *f* contra humedad. ~의 a prueba de humedad. ~ 장치 aparatos *mpl* a prueba de humedad.

방식(方式) [형식] forma *f*, [정식] fórmula *f*, [양식] manera *f*, medio *m*, modo *m*; [방법] método *m*, proceder *m*; [체계] sistema *m*; [수속] formalidad *f*. ~에 따라서 en debida (buena) forma.

방실거리다 sonreír alegremente [radiantemente].

방심(放心) descuido *m*, inadvertencia *f*, desatención *f*, distracción *f*, actitud *f* distraída, desprevención *f*. ~하다 descuidarse, aflojar la vigilancia, distraerse, enajenarse.

방아 molino *m*, mortero *m*.

방아쇠 gatillo *m*. ~를 당기다 apretar el gatillo.

방안(方案) plan *m*, programa *m*, modalidad *f*, planeación *f*, planeamiento *m*, proyecto *m*, planificación *f*.

방어(防禦) defensa *f*, protección *f*; [수세] denfensiva *f*. ~하다 defender.

방언(方言) dialecto *m*, provincialismo *m*, dialectalismo *m*, dialectismo *m*. ~학 dialectología *f*. ~학자 dialectólogo, -ga *mf*.

방역(防疫) prevención *f* de una epidemia. ~하다 prevenir una epidemia. ~ 수단을 강구하다 tomar medidas para prevenir las epidemias. ¶~관 oficial *mf* del control epidémico. ~국 departamento *m* de una epidemia. ~ 대책 medidas *fpl* preventivas contra las epidemias.

방열(放熱) radiación *f*. ~하다 radiar. ~기 ㉮ [난방 장치] calentador *m* (de agua), termosifón *m*. ㉯ [기계를 냉각시키는 장치] radiador *m*.

방영(放映) tra(n)smisión *f* por televisión. ~하다 televisar, transmitir por televisión.

방울¹ [둥근] cascabel *m*; [종모양의] campanilla *f*, esquila *f*, [소 · 염소의] cencerro *m*; [고양이 · 장난감의] cascabel *m*; [문 · 자전거의] timbre *f*.

방울² [액체의 덩어리] gota *f*. 눈물

~ gota *f* de lágrimas.

방울뱀 ((동물)) serpiente *f* [culebra *f*] de cascabel, crótalo *m*.

방울새 ((조류)) jilguero *m*, cardelina *f*, verderón *m*, pinzón *m*.

방위(方位) dirección *f*, rumbo *m* (con la brújula), orientación *f*; [선박의] derrota *f* con el compás; ((천문)) azimut *m*, acimut *m*. ~를 정하다 orientar.

방위(防衛) defensa *f*, resguardo *m*, protección *f*. ~하다 defender, resguardar, proteger.

방음(防音) prueba *f* de sonido, insonorización *f*, aislamiento *m* acústico. ~실 cámara *f* insonorizada. ~ 유리 cristal *m* insonorizado. ~ 장치 (instalación *f* para) la insonorización, instalación *f* a prueba de sonido. ~재 materiales *mpl* insonoros.

방임(放任) no intervención *f*. ~하다 dejar obrar libremente, no intervenir.

방자(放恣) conveniencia *f*, interés *m*, egoísmo *m*, terquedad *f*, testarudez *f*, capricho *m*, indocilidad *f*. ~하다 (ser) egoísta, terco, caprichoso, mimado, malcriado.

방장(房帳) mosquitero *m*.

방재(防材) barrera *f* flotante.

방적(紡績) hilandería *f*, hilado *m*, hilatura *f* 를 하다 hilar. ~공 hilandero, -ra *mf*; hilador, -dora *mf*. ~공업 hilandería *f*, industria *f* hilandera. ~공장 hilandería *f*, fábrica *f* de hilados [tejidos (de algodón)]. ~기계 hiladora *f*. ~사(絲) hilo *m* de algodón. ~업자 hilandero, -ra *mf*. ~회사 compañía *f* de hilados.

방전(放電) ((물리)) descarga *f* eléctrica, descarga *f* de electricidad. ~하다 descargar electricidad.

방점(傍點) puntos *mpl*, puntos *mpl* suspensivos. ~을 찍다 hacer puntos, poner (los) puntos.

방정 levedad *f*, ligereza *f*, frivolidad *f*. ~(을) 떨다 andar sin quietud, obrar de ligero, obrar imprudentemente. ~맞다 (ser) ligero, frívolo. ~맞게 굴다 andar sin quietud, obrar de ligero.

방정(方正) rectitud *f*, honradez *f*, honestidad *f*, virtud *f*. ~하다 (ser) recto, justo, equitativo, virtuoso.

방정식(方程式) ((수학)) ecuación *f*. ~을 세우다 poner una ecuación. ~을 풀다 resolver una ecuación.

방조(幇助) ayuda *f*, fomento *m*. 범죄를 ~하다 facilitar un crimen, ayudar en un crimen. ¶~자 partidario, -ria *mf*. ~죄 complicidad *f*.

방조제(防潮堤) malecón *m*, espigón *m*, *AmL* tajamar *m*.

방종(放縱) libertinaje *m*. ~하다 (ser) desordenado, desarreglado, desalinado, disoluto, licencioso.

방주(方舟) ① [방형의 배] barco *m* [buque *m*] cuadrado. ② ((성경)) el arca *f* (*pl* las arcas), barca *f*.

방주(旁註/傍註) notas *fpl* al margen, nota *f* marginal, apostilla *f*, acotación. ~를 붙이다 poner notas al margen.

방죽(防−) malecón *m*, terraplén *m*, riba *f*, presa *f*, orilla *f*, banda *f* de río, dique *m*, arrecife *m*. ~을 쌓다 construir un terraplén [dique].

방지(防止) prevención *f*. ~하다 prevenir, impedir, evitar. 사고를 ~하다 prevenir accidentes.

방직(紡織) hilado *m* y tejido, fabricación *f* textil. ~공 obrero, -ra *mf* textil. ~공업 industria *f* textil. ~공장 fábrica *f* de (industria) textil. ~기계 máquina *f* textil. ~물 artículo *m* textil. ~업자 fabricante *mf* textil.

방책(方策) [수단] medio *m*, remedio *m*; [취지] medidas *fpl*; [계획] plan *m*, proyecto *m*; [방침] policía *f*.

방첩(防諜) contraespionaje *m*, prevención *f* de espionaje. ~하다 prevenir el espionaje.

방청(傍聽) [재판의] asistencia *f* a una audiencia; [의회의] asistencia *f* a una sesión del parlamento. ~하다 prestar los oídos, escuchar. ~객 público, -ca *mf*. ~권(券) entrada *f* de admisión (en la audiencia). ~권(權) derecho *m* del público. ~석 tribuna *f* del público. ~인[자] público, -ca *mf*, oyente *mf*; [집합적] auditorio *m*, audiencia *f*.

방출(放出) emisión *f*. ~하다 emitir, despedir, desprender, liberar. 가스[에너지]를 ~하다 emitir gas [energía].

방충(防蟲) prevención *f* de polillas. ~의 a prueba de polillas. ~망 red *f* a prueba de polillas. ~복 ropa *f* a prueba de polillas. ~제 insecticida *m*; [좀약] (bola *f* de) naftalina *f*, alcanfor *m*.

방치(放置) abandono *m*. ~하다 dejar (una cosa como se halla), desatender, descuidar. 일을 ~하다 dejar el trabajo sin hacer.

방침(方針) línea *f*, curso *m*, orientación *f*, dirección *f*; [원칙] principio *m*, norma *f*; [정책] política *f*. 회사의 영업 ~ política *f* financiera de una compañía.

방탄(防彈) resistencia *f* a las balas, prueba *f* de balas. ~의 [조끼·유

리] antibalas, a prueba de balas; [차량] blindado. ~복 traje *m* antibalas. ~ 유리 vidrio *m* antibalas [a prueba de balas · resistente a las balas]. ~ 조끼 chaleco *m* antibalas, chaleco *m* [chaqueta *f*] a prueba de balas. ~차 coche *m* blindado.

방탕(放蕩) libertinaje *m*, prodigalidad *f*, obscenidad *f*, lubricidad *f*, [품행이 나쁨] mala conducta *f*. ~하다 (ser) libertino, obsceno, verde, calavera, habituarse a la vida disoluta.

방파제(防波堤) rompeolas *m.sing.pl*, malecón *m*, dique *m*.

방패(防牌) ((역사)) escudo *m*, broquel *m*, rodela *f*, adarga *f*.

방편(方便) expediente *m*, recurso *m*; [수단] medio *m*.

방학(放學) vacaciones *fpl*. 여름 ~ vacaciones *fpl* de verano. 겨울 ~ vacaciones *fpl* de invierno.

방한(防寒) protección *f* contra el frío. ~하다 proteger del frío. ~ 모 gorro *m* [gorra *f*] contra el frío. ~벽 pared *f* contra el frío. ~복 ropa *f* contra el frío. ~화 (靴) botas *fpl* impermeables.

방한(訪韓) visita *f* a Corea. ~하다 visitar a Corea.

방해(妨害) obstrucción *f*, perturbación *f*, impedimiento *m*, estorbo *m*, obstáculo *m*, molestia *f*, fastidio *m*, exasperación *f*, [전파의] interferencia. ~하다 obstruir, impedir, molestar, importunar, perturbar, estorbar, poner obstáculos, obstaculizar, interferir, interrumpir.

방향(方向) dirección *f*, rumbo *m*, orientación *f*, sentido *m*. ~ 감각 sentido *m* de dirección.

방향(芳香) fragancia *f*, perfume *m*, aroma *f*, buena aroma *f*, buen perfume *m*. ~을 풍기다 despedir perfume.

방호(防護) defensa *f*, protección *f*, salvaguardia *f*. ~하다 defender, proteger.

방화(防火) protección *f* contra el fuego, defensa *f* contra el incendio, prevención *f* contra el incendio. ~하다 prevenir [proteger] el fuego [el incendio]. ~에 진력하다 combatir el incendio.

방화(放火) incendio *m* premeditado. ~하다 provocar incendio, prender incendio, incendiar, prender fuego, pegar fuego.

방황(彷徨) ① [이리저리 헤매어 돌아다님] vagabundeo *m*, divagación *f*, vagabundo *m*, vagancia *f*. ~하다 vagar, vagabundear, errar, vaguear. ② [할 바를 모르고 갈팡

질팡함] confusión *f*. ~하다 estar confundido, no saber qué hacer.

밭 campo *m*, sembrado *m*; [야채밭] huerta *f*, jardín *m* (*pl* jardines); [과수원] huerto *m*; [농장] granja *f*. ~을 경작하다 cultivar [labrar] el campo.

밭갈이 aradura *f*, labranza *f*. ~하다 arar, labrar la tierra.

밭고랑 surco *m*. ~을 짓다 surcar, hacer surcos en la tierra.

밭곡식(-穀食) cereales *mpl* producidos en el campo, cosecha *f* del campo.

밭농사(-農事) labranza *f* [cultivo *m*] del campo.

밭다¹ [액체가] quedarse sin agua.

밭다² [건더기가 생긴 액체를 체 등으로] filtrar, pasar, colar.

밭다³ ① [인색하다] (ser) avaro, tacaño, mezquino. ② [입이 지나치게 짧다] ser muy exigente en (la) comida.

밭다⁴ ① [여유가 없다] estar [andar] escaso de tiempo, no tener bastante tiempo, tener tiempo limitado. ② [길이가 짧다] (ser) corto. 목이 ~ el cuello ser corto. ③ [숨이 급하고 가쁘다] jadear, resollar, faltar*le* el aire, ahogarse, quedarse sin aliento. 밭은 숨결 aliento *m* jadeante.

밭도랑 zanja *f*.

밭두둑 caballón *m*. ~을 만들다 acaballonar.

밭둑 terraplenes *mpl* alrededor del extremo del campo.

밭벼 arroz *m* de secano.

밭보리 cebada *f* de secano, cebada *f* sembrada en el campo.

밭은기침 tos *f* seca [tísica · áspera · perruna].

밭이다 ser filtrado.

밭이랑 surco *m* (del campo), caballón *m*, lomo *m*, camellón *m*.

밭일 labranza *f* [cultivo *m*] del campo. ~하다 labrar [cultivar] en el campo.

밭장다리 piernas *fpl* patizambas; [사람] patizambo, -ba *mf*.

밭치다 ((힘줌말)) =밭다².

배¹ ① ((해부)) vientre *m*, abdomen *m*, barriga *f*, tripa *f*; [큰] barrigón *m*, panza *f*, panzón *m*; [동물의] panza *f*, vientre *m*. ~가 나온 [큰] panzudo. ~가 아프다 tener dolor de estómago [dolor de vientre], doler*le* el estómago. ② [물체의 중앙이 되는 부분] centro *m*. ③ [곤충의 복부] panza *f*, vientre *m*. ④ [아이를 밴 어머니의 태내] útero *m*, matriz *f*. ¶ ~ (가) 고프다 tener hambre. ~(가) 부르다 ㉮ [양이 차다] estar lleno [harto], tener el estómago saciado. 이제 ~가 부르다 Ya estoy lleno [harto] / Ya no puedo más. ㉯ [배가 불룩하다] (ser) venturado, barrigón, panzudo; [아이를 배서] estar esperando (familia), estar en estado. ㉰ [넉넉하다] (ser) rico, adinerado, acaudalado.

배² 선박] barco *m*, buque *m*, nave *f*, navío *m*; [작은] barca *f*, lancha *m*, bote *m*.

배³ [배나무의 열매] pera *f*.

배(胚) ((동물·식물)) embrión *m*, germen *m*.

배(倍) ① [용적] doble [duplo] tamaño *m*. 저 탑은 이 탑보다 두 ~ 높다 Aquella torre es doble de alta que ésta / Aquella torre es dos veces más alta que ésta. ② [양] doble [dupla] cantidad *f*. 남보다 ~를 공부하다 trabajar [estudiar] más duro que otros. ③ [수] doble *m*, duplo número *m*. ~의 doble, duplo. ~로 하다 doblar, duplicar. 두 ~ doble *m*, dos veces, duplicación *f*.

배(杯) copa *f*, vaso *m*, taza *f*, caña *f*. 일 ~ una caña.

배가(倍加) duplicación *f*, redoblamiento *m*. ~하다 duplicarse, doblarse. ~시키다 doblar, duplicar, redoblar.

배격(排擊) rechazo *m*. ~하다 rechazar, no aceptar, desechar, expeler, excluir, desaprobar.

배경(背景) ① [뒤쪽의 배경] fondo *m*. 교회를 ~으로 사진을 찍다 sacar una fotografía con una iglesia de fondo. ② [무대 안쪽 벽에 그린 그림, 또는 무대 장치] decorado *m*, telón *m* de foro, telón *m* de fondo. ③ [뒤에서 돌보아 주는 힘] (buen) respaldo *m*, amparo *m*, patrocinio *m*. ~이 있다 tener un buen respeto [el amparo · el patrocinio], estar bien relacionado.

배고프다 =배(가) 고프다. ☞배¹

배관(配管) [물의] cañería *f*; [가스 등의] tubería *f*. ~공 cañero, -ra *mf*. ~도 diagrama *m* de tuberías.

배구(排球) balonvolea *m*, voleo *m* de pelota, volibol *m*, vóleibol *m*, voleibol *m*, volley ball *ing.m*. ~시합 juego *m* de balonvolea.

배급(配給) distribución *f*, racionamiento *m*; [물건의] ración *f*. ~하다 distribuir, racionar, repartir las raciones.

배기(排氣) escape *m*. ~ 가스 gas *m* de escape. ~관 tubo *m* de escape, *RPI* caño *m* de escape, *Col* exhosto *m*, *AmC* mofle *m*. ~구 orificio *m* de escape; [건물의] (conducto *m* de) ventilación; [굴뚝이나 난로의] tiro *m*; [자동차의] entrada *f* de aire; [환기창] ventilador *m*. ~량 cilindrada *f*. ~ 장치 escape *m*, exhaustor *m*, agotador *m* neumático.

배기다¹ [몸에] apretar, *Col* espichar.

배기다² [끝까지 참고 버티다] soportar, aguantar, tolerar, sufrir, tener paciencia. 배길 수 있는 soportable, sufrible, tolerable, resistible. 배길 수 없는 insoportable, intolerable, inaguantable.

배꼽 ((해부)) ombligo *m*. ~을 빼다 desternillarse [caerse · morirse · reventar] de risa. ~을 빼게 만들다 hacer que se muere de risa. ~을 쥐다 reventar(se) [morirse] de risa.

배꽃 flor *f* del peral.

배나무 ((식물)) peral *m*.

배낭(背囊) mochila *f*, mocuto *m*. ~을 꾸리다 hacer la mochila. ~을 풀다 deshacer la mochila. ~ 여행 excursionismo *m* [viaje *m*] con mochila. ~ 여행하다 viajar con mochila, *Chi*, *RPI* mochilear. ¶~ 여행가[족] mochilero, -ra *mf*.

배내똥 ① [갓난아이의] meconio *m*, alhorre *m*, primeras haces *fpl* del recién nacido. ② [사람이 죽을 때 싸는 똥] últimas haces *fpl* de la persona moribunda.

배내옷 ropa *f* para el recién nacido.

배냇니 diente *m* de leche.

배냇병(－病) enfermedad *f* connatural, enfermedad *f* de nacimiento.

배냇병신(－病身) lisiado *m* congénito, lisiada *f* congénita.

배다¹ ① [(물기가) 스미어들다] estar en remojo, penetrar, calarse, infiltrarse, correrse. 배어 나오다 rezumar(se). ② [버릇이 되게 익숙해지다] estar acostumbrado, acostumbrarse, madurarse, sazonarse. 몸에 밴 연주 interpretación madura.

배다² ① [뱃속에] concebir, hacerse preñada, quedarse embarazada, embarazarse. 사내아이를 ~ concebir un hijo varón. ② [이삭이 생기다] espigar(se).

배다³ ① [여럿의 사이가 매우 가깝다] (estar) cercano, próximo, espeso, denso, compacto, fino. 배게 densamente, compactamente, finamente. 올이 밴 옷감 tela *f* [paño *m*] de textura fina. ② [속이나 안이 꽉 들어차서 빈틈이 거의 없다] estar compacto. ③ [소견이 좁다] (ser) superficial.

배다리 puente *m* de barcas [de pontones], puente *m*, pontón *m*.

배달(倍達) ((준말)) =배달나라. ¶~나라 *baedalnara*, nombre *m* de nuestro país de época antigua.

~ 문화 cultura *f* coreana. ~민족 [겨레] pueblo *m* coreano, raza *f* coreana.

배달(配達) servicio *m* [reparto *m* · entrega *m* · transporte] a domicilio; [우편 등의] distribución *f*. ~하다 servir a domicilio, distribuir. 가정 ~을 하다 dar servicio a domicilio.

배당(配當) repartición *f*, reparto *m*; [주식의] dividendo *m*. ~하다 repartir, asignar, distribuir. 방을 ~하다 asignar *su* habitación, repartir las habitaciones.

배드민턴 bádminton *m*, (juego *m* de) volante *m*. ~하다 jugar al volante.

배띠 =복대(腹帶).

배란(排卵) ovulación *f*. ~하다 ovular.

배럴 [용량의 단위] barril *m*.

배려(配慮) cuidado *m*, atención *f*, solicitud *f*, consideración *f*. ~하다 tener cuidado, prestar atención.

배면(背面) parte *f* trasera, parte *f* posterior, revés *m*, espalda *f*, dorso *m*. ~의 trasero, posterior.

배반(背反/背叛) ① [저버림] traición *f*, perfidia *f*, alevosía *f*. ~하다 traicionar, hacer traición. 동료들을 ~ vender a *sus* compañeros. ② [반역] desobediencia *f*, revuelta *f*, levantamiento *m*, sublevación *f*, rebelión *f*. ~하다 desobedecer, sublevarse, rebelarse, alzarse. ¶ ~자 traidor, -dora *mf*, judas *m*; pérfido, -da *mf*.

배번(背番) número *m* del jugador.

배변(排便) evacuación *f* (de vientre). ~하다 evacuar.

배본(配本) ① [책을 배달함] entrega *f* [reparto *m*] de libros. ~하다 entregar [repartir] los libros. ② [책을 몫지어 나누어 줌] distribución *f* de libros. ~하다 distribuir los libros.

배부(配付) distribución *f*, reparto *m*. ~하다 distribuir, repartir.

배분(配分) reparto *m*, distribución *f*, prorrateo *m*. ~하다 repartir, distribuir, repartir una porción, prorratear.

배불뚝이 barrigón, -gona *mf*, barrigudo, -da *mf*, panzudo, -da *mf*, panza *f*.

배불리 hasta hartarse, hasta saciarse, hasta hartura, hasta saciedad. ~ 먹다 comer hasta saciarse [hasta la saciedad · hasta la hartura · hasta hartarse].

배상(拜上) Atentamente / Lo saludo atentamente / Cordiales saludos.

배상(賠償) indemnización *f*, resarcimiento *m*, compensación *f*, reparación *f*. ~하다 indemnizar, re-

compensar, resarcir.

배서(背書) [어음 따위의] endoso *m*, endorso *m*. ~하다 endosar, endorsar, firmar al dorso.

배석(陪席) capacidad *f* asociada. ~하다 tener el honor de asistir, asistir como adjunto. ~ 판사 juez *m* asesor, juez *m* asociado; juez *f* asesora, juez *f* asociada.

배선(配線) instalación *f* eléctrica [de un cable], cableado *m*, alambres *mpl* de distribución eléctrica. ~하다 instalar [tender] un cable, poner la instalación eléctrica.

배설(排泄) excreción *f*, evacuación *f*, emunción *f*. ~하다 excretar, excrementar, deponer los excrementos, expeler el excremento, descargar el vientre, evacuar el vientre.

배속(配屬) asignación *f*. ~하다 asignar, destinar, designar. ~ 장교 oficial *m* militar adscrito a la escuela.

배송(配送) la entrega y el envío. ~하다 entregar y enviar.

배수(排水) desagüe *m* (de aguas residuales), canalización *f* (de agua de lluvia), evacuación *f* de agua; [간척의] desecación *f*; [도랑으로] drenaje *m*, avenamiento *m*. ~하다 evacuar el agua, drenar, desaguar, avenar, desecar, sacar agua, dar a la bomba, achicar.

배수(配水) distribución *f* [suministro *m*] de agua. ~하다 distribuir [suministrar] el agua.

배수(倍數) múltiplo *m*, multiplicador *m*.

배수진(背水陣) combate *m* sin retirada. ~을 치다 combatir espaldas al agua, tener una guerra sin retirada, quemar las naves.

배신(背信) traición *f*. ~하다 traicionar. ~자 traidor, -dora *mf*. ~행위 abuso *m* de confianza; [표리] traición *f*.

배심(陪審) jurado *m*. ~하다 practicar en el juicio como un jurado. ~원[관] (miembro *mf* del) jurado *m*. ~(원)석 tribuna *f* de jurado. ~ 제도 sistema *m* de jurado. ~ 재판 juicio *m* ante jurado.

배앓이 dolor *m* de estómago, cólico *m*. ~를 하다 tener el dolor de estómago.

배액(倍額) importe *m* [suma *f*] doble; [요금의] precio *m* doble.

배양(培養) cultivo *m*, cultivación *f*, cultura *f*. ~하다 cultivar. 세균을 ~하다 hacer el cultivo de un microbio.

배역(背逆) traición *f*, rebelión *f*. ~하다 traicionar, rebelarse.

배역(配役) ((연극·영화)) reparto *m*

(de papeles). ~하다 hacer el reparto (de los papeles).

배열(排列) disposición *f*, colocación *f*, ordenación *f*, arreglo *m*. ~하다 disponer, ordenar, arreglar, poner en orden, clasificar.

배영(背泳) estilo *m* espalda, (natación *f* de) espalda, natación *f* a espaldas. ~하다 nadar a espalda [de espaldas].

배우(配偶) madridaje *m*. ~ 모체 gametocito *m*. ~자 cónyuge *mf*; esposo, -sa *mf*; marido *m*, mujer *f*. ~체 gametofito *m*.

배우자(配偶子) ((생물)) gameto *m*, célula *f* generativa.

배우(俳優) actor, -triz *mf*; [무대 배우] artista *mf* de teatro; [희극 배우] comediante *m*. 뛰어난 ~ actor, -triz *mf* de primer orden, primera figura.

배우다 aprender; [연구·공부하다] estudiar; [연습하다] practicar; [레슨을 받다] recibir [tomar] lecciones. 서반아어를 ~ aprender [estudiar] el español. 컴퓨터를 ~ aprender el ordenador.

배움 (el) aprender *m*, estudio *m*, instrucción *f*, educación *f*, enseñanza *f*.

배웅 acompañamiento *m*, despedida *f*. ~하다 acompañar, despedir, mandar.

배은 망덕(背恩忘德) ingratitud *f*, desagradecimiento *m*. ~하다 desagradecer, (ser) desagradecido, ingrato; perder *su* gratitud, rogar al santo hasta pasar el tranco; ((속담)) Rogar al santo hasta pasar el tranco.

배일(排日) ¶~의 anti-japonés.

배임(背任) abuso *m* de confianza, prevaricación *f*, prevaricato *m*. ~하다 prevaricar.

배전(倍前) más que antes. ~의 redoblado, intensificado, aumentado. ~의 애호를 바랍니다 Solicitamos su patrocinio aumentado.

배전(配電) distribución *f* de electricidad, abastecimiento *m* de energía eléctrica. ~하다 distribuir la electricidad. ~반 cuadro *m* de distribución, panel *m* de control. ~선 línea *f* de distribución. ~소 centro *m* de distribución de electricidad.

배점(配點) distribución *f* de notas. ~하다 distribuir [repartir] las notas.

배접(褙接) forro *m*. ~하다 forrar, reforzar en el reverso.

배정(配定) asignación *f*, reparto *m*, distribución *f*. ~하다 asignar, repartir, distribuir.

배젖 albumen *m*, endospermo *m*.

배제(排除) exclusión *f*, eliminación *f*, rechazo *m*; [구축] desalojamiento *m*. ~하다 excluir, quitar, eliminar, rechazar, desalojar.

배증(倍增) duplicación *f*. ~하다 duplicar. ~되다 duplicarse.

배지 insignia *f*, divisa *f*, emblema *m*, chapa *f*, placa *f*. 경찰관의 ~ placa *f* [chapa *f*] de policía.

배지느러미 aleta *f* ventral.

배짱 ① [속마음] corazón *m*, pensamiento *m* interior, intención *f* real, *su* motivo. ② [뱃심] confianza *f* en sí mismo, atrevimiento *m*, osadía *f*; [담력] valor *m*, audacia *f*, denuedo *m*, agallas *fpl*. ~이 있는 valiente, audaz, osado. ~이 없는 temeroso, cobarde, temeroso. ~이 크다 ser magnánimo, tener un gran corazón.

배차(配車) distribución *f* de coches [carros·vagones]. ~하다 distribuir los coches [los carros·los vagones].

배척(排斥) exclusión *f*, eliminación *f*; [보이콧] boicoteo *m*. ~하다 excluir, boicotear.

배추 ((식물)) berza *f*, repollo *m*, col *f* (china). ~밭 campo *m*.

배추김치 *baechukimchi*. coles *fpl* [repollos *mpl*] salados.

배출(排出) ① [밖으로 내보냄] expulsión *f*. ~하다 expulsar. ② =배설. ¶~구 salida *f* de escape.

배출(輩出) introducción *f*. ~하다 introducir, aparecer [nacer] gran número.

배치(配置) disposición *f*, colocación *f*. ~하다 disponer, colocar, apostar, situar, emplazar.

배타적(排他的) exclusivo.

배탈(一頉) mal *m* del estómago. ~(을) 내다 hacer estropearse el estómago, hacer tener el estómago estropeado. ~(이) 나다 tener el estómago estropeado, tener [andar] mal del estómago, estropear(se) el estómago.

배터리 ① [야구 투수와 포수의 한 쌍] el lanzador y el cogdor. ② [한 벌의 기구 또는 장치] serie *f*. ③ [전자 제품의 축전지] pila *f*, [자동차나 모터사이클의 축전지] batería *f*. ~ 충전기 cargador *m* de pilas; [자동차의] cargador *m* de baterías.

배트 ① ((야구·크리켓)) bate *m*. ② ((탁구·정구)) paleta *f*, raqueta *f*.

배팅 ((야구)) [타격] bateo *m*.

배편(一便) servicio *m* marítimo [naval]. ~으로 en [por] barco [buque].

배포(配布) distribución *f*, reparto *m*. ~하다 distribuir, repartir.

배포(排布/排鋪) ① [계획] planificación f, plan m. ② =배짱. ③ =배치(排置).

배표(一票) billete m de barco.

배필(配匹) cónyuge mf; consorte mf; pareja f.

배합(配合) combinación f, [혼합] mezcla f; [조화] armonía f. ~하다 combinar, mezclar. ~ 비료 abono m [fertilizante m] compuesto. ~ 사료 piensos mpl compuestos.

배회(徘徊) vagancia f. ~하다 vagar, vaguear, rular, andorrear, deambular, caminar sin rumbo fijo, rondar para robar. ~자 trotamundos mf.sing.pl.

배후(背後) fondo m, espaldo m. …의 ~에 tras algo, detrás de uno, a la espalda de uno. ¶ ~ 인물[조종자] intrigante mf.

백(百) ciento; [명사와 mil 앞에서] cien. ~ 배의 céntuplo. ~ 배로 하다 centuplicar. ~ 세의 노인 centenario, -ria mf. ¶ ~ 번째(의) centésimo m.

백[가방] maleta f, bolsa f, bolso m, valija f.

백계(百計) todas las medidas. ~ 무책 No hay buen remedio que resolver la dificultad.

백곡(百穀) todos los cereales.

백골(白骨) ① [죽은 사람의 흰 뼈] hueso m blanco, esqueleto m. ~ 시체 huesos mpl, cadáver m en huesos. ② [옻칠을 하기 전의 목기나 목물] recipiente m de madera no laqueada; madera f no laqueada.

백곰(白一) ((동물)) oso m blanco.

백과(百科) todas las asignaturas. ~ 사전[전서] enciclopedia f, diccionario m enciclopédico.

백관(百官) todos funcionarios públicos del gobierno.

백구(白鷗) ((조류)) =갈매기.

백구(白球) pelota f blanca. ~의 향연 partido m de béisbol suntuoso.

백그라운드 ① [그림이나 장면의 배경] fondo m. ② [사건의 배경] antecedentes mpl. ③ ((컴퓨터)) (en) segundo plano. ~ 뮤직 (음악)) música f de fondo. ~ 프로그램 ((컴퓨터)) programa m en segundo plano.

백금(白金) ((화학)) platino m.

백기(白旗) ① [바탕의 빛깔이 흰 기] bandera f blanca. ② =항기(降旗). ¶ ~(를) 들다 rendirse. ③ [일기 예보의] bandera f blanca.

백날(百一) ① [태어난지 백 번째가 되는 날] centésimo día m de nacimiento. ② [매우 많은 시일] muchísimos días.

백내장(白內障) ((의학)) catarata f.

백 넘버 ① [등 번호] número m del

jugador. ② [(잡지·정기 간행물 따위의] 묵은 호] número m atrasado.

백년(百年) ① [한 해의 백 배] cien años, un siglo. ② [오랜 세월] mucho [largo] tiempo. ③ [한평생] toda su vida, toda la vida. ¶ ~ 가약[언약] lazos mpl matrimoniales, vínculos mpl matrimoniales, amor m eternal.

백단향(白檀香) ((식물)) sándalo m blanco.

백대하(白帶下) ((의학)) leucoma m.

백두(白頭) pelo m blanco [canoso]. ~의 노인 viejo m [anciano m] canoso, vieja f [anciana f] canosa.

백랍(白蠟) cera f blanca, cera f refinada. ~초[촉] vela f [candela f] de cera blanca.

백련(白蓮) ① [흰 연꽃] loto m blanco. ② ((식물)) ((준말)) =백목련.

백로(白鷺) ((조류)) garza f blanca, garceta f, airón m.

백마(白馬) caballo m blanco.

백만(百萬) ① [만의 100배] un millón. ~ 번째(의) millonésimo. 수~의 millones de. ~ 년 un millón de años. ② [썩 많은 수] muchos números. ¶ ~ 장자 millonario, -ria mf; multimillonario, -ria mf; billonario, -ria mf.

백면(白面) =백면 서생. ¶ ~ 서생 ㉮ [글만 읽고 세상 일에 어두운 사람] mocoso m; mozalbete m; novato, -ta mf; pardillo, -lla mf. ㉯ [얼굴빛이 흰 남자] hombre m con la cara blanca.

백모(伯母) tía f, esposa f del hermano mayor de su padre.

백목련(白木蓮) ((식물)) magnolia f grandiflora.

백묵(白墨) tiza f. ~ 한 개 una pieza [una barrita] de tiza. ~으로 쓰다 escribir con tiza.

백문(百聞) muchas escuchas. ~이 불여일견(一見) (El) Ver es creer / Ver para creer.

백미(白米) arroz m pulido, arroz m descascarado.

백미(白眉) ① [흰 눈썹] ceja f blanca. ② [여러 사람이나 형제들 중에서 가장 뛰어난 사람] persona f que supera [aventaja] a muchos. ③ [많은 가운데서 뛰어난 것] lo mejor, obra f maestra.

백 미러 (espejo m) retrovisor m.

백반(白斑) ① [흰 반점] mancha f blanca, pintas fpl blancas. ② ((천문)) fácula f.

백반(白飯) ① [흰밥] arroz m cocido [blanco]. ② [음식점에서] una mesa del arroz blanco con la sopa y unos platos.

백반(白礬) ((화학)) alumbre f. ②

((한방)) alumbre *f* en polvo.

백발(白髮) cana *f*, cabello *m* blanco; pelo *m* blanco; ((성경)) cana *f*, cano *m*, vejez *f*; 〔반백〕 pelo *m* gris, pelo *m* medio blanco. ~의 cano, canoso, encanecido.

백발 백중(百發百中) ① 〔총이나 포 따위가〕 nunca yerra el tiro, cada tiro produce efecto. ~하다 no errar nunca el tiro. ② 〔실패없이 모조리 다 잘됨〕 infalibilidad *f*, éxito *m* infalible. ~하다 (ser) infalible.

백방(百方) todas maneras, todos modos. ~으로 노력하다 hacer todos los esfuerzos. ~으로 손을 쓰다 no dejar piedra por mover.

백배(百拜) acción *f* de saludar cien veces [muchas veces]. ~하다 saludar muchas veces. ~ 사례 expresión *f* de *su* gratitud saludando muchas veces. ~ 사례하다 expresar *su* gratitud saludando muchas veces, ofrecer muchas gracias. ~ 사죄하다 disculparse [excusarse · presentar disculpas · presentar excusas] muchas veces.

백배(百倍) céntuplo *m*, cien veces. ~하다 centuplicar.

백 번(百番) cien veces. 이 몸이 죽고 죽어 일 ~ 고쳐 죽어 aunque yo muera cien veces.

백병(白兵) 〔격투나 접전을 할 때 사용할 수 있는 무기〕 el arma *f* blanca, espada *f* y bayoneta. ② =백인(白刃). ¶ ~전 combate *m* cuerpo a cuerpo. ~전을 하다 combatir [luchar] cuerpo a cuerpo.

백부(伯父) tío *m* (carnal), hermano *m* mayor de *su* padre.

백분(白粉) ① 〔밀이나 쌀 따위의〕 흰 가루 polvo *m* blanco, harina *f* blanca. ② 〔화장용의〕 polvos *mpl* (de tocador).

백분(百分) céntima parte *f*, división *f* en ciento. ~하다 dividir en ciento. ~의 1 un céntimo, un centavo. ~의 5 cinco centésimos, cinco por ciento, 5%. ~율[비] porcentaje *m*, tanto *m* por ciento.

백사(白砂) arena *f* blanca. ~장 arenal *m* blanco.

백사(白蛇) ((동물)) serpiente *f* [culebra *f*] blanca.

백사(百事) muchas cosas, todas las cosas, todo.

백사기(白沙器/白砂器) china *f* [porcelana *f*] blanca.

백사탕(白砂糖) azúcar *m* blanco, azúcar *m* fino.

백색(白色) (color *m*) blanco *m*; 〔시 어〕 albura *f*. ~의 albar, blanco. ~인 hombre *m* blanco. ~인 종 raza *f* blanca. ~ 테러[공포] terror *m* blanco.

백서(白書) libro *m* blanco, libro *m* rojo, *Méj* libro *m* azul, *Ven* libro *m* amarillo, *Salv* libro *m* rosado.

백선(白癬) ((의학)) favo *m*, tiña *f*, empeine *m*, culebrilla *f*.

백선(白鱔) ((어류)) anguila *f*.

백설(白雪) blanca nieve *f*.

백설탕(白雪糖) azúcar *m* refinado, azúcar *m* blanco.

백성(百姓) ① 〔일반 국민〕 pueblo *m*. ② 〔보통의 사람〕 pueblo *m* común; plebeyo, -ya *mf*.

백세(百歲) ① 〔백 년〕 cien años, un siglo. ② 〔백 살〕 cien años de edad. ~의 노인 centenario, -ria *mf*.

백송(白松) ((식물)) pino *m* blanco.

백수(白壽) noventa y nueve años.

백수(百獸) todos los animales. ~의 왕 rey *m* de los animales, tigre *m*.

백수 건달(白手乾達) pobretón *m*.

백숙(白熟) pescado *m* cocido [carne *f* cocida].

백신 ((의학)) vacuna *f*. ~을 접종하 다 vacunar. ¶ ~ 뇌염 encefalitis *f* vaccínica. ~ 접종 vacunación *f*. ~ 주사 (inyección *f* de) vacunación *f*.

백씨(伯氏) *su* hermano mayor.

백악(白堊) ① 〔백회〕 tiza *f*, clarión *m*, yeso *m*, greda *f*, marga *f*. ② =백토(白土). ③ 〔석회로 칠한 흰 벽〕 pared *f* blanqueada [blanca pintada] con cal. ~계[층] (sistema *m*) cretáceo *m*. ~기 período *m* cretáceo.

백악관(白堊館) Casa *f* Blanca.

백안시(白眼視) mirada *f* fría, mirada *f* con malos ojos [con frialdad].

백야(白夜) noche *f* blanca.

백약(百藥) todas las medicinas. ~ 무효 inutilidad *f* de todas las medicinas. ~ 무효다 Todas las medicinas resultan (ser) inútil. ~ 지장(之長) lo mejor de todas las medicinas, bebida *f* alcohólica.

백양(白羊) cabra *f* blanca. ~궁 ((천 문)) Aries *m*.

백양(白楊) ① ((식물)) =백양나무. ② ((식물)) =사시나무. ③ ((식 물)) =은버들.

백양나무(白楊-) ((식물)) tiemblo *m*, álamo *m* temblón.

백양목(白楊木) ((식물)) =백양나무.

백여우(白-) ① ((동물)) zorro *m* blanco. ② ((속어)) 〔요사스런 여 연〕 mujer *f* caprichosa.

백연(白鉛) ((화학)) plomo *m* blanco. ~광 cerusita *f*, mineral *m* del plomo blanco.

백열(白熱) ① ((물리)) candencia *f*, incandescencia *f*. ② 〔최고조〕

clímax m. ~광 luz f incandescente. ~등 lámpara f eléctrica incandescente. ~전(戰) enfrentamientos mpl calientes. ~전구 bombilla f incandescente.

백옥(白玉) gema f blanca.

백운(白雲) nubes fpl blancas. ~모 mascovita f, mica f blanca. ~석 dolomía f, dolomita f.

백의(白衣) ropa f blanca; [의사 등의] bata f blanca; [성직자의] el alba f. ~의 천사 enfermera f vestida de blanco, ángel m blanco. ¶~ 민족 raza f coreana. ~ 천사 enfermera f.

백인(白人) [날 때부터 살빛이 매우 하얀 사람] blanco, -ca mf. ② ((준말)) =백색 인종.

백일(白日) [쨍쨍하게 비치는 해] sol m claro, luz f del día, día m claro. ~은 =대낮. ¶~몽 ensueño m, ensoñación f, fantasía f. ~장 concurso m literario.

백일(百日) cien días. ~ 기도 oración f de cien días. ~ 잔치 fiesta f [banquete m] (que se celebra) a la edad de cien días de bebé. ~천하 reinado m de cien días, reinado m muy corto. ~해[기침] tos f ferina.

백일초(百日草) ((식물)) zinnia f.

백일홍(百日紅) ① ((식물)) lila f de la India. ② ((식물)) =백일초.

백자(白磁/白瓷) =백사기(白沙器).

백작(伯爵) conde m. ~령(領) condado m. ~ 부인 condesa f.

백장 carnicero m.

백전(百戰) combates mpl incontables, combates mpl innumerables. ~의 용사 soldado m veterano. ¶~ 노장 ㉮ [장수] veterano m. ㉯ [여러 가지로 능수 능란한 사람] perro m viejo, hombre m de mucha experiencia. ~ 백승 victoria f de todas batallas.

백절불굴(百折不屈) inflexibilidad f. ~하다 (ser) inflexible, indomable. ~의 정신 espíritu m indomable.

백절불요(百折不撓) =백절 불굴.

백점토(白粘土) arcilla f, alfar m.

백조(白鳥) ((조류)) cisne m.

백주(白晝) mediodía m, pleno día m, luz f amplia del día.

백중(伯仲) ① [맏형과 둘째형] su primer hermano (mayor) y su segundo hermano (mayor). ② [서로 우열이 없음] el mismo nivel, igualdad f. ~하다 igualar, estar al mismo nivel (que); [서로] igualarse, competir, rivalizar.

백지(白紙) papel m blanco. ~ 답안 examen m en blanco. ~ 수표 cheque m en blanco. ~ 어음 letra f en blanco. ~ 위임장 carta f blanca, cédula f en blanco,

firma f en blanco.

백지도(白地圖) mapa m en blanco.

백차(白車) coche m patrulla.

백척간두(百尺竿頭) extremo m, última extremidad f. ~에 서다 llegar al extremo. ~에 일보를 더 나가다 hacer más esfuerzo.

백치(白痴/白癡) ① [천치] idiota mf; imbécil mf. ② [한방] idiotez f, idiocia f.

백태(白苔) ((한방)) sarro m blanco (de la lengua).

백태(百態) todas las figuras.

백토(白土) arcilla f, greda f.

백통(白一) ① [구리·아연·니켈의 합금] níquel m, cuproníquel m. ② ((준말)) =백통화.

백통화(白一貨) moneda f de níquel.

백팔(百八) ① [백에 여덟을 더한 수] ciento ocho. ② ((불교)) [인간의 번뇌의 수] ciento ocho tormentos del hombre. ~ 번뇌 ciento ocho tormentos del humano. ~ 염주 rosario m budista de ciento ocho cuentas.

백팔십도(百八十度) ciento ochenta grados. ~ 전환 cambios mpl radicales, giro m de 180 grados.

백포도주(白葡萄酒) vino m blanco.

백합(白蛤) ((조개)) una especie de almeja.

백합(百合) ((식물)) liliácea f, (lirio m) azucena f, tulipero m.

백해(百害) todos los males. ~ 무익 muchos daños y ningún provecho.

백혈구(白血球) glóbulo m blanco (de la sangre), leucocito m.

백혈병(白血病) ((의학)) leucemia f, leucosis f. ~ 환자 leucémico, -ca mf.

백화(白花) flor f blanca.

백화(白話) chino m coloquial. ~문 chino m coloquial escrito.

백화(百花) toda clase de flores, todas las flores.

백화점(百貨店) (gran) almacén m, Méj tienda f de departamentos.

밴대 보지 vulva f sin pubis.

밴대질 práctica f sexual entre mujeres. ~하다, ~치다 tener relaciones sexuales con otra mujer.

밴댕이 ((어류)) arenque m con ojos grandes.

밴드¹ ① [끈. 띠] cinta f, franja f, tira f, [고리] anillo m. ② [벨트] correa f. ③ [허리띠] cinturón m.

밴드² ((음악)) banda f, grupo m, conjunto m musical. ~ 매스터 director, -tora mf de banda.

밴조 ((악기)) banjo m.

밴텀급(一級) peso m gallo.

밸런스 ① [균형. 평형] equilibrio m. ~를 잃다 perder el equilibrio. ② [나머지] resto m; [차액 잔고]

saldo *m*, balance *m*. ③ [저울] balanza *f*.

밸브 ① ((기계)) válvula *f*; ((라디오)) lámpara *f* termiónica. ② [조개의 껍데기] valva *f*. ③ ((음악)) pistón *m*.

뱀 ((동물)) serpiente *f*, culebra *f*; [독사] víbora *f*; [커다란 뱀] culebrón *m*, culebra *f* grande, serpentón *m*; [방울뱀] culebra *f* de cascabel, crótalo *m*, demonio *m*; [안경뱀] serpiente *f* de anteojos.

뱀장어(-長魚) ((어류)) anguila *f*.

뱁새눈 ojos *mpl* estrechos.

뱁새눈이 persona *f* con ojos estrechos.

뱃고동 silbato *m* del barco.

뱃길 canal *m* [río *m*] navegable.

뱃노래 canción *f* de barquero [de marinero], saloma *f*; [곤도라의] barcarola *f*.

뱃놀이 excursión *f* en bote [en barco], paseo *m* en bote, remadura *f*. ~하다 hacer una excursión en barco, pasearse en bote. ~하러 가다 ir a paseo en lancha [en bote], ir de remadura.

뱃대끈 ① [여자의 바지 위에 매는 끈] fajín *m*. ② [말이나 소의] correa *f* de cinta.

뱃머리 proa *f*. ~를 향하다 poner proa, hacer rumbo. ~부터 침몰하다 hundirse por la proa.

뱃멀미 mareo *m* (en los viajes por mar), náusea *f*. ~하다 marear(se), nausear, estar mareado.

뱃병(-病) enfermedad *f* de estómago, dolor *m* de estómago.

뱃사공(-沙工) barquero, -ra *mf*.

뱃사람 marinero *m*, marino *m*, barquero *m*, botero *m*, piloto *m*.

뱃삯 pasaje *m*, flete *m*.

뱃살 carne *f* de la vientre.

뱃소리 =뱃노래.

뱃속 entrañas *fpl*, tripas *fpl*; [위] estómago *m*.

뱃심 empuje *m*, dinamismo *m*, valor *m*, coraje *m*. ~(이) 좋다 tener mucho valor [coraje].

뱃전 costado *m* de un barco [de un buque·de un barco], regala *f*, borda *f*, borde *m*, bordo *m*.

뱃짐 carga *f* (de un buque), mercancías *fpl*, mercaderías *fpl*.

뱅뱅 girando, dando vueltas y vueltas. 뱅뱌 ~ 돈다 Gira la rueda.

뱅어(-魚) ((어류)) boquerón *m* pequeño.

뱅충맞다 (ser) estúpido. ☞빙충맞다

뱅충맞이 estúpido, -da *mf*; burro, -rra *mf*.

뱉다 ① [입 속의 물건을] arrojar, vomitar, lanzar, salir a borbotones, escupir. 침을 ~ escupir. ②

[차지했던 것을 도로 내놓다] soltar, aflojar, soltar la plata [la pasta·la lana], apoquinar. ③ [(말이나 기침 따위를) 거세게 막하다] soltar. 기침을 ~ toser, tener tos.

버걱 chirriando, crujiendo. ~거리다 seguir crujiendo, [chi- rriando].

버겁다 superar *su* capacidad, estar fuera de *su* capacidad.

버근하다 (estar) entreabierto entornado.

버글거리다 ① [끓다] hervir, bullir. ② [거품이] bullir, burbujear. ③ [우글거리다] enjambrar, aglomerarse, apiñarse, pulular.

버금 el próximo, segundo (del orden). ~가다 estar en segundo lugar.

버굿하다 estar entreabierto.

버너 quemador *m*, abrasador *m*.

버둥거리다 esforzarse, salir airado y displicente, avanzar con mucha dificultad, lenta y torpemente.

버드나무 ((식물)) sauce *m*, sauz *m*, mimbre *m*. ~숲 sauceda *f*.

버드러지다 ① [끝이 밖으로 벌어지다] sobresalir. 버드러진 [턱이] prominente; [이가] salido; [손톱이나 발톱이] que sobresale. 버드러진 이 diente *m* salido. 앞니가 ~ salir el diente delantero. ② [굳어서 뻣뻣하게 되다] agarritarse, anquilosarse; [시체가] ponerse rígido. ③ [죽다] morir, fallecer.

버드렁니 diente *m* salido.

버들 ((식물)) =버드나무. ¶ ~ 같은 허리 cintura *f* fina [delgada]. ~가지 rama *f* del sauce. ~개지 flor *f* del sauce. ~숲 sauzal *m*. ~잎 hoja *f* del sauce. ~피리 flauta *f* de sauce.

버디 ((골프)) birdie *m*.

버럭 repentinamente, de repente, súbitamente, de súbito, de pronto. ~ 소리를 지르다 gritar repentinamente.

버르적거리다 esforzarse, retorcerse, contorcerse, contorsionarse, torcerse. 고통으로 ~ retorcerse de dolor.

버릇 ① [습관] hábito *m*, costumbre *f*; [특징] particularidad *f*, peculiaridad *f*, rasgo *m* característico, truco *m*; [나쁜 버릇] vicio *m*, mala costumbre *f*, mal hábito *m*. ~이 되다 hacerse una costumbre [una manía]. ② [예의] etiqueta *f*, cortesía *f*, urbanidad *f*, amabilidad *f*. 세 살 적 버릇이 여든까지 간다 ((속담)) La cabra tira al monte / La costumbre es segunda naturaleza.

버리다 ① [물건을] arrojar, tirar, echar, verter, botar, vaciar de golpe. 쓰레기를 ~ echar [tirar] la basura. ② [성격·나쁜 버릇 따위를] desechar. 편견을 ~ desechar el perjuicio. ③ [생각·소망 따위를] abandonar, desistir, renunciar. 계획을 ~ desistir del proyecto, renunciar al plan. ④ [직업·직장 따위를] 그만두다] abandonar. 지위를 ~ abandonar su puesto. ⑤ [권리·신앙 따위를] renunciar. 권리를 ~ renunciar a sus derechos. ⑥ [가정·고향 따위를] abandonar, dejar, desamparar, desertar, renunciar, ceder. 버린 자식 niño m abandonado, niña f abandonada; (niño m) expósito m, (niña f) expósita f. ⑦ [몸을] abandonarse, ir por mal camino.

버무리 comida f mezclada.

버무리다 mezclar (juntos), entremezclar, entreverar. 나물을 ~ mezclar las hierbas comestibles.

버물리다 ① [「버무리다」의 피동] ser mezclado. ② [「버무리다」의 사동] hacer mezclar.

버석거리다 [나뭇잎이] susurrar; [종이가] crujir; [비단이] hacer frufrú.

버선 beoseon, calcetines mpl típicos coreanos. ~을 신다[벗다] ponerse [quitarse] el beoseon.

버섯 ((식물)) seta f, AmL hongo m, Chi callampa f; [회고 둥근 버섯] champiñón m.

버스¹ [탈것] autobús m; Per, Urg ómnibus m; Arg, Bol colectivo m; AmC, Méj camión m; Chi micro m, bus m; Col buseta f, Cuba guagua f. ~로 서 en autobús. ~값 billete m [pasaje m] (de autobuses). ~ 기사 conductor, -tora mf; chofer mf [chófer mf] de autobuses. ~ 안내양 cobradora f. ~ 여행 viaje m en autobús. ~ 정류소 parada f (del autobús). ~ 차장 cobrador, -dora mf. ~ 터미널 terminal f de autobuses. ~ 토큰 ficha f de autobús.

버스² [(컴퓨터)] bus m. 데이터 ~ bus m de datos. 어드레스 ~ bus m de direcciones.

버스러지다 pelarse, desconcharse, exfoliarse.

버스럭거리다 [나뭇잎이] susurrar; [종이가] crujir; [비단이] hacer frufrú.

버스트 [가슴둘레] busto m.

버저 ((물리)) zumbador m.

버젓하다 (ser) imparcial, justo, limpio, al aire libre, abiertamente, estar libre de vergüenza. 버젓이 con imparcialidad, con justicia, justo. 버젓이 말하다 decir abiertamente. 버젓이 비난하다 denunciar en público.

버짐 ((한방)) empeine m, culebrilla f, serpigo m.

버찌 cereza f. ~나무 cerezo m.

버캐 capa f de suciedad, substancia f cristalizada.

버클 hebilla f, cierre m.

버터 mantequilla f. ~ 바른 빵 pan m con mantequilla.

버튼 [단추] botón m (pl botones).

버티다 ① [견디다] aguantar, soportar, tolerar; [고집하다] insistir, persistir. ② [겨루다] competir. ③ [받치다.] 괴다] soportar, apoyar, sostener.

버팀대(-臺) puntal m, sostén m, apoyo m, soporte m.

버팀목(-木) soporte m, sostén m, apoyo m, barra f, tranca f, palo m [estaca f] de puntal.

버팅 ((권투)) cabezazo m.

벅신거리다 enjambrar, aglomerarse, apiñarse, revolotear, pulular.

벅적거리다 bullir, aglomerarse, estar lleno, estar de bote en bote.

벅차다 ① [힘에 겁다] estar fuera de su capacidad, superar su capacidad. 상대하기에 벅찬 fuerte, tenaz, temible. 벅찬 상대 adversario, -ria mf temible. ② [넘칠 듯이 가득하다] estar lleno. 가슴 벅찬 감격 emoción f llena del corazón.

번(番) ① [교대] alteración f, turno m, cambio m. ② [당번] servicio m. ③ [횟수] vez f. 한 ~ una vez. 두 ~ dos veces. 여러 ~ muchas veces, repetidas veces, repetidamente, frecuentemente. ④ [번호] número m. ⑤ [때. 경우] tiempo m, ocasión f. 지난 ~ el otro día.

번갈아(番-) en [por] turno, recíprocamente, uno a otro, una a otra, uno después de otro; [교대로] alternativamente.

번갈아들다 alternar, tocar el turno.

번갈아들이다 hacer alternar, hacer tocar el turno.

번개 ① [뇌편] relámpago m, relampagueo m. ~처럼 como un relámpago, como un centello, como un rayo. ② [동작이 빠른 사람] persona f muy ágil.

번갯불 rayo m, relámpago m, destello m.

번거롭다 ① [귀찮다] (ser) molesto, pesado, fastidioso; [성가시다] fastioso, molesto, embarazoso. …으로 마음이 ~ inquietarse [preocuparse·cuidarse] de algo. ② [복잡하다] (ser) complicado; [어수선하다] confuso.

번뇌(煩惱) ① [고뇌] aflicción f, dolor m, agonía f, ansiedad f, afectos mpl, pasiones fpl mundanas,

(bajas · malas) pasiones *fpl.* ~하
다 preocuparse, inquietarse, estar
desesperado de dolor, afligirse,
oprimirse, agobiarse; [육욕에] estar agobiado por pasiones malva-
das. ~에서 벗어나다 librarse de
sus pasiones. ~로 괴로워하다
ser hostigado de las pasiones. ②
((불교)) deseos *mpl* pecaminosos;
[노여움] enfado *m*, cólera *f*, ira *f*;
[어리석음] estupidez *f*.

번데기 ((곤충)) crisálida *f*, ninfa *f*.
~로 되다 hacerse crisálida, to-
mar la forma de [convertirse en]
crisálida.

번드럽다 ① [윤기가 나고 미끄럽다]
(ser) brillante, lustroso. ② [약삭
빠르다] ingenioso, hábil, inteligente.

번드르르 brillantemente, lustrosamente. ~하다 (ser) brillante, lustroso.

번득 como un relámpago. ~ 빛나다
relampaguear, detellar, pasar como un relámpago. 좋은 생각이 ~
떠올랐다 Se me ocurrió una
buena idea.

번들거리다 (ser) brillante, lustroso.

번들번들 con brillo, con lustre, con
resplendor, brillantemente, lustrosamente.

번듯하다 (ser) plano, uniforme, estar nivelado, estar en armonía.

번뜻 rápidamente, rápido. ~ 읽다
leer rápido.

번민(煩悶) angustia *f*, congoja *f*,
aflicción *f*, ansiedad *f*, pena *f*, sufrimiento *m*, tormento *m*, agonía
f. ~하다 tener angustia, acongojarse, afligirse, atormentarse, angustiarse, atormentarse.

번번이(番番−) cada vez (que), cada
ocasión, siempre (que), cuandoquiera. 나는 서울에 올 때마다 ~
cada vez que [siempre que] vengo a Seúl.

번복(翻覆) inversión *f*, cambio *m*
total, revocación *f*. ~하다 invertir, cambiar totalmente, volver al
revés, poner en marcha atrás,
revocar.

번성(蕃盛) frondosidad *f*, exuberancia *f*. ~하다 crecer frondoso,
crecer con exuberancia.

번성(繁盛) prosperidad *f*. ~하다
prosperar; [상점이] tener muchos
clientes [mucha clientela · muchos
parroquianos · mucha parroquia].

번식(繁殖/蕃殖/蕃息) multiplicación
f, generación *f*, reproducción *f*,
propagación *f*; [세포의 증식] proliferación *f*. ~하다 reproducirse,
multiplicarse, propagarse, proliferar. ~기 época *f* de reproducción
[de cría]. ~ 기관 órgano *m* pro-

pagativo. ~력 potencia *f* productiva, energía *f* generativa, repro-
ductividad *f*, fecundidad *f*. ~지
lugar *m* de cría.

번안(飜案) ① [안건을 뒤집어 놓음]
cambio *m* completo total, revocación *f*. ~하다 cambiar radicalmente, revocar. ② [남의 작품을]
adaptación *f*. ~하다 adaptar.

번역(飜譯) traducción *f*, versión *f*.
~하다 traducir. 서반아어를 한글
로 ~하다 traducir el español al
coreano. ¶~가 traductor, -tora
mf. ~권 derecho *m* de traducción. ~표 derechos *mpl* de traducción. ~서 libro *m* traducido.

번영(繁榮) prosperidad *f*, florecimiento *m*, bonanza *f* [안락]
bienestar *m*; [영광] gloria *f*,
bienandanza *f*, felicidad *f*. ~하다
prosperar, florecer, medrar, ir
bien, tener éxito.

번의(翻意) reflexión *f*, resignación *f*.
~하다 cambiar de intención [de
opinión], reflexionarse, mudar de
propósito.

번잡(煩雜) complicación *f* molesta;
[어수선함] confusión *f*. ~하다
(estar · ser) complicado y molesto, problemático, conflictivo, difícil, pesado;abarrotado [atestado ·
lleno] de gente.

번적 como un relámpago, con mil
destellos. ~하고 빛나다 resplandecer, centellear.

번적거리다 relucir, brillar, resplandecer, centellear, refulgir; [눈이]
chispear.

번적번적 brillantemente, con resplandor, como un relámpago, con
mil destellos. ~ 빛나다 brillar
con mil destellos.

번적이다 brillar, relucir, lucir, resplandecer, rutilar, relumbrar, centellear, destellar. 구두가 번적인다
Los zapatos brillan. 번개가 번적
인다 Relampaguean. 눈이 번적인
다 Los ojos brillan. 태양이 번적
이고 있다 El sol resplandece. 번
적인다고 모두 금은 아니다 No es
oro todo lo que reluce.

번지 ((농업)) rastrillo *m*. ~질 rastrillaje *m*. ~질하다 rastrillar.

번지(番地) número *m* (de la casa);
[주소] dirección *f*, señas *fpl*.

번지다 ① [액체가] echar borrones,
correrse, extenderse, infiltrarse,
penetrar. ② [차차 넓은 범위로 퍼
지다] prevalecer, extenderse, esparcirse, difundirse, propagarse.

번지럽다 (ser) suave, liso, terso,
lacio y brillante.

번지르르 brillantemente, lustrosamente, crasamente, resbaladiza-
mente, resbalosamente. ~하다

(ser) brillante, lustroso, brilloso.

번쩍¹ ① [번쩍이는 모양] como un relámpago. ② [들어올리는 모양] [수월하게] ligeramente, fácilmente, sin esfuerzos; [높이] alto, arriba, en alto, por los aires. ③ [관심이 쏠리는 모양] de repente, repentinamente, de súbito, súbitamente, de pronto.

번쩍² ((센말)) =번적.

번쩍거리다 ((센말)) =번적거리다.

번쩍번쩍 ㉮ [여러 번 번쩍 들거나 들리는 모양] fácilmente [ligeramente] en sucesión rápida. 쌀가마니를 ~ 들어올리다 levantar el saco de arroz fácilmente en sucesión rápida. ㉯ ((센말)) =번적번적.

번쩍이다 ((센말)) =번적이다.

번창(繁昌) prosperidad f, medra f, florecimiento m, buenos negocios mpl, buen éxito m, fortuna f, triunfo m. ~하다 prosperar, medrar, florecer.

번철(燔鐵) sartén f.

번트 ((야구)) toque m, plancha f, golpecito m suave. ~하다 tocar, volear suavemente.

번호(番號) número m. ~를 매기다 numerar. ~가 틀렸습니다 [전화에서] Se equivoca de número. ~! ¡Número! ¶ ~기 numeradora f. ~부 libro m de números. ~순 orden m numérico. ~순으로 en [por] orden numérico, por orden, por turno. ~순으로 늘어서다 colocarse en fila en [por] orden numérico. ~판 [자동차의] (placa f de) matrícula f. ~패[표] ficha f de número.

번화(繁華) florecimiento m de una ciudad, prosperidad f, bullicio m, animación f. ~하다 prosperar, florecer. ~한 floreciente, populoso. ~한 거리 calle f florecente. ¶ ~가 distrito m de diversión, lugar m [sitio m] de diversiones, barrios mpl de diversión y recreo; [거리] calle f bulliciosa.

뻗니 diente m salido, diente m de conejo, diente m saliente.

뻗다 ① [나뭇가지나 덩굴 따위가] extenderse. ② [힘이 미치다] echar, dar. 손을 ~ echar una mano, dar la mano. 원조의 손을 ~ prestar ayuda, dar la mano de ayuda.

뻗대다 ① [고집을 부리다] (ser) obstinado, terco. ② [맞서다] resistir, oponerse.

벌¹ [넓은 들] llano m, llanura f. 황량한 ~ páramo m, pradera f, llanura f.

벌² ① [연장·골프 용품·그릇·필기구·열쇠의] juego m; [책·레코

드의] colección f; [우표의] serie f. ② [옷이나 그릇 따위를 세는 단위] equipo m, juego m, colección f.

벌³ ① ((곤충)) abeja f. ~로 꿀 miel f de abejas. ~떼 enjambre m [nube f] de abejas. ~집 colmena f. ~((준말)) =꿀벌.

벌(罰) ① [죄인에게 주는 형벌] castigo m; [형] pena f, ((성경)) juicio m, castigo m. ~하다 castigar; ((성경)) hacer juicios, ejecutar la sentencia. ② [학생에게 주는 체벌] castigo m. ~하다 castigar.

벌개지다 ruborizarse, ponerse colorado, ponerse rojo, sonrojarse.

벌거벗기다 desnudar totalmente, dejar totalmente pelado.

벌거벗다 desnudarse. 벌거벗은 아이 niño m desnudo. 벌거벗고 포즈를 취하다 posar desnudo.

벌거숭이 ① [벌거벗은 알몸뚱이] cuerpo m desnudo, desnudo m; [상태] desnudez f. ~의 desnudo. ~로 desnudo, en cuerpos vivos. ~ 사내아이 niño m desnudo. ~ 여자 mujer f desnuda. ② [빈털터리] persona f sin un céntimo. ③ [나무나 풀이 없는 산이나 들] peladura f. ~ 산 monte m pelado, montaña f pelada.

벌건 muy, mucho, totalmente, perfectamente, completamente. ~ 거짓말 mentira f perfecta. ~ 거짓말을 하다 mentir [decir mentiras] perfectamente.

벌겅 rojo m; rojo m escarlata.

벌겋다 (estar) colorado, encarnado. 벌겋게 불타다 echar a arder, arder en llamas. 얼굴이 ~ estar colorado [encarnado] como un cangrejo.

벌과금(罰科金) multa f.

벌그스름하다 (ser) rojizo.

벌금(罰金) multa f. 가벼운 ~ multa f leve. 과중한 ~ multa f grave. ¶ ~형 pena f pecuniaria, pena f monetaria.

벌떡 de repente, repentinamente, de súbito, súbitamente. ~ 화를 내다 ponerse hecho una furia, enfurecerse, montar en cólera.

벌떡벌떡 [음료수 따위를] a grandes tragos. ~ 마시다 beber a grandes tragos. 술을 ~ 들이켜다 beber como una cuba.

벌다¹ [틈이 나서 사이가 뜨다] extender más ancho. 사이가 ~ la grieta hacerse más ancho.

벌다² [재물을 얻다] ganar. 돈을 많이 ~ ganar mucho dinero.

벌떡 ① [갑자기 급하게] de un salto; [갑자기] súbitamente, de súbito, de repente, repentinamente, de un salto. ~ 일어나다 levantarse de un salto, levantarse súbitamente, levantarse de [en] un salto. ② [별안간 뒤로 번듯이 자빠지는 모양] de repente, repentinamente. ~ 자빠지다 caerse de repente.

벌떡거리다 ① [심장이나 맥박이] palpitar, latir. ② [들이마시다] tragar, engullir, beber (a grandes tragos).

벌떡벌떡 de un golpe, a dentelladas. ~ 마시다 vaciar (la copa) a un trago, desecar a un golpe, tragar, deglutir, beber (a grandes tragos), engullir 술을 ~ 마시다 empinar el codo, beber como una cuba.

벌렁 de espaldas, boca arriba, a cuestas. ~ 들어눕다 tumbarse boca arriba [a cuestas].

벌렁거리다 comportarse ligeramente, portarse ágilmente.

벌렁코 nariz f acampanada

벌레 insecto m, gusano m, bicho m, oruga f (모충), larva f (유충), alevilla f, sabandija (해충).

벌리다[1] [재물이나 소득이] (ser) rentable, lucrativo, dejar un beneficio, dejar un margen, ganar.

벌리다[2] ① [두 사이를 떼어서 넓게 하다] ensanchar, ampliar, abrir. 다리를 ~ abrir las piernas. 입을 ~ abrir la boca. ② [접히거나 우므러진 것을] estirar, alargar, tender, extender, abrir, desdoblar. 이불을 ~ desdoblar la sábana. 손수건을 ~ extender los brazos. ③ [헤쳐서 널어 놓다] disponer, arreglar, desplegar. 흙을 ~ desplegar la tierra.

벌목(伐木) tala f de árboles, explotación f forestal. ~하다 cortar los árboles, talar. ~공[부] maderero m, hachero f, leñador m, talador m. ~ 작업 operaciones fpl madereras.

벌벌 trémulamente, con temblor, temblando, estremeciendo. ~ 떨다 temblar, temblequear, tembletear. 공포로 ~ 떨다 temblar de terror.

벌써 ① [이미 그 전에] ya; [오래 전에] hace mucho (tiempo), antes. ~부터 hace (mucho) tiempo. ~ 시간이 다 됐다 Ya es hora. ② [어느새] tan pronto.

벌어지다 ① [틈이 생기다] agrietarse, crujir; [넓어지다] ensancharse; [밤솜이 따위가] partirse, henderse, rajarse, abrirse. ② [소원해지다] desmoronarse. ③ [일이 생기다] ocurrir, suceder, desarrollarse. ④ [차이가 생기다] diferir, tener un margen ancho. ⑤ [몸이

가로 퍼지게 되다] ponerse fuerte [gordo·recio], engordar.

벌이 ganancias fpl; [급료] sueldo m. ~하다 ganar (dinero).

벌이다 ① [시작하다] comenzar, empezar, abrir; [착수하다] establecer. ② [(모임 따위를) 베풀다] celebrar, dar. 술잔치를 ~ celebrar un banquete. 파티를 ~ dar una fiesta. ③ [늘어놓다] arreglar, colocar, exhibir, enseñar.

벌점(罰點) demérito m, marca f negra.

벌집 colmena f, abejar m, panal m; [인위적인 것] barril m [caja f] de abejas.

벌채(伐採) tala f, corte m; [산림 전체의] desmonte m, despoblación f forestal. ~하다 talar, desmontar, despoblar. ~자 leñador m.

벌초(伐草) corte m de las malas hierbas en la tumba. ~하다 cortar las malas hierbas en la tumba.

벌충 desagravio m, recompensa f, recompensación f. ~하다 compensar, contrapesar, hacer penitencia, hacer en desagravio.

벌칙(罰則) reglamento m penal, penalidad f, regulaciones penales.

벌침(一針) rejo m de la abeja.

벌컥 de repente, repentinamente, súbitamente, de súbito. ~ 화내다 ponerse hecho una furia, enfurecerse, montar en cólera. ☞벌격

벌컥벌컥 a grandes tragos. ~ 마시다 beber a grandes tragos.

벌통(一桶) colmena f, panal m.

벌판(一) campo m; [평야] llanura f, llano m; [초원] prado m; [대초원] pampa f.

범 ((동물)) tigre m; ((속어)) [암컷] tigresa f. ~ 사냥꾼 AmS tigrero m. ~ 새끼 cachorro m de tigre.

범고래 ((동물)) orca f.

범굴(一窟) cueva f de tigres. 범굴에 들어가야 범을 잡는다 ((속담)) El que no se arriesga no cruza la mar.

범람(氾濫/汎濫) inundación f, desbordamiento m, diluvio m, riada f, crecida f, cataclismo m. ~하다 inundarse, desbordar(se), sumergir, anegar, salir de madre los ríos o lagos y cubrir de agua las regiones vecinas.

범례(凡例) notas fpl explicativas.

범례(範例) ejemplo m.

범벅 ① [풀처럼 되게 쑨 음식] *beombeok*, budín m [pudín m] preparado con grano en polvo y calabaza. ② [뒤섞이어 갈피를 잡을 수가 없이 된 사물] mezcla f, combinación f, desorden m, revoltijo m, batiburrillo m.

범법(犯法) violación *f* de la ley, contravención *f*. ~하다 violar la ley, infringir. ~자 transgresor, -sora *mf* de la ley. ~ 행위 acto *m* ilegal; [공무원 등의] ilegalidad *f*.

범사(凡事) ① [모든 일] todo, todas las cosas. ② [평범한 일] cosa *f* ordinaria, vulgaridad *f*, asunto *m* ordinario.

범상(凡常) lo ordinario. ~하다 (ser) ordinario, común, normal, mediocre, mediano; ~치 않은 notable, extraordinario, sorprendente; [병적인] anormal.

범선(帆船) (barco *m*) velero *m*, barco *m* [buque *m*] de vela.

범속(凡俗) vulgaridad *f*, mediocridad *f*. ~하다 (ser) vulgar, mediocre, laico, seglar.

범어(梵語) sánscrito *m*. ~학 sanscritismo *m*. ~ 학자 sanscritista *mf*.

범위(範圍) [넓은] extensión *f*; [영역] dominio *m*; [권] ámbito *m*, esfera *f*; [한계] límite *m*.

범인(凡人) hombre *m* ordinario.

범인(犯人) autor (del crimen), -tora *mf*, criminal *mf*, culpable *mf*, delincuente *mf*. ~ 수사 búsqueda *f* criminal. ~ 용의자 sospechoso, -sa *mf* criminal. ~ 은닉 ocultación *f* de un delincuente para sustraerlo a la justicia.

범종(梵鐘) campana *f* (grande) del templo budista.

범죄(犯罪) delito *m*, ofensa *f*; [중죄] crimen *m*; [집합적] criminalidad *f*, delincuencia *f*, infracción *f*. ~하다 cometer un delito, violar [infringir·transgredir] la ley. ~ 감식 identificación *f* criminal. ~인 [자]delincuente *mf*, criminal *mf*.

범주(範疇) categoría *f*, clase *f*. ~에 넣다 poner bajo la categoría. ~에 속하다 corresponder a [ser de] la categoría.

범타(凡打) golpe *m* ordinario.

범패(梵唄) himno *m* budista.

범퍼 parachoques *m.sing.pl.*

범하다(犯-) ① [죄를] cometer. 살인죄를 ~ cometer un homicidio. ② [규칙·법률을] violar una lay [un pacto], infringir, quebrantar, contravenir. ③ [여자를] violar, ultrajar, forzar, deshonrar. ④ [넘어서는 안될 경계를] invadir, penetrar, violar. 국경을 ~ invadir [penetrar en] la frontera.

범행(犯行) delito *m*, acción *f* delictiva, ofensa *f*, atentado *m*. ~하다 cometer un delito. ~을 자백하다 declararse culpable, confesar [reconocer] *su* delito. ~을 부인하다 negar el delito.

법(法) ① ((법률)) ley *f*, derecho *m*; [규약] estatuto *m*, regla *f*; [규정] regla- mento *m*; [명령·계율] mandamiento *m*; [교회 법규] canon *m*. ② [도리] razón *f*, justificación *f*. ③ [방법] método *m*, modo *m*, manera *f*, sistema *m*. ④ ((언어)) modo *m*. 직설~ modo *m* indicativo. 접속~ modo *m* subjuntivo.

법과(法科) ① [법에 대한 과목] asignatura *f* de la ley. ② [학과] departamento *m* de derecho; [법학부] facultad *f* [curso *m*] de derecho. ¶ ~ 대학 facultad *f* del derecho [de la jurisprudencia]. ~ 대학원 facultad *f* de Derecho.

법관(法官) juez *mf*.

법규(法規) ley *f*, reglamento *m*.

법당(法堂) santuario *m*.

법도(法度) ley *f*, regla *f*, reglamento *m*. ~를 어기다 infringir la ley.

법도(法道) ((불교)) =불도(佛道).

법랍(法臘) ((불교)) [중이 된 뒤로부터 치는 나이] edad *f* budista, edad *f* desde la ordenación de monje. ② ((불교)) [승려 경력] carrera *f* del sacerdote budista.

법랑(琺瑯) esmalte *m*. ~을 칠하다 esmaltar. ~을 칠한 esmaltado.

법력(法力) ① ((법률)) [법률의 효력] eficacia *f* de la ley; [법률의 힘] poder *m* de la ley. ② ((불교)) poder *m* de la verdad de Buda.

법령(法令) ley *f* y ordenanza, ley *f*, derecho *m*.

법률(法律) ley *f*, derecho *m*, estatuto *m*; [집합적] legislación *f*. ~가 jurista *mf*, jurisconsulto, -ta *mf*. ~ 고문 consejero, -ra *mf* legal; jurisconsulto, -ta *mf*. ~ 사무소 consultorio *m* [oficina *f* despacho *m*] de derecho. ~ 상담 consejo *m* legal. ~ 상담소 oficina *f* de consejo legal. ~서 libro *m* de derecho. ~안 proyecto *m* de ley. ~ 용어 término *m* legal [de derecho]. ~ 위반 infracción *f* [violación *f*] de la ley.

법리학(法理學) jurisprudencia *f*.

법망(法網) red *f* de la ley, justicia *f*. ~에 걸리다 caer en la red [la grapa] de la ley. ~을 피하다 salir de la grapa de la ley, eludir la ley.

법무(法務) asuntos *mpl* judicial. ~감 abogado *m* defensor. ~감실 oficina *f* de abogado defensor. ~관 juez *mf* oficial. ~국 Departamento *m* de Asuntos Judiciales. ~사 escribano, -na *mf* judicial.

법무부(法務部) Ministerio *m* de Justicia. ~ 장관 ministro, -tra *mf* de Justicia.

법문(法文) ① [법령의 문장] texto

m de ley. ② ((불교)) texto *m* [literatura *f*] del budismo.

법문(法門) ((불교)) métodos *mpl* [doctrinas *fpl* · sabiduría *f*] de Buda, *sáns* Dharmaparyāya.

법보(法寶) ① = 불경(佛經). ② [불교의 진리] verdad *f* del budismo. ¶ ~ 사찰 Templo *m* [Monasterio *m*] de la Joya de Dharma, Templo *m* Haeinsa.

법복(法服) ① [제왕의 예복] traje *m* de etiqueta del rey. ② [법관의 예복] traje *m* de juez, toga *f*. ③ [승려의 예복] túnica *f*, traje *m* sacerdotal. ④ ((불교)) toga *f*, vestido *m* de Dharma.

법사(法師) ① ((불교)) [설법하는 중] sacerdote *m* [monje *m*] budista. ② [법맥을 전하여 준 스승] maestro *m* budista. ③ [도통한 중] sacerdote *m* [monje *m*] iluminado.

법석 ruido *m*, bulla *f*, clamor *m*, gritería *f*. ~하다 hacer [meter] ruido, meter bulla, clamorear. ~을 떨다 hacer mucho ruido, hacer un escándalo.

법식(法式) ① [법도 · 양식] regla *f*, ley *f*, regulación *f*, reglamento *m*. 일정한 ~ forma *f* regular. ② [방식] fórmula *f*. ③ ((불교)) ritual *m* budista.

법안(法案) [정부 제출의] proyecto *m* de ley; [의원 입법에 의한] proposición *f* de ley.

법원(法院) corte *f*, tribunal *m*, juzgado *m*. ~ 서기 escribiente *mf* del tribunal. ~장 presidente, -ta *mf* del tribunal.

법의학(法醫學) medicina *f* legal. ~자 perito, -ta *mf* medicolega.

법인(法人) persona *f* jurística, corporación *f*, persona *f* legal. ~세 impuesto *m* de sociedades.

법적(法的) legal. ~으로 legalmente. ~ 수단에 호소하다 acudir a los medios legales.

법전(法典) ① código *m*. ② ((불교)) escrituras *fpl* de budismo. ③ [종교)) canon *m*.

법정(法廷) tribunal *m*, justicia *f*. 공휴일 vacaciones *fpl* establecidas. ~ 모욕 desacato *m* a la autoridad del tribunal. ~ 모욕죄 delito *m* de desacato a la autoridad del tribunal. ~ 투쟁 lucha *f* del tribunal.

법정(法定) decisión *f* por la ley. ~의 legal. ~ 가격 precio *m* legal. ~ 금리 interés *m* legal. ~ 기간 período *m* legal, término *m* legal. ~ 기일 fecha *f* de vencimiento legal. ~ 대리 representación *f* legal. ~ 대리인 representante *mf* legal. ~ 상속인 heredero, -ra *mf*

legal. ~ 선거 비용 cantidad *f* autorizada por la ley para los gastos de la campaña electoral. ~수(數) quórum *m*. ~ 이율 taza *f* de interés legal. ~ 이자 interés *m* legal. ~일 día *m* legal. ~ 자본 capital *m* legal. ~ 전염병 epidemia *f* legal, enfermedad *f* infecciosa declarada por la ley. ~ 준비금 reserva *f* estatutaria, reserva *f* [legal], reserva *f* obligatoria. ~ 통화[화폐] moneda *f* de curso legal, moneda corriente. ~ 평가 paridad *f* acuñada de cambio. ~ 형 pena *f* estatutaria. ~ 후견인 guardián *m* estatutario, guardiana *f* estatutaria. ~ 휴일 día *m* festivo oficial.

법제(法制) legislación *f*, ley *f* y régimen, ley *f* e institución. ~처 Oficina *f* de Legislación. ~처장 director, -tora *mf* de la Oficina de Legislación.

법조(法曹) jurista *mf*; legista *mf*; jurisconsulto, -ta *mf*. ~계 mundo *m* judicial [de juristas], círculos *mpl* legales. ~인 = 법조(法曹).

법치(法治) gobierno *m* constitucional. ~국가 estado *m* de derecho, país *m* regido por la ley; [입헌 정체의] estado *m* constitucional. ~주의 constitucionalismo *m*.

법칙(法則) regla *f*, ley *f*. ~에 따라 según la ley, de acuerdo con la ley. ~을 발견하다 encontrar una regla.

법하다 (ser) probable, verosímil. 있을 법하지 않은 inverosímil, poco probable, improbable. 있을 법한 견해 opinión *f* probable. 있을 법한 사건 acontecimiento *m* probable. 있을 법한 일 probabilidad *f*. 있을 ~ Es muy probable.

법학(法學) jurisprudencia *f*, ciencia *f* del derecho. ~ 대학원 facultad *f* de Derecho. ~도 estudiante *mf* de ley. ~ 박사 doctor, -tora *mf* en derecho. ~ 박사 학위 doctorado *m* en derecho. ~사(士) licenciado, -da *mf* en derecho. ~ 석사 maestro, -tra *mf* de derecho. ~ 석사 학위 maestría *f* de derecho, grado *m* de maestro de derecho. ~자 jurista *mf*; legista *mf*; jurisprudente *mf*; jurisperito *m*. ~ 도론[개론] introducción *f* de derecho. ~회 Sociedad *f* de Jurisprudencia.

법회(法會) asamblea *f* para el culto, misa *f* budista. ~를 열다 celebrar una misa budista, tener una misa de réquiem [de ánima].

벗 ① [친구] amigo, -ga *mf*. 믿을 수 없는 ~ amigo, -ga *mf* sólo cuando las cosas marchan bien [CoS sólo en las buenas]. 생애의 ~ amigo, -ga mf de toda la vida. 친한 ~ amigo m íntimo, amiga f íntima. 『같은 목적이나 취지를 가지는 친근한 사람』 compañero, -ra mf; colega mf; camarada m; socio, -cia mf; consocio, -cia mf. 신앙의 ~ hermano, -na mf en fe. ~을 삼다 tener por compañeros. 책을 벗 삼다 tener los libros por compañeros.

벗기다 ① 〔옷이나 모자·신발 따위를 벗게 하다〕 desnudar, despojar [quitar] (el vestido), desvestir. 모자를 ~ quitar el sombrero. ② 〔가죽이나 껍질을 떼어 내다〕 pelar; 〔과실을〕 mondar; 〔밀감이나 곡류를〕 descascarar; 〔굴을〕 quitar concha a ostra; 〔나무 껍질을〕 descortezar. 사과를 ~ mondar [pelar] una manzana. ③ 〔씌웠거나 덮였거나 덮었던 것을〕 걷거나 떼내어 속이 들어나게 하다〕 quitar. 책의 표지를 ~ quitar la cubierta del libro. ④ 〔(문고리·빗장 따위의 걸린 것을) 빼거나 풀러 열리게 하다〕 abrir. 빗장을 ~ abrir la aldaba.

벗다 ① 〔(털 따위가) 빠져 없어지다〕 caerse. ② 〔(칠이나 때 따위의 덧붙은 것이) 가시어 없어지다〕 despegarse. 칠이 ~ despegarse la pintura. ③ 〔(어떤 티가) 가시다〕 eliminar, perder, quitarse. ④ 〔(기미·죽은깨 따위가) 스러지다〕 desaparecer. 기미가 ~ La mancha desaparece. ⑤ 〔(몸에 붙인 옷·모자·신 따위를) 떼어 내놓다〕 quitarse, despojar. 구두를 ~ quitarse los zapatos. 모자를 ~ quitarse el sombrero, descubrirse. 옷을 ~ quitarse la ropa, desvestirse, desnudarse. ⑥ 〔(어떤 동물이 껍질이나 허물을) 내놓다〕 mudar. ⑦ 〔(지거나 매었던 것을) 내려 놓다〕 bajar. ⑧ 〔(걸거나 옭은 것을) 걸어 치우다〕 librarse, hacerse. 멍에를 ~ librarse del yugo. ⑨ 〔(의무나 책임 따위를) 면하다〕 eludir. 책임을 ~ eludir su responsabilidad. ⑩ 〔(빚을) 다 갚다〕 pagar la deuda completamente. ⑪ 〔(습관·인습 등을) 고치어 없애다〕 eliminar, extirpar. 악습을 ~ eliminar el vicio.

벗어나다 ① 〔일정한 테두리 밖으로 빠져 나다〕 salir, librarse, escapar, desembarazarse, desenredarse, desembrollarse, escabullirse, evadirse. 위험을 ~ librarse [escapar(se)] del peligro. ② 〔빗나가다〕 desviarse. 비행기가 진로에서 벗어났다 El avión se ha

desviado de su ruta. 〔(부자유·짐 되는 일·어려운 환경 등에서 헤어나다〕 salvar, vencer, superar. 경영난을 ~ salvar los trances difíciles en la dirección de una empresa. 〔(남에게 인정을 받지 못하게 되다〕 perder aceptación.

벗어지다 ① 〔몸에서 떨어져 나가다〕 quitarse. 신이 벗어졌다 Los zapatos se quitaron. ② 〔덮였거나 얽었거나 가리었던 물건이 밀리어 나가거나 빠져 나가다〕 salirse. ③ 〔구름·안개 등이 흩어져 사라지다〕 desaparecer. ④ 〔무엇에 스쳐 거죽이 깎이거나 껍질이나 덧붙은 것이 까지거나 떨어져 없어지다〕 descortezarse; 〔살갗이〕 pelarse, despellejarse; 〔벽지가〕 despegarse; 〔칠이〕 desconcharse, salirse. 넘어져 무릎이 벗어졌다 La rodilla se despellejó cayéndose. ⑤ 〔(어떤 티가 스치어 없어지다〕 eliminarse, perderse, desaparecer. ⑥ 〔머리나 몸의 털이 빠져 없어지다〕 pelarse; 〔대머리가 되다〕 hacerse calvo.

벙거지 sombrero m, gorro m, gorra f, todado m.

벙글거리다 sonreír, estar con buen humor.

벙글벙글 con sonrisa, sonriendo, con cara risueña, con júbilo, con semblante alegre.

벙긋 sonriendo. ~거리다 seguir sonriendo. ~이 con una sonrisa.

벙긋벙긋 siguiendo sonriendo. ~하다 seguir sonriendo.

벙긋하다 (estar) entreabierto entornado.

벙벙하다 ① 〔얼빠진 사람처럼 아무 말이 없다〕 (estar) desconcertado, perplejo, quedarse atónito. (어안이) 벙벙하게 하다 dejar sin habla. ② 〔물이 넓게 밀려오거나 흘러 내려가지 못하여 가득히 차 있다〕 estar lleno. 홍수로 들판에 물이 ~ El campo está lleno del agua por la inundación.

벙시레 sonriendo.

벙실거리다 seguir sonriendo.

벙실벙실 siguiendo sonriendo.

벙어리 mudo, -da mf.

벙어리² 〔조그마한 저금통〕 caja f de ahorros.

벙어리 장갑 mitón m.

벙커 ① 〔배의 석탄 창고·연료 창고〕 carbonera f, pañol m de carbón. ② 〔(골프) búnker ing.m, hoya f de arena.

벚꽃 flor f de cerezo.

벚나무 〔(식물)〕 cerezo m.

베 ① 〔피륙〕 tela f, paño m. ② 〔(준말) = 삼베.

베개 almohada f; 〔작은 베개〕 cabezal *m*; [긴] travesaño *m*, travesero *m*, almohada *f* de cama.

베끼다 [옮겨 쓰다] copiar; [모사하다] duplicar, reproducir, imitar; [전사하다] transcribir; [투사하다] calcar.

베네룩스 ((지명)) el Benelux (Bélgica, Holanda y Luxemburg), Unión *f* de Bélgica, Holanda y Luxemburg. ~ 국가 los países del Benelux.

베네수엘라 ((지명)) Venezuela. ~의 (사람) venezolano, -na *f*.

베니어 enchapado *m*, chapa *f*. ~ 합판 contrachapado *m*, madera *f* contrachapada [enchapada], chapa *f* cruzada.

베다¹ [누울 때, 베개 따위로] apoyar *su* cabeza en la almohada.

베다² ① [날이 있는 연장으로] cortar, tajar, picar (잘게), partir en lonchas; [칼로] acuchillar; [낫으로] guadañar; [톱으로] serrar, aserrar; [가위로] cortar con tijeras; [풀을] segar. 베인 상처 cortadura *f*, corte *m*, incisión *f*, [얼굴의] chirlo *m*. ② [파면하다] despedir.

베다³ ((불교)) Veda *m*.

베드 [침대] cama *f*, lecho *m*.

베란다 galería *f*, veranda *f*, pórtico *m*, balcón *m*.

베레(모) (-帽) boina *f*, boína *f*.

베르무트 vermut *m*, vermú *m*.

베먹다 (준말) =베어 먹다.

베수건 (-手巾) toalla *f* de tela.

베스트 lo mejor, el superior, óptimo, sumamente bueno. ~ 멤버 los mejores miembros. ~ 텐 los diez mejores jugadores.

베스트 셀러 [제품] superventas *m.sing.pl*; [책] best seller *ing.m*, libro *m* más vendido, libro *m* de más [mayor] venta, libro *m* de gran éxito y mucha venta; [음반] disco *m* de gran éxito y mucha venta. ~ =베스트 셀러 작가. ¶~ 작가 autor, -tora *mf* de best sellers.

베실 bramante *m*, cordel *m*, hilo *m* de cáñamo.

베어링 cojinete *m*, rodamiento *m*.

베어 먹다 cortar y comer.

베옷 ropa *f* de cáñamo.

베이다 cortarse, ser cortado.

베이비 bebé *m*; niño, -ña *mf*. 밀레니엄 ~ bebé *m* milenio.

베이스 ((음악)) bajo *m*; [오디오의] graves *mpl*.

베이스볼 [야구] béisbol *m*. ~공 pelota *f* de béisbol.

베이지(색) (-色) beis *m*, beige *m*, color *m* beige.

베이컨 tocino *m*, RPI panceta *f*.

베일 velo *m*.

베짱이 ((곤충)) saltamontes *m*.

베타 ① [그리스어 자모의 둘째] *β*, beta *f*. ② ((준말)) =베타선. ~선 rayos *mpl* beta. ~ 입자 partícula *f* beta.

베테랑 veterano, -na *mf*; experto, -ta *mf*; perro *m* viejo; [배의] lobo *m* de mar.

베트남 ((지명)) Vietnam *m*. ~의 (사람) vietnamita *mf*. ~어 vietnamés *m*, vietnamita *m*.

베틀 telar *m*. ~ 다리 cuatro patas de un telar.

베풀다 ① [일을 차리어 벌이다] dar, celebrar. 잔치를 ~ dar una fiesta, dar un banquete, celebrar. ② [은혜·자선 따위를] dar, otorgar, conceder. 은혜를 ~ dar un favor.

벡터 vector *m*. ~계 vectórmetro *m*. ~ 함수 función *f* vectorial.

벤젠 ((화학)) benceno *m*, benzol *m*.

벤처 especulación *f* eventual, riesgo *m*; ((주식)) especulación *f* eventual.

벤치 ① [긴 의자] banco *m*. ② ((운동)) banquillo *m*, *AmL* banca *f*.

벨 ① [종] campana *f*. [초인종] timbre *m*, campanilla *f*. [벨소리] timbre *m*. ~ 보이 botones *m*.

벨기에 ((지명)) Bélgica. ☞벨지움

벨로루시 ((지명)) Belarús, Bielorrusia, la Rusia Blanca.

벨리스 ((지명)) Belice. ~의 (사람) belicense *mf*; beliceño, -ña *mf*.

벨지움 ((지명)) Bélgica *f*. ~의 (사람) belga *mf*; belgicano, -ca *mf*.

벨트 ① [기계] correa *f*, cinta *f*, banda *f*. ~를 두르다 apretarse [sujetar] la correa. ② [허리띠] cinturón *m*, correa *f*; [비행기 등의 좌석의] cinturón *m*. ~를 하다 ponerse el cinturón. ~를 매다 abrocharse el cinturón. ~를 단단히 죄다 apretarse el cinturón. ③ [띠 모양의 지대] frente *m*, zona *f*. ¶~ 컨베이어 transportador *m* de banda.

벼 ① ((식물)) (planta *f* de) arroz *m*, arroz *m* con cáscara, arroz *m* sin descascarillar. ~를 베다 segar [cosechar] el arroz. ~를 심다 sembrar el arroz. ~ 베기 siega *f* [cosecha *f*] del arroz. ~ 이삭 espiga *f* del arroz. ② [벼의 열매] arroz *m*.

벼농사 (-農事) cultivo *m* de arroz, cosecha *f* de arroz.

벼락 ① [낙뢰] rayo *m*. ~에 맞다 ser fulminado, ser herido por un rayo. ② ((준말)) =벼락불. [갑자기 들쐬우는 타격] daño *m* [perjuicio *m*] repentino. ③ [심한 꾸짖람] reproche *m*, reprensión *f* severa, censura *f* severa. ~을 내리는 아버지 padre *m* reprochador [terrible]. ⑤ [몹시 날쌔게 행동하는 사람] persona f veloz. ⑥ [갑작스레 이루어지는 것] cosa f repentina. ¶ ~감투 puesto m gubernamental repentina, posición f oficial dada por el favor político. ~감투를 쓰다 hacerse oficial gubernamental de la noche a la mañana. ~경기 prosperidad f repentina. ~공부 estudio m apresurado para un examen, preparación f apresurada para un examen. ~공부하다 estudiar a último momento. ~부자 arribista mf; advenedizo m amonerado, advenediza f amonerado; nuevo rico m, nueva rica f; riacho, -cha mf; ricachón, -chona mf; [집합적] improvisación f. ~부자가 되다 enriquecerse rápidamente, hacerse rico de la noche a la mañana. ~출세 gran éxito m repentino. ~출세한 persona y exitosa repentina; [집합적] improvisación f.

벼랑 escarpa f, despeñadero m, risco m, precipicio m, barranco m, farallón m, acantilado derrumbadero m. ~길 repisa f, (re)borde m.

벼루 beoru, tintero m de piedra, vasija f de piedra para la tinta china. ~에 먹을 갈다 refregar meok en beoru.

벼룩 ((곤충)) pulga f. ~ 시장 El rastro, mercado m de (las) pulgas. ~약 polvos mpl insecticidas.

벼르다¹ [마음을 도사려 먹다] intentar (+ inf), estar listo, estar dispuesto, contar, entusiasmarse.

벼르다² [여러 몫으로 나누다] repartir, dividir igualmente. 두 몫으로 ~ dividir en dos.

벼리다 forjar, templar. 쇠를 ~ forjar el hierro.

벼메뚜기 ((곤충)) langosta f.

벼슬 puesto m oficial, posición f oficial, rango m oficial. ~하다 entrar en el servicio gubernamental.

벼슬길 empleo m [servicio m] gubernamental. ¶ ~에 오르다 entrar en el servicio gubernamental. ~아치 público, -ca mf gubernamental; funcionario, -ria mf.

벼훑이 ((농기구)) trillo m; [기계] trilladora f. ② [행위] trilla f del arroz. ~하다 trillar el arroz.

벽(壁) ① [집 둘레의] muralla f, muro m; [방의] pared f. ② [장애물] obstáculo m.

벽(癖) manía f; [습관] hábito m, costumbre f; [악습] vicio m; [경향] tendencia f, inclinación f, propensión f; [특색] peculiaridad f, característica f; [기벽] excentri-

cidad f.

벽(璧) jade m de la forma del anillo.

벽걸이¹(壁一) [장식용] tapiz m, colgadura f.

벽걸이²(壁一) [옷걸이 따위] percha f. ~ 지도 mapa m mural.

벽계수(碧溪水) el agua f azul y limpia del arroyo.

벽난로(壁煖爐) hogar m, fogón m, chimenea f.

벽돌(壁一) ladrillo m. ~공[장이] ladrillador, -dora mf; enladrillador, -dora mf. ~ 공장 ladrillar m, ladrillal m. ~담 muro m de ladrillos. ~제조인 ladrillero, -ra mf. ~ 조각 pedazo m de ladrillo. ~집 casa f de ladrillos. ~틀 ladrillera f, molde m para hacer los ladrillos.

벽두(劈頭) principio m, comienzo m, primero m de todo. ~에 al principio, al comienzo, primero de todo. ~부터 desde el principio.

벽보(壁報) cartel m, pancarta f, anuncio m, letrero m, aviso m. ~판 cartelera f.

벽시계(壁時計) reloj m de pared.

벽신문(壁新聞) periódico m mural.

벽안(碧眼) ① [푸른 눈] ojos mpl azules. ~의 소녀 muchacha f de ojos azules. ② [서양 사람] europeo, -a mf; occidental mf.

벽옥(碧玉) ① [푸른 빛이 나는 고운 옥] jade m azul. ② ((광물)) jaspe m.

벽장(壁欌) gabinete m, almacena f, armario m.

벽지(僻地) lugar m [sitio m] aislado [apartado · remoto]. ~ 교육 educación f en remotas áreas rurales. ~ 학교 escuela f en remotas áreas rurales.

벽지(壁紙) papel m pintado [tapiz · de empapelar].

벽창호(碧窓一) testarudo, -da mf; cabezón, -zona mf; cabezota mf.

벽촌(僻村) aldea f aislada [remota · alejada · apartada], aldehuela f solitaria.

벽토(壁土) yeso m, argamasa f.

벽해(碧海) mar m azul y profundo. ~ 상전 convulsiones fpl de naturaleza.

벽화(壁畫) ① [벽에 그린 그림] (pintura f) mural f; [프레스코화] fresco m, pintura f al fresco. ② =벽그림. ¶ ~가 muralista mf; pintor, -tora mf mural.

변 jerga f, jerigonza(s) f(pl), algarabía(s) f(pl). 도둑의 ~ jerga f de ladrones.

변(便) excrementos mpl, heces fpl, deposición f. ~을 보다 excretar, excrementar, evacuar el vientre.

변¹(邊) ① [가장자리] borde *m*; [끝] extremidad *f*, [모자의] el ala *f*, [내의] orilla *f*, [종이의] margen *m*. ② [다각형을 이루는 하나하나의 직선] lado *m*. ③ [방정식이나 부등식 등 관계식의 양쪽의 항] miembro *m*. ④ =난리. 야단.

변²(變) ① [(준말)] =변리(變利). ② =이율(利率).

변경(邊境) zona *f* fronteriza, zona *f* alejada, confines *mpl*.

변경(變更) cambio *m*, alteración *f*, modificación *f*, [수정] corrección *f*. ~하다 cambiar, alterar, modificar; corregir.

변고(變故) [재난] calamidad *f*, desastre *m*, desgracia *f*; [사고] accidente *m*; [말썽거리] molestia *f*, pena *f*. ~를 당하다 sufrir una calamidad.

변기(便器) bacín *m*, taza *f* (de retrete), inodoro *m*; [소변용] urinario *m*; [환자용 따위의] orinal *m*; [침실용] vaso *m* de noche, bacinia *f*.

변덕(變德) capricho *m*, antojo *m*. ~스럽다 (ser) caprichoso, antojadizo, mudable, instable, inconstante, voluble. ~스러울 satisfactorio 때 variable [caprichoso]. ~꾸러기 caprichoso, -sa *mf*.

변동(變動) cambio *m*, alteración *f*, mutación *f*, variación *f*; [움직임] movimiento *m*; [가격의] fluctuación *f*, altibajos *mpl*, oscilación *f*. ~하다 cambiar, fluctuar, oscilar, variar.

변두리(邊一) ① [지역의] cercanías *fpl*, inmediaciones *fpl*, arrabales *mpl*, suburbios *mpl*. ② [물건의 가장자리] borde *m*.

변란(變亂) rebelión *f*, sublevación *f*, levantamiento *m*, insurrección *f*; [혁명] revolución *f*.

변론(辯論) juicio *m* [disputa *f*] oral, procedimiento *m* [proceso *m*] oral, discusión *f*, debate *m*, argumento *m*; [법정에서] alegato *f*. ~하다 discutir, argüir, debatir, argumentar, contender, razonar; [법정에서] pleitear, alegar.

변리(辨理) manejo *m*, administración *f*. ~하다 manejar, administrar. ~ 공사(公使) ministro *m* residente, ministro *m* plenipotenciario. ~사 agente *mf* de patentes; comisionado, -da *mf*.

변리(邊利) interés *m*.

변명(辨明) explanación *f*, vindicación *f*, apología *f*, disculpa *f*, excusa *f*; [구실] pretexto *m*; [이유] razón *f*; [석명] explicación *f*, justificación *f*. ~하다 explanar, vindicar, excusarse, disculparse, presentar *sus* excusas, dar excu-

sas, pretextar, explicar, justificar(se).

변명(變名) nombre *m* falso [fingido・ficticio]. ~을 사용하다 utilizar un nombre falso.

변모(變貌) transfiguración *f*, transformación *f*, metamorfosis *f*. ~하다 transfigurarse, transformarse, metamortosearse.

변발(辮髮) coleta *f*. ~하다 tener coletas.

변방(邊方) frontera *f*, límite *m*, confín *m*.

변변찮다 (ser) pequeño, modesto, humilde, simple, pobre, frugal.

변변하다 [생김새가] (ser) guapo, bien parecido; *AmL* buen mozo, buena moza; apuesto; [성격・사물이] pasable, aceptable, tolerable, decente, decoroso, satisfactorio; [넉넉하다] bastante, suficiente.

변비(便秘) [(준말)] =변비증.

변비증(便秘症) constipación *f* (de vientre), estreñimiento *m*.

변사(辯士) orador, -dora *mf*, conferenciante *mf*; [무성 영화의] presentador, -dora *mf*.

변사(變死) ① [횡사] muerte *f* sospechosa (médico-legal), muerte *f* accidental, muerte *f* violenta. ~하다 morir sospechosamente, morir con las botas puestas, morir al pie del cañón. ② [자살] suicidio *m*. ~하다 suicidarse, matarse. ¶~자 muerto, -ta *mf* contra causa natural; persona *f* muerta en circunstancias sospechosas. ~체 cadáver *m* de una persona muerta en circunstancias sospecho- sas.

변상(辨償) ① =변제(辨濟). ② [남에게 입힌 손해를 돈이나 물건 따위로 줌] indemnización *f*, compensación *f*, reparación *f*. ~하다 indemnizar, compensar, reparar. ~금 indemnización *f*, compensación *f*.

변색(變色) ① [빛깔이 변함] cambio *m* de color, descoloración *f*, descoloramiento *m*. ~하다 cambiar de color; [빛깔이] descolorarse, desteñirse. ② [얼굴 나서 얼굴빛이 달라짐] cambio *m* de semblante [rostro]. ③ [피부・모발의 빛이 달라짐] metacromatismo *m*, metacrosis *f*.

변설(辯舌) elocuencia *f*, facundia *f*. ~가 elocuente *mf*, orador, -dora *mf* (elocuente); buen orador *m*, buena oradora *f*.

변성(變成) regeneración *f*, metamorfosis *f*. ~하다 degenerar, metamorfosear. ~암 roca *f* metamórfica.

변성(變姓) cambio *m* de *su* apellido.

~하다 cambiar de su apellido.
변성명(變姓名) cambio *m* de su nombre y apellido. ~하다 cambiar de su nombre y apellido.
변소(便所) servicio *m*, aseo *m*, retrete *m*; [욕실 겸용의] baño *m*. ~에 가다 ir al servicio [baño].
변속(變速) cambio *m* de velocidad [de marcha]. ~기 caja *f* de engranajes; [자동차의] caja (de cambio) de velocidades, caja *f* de cambio. ~ 운동 moción *m* en velocidad variable. ~ 장치 transmisión *f*.
변수(變數) ((수학)) (cantidad *f*) variable *f*. 종속(從屬) ~ variable *f* dependiente.
변시체(變屍體) cadáver *m* muerto sospechosamente.
변신(變身) metamorfosis *f*, transfiguración *f*. ~하다 metamorfosearse, transfigurarse. ~술 arte *m* de transfiguración.
변심(變心) cambio *m* de ideas; [변절] traición *f*. ~하다 cambiar de ideas; traicionar.
변압기(變壓器) transformador *m*.
변음(變音) ((음악)) bemol *m*. ~ 기호 ((음악)) bemol *m*.
변장(變裝) disfraz *f*; [가장] enmascaramiento *m*; [위장] disimulo *m*, camuflaje *m*. ~하다 disfrazarse. ~술 el arte de disfraz.
변전소(變電所) subestación *f* (de transformación).
변절(變節) defección *f*, [표리] traición *f*. ~하다 cambiar(se) la chaqueta (de opiniones). ~자 traidor, -dora *mf*.
변제(辨濟) pago *m*, indemnización *f*. ~하다 pagar, indemnizar.
변조(變造) adulteración *f*, falsificación *f*. ~하다 adulterar, falsificar. ~ 수표 cheque *m* adulterado. ~ 어음 letra *f* adulterada.
변종(變種) ① ((생물)) variedad; [돌연변이에 의한] mutación *f*. ② ((속어)) [남과 별나게 다른 사람] excéntrico, -ca *mf*.
변주곡(變奏曲) ((음악)) variación *f*.
변죽(邊-) borde *m*, margen *m*. ~(을) 울리다 sugerir [insinuar] sin sinceridad, dar vanas esperanzas.
변증법(辨證法) ((철학)) dialéctica *f*.
변질(變質) cambio *m* de calidad, alteración *f*, deterioro *m*, degeneración *f*. ~하다 cambiar de calidad, degenerarse, corromperse; [우유·포도주가] descomponerse, agriarse.
변천(變遷) cambio *m*, transición *f*, variación *f*, alteración *f*, mudanza *f*. ~하다 cambiarse, variarse, alterar, sufrir por muchos cambios.
변칙(變則) irregularidad *f*, anomalía

f. ~적 irregular. ~적으로 irregularmente. ~인 발음 pronunciación *f* incorrecta.
변태(變態) ① [이상] anormalidad *f*, anomalía *f*. ② ((생물)) transformación *f*, metamorfosis *f*. ③ ((물리·화학)) transformación *f*. ¶ ~ 성욕 anomalía *f* sexual; [성도착] inversión *f* [perversión *f*] sexual; [동성애] homosexualidad *f*. ¶ ~자 invertido, -da *mf*; sodomita *mf*.
변통(變通) medida *f* trazada, expediente *m*, medio *m*, modo *m*. ~하다 buscar un expediente, buscar un medio, ingeniarse. 돈을 ~하다 buscar dinero [preparar] el dinero, procurar a conseguir el dinero, buscar con qué pagar. ¶ ~성 adaptabilidad *f*, flexibilidad *f*, versatilidad *f*.
변하다(變-) cambiarse; [변화하다] mudarse, alterarse, variar. 마음이 ~ cambiar de intención. 세상이 ~ cambiar [reformarse·renovarse] el mundo.
변함없다(變-) (ser) constante. ~ 없이 invariable, inmutable, inalterable, constante. 변함없는 사랑 amor *m* constante.
변혁(變革) cambio *m*; [개혁] reforma *f*; [혁신] innovación *f*; [혁명] revolución *f*. ~하다 cambiar, reformar, innovar.
변형(變形) transformación *f*, metamorfosis *f*, deformación *f*. ~하다 transformarse, metamorfosearse; [렌즈·음 따위의] distorsión *f*. ~ 되다 transformarse, metamorfosearse. ~시키다 transformar.
변호(辯護) defensa *f*; [법정의] alegato *m*. ~하다 defender, abogar.
변호사(辯護士) abogado, -da *mf*. ~ 사무소 bufete *m*. ~ 시험 examen *m* para la abogacía. ~직 abogacía *f*. ~회(협회) Asociación *f* de Abogados, Colegio *m* de Abogados.
변호인(辯護人) defensor, -sora *mf*.
변화(變化) ① cambio *m*, mudanza *f*; [변경] modificación *f*, alteración *f*; [변동] mutación *f*; [변형] transformación *f*; [변천] vicisitud *f*, transición *f*, evolución *f*; [다양] variedad *f*. ~하다 cambiar, modificarse, alterarse, transformarse, variar, evolucionar. ② [동사의] conjugación *f*; [명사·형용사 등의] declinación *f*, flexión *f*. ~하다 conjugarse, declinarse. ~시키다 conjugar, declinar. ¶ ~표 tabla *f* de conjugaciones.
변환(變換) ① [성질이나 상태를 바꿈] cambio *m*, conversión *f*. ~하다 cambiar, convertir. ② ((수학)) transformación *f*. ~기 ((물리))

cambiador *m* de frecuencia; ((전기)) transformador *m*.

별 ① ((천문)) estrella *f*. ~이 estrellar. ~이 밝은 밤 noche *f* estrellada. ② [별을 도안화한 모양을 가리키는 말] forma *f* de estrella. ③ ((속어)) [별 모양의 장성급의 계급장] estrella *f*. ~을 달다 ponerse la estrella, hacerse general. ④ [매우 하기 힘든 일] tarea *f* dificilísima. 하늘의 ~ 따기 Es muy difícil. ⑤ [기타] estrella *f*. ~ 다섯 개의 호텔 hotel *m* de cinco estrellas.

별개(別個) lo separado, lo distinto, lo diferente, lo otro.

별거(別居) separación *f* (legal), divorcio *m* limitado. ~하다 vivir separado [separadamente]. ~ 생활 vida *f* separada. ~ 수당 sobresueldo *m* [complemento *m*] separado. ~자 separado, -da *mf*; [이혼한 사람] divorciado, -da *mf*.

별걱정(別―) preocupación *f* inútil. ~을 다 하다 preocuparse inútilmente.

별건(別件) ① [물건] cosa *f* rara. ② [사건] otro caso *m*, otra acusación *f*. ~으로 체포하다 detener por otra acusación.

별것(別―) ① [별난 것] rareza *f*, curiosidad *f*, singularidad *f*, cosa *f* rara. ② [다른 물건] otra cosa *f*, cosa *f* separada.

별고(別故) ① [특별한 사고] accidente *m* especial. ~없이 muy bien, de buena salud; [무사히] sano y salvo, con toda seguridad [confianza]. ~ 없으십니까? /¿Cómo está usted? / ¿Cómo se encuentra usted? / ¿Cómo le va? ② [별다른 까닭] razón *f* especial [peculiar], otra razón *f*.

별과(別科) curso *m* especial.

별관(別館) ① [작은집] casa *f* pequeña. ② [본관 외에 따로 설치한 건물] (edificio *m*) anexo *m*. 호텔의 ~ anexo *m* de un hotel.

별기(別記) párrafo *m* aparte [separado], nota *f* separada. ~하다 escribir [apuntar・anotar] separadamente. ~와 같이 como pone aparte, como está escrito en otra parte.

별꼴(別―) espectáculo *m* extraordinario, cosa *f* que hiere la vista.

별나다(別―) (ser) excéntrico, extravagante, estrafalario, estrambótico, fantástico, singular, extraordinario, peculiar.

별납(別納) pago *m* especial, pago *m* separado. ~하다 pagar separadamente.

별놈(別―) (tipo *m*) excéntrico *m*.

별다르다(別―) (ser) particular, especial, peculiar, extraordinario, excepcional. 별다른 일 cosa *f* peculiar [particular・extraordinaria].

별도(別途) uso *m* separado. ~의 aparte, separado. ~로 aparte, separadamente, individualmente.

별동(別棟) edificio *m* separado, dependencia *f*, pabellón *m*, anejo *m* [anexo *m*] de un edificio.

별동대(別動隊) columna *f* ligera, columna *f* volante.

별똥 =유성(流星).

별똥돌 =운석(隕石).

별똥별 ((천문)) estrella *f* fugaz, meteoro *m*, meteóro *m*, aerolito *m*, bólido *m*, exhalación *f*.

별로(別―) especialmente, particularmente, en particular, en especial. ~ 이야기할 것도 없다 No tengo nada de particular para decirle.

별말(別―) comentario *m* extraordinario.

별말씀(別―) ((높임말)) =별말. ¶ ~ 다 하십니다 「「고맙다」에 대한 대답] De nada / No hay de nada // 「「미안하다」에 대한 대답] No importa / De ningún modo / De ninguna manera.

별맛(別―) sabor *m* especial, sabor *m* extraordinario.

별명(別名) [다른 이름] otro nombre *m*, nombre *m* postizo, nombre *m* supuesto; [본명 이외의 남들이 지어 부르는 이름] apodo *m*, mote *m*, sobrenombre *m*; [펜네임이나 예명] seudónimo *m*; [별명] alias *m*.

별문제(別問題) otra cuestión *f*, otra cosa *f*, otro asunto *m*. 그것은 ~ 다 Es otra cosa.

별미(別味) [맛] sabor *m* exquisito [delicioso]; [음식] delicadeza *f*, lo delicioso. ~다! ¡Que exquisito!

별반(別般) particularmente, particular, especialmente, en especial. ~ 크지 않다 No es tan grande.

별빛 luz *f* de estrellas.

별사람(別―) excéntrico, -ca *mf*.

별생각(別―) otro pensamiento *m*.

별세(別世) fallecimiento *m*, muerte *f*. ~하다 fallecer, morir.

별세계(別世界) ① [다른 세계] otro mundo *m*, mundo *m* diferente, mundo *m* desconocido. 여기는 완전히 ~다 Esto es un mundo completamente diferente. ② [특수한 세계] mundo *m* aislado [aparte]; [낙원] paraíso *m*.

별스럽다(別―) (ser) excéntrico, raro, extraño. 별스레 excéntricamente, raramente, extrañamente.

별식(別食) plato *m* especial, comida *f* sabrosa, comida *f* exquisita.

별실(別室) ① [딴 방] otra habitación *f*, otro cuarto *m*; [특별실] sala *f* especial. ② [첩] concubina *f*.

별안간(瞥眼間) en un instante; [갑자기] de repente, repentinamente, de súbito, súbitamente, de pronto; [느닷없이] inesperadamente, imprevistamente.

별의별(別一別) excéntrico, extraordinario; varios.

별일(別一) ① [드물고 이상한 일] cosa *f* extraña, cosa *f* rara y extraordinaria. ② [특별한 다른 일] otra cosa *f*, cosa *f* especial [particular·excepcional]; [사고] accidente *m*. ~ 없다 Está bien / Vale / No hay nada de particular (de nuevo) / Todo va bien.

별자리 constelación *f*, asterismo *m*.

별장(別莊) villa *f*, quinta *f*; [휴가용] chalet *m*, chalé *m*; [시골에 있는] chalet *m*, casa *f* de campo. ~지 lugar *m* de quintas. ~지기 guarda *mf* de quinta.

별저(別邸) villa *f*, chalet *m*, chalé *m*, quinta *f*.

별정(別定) decisión *f* especial, establecimiento *m* especial. ~하다 establecer [decidir] especialmente. ~직 posición *f* gubernamental privilegiada. ~직 공무원 funcionario *m* público en el servicio gubernamental especial.

별종(別種) ① [딴 종자] otra semilla *f*. ② [딴 종류] clase *f* [especie *f*·género *m*] diferente, variedad *f*, diversidad *f*. ③ [특별히 선사하는 물건] regalo *m* especial.

별지(別紙) papel *m* adjunto [anexo].

별집(別集) colección *f* suplementaria.

별차(別差) gran diferencia *f*. ~ 없다 no tener mucha diferencia, ser parcialmente igual, tener poca diferencia.

별찬(別饌) acompañamientos *mpl* raros [exquisitos], guarniciones *fpl* raras [exquisitas]. acompañamientos *mpl* especialmente sabrosos [apetitosos·ricos·delicados].

별채(別一) pieza *f* aislada; [독립 가옥] pabellón *m* anexo, dependencia *f*, anejo *m* (de un edificio).

별책(別冊) volumen *m* separado, suplemento *m*; [잡지의] número *m* extra [suplementario]. ~ 부록 suplemento *m*.

별천지(別天地) = 별세계(別世界).

별첨(別添) papel *m* anexo. ~하다 adjuntar, acompañar.

별편(別便) carta *f* separada [aparte].

별표(一標) asterisco *m*, estrella *f*. ~를 하다 poner un asterisco, marcar con asterisco.

별표(別表) tabla *f* adjunta, lista *f* aneja [anexa].

별례(別例) otro artículo *m*. ~에 기재한 대로 como se menciona [se declara] en otro artículo.

별행(別行) otra línea *f*. ~에 쓰다 escribir en una nueva línea.

별호(別號) ① [호] seudónimo *m*. ② [별명] apodo *m*, mote *m*.

볍씨 semilla *f* de arroz.

볏 [닭의] cresta *f* (de gallo), gorro *m* de bufón.

볏가리 montón *m* de paja de arroz.

볏단 gavilla *f* del arroz.

볏섬 saco *m* del arroz.

볏짚 paja *f* de arroz.

병(丙) ① [사물의 등급을 매길 때 을(乙)의 다음] tercer grado *m* (de notas). ② [셋째] tercero *m*.

병(兵) ① ((군사)) = 병졸. 상등병. 일등병. 이등병. ② = 군인. ③ = 군대. ④ = 무기. ⑤ = 전투.

병(病) ① enfermedad *f*, [질환] afección *f*; [지병] achaque *m*; [유행병. 전염병] epidemia *f*. ② [나쁜 버릇] vicio *m*, mala costumbre *f*, mal hábito *m*; [벽] manía *f*; [잘못] equivocación *f*, culpa *f*, falta *f*; [탈] impedimento *m*, obstáculo *m*. ③ = 결점. 단점. 흠. ¶ ~(을) 내다 enfermar, causar enfermedad, hacer ser enfermo. ~(이) 나다 ㉮ [병이 생기다] caer enfermo, ponerse enfermo. ㉯ [사물에 잘못이나 탈이 생기다] estar fuera de lugar, estar descompuesto. ~(이) 들다 caer enfermo, ponerse enfermo.

병(瓶) botella *f*; [작은] frasco *m*, envase *m*, botellín *m*; [약의] frasquito *m*; [목이 짧은] tarro *m*, bote *m*.

병가(兵家) ① [병학(兵學)의 전문가] táctico, -ca *mf*. ② [군사에 종사하는 사람] hombre *m* de armas.

병가(病暇) ausencia *f* por enfermedad, licencia *f* por enfermedad.

병간호(病看護) cuidados *mpl*.

병객(病客) ① [늘 병을 앓는 사람] enfermizo, -za *mf*. ② [병자] enfermo, -ma *mf*; inválido, -da *mf*, persona *f* enferma.

병고(病故) enfermedad *f*.

병골(病骨) persona *f* enfermiza [débil], persona *f* inválida.

병과(兵科) ramo *m* [cuerpo *m*] de servicio militar.

병구(病軀) cuerpo *m* enfermo. ~를 무릅쓰고 a pesar de la enfermedad.

병구완(病一) atención *f*, cuidado *m*, profesión *f* de enfermera. ~하다 asistir, atender, cuidar, tratar una enfermedad, curar. 환자를 ~하다 asistir [atender·cuidar] a un enfermo.

병권(兵權) poder *m* militar. ~을 쥐다 asumirse el poder militar.

병균(病菌) ((의학)) germen *m* (de enfermedad), virus *m*.

병기(兵器) arma(s) *f(pl)*, artillería *f*, cañones *mpl*, utensilios *mpl* para la guerra. ~고 arsenal *m*, armería *f*. ~ 공업 industria *f* de armas. ~ 공장 arsenal *m*, fábrica *f* de armas [de armamentos]. ~과 학 ciencia *f* de armamentos. ~ 장교 oficial *mf* de armamentos. ~ 제조 manufactura *f* de armas. ~창 arsenal *m*. ~학 ciencia *f* de armamentos. ~학교 escuela *f* de armamentos.

병대(兵隊) ① [군대] ejército *m*, tropa *f*. ② [병정] soldado *m*. ~놀이를 하다 jugar a soldados.

병독(病毒) virus *m*, virulencia *f*.

병동(病棟) pabellón *m* de hospital.

병력(兵力) potencia *f* [poder *m*] militar, fuerza *f*, efectivos *mpl*.

병력(病歷) antecedentes *mpl* clínicos (del enfermo).

병렬(竝列) ① [나란히 늘어섬] fila *f*, hilera *f*. ② ((준말)) =병렬 접속. ¶전지를 ~로 놓다 montar pilas en paralelo [en derivación].

병리학(病理學) patología *f*, etiología *f*. ~의 patológico, etiológico. ~각론[총론] patología *f* general. ~자 patólogo, -ga *mf*. ~적 patológico.

병립(竝立) compatibilidad *f*, coexistencia *f*, puesto *m* al lado de otro. ~하다 ponerse al lado de otro, ser compatible, ser de mismo rango, igualarse.

병마(兵馬) ① [병기와 군대] el arma *f* y el caballo. ~를 동원하다 movilizar el arma. ~의 대권을 잡다 asumir la suprema fuerza militar. ② [군대] ejército *m*. ③ [군사] asunto *m* militar. ④ [전쟁] guerra *f*.

병마(病魔) enfermedad *f*. ~에 시달리다 ser atacado por una enfermedad.

병마개(瓶-) tapa *f* [tapón *m*] de la botella. ~뽑이 abrebotellas *m*, abridor *m*; [코르크 마개의] sacacorchos *m.sing.pl*, tirabuzón *m*.

병명(病名) nombre *m* de una enfermedad.

병목(瓶-) cuello *m* de la botella. ~현상 embotellamiento *m* del tráfico.

병물(病歿) muerte *f* de enfermedad, muerte *f* natural. ~하다 morir de enfermedad.

병무(兵務) asuntos *mpl* militares. ~과 sección *f* de asuntos militares. ~국 departamento *m* de

servicio militar. ~청 Oficina *f* de Administración Militar. ~ 행정 administración *f* de conscripción.

병문안(病問安) visita *f* a un enfermo. ~하다 visitar a un enfermo.

병발(竝發/併發) coincidencia *f*, concurrencia *f*, ocurrencia *f* simultánea; [병의] complicación *f*. ~하다 coincidir, ocurrir [acontecer · acaecer · suceder] simultáneamente. ~증 intercurrencia *f*, complicación *f*, enfermedad intercurrente.

병법(兵法) arte *m* militar; [전략] estrategia *f*, [전술] táctica *f*. ~가 estratega *mf*; estratégico, -ca *mf*; táctico, -ca *mf*.

병사(兵士) ① =군사(軍士). ② =사병. ③ ((구세군)) =세례 교인.

병사(兵舍) cuartel *m*, caserna *f*, barraca *f*.

병사(兵事) asuntos *mpl* militares. ~계 sección *f* de asuntos militares. ~구(區) distrito *m* de reclutamiento. ~구 사령부 cuartel *m* general de distrito de reclutamiento.

병사(病死) muerte *f* de enfermedad. ~하다 morir de enfermedad. ~자 muerto, -ta *mf* de enfermedad.

병살(併殺) ((야구)) jugada *f* doble, doble matanza *f*, doble juego *m*.

병상(病床) cama *f* [lecho *m*] de enfermos. ~에 있다 estar en cama, guardar cama. ~에 눕다 caer en cama, encamarse, caer enfermo. ¶~ 일지 ㉮ [병상에 있는 사람이 적는 일기] diario *m* de lecho de enfermo. ㉯ [병의 경과를 적는 기록] informe *m* de enfermera.

병상(病狀) estado *m* [condición *f*] de la enfermedad. ~이 악화되다 agravarse [empeorarse] la enfermedad.

병색(病色) color *m* enfermo, tez *f* enferma.

병서(兵書) libro *m* sobre estrategía, obra *f* militar.

병석(病席) lecho *m* de enfermo.

병선(兵船) buque *m* de guerra.

병설(竝設/併設) establecimiento *m* como un anejo. ~하다 establecer como un anejo.

병세(兵勢) poder *m* [potencia *f* · fuerza *f*] militar, número *m* de soldados, ejército *m*, tropas *fpl*, fuerzas *fpl*.

병세(病勢) estado *m* de la enfermedad, condición *f* de una enfermedad [de un paciente]. ~가 호전되다 mejorar(se) la enfermedad. ~가 악화되다 empeorarse [agravarse] la enfermedad.

병술(瓶-) licor *m* de botella.

병시중(病-) =병구완.

병신(病身) ① [노상 병을 앓아서 온전하지 못한 몸] salud *f* delicada, constitución *f* débil [enfermiza]. ~의 enfermizo, delicado de salud, achacoso, enclenque. ~이 되다 volverse enfermizo. ② [불구자] mutilado, -da *mf*; lisiado, -da *mf*. ③ [정신적·지능적으로 모자라는 사람] persona *f* estúpida; idiota *mf*; tonto, -ta *mf*. ④ [남을 얕잡아 욕하는 말] ¡Tonto! / ¡Idiota! ¶~ 구실 falta *f* de valía, falta *f* de mérito, inutilidad *f*. ~ 구실하다 (ser) inútil.

병실(病室) habitación *f* [cuarto *m*] de un enfermo; [병원의] sala *f* (de hospital).

병아리 ① [닭의 새끼] polluelo *m*, pollito *m*; [암컷] polluela *f*, pollita *f*. 한 배의 ~ pollada *f*. ~를 감별하다 sexar los polluelos. ② [신체·재능·학문·기술 따위에 미숙한 사람] inexperto, -ta *mf*. ¶~ 감별사 sexador, -dora *mf* de polluelos [de pollitos].

병약(病弱) debilidad *f* a causa de una enfermedad. ~하다 (ser) inválido, enfermizo, enclenque. ~한 어머니, mi madre inválida. ¶~자 inválido, -da *mf*.

병어 ((어류)) platija *f*.

병역(兵役) servicio *m* militar. ~을 복무하다 hacer *su* servicio (militar), servir en la milicia. ~을 마치다 terminar el servicio militar. ~을 면제하다 exentar el servicio militar. ¶~ 기피 evasión *f* del servicio militar. ~ 기피자 prófugo, -ga *mf*. ~ 만기 finalización *f* [terminación *f*] del servicio militar. ~ 면제 exención *f* del servicio militar. ~ 면제를 하다 exentar el servicio militar. ~법 ley *f* del servicio militar. ~ 의무 deber *m* de hacer *su* servicio militar. ~ 제도 servicio *m* militar obligatorio.

병영(兵營) cuartel *m*. ~ 생활 vida *f* militar, vida *f* de cuartel. ~ 연기 prórroga *f* (de estudiantes).

병용(倂用/並用) yuxtaposición *f*, uso *m* [empleo *m*] simultáneo. ~하다 yuxtaponer, tomar … con, usar … al mismo tiempo, usar en combinación. ~ 치료 tratamiento *m* combinado.

병원(兵員) ((군사)) efectivos *mpl*, número *m* de soldados. ~을 증감하다 aumentar los efectivos. ~을 경감하다 disminuir los efectivos.

병원(病院) hospital *m*, enfermería *f*; [의원] clínica *f*; [종합 병원] policlínica *f*. ~에 입원하다 ingresar [entrar] en el hospital. ¶~장 director, -tora *mf* del hospital.

병원(病原/病源) causa *f* [origen *m*] de una enfermedad. ~균 microbio *m*, germen *m* (patógeno), virus *m*, bacteria *f* patogénica. ~균 전파 vección *f*. ~체 organismo *m* patógeno.

병인(病人)=병자(病者).

병인(病因) causa *f* [origen *m*] de una enfermedad.

병자(病者) enfermo, -ma *mf*; paciente *mf*; inválido, -da *mf*. ~용 식사 dieta *f* para enfermos.

병장(兵長) ((군사)) sargento *m*.

병적(兵籍) ① [군인의 적] registro *m* militar. ② ((준말)) =병적부. ¶~부 libro *m* de registro militar. ~ 편입 matrícula *f*.

병적(病的) enfermizo, mórbido, patológico; [이상한] anormal.

병정(兵丁) ① [병역에 복무하는 장정] jóvenes *mpl* sanos en el servicio militar. ② ~=군인. 병사. ¶~놀이 juego *m* a los soldados. ¶~놀이를 하다 jugar a los soldados.

병제(兵制) sistema *m* militar.

병존(並存) coexistencia *f*. ~하다 coexistir.

병졸(兵卒) soldado *m* común [raso].

병졸(病卒) muerte *f* de enfermedad. ~하다 morir de enfermedad.

병종(丙種) tercer grado *m*, tercera clase *f*.

병종(兵種) clasificación *f* del cuerpo de servicio militar.

병중(病中) durante la enfermedad. ~임에도 불구하고 a pesar de que está enfermo.

병증(病症) síntoma *m* de una enfermedad, diagnosis *f*.

병참(兵站) ((군사)) administración *f* de suministros. ~감 intendente *m* general. ~감실 oficina *f* de intendente general. ~ 기지 base *f* de abastecimientos bélicos, centro *m* logístico. ~선 línea *f* de comunicaciones, línea *f* de comisaría de guerra. ~ 장교 oficial *m* de intendencia.

병처(病妻) esposa *f* enferma.

병충해(病蟲害) daños *mpl* causados por los insectos nocivos.

병치(並置) yuxtaposición *f*. ~하다 yuxtaponer, poner juntos.

병탄(倂吞/並吞) anexión *f*, conjunción *f*, adición *f*, unión *f*. ~하다 anexar, unir, juntar, adjuntar, absorber, conquistar.

병폐(病弊) mal *m*, vicio *m*.

병폐(病廢) invalidez *f* [discapacidad *f* · minusvalía *f*] por la enfermedad. ~하다 estar discapacitado [minusválido] por la enfermedad.

병풍(屛風) biombo *m*, mampara *f* plegable. ~처럼 깎아지른 acantilado, (casi) vertical. ~을 두르다 poner un biombo.

병학(兵學) ciencia *f* militar; [전략] estrategia *f*; [전술] táctica *f*.

병합(倂合) anexión *f*, incorporación *f*. ~하다 anexar, anexionar, incorporar. ~되다 ser incorporado, ser anexionado.

병해(病害) tizón *f*, daño *m* causado por las enfermedades.

병행(並行) paralelismo *m*. ~하다 ir [correr] (en dirección) paralelo.

병환(病患) enfermedad *f*; [가벼운 병] indisposición *f*. 어머님의 ~은 어떠하십니까? ¿Cómo está su madre (enferma)?

병후(病後) después de una enfermedad; [회복기] convalecencia *f*.

볕 (luz *f* del) sol *m*, luz *f* solar. ~에 al sol, en el sitio soleado. ~에 그을린 quemado por el sol; [갈색의] bronceado, tostado, moreno.

보(步) [걸음] paso. 제일~ primer paso *m*, paso *m* inicial.

보(保) ① ((준말)) =보증(保證). ② ((준말)) =보증인. ¶~(를) 서다 servir de fiador, ser fiador.

보(洑) dique *m*, cisterna *f*, depósito *m* (de agua); [댐] presa *f*, embalse *m*, *AmS* represa *f*.

보(補) nombramiento *m* en el puesto oficial. ~하다 nombrar en el puesto oficial. 장관에 ~하다 nombrar al ministro.

보(褓) [덮는] cubierta *f*; [싸는] envoltura *f*, envoltorio *m*.

보(譜) [계보] genealogía *f*.

보각(補角) ((수학)) ángulo *m* suplementario.

보강(補強) refuerzo *m*, forro *m*. ~하다 reforzar, fortalecer. ~공사 obra *f* de refuerzo. ~제 refuerzos *mpl*.

보강(補講) lección *f* [clase *f*] suplementaria. ~하다 dar una clase suplementaria.

보건(保健) preservación *f* de salud, aplicación *f* práctica de la ciencia sanitaria, salud *f* pública, sanidad *f* pública; [위생] higiene *f*; [건강] salud *f*. ~의 sanitario, higiénico.

보결(補缺) suplemento *m*; [사람] suplente *mf*; substituto, -ta *mf*, auxiliar *mf*. ~하다 llenar una vacante [las vacantes], cubrir una deficiencia; llenar los efectivos, cubrir ls vacantes. ~생 estudiante *m* suplementario. ~선수 suplente *mf*. reserva *mf*. ~시험 examen *m* de ingreso especial para el estudiante stand-by.

보고(報告) informe *m*, información *f*, reporte *m*, comunicación *f*, aviso *m*. ~하다 informar, avisar.

~서 informe *m*, boletín *m*, información *f*, reporte *m*, manifiesto *m*, anuncio *m*. ~자 informador, -dora *mf*, informante *mf*.

보고(寶庫) ((준말)) =보물고. ¶정보의 ~ mina *f* de información. 천연의 ~ tesoro *m* natural.

보고따 ((지명)) Bogotá. ~의 bogotano. ~ 사람 bogotano, -na *mf*.

보관(保管) custodia *f*, guardia *f*, depósito *m*; [창고에의] almacenamiento *m*; [보존] conservación *f*. ~하다 custodiar, guardar, depositar, tomar custodia, tener en cargo, estar en depósito; almacenar, recibir [guardar] en depósito [en consignación], poner en un almacén; [문서 등의] archivar; [보존하여] conservar. ~료 almacenaje *m*, gastos *mpl* de custodia, cargo *m* por custodia. ~물 artículo *m* en custodia, depósito *m*, objeto *m* recibido en depósito [en consignación]. ~소 [문서 등의] archivo *m*; [귀중품 등의] cámara *f* acorazada. ~인[자] depositario, -ria *mf*; consignatario, -ria *mf*. ~증 recibo *m* de depósito, certificado *m* de depósito. ~철 [문서의] carpeta *f*. ~함 [문서 등의] archivador *m*, clasificador *m*; [귀중품 등의] caja *f* de seguridad.

보국(報國) patriotismo *m*, servicio *m* nacional. ~의 patriótico. ~용사 soldado *m* leal y patriótico.

보국 안민(輔國安民) bienestar *m* nacional y público.

보궐(補闕) =보결(補缺). ¶~선거 elección *f* parcial [suplementaria].

보균(保菌) llevada *f* de gérmenes. ~하다 llevar gérmenes. ~자 portador, -dora *mf* (de gérmenes [de microbios]). 인체 면역 결핍 바이러스 ~자 portador, -dora *mf* del virus VIH; portador, -dora *mf* del virus del sida, seropositivo, -va *mf*.

보글거리다 seguir hirviendo, seguir llevando a punto de ebullición.

보글보글 siguiendo hirviendo.

보금자리 nido *m*, percha *f*, hogar *m*. 사랑의 ~ nidito *m* de amor. ~에 들다 posarse (para pasar la noche). ~를 떠나다 irse de [dejar] su nido, salir del nido. ~를 짓다 anidar, hacer nido. ~를 찾으러 가다 ir a buscar nidos. ~를 치다 anidar, vivir en el nido.

보급(普及) difusión *f*, propagación *f*; [일반화] generalización *f*; [대중화] popularización *f*, vulgarización *f*. ~하다 difundirse, divulgarse; generalizarse, extenderse; [유포하다] propagarse, circular. ~시키다

difundir, divulgar, circular, propagar, generalizar, popularizar. ¶ ~자 difusor, -sora *mf*, propagador, -dora *mf*. ~판 edición *f* popular.

보급(補給) reabastecimiento *m*; [공급] abastecimiento *m*, suministro *m*; [분배. 배분. 배급] distribuición *f*. ~하다 reabastecer, reaprovisinar, abastecer, suministrar; [선박·비행기가 식량이나 연료를] repostar; [분배·배분·배급하다] distribuir. ~계 ㉮ sección *f* de abastecimiento. ㉯ ((군사)) intendencia *f*. ~기 avión *m* de abastecimiento [de suministro]. ~ 기지 base *f* de aprovisionamiento. ~로[선] línea *f* [ruta *f*] de abastecimiento. ~망 red *f* de distribuidores, red *f* de abastecimiento. ~ 부대 Servicio *m* de Intendencia. ~선(船) nave *f* de abastecimiento, nave *f* de suministro. ~소 distribuidor *m*, agencia *f*, agencia *f* de distribuidores, oficina *f* de abastecimiento. ~자 abastecedor, -dora *mf*; suministrador, -dora *mf*. ~ 장교 oficial *mf* de intendencia. ~품 suministro *m*.

보기[1] ((준말)) =본보기. ¶ ~를 들면 por ejemplo.

보기[2] ((골프)) bogey *m*, más uno, recorrido *m* normal. 더블 ~ bogey *m* doble.

보깨다 sufrir de la indigestión, tener problemas [trastornos] estomacales [de estómago].

보꾹 parte *f* interior de la tejado, techado *m*, techo *m*.

보나마나 huelga o sobra decir (que), de más está decir (que), ni que decir tiene (que), sin duda, indudablemente, evidentemente.

보내다 ① [사람이나 물건을] mandar, enviar, despachar, pasar; [송금하다] remitir; […앞으로 보내다] dirigir. 편지를 ~ mandar [enviar] una carta. ② [파견·파송하다] expedir, enviar, despachar. 탐험대를 ~ enviar una expedición. ③ [이별하다] despedirse. ④ [(결혼·양자 따위를) 어떤 인연을 맺게 해 주다] casar, hacer conexionar. 딸을 시집 ~ casar a *su* hija. ⑤ ㉮ [표정이나 동작을 해 보이다] ofrecer. 찬사를 ~ elogiar, hacer elogios. ㉯ [시선을 향하다] dirigir [echar] una mirada. ⑥ [물자 따위를 공급하다] suministrar. ⑦ [(학습·취직 따위) 제 길을 가게 하다] enviar. 딸을 대학에 ~ enviar *su* hija a la universidad. ⑧ [시간 따위를] pasar, pasar un rato, vivir. 즐거운 시간을 ~ pasar un rato agradable, pasarlo bien. ⑨ [떠나가게 하거나 죽어서 헤어지다] perder. 어린 자식을 교통 사고로 ~ perder a *su* niño por el accidente de tráfico.

보너스 plus *m*, prima *f*, bonificación *f*, sobrepaga *f*, gratificación *f*; paga *f* extra, paga *f* eventual; ((주식)) dividendo *m* extraordinario; ((운동)) extra *m*. 봉급의 ~ bonificación *f* [sobrepaga *f*] del salario. ~ 10점을 얻다 ganar diez puntos extra.

보다[1] ① [시각으로] ver, mirar; [응시하다] mirar fijamente, clavar la vista; [목격하다] ser testigo, asistir, presenciar. 하늘에서 본 전망 vista *f* desde el cielo. 주의하여 ~ ver con cuidado, observar. 슬쩍 ~ mirar a hurtadillas; [노름판에서 남의 패를] irse a las vistillas. 대충 ~ ojear, echar un vistazo. 올려다 ~ levantar los ojos. 뒤돌아 ~ mirar hacia atrás. 내려다 ~ mirar por encima del hombro. 보아라 Mira. 날 좀 보십시오 Míreme. 좀 봅시다 Vamos a ver. ② [관찰하다] observar; [시찰하다] inspeccionar, visitar. 모든 방향[각도]에서 ~ observar desde todas las direcciones. 공장을 보러 가다 visitar la fábricca. ③ [구경하다] ver. 영화를 ~ ver una película, ir al cine. ④ [읽다] leer, mirar; [훑어보다] mirar, hojear; [구독하다] subscribirse. 신문을 ~ leer un periódico. ⑤ [조사하다] examinar; [참고하다] referir, consultar. 환자를 ~ examinar [consultar] al paciente. ⑥ [판단하다] juzgar, tomar, decir. 손금을 ~ decir la suerte. ⑦ [여기다. 간주하다] considerar (como), tomar. ⑧ [어림잡다] estimar, calcular, valer. ⑨ [돌보다] cuidar, asistir. 아이를 ~ cuidar del niño. 아이를 ⑩ [당하다] sufrir, divertirse, entretenerse. ⑪ [치르다] tomar. 시험을 ~ tomar el examen. ⑫ [누다] hacer el cuerpo. 소변을 ~ orinar, hacer aguas, irse las aguas. 대변을 ~ excrementar, excretar, deponer los excrementos. ⑬ [장을] ir a comprar o vender en el mercado. 장을 보러 가다 ir [salir] de compras. ⑭ [자식 등을] tener. 자식을 ~ tener hijo [niño]; [여인이] parir, dar a luz a un hijo. ⑮ [값을] tarar, fijar el precio. 만 원 밖에 보지 아니하다 hacer la oferta de diez mil wones sólo.

보다[2] ① [사귀다] tener amores, portarse mal. ② [참다] soportar, aguantar, tolerar. ③ [맡아보다] encargarse, hacerse cargo, asumir. 사회를 ~ presidir, ocupar la presidencia.

보다³ [시도하다] probar, ensayar. 해 ~ probar. 그것을 해 보겠다 Lo probaré.

보다⁴ [추측] parecer; [의향] Creo que …. 비가 올까 ~ Parece que va a llover.

보다⁵ [비교급] que, a; [···하는 것~] de (lo que + ind); [···보다 더] más; [···보다 덜] menos. ···~ 못 하다 ser inferior a algo. ···~ 낫 다 ser superior a algo, ser preferible a algo. Más vale. A~ B를 택하다 preferir B a A. 없는 것~ 는 낫다 ser mejor que nada, más valer algo que nada.

보답(報答) recompensa f, remuneración f, retribución f. ~하다 recompensar su servicio, retribuir, remunerar, pagar en retorno. 우정에 ~하다 retornar su amistad.

보도(步道) acera f, calzada f; AmS vereda f (작은 길), senda f (para peatones).

보도(報道) información f, reporte m, anuncio m, aviso m, noticia f. ~ 하다 informar, anunciar, comunicar, dar parte, manifestar, avisar públicamente. ~ 관제 control m [bloqueo m] informativo. ~ 기관 organismo m de información pública. ~ 사진 fotografía f de noticias. ~ 사진사 fotógrafo, -fa mf de noticias. ~ 자료 comunicado m de prensa. ~ 전(戰) guerra f de reporte, competición f de noticias. ~진 periodistas mpl, representantes mpl de la prensa.

보도(寶刀) espada f sagrada, espada f preciosa.

보드랍다 (ser) suave, blando; [빵 따위가] tierno. 보드라운 손 mano f suave.

보드카 vodka f, vodka f.

보들보들 suavemente, blandamente, tiernamente. ~하다 ser muy suave [blando · tierno].

보듬다 abrazar, dar un brazo, abarcar.

보디 가드 [한 사람] guardaespaldas mf.sing.pl; [그룹] escolta f; [집합적] guardia f personal [de cuerpo], salvaguardia f; [국가 원수의] guardia m de corps.

보따리 bulto m, envoltorio m, paquete m, atado m, lío m, mazo m, manojo m, haz f, fardel m; [상품의] fardo m, bala f. ~ 장수 vendedor, -dora mf ambulante.

보라 ((준말)) =보랏빛.

보라매 (조류) halcón m joven.

보람 ① [표적] indicación, signo, marca. ② [효과] efecto m, fruto m, resultado m; [가치] valor m;

[도움] provecho m, utilidad f, beneficio m. ~이 있는 que vale, por valor (de), equivalente (a), digno (de), que merece. ~ 있게 쓴 돈 dinero m bien gastado.

보람없다 ser en vano, ser inútil. 보 람없이 en vano, inútilmente.

보랏빛 púrpura f, color m purpúreo; [짙은] violeta f, violado m.

보로통하다 ① [부어 오르거나 부풀 어 올라서] hincharse, inflarse. 보 로통한 [부어서] hinchado. ② [불 만스러운 얼굴] mostrarse malhumorado, poner morro(s), poner mala cara. 보로통해 있다 estar de [con] morros.

보류(保留) [의견 등의] reserva f, reservación f; [연기] aplazamiento m. ~하다 reservar, diferir, aplazar. 권리를 ~하다 reservar el derecho.

보르네오 ((지명)) Borneo.

보름 ① [열 다섯 날 동안] quince días. ② ((준말)) =보름날. ③ [대 보름날] el quince de enero del calendario lunar. ¶ ~날 el quince del calendario lunar. ~달 luna f llena de la noche del quince del calendario lunar. ~밤 noche f del quince del calendario lunar.

보름치 ① [보름 동안 충당할 분량] cantidad f destinada por quince días. ② [음력 보름께 비·눈 등이 오는 날씨] tiempo m que nieva o llueve hacia el quince del mes del calendario lunar.

보리 ① (식물) cebada f; [야생 보리] cebadilla f; [탄·껍질을 벗긴 보 리] sémola f. ~ 쌀 arrozal m para la cebada. ~밥 cebada f cocida. ~밭 cebadal m.

보리(菩提) ((불교)) Ilustración f Suprema, Sabiduría f Suprema, camino m de salvación. ~심(心) aspiración f para el budismo.

보리새우 (식물) gamba f.

보리수(菩提樹) (식물) tilo m.

보리수나무(菩提樹一) eleagno m.

보매 al parecer, por lo visto, según parece, aparentemente. 얼핏 ~ a primera vista. ~ 슬픈 것 같다 parecer ser triste.

보모(保姆) ① [보육원 등의] niñera f, nodriza f, el ama f seca, el ama f de cría; Méj nana f; AmS el ama f de brazos. ② [유치원의 여 자 선생] institutriz f, maestra f de la escuela de párvulos.

보무(步武) paso m seguro. ~ 당당 하게 con pasos seguros, sin temer nada.

보물(寶物) [부의 축적물] tesoros mpl, riquezas fpl; [값어치 있는 것. 상 받은 것] tesoro m, objeto m precioso, joya f, piedra f preciosa. 고대의 ~들 tesoros *mpl* de la antigüedad. 예술적인 ~ tesoros *mpl* artísticos. ¶~고 tesoro *m*, tesorería *f*, erario *m*, tesauro *m*, mina *f* (rica). ~선 barco *m* cargado de tesoros, barco *m* de felicidad. ~섬 isla *f* del tesoro. ~찾기 búsqueda *f* del tesoros, caza *f* de tesoros (escondidos). ~찾기하다 buscar los tesoros.

보배 ① [아주 귀하고 중한 물건] tesoro *m*, cosas *fpl* preciosas, cosas *fpl* valiosas, joya *f*, piedra *f* preciosa. ② [아주 귀중한 사람이나 물건] tesoro *m*, joya *f*, piedra *f* preciosa, mina *f*. 나라의 ~ tesoro *m* nacional. 그는 우리 나라의 ~다 El es un orgullo de nuestro país. 아이들은 나라의 ~다 Los niños son el tesoro más precioso del país. ¶~스럽다 (ser) precioso, valioso.

보법(步法) modo *m* [manera *f*] de andar.

보병(步兵) [군인] infante *m*, soldado *m* de artillería; [군대] infantería *f*, artillería *f*. ¶~대(隊) cuerpo *m* de infantería. ~대대 batallón *m* de infantería. ~사단 división *f* de infantería. ~여단 brigada *f* de infantería. ~연대 regimiento *m* de infantería. ~전 (戰) batalla *f* de infantería. ~중대 compañía *f* de infantería. ~학교((준말))=육군 보병 학교.

보복(報復) [앙갚음] venganza *f*, revancha *f*, desquite *m*, vindicta *f*; [무력 등에 의한] represalias *fpl*; [경제 제재 등] retorsión *f*; [대항 조치] contramedida *f*; [반격] contraataque *m*. ~하다 desquitarse, vengarse, tomar la revancha, pagarlas, devolver la pelota, tomar represalias, contraatacar.

보살(菩薩) ① ((불교)) [부처 다음의 성인] Buda *m* predestinado, Buda *m* iluminado, el iluminado. ② ((준말))=보살할미. ③ [늙은 선녀] hada *f* [ninfa *f*] vieja.

보살미(菩薩一) monja *f* budista sin el corte del pelo.

보살피다 cuidar, tener cuidado, prestar atención, atender.

보상(補償) compensación *f*, indemnización *f*, recompensa *f*, resarcimiento *m*, reparación *f*; [죄의] expiación *f*. ~하다 compensar, recompensar, indemnizar, resarcir, reparar. ~금 (dinero *m* de) compensación *f*, indemnización *f*, cantidad *f* de compensación. ~안 proyecto *m* de compensación. ~협정 acuerdo *m* de compensación, acuerdo *m* de indemnización.

보상(報償) ① [변상] reembolso *m*. ~하다 reembolsar. ② =보복.

보석(保釋) excarcelación *f* dada bajo fianza [aprobada bajo custodia], libertad *f* bajo la fianza. ~하다 poner en libertad [excarcelar] bajo fianza [bajo caución]. ~으로 나오다 ser excarcelado bajo fianza. ¶~금 fianza *f*, caución *f*. ~보증금 depósito *m* para libertad bajo fianza. ~보증인 fiador, -dora *mf*. ~원(願) súplica *f* para libertad bajo fianza.

보석(寶石) ((광물)) gema *f*, piedra *f* preciosa; [장신구] alhaja *f*, joya *f*. ~공 lapidario, -ria *mf*. ~류 joyas *fpl*, pedrería, alhajas *fpl*. ~반지 anillo *m* de joyas. ~상 ⑦ [상점] joyería *f*. ④ [장수] joyero, -ra *mf*. ~상자 joyero *m*, joyelero *m*, guardajoyas *m*.

보세(保稅) reservación *f* de derechos de aduana, depósito *m*. ~가공 elaboración *f* en depósito. ~가공 무역 comercio *m* de elaboración de depósito. ~공장 planta *f* de procesado de depósito, fábrica *f* de depósito. ~구역 zona *f* de depósito aduanero. ~창고 depósito *m*, almacén *m* de depósito (aduanero), almacén *m* de depósito de aduana, depósito *m* del aduana. ~품 mercancías *fpl* en almacén de aduanas, mercancías *fpl* en depósito, mercancías *fpl* de depósito (aduanero).

보송보송 ① [잘 말라서] resecamente. ~하다 estar reseco. ~한 빨래 lavado *m* y secado. ② [얼굴이나 살결이] suavemente. ~하다 (ser) suave y sin humedad. ~한 살결 piel *f* suave y sin humedad.

보수(保守) conservatismo *m*, conservadorismo *m*. ~하다 conservar. ~가(家) conservador, -dora *mf*. ~당 partido *m* conservador. ~당원 conservador, -dora *mf*. ~세력 fuerzas *fpl* conservadoras, políticas *fpl* conservadoras. ~적 conservador, conservatorio, conservativo, reaccionario. ~정당 partido *m* conservador. ~주의 conservatismo *m*, conservadorismo *m*, conservadurismo *m*, moderantismo *m*, reaccionarismo *m*. ~주의자 conservador, -dora *mf*, reaccionario, -ria *mf*. ~진영 campo *m* conservador. ~파 conservadores *mpl*, fuerza *f* conservadora.

보수(補修) reparación *f*, remiendo *m*, compostura *f*. ~하다 reparar, remendar. ~공사 obras *fpl* de reparaciones. ~비 gastos *mpl* de reparaciones.

보수(報酬) recompensa *f*, retribución *f*; [돈] remuneración *f*.

보스 jefe, -fa *mf*; caudillo *m*; [두목] cabeza *m*, cacique *m*; [지도자] dirigente *mf*; líder *mf*. ~ 정치 caciquismo *m*.

보슬보슬¹ [눈이나 비가] suavemente, ligeramente. ~ 내리는 비 llovizna *f*. 비가 ~ 내리고 있다 Llovizna.

보슬보슬² [물기가 적어] casi secamente. ~ 한 눈 nieve *f* casi seca.

보슬비 llovizna *f*. ~가 내리다 lloviznar.

보시기 cuenco *m* pequeño.

보신(保身) conservación *f*, supervivencia *f*, defensa *f* de *su* persona y vida.

보신(補身) conservación *f* con el tónico. ~하다 conservar con el tónico. ~탕 *bosintang*, caldo *m* de carne de perro.

보신(補腎) vigorización *f* con el tónico. ~하다 vigorizar con el tónico. ~제 tónico *m*, reconstituyente *m*.

보아란듯이 jactanciosamente, baladronamente, fanfarronamente, orgullosamente, ostentosamente.

보안(保安) mantenimiento *m* de seguridad, preservación *f* de la paz pública. ~하다 mantener la seguridad, preservar la paz pública. ~ 경찰 policía *m* de seguridad social. ~과 sección *f* de seguridad pública.. ~등 lámpara *f* de seguridad. ~림 bosque *m* reservado, bosque *m* protegido.

보안(保眼) protección *f* de los ojos. ~하다 proteger los ojos.

보약(補藥) reconstituyente *m*, roborante *m*, roborativo *m*, tónico *m*.

보양(保養) recuperación *f*, convalecencia *f*, restablecimiento *m*, recreo *m*, preservación *f* de la salud, recreación *f*, diversión *f*. ~하다 recuperarse, tomar cuidado de la salud, recrearse, ir a un lugar para la salud.

보얗다 ① [빛깔이] (ser) perlino, de perla(s). 살결이 ~ tener la piel perlina. ② [안개・연기 따위로] (ser) brumoso, nebuloso. ③ [희미하다] (ser) borroso, poco claro, confuso, indistinto. 보얗게 되다 ponerse [volverse] borroso.

보얘지다 ponerse [volverse] borroso.

보어(補語) ((문법)) complemento *m*.

보여 주다 ☞보이다²

보옥(寶玉) piedra *f* preciosa, joya *f*, alhaja *f*, gema *f*, dije *m*.

보온(保溫) mantenimiento *m* de la temperatura, conservación *f* del calor. ~하다 mantener [conser-var] el calor. ~병(甁) termo *m*, termos *m.sing.pl*. ~ 장치 termóstato *m*. ~재(材) termoaislador *m*, calorífugo *m*.

보완(補完) complemento *m*, suplemento *m*. ~하다 complementar.

보유(保有) posesión *f*, retención *f*, ocupación *f*. ~하다 poseer, retener, mantener, ocupar, ser dueño, tener. ~자 [티켓의] poseedor, -dora *mf*; [허가・여권・직업의] titular *mf*; [채권・증권 등의] titular *mf*; tenedor, -dora *mf*; [타이틀・컵의] poseedor, -dora *mf*.

보육(保育) educación *f* de los párvulos, crianza *f*, nutrimento *m*. ~하다 criar, nutrir, alimentar, educar, instruir. ~기 incubadora *f*. ~원 jardín *m* de infancia, escuela *f* [casa *f*] de párvulos. ~학교 pre-escolar *m*, parvulario *m*, jardín *m* infantil, escuela *f* de párvulos.

보이다¹ ① [시력이 있다] poder ver. ② [눈에 띄다] ver(se). 순이가 보이지 않는다 No veo a Suni. 그는 요즈음 통 보이지 않는다 El está escondido [no asoma la cabeza] estos días. ③ [(…)처럼] 보이다] parecer. 좋게 ~ parecer bueno. 나쁘게 ~ parecer malo. [걸보기에, 어떤] 나이로 ~ aparentar, representar. ④ […으로 생각되다] aparecer, parecer. ⑤ [모습을 나타내다] aparecer, asomar(se).

보이다² ① [보여 주다] mostrar, enseñar, dejar ver; [숨긴 것을] revelar, descubrir; [드러내다] presentar. 여권을 ~ enseñar [presentar] *su* pasaporte. ② [전시하다] exhibir, exponer. ¶보여 주다 ⑦ [보이다] mostrar, enseñar, hacer ver; [숨긴 것을] descubrir, revelar. 그 엽서를 나에게 보여 주라 Déjame ver la tarjeta. ④ [전시하다] exhibir, presentar, exponer, mostrar.

보이 스카우트 explorador *m*, niños *mpl* exploradores.

보이콧 boicoteo *m*, boicot *m*, coalición *f* organizada contra una persona, huelga *f* de no comprar. ~하다 boicotear, hacer el boicoteo, coalizarse para no tener tratos con las mercancías. 수업을 ~ boicotear las clases.

보일락말락 viéndose difícilmente, casi no viéndose. ~하다 apenas verse, casi no verse, verse difícilmente.

보일러 caldera *f* (de vapor); [세탁소용] caldero *m* (para hervir ropa). ~공 fogonero, -ra *mf*; calderero, -ra *mf*. ~관 tubo *m* de caldera. ~실 sala *f* de calderas.

보자기(褓一) envoltura f, envoltorio m, paño m.

보잘것없다 (ser) insignificante, trivial, poco importante, sin importancia, fútil, baladí. 보잘것없는 것 [일] bagatela f, friolera f, fruslería f, futilidad f, (lo) baladí.

보장(保障) garantía f. ~하다 asegurar, garantizar. 인권을 ~하다 garantizar los derechos humanos.

보전(保全) integridad f, conservación f, preservación f, mantenimiento m. ~하다 guardar en integridad. ~에 노력하다 procurar la integridad.

보조(步調) paso m. ~를 맞추다 llevar el (mismo) paso, llevar el paso de otro, tomar paso, mantener el paso, ejecutar concierto, ajustar el paso (al de uno).

보조(補助) auxilio m, ayuda f, apoyo, asistencia f, socorro m, sostén m, subsidio m. ~하다 asistir, ayudar, socorrer, auxiliar, conllevar, apoyar, sufragar, subvenir, subvencionar, prestar asistencia (económica). ~금 subsidio m, dinero m [subvención f] en ayuda. ~ 기관 órgano m subsidiario. ~ 기억 장치 memoria f auxiliar. ~ 날개 alerón m. ~ 동사 verbo m auxiliar. ~ 어간 raíz f complementaria. ~역 ayudante, -ta mf. ~원[인] ayudante, -ta mf. 화폐 moneda f subsidiaria [divisionaria], dinero m subsidiario.

보조개 hoyuelo m. ~가 생기다 formarse hoyuelos.

보족(補足) suplemento m, complemento m. ~하다 suplir, complementar, añadir.

보존(保存) conservación f, preservación f. ~하다 conservar, guardar. ~되다 conservarse.

보좌(補佐/輔佐) auxilio m, ayuda f, asistencia f, servicio m. ~하다 ayudar, asistir, coadyuvar, servir de coadyutor [de coadjutor]. ~관 funcionario m, -ria mf ayudante [auxiliar]; asistente mf; coadjutor, -tora mf; coadyutor, -tora mf; suplente mf; adjunto, -ta mf; consejero, -ra mf. ~인 auxiliar mf; ayudante mf; consejero, -ra mf.

보증(保證) fianza f, garantía f, caución f, aval m. ~하다 garantizar, garantir, asegurar, dar garantía. ~되다 garantizarse. ¶~ 계약 contrato m de garantía. ~금 caución f, fianza f, seña f, garantía f en dinero. ~ 기간 período m de garantía. ~부(附) garantizado, certificado. ~서 (documento m [certificado m] de) garantía

f, carta f de garantía. ~ 수표 cheque m certificado. ~인 fiador, -dora mf; garante m; garantizador, -dora mf; responsable mf.

보지 vulva f; ((은어)) coño m, concha f, ReD toto m.

보지(保持) mantenimiento m, conservación f, sostenimiento m, retención f. ~하다 mantener, retener, conservar, sostener.

보지(報知) información f, noticia f, aviso m, relación f, relato m, anuncio m, reporte m, parte f. ~하다 informar, relatar, contar.

보직(補職) nombramiento m a un puesto. ~되다 ser nombrado.

보채다 pedir, rogar, suplicar, implorar; [아이가] lloriquear.

보철(補綴) ① suplemento m, complemento m. ~하다 suplir, complementar. ② ((치과)) odontología f ortopédica, prótesis f dental.

보청기(補聽器) audífono m, trompetilla f acústica, aparato m auditivo, acusticón m.

보초(步哨) [임무] vigilancia f; [사람] centinela m; vigilante mf. ~를 서다 hacer centinela, colocarse de vigilancia; ~를 세우다 colocar centinelas, situar un soldado de vigilancia. ~ 중이다 estar de centinela, estar de vigilancia, estar de guardia. ¶~ 근무 deber m de centinela. ~ 근무 중이다 estar de guardia. ~막(幕) garita f, puesto m de guardia. ~망 red f de guardia. ~병 centinela m. ~선(線) línea f de guardia.

보충(補充) complemento m, suplemento m. ~하다 complementar, completar, rellenar, llenar, suplir, cubrir, rehenchir, llenar el blanco [el vacío·el espacio]. ~ 기록 adición f, addenda f, nota f adicional. ~대 conscripción f. ~ 문제 cuestión f suplementaria. ~병 reservista mf; [집합적] conscripto m reservado. ~ (병)역 servicio m de conscripto reservado. ~수업 lecciones fpl complementarias. ~ 질문 cuestión f suplementaria. ~ 학습 estudio m suplementario.

보컬 [모음(자)] vocal f. ~그룹 conjunto m vocal. ~ 뮤직 música f vocal.

보컬리스트 cantante mf; vocalista mf.

보크사이트 ((광물)) bauxita f.

보태다 ① [가산하다] añadir, adicionar, agregar; [합계하다] sumar. ② [보충하다] suplir, complementar, cumplir, suministrar, proveer, abastecer, surtir.

보탬 ① [벌충] complemento m, suplemento m. ② [도움] ayuda f,

asistencia f, auxilio m. ~이 되다 ayudar, auxiliar.

보통(普通) ① [예사로움] medianía f, lo ordinario, lo común. ~의 regular; [통상의] común, ordinario, corriente; [일반적인] general; [상용의] usual; [평균의] medio; [규격의] normal; [평범한] mediano, mediocre, adocenado, común y corriente. ② [부사적] generalmente, en general, en lo general, por lo general, ordinariamente. 저녁밥은 ~ 10시다 La cena es ordinariamente a las diez. ¶~내기 hombre m común, persona f ordinaria, (hombre m) mediocre m. ~ 명사 nombre m común. ~ 선거 sufragio m universal. ~주 acciones fpl comunes [ordinarias].

보퉁이(褓－) bulto m, paquete m; [상품의] fardo m, bala f.

보트 barco m, embarcación f, [작은] bote m, barca f; [런치] lancha f; [경주용] canoa f de carrera; [조정경기용] remo m. ~ 경기 regata f; [모터 보트의] carrera f de motoras. ~ 경기 선수 campeón m de regata.

보편(普遍) universalidad f, generalidad f, difusión f, esparcimiento m. ~ 개념 concepto m universal, universales mpl. ~론 universalismo m. ~성 universalidad f, generalidad f, totalidad f. ~적 universal, general. ~ 타당성 validez f universal.

보폭(步幅) anchura f de paso, zancada f, tranco m, paso m largo.

보푸라기 una pelusa.

보풀 lanilla f, pelusa f, pelusilla f.

보풀다 soltar pelusa.

보풀리다 ser soltado pelusa.

보필(輔弼) asistencia f, ayuda f. ~하다 asistir, ayudar.

보하다(補－) reforzar, fortalecer, fortificar. 몸을 ~ reforzar el cuerpo.

보합(保合) firmeza f, estabilidad f, constancia f. ~하다 hacer el balance, permanecer estable, permanecer sin cambio. 시세는 ~상태이다 Los precios son estables.

보행(步行) el andar. ~하다 andar, caminar. ~객 transeúnte mf. ~기 andador m. ~ 연습 práctica f de andar. ~ 위반 infracción f de tráfico [tránsito] por el peatón. ~인[자] peatón m, -tona mf, peón m, transeúnte mf. ~자 우선 prioridad f a los peatones; ((게시)) Ceda a peatones.

보험(保險) seguro m. ~에 들다 asegurarse, hacer [efectuar] el seguro. 화재 ~을 들다 asegurar contra incendios. ¶~ 가격[가액] valor m asegurado. ~ 계리인 actuario m de seguros. ~ 계약 contrato m de seguros. ~ 계약자 asegurado, -da mf. ~ 계좌 cuenta f asegurada. ~금 cantidad f asegurada. ~금 수취인 beneficiario, -ria mf. ~ 기간 período m de seguro. ~ 단체 organización f de seguros. ~ 대리인 agente mf de seguros; corredor, -dora mf de seguros. ~ 대리점 agencia f de seguros. ~료 prima f de (seguro). ~ 보상 cobertura f del seguro. ~ 보상 범위 cobertura f del seguro. ~(附) asegurado. ~ 보험 불입 pago m del seguro. ~ 비용 cargo m del seguro. ~ 사고 accidente m del seguro. ~ 사기 fraude m de seguros. ~ 사업 negocio m del seguro. ~ 설계사 agente mf de seguros; corredor, -dora mf de seguros. ~ 수익[수입] ingresos mpl de seguros. ~ 시장 mercado m de seguros. ~ 신고서 declaración f de siniestro. ~ 약관 cláusula f de seguros. ~업 actividad f aseguradora, sector m de seguros. ~업자 asegurador, -dora mf. ~율 tipo m [tasa f] de seguro. ~의(醫) médico, -ca mf del seguro. ~자 asegurador, -dora mf. ~ 자산 propiedad f del seguro. ~ 중개 correduría f de seguros. ~ 중개업 correduría f de seguros. ~ 증권 póliza f (de seguro). ~ 증명서 certificado m de seguros. ~ 증서 póliza f (de seguro). ~ 해약 cancelación f del contrato de seguro. ~ 회사 compañía f de seguros, AmL aseguradora f.

보헤미아 (지명) Bohemia f. ~ 사람 bohemio, -mia mf; bohemo, -ma mf; bohemiano, -na mf.

보헤미안 ① [집시] gitano, -na mf. ② [방랑자] bohemio, -mia mf; bohemiano, -na mf.

보호(保護) protección f, amparo m, abrigo m. ~하다 proteger, amparar, abrigar, prestar [dar] protección [amparo]. ~국 ㉮ [보호받는 나라] país m protegido (bajo la tutela de otro). ㉯ [보호하는 나라] país m protector. ~ 무역 comercio m protegido. ~ 무역 제도 sistema m proteccionista. ~새 [조] el ave f protegida. ~색 color m protector. ~자 ㉮ protector, -tora mf; [후견인] tutor, -tora mf. ㉯ [미성년자에 대하여 친권을 행사할 수 있는 사람] padres mpl. ~ 정책[정치] política f protectora. ~ 조약 tratado m de protectorado. ~ 조치 medida f protectora. ~주의 proteccionismo m. ~ 주의자 proteccionista mf. ~ 지역 reserva f, reservación f.

보화(寶貨) tesoro m, cosas fpl preciosas.

복(어류) pez-globo m; [서인도산의] orbe m. ~에 중독되다 envenenarse por un pez-globo.

복(伏) ① ((준말)) =복날. ② [초·중·말복] días mpl del perro.

복(服) ① ((준말)) =복제(服制). ② =상복(喪服). ¶~을 벗다 terminar ponerse la vestimenta de luta. ~을 입다 llevar luta, ponerse la luta.

복(福) dicha f, (buena) fortuna f, felicidad f, suerte f. ~된 feliz, dichoso. 새해에 ~ 많이 받으십시오 ¡Próspero Año Nuevo! / ¡Feliz Año Nuevo! ¶~되다 (ser) feliz, bienaventurado, dichoso, bendito. ~스럽다 (ser) mofletudo; ((성경)) (ser) bienaventurado, feliz. ~스러운 여자 mujer f mofletuda. ~스러운 얼굴을 하고 있다 tener una cara regordeta y alegre.

복간(復刊) reimpresión f, republicación f. ~하다 reimprimir, republicar.

복강(腹腔) ((해부)) cavidad f abdominal. ~의 abdominal, celiaco, celíaco.

복개(覆蓋) =뚜껑. 덮개.

복고(復古) ① [옛날 형식으로 도로 돌아감] restauración f. ② [손실 회복] recuperación f de la pérdida. ~하다 recobrar la pérdida.

복교(復校) revuelta f a la escuela. ~하다 volver a la escuela.

복구(復舊) restauración f, restitución f, rehabilitación f; [재건] restablecimiento m, recuperación f. ~하다 restaurar, restituir, recuperar, reactivar, restablecer.

복권(復權) rehabilitación f. ~하다 rehabilitar. ~되다 rehabilitarse.

복권(福券) lotería f, lotto ital.m. ~을 사다 echar [jugar] a la lotería, comprar billetes de lotería. ~에 당첨되다 caer [tocar] la lotería. ¶~ 판매소 lotería f. ~ 판매인 lotero, -ra mf.

복귀(復歸) vuelta f, retorno m. ~하다 restaurar(se), volver. 직장에 ~하다 volver a desempeñar sus funciones, volver a ocupar su puesto.

복날(伏−) día m más caluroso del verano, día m del perro.

복당(復黨) reintegro m en el partido, vuelta f al partido. ~하다 reintegrarse en el partido, volver al partido.

복대(腹帶) ① [임산부의] ventrera f [faja f] de maternidad. ② [말의] cincha f.

복대기다 hacer un ruido, bullir.

복덕(福德) ① [타고난 복과 후한 마음] buena fortuna f y generosidad de nacimiento. ② [타고난 행복] felicidad f natural [de nacimiento].

복덕방(福德房) agencia f inmobiliaria, agencia f de inmuebles, (agente m de la propiedad) inmobiliaria f.

복도(複道) corredor m, pasillo m; [두 건물을 잇는] galería f.

복리(福利) bienestar m y utilidad, prosperidad f, buenandanza f.

복리(複利) interés m compuesto.

복막(腹膜) ((해부)) peritoneo m. ~의 peritoneal. ~ 성형술 periplástica f. ~염 peritonitis f. ~ 임신 embarazo m abdominal.

복면(覆面) máscara f, antifaz m; [변장] disfraz m. ~하다 enmascarse, velarse, cubrirse la cara, embozarse. ~ 강도 bandido m embozado.

복모음(複母音) diptongo m.

복무(服務) servicio m obligatorio [público], deber m. ~하다 servir. ~중이다 estar en servicio (público). ¶~ 규정 reglamento m del servicio obligatorio. ~ 기간 período m del servicio (obligatorio). ~ 시간 horas fpl de trabajo [de servicio]. ~ 연한 término m del servicio público, término m de oficio.

복문(複文) ((언어)) oración f compuesta [compleja·complexa].

복받치다 ① [속이나 밑에서] brotar, manar, agolpársele, llenarse. ② [감정이] llenarse. 슬픔이 ~ llenarse de tristeza.

복병(伏兵) ((군사)) emboscada f. ~하다 emboscarse.

복본위(複本位) ((경제)) =복본위제. ¶~제 bimetalismo m.

복부(腹部) región f abdominal, abdomen m, vientre m, barriga f. ~의 abdominal. ~ 수술 operación f abdominal. ~ 염증 celitis f, coelitis f. ~ 임신 embarazo m abdominal.

복부인(福夫人) el ama f (pl las amas) de casa rica [adinerada].

복사(複寫) reproducción f, copia f. ~하다 copiar, reproducir, calcar, hacer una copia. 원고를 ~하다 copiar un manuscrito. ~기 fotocopiadora f, duplicador m, prensa f de copia. ~대(臺) tabla f de copia. ~ 사진 fotocopia f. ~ 사진기 fotocopiadora f. ~(용) 잉크

tinta *f* para copiar. ~용 카메라 cámara *f* de reproducción. ~지 papel *m* carbón, papel *m* de [para] copiar. ~판(版) ⑦ =복사기. ④ [복사해낸 서책 따위] libro *m* de copia.

복사(輻射) ((물리)) radiación *f*. ~하다 radiar.

복사뼈 (hueso *m* de) tobillo *m*, astrágalo *m*, taba *f*.

복색(服色) ① [옷의 꾸밈새] estilo *m* de ropas. ② [옷 빛깔] color *m* de ropas.

복서 boxeador, -dora *mf*; púgil *mf*.

복선(伏線) insinuación *f* del desarrollo ulterior, trama *f* secreta. ~을 펴다 insinuar el desarrollo ulterior, hacer una insinuación del desarrollo ulterior.

복선(複線) vía *f* [línea *f*] doble. ~궤도 riel *m* doble. ~ 철도 ferrocarril *m* doble.

복수(復讎/復讐) venganza *f*, represalias *fpl*, desquite *m*, revancha *f*. ~하다 […의] vengar a *uno*, vindicar a *uno*, vengarse de *uno*; […에] vengarse de [en] *uno*, tomar venganza en *uno*. ~심 espíritu *m* vengativo, espíritu *m* de venganza. ~심에 불타다 arder en espíritu de venganza. ~자 vengador, -dora *mf*. ~전 revancha *f*.

복수(複數) ① [둘 이상의 수] número *m* de más de dos. ~의 unos, varios, algunos; [여권·비자 등의] múltiple. ② ((언어)) plural *m*. ~의 plural. ~로 하다 pluralizar. ~로 사용되다 usarse en plural. ¶ ~ 명사 substantivo *m* [nombre *m*] plural. ~ 여권 pasaporte *m* múltiple. ~형 plural *m*.

복숭아 melocotón *m*, durazno *m*, durazilla *f*. ~꽃 flor *f* de melocotonero. ~밭 melocotonar *m*.

복숭아나무 ((식물)) melocotonero *m*, melocotón *m*, duraznero *m*.

복슬복슬 lanudamente, velludamente, peludamente, hirsutamente. ~하다 (ser) lanudo, velludo, peludo, hirsuto.

복습(復習) repaso *m*; [연극 따위의] ensayo *m*. ~하다 repasar, repetir la lección, ensayar.

복식(服飾) vestido *m* y *sus* adornos. ~ 디자이너 modista *mf*. ~품 adorno *m*, ornato *m*. ~ 학교 escuela *f* de costurería.

복식(複式) ① [이중 또는 그 이상의 로 된 방식] dobles *mpl*, expresión *f* compuesta. ② ((준말)) =복식 부기. ¶ ~ 경기 [테니스 따위의] (juego *m* de) dobles *mpl*. ~ 부기 partida *f* doble.

복식 호흡(腹式呼吸) respiración *f*

abdominal, ejercicio *m* de respiración profunda. ~법 arte *m* de respiración abdominal.

복싱 boxeo *m*. ~ 글러브 guantes *mpl* de boxeo. ~ 링 cuadrilátero *m*, ring *ing.m.* ~ 선수 boxeador, -dora *mf*; púgil *mf*.

복안(腹案) idea *f*, plan *m*. ~이 있다 tener un plan en la cabeza.

복약(服藥) toma *f* de medicina. ~하다 tomar medicina. ~시키다 administrar la medicina.

복어(一魚) ((어류)) =복.

복역(服役) prestación *f* de servicio. ~하다 cumplir *su* condena [la sentencia]. 교도소에서 ~중이다 estar en prisión cumpliendo *su* condena.

복용(服用) toma *f* de medicina [de medicamento]. ~하다 tomar medicina. 매식후 두 알 ~ Dos pastillas después de cada comida. 아침 식사 후 한 알 ~ Una pastilla después de desayunar. ¶ ~량 dosis *f*, dosificación *f*. ~량을 정하다 dosificar.

복원(復元) restitución *f*; [재건] reconstrucción *f*; [수복] restauración *f*, reparación *f*. ~하다 restituir, reconstruir, reparar. ~공사 obra *f* de restauración. ~력 poder *m* de estabilidad, fuerza *f* de restitución.

복원(復員) desmovilización *f*. ~하다 desmovilizar. ~되다 ser desmovilizado. ~령 orden *f* de desmovilización. ~병(兵) soldado *m* desmovilizado.

복음(福音) ① [기쁜 소식] buena noticia *f*, noticia *f* bendita [alegre]. ② ((천주교·기독교)) evangelio *m*, divina merced *f*. ~을 전하다 predicar evangelio, evangelizar. ~의 전도 evangelización *f*. ~의 포교자 evangelizador, -dora *mf*. ~의 전도자 evangelista *m*. ¶ ~ 교회 Iglesia *f* Evangélica. ~서 ((천주교·기독교)) evangelio *m*. ~ 전도 evangelización *f*, evangelismo *m*, misión *f*; [설교] sermón *m* evangélico; [전도 사업] obra *f* evangélica. ~ 전도자 evangelista *mf*; evangelizador, -dora *mf*; misionero, -ra *mf*.

복자음(複子音) ((언어)) consonantes *fpl* compuestas.

복작거리다 (estar) repleto, lleno, atestado, concurrido, de bote en bote.

복잡(複雜) complicación *f*. ~하다 (ser) complejo, complicado, intrincado, enredado, embrollado, confundido, confuso.

복장(腹部)) centro *m* del corazón.

복장(服裝) traje *m*, vestido *m*, ropa

f, prenda *f* de vestir.
복쟁이 ((어류)) orbe *m*.
복적(復籍) vuelta *f* a registrar en *su* familia de origen; [여자의] vuelta *f* a tomar el nombre de antes de casarse. ~하다 [실가(實家)에] volverse a registrar en *su* familia de origen; [여자가] volver a tomar el nombre de antes de casarse.
복제(複製) ① [세포나 유전자나 식물의] clon *m*, clonaje *m*, clonación *f*. ~하다 clonar. ~의 clónico. ~ 남아(男兒) bebé *m* clónico. ~ 인간 hombre *m* clónico. 인간 ~ clon *m* [clonaje *f*] humano, clonación *f* humana. ② [원저작물의] reproducción *f*, copia *f*. ~하다 reproducir, copiar. ~(를) 불허(함) ((게시)) Reservados todos los derechos / Queda prohibida la reproducción. ¶~물 objeto *m* reproducido. ~ 사진 fotocopia *f*. ~판 edición *f* reproducida. ~품 reproducción *f*, duplicado *m*, copia *f*, réplica *f*. ~화(畵) pintura *f* reproducida.
복종(服從) obediencia *f*, sumisión *f*, obedecimiento *m*. ~하다 obedecer, someterse. ~시키다 hacer obedecer. ~심 obediencia *f*, sumisión *f*, espíritu *m* sumiso.
복죄(服罪) confesión *f* de delito, reconocimiento *m* de delito. ~하다 confesar *su* delincuencia, someterse a una sentencia.
복주머니(福-) bolsa *f* afortunada.
복중(伏中) pleno verano *m*. ~에 durante el pleno verano.
복중(服中) (durante) luto *m*. ~이다 estar de luto.
복중(腹中) = 뱃속.
복지(服地) ((준말)) = 양복지.
복지(福祉) bienestar *m* (público), bienestar *m* social. 국민 ~를 개선하려고 노력하다 esforzarse por mejorar el bienestar social (del pueblo). ¶~ 국가 estado *m* benefactor, estado *m* de(l) bienestar. ~ 비용 gastos *mpl* sociales. ~ 사업 obras *fpl* sociales. ~ 사회 sociedad *f* de bienestar. ~ 시설 establecimiento *m* de asistencia social. ~ 연금 pensión *f* de bienestar (social).
복직(復職) reposición *f*, rehabilitación *f*. ~하다 volver a *su* antiguo oficio, reasumir *su* antiguo puesto; [사면 후의] rehabilitar en un puesto. ~시키다 rehabilitar [reponer] a *uno* (en un puesto).
복찜 orbe *m* cocido al vapor bien sazonado.
복창(復唱) recital *m*, repetición *f*, ensayo *m*. ~하다 recitar, repetir,

ensayar. 명령을 ~하다 repetir la orden.
복채(卜債) pago *m* del adivino.
복통(腹痛) [배앓이] dolor *m* de estómago [de vientre·de abdomen·de barriga]. ~이 일어나다, ~이다 tener dolor de estómago, doler*le* el estómago.
복판 ① [한가운데] centro *m*. ② [소의 갈비에 붙은 살] carne *f* de vaca de junto a las costillas.
복표(福票) = 복권(福券).
복학(復學) reintegración *f*. ~하다 volver a la escuela; [병 등의 뒤에] volver a clase, tomar clases de nuevo. ~되다 ser reintegrado.
복합(複合) combinación *f*. ~하다 combinar(se). ~의 combinado, compuesto. ~ 개념 concepto *m* complejo. ~ 경기 (composición *f*) combinada *f*, combinada *f* de descenso y habilidad, combinada *f* alpina; ((스키)) pruebas *fpl* mixtas. ~ 명사 sustantivo *m* [nombre *m*] compuesto. ~ 비타민 vitamina *f* compleja. ~ 사회 sociedad *f* mixta. ~어 palabra *f* compuesta. ~체(體) (cuerpo *m*) complejo *m*. ~핵(核) núcleo *m* compuesto.
볶다 ① [기름이나 불에] tostar, asar, agostar, quemar; [프라이팬에] freír. ② [들볶다] molestar, cansar, importunar, plagar, apestar, acosar, hostigar, enojar, enfadar, incomodar, irritar. 날 볶지 마라 No me molestes.
볶음밥 *bokeumbab*, arroz *m* a tostado, arroz *m* frito.
볶이다 tostarse, asarse, freírse.
본[1](本) ① [모범] ejemplo *m*, modelo *m*. ② =본보기. ③ [형지(型紙)] patrón *m* (de papel), molde *m*, modelo *m*; [염색의] estarcido *m*, dibujo *m* picado (para estarcir). 옷의 ~ patrón *m* de un vestido. ④ ((준말)) =본관(本貫).
본[2](本) [영화 필름을 세는 단위] rollo *m*. 필름 두 ~ dos rollos de película.
본[3](本) este, esta, estos, estas. ~ 회사 esta compañía, esta firma. ~ 대학교 esta universidad.
본-[4](本) [이] este, esta, estos, estas; [그] el mismo, la misma, los mismos, las mismas; [현재의] presente, corriente; [당면의] en cuestión, en disputa. ~관계자 interesado, -da *mf*. ② [주된] principal, matriz. ~가(家) casa *f* matriz, casa *f* principal. ③ [진짜의] verdadero, auténtico; [정식의] regular, normal; [전적인] plenario. ~회의 sesión *f* plenaria. ④ [기술의] ya citado, ya mencionado,

susodicho, ya dicho, sobredicho.

본가(本家) ① [본디의 집] casa *f* principal [matriz]. ② =친정. ③ ((건축)) =원채.

본값(本-) precio *m* de coste, *AmL* precio *m* de costo.

본거(本據) sede *f*, base *f*, centro *m*.

본거지(本據地) =본거(本據).

본건(本件) este asunto, el caso en cuestión.

본건물(本建物) edificio *m* principal.

본격(本格) ① [근본이 되는 격식] regla *f* fundamental. ② [본식(本式)] formalidad *f*, modo *m* regular, estilo *m* regular. ¶ ~적 serio, regular, real. ~적으로 seriamente, a toda escala, metódicamente, en plena escala. ~적인 연구 estudio *m* serio.

본계약(本契約) contrato *m* formal.

본고장(本-) ① [본바닥] tierra *f*, centro *m*, centro *m* productivo, sitio *m* [lugar *m*] nativo, lugar *m* de origen. ② =본고향(本故鄕).

본고향(本故鄕) suelo *m* nativo [natal], tierra *f* nativa [natal], pueblo *m* natal, su tierra.

본과(本科) ① [정규의] curso *m* regular. ② [이 과] este curso, este departamento. ¶ ~생 estudiante *mf* del curso.

본관(本官) [관리의 자칭] yo.

본관(本貫) origen *m* de familia, lugar *m* de origen.

본관(本管) cañería *f* principal.

본관(本館) ① [별관이나 분관에 대해] edificio *m* principal. ② [이 관] este edificio (집), este restaurante (요정).

본교(本校) ① [타교에 대해] esta escuela, nuestra escuela. ② [분교에 대해] escuela *f* principal. ¶ ~생 estudiante *mf* de la escuela principal.

본국(本局) ① [분국이나 지국에 대해] oficina *f* principal. ② [한 지역의 중심 전화국] central *f*. ~ 201번 la central número doscientos uno. ③ [이 국] esta oficina.

본국(本國) ① [자국] su país, su país nativo, su patria. ② [식민지에 대해] metrópoli *f*. ③ [이 나라] este país. ¶ ~법 ley *f* del domicilio. ~ 송환 repatriación *f*.

본급(本給) sueldo *m* base [básico].

본남편(本男便) esposo *m* [marido *m*] real, esposo *m* [marido *m*] legítimo; [전 남편] exmarido *m*; [첫 남편] primer esposo *m* [marido *m*].

본능(本能) instinto *m*. ~에 따라 행동하다 obrar según el instinto, actuar tal como manda el instinto. ¶ ~적 instintivo. ~적으로 instintivamente, por instinto, *Urg*

por instintivo. ~적인 것[일] lo instintivo, instintividad *f*. ~적으로 만족시키다 satisfacer el instinto.

본당(本堂) ① ((불교)) capilla *f* principal del templo budista. ② ((천주교)) catedral *f* principal.

본대(本隊) ① [본부의 군대] cuerpo *m* principal. ② [자기의 소속 부대] nuestro cuerpo.

본댁(本宅) ① [본집] casa *f* [residencia *f*] principal. ② ((준말)) =본댁네.

본댁네(本宅-) esposa *f* legal.

본데 buenos modales *mpl*, buena educación *f*, disciplina *f*, experiencia *f*. ~없다 no tener modales, no tener experiencia. ~ 있다 tener buenos modales, tener experiencia.

본듯이 como ve [mira].

본등기(本登記) registro *m* principal.

본디(本-) originalmente, originariamente, desde el principio, fundamentalmente, esencialmente.

본때(本-) ① [본보기] modelo *m*, ejemplo *m*. ~ 없다 (ser) poco atractivo. ~를 보이다 mostrar el ejemplo. ② [교훈. 징벌] lección *f*.

본뜻(本-) propósito *m* original, motivo *m* verdadero; [진의] verdadera intención *f*.

본래(本來) [원래] originalmente; [본질적으로] esencialmente; [태어날 때부터] naturalmente, por naturaleza. ~의 original, natural.

본론(本論) [주제] tema *m* (principal), sujeto *m*; [서론에 대해] materia *f*; [의론(議論)의] argumento *m* principal. ~에 들어가다 entrar en materia, ir al caso [al grano]; [핵심에] entrar en el meollo del tema, tratar del tema principal.

본루(本壘) ① [본거] base *f*, fortaleza *f* mayor. ② ((야구)) puesto *m* de bateador, base *f* [puesto *m*] meta.

본마누라(本-) mi (primer) esposa *f*.

본마음(本-) verdadera intención *f*.

본명(本名) ① [본이름] nombre *m* verdadero [real]. ② ((천주교)) =교명(教名). 세례명(洗禮名).

본무대(本舞臺) escena *f* principal.

본문(本文) texto *m*, cuerpo *m*. ~의 textual, de textos.

본바닥(本-) ① [본디부터 살고 있는 곳] lugar *m* [sitio *m*] nativo, lugar *m* de origen. ~ 사람 nativo, -va *mf*; indígena *mf*. ② [어떤 물건이 본디부터 산출되는 곳] centro *m* productivo. ③ [근본이 되는 바닥] base *f*.

본바탕(本-) [본질] esencia *f*, substancia *f*, calidad *f* esencial; [밑바탕] base *f*, fundamento *m*.

본보기(本-) ① [모범] ejemplo *m*, modelo *m*. ~로 como ejemplo. ~가 될 만한 행실(行實) conducta *f* ejemplar. ~를 보이다 dar ejemplo. ② [견본] muestra *f*, muestrario *m*, espécimen *m*.

본봉(本俸) sueldo *m* base.

본부(本部) sede *f*, oficina *f* principal, central *f*. [사령부] cuartel *m* general. ~ 대대 batallón *m* del cuartel general. ~ 사령 comandante *m* del cuartel general.

본분(本分) deber *m*, obligación *f*. ~을 다하다 cumplir (con) *su* obligación. 학생의 ~ deberes *mpl* de estudiante.

본사(本社) ① [회사의 본부] oficina *f* central [principal], casa *f* matriz. ② [이 회사] esta compañía, nuestra compañía, nosotros.

본산(本山) ((불교)) [본사] templo *m* (budista) principal (de una secta budista). ② [이 절] este templo (budista).

본색(本色) ① [본디의 특색] característica *f* original. ② [정체] carácter *m* originario, cualidad *f* originaria. ③ [빛깔] color *m* original.

본서(本書) ① [부본(副本)에 대해] texto *m*. ② [사본에 대해] manuscrito *m*. ③ [이 책] este libro.

본서(本署) oficina *f* central (de policía).

본선(本船) ① [선단 따위에서, 중심이 되는 배] barco *m* principal. ② [자기가 타고 있는] 이 배] este barco. ¶ ~ 인도 franco a bordo, f.a.b.

본선(本線) línea *f* principal.

본성(本姓) ① [원래의 성] apellido *m* real. ② [여성이 결혼하기 전의 성] apellido *m* de soltera.

본성(本性) natural *m*, naturaleza *f*, carácter *m* innato [nato・verdadero]. ~을 나타내다 descubrir [revelar] *su* natural [*su* verdadero carácter], dejar ver *su* verdadero carácter, quitarse la máscara.

본승만승하다 ojear, echar*le* [dar*le*] un vistazo, echar*le* [dar*le*] una ojeada. 보고서를 ~ echar [dar] un vistazo al informe.

본시(本是) =본래(本來).

본시험(本試驗) examen *m* final.

본실(本室) esposa *f* legítima.

본심(本心) verdadera intención *f*. ~을 밝히다 abrir *su* pecho, franquearse. ~으로 돌아가다 volver a *su* rectitud de voluntad, llegar a *su* juicio.

본안(本案) ① [원안] proyecto *m* original. ② [이 안] este proyecto de ley, esta propuesta.

본업(本業) negocio *m* principal. ~

이외의 일 negocio *m* extraordinario [temporal].

본연(本然) manera *f* de ser. ~의 natural, innato, ingénito.

본영(本影) sombra *f*.

본영(本營) cuartel *m* general.

본원(本院) ① [분원에 대해] instituto *m* principal; [병원] hospital *m* principal. ② [이 원] este instituto; [이 병원] este hospital.

본원(本源) causa *f*, origen *m*, procedencia *f*, fuente *f*, raíz *f*.

본월(本月) este mes, mes *m* corriente, presente mes *m*, mes *m* en curso.

본위(本位) ① [중심] norma *f*, base *f*, fundamento *m*, marco *m*. 자기 ~의 사람 egoísta *mf*, persona *f* egoísta. ② [화폐 제도의 기본] talón *m*. ~ 화폐 talón *m*, unidad *f* monetaria. ¶ ~ 기호 ((음악)) becuadro *m*. ~ 제도 patrón *m*.

본유(本有) lo innato, lo connatural. ~ 관념 ideas *fpl* innatas.

본의(本意) propósito *m* original, motivo *m* verdadero; [진의] verdadera intención *f*. ~ 아니게 contra *su* voluntad [*su* intención・*su* deseo], de mala gana, a pesar *suyo*, con repugnancia, en contra de *sus* deseos.

본인(本人) ① [이야기하는 사람이 자기 스스로를 가리키는 말] yo. ② [장본인] uno mismo, una misma; sujeto *m*, persona *f* en cuestión. ~ 스스로 personalmente, en persona. ~ 스스로 쓰다 escribir de *su* propia mano [de *su* puño y letra].

본적(本籍) ① =본적지(本籍地). [원적] domicilio *m* permanente, domicilio *m* legal.

본적지(本籍地) lugar *m* de registro [de domicilio permanente.

본전(本殿) santuario *m* principal, santuario *m* central.

본전(本錢) ① [원금] principal *m*. ~에 팔다 vender al coste. ② [밑천] capital *m*, fondo *m*.

본점(本店) ① [지점에 대해] central *f*, oficina *f* principal, casa *f* matriz, sede *f*. ② [이 상점] esta tienda, esta oficina, esta sucursal.

본직(本職) verdadera profesión *f*, profesión *f* [ocupación *f*] principal. ~인 요리사 cocinero, -ra *mf* de profesión.

본진(本陣) =본영(本營).

본질(本質) esencia *f*, substancia *f*. 민주주의의 ~ esencia *f* de la democracia. 물건의 ~을 파악하다 captar la esencia de una cosa. ¶ ~적 esencial; [근본적] fundamental; [내재적] intrínseco.

본처(本妻) esposa *f* legítima.

본청(本廳) oficina *f* central.
본체(本體) ① [사물의 정체] substancia *f*. ② [철학] =본바탕. ③ ((철학)) substancia *f*, entidad *f*.
본체론(本體論) ontología *f*. ~자, 는 철학자 ontólogo, -ga *mf*.
본체만체하다 hacer la vista gorda, fingir no ver.
본초(本草) ① [한약재] hierbas *fpl* [plantas *fpl*] medicinales; [한약학] medicina *f* herbaria. ~를 채집하다 herborizar, recoger plantas medicinales. ② ((준말)) =본초학. ¶~학 fitología *f*, botánica *f*.
본초자오선(本初子午線) primer meridiano *m*.
본토(本土) continente *m* excluyendo sus islas, tierra *f* firme. 서반아 ~에서 en la península, en la España peninsular. ¶~박이[인] nativo, -va *mf*, indígena *mf*.
본회(本會) ① ((준말)) =본회의. ② [이 회] esta asamblea.
본회담(本會談) conferencia *f* principal.
본회의(本會議) sesión *f* plenaria, asamblea *f* general.
볼¹ [빰의 한복판이 되는 부분] mejilla *f*. ~이 홀쭉한 사람 persona *f* con mejillas hundidas.
볼² ① [좁고 기름한 물건의 폭] anchura *f*, ancho *m*. ~이 넓다 [좁다] ser ancho [estrecho]. ② [버선의] remiendo *m*. 버선에 ~을 대다 poner un remiendo en los calcetines coreanos.
볼³ ① [야구·테니스의] pelota *f*, [골프의] bola *f*; [탁구의] pelotilla *f* (de celuloide); [농구·럭비·축구의] balón *m*, *AmL* pelota *f*; [당구] bola *f*. 낮은 ~ pelota *f* [bola *f*] baja. 빠른 ~ pelota *f* [bola *f*] rápida. 쉬운 ~ pelota *f* [bola *f*] fácil. 농구 ~ pelota *f* de baloncesto. ② ((야구)) [스트라이크 아닌 투구] ball *ing.m*.
볼가심 bocado *m* (de comida), un poco. ~하다 comer un poco. ~할 것도 없다 no tener algo que comer. 생쥐 ~할 것도 없다 estar en la miseria no tener una miga.
볼기 ① [둔부] cadera *f*, culo *m*, trasero *m*, nalgas *fpl*. ~를 까고 a culo pajarero. ② ((준말)) =볼기긴살. ③ ((속어)) =태형(笞刑).
볼기긴살 filete *m* de cadera.
볼꼴 aspecto *m*, aire *m*. ~사납다 (ser) feo, antiestético, impropio. ~사납게 굴지 마라 No te portes vergonzosamente.
볼레로 bolero *m*.
볼록거울 espejo *m* convexo.
볼록 렌즈(－lens) lente *f* convexa.
볼록면(－面) superficie *f* convexa.
볼륨 ① [몸의] volumen *m*. ② [컨테

이너의] capacidad *f*. ③ [양] cantidad *f*, volumen *m*. ~ 있는 voluminoso, copioso, abundante. ~ 있는 식사 comida *f* copiosa [abundante]; [내용이 풍부한] comida *f* su(b)stanciosa. ④ [비지니스의] volumen *m*. ⑤ [소리의] volumen *m*. ~ 있는 potente. ~을 올리다 subir el volumen. ~을 내리다 bajar el volumen. ⑥ [책. 서적] tomo *m*, volumen *m*.
볼리비아 ((지명)) Bolivia. ~의 (사람) boliviano, -na *mf*.
볼링 bolos *mpl*, bowling *ing.m*. ~을 하다 jugar a los bolos. ¶~ 볼 bola *f*. ~ 선수 jugador, -dora *mf*. ~장 bolera *f*, bowling *ing.m*.
볼만하다 valer [merecer] la pena (de) ver. 경주는 가 볼만한 곳이다 Gyeongchu es el lugar que vale la pena (de) visitar.
볼메다 mostrarse malhumorado, poner morros, poner mala cara. 볼메 있다 estar de [con] morros.
볼멘소리 voz *f* malhumorada.
볼모 prenda *f*, rehén *m*. 사랑의 ~로서 como prenda de *su* amor, en señal de *su* amor. ~(를) 잡다 tomar [tener] a uno como rehén. ~ 잡히다 ser tomado como rehén.
볼세비즘 ① [볼셰비키주의] bolchevismo *m*. ② [과격주의] extremismo *m*, radicalismo *m*; [과격 혁명 운동] movimiento *m* revolucionario radical.
볼세비키 bolchevista *mf*, bolchevique *mf*.
볼썽 aparición *f* exterior, apariencia *f* exterior. ~(이) 사납다 (ser) desgarbado, impropio, indecoroso.
볼우물 =보조개.
볼일 negocio *m*, asunto *m*; [심부름] recado *m*. 급한 ~로 por un asunto urgente.
볼트¹ ((기계)) [나사못] perno *m*. ~로 고정시키다 apretar [fijar] mediante los pernos.
볼트² ((물리)) voltio *m*, voltaje *m*. ~미터 voltímetro *m*.
볼펜 bolígrafo *m*, *Col* esfero(gráfico) *m*, *Méj* luma *f* atómica, *RPl* birome *f*, *Chi* lápiz *m* de pasta.
볼품 aparición *f*, apariencia *f*. ~이 있다 tener la buena apariencia. ~이 없다 tener la mala apariencia, (ser) impropio, indecoroso.
볼호령(－號令) alarido *m* de furia, rugido *m*, bramido *m*. ~하다 bramar, rugir, dar alaridos.
봄 ① [해의] primavera *f*. ~의 primaveral, de (la) primavera. ~에 en (la) primavera. ② [인생의 한창 때인 청춘기] primavera *f*.
봄갈이 labranza *f* primaveral, culti-

vo *m* del campo rimaveral. ~하
다 labrar en la primavera, cultivar el campo en la primavera.

봄날 día *m* primaveral, tiempo *m*
primaveral.

봄내 toda la primavera.

봄노래 canción *f* primaveral.

봄눈 nieve *f* primaveral.

봄바람 brisa *f* primaveral, céfiro *m*.

봄방학(一放學) vacaciones *fpl* de
primavera.

봄배추 col *f* [repollo *m*] primaveral.

봄베 bombillo *m*, botella *f*. 산소(酸
素)~ bombillo *m* del oxígeno.

봄비 lluvia *f* primaveral.

봄옷 vestido *m* primaveral.

봄잠 sueño *m* primaveral.

봄철 primavera *f*, estación *f* primaveral.

봄추위 frío *m* primaveral, tiempo *m*
frío en la primavera temprana..

봅슬레이 bobsleigh *m*.

봇둑(洑一) dique *m*; [댐] presa *f*.

봇물(洑一) el agua *f* en el dique.

봇일(洑一) obra *f* del embalse de
irrigación.

봇짐(洑一) lío *m*, fardo *m*. ~ 장수
vendedor, -dora *mf* ambulante. ~
장사 comercio *m* ambulante.

봉(峯) ((준말)) =산봉우리.

봉(鳳) ((준말)) =봉황(鳳凰). ②
[봉황의 수컷] fénix *m* macho. ③
[어리숙한 사람] víctima *f* fácil;
inocentón, -tona *mf*.

봉건(封建) [제도] feudalismo *m*,
sistema *m* feudal. ~ 군주 lord *m*
feudal. ~ 사상 idea *f* conservadora. ~ 사회 sociedad *f* feudal.
~ 시대 época *f* feudal. ~ 제도
feudalismo *m*.

봉급(俸給) sueldo *m*, salario *m*,
paga *f*. ~을 받다 cobrar sueldo.
~을 지불하다 pagar sueldo. ¶ ~
날 día *m* de sueldo [pagos]. ~
봉투 sobre *m* de sueldo. ~ 생활
vida *f* asalariada. ~ 생활자[쟁이]
asalariado, -da *mf*.

봉기(蜂起) levantamiento *m*, sublevación *f*, alzamiento *m*, insurrección *f*, rebelión *f*. ~하다 levantarse, sublevarse.

봉돌 plomada *f* de pescar, plomo *m*.

봉밀(蜂蜜) [꿀] miel *f* (de abejas).

봉변(逢變) ① [남에게 모욕을 당함]
insulto *m*, humillación *f*. ~하다
ser insultado, ser humillado. ②
[뜻밖의 변을 당함] percance *m*,
contratiempo *m*, mala suerte *f*,
desgracia *f*, desventura *f*. ~하다
sufrir la mala suerte, sufrir la
calamidad imprevista.

봉사(奉仕) ① [남을 섬김] servicio
m. ~하다 servir, prestar [hacer]
servicio. ② [국가나 사회 또는 남
을 우위해 일함] beneficiencia *f*,

beneficio *m*. ③ [물건을 싸게 팖]
venta *f* a precio barato [bajo·
reducido]. ¶ ~ 가격 precio *m* reducido [de descuento]. ~료 servicio *m*, propina *f*. ~자 servidor,
-dora *mf*; sirviente, -ta *mf*; criado, -da *mf*. ~ 정신 espíritu *m*
de servicio.

봉사(奉事) ① [소경] ciego, -ga *mf*.
② [웃어른을 섬김] servicio *m* al
superior. ~하다 servir, atender.

봉서(封書) carta *f* sellada.

봉선화(鳳仙花) ((식물)) nicaraguas
fpl, balsamina *f* (silvestre).

봉쇄(封鎖) bloqueo *m*, cierre *m*. ~
하다 bloquear. ~를 풀다 levantar
el bloqueo. 예금을 ~하다 blo-
quear depósitos. ¶ ~ 구역 zona *f*
de bloqueo. ~선 línea *f* de bloqueo. ~ 정책 política *f* de bloqueo. ~ 해제 desbloqueo *m*.

봉숭아 =봉선화(鳳仙花).

봉양(奉養) manutención *f*, ayuda *f*
(económica), apoyo *m* (económico). ~하다 mantener, sostener,
sustentar.

봉우리 ① ((준말)) =산봉우리. ②
[높은 수준] nivel *m* alto; [높은
단계] etapa *f* alta.

봉인(封印) sello *m*. ~하다 sellar.
~을 열다 desellar.

봉제(縫製) costura *f*, labores *fpl* de
aguja. ~하다 coser; *Bol*, *Méj*,
AmC costurar. ~공 costurero,
-ra *mf*. ~ 공장 taller *m* de costura. ~ 품 producto *m* cosido,
(género *m* de) costura *f*.

봉지(封紙) ① [종이 주머니] bolsa *f*
[saco *m*] de papel; *AmS* bolsillo;
ReD funda *f*. ② [봉지를 세는 단
위] bolsa *f*, saco *m*. 설탕 한 ~
una bolsa de azúcar. 땅콩 한 ~
una bolsita de cacahuete.

봉직(奉職) servicio *m* gubernamental. ~하다 tener un puesto, trabajar.

봉착(逢着) confrontación *f*, encuentro *m*. ~하다 topar, confrontarse,
caer, encontrarse. 난관에 ~하다
encontrarse con una dificultad.

봉창(封窓) ① [창문을 봉함] selladura *f* de la ventana; [봉한 창문]
ventana *f* sellada. ② [구멍창]
ventanita *f* tapiada.

봉창하다 ① [물건을 남몰래 모아서
감추어 두다] esconder, ocultar. ②
[손해본 것을 벌충하다] recuperar,
compensar.

봉투(封套) sobre *m*. ~를 열다 abrir
el sobre.

봉피(封皮) sobre *m*, cubierta *f*.

봉하다(封一) ① [열지 못하게] sellar, cerrar. 편지를 ~ sellar [ce-
rrar] una carta. ② [말을 하지 아
니하다] tapar la boca, imponer el

silencio, callarse.

봉함(封函) carta *f* sellada.

봉함(封緘) sello *m*. ~하다 sellar, cerrar. 편지의 ~을 열다 abrir [desellar] una carta. ¶~ 엽서 carta-tarjeta *f*. [항공용-] aerograma *m*.

봉합(封合) sutura *f*. ~하다 suturar.

봉합(縫合) sutura *f*, costura *f* de los bordes de una llaga, articulación *f* dentada de dos huesos. ~하다 suturar, hacer una sutura, coser. ~술 suturación *f*. ~침 aguja *f* para la sutura.

봉화(烽火) fuegos *mpl* artificiales, fuego *m* de señal, almenara *f*, hoguera *f*. ~대 faro *m* de fuego de señal. ~ㅅ불 fuego *m* de señal.

봉환(奉還) devolución *f* [vuelta *fl* al mayor. ~하다 devolver [volver] al mayor.

봉황(鳳凰) fénix *m*.

뵙 ① [치과의] 충전재] empaste *m*. ② ((요리)) [소] relleno *m*.

부(父) padre *m*.

부(夫) esposo *m*, marido *m*.

부(否) [부인. 부정. 거절] no *m*. [반대 투표] voto *m* en contra. ~가 많았다 Se ha rechazado la moción.

부(部) ① [관청·회사 등의] sección *f*, departamento *m*. 경리 ~ sección *f* [departamento *m*] de contabilidad. ② [클럽] club *m*, círculo *m*. 테니스 ~ club *m* de tenis. ③ [서책 따위의] parte *f*; [책] ejemplar *m*, volumen *m*. 5 ~로 되어 있는 소설 novela *f* que consta de cinco partes. ④ [정부의 부처] Ministerio *m*. 국방 ~ Ministerio *m* de Defensa.

부(婦) ((법률)) esposa *f*, mujer *f*.

부(富) riqueza *f* [재산] fortuna *f*, bienes *mpl*. ~의 분배 distribución *f* de la riqueza. ~의 불균형 desigualdad *f* de la riqueza.

부(賦) *fu*, oda *f*.

-부(附) [날짜 밑에 붙어] fecha~, con fecha (de). 12월 11일~ 편지 carta *f* fechada el [con fecha del] once de diciembre. ② [일부 명사 밑에 붙어] con, a, de. 대사관~ 무관 agregado *m* militar a la embajada.

부가(附加) adición *f*, añadidura *f*. ~하다 adicionar, añadir. ~ 가치 valor *f* añadido. ~ 가치세 impuesto *m* sobre el valor añadido [agregado], impuesto *m* al valor agregado, IVA *m*, I.V.A. *m*. ~물 adición *f*, ~ 비용 carga *f* adicional, coste *m* adicional, gasto *m* adicional, suplemento *m*, *AmL* costo *m* adicional. ~세 impuesto

m adicional, sobretasa *f*, impuesto *m* complementario. ~ 요금 sobretasa *f*. ~형(刑) pena *f* [castigo *m*] adicional.

부감(俯瞰) vista *f* desde el aire. ~하다 ver desde el aire, dominar (una vista de pájaro de).

부갑상선(副甲狀腺) paratiroides *m*, glándula *f* paratiroides. ~염 paratiroiditis *f*.

부강(富强) ① riqueza *f* y poder. 나라를 ~하게 하다 enriquecer *su* país. ② ((준말)) =부국 강병. ¶~지국(之國) país *m* rico.

부결(否決) desaprobación *f*. ~하다 desprobar, rechazar. 102대 45로 의안은 ~되었다 El proyecto ha sido rechazado por cuarenta y cinco a favor y ciento dos en contra.

부계(父系) línea *f* paterna [paternal], parte *f* de padre. ~의 paterno, paternal, por parte de padre, de línea paterna. ~ 가족 familia *f* paterna. ~ 사회 sociedad *f* paterna. ~ 제도 patriarca *m*. ~친 [혈족] consanguinidad *f* paterna.

부고(訃告) noticia *f* [aviso *m*] de la muerte. ~하다 avisar [anunciar] *su* muerte. ~에 접하다 recibir la noticia de la muerte, ser informado de la muerte.

부고환(副睾丸) epidídimo *m*.

부과(賦課/附課) imposición *f* de tributos, gravación *f*. ~하다 imponer (los tributos), gravar, cargar. 세금의 ~ gravación *f* con un impuesto. ¶~액 cantidad *f* importada.

부관(副官) ① ((군사)) ayudante *m*, edecán *m*, ayudante *m* de campo. ② ((군사)) ((준말)) =전속 부관. ~ 참모 ayudante *m* general.

부관장(副館長) subdirector *m*.

부교(浮橋) puente *m* de pontones [de barcas], pontón *m*.

부교감 신경(副交感神經) (nervio *m*) parasimpático.

부교수(副敎授) profesor *m* adjunto, profesora *f* adjunta.

부교재(副敎材) libro *m* de texto auxiliar.

부국(富國) ① [국가 경제를 넉넉하게 하는 일] enriquecimiento *m* de un país. ② [경제력이 넉넉한 나라] país *m* rico. ¶~ 강병(强兵) ㉮ [나라를 부요하게 하고 군대를 강하게 함] enriquecimiento *m* del país y la fortaleza del ejército. ㉯ [부유한 나라와 강한 군대] el país rico y el ejército poderoso. ~강 변론 la Riqueza de Naciones. ~ 강병책 política *f* de fortalecimiento económico y militar, plan *m* de enriquecer *su* país.

부군(父君) ((높임말)) padre m.
부군(夫君) ((높임말)) esposo m.
부군(府君) ((높임말)) difunto padre m.
부권(父權) ① [가장권] derechos mpl patriarcales. ② [아버지의 친권] derechos mpl paternos. ¶~ 사회 sociedad f patriarcal.
부귀(富貴) riqueza f y nobleza [fama], prosperidad f. ~하다 (ser) rico y noble. ~ 공명 riqueza, rango y fama. ~ 다남 riqueza, nobleza y muchos hijos.
부근(附近) vecindad f, vecindario m, barrio m, proximidades fpl, cercanías fpl, contornos mpl, inmediación f, alrededores mpl; [부사적] alrededor, cerca (de), por ahí, hacia. ~에 en los alrededores, cerca. 이 ~에 por aquí cerca, en esta vecindad, en este barrio, en la vecindad [cercanía], por aquí, alrededor, en estas cercanías.
부글거리다 ① [액체가] hervir. ② [거품 따위가] espumar, burbujear. ③ [착잡하거나 언짢은 생각이 뒤섞여 들볶이다] vacilar; [어지럽다] sentir vahídos, desvanecerse, atolondrarse, sentir un mareo, darle un vahído. ④ [뱃속이] hacer ruido.
부글부글 ① [액체나 거품 따위가] burbujeantemente. ~ 끓다 burbujear, hervir a fuego lento. ~ 끓어오르다 hervir a borbotones, entar en plena ebullición. ② [속이] vacilando. 나는 화가 나서 속이 ~ 끓는다 Se me revuelven las tripas de ira.
부금(賦金) ① =부과금(賦課金). ② [붓는 돈] plazo m; [보험의] prima f; [적립금] abono m.
부기 mentecato, -ta mf; bobo, -ba mf; lelo, -la mf; tonto, -ta mf; necio, -cia mf; estúpido, -da mf.
부기(附記) adición f, añadidura f, apéndice m; [주(註)] apostilla f, nota f. ~하다 adicionar, adjuntar, añadir; [주를 달다] apostillar, notar, poner notas.
부기(浮氣) ((한방)) hinchazón m, protuberancia f.
부기(簿記) contabilidad f, teneduría f de libros. ~를 하다 llevar los libros de contabilidad.
부기((음악)) =부기우기.
부기우기 ((음악)) bugui-bugui m.
부꾸미 galleta f de arroz, tortilla f. ¶밀가루 ~ tortilla f de harina.
부끄러움 vergüenza f. ~을 모르는 사람 sinvergüenza mf.
부끄러워하다 avergonzarse, tener vergüenza, mostrarse vergonzoso.
부끄럼 ((준말)) =부끄러움. ¶~ (을) 타다 (ser) tímido, vergonzoso. ~(을) 타는 사람 persona f tímida [vergonzosa].

부끄럽다 avergonzarse, sentirse vergonzoso [avergonzado]. 부끄러워 vergonzosamente, tímidamente, 부끄럽게 하다 avergonzar. 부끄럽게 생각하다 avergonzarse. 부끄럽기 짝이 없다 estar corrido de vergüenza, sentir en el alma.
부내(部內) círculos mpl, departamento m, el área f [espacio m] interior de un círculo.
부녀(父女) padre m e hija, el padre y su hija.
부녀(婦女) ((준말)) =부녀자.
부녀자(婦女子) señora f, mujer f.
부농(富農) ① [농가] familia f de la agricultura rica. ② [사람] agricultor m rico, agricultora f rica. ¶~가 familia f de la agricultura rica.
부닥치다 ① [충돌하다] chocar, tropezar, da, topar, hacer choque, estrellarse. ② [곤란에 직면하다] hacer frente, encontrarse. 곤란에 ~ encontrarse con dificultad. ③ [면담하다] hablar personalmente, hablar [dirigirse] directamente.
부단(不斷) ① [끊임이 없음] continuación f, vida f cotidiana. ~하다 (ser) continuo, incesante, constante, cotidiano, usual. ~한 노력 esfuerzo m incesante [continuo]. ② [결단성이 없음] indecisión f, irresolución f. ~하다 (ser) indeciso, irresoluto ¶~히 ㉮ [끊임없이] continuamente, incesantemente, constantemente. ~히 노력하다 esforzarse incesantemente [constantemente], realizar un esfuerzo continuo. ㉯ [결단성없이] indecisamente, irresolutamente.
부담(負擔) [떠맡은 짐] carga f (pesada); [책임] responsabilidad f. ~하다 cargar, hacerse cargo. 재정적 ~ carga f económica. 세금의 ~ carga f fiscal. ~시키다 cargar, gravar. ~이 되다 ponerse pesado. ¶~금 contribución f, cuota f, carga f. ~액 (cantidad f de) carga f.
부당(不當) injusticia f, sin razón f. ~하다 (ser) injusto, indebido, injustificado, irrazonable; [불법의] ilegal, ilícito. ~ 거래 transacción f injusta. ~ 과세 imposición f irrazonable. ~ 노동 행위 acto m laboral injusto. ~ 이득 beneficio m [provecho m] excesivo, ganancia f excesiva. ~ 이득자 logrero, -ra mf. ~ 해고 destitución f ilegal.
부대(附帶) anexo m, anejo m, accesorio m, secundario m. ~ 공사 construcción f secundaria. ~ 연결 conexión f. ~비 gastos mpl adi-

cionales. ~ 사업 empresa f secundaria. ~ 조건 condición f
subsidiaria [incidental]. ~ 조항
cláusula f accesoria.

부대(負袋) =포대(包袋).

부대(部隊) cuerpo m, escuadra f,
destacamento m, unidad f. ~기
(旗) estandarte m (de pelotón).
~장 comandante mf [jefe mf] del
cuerpo.

부덕(不德) falta f de virtud, demérito m, indignidad f. ~하다 (ser)
indigno, desmerecedor, vicioso. 모
든 것은 제 ~의 소치입니다 Todo
se debe a mi falta de virtud.

부덕(婦德) virtud f femenina.

부도(不渡) ((경제)) impago m, falta
f de pago, deshonor m, deshonra
f. ~(가) 나다 no ser aceptado. ~
(를) 내다 [은행이] rechazar. 수표
를 ~ 내다 desatender el pago de
un cheque, no pagar un cheque.
¶ ~ 수표 cheque m impagado
[no pagado · rehusado · desacre-
ditado · rechazado]. ~액 cantidad
f de letra impagada [cruzada · desa-
cretada · ficticia · de favor]. ~어음 letra f impagada [cruzada · desa-
cretada · ficticia · de favor].

부도덕(不道德) inmoralidad f. ~하다
(ser) inmoral, depravado, licencioso, vicioso, corrompido. ~한
행위 proceder m inmoral.

부도체(不導體) ((물리)) aislador m.

부동(不同) diferencia f, desemejanza
f, desigualdad f, disparidad f,
diversidad f. ~하다 (ser) diferente, desemejante, desigual, diverso,
dispar; diferenciarse.

부동(不動) inmovilidad f, estabilidad
f, fijeza f. ~의 inmóvil, estable,
fijo, firme, inamovible. ~의 신념
fe f firme.

부동(浮動) ① [떠돌아다님] flotación
f. ~하다 flotar, ir a flote; [변동하
다] fluctuar. ② [진득하지 못하고
들뜸] distracción f. ~하다 distraerse. ¶ ~ 인구 población f flotante. ~ 투표 voto m indeciso.
~ 투표자 votante m indeciso,
votante f indecisa. ~표 voto m
indeciso.

부동산(不動産) bienes mpl inmuebles, bienes mpl raíces, propiedad
f inmobiliaria, propiedades fpl. ~
의 inmobiliario. ~을 소유하다
tener bienes inmuebles. ¶ ~ 등기
registro m de bienes inmuebles.
~ 매매 compraventa f de bienes
inmuebles. ~ 중개 agencia f inmobiliaria. ~ 중개 업소 agencia f
inmobiliaria, agencia f de bienes
inmuebles. ~ 중개인 agente m
inmobiliario, agente f inmobiliaria;
corredor m inmobiliario, corredora
f inmobiliaria. ~ 회사 empresa f

inmobiliaria, sociedad f inmobiliaria, agencia f inmobiliaria.

부두(埠頭) muelle m; [선착항] embarcadero m, desembarcadero m.
~ 노동자 estibador, -dora mf.

부둥켜안다 abrazar, darle un abrazo, estrechar en [entre] sus brazos; [서로] abrazarse.

부득 rechinando. ~하다 rechinar.
이를 ~ 갈다 rechinar los dientes.

부드럽다 ① [무르고 매끈매끈하다]
(ser) suave, tierno, blando. ② [굽
고도 순하다] (ser) simpático; [온
화하다] pacífico; [우호적이다]
amistoso. 부드러운 얼굴 cara f
afable [simpática].

부득부득 ① [제 고집만 자꾸 부리는
모양] insistentemente, persistentemente, obstinadamente porfiadamente, tercamente, tenazmente. 그는 ~ 가겠다고만 한다 El
insiste en que vaya. ② [자꾸 졸
라대는 모양] continuamente. ~
졸라대다 fastidiar [hacer rabiar]

부득불(不得不) inevitablemente. 나
는 ~ 늦었다 No pude evitar llegar tarde.

부득이(不得已) inevitablemente, necesariamente, urgentemente. ~하
다 (ser) inevitable, necesario, urgente. ~한 사정으로 por razón
inevitable, impelido por las circunstancias.

부들부들[1] [[몸을 크게 떠는 모양]
temblando, con vibración. ~ 떨다
temblar (de temor), temblequear,
tembletear, estremecerse, tiritar,
vibrar; [공포로] horripilarse.

부들부들[2] [매우 부드러워] suavemente, tiernamente, con ternura.
~하다 (ser) suave, tierno.

부듯하다 quedar apretado [ajusta-
do · ceñido], estar lleno. 부듯한
옷 ropa f ceñida [ajustada]. 짧고
부듯한 스커트 falda f corta y
ajustada [ceñida].

부등(不等) desigualdad f, disparidad
f. ~변삼각형 triángulo m escale-
no. ~ 부호 signo m de desi-
gualdad. ~식 desigualdad f. ~표
[호] signo m de desigualdad.

부디 por favor, tenga la bondad (de
+ inf), hágame el favor (de +
inf), sírvase (+ inf). ~ 되도록 빨
리 회답해 주시기 바랍니다 Tenga
la bondad de contestarme lo más
pronto posible.

부딪다 chocar, topar, dar, tropezar;
[마주치다] hacer frente; [사람과]
encontrarse cara a cara, tropezar.
전봇대에 ~ chocar [topar] con
un poste eléctrico.

부딪뜨리다 estrellarse, chocar, tener
un accidente.

부딪치다 ((힘줌말)) =부딪다.

부딪히다 darse un golpe. 자기의 몸을 ~ lanzarse. 몸을 부딪혀 문을 부수다 forzar una puerta empujando con el cuerpo.

부뚜막 fogón m, hogar m.

부락(部落) pueblo m, aldea f, aldehuela f, comunidad f.

부랑(浮浪) vagabundeo m, vagabundería f. ~하다 vagabundear.

부랑아(浮浪兒) golfillo m, -lla mf, chico, -ca mf de la calle, mataperros m.sing.pl; vagabundo, -da mf; golfo, -fa mf; bribón, -bona mf; granuja mf.

부랑자(浮浪者) pillo m, truhán m, canalla m, granuja m, bribón m, rufián m.

부랴부랴 de prisa, a prisa, a toda prisa, apresuradamente, con mucha prisa, aceleradamente, rápidamente, sin tardar, sin perder tiempo; [우선] antes que nada. ~ 떠나다 marcharse rápidamente, no tardar mucho en retirarse.

부러뜨리다 romper, quebrar, fracturar, partir. 나뭇가지를 ~ romper las ramas.

부러워하다 envidiar, tener envidia. 부러워하는 envidioso. 남이 부러워할 만한 사람 envidioso, -sa. 부러워서 바라보다 mirar con (ojos de) envidia, envidiar mucho sin poder hacer nada.

부러지다 romperse, quebrarse, fracturarse, partirse. 나는 오른쪽 다리가 부러졌다 Se me rompió la pierna derecha.

부럽다 (ser) envidioso, envidiable, de envidia, digno de envidia; envidiar, tener celos, tener envidia; [극도로] comerse de envidia, comerse de envidia. 부러운 시선으로 보다 echar [ver con] una mirada de envidia (envidiosa). 부러운 얼굴을 하다 poner cara de envidia. 당신이 무척 부럽습니다 Te envidio mucho. 나는 그의 성공이 ~ Envidio [Tengo envidia de] su éxito.

부레 vejiga f natatoria.

부력(浮力) riqueza f, recurso m.

부록(附錄) [신문·별책의] suplemento m; [책 뒤의] apéndice m; [신문에 끼우는] separata f. ~ 딸린 잡지 revista f con suplementos adjuntos.

부투퉁하다 ① [부어 올라서] hincharse las mejillas. ② [불만스러운 빛이 얼굴에 나타나서] poner mala cara, estar enfadado [enojado·irritado], enfurrularse, poner cara larga, mostrarse descontento [malhumorado].

부류(部類) clase f, orden m, grupo

m, especie f. [범주] categoría f.

부르다¹ ① [오라고 하다] llamar, invitar. 택시를 ~ llamar (a) un taxi; [부탁하다] pedir un taxi. 수리공을 ~ llamar al reparador. 의사를 ~ llamar a un médico. ② [노래를] cantar, cantar una canción. ③ [물건 값을 말하다] pedir. 부른 값 [판매자가] precio m pedido (por el vendedor); [손님이] precio m ofrecido. ④ [외치다] gritar, dar un grito. 만세를 ~ vivar, vitorear. ⑤ [일컫다] llamarse.

부르다² ① [뱃속이] estar lleno [harto]. 나는 배가 ~ Estoy lleno / Estoy harto. ② [사람이나 물건의 배가] tener barriga [panza]; [가방·호주머니가] ser repleto.

부르르 ① [추워서] temblando, tiritando; [무서워] temblando; [미리] estremeciéndose. ~ 떨다 temblar, tiritar, estremecerse. ② [나뭇개비에 불이 붙어 타오르는 모양] ardiendo repentinamente. ③ [물이 끓어오르는 모양이나 소리] bullendo, hirviendo.

부르주아 burgués, -guesa mf. ~ 계급 burguesía f, clase f burguesa, clase f media. ~ 문학 literatura f burguesa. ~ 혁명 revolución f burguesa.

부르짖다 ① [큰 소리로] gritar, exclamar, vocear, dar voces, chillar, dar un grito, lanzar un grito. ② [의견이나 주장을 열렬히 말하여] levantar la voz de protesta. 조약 반대를 ~ levantar la voz de protesta contra el tratado. ③ [원통한 사정을] reclamar. 무죄를 ~ reclamar su inocencia.

부르트다 ① [살가죽이] ampollarse, levantarse ampollas. ② [벌레의 중독으로] hincharse. ③ [성이 나다] enojarse, enfadarse, irritarse.

부릅뜨다 abrir los ojos de par en par, lanzar una mirada feroz [furibunda], fulminar a uno con la mirada feroz.

부리 ① [새나 일부 짐승의 주둥이] pico m. ② [어떤 물건의 끝이 뾰족한 부분] punta f, extremidad f. 통의 ~ punta f [extremidad f] de un tubo. 총의 ~ boca f. ③ [주전자나 병의 터진 부분] boca f. ④ [욕으로, 사람의 입] boca f.

부리나케 de prisa, a prisa, a toda prisa, a todo correr, apresuradamente, rápidamente.

부리다¹ [사람이나 말을] manejar, conducir, gobernar, dirigir; [기구나 기계를] operar; [재주나 꾀를] engañar. 사람을 부리기란 쉬운 일이 아니다 Es difícil [No es fácil] manejar a las personas.

부리다² ① [(실었던 짐을) 내려놓다] descargar. 배에서 짐을 ~ descargar el barco de carga. ② [활시위를 벗겨 놓다] desendordar (el arco).

부모(父母) los padres, padre y madre. ~의 de los padres, paternal, paterno. ~의 권위 dignidad f [autoridad f] paterna. ~의 사랑 amor m [cariño m] paterno [paternal·de los padres].

부목(副木) ① ((의학)) tablilla f. ② (원예)) rodrigón m.

부문(部門) sección f, departamento m; [범주] categoría f; [분야] ramo m, campo m. ~별로 por secciones. [전문별] por especialidades. 사회 과학의 한 ~ un ramo de las ciencias sociales.

부본(副本) duplicata f, duplicado m, copia f.

부부(夫婦) matrimonio m, esposos mpl, marido y mujer, cónyuges mpl. ~의 matrimonial, conyugal, maridable. ~처럼 maridablemente, como esposos. ~의 금슬 relaciones fpl matrimoniales. ~의 애정 afección f conyugal, amor m matrimonial. ¶ ~ 관계 relaciones fpl matrimoniales. ~ 생활 vida f matrimonial [conyugal·marital·maridable], vida f de los casados, maridaje m. ~ 싸움 querella f [riña f] matrimonial [conyugal].

부분(部分) parte f, porción f, sección f. 상당한 ~ una buena parte.

부사(副詞) ((언어)) adverbio m. ~구 frase f adverbial. ~적 adverbial. ~적 용법 uso m adverbial. ¶ ~절 cláusula f adverbial.

부산 lo ocupado. ~하다 estar ocupado, ser de mucho movimiento; [부지런하다] afanoso; [시끄럽다] ruidoso. ~(을) 떨다 ir y venir afanosamente, ir de aquí para allá, trajinar, bullir.

부산물(副産物) subproducto m, producto m accesorio, derivado m. 석유와 그 ~ petróleo y (sus) derivados.

부삽(-揷) badil m, badila f, pala f de fogón, cogedor m.

부상(負傷) herida f, lesión f. ~(당)하다 herirse, recibir una herida, resultar [ser] herido, lastimarse. ¶ ~병 soldado m herido. ~자 herido, -da mf.

부상(副賞) premio m suplementario [subsidiario·extra].

부서(部署) puesto m asignado; [해군] apostadero puesto m. ~에 취임하다 [앉다] tomar en el [su] puesto, ponerse en el [su] puesto; [육군] ir a cuartel; [해군] ir a alcázar. ~에 앉아 있다 estar en su puesto. ~를 떠나다 alejarse de [dejar] su puesto. 자기 ~로! ((구령)) ¡A vuestros puestos!

부서지다 quebrarse, romperse, quebrantarse, fracturarse, destruirse; [붕괴되다] derribarse; [기계가] averiarse, dañarse, destrozarse.

부설(附設) anexión f, anexionamiento m, accesorio m. ~하다 poner, anexar, anexarse, anexionar, anexionarse, adjuntar, acompañar. 호텔 ~ el anexo [el anejo] del hotel. ¶ ~ 도서관 librería f aneja [anexa].

부설(敷設) construcción f, edificación f; [케이블·궤도의] colocación f, tendido m. ~하다 construir, edificar, colocar, tender. ~권 derecho m de construcción. ~ 기뢰[수뢰] mina f submarina. ~함(艦) minador m.

부속(附屬) anexo m, anejo m, accesorio m, afiliación f, dependencia f. ~하다 pertenecer, depender. ~의 dependiente, anexo, anejo, accesorio. ~ 건물 edificio m anexo [anejo]. ~ 건축물 anejo m, anexo m. ~ 고등 학교 escuela f superior anexa. ~물 anejo m, anexo m. ~ 병원 hospital m anexo. ~ 시설 instalaciones fpl anexas. ~품 accesorios mpl.

부수(部數) número m de ejemplares; [인쇄 부수] tirada f.

부수다 romper, quebrar, destruir, quebrantar, fracturar, estropear, demoler, derribar, desbaratar; [기계 따위를] averiar, dañar, destrozar, arruinar. 집을 ~ destruir una casa.

부수입(副收入) gajes mpl extras, emolumentos mpl extras, ingresos mpl adicionales, ingresos mpl subsidiarios. ~을 얻다 obtener unos ingresos adicionales.

부스러기 desperdicios mpl, recortes mpl, residuos mpl, restos mpl, desechos mpl, basuras fpl, virutas fpl; [돌이나 유리의] astilla f; [돌이나 유리의] esquirla f.

부스러뜨리다 [가구를] romper, destrozar; [자동차를] destrozar; [유리를] romper; [빵을] desmigajar; [흙·치즈를] desmenuzar; [작은 조각으로] hacer añicos. 산산이 ~ partir en trozos.

부스러지다 romperse; [차량·기계가] estropearse, averiarse, AmL descomponerse; [유리·나무가] hacerse pedazos; [케이크·치즈·흙이] desmenuzarse; [벽이] desmoronarse.

부스럭거리다 [종이가] crujir; [나뭇잎이] susurrar.

부스럼 furúnculo *m*, forúnculo *m*.

부슬부슬하다 [빵·치즈·흙이] desmenuzarse (fácilmente), desmigajarse; [벽이] desmoronarse. 부슬부슬한 빵 pan *m* que se desmigaja.

부슬비 llovizna *f*. ~가 내리다 lloviznar.

부시다¹ [그릇 따위를 깨끗이 씻다] limpiar(se), fregar. 그릇을 ~ limpiar [fregar] los platos.

부시다² [눈부시다] deslumbrar. 헤드라이트 불빛 때문에 눈이 부신다 La luz de los faros me deslumbran.

부식(副食) ((준말)) =부식물. ¶~비 gastos *mpl* para alimentos subsidiarios.

부식(腐植) humus *m*, mantillo *m*.

부식(腐蝕) [유기물의] descomposición *f*; [금속의] corrosión *f*, erosión *f*. ~하다 descomponerse, corroerse, erosionar, corromperse, causticar.

부식물(副食物) aderezo *m*, alimentos *mpl* subsidiarios, substancias *fpl* alimenticias subdiarias.

부실 경영(一經營) operación *f* [administración *fl*] insolvente.

부실 공사(一工事) obra *f* fraudulenta.

부실 기업(一企業) empresa *f* pérfida.

부실하다 ① [믿음성이 적다] (ser) infiel. 부실함 infidelidad *f*. ② [성실하지 못하다] (ser) desleal. 부실함 deslealtad *f*. ③ [몸이나 마음이 약하다] (ser) débil, de poco vigor, de poca fuerza. 부실함 debilidad *f*. ④ [실속이 없고 사물의 내용이 충실하지 못하다] (ser) pérfico, insolvente. ⑤ [충분치 못하다] (ser) insuficiente. 부실함 insuficiencia *f*. ⑥ [살림이 넉넉하지 못하다] (ser) pobre, necesitado, apurado, desdichado.

부심(副審) subárbitro *mf*.

부아 exasperación *f*, ira *f*. ~가 나다 estar exasperado.

부양(扶養) sostén *m*, sustentación *f*. ~하다 mantener, sostener, criar, alimentar. 가족을 ~하다 mantener a *su* familia, sostener (a) la familia. ¶~ 가족 familia *f* que mantener. ~ 가족이 있다 tener una familia que mantener.

부업(副業) segundo empleo *m*, negocio *m* secundario [auxiliar]; [특히 야간의] pluriempleo *m*. ~을 하다 tener un segundo empleo, estar pluriempleado. (본업 외에) ~을 가진 사람 pluriempleado, -da *mf*.

부엉이 ((조류)) búho *m*, úlula *f*.

부엌 cocina *f*. [아파트 등의 간이 부

**억] kichenette *f*, *Méj* cocineta *f*. ~ 세간 utencilios *mpl* para [de] cocina, artículocos *mpl* [batería *fl*] de cocina. ~ 싱크대 fregadero *m*, *Andes* lavaplatos *m.sing.pl*, *RPI* pileta *f*. ~일 trabajo *m* de cocina. ~칼 cuchillo *m* para la cocina.

부에노스 아이레스 ((지명)) Buenos Aires. ~의 (사람) porteño, -ña *mf*; bonaerense *mf*.

부여(附與) otorgamiento *m*. ~하다 otorgar, dar, conceder, conferir. 특권을 ~하다 otorgar un privilegio, privilegiar.

부여(賦與) dote *m*, dotación *f*. ~하다 dotar. 그는 음악적 재능을 ~받고 있다 El está dotado del talento musical.

부영사(副領事) vicecónsul, -la *mf*.

부옇다 (ser) empañado, neblinoso, brumoso, perlado, nacarado. 살결이 ~ tener la tez perlada.

부원(部員) miembro *m* de un club, miembro *mf* en plantilla, personal *m*. 편집 ~ personal *m* editorial.

부원장(副院長) subdirector, -ra *mf*.

부위원장(副委員長) vicepresidente, -ta *mf* (de comisión).

부유(富裕) riqueza *f*, opulencia *f*, abundancia *f*, prosperidad *f*. ~하다 (ser) rico, adinerado, caudaloso, acaudalado, acomodado, opulento. ~층 clases *fpl* acaudaladas.

부음(訃音) noticia *f* de la muerte. ~에 접하다 recibir noticia de la muerte, oír de *su* muerte.

부의장(副議長) vicepresidente, -ta *mf*.

부익부 빈익빈(富益富貧益貧) El rico se hace más rico y el pobre más pobre.

부인(夫人) ① [남의 아내를 높이어 이르는 말] su esposa, su señora. ② [신분이나 지위가 높은 사람의 아내] su señora.

부인(否認) negación *f*, denegación *f*, negativa *f*, desmentida *f*. ~하다 negar, denegar, desmentir.

부인(婦人) señora *f*; [여자] mujer *f*; [귀부인] dama *f*; [집합적] bello sexo *m*. ~의 femenino. ~과 ginecología *f*. ~과 의사 ginecólogo, -ga *mf*. ~과학 ginecología *f*. ~병 ginecopatía *f*, enfermedad *f* de la mujer, enfermedad *f* propia de mujeres. ~ 병원 hospital *m* de [para] mujeres. ~병 전문의(사) ginecologista *mf*; ginecólogo, -ga *mf*. ~석 asientos *mpl* para [de] mujeres. ~용(用) [화장실 등에서] Damas. ~의(醫) ginecólogo, -ga *mf*. ~ 참정권 sufragio *m* femenino, sufragismo *m*.

부임(赴任) partida *f* a *su* puesto. ~

하다 partir para *su* puesto. ~지 *su* nuevo puesto.

부자(父子) padre *m* e hijo. ~의 연(緣) relación *f* entre padre e hijo. ~의 연을 끊다 repudiar a *su* hijo. ¶~간 관계 filiación *f* ~유친(有親) Habría afecto en la razón entre padre e hijo.

부자(富者) rico, -ca *mf*. ~가 되다 enriquecer(se), hacerse rico. ~스집 familia *f* rica, casa *f* del hombre rico. ~집에서 태어나다 nacer en una familia rica.

부자연(不自然) artificialidad *f*, falta *f* de naturalidad. ~하다 (ser) poco natural, forzado, artificial. ~스럽다 (ser) contranatural, innatural, artificial, afectado.

부자유(不自由) inconveniencia *f*, incomodidad *f*, falta *f* de libertad, restricción *f*. ~하다 no ser libre, (ser) restringido, limitado, inconveniente. ~스럽다 (ser) poco natural, innatural, inconveniente, incómodo. [불구의] paralítico. [인위적인] artificial.

부작용(副作用) reacción *f*, efectos secundarios. ~이 없는 inocuo. ~이 있다 tener efectos secundarios.

부장(部長) director, -tora *mf* (de departamento). ~ 검사 fiscal *mf* jefe de(l) departamento. ~ 판사 juez *mf* jefe de sala.

부장(副葬) entierro *m* con accesorios. ~물[품] artículos *mpl* enterrados en una tumba, accesorios *mpl* funerarios.

부재(不在) ausencia *f*. ~하다 estar ausente. 정치의 ~ ausencia *f* de una política verdadera. ¶~자 absentista *mf*; ausentado, -da *mf*; ausente *mf*; el que permanece ausente. ~자 투표 voto *m* del que permanece ausente. ~ 증명 =알리바이. ~ 지주 propietario, -ria *mf* absentista [ausentista·no residente].

부적(符籍) amuleto *m*, talismán *m*; [말·술] conjuro *m*, exorcismo *m*; [미개인의] fetiche *m*.

부적격(不適格) no aptitud *f*. ~하다 (ser) no apto. ~자 no apto *m*.

부적당(不適當) impropiedad *f*, ineptitud *f*. ~하다 (ser) inadecuado, impropio, inconveniente, inepto.

부적임(不適任) impropiedad *f*, indignidad *f*, incongruencia *f*. ~하다 (ser) impropio, indigno, incongruente.

부전자전(父傳子傳) De tal palo, tal astilla.

부젓가락 tenazas *fpl* [varillas *fpl*] para coger el fuego.

부정(不正) injusticia *f*, iniquidad *f*,

maldad *f*; [비합법성] ilegalidad *f*, ilegitimidad *f*, ilicitud *f*. ~하다 (ser) injusto, inicuo, malvado, ilegal, ilegítimo, ilícito. [부정직하다] deshonesto. ~ 거래 negocio *m* ilegal. ~ 대부 préstamo *m* ilegal. ~ 부패 irregularidades *fpl* y corrupción. ~ 사건 escándalo *m*; [수회] caso *m* de soborno [cohecho·corrupción]. ~ 선거 elección *f* amañada [trinquetada]. ~ 수표 cheques *mpl* protestados. ~ 이득 ganancia *f* ilícita. ~ 축재 riqueza *f* amasada ilícita. ~ 축재자 poseedor, -dora *mf* de riqueza amasada ilícita; especulador *m* ilícito, especuladora *f* ilícita. ~ 투표 voto *m* deshonesto [ilegal]. ~품 artículo *m* fraudulento. ~ 행위 acto *m* deshonesto, acto *m* ímprobo, irregularidad *f*, conducta *f* ilegal.

부정(不定) lo indefinido, lo indeterminado. ~의 indefinido, indeterminado. ~ 관사 artículo *m* indefinido [indeterminado]. ~ 대명사 pronombre *m* indefinido. ~ 방정식 ecuación *f* indeterminada. ~법 modo *m* indefinido. ~ 부사 adverbio *m* indefinido. ~사 infinitivo *m*. ~수(數) número *m* indefinido. ~ 적분 integral *m* indefinido. ~형(形) forma *f* indeterminada.

부정(不貞) infidelidad *f*, liviandad *f*, incontinencia *f*, deshonra *f*, impudicia *f*. ~하다 (ser) impúdico, deshonrado, incontinente, infiel, liviano, ligero. ~한 남자 hombre *m* infiel. ~한 여자 mujer *f* liviana [ligera].

부정(否定) negación *f*, negativa *f*. ~하다 negar, rehusar, denegar, desmentir. …하는 것은 ~할 수 없다 Es innegable que + ind.

부정기(不定期) falta *f* de periodicidad, irregularidad *f*. ~의 no periódico, irregular.

부정직(不正直) deshonestidad *f*, deshonradez *f*, improbidad *f*. ~하다 (ser) deshonesto, deshonrado, improbo. ~한 여인 mujer *f* deshonesta.

부정확(不正確) inexactitud *f*, imprecisión *f*. ~하다 (ser) inexacto, incorrecto, infiel, incierto.

부제(副題) subtítulo *m*. ~를 붙이다 poner un subtítulo.

부조(扶助) ayuda *f*, asistencia *f*, auxilio *m*; [구원] socorro *m*. ~하다 ayudar, auxiliar, prestar auxilio, socorrer. ~를 받다 recibir asistencia. ~금 fondo *m* de auxilio, viudedad *f*.

부조종사(副操縱士) piloto *mf* ayudante.

부조화(不調和) falta *f* de armonía, discordancia *f*, disonancia *f*. ~하다 (ser) discordante, sin armonía, inarmónico, disonante.

부족(不足) falta *f*, carencia *f*, escasez *f*, deficiencia *f*, insuficiencia *f*, carestía *f*. ~하다 escasear, faltar*le*, carecer, no tener. ~ 물자 artículo *m* escaso. ~액 falta *f*, escasez *f*, déficit *m*.

부족(部族) tribú *f*. ~의 tribual.

부주의(不注意) descuido *m*, inatención *f*, falta *f* de cuidado, inadvertencia *f*; [태만] negligencia *f*; [방심] distracción *f*. ~하다 (ser) descuidado, desatento, negligente.

부지(敷地) solar *m*, terreno *m*. 건축용 ~ solar *m* para el edificio. ~면적 metro *m* cuadrado de terreno.

부지깽이 hurgón *m*, atizadero *m*.

부지런하다 (ser) diligente, trabajador, asiduo. 부지런한 diligencia *f*. 부지런함과 게으름 diligencia y negligencia. 부지런한 사람 persona *f* diligente, abeja *f*. ¶부지런히 diligentemente, trabajadoramente, asiduamente, como una abeja, sin descanso, con ahínco, infatigablemente, afanosamente. ~ 돈을 모으다 dedicarse con ahínco a ahorrar dinero.

부직(副職) puesto *m* adicional.

부진(不振) inactividad *f*, depresión *f*; [정체] estancamiento *m*, paralización *f*. ~하다 no andar bien. ~한 inactivo, desanimado, estancado. 사업의 ~ paralización *f* [inactividad *f*] de los negocios. 수출의 ~ estancamiento *m* de la exportación.

부질없다 (ser) vano, inútil, fútil, ocioso, trivial. 부질없는 생각 idea *f* ociosa. 부질없는 걱정을 하다 preocuparse demasiado por el futuro.

부질없이 ociosamente, en vano, inútilmente. ~ 기다리다 esperar en vano.

부집게 tenazas *fpl* de fuego.

부쩍 ① [외곬으로 빡빡하게 우기는 모양] obstinadamente, porfiadamente, tenazmente, con tesón, tercamente. ~ 우기다 persistir tercamente. ② [사물이] rápido, rápidamente, sorprendentemente, extraordinariamente.

부착(附着) adhesión *f*, adherencia *f*, aposición *f*. ~하다 adherirse, pegarse. 이 테이프는 ~이 잘 안 된다 Esta cinta adhesiva pega mal. ¶~물(物) substancia *f* pegada.

부창 부수(夫唱婦隨) De tal marido, tal mujer.

부채 abanico *m*. ~꼴 ㉮ [부채처럼 생긴 모양] forma *f* de abanico. ㉯ [원의] semicircular *m*. ~질 ventilación *f*. ~질하다 ㉮ [부채로] abanicar, soplar; [잡곡 따위를] aventar. ㉯ [선동하다] infamar, incitar, avivar. ~춤 baile *m* con el abanico. ~ㅅ살 varilla *f* (del abanico).

부채(負債) deuda *f*, débito *m*; [채무] obligación *f*; ((부기)) pasivo *m*. ~계정 cuenta *f* de la deuda. ~국 (國) país *m* de la deuda. ~ 상환 amortización *f* de la deuda. ~액 cantidad *f* de la deuda. ~자 deudor, -dora *mf*.

부처 ① [석가모니] Buda *m*, Shakamuni. ② =불상(佛像). ③ [대도를 깨친 불교의 성자] santo *m* budista. ④ [자비심이 두터운 사람] benévolo, -la *mf*. ~ 같은 Buda *m*. 그는 ~님 같다 El es un hombre santo. ~님 가운데 토막 hombre *m* demasiado bueno y tranquilo. ~ 오신 날 cumpleaños *m* de Buda, el ocho de abril del calendario lunar.

부처(夫妻) marido y mujer, esposos *mpl*, matrimonio *m*. 김씨 ~ los señores Kim, el señor Kim y su señora.

부처(部處) los Ministerios.

부추 ((식물)) puerro *m*, chalote *m*, porro *m*, ojo *m* puerro.

부추기다 ① [선동하다] instigar, excitar, incitar, estimular, espolear, aguijonear, seducir, inducir, tentar. ② [아첨하다] adular, lisonjear. 부추겨 덤벼들게 하다 [개를] azuzar.

부치다[1] [힘이 미치지 못하거나 넉넉하지 못하다] faltar, carecer, no abundar.

부치다[2] [부채 등을 흔들어 바람을 일으키다] soplar, abanicar. 부채를 ~ abanicar; [자기 몸에] abanicarse.

부치다[3] [남을 통하여 편지나 물건 따위를 보내다] enviar, mandar. 편지를 ~ mandar [enviar] una carta. 소포를 ~ enviar [mandar] un paquete.

부치다[4] [농사를 짓다] cultivar.

부치다[5] [음식을] freír, tostar.

부치다[6] [회부하다] someter, llevar. 회의에 ~ someter [llevar] al consejo.

부칙(附則) artículo *m* adicional, regla *f* suplementaria [adicional], añadidura *f* [adición *f*] a un proyecto de ley.

부친(父親) su padre. ~상(喪) luto *m* de *su* padre.

부침(浮沈) ① [물 위에 떴다 잠겼다 함] flotación *f* y sumersión. ~과

다 flotar y sumergirse. ② [인생의] vicisitudes *fpl*, altibajos *mpl* (de vida), vaivén *m*.

부침개 tortilla *f* (coreana).

부탁(付託) petición *f*, ruego *m*, encargo *m*, solicitud *f*, súplica *f*, comisión *f*, cargo *m* de fideicomisario. ~하다 pedir, rogar, suplicar, implorar, encargar, encomendar, confiar, poner en manos.

부탄 ((화학)) butano *m*. ~ 가스 gas *m* butano.

부터 de, desde, a partir de …, de … en adelante. 10년 전~ desde hace diez años. 1~ 100까지 de uno a ciento, desde uno hasta ciento.

부통령(副統領) vicepresidente, -ta *mf*.

부패(腐敗) putrefacción *f*, podredumbre *f*, corrupción *f*, [도덕적] depravación *f*. ~하다 pudrirse, corromperse, descomponerse, alterarse, deteriorarse, depravarse. ~시키다 pudrir, corromper, descomponer, alterar, deteriorar, depravar. ¶~균[세균] saprofito *m*, bacilo *m* saprofítico. ~물 pudrición *f*, cosa *f* descompuesta, séptico *m*. ~상(相) aspecto *m* podrido. ~ 지수 índice *m* de corrupción.

부표(否票) voto *m* negativo.

부풀다 ① [살가죽이 붓거나 부르터 오르다] hincharse, inflarse. 그의 다리가 부풀었다 Se le hinchó la pierna. ② [부피가 커지다] extenderse, hincharse, inflarse, dilatarse. 빵이 ~ fermentarse. 빵이 ~ 푼다 El pan crece de tamaño. ③ [즐거움이나 희망으로] (ser) alegre, vivaz, animado; llenarse.

부풀리다 hinchar, inflar, ensanchar, dilatar.

부품(部品) pieza *f*, partes *fpl*; [예비·교환의] pieza *f* de repuesto [de recambio]. 컴퓨터의 ~ pieza *f* de un ordenador [AmL de una computadora · AmL de un computador]. ~을 바꾸다 cambiar unas partes.

부피 tamaño *m*, volumen *m*, bulto *m*. ~가 큰 abultado, voluminoso, copioso, grueso, de mucho bulto, grande. ~가 작은 책 libro *m* de poco bulto. ~가 큰 책 tomo *m* abultado.

부하(負荷) carga *f*.

부하(部下) subordinado, -da *mf*; subalterno, -na *mf*; seguidor, -dora *mf*; hombre *m*. 장군과 그의 ~들 el general y sus hombres.

부형(父兄) ① [아버지와 형] el padre y el hermano. ② [집안 어른] mayor *m* de la familia.

부호(符號) seña *f*, signo *m*, marca *f*, señal *f*, clave *f*. [전신의] cifra *f*. ~를 붙이다 marcar, poner el signo.

부호(富豪) persona *f* adinerada; millonario, -ria *mf*.

부화(孵化) incubación *f*. ~하다 [알을] empollar; [병아리를] incubar. ¶~기 incubadora *f*. ~실 cuarto *m* de incubación. ~율 porcentaje *m* de incubación. ~장 criadero *m*.

부화 뇌동(附和雷同) seguimiento *m* ciego. ~하다 dejarse llevar de la corriente, seguir ciegamente.

부활(復活) ① resurgimiento *m*, resurrección *f*; [부흥] restauración *f*, renacimiento *m*. ~하다 renacer, reaparecer, resurgir, resucitar. ~시키다 resucitar. ② ((기독교·천주교)) la Resurrección. ~하다 resucitar. ③ ((성경)) resurrección *f*. ~하다 resucitar. ¶~ 전야(前夜) víspera *f* [vigilia *f*] de la Resurrección. ~절 ⑦ =부활제. ㉯ [부활제 날에서 1주일 또는 50일 동안] Semana *f* Santa. ~제 Pascua *f* (Florida), Pascua *f* de Resurrección.

부흥(復興) restauración *f*, restablecimiento *m*, rehabilitación *f*, renacimiento *m*; [재건] reconstrucción *f*. ~하다 restaurarse, restablecerse, rehabilitarse, renacer, reconstruirse. ~회(會) restablecimiento *m*, reinstauración *f*.

북[1] [베틀이나 재봉틀의] lanzadora *f*; [베틀의] huso *m*; [재봉틀의] tambor *m*.

북[2] [(악기)] *buk*, tambor *m* coreano. ~치는 사람 [팝·재즈의] batería *f*, *AmL* baterista *mf*; [군대의] tambor *m*. ~을 치다 golpear el tambor.

북[3] [초목의 뿌리를 싸고 있는 흙] tierra *f* bien apisonada alrededor de una planta.

북[4] ① [세게 갈거나 긁는 소리] con un arañazo. ~ 긁다 arañar. ② [대번에 찢는 소리] rompiendo, rasgándose. 헝겊을 ~ 찢다 romper el pedazo de tela.

북(北) norte *m*, septentrión *m*. ~의 (del) norte, septentrional. ~으로 al norte.

북경(北京) ((지명)) Pekín, Beijing. ~의 (사람) pekinés, -nesa *mf*; pequinés, -nesa *mf*. ~ 요리 plato *m* de Pekín, cocina *f* de Pekín, comida *f* de Pekín. ~ 원인 Homo Sinanthropus, sinántropo *m*.

북구(北歐) ((준말)) =북구라파.

북구라파(北歐羅巴) ((지명)) Europa (del) Norte, Europa *f* Septentrional. ~의 norteuropeo, nórdico.

북극(北極) Polo *m* Artico, Polo *m* Norte. ~의 ártico, hiperbóreo.

북극곰(北極-) oso *m* polar.

북극양(北極洋) =북극해(北極海).

북극해(北極海) Oceano *m* Artico.

북녘(北-) dirección *f* norte, norte *m*, parte *f* norte.

북대서양(北大西洋) Atlántico *m* (del) Norte.

북대서양 조약(北大西洋條約) Tratado *m* del Atlántico (del) Norte, Tratado *m* Atlántico del Norte. ~ 기구 Organización *f* del Tratado del Atlántico (del) Norte, Organización *f* del Tratado Atlántico del Norte, la OTAN, la NATO, la Nato, la nato.

북돋우다 ① [북주다] apilar, amontonar. ② [심리 작용으로 세계 일도록 자극하다] animar, alentar, estimular, fortalecer, excitar, despertar. 호기심을 ~ excitar la curiosidad.

북두(北斗) ((준말)) =북두칠성.

북두성(北斗星) ((준말)) =북두칠성.

북두칠성(北斗七星) siete estrellas de Osa Mayor, septentrión *m*, Osa *f* Mayor, Carro *m* Mayor.

북미(北美) ((준말)) =북아메리카주.

북미 합중국(北美合衆國) los Estados Unidos de América.

북반구(北半球) hemisferio *m* boreal.

북받치다 llenarse, rebozar, estar lleno.

북방(北方) ① =북쪽(norte). ¶~의 norte, del norte. ② =북녘(norte). ③ [북쪽 지방] región *f* norte, región *f* septentrional. ¶~ 민족 raza *f* norte. ~ 영토 territorio *m* del norte. ~ 한계선 la Línea de Límite Norte.

북부(北部) parte *f* norte [septentrional]. ~ 지방 región *f* [comarca *f*] norte [septentrional].

북북 fuerte, fuertemente, con fuerza. ~ 문지르다 frotar fuerte.

북상(北上) marcha *f* hacia el norte. ~하다 dirigirse [avanzar·marchar] hacia el norte, ir en dirección al norte; [배가] hacerse hacia el [hacer rumbo al] norte.

북서풍(北西風) (viento *m*) noroeste *m*.

북소리 son *m* del tambor, tamborileo *m*.

북아메리카주(北-洲) América *f* del Norte. ~의 norteamericano. ~ 사람 norteamericano, -na *mf*.

북아일랜드(北-) Irlanda *f* del Norte. ~의 분쟁 los disturbios de Irlanda del Norte.

북아프리카(北-) Africa *f* del Norte, la Noráfrica. ~의 norteafricano. ~ 사람 norteafricano, -na *mf*.

북양(北洋) mar *m* del norte, océano *m* septentrional. ~ 어업 pesca *f* del océano septentrional.

북어(北魚) abadejo *m* secado.

북위(北緯) latitud *f* norte. ~ 40도 24분 30초 40 grados 24 minutos 30 segundos de latitud norte.

북유럽(北-) Europa *f* septentrional, Norte *m* de Europa.

북적거리다 (estar) lleno, repleto, atestado, de bote en bote, atestado, abarrotado.

북쪽(北-) norte *m*, septentrión *m*. ~의 (del) norte, septentrional, norteño. ~에 en el norte. ~으로 al norte, hacia el norte. ~ 지방 región *f* [comarca *f* norte].

북춤 danza *f* [baile *m*] con tambor.

북측(北側) norte *m*, dirección *f* norte.

북풍(北風) viento *m* (del) norte, nortada *f*, aquilón *m*, cierzo *m*, tramontana *f*.

북한(北韓) Corea *f* del Norte. ~의 (사람) norcoreano, -na *mf*.

북해(北海) ① [북쪽에 있는 바다] mar *m* norte, océano *m* septentrional. ② [함경북도 동쪽의 바다] mar *m* este de la provincia de *Hamgyeongbukdo*. ③ ((지명)) Mar *m* del Norte.

북회귀선(北回歸線) Trópico *m* de Cáncer.

분(分) ((높여 이르는 말)] figura *f*, persona *f*; [남자] señor *m*, hombre *m*; [여자] señora *f*, señorita *f*, mujer *f*. 이 ~ [남자] este señor; [기혼 여자] esta señora; [미혼 여자] esta señorita. ② [사람의 수를 셀 때] persona *f*. 손님 두 ~ dos clientes. ③ [음식이나 요금에서] plato *m*, ración *f*. 수프 1인 ~ un plato de sopa.

분¹(分) ((준말)] =분수²(分數). ¶~에 넘치는 inmerecido. ~에 넘치게 inmerecidamente.

분²(分) ① [시간의 단위] minuto *m*. 15~ cuarto (de hora), quince minutos. 30~ media hora, treinta minutos. 10시 10 [15·30]~이다 Son las diez y diez [y cuarto·y media]. ② [각도·위도·경도의] minuto *m*. 38도 5~ treinta y ocho grados cinco minutos. ③ [1 할을 10분의 1] el uno por ciento.

분³((준말)] =분장(扮裝).

분⁴(忿/憤) ((준말)] =분심(忿心). 분기(憤氣). ~을 참지 못하다 enfadarse, enojarse.

분⁵(盆) =화분(花盆).

분⁶(粉) polvos *mpl* de tocador, polvos *mpl* para la cara; [가루분] polvos *mpl* en pasta; [물분] cosmético *m* líquido. ~을 지우다 quitarse los polvos de la cara. ~(을) 바르다 [얼굴에] ponerse polvos, empolvarse (la cara), empolvorarse (la cara).

분가(分家) familia *f* ramal, rama *f* de una familia. ~하다 formar [establecer] una nueva familia separada [una nueva rama familiar].

분간(分揀) diferencia *f*, distintivo *m*, distinción *f*, discriminación *f*. ~하다 distinguir, diferenciar, discriminar.

분갑(粉匣) caja *f* de polvos.

분개(憤慨) enfurecimiento *m*, indignación *f*, enfado *m*, enojo *m*, irritación *f*, ira *f*, cólera *f*. ~하다 enfurecerse, indignarse, irritarse, enojarse, enfadarse.

분격(憤激) cólera *f*, ira *f*, indignación *f*, exasperación *f*, enfurecimiento *m*. ~하다 irritarse, enojarse, enfadarse, indignarse, enfurecerse. ~을 사다 provocar [incurrir en] la indignación.

분계(分界) límite *m*, linde *m*, frontera *f*, demarcación *f*, deslinde *m*, delimitación *f*. ~하다 demarcar, delimitar. ~선 línea *f* de demarcación, línea *f* de límite. ~ 선을 긋다 trazar la línea.

분골 쇄신(粉骨碎身) muchos esfuerzos, dedicación *f* en cuerpo y alma. ~하다 hacer todo lo posible, poder hacer mejor, esforzarse hasta más no poder, hacer lo mejor, empeñarse.

분과(分科) departamento *m*, sección *f*; [부문] sucursal *f*. ~ 위원 miembro *mf* [integrante *mf*] de la comisión, miembro *mf* de una sección. ~ 위원회 comisión *f*, comité *m*.

분교(分校) escuela *f* aneja [anexa], escuela *f* de ramo, (escuela *f*) filial *f* de una escuela principal.

분규(紛糾) complicación *f*, enredo *m*, embrollo *m*, disputa *f*, lío *m*. ~하다 complicarse, enredarse, embrollarse.

분기(分岐/分歧) divergencia *f*, bifurcación *f*; [강·길·철도의] ramal *m*. ~하다 dividirse, separarse; [두 개로] bifurcarse; [세부적으로] divergir, ramificarse.

분기(分期) semestre *m*.

분납(分納) [금액의] pago *m* por plazos; [물품의] entrega *f* por partes. ~하다 [돈을] pagar a plazos; [물건을] entregar por partes.

분노(忿怒/憤怒) cólera *f*, ira *f*, frenesí *m* de cólera, enfado *m*, *AmL* enojo *m*; [부정에 대하여] indignación *f*; [격분] rabia *f*, furor *m*, arrebato *m*. ~하다 enojarse, enfadarse, irritarse.

분뇨(糞尿) el excremento y la orina, excrementos *mpl*. ~관 desagüe *m* (de excrementos). ~ 소각 장치 incinerador *m* de excrementos. ~ 수거인 recogedor, -dora *mf* de excrementos. ~차 carro *m* para excrementos. ~ 탱크 depósito *m* [tanque *m*] de excrementos; [구덩이] depósito *m* de excrementos para abonar la tierra.

분단(分斷) división *f*. ~하다 dividir. ~되다 dividirse. 영토 ~ división *f* de territorio. ~ 국가 estado *m* [país *m*] dividido, nación *f* dividida. ~선 línea *f* dividida.

분담(分擔) asignación *f*, repartición *f*, cargo *m* parcial. ~하다 encargarse de una parte, compartir. ~시키다 asignar [repartir] una parte. ¶~금 cuota *f*, contribución *f*. ~액 adjudicación *f*, ((법률)) contribución *f*.

분당(分黨) fracción *f* [desunión *f*] del partido. ~하다 fraccionar [desunir] el partido.

분대(分隊) ① ((군사)) pelotón *m*, escuadra *f*; [해군의] división *f*; [분견의] destacamento *m*. ② [대를 나눔] división *f* en escuadras. ¶~장 jefe *mf* [comandante *mf*] de escuadra, jefe *mf* del pelotón, jefe *mf* de división.

분도기(分度器) transportador *m*, graduador *m*.

분등(分等) gradación *f*, clasificación *f*. ~하다 clasificar.

분란(紛亂) confusión *f*, desorden *m*, enredo *m*, embrollo *m*, conflicto *m*. ~하다 estar en desorden [confusión], confundirse, turbarse, embrollarse.

분량(分量) cantidad *f*; [체적] volumen *m*; [무게] peso *m*; [약 등의] dosis *f*. 적은 ~ cantidad *f* pequeña, dosis *f* pequeña. ~이 많은 책 libro *m* de muchos volúmenes; [두꺼운] libro *m* voluminoso

분류(分類) clasificación *f*. ~하다 clasificar, encasillar. 5종으로 ~하다 clasificar [dividir] en cinco grupos. ¶~ 목록 catálogo *m* clasificado. ~ 번호 número *m* de clasificación. ~법 clasificación *f*, sistema *m* de clasificación. ~ 카드 fichas *fpl* de clasificación. ~ 표 tabla *f* [lista *f*] clasificada. ~학 taxonomía *f*, taxología *f*, ciencia *f* de clasificación.

분리(分離) ① [따로 나누어 떨어짐] separación *f*, desunión *f*. ~하다 separarse, apartarse. ② ((생물)) segregación *f*. ~하다 segregar. ~되다 segregarse.

분만(分娩) parto *m*, alumbramiento

m. ~하다 dar a luz, parir. ~의 고통 dolores *mpl* [contracciones *fpl*] del parto. ~ 시중을 들다 partear. ¶ ~ 중이다 estar de parto, estar en trabajo de parto. ¶ ~ ~술 arsobstetrica *f*. ~실 sala *f* de partos. ~전 출혈 hemorragia *f* anteparto. ~ 촉진제 oxitócico *m*. ~ 휴가 permiso *m* por maternidad.

분말(粉末) polvo *m*; [미세한] polvillo *m*. ~(상)의 en polvo. ~로 하다 reducir a polvos, pulverizar.

분명(分明) claridad *f*, evidencia *f*, transparencia *f*, lo evidente, lo obvio. ~하다 (ser) claro, evidente, obvio, manifiesto, innegable; [확실하다] cierto, seguro. ~히 claramente, evidentemente, obviamente; [확실히] ciertamente, seguramente, sin duda.

분모(分母) ((수학)) denominador *m*. 공~ denominador *m* común.

분묘(墳墓) tumba *f*, sepulcro *m*, sepultura *f*, panteón *m*. ~ 발굴 exhumación *f* de una tumba. ~ 지지(之地) ㉮ [묘지] tumba *f*, sepulcro *m*. ㉯ [고향] tierra *f* nativa, suelo *m* natal.

분무기(噴霧器) rociador *m*, pulverizador *m*, evaporizador *m*, vaporizador *m*, pistola *f* pulverizadora.r 살충제 ~ la insecticida.

분바르다(粉─) empolvarse la cara.

분발(奮發/憤發) esfuerzo *m*, conato *m*, empeño *m*, perseverancia *f*, constancia *f*. ~하다 animarse, esforzarse, perseverarse, empeñarse, levantarse, cobrar ánimo.

분배(分配) distribución *f*, repartición *f*. ~하다 distribuir, repartir. ~금 dividendo *m*. ~론 teoría *f* de distribución. ~액 porción *f*. ~자 distribuidor, -dora *mf*.

분별(分別) ① [서로 구별을 지어 나눔] distinción *f*. ~하다 distinguir(se), interpretar. ~하게 하다 discernir, distinguir. ② =분변(分辨). ~법 fraccionación *f*.

분봉(分蜂) enjambrazón *m*. ~하다 enjambrar.

분부(分付/吩咐) orden *f*, mandato *m*, mandamiento *m*; [지시] instrucciones *fpl*, direcciones *fpl*. ~하다 ordenar, mandar, disponer, decir. ~대로 conforme a *sus* indicaciones [instrucciones].

분비(分泌) secreción *f*, excreción *f*. ~하다 secretar, excretar. ~ 기관 órgano *m* secretorio. ~작용 secreción *f*, excreción *f*; [악취의] disordia *f*. ~선(腺) glándula *f*. ~세포 célula *f* secretoria. ~ 신경 nervio *m* secretor. ~액 líquido *m* secretoria. ~약 droga *f* secreto-

ria. ~ 작용 secreción *f*. ~ 조직 tejido *m* secretorio.

분사(分詞) ((언어)) participio *m*. ~ 구문 frase *f* absoluta.

분산(分散) dispersión *f*, esparcimiento *m*, divergencia *f*. ~하다 dispersarse, esparcirse, divergir. ~시키다 dispersar, esparcir.

분석(分析) ① análisis *m(f)*. ~하다 analizar. ~의 analítico. ~할 수 있는 analizable. ~으로 처리하다 someter al análisis. 자료를 ~하다 analizar los datos. ② ((야금)) ensayo *m*. ~하다 ensayar. ¶ ~가 analisista *mf*; analista *mf*. ~기 analizadora *f*. ~자 analisista *mf*; analizador, -dora *f*. ~표 tabla *f* de análisis.

분쇄(粉碎/分碎) demolición *f*. ~하다 demoler, destrozar, hacer pedazos, hacer añicos, pulverizar, hacer polvo; [적을] aniquilar.

분수[1](分數) ① [분별하는 슬기] discreción *f*, prudencia *f*. ~ 있는 discreto. ~ 없는 indiscreto, imprudente. ② [분한] posición *f* (social), estado *m*, condición *f*. ~에 맞게 [지위에] según la situación en la sociedad; [재력에] según *sus* recursos; ~에 맞게 살다 vivir dentro de los medios.

분수[2](分數) ((수학)) fracción *f*, número *m* quebrado. ~ 방정식 ecuación *f* fraccionaria. ~식 expresión *f* fraccionaria.

분수(噴水) fuente *f*, manantial *m*, chorro *m*, chorretada *f*, surtidor *m*. ~가 나오다 Sale [Brota] el agua de la fuente.

분식(粉食) manjar *m* pulverizado, alimentación *f* por la harina amasada y cocida.

분신(分身) ① ((불교)) encarnación *f* de Buda. ② [제이의 나] mi otro yo. 그는 나의 ~이다 El es mi otro yo.

분신(焚身) quemadura *f* a sí mismo a la muerte. ~하다 quemarse [incendiarse] a la muerte. ~ 자살하다 suicidarse prendiéndose fuego.

분실(分室) oficina *f* aneja [anexa]; [병원의] cuarto *m* apartado; [관청의] oficina *f* apartada. ~장 jefe *mf* de la oficina aneja.

분실(紛失) pérdida *f*, extravío *m*. ~하다 perder, extraviar(se). ~되다 perderse, extraviarse, desaparecer. ¶ ~계 declaración *f* de la pérdida. ~물 objeto *m* perdido. ~물 센터 centro *m* de los objetos perdidos. ~물 신고 informe *m* de pérdidas.

분야(分野) ramo *m*, terreno *m*, esfera *f*; [학문・예술의] campo *m.* 무역 ~에서 en el terreno de los intercambios comerciales.

분양(分讓) cesión *f* en partes. ~하다 ceder en partes, vender en partes. 토지를 ~하다 vender un terreno por parcelas. ¶ ~ 주택 casa *f* y parcela en venta. ~지 urbanización *f*, parcela *f*, solar *m* que se venden en partes, terreno *m* que se venden en partes.

분업(分業) división *f* de la labor, división *f* del trabajo. ~으로 일을 합시다 Vamos a dividir el trabajo entre nosotros.

분열(分列) desfile *m*. ~식 desfile *m*. ~행 marcha *f* en desfile. ~ 행진하다 desfilar.

분열(分裂) desunión *f*, disgregación *f*, división *f*, quebrantamiento *m*, escisión *f*; [교회 등의] cisma *m(f)*; [정당·사회 단체 등의] fracción *f*. ~하다 desunirse, disgregarse, dividirse, separarse, quebrantarse, separarse; [정당·사회 단체 등이] fraccionarse.

분원(分院) [병원의] anejo *m* [anexo *m*] del hospital.

분위기(雰圍氣) ① =대기(大氣). ② [그 자리에 조성되어 있는 상태나 기분] atmósfera *f*, ambiente *m*.

분유(粉乳) leche *f* en polvo.

분자(分子) ① ((수학)) numerador *m*. ② ((물리)) molécula *f*. ~의 molecular. ~간의 intermolecular. ~ 내(內)의 intramolecular. ③ [구성원] elementos *mpl*. ¶ ~량 peso *m* molecular. ~물리학 física *f* molecular. ~설 teoría *f* molecular. ~식 fórmula *f* molecular.

분장(扮裝) ① [몸치장] maquillaje *m*. ~하다 maquillarse, pintarse, hacerse el maquillaje. ② ((연극)) disfraz *m*. ~하다 disfrazarse. 광대로 ~하다 disfrazarse de payaso. ¶ ~사 maquillador, -dora *f*. ~실 sala *f* de espera de los actores, camarín *m*, camerino *f*.

분재(盆栽) árbol *m* enano, planta *f* enana en maceta. ~를 만들다 cultivar un árbol enano.

분쟁(分爭) conflictos *mpl* de partidos, disensiones *fpl* de [entre] facciones.

분쟁(紛爭) pleito *m*, riña *f*, querella *f*, conflicto *m*, contienda *f*, litigio *m*, disputa *f*, lío *m*, discordia *f*. ~중의 en litigio. ~을 일으키다 crear [armar] un lío, provocar un disgusto, entrar en conflicto.

분전(奮戰) combate *m* animoso, batalla *f* vigorosa. ~하다 combatir [luchar] desesperadamente [duramente]; [노력하다] realizar esfuerzos tenaces.

분점(分店) sucursal *f*.

분주하다(奔走−) estar muy ocupado. 분주한 일정 programa *m* [calendario *m*] muy apretado. 눈코 뜰 사이 없이 ~ estar atareadísimo.

분지(盆地) cuenca *f*.

분책(分冊) fascículo *m*, volumen *m* separado.

분초(分秒) ① [시간의 단위인 분과 초] el minuto y el segundo. ② [매우 짧은 시간] tiempo *m* muy corto.

분출(噴出) efusión *f*, erupción *f*, tromba *f*, chorro *m*, flujo *m* rápido. ~하다 salir con ímpetu [a chorro], surgir, arrojar a chorros, brotar a chorros, fluir, manar. ~구(口) chorro *m*, surtidor *m* de escape.

분침(分針) minutero *m*.

분통(憤痛) rabia *f*, ira *f*, enojo *m*, enfado *m*, furor *m*, arrebato *m* de cólera. ~을 터뜨리다 estar furioso, poner furioso, enfurecer.

분투(奮鬪) ① [있는 힘을 다하여 적과 싸움] combate *m* animoso. ~하다 estar dedicado con gran empeño [ahinco], combatir animosamente. ② [힘껏 노력함] todos *sus* esfuerzos. ~하다 hacer todos *sus* esfuerzos, hacer todo lo posible.

분파(分派) ramo *m*, secta *f*; [정당·사회 단체 등의] fracción *f*.

분패(憤敗) derrota *f* por un escaso margen. ~하다 ser derrotado por un escaso margen.

분포(分布) distribución *f*, difusión *f*. ~하다 distribuir, difundirse. ~ 곡선 curva *f* de distribución. ~구 [식물·동물의] zona *f* de distribución. ~도 carta *f* de distribución. ~망 red *f* de distribución.

분풀이(憤−) venganza *f*, represalias *fpl*. ~하다 vengar, tomar represalias, contraatacar.

분필(粉筆) tiza *f*; [옷감을 말 때 표하는] yeso *m*, tiza *f*.

분하다(忿/憤−) ① [분하고 원통하다] resentirse, dar muestras de sentimiento, lamentarse, experimentar [sufrir] despecho. ② [서운하고 아깝다] sentir(se).

분할(分割) división *f*, desmembramiento *m*, partición *f*, [분배] repartimiento *m*. ~하다 dividir, partir, desmembrar, repartir. 토지를 ~하다 parcelar [dividir] el terreno. ¶ ~불 pago *m* a plazos, pago *m* en partes iguales, pago *m* aplazado. ~ 상속(세) sucesión *f* dividida, división *f* de sucesión. ~ 상환 amortización *f* dividida. ~ 선적 expedición *f* parcial. ~ 판매 venta *f* a plazos.

분해(分解) análisis *m*, descomposición *f*, [기계 등의] desarme *m*, desmontadura *f*. ~하다 destruir, descomponer, analizar, desarmar, desmontar. 부품을 ~하다 desmontar [separar] las piezas.

분향(焚香) ofrenda *f* [quema *f*] de incienso. ~하다 ofrecer [quemar] (el) incienso.

분홍(粉紅) ((준말)) =분홍빛. ¶~빛[색] (color *m*) rosa *m*, (color *m* de) rosa *m*, rojo *m* muy claro, color *m* de brasil, *AmL* rosado *m*. ~빛의 [옷 · 페인트 · 직물 등] rosa (남녀 동형), *AmL* rosado; [빨·등] sonrosado, colorado, encarnado, rojizo. ~ 치마 ㉮ [분홍빛으로 된 치마] falda *f* rosa, falda *f* de color rosa. ㉯ [연의 한 가지] bunhongchima, una especie de la cometa.

분화(噴火) erupción *f*, actividad *f* volcánica. ~하다 echar [emitir] fuego. ~구(口) cráter *m*. ~산 volcán *m* activo.

불다 ① [물에 젖어서] hincharse (por la humedad). ② [(수량이) 많아지다] aumentarse, acrecentarse, crecer. ¶불어나다 aumentar(se), acumularse, crecer, mulitiplicarse, obtenerse. 불어터지다 aumentarse y casi no poder comer.

불 ① [타는 현상] fuego *m*, lumbre *f*. ~에 강한 inconbustible, ignifugo. ~이 잘 붙여지지 않는 성냥 cerilla *f* [fósforo *m*] que se enciende mal. ~을 켜다 encender el fuego [la lumbre]; [전등의] encender la luz, alumbrar; [전등의] prender la luz. ~을 끄다 apagar [extinguir] el fuego; [전등의] apagar la luz. ② [광명. 등화] luz *f* de lámpara, alumbrado. ③ ~[광선] luz *f*, rayo *m*. ㉯ [조명] iluminación *f*, alumbrado *m*. [화재] fuego *m*, incendio *m*. ~을 내다 causar un incendio. ~을 끄다 apagar [extinguir] el incendio, ahogar el fuego. ⑤ [돌이나 쇠 따위의 마찰로 일어나는 빛과 열] la luz y el calor producidos por la fricción de las piedras o los metales. ⑥ [반딧불] luz *f* de las luciérnagas. ⑦ [도깨비불] luz fosforescencia *f*. ⑧ [욕정 · 정열 · 탐욕 따위] pasión *f*, deseo *m* sexual [carnal], codicia *f*, avaricia *f*. 정열의 ~ fuego *m* de pasión. ⑨ [희망] esperanza *f*. ㉯ [이상] ideal *m*. 불을 집에 부채질한다 ((속담)) Echar aceite en el fuego / Echar carbón a la lumbre / Echar leña al fuego. 불 안 땐 굴뚝에 연기 날까 ((속담)) Donde hay humo, hay cenizas. 불에 놀란 놈 화젓가

락 [부지깽이] 보고 놀란다 / 불에 덴 아이는 솥뚜껑을 보고도 놀란다 ((속담)) Gato escaldado del agua fría huye.

불[2] ① ((해부)) =음낭(陰囊). ② ((준말)) =불알.

불(弗) dólar *m*. 미화(美貨) 100~ cien dólares estadounidenses.

불[1](佛) ((준말)) =불타(佛陀).

불[2](佛) ((지명)) ((준말)) =불란서.

불가(不可) desaprobación *f*, [평점] suspenso *m*. ~하다 no tener razón, desaprobar, rehusar adhesión. ~의 desaprobado.

불가(佛家) ① [불교를 믿는 사람] budista *mf*. ② [절] templo *m* budista. ③ [불교를 믿는 사람들의 사회] Tierra *f* Pura.

불가결(不可缺) indispensabilidad *f*. ~하다 (ser) indispensable, imprescindible.

불가능(不可能) imposibilidad *f*. ~하다 (ser) imposible, impracticable. ~하게 하다 imposibilitar. ~을 가능으로 하다 hacer posible lo imposible. …하는 것은 ~하다 Es imposible [No es posible] + *inf* [que + *subj*].

불가래 pala *f* de fuego de madera.

불가리아 ((지명)) Bulgaria *f*. ~의 búlgaro. ~어 búlgaro *m*. ~인 búlgaro, -ra *mf*.

불가 부득(不可不得) =부득이.

불가분(不可分) indivisibilidad *f*, inseparabilidad *f*. ~하다 (ser) indivisible, inseparable.

불가불(不可不) inevitablemente. 나는 ~ 그렇게 했다 Yo tuve que hacerlo así.

불가사리[1] [상상상의 짐승의 이름] monstruo *m* imaginario, criatura *f* mítica.

불가사리[2] ((동물)) estrellamar *f*, estrella *f* de mar, asteroideo *m*, asteria *f*.

불가사의(不可思議) misterio *m*, milagro *m*, maravilla *f*. ~하다 [신비스럽다] (ser) misterioso, maravilloso; [마법] mágico; [기적적이다] milagroso; [기묘하다] extraño, curioso; [진기하다] raro; [이상하다] extraordinario; [수수께끼 같다] enigmático; [불가해하다] inexplicable. 세계 칠대 ~ las siete maravillas del mundo.

불가지(不可知) inescrutabilidad *f*, hermetismo *m*, impenetrabilidad *f*. ~의 inescrutable, incognoscible. ~론 agnostisismo *m*. ~론자 agnóstico, -ca *mf*.

불가침(不可侵) la no agresión, non-agresión *f*, inviolabilidad *f*. ~의 inviolable, sagrado. 영토의 ~ inviolabilidad *f* del territorio. ¶~ 조약 pacto *m* [tratado *m*] de no agresión.

불가피(不可避) inevitabilidad *f*. ~하다 (ser) inevitable, ineludible, ineluctable, indeclinable. 전쟁으로 ~했다 La guerra fue inevitable.

불가항력(不可抗力) caso *m* fortuito, acto *m* de la naturaleza, fuerza *f* mayor.

불가해(不可解) incomprensibilidad *f*. ~하다 (ser) incomprensible; [수수께끼 같다] enigmático; [신비스럽다] misterioso; [뚫을 수 없다] impenetrable. ~한 일 enigma *m*, misterio *m*.

불간섭(不干涉) no intervención *f*. ~주의 no intervencionismo *m*, política *f* de no intervención [de no interferencia].

불감증(不感症) ((의학)) frigidez *f*, apatía *f* sexual, carencia *f* en la mujer del deseo [el placer] sexual, anafrodisia *f*. ~에 걸린 여자 mujer frígida.

불개미((곤충)) hormiga *f* roja.

불개입(不介入) no intervención *f*. ~방침[정책] política *f* de no intervención.

불거웃 pelo *m* púbico.

불거지다 ① [갑자기 드러나거나 생겨나다] revelarse. 생각지도 않은 사실이 불거졌다 Se reveló un hecho inesperado. ② [무엇이 둥글게 솟아오르다] sobresalir, salir afuera. 툭 불거진 광대뼈 pómulos *mpl* salientes. ③ [거죽으로 툭 비어져 나오다] sobresalir.

불건전(不健全) morbididad *f*. ~하다 (ser) mórbido, malsano, morboso, insano. ~한 사상 ideas *fpl* malsanas. ~한 재정 finanzas *fpl* mal equilibradas.

불결(不潔) suciedad *f*, inmundicia *f*, sordidez *f*, desaseo *m*, impureza *f*; [오욕] deshonor *m*, vergüenza *f*, infamia *f*; [모독] profanación *f*, profanidad *f*. ~하다 (ser) sucio, inmundo, sórdido, impuro, manchado, mugriento, cochambroso, puerco, cochino; [칠칠치 못하다] desaseado, desliñado.

불경(不敬) irreverencia *f*, blasfamia *f*. ~하다 (ser) irreverente, irrespetuoso, falto de respeto; [신에 대한] sacrílego, impío, profano. ~죄 delito *m* contra la realeza, ofensa *f* a un miembro de la familia imperial, delito *m* de lesa majestad.

불경(佛經) escrituras *fpl* budistas, escritura *f* sagrada budista, Sutras *mpl* Budistas.

불경기(不景氣) depresión *f*, inactividad *f* (económica); [경기의 후퇴] recesión *f*. ~의 deprimido, inactivo.

불계(不計) ((바둑)) lo que no cuenta el número de las casas. ~승 victoria *f* sin contar el número de las casas.

불고기 bulgoki, asado *m*, carne *f* asada.

불곰 ((동물)) oso *m* pardo.

불공(佛供) oficios *mpl* de difuntos, misa *f* budista para el difunto. ~(을) 드리다 hacer ofrecimiento al difunto, celebrar un oficio [un servicio] por el descanso del alma. ¶~쌀 arroz *m* para los oficios de difuntos.

불공정(不公正) injusticia *f*. ~하다 (ser) injusto, desleal. ~하게 injustamente. ☞불공평(不公平)

불공평(不公平) parcialidad *f*, iniquidad *f*, injusticia *f*. ~하다 (ser) injusto, parcial, no equitativo.

불과(不過) sólo, solamente, no … más que. ~ 며칠 만에 en pocos días. ~ 얼마 안 되는 돈으로 con [por] poco dinero. ~하다 no ser más que …, no ser sino …, ser solamente.

불교(佛敎) budismo *m*, enseñanza de Buda. ~의 búdico, budista, de budismo. ~식으로 en cumplimiento del rito budista. ~를 믿다 creer en el budismo. ~도 budista *mf*. ~ 미술 bellas artes *fpl* budistas. ~ 신자 budista *mf*; creyente *mf* [fiel *m*] budista.

불구(不具) lisiadura *f*; [전쟁 등에 의해] mutilación *f*, invalidez *f*, discapacidad *f*, invalidía *f*; [기형] deformidad *f*. ~아(兒) niño *m* lisiado, niña *f* lisiada. ~자 lisiado, -da *mf*; mutilado, -da *mf*; inválido, -da *mf*; minusválido, -da *mf*.

불구(不拘) ¶~하다 hacer caso omiso, no prestar atención. ~하고 a pesar de *algo* [+ *inf*·de que + *ind*·de que + *subj*], pese a *algo* [a que + *ind*·a que + *subj*], aunque, no obstante, sin consideración a *algo*. 그럼에도 ~하고 a pesar de (todo) eso, pese a eso, sin embargo, aun así. 우천에도 ~ a pesar de la lluvia, sin consideración a la lluvia, aun cuando llueva.

불구대천(不俱戴天) rencor *m* mortal. ~의 원수 enemigo *m* mortal.

불구속(不拘束) no detención *f*. ~하다 no detener. ~으로 sin detención física, bajo custodia, al cuidado. ~ 입건하다 acusar sin detención física.

불굴(不屈) inflexibilidad *f*, perseverancia *f*, indomabilidad *f*. ~의 inflexible, indómito, inquebrantable, perseverante, infatigable. ~

의 사나이 hombre *m* de una laboriosidad infatigable.

불귀(不歸) muerte *f*, fallecimiento *m*. ~의 객(客) muerto, -ta *mf*. ~의 객이 되다 morir, fallecer.

불규칙(不規則) irregularidad *f*. ~하다 (ser) irregular. ~하게 irregularmente. ~한 생활을 하다 llevar una vida irregular [desordenada]. ¶~ 동사 verbo *m* irregular. ~ 변화 conjugación *f* irregular. ~적 irregular. ~ 형용사 adjetivo *m* irregular. ~ 활용 conjugación *f* irregular.

불균형(不均衡) desequilibrio *m*, desnivel *m*, desproporción *f*. ~의 desequilibrado. 국제 수지의 ~ desequilibrio *m* de la balanza de pagos internacionales. 무역의 ~ desequilibrio *m* de la balanza comercial.

불그데데하다 (ser) rojizo.
불그뎅뎅하다 (ser) rojizo.
불그레하다 (ser) rojizo, estar matizado de rojo. 불그레한 얼굴 cara *f* rojiza, rostro *m* rojizo.
불그무레하다 (ser) rojizo.
불그스레하다 =불그스름하다.
불그스름하다 (ser) rojizo. 불그스름해지다 ponerse rojizo. 불그스름한 털 pelo *m* rojizo. 털이 불그스름한 얼굴 cara *f* pelirroja, cara *f* de pelo rojizo.

불그죽죽하다 (ser) sombríamente rojizo.
불긋불긋 con puntos rojos. ~하다 ser puntuado con rojo.
불긋하다 (ser) rojizo.
불기(一氣) =불기운.
불기(佛紀) (불교) era *f* budista. ~ 2천 5백년 dos mil quinientos (años) de la era budista.
불기소(不起訴) no-procesamiento *m*. ~ 이유 motivo de no-procesamiento. ~ 처분 disposición *f* de no-procesamiento.
불길 fuego *m*, llama *f*. ~을 잡다 dominar el fuego. ~이 타다 llamar, flamear, arder.
불길(不吉) mal agüero *m* [augurio *m*]. ~하다 (ser) funesto, siniestro, de mal agüero, de mal augurio, de mal presagio.
불김 (calor *m* del fuego.
불꽃 ① [화염] chispa *f*, llama *f*. ~이 일다 llamear, arder, flamear. ② [인공의] fuegos *mpl* artificiales; [쏘아 올리는] cohete *m*. ¶~놀이 exhibición *f* de fuegos artificiales.
불끈 ① [갑자기] de repente, repentinamente, de súbito, súbitamente. ② [단단히] con firmeza, bien apretado. ③ [흥분하여 갑자기 성을 울컥 내는 모양] enfadándose.

~하다 ofenderse, enojarse, enfadarse, irritarse.
불나방(곤충) mariposa *f* tigre.
불놀이 fuegos *mpl* artificiales.
불능(不能) imposibilidad *f*, [성적인] impotencia *f*. ~하다 (ser) imposible, incompetente, impotente.
불다[바람이] soplar. 바람이 분다 Sopla / Hace viento.
불다 ① [입속으로부터 날숨을] soplarse. 수프를 불어서 식히다 enfriar la sopa soplando. ② [관악기를] tocar. 트럼펫을 ~ tocar la trompeta. ③ [바람을 일으키다] hacer el viento. ④ [털어놓고 말하다] confiar(se), confesar, revelar, develar, desvelar, hacer confidencia(s), decir [hablar] francamente. ¶불어넣다 [바람이나 입김 따위를] meter soplando, meter echando el aliento. ④ [자극이나 영향을 주다] inspirar. 사상을 ~ inspirar un pensamiento.
불단(佛壇) altar *m* budista.
불당(佛堂) santuario *m* budista.
불더위 calor *m* sofocante.
불덩어리 ① [불이 붙어 타고 있는 덩이] bola *f* de fuego. ~가 되다 flamear, llamear, arder en llamas. ② [열이 심한 몸이나 뜨겁게 단 물체] cuerpo *m* que tiene mucha fiebre, cosa ardiente. 그의 이마가 ~ 같다 Le arde la frente.
불덩이 bola *f* de fuego.
불도(佛道) budismo *m*, doctrina *f* budista, enseñanza *f* de Buda.
불도저 buldózer *m*, empujadora *f* niveladora, ropadora *f*.
불독 perro *m* dogo [de presa].
불두(佛頭) cabeza *f* del Buda.
불두덩 ingle *m*, región *f* pubiana [púbica], pubis *m*.
불땀 calor *m*. ~이 세다 tener la fuerte fuerza calórica.
불때다 hacer fuego.
불땔감 leña *f*, combustible *m*.
불똥 ① [심지의 엉긴 덩이 부분] pabilo *m*. ② [불덩이] chispa *f*, pavesa *f*. ~이 뛰다 chispear, echar chispas. ~이 쏟아진다 Las pavesas caen como lluvia.
불란서(佛蘭西) ((지명)) Francia *f*. ~의 francés. ~어 francés *m*. ~인 francés, -cesa *mf*. ~ 혁명 Revolución *f* Francesa.
불량(不良) mala calidad *f*, maldad *f*, perversidad *f*. ~하다 (ser) malo, malvado; [타락하다] corrupto; [열등하다] inferior; [품질이 나쁘다] defectuoso. ~한 사람 pilluelo, -a *mf*; golfo, -fa *mf*; granuja *m*; sinvergüenza *mf*. ¶~배 pilluelo *m*, golfo *m*, granuja *f*. ~ 소녀 joven *f* descarriada [depravada]. ~ 소년 joven *m* descarriado [de-

pravado]; [집합적] juventud *f* descarriada. ~아 niño *m* descarriado, niña *f* descarriada. ~자 ⑦ [성질이나 품행이 나쁜 사람] persona *f* malvada; [남자] hombre *m* malvado; [여자] mujer *f* malvada. ④ =깡패. ~품 artículo *m* defectuoso. ~생 estudiante *m* revoltoso, estudiante *f* revoltosa.

불러내다 llamar; [법정에] citar, emplazar. 전화로 ~ llamar (por teléfono).

불러들이다 llamar, invitar. 나는 그들을 한 잔 하자고 집으로 불러들였다 Yo los invité a casa a tomar una copa.

불러모으다 llamar y reunir.

불러세우다 (llamar y) parar, llamar a parar.

불러오다 llamar; [심부름꾼을 시켜서] mandar a buscar, *AmL* mandar llamar. 의사를 ~ mandar a buscar al médico.

불러일으키다 ① [불러서 눈을 뜨게 하다] despertar. ② [숨어 있는 것을 드러나게 하다] provocar, excitar.

불려가다 ser llamado. 경찰에 ~ ser citado por la policía. 법정에 ~ ser citado a la corte.

불력(佛力) poder *m* de Buda.

불령(不逞) insubordinación *f*. ~하다 (ser) insubordinado, refractario, rebelde, amostinado, sedicioso.

불령(佛領) territorio *m* francés.

불로(不老) juventud *f* eterna [perpetua]. ~하다 ser insenescente, conservar la juventud eterna. ~불사(不死) eterna juventud *f* y inmortalidad. ~ 불사약 elíxir *m* de vida. ~약 elíxir *m*, medicamento *m* maravilloso, elíxir *m* de larga vida. ~ 장생(長生) eterna juventud *f*. ~ 장생약 elíxir *m*. ~초 hierba *f* de eterna juventud.

불로(不勞) no trabajo *m*. ~하다 no trabajar. ~ 소득 rendimientos *mpl* del capital (mobiliario), ingresos *mpl* ganados sin trabajar, ganancia *f* imprevista. ~ 소득세 impuesto *m* de rendimientos del capital.

불룩 salientemente. ~하다 (ser) saliente, saledizo, sobresalir; [배가] panzudo, barrigón, barrigado, ventrudo, tener barriga [*AmL* panza]; [가방・호주머니가] repleto; [눈이] saltón. ~ 내민 saliente; [건물이] saledizo. 배가 ~한 (사람) panzudo, -da *mf*; barrigón, -gona *mf*; barrigudo, -da *mf*.

불륜(不倫) ilicitud *f*, obscenidad *f*, liviandad *f*, depravación *f*, crápula *f*, inmoralidad *f*, indignidad *f*, indecorosidad *f*.

불리(不利) desventaja *f*. ~하다 (ser) desventajoso, desfavorable. ~한 입장에 있다 encontrarse en una situación desfavorable, estar en desventaja.

불리다[1] [바람을 받아서 날리우지다] ser soplado.

불리다[2] ① [부름을 받다] ser llamado, ser citado. 법정에 ~ ser citado a la corte. ② [소집되다] convocarse. ③ [초대되다] ser invitado.

불리다[3] [(배를) 부르게 하다] llenar el estómago.

불리다[4] ① [물건을 물에 축여서 붇게 하다] remojar. ② [돈이나 재산을] acrecentar *su* fortuna.

불리다[5] ① [쇠를 불 속에 넣어 단련하다] templar. ② [곡식을 부쳐서 잡것을 날려 버리다] aventar.

불만(不滿) (준말) =불만족(不滿足). ¶~이 많은 descontentadizo. ~을 느끼다 sentir descontento. ~을 토로하다 quejarse. ~을 품다 descontentarse. ~스럽다 (estar) descontento, insatisfecho.

불만족(不滿足) descontentamiento *m*, descontento *m*, insatisfacción *f*. ~하다 (estar) descontento, insatisfecho.

불매(不買) no compra *f*. ~하다 no comprar. ~ 동맹 boicoteo *m*, boicot *m*, huelga *f* para [de] no comprar. ~ 운동 boicoteo *m*.

불매(不賣) no venta *f*. ~하다 no vender.

불면(不眠) desvelo *m*, insomnio *m*, privación *f* de sueño. ~하다 no dormir. ~증 insomnio *m*. ~증 환자 insomne *mf*.

불멸(不滅) perpetuidad *f*, inmortalidad *f*. ~하다 (ser) perpetuo, inmortal, imperecedero.

불명(不明) obscuridad *f*, [불확실] incertidumbre *f*. ~하다 (ser) obscuro, incierto. 그의 생사는 ~이다 Nadie sabe si está vivo o muerto.

불명(佛名) ① [부처의 이름] nombre *m* de Buda. ② [불법에 귀의한 불자의] nombre *m* budista.

불명료(不明瞭) indistinción *f*, vaguedad *f*. ~하다(ser) indistinto, vago, poco claro. ~한 발음 pronunciación *f* articulada [difícilmente comprensible].

불명예(不名譽) deshonor *m*, deshonra *f*, ignominia *f*, oprobio *m*, vergüenza *f*. ~하다 (ser) deshonroso, infamado, ignominioso, vergonzoso. ~ 제대 baja *f* deshonrosa.

불명확(不明確) lo indefinido, lo poco definido, lo indistinto, lo poco claro, oscuridad *f*. ~하다 (ser) indefinido, poco definido, indistinto, poco claro, oscuro, vago, impreciso, ambiguo.

불모(不毛) ① [땅이 매말라 농작물이 잘 되지 않음] esterilidad *f*, aridez *f*. ~의 estéril, infecundo, improductivo; [건조하다] árido. ~의 땅 tierra *f* árida, tierra *f* estéril. 이 토지는 ~이다 Esta tierra es estéril. ② [(준말)] =불모지지.

불모지(不毛地) =불모지지. ~로 만들다 esterilizar, hacer estéril.

불모지지(不毛之地) tierra *f* árida, tierra *f* estéril.

불모증(不毛症) =무모증(無毛症).

불목 la parte más caliente del suelo calentado.

불목하니 ((불교)) criado, -da *mf* del templo budista.

불문(不問) ① [캐묻지 아니함] no pregunta *f*. ~하다 no preguntar. ② [차이를 가리지 않음] no diferencia *f*. 남녀를 ~하고 sea hombre o mujer.

불문률(不文律) ley *f* no escrita.

불미(不美) suciedad *f*, no belleza, no hermosura. ~하다 ser sucio, no ser hermoso [bello]. ~스럽다 (ser) vergonzoso, bochornoso. ~한 일 cosa *f* vergonzosa, vergüenza *f*, lo vergonzoso, lo bochornoso.

불민(不敏) estupidez *f*, inhabilidad *f*, incapacidad *f*, insuficiencia *f*, ineptitud *f*, incompetencia *f*. ~하다 (ser) estúpido, incompetente, inepto.

불민하다(不憫/不愍—) (ser) lastimoso, compasivo, triste; [명사 앞에서] pobre. ~하게 생각하다 tener lástima, apiadarse, compadecerse, compadecer.

불바다 ① [무서운 기세의 큰 불] gran fuego *m*, mar *m* de fuego. 점포는 ~로 변했다 El fuego invadió toda la tienda. ② [불이 밝게 켜져 있는 넓은 곳] mar *m* de fuego.

불발(不發) impotencia *f*, explosión *f* frustrada. ~로 끝나다 [비유적] no llegar a ponerse por obra. ~이었다 Falló el disparo. ¶ ~탄 bomba *f* sin explosionar, bala *f* que no ha reventado [estallado · explotado].

불법(不法) [위법] ilegalidad *f*, ilegitimidad *f*, [부정] injusticia *f*. ~하다 (ser) ilegal, ilegítimo, injusto. ~ 감금 prisión *f* [detención *f*] ilegal. ~ 선거 운동 campaña *f* electoral ilegítima. ~ 입국 ingreso *m* [entrada *f*] ilegal. ~ 입국자 inmigrante *m* ilegal. ~적 ilegal, ilegítimo, injusto, sin autorización. ~적으로 ilegalmente, ilegítima-

mente, injustamente. ~ 점거[점유] ocupación *f* ilegal, ocupación *f* ilegítima. ~ 점거자 ocupa *mf*; okupa *mf*; ocupante *mf* ilegal. ~ 집회 asamblea *f* ilegal. ~ 체포 arresto *m* ilegal, detención *f* ilegal. ~ 출판 publicación *f* ilegal.

불법(佛法) ① [불교] budismo *m*. ② [부처의 교법] doctrina *f* budista, doctrina *f* de Buda.

불변(不變) invariabilidad *f*, inmutabilidad *f*, constancia *f*. ~하다 (ser) invariable, inmutable, constante, permanente, perpetuo. ~의 법칙 ley *f* inmutable.

불별 sol *m* abrasador. ~ 더위 calor *m* abrasador, calor *m* infernal.

불복(不服) ① [불복죄] descontento *m*, disgusto *m*, desaprobación *f*. ~하다 estar descontento, no estar contento, protestar contra. ② [불복종] desobediencia *f*. ~하다 desobedecer. ¶ ~ 상고 [항고] apelación *f* de insatisfacción (a la Corte Suprema).

불복종(不服從) desobediencia *f*. ~하다 desobedecer.

불분명(不分明) vaguedad *f*, o(b)scuridad *f*. ~하다 (ser) vago, indistinto, confuso, dudoso, incierto, ambiguo, no ser claro.

불비(不備) ① [안 갖춤] imperfección *f*, defecto *m*. ~하다 (ser) imperfecto, defectuoso, defectuoso. ② [편짓글 끝에서] Cordialmente, Sinceramente, Atentamente, Su seguro servidor, S.S.S.

불빛 ① [타는 불의 빛] luz *f* del fuego ardiente. ② [등불의 빛] luz *f*, luz *f* del fuego. ③ [불색(色)] color *m* rojo y claro.

불사(不死) inmortalidad *f*. ~하다 ser inmortal, no morir. ~의 inmortal, imperecedero. ~약 elíxir *m*, medicamento *m* maravilloso. ~ 영생 vida *f* perpetua, vida *f* permanente. ~조 fénix *m*.

불사(佛寺) templo *m* budista.

불사(佛事) ceremonia *f* [rito *m*] budista, ceremonia *f* religiosa budista, servicios *mpl* budistas, asuntos *mpl* de Buda. ~를 행하다 hacer una ceremonia religiosa budista, celebrar servicios budistas (por un difunto).

불사신(不死身) fénix *m*.

불상(不祥) mal augurio *m*. ~사 acontecimiento *m* funesto, mal acontecimiento *m*, escándalo *m*.

불상(佛像) imagen *m* de Buda, imagen *f* [estatua *f*] budista, imagen *f* de una deidad budista.

불서(佛書) escrituras *fpl* budistas, escritos *mpl* sagrados budistas, literatura *f* budista.

불성실(不誠實) falta *f* de seriedad [de sinceridad], deslealtad *f*, disimulación *f*, camandulería *f*, impropiedad *f*, picardería *f*. ~하다 (ser) insincero, poco serio, poco grave, desleal, hipócrita, ímprobo, pícaro, fraudulento, falso.

불세출(不世出) rareza *f*, raridad *f*.

불소(弗素) ((화학)) flúor *m* (F, Fl). ~의 fluórico. ~산(酸) ácido *m* fluórico. ~ 치약 dentífrico *m* con flúor.

불소화(不消化) indigestión.

불손(不遜) insolencia *f*, arrogancia *f*, altivez *f*, altiveza *f*, soberbia *f*. ~하다 (ser) insolente, arrogante, altivo, impertinente.

불수(不隨) parálisis *f*, perlesía *f*. 가 되다 padecer parálisis, paralizarse. 반신 ~ hemiplejía *f*. 전신 ~ parálisis *f* total. 하반신 ~ paraplejía.

불순(不純) impureza *f*, impuridad *f*, impurificación *f*, inmoralidad *f*, deshonestidad *f*; [간통] adulteración *f*. ~하다 (ser) impuro, inmoral, deshonesto, adulterado, adúltero, adulterino. ~물 impurezas *fpl*, elementos *mpl* heterogéneos, sustancias *fpl* heterogéneas, cosas *fpl* impuras.

불순(不順) intemperie *f*, intemperatura *f*, anomalía *f*. ~하다 ser extemporáneo (계절 외의); variable (변하기 쉬운); irregular (불규칙한); anómalo.

불시(不時) lo imprevisto, lo inesperado, lo repentino. ~의 inesperado, impensado, intempestivo, inopinado, repentino. ~로 de repente, repentinamente, de súbito, súbitamente. ~에 de repente, repentinamente, de golpe, inesperadamente, de improviso, intempestivamente, inopinadamente. ~에 나타나다 aparecer repentinamente [inesperadamente].

불시착(不時着) ((준말)) =불시착륙.

불시 착륙(不時着陸) [육상에] aterrizaje *m* forzoso; [해상에] amerizaje *m* forzoso. ~하다 aterrizar forzosamente, hacer una aterrizaje [un amerizaje] forzoso.

불신(不信) desconfianza *f*, incredulidad *f*; [불신의] deslealtad *f*, infidelidad *f*, perfidia *f*. ~하다 desconfiar. ~ 풍조 tendencia *f* de desconfianza mutua.

불신임(不信任) desconfianza *f*, falta *f* de confianza. ~하다 desconfiar. ~ 결의 voto *m* [resolución *f*] de desconfianza. ~ 동의 moción *f* de desconfianza. ~안 proyecto *m* de carencia de confianza. ~ 투표 voto *m* de desconfianza, voto *m*

de no confianza, votación *f* no confianza (contra).

불심(不審) duda *f*, sospecha *f*. ~하다 (ser) dudoso, sospechoso. ~ 검문 interrogación *f* por sospecha. ~ 검문하다 interrogar por sospecha.

불심(佛心) ① [부처의 자비로운 마음] merced *f* de Buda, corazón *m* gracioso de Buda. ② [해탈] liberación *f*.

불쌍하다 [가엾다] (ser) pobre, lastimoso, lastimero, digno de compasión; [비참하다] miserable; [불행하다] infeliz, desdichado; [잔혹하다] cruel, despiadado; [애처롭다] paético. 불쌍한 고아 pobre huérfano, -na *mf*. ¶불쌍히 bremente, lastimosamente, miserablemente, infelizmente, cruelmente, paéticamente. 불쌍히 여기다 compadecerse.

불쏘시개 encendajas *fpl*, astilla *f* para encender, líquido *m* utilizado [pastilla *f* utilizada] para facilitar el encendido del fuego de leña o carbón.

불쑥 ① [불룩하게 쑥 내밀거나 나온] sobresalientemente. ~ 나오다 sobresalir. ~ 나온 턱 barbilla *f* prominente. ② [갑작스럽게 생기거나 쑥 나타난] de repente, repentinamente, impensadamente, inesperadamente, bruscamente, inopinadamente. ~ 나타나다 aparecer bruscamente.

불씨 ① [재 속에 묻어 두는 작은 불덩이] ascua *f* [brasa *f*] (para encender el fuego). ② [소동이나 사건 따위를 불러일으키는 실마리] polvorín *m*, barril *m* de pólvora.

불안(不安) inquietud *f*, ansiedad *f*, inestabilidad *f*, intranquilidad *f*, preocupación *f*, cuidado *m*. ~하다 inquitarse. ~감 inquietud *f*, ansiedad *f*, intranquilidad *f*, preocupación *f*, sentimiento *m* inquieto.

불안전(不安全) inseguridad *f*. ~하다 (ser) inseguro.

불안정(不安定) inestabilidad *f*, inseguridad *f*, estado *m* precario. ~하다 (ser) inestable, inseguro, precario.

불알 testículo *m*, genitales *mpl*.

불야성(不夜城) mansión *f* donde no hay noche, mar *m* de la luz.

불어¹(佛語) ((불교)) palabras *fpl* de Buda, palabra *f* budista.

불어²(佛語) [불란서어] francés *m*.

불어나다 aumentar. ☞불다².

불어넣다 aspirar, inspirar. ☞불다².

불여우 ① ((동물)) =붉은여우. ② ((속어)) [변덕스럽고 요사스러운 여자] arpía *f*, bruja *f*, fiera *f*.

불연(不燃) lo incombustible, lo in-

inflamable.

불온(不穩) inquietud *f*, desasosiego *m*, desazón *m*, intranquilidad *f*, impropiedad *f*. ～하다 (ser) inquietante, desasogado, intranquilo, amenazador, alarmante, amenazador. ～ 문서 escritura *f* peligrosa. ～ 분자 perturbador, -dora *mf*, agitador, -dora *mf*. ～ 사상 idea *f* amenazante.

불완전(不完全) imperfección *f*, estado *m* incompleto. ～하다 (ser) imperfecto, incompleto, deficiente, defectivo, defectuoso. ～ 고용 subempleo *m*. ～ 동사 verbo *m* incompleto. ～ 명사 substantivo *m* [nombre *m*] incompleto. ～ 연소 combustión *f* incompleta. ～ 자동사 verbo *m* intransitivo incompleto. ～ 취업 colocación *f* incompleta.

불요(不要) lo innecesario. ～하다 (ser) innecesario. ～ 불급하다 no ser necesario y esencial.

불요(不撓) inflexibilidad *f*. ～하다 (ser) inflexible, inquebrantable. ～의 정신 espíritu *m* inflexible [inquebrantable]. ¶～ 불굴 lo indomable, tenacidad *f*, inflexibilidad *f*, lo intrépido.

불우(不遇) [불운] infortunio *m*, desgracia *f*; [역경] adversidad *f*. ～하다 (ser) infortunado, desgraciado, desventurado, desdichado, poco feliz. ～ 아동 niños *mpl* infortunados. ～ 이웃 돕기 운동 campaña *f* de ayudar a los vecinos necesitados.

불운(不運) mala suerte *f*, desventura *f*, desgracia *f*. ～하다 (ser) desafortunado, desventurado, infortunado; [불행하다] desdichado, desgraciado, infeliz, poco feliz; [저주스럽다] maldito. ～아(兒) persona *f* desafortunada.

불원(不遠) ① [거리가 멀지 아니함] distancia *f* cercana, distancia *f* que no está lejos. ～하다 no estar lejos, estar cerca. ② [닥칠 일이 오래지 아니함] lo cercano. ～하다 ser cercano. ～한 장래 futuro *m* cercano. ③ [부사적] [머지 않아] pronto.

불원간(不遠間) [곧] pronto, dentro de poco; [이삼일 중에] uno de estos días, un día de éstos; [그럭저럭 하는 사이에] entre tanto, entretanto, mientras tanto. ～ 또 만납시다 Hasta luego / Hasta pronto / Hasta la vista.

불유쾌(不愉快) lo desagradable, lo enojoso, molestia *f*, disgusto *m*. ～하다 (ser) desagradable; [노하다] enfadoso, enojoso, fastidioso; [번거롭다] molesto, disgustado. ～한 말 palabra *f* desagradable.

불응(不應) no aceptación *f*, declinación *f*, desobediencia *f*; [거절] rechazo *m*, denegación *f*. ～하다 no aceptar, rechazar, desobedecer, declinar.

불의(不意) imprevisión *f*, falta *f* de previsión, descuido *m*. ～의 imprevisto, inesperado, inopinado, inpensado; [돌연의] repentino, súbito. ～의 사건 suceso *m* imprevisto [repentino].

불의에(不意－) inesperadamente, impensadamente, de imprevisto, de repente, repentinamente, de súbito, súbitamente, por sorpresa. ～ 습격하다 atacar por sorpresa, asaltar desprevenido.

불의(不義) ① [부도덕] injusticia *f*, inmoralidad *f*, impropiedad *f*. ～하다 (ser) injusto, impropio, inmoral. ② [밀통] comunicación *f* ilícita; [간통] adulterio *m*. ～하다 (ser) adúltero, adulterino, pecaminoso. ～로 adulterinamente, con adulterio. ～를 저지르다 cometer adulterio, adulterar. ～의 씨 hijo *m* adulterino, hija *f* adulterina; bastardo, -da *mf*.

불이야 ¡Fuego!

불이익(不利益) desventaja *f*. ～하다 (ser) desventajoso.

불이행(不履行) incumplimiento *m*, irrealización *f*, violación *f*, rotura *f*, fractura *f*. ～하다 incumplir, no cumplir.

불인가(不認可) desaprobación *f*, negativa *f*, rechazamiento *m*. ～하다 desaprobar, no aprobar.

불일치(不一致) desacuerdo *m*, falta *f* de conformidad, desconformidad *f*, discrepancia *f*, desavenencia *f*, disensión *f*, incompatibilidad *f*. ～하다 (ser) desconforme.

불임(不姙) esterilidad *f*, infecundidad *f*. ～의 estéril, infecundo. ～하게 하다 esterilizar. ¶～률 tasa *f* de esterilidad. ～법 esterilización *f*. ～성 esterilidad *f*. ～ 수술 esterilización *f*. ～증 esterilosis *f*, esterilidad *f*.

불입(拂入) pago *m*, desembolso *m*. ～하다 pagar, abonar, saldar.

불자(佛子) ① ㉮ [부처의 가르침을 믿는 사람] budista *mf*. ㉯ [부처의 제자] discípulo, -la *mf* de Buda. ② ＝보살(菩薩). ③ [모든 중생] humanidad *f*, género *m* humano, ser *m* humano.

불자동차(－自動車) coche *m* bomba.

불장난 ① [불을 지르고 노는 일] juego *m* con fuego. ～하다 jugar con fuego. ～하지 마라 No juegues con fuego. ② [남녀간의 무분별한 연애나 정사] aventura *f*, romance *m*, amoríos *mpl*

불조심(-操心) cuidado *m* con el fuego. ~하다 tener cuidado con el fuego. ~하십시오 [tú에게] Ten cuidado con el fuego / [usted에게] Tenga cuidado con el fuego.

불쬐다 calentarse junto al fuego.

불차(-車) =불자동차.

불찬성(不贊成) desaprobación *f*, disentimiento *m*, objeción *f*. ~하다 estar contra, desaprobar, no aprobar; [동의하지 않다] no estar de acuerdo, no consentir.

불참(不參) no asistencia *f*, ausencia *f*. ~하다 no asistir, ausentarse. ~자 ausente *mf*.

불철 주야(不撤晝夜) día *f* y noche. ~일 하다 trabajar día y noche.

불청객(不請客) huésped *m* no convidado, huéspeda *f* no convidada; colado, -da *mf*.

불체포 특권(不逮捕特權) previlegio *m* de exención de arresto.

불초(不肖) ① [못나고 어리석음] estupidez *f*, necedad *f*, torpeza *f*, estolidez *f*, tontería *f*, bobería *f* estulticia *f*; [못나고 어리석은 사람] persona *f* estúpida [torpe·tonta]. ~하다 (ser) estúpido, torpe, necio, tonto, estólido. ② [웃어른에게 자기를 낮추어] yo, hijo *m* indigno. ~한 제가 ··· Aunque yo soy indigno, ···. ③ ((준말)) =불초남(不肖男).

불초남(不肖男) =불초자(不肖子).

불초자(不肖子) hijo *m* indigno de *su* padre.

불출(不出) ① [밖에 나가지 아니함] no salida *f*. ~하다 no salir. ② [어리석고 못난 사람] persona *f* estúpida [inútil·torpe], zángano *m*.

불춤 danza *f* [baile *m*] con fuego.

불충(不忠) deslealtad *f*, infidelidad *f*, perfidia *f*. ~하다 (ser) desleal, infiel. ~한 신하 vasallo, -lla *mf* desleal. ¶ ~ 불효 deslealtad *f* y impiedad filial [desobediencia].

불충분(不充分) insuficiencia *f*; [불완전] imperfección *f*. ~하다 (ser) insuficiente; imperfecto.

불충실(不充實) insubstancialidad *f*, imperfección *f*. ~하다 (ser) insubstancial, imperfecto.

불충실(不忠實) infidelidad *f*, deslealdad *f*, perfidia *f*, infidencia *f*. ~하다 (ser) infiel, desleal, infidente, pérfico. 직무에 ~하다 ser infiel a *su* deber.

불측하다(不測-) ① [음흉(陰凶)하다] (ser) perverso, malvado, maligno, infame, vicioso, libertino. 불측한 놈 tipo *m* perverso. ② [짐작하기 어렵다] (ser) imprevisto, inesperado, inopinado, inpen-

sado.

불치(不治) ① [병을 고칠 수 없음] incurabilidad *f*. ~하다 no curar. ~의 incurable, fatal. ~의 질병 mal *m* incurable. ② [정치가 올바르게 되지 아니함] mal gobierno *m*, mala administración *f*.

불치병(不治病) enfermedad *f* incurable. ~ 환자 incurable *mf*.

불친절(不親切) falta *f* de amabilidad, falta *f* de afabilidad, carencia *f* de bondad, falta *f* de cariño, desafecto *m*. ~하다 (ser) desatento, poco amable, poco amistoso, poco bondadoso, falto de amabilidad, frío, poco servicial.

불침번(不寢番) ① [행위] ronda *f* de noche. ~을 서다 vigilar [hacer guardia] toda la noche. ② [사람] vigilante *mf*; sereno, -na *mf*.

불쾌(不快) mal humor *m*, desagrado *m*, disgusto *m*. ~하다 (ser) malhumorado, de mal humor, disgustado, desagradable, enojoso, enfadoso, fastidioso, molesto, incómodo; disgustar. ~감 sentimiento *m* desagradable. ~ 지수 índice *m* de malestar.

불타(佛陀) Buda *m*.

불탄일(佛誕日) fecha *f* de nacimiento de Buda, el ocho de abril del calendario lunar.

불탄절(佛誕節) =불탄일(佛誕日).

불탑(佛塔) pagoda *f* budista.

불통(不通) interrupción *f* de comunicación. ~하다 interrumpirse la comunicación. 철도가 ~이다 Se ha suspendido la comunicación ferroviaria / El servicio ferroviario ha quedado suspendido.

불투명(不透明) ① [투명하지 않음] opacidad *f*, obscuridad, oscuridad *f*. ~하다 (ser) opaco, intransparente, túpido, poco claro, impenetrable a la luz, o(b)scuro, opacarse. ~한 유리 vidrio *m* [cristal *m*] deslustrado [esmerilado]. ~하게 하다 opacar, nublar, hacer opaco, opacificar. ~하게 되다 hacerse opaco, nublarse. ② ((물리)) opacidad *f*. ③ [사람의 성질 따위가] ambigüedad *f*, vaguedad *f*. ~하다 (ser) ambiguo, vago. ~한 대답 respuesta *f* ambigua. ¶ ~도 opacidad *f*. ~색 color *m* opaco. ~액 solución *f* opaca. ~ 유리 vidrio *m* opaco. ~체(體) su(b)stancia *f* opaca, cuerpo *m* opaco.

불퉁불퉁 ① [내민 꼴] con muchos nudos, con muchos bultos, desigualmente. ~하다 ser desigual, estar con desniveles, estar lleno de baches. ② [퉁명스러운 말을 함부로 하는 꼴] sin rodeos, rotundamente.

불퉁스럽다 (ser) áspero, ronco, grosero, descortés, directo, franco, rotundo, categórico. 말투못이 ~ hablar en plata, decir sin rodeos.

불퉁하다 ① [험상궂게 내민 꼴] (ser) protuberante; [턱이] prominente; [이가] salido; [손톱이] sobresalir. 불퉁한 눈 ojos *mpl* saltones. ② [통명스러운 말을] hablar fríamente.

불특정(不特定) indeterminación *f*. ~의 no especificado, no específico, indeterminado. ~ 다수 muchas personas no específicas.

불티 chispa *f*. ~를 둘러쓰다 estar cubierto de chispas.

불패(不敗) invencibilidad *f*, lo invencible. ~하다 (ser) invencible, invicto, no ser vencido.

불편(不便) ① [편하지 못함] incomodidad *f*. ~하다 (ser) incómodo; [주어가 사람일 경우] sentirse molesto, no sentirse cómodo. 몸이 ~하다 (ser) impotente; [마비] paralizado. ② [편리하지 아니함] inconveniencia. ~하다 (ser) inconveniente. ~을 느끼다 encontrar algo inconveniente.

불편부당(不偏不黨) imparcialidad *f*. ~하다 (ser) imparcial; [중립의] neutro; [독립의] independiente. ~의 신문 periódico *m* imparcial, diario *m* independiente.

불평(不平) rezongo *m*, rezongueo *m*, refunfuñadura *f*, refunfuño *m*, descontento *m*, queja *f*. ~하다 rezongar, refunfuñar, gruñir, quejarse, quejarse, dar quejas. ¶~가(객) refunfuñador, -dora *mf*; gruñidor, -dora *mf*; murmurador, -dora *mf*; quejica *mf*. ~ 분자 elementos *mpl* descontentos.

불평등(不平等) desigualdad *f*, disparidad. ~하다 (ser) desigual. ~하게 desigualmente. ~한 취급 tratamiento *m* discriminatorio, discriminación *f* injusta. ~하게 다루다 tratar desigualmente [con desigualdad]. ¶~ 동맹 alianza *f* desigual. ~ 선거제 sistema *m* electoral desigual. ~ 조약 tratado *m* desigual.

불포화(不飽和) lo insaturado, lo no saturado. ~의 insaturado, no saturado.

불필요(不必要) superfluidad *f*, dispensabilidad *f*, inutilidad *f*. ~하다 (ser) innecesario, inútil, superflúo, inservible.

불하(拂下) venta *f* de la propiedad del gobierno [del Estado]. ~하다 [국유물을] vender la propiedad del gobierno [del Estado]; [공개]

입찰하다] poner en venta pública.

불한당(不汗黨) bribón *m*, -bona *mf*; sinvergüenza *mf*; pillo, -lla *mf*; bandido *m*, forajido *m*.

불합격(不合格) desaprobación *f*, incompetencia *f*, inadaptabilidad *f*. ~하다 salir mal, fracasar. ~되다 ser desaprobado. ~시키다 desaprobar. 시험에 ~하다 salir mal en los exámenes. ¶~자 persona *f* reprobada [suspendida · descalificada]. ~품 género *m* [artículo *m*] reprobado [rechazado].

불합리(不合理) irracionalidad *f*, absurdo *m*. ~하다 (ser) irracional, irrazonable, absurdo, ilógico.

불행(不幸) ① [행복하지 못함] infelicidad *f*, desdicha *f*, desgracia *f*, mal *m*. ~하다 (ser) infeliz, desgraciado, desdichado. ② [일이 순조롭지 못해 가탈이 많음] desventura *f*, infortunio *m*. ~하다 (ser) desaventurado, desafortunado. ~히 infelizmente, con infelicidad, desgraciadamente, por desgracia, desdichadamente.

불허(不許) no permiso *m*, desaprobación *f*. ~하다 no permitir, desaprobar, denegar, rechazar. ~복제 Prohibida a reproducción / Derechos de reproducción reservados.

불현듯이 de repente, repentinamente, de súbito, súbitamente. ~고향이 그리워진다 De repente yo tengo nostalgia de mi patria chica.

불협화(不協和) discordancia *f*, desconcierto *m*. ~음(音) ((음악)) disonancia *f*. ⓑ [잘 조화되지 않는 상태나 관계] discordia *f*. ~을 일으키다 crear discordia.

불호령(─號令) orden *f* impulsiva. ~하다 dar una orden impulsiva.

불혹(不惑) ① [미혹하지 아니함] desilusión *m*, desengaño *m*. ~하다 desilusionarse, desengañarse. ② [나이 마흔 살] cuarenta años (de edad), edad *f* de firmeza.

불화(不和) discordia *f*, desacuerdo *m*, pleito *m*, riña *f*. ~하다 (ser) discorde, disentado, desavenido. ~의 씨 cizaña *f*.

불화(弗貨) dólar *m* estadounidense, dólar *m* norteamericano.

불화(佛畵) ① [부처의 모양을 그린 그림] pintura *f* de Buda. ② [불교 회화] pintura *f* budista.

불확실(不確實) incertidumbre *f*, inseguridad *f*. ~하다 (ser) incierto, inseguro, poco fidedigno.

불확정(不確定) indecisión *f*, incertidumbre *f*, lo indefinible. ~하다 (ser) indefinible, indeciso, incierto.

불환(不換) no convertibilidad f. ~의 no convertible. ~ 지폐 billete m inconvertible, papel m moneda inconvertible, moneda f fiduciaria.

불황(不況) depresión f (económica), inactividad f [paralización f] de mercado, estancación f, lentitud f. ~의 inactivo, estancado, paralizado, perezoso. 심한 ~으로 고통을 받다 sufrir una fuerte depresión económica.

불효(不孝) desobediencia f a sus padres. ~하다 ser ingrato a [con] sus padres. ~자 hijo m réprobo [ingrato], hijo m desobediente a los padres, niño m incorregible.

불후(不朽) inmortalidad f, eternidad f. ~의 inmortal, eterno, imperecedero perdurable, duradero. ~의 명성 fama f imperecedera. ~의 명예 fama f eterna. ~의 명작 obra f eterna.

붉다 (ser) rojo, colorado, carmesí. 붉게 하다 poner colorado [rojo · robusto]. 붉은 연필 lápiz m rojo [colorado].

붉덩물 corriente f turbia.

붉히다 sonrojearse, sonrosearse, ruborizarse, ponerse colorado [rojo], abochornarse.

붐 auge m, el alza f extraordinaria, el alza f rápida, aumento m repentino, boom ing.m.

붐비다 apiñarse, agolparse, remolinarse, arrebozarse, homiguear, estar lleno [repleto · atestado]. 붐비는 버스 autobús m lleno [atestado · apretado].

붓 pincel m; [펜] pluma f, [필기구] instrumento m escrito. ~을 들다 tomar la pluma, escribir, dibujar, pintar.

붓꽃 ((식물)) lirio m.

붓끝 ① [붓의 뾰족한 끝] punta f. ② =필봉(筆鋒). ③ [붓의 놀림새] toque m.

붓다[1] [살가죽이] hincharse, abotagarse, abotargarse, tener hidropesía. 부은 hinchado, inflado, abotagado, abotargado. 부은 얼굴 cara f abotagada [abotargada]. [성이 나서] enfadarse, enojarse.

붓다[2] ① [액체나 가루 따위를] echar, verter; [채우다] llenar; [비우다] vaciar. 술을 ~ [술잔에] escanciar; [술 따르다] servir. 컵에 물을 ~ echar [verter] agua en el vaso. ② [씨앗을 배게 뿌리다] sembrar mucho. ③ [불입금 · 곗돈 따위를] pagar a plazos.

붓두껍 capuchón m [tapa f] de pincel.

붕 con un zumbido. ~ 소리를 내다 zumbar, sonar vibrando.

붕[2] ((감탄사)) ¡Buun!

붕괴(崩壊) ① [허물어짐] derrumbe m, derrumbamiento m, desplome m, hundimiento m, desmoronamiento m; [국가 등의] caída f. ~하다 [되다] derrumbarse, desplomarse, hundirse, desmoronarse, caer(se), venirse abajo, destruirse, desintegrarse, desmoronarse, desintegrarse. ~시키다 derrumbar, arruinar, hundir. ② ((물리)) desintegración f. ~하다 desintegrar.

붕당(朋黨) hermandad f, facción f, corrillo m, pandilla f.

붕대(繃帶) vendaje m; [눈가리개] venda f. ~를 감다 vendar, atar (con) la venda. ~를 풀다 desvendar, quitar la venda. 이마에 ~를 감다 vendar la frente.

붕붕거리다 zumbar. 엔진이 ~ el motor zumbar.

붕어 (어류) carpa f, tenca f.

붕어(崩御) fallecimiento m [muerte f] de un rey. ~하다 fallecer [morir] el rey.

붕우(朋友) amigo, amiga mf. ~ 유신 confidencia f entre los amigos.

붕장어(-長魚) ((어류)) anguila f de mar, congrio m.

붙다 ① [맞닿아서 떨어지지 아니하다] pegarse, adherirse (a), unirse. 몸에 붙은 천 telas fpl que se pegan [se ciñen] al cuerpo. ② [덩어리가 되어 흩어지지 않다] [물이] helarse, congelarse; [피가] coagularse; [우유가] cuajarse. 엉겨 붙은 피 sangre f coagulada. ③ [서로 가까이 마주 닿다] alcanzar. ④ [충졸하다] pasarse. ⑤ [더 든든한 것에 의지하다] depender. ⑥ [불이 옮아 당기다] prender. ⑦ [시험 따위에] salir bien, tener éxito. ⑧ [보태어지다] añadirse, agregarse, aumentarse. ⑨ [딸리다] instalarse, tener, haber. ⑩ [암수가 교미하다] copularse, haber cópula [coito].

붙들다 ① [놓치지 않게] agarrar, asir(se), coger. 밧줄을 붙들고 늘어졌다 Se asió a [en · de] una cuerda. ② [달아나지 못하게 잡다] arrestar, prender, detener, aprehender. 도둑을 ~ detener a un ladrón. ③ [가지 못하게] acorralar. 그녀는 나를 출구에서 붙들었다 Ella me acorraló a la salida. ④ [쓰러지지 않게] ayudar.

붙들리다 arrestarse, detenerse, prenderse, cogerse, volverse prisionero [preso · cuativo].

붙박이 empotramiento m. ~하다 empotrar en la pared. ~로 된 책장 estantería f empotrada en la pared.

붙어살다 ser un parásito.

붙어지내다 depender de *su* vida.
붙이다 ① [서로 맞닿아서 떨어지지 않게 하다] pegar, empastar, fijar; [이어·끼워 맞추다] ensamblar, empalmar, unir; [고약 따위을] aplicar. ② [서로 맞닿게 하다] pegar, juntar. 창에 얼굴을 ~ pegar la cara a la ventana. ③ [교제를 맺게 하다] presentar. ④ [암컷과 수컷을 교합시키다] acoplar, cruzar. ⑤ [불을] encender, incendiar. ⑥ [딸리게 하다] poner, nombrar, designar. ⑦ [노름·싸움·흥정 등을] servir, hacer. ⑧ [어떤 일에 자기의 의견을 더 넣다] añadir agregar, anexar(se), anesionar(se). ⑨ [이름을 지어 달다] suceder. ⑩ [(남의 뺨이나 볼기 따위를) 세게 때리다] bofetear fuertemente, dar un golpe fuerte. ⑪ [말을 걸다] hablar, decir. ⑫ [일을 어떤 대상이나 과정으로 넘기다] someter, remitir. 심의에 ~ remitir a la discusión 표결에 ~ someter al voto.
붙임성(一性) sociabilidad *f*, afabilidad *f*, amabilidad *f*, gentileza *f*. ~(이) 있는 sociable, afable, amable, simpático, llano en el trato con los demás. ~(이) 있는 사람 hombre *m* de mundo, persona *f* sociable.
붙잡다 ① [놓치지 않도록 단단히 잡다] agarrar, asir fuertemente, coger, prender. 누구의 옷을 ~ asir*le* de la ropa. 소매를 ~ coger la manga. ② [달아나지 못하게] detener, arrestar, aprehender, capturar. ③ [떠나가지 못하게] no dejar ir. ④ [그냥 자나지 못하게] asir. 기회를 ~ asir la ocasión. ⑤ [일자리를 얻다] obtener un puesto. ⑥ [쓰러지지 않게] ayudar, inmovilizar, sujetar.
붙잡아주다 ① =부축하다. ② [도와서 보호하다] proteger ayudando.
붙잡히다 ① [잡히다] (ser) cogido, capturado, atrapado, aprehendido. ② [갇히다] caer en poder, caer preso.
뷔페 ① [간이 식당] ㉮ [역의] cantina *f*. ㉯ [열차의] coche *m* restaurante, coche *m* comedor, vagón *m* restaurante, coche *m* bar. ② [먹을 사람이 손수 덜어 먹을 수 있게 한 식당] bufet *m*.
브라보 ¡Bravo!
브라운관(一管) tubo *m* de Brown. ~ 화(법) teletranscripción *f*.
브라질 ((지명)) Brasil *m*. ~의 brasileño. ~ 사람 brasileño, -ña *mf*.
브래지어 sujetador *m*, sostén *m*, justilla *f*, pechera *f* postiza.
브랜드 marca *f*. 일류 ~ primera marca *f*.
브랜디 coñac *m*, brandy *ing.m*.
브레이크 freno *m*. ~를 걸다 frenar, poner freno; [억제하다] refrenar, contener. ~ 오일 aceite *m* del freno. ~ 페달 pedal *m* del freno.
브로치 prendedor *m*, broche *m*, alfiler *m* de pecho.
브로커 agente *mf*, corredor, -dora *mf*. 보험 ~ agente *mf* de seguros. 부동산 ~ agente *mf* de bienes inmuebles.
브리핑 ① [간단한 보고] sesión *f* de infomación, briefing *ing.m*. ~하다 informar, instruir. ② [공군에서, 출격 전의 간단한 명령] instruciones *fpl*, órdenes *fpl*. ~하다 dar instrucciones [órdenes].
브이아이피 VIP *mf*, dignatario, -ria *mf*, alto personaje *m*; persona *f* muy importante.
블라우스 blusa *f*.
블랙리스트 lista *f* de los sospechosos, lista *f* negra.
블랙 박스 caja *f* negra, tacógrafo *m*.
블록[1] [권(圈)] bloque *m*, bloc *m*, grupo *m* político.
블록[2] ① [나무나 돌의 덩어리] bloque *m*. ② [벽돌 모양의 콘크리트 덩이] bloque *m*. ~을 쌓다 formar bloque. ③ [(시가지 따위의] 구획] manzana *f*, *AmS* cuadra *f*.
블루스 ((음악)) blues *m*, variedad *f* de foxtrot. ~를 켜다 tocar blues. ~를 부르다 cantar blues.
블루진 tejanos *mpl*, (pantalones *mpl*) vaqueros *mpl*.
비[1] ((기상)) lluvia *f*, el agua *f*. 큰 ~ aguacero *m*. ~가 내리다 llover. ~가 억수처럼 내린다 Llueve a cántaros.
비[2] [청소용] escoba *f*, [소형의] escobilla *f*, [마당의] escobón *m*, escoba *f* hecha de ramas. ~로 쓸다 escobar, barrer con escoba.
비[1](比) ① ((수학)) proporción *f*, ratio *m*. ② ((준말)) =비례(比例).
비[2](比) ((지명)) =비율빈(比律賓).
비(妃) ① [왕의 아내] esposa *f* del rey. ② [황태자의 아내] esposa *f* del príncipe heredero, esposa *f* del heredero del trono.
비(碑) monumento *m*, lápida *f*. ~를 세우다 erigir un monumento, erigir una lápida, elevar un monumento en memoria [en recuerdo].
비각(飛閣) ① [높은 누각] pabellón *m* alto, torre *f* alta. ② [두 곳을 걸쳐 놓은 다리] puente *m*. ③ [누각 위의 통로] corredor *m* sobre la torre.
비각(碑刻) escultura *f* en la lápida; [글자] escritura *f* esculpida en la lápida. ~하다 esculpir la escultura en la lápida.

비각(碑閣) casa f para el monumento [la lápida].

비감(悲感) dolor m, profunda pena f, pesar m, disgusto m. ~하다 sentir un dolor.

비강(鼻腔) ((해부)) fosas fpl nasales, cavidad f nasal. ~경 rinóscopo m. ~ 점막염 endorrinitis f.

비걱거리다 crujir, chirriar, rechinar.

비겁(卑怯) ① [겁] cobardía f, timidez f, pusilanimidad f, miedo m, temor m. ~하다 (ser) cobarde, gallina, temeroso, medroso, miedoso, pusilánime, tímido, encogido. ~한 행동 acto m cobarde, cobardía f. ~한 짓을 하다 cometer una cobardía. ② [하는 짓이 정당하지 못하고 야비함] vileza f, indignidad f, alevosía f, ruindad f, villanía f. ~하다 (ser) vil, indigno, ruin, villano, abyecto.

비견(比肩) igualdad f. ~하다 ser igual, rivalizar, dar alcance, comparar, mantener.

비결(秘訣) clave f, llave f, secreto m. 성공의 ~ clave f [llave f secreto m] del buen éxito.

비경(秘境) ① [신비로운 장소] lugar m [sitio m] maravilloso. ② [남이 모르는 장소] lugar m [sitio m] aún inexplorado, región f aún inexplorada.

비계 [돼지의] grasa f, gordo m, cebo m, manteca f.

비계(秘計) ① [남몰래 꾸며 낸 꾀] plan m secreto. ② [혼자만 아는 신묘한 계책] artificio m [plan m] misterioso [maravilloso].

비고(備考) nota f, referencia f, observación f. ~란 columna f de notas, columna f de observaciones.

비공개(非公開) no apertura f al público. ~의 cerrado, no público, no abierto. ~로 a puerta(s) cerrada(s). ~ 회의 reunión f a puerta cerrada.

비공식(非公式) informalidad f. ~의 no oficial, informal, oficioso.

비공인(非公認) no reconocimiento, no autorización. ~의 no oficial, no reconocido, no autorizado.

비과세(非課稅) exención f de impuestos. ~의 exento [libre] de impuesto(s). ~품 [品] artículo m exento [libre] de impuesto(s).

비과학적(非科學的) no científico.

비관(悲觀) pesimismo m. ~하다 volverse pesimista. ~하지 마라 No seas pesimista. ~론[설] pesimismo m. ~론자 pesimista mf. ~적 pesimista.

비교(比較) comparación f, [대조] contraste m, pararelo m. ~하다 comparar; [대조] contrastar.

~급 [형용사의] comparativo m, grado m de comparación. ~ 문법 gramática f comparada. ~ 문학 literatura f comparada, literatura comparativa. ~적 comparativo, comparado, relativo.

비구(比丘) ((불교)) bigu, sacerdote m [monje m] budista.

비구니(比丘尼) ((불교)) monja f budista, religiosa f budista.

비구름 ① [비와 구름] la lluvia y la nube. ② ((기상)) nube f de lluvias, nimboestrato m.

비구상(非具象) lo no figurativo. ~의 no figurativo. ~ 예술 arte m no figurativo.

비굴(卑屈) bajeza f, vileza f, villanía f, infamia f, indignidad f, ruindad f. ~하다 (ser) bajo, vil, indigno, ruin.

비극(悲劇) tragedia f, drama m trágico. ~의 trágico, calamitoso. ~ 배우 actor m trágico, actriz f trágica; trágico, -ca mf. ~ 시인 poeta m trágico, poetisa f trágica ~ 작가 autor m trágico, autor m de tragedias, autora f trágica, autora f de tragedias; trágico, -ca mf. ~적 trágico, calamitoso.

비금속(非金屬) ((물리)) metaloide m. ~의 metalóico, no metálico. ~ 광물 mineral m no metálico. ~ 광택 lustre m no metálico. ~ 원소 elemento m no metálico.

비금속(卑金屬) metal m común.

비기다¹ ① [비교하다] comparar. A 를 B에 ~ comparar A a B. 인생을 나그네길에 ~ comparar la vida humana a un viaje. ② =비유하다.

비기다² ① [승부가 나지 아니하다] empatar(se). 비긴 경기 juego m empatado. 승부는 비겼다 Quedamos empatados [iguales] / Quedó el partido en empate. ② [셈할 것을 서로 에우다] cancelar uno a otro.

비김수(-手) empate m.

비꼬다 ① [(끈 같은 것을) 비틀어서 꼬다] retorcer. ② [(몸을) 조신히 바로 가누지 못하고 비비틀다] torcer. ③ [엇비슷하게 말을 하다] hablar irónicamente, hablar de una manera sarcástica [cínica].

비꼬이다 ① [비꼼을 당하다] ser torcido, ser deformado. ② [마음이] ser obstinado. ③ [일이] (ser) desfavorable, poco propicio.

비끗거리다 ① [맞추어 끼일 물건이] no unir, no encajar. ② [일이 잘 안 되다] salir mal, fracasar.

비끼다 ① [옆으로 비스듬하게 비치다] brillar [relucir·encender] oblicuamente. ② [비스듬히 놓이다] estar oblicuamente tendido.

비난(非難) censura *f*, reproche *m*, vituperación *f*; [비판] crítica *f* (adversa), reprobación *f*. ~하다 censurar, reprochar, vituperar, reprobar, desaprobar; [신문에서] atacar, criticar. ~자 crítico, -ca *mf*; censor, -sora *mf*.

비너스 ① ((로마 신화)) Venus *f*. ② ((천문)) [금성] Venus *f*.

비녀 pasador *m*, horquilla *f* (decorativa), horquilla *f* de adorno. ~를 꽂다 ponerse la horquilla de adorno.

비뇨기(泌尿器) órganos *mpl* urinarios. ~과 urología *f*. ~과의[전문의] urólogo, -ga *mf*. ~과학 urinología *f*. ~병 urosis *f*.

비누 jabón *m*. ~의 jabonoso. ~로 씻다 lavar con jabón, jabonar, enjabonar. ~ 가게 jabonería *f*. ~ 거품 pompa *f* [burbuja *f*] de jabón. ~ 공장 jabonería *f*. ~ 상자 jabonera *f*. ~ 세탁 jabonadura *f*. ~ 장수 jabonero, -na *mf*. ~통 jabonera *f*.

비눗갑(一匣) jabonera *f*.

비눗물 el agua *f* de jabón, jabonaduras *fpl*.

비눗방울 pompa *f* [burbuja *f*] de jabón.

비늘 ① escama *f*. ② [비늘 비슷한 물건] escama *f*, cosa *f* imbricada.

비능률(非能率) ineficiencia *f*. ~적 ineficiente. ~적으로 ineficientemente.

비닐 ① ((준말)) =비닐 수지. ② ((준말)) =비닐 섬유. ~ 봉지 bolsa *f* de vinilo, *ReD* funda *f* de vinilo. ~ 섬유 fibra *f* vinílica. ~ 수지 resina *f* vinílica. ~ 하우스 invernadero *m* de vinilo. ~ 합성 수지 resinas *fpl* sintéticas vinílicas.

비닐론 vinilón *m*.

비다 ① estar vacío, estar libre, quedarse libre [desocupado·vacío]. 빈 desocupado, vacante, libre, vacío. 빈 방 habitación *f* [cuarto *m*] libre, cuarto *m* vacío [desocupado]. 빈 병 botella *f* vacía. ~ 시간 tiempo *m* libre. 빈 상자 caja *f* vacía. 빈 통 lata *f* vacía. 빈 택시 taxi *f* libre; ((게시)) Libre. 빈 수레가 더 요란하다 ((속담)) Mucho ruido y pocas nueces.

비다² =비우다.

비단(緋緞) seda *f*. ~ 제품의 de seda. ~옷 ropa *f* de seda. ¶~결 textura *f* de seda, textura *f* de terciopelo. ~결 같은 (ser) terso, suave como el terciopelo, suave como la seda, sedoso.

비단뱀(緋緞一) ① ((동물)) pitón *m*. ② ((신화)) Pitón *m*.

비대(肥大) corpulencia *f*, gordura *f*,

((의학)) hipertrofia *f*. ~하다 (ser) corpulento, gordo, engordar, nutrir. ~해지다 hipertrofiarse.

비대증(肥大症) hipertrofia *f*.

비데 bidet *m*, bidé *m*, bidel *m*.

비동맹(非同盟) no alineación *f*. ~국 país *m* no alineado. ~국 회의 Conferencia *f* de Países No Alineados.

비둘기 ((조류)) paloma *f*; [수컷] palomo *m*; [새끼] pichón *m*. ~ 고기 pichón *m*. ~장 palomar *m*, palomera *f*. ~과 paloma *f*.

비듬 caspa *f*, escamilla *f*. ~투성이의 casposo. ~이 있다 tener caspa. ~을 없애다 quitar la caspa.

비등(比等) casi igualdad *f*. ~하다 (ser) casi igual. ~하게 casi igualmente, a competencia, en empate.

비등(沸騰) hervor *m*, ebullición *f*. ~하다 hervir, bullir. 물을 ~시키다 hervir el agua. 의논이 ~하다 La discusión está en plena ebullición. ¶~점 punto *m* de ebullición.

비디오 vídeo *m*, video *m*. ~로 en vídeo, en video. ~게임 videojuego *m*. ~ 디스크 videodisco *m*. ~ 디스크 플레이어 reproductor *m* de videodisco. ~ 아트 arte *m* de vídeo. ~ 카세트 videocasete *m*, videocaset *m*, videocassette *m*. ~ 카세트 리코더 magnetoscopio *m*, vídeo *m*, video *m*. ~ 테이프 cinta *f* de vídeo [video], videocinta *f*, videotape *m*, cinta *f* magnética video, videocasete *m*. ~ 테이프 리코더 videograbadora *f*. ~ 테이프 리코더 videograbadora *f*, videógrafo *m*, registrador *m* de bandas de vídeo, magnetoscopio *m*, video *m* recorder. ~ 플레이어 reproductor *m* de vídeo, magnetoscopio *m* reproductor. ~ 필름 videofilm *m*.

비딱거리다 mover, bambolear.

비딱하다 (estar) desvencijado, destartalado.

비뚜로 oblicuamente, diagonalmente, en diagonal.

비뚜름하다 (estar) torcido, encorvado; [길이] sinuoso, lleno de curvas.

비뚤거리다 ① [이리저리 자꾸 기울며 흔들거리다] tambalearse, deambular; [마차가] traquetear, dar tumbos. ② [곧지 못하고 이리저리 구부러지다] serpentear, describir una curva.

비뚤다 ① [한쪽으로 기울어지거나 쏠려 있다] estar torcido, deformado. ② [마음이 바르지 못하고 비꼬여 있다] estar pervertido.

비뚫어지다 ① [한쪽으로 기울거나

쏠리다] torcerse; [변형되다] deformarse. 비뚤어진 torcido, deformado. ② [마음이나 성격 따위가] pervertirse, corromperse. 비뚤어진 retorcido, torcido, perverso, pervertido. 비뚤어진 정신 espíritu *m* pervertido. 비뚤어진 근성 espíritu *m* perverso [de contradicción].

비뚤이 ① [몸이나 마음이 비뚤어진 사람] [몸이] persona *f* torcida; [마음이] persona *f* retorcida. ② [경사진 땅] tierra *f* en declive.

비라 papel *m* volante, pasquín *m*. ~를 뿌리다 esparcir papeles volantes, dar pasquines a los transeúntes.

비럭질 mendiguez *f*, mendicidad *f*, pordioseo *m*. ~하다 mendigar, pordiosear, pedir limosna.

비렁뱅이 mendigo, -ga *mf*. ☞거지

비련(悲戀) amor *m* trágico.

비례(比例) razón *f*, proporción *f*, proporcionalidad *f*. ~하다 proporcionarse. ~의 proporcional. ~ 대표 representación *f* proporcional. ~ 대표제 sistema *m* de representación *f* proporcional.

비로소 por primera vez. ~한 시간을 기다린 후에야 ~ 기차가 떠났다 Yo tuve que esperar una hora antes de la salida del tren.

비록 aunque, incluso, aun. ~ 나이는 젊지만 aunque es joven. ~ 무슨 일이 있더라도 pase lo que pase, ocurra lo que ocurra.

비록(祕錄) documento *m* secreto, documento *m* credencial, memorias *fpl* (secretas).

비롯하다 empezar, comenzar; […부터 시작하다] datar, remontarse. 그것은 20세기부터 비롯하고 있다 Data del siglo XX.

비료(肥料) abono *m*, fertilizante *m*. ~를 주다 abonar, fertilizar, estercolar. ¶ ~ 공업 industria *f* fertilizante. ~ 공장 planta *f* fertilizante.

비리(非理) sinrazón *f*, despropósito *m*, absurdo *m*, disparate *m*, dislate *m*, irracionalidad *f*, injusticia *f*.

비리다 ① [피 냄새가 나다] oler a sangre; [생선이] oler a pescado. 비린 피 냄새가 나다 oler a sangre. 비린 que huele a pescado [a sangre]. 생선의 비린 냄새 olor a pescado. ② [하는 짓이 좀스럽고 더럽고 아니꼽다] (ser) vergonzoso, de mal gusto, asqueroso. ③ [마음에 차지 않다] no gustar.

비린내 olor *m* a pescado.

비만(肥滿) corpulencia *f*, gordura *f*, obesidad *f*. ~하다 (ser) corpulento, gordo, obeso, tener muchas carnes. ~한 사람 gordo, -da *mf*;

persona *f* gorda. ¶ ~아 niño *m* obeso, niña *f* obesa. ~증 obesidad *f*, adiposis *f*, corpulencia *f*.

비말(飛沫) salpicadura *f* (de agua), rociada *f* (de agua); [거품의] espuma *f*.

비망(備忘) preparación *f* para no olvidar una cosa. ~록 agenda *f*, memorándum *m*, librito *m* de apuntes.

비매품(非賣品) artículo *m* invendible, artículo *m* no destinado [no puesto] a la venta, artículo *m* que no se vende; ((게시)) No en venta / No es para la venta.

비몽사몽(非夢似夢) [황홀] éxtasis *m*; [매혹] hechizo *m*; [수면 상태] estado *m* hipnótico, estado *m* de estar medio durmiendo, duermevela *f*. ~간 momento *m* soñoliento, medio dormido, dormido a medias, semidormido.

비무장(非武裝) desmilitarización *f*, desarme *m*. ~ 지대 zona *f* desmilitarizada. ~화(化) desmilitarización *f*. ~화하다 desmilitarizar.

비민주적(非民主的) no democrático. ~으로 de forma no democrática.

비밀(祕密) secreto *m*, confidencia *f*. ~의 secreto, confidencial, oculto, disimulado, encubierto. ~로 en secreto. ~히 secretamente, en secreto. 성공의 ~ el secreto del éxito. ~로 하다 tener [guardar · llevar] en secreto, ocultar. ~을 지키다 guardar [callar] un secreto. ~을 누설하다 divulgar [revelar] un secreto. ¶ ~ 결사 sociedad *f* secreta, asociación *f* secreta. ~ 결혼 casamiento *m* clandestino. ~ 경찰 policía *mf* secreto. ~ 공작 operación *f* secreta. ~ 단체 organización *f* secreta. ~리에 en [de] secreto, secretamente. ~ 선거 elección *f* secreta. ~ 외교 diplomacia *f* secreta. ~ 조약 pacto *m* secreto, convenio *m* secreto, tratado *m* secreto. ~ 조직 organización *f* secreta. ~ 투표 voto *m* secreto. ~ 회담 conversaciones *fpl* secretas [a puerta(s) cerrada(s)].

비바람 ① [비와 바람] la lluvia y el viento. ② ~ 폭풍우(暴風雨).

비박 vivaque *m*, vivac *m*, campamento *m*. ~하다 vivaquear.

비방(祕方) receta *f* secreta, récipe *m* secreto.

비방(誹謗) reproche *m*, censura *f*, calumnia *f*, difamación *f*, maledicencia *f*. ~하다 reprochar, calumniar, infamar, censurar, vilipendiar, hablar mal, criticar.

비번(非番) día *m* libre. ~의 libre de servicio. ~이다 [간호원·의사

가] no estar de turno [guardia]; [경찰·소방수가] no estar de servicio. ¶ ~날 día *m* de descanso, día *m* libre que no toca a *uno* el servicio.

비범(非凡) lo extraordinario. ~하다 (ser) extraordinario, poco común, de calidades extraordinarias [sobreslientes]; [재능이] de dotes excepcionales. ~한 사람 prodigio, -ga *mf*.

비법(非法) ilegalidad *f*, injusticia *f*, ilegitimidad *f*.

비법(秘法) arte *m* secreto, fórmula *f* secreta, método *m* secreto.

비보(悲報) noticia *f* triste.

비본(秘本) libro *m* preciado.

비분(悲憤) indignación *f*, resentimiento *m*. ~하다 indignarse, resentirse. ~ 강개 indignación *f* afligida, resentimiento *m* deplorable. ~ 강개하다 indignarse vivamente, deplorar, lamentar.

비비(沸沸) ((동물)) zambo *m*, mandril *m*.

비비꼬다 retorcer, torcer.

비비꼬이다 retorcerse, torcerse.

비비다 [손이나 손가락으로] frotar, restregar, refregar, fregar; [마사지하다] masajear, friccionar. 볼을 ~ frotar tiernamente la mejilla; [서로] frotarse tiernamente las mejillas. 손을 ~ frotarse las manos. 눈을 비비지 마라 No te restriegues [refriegues] el ojo. [양념이나 다른 음식물을 넣어 버무리다] mezclar. 밥을 ~ mezclar el arroz cocido con varios condimentos.

비비틀다 torcer [retorcer] fuerte.

비비틀리다 (ser) torcido [retorcido] fuerte.

비빔국수 bibimguksu, fideos *mpl* mezclados con varios condimentos sin el agua de sopa.

비빔냉면(一冷麵) bibimnaengmyeon, fideos *mpl* con hielo mezclados con varios condimentos sin el agua de carne.

비빔밥 bibimbab, arroz *m* blanco mezclado con varios condimentos.

비상(非常) ① [긴급 사태] emergencia *f*, urgencia *f*. ~하다 (ser) emergente, urgente. ② [보통이 아님] rareza *f*, lo poco común, lo poco corriente, lo poco frecuente, exceso *m*. ~하다 (ser) grande, mucho; [과도한] excesivo. ~한 성공을 획득하다 obtener un gran éxito. ¶ ~ 경보기 alarma *f* ~ 계단 escalera *f* de incendios, escalera *f* de salvamento. ~ 계 엄령 ley *f* marcial de urgencia [de emergencia]. ~구 salida *f* de emergencia. ~금 fondos *mpl*

de emergencia. ~망 red *f* de emergencia. ~ 벨 (timbre *m* de) alarma *f*. ~ 브레이크 freno *m* de emergencia. ~ 사태 situación *f* [estado *m*] de emergencia, estado *m* de excepción, circunstancia *f* crítica. ~ 사태 선언 declaración *f* del estado de emergencia. ~선 línea *f* [cordón *m*] de policías [de urgencia]. ~ 소집 convocación *f* extraordinaria. ~수단 expediente *m* extraordinario, medida *f* extraordinaria. ~시(時) período *m* crítico, época *f* extraordinaria, emergencia *f*, crisis *f*, guerra *f*. ~시에 en una emergencia, en caso de emergencia. ~ 시국 situación *f* de emergencia. ~ 식량 raciones *fpl* de reserva, víveres *mpl* de reserva. ~용 uso *m* emergente; [부사적] para la emergencia. ~ 신호 señal *f* de alarma. ~ 전화 teléfono *m* de emergencia. ~ 착륙 aterrizaje *m* forzoso.

비상임 이사국(非常任理事國) miembro *m* no permanente del Consejo de Seguridad de las Naciones Unidas.

비상장주(非上場株) ((경제)) acción *f* sin cotización oficial.

비생산(非生産) improductividad *f*. ~적 improductivo, infructuoso. ~적인 사업 empresa *f* improductiva.

비서(秘書) ① [사람] secretario, -ria *mf*. ② [비밀히 간직한 책] libro *m* preciado no abierto. ③ [비법을 적은 책] libro *m* secreto.

비석(碑石) ① =빗돌. ② [돌로 만든 비] lápida *f* sepulcral (de piedra), piedra *f* sepulcral.

비수(匕首) daga *f*, puñal *m*.

비수기(非需期) temporada *f* baja. ~에 fuera de temporada, en temporada baja.

비스듬하다 (ser) oblicuo; [경사진] inclinado; [대각선의] diagonal. 비스듬히 oblicuamente; [바닥이나 토지가 기울어] en declive; [재봉으로] al sesgo, al bies, diagonalmente.

비스킷 galleta *f*, bizcocho *m*, RPI galletita *f*.

비슷비슷하다 (ser) muy parecido, casi igual, más o menos igual, dar lo mismo.

비슷하다[1] [한쪽으로 조금 비스듬하다] inclinar hacia un lado.

비슷하다[2] ① [같은 점이 많아] casi igual] (ser) similar, semejante, parecido, parecerse (mucho); [서로] parecerse mucho. 이 그림은 실물과 ~ Esta pintura se parece mucho al original.

비싸다 ① [상품의 값이 정도에 지나치게 많다] (ser) caro, costoso,

alto, costar. 비싸게 caro. 비싼 값
precio *m* alto, precio *m* caro. 비
싼 호텔 hotel *m* caro. 비싸게 팔
리다 venderse caro. 비싸게 먹히
다[치이다] salir caro, ser costoso,
costar mucho, resultar caro. ②
[분수 없이 거만하다] (ser) alta-
nero, altivo, soberbio, arrogante.

비아냥거리다 (ser) sarcástico, mordaz, hacer un comentario cínico.

비악 pío.

비악비악 pío, pío. ~ 울다 piar.

비애(悲哀) tristeza *f*, aflicción *f*,
dolor *m*, pesadumbre *f*, melancolía *f*, entristecimiento *m*, amargura *f*, sinsabor *m*, pesar *m*, pena *f*.
인생의 ~ amargura *f* de la vida.

비약(飛躍) ① [높이 뛰어오름] vuelo
m, salto *m* alto. ~하다 volar,
saltar alto, dar un salto. 근대 산
업 사회로의 ~ salto *m* hacia la
sociedad de la industria moderna.
② [급히 발전되거나 향상됨] pro-
greso *m* rápido, gran progreso *m*,
paso *m* agigantado. ~하다 progresar rápidamente. ③ [밟아야
할 단계나 순서를 거치지 않고 앞
으로 나아감] salto *m*, disconti-
nuidad *f* brusca. ~하다 saltar.

비약(秘藥) ① [비방으로 지은 효력
이 뚜렷한 약] medicina *f* preparada por receta secreta. ② [특
효약(特效藥)]

비엔날레 bienal *m*, exposición *f*
bienal.

비역 sodomía *f*, pederastia *f*. ~하는
사람 sodomita *m*, pederasta *m*;
((속어)) marica *m*, maricón *m*.

비열(卑劣/鄙劣) vileza *f*, ruindad *f*,
bajeza *f*, villanía *f*. ~하다 (ser)
vil, ruin, bajo, bajuno, villano. ~
한 행동 actitud *f* abyecta [vil·
ruin].

비영리(非營利) lo no lucrativo, lo
no comercial. ~ 단체 organización *f* no lucrativa. ~ 법인
corporación *f* no lucrativa. ~ 사
업 empresa *f* no lucrativa [no
comercial].

비옥(肥沃) fertilidad *f*. ~하다 (ser)
fértil, fecundo, productivo, rico.

비옷 impermeable *m*. ~을 입다
ponerse el impermeable.

비용(費用) gastos *mpl*, coste *m*,
expensas *fpl*. ~이 들다 costar.
~이 드는 costoso. ~을 절약하다
medir [ahorrar] los gastos.

비우다 vaciar, dejar vacío, verter;
[방 따위를] desocupar, dejar
libre. 병을 ~ vaciar una botella.

비운(非運) mala suerte *f*, desdicha *f*,
desgracia *f*, infortunio *m*, desventura *f*, adversidad *f*.

비운(悲運) suerte *f* triste. ~의 왕비
reina *f* de suerte triste.

비웃 ((어류)) arenque *m*.

비웃다 ridiculizar, burlarse, reírse,
escarnecer, hacer mofa, hacer
burla, poner en ridículo, mofar,
despreciar. 비웃는 듯한 burlón,
mofador, escarnecedor. 비웃는 듯
한 웃음 risa *f* [sonrisa *f*] irónica
[sarcástica].

비웃음 burlas *fpl*, risa *f* sarcástica
[sardónica], mofa *f*, irrisión *f*,
escarnio *m*, escarnecimiento *m*,
desprecio *m*. ~을 당하다 hacer
el ridículo, ponerse [quedarse ·
caer] en ridículo. ~을 사다 ser
puesto en ridículo, ser objeto de
las risas [de las mofas].

비원¹(秘苑) [금원(禁苑)] jardín *m*
del palacio.

비원²(秘苑) ((고적)) Jardín *m* Secreto.

비위(脾胃) ① [비장과 위] el bazo y
el estómago. ② [기분] humor *m*,
disposición *f*, talante *m*. 좋은 ~
buen humor. 나쁜 ~ mal humor.
③ [기호. 미각] sabor *m*, gusto
m, paladar *m*. ~에 맞는 음식
comida *f* favorita [preferida]. ④
[뻔뻔스러움] insolencia *f*, descaro
m, impudencia *f*, audacia *f*, atrevimiento *m*, frescura *f*.

비위생(非衛生) insalubridad *f*. ~적
antihigiético, insalubre, malsano;
[음식이] malo para la salud.

비유(比喩/譬喩) comparación *f*, figura *f* de construcción *f*, [우화]
fábula *f*, [직유] símil *m*, [은유]
metágora *f*, [우의] alegoría *f*, [격
언] proverbio *m*, refrán *m*; [예]
ejemplo *m*. ~하다 comparar.

비율(比率) tasa *f*, tipo *m*; [비] proporción *f*, [비례] razón *f*. 10대 1
의 ~로 a razón de diez por [a]
uno, en la proporción de diez por
[contra] uno.

비인간(非人間) ① [사람답지 못한
사람] persona *f* inhumana. ② [경
치가 매우 아름다운 선경] tierra *f*
de los duendes (muy hermosa).
¶ ~적 inhumano, inhumanitario.

비인도적(非人道的) inhumano. ~으
로 inhumanamente, de una manera inhumana. 포로를 ~으로 다
루다 tratar inhumanamente a los
prisioneros de guerra.

비일비재(非一非再) ocurrencia *f*
frecuente. 그런 일은 ~하다 Es
de ocurrencia frecuente.

비자(非자) visado *m*, AmL visa *f*. ~를
신청하다 solicitar el visado [la
visa]. ~를 받다 recibir el visado
[AmL la visa]. 여권의 ~를 받다
tener visado *su* pasaporte. ¶ 관광
~ visado *m* [AmL visa *f*] de
turismo, visa *f* de turista. 상용

~ visado *m* de negocios. 우대 ~
visado *m* de cortesía. 입국 ~
visado *m* de entrada. 출국 ~
visado *m* de salida. 통과 ~
visado *m* (de) tránsito.

비자금(秘資金) fondo *m* secreto.

비장하다(悲壮-) (ser) trágico, patético, heroico. 비장한 각오 [결의]
resolución *f* heroica. 비장한 최후
conclusión *f* heroica.

비전(秘傳) secreto *m*, arcano *m*,
misterio *m* de una arte, récipe *m*
secreto. ~을 전수하다 iniciar en
los secretos, iniciar en los arca-
nos.

비전 visión *f* (futura · del porvenir),
previsión *f*. 21세기의 ~ visión *f*
del siglo veintiuno.

비정(非情) dureza *f* de corazón,
crueldad *f*, inhumanidad *f*. ~의
frío, insensible, duro de corazón.
~의 아버지 padre *m* duro de
corazón.

비정규(非正規) irregularidad *f*. ~의
irregular. ~군 tropas *fpl* irregulares.

비정상(非正常) anormalidad *f*, irregularidad *f*. ~의 anormal, irregular. ~적 anormal, irregular. ~적
으로 anormalmente.

비조합원(非組合員) no socio *m*.

비좁다 (ser) estrecho (y apretado),
apretado, angosto. 비좁은 골목길
calleja *f* estrecha [angosta], callejera *f*.

비주류(非主流) no corriente [no dominante, no línea *f* central.

비죽 haciendo un mohín. 입을 ~
내밀다 hacer un mohín.

비죽거리다 estar ceñudo, poner
mala boca.

비준(批准) ratificación *f*. ~하다 ratificar. ~서 acta *f* de ratificación.

비중(比重) densidad *f* específica,
peso *m* específico, gravedad *f*
específica. ~을 재다 medir el
peso específico. ¶~계 densímetro *m*, aerómetro *m*, gravímetro
m. ~량 peso *m* específico.

비즈니스 [사업] negocios *mpl*; [상
업] comercio *m*.

비지 orujo *m* de soja, residuo *m* de
soja molida y exprimida.

비지땀 sudor *m* grasiento. ~을 흘
리다 sudar el quilo.

비지떡 pan *m* coreano de orujo de
soja. 싼 것이 비지떡 ((속담)) Lo
barato sale caro.

비집다 ① [맞붙은 데를 벌려 틈을
내다] hacer agrietarse. ② [좁은
틈을 헤쳐서 넓히다] meterse, co-
larse. 좁은 사이를 비집고 들어가
다 colarse por entre la multitud.
③ [눈을 비벼서 다시 뜨다] frotar
los ojos y abrirlos.

비참(悲慘) miseria *f*, desgracia *f*,
tristeza *f*. ~하다 (ser) horrible,
horroso, miserable, desgraciado,
trágico, lamentable, patético, desdichado, triste. ~한 광경 espectáculo *m* horroso, espectáculo *m*
miserable, vista *f* patética. ~한
모습 aspecto *m* triste. ~한 생활
vida *f* miserable [triste].

비척거리다 tambalearse.

비천(卑賤) humildad *f*, vileza *f*, bajeza *f*, posición *f* baja, obscuridad
f. ~하다 (ser) humilde, vil, bajo,
obscuro.

비추다 ① [빛을 보내어 밝게 하다]
alumbrar, iluminar, esclarecer. 해
가 비춘다 [빛나다] El sol brilla /
[나오다] Hace sol. 달이 비춘다
[빛나다] La luna brilla / [나오다]
Hace sol. ② [거울이나 물 따위에
그림자를 나타내다] reflejar, mi-
rarse. 거울에 얼굴을 ~ mirarse
la cara en el espejo. ③ [비교하
다, 참조하다] tomar considera-
ción, reflexionar, estar alerta. ④
[암시하다] sugerir, insinuar.

비축(備蓄) ahorro *m* para emergencia. ~하다 ahorrar para emergencia. ~미 arroz *m* reservado.

비취(翡翠) ① ((조류)) =물총새. ②
((광물)) jade *m*. ¶~빛[색] verde
m jade. ~빛의 verde jade. ~빛
자기 porcelana *f* verde jade.

비치(備置) instalación *f*, colocación
f, guarnición *f*, equipamiento *m*,
equipo *m*, provisión *f*. ~하다
equipar, proveer, instalar, guarnecer.

비치 [해변] playa *f*. ~ 가운 traje *m*
de playa. ~볼 pelota *f* de playa.
~ 파라솔 parasol *m* de playa,
quitasol *m* de playa, sombrilla *f*.

비치다 ① [빛이 나서 환하게 되다]
entrar, penetrar, dar el sol. 이 방
은 햇빛이 잘 비친다 En este
cuarto da bien el sol. ② [물체의
그림자가 나타나 보이다] reflejar-
se, transparentarse, traslucirse,
espejearse; [투영하다] proyectar-
se. ③ [속의 것을 드러나 보이다]
transparentar. ④ [암시하다] insinuar, dar a entender.

비칠거리다 tambalearse, andar tambaleándose, andar con paso inseguro.

비켜나다 dar un paso atrás, retroceder.

비켜서다 retirarse, dar un paso
atrás, saltar. 뒤로 ~ saltar hacia
atrás. 옆으로 ~ saltar al lado,
apartarse a un lado.

비키니 bikini *m(f)*.

비키다 ① [(무엇을 피하여) 조금 자
리를 옮기다] correr, mover,
cambiar; [자신의 몸을] moverse;

[(옆으로) 비켜서다] hacerse [apartarse] a un lado; […에서 떨어지다] quitarse. 거기서 비키세요 Quítese de ahí. ② [(방해가 되지 않게) 조금 옮겨 놓다] echar, mover, quitar.

비타민 vitamina f. ~ 결핍 carencia f vitamínica, déficit m vitamínico, carencia f de vitaminas. ~ 결핍증 avitaminosis f, disvitaminosis f. ~ 과다증 hipervitaminosis f. ~ 부족증 subvitaminosis f, hipovitaminosis f. ~에이 결핍증 A-avitaminosis. ~정(錠) tableta f [pastilla f] de vitamina. ~ 함유량 contenido m vitamínico.

비탄(悲歎) lamentación f, lamento m, pesadumbre f, aflicción f, pesar m, pena f, dolor m, profunda pena f, profunda tristeza f. ~에 빠지다 afligirse, lamentarse. ~에 잠기다 acongojarse.

비탈 cuesta f, declive m, pendiente f. 급한 ~ pendiente f grande, cuesta f empinada [escarpada], escarpa f. 완만한 ~ pendiente f pequeña.

비탈길 camino m en cuesta, camino m en declive.

비토 veto m. ~하다 poner el veto.

비통(悲痛/悲慟) dolor m, profunda pena f, patetismo m, amargura f, profunda tristeza f. ~하다 (ser) doloroso, afligido, penoso, patético, angustiado, lastimero.

비트 ((컴퓨터)) bit m.

비틀거리다 hacer eses, tambalear(se), bambolear, vacilar, titubear, oscilar. 나는 다리가 비틀거린다 Se me tambalean las piernas.

비틀걸음 paso m vacilante, paso m inseguro.

비틀다 torcer, retorcer; [나사를] atornillar; [돌리다] girar. 몸을 ~ torcerse, contorsionarse. …의 팔을 ~ torcerle el brazo. 비틀어 따다 [꽃·과일 따위를] coger, recoger.

비틀비틀 tambaleándose mucho, de un modo vacilante. ~ 걷다 andar tambaleándose.

비파(枇杷) níspera f. ~나무 níspero m.

비파(琵琶) ① ((악기)) bifa, una especie del laúd coreano. ② ((성경)) decacordio m, salterio m.

비판(批判) crítica f, criticismo m, juicio m crítico, censura f. ~하다 criticar, censurar, hacer una crítica, dirigir críticas [censuras]. ~력 poder m crítico, habilidad f crítica. ~론 criticismo m. ~자 crítico, -ca mf. ~적 crítico, -ca. ~적으로 críticamente. ~주의 criticismo m. ~ 철학 filosofía f crítica.

비평(批評) criticismo m, crítica f,

observación f crítica; [서평] reseña f, [주해] comentario m. ~하다 criticar, hacer la crítica, hacer una observación, reseñar, hacer la reseña. ~가 crítico, -ca mf.

비폭력(非暴力) no violencia f. ~의 no violente, pacífico. ~주의 no violencia f, pacifismo m, pacificismo m. ~주의자 pacifista mf.

비품(備品) equipo m; [사무소 등의] mueblaje m, muebles mpl; [부속품] accesorios mpl; [예비품] partes fpl, repuestos mpl, recambios mpl. ~ 목록 lista f de muebles.

비프 [쇠고기] carne f de vaca, AmL carne f de res.

비프스테이크 bistec m, filete m.

비하(卑下) humildad f, humillación f. ~하다 mostrarse humilde, mostrarse modesto, humillarse.

비하다(比─) comparar. 전년에 비하여 respecto al año anterior. 비할 데 없이 진기하다 (ser) extravagante, extremadamente curioso, muy raro.

비합리(非合理) irracionalidad f, lo ilógico. ~적 irracional, ilógico.

비합법(非合法) ilegitimidad f, ilegalidad f. ~ 운동 movimiento m ilegal. ~적 ilegal, ilícito, ilegítimo, contrario a la ley.

비핵화(非核化) desnuclearización f. ~하다 desnuclearizar. ~ 지대 zona f desnuclearizada.

비행(非行) mala conducta f, mal porte m, delincuencia f. ~ 소년 chico m [muchacho m] delincuente.

비행(飛行) vuelo m, aviación f, gira f, navegación f aérea. ~하다 volar, navegar por el aire. ~가 aviador, -dora mf; aeronauta mf. ~ 갑판 [대행기의 조종실] cabina f de mando; [항공 모함의] cubierta f de vuelo. ~ 거리 vuelo m. ~ 경로 ruta f. ~ 고도 altitud f aérea. ~ 기록[장치] caja f negra. ~ 기지 base f aérea. ~단 el ala f (pl las alas). ~대 cuerpo m de aviación. ~대대 batallón m aéreo, batallón m de vuelos. ~군(-隊) ruta f. ~모(帽) casco m de piloto. ~ 물체 objeto m de vuelos. ~복 traje m de aviador, traje m de piloto. ~사 piloto mf; aviador, -dora mf; aeronauta mf. ~선(船) aeronave f, (globo m) dirigible m. ~술 aeronáutica f. ~시간 hora f de vuelos, duración f de vuelos. ~장 aeródromo m, campo m de aviación. [공항] aeropuerto m. ~ 접시 platillo m volante. ~ 학교 escuela f de aviación.

비행기(飛行機) avión m. ~로 가다

ir en avión. ~를 타다 tomar el avión. ¶ ~ 격납고 aerodromo m. ~ 공장 fábrica f de aviones. ~ 멀미 mareo m (al viajar en avión). ~ 사고 accidente m aéreo [de aviación]. ~ 사출기 catapulta f (de lanzamiento). ~ 여행 vuelo m.

비행기태우기(飛行機−) elogios mpl, alabanzas fpl.

비행기(를) 태우다(飛行機−) elogiar, hacer elogio, poner sobre el cuerno de la luna. 비행기 태우지 마십시오 No me ponga sobre el cuerno de la luna.

비현실적(非現實的) irreal; [공상적] fantástico, quimérico, utópico; [실행 불능의] impracticable; [실현 불능의] irrealizable. ~인 정책 programa m político irrealizable.

비형(B 型) tipo m B. ~ 간염 hepatitis f de transfusión.

비호(庇護) protección f, amparo m, atrocinio m, tutela f, favor m. ~하다 proteger, defender, amparar, patrocinar, tutelar, favorecer; [법호하다] abogar. ~자 patrocinador, -dora mf.

비호(飛虎) ① [나는 듯이 빨리 닫는 범] tigre m rápido como una flecha. ② [동작이 매우 날래고 용맹스러움] agilidad f (y bravura). ~같다 ser ágil como una flecha y bravo.

비화(飛火) ① [화재 따위가] chispa f, pavesa f, centella f, incendio m saltado. ~하다 saltar el incendio. ② [사건 따위가] efecto m sentido en la parte inesperada. ~하다 prender.

비화(秘話) episodio m desconocido, historia f no pública, anécdota f.

비화(悲話) cuento m triste [lastimero], historia f triste [trágica].

빅 empate m.

빅수(−手) ((준말)) =비김수.

빈객(賓客) invitado, -da mf de honor, huésped mf de honor. ~으로 대우하다 recibir [tratar・agasajar] como huésped de honor.

빈곤(貧困) ① [빈궁] pobreza f, pobrería f, pobretería f, necesidad f, escasez f, carencia f, indigencia f, miseria f, estrechez f, penuria f, falta f, carestía f. ~하다 (ser) pobre, pobrete, pobreto, pobretón, indigente, menesteroso, necesitado, miserable, estrecho. ② [내용이 충실하지 못하여 텅빔] contenido m infiel [desleal]. 화제가 ~하다 El tema es infiel.

빈국(貧國) país m pobre.

빈궁(貧窮) pobreza f, pobrería f, pobretería f, necesidad f, indigencia f. ~하다 (ser) pobre, indi-

gente, necesitado, menesteroso.

빈농(貧農) ① [가난한 농가] familia f agrícola pobre. ② [가난한 농민] agricultor, -tora mf pobre, labrador, -dora mf pobre.

빈농가(貧農家) familia f agrícola pobre.

빈농민(貧農民) agricultor, -tora mf pobre; labrador, -dora mf pobre.

빈대 ((곤충)) chinche m.

빈대떡 bindaeteok, tortilla f de nokdu (semilla cuyo brote se utiliza en la cocina oriental).

빈도(頻度) frecuencia f. ~가 높다 ser frecuente.

빈도수(頻度數) =빈도(頻度).

빈둥거리다 haraganear, holgazanear, vaguear, gandulear, vagamundear, estar en canto rodado, pasar los días sin ocuparse en nada..

빈둥빈둥 ociosamente, con ocio, a la ventura, perezosamente. ~ 지내다 pasar los días ociosamente, llevar una vida ociosa.

빈들거리다 no tener trabajo, estar sin hacer nada, holgazanear, haraganear, flojear. 빈들거리는 사람 holgazán, -zana mf; vago, -ga mf; haragán, -gana mf.

빈들빈들 ociosamente, perezosamente. ~ 놀기만 하다 pasarse sin hacer nada.

빈말 palabra f vana, frases fpl vanas, plática f ociosa.

빈민(貧民) pobre mf; indigente mf; necesitado, -da mf; persona f pobre; gente f pobre; [집합적] pobreza f. ~을 구제하다 ayudar [auxiliar・socorrer] a los pobres. ¶ ~가 gueto m, ghetto m, chabolas fpl. ~굴 barrio m de los pobres, barrio m bajo.

빈발(頻發) ocurrencia f frecuente. ~하다 ocurrir frecuentemente, ocurrir muy a menudo, suceder muchas veces.

빈방(−房) [사람이 없는] cuarto m [habitación f] libre, cuarto m desocupado, habitación f desocupada; [쓰지 않는] cuarto m vacío [vacante], habitación f vacía [vacante].

빈번(頻繁/頻煩) frecuencia f. ~하다 (ser) frecuente; [왕래가] concurrido. 왕래가 ~한 거리 calle f bulliciosa. ~히 frecuentemente, con frecuencia, a menudo; [끊임없이] sin cesar, continuamente, sin interrupciones.

빈부(貧富) pobreza y riqueza. ~의 차가 심하다 [적다] Hay gran [poca] diferencia entre los pobres y los ricos.

빈사(瀕死) condición f moribunda.

~의 moribundo, agonizante, a borde de la muerte. ~ 상태에 있다 estar en agonía, encontrarse en estado agónico.
빈소(殯所) habitación *f* que el ataúd es puesto hasta el día funeral.
빈소리 palabras *fpl* inútiles.
빈속 estómago *m* vacío. ~에 술을 마시다 beber en el estómago vacío.
빈손 manos *fpl* vacías. ~의 manivacío. ~으로 con las manos vacías. ~으로 돌아오다 volver con las manos vacías; [성과없이] volver fracasado.
빈약(貧弱) pobreza *f*, escasez *f*. ~하다 (ser) pobre, escaso; [허약하다] débil. ~한 집 casa *f* de mala construcción.
빈익빈(貧益貧) El pobre se hace más pobre.
빈자(貧者) pobre *mf*, necesitado, -da *mf*, persona *f* pobre; hombre *m* pobre, mujer *f* pobre.
빈자리 ① [공석] asiento *m* libre, espacio *m*. ~에 앉다 sentarse en [tomar] un asiento libre [desocupado]. ② [결원] vacancia *f*, posición *f* vacante.
빈정거리다 censurar implícitamente, aludir maliciosamente, burlarse.
빈주먹 puño *m* vacío, mano *m* vacía. ~으로 en el puño vacío, en la mano vacía; [자본 없이] sin fondos.
빈집 ① [사람이 살지 않은 집] casa *f* vacía, casa *f* vacante. ② [비워 놓은 집] casa *f* libre.
빈차(一車) taxi *m* libre; [택시의 게시] Libre.
빈천(貧賤) pobreza *f* y humildad, vida *f* humilde. ~하다 (ser) pobre y humilde.
빈촌(貧村) poblacho *m*.
빈총(一銃) fusil *m* sin balas.
빈축(嚬蹙/顰蹙) mueca *f*, ceño *m*, mala cara *f*. ~하다 hacer una mueca, desaprobar (de), mirar con malos ojos, fruncirse, arrugar el entrecejo, fruncir el ceño, poner mala cara. ~을 사다 ofender.
빈칸 parte *f* [línea *f* · renglón *m*] en blanco. ~에 기입하다, ~을 채우다 llenar las partes [líneas · los renglones] en blanco.
빈터 terreno *m* desocupado, terreno *m* sin construir, campo *m* libre, descampado *m*, solar *m*.
빈털터리 pobretón, -tona *mf*, pelado, -da *mf*, persona *f* sin un centavo. ~다 estar sin (una) blanca, no tener (ni) un cuarto, no tener una perra chica, no tener dóndo caerse muerto, estar pelado.
빈틈 ① [모자란 점] falta *f*. ~없는 남자 pájaro *m*. ~ 없는 여자 pájara *f*. ② [남에게 책잡히기 쉬운 약점] punto *m* débil, defecto *m*, debilidad *f*. ~을 보이다 estar desprevenido. ~을 보이지 않다 estar alerta, estar vigilante. ~이 없다 tener escamas. ③ [벌어진 틈] abertura *f*, intersticio *m*, resquicio *m*, fisura *f*, rendija *f*; [여지] espacio *m*. ~을 막다 tapar un intersticio. ¶ ~없다 ㉮ (ser) perspicaz, cauteloso, atento, sutil, inteligente, cuidadoso; [세심하다] escrupuloso, minucioso; [완전하다] completo, perfecto. 빈틈없는 교육 educación *f* [enseñanza *f*] esmerada. 빈틈없는 일 trabajo *m* minucioso. ㉯ (ser) prudente, cuerdo, discreto; [경계하다] (estar) alerta, vigilante; [약점이 없다] impecable, irreprochable. 빈틈없는 astuto, fino, listo; [금전에서] tacaño, avaro, parsimonioso.
빈한(貧寒) pobreza *f*. ~하다 ser pobre, ser más pobre que una rata [las ratas], ser tan pobre como un ratón de sacristía; ((성경)) ser menesteroso, hallarse en la miseria.
빈혈(貧血) anemia *f*. ~의 anémico. ~을 일으키다 padecer anemia. ¶ ~성 constitución *f* anémica. ~증 anemia *f*. ~증 환자 anémico, -ca *mf*.
빌다[1] ① [자기 소원이 이루어지게 해 달라고] orar, invocar, rezar. 하나님께 ~ ofrecer oraciones a Dios, elevar una oración [preces] a Dios. ② [잘못을 용서해 달라고] pedir perdón, apologizar.
빌다[2] ① [(남의 물건을) 공으로 얻으려고] mendigar, pordiosear, vivir de limosna. 밥을 ~ mendigar la comida. ② [빌리다] tomar prestado, pedir prestado, arrendar; [임차하다] tomar en arriendo; [집 · 물건을] alquilar; [토지를] arrendar; [배를] fletar. 돈을 ~ pedir dinero prestado. ③ [(남의 도움을) 자기에게 필요한 대로 힘입다] obtener la ayuda. ④ [(일정한 사실 · 형식 같은 것을) 취하여 따르다] usar.
빌딩 [건물] edificio *m*.
빌라 villa *f*; [휴일용 저택] chalé *m*, chalet *m*; [시골에 있는 집] chalé *m*, chalet *m*, casa *f* de campo.
빌리다 ① [물건을] tomar prestado, pedir prestado. 빌려 주다 prestar. 돈을 ~ pedir dinero prestado. ② [삯을 받고 내어 주다] alquilar; [토지를] arrendar, dar [tomar] en arriendo.
빌미 maldición *f*. ~잡다 atribuir.

빌붙다 halagar, adular, lisonjear.

빌어먹다 mendigar, pedir limosna.

빌어먹을 ¡Caramba! / ¡Maldito sea!

빗 peine m; [장식용의] peina f, peineta f. ~ 모양의 arqueado, semicircular. ~ 으로 머리를 빗다 peinarse el pelo [el cabello].

빗각(一角) ángulo m oblicuo.

빗금 línea f oblicua.

빗기다 peinarle (el pelo · el cabello).

빗기우다 ser peinado.

빗길 camino m cubierto del agua de lluvia.

빗나가다 echarse a perder, torcerse, desviarse, extraviarse, perderse, apartarse, ladearse; [말이] zafarse; [동물이] descarriarse. 빗나간 자식 hijo m echado a perder. 옆 길로 ~ desviarse de la carretera; [정도에서] extraviarse.

빗다 peinarse. 머리를 ~ peinarse el pelo.

빗대다 aludir, hacer referencias irónicas. 빗대어 말하다 hablar con rodeos, andar con circunloquios [con ambagas].

빗돌 =비석(碑石).

빗디디다 perder su paso.

빗맞다 ① [목표에 맞지 아니하고] errar. 총알이 ~ errar el tiro. 탄환이 빗맞았다 La bala no acertó en el blanco. ② [뜻한 일이 맞지 않고] malograrse. 예상이 ~ malograrse el plan.

빗면(一面) lado m oblicuo.

빗모서리 ángulo m oblicuo.

빗물 el agua f llovediza, el agua f de lluvia.

빗발 lluvia f. ~이 세다 Es una lluvia torrencial / Llueve torrencialmente / La lluvia arrecia.

빗발치다 ① [빗줄기가 세차게 쏟아지다] llover torrencialmente. 빗발쳤다 Era una lluvia torrencial / Llovió torrencialmente. ② [탄환 따위가] llover, hacer caer una lluvia. 주먹 세례가 ~ caer una lluvia de puñetazos. 폭탄이 빗발쳤다 Llovieron bombas. ③ [독촉이나 비난 따위가 매우 심하다] apremiar, censurar, reprovechar, vituperar. 비난의 소리가 ~ censurar [vituperar] mucho.

빗방울 gota f de lluvia. 굵은 ~ lluvia f de grandes gotas.

빗변(一邊) ((수학)) línea f oblicua; [직각 삼각형의] hipotenusa f.

빗살 púa f (del peine).

빗소리 sonido m de lluvia, lluvia f.

빗속 medio m de lluvia. ~을 en [bajo] la lluvia.

빗자루 palo m de escoba.

빗장 [문빗장] cerrojo m, aldaba f, aldabilla f, pestillo m, picaporte m, tranca f, barra f. ~을 걸다

cerrar con picaporte. 문에 ~을 걸다 echar el cerrojo a la puerta, atrancar la puerta.

빗접 caja f de los peines.

빗줄기 gran lluvia f. ~가 세차다 Llueve a cántaros.

빗질 peinada f, peinado m. ~하다 dar una peinada; [자신의] darse una peinada [peinados].

빙 ① [주위를 한 바퀴 도는 모양] redondamente, circularmente, en un círculo. 운동장을 한 바퀴 ~ 돌다 dar una vuelta por el campo de recreo. ② [둘레를 둘러싸는 모양] en corro. ~ 둘러앉다 sentarse en corro. ③ [정신이 아찔해지는 모양] dando vueltas. ④ [갑자기 눈물이 글썽해지는 모양] llorando de la emoción.

빙고 bingo m, lotería f de cartones. ~을 하다 jugar al bingo, jugar a la lotería. ¶ ~ 게임 juego m del bingo. ~장 sala f del bingo.

빙과(氷菓) helado m.

빙그레 con gracia. ~ 웃다 sonreír con gracia.

빙그르르 dando vueltas suavemente. 빙판을 한 바퀴 ~ 돌다 dar una vuelta suavemente alrededor del hielo.

빙글거리다 sonreír (abiertamente).

빙글빙글¹ [웃는 모양] con una sonrisa radiante, sonriendo.

빙글빙글² [연해 미끄럽게 도는 모양] a la redonda, de ronda, de volteo, al retortero. ~ 돌다 dar vuelta a la redonda, ser volteado. ~ 돌리다 voltear.

빙모(聘母) suegra f, madre f política·

빙벽(氷壁) acantilado m de hielo.

빙부(聘父) suegro m, padre m político, padre m de su esposa.

빙빙 giratoriamente, rodeando y rodeando, en círculo, dando vueltas alrededor. ~ 돌다 redondear, correr en círculo, girar, dar(se) vueltas, ir de ronda, ir circularmente.

빙사탕(氷砂糖) azúcar m candi.

빙산(氷山) iceberg ing.m, témpano m de hielo, banquisa f, masa f flotante de hielo. ~의 일각(一角) punta f del iceberg.

빙상(氷上) sobre el hielo. ¶ ~ 경기 deportes mpl de hielo.

빙설(氷雪) ① [얼음과 눈] el hielo y la nieve. ② [심성의 결백함] inocencia f.

빙수(氷水) [얼음물] el agua f helada, el agua f con hielo; [청량 음료] refresco m con hielo y azúcar.

빙어 ((어류)) eperlano m.

빙원(氷原) banco m de hielo.

빙자(憑藉) pretexto *m*. ~하다 pretextar. 병을 ~하여 bajo el pretexto de *su* indisposición.

빙점(氷點) punto *m* de congelación. ~하 15도 quince grados bajo cero.

빙충맞다 (ser) torpe, patoso, desgarbado, estúpido.

빙충맞이 imbécil *mf*; burro, -rra *mf*.

빙충이 ((준말)) =빙충맞이.

빙판(氷板) camino *m* cubierto de hielo.

빙하(氷河) ① [얼어붙은 큰 강] río *m* bloqueado por el hielo. ② ((지질)) glaciar *m*, helero *m*, ventisquero *m*.

빚 deuda *f*, bébito *m*, dinero *m* prestado. ~투성이의 lleno de deudas. ~에 묶이다 entramparse, contraer deudas, empeñarse. ~을 갚다 devolver el dinero prestado, pagar las deudas.

빚다¹ ① [술을 담그다] destilar, alambicar, fermentar, hacer, fabricar, mezclar, preparar. ② [(진흙 따위를) 이기어 덩이를 만들다] amasar, trabajar. 진흙을 빚어 구멍을 막다 amasar la arcilla y tapar la ratonera. ③ [경단·찐 두·송편 등을 만들다] hacer, amasar.

빚다² [조성하다] provocar, excitar, causar, inducir, empollar. 물의를 ~ excitar discusiones.

빚돈 dinero *m* prestado.

빚쟁이 prestamista *mf*; usurero, -ra *mf*; logrero, -ra *mf*; acreedor, -dora *mf*.

빛 ① ((물리)) [광(光)] luz *f*, fulgor *m*; [광선] rayo *m*. 창으로 ~이 들어온다 La luz entra por [a través de] la ventana. ② [빛깔] color *m*. 붉은 ~ (color *m*) rojo *m*. ~이 바래다 descolorarse, desteñir(se), perder el color. ③ [안색. 얼굴빛. 기색] semblante *m*, tez *f*, aspecto *m*, actitud *f*. ④ [번쩍이는 광태] lustre *m*, brillo *m*. [섬광] destello *m*. ⑤ [희망. 광명] luz *f*, esperanza *f*. ⑥ [훌륭한 기세·영광] gloria *f*. ~나는 업적 resultado *m* glorioso. ⑦ [번쩍이는 것] brillantez *f*, brillo *m*.

빛깔 color *m*. ~이 바래다 descolorarse, desteñir(se).

빛나다 lucir, relucir, brillar, resplandecer, iluminar, centellear, titilar, irradiar. 빛나는 brillante, reluciente, resplandeciente. 빛나는 경력 carrera *f* brillante. 빛나는 미래 futuro *m* brillante. 빛나는 승리 victoria *f* brillante.

빛내다 iluminar, alumbrar. 세계에 이름을 ~ gozar de fama mundial.

빠개다 ① [두 쪽으로] partir, hender, rajar, resquebrajar, cuartear, dividir. 장작을 ~ rajar las leñas. ② [넓게 벌리다] abrir grande.

빠개지다 ① [물건이 두 쪽으로] partirse, henderse, rajarse, resquebrajarse, cuartearse, dividirse, romperse. 머리가 빠개질 듯이 아프다 Tengo un dolor de cabeza terrible / Me duele a rabiar la cabeza. ② [(작은 물체의) 짜임새가 물러나서 틈이 넓게 바라지다] (ser) llano, plano. 접시 plato *m* llano. ③ [기뻐서 입이 바라지다] la boca se abre.

빠뜨리다 ① [물속에] dejar caer, echar, soltar, ahogar. ② [함정에] entrampar, atrapar; [유혹에] tentar, seducir. ③ [누락에] omitir, saltar(se), pasar por alto, suprimir. 가장 중요한 것을 ~ hacer las ollas y olvidar las tapas. ④ [잃어버리다] perder(se). 지갑을 ~ perder(se) portamonedas.

빠라구아이 ((지명)) el Paraguay. ~의 (사람) paraguayo, -ya *mf*.

빠르다 ① [걸리는 시간이 짧다] (ser) rápido, veloz, acelerado, ligero. 빠른 걸음 paso *m* rápido. 빠른 말 caballo *m* rápido. 빠른 자동차 automóvil *m* veloz. ② [느 기준 시간보다 이르다] (ser) temprano; [시계가] adelantar(se). 빨라야 a lo más temprano. 빠른 시간에 a una hora temprana. ③ [알아차리는 능력이 날렵하다] (ser) agudo.

빠이빠이 ¡Adiós! // *AmS* ¡Chao! ¡Chau!

빠지다¹ ① [(물 속이나 구덩이 같은 곳에) 떨어져 잠기거나 잠겨 들어가다] ahogarse, caer, caerse. 연못에 ~ caer en el estanque. ② [지나치게 정신이 쏠려 헤어나지 못하다] amar locamente (perdidamente), apasionarse, entregarse, darse, absorberse, embeberse; [특히 악습에] enviciarse, abandonarse. 공부에 ~ apasionarse por [del] estudio. ③ [(어떤 곤란한 처지에) 들게 되다] caer, verse, verse en un apuro. 위험한 상태에 ~ caer en una situación peligrosa. ④ [속아서 넘어가다] caer. 꾐에 ~ ser engañado, caer en la trampa. ⑤ [(막힌 것이) 자리를 벗어서 나오다] caerse. 이가 ~ caerse un diente. ⑥ [그릇이나 신발 따위의 밑바닥이] caer(se). ⑦ [접이들다] girar, doblar.

빠지다² ① [빛깔·때 따위가] quitarse, salir. 때가 잘 ~ la suciedad quitarse bien. ② [밖으로 새어나가다] salir. 김 빠진 맥주 cerveza *f* sin gas. ③ [딴 데로 새]

어 나가다] atravesar, escurrirse, deslizarse. 붐비는 틈을 용케 빠져 나가다 deslizarse entre la muchedumbre. ④ [들어 있어야 할 사물이] faltar, omitirse, saltar. 2쪽에서 10쪽까지 ~ saltar de la página dos a la página diez. ⑤ [어떤 곳으로부터 벗어나다] atravesar, salir, pasar (por bajo de). 문을 빠져 나가다 pasar por [debajo de] la puerta. ⑥ [모임이나 조직 따위에서 떠나다] dejar, abandonar. 단체에서 ~ dejar del grupo. ⑦ [없어지거나 줄어지다] (ser) delgado, flaco, adelgazar. 힘이 ~ la fuerza perderse. 살이 ~ adelgazar, perder peso. ⑧ [뒤지거나 모자라다] bajar. 학교 성적이 ~ bajar mucho las notas escolares. ⑨ [매우 미끈하다] (ser) elegante, de líneas elegantes.

빠짐없이 sin omisión; para todos; todo; todos, todas; todos juntos, todas juntas; [하나하나] uno por uno, una por una; cada uno, cada una; [일치해서] unánimemente, por unanimidad, de común acuerdo. ~ 답장을 보내다 responder a todas cartas.

빡빡하다 ① [물기가 적어서] (ser) espeso, denso. 빡빡한 국 sopa *f* espesa. 빡빡해지다 espesar(se). 더 빡빡해지다 hacerse más espeso. 찌개가 너무 ~ La sopa es demasiado espesa. ② [꼭 끼어서 헐렁하지 아니하다] quedar muy ajustado [apretado]. 빡빡한 바지 pantalones *mpl* ajustados [apretados]. ③ [기계·수레 바퀴 등이 잘 돌아가지 않다] no funcionar bien. 이 기계는 ~ Esta máquina no funciona bien. ④ [이해성이 없고 두름성이 적다] (ser) de mentalidad cerrada, intolerante, retrógrado. 빡빡한 사람 persona *f* de mentalidad cerrada.

빤질빤질 ((셀말)) =반질반질. ¶~한 여자 pájara *f*.

빤히 ① [환히] brillantemente, claramente, resplandecientemente. 날이 ~ 텄다 El día amaneció luminoso y soleado. ② [명백히] evidentemente, obviamente, claramente, a la vista. ~ 알다 saber evidentemente. ③ [보다] fijamente. ~ 쳐다보다 mirar fijamente.

빨강 (color *m*) rojo *m*, rojo m escarlata.

빨갛다 (ser) rojo, colorado, (rojo) escarlata, carmesí. 빨간 연필 lápiz *m* rojo [colorado].

빨개지다 ponerse rojo [colorado], ruborizarse; [하늘이] teñirse de rojo. 그녀는 얼굴이 빨개졌다 Ella se puso colorada [roja].

빨갱이 [공산주의자] comunista *mf*.

빨다¹ ① [입 안으로] chupar, sorber, chupatear. 손가락을 ~ [자신의] chuparse el dedo. 젖을 ~ mamar, chupar la leche de los pechos. 젖병을 ~ chupar el biberón. 피를 ~ chupar la sangre. ② [활속이 녹이거나 먹다] chupar. 캐러멜을 ~ chupar un caramelo. ③ [일정한 통로를 통하여 당기어들이다] aspirar, absorber, extraer. 펌프로 물을 빨아 올리다 extraer agua con una bomba. ④ [속으로 배거나 스며들게 하다] absorber. 해면은 물을 빨아들인다 La esponja absorbe el agua. ¶빨아내다 extraer, absorber, sacar, chupar; [해면 따위로] enjugar. 고름을 ~ sacar el pus. ¶빨아들이다 ㉮ [공기 따위를] inspirar, aspirar. 신선한 공기를 ~ aspirar el aire fresco. 회오리 바람에 빨려들다 ser tragado por un remolino. ㉯ [액체를] absorber, chupar, embeber, sorber; [해면 따위로] enjugar. 이 종이는 잉크를 잘 빨아들인다 Este papel chupa [absorbe·sorbe] bien la tinta. ¶빨아먹다 ㉮ [액체 따위를 빨아서 먹다] chupar, sorber. 젖병을 ~ chupar el biberón. 피를 ~ chupar la sangre. ㉯ [단단한 음식물을] chupar. ㉰ [남의 것을 착취하다] explotar, sacar utilidad. ¶빨아올리다 [펌프로] succionar, aspirar.

빨다² [옷 따위의 더러운 물건을] lavar (la ropa). 빨아서 다리미질이 필요없는 que no necesita plancha, que se lava y no se plancha, *RPI* lavilisto®. 이 천은 빨면 줄어든다 Esta tela encoge al lavarla [lavarse].

빨다³ [어떤 물체의] 끝이 차차 가늘어서 뾰족하다] (ser) afilado, *AmL* filoso, *Chi*, *Per* filudo. 끝이 빤 [막대기·잎이] acabado en punta, con punta, *Andes* puntudo; [지붕이나 창문이] apuntado; [아치가] ojival; [턱·코가] puntiagudo, *Andes* puntudo; [구두가] de punta, puntiagudo, *Andes* puntudo; [모자가] de pico. 끝이 빤 연필 lápiz *m* con punta.

빨대 caña *f*, pajita *f*, paja *f*, sorbetón *m*.

빨래 ① [물에 넣어 빠는 일] lavado *m*, lavación *f*, lavadura *f*. ~하다 hacer la colada, lavar la ropa (sucia). ~를 널다 tender la ropa. ~를 말리다 secar la colada. 비누로 ~하다 jabonar, lavar con jabón. ② [빨려고 하는 옷이나 피륙 등] ropa *f* para [por] lavar, ropa *f* sucia; [이미 빨아놓은 옷] ropa *f* limpia, ropa *f* lavada. ¶ ~집게 pinzas *fpl*. ~터 lavadero *m*. ~통 tina *f* de lavar. ~판 tabla *f* de lavar, tabla *f* de lavado.

빨랫감 colada *f*, ropa *f* por [para] lavar. ~을 말리다 [행구다] secar [enjugar] la colada.

빨랫비누 jabón *m* de [para lavar, jabón *m* para el lavado de la ropa; [가루의] jabón *m* en polvo.

빨랫줄 cuerda *f* de tender, cuerda *f* para la ropa, cuerda *f* para tender la ropa.

빨리 ① rápido, rápidamente, velozmente, a(l) vuelo, pronto; [기민하게] ágilmente, prestamente; [즉시] inmediatamente, de inmediato, 되도록 ~ lo más rápido [pronto] posible, cuanto antes, cuanto más antes. ~ 해라 ¡Hazlo pronto! / Date prisa. ② [일찍] temprano. 되도록 ~ lo más temprano posible.

빨리빨리 muy rápidamente, de prisa, pronto, con rapidez, en un vuelo; [즉시] inmediatamente, en seguida; ~ 걷다 andar a paso ligero.

빨리다¹ ① [빨래가 빨을 당하다] ser lavado. ② [빨래를 빨게 하다] hacer lavar.

빨리다² ① [빨아 먹음을 당하다] ser chupado, chuparse. ② [빨게 하다] hacer chupar. 젖을 ~ dar el pecho, amamantar.

빨빨 chorreando. 땀을 ~ 흘리다 chorrear de sudor.

빨아- ☞빨다.

빨치산 ☞파르티잔.

빨판 ((동물)) ventosa *f*.

빨판상어 ((어류)) rémora *f*.

빨펌프 bomba *f* aspirante.

빳빳하다 (ser) nuevecito. 빳빳한 만원 짜리 지폐 billete *m* nuevecito de diez mil wones.

빵¹ pan *m*; [식빵] pan *m* de molde; [불란서] barra *f* de pan; [롤빵] panecillo *m*. 딱딱한 ~ pan *m* duro. 버터 바른 ~ pan *m* con mantequilla. 잼 바른 ~ bollo *m* con jalea. ~ 한 조각 un pedazo de pan. ¶ ~ 문제 cuestión *f* de pan y mantequilla. ~장수 panadero, -ra *mf*.

빵² [갑자기 요란스럽게 터지는 소리] ¡Pum!, ¡Bang!. ~하고 소리나 다 hacer pum. ~하고 소리내다 [폭발시키다] [풍선을] reventar, hacer estallar. ~하고 폭발하다 [풍선을] reventar(se), estallar; [코르크가] saltar.

빵꾸 ① [자동차나 자전거의] reventón *m*, pinchazo *m*. ~가 나다 sufrir [tener] un pinchazo, reventarse. 타이어가 ~ 나다 reventar-

se el neumático. ② [처녀가 정조 를 잃음] pérdida *f* de castidad. ~ (가) 나다 deshonrarse, violarse. ③ [(옷·양말 등이) 해지어 구멍 이 뚫리는 일. 또는 그 뚫린 구멍] desgaste *m*; [해어진 구멍] agujero *m* desgastado. ④ [비밀이 드러 나는 일] divulgación *f* de un secreto. ~(가) 나다 divulgarse un secreto. ⑤ [계획한 일의] fracaso *m*. fracasar.

빵빵 ¡Pum, pum!, ¡Bang, bang!

빵점(一點) ((속어)) =영점(零點).

빵집 panadería *f*.

빻다 moler; [곡물이나 양념류를] machacar; [마늘이나 고추를] majar, machacar. 마늘을 ~ majar ajos. 커피를 ~ moler el café.

빼각거리다 chirriar; [마루가] crujir. 삐걱거리는 문 puerta *f* que chirria. 마루가 빼각거린다 El suelo cruje.

빼기 ((수학)) =뺄셈.

빼내다 sacar, quitar, extraer.

빼놓다 faltar, excluir.

빼다¹ ((준말)) =빼내다.

빼다² ① [속에 들어 있는 것을] sacar. 내 서랍에서 네 물건을 빼 라 Saca tus cosas de mi cajón. ② [꽂히거나 박힌 것을] 뽑다] sacar. 이를 ~ sacar un diente. ③ [많은 것 가운데서 일부를 덜어 내다] substraer, deducir, restar. ④ [여럿 가운데서 일부를 골라내 다] escoger, elegir. ⑤ [힘이나 기운을] 써서 없애다] gastar la fuerza [el ánimo]. ⑥ [길게 뽑아 늘이다] alargar. ⑦ [(목소리를) 길 게 뽑다] alargar la voz. ⑧ [(옷 을) 맵시나게 차려 입다] ponerse elegante. ⑨ [(행동이나 태도를) 짐짓 꾸며서 하다] fingir + *inf*, suponer. 점잖은 ~ (ser) mojigato, gazmoño, darse aires. ⑩ [(당 하지 않으려고) 슬슬 피하다] evitar. 꽁무니를 ~ dejar de + *inf* por desagradable que fuera.

빼돌리다 adelantarse, anticiparse, tomar [ganar·coger] la delantera.

빼먹다 ㉮ [말이나 글의 구절 같은 것을 빠뜨리다] omitir, saltar(se), pasar por alto, suprimir. 한 페이 지를 ~ saltar(se) una página. ㉯ [남의 물건을 돌려 내어 가지다] robar, hurtar, ratear. 짐을 ~ robar un equipaje. ㉰ [(꼬치 같은 데에 펜 것을) 뽑아 먹다] desensartar y comer. 꼬치를 ~ desensartar la comida ensartada en un pincho y comerla. ㉱ [(꼭 해야 할 일을) 일부러 하지 않다] fumarse. 강의[직장]를 ~ fumarse la clase [la oficina]. 학교를 ~ hacer novillos, faltar a la escuela.

빼물다 ① [거만한 태도로 입을] comportarse con altivez. ② [혀를] sacar la lengua.

빼빼 flaco, delgado, escuálido, consumido, descarnado. ~ 마른 costal m de huesos, esqueleto m.

빼앗기다 ① [탈취당하다] (ser) robado, quitado, saqueado, pillado. 나는 지갑을 빼앗겼다 Me robaron la cartera. ② [매혹되다] ser encantado, absorberse. 독서에 정신을 ~ absorberse en lectura. ③ [정조를 유린당하다] ser violado, ser dishonrado, ser seducido.

빼앗다 ① [남의 것을 강제로 제 것으로 만들다] saquear, pillar, quitar; [약탈하다] robar, despojar; [강탈하다] arrebatar. …의 손에서 권총을 ~ quitarle a uno su pistola. ② [남의 일이나 시간 따위를 억지로 가로채거나 차지하다] coger, agarrar, arrebatar. ③ [생각이나 마음을 쏠리게 하여 사로잡다] encantar, fascinar, hechizar, seducir, atraer, cautivar. 혼을 ~ encantar, llevar el alma. ④ [남의 정조 따위를 짓밟다] violar, profanar, deshonrar. 몸을 ~ violar.

빼어나다 sobresalir, distinguirse, destacarse, superar, aventajar, ser un hacha. 빼어난 sobresaliente, distinguido, extraordinario, excepcional, eminente, excelente, excelso, sin par, maravilloso. 빼어나게 extraordinariamente, excepcionalmente, sumamente. 빼어난 작품 obra f excelente.

빽[1] [갑자기 새되게 지르는 소리] chillido m, AmS chillada f. 기차가 기적을 ~ 울린다 El tren pita.

빽[2] [빽빽하게] espesamente, densamente. ~ 차다 (estar) repleto, hasta el tope [los topes]; [방·버스가] repleto, atestado (de gente).

빽빽 chillido m, chillada f. ~ 울다 chillar, gritar fuerte; [새가] piar, gorjear; [곤충이] chirriar.

빽빽거리다 chillar, dar chillidos.

빽빽하다 ① [사이가 배좁게 촘촘하다] (ser) denso, espeso, tupido, apretado. 빽빽한 잡초지 matorral m denso [espeso]. 빽빽한 숲 bosque m denso [espeso]. ② [구멍이] obstruirse, atascarse. 코가 ~ La nariz se atasca. ③ [융통성이 없고 답답하다] (ser) de mentalidad cerrada, insolente. ④ [국물이] (ser) algo pesado y espeso.

뺄셈 ((수학)) substracción f, resta f. ~하다 substraer, restar. ~법 método m de resta. ~표[부호] tabla f de substraer.

뺑소니 fuga f, huida f, escapada f, escape m; [사람을 치고 달아남] delito m de fuga. ~(를) 치다 fugarse, largarse, huir, irse por (sus) pies, poner pies en polvorosa, escapar(se); [사람을 치고 달아나다] atropellar a uno y darse a la fuga, darse a la fuga tras atropellar a uno. ¶ ~ 사고 accidente m en que el conductor se da a la fuga. ~ 운전사 conductor, -tora mf que se da a la fuga tras atropellar a uno. ~ 차 coche m que atropelló a uno y se dio a la fuga.

뺨 ① [얼굴의] mejilla f, carrillo m. ~을 얻어맞다 recibir una bofetada. ~을 치다 ㉮ [남의 뺨을 때리다] darle a uno una bofetada. ㉯ [다른 것보다 훨씬 낫다] ser mucho mejor (que el otro), no ser más inferior (que el otro).

뻐근하다 ponerse tieso, sentir agujetas. 어깨가 ~ ponerse tiesos los hombros, sentir agujetas en los hombros, tener [sentir] los brazos endurecidos.

뻐기다 ponerse soberbio, engreírse, pavonearse, imponerse, enorgullecerse, jactarse, vanagloriarse.

뻐꾸기 ((조류)) cuco m, cuclillo m.

뻐꾹 cucú m.

뻐꾹뻐꾹 cucú, cucú.

뻐꾹새 ((조류)) =뻐꾸기.

뻐끔뻐끔[1] ① [담배를] a bocanadas fpl. 담배를 ~ 피우다 fumar a bocanadas, echar bocanadas de humo; [파이프를] chupar su pipa. ② [물고기 따위가] bebiendo repetidamente.

뻐끔뻐끔[2] [여러 군데가 모두 뻐끔한 모양] demasiado grande o ancho.

뻐끔하다 (estar) rajado, fracturado, con grietas, resquebrajado; [입술이] partido, agrietado; [피부가] agrietado. 뻐끔히 con la boca abierta. 입을 뻐끔히 벌리다 quedarse con la boca abierta.

뻐드렁니 diente m salido, diente m de conejo, diente m saliente, diente m de embustero.

뻐드렁이 persona f con dientes salientes.

뻔뻔스럽다 (ser) descarado, desvergonzado, sinvergüenza, insolente, impudente. 정말 뻔뻔스럽군! ¡Que sinvergüenza! / Es el colmo de la cara dura.

뻔뻔하다 (ser) descarado, desvergonzado, sinvergüenza, insolente, fresco, pícaro, impertinente.

뻔하다[1] ① [어두운 가운데 밝은 빛이 비치어 매우 훤하다] amanecer, aclarar. ② [무슨 일이 그렇게 될 것이 아주 분명하다] (ser) claro, evidente, obvio, palpable, palmario. 뻔한 거짓말 mentiras fpl palpables. ③ [바쁜 가운데 잠깐 일이

없어 한가하다] estar libre un momento. ④ [[병세가)) 눈에 띄게 고자누룩하다] aliviarse, calmarse, mitigarse.

뻔하다² [까딱하면 그렇게 될 형편에 다다랐겠으나 결국 그렇게 되지 않았다] casi, por poco. 나는 넘어질 뻔했다 Por poco [Casi] me caí.

뻗다 ① [나뭇가지나 뿌리나 덩굴 같은 것이] arraigar, echar raíces. 뿌리가 ~ arraigar, echar raíces. ② ((속어)) [죽다] morir, fallecer, dejar de existir. ③ [(꼬부렸던 것을) 쭉 펴다] extender, estirarse, alargar. 다리를 ~ extender [estirarse · alargar] *sus* piernas. ④ [힘이 어디까지 미치다] extender. ⑤ [어떤 것에 미치게] 곧 바로 내밀다] dar. 구원의 손길을 ~ dar la ayuda.

뻗치다 ① [(힘줌말)) =뻗다. ② [이 끝에서 저 끝까지 닿다] extenderse. 연기가 하늘에 길게 뻗쳐 있다 Una estela de humo se extiende por el cielo.

뻣뻣하다 ① [부드럽지 않고 꿋꿋하다] (ser) tieso, rígido, endurecido. ② [풀기가 세다] almidonado, bien planchado con almidón.

뻣세다(~센) tieso y duro.

뻥¹ ① ((준말)) =뻥짜. ② ((속어)) =거짓. 거짓말.

뻥² ① [갑자기 무엇이 요란하게 터지는 소리] ¡Pum! / ¡Bang! / ¡Pumba! ② [구멍이 뚜렷이 뚫어진 모양] ¶구멍이 ~ 뚫려 있다 Hay un hoyo grande.

뻥하다 ① [어리둥절하여] perplejo, confundido.

뻥튀기 recipiente *m* para hacer palomitas (de maíz · de arroz).

뻬루[지명)) el Perú. ◇~의 peruano. ~ 사람 peruano, -na *mf.*

뻬세따 [서반아의 전 화폐 단위] peseta *f.*

뻬소 [중남미 대부분의 화폐 단위] peso *m.*

뻬이징(北京) ((지명)) Beijing.

뼈 ① [골] hueso *m.* ② [일의 핵심] médula *f.*, núcleo *m.*, quid *m.* ③ =기개(氣概). 기골(氣骨). ④ [속 뜻] intención *f* real. ⑤ [기력] vigor *m*, ánimo *m*, energía *f*. ¶~빠지다 (ser) fatigante, fatigoso, penoso, arduo.

뼈다귀 (cada) hueso *m.*

뼈대 ① [몸의 골격] constitución *f.* ¶~가 튼튼하다 [굵다] estar bien constituido, ser de robusta constitución, tener una constitución robusta. ② [일개] armazón *m,* armadura *f,* estructura *f.*

뼈 마디 [뼈와 뼈 사이의 이어진 부분] articulación *f* entre los huesos. ② [뼈의 낱낱의 마디]

cada articulación del hueso.

뼈아프다 traspasar*le* el corazón.

뼈저리다 =뼈아프다. ¶뼈저린 profundo, severo. 뼈저리게 하다 damente, severamente, con severidad. 뼈저리게 느끼다 darse cuenta, caer en la cuenta.

뼘 palmo *m.* ~으로 재다 medir a [en] palmos.

뼛가루 hueso *m* en polvo.

뼛골(─骨) médula *f,* meollo *m,* tuétano *m.*

뼛속 =골. ¶추위가 ~까지 스며든다 El frío me penetra [atraviesa] hasta los huesos.

뽀뽀 Besito *m* / ¡Besa, besa! / ¡Dame un besito!

뽐내다 presumir, afectar, sacar el pecho, darse importancia, ponerse soberbio, engreírse, imponerse, fanfarronear, decir [echar] fanfarronadas, enorgullecerse, envanecerse, jactarse, vanagloriarse, pavonearse.

뽑다 ① [박힌 것을] sacar, extraer, arrancar; [뿌리째] desarraigar, extirpar. 못을 ~ arrancar un clavo, sacar la punta. 잡초를 ~ arrancar malas hierbas. ② [여럿 가운데서] escoger, elegir. 많은 사람 가운데서 ~ designar [señalar · elegir] (para un cargo). ③ [모집하다] [병사 · 회원을 모집하다] reclutar, alistar; [선원을] enrolar.

뽑히다 ① [박힌 것이] sacarse, arrancarse, ser sacado [arrancado]. 못이 ~ arrancarse [ser arrancado] el clavo. ② [선출되다] elegirse, ser elegido.

뽕¹ ① ((준말)) =뽕잎. ② ((준말)) =뽕나무.

뽕² ① [막혀 있던 기체나 가스가 터져 나오는 소리] (eliminando gases) con bu. 방귀를 ~ 뀌다 eliminar gases, tirarse un pedo. ② [(작은) 구멍이 뚜렷하게 뚫어지는 소리, 또는 그 모양] ¡Bu!

뽕가지 rama *f* del moral.

뽕나다 divulgarse el secreto.

뽕나무 ((식물)) moral *m*, moreda *f,* morera *f, Méj* mora. ¶~ 열매 moral *m*, moreda *f.* ─ 열매 mora *f* (de morera).

뽕누에 ((곤충)) =누에.

뽕따기 recogimiento *m* de las hojas de moral.

뽕따다 recoger las hojas de moral.

뽕밭 =뽕나무밭.

뽕빠지다 quebrar, hacer bancarrota, hacer quiebra.

뽕잎 hoja *f* de moral [morera].

뽕짝 *pongchak,* una especie de la canción popular de nuestro país.

뽀두라지 =뽀루지.

뽀로통하다 hacer un mohín.

뽀롱뽀롱하다 (ser) malhumorado.

뽀루지 grano m, furúnculo m, forúnculo m, tumor m.

뽀조록하다 sobresalir. 뽀조록한 que sobresale.

뽀족구두 zapatos mpl de tacón alto.

뽀족뒤쥐 ((동물)) musaraña f.

뽀족탑(－塔) chapitel m, pináculo m, aguja f, campanario m.

뽀족하다 ① [물체의 끝이] (ser) puntiagudo, agudo; [날카로운] aguzado, cortante, acerado. ② [매우 신통하다] ser muy maravilloso. 뽀족한 수가 없다 No hay maravilla.

뽀주리감 ((식물)) caqui m (kaki m) fino y puntiagudo.

뿌루퉁하다 ① [부어서 뺄룩하다] hincharse. ② [불만스러운 빛이 얼굴에 나타나 있다] tener un mohín.

뿌리 ① [식물의] raíz f. ~를 뻗다 arraigar, echar raíces. ② [다른 물건에 박혀 있는 밑둥] raíz f. 이의 ~ raíz f de diente. 머리의 ~ raíz f de pelo. ③ [사물이나 현상의 근본이 되는 것] raíz f, causa f, origen m, fuente f. 병의 ~를 뽑다 sacar la causa de la enfermedad.

뿌리² [단어의] raíz f.

뿌리다 ① [비나 눈 따위가] caer; [비를] llover; [눈을] nevar. 가랑비가 ~ lloviznar. ② [흩어서 던지다] esparcir, echar, desparramar, regar, rociar, espolvorear, espolvorizar. 물을 ~ rociar, regar. 곡물을 ~ esparcir el grano. ③ [(씨앗을) 심다] sembrar. ④ [돈을] 마구 쓰다] desparramar, gastar(se). 팁을 ~ dar propinas a diestro y siniestro [a todo el mundo]. ⑤ [슬퍼서 눈물을] 몹시 흘리다] derramar.

뿌리치다 ① [붙잡지 못하게 하다] rechazar, rehusar; [사람을 abandonar, dejar. 손을 ~ rechazar la mano, desprenderse de las manos. ② [말리거나 권하는 것을] 물리치다] desechar. ③ [따라오지 못하게 하다] no dejar seguir.

뿐 sólo, solamente. 그녀는 생각에 잠길 ~이었다 Todo se la volvía cavilar.

-뿐 sólo, solamente, meramente, único. 그것을 할 수 있는 사람은 그 사람~이다 El es el único que puede hacerlo.

뿐만 아니라 no sólo … sino (también), así como, además, otrosí. 그는 가난할 ~ 병객이다 El no sólo es pobre, sino también enfermizo.

뿔 ① ((동물)) cuerno m, el asta f;

[작은] cornecico m, cornecillo m, cornecito m; [사슴의] cuerno m, el asta f; [무소·꼬끼리 따위의] defensa f. ② [물건의 머리 부분이나 표면의] parte f saliente. ~나팔 cuerna f, trompa f de cuerno.

뿔뿔이 separadamente; [무질서하게] desordenadamente, en desorden. ~ 흩어지다 dispersarse, dispersarse.

뿔싸움 pelea f de cuernos.

뿔잔(－盞) vaso m de cuerno.

뿔피리 flauta f de cuerno.

뿜다 ① [속에 있는 것을] pulverizar. 뿜는 도료 pintura f a pulverización. ② [물을 뿌려 물건을 축이다] arrojar [expulsar] chorros. ③ [빛·냄새 따위를] despedir, difundir, desprender.

뿡뿡 pitando, tocando el claxon. ~ 소리내다 [운전수가] tocar el claxon [la bocina], pitar. ¶ ~거리다 seguir tocando el claxon.

삐 tiroriro m, pito m. 피리를 ~하고 불다 pitar.

삐걱 crujientemente, con crujido. ~ 거리다 crujir, rechinar. ~거리는 소리 sonido m de rechinante.

삐다¹ [괸물이] 빠지거나 잦아지거나 하여 줄어 없어지다] decrecer, bajar, vaciarse, filtrarse.

삐다² [뼈마디가] dislocarse, torcerse, descoyuntarse, hacerse un esguince, distenderse. 발목[손목]을 ~ dislocarse el tobillo [la muñeca].

삐라 [포스터] cartel m (pequeño); [광고로 뿌리는 종이] propecto m; [정치적인] octavillas fpl; ((게시)) anuncio m.

삐삐¹ [피리를 부는 소리] pitido m. 아이가 ~ 울다 (el bebe) chillar, berrear.

삐삐² [바짝 여윈 모양] descarnado, delgado y adusto, demacrado. ~ 마른 사람 esqueleto m.

삐삐³ ((무선 호출기)) busca f, Méj bip m, Chi bíper m.

삐약 pío m.

삐약삐약 ¡Pío, pío!

삐치다¹ ① [몸이 느른하고 피곤하여 기운이 없어지다] (estar) lánguido, cansado, debilitado, agobiado, ② [토라지다] estar con tendencia a enfurruñarse.

삐치다² [붓으로 글을 쓸 때] 삐침 획을 긋다] trazar el trazo hacia abajo de la izquierda.

삑¹ [한군데에 여럿이 배게 들어선 모양] densamente, espesamente.

삑² [기적 등이 새되게 지르는 외마디 소리] pitando.

뺌 dislocación f, luxación f, descoyuntamiento m. 관절의 ~ torcedura f.

ㅅ

사(四) cuatro. ~ 일 cuatro días. ~ 분의 일 cuatro días. ~분의 일 un cuarto. ~분의 삼 tres cuartos.

사(死) muerte *f*, fallecimiento *m*.

사(私) ① [사사로운 것] lo privado, sí. ② [사리] egoísmo *m*, interés *m* personal.

사(邪) maldad *f*, perversidad *f*, vicio *m*, injusticia *f*, iniquidad *f*, mal *m*, heterodoxia *f*.

사(社) ① [회사] compañía *f*. ② [신문사] oficina *f* de periódico.

사가(史家) ((준말)) =역사가.

사가(四街) ① =네거리. ② [네 번째 거리] cuarto *Ga*, cuarta calle *f*.

사가(私家) casa *f* privada, residencia *f* privada, *su* hogar.

사각 mascando, ronchando.

사각(四角) ① ((준말)) =사각형. ② [네 개의 각] cuatro ángulos.

사각형(四角形) ① ((수학)) cuadrado *m*. ② [장방형] rectángulo *m*.

사감(私感) sentimiento *m* privado.

사감(私憾) rencor *m*, resentimiento *m*, odio *m*, maldad *f*.

사감(舍監) inspector, -tora *mf*.

사거리(四一) =네거리.

사거리(射距離) distancia *f* de la boca al punto de impacto.

사건(事件) acontecimiento *m*, suceso *m*, caso *m*.

사격(射擊) tiro *m*, disparo *m*, descarga *f*. ~하다 descargar, disparar, tirar. ~ 선수 tirador, -dora *mf*. ~술 puntería *f*. ~장 [실내의] barraca *f* [puesto *m*] de tiro al blanco; ((군사)) galería *f* de tiro.

사견(私見) opinión *f* personal [privada], vista *f* personal.

사경(死境) situación *f* mortal, borde *m* de la muerte. ~에 처하다 estar al borde de la muerte. ~을 헤매다 encontrarse en el estado de agonía.

사계(四季) cuatro estaciones: primavera, verano, otoño e invierno.

사고(社告) [신문사의] anuncio *m* de un periódico; [잡지의] anuncio *m* de una revista.

사고(事故) accidente *m*; [작은] incidente *m*; [큰] calamidad *f*, catástrofe *f*, cataclismo *m*; [지장] obstáculo *m*, impedimento *m*. ~를 당하다 sufrir [tener] un accidente. ¶ ~ 뭉치 alborotador, -dora *mf*. ~사(死) muerte *f* accidental [por accidente]. ~ 현장

sitio *m* [lugar *m*] del accidente.

사고(思考) pensamiento *m*, meditación *f*, reflexión *f*; [심사] contemplación *f*; [고려] consideración *f*. ~하다 pensar, meditar, reflexionar, contemplar, considerar. ~력 facultad *f* mental [de pensar]. ~ 방식 modo *m* de pensar.

사고무친(四顧無親) ¶ ~하다 no tener nadie de cuidar.

사공(沙工) lanchero, -ra *mf*; remero, -ra *mf*; botero, -ra *mf*.

사과(沙果) manzana *f*; [야생] manzanera *f*. ~나무 manzano *m*. ~밭 manzanal *m*. ~산 ácido *m* málico [oxisuccínico]. ~주 sidra *f*. ~ 잼 compota *f* de manzana.

사과(謝過) excusa *f*, disculpa *f*; [변명] apología *f*. ~하다 apologizar, disculpar, excusarse, pedir perdón, presentar sus excusas.

사관(士官) oficial *mf*; [육군의] oficial *mf* militar; [해군의] oficial *mf* naval; [공군의] oficial *m* aéreo, oficial *f* aérea. ~ 생도 estudiante *mf* de academia militar. ~ 학교 academia *f* militar. ~ 후보생 cadete *mf*; guardiamarina *mf*.

사관(史官) historiógrafo, -fa *mf*; cronista *mf*.

사관(史觀) vista *f* histórica.

사교(社交) relaciones *fpl* sociales, vida *f* social. ~가 hombre *m* sociable, mujer *f* sociable. ~계 sociedad *f*, mundillo *m* social, mundo. ~ 댄스[춤] baile *m* de sociedad. ~성 sociabilidad *f*. ~술 (arte *m* de) las relaciones sociables. ~적 sociable, social. ~ 클럽 club *m* social.

사구(四球) ((야구)) cuatro bolas.

사구(死球) ((야구)) pelotazo *m*, pelota *f* muerta.

사군자(四君子) ciruela, orquídea, crisantemo y bambú.

사귀다 hacer amigos, tratar, tener relaciones [amistad], mantener la amistad, andar.

사극(史劇) ((준말)) =역사극.

사근사근하다 ① [성질이] (ser) dócil, obediente, afable, amable, agradable, simpático. 사근사근한 사람 persona *f* afable. ② [먹기에] (ser) fresco.

사글세(一貰) ① alquiler *m* mensual. ② ((준말)) =사글세방. ¶ ~방 habitación *f* aquilada.

사글셋집 casa *f* alquilada.
사금(砂金) oro *m* en polvo.
사금파리 pedazo *m* roto de la china.
사기(士氣) moral *f*; [군인의] espíritu *m* militar [de un ejército]. ¶ ~충천 moral *f* excelente, espíritu *m* levantado. ~충천하다 ser excelente la moral, levantarse el espíritu.
사기[1](史記) historia *f*, crónica *f*.
사기[2](史記) ((책)) La historia.
사기(沙器/砂器) =사기그릇. ¶ ~그릇 china *f*, porcelana *f*, barro *m* (cocido).
사기(詐欺) fraude *m*, engaño *m*, mañas *fpl*, timo *m*, estafa *f*, impostura *f*. ~하다 estafar, defraudar, cometer un fraude, hacer un fraude, engañar. ~를 당하다 ser estafado. ¶ ~꾼 estafador, -dora *mf*; engañador, -dora *mf*. ~ 도박 juego *m* fraudulento. ~죄 fraude *m*. ~ 파산 quiebra *f* fraudulenta.
사기업(私企業) empresa *f* privada.
사나이 hombre *m*, varón *m*. ~답게 valerosamente, valientemente, con valentía. ~답다 (ser) varonil, viril, intrépido; [용감하다] valiente, valeroso.
사납다 ① [성질이나 행동 또는 생김새가] (ser) feroz, fiero, cruel, furibundo, temible, violento. 사나운 개 perro *m* feroz [fiero]. 사나운 사람 gallito *m*, machito *m*. 마음씨가 ~ (ser) poco generoso, mezquino. ② [비·바람이] (ser) violento, fortísimo, tormentoso, tempestuoso. 사나운 바다 mar *m* agitado. ③ [운수가] (ser) sin suerte, desafortunado, desaventurado; [날이] funesto, de mala suerte.
사내 ① ((준말)) =사나이. ② ((속어)) [남편] esposo *m*, marido *m*. ③ ((속어)) [정부(情夫)] adúltero *m*, amado *m*, novio *m*. ④ ((준말)) =사내아이. ¶ ~대장부 =대장부. ~아이 niño *m*.
사내(社內) interior *m* de la compañía.
사냥 caza *f*, cacería *f*, montería *f*, caza *f* con escopeta *f*. ~하다 cazar, montear. ~하러 가다 ir a cazar, ir de caza. ¶ ~감 caza *f*. ~개 [가] perro *m* de caza, perro *m* perdiguero. [나] =염탐꾼. ~꾼 cazador, -dora *mf*. ~철 temporada *f* de caza. ~총 escopeta *f* para la caza. ~터 cazadero *m*.
사늘하다 ① [산산하고 좀 찬 기운이 있다] hacer un poco de frío, hacer fresquito [fresco]. ② [가슴이] sentir frialdad, estar frío.
사다 comprar, hacer la compra. 싸게[비싸게] ~ comprar barato [caro], comprar a precio barato [alto].
사다리 ((준말)) =사닥다리.
사다리꼴 ((기하)) trapecio *m*.
사닥다리 escalera *f* (de mano), escalera *f* portátil. ~ 차 coche *m* de bomberos con escalera. ~ 층계 caja *f* de escalera.
사단(社團) ① [사람의 집합체인 단체] corporación *f*. ② ((법률)) ((준말)) =사단 법인. ¶ ~ 법인 persona *f* jurídica social.
사단(師團) división *f*. ~을 편성하다 organizar una división. ¶ ~장 general *m* de división.
사담(私談) conversación *f* privada. ~하다 conversar privadamente.
사당(祠堂) templo *m* sintoísta.
사대(事大) sumisión *f* a autoridad mayor [facultad potente]. ~ 사상 idea *f* contemporizadora. ~주의 principio *m* de contemporización.
사대부(士大夫) oficial *m* ilustre, noble *m*, hombre *m* noble. ~가(家) familia *f* del hombre noble.
사도(使徒) apóstol *m*. ~의 apostólico. ~처럼 apostólicamente. 평화의 ~ apóstol *m* de la paz.
사돈(査頓) ① [혼인한 두 집의 일가 상호간에 부르는 말] pariente *m* político. ② [혼인 관계로 척분이 있는 사람] pariente *m* matrimonial [político]; consuegro, -gra *mf*. ¶ ~댁 [가] [사돈의 아내] esposa *f* de *su* pariente político. [나] ((높임말)) =사돈집. ¶ ~집 casa *f* [familia *f*] de *su* pariente político.
사등분(四等分) división *f* en cuatro partes. ~하다 dividir en cuatro partes.
사라지다 ① [형적이 차차 없어지다] desaparecer, desvanecerse, esfumarse, borrarse, tragarse. 모습이 ~ desaparecer la figura. ② [어떠한 생각이 없어지다] borrarse, librarse, pasar, alejarse. 슬픔이 ~ pasar [desaparecer] la tristeza. ③ [죽다] morir, fallecer.
사람 ① [인간] hombre *m*, ser *m* humano, persona *f*, el alma *f* (*pl* las almas), gente *f*. ~의 humano. ~들 gente *f*, pueblo *m*, personas *fpl*. ~들 앞에서 en público, públicamente. ~의 수명 vida *f* humana. 김이라고 하는 ~ hombre *m* llamado Kim. ② [어느 고장의 출신자·겨레붙이] persona *f* del origen de una región. 서울 ~ seulense *mf*. ③ [어른. 성인] mayor *m*, adulto *m*. ④ [인품] personalidad *f*, carácter *m* (personal), genio *m*. ~이 좋은 afable, bueno, bondadoso, generoso. ~이

나쁜 avieso, malicioso, travieso, malvado. ⑤ [자기 아내] mi mujer, mi esposa. ⑥ [참다운 인간] verdadero hombre *m*, hombre *m* decente. ⑦ [세상 사람] mundo *m*. 사람의 새끼는 서울로 보내고 마소의 새끼는 시골[제주로 보내라 ((속담)) El pez grande nada en aguas profundas.

사랑 amor *m*. ~하다 amar, querer; [반하다] enamorarse. ~하는 querido, amado. ~하는 당신에게 [편지의 서두에서] Querido mío, Querida mía. ~하는 아내 esposa *f* querida [amada · adorada]. ~의 속삭임 cuchicheo *m* de amor. ~의 노래 canción *f* de amor, poesía *f* amatoria (연애시); ((문학)) romanza *f* (연애시). ~의 도피 (행각) fuga *f* de los amantes. 당신을 ~하오 Te amo [te quiero]. ¶~니 muela *f* cordal [del juicio]. ~스럽다 (ser) mono, bonito, lindo, rico, precioso, encantador, amable. ~스러운 소녀 muchacha *f* mona [linda. ~싸움 pelea *f* [riña *f*] matrimonial. 사랑 싸움은 칼로 물베기 ((속담)) Riñen a menudo los amantes, por el gusto de hacer las paces.

사랑(舍廊/斜廊) cuarto *m* [habitación *f*] para los invitados. ~방 sala *f*, salón *m*. ~채 casa *f* separada (delante de la casa principal).

사례 atragantamiento *m*. ~(가) 들리다 atragantarse. 물에 사레가 들리다 atragantarse con agua.

사려(思慮) reflexión *f*, consideración *f*; [분별] discreción *f*; [신중] prudencia *f*. ~ 있는 reflexivo, considerado. ~ 분별이 있는 discreto, prudente, sensato, cuerdo; [양식이 있는] de buen sentido.

사력(死力) esfuerzo *m* desesperado. ~을 다하다 sacar fuerzas de flaqueza.

사령(司令) ① [군대나 함선 따위를 지휘] mando *m*, comando *m*. ② =사령관. ③ [일직·주번의 책임 장교] oficial *mf* de servicio. ¶~관 comandante *m*. ~부 cuartel *m* general. ~실 sala *f* de comandante. ~탑 torre *f* de mando, torre *f* de control.

사령(辭令) ① [응대하는 말] dicción *f*, fraseología *f*. ② =사령장. ~장 (carta *f* de) nombramiento *m*, (carta *f* de) nominación *f*.

사례(事例) ① [일의 실례] caso *m*, ejemplo *m*. ② [일의 전례] precedente *m*, ejemplo *m* anterior.

사례(謝禮) [감사] gracias *fpl*, gratitud *f*, agradecimiento *m*; [보수] remuneración *f*, gratificación *f*,

[의사·변호사·강사 등의] honorarios *mpl*. ~하다 agradecer, dar las gracias; remunerar, recompensar, ofrecer una contribución. ~금 honorarios *mpl*.

사로잡다 ① [산 채로 잡다] cazar [coger] vivo, capturar; [사람을] hacer [tomar prisionero, cautivar. 적을 ~ cautivar a un enemigo. ② [마음이 쏠리도록 만들다] encantar, fascinar, hechizar. 마음을 ~ encantar [fascinar · hechizar] el corazón.

사료(史料) datos *mpl* históricos.

사료(飼料) ceba *f*, alimento *m*; [여물] pienso *m*, forraje *m*. ~를 주다 dar forraje.

사륙 배판(四六倍版) ((인쇄)) octavo *m* largo.

사륙판(四六版) ((인쇄)) dozavo *m*.

사르다[1] [불에] quemar [abrasar · consumir] con fuego. 책을 ~ quemar el libro con fuego. ② [아궁이나 화덕 같은 곳에 불을 붙이다] encender, prender fuego.

사르다[2] [키 따위로] aventar, seleccionar, escoger.

사르르 [부드럽게] suavemente, con suavidad; [조용히] tranquilamente, con tranquilidad. 눈을 ~ 감다 cerrar *sus* ojos suavemente.

사리[1] [국수·새끼·실 등의] rollo *m*. 새끼 [국수] 한 ~ un rollo de cuerda [fideos].

사리[2] (준말) =한사리(pleamar).

사리(私利) propio interés *m*, ganancia *f* personal, ventaja *f* privada. ~를 도모하다 cuidar de *su* propio interés. ¶~ 사욕[사복] interés *m* personal, propio interés *m*. ~ 사욕으로 행동하다 actuar por *su* propio interés.

사리(事理) lógica *f*, razón *f*, juicio *m*; [상식] sentido *m* común. ~에 맞는 razonable, lógico, congruente. ~에 맞지 않은 irrazonable, ilógico, incongruente. ~에 밝은 사람 hombre *m* de juicio.

사리(舍利/奢利) ① ((불교)) [불사리] huesos *mpl* de Buda, reliquia *f* de Buda, sarira *f*. ② ((불교)) [경전] Sutra *f*, Sagradas Escrituras *fpl* Budistas. ¶~탑 relicario *m*, pagoda *f* para la reliquia de Buda. ~함 relicario *m*.

사리다 ① [둥그렇게 여러 겹으로 포개어 감다] ovillar, hacer un ovillo, devanar. ② [못을] poner torciendo la punta de clavo que sobresale. ③ [몸을] ahorrar esfuerzos. ④ [조심하다] tener cuidado, cuidar, ser prudente. ⑤ [짐승 등이 꼬리를] enrollar(se). ⑥ [뱀 따위가] enroscarse.

사립(私立) establecimiento *m* privado. ～의 privado, particular. ～ 탐정 detective *m* privado. ～ 학교 escuela *f* privada.

사립문(―門) puerta *f* de ramitas.

사마귀[1] [피부의] verruga *f*, manchas *fpl*, cardenal *m*.

사마귀[2] ((곤충)) predicador *m*, mantis *m* (religiosa), rezadora *f*.

사막(砂漠/沙漠) desierto *m*. ～ 기후 clima *m* desértico. ～ 지대 zona *f* desértica.

사망(死亡) muerte *f*, fallecimiento *m*, defunción *f*. ～하다 morir, fallecer. ～ 광고 necrología *f*, esquela *f* de defunción *f*, obituario *m*. ～ 기사 obituario *m*, notas *fpl* necrológicas, esquela *f* de defunción, artículo *m* necrológico, necrología *f*. ～률 mortalidad. ～ 보험 seguro *m* de vida, seguro *m* de muerte. ～ 신고 declaración *f* de defunción, aviso *m* [nota *f*] de muerte. ～일 día *m* de defunción [muerte]. ～자 difunto, -ta *mf*, muerto, -ta *mf*. ～ 증서[확인서] certificado *m* de defunción. ～지 lugar *m* de la muerte. ～ 진단서 certificado *m* de defunción. ～ 통지 aviso *m* de defunción.

사면(四面) todos lados, todas partes, cuatro caras. ～체 tetraedro *m*. ～ 초가 todo el mundo en contra de sí mismo. ～ 팔방 todos (los) lugares [sitios], todas direcciones [partes], todos lados.

사면(赦免) indulto *m*, perdón *m*, amnistía *f*, remisión *f*, [종교상의] absolución *f*. ～하다 perdonar, remitir, poner en libertad, absolver, indultar, conceder el perdón, amnistiar. ～장 carta *f* de perdón, carta *f* de indulto, absolución *f*.

사면(斜面) declive *m*, pendiente *f*, [산의] vertiente *f*.

사명(使命) misión *f*, mensaje *m*, envío *m*. 중대한 ～을 띠고 para desempeñar una misión importante. ¶～감 (sentido *m* de) misión *f*. ～에 불타다 entusiasmarse con una misión.

사모(思慕) ① [몹시 생각하여 그리워함] cariño *m*, afecto *m*, amor *m* vehemente. ～하다 amar vehementemente, sentir afecto [cariño], encariñarse. ② [남을 우러러 받들고 마음으로 따름] adoración *f*, anhelo *m*, apego *m*. ～하다 adorar, anhelar, suspirar.

사모(師母) ① [스승의 부인] esposa *f* de *su* maestro. ② ((기독교)) esposa *f* del pastor, pastora *f*. ¶～님 ㉮ ((높임말)) [스승의 부인] señora *f*. ㉯ ((높임말)) [스승뻘이 될 만한 웃사람의 부인] señora *f*. ③ ((높임말)) [목사의 부인] seño- ra *f*, pastora *f*.

사무(私務) asunto *m* personal.

사무(事務) trabajo *m*, asunto *m*, negocio *m*. ～를 맡다 encargarse del negocio. ～를 인계하다 entregar [tomar] los negocios, entregar un cargo de los negocios, entregarse de los negocios. ¶～관 secretario, -ria *mf*. ～국 secretariado *m*. ～국장 secretario, -ria *mf* general. ～비 gastos *mpl* de oficina. ～소[실] oficina *f*, despacho *m*, escritorio *m*; [변호사의] bufete *m*. ～ 용품 artículo *m* para la oficina. ～원 =사무 직원. ～장 oficial *m* mayor; [선박의] comisario *m*, contador *m*. ～ 직원 oficinista *mf*; [집합적] personal *m* de la oficina. ～ 차관 subsecretario, -ria *mf*, [내각의] viceministro *m* administrativo. ～ 책상 bufete *m*. ～처 secretaría *f*. ～ 총장 secretario, -ria *mf* general.

사무치다 afectar mucho. 그 실패가 내 가슴에 사무쳤다 El fracaso me afectó mucho.

사문서(私文書) documento *m* privado. ～ 위조 falsificación *f* de documento privado.

사물(私物) cosa *f* [objeto *m*] personal. ～함 caja *f* para las cosas personales.

사물(事物) cosas *fpl*, objetos *mpl*. 외국의 ～을 소개하다 introducir las cosas del país extranjero.

사바(裟婆) ((불교)) vida *f* presente, este pícaro mundo, *Sabha*, este mundo. ～ 세계 =사바(裟婆).

사바사바 ((속어)) pago *m* del soborno. ～하다 pagar el soborno, sobornar [comprar] al oficial.

사반기(四半期) =사분기(四分期).

사반세기(四半世紀) un cuarto de siglo, veinticinco años.

사발(沙鉢) tazón *m* (de porcelana · de fuente), escudilla *f*.

사방(四方) puntos *m* cardinales, cuatro direcciones, todas direcciones, todas partes. ～에 por todas partes. ¶～ 팔방 todas direcciones, todas partes.

사방(砂防) protección *f* contra el deslizamiento de arena, contol *m* erosivo [de erosión]. ¶～ 공사 obra *f* del control erosivo.

사백(四百) cuatrocientos, -tas.

사범(事犯) crimen *m*, pecado *m*, ilegalidad *f*, acción *f* ilegal.

사범(師範) ① [본받을 만한 모범] ejemplo *m*, modelo *m*. ② [학술 · 기예 · 무술 따위의] maestro, -ra *mf*, instructor, -tora *mf*, profesor, -ra *mf*. ～ 대학 facultad *f* de educación. ～역 papel *m* del maestro. ～ 학교 escuela *f* normal,

normal *f*.
사법(司法) justicia *f*, administración *f* de la justicia, judicatura *f*. ～의 judicial. ～ 경찰 policía *f* judicial. ～ 경찰관 policía *mf* judicial; agente *mf* judicial. ～관 magistrado *m*, juez *mf*. ～ 관청 Departamento de Asuntos Judiciales. ～권 poder *m* judicial, jurisdicción *f*, autoridad *f* judicial. ～ 기관 órgano *m* judicial. ～ 당국 autoridades *fpl* judiciales. ～ 대서사[대서인] ＝사법 서사. ～부 poder *m* judicial. ～ 서사 escribiente *mf* judicial. ～ 시험 exámenes *mpl* judiciales, oposiciones *fpl* para el cuerpo de justicia. ～ 재판소 Tribunal *m* [Corte *f*] de Justicia.
사법(死法) ley *f* inválida [muerta].
사법(私法) derecho *m* privado, ley *f* privada.
사변(四邊) ① [사방의 네 변두리] todas partes *fpl*. ～에 por todas partes. ② [주위. 근처] alrededores *mpl*, cercanías *fpl*. ③ ((수학)) cuatro lados. ¶～형 cuadrilátero *m*.
사변(事變) ① [천재나 큰 변고] calamidad *f*, desastre *m*; [사고] accidente *m*. ～이 많은 accidentado. ② [변란] incidente *m*, disturbio *m*, conflicto *m*, turbación *f*; [급변] emergencia *f*, [내란] guerra *f* civil. ③ [전쟁] guerra *f*.
사변(思辨) ① [분별] discriminación *f*. ～하다 discriminar. ② ((철학)) especulación *f*.
사별(死別) separación *f* por muerte. ～하다 perder, separarse por muerte. 남편[아내]과 ～하다 perder *su* esposo [esposa], quedarse viuda [viudo].
사병(士兵) soldado *m* raso.
사병(私兵) soldados *mpl* privados.
사보타주 sabotage *m*. ～하다 sabotear, ponerse en sabotaje.
사보텐 ((식물)) cacto *m*, cactus *m*, nopal *m*, tuna *f*, tunal *m*. ～의 열매 tuna *f*, higo *m* chumbo.
사보험(私保險) seguro *m* privado.
사복(私服) ① [평복] traje *m* civil, traje *m* de calle, traje *m* de paisano, vestido *m* sencillo. ～으로 de trapillo. ② ((준말)) ＝사복 형사. ¶～ 경찰 policía *f* de civil, policía *f* en vestido sencillo, policía *f* en traje civil. ～ 경찰관 policía *mf* de civil [de paisano].
사복(私腹) *su* estómago, *su* interés (personal), *su* bolsillo sencillo. ～을 채우다 enriquecer *su* propio bolsillo, saciar *su* bolsillo propio.
사본(寫本) copia *f*, copia *f* manuscrita; [베낀 책] libro *m* copiado; [베낀 서류] documento *m* copiado; [부본] duplicado *m*. ～하다 copiar.
사부(四部) ① [넷으로 나눈 부류] cuatro partes [clases]. ② ((불교)) ＝사중(四衆). ③ ((준말)) ＝사부 합창. ④ ((준말)) ＝사중창. ⑤ ((준말)) ＝사중주. ⑥ ((준말)) ＝사부 합주. ¶～ 합주 cuartete *m*, cuarteto *m*. ～ 합주곡 cuartete *m*, cuarteto *m*. ～ 합창 cuarteto *m*, cuartete *m*.
사부(師父) ① [스승과 아버지] el maestro y el padre. ② [가르침의 스승] maestro *m*.
사부(師傅) [스승] maestro *m*.
사분(四分) cuarteo *m*, división *f* en cuatro. ～하다 cuartear, partir [dividir] en cuatro. ～의 삼 tres cuarto. ～의 일 un cuarto. ¶～ 쉼표 pausa *f* semi(mi)nima. ～ 오열 desorden *m*, confusión *f*, rompimiento *m* [ruptura *f*・separación *f*] cabal. ～ 오열하다 desmembrarse, despedazarse, dividirse en muchas partes. ～ 음표 (nota *f*) negra *f*.
사분기(四分期) trimestre *m*. 1[2・3・4]～ primer [segundo・tercer・cuarto] trimestre.
사비(私費) ① [사사 비용] gastos *mpl* privados. ② [자기가 사사로이 쓰는 비용] *su* propio coste, *sus* propios gastos.
사뿐사뿐 con pasos ligeros. ～ 걸어가다 andar [caminar] ligeramente, ir con pasos ligeros.
사뿐하다 ser agradable el espíritu y el cuerpo.
사사(私事) asuntos *mpl* privados.
사사(事事) ① [모든 일] todas cosas *fpl*, todos asuntos *mpl*. ② [일마다] cada cosa, cada asunto, todas las cosas, todos los asuntos. ¶～건건 ㉮ [모든 일] cualquier cosa [asunto], cualquiera. ㉯ [일마다] cada cosa, cada asunto, todas las cosas, todos los asuntos.
사사로이(私私－) en privado, privadamente, personalmente, particularmente.
사사롭다(私私－) (ser) privado, particular, personal. 사사로운 감정 sentimiento *m* personal.
사사반기(四四半期) ＝사사분기.
사사분기(四四分期) cuarto trimestre: octubre, noviembre y diciembre.
사사 오입(四捨五入) ((수학)) cálculo *m* redondo. ～하다 redondear.
사산(死産) ((의학)) parto *m* muerto, parto *m* en el que el niño nace muerto, nacimiento *m* de un niño muerto. ～하다 dar a luz a un niño muerto, tener un mortinato [un parto muerto]. ～아 mortina-

to, -ta *mf.*

사살(射殺) fusilamiento *m.* ~하다 fusilar, matar a tiros, matar de [con] un tiro, matar a balazos.

사사일(私私一) cosas *fpl* privadas, asuntos *mpl* privados; [사생활] vida *f* privada [particular].

사상(史上) en la historia. ~ 유례 없는 sin igual en (la) historia.

사상(死傷) ① [죽음과 상함] la muerte y la herida. ~하다 morir y ser herido. ② [죽은 사람과 다친 사람] el muerto y el herido. ¶~병 el soldado muerto y el soldado herido. ~자 los muertos y los heridos. ~자 명단 lista *f* de los muertos y los heridos.

사상(砂上) sobre [en] la arena. ~ 누각 castillo *m* de naipes, castillo *m* en el aire.

사상(思想) idea *f*, ideario *m*, pensamiento *m*; [개념] concepción *f*, [이데올로기] ideología *f*. ~가 pensador, -dora *mf*; filósofo, -fa *mf.* ~계 mundo *m* de pensadores. ~ 문제 problema *m* ideológico. ~범 delincuente *mf* político, delincuente *f* política. ~전 guerra *f* ideológica.

사색(思索) pensamiento *m*, meditación *f*, contemplación *f*, reflexión *f*, especulación *f*. ~하다 pensar, meditar, contemplar, considerar, reflexionar, especular. ~가 pensador, -dora *mf*; filósofo, -fa *mf.*

사생(死生) vida o muerte, la muerte y [o] la vida. ~을 함께 하다 vivir y morir juntos. ¶~ 결단 riesgo *m* de su vida. ~ 결단하다 arriesgar *su* vida.

사생(私生) nacimiento *m* ilegítimo [ilegal]. ~하다 dar a luz un niño sin matrimonio formal. ~아 hijo *m* natural [bastardo]; (niño *m*) bastardo *m*, (niña *f*) bastarda *f*.

사생(寫生) boceto *m*, bosquejo *m*, esbozo *m*. ~하다 bosquejar, hacer un bosquejo, esbozar; [자연을 묘사하다] dibujar del natural.

사생활(私生活) vida *f* privada.

사서(司書) bibliotecario, -ria *mf.*

사서(私書) ① [사신] carta *f* privada. ② [비밀히 하는 편지] carta *f* secreta. ③ ((법률)) documento *m* privado. ~함 apartado *m* postal [de correos]; *AmS* casilla *f* (postal), casilla *f* de correos.

사서(辭書) diccionario *m*, lexión *f.*

사석(私席) ocasión *f* privada [no oficial].

사선(死線) peligro *m* de la muerte, línea *f* de muerte, crisis *f*. ~을 넘다 superar el peligro [librarse del peligro] de la muerte.

사선(斜線) línea *f* oblicua. ~을 긋다

trazar una línea oblicua.

사설(私設) establecimiento *m* privado. ~ 탐정 detective *m* privado, detective *f* privada. ~ 학원 academia *f* privada, instituto *m* privado.

사설(社說) editorial *m.* ~란 columna *f* editorial.

사세(事勢) situación *f*. ~가 불리하여 bajo la situación desfavorable. ~부득이 inevitablemente. ~부득이하다 (ser) inevitable.

사소(些少) trivialidad *f*, insignificancia *f*, pequeñez *f.* ~하다 [하찮 것없이 작다] (ser) trivial, insignificante, pequeño, mínimo, diminuto, módico; [소량] (ser) un poco. ~하게 ligeramente, sólo, solamente. ~한 일 asuntos *mpl* triviales, cosa *f* insignificante.

사수(死守) defensa *f* desesperada. ~하다 mantener desesperadamente, defender con decisión inflexible.

사수(射手) tirador, -dora *mf*; disparador, -dora *mf*; carabinero, -ra *mf*; riflero, -ra *mf* [화살의] arquero, -ra *mf.*

사술(詐術) astucia *f*, maña *f* engañosa, magia *f* negra.

사슬(준말) =쇠사슬.

사슴(동물) ciervo, venado *m*; [암컷] cierva *f*; [흰] gamo *m*; [새끼] cervato *m*, cervatillo *m*. ~뿔 cuerno *m* de venado. ~ 사육장 jardín *m* de ciervos.

사시(社是) lema *m* de una compañía.

사시(斜視) ① ((의학)) estrabismo *m.* ② [눈을 모로 뜨거나 곁눈질로 흘기어 봄] mirada *f* bizca. ③ [사팔눈] ojos *mpl* bizcos, ojo *m* ojizaino.

사식(私食) comida *f* privada.

사신(私信) carta *f* [correspondencia *f*] personal, comunicación *f* privada.

사신(使臣) mensajero, -ra *mf*; enviado, -da *mf.*

사실(史實) hecho *m* histórico, verdad *f* histórica. ~에 입각해서 conforme al hecho histórico.

사실(事實) ① [현실로 있는 일] realidad *f*, verdad *f*, actualidad *f*; ((철학)) hecho *m.* ~은 a decir verdad, en realidad, en el fondo. ~을 말하다 hablar [decir] la verdad. ~을 왜곡하다 deformar un hecho. ~을 직시하다 mirar [contemplar] la realidad frente a frente. ② [부사적] en realidad, realmente, de hecho. ¶~ 무근 lo infundado.

사실(寫實) descripción *f* real. ~주의 realismo *m.* ~주의자 realista *mf.*

~(주의)적 realista. ~파 escuela f realista.

사심(私心) interés m personal, egoísmo m, pensamiento m personal, motivo m interesado. ~없는 desinteresado. ~없이 desinteresadamente.

사심(邪心) malicia f, malignidad f, corazón m perverso; [의도] mala intención f. ~을 품다 obrar con motivo interesado.

사십(四十) cuarenta. ~ 번째(의) cuadragésimo.

사악(邪惡) depravación f, maldad f, perversidad f. ~하다 (ser) malo, perverso, malicioso, maligno.

사안(私案) plan m privado, plan m personal, idea f privada.

사양(斜陽) ① [저녁때 서쪽으로 기울어진 해] sol m puesto al oeste. ② [점점 쇠퇴하여 가는 일] decadencia f, declive m. ~화되다 decaer, ir de capa caída, marchar a su ocaso. ¶ ~ 산업 industria f en decadencia [en declive]. ~족 clase f familia [casta] en ocaso.

사양(辭讓) rechazo m, negativa f, repulsa f. ~하다 rehusar, rechazar, no aceptar, no permitir.

사업(事業) [기업] empresa f, obra f; [일] trabajo m, faena f, labor f, negocio m, operación f; [산업] industria f. ~을 경영하다 dirigir [manejar] un negocio, administrar una empresa. 을 일으키다 fundar una empresa. ~에 성공하다 tener éxito en su negocio, triunfar en el negocio. ~에 실패하다 fracasar en el negocio, no tener en su negocio. ¶ ~가 hombre m de negocios; empresario, -ria mf. ~계 mundo m de negocios [industrial]. ~계획 plan m de operación, programa m de negocio. ~비 gastos mpl de negocios. ~소 establecimiento m, lugar m de negocios. ~소득 renta f de negocios. ~ 자금 fondo m de negocios. ~ 자본 capital m de empresa. ~장 lugar m de negocios, establecimiento. ~주 propietario, -ria mf de negocios.

사연(事緣) historia f (entera), pasado m, razón f. ~이 있는 물건 objeto m que tiene su pasado. ~이 있는 여자 mujer f con historia.

사열(査閱) inspección f, examinación f, examen m; [군대의] revista f. ~하다 inspeccionar, examinar; [군대를] revistar, pasar revista. ~관 inspector m, examinador m. ~단 grupo m de revista. ~대 estrado m de revista. ~

식 desfile m, parada f.

사옥(社屋) edificio m (de una compañía.

사욕(私欲/私慾) deseo m egoísta [personal], egoismo m. ~을 채우다 satisfacer el deseo egoísta.

사용(私用) uso m privado [personal].

사용(社用) uso m de la compañía, negocio m de la compañía. ~으로 여행하다 hacer un viaje por negocios de la compañía.

사용(使用) ① [물건을 씀] uso m; [약 등의] aplicación f. ~하다 usar, utilizar, servir, hacer uso; aplicar. ~하기 편한[불편한] cómodo [incómodo] de usar. ~중 ((게시)) Ocupado. ② [사람을 부리어 씀] empleo m. ~하다 [부리다] manejar; [고용하다] emplear. ③ [행사] aplicación f, uso m. ~하다 aplicar, usar, hacer uso. ④ [소비] gasto m, consumo m. ~하다 gastar, consumir. ⑤ [조작] manejo m, manipulación f. ~하다 manejar, manipular, maniobrar. ¶ ~권 derecho m de [al] uso. ~료 precio m del uso, precio m de renta, precio m de alquiler de arriendo, renta f. ~법 modo m de empleo, modo m [manera f] de usar, instrucciones fpl sobre el uso; [약 등의] aplicación f.

사우(社友) compañero, -ra mf de la compañía.

사우나 sauna f, baño m de vapor. ~하다 darse una sauna. ¶ ~탕 baño m sauna.

사우디아라비아 Arabia Saudita. ~의 (사람) saudita mf, saudí mf.

사운(社運) suerte f [destino m·fortuna f] de una compañía.

사운드 박스 ((음악)) ① [악기의 공명 상자] caja f de resonancia, reproductor m. ② [축음기의 공명 상자] captador m acústico.

사운드 트랙 banda f sonora, pista f sonora (de la película).

사원(寺院) ① [절] templo m budista. ② [기독교나 천주교의] templo m, iglesia f; [큰] catedral f. ③ [회교의] mezquita f. ④ [수도원] convento m, monasterio m.

사원(私怨) rencor m privado, enemistad f personal, resentimiento m. ~을 풀다 desquitarse de un rencor privado, vengarse, pagar en la misma moneda.

사원(社員) empleado, -da mf; [집합적] personal m. ~이 되다 ingresar en un cuerpo de compañía.

사월(四月) abril m.

사위 yerno m, hijo m político. 데릴~가 되다 casarse con una heredera.

사유(私有) posesión *f* privada, propiedad *f* privada [particular]. ~물 artículo *m* privado. ~재산 bienes *mpl* privados, propiedad *f* particular [privada]. ~지 terreno *m* particular.

사유(事由) razón *f*, causa *f*. ~없이 sin razón. 아래의 ~ 때문에 por la razón que está indicado abajo.

사육(飼育) cría *f*. ~하다 criar. ¶~자 criador, -dora *mf*. ~장 hacienda *f* de ganados, granja *f*.

사육제(謝肉祭) carnaval *m*.

사은(謝恩) expresión *f* de gratitud. ~하다 expresar la gratitud. ~매출 venta *f* de agradecimiento. ~회 ceremonia *f* de agradecimiento, banquete *m* [fiesta *f*] de agradecimiento; [졸업의] banquete *m* dado por los graduados en señal de gratitud a los profesores.

사의(私意) ① [사견] opinión *f* privada. =사심(私心).

사의(辭意) intención *f* de dimitir, intento *m* de dimisión. ~를 번복하다 desdecirse de *su* dimisión.

사의(謝意) agradecimiento *m*, agratitud *f*, reconocimiento *m*. ~를 표해서 en señal de (la) gratitud.

사이 ① [공간] espacio *m*; [간격] intervalo *m*; [거리] distancia *f*. ~를 떼다[두다] poner distancia. ② [시간] intervalo *m*, rato *m*, vez *f*, pausa *f*. 잠깐 ~ durante algún tiempo, por algún tiempo. 한 시와 두 시 ~에 entre la una y las dos. ③ [관계] relaciones *fpl*, conexiones *fpl*. ④ [어떤 한정된 모임이나 범위 안] entre. 두 사람 ~를 주선하다 servir de intermediario entre los dos. ¶~가 좋다 llevarse bien, estar en buenos términos [en buenas relaciones · en buena(s) amistad(es)]. ~ 좋게 en buenos términos, en armonía, amistosamente, en buena aventura. ~ 좋게 살다 vivir en armonía [en buenos términos]. ~ 좋게 지내다 mantener buenas relaciones.

사이다 sidra *f*, soda *f* azudarada.

사이드카 carro *m* lateral, sidecar *m*.

사이렌 ① ((신화)) Sirena *f*. ② ((동물)) sirena *f*. ③ [음향 장치의 하나] sirena *f*. ~을 울리다 hacer sonar la sirena.

사이비(似而非) seudo-, cuasi, frustrado, falso, fingido. ~기자 seudo-periodista *mf*. ~ 언론인 periodista *m* frustrado [falsa]. ~ 종교 religión *f* falsa. ~ 학자 erudito, -ta *mf* a la violeta; sabio *m* falso, sabia *f* falsa.

사이즈 tamaño *m*; [양복 따위의]

medida *f*, talla *f*, RPI talle *m*; [구두·장갑의] número *m*; [가구 따위의] dimensión *f*; [부피] volumen *m*. 작은 ~ tamaño *m* pequeño. 중간 ~ tamaño *m* medio. 큰 ~ tamaño *m* grande.

사이클 ① [주기·주파수] ciclo *m*. ② [순환 과정] período *m*. ③ [자전거] bicicleta *f*. ④ ((전기)) ciclo *m*. ⑤ ((컴퓨터)) ciclo *m*. ¶~경기 ciclismo *m*. ~ 선수 ciclista *mf*. ~ 트랙 velódromo *m*.

사익(私益) *su* propio interés.

사인(四人) cuatro personas. ~교(轎) palanquín *m* llevado [silla *f* de manos llevada] por cuatro personas. ~조(組) grupo *m* de cuatro personas. ~조 강도 banda *f* [pandilla *f*] de cuatro ladrones.

사인(死因) causa *f* de (la) muerte. ~을 조사하다 investigar la causa de (la) muerte.

사인[1] ① [서명] firma *f*; [유명인의 서명] autógrafo *m*, firma *f* de una persona famosa [notable]. ~하다 firmar, hacer una firma; [자필로] autografiar. ② [기호·신호·암호] seña *f*, signo *m*, señal *f*. ~을 보내다 hacer*le* una seña [una señal], señalar. ¶~첩[북] álbum *m* [libreta *f*] de autógrafos.

사인[2] ((수학)) seno *m*.

사임(辭任) dimisión *f*, renuncia *f*. ~하다 dimitir (el puesto), renunciar (el puesto), presentar *su* dimisión [*su* renuncia].

사자(死者) difunto, -ta *mf*; muerto, -ta *mf*.

사자(使者) mensajero, -ra *mf*; enviado, -da *mf*.

사자(獅子) león, -ona *mf*. ~코 ⑦ nariz *f* respingona, nariz *f* roma. ① [사람] persona braca.

사자(寫字) copia *f*, transcripción *f*.

사장(死藏) atesoramiento *m*. ~하다 conservar sin utilizar.

사장(社長) presidente, -ta *mf*.

사재(私財) bienes *mpl* privados, fortuna *f* privada, hacienda *f* privada. ~를 털어 con el dinero de *su* propio bolsillo.

사재기 =매점 매석.

사저(私邸) residencia *f* [mansión *f*] privada.

사적(史的) histórico. ~ 유물론 materialismo *m* histórico. ~ 자료 datos *mpl* históricos.

사적(史蹟) monumento *m* histórico; [유적] reliquias *fpl* históricas, restos *mpl*, vestigio *m*, ruinas *fpl*. ~지 lugar *m* [sitio *m*] de reliquias históricas.

사적(史籍) libros *mpl* históricos, obras *fpl* históricas, literatura *f*, letras *fpl*.

사적(私的) privado, particular, personal. ~으로 privadamente, en privado, personalmente, particularmente. ~ 감정 sentimiento *m* personal [privada]. ~ 행동 acción *f* privada.

사적(事績) mérito *m*, servicios *mpl* distinguidos, hechos *mpl* meritorios, hazaña *f*.

사적(事跡/事蹟/事迹) evidencia *f*, hecho *m* histórico, vistigio *m*.

사전(史前) prehistórico, antes de la historia.

사전(事前) anticipación *f*, anterioridad *f*. ~의 previo, anticipado, que precede, anterior, preliminar. ~에 previamente, con anticipación, por anticipado, de antemano, antes. ~ 검열 censura *f* previa. ~ 선거 운동 campaña *f* preelectoral. ~ 승인 aprobación *f* previa. ~ 준비 preparación *f* (previa), disposición *f* preliminar. ~ 통고 aviso *m* previo. ~ 허가 autorización *f* previa.

사전(辭典) diccionario *m*, léxico *m*. ~을 찾다 consultar el diccionario. ¶~ 저자[집필자] lexicógrafo, -fa *mf*. ~ 편집[편찬] lexicografía *f*. ~학 lexicología *f*. ~ 학자 lexicógrafo, -fa *mf*.

사절(使節) enviado, -da *mf*; mensajero, -ra *mf*; misionario, -ria *mf*; [대표] delegado, -da *mf*. ~단 misión *f*, delegación *f*. ~ 단원 misionero, -ra *mf*.

사절(謝絶) rechazamiento *m*, repulsa *f*, denegación *f*, denegativa *f*. ~하다 rehusar, rechazar, negar, excusar, recusar, no aceptar, no admitir.

사정(私情) sentimiento *m* personal.

사정(事情) circunstancia *f*, estado *m* de cosas, consideración *f*, condición *f*, asuntos *mpl*, situación *f*; [이유] razón *f*. ~ 특수한 ~ circunstancias *fpl* [condiciones *fpl*] particulares. ~에 의해서 según las circunstancias.

사정(査定) tasación *f*, evaluación *f*, valuación *f*. ~하다 tasar, evaluar, valuar, valorar. ~ 가격 valor *m* determinado. ~ 기관 órgano *m* de tasación. ~액 cantidad *f* tasada, avaluó *m*. ~자 tasador, -dora *mf*; evaluador, -dora *mf*.

사정(射精) tiro *m*, alcance *m* de los tiros. ~ 안에 a tiro, al alcance de los tiros. ¶~ 거리 alcance *m* de los tiros.

사정(射精) eyaculación *f*, emisión *f* seminal, emisión *f* espermática. ~하다 eyacular, emitir semen.

사제(司祭) sacerdote *m*, cura *m*.

사제(私製) fabricación *f* privada. ~ 담배 cigarrillo *m* privado. ~ 엽서 tarjeta *f* (postal) no oficial. ~ 폭탄 bomba *f* casera. ~품 artículo *m* de fabricación privada.

사제(師弟) el maestro y el discípulo. ~ 관계를 맺다 hacerse maestro y discípulo.

사조(思潮) movimiento *m* de idea, corriente *f* de pensamientos, corriente *f* de ideas.

사족(四足) ① [짐승의 네 발] cuatro patas del animal; [네 발 짐승] res *m*, animal *m* cuadrúpedo de algunas especies domésticas o salvajes. ~의 cuadrúpedo. ② [사지(四肢)] (cuatro) miembros *mpl*. ~수 (animal *m*) cuadrúpedo.

사졸(士卒) ① [사(士)와 졸(卒)] los oficiales y los soldados. ② =군사(軍士).

사죄(謝罪) disculpa *f*, perdón *m*, excusa *f*, petición *f* de perdón. ~하다 disculparse, excusarse, pedir perdón, prestar culpas, prestar en *sus* excusas.

사주(四柱) ① ((민속)) *sachu*, la hora, el día, el mes y el año que se nació. ~를 보다 sacar su *sachudancha*, papel *m* enviado a la casa de la novia después de haber escrito la hora, el día, el mes y el año del novio ~쟁이 adivino, -na *mf*. ~점 adivinación *f* según la hora, el día, el mes y el año que se nació. ~팔자 ㉮ ocho letras de la hora, el día, el mes y el año. ㉯ [피치 못할 타고 난 운수] fortuna *f* de nacimiento inevitable.

사주(社主) dueño, -ña *mf* de la sociedad, propietario, -ria *mf* de la firma.

사주(使嗾) instigación *f*. ~하다 instigar, excitar, empujar, estimular, impulsar, incitar.

사주(砂洲) banco *m* [bajío *m*] (de arena), encalladero *m*, delta *f*.

사중(四重) ① [네 겹] cuadruplicación *f*. ~의 cuádruplo. ② ((불교)) cuatro prohibiciones mayores del budismo. ¶~주(곡) cuarteto *m*. ~창 cuarteto *m*.

사증(査證) ① [여권의] visado *m*, visa *f*, visación *f*, visto bueno. ~하다 visar. ~이 있는 visado, que tiene visto bueno. ② ((상업)) legalización *f*. ~하다 legalizar. ¶~료 derechos *mpl* de visado. ¶~ 신청서 solicitud *f* de visado.

사지(四肢) (cuatro) miembros *mpl*, miembros *mpl* del cuerpo, piernas *fpl* y brazos, extremidades, *fpl*.

사지(死地) ① [죽을 곳] lugar *m* de morir [de sacrificarse]. ② [목숨을 잃을 매우 위태한 곳] abismo *m* de muerte, posición f mortal.

사지 sarga f.

사직 [법관. 재판관] juez m. ~ 당국 autoridades fpl judiciales.

사직(社稷) ① [국가] país m, nación f, estado m; [조정] corte f. ② [토지와 곡식의 신] dioses mpl de la tierra y de los cereales.

사직(辭職) dimisión f, renuncia f. ~하다 dimitir, renunciar(se), hacer dimisión, presentar su dimisión [renuncia], resignar; [내각제에서 국무 총리 등이] renunciar [abandonar] el poder. ~원 ㉮ ((준말)) =사직 청원. ㉯ ((준말)) =사직 청원서. ~자 dimitente mf. ~ 청원 dimisión f escrita. ~ 청원서 papel m [documento m] de dimisión escrita.

사진(寫眞) fotografía f, foto f. ~을 촬영하다 fotografiar. ¶~가 fotógrafo, -fa mf. ~ 결혼 casamiento m por retrato [por foto]. ~관 taller m de fotógrafo; [현상 등을 하는] estudio m [laboratorio m] fotográfico. ~광(狂) maníaco, -ca mf de foto. ~기(械) máquina f fotográfica, cámara f (fotográfica). ~ 기자 cámara mf, camarógrafo, -fa mf; reportero m gráfico, reportera f gráfica. ~ 렌즈 lente f fotográfica, objetivo m fotográfico. ~반 sección f de fotógrafos. ~ 보관소 fototeca f. ~ 복사 fotocopia f. ~ 복사기 fotocopiadora f. ~부 departamento m de fotografía. ~술 fotografía f. ~ 스튜디오 estudio m fotográfico. ~ 식자 fotocomposición f. ~ 식자기 fotocompositora f, fotocomponedora f. ~ 인쇄 fototipo m. ~ 잡지 revista f de fotografía. ~ 전송(술) fototelegrafía f. ~ 제판 fotograbado m. ~ 제판기 máquina f de fototipografía. ~첩 álbum m fotográfico [de fotografía]. ~ 촬영 fotografía f. ~ 취미 afición f [hobby m] de foto. ~를 marco m. ~ 판독 interpretación f de fotografías. ~ 판정 foto(-)finish f, decisión f del ganador por fotografía. ~ 필름 película f. ~ 화보(畵報) revista f ilustrada.

사차선(四車線) cuatro vías. ~ 도로 carretera f de cuatro vías.

사차원(四次元) cuarta dimensión f. ~ 공간[세계] mundo m espaciotemporal.

사찰(寺刹) templo m (budista).

사찰(査察) inspección f, observación f; [사람] inspector, -tora mf. ~하다 inspeccionar, observar.

사창(私娼) prostituta f [ramera f · puta f] clandestina (de calle). ~가(窟) prostíbulo m, burdel m, lupanar m.

사채(私債) obligación f [préstamo m · deuda f] personal, préstamo m privado. ~놀이 negocio m de préstamo privado. ~ 시장 mercado m monetario. ~ 업자 prestamista mf.

사철(四-) ① [네 계절] cuatro estaciones, estaciones fpl del año. ② [언제나] siempre, todo el año.

사철나무(四-) ((식물)) bonetero m.

사체(死體) ① [사람이나 동물의 죽은 몸뚱이] cuerpo m muerto; [특히 인간의] restos mpl mortales. ② [시체] cadáver m, cuerpo m muerto. ~ 가안치소 necrocomio m. ~ 검사 investigación f. ~ 검안 indagación f de cuerpo muerto, necropsia f. [해부] autopsia f. ~ 발굴 exhumación f del cadáver. ~ 안치소 depósito m de cadáveres, AmL morgue f.

사촌(四寸) primo, -ma mf. ~간 primos mpl. ~ 매부 cuñado m. ~ 형제 esposo m de su prima. ~ 형제 primos mpl.

사춘기(思春期) pubertad f, adolescencia f. ~의 소녀 machacha f púbera [adolescente].

사취(詐取) fraude m, timo m, estafa f, engaño m, petardo m. ~하다 defraudar, estafar, timar, obtener por fraude, petardear, soflamar.

사치(奢侈) lujo m, fausto m, suntuosidad f, opulencia f [낭비] prodigalidad f. ~하다 vivir lujosamente, gastar con largueza, untar con mantequilla en ambos lados del pan. ~세 impuesto m de lujo, impuesto m sobre mercancías importadas de lujo. ~품 bienes mpl [artículo m] de lujo.

사치스럽다 (ser) lujoso, de (gran) lujo, suntuoso, pródigo. 사치스러운 선물 regalo m [obsequio m] suntuoso. 사치스러운 생활을 하다 llevar una vida suntuosa.

사칙(四則) ((수학)) cuatro reglas.

사칙(社則) reglamento m [estatuto m] de la compañía.

사친회(師親會) asociación f de maestros y padres. ~비 cuota f de la asociación de maestros y padres.

사칭(詐稱) usurpación f del nombre falso. ~하다 pretenderse, hacer una declaración falsa.

사카린 (화학) sacarina f, azúcar m de hulla.

사타구니 ((낮은말)) =샅.

사탄(邪誕) Satán m, Satanás m.

사탑(寺塔) pagoda f del templo budista.

사탑(斜塔) torre f inclinada. 피사의

~ la Torre inclinada de Pisa.

사탕(砂糖) [설탕] azúcar *m*; [원당(原糖)] azúcar *m* bruto. ~발림 zalamerías *fpl*, halagos *mpl*, adulación *f*. ~발림하다 hacer zalamerías, halagar.

사탕무(砂糖一) ((식물)) remolacha *f* azucarera, betarraga *f*, betarrata *f*.

사탕수수(砂糖一) ((식물)) caña *f* de azúcar.

사태 carne *f* de pierna de vaca.

사태(死胎) feto *m* muerto. ~ 분만 parto *m* en el que el niño nace muerto.

사태(沙汰) ① [비나 눈의] alud *m*, avalancha *f*, desprendimiento *m* [corrimiento *m*] de tierra. ~를 일으키다 provocar un alud. ② [사람이나 물건의] avalancha *f*, riada *f*, diluvio *m*, aluvión *m*, montones *mpl*, multitud *f*, muchedumbre *f*.

사태(事態) situación *f*, estado *m* de cosas [de asuntos], coyuntura *f*, caso *m*, circunstancias *fpl*.

사택(私宅) casa *f* [residencia *f*] privada, domicilio *m* particular, *su* hogar, *su* casa. ~ 방문 visita *f* a la residencia privada.

사택(社宅) viviendas *fpl*, casa *f* [residencia *f*] de los empleados de una compañía.

사통(私通) comercio *m* ilícito, fornicación *f*, fornicio *m*, concubinato *m*. ~하다 contener una intimidad ilícita, fornicar, tener amores. ~자 fornicador, -ra *mf*.

사퇴(辭退) [사양하여 물리침] rechazo *m*, negativa *f*, repulsa *f*. ~하다 rehusar, rechazar, negarse, repulsar. 사장 취임을 ~하다 negarse cortésmente a ocupar la presidencia de la compañía. ② [그만두고 물러남] renuncia *f*, dimisión *f*, abandono *m*. ~하다 renunciar, dimitir, abandonar.

사투(死鬪) lucha *f* [combate *m*] a muerte, lucha *f* mortal. ~하다 combatir [luchar] a muerte.

사투리 dialecto *m*, acento *m* provincial [regional], dialectalismo *m*, provincialismo *m*.

사파이어 ① ((광물)) zafiro *m*. ② [청옥색] (color *m*) azul *m* zafiro.

사팔눈 ojos *mpl* bizcos, (ojo *m*) ojizaino *m*. ~의 bizco, ojizaino, bisojo.

사팔뜨기 [상태] bizquera *f*, estrabismo *m*; [사람] bizco, -ca *mf*, bisojo, -ja *mf*.

사표(師表) modelo *m*, ejemplar *m*, maestro *m*.

사표(辭表) (carta *f* de) dimisión *f*, renuncia *f*. ~를 쓰다 escribir la (carta de) dimisión. ~를 제출하다 presentar *su* dimisión [*su*

renuncia].

사필귀정(事必歸正) corolario *m*, resultado *m* natural. ~이다 La justicia prevalece en el fin / La verdad gana en la carrera larga.

사학(史學) [준말] =역사학. ¶ ~가 historiador, dora *mf*.

사학(私學) ① [개인의 사사로운 학설] teoría *f* privada. ② [사설 학교] colegio *m*, escuela *f* privada [particular]; [대학] universidad *f* privada.

사항(事項) [항목] artículo *m*; [문제] problema *m*; [주제] tema *m*, sujeto *m*; [제재] materia *f*. 토의 ~ tema *m* de discusión, asunto *m* que se ha de tratar (en la deliberación).

사해(四海) ① [사방의 바다] mar *m* de todas partes, todos los mares. ② [온 세상] todo el mundo.

사해(死海) ((지명)) Mar *m* Muerto.

사행(蛇行) [냇물의] serpenteo *m*, meandro *m*. ~하다 serpentear. ~ 운동 moción *f* serpentina.

사행(射倖) especulación *f*. ~하다 especular. ~ 계약 contrato *m* aleatorio. ~심 espíritu *m* aleatorio [especulativo].

사향(麝香) almizcle *m*, algalia *f*. ~을 뿌리다 almizclar. ¶ ~나무 planta *f* almizcleña. ~낭[주머니] bolsa *f* almizcleña. ~내 olor *m* a almizcle.

사향고양이(麝香一) ((동물)) civeta *f*, gato *m* de algalia.

사향노루(麝香一) ((동물)) almizclero *m*, cabra *f* de almizcle.

사향뒤쥐(麝香一) ((동물)) almizclera *f*, rata *f* almizclada, ratón *m* almizclero.

사향초(麝香草) ((식물)) tomillo *m*.

사형(死刑) pena *f* de muerte, pena *f* capital, capital *m* de muerte. ~ 선고 condena *f* a muerte, sentencia *f* de muerte. ~수(囚) reo *mf* de muerte, condenado, -da *mf* a muerte. ~ 집행 ejecución *f* de la pena de muerte. ~ 집행인 verdugo *m*.

사화산(死火山) volcán *m* apagado [extinto · muerto · extinguido].

사환(使喚) mozo, -za *mf*.

사활(死活) vida *f* y [o] muerte. ~의 vital, de vida y muerte. ~ 문제 cuestión *f* de vida o muerte, cuestión *f* de importancia vital.

사회(司會) ① [회의나 예식 따위를 진행함] presidencia *f* (de una reunión). ~하다 presidir, dirigir, tomar sillón de presidencia de una junta [de una reunión]. 회의를 ~하다 presidir una reunión. 토론(회)를 ~하다 dirigir la discusión, presidir el debate. ② ((준

말)) =사회자. ¶~봉 mazo *m*, martillo *m*. ~자 presidente, -ta *mf* (de una junta·de una reunión); [연예 등의] presentador, -dora *mf*.

사회(社會) ① [서로 모여 생활하는 한떼의 인민] público *m*. ~의 público. ② [같은 동아리] grupo *m*, círculo *m*, sociedad *f*. 교육자 ~ círculo *m* decente. 상류 ~ clase *f* superior, alta sociedad *f*, buena sociedad *f*, gran mundo *m*. 이상적 ~ utopía *f*. ③ [세상, 세간] mundo *m*, sociedad *f*. ~에 나가다 salir al mundo. ④ [모든 형태의 인간의 집단적 생활] sociedad *f*, comunidad *f*. ~의 social. ~를 위하여 para el bienestar social. ~계약 contrato *m* social. ~계약설 teoría *f* [doctrina *f*] de contrato social. ~과학 ciencia *f* social. ~단체 organización *f* social. ~당 partido *m* socialista. ~당원 socialista, miembro *mf* de partido socialista. ~면 [신문의] sucesos *mpl*. ~ 문제 problema *m* social. ~ 보장 제도 sistema *m* de la seguridad social. ~ 복지 bienestar *m* social. ~ 복지 사업 asistencia *f* [trabajo *m*] social. ~봉사 servicio *m* social. ~부 [신문사의] sección *f* de sucesos. ~ 사업 obra *f* social [de utilidad pública]. ~ 사업가 asistente, -ta *mf* social. ~ 생활 ㉮ vida *f* social. ~ ㉯ ((준말)) =사회 생활과. ~ 생활과 estudios *mpl* sociales. ~ 심리학 psicología *f* social. ~악 mal *m* social, abusos *mpl* sociales. ~주의 socialismo *m*. ~주의자 socialista *mf*. ~학 sociología *f*. ~학자 sociólogo, -ga *mf*. ~화 socialización *f*. ~화 하다 socializar.

사후(死後) después de la muerte. ~의 de ultratumba. ~의 명성 fama *f* póstuma. ~의 세계 otro mundo *m*, mundo *m* de ultratumba.

사후(事後) después del hecho. ~ 검열 postcensura *f*. ~ 승낙 aprobación *f* post facto. ~ 처리 arreglo *m* [despacho *m*] ulterior.

사흘 ① [세 날] tres días. ② [초사흗날] el 3 [tres] (del mes).

삭감(削減) reducción *f*, disminución *f*. ~하다 reducir, disminuir. 예산을 ~하다 reducir el presupuesto. 인원을 ~하다 reducir el personal.

삭다 ① [썩은 것과 같이 되다] gastarse, deteriorarse. 천이 ~ gastarse el paño. ② [음식물이] tomar el gusto [el sabor], fermentar. ③ [발효하여] fermentar. ④ [소화되다] digerirse. ⑤ [감정이] calmarse, sosegarse, tranquilizar-

se, apaciguarse, serenarse, mitigarse.

삭발(削髮) ① [머리를] corte *m* de pelo, pelo *m* cortado. ~하다 cortar(se) el pelo. ② ((불교)) tonsura *f*. ~하다 tonsurar. ~가 monje *m* tonsurado, monja *f* tonsurada.

삭이다 [소화시키다] digerir.

삭제(削除) omisión *f*, borradura *f*, supresión *f*, exclusión *f*. ~하다 omitir, borrar, suprimir, tachar.

삭탈 관직(削奪官職) destitución *f* del puesto gubernamental del funcionario público. ~하다 destituir el puesto gubernamental del funcionario público.

삭히다 ① [소화시키다] digerir. ② [발효하게 하다] hacer fermentar.

삯 ① [품값으로 주는 돈이나 물건] paga *f*; [일급] jornal *m*; [봉급] sueldo *m*, salario *m*; [보수] remuneración *f*, recompensa *f*. ② [세] alquiler *m*; [요금] pasaje *m*, tarifa *f*. ~뱃 pasaje *m* del barco. 자동차~ pasaje *m* (del autobús).

산(山) monte *m*, montaña *f*; [작은 산] montañilla *f*, montículo *m*, montañeta *f*, cerro *m*. ~이 많은 montañoso. ~이 많은 나라 país *m* montañoso. 산에 가야 범을 잡는다 ((속담)) Quien no se aventura no pasa la mar. 산에서 물고기 찾기 ((속담)) No se puede sacar agua de las piedras.

산(酸) ① [새콤한 맛] sabor *m* ácido. ② ((화학)) ácido *m*. ~의 ácido.

산간(山間) (entre) montañas *fpl*. ~마을 aldea *f* [pueblo *m*] entre montañas. ~ 벽촌[벽지] aldea *f* aislada [pueblo *m* aislado] entre montañas.

산고(産故) parto *m*, alumbramiento *m*, dolores *mpl* de parto. ~로 죽다 morir(se) de parto.

산골(山─) ① [깊은 산 속의 외딸고 으슥한 곳] distrito *m* montañoso, lugar *m* [sitio *m*] aislado [apartado]. ~ 사람 rústico, -ca *mf*. ② =산골짜기.

산골짜기(山─) valle *m*; [협곡] cañada *f*, hondonada *f*.

산과(産科) obstetricia *f*, tocología *f*. ~ 병원 (hospital *m* de) maternidad *f*, casa *f* de maternidad. ~ 의사 partero, -ra *mf*; obstetra *mf*; tocólogo, -ga *mf*. ~학 obstetricia *f*, tocología *f*.

산기(産氣) dolores *mpl* de parto, penalidades *fpl*, tribulaciones *fpl*, parto *m*, labor *f*. ~를 느끼다 sentir dolores de parto.

산기(産期) hora *f* de dolores de parto. ~가 되다 llegar la hora de dolores de parto.

산기슭(山－) pie *m* [falda *f*] del monte [de la montaña]. ~에 al pie [a la falda] de una montaña.

산길(山－) senda *f* [sendero *m*] de montaña, camino *m* de montaña.

산꼭대기(山－) cima *f* [pico *m*·cumbre *f*] (de la montaña). ~에 오르다 subir a la cumbre.

산나물(山－) hortalizas *fpl* naturales de la montaña.

산너머(山－) más allá de la montaña.

산달(産－) mes *m* de(l) parto.

산더미(山－) montón *m*, pila *f*, cúmulo *m*. ~ 같은 쓰레기 montón *m* [pila *f*] de la basura.

산도(酸度) ((화학)) acidez *f*.

산돼지(山－) jabalí, -lina *mf*.

산들바람 brisa *f*, viento *m* fresco.

산들산들 suavemente, dulcemente, ligeramente. 바람이 ~ 분다 Sopla una brisa suave / La brisa sopla dulcemente.

산등성이(山－) puerto *m*, desfiladero *m*, paso *m*, cresta *f*, cadena *f*. ~를 타고 가다 seguir la cresta. ~를 넘다 pasar un puerto (seco·de montaña).

산딸기(山－) ① [열매] zarzamora *f*, mora *f*, frambuesa *f*. ② =산딸기나무.

산딸기나무(山－) frambueso *m*.

산뜻하다 ① [깨끗하고 시원하다] sentirse aligerado [aliviado·fresco], ponerse como nuevo, sentirse fresco, ser vivo [fresco·claro]. 산뜻한 빛깔 color *m* claro [sencillo·fresco]. ② [아담하고 조촐하다] (estar) aseado, pulcro, limpio, bien arreglado, nítido, distinto.

산띠아고 ((지명)) Santiago. ~ 사람 santiaguino, -na *mf*.

산란(産卵) postura *f* de huevos; [물고기의] desove *m*, oviposición *f*. ~하다 poner huevos; [물고기·개구리가] desovar, frezar, mugar. ~관[기] oviscapto *m*. ~기(期) época *f* de puesta; [물고기의] desove *m*, freza *f*. ~장 lugar *m* de desove.

산란(散亂) ① [어지럽고 어수선함] distracción *f*, perturbación *f*, trastornadura *f*, trastornamiento *m*. ~하다 distraerse, perturbarse, trastornarse. ② ((물리)) dispersión *f*, esparcimiento *m*. ~하다 dispersarse, esparcirse, desparramarse.

산림(山林) [산과 숲] el monte y el bosque; [산에 있는 수풀] bosque *m*, selva *f*, floresta *f*; [밀림] selva *f*. ~ 녹화 depoblación *f* forestal. ~ 조합 Asociación *f* de Silvicultura. ~청 Dirección *f* de

Silvicultura. ~청장 director *m* de la Dirección de Silvicultura.

산마루터기(山－) cima *f* [cumbre *f*·pico *m*] de la montaña.

산만(散漫) distracción *f*, falta *f* de atención, descuido *m*, difusión *f*, vaguedad *f*. ~하다 (estar) destraído, difundido, vago, desatento, descuidado; [문장이] flojo; [생각이] confuso, impreciso.

산매(散賣) venta *f* (al) por menor. ~하다 vender al por menor [al menudeo].

산맥(山脈) sierra *f*, cordillera *f*. 피레네 ~ los Pirineos.

산모(産母) mujer *f* en sobreparto.

산문(散文) prosa *f*. ~가[작가] prosista *mf*. ~시 poema *m* en prosa, prosa *f* poética. ~체 estilo *m* prosístico.

산물(産物) productos *mpl*, fruto *m*.

산바람(山－) ① [산꼭대기에서 부는 바람] brisa *f* de la cima de la mañana. ② [산지에서 부는 바람] viento *m* montañés.

산발(散發) ocurrencia *f* esporádica. ~하다 ocurrir esporádicamente.

산발(散髮) pelo *m* desmochado. ~하다 cortarse el pelo. ~시키다 cortar*le* el pelo.

산보(散步) paseo *m*. ~하다 pasear(se), dar un paseo, tomar un paseo; [일주하다] dar una vuelta, tomar el aire.

산봉우리(山－) cima *f*, cumbre *f*, pico *m*.

산부(産婦) mujer *f* parida, mujer *f* en cinta, parturienta *f*, mujer *f* embarazada.

산부인과(産婦人科) ginecología *f*; [병원] casa *f* de maternidad, clínica *f* de parturientas. ~ 의사 ginecólogo, -ga *mf*. ~ 전문 의사 uterólogo, -ga *mf*.

산불 fuego *m* vivo. ~로 a fuego vivo.

산불(山－) incendio *m* forestal [de monte·de bosque·de selva]. ~을 방지하다 prevenir los incendios forestales.

산비둘기(山－) paloma *f* torcaz [silvestre], tórtola *f*.

산비탈(山－) cuesta *f* empinada de la montaña.

산사(山寺) templo *m* en el monte.

산사람(山－) montañés, -ñesa *mf*.

산사전(一辭典) diccionario *m* andante, enciclopedia *f* viviente.

산사태(山沙汰) derrumbamiento *m* [derrumbe *m*] (de montaña).

산산이(散散－) en pedazos, en añicos, en piezas sueltas, separadamente; [따로따로] separadamente; [빗소리 따위가] en gotas. ~ 부서지다 romperse en pedazos.

산산조각(散散一) pedazos *mpl* rotos, fragmentos *mpl*, fracciones *fpl*. ~이 되어 roto a pedazos. ~으로 부서지다 romperse en pedazos.

산살바도르 ((지명)) San Salvador. ~의 (사람) salvadoreño, -ña *mf*.

산삼(山蔘) *sansam*, ginseng *m* silvestre [montés].

산상(山上) (en) la cima del monte. ~설교[수훈] sermón *m* de la Montaña [en el Monte].

산새(山一) pájaro *m* silvestre.

산성(山城) fortaleza *f*, fuerte *m*.

산성(酸性) acidez *f*, acetosidad *f*. ~의 ácido. ~도 acidez *f*. ~반응 reacción *f* de ácido. ~ 백토(白土) arcilla *f* ácida. ~비 lluvia *f* ácida. ~염료 colorante *m* ácido. ~점토 arcilla *f* ácida. ~토양 tierra *f* ácida. ~화 acidificación *f*.

산세(山勢) aspecto *m* físico de una montaña.

산소(山所) ① ((높임말)) =뫼. ② [뫼가 있는 곳] cementerio *m*.

산소(酸素) oxígeno *m*. ~결핍증 anoxemia *f*. ~땜 soldadura *f* de oxígeno. ~마스크 máscara *f* de oxígeno. ~병(甁) botella *f* de oxígeno. ~용접 terapia *f* de oxígeno. ~용접 soldadura *f* de oxígeno. ~처리 oxigenación *f*. ~펌프 bomba *f* de oxígeno. ~흡입기 inhalador *m* de oxígeno.

산송장 cadáver *m* viviente, persona *f* decrépita. 그는 마치 ~이다 El es un cadáver viviente.

산수(山水) ① [산과 물] la montaña y el agua; [경치. 풍경] paisaje *m*, vista *f*. ~가 아름다운 곳 lugar *m* de gran hermosura natural. ② [산에서 흘러내리는 물] el agua *f* que corre de la montaña. ③ ((미술)) ((준말)) =산수화. ¶~도 ㉮ [산수의 지세를 나타낸 약도] esquema *m* de la montaña. ㉯ ((미술)) =산수화. ~화 paisaje *m*, paisajismo *m*, país *m*, pintura *f* paisajista [de paisaje]. ~화가 paisajista *mf*; pintor, -tora *mf* paisajista [de paisaje].

산수(算數) ① ((수학)) [기호적인 셈법] aritmética *f*, matemáticas *fpl*, calcula- ción *f*. ② =산술(算術).

산수소(酸水素) oxhidrogen *m*.

산술(算術) aritmética *f*, ajuste *m* de cuentas. ~을 하다 hacer cuentas, calcular, numerar. ¶~적 aritmético, -ca *mf*. ~적 aritmético.

산스크리트 sánscrito *m*. ~학 sanscritismo *m*. ~학자 sanscritista *mf*.

산신령(山神靈) dios *m* de una montaña, espíritu *m* de guardián de una montaña.

산실(産室) sala *f* [cámara *f*] de

partos, sala *f* de maternidad.

산아(産兒) ① [아이를 낳음] parto *m*, alumbramiento *m*. ② [태어난 아이] niño *m* recién nacido, niña *f* recién nacida. ¶~ 제한 control *m* de (la) natalidad, control *m* del parto, limitación *f* de la natalidad. ~ 제한을 하다 controlar la natalidad [el parto].

산악(山岳/山嶽) montañas *fpl* (altas y empinadas), sierra *f*. ~의 alpino, alpestre. ~이 많은 montañoso. ¶~국 país *m* montañoso. ~기후 clima *m* de montañas. ~병 mal *m* de alturas, mal *m* de montaña, *Chi* puna *f*, *Andes* soroche *m*, *CoS* apunamiento *m*. ~부 club *m* alpino. ~인 alpinista *mf*; montañista *mf*; andinista *mf*. ~전(戰) guerra *f* de montañas. ~ 지대 zona *f* montañosa, el área *f* montañosa. ~ 지방 región *f* montañosa, distrito *m* montañoso. ~회 asociación *f* de alpinistas, club *m* alpino.

산야(山野) la montaña y el campo, campos *mpl* y montañas, montes *mpl* [montañas *fpl*] y llanuras.

산양(山羊) ① [염소] cabra *f* (montés), chiva *f*, cabrón *m*; [새끼] cabrito, -ta *mf*, chivo, -va *mf*; [생후 6개월에서 1년의] chivato, -ta *mf*. ② [영양] antílope *m*.

산업(産業) industria *f*. ~개발 desarrollo *m* industrial. ~계 círculos *mpl* industriales, mundo *m* industrial. ~공해 contaminación *f* [polución *f*] industrial. ~도로 camino *m* industrial. ~디자인 diseño *m* industrial. ~디자이너 diseñador, -dora *mf* industrial. ~박람회 feria *f* industrial. ~사회 sociedad *f* industrial [industrializada]. ~스파이 [행위] espionaje *m* industrial; [사람] espía *mf* industrial. ~자금 fondo *m* industrial. ~자본 capital *m* industrial. ~폐기물 residuos *mpl* industriales. ~포장 medalla *f* de mérito) industrial. ~합리화 racionalización *f* industrial. ~혁명 revolución *f* industrial. ~화 industrialización *f*. ~활동 actividad *f* industrial. ~훈장 Orden *f* de Mérito Industrial.

산욕(産褥) sobreparto *m*, puerperio *m*. ~이 있다 estar en sobreparto. ~ 중이다 estar de parto. ¶~열 (熱) fiebre *f* puerperal.

산울림 eco *m*, retumbo *m* de montaña. ~하다 resonar.

산울타리 seto *m* (vivo · verde).

산원(産院) (casa *f* de) maternidad *f*, clínica *f* de parto.

산월(産月) mes *m* de(l) parto, mes

m de(l) alumbramiento.

산유(産油) producción *f* de petróleo. ¶~국 país *m* productor de petróleo.

산자전(一字典) diccionario *m* andante, enciclopedia *f* viviente.

산장(山莊) quinta *f* de montaña, villa *f*, casa *f* de campo, chalet *m* (de montaña), chalé *m*.

산재(散在) dispersión *f*. ~하다 estar esparcido [diseminado], encontrarse disperso, estar disperso, estar mosqueado, hallarse aquí y allí, dispersarse.

산재(散財) gastos *mpl*, expensas *fpl*, derroche *m*. ~하다 gastar dinero, derrochar, malgastar, derrochar [tirar de largo · malbaratar · malgastar] el dinero.

산적(山賊) bandido *m*, bandolero *m*, salteador *m* de caminos. ~의 소굴 caverna *f* de bandoleros.

산적(山積) apilamiento *m*, acumulación *f*, montón *m*. ~하다 apilarse, acumularse, amontonarse.

산전(産前) antes de parto. ~ 산후 휴가 vacaciones *fpl* antes y después de parto.

산전수전(山戰水戰) mucha experiencia. ~을 겪다 tener mucha experiencia, ser un perro viejo.

산줄기(山一) cordillera *f*, sierra *f*.

산중(山中) en la montaña, en el monte. ~에 en el monte, en la montaña, entre montañas.

산지(山地) ① [산이 있는 곳] región *f* montañosa, tierra *f* montañosa, comarca *f* montañosa, territorio *m* montañoso, país *m* montañoso. ② [묏자리가 되기에 적당한 땅] tierra *f* apropiada para la tumba.

산지(産地) lugar *m* de producción, región *f* productora, (lugar *m* de) origen *m*; [나라] país *m* productor.

산지기(山一) guarda *mf* de bosque, guardabosques *mf.sing.pl.*

산짐승(山一) animal *m* montés.

산채(山菜) hortalizas *fpl* naturales de la montaña.

산채로 vivo. ~ 매장하다 enterrar vivo. ~ 잡다 coger vivo.

산책(散策) paseo *m*, paseata *f*. ~하다 pasear(se), dar un paseo. ~길 [로] paseo *m*; [바닷가의] paseo *m* marítimo.

산천(山川) ① [산과 내] el monte y el río [el arroyo]. ② [자연] naturaleza *f*. ¶~ 초목 naturaleza *f*, paisaje *m* (natural), plantas *fpl* y árboles, topografía *f*.

산촌(山村) aldea *f* montañosa, aldea *f* de montaña, aldea *f* [pueblo *m*] entre las montañas.

산출(産出) producción *f*, rendición *f*.

~하다 producir, rendir, redituar. 금을 ~하다 producir el oro. ¶~ 고 (cantidad *f* de) producción *f*. ~량 cantidad *f* de producción. ~ 지 lugar *m* de producción, lugar *m* de origen, centro *m* productor.

산출(算出) cálculo *m*, cómputo *m*, cuenta *f*. ~하다 contar, calcular, computar. 경비를 ~하다 hacer un cálculo de los gastos.

산타 클로스 Papá Noel, San Nicolás, Santa Claus, *Chi* Viejo Pascuero.

산탄(散彈) ① =산탄(霰彈). ② [한 발씩 쏘는 탄환] bala *f* que tira un tiro tras otro.

산탄(霰彈) perdigones *mpl*. ~총 escopeta *f*. ~통 bote *m* (de metralla).

산토끼(山一) ((동물)) liebre *f*.

산토닌(一) ((약)) santonina *f*.

산통(産痛) ((의학)) =진통(陣痛).

산파(産婆) ① [조산원] partera *f*, comadrona *f*. ② [일의 실현을 위한] patrocinador, -dora *mf*. ¶~ 술 obstetricia *f*, partería *f*. ~역 trabajo *m* de una partera; [비유적] ㉮ [프로그램이나 쇼의] patrocinador, -dora *mf*. ㉯ [스포츠 이벤트의] patrocinador, -dora *mf*; espónsor *mf*. ㉰ [예술 분야의] mecenas *mf*. ~역을 하다 hacer [ejercer] de medianero; [후원하다] patrocinar, auspiciar.

산포도(山葡萄) uva *f* silvestre. ~나 무 vid *f* silvestre.

산포수(山砲手) cazador *m* que vive en la montaña.

산표(散票) votos *mpl* dispersos.

산하(山河) montañas *fpl* y ríos, paisaje *m*. 고향의 ~ naturaleza *f* de *su* tierra natal [nativa], paisaje *m* rural de la tierra natal.

산하(傘下) bajo la influencia [la protección] de *algo*. ~의 afiliado, asociado. …의 ~에 들어가다 afiliarse a *algo*, asociarse a *algo*. ¶~ 기관 organización *f* afiliada. ~ 단체 corporación *f* afiliada.

산해(山海) montañas *fpl* y mares, monte *m* y mar. ~ 진미 comida *f* espléndida, bocados *mpl* exquisitos de procedencias diversas, productos *mpl* [recursos *mpl*] del mar y de la montaña.

산행(山行) ① [산에 감] ida *f* a la montaña [al monte], montañismo *m*, alpinismo *m*. ~하다 ir a la montaña, subir a una montaña. ② [사냥] caza *f*. ~하다 cazar.

산허리(山一) ladera *f* de la montaña, parte *f* lateral de un monte.

산혈(産血) sangre *f* en parto.

산호(珊瑚) coral *m*. ~도[섬] isla *f* coralífera, isla *f* madrepórica. ~

빛[색] (color m) coral m. ~석 (石) coral m fósil. ~ 세공사 coralero, -ra mf. ~초 escollo m coralífero, barrera f coralina, arrecife m [escollo m] coralino.

산화(酸化) oxidación f, oxigenación f. ~하다 oxidarse, oxigenarse. ~ 시키다 oxidar. ¶~물 óxido m, substancia f oxigenada. ~ 방지제 anti-oxidante m.

산화(散華) muerte f heroica [gloriosa] en la batalla. ~하다 morir heroicamente [gloriosamente] en la batalla.

산회(散會) levantamiento m de la sesión, clausura f. ~하다 levantarse la sesión, clausurar.

산후(産後) inmediatamente después de parto.

살¹ ① [사람이나 동물의] carne f, ((성경)) carne f, cuerpo m. ~이 조금 찐 gordito, regordete, rollizo. ~이 빠진 얼굴 rostro m enjuto [seco] de carnes. ~이 단단한 몸 cuerpo m de músculos firmes. ~ 이 찌다[붙다] engordar, poner [echar] carnes. ~이 빠지다 adelgazar, enflaquecer, perder carnes. ② =피부. ③ [과실] carne f. ~이 단단한 과실 fruta f dura de carne. ~이 단단하지 않은 과실 fruta f blanda. ④ [논이나 밭의 흙] tierra f.

살² ① [창의] reja f, barra f del enrejado; [수레바퀴의] rayo m, radio m. ② ((준말)) =빗살. ③ ((준말)) =어살. ④ ((준말)) =화살(flecha). ¶~을 쏘다 lanzar [arrojar] la flecha. ~처럼 빠르다 correr como una flecha. ~이 빗 맞았다 La flecha no da en el blanco. ⑤ [벌의 꽁무니 쇄기의 몸에 있는 침] aguijón m. ⑥ [떡 살로 찍는 무늬] diseño m de decoración de tarta. 떡에 ~을 박 다 prensar el diseño en la tarta.

살³ [나이를 세는 단위] edad f, años mpl, años mpl de edad. 한 ~ un año, un año de edad. 열두 ~ doce años (de edad).

살가죽 piel f, cutis m(f).

살갈퀴 ((식물)) algarroba f.

살강 balda f, estante m, anaquel m, repisa f.

살갗 ① [피부] cutis m(f), piel f; [얼굴의 살결] tez f. ② [살가죽의 겉면] exterior m del cutis.

살결 cutis m(f), piel f, piel f, color m. 거친 ~ tez f áspera, tez f rugosa. 고운 ~ hermoso cutis m, bella tez f, bello color m. 검은 ~ tez f morena.

살구 albaricoque m, Méj chabacano m, Arg albarillo m, RPl damasco m. ~꽃 flor f de albaricoque.

~나무 albaricoquero m. ~빛 (color m) crema m asalmonado. ~씨 almendra f.

살균(殺菌) esterilización f, desinfección f; [저온의] pasterización f. ~ 하다 esterilizar, desinfectar, pasterizar. ~기 esterilizador m. ~법 pasterización f. ~유(乳) leche f esterilizada [pasterizada]. ~제(剤) germicida m, bactericida m, microbicida m; [식품 공업용의] desinfectante m.

살그머니 furtivamente, ocultamente, en secreto, secretamente, a escondidas. ~ 들어가다[나가다] entrar [salir] a hurtadillas, entrar [salir] sigilosamente.

살금살금 a escondidas, subrepticiamente, a hurtadillas, furtivamente, a [de] puntillas, a gachas, CoS en puntas de pie. ~ 걷다 andar [caminar] de puntillas, CoS caminar de puntas de pie.

살기① [몸에 살이 붙은 정도] gordura f, grasa f. ~가 많다 (ser) gordo, graso.

살기² ((동물)) =삵괭이.

살기(殺氣) aire m belicoso, sed f por sangre, furia f, furor m, ferocidad f. ~를 띤 furioso. ~가 서리다 ponerse furioso, sentirse la sangre hirviente. 회장에는 ~ 가 떤다 Se percibe [Reina] una tensión extrema en la sala. ¶~ 등등 amenaza f de muerte. ~ 충 천 ferocidad f extendida.

살길 medios mpl de vida, sustento m, vida f. ~을 찾다 buscar el camino de ganarse la vida. ~을 잃다 perder su vida.

살다¹ ① [목숨을 지니고 존재하다] vivir, estar vivo. 산 vivo. 산 고기 pez m (vivo). ② [생활하다] vivir, ganarse la vida. 살기 위해 일하다 trabajar para vivir. ③ [일 정한 거처에서 지내다] vivir, residir, habitar, morar; [살아 남다] sobrevivir; [영주하다] radicar(se), domiciliarse. 사람이 살지 않은 집 casa f deshabitada. 살기 편한 집 casa f cómoda [confortable]. ④ [예술 작품 따위가, 생동감 있게 표현되다] dar vida, avivarse, dar realce, vivificarse, animarse, hacerse vivo. ⑤ ((바둑·장기)) escapar de ser capturado; ((야구)) ser seguro. ⑥ [붙이] vivir. 산 불 에 ~ fuego vivo.

살다² ① [계속 진행하다] sobrevivir. ② [징역 따위를 치르다] servir, cumplir.

살뜰하다 (ser) económico, ahorrativo, frugal. 살뜰한 주부 el ama f de casa frugal.

살랑살랑하다 hacer un poco de frío.

살랑하다 hacer un poco de frío, hacer fresco.

살래살래 meneando, moviendo, meneándose, moviéndose. 고개를 ~ 흔들다 menear [mover] la cabeza.

살려 주다 salvar, rescatar, guardar. 목숨을 ~ salvar*le* la vida. 하나 님이여 그를 살려주소서! ¡Dios la salve [guarde]!

살롱 ① [객실. 응접실] salón *m*, gran sala *f*. ② [미술 전람회] salón *m*, exposición *f*.

살리다[1] ① [본 바탕대로 두든지, 좀 보태든지 하다] hacer valer, ensanchar, agrandar, alargar, aumentar el tamaño. ② ㉮ [활용하다] aprovechar, servirse, valerse, sacar (el mejor) partido. 경험을 ~ aprovechar la experiencia. ㉯ [생생하게 하다] vivificar, animar, haver vivo.

살리다[2] ① [목숨을] salvar, socorrer. 인명을 ~ salvar [socorrer] la vida. ② [생활 방도를 강구하여 목숨을 유지하게 하다] mantener, sostener, criar. 가족을 먹여 ~ mantener a *su* familia.

살림 ① [생계] modo *m* de vivir, modo *m* de ganar la vida. 그의 가족을 ~이 곤란하다 El se sostiene a duras penas. ② [살림살이] vida *f*, subsistencia *f*. 집안 ~ vida *f* doméstica. ~이 몸에 밴 여인 mujer *f* muy de casa, esposa abnegada. ~을 꾸리다 ganarse la vida, sustentarse. ~이 어렵다 hallarse [encontrarse] en apuros, estar en la cuarta pregunta. ¶ ~꾼 el ama *f* de gobierno, el ama de llaves, administradora *f*. ~ 도구 ajuar *m*, menaje *m*. ~방 sala *f* (de estar), salón *m*, cuarto *m* de estar. ~살이 gobierno *m* de la casa, manejo *m* de los asuntos domésticos, situación *f* económica de la vida; [가구] muebles *mpl*. ~집 casa *f* (privada), casa *f* para la vivienda.

살맛 alegría *f* de la vida. ~ 없다 no tener nada por lo que vivir.

살며시 en secreto, secretamente, sigilosamente, con sigilo y secreto, con disimulo, a hurtadillas, en paz. ~ 놓다 dejar en paz, dejar como estaba.

살모사(殺母蛇) ((동물)) =살무사.

살무사 ((동물)) víbora *f*.

살벌(殺伐) brutalidad *f*, bestialidad *f*, ferocidad *f*, salvajismo *m*, grosería *f*. ~하다 (ser) bestial, feroz, brusco, arisco, violento, bárbaro, brutal, sangriento, salvaje, cruento, bélico, de guerra, belicoso, guerrero.

살별 ((천문)) cometa *m*.

살붙이 ① [혈육 계통이 가까운 사람] pariente, -ta *mf*; progenie *f*. ② [빠가 안 붙은] 짐승의 여러 가지 살코기] carne *f* de animal sin huesos.

살빛 color *m* de carne.

살생[1] ① [천천히] lentamente, gradualmente, suavemente. ② [짧은 다리로 연해 가볍게 기는 모양] a hurtadillas, furtivamente. ~ 기어 가다 gatear furtivamente. ③ ((준말)) =살래살래.

살살[2] ① ((준말)) =살금살금. ② [가만히] con cuidado, cuidadosamente, ligeramente, suavemente. 아이를 ~ 달래다 consolar al niño cuidadosamente.

살살[3] [배가 조금씩 쓰리듯이 아픈 모양] con un poco de dolor, con un dolor ligero.

살상(殺傷) la muerte y la herida. ~하다 morir y herir.

살색(-色) =살빛.

살생(殺生) matanza *f* de los seres, arrebatamiento *m* de la vida. ~하다 matar animales, quitar la vida.

살성(-性) textura *f*, tez *f*. ~이 곱다 ser de textura fina.

살수(撒水) riego *m*, regadura *f*. ~하다 regar. 도로에 ~하다 regar la calle. ¶ ~기 regadera *f*, aspersorio *m*. ~차 camión *m* de riego, carro *m* de regar.

살신성인(殺身成仁) sacrificio *m* por la justicia [la integridad]. ~하다 sacrificarse por la justicia [la integridad].

살얼음 hielo *m* delgado. ~을 밟다 buscar el peligro. ¶ ~판 situación *f* delicada [difícil · peliaguda].

살육(殺戮) matanza *f*, mortandad *f*, carnicería *f*, masacre *f*. ~하다 hacer una carnicería, dar muerte cruel, masacrar, exterminar.

살의(殺意) propósito *m* homicida, intención *f* de matar. ~를 품다 abrigar un propósito homicida, concebir idea de homicidio.

살인(殺人) asesinato *m*, homicidio *m*. ~하다 asesinar. ~을 범하다 cometer un homicidio, asesinar. ¶ ~ 광선 rayo *m* homicida. ~귀 [마] asesino, -na *mf*; homicida *m* diabólico. ~ 무기 el arma *f* mortífera. ~ 미수 asesinato *m* frustrado. ~ 미수자 asesino *m* frustrado, asesina *f* frustrada. ~범 homicida *mf*; asesino, -na *mf*. ~사건 caso *m* de homicidio. ~ 용의자 inculpado, -da *mf* de homicidio; presunto, -ta *mf* homicida. ~자 homicida *mf*; asesino, -na *mf*; matador, -dora *mf*. ~적 terrible, mortal, mortífero, asesino, criminal, homicida, abrasador. ~적인 더위 calor *m* abrasador. ~죄 homicidio *m*, asesinato *m*. ~행위 homicidio *m*. ~ 혐의자 sospechoso, -sa *mf* de [en] un homicidio.

살점(一點) pedazo *m* de carne.

살조개 almeja *f* encarnizada.

살지다 ① [몸에] (ser) gordo, rollizo, corpulento, tener muchas carnes, engordar. ② [땅이에] (ser) fértil, fecundo, productivo.

살짝 ① [남이 모르는 사이에] furtivamente, a escondidas, en secreto, secretamente, a hurtadillas, bajo [por debajo de] cuerda, con sigilo, ocultamente, clandestinamente. ~ 나가는 salir(se) a hurtadillas. ② [가만히] silenciosamente, en silencio, calladamente, tranquilamente, sin hacer ruido; [조심히] con cuidado; [작은 소리로] en voz baja, en tono bajo. ③ [쉽게] fácilmente, con facilidad, sin esfuerzos; [가볍게] ligeramente, suavemente, con suavidad. ~ 만지다 tocar ligeramente. ¶ ~ 곰보 persona f [cara f] ligeramente picada de viruelas.

살쩍 patillas *fpl*.

살찌다 engordar(se), ponerse gordo [corpulento], engruesarse. 살찐 gordo, grueso, corpulento; [비만한] obeso; [피록피록한] rollizo, regordete; [땅딸막한] rechoncho, gordinflón. 살찐 여자 mujer *f* corpulenta [gorda].

살찌우다 engordar, poner corpulento, engruesar; [소·닭 따위의] cebar.

살충(殺蟲) matanza *f* del insecto, insecticida *m*, fungicida *m*. ~하다 matar el insecto. ¶ ~제[약] insecticida *m*; [구충제] vermífugo *m*, vermicida *m*.

살코기 carne *f* magra.

살쾡이 ((동물)) lince *m*, gato *m* silvestre, gato *m* montés.

살판 ① [살림이 좋아지는 판] buena vida *f*. ② [기를 펴고 살아갈 수 있는 판] vida *f* enérgica.

살포(撒布) sembradura *f*. ~하다 sembrar. ~기(器) sembradora *f*, sembradera *f*. ~제[약] polvo *m* de sembrar.

살풀이(煞一) exorcismo *m*. ~하다 exorcizar.

살풍경(一風景) insipidez *f*. ~하다 (ser) desencantado, insípido, sin sabor, prosaico.

살피다 acechar, espiar, atisbar, escudriñar, rebuscar, mirar alrededor; [비밀 따위를] sondear, tantear, sonsacar. 옆방의 동정을 ~ espiar lo que pasa en el cuarto de al lado.

살해(殺害) asesinato *m*, matanza *f*, homicidio *m*. ~하다 matar, asesinar; [참살하다] acochinar. ~범 asesino, -na *mf*; homicida *mf*. ~사건 caso *m* de asesinato. ~자 asesino, -na *mf*; matador, -dora *mf*.

삶 vida *f*, existencia *f*. ~의 투쟁 lucha *f* para la vida. ~에 지치다 cansarse de vida.

삶다 ① [물 속에 넣고 끓이다] hervir, cocer; [요리하다] cocinar. 삶은 cocido. 삶은 계란 huevo *m* duro, huevo *m* cocido. ② [자기의 뜻대로 따르게 하다] aplacar, apaciguar, pacificar, calmar, sobornar, cohechar. 뇌물로 ~ comprar [sobornar·cohechar] a un detective. ③ [논밭의 흙을] escarificar, cultivar, labrar.

삼 ((식물)) [대마] cáñamo *m*; [아마] lino *m*; [흰 마] batista *f*. ~밭 cañamal *m*, cañamar *f*.

삼(三) [셋] tres. 제 ~(의) tercero. ~분의 일 un tercio, una tercera parte. 제 ~과 lección *f* tres, lección *f* tercera.

삼(蔘) ① ((준말)) =인삼(人蔘). [인삼과 산삼] el ginseng y el ginseng silvestre.

삼가 respetuosamente, con respeto, reverentemente, cortésmente, con cortesía. ~ 애도를 표하는 바입니다 Le doy el pésame desde el fondo de mi corazón / Le doy mi más sentido pésame.

삼가다 ① [몸가짐이나 언행을 신중하게 가지다] cuidar, tener cuidado, ser prudente. 말을 ~ abstenerse de hablar, mesurar la palabra, tener mucho cuidado [mucha caudela] con las palabras, medir bien *sus* palabras. ② [몸가짐을 경계하다] moderar, abstenerse, privarse, contenerse, guardarse, retenerse, moderarse. 술을 ~ abstenerse del alcohol, abstenerse de beber del vino.

삼각(三角) ① =세모. ((준말)) =삼각형. ③ ((준말)) =삼각법. ¶ ~ 관계 relaciones *fpl* triangulares, triángulo *m* amoroso. ~근 (músculo *m* de) deltoides *m*, músculo *m* triangular del hombro. ~ 급수 serie *f* trigonométrica. ~ 무역 comercio *m* triangular. ~ 방정식 ecuación *f* trigonométrica. ~법 trigonometría *f*. ~비 =삼각 함수. ~뿔 pirámide *f* triangular. ~자 escuadra *f*, regla *f* triangular. ~주[지대] delta *f*. ~ 함수 función *f* trigonométrica. ~함수표 tabla *f* de función trigonométrica. ~형 triángulo *m*.

삼각(三脚) ① [비경이] viga *f* de urdimbre. ② [준말] =삼각의 자. ③ [준말] =삼각기. ¶~가 (架) trípode *m*. ~ 의자 banco *m* de tres patas.

삼간(三間) tres *gan*, tres habitaciones. ~두옥 humilde casita *f*. ~초가[초옥] casa *f* de paja de tres habitaciones, humilde casita *f*.

삼거리(三一) intersección *f* [cruce *m*] de tres caminos.

삼겹살(三一) samgyeobsal, panceta *f*.

삼계탕(蔘鷄湯) *samgyetang*, caldo *m* de pollo con ginseng y otros ingredientes.

삼고(三顧) confidencia *f* del rey [del superior]. ~초려 tres visitas a la casa con tejado de paja.

삼군(三軍) ① [전군] todo el ejército, gran ejército *m* (poderoso). ~을 호령[질타]하다 comandar un gran ejército. ② [육군·공군·해군] tres tropas: el ejército, las fuerzas aéreas y las fuerzas navales.

삼권(三權) tres poderes: poder legislativo, poder judicial y poder ejecutivo. ~ 분립 separación *f* de los tres poderes, independencia *f* mutua de tres poderes.

삼급(三級) ① [세 개의 등급] tres grados. ② [제삼위의 등급] tercer grado *m*.

삼기(三期) tercer período *m*; [임기] tercer término *m*. 폐병 ~의 4기 caso *m* tuberculoso de tercer período.

삼나무(杉一) ((식물)) cedro *m* japonés.

삼남(三男) ① [셋째 아들] tercer hijo *m*. ② [삼형제] tres hijos, tres hermanos.

삼녀(三女) ① [셋째 딸] tercera hija *f*. ② [세 딸] tres hijas, tres hermanas.

삼년(三年) ① [세 해] tres años. ② [준말] =삼학년. ¶~상 duelo *m* [luto *m*] por tres años. ~생 alumno, -na *mf* de tercer año [grado]; estudiante *mf* de tercer año de escuela secundaria [대학의 de universidad].

삼다[1] [남으로 하여금 인연을 맺어 자기의 어떤 관계자가] 되게 만들다] hacer; [임명하다] nombrar; [승진시키다] ascender; [양자로] adoptar; [후보자로] elegir; [사용하다] usar. 사위로 ~ hacer *su* yerno. ② [(무엇으로) 되게 하거나 여기다] consider, pensar.

삼다[2] ① [짚신 같은 것을] hacer. 짚신을 ~ hacer las sandalias de paja. ② [삼이나 모시풀을 꼬아 잇다] hilar. 삼을 ~ hilar cáñamo.

삼단(三段) ① [세 가지의 구분] tres divisiones. ② [계단이나 순서의 세 개] tres grados, tres fases. ③ [태권도·유도·검도·바둑·장기 등의 셋째 단] tercer *dan*, tercer grado *m*. ~계 tres fases, tres etapas. ~ 논법 sigolismo *m*. ~ 로킷 cohete *m* de tres fases.

삼대(三代) ① [아버지·아들·손자의 세 대] tres generaciones: padre, hijo y nieto. ② [어떤 소임의 세 번째 사람] tercera persona *f*. ~ 대통령 tercer presidente *m*. ¶~ 독자 solo hijo *m* a través de tercera generación.

삼독(三讀) lectura *f* de tres veces. ~하다 leer tres veces.

삼동(三冬) ① [겨울의 세 달] tres meses del invierno. ② [세 해 겨울] tres inviernos (de tres años).

삼두근(三頭筋) (músculo *m*) tríceps *m*.

삼두 정치(三頭政治) triunvirato *m*.

삼등(三等) [셋째의 등급] tercera clase *f*, tercera categoría *f*; [경기의] tercer puesto *m* [lugar *m*]. ~으로 여행하다 viajar en tercera clase. ¶~상 tercer premio *m*. ~ 서기관 tercer secretario *m*, tercera secretaria *f*. ~석 asiento *m* de tercera clase. ~ 인생 la vida más baja. ~표 billete *m* [AmL boleto *m*] de tercera clase.

삼등분(三等分) trisección *f*, división *f* en tres iguales. ~하다 dividir [partir] en tres partes iguales, trisecar.

삼라 만상(森羅萬象) universo *m*, naturaleza *f*, (toda la) creación.

삼루(三壘) ((야구)) base *f* tercera. ~수 beisbolista *mf* de la base tercera. ~타 golpe *m* de base tercera, triple *m*.

삼류(三流) tercer grado *m*, clase *f* tercera. ~의 del tercer grado, de clase tercera; [평범한] de medio pelo, mediocre.

삼륜차(三輪車) triciclo *m*.

삼림(森林) bosque *m*; [밀림] selva *f*. ~의 forestal. ~ 개발 explotación *f* forestal. ~대 zona *f* selvática, zona *f* forestal. ~ 보호 conservación *f* forestal. ~ 자원 recursos *mpl* forestales. ~ 조합 asociación *f* forestal. ~학 silvicultura *f*, ingeniería *f* forestal. ~학자 silvicultor, -tora *mf*.

삼매(三昧) ((불교)) absorción *f*, meditación *f*, concentración *f*, contemplación *f*, éxtasis *m*.

삼매경(三昧境) =삼매(三昧). ¶~에 들다 absorberse, extasiarse. ~으로 나날을 보내다 gozar de los días entre libros, pasar los días entregado a la lectura.

삼면(三面) ① [세 방면] tres lados. ② ((수학)) [세 개의 평면] tres planos. ③ [신문의 사회면] tercera página f. ¶~각 ángulo m trihedral. ~경 luna f de tres espejos. ~ 기사 noticias fpl urbanas, sucesos mpl.

삼모작(三毛作) tres cosechas anuales.

삼바 samba f(m). ~를 추다 bailar la [el] samba. ¶~곡 samba f.

삼박자(三拍子) ((음악)) compás m a tres tiempos, compás m, ternario m, tiempo m triple, medida f ternaria.

삼발이 trípode m, trébedes mpl.

삼배(三拜) tres saludos. ~하다 saludar tres veces.

삼배(三倍) tres veces, triplicidad f. ~하다 triplicar, ~의 triple, triplicado. ~로 triplicadamente.

삼배(三杯) ① [세 잔] tres vasos, tres copas, tres cañas. ② [술 석 잔] tres copas de vino, tres cañas de cerveza.

삼백(三百) trescientos.

삼베 lienzo m [tela f·género m·tejido m] de cáñamo, lino m.

삼보(三寶) ((불교)) Tres Tesoros: Buda, Enseñanza y Comunidad (Budista).

삼복(三伏) ① [초복·중복·말복의 세 철] tres períodos más calurosos del verano, canícula f, los días caniculares. ~의 canicular. ② [여름의 몹시 더운 기간] período m muy caluroso del verano. ¶~ 더위 calor m canicular.

삼부(三部) tres partes, tres secciones, tres copias; [부처] tres Ministerios; [책의] tres volúmenes. ¶~곡 trilogía f. ~작 trilogía f, obra f artística tríptica. ~합주 conjunto m de tres partes, trío m, ital terzetto. ~ 합창 trío m, coro m de tres voces [partes]. ~ 형식 forma f ternaria.

삼분(三分) trisección f, división f en tres partes. ~하다 dividir en tres partes, trisecar, trisecciónar. ~의 일 un tercio. ~의 이 los dos tercios.

삼사반기(三四半期) tercer trimestre m.

삼사분기(三四分期) =삼사반기.

삼삼오오(三三五五) en grupos pequeños, por doses y treses.

삼삼하다¹ [눈 앞에 보는 것 같이 또렷하다] (ser) muy emocionante.

삼삼하다² [음식이] no ser salado y sabroso.

삼색(三色) ① [세 가지 색] tres colores. ~의 tricolor, de tres colores. ② =삼원색.

삼세(三世) ① [아버지·아들·손자의 세 대] tres generaciones: padre, hijo y nieto. ② ((불교)) [전세·현세·내세나 현재·과거·미래] tres períodos, tres vidas: el pasado, el presente y el futuro.

삼시(三時) ① [세 시] las tres. ② [하루의 세 끼니] tres comidas: el desayuno, el almuerzo y la cena.

삼식(三食) tres comidas del día: el desayuno, el almuerzo y la cena. 하루에 ~을 하다 tomar tres comidas al día.

삼십(三十) treinta. (제) ~ 번째(의) trigésimo.

삼십육계(三十六計) fuga f, huida f.

삼십팔도선(三十八度線) Paralelo m Treinta y Ocho.

삼엄하다(森嚴−) (ser) solemne, impresionante, imponente. 삼엄한 분위기 atmósfera imponente.

삼원색(三原色) tres colores fundamentales [primarios]: rojo, amarillo y azul; [빛에서는] rojo, verde y azul.

삼월(三月) marzo m.

삼위 일체(三位一體) ① ((성경)) Trinidad f, Santísima Trinidad. ② [성부와 성자와 성신] el Padre, el Hijo y el Espíritu Santo.

삼인조(三人組) trío m (de ladrones), triunvirato m, grupo m de tres personas, tríada f.

삼인칭(三人稱) tercera persona f.

삼일(三日) ① [달의 셋째 날] el 3 (del mes). ② [삼일 동안] tres días. ③ ((기독교)) miércoles m. ¶~열 terciana f, fiebre f terciana. ~우(雨) lluvia f sucesiva de tres días, mucha lluvia.

삼자(三者) ① =제삼자. ② [세 사람] tres personas.

삼종(三種) tres clases, tres especies, tercera clase.

삼중(三重) triplicidad f. ~의 triple, triplicado. ~으로 하다 triplicar. ¶~고(苦) desventaja f triple. ~ 모습 triptongo m. ~주(奏) trío m. ~ 주명곡 sonata f. ~창(唱) trío m. ~창곡 tercete m. ~충돌 triple choque m.

삼짇날 el 3 [tres] de marzo.

삼차(三叉) ¶~의 tridente. ~ 신경 (nervio m) trigémino m.

삼차(三次) ① [세 차례] tres veces. ② ((수학)) tres dimensiones. ~ 방정식 ecuación f de tercera potencia [de potencia de tercer grado], ecuación f cúbica. ~ 산업 industria f terciaria.

삼차원(三次元) ~세계 mundo m de tres dimensiones.

삼창(三唱) grito m de tres veces (repetidas), acción f de cantar [recitar] tres veces. 만세를 ~ 하다 dar tres vivas.

삼촌(三寸) ① [세 치] tres pulgadas. ② [아버지의 친형제] tío *m*.

삼층(三層) ① [세 층] tres pisos. ② [셋째 층] segundo piso *m*, *AmL* tercer piso *m*.

삼치 ((어류)) una especie de la caballa.

삼키다 ① [목구멍으로 넘기다] tragar, deglutir, engullir. 간신히 ~ tragar con dificultad. ② [남의 물건을] apropiarse, apoderarse. ③ [억지로 참다] tragar, soportar [tolerar] por fuerza. 눈물을 ~ tragar lágrimas, soportar [tolerar] las lágrimas por fuerza. ④ [대지나 바다 따위가] tragar(se).

삼태기 cesta *f* [cuerda *fl* de paja.

삼파전(三巴戰) competición *f* ((미인대회 등의)) concurso *m*·(스포츠에서) competencia *f*·(권투에서) combate *m*) triangular.

삼팔선(三八線) =삼십팔도선.

삼한(三寒四溫) tres días fríos y cuatro templados.

삽(揷) pala *f*.

삽목(揷木) esqueje *m*, estaca *f*. ~하다 esquejar (una planta), meter en tierra un tallo [un cogollo] para que se arraigue.

삽사리 =삽살개.

삽살개 perro *m* de aguas [de lanas], perro *m* lanudo, caniche *m*.

삽시간(霎時間) momento *m*, instante *m*, rato *m*. ~에 en un momento, en un abrir y cerrar de ojos.

삽입(揷入) inserción *f*, interpolación *f*, inclusión *f*, introducción *f*. ~하다 insertar, interpolar, intercalar. ~구 paréntesis *m*. ~물 interpolación *f*, inserción *f*. ~어 interpolación *f*.

삽질(揷−) paleada *f*. ~하다 palear, dar paleadas, traspalar.

삽화(揷話) episodio *m*, anécdota *f*; [극·소설의] historia *f* intercalada.

삽화(揷畵) ilustración *f*, dibujo *m*. ~가 ilustrador, -dora *mf*.

삿갓 ① [대오리나 갈대로 만든 갓] sombrero *m* de bambú [de caña·de juncia]. ② ((식물)) [버섯의 균산] sombrerete *m*.

상(上) ① [위, 상부] parte *f* superior. ② [등급이나 차례의 첫째] grado *m* superior, clase *f* alta. ~의 superior, primero. ③ [책의 상권] primer tomo *m* [volumen *m*], tomo *m* primero [I].

상(床) [밥상] mesa *f*; [책상] escritorio *m*, pupitre *m* (학교의); [평상] mesa *f* de madera. ~을 차리다 poner [preparar] la mesa. ~을 치우다 quitar la mesa, *AmL* levantar la mesa.

상(相) ① [얼굴의 생김새] fisonomía *f*, aspecto *m*, figura *f*, aire *m*, facciones *fpl*. ~이 좋다 tener fisonomía noble. ② ((물리·전기·천문·화학)) fase *f*.

상(商) ① ((수학)) =몫(cociente). ② ((음악)) [동양 음악에서] segundo sonido *m* de siete escalas musicales o cinco escalas musicales. ③ [상업] comercio *m*, negocio *m*. ④ [상인] comerciante *m*, negociante *mf*.

상(喪) luto *m*, duelo *m*. ~ 중이다 estar de luto, guardar luto. ~을 입다 ponerse el luto. ~을 벗다 quitarse el luto.

상(象) ((장기)) *sang*, elefante *m*.

상(像) ① [눈에 보이고 마음에 느끼는 것의 형체] imagen *f*, figura *f*. ~을 만들다 hacer un imagen, formarse un imagen. ② [사람이나 물건의 형체를 본떠서 만든 것] [조각상] estatua *f*; [흉상] busto *m*. ③ ((물리)) imagen *f*.

상(賞) premio *m*; [보수] recompensa *f*, [수당] remuneración *f*, galardón *m*.

상가(商街) centro *m* comercial.

상가(喪家) familia *f* en luto, casa *f* de doliente. ~에서 밤새하다 velar la noche en la casa de doliente.

상감(上監) Su Majestad el Rey.

상감(象嵌) incrustación *f*, incrustado *m*, taracea *f*, ataracea *f*, marquetería *f*; [상·은의] damasquinado *m*, ataujía *f*. ~하다 incrustar, embutir. ~ 세공 marquetería *f*, taracea *f*. ~ 청자 porcelana *f* [cerámica *fl*] de (color) verdecelandón incrustada.

상감마마(上監媽媽) =상감(上監).

상갑판(上甲板) cubierta *f* alta.

상갓집(喪家−) =상가(喪家).

상거래(商去來) transacción *f* comercial, negocio *m*.

상거지(上−) pobre mendigo, -ga *mf*.

상경(上京) ida *f* a la capital [a Seúl], venida *f* a la capital [a Seúl]. ~하다 ir a la capital [a Seúl], venir a la capital [a Seúl].

상고(上古) antigüedad *f*, tiempo *m* muy antiguo. ~사 historia *f* antigua. ~ 시대 época *f* antigua.

상고(上告) ① [웃사람에게 알림] aviso *m* al superior. ~하다 avisar al superior. ② ((법률)) apelación *f* (a un tribunal superior), recurso *m* de apelación ante tercera instancia. ~하다 apelar, recurrir.

상고머리 pelo *m* cortado al rape. ~를 하다 llevar el pelo cortado al rape. ~로 자르다 cortarse el pelo al rape.

상공(上空) ① [높은 하늘] cielo *m* alto. ② [어떤 지역에 수직되는 공중] espacio *m*, cielo *m*. ~에 arriba por el aire. ~에서 desde lo alto del cielo.

상공(商工) ① ((준말)) =상공업. ② [상인과 공인] el comerciante y el industrial. ~부 Ministerio *m* de Comercio e Industria. ~부 장관 ministro, -tra *mf* de Comercio e Industria. ~업 el comercio y la industria. ~업자 los comerciantes y los industriales. ~ 회의소 Cámara *f* de Comercio e Industria.

상과(商科) curso *m* comercial, curso [de comercio], departamento *m* de administración de negocios. ~대학 facultad *f* de comercio.

상관(上官) superior *mf*. ~의 명(命)에 따르다 obedecer las órdenes de *su* superior.

상관(相關) ① [서로 관련을 가짐, 또는 그 관련] correlación *f*, relación *f* recíproca, relación *f* mutua, dependencia *f* mutua. ~하다 relacionarse. ~시키다 correlacionar, relacionar. ② [남의 일에 간섭함] intervención *f*, intromisión *f*, entrometimiento *m*; [걱정] preocupación *f*. ~하다 preocuparse, molestarse. ④ ((수학)) correlación *f*.

상관없다(相關—) ① [서로 관계가 없다] no tener relaciones mutuamente. ② [걱정할 것이 없다] no preocuparse, no molestarse, no importar. 나는 ~ No me importa.

상관습(商慣習) costumbre *f* comercial.

상권(上卷) tomo *m* primero [I].

상권(商圈) esfera *f* de influencia comercial.

상권(商權) [권력] poder *m* comercial; [권리] derechos *mpl* comerciales. ~을 장악하다 tomar el poder comercial.

상궤(常軌) curso *m* normal, camino *m* recto. ~를 벗어나다 descaminarse, traspasar los límites del sentido común, desviarse del curso regular, descarriarse.

상극(相剋) conflicto *m*, incompatibilidad *f*, lucha *f*, antagonismo *m*. ~이다 (ser) incompatible, discordante. 서로 ~이다 estar en oposición.

상근(常勤) jornada *f* completa, tiempo *m* completo. ~자 trabajador, -dora *mf* de jornada completa; trabajador, -dora *mf* a tiempo completo.

상글거리다 sonreír dulcemente.

상금(賞金) premio *m* (en metálico), premio *m* en moneda [en dinero], galardón *m*.

상급(上級) ① [위의 등급이나 계급] grado *m* superior, rango *m* alto, clase *f* superior, clase *f* alta. ② [위의 학년] curso *m* superior, clase *f* superior. ~생 estudiante *mf* [alumno, -na *mf*] de curso superior. ~학교 escuela *f* superior. ~학년 grado *m* superior, clases *fpl* superiores.

상기(上記) anotación *f* susodicha, mención *f* arriba indicada. ~의 mencionado arriba, arriba mencionado, susodicho.

상기(上氣) sonrojo *m*, abochornamiento *m*, rubor *m*. ~하다 abochornarse, sentir bochorno, sonrojarse, ruborizarse. ~해서 abochornadamente. ~한 얼굴 rostro *m* encendido [enrojecido], cara *f* encendida [enrojecida].

상기(詳記) descripción *f* minuciosa. ~하다 describir [escribir] detalladamrente, detallar, poner en detalles.

상기(想起) recuerdo *m*. ~하다 recordar, acordarse. ~시키다 recordar, evocar.

상납(上納) ① [정부에 세금을 냄] pago *m* de una contribución [de un impuesto]; [그 세금] contribución *f* pagada, impuesto *m* pagado. ~하다 pagar una contribución [un impuesto] (al gobierno). ② [진상품을 웃사람에게 바침] pago *m* de dinero, pago *m* de artículos. ~하다 pagar dinero [artículos] al superior ¶ ~금[전] dinero *m* pagado como una contribución.

상냥스럽다 (ser) afable, sociable. 상냥스런 얼굴을 하다 hacerse unas gachas, mostrarse muy cariñoso.

상냥하다 (ser) sociable, afable, tratable, amable.

상념(想念) meditación *f*, noción *f*, concepción *f*, idea *f*. ~에 사로잡히다 absorberse en la meditación [en los pensamientos], meditar.

상놈(常—) sujeto *m* de clase baja.

상다리(床—) patas *fpl* de la mesa.

상단(上段) ① [글의 첫째 단] división *f* [porción *f*] superior. ② [위에 있는 단] [옷장 등의] anaquel *m* superior; [계단·교실의] gradería *f* superior; [침대차의] litera *f* superior [de arriba].

상담(相談) consulta *f*, conferencia *f*, junta *f*, acuerdo *m*; [조언] consejo *m*, asesoramiento *m*; [협의] deliberación *f*. ~하다 consultar, conferenciar, juntar cabezas, pedir consejos, deliberar, aconsejarse. ~소 información *f*, oficina *f* de información. ~역 consejero, -ra *mf*. ~자 consultador, -dora *mf*.

상담(商談) trato *m*; [교섭] negocia-ciones *fpl*, negocio *m*. ~하다 hacer (*sus*) negocios, negociar [tratar] su asunto.

상당(相當) ① [상응] adecuación *f*, apropiación *f*, consideración *f*. ~하다 (ser) adecuado, apropiado, apreciable, notable, razonable, bastante, considerable; [수가] bu-en número de; corresponder, con-venir, estar porporcionado, es-tar a la medida. ~한 adecuado, apropiado, razonable, considerable. ~한 부자 hombre *m* de riqueza considerable. ~한 수입 ingresos *mpl* considerables. ② [동등] equivalencia *f*. ~하다 (ser) equi-valente, equivaler. ③ [정도가 대단함] suficiencia *f*. ~하다 (ser) suficiente, bastante, considerable, mucho, notable, relevante. ~한 수입이 있다 tener bastantes [no pocos] ingresos.

상당히(相當−) ① [정도] considera-blemente, notablemente, bastante (bien), muy, mucho. ~좋은 성적 resultado *m* bastante. ② [양이] en gran cantidad, abundantemen-te, suficientemente. ③ [수가] mucho. 그것은 ~ 돈이 들 것 같 다 Le costaría a usted mucho dinero. [시간이] por mucho tiempo, muchas horas. ~ 오랫동 안 por bastante tiempo, por un tiempo considerable.

상대(相對) ① [서로 마주 보고 있음, 또는 그 대상] enfrentamiento *m* frente a frente. ~하다 enfrentar-se frente a frente. ~하지 않다 no hacer caso, hacer oídos sor-dos. ② [마주 겨룸] competición *f*, concurso *m*. ~하다 competir. ③ ((준말)) =상대자. ¶그는 내 ~가 될만하다 Es un digno adversario mío. ④ ((철학)) relatividad *f*. ¶~ 원리 teoría *f* de la relatividad. ~편 [방] otra parte *f*.

상도덕(商道德) moral *f* comercial, ética *f* comercial.

상등(上等) grado *m* superior, clase *f* superior, clase *f* alta, mejor ca-lidad *f*. ~품 cabo *m*. ~품 mer-cancía *f* de primera calidad, artí-culo *m* de mejor calidad, artículo *m* superior.

상량(上樑) elevación *f* de parhilera. ~하다 elevar la parhilera. ~문 escritura *f* de bendición al elevar la parhilera. ~식 ceremonia *f* de elevar la armadura de una casa.

상례(常例) uso *m* común, costum-bre *f*. ~에 반(反)하다, ~를 무시 하다 obrar contra la práctica establecida, obrar contra la cos-tumbre establecida.

상록(常綠) verde *m* sempiterno. ~ 의 perenne, siempre verde. ~수 árbol *m* de hoja perenne.

상론(詳論) explicación *fpl* [exposi-ción *f*] detallada, discusión *f* mi-nuciosa. ~하다 explicar [expo-ner] detalladamente, discutir mi-nuciosamente.

상류(上流) parte *f* más alta del río, corriente *f* superior. ~에 río arriba. 한강 ~ [지역] río alto Han. ¶ ~ 가정 familia *f* de la alta sociedad. ~ 계급 clase *f* so-cial distinguida [superior], clase *f* alta; [사람들] las clases altas, gente *f* de la alta sociedad. ~사 회 alta [buena] sociedad *f*, gran mundo *m*. ~ 생활 vida *f* de lujo.

상륙(上陸) desembarco *m*, desem-barque *m*. ~하다 desembarcar, tomar [bajar a] tierra. ~작전 operación *f* de desembarco. ~지 desembarcadero *m*. ~ 지점 punto *m* de desembarco.

상말(常−) palabra *f* vulgar.

상면(上面) superficie *f*, parte *f* de arriba.

상면(相面) ① [서로 대면함] en-cuentro *m*. ~하다 verse, encon-trarse. ② [처음으로 서로 만남] conocimiento *m*. ~하다 conocer. 선생을 ~하게 되어 반갑습니다 [처음 뵙겠습니다] Tengo mucho gusto en conocerle a usted / Mucho gusto en conocerle a usted / Mucho gusto.

상무(尙武) militarismo *m*, espíritu *m* militar, espíritu *m* marcial. ~ 의 기상 espíritu *m* marcial.

상무(常務) negocios *mpl* diarios; negocios *mpl* ordinarios. ~ 이사 director, -tora *mf* gerente.

상무(商務) asuntos *mpl* [negocios *mpl*] comerciales. ~관(官) agre-gado, -da *mf* comercial.

상민(常民) la gente común y co-rriente, hombre *m* de clase baja, las clases bajas.

상박(上膊) brazo *m* superior. ~의 humeral. ~골 húmero *m*. ~근 músculo *m* humeral [braquial].

상반(上半) parte *f* superior de lo que se divide por mitad. ~기 primer semestre *m*, primera mi-tad *f* del año.

상반(相反) contradicción *f*, recipro-cidad *f*. ~하다 ser mutuamente contrario.

상반신(上半身) medio cuerpo *m* para [de] arriba, parte *f* superior del cuerpo. ~ 사진 fotografía *f* de busto.

상벌(賞罰) premio *m* y [o] castigo, gratificación *f* y penalidad. ~ 없 음 No hay premio ni castigo.

상법(商法) ((법률)) ley *f* comercial, derecho *m* mercantil, código *m* de comercio.

상병(上兵) ((준말)) =상등병.

상병(傷兵) soldado *m* herido.

상보(床褓) mantel *m*.

상복(喪服) luto *m*, traje *m* de luto, traje *m* de duelo. 약식 ~ medio luto *m*.

상봉(上峰) el pico más alto, la cima [la cumbre] más alta.

상봉(相逢) encuentro *m* mutuo. ~하다 encontrar(se), verse.

상부(上部) ① [위가 되는 부분] parte *f* superior. ~의 superior. ② [상급 기관] oficina *f* superior, autoridad *f* superior. ~에 보고하다 informar a las autoridades superiores. ~의 지시에 따르다 seguir las direcciones de la oficina superior.

상비(常備) preparación *f*, reserva *f*, reservación *f*. ~하다 proveer permanentemente, reservar, estar preparado, estar dispuesto. ~군 ㉮ ((군사)) ejército *m* permanente, reservas *fpl*, Col pie *m* de fuerza. ㉯ [스포츠의] reserva *f*; [사람] reserva *m f*; suplente *m f*. ~약 botiquín *m* de casa. 가정 ~약 medicina *f* casera, botiquín *m* de casa.

상사(上士) ① ((불교)) =보살(菩薩). ② ((군사)) sargento *m* mayor.

상사(相思) amor *m* mutuo. ~하다 estar enamorado el uno al otro, enamorarse el uno al otro. ~병 enfermedad *m* [mal *m*] de amor. ~병에 걸린 (사람) enfermo, -ma *m f* de amor, perdidamente [locamente] enamorado, -da *m f*. ~병에 걸리다 caer enfermo de amor, estar perdidamente [locamente] enamorado.

상사(商社) compañía *f*, casa *f* de comercio, sociedad *f* [firma *f*] comercial, empresa *f*, casa *f*.

상사(商事) asuntos *mpl* [negocios *mpl*] comerciales.

상사람(常-) hombre *m* común; plebeyo, -ya *m f*; pueblo *m*.

상상(想像) imaginación *f*, fantasía *f*, ilusión *f*, figuración *f*; [가정] hipótesis *f*, suposición *f*. ~하다 imaginar(se), figurarse, suponer. ~력 facultad *f* [fuerza *f*] imaginativa, (poder *m* de) imaginación *f*.

상상봉(上上峰) la cima más alta de las cimas.

상서(上書) carta *f* a *su* superior. ~하다 escribir [enviar · mandar] a *su* superior.

상서(祥瑞) feliz agüero *m* [pronóstico *m* · presagio *m*], buen agüero *m*, buen augurio *m*.

상석(上席) cabecera *f*, asiento *m* superior, silla *f* superior; [주빈석] sitio *m* de honor. ~에 앉다 sentarse a la cabecera de la mesa.

상선(商船) barco *m* mercante.

상설(常設) establecimiento *m* permanente. ~하다 establecer permanentemente. ~의 permanente. ~관 salón *m* permanente. ~국제 사법 재판소 Corte *f* Permanente de Justicia Internacional.

상세(詳細) detalle *m*, pormenores *mpl*, minuciosidad *f*. ~하다 (ser) detallado, minucioso. ~한 설명 explicación *f* detallada. ~히 detalladamente, de detalle, con detalles, con todo detalle, ce por be, minuciosamente, con minuciosidad, punto por punto. ~ 말하면 en detalle, en particulares. ~ 보고하다 informar detalladamente [en detalle]. ~ 분류하다 clasificar en detalle. ~ 이야기하다 contar detalladamente.

상소(上訴) ((법률)) apelación *f* (a una jurisdicción superior), recurso *m*. ~하다 apelar al tribunal supremo [a la suprema corte]. ~법원[재판소] tribunal *m* de apelación. ~인 apelante *m f*.

상소리(常-) ① ((낮은말)) =상말. ② [상스러운 소리] improperios *mpl*. ~를 하다 lanzar improperios.

상속(相續) herencia *f*; [후계] sucesión *f*. ~하다 heredar, recibir herencia, suceder. ~권 derecho *m* sucesorio [de sucesión], herencia. ~세 impuesto *m* sobre sucesiones, impuestos *mpl* a la(s) herencia(s). ~인 heredero, -ra *m f*. ~ 재산 herencia *f*, propiedad *f* heredada, bienes *mpl* heredados, patrimonio *m* hereditario.

상쇄(相殺) balance *m*, compensación *f*, liquidación *f*. ~하다 compensar, contrapesar, hacer balance, balancear, hacer compensación, liquidar.

상수(上手) buena habilidad *f*; [사람] experto, -ta *m f*; maestro, -tra *m f*.

상수도(上水道) acueducto *m*, servicio *m* de agua; [급수] planta *f* de tratamiento y depuración de agua, purificadora *f* ~ 공사(工事) obras *fpl* hidráulicas.

상수리 ((식물)) bellota *f*. ~나무 roble *m*, una especie de encina.

상순(上旬) principios *mpl* del mes. 10월 ~에 a principios (del mes) de octubre.

상술(商術) truco *m* del comercio, habilidad *f* [talento *m*] comercial.

상스럽다(常-) (ser) grosero, insultante.

상습(常習) [세상의] costumbre *f* regular, convención *f*, [개인의] costumbre *f*, hábito *m*. ~ 범 delincuente *mf* [criminal *mf*] habitual; delincuente *m* confirmado, delincuente *f* confirmada; ofensor, -sora *mf* habitual. ~자 adicto, -ta *m*.

상승(上昇/上升) subida *f*, elevación *f*, ascensión *f*, ascenso *m*, alza *f*. ~하다 subir, elevarse, ascender. ~ 곡선 curva *f* ascendente. ~ 기류 corriente *f* atmosférica ascendente. ~력 fuerza *f* ascensional. ~세 ascenso *m*.

상시(常時) ① [늘] siempre. ② ((준말)) =평상시. ¶~에 en tiempos normales [ordinarios]. ~ 고용 empleo *m* regular.

상식(常食) alimento *m* básico, comida *f* usual, comida *f* corriente, dieta *f* normal. ~하다 alimentarse, mantenerse. ~하다 vivir [alimentarse] de arroz.

상식(常識) sentido *m* común; [양식] buen sentido *m*; [초보적 지식] conocimiento *m* elemental.

상실(喪失) pérdida *f*. ~하다 perder.

상심(傷心) pesar *m*, aflicción *f*, sufrimiento *m*, congoja *f*. ~하다 apesadumbrarse, acongojarse.

상아(象牙) marfil *m*. ~빛[색] (color *m*) marfil *m*. ~ 세공 (obra *f* de) marfil *m*. ~ 조각 escultura *f* [talla *f*] de marfil, dentina *f*. ~탑 torre *f* de marfil.

상어(어류) tiburón *m*, tintorera *f*, perro *m* marino, cazón *m*. ~알 cavial *m*, caviar *m*.

상업(商業) comercio *m*, negocios *mpl*. ~계 círculos *mpl* comercial, mundo *m* comercial, mundo *m* del comercio. ~ 고등 학교 escuela *f* superior de comercio. ~ publicidad *f* comercial, anuncio *m* comercial. ~ 도시 ciudad *f* comercial. ~ 디자이너 diseñador, -dora *mf* [dibujante *mf*] comercial. ~문 correspondencia *f* comercial. ~ 미술가 arte *m* publicitario, arte *m* comercial. ~ 미술가 dibujante *m* publicitario, dibujante *f* publicitaria. ~ 방송 [라디오의] radiodifusión *f* comercial; [텔레비전의] televisión *f* comercial. ~ 서반아어 español *m* comercial. ~ 송장 factura *f* comercial. ~ 신용장 (carta *f* de) crédito *m* comercial. ~ 은행 banco *m* comercial, banco *m* mercantil. ~주의 comercialidad *f*. ~ 차관 préstamo *m* comercial. ~ 텔레비전 televisión *f* comercial. ~ 통신 comuni-

cación *f* comercial. ~ 학교 escuela *f* comercial.

상여(喪輿) andas *fpl* funerales; ((성경)) féretro *m*, camilla *f*. ~를 매다 llevar andas funerales. ¶~꾼 portador, -dora *mf* del féretro [de las andas funerales].

상여(賞與) entrega *f* del premio. ~하다 entregar el premio. ~금 gratificación *f*, bonificación *f*, paga *f* extraordinaria.

상연(上演) representación *f* (teatral), función *f*, espectáculo *m* teatral. ~하다 representar, dar, poner en escena. ~권 derecho *m* de representación. ~료 precio *m* de representación. ~물 obra *f* (de teatro), pieza *f* (teatral), comedia *f*; [총괄적] programa *m*.

상영(上映) presentación *f*. ~하다 presentar [dar·pasar] (una película), representar en la pantalla, proyectar sobre pantalla, rodar. ~권 derecho *m* de presentación.

상오(上午) mañana *f*; [형용사적] de la mañana. ~ 8시에 a las ocho de la mañana. ~ 6시 30분 열차 tren *m* de las seis y media de la mañana.

상온(常溫) ① [일정한 온도] temperatura *f* constante. ② [평균 온도] temperatura *f* media. ③ [보통의 기온] temperatura *f* ordinaria [normal].

상용(常用) uso *m* corriente. ~하다 usar ordinariamente, servirse habitualmente; [마시다] tomar habitualmente, acostumbrarse a tomar. ~어 palabra *f* común [de uso corriente], lenguaje *m* hablado. ~ 한자 caracteres *mpl* chinos usuales.

상용(商用) negocios *mpl*, asuntos *mpl* comerciales. ~의 comercial, de negocios. ~으로 por negocios. ¶~문 correspondencia *f* comercial. ~ 서식 formulario *m* comercial.

상원(上院) senado *m*, cámara *f* alta. ~의 senatorial. ~의원 senador, -dora *mf*.

상위(上位) ① [높은 지위] posición *f* [puesto *m*·categoría *f*·rango *m*] superior, alta posición *f*. ~의 superior. ② [윗자리] asiento *m* superior.

상위(相違) diferencia *f*; [현격] distancia *f*; [가지 각색의 것] diversidad *f*, divergencia *f*; [부동] desemejanza *f*; [불일치] descrepancia *f*, discordancia *f*. ~하다 (ser) distinto, diferente, diferir, diferenciarse.

상의(上衣) americana *f*, chaqueta *f*; [여자의] blusa *f*. ~를 입다 ponerse la americana. ~를 벗다 quitarse la americana.

상의(相議) consulta f, conferencia f, discusión f, [담판] negociación f. ~하다 consultar, pedir parecer, conferir, discutir, negociar. ~중 en negociación, bajo consulta.

상이(相異) diferencia f (mutua). ~하다 diferenciar(se).

상이(傷痍) ① [부상함] herida f, lesión f. ② =상처. ¶~ 군인 inválido m (de guerra), mutilado m de guerra, soldado m herido [inválido], soldado m enfermo y herido.

상인(常人) gente f común, hombre m común, mediocre m.

상인(商人) comerciante mf; mercader mf; vendedor m, -dora mf. ~이 되다 hacerse comerciante.

상인방(上引枋) ((건축)) lintel m, dintel m, umbral m.

상임(常任) puesto m permanente. ~의 permanente. ~ 감사 inspector, -tora mf permanente. ~ 위원 miembro mf permanente (de la comisión). ~ 위원회 comisión f [comité m] permanente.

상자(箱子) caja f, [작은] cajita f, [보석이나 펜 등의] estuche m; [큰] cajón m.

상장(上場) ((경제)) precio m de mercado, precio m corriente, expeculación f. ~되다 ser inscripto en la cotización difícil. ¶~주 acciones fpl cotizadas en la bolsa. ~ 회사 compañía f anónima abierta.

상장(喪章) escarapela f, banda f de luto. ~을 달다 ponerse banda de luto, prender una escarapela de luto al pecho.

상장(賞狀) certificado m de mérito, diploma m de honor. ~를 수여하다 dar [otorgar] un diploma de honor.

상쟁(相爭) conflicto m, lucha f, disputa f (mutua). ~하다 disputar mutuamente [uno a otro].

상전(桑田) moreral m, plantío m del moral. ~ 벽해(碧海) convulsiones fpl de naturaleza.

상점(商店) tienda f, casa f comercial, almacén m. ~가 centro m comercial, barrio m de tiendas. ~ 주인 tendero, -ra mf.

상정(上程) presentación f. ~하다 presentar, destinar a la orden de la cámara.

상제(喪制) doliente mf. 맏~ jefe m del duelo [del luto].

상조(相助) ayuda f mutua, apoyo m mutuo. ~하다 ayudarse uno a otro. ~회 sociedad f de apoyo mutuo, asociación f de ayuda

mutuo.

상존(尙存) existencia f constante. ~하다 estar [existir] aún.

상좌(上座) ① [윗자리 또는 높은 자리] cabecera f, cabeza f, frente m.; [주빈의] asiento m de honor. ② ((성경)) primer lugar m, lugar m principal. ③ ((불교)) asiento m de los ancianos.

상주(常住) ① [항상 살고 있음] residencia f. ~하다 residir, morar, habitar. 서반아에 ~하는 교포들 coreanos mpl residentes en España. ② ((불교)) existencia f eterna, eternidad f. ¶~ 인구 población f residente.

상주(常駐) estancia f permanente. ~하다 estar siempre estacionado, estacionar permanentemente.

상주(喪主) jefe m del duelo, el que preside el luto [el entierro], doliente m principal. 그는 ~이다 preside el luto.

상주(詳註) notas fpl detalladas.

상중(喪中) (período m de) luto m, duelo m. ~이다 estar de luto, guardar luto.

상중하(上中下) ① [위와 가운데와 아래] la parte superior, el medio y la parte de abajo; [책의 세 권 한 질] el tomo primero, el tomo segundo y el tomo tercero; [소설의 삼부작] trilogía f, conjunto m de tres obras literarias de un autor que constituyen una unidad. ~ 한 질 una colección de tres volúmenes. ② [상등과 중등과 하등] el mejor, el mediano y el peor.

상질(上質) calidad f superior, buena calidad f, primera calidad f, la mejor clase. ~의 고기 carne f de calidad superior.

상징(象徵) símbolo m. ~하다 simbolizar. 평화의 ~으로 como símbolo de paz. 그것은 악의 ~이다 El simboliza el mal. ~적 simbólico. ~적으로 simbólicamente, de modo simbólico, de manera simbólica. ~주의 simbolismo m. ~주의자 simbolista mf.

상찬(賞讚) alabanza f, elogio m, loa f, admiración f. ~하다 alabar, elogiar, loar, admirar, aplaudir.

상책(上策) buen medio m, buena idea f, plan m excelente, política excelente, mejor plan m. 도망이 ~이다 Lo mejor es huir.

상처(喪妻) muerte f [pérdida f] de su esposa. ~하다 perder a su esposa, encontrar la muerte de su esposa.

상처(傷處) herida f, lesión f; [타박상] porrazo m; [벤 상처] cortadura f, corte m; [긁힌 상처] rasguño *m*, arañazo *m*, excoriación *f*; [쓸린 상처] desolladura *f*; [탄환에 의한 상처] rozadura *f*. 가벼운 ~ herida *f* leve, lesión *f* leve. 깊은 ~ herida *f* grave. 마음의 ~ herida *f* mental, herida *f* del corazón. 새로운 ~ herida *f* fresca. 오래된 ~ herida *f* vieja. ~를 내다 herir, lesionar, lastimar, hacer una herida; [단단한 물건의 표면에] rayar. ¶ ~ 자국 cicatriz *f*.

상천(上天) ① [하늘] cielo *m*. ② [하느님] Dios *m*. ③ [겨울 하늘] cielo *m* de(l) invierno. ⁼ 승천.

상체(上體) parte *f* superior del cuerpo. ~를 일으키다 incorporarse. ~를 앞으로 숙이다 inclinarse.

상추 ((식물)) lechuga *f*. ~쌈 arroz *m* cocido envuelto con lechuga. ~ 장수 lechuguero, -ra *mf*.

상춘(賞春) primavera *f* eterna.

상춘(賞春) goce *m* [disfrute *m*] de la primavera, admiración *f* de la escena de la primavera, la que se goza [se disfruta] de la primavera. ~객 admirador, -dora *mf* del paisaje primaveral.

상층(上層) ① [건물의] piso *m* superior, planta *f* superior; [건물의] capa *f* superior; [건물의 윗부분 전체] los pisos superiores. ② [윗계급] primer rango *m*, rango *m* superior.

상칭(相稱) ((물리)) simetría *f*. ~의 simétrico. ~으로 simétricamente.

상쾌하다(爽快─) sentirse refrescado [aligerado · aliviado], sentirse renovado [despejado].

상큼하다 (ser) fragante [aromático] y fresco.

상태(狀態) condición *f*, estado *m*, situación *f*, circunstancia *f*; [기계 따위의] funcionamiento *m*. 몸의 ~ condición *f* física.

상투 *sangtu*, mechón *m* de pelo que los hombres mayores llevan antiguamente en medio de la cabeza en Corea, moño *m* (en lo alto de la cabeza).

상투(常套) convencionalismo *m*, formalismo *m*, hábito *m*, costumbre *f* habitual. ~ 수단 manera *f* habitual de actuar. ~어 expresión *f* trillada, comentario *m* trillado, perogrullada *f*, lenguas *fpl* (comunes). ~적 convencional, habitual, de costumbre, usual, rutinario, común, vulgar, trivial, corriente, trillado.

상판대기(相─) ((속어)) cara *f*.

상팔자(上八字) muy buena fortuna *f*, fortuna *f* muy feliz, suerte *f* feliz, la mejor suerte.

상패(賞牌) medalla *f* (de premio); [큰 것] medallón *m*. ~를 수여받

다 ser galardonada [premiada] una medalla.

상편(上篇) primer tomo *m*.

상표(商標) marca *f* (de fábrica). ~를 등록하다 registrar una marca. ¶ ~권 derecho *m* de la marca. ~ 등록 registro *m* de la marca de fábrica. ~ 로열티 fidelidad *f* a una marca, lealtad *f* [royalties *mpl*] a una marca.

상품(上品) [상등의 품위] dignidad *f* superior, nobleza *f*, elegancia *f*. ② [질이 좋은 물품] género *m* escogido, artículo de primera clase. ③ ((불교)) la Tierra de Felicidad Suprema.

상품(商品) mercancía *f*, artículo *m*, género *m*, mercadería *f*. ~권 vale *m* (conjeable por artículos en una tienda), cheque-regalo *m*, bono *m* de compras, bono *m* de mercancías. ~ 목록 catálogo *m* (de géneros); [재고의] inventario *m*, existencias *fpl*. ~ 진열 exhibición *f* de géneros, exposición de mercancías. ~ 진열대 mostrador *m*. ~화 comercialización *f*. ~화하다 comercializar.

상품(賞品) premio *m*. ~을 제공하다 ofrecer un premio. ~을 받다 obtener un premio. ~을 수여하다 otorgar un premio.

상피(象皮) piel *f* del elefante. ~병 elefantíasis *f*, elefancía *f*, lepra *f* elefantina. ~증 paquidermia *f*.

상하(上下) ① [위와 아래] la parte superior y la parte inferior. ~로 arriba y abajo; [수직으로] verticalmente; [위에서 아래로] de arriba abajo. ② [윗사람과 아랫사람] el superior y el inferior, la clase superior e inferior. ~ 구별 없이 sin consideración de rango. ③ [높고 낮음] lo alto y lo bajo. ④ [귀함과 천함] la nobleza y la vileza. ⑤ [좋음과 나쁨] lo bueno y lo malo. ⑥ [오르고 내림] la subida y la bajada. ⑦ [두 권으로 된 책] el tomo primero y el tomo segundo.

상하(常夏) verano *m* eterno. ~의 나라 país *m* del verano eterno.

상하다(傷─) ① [몸을 다치어 상처를 입다] herirse, lastimarse, dañarse, averiarse, estropearse, deteriorarse. ② [(어떤 물건이) 헐어 지거나 또는 해지다] estropearse. 습기로 책이 상한다 Los libros se estropean con la humedad. ③ [과일 등의 식료품이] [음식의] acedarse; [과일 · 고기 따위가] pudrirse, descomponerse, echarse a perder, corromperse; [우유 따위의 액체가] avinagrarse, estropearse, pasarse. 상한 corrompido, podrido, descompuesto. 상하기 쉬운 corruptible, fácil de corromperse. 상하게 하다 estropear, deteriorar; [해치다] dañar. ④ [(근심·걱정·노여움 등으로 인하여) 마음이 괴롭고 언짢다] herirse, ofenderse, lastimarse. ⑤ [몸이] adelgazar(se), ponerse delgado.

상한(上限) máximo *m*, límite *m* superior. ~선을 두다 fijar los límites. ~선을 넘다 pasar el límite.

상항(商港) puerto *m* comercial.

상해(傷害) ① [남의 몸에 상처를 내어 해를 입힘] herida *f*. ~하다 hacerse daño, lastimarse. 손과 얼굴에 입은 ~ heridas *fpl* en manos y cara. ② [(법률)] lesión *f*. ¶ ~ 건강 보험 seguro *m* de accidentes y de enfermedad. ~ 보험 seguro *m* de [contra] accidentes. ~죄 agresión *f*. ~ 치사(죄) agresión *f* mortal, agresión *f* que resulta la muerte.

상행(上行) ① [지방에서 서울로 올라가는 일] ida *f* a Seúl [a la capital], ascensión *f*, subida *f*. ~의 ascendente. ② [(준말)] =상행열차. ③ [(준말)] =상행차. ~선 línea *f* para arriba [Seúl]. ~열차 tren *m* ascendente, tren *m* para Seúl. ~차 vehículo *m* para Seúl.

상행위(商行爲) acto *m* [transacción *f*] comercial [de comercio].

상향(上向) ① [아래쪽에서 위쪽으로 향함] movimiento *m* ascendente. ~하다 mover hacia arriba. ② [향상됨] progreso *m*. ~하다 progresar. ③ [물가가 오름] el alza *f*, subida *f*, tendencia *f* al alza. ~하다 alzar, subir.

상현(上弦) ((천문)) primer cuarto *m*. ~달 luna *f* creciente.

상형 문자(象形文字) jeroglífico *m*.

상호(相互) ① [호상] reciprocidad *f*, reciprocación *f*, mutualidad *m*. ~의 recíproco, mutuo. ~간의 이익 beneficio *m* mutuo. ② [서로] mutuamente; recíprocamente; uno a otro, una a otra, el uno al otro, uno de otro, el uno del otro; [3인 이상] unos a otros, unos de otros, los unos a los otros, los unos de los otros, unas a otras. ¶ ~ 견제 control *m* mutuo. ~ 관계 interrelación *f*, correlación *f*, relación *f* mutua [recíproca], reciprocidad *f* y cara. ~ 보험 seguro *m* mutuo. ~ 신용 금고 caja *f* de crédito mutuo. ~ 원조 ayuda *f* mutua. ~ 의존 interdependencia *f*, dependencia *f* recíproca. ~ 이익 beneficio *m* mutuo, interés *m* mutuo. ~ 작용 acción *f* recípro-

ca, interacción *f*. ~ 저축 은행 banco *m* mutualista de ahorros, caja *f* de ahorros mutuos.

상호(商號) razón *f* social; [특허에서] marca *f* comercial.

상혼(商魂) espíritu *m* comercial, comercialismo *m*.

상환(償還) reembolso *m*, restitución *f*; [월부·연부의] amortización *f*, indemnización *f*. ~하다 reembolsar, restituir, amortizar, indemnizar. ~ 금액 amortización *f*. ~ 기한 término *m* [plazo *m*·período *m*] de reembolso, período *m* de pago. ~증 comprobante *m*, talón *m*, resguardo *m*.

상황(狀況) circunstancia *f*, situación *f*, estado *m* de las cosas. ~ 보어 complemento *m* circunstancial. ~실 sala *f* de de reunión informativa. ~ 증거 prueba *f* indicadora, prueba *f* circunstancial; ((법률)) indicios *mpl* vehementes. ~ 판단 juicio *m* circunstancial, juicio *m* de la situación.

상황(商況) condición *f* comercial, condición *f* de tráfico, estado *m* del mercado.

상회(上廻) excedencia *f*. ~하다 sobrepasar, exceder, superar.

상회(商會) sociedad *f* comercial, casa *f* comercial, compañía *f*, firma *f*, razón *f* social.

상후(上厚) sueldo *m* grande a los superiores. ~ 하박 sueldo *m* grande a los superiores y el pequeño a los inferiores.

상훈(賞勳) premio *m* y condecoración, condecoraciones *fpl*.

상흔(傷痕) cicatriz *f* (*pl* cicatrices).

살 ① [두 다리가 갈린 곳의 사이] ingle *m*. ② [두 물건의 틈] espacio *m* de dos artículos.

살바 *satba*, paño *m* que se ciñen en la cintura los luchadores coreanos. ~ 씨름 lucha *f* con *satba*.

살살이 en [por] todas partes, sin dejar rincones, de cabo a cabo, de cabo a rabo, hasta en el último rincón. ~ 뒤지다 mirar [buscar] hasta en el último rincón, buscar sin dejar rincones, hurgar, rebuscar.

새¹ ① [날짐승] pájaro *m*; [큰] ave *f*; [작은] pajarillo *m*, pajarito *m*. ~의 깃 pluma *f*. ~를 기르다 criar [tener] pájaros. ② ((준말)) =참새.

새² ((식물)) ① [띠·억새의 총칭] una especie del junco. ② ((준말)) =억새. ③ =이엉.

새³ ((광물)) [금분(金分)이 들어 있는 구새] mena *f* de aurífero, contenido *m* de oro.

새⁴ [새로운] nuevo, fresco. ~집

casa *f* nueva. ~ 옷 ropa *f* nueva, traje *m* nuevo, vestido *m* nuevo. ~ 상처 herida *f* fresca. ~ 천년 nuevo milenio *m*.

새가슴 pecho *m* estrecho y saliente. ~의 con el pecho estrecho y saliente.

새것 lo nuevo, el nuevo, la nueva.

새겨들다 ((준말)) =새기어듣다.

새경 sueldo *m* anual dado al serviente de finca.

새고기 ① [새의 고기] carne *f* de pájaro. ② [참새 고기] carne *f* de gorrión.

새그물 red *f* (de hilos muy finos) para cazar los pájaros.

새근거리다[1] ① [숨을] jadear, respirar entrecortadamente, resollar. ② [어린아이가 곤히 잠들어 조용히 숨쉬다] respirar silenciosamente.

새근거리다[2] [뼈마디가] tener dolor ligero.

새기다[1] ① [연장으로] esculpir, grabar, tallar, labrar, entallar, inscribir; [글로] cincelar. 도장을 ~ esculpir el sello. ② [단단히 기억하다] grabar.

새기다[2] ① [말이나 글의 뜻을 알기 쉽게 풀거나 설명하다] interpretar, explicar, explanar. ② [다른 나라의 글을 우리말로 직역하여 옮기다] traducir (el idomao extranjero al coreano).

새기다[3] [반추하다] rumiar.

새기어듣다 escuchar con atención.

새김 ① [글의 뜻을 쉬운 말로 옮겨 줌] interpretación *f*, paráfrase *f*, explanación *f*, explicación *f*, aclaración *f*; [번역] traducción *f*. ~을 하다 interpretar, explicar, explanar, aclarar; [번역하다] traducir. ② [글자나 그림 등을 새기는 일] escultura *f*, grabadura *f*, grabado *m*, talladura *f*, entalladura *f*, [끌로] cinceladura *f*, cincelado *m*. ¶ ~칼 [석재용] cincel *m*; [재목용] formón *m*, escoplo *m*.

새김질 rumia *f*, rumiadura *f*. ~하다 rumiar. ~ 동물 rumiante *m*.

새까맣다 ① [아주 짙게 까맣다] (ser) negro azabache, muy negro. 눈썹이 ~ Las cejas son muy negras. ② [매우 까마득하다] (ser) muy lejano. ③ [전혀 아는 것이 없다] ignorar, no saber nada. 의학에 관해서는 아주 ~ no saber nada sobre la medicina. ④ [전혀 기억이 없다] no recordar nada. 새까맣게 잊어버리다 olvidarse completamente.

새끼[1] [새끼꼬다] cuerda *f* de paja, soga *f* (de paja), cordel *m*. ~로 묶이다 atar [ligar] con cuerda [con soga], amarrar con cuerda. ¶ ~발 persiana *f* de cuerda de paja,

cortina *f* de cuerda. ~줄 cuerda *f* de paja. ~를 máquina *f* de hacer la cuerda de paja.

새끼[2] ① [낳은 지 얼마 안 되는 어린 짐승] cría *f*, pequeño *m*; [새의] polluelo *m*, pollo *m*, cría *f* de ave; [소의] ternero *m*; [아직 젖을 떼지 않은 소의] ternero *m* recental; [말의] porto *m*; [개의] cachorro *m*, cachorrito *m*, cría *f* de perro, perrito *m*; [고양이의] gatito *m*; [염소의] cabrito *m*; [양의] cordero *m*; [물고기의] pececillo *m*. ② ((속어)) hijo, -ja *mf*. ¶ ~발가락 dedo *m* pequeño (del pie). ~손가락 dedo *m* meñique, dedo *m* auricular.

새끼집 matriz *f*, útero *m*.

새나다 filtrar, saberse, hacerse público. 비밀이 새났다 El secreto se supo.

새나무 broza *f* para hacer fuego.

새날 ① [새로 동터오는 날] nuevo día *m*. ② [새로운 시대] época *f* nueva; [닥쳐 올 앞날] futuro *m*, porvenir *m*.

새노랗다 (ser) muy amarillo.

새노래지다 amarillecer, amarillear, ponerse amarillo.

새다[1] ① [날이 밝아오다] amanecer, apuntar el día. ② ((준말)) =새우다.

새다[2] ① [물통·탱크가] gotear, hacer agua, *RPl* perder, *Chi* salirse; [구두·텐트가] dejar pasar el agua; [가스가] fugar; [액체·가스가] perder, *AmS* botar; [흘리다] derramarse. 새는 구멍[데] [물통·보트·파이프의] agujero *m*; [지붕의] agujera *f*. ② [틈이나 구멍으로] penetrar, entrar; [소리가] oírse. ③ [비밀한 일이] revelarse, llegar a *sus* oídos.

새댁(-宅) ((높임말)) =새색시.

새둥우리 nido *m* (parecido a la cesta), nido *m* de pájaros [de ave].

새들다 ① [물건의 거간을 하다] hacer corretaje. ② [중매를 하다] hacer de medianero.

새떼 bandada *f* (de las aves).

새똥 guano *m*, estiércol *m* de los pájaros.

새뜻하다 (ser) fresco y brillante. 새뜻한 빛깔 color *m* vivo [fuerte·brillante].

새로 ① [새롭게] recientemente; [과거분사 앞에서] recién; [형용사로] reciente. ~ 오신 선생님 nuevo maestro *m* [profesor *m*], nueva maestra *f* [profesora *f*]; profesor *m* recién llegado, profesora *f* recién llegada. ② [새롭게 다시] de nuevo, nuevamente, otra vez; [최근] recientemente. ~하다 volver a + _inf_, hacer de nuevo, renovar. ~지은 집 casa _f_ nueva. ③ [새로이] [오전] de la mañana; [오후] de la tarde. ~ 한 시 la una de la mañana.

새록새록 consecutivamente, seguidamente, en sucesión, uno tras otro. 불행이 ~ 일어났다 Una desgracia siguió inmediatamente a la otra.

새롭다 (ser) nuevo; [신선한] fresco; [최근의] reciente; [현대적인] moderno; [독창적인] original. 새로운 것 novedad _f_, frescura _f_, originalidad _f_. 새로운 집 [신축한] casa _f_ nueva; [새로 산] nueva casa _f_. 새로운 말 palabra _f_ nueva. 새로운 소식 noticia _f_ nueva. 새로운 사상 idea _f_ nueva. 새로운 아이디어 idea _f_ original.

새마을 _Saemaeul_, Nueva Comunidad _f_. ~ 운동 Movimiento _m_ de la Nueva Comunidad. ~ 훈장 Condecoración _f_ de la Nueva Comunidad.

새매 ((조류)) gavilán _m_.

새벽 ① [먼동이 트기 전] el alba _f_, amanecer _m_, albor _m_, aurora _f_, amanecida _f_, madrugada _f_. ~에 al amanecer, al despuntar el día, al canto de gallos, al rayar el alba, al alba, de madrugada. ② [(시간의 단위 앞에 쓰이어) 오전] de la madrugada, de la mañana. ~ 한 시 la una de la mañana, la una de la mañana. ¶ ~녘 el alba _f_, aurora _f_, amanecer _m_, madrugada _f_.

새봄 ① [첫봄] primavera _f_ temprana, temprano en la primavera. ② [찬란하고 희망에 부푼 시절] primavera _f_, juventud _f_.

새빨간 puro, absurdo, palpable. ~ 거짓말 pura mentira _f_, mentira _f_ descarada [palpable · absurda].

새빨갛다 (ser) rojo subido, carmesí, de vivo colorido.

새빨개지다 convertirse en carmesí [color rojo subido], encenderse, ponerse colorado [rojo]; [얼굴이] ruborizarse, sonrojarse, ponerse colorado [rojo]; [하늘이] teñirse de rojo.

새사람 ① =신인(新人). ② =새 댁. ③ [중병을 겪고난 사람] convaleciente _mf_. ④ [갱생자] persona _f_ reformada.

새살 tejido _m_ de granulación, carne _f_ cruda, cruda _f_ sobresaliente. ~ 이 돋아나다 granular.

새삼스럽다 ① [느껴지는 감정이 새롭다] (ser) nuevo, fresco, vívido, original. ② [지난 일을 이제 와서 공연히 들추어 내는 경향이 있다] tender a [tener tendencia a] re-

velar el pasado en vano.

새색시 [결혼전] novia _f_; [결혼후] desposada _f_, mujer _f_ recién casada. ~ 차림으로 en vestido de boda, en traje de novia.

새서방 (-書房) ① [(속어)] =신랑. ② [새로 맞이한 서방] esposo _m_ nuevo, marido _m_ nuevo.

새소리 canto _m_, gorjeo _m_.

새순 (-筍) brote _m_, retoño _m_, renuevo _m_.

새신랑 (-新郎) novio _m_, recién casado _m_.

새싹 ① [새로 돋는 싹] vástago _m_, pimpollo _m_, brote _m_, retoño _m_. ~이 나다 brotar, echar brotes. ② [사물의 근원이 되는 새로운 기초] origen _m_, raíz _f_, pilar _m_, sostén _m_.

새알 ① [참새의 알] huevo _m_ del gorrión. ② [새의 알] huevo _m_ del pájaro.

새암 celos _mpl_, envidia _f_. ~하다 envidiar, tener envidia, estar celoso, tener celos. ~이 많다 ser celoso.

새앙 ① ((식물)) jengibre _m_. ② [새앙의 뿌리] raíz _f_ del jengibre.

새앙쥐 =생쥐.

새옹지마 (塞翁之馬) Los caminos del Cielo son inscrutables.

새완두 (-豌豆) ((식물)) algarroba _f_.

새우 [왕새우] langosta _f_ (de mar); [큰 새우] langostino _m_; [보리새우] langostín _m_; [작은 새우] camarón _m_, quisquilla _f_; [지중해산 작은 새우] gamba _f_. ~등 espalda _f_ curvada [encorvada]. ~ 잠 sueño _m_ acurrucado. ~ camarones _mpl_ salados, camarones _mpl_ encurtidos en la sal. 새우 싸움에 고래등 터진다 ((속담)) Se sufre muchos dolores por la culpa del inferior.

새우다¹ [한숨도 자지 않고 온 밤을 밝히다] velar, no dormir. 나는 밤을 꼬박 새웠다 Yo pasé una noche velando.

새우다² [시새우다] envidiar, tener envidia, tener celos.

새장 (-檻) jaula _f_ (de pájaros); [큰] pajarera _f_.

새조개 vieira _f_, berberecho _m_.

새집¹ ① [새로 지은 집] casa _f_ nueva. 그는 서울에 ~을 장만했다 El ha hecho una casa nueva en Seúl. ② [새로 장만하여 든 집] nueva casa _f_. ~으로 이사하다 trasladarse a la nueva casa. 나는 교외에 ~을 장만했다 Me he instalado en una nueva casa en las afueras. ③ [새가 깃드는 집] nido _m_, pajarera _f_. ② [참새가 깃들인 곳] nido _m_ de gorriones.

새집² ① [새가 깃드는 집] nido _m_, pajarera _f_. ② [참새가 깃들인 곳] nido _m_ de gorriones.

새총¹(-銃) [새를 잡는 데 쓰는 공기총] escopeta *f* [rifle *m*] de aire comprimido.

새총²(-銃) [「Y」자 모양의] tirachinas *m*, tirapiedras *m*; *Méj* resortera *f*; *Col* cauchera *f*; *Ven* china *f*, *Cos*, *Per* honda *f*.

새치 canas *fpl* en la edad joven [en juventud], cabello *m* blanco en juventud.

새침데기 persona *f* afectada [presumida]; pedante *mf*; presumido, -da *mf*; postinero, -ra *mf*.

새카맣다 (ser) negro azabache, muy negro, completamente negro, negro como el carbón. 새카맣게 타다[눕다·그을리다] carbonizarse.

새카매지다 ennegrecerse.

새콤달콤하다 (ser) agridulce.

새콤하다 (ser) algo ácido [agrio].

새큰거리다 doler (en la articulación).

새큰하다 doler (en la articulación). 발목이 ~ Me duele el tobillo.

새큼하다 muy agrio [ácido].

새털 pluma *f*; [솜털] plumón *m*; [집합적] plumaje *m*.

새털구름 (기상) cirro *m*.

새파랗다 ① [빛깔이 짙게 몹시 파랗다] (ser) azul o(b)scuro; [얼굴이] ponerse pálido. 새파란 하늘 cielo *m* azul oscuro. ② [매우 젊다] (ser) muy joven, juvenil.

새파래지다 palidecer, ponerse pálido, ponerse descolorido.

새하얗다 (ser) blanco como la nieve, níveo, puro [perfectamente] blanco, blanquísimo.

새하얘지다 ponerse blanco como la nieve.

새해 año *m* nuevo. ~의 del año nuevo. ~를 축하하다 celebrar el Año Nuevo. ~ 복 많이 받으세요 ¡(Le deseo un) Próspero Año Nuevo!

색(色) ① [빛] color *m*. ~을 칠하다 colorar, colorear, colorir, teñir color, dar (de) color, dar colores. ② [같은 부류] la misma clase, el mismo tipo. ~다른 종류 la clase fuera de lo ordinario. ③ ((준말)) =색사(色事). ④ ((준말)) =여색(女色). ⑤ [용모] belleza *f* mujeril, encanto femenino. ⑥ ((불교)) =물질 세계(物質世界).

색감(色感) ① [색각] sentimiento *m* de color. ② [색체 감각] sentido *m* de los colores.

색골(色骨) hombre *m* putañero [lujurioso], Don Juan *m*.

색광(色狂) erotómano, -na *mf*; erotomaníaco, -ca *mf*. ☞색마(色魔)

색깔(色-) color *m*. 당신의 오바는 무슨 ~입니까? ¿De qué color es su abrigo? ☞빛깔

색다르다(色-) (ser) excéntrico, extraño, singular, raro. 색다른 남자 hombre *m* raro, individuo *m* excéntrico.

색동옷(色-) prenda *f* de ropa con rayas multicolores para los niños.

색동저고리(色-) saekdongcheogori, chaqueta *f* con mangas de rayas multicolores para los niños.

색마(色魔) maníaco *m* sexual, sátiro *m*, hombre *m* lascivo, matador *m* de mujeres, Don Juan *m*, Tenorio *m*, libertino *m*, erotómano *m*.

색맹(色盲) ceguera *f* para los colores, acromatopsia *f*; [녹색과 적색의] daltonismo *m*; [사람] daltonano, -na *mf*; ciego, -ga *mf* para los colores. ~증 daltonismo *m*.

색사(色事) relaciones *fpl* sexuales, amores *mpl*, amoríos *mpl*, lujuria *f*, deseo *m* sexual [carnal], gusto *m* sensual, sexo *m*.

색색 con calma, tranquilamente. ~거리다 respirar tranquilo. ~ 잠을 자다 dormir tranquilamente.

색색(色色) ① [여러 가지 색깔] varios colores *mpl*. ~으로 장식하다 docorar con varios colores. ② [여러 가지] muchas clases, muchos artículos, muchos objetos, muchas cosas. ③ =가지각색.

색소(色素) pigmento *m*, materia *f* colorante. ~의 pigmentario. ~균 bacteria *f* pigmentaria. ~세포 célula *f* pigmentaria, cromatóforo *m*. ~증 cromatosis *f*. ~체 plastidio *m*, cromatóforo *m*.

색소폰 saxófono *m*, saxofón *m*. ~ 연주자 saxofonista *mf*.

색수차(色收差) ((물리)) aberración *f* cromática.

색소혼(-악기) saxofón *m*. ~ 연주자 saxofonista *mf*.

색시 ① [아직 시집을 가지 않은 처녀] soltera *f*. ② [술집 등의 접대부] camarera *f*, moza *f*. ③ ((준말)) =새색시.

색실(色-) hilo *m* teñido [de color].

색안경(色眼鏡) ① [색깔이 있는 유리를 낀 안경] gafas *fpl* de color; [선글래스] gafas *fpl* [lentes *mpl*·anteojos *mpl*] para [de(l)] sol, anteojos *mpl* para el sol. ② [편협한 관찰] perjuicio *m*. ~을 쓰고 보다 mirar con perjuicio.

색연필(色鉛筆) lápiz *m* rojo, lápiz *m* de color, crayón *m*.

색욕(色慾) apetito *m* concupiscible, concupiscencia *f*, deseo *m* carnal [sexual], libido *m*, apetito *m* carnal, pasión *f* sexual, lujuria *f*, sensualidad *f*, lascivia *f*, salacidad *f*. ~을 억누르다 contener apetito carnal.

색유리(色琉璃) vidrio *m* mcolorado,

vidrio *m* de color; [다색의] vidrio *m* de colores.

색인(索引) índice *m*. ~을 달다 hacer el índice, poner índice. ~으로 찾다 buscar en el índice. ¶~ 카드 ficha *f* catalográfica.

색조(色調) matiz *m*, tono *m*; ((미술)) matización *f*, tonalidad *f*.

색종이(色—) papel *m* de color.

색채(色彩) color *m*. 그림의 ~가 곱다 El color del cuadro es hermoso. ¶~ 감각 sentido *m* de los colores. ¶~ 효과 efecto *m* de color.

색출(索出) averiguación *f*. ~하다 averiguar, tratar de descubrir, husmear, hurgar.

색칠(色漆) [색을 칠함] colorido *m*, pintura *f*; [칠하는 칠] laca *f* para colorear. ~하다 colorear, pintar, aplicar la laca de color. …을 녹색으로 ~하다 pintar [colorear] *algo* de verde.

색향(色香) ① [색과 향기] el color y el perfume. ② [아름다운 용모] belleza *f*, hermosura *f*, encanto *m*. ~을 잃다 perder *su* belleza [*su* hermosura · *su* encanto].

색향(色鄕) ① [미인이 많이 나는 고을] pueblo *m* de muchas bellezas. ② [기생이 많이 있는 고을] pueblo *m* de muchas *kisaeng*.

샌님 ① [(준말)] = 생원님 *f*. ② [결성이 없는 사람] tipo *m* mojigato, persona *f* indecisa.

샌드백 saco *m* de arena.

샌드위치 ① [식품] bocadillo *m*, emparedado *m*, sándwich *m*, sandwich *m*. ② [(준말)] =샌드위치 맨. ¶~ 데이 día *m* sandwich. ~ 맨 hombre-anuncio *m*.

샌드 페이퍼 papel *m* de lija.

샌들 sandalia *f*, abarca *f*, pantufla *f*.

샐녘 amanecer *m*, el alba *f*. ~에 al amanecer, al alba, al rayar el alba, al romper el alba.

샐러드 ensalada *f*. ~ 기름[유] aceite *m* de ensalada. ~용 접시 ensaladera *f*.

샐러리 [봉급] sueldo *m*, salario *m*. ~ 오피시나 oficinista *m*, empleado *m*, asalariado *m*, hombre *m* asalariado; [집합적] clase *f* asalariada.

샘[1] ① [물이 솟아나오는 곳] fuente *f*, manantial *m*. 콸콸 솟는 ~ fuente *f* de salir a borbotones [a chorros]. 청춘의 ~ la fuente de la juventud. ② [(준말)] =샘터. ③ [우물] pozo *m*.

샘[2] [(해부)] [선(腺)] glándula *f*.

샘[3] [(준말)] =새암. ¶~(을) 내다 tener celos [envidia], envidiar, mirar con los ojos celosos; [극도로] comerse [concomerse] de envidia.

샘물 el agua *f* de(l) pozo.

샘솟다 ① [샘물이 솟아나다] manar, brotar; [콸콸] bortotear, borbotar, borbollar, salir a borbotones [a chorros]. ② [(힘이나 용기 따위가) 왕성하게 일어나다] surgir. 힘이 ~ surgir la fuerza.

샘터 (lugar *m* de) fuente *f*.

샘플 muestra *f*, espécimen *m*, modelo *m*, muestrario *m*.

샛강(-江) afluente *m*.

샛길 ramal *m*, camino *m* desviado, senda *f*, sendero *m*, callejuela *f*, calleja *f*, callejón *m*, calle *f* angosta, camino *m* estrecho.

샛문(-|"|) puerta *f* lateral.

샛밥 merienda *f*. ~을 먹다 merendar, tomar la merienda.

샛별 [(천문)] Venus *m*, Lucero *m*, estrella *f* del alba.

샛빨갛다 (ser) muy rojo, colorado.

샛빨개지다 ponerse muy colorado.

샛서방(-書房) amante *m* (secreto), (hombre *m*) adúltero *m*. ~질을 하다 adulterar, cometer adulterio, tener un amante, engañar [faltar] a *su* marido.

생[1](生) ① [생명] vida *f*. ~의 철학 filosofía *f* de la vida. ~을 받다 nacer, ser vivo. ② [삶] modo *m* de vivir, modo *m* de ganarse la vida, existencia *f*, vida *f*. ~의 기쁨 alegría *f* [gozo *m*] de vivir.

생[2](生) [연월일 등의 뒤에 쓰여] nacimiento *m*. 1944년 12월 11 일~ nacimiento *m* del once de diciembre de 1944.

생가(生家) casa *f* natal [materna · paterna], casa *f* de los padres. ~에 돌아오다 regresar a la casa de los padres.

생각 ① ㉮ [사고의 내용] pensamiento *m*. ~하다 pensar. ~하는 방법 manera *f* [modo *m*] de pensar. ~하는 방식에 따라 según cierto punto de vista, en cierto modo. ~없이 sin pensar, inadvertidamente, de improvisto. ㉯ [의견] opinión *f*, parecer *m*. ~을 결정하다 decidirse, resolverse. ~을 술회하다 expresar *su* opinión, expresarse, dar *su* parecer. ~을 바꾸다 cambiar de parecer, cambiar de opinión, mudar de parecer. ㉰ [판단] juicio *m*; [고려] consideración *f*. ~하다 pensar, creer; [고려하다] considerar, tomar en consideración, tomar en cuenta, tener en cuenta. 내 ~에는 a mi juicio. 각자의 ~대로 cada uno a *su* manera; [개별적으로] separadamente, individualmente. ② [소망] deseo *m*; [기대] expectación *f*; [희망] esperanza *f*. ~하다 querer, desear, tener ganas (de + inf). ~을 실현하다 realizar [culminar · hacer realidad] su deseo, ver su deseo satisfecho. ~대로 해라 Haz como [lo que] quieras. ③ [관념. 사상] pensamiento m, idea f, concepto m, noción f. ④ [연구. 추리. 아이디어] idea f. ~하다 imaginar, idear, planear; [사물이 주어] ocurrirse(le a uno). ~해 내다 imaginar, idear, inventar. ⑤ [깨달음] ilustración f; [진리] verdad f. ⑥ [추억. 회상. 기억] recuerdo m, memoria f, reminiscencia f. ~하다 recordar, acordarse, memorar, tener presente, añorar, suspirar, echar de menos. ~하게 하다 recordar, hacer presente, hacer recordar. ⑦ [간주] consideración f. ~하다 considerar, creer. 범인으로 ~되는 남자 hombre m que parece ser el delincuente. 네 말이 옳다고 ~한다 Creo [Pienso] que es correcto lo que dices tú / Creo que tú tienes razón. ⑧ [각오. 작정. 결단] decisión f. ~하다 decidir(se), pensar. ⑨ [상상. 기대. 예상] suposición f, imaginación f, previsión f. ~하다 suponer, imaginar(se), figurarse esperar, desear, prever. ~하지도 않은 inesperado, impensado, imprevisto. ~지도 않은 desgracia f inesperada. ¶~건대 yo pienso que, yo creo que, cuando uno piensa en eso, en reflexión. ~ 다 못하여 no saber qué hacer [decir], muy preocupado y sin saber qué hacer. ~ 하는 갈대 hombre m, ser m humano.

생감(生-) caqui m [kaki m] crudo.

생강(生薑) ((식물)) jengibre m.

생견(生絹) seda f cruda.

생계(生計) vida f, subsistencia f, modo de vivir, modo m de ganarse la vida, mantenimiento m. ~를 세우다 ganarse la vida, sustentarse, encontrar el modo de ganarse la vida. ~비 coste m de vida, gastos mpl de mantenimiento de la familia. ~비 지수 índice m del coste de (la) vida.

생고기(生-) [육류의] carne f cruda; [생선의] pescado m crudo.

생고무(生-) goma f cruda, caucho m crudo.

생과부(生寡婦) ① [남편이 살아 있으면서도 멀리 떨어져 있거나 소박을 맞아 혼자 있는 여자] (esposa f) separada [divorciada f]. ② [갓 결혼했거나 약혼만 했다가 남자가 죽어 혼자된 여자] viudita f.

생굴(生-) ostra f cruda.

생글거리다 sonreír. 생글거리며 con cara risueña, con (una) sonrisa,

sonriendo. 생글거리는 얼굴 cara f sonriente.

생금(生金) oro m en estado bruto.

생금(生擒) captura f, apresamiento m. ~하다 capturar, aprehender, apresar.

생긋 con gracia, graciosamente. ~ 웃다 sonreír graciosamente [con gracia].

생기(生氣) vitalidad f, vigor m, ánimo m, energía f, valor m, espíritu m, vida f. ~ 있는 vigoroso. ~가 없는 falto de vigor, sin vida, inánime, exánime, pálido. ~가 가득찬 vigoroso, lleno de vitalidad. ~가 도는 vivo, animado, activo. ~가 돌다 avivarse, animarse. ~가 돌게 하다 avivar, animar. ¶~ 발랄하다 estar lleno de animación [de vigor].

생기다 ① [없던 것이] encontrar, tener, poseer, formar; [어린애가] nacer, tener, venir al mundo. ② [자기의 소유가 되다] conseguir, ganar, obtener, lograr, adquirir, producir, hacerse con. 돈이 ~ conseguir dinero. 쉽게 ~ ser fácil de conseguir. ③ [(어떤 일이] 일어나다 · 발생하다] nacer, surgir, ocurrir, presentarse. ④ [닮다] parecerse, estar parecido. 그는 그의 아버지처럼 생겼다 Se parece a su padre.

생김새 aspecto m (personal), apariencia f, semblante m, rasgo m, facción f.

생김치(生-) kimchi m crudo.

생남(生男) parto m [nacimiento m] de un hijo. ~하다 dar a luz a un hijo, tener un hijo.

생녀(生女) parto m [nacimiento m] de una hija. ~하다 dar a luz a una hija, tener una hija.

생년(生年) año m de nacimiento. ~월일 fecha f de nacimiento. ~월일시 la hora, el día, el mes y el año de nacimiento.

생니(生-) diente m sano.

생담배(生-) cigarrillo m quemado por sí mismo en el cenicero.

생도(生徒) ① [학생] alumno, -na mf; estudiante mf; [제자] discípulo, -la mf. ② [사관 학교의 생도] cadete mf. ~대(隊) cuerpo m de cadetes.

생동(生動) animación f, viveza f. ~하다 (ser) eficaz, vívido, animado, estar lleno de vida. ~감 vida f, brillantez f, brillo m. ~감이 넘치다 brillar. 이 문장은 ~감이 없다 Este estilo no tiene vida / este estilo es insípido.

생되다(生-) (ser) crudo, novato, no estar familiarizado.

생때같다 (ser) sano, saludable, robusto, fuerte, sano y salvo.

생떼(生 −) ((준말)) =생떼거리.
¶~(를) 쓰다 ergotizar, redargüir,
pedir lo inalcanzable, pedir lo
inasequible, usar sofisterías, sutilizar. ~를 쓰는 사람 sofista *mf*.
~거리 sofistería *f*, sutileza *f*,
objeción *f* de poca monta.

생략(省略) omisión *f*, [간략] abreviación *f*, abreviatura *f*, ((문장))
elipsis *f*. ~하다 omitir, abreviar,
suprimir, quitar. ~문[법] elipsis *f*.
~ 부호 signo *m* de abreviación.
~어 palabra *f* apocopada, palabra
f abreviada, abreviación *f*.

생로병사(生老病死) ((불교)) cuatro
dolores de la vida: el nacimiento
낳음, la vejez 늙음, la enfermedad 병듦 y la muerte 죽음.

생리(生理) ① ((준말)) =생리학. ②
[월경] menstruación *f*, menstruo
m, regla *f*. ¶~ 기간 período *m*
menstrual. ~대 compresa *f*, paño
m higiénico, cinturón *m* utilizado
para sujetar una compresa. ~ 불
순 irregularidad *f* menstrual. ~일
días *mpl* críticos, días *mpl* de
reglas, días *mpl* de menstruación.
~ 작용 función *f* fisiológica. ~적
fisiológico, físico, corpóreo. ~통
dolores *mpl* menstruales, turbaciones *mpl* de la menstruación.
~휴가 descanso *m* [vacaciones *fpl*]
durante los días críticas.

생매장(生埋葬) ① [사람을 산 채로
땅에 묻음] entierro *m* en vivo. ~하
다 enterrar vivo. ~되다 ser enterrado vivo. ② [사회적 지위에서
몰아냄] destitución *f* de la sociedad [la posición social]. ~하다
destituir de la posición social,
hacerle el vacío, aislar.

생맥주(生麥酒) cerveza *f* de barril,
cerveza *f* pura, cerveza *f* sin
mezcla. ~를 마시다 tomar [beber] cerveza pura [sin mezcla].

생명(生命) vida *f*. ~에 관계되는
mortal, fatal. ~을 존중하여 a
vida. ~의 은인 salvador, dora
mf de la vida. ~을 구하다 salvar
la vida. ~을 끊다 morir, fallecer,
perder la [*su*] vida. ~을 끊다
matar. ~을 바치다 dedicar *su*
vida, sacrificar *su* vida. ¶~ 공
학 biotecnología *f*. ~ 보험 seguro
m de vida. ~ 보험 가입자 asegurador, -dora *mf* de vida. ~ 보
험 업자 asegurador, -dora *mf* de
vida. ~ 보험 회사 compañía *f* de
seguros de vida. ~선 línea *f*
vital; [손금의] línea *f* de la vida.
~수(水) ㉮ el agua *f* que da
vida. ㉯((성경)) el agua de la
vida. ~학 biognosia *f*.

생모(生母) progenitora *f*, verdadera

madre *f*, madre *f* natural.

생목(− 木) =당목(唐木).

생목(生木) ① [생나무] árbol *m* vivo. ② [벤 후에 마르지 않은 나
무] madera *f* verde, leña *f* verde.

생목숨(生 −) ① [살아 있는 목숨]
vida *f*. ② [죄 없는 사람의 목숨]
vida *f* inocente.

생물(生物) ser *m* viviente [vivo·
animado], organismo *m* viviente.
~계 mundo *m* biológico, creación
f animada, vida *f*. ~ 공학 biónica
f, ergonomía *f*. ~ 자원 recursos
mpl biológicos. ~체 organismo
m. ~화학 bioquímica *f*. ~화학
자 bioquímico, -ca *mf*.

생물학(生物學) biología *f*. ~자 biólogo, -ga *mf*. ~적 biológico. ~전
(戰) =세균전(細菌戰).

생밤(生 −) castaña *f* cruda.

생방송(生放送) emisión *f* en vivo,
emisión *f* en directo, radiodifusión
f directa, programa *m* emitido en
vivo [en directo] [텔레비전의]
retransmisión *f* [transmisión *f* ·
emisión *f*] en directo [en vivo]
(por televisión). ~하다 retransmitir [transmitir · emitir] en directo [en vivo]; [텔레비전으로]
retransmitir [transmitir · televisar]
en directo [en vivo] por televisión.

생벼락(生 −) ① [뜻밖에 당하는 벼
락] reprimenda *f* irrazonable. ②
[뜻밖에 만나는 애꿎은 재난] suceso *m* repentino, sorpresa *f*.

생부(生父) progenitor *m*, verdadero
padre *m*, padre *m* natural.

생사(生死) (la) vida y (la) muerte,
vida *f* o muerte; [안부] seguridad
f. ~ 불명의 desaparecido, perdido. ~에 관한 문제 una cuestión
de vida o muerte, una cuestión
vital.

생사(生絲) seda *f* (cruda). ~를 뽑다
devanar capullo de gusano de
seda.

생사람(生 −) ① [그 일에 대하여 아
무 관계가 없는 사람] persona *f*
no relacionada. ② [아무 잘못이
없는 사람] persona *f* inocente. ~
잡다 matar a una persona inocente; [모해하다] causar [ocasionar · inferir] el agravio a la persona inocente. ③ [생떼 같은 사
람] persona *f* fuerte [robusta].

생산(生産) ① [아이나 새끼를 낳음]
parto *m*, alumbramiento *m*, engendro *m*. ~하다 dar a luz,
engendrar, parir, alumbrar, producir. 사내 아이를 ~하다 parir
un hijo varón. ② ((경제)) producción *f*, fabricación *f*, manufactura *f*. ~하다 producir, fabricar,
manufacturar. ¶~ 가격 coste *m*

de producción. ~ 계수 coeficiente *m* de producción. ~고 producción *f* total. ~ 공장 cadena *f* de producción, planta *f* manufacturera, línea *f* de producción. ~ 과잉 superproducción *f*, sobreproducción *f*, exceso *m* de producción. ~국 país *m* productor. ~ 라인 cadena *f* de fabricación, cadena *f* de producción. ~량 producción *f* total. ~력 productividad *f*, capacidad *f* [fuerza *f*] productiva. ~물 producto *m*. ~비 coste *m* [AmL costo *m*] de producción, costos *mpl* productivos. ~설비 instalaciones *fpl* productivas [de producción]. ~성 productividad *f*. ~시설 facilidades *fpl* de producción. ~ 원가 coste *m* de producción. ~자 productor, -tora *mf*, fabricante *m*, manufacturero, -ra *mf*. ~재 bienes *mpl* de producción, elementos *mpl* de producción. ~적 [땅이나 공장이] productivo; [회합 등이] fructífero, productivo. ~ 제한 reducción *f* de producción. ~ 조합 corporación *f* de productores, gremio *m* de productores, asociación *f* de productores. ~ 증가 aumento *m* de producción. ~지 región *f* productora, origen *m* de producción, distrito *m* [país *m*] de producción [de fabricación]. ~지 지수 índice *m* de producción. ~지 증명서 certificado *m* de origen.

생살(生-) ① =생채살. ② [아프지 않은 성한 살] carne *f* viva, carne *f* cruda.

생살(生殺) (la) vida y (la) muerte. ~하다 tener poder de vida y muerte, ser dueño de horca y cuchillo. ~권 poder *m* de vida y muerte. ~ 여탈권 derecho *m* de vida y muerte.

생색(生色) impresión *f* favorable. ~(을) 내다 hacer una buena impresión, orgullecerse. ~(이) 나다 llevarse los laureles, hacer honor.

생생하다(生生-) (ser) vivo, avivarse, animarse. 생생한 vivo, animado, activo; [신선한] fresco; [묘사가] gráfico, enérgico.

생석회(生石灰) ((화학)) cal *f* viva, óxido *m* de calcio.

생선(生鮮) pescado *m*. ~ 가게 pescadería *f*. ~구이 pescado *m* asado. ~국 sopa *f* [caldo *m*] de pescados. ~ 시장 mercado *m* de pescados. ~ 요리 plato *m* [cocina *fl* de pescado. ~ 장수 pescadero, -ra *mf*. ~회 lonjas *fpl* de carne cruda de pescados, pescado *m* crudo en pedazos muy finos.

생성(生成) generación *f*. ~하다

generar.

생소(生疎) [친하지 못함] lo desconocido, falta *f* de familiaridad; [무지] ignorancia *f*, desconocimiento *m*; [무경험] inexperiencia *f*, falta *f* de experiencia. ~하다 (ser) desconocido, poco familiar, nuevo, extraño, inexperto, novato, sin experiencia; desconocer.

생수(生水) ① [샘구멍에서 솟아나오는 물] el agua *f* de manantial. ② ((기독교)) =생명수(生命水).

생시(生時) ① [난 때] tiempo *m* de *su* nacimiento; [난 시간] hora *f* de *su* nacimiento. ② [자지 않고 깨어 있을 때] duración *f* de no dormir, realidad *f*. 꿈이냐, ~냐? ¿Es sueño o realidad? ③ [살아 있는 동안] duración *f* de vivir, *su* vida.

생식(生食) ¶ ~하다 comer la comida cruda [sin cocer].

생식(生殖) generación *f*, reproducción *f*, procreación *f*, engendramiento *m*. ~하다 reproducirse, multiplicar(se), procrear, engendrar. ~기(器) órgano *m* genital [sexual・reproductivo]. ~기(期) período *m* de reproducción. ~력 potencia *f*, poder *m* generativo; [여자의] fecundidad *f*; [남자의] virilidad *f*. ~ 불능 impotencia *f* (generativa), esterilidad *f*. ~ 불능자 impotente *mf*.

생신(生辰) *su* cumpleaños.

생쌀 arroz *m* crudo [no cocido].

생애(生涯) ① [살아 있는 한평생 동안] vida *f*, curso *m* de la vida, toda la vida, fin *m* de *su* vida. ② [생활하는 형편] situación *f* de vivir. ③ =생계.

생약(生藥) ① ((한방)) medicina *f* de hierbas. ② ((의학)) droga *f*, farmacognosis *f*.

생업(生業) ① [생계] vida *f*, mantenimiento *m*, subsistencia *f*, modo *m* de vivir, modo de ganarse la vida. 고기잡이를 ~으로 삼다 ganarse la vida por la pesca. ② [직업] ocupación *f*, profesión *f*, oficio *m*, empleo *m*. ~에 전념하다 dedicarse a *su* profesión.

생육(生育) ① [낳아서 기르는 일] cría *f*. ~하다 criar. ② [[생물이] 살아서 자람] crecimiento *m*, cultivo *m*. ~하다 crecer, cultivar.

생으로(生-) ① [익거나 마르거나 삶지 아니한 대로] crudo. ~ 먹다 comer crudo. 굴을 ~ 먹다 comer ostras crudo. ② [저절로 되지 아니하고 무리하게] de manera poco razonable, de un modo irracional, irracionalmente, mal, incorrectamente, equivocadamente; [억지로] por la fuerza, a la fuerza.

생음악(生音樂) música *f* en vivo.

생이별(生離別) separación *f* para [de] toda la vida. ~하다 separarse para siempre, separarse por toda la vida.

생일(生日) cumpleaños *m.sing.pl.* ~을 축하하다 celebrar *su* cumpleaños. ~을 축하합니다 ¡Feliz cumpleaños! ¶~날 día *m* de cumpleaños, día *m* de santo. ~ 선물 regalo *m* de cumpleaños. ~ 잔치 fiesta *f* de cumpleaños. ~ 케이크 tarta *f* de cumpleaños.

생자(生者) ① [산 사람] (persona *f*) viviente *mf*. ② ((불교)) ser *m* viviente. ~ 필멸 Los vivientes mueren [parecen] / Todos somos mortales / El hombre es mortal.

생장(生長) crecimiento *m*. ~하다 crecer. ~기(간) período *m* de crecimiento. ~률 porcentaje *m* de crecimiento, tasa *f* de crecimiento.

생전(生前) ① [살아 있는 동안] (durante) el tiempo de la vida, durante la vida, mientras vivía, antes de la muerte. ~에 en *su* vida, durante la vida. ② =전혀. 결코. 아무리. ¶~ 모르는 사람 persona *f* totalmente desconocida [ajena]. 서울은 이번이 ~ 처음이다 Es mi primera visita a Seúl esta vez.

생존(生存) existencia *f*, [살아 남는 일] supervivencia *f*. ~하다 existir, sobrevivir, vivir. ~ 경쟁 lucha *f* por la vida [por la existencia・por la supervivencia]. ~권 derecho *m* de la vida; [자신의] derecho *m* a la vida. ~자 sobreviviente *mf*, superviviente *mf*.

생죽음(生-) muerte *f* violenta. ~하다 morir violentamente.

생쥐 ((동물)) ratón *m*.

생즙(生汁) zumo *m* [AmL jugo *m*] crudo (de frutas・de verduras).

생지옥(生地獄) infierno *m* en tierra.

생질(甥姪) sobrino *m*, hijo *m* de *su* hermana. ~녀 sobrina *f*.

생채(生菜) ensalada *f*, hierbas *fpl* comibles crudas.

생철(生鐵) ((광물)) =무쇠.

생청(生清) miel *f* no refinada.

생체(生體) cuerpo *m* vivo, cuerpo *m* de ser viviente. ~의 vital. ~ 내의 intravital. ~ 공학 bioingeniería *f*. ~ 실험 vivisección *f*; [인간・동물의] experimento *m* sobre un cuerpo; [인간의] experimentación *f* humana. ~ 의학 biomedicina *f*. ~ 조직 검사 biopsia *f*. ~ 해부 vivisección *f*.

생태(生太) abadejo *m* natural (no secado ni congelado).

생태(生態) modo *m* de vida, estado *m* de vida, ecología *f*. ~계 eco-

sistema *m*. ~학 ecología *f*. ~ 학자 ecólogo, -ga *mf*. ~학적 ecológico. ~형 ecotipo *m*.

생트집(生-) petición *f* irrazonable, petición *f* injusta. ~(을) 잡다 hacer [dirigir] una petición irrazonable [injusta], buscar defecto.

생판(生板) totalmente. ~ 낯선 사람 persona *f* totalmente desconocida [ajena].

생포(生捕) captura *f*, apresamiento *m*; [동물의] captura *f*, cogedura *f* en vivo. ~하다 coger [cazar] vivo, capturar, apresar, aprehender, cautivar, hacer prisionero. ~되다 cogerse, cazarse, capturarse, caer prisionero [cautivo].

생피(生-) sangre *f* vital, sangre *f* de un ser vivo.

생피(生皮) piel *f* (cruda), piel *f* en bruto. ~를 벗기다 desollar, despellejar.

생필품(生必品) ((준말)) =생활 필수 품(生活必需品).

생혈(生血) =생피.

생화(生花) flor *f* natural [viva], flores *fpl* puestas en macetas [en un florero].

생화학(生化學) bioquímica *f*. ~자 bioquímico, -ca *mf*.

생환(生還) vuelta *f* superviviente [sobreviviente], vuelta *f* viva a casa. ~하다 regresar vivo, volver [salir] vivo con vida. ~자 sobreviviente *mf*, superviviente *mf*.

생활(生活) vida *f*, existencia *f*, subsistencia *f*. ~하다 vivir, sustentarse. 간소한 ~ vida *f* sencilla. ~고 miseria *f* de la vida. ~권(圈) zona *f* de vida. ~ 기록부 libro *m* de documento humano. ~난 escasez *f*, apuros *mpl*, dificultad *f* de la vida. ~력 vida *f*, energía *f* para ganarse la vida, fuerza *f* [energía *f*] vital. ~ 방법 manera *f* [modo *f*] de vivir. ~ 비 gastos *mpl* de vida, gastos *mpl* de mantenimiento, coste *m* [AmL costo *m*] de (la) vida. ~사 historia *f* de (la) vida. ~ 상태 condiciones *fpl* de vida. ~ 수준 nivel *m* de vida. ~ 양식 modo *m* de vida, manera *f* de vivir. ~ 전선 lucha *f* de vida. ~ 통지표 informe *m* de escuela, cartilla *f* de notas. ~ 필수품 artículos *mpl* de primera necesidad.

생후(生後) después de nacer [nacimiento・nacido]. ~ 3개월된 유아 nene, -na *mf* [criatura *f*] de dos meses. ~ 10개월 때에 a la edad de diez meses.

샤머니즘 chamanismo *m*.

샤먼 chamán *m*.

샤워 ducha *f*, *Méj* regadera *f*. ~하

다 ducharse, tomar una ducha, darse una ducha, bañarse. ~실 ducha f. ~장 ducha f, *Méj* regadera f.

샤프트 ((기계)) eje m.

샤프펜슬 lapicero m, portaminas m.

삼쌍둥이(-雙-) (hermanos *mpl*) siameses *mpl*, (hermanas *fpl*) siameses *fpl*.

샴페인 champán m, chuampaña f.

샴푸 champú m.

상들리에 velero m, araña f.

상송 canción f, cantar m, canción f popular francesa. ~ 가수 cancionista *mf*.

새시 chasis m.

서(西) ((준말)) =서쪽. ~으로 al oeste, hacia el oeste.

서(序) ① [문장의 한 체] estilo m narrativo. ② ((준말)) =서문.

서(署) ① =관서(官署). ② ((준말)) =경찰서. ③ ((준말)) =세무서. ④ ((준말)) =소방서(消防署).

서가(書架) balda f [para libros], estantería f, estante m de libros.

서간(書簡) 書簡/書束) carta f, epístola f, misiva f. [짧은] billete m; [집합적] correspondencia f. ¶~집 colección f de cartas. ~체 estilo m epistolar.

서거(逝去) fallecimiento m, muerte f, defunción f. ~하다 fallecer, morir, dejar de existir.

서고(書庫) biblioteca f, almacén m de libros, archivo m.

서곡(序曲) obertura f, preludio m.

서광(曙光) aurora f, el alba f, luz f crepuscular de la mañana. 문명의 ~ el alba f de civilización.

서구(西歐) ① [서양] Europa f, Occidente m. ② [서유럽] Europa f Occidental. ¶~ 문명 civilización f occidental. ~인 europeo, -pea *mf*; occidental *mf*. ~화 europeización f, occidentalización f. ~화 하다 europeizar, occidentalizar.

서글서글 [눈이] con ojos redondos y grandes; [마음이] generosamente, magnánimamente. ~하다 [눈이] (ser) redondo y grande; [마음이] (ser) de corazón abierto, magnánimo, generoso.

서글프다 (ser) desolado, solitario, aislado; [고독하다] solo. 서글픈 마음 corazón m solitario. 서글픈 밤 noche f solitaria.

서기(西紀) ((준말)) =서력 기원.

서기(書記) secretario, -ria *mf*; [필기자] amanuense *mf*; escribiente *mf*; escribano, -na *mf*. ~관 secretario, -ria *mf*; [법원의] secretario, -ria *mf* judicial, escribano, -na *mf* forense. ~장 ㉮ [서기의 우두머리] jefe m de los secretarios. ㉯ [정당 등의] secretario m

general, secretaria f general.

서기(暑氣) ① [더운 기운] calor m, canícula f. ② [더위에 걸린 병] enfermedad f causada por el calor.

서기(瑞氣) buen augurio m.

서까래 viga f, par m, contrapar m, cabrio m.

서남(西南) ① [서쪽과 남쪽] el oeste y el sur. ② [남서] sudoeste m, suroeste m. ~의 sudoeste, suroeste, del sudoeste, del suroeste. ~ 아시아 el Asia Suroeste, el Asia Sudoeste. ~쪽[방] sudoeste m, suroeste m.

서너 tres o cuatro. 책 ~ 권 tres o cuatro libros.

서넛 tres o cuatro.

서녀(庶女) ① [서민의 아내] esposa f del pueblo; [서민의 딸] hija f del pueblo. ② [첩이 낳은 딸] hija f de la concubina.

서녘(西-) =서방(西方).

서느렇다 ① [물체의 온도나 기후가 서늘하다] (ser) fresco. ② [마음 속에 찬 기운이 일어나는 것 같다] sentir escalofrío.

서늘하다 ① [선선하다] (ser) fresco; [음료가] fresco, frío; [날씨가] hacer fresco, hacer un poco de frío. 서늘하게 하다 [공기나 방을] refrigerar; [엔진·음식·열광을] enfriar. 서늘해지다 [공기·방이] refrigerarse; [엔진·음식·열광이] enfriarse. 서늘한 바람 brisa f fresca. ② [놀라거나 하여 가슴속에 찬 기운이 도는 듯하다] sentir [tener] escalofrío (de miedo).

서다 ① [일어서다] ponerse de pie, levantarse, *AmL* pararse. 서 있다 estar de pie, estar parado. 서서 마시다 beber de pie. 서서 먹다 comer de pie. 서서 가다 ir de pie. 선 채 보다 ver desde el gallinero. 설 수 없다 no poder ponerse de pie. ② [(어떤) 동작을 멈추다] ponerse, parar(se), detenerse. 시계가 ~ pararse el reloj. ③ ㉮ [건조물이 지어지다] edificarse, construirse, erigirse, fundarse. 건물이 많이 들어 섰다 Se construyeron muchos edificios. ㉯ [기관 따위가 설립되다] establecerse, instituirse, fundarse. 정부가 ~ establecerse el gobierno. ④ [날카롭게 되다] afilarse. 칼날이 ~ afilarse el cuchillo. ⑤ [(땀·발·무지개·핏발 따위가) 생기거나 나타나다] aparecer. ⑥ [어떤 위치나 입장에 있거나 놓이다] estar, subir(se), ascender. 교단에 ~ ser maestro, entrar en la maestría. ⑦ [말·명목·위신·체면 따위가] mantenerse, conservarse, guardarse, salvarse. ⑧ [규율·질

서·조리·체계 등이] mantenerse, tener, estar. 규율이 ~ mantenerse la disciplina. ⑨ [계획·방침·의견 따위가] formarse, establecerse. ⑩ [씨름판·장 따위가] abrirse, celebrar. 장이 ~ abrirse [celebrar] el mercado. ⑪ [뱃속에서 아이가] concebir, hacerse [ponerse] embarazada [preñada]. 아이가 ~ quedar(se) [estar] embarazada. ⑫ [보증 따위를] servir. 보증을 ~ servir*le* de fiador, ser fiador.

서당(書堂) *seodang*, instituto *m* privado, escuela *f* privada. 서당 개 삼 년에 풍월한다 [풍월 읊는다] (속담) La práctica hace al maestro.

서도(西道) provincias de Hwanghaedo y Pyeongando. ~ 민요 canción *f* popular de las provincias de Hwanghaedo y Pyeongando.

서도(書道) caligrafía *f* (coreana), arte *m* de escritura, arte *m* de escribir con hermosa letra. ~가 calígrafo, -fa *mf*; pendolista *mf*.

서두(序頭) prólogo *m*.

서두르다 apresurar, darse prisa, tener prisa; *AmS* apurar. 서둘러 apresuradamente. 서두르세요 Dése prisa / Tenga prisa.

서랍 cajón *m*, gaveta *f*.

서러워하다 ((변한말)) =설워하다. ¶그는 둘째 가라면 서러워할 만큼 큰 부자다 El es tan rico que nadie le aventaja.

서럽다 ((변한말)) =섧다.

서력(西曆) era *f* cristiana, Anno Domini. ~ 기원 Anno Domini, año *m* de Nuestro Señor, año *m* de Jesucristo. ~ 기원전(前) 2333 년 el año 2333 antes de J.C.

서로 se (3인칭 복수형), mutuamente, recíprocamente, uno a otro, el uno al otro, uno de otro, uno del otro; [세 사람 이상] unos a otros, unos de otros, los unos a los otros, los unos de los otros. ~ (간)의 mutuo, recíproco. ~ 돕다 ayudarse, ayudarse uno a otro, ayudar(se) mutuamente, prestarse ayuda mutuamente.

서론(序論) introducción *f*, [서문] prólogo *m*, preámbulo *m*, prefacio *m*; [연설의] exordio *m*.

서류(書類) papeles *mpl*, piezas *fpl*; [자료, 기록] documento *m*, informe *m*, datos *mpl*; [보고서] relación *f*; [문서] escrito *m*. ~ 가방 cartera *f* (de documentos), portafolio *m*. ~ 상자 fichero *m*, caja *f* para formularios [documentos]. ~ 양식 formularios *mpl* (de papel), impreso *m*. ~ 양식에 기입하다

rellenar [llenar] un formulario [un impreso]. ~장(欌) clasificador *m*. ~ 전형[심사] selección *f* por los documentos presentados. ~철 carpeta *f*, fichero *m*. ~함 archivador *m*, clasificador *m*.

서른 treinta. ~ 번째(의) trigésimo.

서리[1] [흰 가루 모양의 얼음] escarcha *f*, helada *f* blanca. ~의 방지 protección *f* (de las plantas) contra la escarcha. ~ 제거 장치 [냉장고의] descongelador *m*. ~서 발 escarcha *f* en forma de barritas.

서리[2] [떼를 지어서 주인 모르게 훔쳐다가 먹는 장난] atraco *m* en grupo. ~하다 atracar la propiedad de los otros, tomar por asalto las bienes ajenos. 닭 ~ atraco *m* del pollo.

서리(署理) [사람] encargado, -da *mf* de negocios; subdirector, -tora *mf*; director *m* adjunto, directora adjunta; representante *mf*; apoderado, -da *mf*; interino, -na *mf*; [일] administración *f* como un director adjunto.

서리다[1] [(그을음·김·안개 따위가) 잔뜩 끼다] empañarse. 김이 서린 창문 ventana *f* empañada. 안개가 ~ empañarse la niebla.

서리다[2] [빙빙 둘러서 포개어 감다] enrollar, enrollarse [enroscarse].

서막(序幕) ① [연극의] primer acto *m*, acto *m* primero, apertura *f*. ② [일의 시작] comienzo *m* (del trabajo).

서머 타임 horario *m* de verano.

서먹서먹하다 estar incómodo, sentirse incómodo, sentirse cohido, no estar al corriente, ser ignorante, desconocer.

서먹하다 encontrarse incómodo, no estar a gusto, dar vergüenza, no estar familiarizado.

서면(西面) ① [앞을 서쪽으로 향함] hacia el sur. ~한 집 ventana *f* que da hacia el [al] sur. ② [서쪽에 있는 면] lado *m* (del) oeste.

서면(書面) [편지] carta *f*, [서류] documento *m*, escritura *f*; [내용] contenido *m*. ~으로 por escrito, por (medio de) carta. ¶~ 계약 contrato *m* documental. ~ 주문 pedido *m* escrito.

서명(書名) título *m* [nombre *m*] del libro. ~ 목록 catálogo *m* de los nombres del libro.

서명(署名) firma *f*. ~하다 firmar, poner la firma. ~국 países *mpl* firmantes. ~ 날인 la firma y el sello. (서류에) ~ 날인하다 poner la firma y el sello. ~ 운동 campaña *f* de obtener firmas, campaña *f* para la reunión de firmas. ~ 운동을 하다 llevar a cabo una campaña para la reunión de firmas. ~인[자] firmante *mf*; signatorio, -ria *mf*.

서모(庶母) concubina *f* de *su* padre.

서무(庶務) asuntos *mpl* generales. ~과 sección *f* de asuntos generales. ~실 oficina *f* de asuntos generales.

서문(序文) prólogo *m*, prefacio *m*.

서민(庶民) pueblo *m*, plebeyo *m*, gente *f* baja, gente *f* humilde; [대중] masas *fpl*; [집합적] plebe *f*, gentuza *f*, gentualla *f*. ~ 계급 clase *f* popular, proletariado *m*. ~ 금고 Banco *m* Popular, Banco *m* Crediticio. ~적 popular. ~층 clases *fpl* de la gente baja.

서반구(西半球) hemisferio *m* oeste, hemisferio *m* occidental.

서반아(西班牙) ((지명)) España *f* ~의 español. ~ 사람 español *m*, -la *mf*. ~어 español *m*, castellano *m*, lengua *f* española, lengua *f* castellana, idioma *m* español, idioma *m* castellano, lengua *f* de Cervantes. ~ 역사 historia *f* de España.

서방(西方) ① [서쪽] oeste *m*, occidente *m*; [서쪽 지방] región *f* (del oeste. ② ~의 oeste, occidental, del oeste. ② [서유럽 자유주의 국가] el Occidente, los países occidentales.

서방(書房) [낮은말] marido *m*, esposo *m*. ~님 ⑦ ((높임말)) marido *m*, esposo *m*. ⓔ [결혼한 시동생] cuñado *m* (menor) casado. ((역사)) señorito *m*, patrón *m*. ~ 질 adulterio *m*, acto *m* de cometer adulterio. ~질하다 hacer cornudo, cometer adulterio, engañar [faltar] a *su* marido.

서부(西部) oeste *m*, occidente *m*, parte *f* del oeste, parte *f* occidental; [지방] región *f* del oeste, región *f* occidental, el Oeste. ~극 [영화] película *f* occidental.

서브 ((테니스)) saque *m*, servicio *m*. ~하다 tener el saque [el servicio], sacar, servir. ~를 받다 recibir el servicio [el saque]. ~를 훌륭하다 [서투르다] ser un buen [mal] jugador que tiene el saque. ¶~권 saque *m*, servicio *m*.

서비스 ① [봉사] servicio *m*. ~하다 servir. ② ((테니스)) [서브] saque *m*, servicio *m*. ~하다 sacar, servir. ¶~료 propina *f*, servicio *m*; [은행의] comisión *f*. ~ 산업 industria *f* de servicios. ~업 servicios *mpl*. ~ 정신 espíritu *m*

서사(敍事/抒事) descripción *f*, narración *f*. ~하다 describir, narrar.

서사(書士) escribano, -na *mf*.

서사시(敍事詩) épica *f*, poesía *f* épica, poema *m* épico, epopeya *f*.

서사 시인(敍事詩人) poeta *m* épico.

서산(西山) montaña *f* [monte *m*] del oeste. ~ 낙일 sol *m* poniente.

서서히(徐徐-) lentamente, despacio, con lentitud, a paso lento; [저속으로] a pequeña velocidad; [서두르지 않고] sin darse prisa; [태평스레] con toda tranquilidad; [조금씩] poco a poco, paso a paso; [점차] gradualmente, paulatinamente, progresivamente. ~ 후퇴하다 retrodecer gradualmente [paso a paso].

서성거리다 deambular, pasear, andar sin objeto, andar al azar, vagar, vagabundear; [거리를] callejear, corretear.

서수(序數) número *m* ordinal. ~사 numeral *m* ordinal. ~ 형용사 adjetivo *m* numeral ordinal.

서술(敍述) descripción *f*, narración *f*, narrativa *f*, relato *m*. ~하다 describir, narrar, relatar. ~문 predicado. ~법 modo *m* predicativo. ~어 predicado *m*. ~자 narrador, -dora *mf*. ~적 descriptivo, narrativo, predicativo. ~ 형용사 adjetivo *m* predicativo.

서슬 ① [칼의 날카로운 부분] lo afilado, *AmL* lo filoso, *Chi*, *Per* lo filudo; [뾰족한 끝의] lo puntiagudo. ~이 시퍼런 칼 espada *f* afilada. ② [날카로운 기세] temple *m*, entereza *f*, espíritu *m*.

서슴없이 sin vacilar, sin vacilación.

서시(序詩) poesía *f* de introducción.

서식(書式) formulario *m*, fórmula *f* (fija), modelo *m*. 송장(送狀) ~ formulario *m* de factura. 수표 ~ formulario *m* de cheque. 주문 ~ formulario *m* de pedidos.

서신(書信) carta *f*, epístola *f*; [서신 왕래] correspondencia *f*.

서약(誓約) juramento *m*, promesa *f* (solemne); [신에 대한] voto *m*. ~하다 hacer un juramento, dar palabra, jurar bajo juramento, hacer promesa solemne. ~문 juramento *m* escrito, ~서 juramento *m* escrito, promesa *f* firmada.

서양(西洋) Occidente *m*. ~의 occidental; [유럽의] europeo. ~ 문명 civilización *f* occidental. ~사 Historia *f* Europea, Historia *f* de Europa. ~식 estilo *m* occidental [europeo]. ~ 영화 película *f* europea. ~ 요리 cocina *f* europea [occidental], plato *m* europeo [occidental], comida *f* europea [occidental]. ~ 음악 música *f* europea. ~인 occidental *mf*; [유

럽인] europeo, -a *mf*. ~ 장기 ajedrez *m*. ~화(化) europeaización *f*, occidentalización *f*. ~화(畵) pintura *f* al óleo, pintura *f* europea [occidental]. ~ 화가 pintor, -tora *mf* al óleo.

서언(序言) prólogo *m*, preámbulo *m*, prefacio *m*, introducción *f*.

서언(誓言) juramento *m*, jura *f*, promesa *f*, voto *m*. ~하다 jurar, declarar bajo juramento, prometer bajo palabra de honor, votar, hacer voto.

서역(西譯) traducción *f* al español. ~하다 traducir al español.

서열(序列) orden *m*, grado *m*; [고위의] rango *m*. …보다 ~이 위[아래]다 ser superior [inferior] a *uno* en el rango, ser más alto [bajo] de rango que *uno*.

서예(書藝) caligrafía *f*, arte *m* de escritura. ~가 calígrafo, -fa *mf*.

서운하다 sentirse. 나는 무척 서운합니다 Me siento mucho.

서울 ① [한 나라의 중앙 정부가 있는 곳] capital *f*. 서반아의 ~ 마드리드 Madrid, la capital de España. ② [우리 나라의 수도 이름] Seúl. ¶~ 깍쟁이 seulense *m* astuto, seulense *f* astuta. ~말 lengua *f* [idioma *m*] seulense. ~ 사람 seulense *mf*, capitaleño, -ña *mf*. ~ 시민 ciudadano, -na *mf* de Seúl, seulense *mf*. ~ 시장 alcalde, -desa *mf* de Seúl. ~ 시청 ayuntamiento *m* [municipio *m*] de Seúl. ~역 estación *f* de Seúl.

서울 특별시(─特別市) Metrópoli(s) *f* de Seúl, Ciudad *f* Especial de Seúl. ~장 alcalde, -desa *mf* de la Metrópoli de Seúl.

서원(誓願) voto *m*. ~하다 hacer voto.

서임(敍任) nombramiento *m*, designación *f*. ~하다 nombrar, designar.

서자(庶子) hijo *m* natural, hijo *m* ilegítimo, bastardo *m*.

서장(署長) ① [서의 우두머리] jefe, -fa *mf*. ② ((속말))=경찰 서장.

서재(書齋) ① [서실] biblioteca *f*, escritorio *m*, despacho *m*, estudio *m*, sala *f* de estudio. ② =글방.

서적(書籍) libros *mpl*. ~상 librero, -ra *mf*.

서점(書店) librería *f*.

서정(敍情) lira *f*, lirismo *m*. ~의 lírico. ~문 escritura *f* lírica. ~성 lirio. ~시 lírica *f*. ~ 시인 lírico, -ca *mf*. ~적 lírico.

서지(書誌) libro *m*. ~학 bibliografía *f*. ~ 학자 bibliógrafo, -fa *mf*.

서쪽(西─) oeste *m*, poniente *m*, occidente *m*, ocaso *m*. ~의 (del) oeste, occidental, ponentino.

서첩(書帖) álbum *m* de recortes de escritos y pinturas.

서체(書體) escritura *f*, [서도의] estilo *m* caligráfico.

서출(庶出) niño *m* [hijo *m*] ilegítimo, niña *f* [hija *f*] ilegítima; hijo *m* bastardo, hija *f* bastarda. ~의 ilegítimo, bastardo.

서치 라이트 proyector *m*.

서캐 ((곤충)) liendre *f*, huevecillo *m* del piojo.

서커스 circo *m*. ~단 compañía *f* de circo.

서클 círculo *m*, grupo *m*, tertulia *f*. ~ 활동 actividades *fpl* culturales y deportivas en grupo.

서투르다 ① [일에 익숙하지 못하다] (ser) inhábil, inexperto, novato, imperito, no cualificado, no calificado, no especializado, malo, torpe, desmañado, pobre; [외국어가] chapurrear, chapurrar. 서투르게 만든 mal hecho, desmañado, torpe. 서투른 거짓말 mentira *f* torpe, mentira *f* desmañada. ② [전에 만나본 바가 없어 색하다] desconocido, nuevo. ③ [(감정·생각 등이) 어색하고 서먹하다] no estar familiarizado. 서투른 목수가 장고만 나무란다 ((속담)) El ciego que ha tropezado le echa la culpa al mal empedrado / Para lo que el hombre no quiere hacer, achaque ha de poner. 서투른 풍수 집 안만 망친다 ((속담)) El poco conocimiento es peligroso.

서편(西便) (parte *f*) oeste *m*.

서평(書評) reseña *f* [informe *m*·crítica *f*] de libros. ~하다 reseñar (un libro), dar [publicar] una reseña crítica (de un libro), hacer la crítica de libros. ~을 쓰다 escribir la crítica de libros. ~가 crítico, -ca *mf* de libros. ~난 columnas *fpl* de la crítica de libros.

서포터(─) ① [지지자. 후원자] partidario, -ria *mf*. ② [운동 선수들의] suspensorio *m*.

서표(書標) señalador *m*.

서푼 con pasos ligeros y rápidos.

서푼(─分) ① [한 푼의 세 곱] tres pun. ② [아주 보잘 것 없는 것] cosa *f* insignificante.

서훈(敍勲) ordenación *f*. ~하다 dar órdenes, hacer órdenes. ~식 ceremonia *f* de ordenación.

서풍(西風) viento *m* (del) oeste.

서한(西韓) España y Corea. ~의 español y coreana, español-coreano. ~ 대사전 Gran Diccionario *m* Español-Coreano.

서한(書翰) carta *f*, epístola *f*, correspondencia *f*. ~집 libro *m* de colección de cartas.

서해(西海) ① [서쪽에 있는 바다] mar *m* del oeste. ② [황해] Mar *m* Amarillo.

서행(徐行) velocidad *f* reducida. ~하다 ir despacio, ir a poca velocidad; [감속하다] disminuir la velocidad, moderar la velocidad. ~! (게시) ¡Marcha lenta!

서화(書畵) pinturas *fpl* y caligrafías [escrituras].

서훈(敍勳) condecoración *f*. ~하다 dar [conceder · otorgar] una condecoración, conderar.

서흐 tres. ~ 달 tres meses.

석가(釋迦) ((준말)) =석가모니.

석가모니(釋迦牟尼) Shakamuni. ~불 Buda *m* de Shakamuni.

석가산(石假山) colina *f* [montecillo *m* · montículo *m*] artificial en un jardín.

석각(石刻) escultura *f* en piedra. ~하다 esculpir en piedra.

석간(夕刊) ((준말)) =석간 신문.

석간 신문 ¶~ 신문 diario *m* de la tarde.

석고(石膏) yeso *m*; [도료용의] estuco *m*. ~상 estatua *f* de yeso.

석공(石工) ① [석수] picapedrero *m*, albañal *m*, cantero *m*, labrador *m* de piedra. ② ((준말)) =석공업.

석공업(石工業) albañilería *f*.

석관(石棺) ataúd *m* de piedra, sarcófago *m* de piedra.

석굴(石窟) caverna *f* de roca, caverna *f* de piedra. ~암 ermita *f* de cuerva de piedra.

석권(席卷) ¶~하다 arrollar, arrasar, dominar.

석기(石器) instrumento *m* de piedra. ~ 시대 la Edad de Piedra.

석녀(石女) mujer *f* infecunda, mujer *f* estéril..

석두(石頭) persona *f* estúpida [tonta · idiota]. 이 ~아! ¡Qué tonto!

석류(石榴) ① [석류나무의 열매] granada *f*, fruto *m* del granado. ② ((한방)) corteza *f* de la granada. ¶~꽃 flor *f* del granado. ~ 발 granadal *m*. ~석(石) granate *m*; [흑] granate *m* melanita; [홍] piropo *m*; [적] almandina *m*.

석류나무(石榴一) granado *m*.

석면(石綿) asbesto *m*, amianto *m*.

석방(釋放) puesta *f* en libertad, liberación *f*. ~하다 poner [dejar] en libertad, soltar, liberar.

석별(惜別) sentimiento *m* de (la) despedida. ~의 정을 나누다 despedirse de mala gana.

석불(石佛) (estatua *f* de) Buda *m* de piedra, imagen *f* budista de piedra.

석사(碩士) ① [벼슬이 없는 선비] erudito *m* [sabio *m*] sin rango oficial. ② [학위의 한 가지] maestría *f*, master *m*; [학위를 받은

사람] maestro, -tra *mf*. ~ 과정 curso *m* de maestría. ~ 논문 tesis *f* de maestría. ~ 학위 maestría *f*, grado *m* de maestro.

석상(席上) en la reunión. 회의 ~에서 말하다 hablar en [durante] la conferencia.

석쇠 parrilla *f*, rejilla *f* de hierro de un horno o fogón, alambrera *f* para tostar.

석수(石手) albañil *m*, picapedrero *m*, cantero *m*.

석순(石筍) ((광물)) estalagmita *f*.

석양(夕陽) ① [저녁 햇볕] sol *m* poniente, sol *m* que se pone. 이 방은 ~이 들어온다 [비친다] El sol poniente da a [en] esta habitación. ② ((준말)) =석양녘. ③ =노년(老年). ~녘 puesta *f* de(l) sol, crepúsculo *m*. ~별 rayo *m* de sol poniente. ~빛 esplendor *m* del sol poniente, luz *f* de sol poniente.

석연하다(釋然一) estar libre de dudas, quedarse satisfecho; [납득하다] convencerse. 석연치 않은 인물 hombre *m* de moral dudosa.

석영(石英) ((광물)) cuarzo *m*. ~ 반암(斑岩) pórfido *m* de cuarzo. ~사(砂) arena *f* silícea.

석유(石油) petróleo *m*, aceite *m* de petróleo; [나프타] nafta *f*, oro *m* negro; [등유] queroseno *m*, keroseno *m*, kerosén *m*. ~ 가스 gas *m* de petróleo. ~ 공업 industria *f* petrolífera, industria *f* petrolera. ~ 난로 estufa *f* petrolera, estufa *f* de petróleo. ~등[램프] lámpara *f* de petróleo. ~ 산업 industria *f* petrolera, industria *f* petrolífera. ~ 산출국[산유국] país *m* productor de petróleo. ~ 수송선 petrolero *m*, buque *m* tanque. ~ 수출국 기구 Organización *f* de Países Exportadores de Petróleo, OPEP *f*, OPEC *f*. ~ 위기 crisis *f* del petróleo. ~ 자원 recursos *mpl* petroleros. ~ 화학 petroquímica *f*. ~ 회사 compañía *f* petrolera.

석재(石材) piedra *f* de construcción.

석전제(釋奠祭) rito *m* expiatorio en honor de [en homenaje a] Confucio.

석조(石造) construcción *f* de piedra. ~ 가옥 casa *f* de piedra. ~ 건물 edificio *m* de piedra. ~ 건축 arquitectura *f* [construcción *f*] de piedra. ~물 obra *f* de piedra.

석차(席次) ① [자리의 차례] orden *m* de asiento, orden *m* ② [성적의 차례] puesto *m* (de clase).

석탄(石炭) carbón *m* (mineral · de piedra), hulla *f*. ~ 발전소 central *f* eléctrica a [de] carbón. ~산(酸)

ácido *m* carbónico, fenol *m*, carbonilo *m*. ~ 산업 industria *f* hullera, industria *f* del carbón, industria *f* carbonífera. ~재 carbonilla *f*. ~층 estrato *m* carbonífero, capa *f* carbonífera.

석탄일(釋誕日)=불탄일(佛誕日).

석탑(石塔) pagoda *f* de piedra.

석판(石版) ① ((인쇄)) litografía *f*. ~의 litográfico. ~으로 인쇄하다 litografiar. ② ((준말))=석판 인쇄. ~공 litógrafo, -fa *mf*. ~인쇄 imprenta *f* litográfica, litografía *f*. ~화(畵) litografía *f*.

석패(惜敗) derrota *f* por el margen estrecho, derrota *f* lamentable.. ~하다 perder [ser derrotado] por margen estrecho.

석학(碩學) gran sabio *m* [erudito *m*], gran sabia *f* [erudita *f*].

석화(石花) ((조개)) ostra *f*, *Méj* ostrón *m*.

석회(石灰) ① ((화학)) cal *f*. ② ((화학))=탄산칼슘. ¶~수[액] agua *f* de cal. ~암[석] caliza *f*, piedra *f* caliza. ~층 estrato *m* de caliza.

섞다 mezclar, mixturar. 두 술을 ~ mezclar los licores. 기름과 식초를 ~ mezclar vinagre con aceite. 술에 물을 ~ mezclar agua en el vino.

섞이다 mezclarse, ser mezclado.

선 reunión *f* de casamiento, entrevista *f* entre los novios futuros. ~(을) 보다 entrevistarse entre los novios futuros.

선(先) ① [첫째 차례] primer turno *m*. ② ((바둑·장기)) mano *mf*. 내가 ~이다 Soy mano.

선(善) bien *m*, bondad *f*, benevolencia *f* [덕] virtud *f*, [바름] derecho *m*. ~하다 ser bueno. ~을 행하다 hacer (el) bien. ~과 악을 구별하다 separar el grano de la paja, separar las churras de las merinas.

선(腺) ((해부)) glándula *f*.

선(線) ① [그어 놓은 금이나 줄] línea *f*, raya *f*, trazo *m*. ~을 긋다 trazar una línea; [밑줄을 긋다] subrayar, rayar, trazar una raya (en). ② ((수학)) línea *f*. ③ ((준말))=철선(鐵線). ④ ((준말))=선로(線路). ⑤ ((준말))=경계선. ⑥ ((미술)) lineamiento *m*. ⑦ [정해진 기준이나 표준] nivel *m*. ⑧ [관계] relación *f*, lazo *m*.

선(選) selección *f*, escogimiento *m*, elección *f*, preferencia *f*. ~에 들다 ser elegido, ser escogido, ser entresacado.

선(禪) ((불교)) zen *m*, meditación *f* budista. ② ((준말))=선종(禪宗). ③ ((준말))=좌선(坐禪).

④ ((준말))=선학(禪學).

선가(仙家) ① [신선이 사는 집] ermita *f*, templo *m* Zen. ② [선도(禪道)를 닦는 사람] sacerdote *mf* Zen. ③ =도가(道家).

선가(船價) pasaje *m*.

선가(禪家) ① ((불교)) [참선하는 중] sacerdote *m* [monje *m*] budista de la secta zen. ② ((불교)) [참선하는 집] templo *m* Zen.

선객(船客) pasajero, -ra *mf*. ~ 명부 lista *f* [rol *m*] de pasajeros.

선거(選擧) elección *f*. ~하다 elegir. ~구 circunscripción *f* electoral, distrito *m* electoral. ~권 sufragio *m*, derecho *m* electoral [de voto · de elección]. ~ 연설 discurso *m* electoral. ~ 운동 campaña *f* electoral. ~ 위반 violación *f* electoral. ~ 위원 compromisario, -ria *mf*; miembro *mf* de un colegio electoral. ~ 위원회 Junta *f* Electoral, Consejo *m* Electoral. ~인 elector, -tora *mf* [투표자] votante *mf*. ~인단 colegio *m* electoral; [집합적] electorado *m*. ~인 명부 censo *m* electoral. ~일 día *m* de elecciones. ~ 자금 fondo *m* de la campaña electoral. ~전 campaña *f* electoral.

선견(先見) previsión *f*; ((성경)) prudencia *f*, sabiduría *f*. ~하다 prever, tener visiones. ~지명 previsión *f*, visión *f* de futuro.

선결(先決) decisión *f* previa. ~하다 decidir previamente. ~ 문제 problema *m* previo.

선경(仙境) ① [신선이 산다는 곳] país *m* de las hadas, tierra *f* de los duendes. ② [속세를 떠난 깨끗한 곳] lugar *m* limpio de otro mundo.

선고(宣告) pronunciamiento *m*, declaración *f*, sentencia *f*; [유죄 판결] condenación *f*. ~하다 pronunciar, declarar, sentenciar; [유죄 판결을] condenar. 무죄를 ~하다 declarar la inocencia. 유죄를 ~하다 ser condenado, declarar inocente.

선공(先攻) ((운동)) ataque *m* primero, bateo *m* primero. ~하다 batear primero.

선광(選鑛) selección *f* [clasificación *f* · separación *f*] de minerales. ~하다 seleccionar [clasificar · separar] minerales. ~기 separador *m* de minerales. ~대 canilla *f*.

선교(宣敎) misión *f*, predicación *f*. ~하다 predicar (el Evangelio), evangelizar. ~사 misionero, -ra *mf*. ~원(院) (Congregació *f* para) la Propagación de la Fe. ~회 misión *f*.

선구자(先驅者) ① [(말을 타고 갈 때

에) 맨 앞장으로 달리는 사람]
escolta *mf*. ② [다른 사람보다 사
상 등이 앞선 사람] precursor, -ra
mf; pionero, -ra *mf*; heraldo *m*.

선글라스 anteojos *mpl* [lentes
mpl · *AmL* gafas *fpl*] de sol.

선금(先金) pago *m* anticipado [(por)
adelantado], adelanto *m*, anticipio
m. ～을 지불하다 adelantar [anti-
cipar] el pago.

선납(先納) pago *m* (por) adelantado.
～하다 pagar en adelanto [por
adelantado].

선녀(仙女) el hada *f*, ninfa *f*.

선다형(選多型) sistema *m* de selección múltiple.

선단(先端) punta *f*, punto *m*, extremidad *f*, (punto *m*) extremo *m*.

선단(船團) flota *f*, armada *f* de
buques; [소형의] flotilla *f*. ～을
이루다 formar una flota.

선대(先代) generaciones *fpl* anteriores.

선도(先導) guía *f*, conducción *f*,
dirección *f*. ～하다 guiar, dirigir,
conducir. ¶～자 ㉮ [안내인] guía
mf; conductor, -tora *mf*. ㉯ [선
배] precursor, -sora *mf*. ㉰ [개척
자] explorador, -dora *mf*; antecesor, -sora *mf*. ～차 coche *m*
explorador.

선도(善導) orientación *f* correcta. ～
하다 guiar [aconsejar · orientar]
correctamente.

선동(煽動) agitación *f*, instigación *f*,
incitación *f*, excitación *f*. ～하다
agitar, instigar, intrigar, incitar,
excitar, inflamar. ～가[자] instigador, -dora *mf*; agitador, -dora
mf. ～ 연설 discurso *m* incendiario [sedicioso · agitador]. ～ 연설
가 demagogo, -ga *mf*; agitador,
-dora *mf*. ～원 encargado, -da *mf*
agitante.

선두(先頭) cabeza *f*, primacía *f*, primer lugar *m*, delantera *f*, primera
posición *f*. ～에 서다 llevar de la
mano, conducir, guiar, dirigir, encabezar, ir a la cabeza.

선들바람 brisa *f* fría y suave.

선뜻 con toda naturalidad, como si
tal cosa, como si nada; [쉽게]
fácilmente, con facilidad; [솔직히]
francamente. ～ 이야기하다 charlar [platicar] francamente.

선뜻하다 [선명하다] (ser) claro,
fresco; [보기 좋다] (estar) arreglado, cuidado.

선량(善良) bondad *f*, benevolencia *f*,
honradez *f*. ～하다 (ser) bueno,
honrado, benévolo, virtuoso.

선량(選良) ① [엘리트] elite *f*, élite
f. ② [국회 의원] representante
mf; congresista *mf*.

선례(先例) precedente *m*, ejemplo *m*

anterior. 나쁜 ～ mal precedente
m, mal antecedente *m*.

선로(線路) vía *f* (ferrocarril), vía *f*
férrea, carril *m*, rail *m*, raíl *m*. ～
를 놓다 poner la vía [los carri-
les · los raíles].

선린(善隣) buena vecindad *f*, vecindad *f* amistosa. ～ 외교 política *f*
diplomática de buena vecindad.
～ 정책[주의] política *f* de buena
vecindad.

선망(羨望) envidia *f*. ～하다 envidiar, codiciar.

선매(先買) compra *f* adelantada. ～
하다 comprar por adelantado [con
anticipación].

선머슴 picaruelo *m*, pilluelo *m*.

선명(宣明) promulgación *f*, declaración *f*, proclamación *f*. ～하다
promulgar, declarar, proclamar.

선명(船名) nombre *m* del barco.

선명(鮮明) claridad *f*, nitidez *f*, viveza *f*, distinción *f*. ～하다 (ser)
claro (y distinto), nítido, distinto,
destacado, dibujado, recordado.

선물(先物) ((경제)) artículo *m* de
entrega futura, futuros *mpl*. ～
매입을 하다 atreverse a una
especulación. ¶～ 거래 comercio
m a término. ～ 시세 cotización *f*
a término, cotización *f* para entrega futura. ～ 시장 mercado *m*
de futuros, mercado *m* a término.

선물(膳物) regalo *m*, obsequio *m*;
[크리스마스나 새해의] aguinaldo
m; [관광지 등의 기념품] recuerdo
m. ～하다 regalar, obsequiar, hacer un regalo. 이별의 ～ regalo
m [recuerdo *m*] de despedida.

선박(船舶) buque *m*, barco *m*, nave
f; [작은] barca *f*; [범선] bajel *m*;
[전함] navío *m*, buque *m* de
guerra; [순양함] fragata *f*; [상선]
buque *m* mercante; [집합적] embarcación *f*, marina *f* mercante.

선반(一盤) estante *m*, anaquel *m*;
[식기의] vasar *m*; [닫아맨] entrepaño *m* [anaquel · plúteo *m*]
colgado.

선반(旋盤) torno *m* (de tornear).

선발(先發) partida *f* anterior a
otros. ～하다 partir en avanzada,
partir antes que otros, adelantarse. ～대 avanzada *f*, unidad *f* de
vanguardia, cuerpo *m* [partido *m*]
avanzado [adelantado]. ～ 투수
lanzador, -dora *mf* del comienzo.

선발(選拔) selección *f*, elección *f*,
escogimiento *m*, lo mejor escogido, lo selecto. ～하다 escoger,
seleccionar, elegir, escoger [ele-
gir] lo mejor. ～ 시험 examen *m*
de selección, oposición *f*. ～ 팀
(equipo *m* de) selección *f*.

선배(先輩) alumno *m* antiguo,

alumna *f* antigua; superior *mf*; [연장자] mayor *mf*; [고참] decano, -na *mf*; predecesor, -sora *mf*; antecesor, -sora *f*.

선별(選別) selección *f*, clasificación *f*. ～하다 seleccionar, clasificar. 주문을 ～하다 seleccionar los pedidos. ¶ ～기 criba *f* vibradora, separador *m*, clasificadora *f*.

선복(船腹) ① [배의 총톤수] tonelaje *m*, casco *m*. ② [적재 능력] arqueo *m*, tonelaje *m*; [용적] espacio *m* de buque, espacio *m* de carga.

선봉(先鋒) vanguardia *f*. …의 ～을 맡다 sacar a *uno* las castañas del fuego.

선불(先拂) pago *m* (por) adelantado, pago *m* (por) anticipado, anticipación *f*, adelanto *m*, pago *m* sobre entrega. ～하다 pagar por adelantado [anticipado]. ～금(金) anticipo *m*, adelanto *m*.

선비 ① [벼슬하지 않은 사람] sabio *m* sin rango oficial. ② [학문을 닦는 사람] docto *m*, erudito *m*, estudioso *m*.

선사(先史) prehistoria *f*. ～의 prehistórico. ～ 시대 edad *f* [época *f*] prehistórica, tiempos *mpl* prehistóricos. ～학 prehistoria *f*.

선사(膳賜) regalo *m*, obsequio *m*. ～하다 regalar, obsequiar. ～ 받은 물건 objeto *m* regalado.

선산(先山) cementerio *m* de antepasados, monte *m* que *sus* antepasados están enterrados.

선상(船上) ① [배의 위] en [sobre] el barco. ② [항해 중의 배를 타고 있음] a bordo.

선생(先生) ① [초등 학교의] maestro, -tra *mf*; [중학교 이상의] profesor, -ra *mf*; [가정 교사] preceptor, -tora *m*, institutriz *f*; profesor *m* particular, profesora *f* particular; [예능의] maestro, -tra *mf*; [교습소의] instructor, -tora *mf*. ② [남을 경대하여 부르는 말] [남자] señor *m*; [기혼 여성] señora *f*; [미혼 여성] señorita *f*; [의사] doctor, -tora *mf*. 김 ～ Sr. Kim.

선서(宣誓) jura *f*, juramento *m*, promesa *f* solemne, prestación *f* de juramento. ～하다 jurar, hacer (un) juramento, prestar juramento. ～문 afidávit *m*. ～식 ceremonia *f* de prestar juramento; [입학] ceremonia *f* de matriculación; ((법률)) deposición *f*, declaración *f*; [대통령의] destitución *f* [왕의] destronamiento *m*.

선선하다 ① [기분이 시원할 정도로 서늘하다] (ser) fresco, refrescante; [날씨가] hacer fresco. ② [맺]

한 데 없이 쾌활하다] (ser) franco, cándido, sincero.

선수(先手) [선손] iniciativa *f*. ～를 놓다 tomar primer paso, tomar la iniciativa. ② ((장기 · 바둑)) mano *mf*, primera jugada *f*.

선수(船首) proa *f*.

선수(選手) [운동가] atleta *mf*; [경기자] jugador, -dora *mf*; [경쟁] competidor, -dora *mf*; [챔피언] compeón, -peona *mf*. ¶ ～권 campeonato *m*. ～단 equipo *m*. ～촌 residencia *f* de equipos; [올림픽의] ciudad *f* olímpica, villa *f* olímpica.

선술집 taberna *f*, bar *m*, tasca *f*, *AmS* cantina *f*.

선승(先勝) vencimiento *m* de primer juego, tantos *mpl* de punto primero.

선실(船室) camarote *m*.

선심(善心) ① [착한 마음] buen corazón *m*, buena voluntad *f*. ② [남을 구제하는 마음] corazón *m* de salvar a los otros.

선심판(線審判) juez *mf* de línea, linier *mf*.

선악(善惡) (el) bien y (el) mal, bondad y maldad, virtud y vicio, justicia e injusticia.

선약(仙藥) elíxir *m* (de larga vida).

선약(先約) compromiso *m* anterior.

선언(宣言) declaración *f*, proclamación *f*, manifiesto *m*. ～하다 declarar, proclamar, manifestar. ～서 manifiesto *m*, declaración *f*.

선열(先烈) patriota *m* muerto, patriota *f* muerta.

선영(先塋) = 선산(先山).

선왕(先王) difunto rey *m*.

선외(選外) fuera de la selección.

선웃음 risa *f* forzada, risa *f* falsa. ～을 웃다 reir forzadamente, reir a la fuerza, esforzarse por reir.

선원(船員) marinero, -ra *mf*; marino, -na *mf*; barquero, -ra *mf*; lanchero, -ra *mf*. ～ 명부 rol *m* de tripulantes. ～ 수첩 libreta *f* de marinero.

선율(旋律) ((음악)) melodía *f*.

선의(善意) buena voluntad *f* [intención *f* · fe *f*]. ～의 de buena fe [intención · voluntad], bien intencionado. ～로 con buena intención, de buena fe.

선인(仙人) ser *m* sobrehumano; hado, -da *mf*; [은자] ermitaño *m*.

선인장(仙人掌) ((식물)) cacto *m*.

선임(先任) prioridad *f*; [고참] decano, -na *mf*. ～자 precedente *mf*; predecesor, -sora *mf*; oficial *m* [miembro *m*] más antiguo, oficial *f* [miembro *f*] más antigua. ～ 장교 oficial de alto rango. ～ 하사관 suboficial *mf* mayor.

선임(船賃) pasaje *m*; [용선료 · 적하

운임] flete *m*.

선입(先入) impresión *f* previa, concepto *m* anticipado. ~관[견] idea *f* preconcebida, concepto *m* anticipado, preocupación *f*, perjuicio *m*, prevención *f*.

선잠 siestecita *f*, cabezada *f*, sueñecillo *m*, sueñecito *m*, sueño *m* ligero, adormecimiento *m*, duermevela *f*, sopor *m*. ~을 자다 adormecerse, dormitar, adormilarse, echarse una siestecita.

선장(船長) capitán *m*, piloto *m*; [작은 배의] patrón *m*. ~실 cabina *f* [camarote *f*] del capitán.

선적(船積) [발송] despacho *m*, embarque *m*, envío *m*, transporte *m*, navegación *f*; [적재] carga *f*. ~하다 embarcar, cargar a bordo. ~ 가격 precio *m* de f.a.b. (franco a bordo). ~ 서류 juego *m* de documentos, documentación *m* del buque. ~ 송장 factura *f* de embarque, factura *f* de transporte. ~항 puerto *m* de embarque [carga]. ~ 허가서 permiso *m* de embarcación.

선적(船籍) nacionalidad *f* del barco. ~ 등록 abanderamiento *m*. ~ 증서 certificado *m* de nacionalidad [de registro de buque]. ~항 puerto *m* de matrícula.

선전(宣傳) publicidad *f*, propagación *f*, propaganda *f*, reclamo *m*; [광고] anuncio *m*, aviso *m*. ~하다 dar publicidad, propagar, hacer propaganda, anunciar. ~ 공세 ofensiva *f* de propaganda. ~ 문구 eslogan *m* publicitario, lema *m* publicitario. ~ 전단 octavilla *f*, hoja *f* de propaganda, prospecto. ~탑 torre *f* de publicidad.

선전 포고(宣戰布告) declaración *f* [proclamación *f*] de guerra. ~하다 declarar la guerra (a un país).

선점(先占) ocupación *f* previa. ~하다 ocupara previamente.

선정(善政) buen gobierno *m*. ~하다 hacer buen gobierno. ~을 베풀다 gobernar [dirigir] sagazmente.

선정(選定) selección *f*, elección *f*, escogimiento *m*. ~하다 seleccionar, elegir, escoger. ~ 중이다 estar bajo selección.

선제(先制) (acción *f* de tomar) la iniciativa. ~ 공격 ofensiva *f* de contención; [핵공격] ataque *m* preventivo.

선조(先祖) antepasado *m*, antecesor *m*, ascendiente *m*; [직계의] progenitor *m*; [집합적] ascendencia *f*.

선주(船主) naviero, -ra *mf*, armador, -dora *mf*, patrón, -trona *mf* de pesca [pescadores].

선지 cuajarón *m* de sangre. ~피 ㉮

=선지. ㉯ [갓 흘러나온 선명한 피] sangre *f* fresca (que acaba de salir). ~사국 caldo *m* [sopa *f*] de (cuajarón de) sangre de vaca.

선지(先知) ① [(남보다) 앞서 앎] previsión *f*. ② [(남보다) 앞서 도를 깨달아 앎] comprensión *f* de la verdad religiosa. ¶~자 profeta, -tisa *mf*; viente *mf*.

선진(先陣) vanguardia *f*. ~을 하다 ser vanguardia.

선진(先進) avance *m*, adelanto *m*, progreso *m*, conducción *f*. ~의 avanzado, desarrollado. ~국 país *m* avanzado [desarrollado · adelantado], naciones *fpl* avanzadas [desarrolladas · adelantadas].

선집(選集) obras *fpl* escogidas [elegidas], selección *f* de obras [de lo más escogido]; [시·문장의] antología *f*.

선착(先着) primera llegada *f*. ~하다 ser el primero en llegar. ~순 orden *m* de llegada; [엽서 등의] orden *m* de recibo. ~순으로 por orden de llegada, por orden de recibo.

선착(船着) llegada *f* del barco. ~하다 llegar el barco. ~장 puerto *m*, ancladero *m*, desembarcadero *m*.

선창(先唱) ① [맨 먼저 주창함] primera propugnación *f*. ~하다 propugnar primero. ② [(만세 삼창 등을) 먼저 부름] conducción *f* de coro, coro *m* de condudir. ~하다 conducir el coro.

선처(善處) medidas *fpl* apropiadas, buena mano *f*, modo *m* apropiado. ~하다 tomar las medidas apropiadas, tomar propia medida, manejar tácticamente.

선천(先天) naturaleza *f*. ~병 enfermedad *f* congénita. ~설 nativismo *m*, indigenismo *m*, apriorismo *m*. ~적 innato, natural, congénito; [유전성의] hereditario. ~적으로 innatamente, naturalmente, congénitamente; heretariamente, por naturaleza.

선체(船體) casco *m* (de un buque).

선출(選出) elección *f*. ~하다 elegir. ~되다 ser elegido.

선취(先取) ocupación *f* previa, toma *f* por adelantado. ~하다 tomar por adelantado, preocupar. ~ 특권 derecho *m* de prioridad, derecho *m* de preferencia.

선친(先親) mi difunto padre.

선택(選擇) selección *f*, escogimiento *m*, elección *f*. ~하다 elegir, seleccionar. ~의 자유 libertad *f* de elección, libertad *f* de escoger opción. ¶~ 과목 asignatura *f* opcional. ~권 opción *f*, derecho *m* de escoger opción.

선편(船便) vía f marítima, servicio m naviero. ~으로 por vía marítima, por barco, por vapor, por servicio naviero.

선포(宣布) declaración f, proclamación f, promulgación f. ~하다 declarar, proclamar, promulgar. 전쟁을 ~하다 declarar la guerra.

선풍기(扇風機) ventilador m.

선하(船荷) cargamento m, carga f. ~ 목록 (partida f de) sobordo m, manifiesto m. ~ 증권 conocimiento m (de embarque).

선하다 recordar, volver a su memoria.

선하다(善一) (ser) bueno. 선한 사람 buena persona f.

선행(先行) precedencia f. ~하다 preceder, adelantarse. ~사 antecedente m. ~ 조건 condición f precedente.

선행(善行) buena conducta f, buen comportamiento m. ~장 medalla f de buena conducta. ~증 certificado m de buena conducta.

선현(先賢) sabios mpl antiguos.

선혈(鮮血) sangre f fresca.

선호(選好) preferencia f. ~하다 preferir.

선화(線畵) dibujo m de líneas.

선회(旋回) rotación f, vuelta f, revolución f, giro m; [진로 변경] viraje m. ~하다 dar vueltas, girar, virar.

선후(先後) el principio y el fin.

선후지책(善後之策) remedio m que haya, disposición f remediable.

선후책(先後策) (준말) =선후지책.

섣달 diciembre m del calendario lunar. ~ 그믐 último día m del año del calendario lunar.

섣부르다 (ser) torpe, patoso, desgarbado, tosco, burdo, falto de fluidez, poco elegante.

섣불리 toscamente, con poca fluidez, con poca elegancia, inconsideradamente, irreflexivamente.

설 Año m Nuevo. ~(을) 쇠다 celebrar el Año Nuevo.

설(說) ① [견해, 의견] opinión f, parecer m, vista f. 그 점에 대해 여러 ~이 있다 Hay distintas opiniones sobre ese punto. ② [학설, 신조] teoría f, doctrina f. ③ [풍설] rumor m.

설거지 fregadura f, limpieza f de los platos. ~하다 fregar [limpiar] los platos. ~물 el agua f de fregar los platos. ~통 fregadero m, friegaplatos m.

설경(雪景) paisaje m de nieve, paisaje m (de) nevado. ~을 즐기다 disfrutar [gozar] en la contemplación de un paisaje nevado.

설계(設計) diseño m, designio m,

proyecto m, plano m. ~하다 [집·정원을] diseñar, proyectar; [옷·세트·제작품을] diseñar; [프로그램·코스를] planear, estructurar; [도면을] trazar un plano. ~도 diseño m, plano m, proycto m, traza f. ~사 diseñador, -dora mf profesional.

설교(說敎) ① ((종교)) predicación f, sermón m; [기독교의] prédica f. ~하다 predicar, sermonear, echar [dar] un sermón, sermonar. ② [타이름] amonestación f, amonestamiento m, sermoneo m, sermón m, reprensión f. ~하다 amonestar, sermonear, sermonar. ~단 púlpito m, altar m de predicación. ~사 predicador, -dora mf. ~소 puesto m de predicador, sermonario m. ~자 predicador, -dora mf; sermoneador, -dora mf. ~집 sermonario m, colección f de sermones.

설날 el primero de enero, el primer día m del año, día m del Año Nuevo.

설다[1] ① [덜 익다] (ser) verde, no estar maduro. ② [밥 따위가] (estar) medio hecho [cocido·preparado]. 선밥 arroz m medio cocido. 선떡 tarta f medio preparada. ③ [잘 발효되지 않아서] (estar) completamente fermentado. ④ [잠이] 모자라다] faltar el sueño; [잠이] 깊이 들지 아니하다] no dormir profundamente.

설다[2] [익숙하지 못하다] (ser) inexperto, novato, no tener experiencia; [생소하다] (ser) extraño, desconocido, nuevo. 낯이 ~ ser extraño.

설득(說得) convicción f, persuasión f. ~하다 convencer, persuadir; [조언하다] aconsejar. ~당하다 ser convencido, dejarse convencer. ¶~력 poder m persuasivo, persuasión f, persuasiva f, facultad f de persuadir, fuerza f de persuadir.

설듣다 saber de oídos.

설렁탕(先農湯) seoleongtang, sopa f de cabeza de vaca, intestinos de vaca, huesos de vaca, etc.

설렁하다 ① [방안 같은 곳의 공기가 서늘하다] hacer un poco de frío. ② [찬 바람이 도는 것 같은 느낌이 있다] sentir fresco [frío].

설레다 latir, palpitar.

설령(設令) aunque. ~ … 하더라도 aunque sea, aun cuando + subj, suponiendo que + subj. ~ 농담일지라도 aunque sea la broma.

설립(設立) establecimiento m, fundación m, institución f, organización f, incorporación f. ~하다 establecer, fundar, instituir, organizar, erigir, incorporar. ~자 fundador, -dora mf; organizador, -dora mf. ~ 자금 fondo m para el establecimiento. ~ 취지서(趣旨書) prospecto m.

설마 probablemente no, tal vez no, quizá no, quizás no, nunca; [회화에서] ¿De veras? ~ 그런 일은 없겠지 No creo que sea posible tal cosa / No sería probable.

설맞이 acogida f del Año Nuevo.

설명(說明) explicación f; [주석] comentario m. ~하다 explicar, dar explicaciones, exponer, comentar, hacer comentarios. ~서 nota f (explicativa), texto m explicativo, direcciones fpl. ~자 explicador, -dora mf; [해석자] interpretador, -dora mf; [영화의] lector, -tora mf de título.

설문(設問) cuestión f, encuesta f. ~하다 hacer una encuesta, preguntar, hacer una pregunta.

설법(說法) ((불교)) predicación f, sermón m. ~하다 predicar, sermonear.

설복(說伏/說服) convencimiento m, persuasión f. ~하다 convencer, persuadir, ganar en una discusión; [말을 못하게 하다] dejar sin palabra.

설비(設備) equipo m, instalación f. ~하다 instalar, hacer una instalación. ~ 투자 inversión f de equipos [en instalaciones y equipos].

설빔 vestimenta f del Año Nuevo.

설사(泄瀉) diarrea f, flujo m diarreico [de vientre]. ~하다 tener diarrea, padecer [tener] diarrea. ~약[제] ㉮ [설사를 멈추게 하기 위해 먹는 약] opilativo m, medicina f opilativa. ㉯ [설사가 나도록 하기 위해 먹는 약] purgativo m, purgante m, purga f, laxante m. ~ 환자 diarreico, -ca mf.

설사(設使) aunque. ~ 비가 오더라도 aunque llueva.

설상가상(雪上加霜) Siempre llueve sobre mojado / Las desgracias nunca vienen solas.

설설 ① [물이 고루 천천히 끓는 모양] (hirviendo) a fuego lento. ② [긴 다리로 기는 모양] arrastrándose, gateando, yendo a gatas.

설암(舌癌) cáncer m de la lengua.

설왕설래(說往說來) discusión f de vaivén. ~하다 discutir.

설욕(雪辱) desquite m, venganza f, revancha f. ~하다 desquitarse, vengarse, tomar la revancha. ~전 partido m de vuelta, partido m de desquite, revancha f.

설움 tristeza f.

설익다 cocer medio. 설익은 medio cocido, mal cocido.

설전(舌戰) pelea f [lucha f] verbal, contienda f de palabras, debate m. ~하다 disputar, discutir, pelear [luchar] verbalmente.

설정(設定) establecimiento m, fundación f, institución f; [창설] creación f. ~하다 establecer, instituir, crear.

설치(設置) establecimiento m, fundación f; [기계 따위의] instalación f, colocación f, montaje m. ~하다 establecer, fundar, organizar, colocar, poner; [기계 따위를] instalar, instaurar.

설치다¹ ① [급히 서둘러 마구 덤비다] alborotar, armar jaleo; [폭도 따위가] amotinarse. ② = 설레다.

설치다² [필요한 정도에 미치지 못하고 그만두다] no poder. 잠을 ~ no poder quedarse dormido, quedarse desvelado.

설탕(雪糖) azúcar m. ~ 가루 azúcar m en polvo. ~ 그릇 azucarero m, AmL azucarera f. ~물 el agua f azucarada.

설편(雪片) copo m de nieve.

설형(楔形) figura f de cuña. ~ 문자 escritura f cuneiforme.

설혹(設或) = 설령(設令).

설화(舌禍) lapsus m linguae. ~ 사건 escándalo m por una declaración inoportuna.

설화(說話) ① [이야기] cuento m, relato m, historia f. ② [여러 민족 사이에 전승되어 온 신화·전설·동화 등] narración f (legendaria). ~ 문학 literatura f narrativa [legendaria]. ~집 colección f de cuentos.

섬¹ [짚으로 엮어 만든 멱서리] saco m de paja.

섬² ① [층층대] escalera(s) f(pl). ② ((준말)) = 섬돌.

섬³ [물로 둘러싸인 작은 육지] isla f; [작은] isleta f. ~의 isleño, insular.

섬게 ((동물)) = 성게.

섬광(閃光) destello m, fulgor m, centelleo m, escintilación f, fulguración f, relámpago m; [총의] fogonazo m; [등대·신호 등의] luz f de magnesio, luz f de destellos, luz f de flash.

섬기다 servir, estar al servicio, entrar al servicio, servir a la mesa como criada. 부모를 ~ dedicarse a sus padres.

섬나라 país m insular [isleño].

섬놈 isleño m, nativo m isleño.

섬돌 escalera f de piedra, tramo m de escalón de piedra.

섬뜩하다 horrorizarse [estremecerse] de miedo, sobrecogerse, sobresal-

tarse, llevarse un susto, quedarse
elado.

섬멸(殲滅) exterminación *f*, aniquilación *f*, extirpación *f*, anonadamiento *m*. ~하다 exterminar,
aniquilar, extirpar, anonadar. ~전
operación *f* de aniquilación, guerra *f* de exterminación.

섬사람 isleño, -ña *mf*.

섬섬 옥수(纖纖玉手) manos *fpl* delgados y hermosas de la mujer.

섬세하다(纖細一) (ser) fino, delicado, exquisito, sutil.

섬유(纖維) fibra *f*, tejido *m*. ~ 공업
industria *f* textil. ~ 식물 planta *f*
textil. ~ 업자 industrialista *mf*
textil. ~ 제품 productos *mpl* tex-
tiles.

섬유소(纖維素) celulosa *f*, fibrina *f*.

섬유종(纖維腫) ((의학)) fibroma *m*.

섭렵(涉獵) lectura *f* excesiva. ~하
다 leer excesivamente, leer muchos libros y datos, abarcar.

섭리(攝理) ① providencia *f* divina.
② ((천주교)) providencia *f*.

섭생(攝生) cuidado *m* de salud; ((의
)) régimen *m*. ~하다 cuidarse,
cuidar (de *su* salud, tener cuidado con *su* salud.

섭섭하다 sentirse. 섭섭하다 sentirse. 없어서 섭섭하게 생각하다
echar de menos. 그가 오지 못한
다니 = Me siento que él no
venga.

섭씨(攝氏) ((준말)) =섭씨 온도.
¶ ~의 centígrado. ~ 5도의 물 el
agua *f* de cinco grados centígrados. ¶ ~ 온도 grado *m* centígrado. ~ 온도계[한란계] termóme-
tro *m* centígrado.

섭외(涉外) negociación *f*, enlace *m*,
contacto *m*, coordinación *f*, relaciones *fpl* exteriores. ~ 담당자
encargado, -da *mf* de relaciones
exteriores [públicas].

섭정(攝政) regencia *f*.

섭조개((조개)) mejillón *m*.

섭취(攝取) ① [영양물을] toma *f*. ~
하다 tomar. ② [훌륭한 것이나 좋
다고 생각되는 요소를] asimilación
f. ~하다 asimilar.

성 ira *f*, cólera *f*, enfado *m*, furia *f*,
rabia *f*, arrebato *m*, furor *m*,
indignación *f*, enojo *m*, irritación
f.~(을) 내다 enfadarse, irritarse,
AmL enojarse. ~(이) 나다 (estar) enfadado, enojado.

성(姓) apellido *m*. (여자의) 결혼 전
의 ~ apellido *m* de soltera. (여자
의) 결혼 후의 ~ apellido *m* de
casada.

성(性) ① [사람이나 사물 따위의] 본
바탕] naturaleza *f*, natural *m*. 사
람의 ~은 선하다 La naturaleza
humana es buena. ② ((불교)) [만

유의 본체] naturaleza *f*. ③ [남성
과 여성 또는 암컷과 수컷의 구별]
sexo *m*. ~의 sexual, de sexo. ~
에 굶주린 hambriento de contacto
sexual. ~의 연구 estudio *m* sexual. ~에 눈을 뜨다 abrir los
ojos a la sexualidad. ~을 감별하
다 [병아리의] sexar. ④ ((언어))
género *m*. 남~ género *m* masculino. 여~ género *m* femenino.
중~ género *m* neutro. ⑤ ((준
말)) =성욕. ¶ ~과학 sexología
f.~관계 relaciones *fpl* sexuales.
~교육 educación *f* sexual. ~기능
funciones *fpl* sexuales. ~범죄
delito *m* sexual. ~생활 vida *f*
sexual. ~전환 수술 operación *f*
de cambio de sexo. ~차별 discriminación *f* sexual, sexismo *m*;
[특히 여성에 대해] machismo *m*,
sexismo *m*. ~폭행 violación *f*
sexual. ~희롱 acoso *m* [hostiga-
miento *m*] sexual.

성(城) castillo *m*, alcázar *m*; [시의]
ciudadela *f*; [성채] fortaleza *f*,
fuerte *m*.

성가(聖歌) himno *m*, cántico *m*,
canción *f* sagrada, canto *m* litúr-
gico. ~대 coro *m*. ~집 himnario
m, cantoral *m*.

성가(聲價) fama *f*, reputación *f*, popularidad *f*. ~를 높이다 acrecentar
[aumentar] *su* fama. ~를 잃
다 dejar de ser popular, perder
su reputación [popularidad].

성가시다 (estar) fastidioso, molesto,
molestarse, fastidiarse. 성가시게
하다 molestar, fastidiar, hastiar.
성가시게 굴지 마라 No me mo-
lestes.

성감(性感) sensación *f* sexual. ~ 극
기 orgasmo *m*. ~대 zonas *fpl*
eróticas.

성계((동물)) erizo *m* de mar.

성격(性格) carácter *m*, naturaleza *f*,
personalidad *f*; [기질] temperamento *m*. ~ 묘사 descripción *f*
de un personaje, descripción *f*
[retrato *m*] de caracteres, caracterización *f*, *Col*, *Méj* descripción
f de un carácter. ~ 배우 actor,
-triz *mf* de carácter.

성결(性一) carácter *m*, natural *m*,
disposición *f*, personalidad *f*, individualidad *f*, genio *m*. ~이 곱다
tener una disposición encantadora.

성결(聖潔) lo santo y lo limpio, la
santidad y la limpieza. ~하다
(ser) santo y limpio.

성경(聖經) ① ((기독교)) la Biblia,
la Santa Biblia. ~의 bíblico. ②
((성경)) la(s) Escritura(s), las
Sagradas Escrituras.

성공(成功) ① [뜻이나 목적한 바가

이루어짐] (buen) éxito *m*, buen resultado *m*. ~하다 [주어가 사람일 경우] tener (buen) éxito, salir bien; [주어가 사물일 경우] tener éxito, salir bien, resultar bien, salir [acabar] con éxito. ② =출세(出世).

성공회(聖公會) Iglesia *f* Anglicana.

성과(成果) resultado *m*, fruto *m*, resulta *f*, efecto *m*. 큰 ~를 거두다 obtener excelentes resultados. ~가 훌륭하다 tener un gran éxito, salir muy bien. ¶ ~급(給) sueldo *m* de resultado.

성곽(城郭) castillo *m*, fortaleza *f*, fuerte *m*, alcázar *m*, ciudadela *f*, plaza *f* fuerte.

성교(性交) relaciones *fpl* sexuales, acto *m* sexual, coito *m*, cópula *f*. ~하다 tener relaciones sexuales, acostarse, copularse, tener intercambio sexual, practicar el coito. ~ 불능 impotencia *f*, agenesia *f*. ~ 불능자 hombre *m* impotente. ~ 불능증 impotencia *f*.

성구(成句) modismo *m*, frase *f* idiomática, expresión *f* idiomática.

성구(聖句) episodio *m* sagrado, ((성경)) episodio *m* bíblico. ~ 사전 concordancia *f*.

성구(聖具) utensilio *m* sagrado.

성군(星群) ((천문)) asterismo *m*, constelación *f*.

성군(聖君) rey *m* sabio.

성금(誠金) donación *f*, contribución *f*. ~을 내다 contribuir, donar.

성금요일(聖金曜日) Viernes Santo.

성급하다(性急一) (ser) impetuoso, impaciente, precipitado, irritable.

성기(性器) ((해부)) ① ㉮ [고환] testículo *m*. ㉯ [자지, 음경] pene *m*. ㉰ [난소] ovario *m*. ㉱ [자궁] útero *m*, matriz *f*. ㉲ [질] vagina *f*. ② [생식 기관] órgano *m* genital [genitivo], órganos *mpl* sexuales, miembro *m*.

성기다 ① [공간적으로 사이가 뜨다] (ser) suelto, flojo; [옷감 따위가] ralo. 성긴 옷감 tejido *m* ralo. ② [관계가 긴밀하지 못하고 버성하다] vivir [estar] separado, alejarse, distanciarse.

성깔(性一) carácter *m* agudo, disposición *f* irritable.

성냥 cerilla *f*, fósforo *m*, *Méj* cerillo *m*. ~갑 cajita *f* de cerillas [de fósforos]. ~개비 astilla *f*, palito *m* de cerillas [de fósforos]. ~불 fuego *m* de una cerilla.

성녀(聖女) ((천주교)) la Santa. ~ 마리아 la Santa María.

성년(成年) mayor edad *f*, mayoría *f* (de edad). ~이 되다 llegar a la mayoría de edad, llegar a ser adulto. ~식 celebración *f* de la mayoría de edad. ~의 날 día *m* de la mayoría de edad.

성능(性能) eficiencia *f*, función *f*, representación *f*, habilidad *f*, capacidad *f*, calidad *f*, poder *m*; [효율] rendimiento *m*. ~ 검사 examen *m* cualitativo, prueba *f* de inteligencia. ~ 시험 prueba *f* de rendimiento de un motor.

성당(聖堂) catedral *f*, Catedral *f* Católica, iglesia *f* (catedral).

성대(盛大) esplendidez *f*, esplendor *m*, solemnidad *f*, prosperidad *f*, grandeza *f*, magnificencia *f*. ~하다 (ser) próspero, floreciente; [장엄하다] solemne; [화려하다] espléndido, magnífico, suntuoso, pomposo. ~히 espléndidamente, con esplendidez, prósperamente, con gran pompa.

성대(聲帶) cuerdas *fpl* vocales. ~ 모사 imitación *f* vocal [de voz]. ~문(門) glotis *f*. ~염 corditis *f*.

성덕(聖德) ① [성인의 거룩한 덕] virtud *f* santa [del santo]. ② [임금의 덕] virtud *f* [favor *m*] real.

성도(成道) ① [도를 닦아 이룸] logro *m* de camino [perfección]. ② =성불(成佛).

성도(聖徒) ① ((기독교)) fiel *mf*; devoto, -ta *mf*; creyente *mf*; ((성경)) santo *m*, ídolo *m*, pueblo *m*. ② ((천주교)) santo *m*, apóstol *m*, discípulo *m* de Cristo. ~ 베드로 San Pedro.

성도(聖都) Ciudad *f* Santa, ciudad *f* sagrada, Jerusalén.

성도착(性倒錯) perversión *f* sexual, erotopatía *f*. ~증 transsexualismo *m*.

성량(聲量) volumen *m* de (la) voz. ~이 풍부하다 tener buenos pulmones [buena voz·voz fuerte y sonora].

성령(聖靈) ① ((불교)) espíritus *mpl* sagradas del muerto. ② ((성경)) el Espíritu Santo, el Espíritu. ~ 강림절 ((기독교)) (Pascua *f* de) Pentecostés *m*.

성리학(性理學) filosofía *f*, metafísica *f*. ~자 filósofo, -fa *mf*; metafísico, -ca *mf*.

성립(成立) [협정 등의] establecimiento *m*, firma *f*; [조직 등의] formación *f*; [구성] organización *f*; [실천] realización *f*; [실체화] materialización *f*; [체결] conclusión *f*; [존립] existencia *f*; [법인 등의] adopción *f*, aprobación *f*. ~하다 establecerse, constituirse, firmarse, formarse.

성망(聲望) reputación *f*, fama *f*, popularidad *f*.

성명(姓名) nombre *m* y apellido.

성명(聲明) declaración *f*, manifestación f, anunciación f, [코뮈니케] comunicado m. ~하다 declarar, manifestar, anunciar. 반대 ~을 내다 hacer una declaración en contra. ¶~서 nota f de declaración, comunicado m; [정부·정당의] manifiesto m.

성모(聖母) ① [성인의 어머니] madre f del santo. ② [국모] santa madre f del país. ③ ((천주교)) la (Santísima) Virgen f, Nuestra Señora; [성모 마리아] la Santa María. ¶~ 마리아 la Virgen María, la Santa María. ~상 Imagen f de la Virgen. ~ 수태 [잉태] Inmaculada Concepción f. ~ 승천 대축일 la Asunción de la Virgen Santísima. ~ 예배 culto m de hiperdulía.

성목요일(聖木曜日) el Jueves Santo.

성묘(省墓) visita f a la sepultura de los antepasados. ~하다 visitar a la sepultura de los antepasados.

성문(成文) escritura f. ~법[율] estatuto m, ley f, ley f escrita, ley f positiva. ~헌법 constitución f escrita.

성미(性味) carácter m, natural m, disposición f, temperamento m, manera f [modo m de ser.

성미(誠米) arroz m ritual.

성벽(性癖) disposición f, predisposición f, propensión f, característica f, hábito m mental, inclinación f.

성벽(城壁) muralla f, muro m.

성별(性別) diferencia f [distinción f] de sexo.

성병(性病) enfermedad f venérea, venéreo m. ~약 antivenéreo m. ~ 환자 venéreo, -a mf.

성부(聖父) ((성경)) el Padre.

성분(成分) componente m, elemento m, constituyente m, constitutivo m; [재료] ingrediente m. 물의 ~ componentes mpl del agua.

성불(成佛) ① [(불교)] logro m del budismo, entrada f en nirvana, obtención f del nirvana al morir, incorporación f a la esencia divina al morir. ~하다 lograr [alcanzar] el budismo, entrar en nirvana, obtener el nirvana al morir, incorporarse a la esencia divina al morir. ② [사망] fallecimiento m, muerte f. ~하다 fallecer, morir.

성사(成事) complemento m, perfección f, éxito m. ~하다 completar, llevar a cabo, tener éxito, salir bien.

성산(成算) plan m (factible), confianza f de buen éxito, confianza f de buen resultado. ~없이 sin perspectiva de éxito, sin esperanza de éxito.

성삼(聖三) el Padre, el Hijo y el Espíritu Santo.

성상(星霜) años mpl, tiempos mpl. 20년의 ~ veinte años.

성상(聖上) Su Majestad.

성상(聖像) la Imagen Sagrada, icono m, ícono m. ~ 연구가 iconográfico, -ca mf.

성서(聖書) ① [성인이 지은 서적] libro m escrito por el santo. ② [교리를 기록한 경전] escritura f sagrada. ③ ((기독교)) la Sagrada Biblia, la Santa Biblia, las Sagradas Escrituras.

성선(性腺) gónada f, gládula f sexual.

성성이(猩猩-) ((동물)) orangután m.

성성하다(星星-) (ser) entrecano, canoso. 백발이 성성한 노인 viejo m canoso, anciano m canoso.

성소(聖所) lugar m sagrado [santo].

성쇠(盛衰) prosperidad f [apogeo m] y decadencia, vicisitud f.

성수(聖水) ((천주교)) el agua f sagrada [santa·bendita]. ~반 pila f, cuenco m del agua sagrada.

성수기(盛需期) estación f de alta [gran] demanda.

성숙(成熟) madurez f, sazón m, perfección f, destreza f. ~하다 madurarse, sazonar, perfeccionarse. ~기 época f de la pubertad, adolescencia.

성스럽다(聖-) (ser) sagrado, santo, augusto, divino, sacro. 성스러운 음악 música f sacra.

성시(城市) abertura f de una feria [un mercado]. ~하다 abrir una feria [un mercado].

성시(盛時) flor f de la vida, edad f próspera.

성실(誠實) sinceridad f, honradez f, fidelidad f, veracidad f, integridad f. ~하다 (ser) sincero, honrado, fiel, verídico.

성심(聖心) ① [성스러운 마음] corazón m sagrado, corazón m santo. ② ((기독교)) corazón m de Jesús y de Santa María.

성심(誠心) sinceridad f, buena fe f. ~ 성의로 sinceramente, con sinceridad, con buena fe, fielmente, con el corazón en la mano. ~ 의를 다하다 entregarse sinceramente. ¶~껏 cuidadosamente, con gran cuidado, con toda sinceridad.

성씨(姓氏) su apellido.

성악(聖樂) música f sacra.

성악(聲樂) música f vocal. ~가(家) vocalista m f.

성안(城-) ① [성내] interior m del castillo. ② [성으로 둘러쌓인 도시의 안] interior m de la ciudad rodeada por la fortaleza.

성애(性愛) amor *m* sexual. ~의 erotosexual. ~학 erotología *f*.

성어기(盛漁期) estación *f* de ser pescado mucho.

성업(成業) terminación *f* de la obra [del estudio]. ~하다 terminar la obra [el estudio].

성업(盛業) negocios *mpl* prósperos, empresa *f* próspera.

성에[1] ((농업)) mango *m* del arado coreano.

성에[2] ① [김이 서려 얼어붙은 것] helada *f*. ② ((준말)) =성엣장.

성엣장 témpano *m* de hielo flotante.

성역(聖域) ① [성인의 지위] posición *f* [rango *m*] del santo. ② [거룩한 지역] recinto *m* sagrado.

성역(聲域) ((음악)) registro *m* de la voz.

성염색체(性染色體) cromosoma *f* sexual [del sexo].

성욕(性慾) deseo *m* [apetito *m*] sexual, apetito *m* carnal, sexualidad *f*, ((심리)) lujuria *f*. ~을 느끼다 sentir el deseo sexual. ¶~ 감퇴 hipafrodisia *f*, hiposexualidad *f*, aneroticismo *m*.

성우(聲優) actor, -triz *mf* de radio.

성웅(聖雄) el Santo Héroe. ~ 이순신 장군 el Santo Héroe, almirante Lee Sun Sin.

성원(成員) ① [구성원] miembro *mf*. ② [회의를 성립시킴에 필요한 수효의 인원] quórum *m*.

성원(聲援) estímulo *m*, aplausos *mpl*, ayuda *f*, animación *f*. ~하다 animar, alentar, vitorear, incitar, estimular.

성유(聖油) crisma *f*, santos óleos *mpl*. ~반 aliera *f*.

성은(聖恩) ① [임금의 거룩한 은혜] favores *mpl* sagrados del rey. ② [하나님의 은혜] favor *m* de Dios.

성음(聲音 =음성(音聲).

성의(誠意) sinceridad *f*, cordialidad *f*, buena fe *f*, fedelidad *f*, lealtad *f*. ~ 있는 sincero, cordial, serio, de buena fe, atento, fiel, leal. ~ 없는 insincero, indiscreto, falto de sinceridad. ~를 다해서 con toda sinceridad, sinceramente, con [de] buena fe. ¶~껏 sinceramente, con toda sinceridad.

성인(成人) adulto, -ta *mf*. ~의 adulto. ~이 되다 ser adulto, alcanzar la edad adulta. ¶~ 교육 enseñanza *f* [educación *f*] para adultos. ~병 enfermedades *fpl* de adultos. ~ 영화 película *f* para adultos.

성인(聖人) santo, -ta *mf*.

성자(聖者) ① =성인(聖人). ② ((종교)) mártir *m*.

성장(成長) ① [(사람이나 동물 등) 생물이 자라남] crecimiento *m*; [유년기] niñez *f*, infancia *f*, [청춘기] juventud *f*, [이력] historia *f* personal, antecedentes *mpl* personales. ~하다 criarse, crecer. ② [사물의 규모가 커짐] crecimiento *m*, desarrollo *m*; [발달] progreso *m*. ~하다 crecer, desarrollarse; [성숙하다] madurar. ¶~기 ㉮ [성장하는 동안] época *f* [período *m*] de crecimiento [de desarrollo]. ㉯ [성장하는 시기] memorias *fpl* [recuerdos *mpl*] de *su* infancia y juventud. ~ 호르몬 hormón *m* somatotrópico, hormona *f* somatotrópica.

성장(盛裝) traje *m* de etiqueta, traje *m* de gala. ~하다 ataviar, engalanar, acicalar, adornar con pomposidad, vestirse de etiqueta [de gala · de fiesta], estar en traje de etiqueta, prenderse de los alfileres.

성적(成績) ① [일의 성과] resultado *m*. ~이 좋다 [나쁘다] tener buen [mal] resultado, hacer buen [pobre] registro, resultar bien [mal], ser fructuoso [infructuoso]. 시험 ~을 발표하다 publicar un resultado de examen. ② [점수] nota *f*. ~이 좋은 답안 examen *m* bien contestado. ~이 좋다 [나쁘다] tener buenas [malas] notas. ¶~순 orden *m* de mérito. ~표 lista *f* de notas, lista *f* de memorias de estudiantes.

성적(性的) sexual, de(l) sexo. ~ 매력 atractivo *m* sexual, sex-appeal *ing.m*. ~ 충동 libido *m*, líbido *m*, ímpetu *m* sexual.

성전(聖典) ① [성인이 쓴 고귀한 책] libros *mpl* sagrados, libro *m* escrito por el santo. ② ((불교)) canon *m* sagrado. ③ ((기독교 · 천주교)) =성경(聖經).

성전(聖殿) ① [신성한 전당] santuario *m*, templo *m* sagrado. ② ((기독교 · 천주교)) iglesia *f*, catedral *f*.

성전(聖戰) guerra *f* santa [sagrada].

성전환(性轉換) cambio *m* de(l) sexo. ~하다 cambiar el sexo. ~ 수술 operación *f* de cambio de sexo, operación *f* del cambio sexual. ~자 transexual *mf*.

성정(性情) ① [성질과 심정] el carácter y el corazón. ② [타고난 본성] genio *m*, natural *m*.

성조기(星條旗) bandera *f* de las barras y las estrellas, bandera *f* de estrellas y rayas.

성좌(星座) ((천문)) constelacón *f*.

성좌(聖座) [교황청] la Santa Sede.

성주(城主) ① [성의 우두머리] jefe

m [señor *m*] del castillo. ② [고을의 원] alcalde *m* del pueblo.

성주(聖主) =성군(聖君).

성주간(聖週間) la Semana Santa.

성지(城址) [유적] vestigios *mpl* de un castillo; [폐허] ruinas *fpl* de un castillo antiguo.

성지(聖地) ① [거룩한 땅] tierra *f* sagrada, tierra *f* santa. ② ((종교)) (la) Tierra Santa, la Sagrada Tierra. ~ 순례 peregrinación *f* a la Tierra Santa.

성직(聖職) ① [신성하거나 거룩한 직분] deberes *mpl* sagrados. ② ((기독교)) sacerdocio *m*, clerecía *f*, estado *m* sacerdotal. ~자 eclesiástico, -ca *mf*, clérigo *m*, sacerdote *m*; [집합적] clero *m*.

성질(性質) carácter *m*, naturaleza *f*, natural *m*, disposición *f*; [기질] temperamento *m*; [특성] característica *f*.

성징(性徵) caracteres *mpl* sexuales. 제일차 ~ caracteres *mpl* sexuales juveniles [primeros]. 제이차 ~ caracteres *mpl* sexuales maduros [secundarios].

성찬(盛饌) cena *f* suntuosa, fiesta *f*, buena mesa *f*. ~을 베풀다 dar una fiesta.

성찬(聖餐) ① ((기독교)) Sagrada Comunión *f*. ② ((불교)) comida *f* sagrada a Buda. ¶~식 Santa Comunión *f*, Sacramento *m*.

성체(聖體) ① [왕의 몸] cuerpo *m* del rey. ② ((천주교)) [예수의 몸] cuerpo *m* de Jesús. ③ ((천주교)) [성체 성사] eucaristía *f*, sacramento *m*, Santísimo Sacramento *m*. ~ 강복(식) bendición *f* sacramental del Santísimo Sacramento. ~ 배령 comunión *f*.

성충(誠忠) lealtad *f*, fidelidad *f*. ~하다 (ser) leal, fiel. ☞충성(忠誠)

성충동(性衝動) libido *m*, líbido *m*.

성취(成就)' consumación *f*; [달성] cumplimiento *m*; [실현] realización *f*. ~하다 consumar, cumplir, realizar.

성층(成層) ((지질)) estratificación *f*.

성층권(成層圈) estratosfera *f*. ~기구 globo *m* estratosférico. ~비행 vuelo *m* estratosférico.

성큼성큼 a grandes pasos, a zancadas. ~ 걷다 andar a grandes pasos, andar a zancadas.

성탄(聖誕) ① [성인의 탄생] nacimiento *m* sagrado, nacimiento *m* del santo. ② [임금의 탄생] nacimiento *m* del rey.

성탄일(聖誕日) ① [성인의 탄생일] fecha *f* de nacimiento del santo, cumpleaños *m* del santo. ② [임금의 탄생일] fecha *f* de nacimiento del rey, cumpleaños del

rey. ③ ((기독교)) Navidad *f*, Chi, Per Pascua *f*.

성탄절(聖誕節) ① ((기독교)) Navidad *f*, Chi, Per Pascua *f*. 즐거운 ~이 되기를 기원합니다 ¡Feliz Navidad! ① ((기독교)) [12월 24일부터 1월 1일이나 1월 6일까지의 성탄을 축하하는 덩기] la Navidad, las Navidades, Chi, Per la Pascua.

성터(城一) ruinas *fpl* del castillo.

성토(聲討) censura *f*, debate *m*. ~하다 censurar, debatir, discutir.

성품(性品) natural *m*, disposición *f*, temperamento *m*.

성품(性稟) =성정(性情).

성하(聖下) ((천주교)) Su Santidad, Sumo Pontífice. 교황 ~ Su Santidad el Papa.

성하다 ① [상한 데 없이 본래대로 온전하다] (estar) intacto, no ... 성히 intacto, que no ha sufrido desperfecto. 성한 생선 pescado *m* fresco. ② [몸에 병이 없이 든든하다] (ser) sano, saludable, fuerte. 성한 다리 piernas *fpl* fuerte.

성하다(盛一) prosperar, florecer; [상태] estar próspero. 성한 [활발한] activo; [번영한] próspero; [유행의] popular, de moda.

성함(姓銜) *su* nombre y apellido. ~이 어떻게 되십니까? ¿Cómo se llama usted?

성행(盛行) preponderancia *f*. ~하다 preponderar, predominar, ser frecuente, ser corriente.

성행위(性行爲) intercambio *m* sexual, acto *m* sexual, coito *m*; [성관계] relaciones *fpl* sexuales.

성향(性向) propensión *f*, tendencia *f*, inclinación *f*.

성현(聖賢) sabio, -bia *mf*; filósofo, -fa *mf*.

성형(成形) ① [어떤 형체를 만듦] formamación *f* adulta. ~의 formativo, plástico. ② [모양 만들기] moldeo *m*. ~ 수술 operación *f* plástica. ~외과학 cirugía *f* plástica. ~외과의 cirujano *m* plástico, cirujana *f* plástica.

성호(聖號) ((천주교)) cruz *f*. ~를 긋다 persignarse, santiguarse, hacerse la señal de la cruz.

성호르몬(性一) hormón *m* [hormona *f*] sexual.

성혼(成婚) boda *f*, nupcias *fpl*, casamiento *m*, matrimonio *m*.

성홍열(猩紅熱) escarlatina *f*, escarlata *f*, fiebre *f* escarlatina.

성화(成火) ① ((천문)) =유성(流星). ② [운성이 떨어질 때의 불빛] luz *f* de una estrella fugaz. ③ [몹시 급한 일] urgencia *f*, asunto *m* urgente, apremio *m*. ~를 대다 apremiar.

성화(聖火) ① [거룩한 불] fuego *m*

sagrado. ② ((운동)) llama *f* olímpica; [올림픽·릴레이의] antorcha *f* olímpica. ~대(臺) pebetero *m*, Lámpara *f* Votiva, Antorcha *f* de la Libertad, Antorcha *f* de Amistad. ~ 주자 portador, -dora *mf*.

성황(盛況) prosperidad *f*, actividad *f* repentina. ~을 이루다 mostrarse próspero, prosperar, medrar, tener gran éxito, gozar de prosperidad.

성희(性戲) juego *m* sexual.

세 tres. ~ 사람 tres personas.

세(稅) [조세] contribución *f*, impuesto *m*; [관세] derechos *mpl*, derechos *mpl* aduaneros; [통행세] peaje *m*. ~를 납부하다 pagar la contribución.

세(貰) alquiler *m*. ~(를) 내다 alquilar, arrendar, dar en arriendo. 의상을 ~ 내다 alquilar un traje [una ropa·un vestido]. 우리는 아파트를 세냈다 Hemos alquilado un piso. ~(를) 놓다 alquilar. 세(를) 놓습니다 ((게시)) Se alquila / Alquilamos. ~(를) 들다 alquilar una casa. ~(를) 주다 alquilar, arrendar, dar en arriendo.

세(勢) ① [준말] =세력(勢力). ② [힘이나 기운] poder *m*, fuerza *f*, potencia *f*. ③ =형세(形勢).

세(歲) edad *f*, año *m*. 20~ veinte años (de edad).

세간(가구) muebles *mpl*; [가장 집물] utensilios *mpl* domésticos.

세간(世間) ① mundo *m*; [사회] sociedad *f*; [사람] gente *f*, todo el mundo. ② ((불교)) mundo *m* prosaico.

세계(世界) ① [온 세상] mundo *m*; [전세계] todo el mundo, mundo *m* entero. ~의 mundial, universal, internacional. ~의 문제 problema *m* internacional. ② ((불교)) mundo *m*. ③ [우주] universo *m*, cosmos *m*. ④ ((철학)) universo *m*. ⑤ [특수한 사회] mundo *m*, sociedad *f*, esfera *f*, reino *m*. 꿈의 ~ reino *m* del sueño, utopía *f*. 어린이의 ~ mundo de los niños. 이상의 ~ mundo ideal. ⑥ [동류의 한 집단] sociedad *f*, círculo *m*. 문학의 ~ círculo *m* literario. ~ 경제 economía *f* mundial. ~관 vista *f* mundial. ~ 기록 récord *m* mundial. ~ 기록 보유자 poseedor, -dora *mf* del récord mundial. ~ 대전 guerra *f* mundial. ~ 무역 comercio *m* internacional. ~ 보건 기구 Organización *f* Mundial de la Salud, OMS *f*, O.M.S *f*. ~사 (史) Historia *f* Universal. ~ 선수권 campeonato *m* mundial. ~ 시장 mercado *m* mundial. ~ 신기

록 nuevo récord *m* mundial. ~ 은행 Banco *m* Internacional; [국제 부흥 개발 은행] Banco *m* Internacional de Reconstrucción y Desarrollo. ~ 인권 선언 Declaración *f* Universal de los Derechos del Hombre. ~ 일주 vuelta *f* al mundo. ~ 평화 paz *f* universal [mundial]. ~화 globalización *f*.

세공(細工) [제작] trabajo *m*, confección *f*, obra *f*; [기능] artesanía *f*, pericia *f* manual. ~하다 obrar, hacer una obra. ~물[품] obra *f*, trabajo *m*, objeto *m*.

세관(稅關) aduana *f*. ~의 aduanero, aduanal. ~ 검사 inspección *f* aduanera. ~ 수속 formalidades *fpl* aduaneras [de aduanas]. ~신고(서) declaración *f* de aduanas. ~원 aduanero, -ra *mf*; oficial *mf* de aduanas. ~장 director, -tora *mf* de aduana.

세균(細菌) bacteria *f*, microbio *m*. ~의 microbiano, bacteriológico, microbiológico. ~ 감염 microbiosis *f*. ~ 검사 bacterioscopia *f*, examen *m* bacteriológico. ~ 바이러스 virus *m* microbiano. ~ 요법 bacterioterapia *f*. ~전(戰) guerra *f* bacteriológica. ~학 bacteriología *f*, microbiología *f*.

세금(稅金) [주로 지방세] impuesto *m*; [주로 국세] contribución *f*; [주로 관세나 사용료 등] derechos *mpl*; [조세] tributo *m*. ~을 부과하다 gravar [cargar] un impuesto, imponer contribuciones. ~을 면제하다 eximir de la contribución. ~을 올리다 aumentar el impuesto. ~을 내리다 disminuir el impuesto. ~을 납부하다 pagar un impuesto, pagar los impuestos, pagar un derecho. ~을 징수하다 recaudar impuestos. ¶ ~ 신고 declaración *f* sobre la renta, declaración *f* del impuesto sobre la renta. ~ 신고서 formulario *m* de declaración sobre la renta, impreso *m* de declaración sobre la renta.

세기(世紀) ① =시대. ② [100년] siglo *m*, cien años. ~말(末) fin *m* del siglo.

세끼 tres comidas.

세나다 [물건이] venderse bien. 요즘 아이스크림이 세난다 El helado se vende bien estos días.

세뇌(洗腦) lavado *m* de cerebro. ~하다 hacerle un lavado de cerebro, lavarle el cerebro. ~ 공작 lavado *m* de cerebro.

세다¹ ① [머리털이 희어지다] blanquearse. 머리가 ~ blanquearse el cabello. ② [얼굴의 혈색이 없어지다] ponerse pálido.

세다² ① [수효를 계산하다] contar, numerar, calcular, hacer cálculos. ②《(준말)》=세우다.

세다³ ① [힘이 많다] (ser) fuerte, vigoroso, robusto, sólido. ② [주량이 크다] beber mucho. ③ [세력이 크다] (ser) fuerte, violento, intenso, vivo. ④ ② [마음이 굳세다] (ser) firme, flexible. ④ [견디는 힘이 강하다] (ser) durable, resistente. ⑤ ② [딱딱하고 뻣뻣하다] (ser) tieso, duro. 가시가 ~ La espina es tiesa. ⑥ [보드랍지 아니하고 거칠다] (ser) maleducado, grosero, descortés.

세단 sedán m.

세단뛰기(一段一) triple salto m, brinco, paso y salto.

세대(世代) generación f. 젊은 ~ generación f joven. ¶ ~ 교체 cambio m generacional.

세대(世帶) casa f, familia f. ~수 número m de familias. ~주 cabeza f [jefe, -fa mf] de familia.

세레나데《(음악)》 serenata f.

세력(勢力) influencia f; [힘] potencia f, imperio m, poder m, fuerza f, energía f. ~이 있는 influyente, influente, potente, poderoso. ~이 없는 in influencia. ¶ ~가 persona f de influencia, persona f influente [influyente]. ~ 투쟁 lucha f por influencia.

세련(洗練/洗鍊) elegancia f, gracia f, refinamiento m. ~하다 refinar, purificar. ~되다 madurarse, sazonarse, hacerse elegante, refinarse. ~된 모습 figura f gentil [요염한] figura f encantadora.

세례(洗禮) ① 《(기독교)》 bautismo m. ~하다 bautismal. ② [한꺼번에 몰아치는 비난이나 공격] lluvia f, lo que cae en gran cantidad. 주먹~를 퍼붓다 hacer caer una lluvia de puñetazos. ¶ ~명 nombre m bautismal. ~식 bautismo m. ~자 세례 요한 Juan el Bautista.

세로¹ longitud f, largo m; [높이] altura f, alto m. ~의 longitudinal; [수직의] vertical. ~로 longitudinalmente, verticalmente.

세로² [세로로] verticalmente, longitudinalmente.

세리(稅吏) colector, -tora mf; recaudador, -dora mf de contribuciones.

세말(歲末) fin m de(l) año.

세면(洗面) aseo m, lavadura f. ~하다 lavarse la cara, arreglarse. ~기[대] lavabo m, lavamanos m; [세숫대야] jofaina f, palangana f. ~장 lavabo m; [변소] servicio m, retrete m; [욕실과 변소 겸 용의] baño m, cuarto m de baño.

세모 ① [삼각형의 세 개의 모] ángulo m de un triángulo. ~나다 ser triangular, tener tres esquinas. ②《(수학)》=삼각형.

세모(歲暮) fin m de(l) año.

세무(稅務) oficio m [asuntos mpl] de contribuciones. ~ 감사 inspección f de contribuciones. ~관 oficial mf de recaudación de impuestos. ~사 contable m fiscal autorizado. ~ 사찰 investigación f de contribuciones. ~서 oficina f de impuestos, oficina f de rentas. ~ 조사 investigación f de asuntos de contribuciones.

세미나 seminario m.

세미콜론 punto y coma.

세밀하다(細密一) (ser) minucioso.

세밀화(細密畵) miniatura f.

세밑(歲一) fin m de(l) año.

세배(歲拜) saludo m del Año Nuevo. ~하다 saludar al mayor en el día del Año Nuevo.

세법(稅法) derecho m fiscal, ley f de impuesto(s), ley f de tributo.

세부(細部) detalle m, pormenor m. ¶ ~ 보고 informe m detallado. ~ 사항 detalles mpl.

세분(細分) subdivisión f. ~하다 subdividir.

세비(歲費) ① [일년간의 경비] gastos mpl [expensas fpl] anuales, asignación f anual. ② [국회 의원의] dietas fpl.

세상(世上) ① [천하] mundo m. ② [사람들] mundo m. ③ [평생] toda la vida.

세상 물정(世上一) mundo m. ~에 밝다 saber de toda costura.

세상사(世上事) mundo m, asunto m mundano. ~에 어둡다 ser inocente de las cosas del mundo. ~에 밝다 ser un hombre del mundo, conocer bien el mundo.

세속(世俗) ① [세상에 흔히 있는 풍속] costumbres fpl vulgares. ② [속세] mundo m mundano. ~의 [교회에 대해] civil, laico, secular, seglar; [이 세상의] mundano. ③ [속되고 저열한] vulgaridad f. ~의 vulgar. ④ 《(불교)》 cosa f común, cosa f ordinaria, costumbre f, experiencias fpl. ¶ ~적 civil, laico, secular, seglar, mundano, vulgar.

세수(洗手) lavadura f. ~하다 lavarse la cara (y las manos). ~시키다 lavar. ¶ ~ 수건 toallita f (para lavarse), toalla f para lavarse. ~대야 palangana f, jofaina f, Chi, Per lavatorio m. ~비누 jabón m de olor, jabón m de tocador, jaboncillo m.

세수입(稅收入) ingresos mpl de impuestos.

세습(世襲) herencia f. ~하다 heredar. ~(제)의 hereditario.

세심(細心) prudencia *f*, minuciosidad *f*. ~하다 (ser) minucioso, prudente, cauteloso, escrupuloso, precavido, discreto, cuidadoso.

세쌍둥이(一雙一) trillizos *mpl*; [세쌍둥이 중 한 사람] trillizo, -za *mf*; cada uno de tres hermanos nacidos de un parto.

세액(稅額) cantidad *f* [suma *f*] de impuestos. [사정의] avalúo *m*. ~ 공제 deducción *f* de impuestos.

세우다 ① [일으키다] levantar, erguir, erigir. 앉아 있는 아이를 ~ levantar al niño sentado. ② [축조하다] edificar, construir, fundar, levantar, erigir, erguir, poner, armar. 동상을 ~ erigir [levantar] una estatua de bonce. ③ [움직이는 것을 멈추게 하다] parar. 버스를 ~ parar el autobús. ④ [날 같은 것을 갈아서] 날카롭게 하다) afilar, sacar filo, aguzar. 칼날을 ~ afilar el cuchillo. ⑤ [뜻을] 정하다) resolver, determinar. ⑥ [새로 이룩하다] establecer, fundar, instituir, organizar, iniciar. ⑦ [계획·안 따위를] 짜다) hacer, elaborar. ⑧ [이바지하다] contribuir, rendir servicio. ⑨ [유지하다] mantener, guardar. ⑩ [고집하다] insistir, persistir. ⑪ [생활을] 유지하다) ganarse la vida. ⑫ [(어떤 구실을) 맡게 하다] tener, proponer, nominar, designar. 보증인으로 ~ tener a un fiador.

세월(歲月) ① [흘러가는 시간] tiempo *m*, años *mpl*, días *mpl*. 긴 ~ (por) muchos [largos] años. ~은 유수와 같다 El tiempo corre [pasa] como la flecha. ② =세상. 세월이 약 ((속담)) Todo lo cura el tiempo. 가는 세월 오는 백발 ((속담)) Tiempo ni hora no se ata con soga.

세율(稅率) tasa *f* de impuestos, tarifas *fpl* fiscales. ~을 올리다[내리다] subir [bajar] la tasa de impuestos.

세인(世人) público *m*, pueblo *m*, mundo *m*, todo el mundo.

세입(稅入) ingresos *mpl*, entradas *fpl* brutas, entradas *fpl*, recaudación *f* tributaria, rendimiento *m* fiscal.

세입(歲入) rentas *fpl* (anuales) del Estado; [개인의] ingreso *m* anual. ~ 세출 ingreso(s) e egreso(s).

세정(稅政) administración *f* de contribuciones.

세제(洗劑) ① [세정제] detergente *m*, producto *m* de lavar. ② =세 척제.

세제(稅制) sistema *m* tributario, régimen *m* impositivo. ~ 개혁 re-

forma *f* del sistema tributario.

세제곱 ((수학)) cubo *m*, tercera potencia *f*, potencia *f* de tercer grado. ~하다 cubicar, elevar a la tercera potencia. ~근 raíz *f* cúbica. ~비 ratio *m* triple.

세족(洗足) lavadura *f* de los pies. ~하다 lavarse los pies; [남의 발을 씻어 주다] lavar los pies. ~식 ceremonia *f* de lavar los pies.

세존(世尊) ((존말)) =석가 세존.

세차(洗車) lavado *m* de coches. ~하다 lavar el coche. ~장 lavadera *f*.

세차(貰車) coche *m* de alquiler. ~하다 alquilar un coche.

세차다 (ser) poderoso, violento, vigoroso, enérgetico, vivo.

세척(洗滌) lavado *m*; [상처의] detersión *f*; [장(腸)의] irrigación *f*. ~하다 lavar, limpiar, deterger, irrigar. 위를 ~하다 irrigar el estómago. ¶~기 irrigador *m*. ~제[약] loción *f* limpiadora, loción *f* de limpieza, abstergente *m*, detergente *m*.

세칙(細則) reglamento *m* detallado, reglas *fpl* detalladas, regulaciones *fpl* detalladas.

세컨드 ① [둘째, 제이] segundo *m*. ② ((준말)) =세컨드 베이스. ③ ((준말)) =세컨드 베이스맨. ④ [권투] segundo *m*, cuidador *m*. ⑤ ((속어)) [첩] concubina *f*. ¶~ 베이스 [2루] base *f* segunda, segunda base *f*. ~ 베이스맨 basebolero *m* de la segunda, segundo base *m*, jugador *m* de segunda base. ~ 클래스 segunda *f* (clase *f*).

세탁(洗濯) lavadura *f*, lavado *m*. ~하다 lavar, limpiar, hacer la colada, lavar la ropa. ¶~기 lavadora *f*, máquina *f* de lavar. ~물 colada *f*, ropa *f* para [por] lavar. ~부(婦) lavandera *f*. ~비누 jabón *m* de lavar. ~소 lavadero *m*, lavandería *f*, tintorería *f*. ~제 detergente *m*.

세트 ① [도구·가구 등의 한 벌] juego *m* (연장·골프 클럽·그릇·펜·열쇠 등), colección *f* (책·레코드의), serie *f* (우표의). 커피 ~ juego *m* de café. ② [라디오의 수신기] aparato *m*, receptor *m*. 라디오 ~ juego *m* de radio. ③ [무대 장치] decorado *m* (연극의). ④ [영화·텔레비전 드라마 등의 촬영용 장치] set *m*, aparato *m*. ⑤ [(테니스·배구)] set *ing.m*. ⑥ [파마한 머리를 손질하는 일] marcado *m*. 머리를 ~하다 hacerse marcar (el pelo).

세파(世波) vida *f* ruda [severa], olas *fpl* de la vida. 거친 ~에 시

달리다 ser zarandeado [sacudido] por las olas de la vida.
세평(世評) [평판] fama *f*, reputación *f*, opinión *f* pública, juicio *m* popular; [인기] popularidad *f*; [소문] rumor *m*.
세포(細胞) ① ((생물)) célula *f*. ~의 celular. ~의 신진 대사 metabolismo *m* celular. ② [공산당의 기초 조직] célula *f*. 공산당(의) ~ célula *f* comunista. ¶ ~막 membrana *f* celular. ~ 배양 cultivo *m* de célula. ~ 분열 división *f* celular, división *f* de célula. ~ 유전학 citogenética *f*. ~ 조직 tejido *m* celular. ~질 citoplasma *m*. ~체 cuerpo *m* celular. ~ 파괴 citolisis *f*. ~학 citología *f*. ~학자 citólogo, -ga *mf*. ~핵 núcleo *m*.
섹스 ① [성] sexo *m*. ② [성욕] apetito *m* sexual [carnal], deseo *m* sexual [carnal]. ③ [성교] relaciones *fpl* sexuales. ~하다 tener relaciones sexuales. ¶ ~ 교육 educación *f* [orientación *f*] sexual. ~ 숍 sex-shop *ing.m*. ~ 스캔들 escándalo *m* (de índole sexual). ~ 심벌 sex symbol *mf*. ~ 어필 atracción *f* [atractivo *m*] sexual, sex-appeal *ing.m*. ~ 파트너 compañero, -ra *mf* de sexo.
센머리 =백발(白髮)(cana).
센물 ((화학)) el agua *f* dura.
센서 censor, -sora *mf*.
센서스 censo *m*. ~를 하다 hacer el censo, levantar el censo.
센스 sentido *m*. ~가 있다 tener sentido.
센터 ① [중앙. 중심] centro *m*. ② ((운동)) campo *m* central. ③ ((준말)) =센터 포워드. ④ ((준말)) =센터 필더. ⑤ ((준말)) =센터 필드. ¶ ~백 defensa *f* centro, escoba *m*. ~ 라인 ㉮ ((운동)) línea *f* de centro. ㉯ [도로의] línea *f* central. ~ 포워드 delantero *mf* centro. ~ 필더 jardinero *mf* centro, centro *mf* campo. ~ 필드 jardín *m* central, centro *m* campo. ~ 하프 medio *mf* centro.
센털 [빛이 희어진 털] pelo *m* canoso, cana *f*.
센티- centi-. ~미터 centímetro *m*.
센티그램 centígramo *m*.
센티리터 centilitro *m*.
센티미터 centímetro *m*.
셀로판 celofán *m*. ~지(紙) =셀로판. ~ 테이프 cinta *f* adhesiva de celofán transparente.
셀룰로오스 ((화학)) celulosa *f*.
셀룰로이드 ((화학)) celuloide *m*.
셀프서비스 autoservicio *m*, sistema *m* de servicio a sí mismo.
셈 ① [수효를 세는 일] cálculo *m*, cuenta *f*. ~하다 contar, calcular. ~이 틀리다 calcular mal. ② [회계] contabilidad *f*, cuenta *f*. ~하다 llevar la contabilidad, llevar las cuentas. ③ ((준말)) =셈판. ④ ((준말)) =속셈. ⑤ [사물을 분별하는 슬기] sentido *m*, discreción *f*.
셈본 aritmética *f*. ~의 aritmético.
셈치다[1] [계산하다] contar.
셈치다[2] [요량하다] suponer.
셋 tres.
셋돈(貰-) (dinero *m* de) alquiler *m*.
셋방(-房) habitación *f* alquilada, cuarto *m* de alquiler. ~에서 살다 vivir en una habitación alquilada. ~ 구함 ((광고)) Se necesitan habitaciones. ~ 있습니다 ((게시)) Se alquilan habitaciones. ¶ ~살이 vivienda *f* en el cuarto de alquiler. ~살이하다 alquilar una habitación, vivir en el cuarto de alquiler.
셋집(貰-) casa *f* [piso *m* · apartamento *m*] de alquiler.
셋째 tercero. ~의 tercero.
셔츠 camisa *f*; [속셔츠] camiseta *f*.
셔터 ① [좁은 철판을 가로 연결하여 만든 덧문] cierre *m* metálico; [창문 안쪽의] postigo *m*, contraventana *f*; [창문 바깥쪽의] postigo *m*, persiana *f*. ② [카메라의] obturador *m*. ~를 누르다 disparar, apretar el disparador. 자동 ~ obturador *m* automático.
소[1] ((동물)) [암소] vaca *f*; [황소. 종우] toro *m*; [거세된 소] buey *m*; [어린 소] novillo, -lla *mf*; [송아지] ternero, -ra *mf*; becerro, -rra *mf*. ~ 걸음으로 a paso de tortuga. ~ 닭 보듯 닭 ~ 보듯 No se interesa nada. 소 잃고 외양간 고친다 ((속담)) Después de la vaca huida, cerrar la puerta.
소[2] ① [떡 · 만두 등의] *so*, compota *f*, mermelada *f*. ② [통김치 · 오이 등의 속에 넣는 고명] relleno *m*.
소(小) (tamaño *m*) pequeño.
소(沼) =늪.
소(訴) ((법률)) demanda *f*. ~의 각하 inadmisión *f* de la demanda. ~의 취하 retiro *m* de la demanda.
소가족(小家族) familia *f* pequeña.
소각(燒却) incineración *f*, quema *f*, quemadura *f* completa, destrucción *f* por fuego. ~하다 incinerar, quemar todo, reducir a cenizas, destruir por fuego. ¶ ~기 incinerador *m*. ~로 incinerador *m*, horno *m* crematorio. ~장 quemadero *m*. ~ 장치 quemador *m*. 폐기물 ~ 장치 quemador *m* de desperdicios.
소감(所感) opinión *f*, observación *f*,

impresión f. ~을 말하다 hacer observaciones, opinar, dar sus impresiones.

소강(小康) tranquilidad f breve. ~ 상태 momento m de calma, tregua f.

소개(紹介) presentación f; [문화 등의] introducción f; [추천] recomendación f. ~하다 presentar; introducir; recomendar. 자기 자신을 ~하다 presentarse a sí mismo. ¶ ~소 agencia f de corredores; [주식의] agencia f de agentes de bolsa. ~업 agencia f de corredores. ~장 (carta f de) presentación f [introducción f].

소견(所見) observación f, opinión f, modo m de ver, impresión f. 내 ~으로는 en mi opinión. ¶ ~표 opinión f escrita.

소경 [장님] ciego, -ga mf.

소계(小計) subtotal m.

소고(小鼓) ((악기)) tamboril m, tambor m pequeño. ~잡이 músico mf del tamboril.

소고기 carne f de vaca. ➡쇠고기.

소곤거리다 cuchichear, cuchuchear, hablar al oído, murmurar.

소공업(小工業) industria f pequeña.

소관(所管) jurisdicción f. ~의 jurisdiccional. ~ 사항 asuntos mpl bajo la jurisdicción.

소관(所關) relación f, asuntos mpl relacionados [concernientes].

소굴(巢窟) ① [악당 등의] guarida f, nido m, madriguera f, caverna f, cueva f. ② [짐승이 사는 굴] guarida f, madriguera f, cueva f de fieras.

소권(訴權) derecho m de apelación.

소규모(小規模) escala f pequeña. ~의 de escala pequeña. ~로 a [en] pequeña escala.

소극(消極) ① [동(動)에 대해 정(靜), 양(陽)에 대해 음(陰)] negativo m. ② ((물리)) despolarización f. ¶ ~적 poco emprendedor, poco dinámico; [부정적] negativo; [수신적] pasivo; [성격이] débil [blando] de carácter, de carácter débil.

소극(笑劇) farsa f.

소극장(小劇場) [연극·오페라용의] teatro m pequeño; [영화용의] cine m pequeño.

소금 sal f. ~을 넣다[치다] poner [echar] sal; [땅에] echar sal. ~에 절이다 curar, sazonar con sal, conservar en sal; [고기를] curar con sal. ¶ ~ salero m. ~기 salinidad f, calidad f de salino, salobridad f, gusto m salado, gusto m de sal. ~맛 sabor m salado. ~물 el agua f salada.

소급(遡及) retroacción f, retroceso m. ~하다 retrotraer, remontarse

al pasado. ~력 poder m retroactivo, poder m retrospectivo. ~법 ley f retroactiva.

소기(所期) expectación f, anticipación f. ~의 esperado. ~와 같이 como se esperaba. ~의 목적을 달성하다 realizar el objeto que se tiene en el corazón, lograr [conseguir] lo que se esperaba.

소기업(小企業) industria f pequeña.

소꿉 vajillas fpl de juguete. ~동무 amigo, -ga mf de su infancia, compañero, -ra mf de juego de su niñez. ~장난 cocina f simulada que hacen las niñas, juego m al manejo de la casa.

소나기 chaparrón m, chubasco m; [심한] aguacero m. 산발적인 ~ chubascos mpl aislados, lluvias fpl aisladas. ~가 쏟아지다 chaparrear, pasar un chubasco, caer un chaparrón.

소나무 ((식물)) pino m. ~ 숲 pinar m, bosque m de pinos, arboleda f de pinos.

소나타 ((음악)) sonata f.

소낙비 =소나기.

소네트 [문학] soneto m.

소녀(小女) mujer f pequeña.

소녀(少女) ① [아직 완전히 성숙하지 않은 계집아이] muchacha f, chica f, niña f, muchachita f, mocita f. ② =처녀. ¶ ~단 Asociación f de Niñas Exploradoras.

소년(少年) muchacho m, niño m, mozo m, joven m. ~의 juvenil; de adolescente. ¶ ~기 juventud f, mocedad f; [14-20세] adolescencia f; [7-14세] puericia f. ~단 Asociación f de Niños Exploradores. ~ 소녀 가장 cabeza f [jefe m] de los niños. ~원 reformatorio m, correccional m.

소농(小農) labrantín m, pegujalero m. ~지 tierras fpl pequeñas.

소뇌(小腦) ((해부)) cerebelo m.

소다 ((화학)) sosa f, soda f. ~의 sódico. ~수 (el agua f) gaseosa f, soda f, el agua f carbónica.

소달구지 carro m que se tira por un toro.

소대(小隊) sección f. ~원 miembro mf de sección. ~장 jefe m de sección.

소댕 tapa f de la olla.

소도구(小道具) artículos mpl portátiles en el escenario, accesorios mpl (de teatro), objeto m del attrezzo, objeto m de utilería. ~ 담당자 encargado, -da mf de los accesorios.

소도둑 [행위] robo m de vacas; [사람] ladrón, -drona mf de vacas.

소독(消毒) desinfección f, [살균] esterilización f; [저온 살균] pasterización f, pasteurización f; [훈중 소독] fumigación f; [정화] descontaminación f; [소독법] asepsia f. ~하다 desinfectar(se), esterilizar. ~기 esterilizador m. ~법 método m de esterilización. ~실 sala f desinfectada. ~약[제] desinfectante m.

소동(騷動) tumulto m, alboroto m, motín m, disturbio m, revuelta f. ~을 일으키다 armar [provocar] un alboroto, organizar un motín.

소동맥(小動脈) ((해부)) arteriola f, arteríola f.

소두(小豆) ((식물)) judía f pinta, judía f roja, Méj frijol m.

소득(所得) ingresos mpl, renta f. ~공제 exención f de la renta. ~분배 distribución f de ingresos, distribución f de la renta. ~세 impuesto m sobre ingresos, impuesto m sobre la renta. ~액 cuentas fpl de ingresos, cuentas fpl de ganancias. ~ 증대 aumento m de ingresos.

소등(消燈) apagamiento m de la luz; [전시의] oscurecimiento m de la ciudad para que ésta no sea visible desde los aviones enemigos. ~하다 apagar la luz.

소라 ① ((조개)) caracola f, trompo m. ② ((악기)) trompilla f de caracola.

소라게 ((동물)) ermitaño m.

소라고둥 ((조개)) caracola f.

소란(騷亂) disturbio m, alboroto m, tumulto m, desmán m, conmoción f, insurrección f, barullo m, barahúnda f, jaleo m, algarabía f. ~하다 (ser) ruidoso, bullicioso. ~ 스럽다 (ser) ruidoso, estridente, agudo, estrepitoso, tumultuoso, inquietante, inseguro, peligroso, pavoroso, sospechoso, revuelto.

소량(少量) poca cantidad f, pequeña cantidad f, pequeña porción f. [부사적] un poco. ~의 un poco de, una pequeña cantidad de.

소령(少領) [육군·공군의] comandante mf; [해군의] capitán, -tana mf de corbeta.

소로(小路) ① [좁은 길] camino m estrecho, calle f estrecha, callejón m, callejuela f, calleja f. ② [산길] senda f, sendero m.

소름 carne f de gallina, piel f ansarina; ((생리)) horripilación f. ~(이) 끼치다 ponerse de punta los pelos, ser terrible, ser horrible, estremecerse, horripilarse, aterrorizarse, horrorizarse, poner [tener] carne de gallina, erizarse.

소리 ① ㉮ [음향] sonido m. ㉯ [울리는 소리] son m, resonancia f.

㉰ [잡음] ruido m. ~를 내다 hacer [meter·arrimar·levantar] un ruido. ~를 내면서 con ruido, [estrépito]. ㉱ [풍문] rumor m. ㉲ [울려 퍼지는 소리] estrépido m, estruendo m. ㉳ [악기의 소리] toque m, tañido m. ㉴ [삐걱거리는 소리] crujido m. ㉵ [날카로운 소리] chirido m, rechinido m. 새의 ~ gorjeo m [canto m] de pájaros. 벌레의 ~ chirrido m [canto m] de insectos. ② ((준말)) ~목소리(voz). ㉮큰 ~ voz f alta. 작은 ~ voz f baja. ③ ((언어)) ~음성. 말. ¶~ 내지 마라 No hables. ④ ((음악))[판소리·잡가·민요 등과 같은 속된 성악곡] canto m. ~하다 cantar. ~ 춤춘다 Cantan y Bailan / Se canta y se baila. ⑤ [항간의 여론이나 호소] opinión f, clamor m. 민중의 ~ opinión f pública. ⑥ [소식] noticia f. ¶~마디 sílaba f alta.

소립자(素粒子) ((물리)) partícula f elemental.

소망(所望) deseo m, anhelo m, esperanza f, expectación f. ~하다 desear, rogar, suplicar, pedir. ~의 deseado, anhelado, apetecido.

소매 manga f. ~가 있는 con manga. ~가 없는 sin manga. ~가 짧은 de corta manga. ~가 긴 de larga manga. ~를 걷다 arremangarse. 소매를 걷어 붙이고 en mangas de camisa.

소매(小賣) reventa f, venta f al por menor [al detalle], AmL menudeo m. ~하다 vender al por menor [al detalle], vender al menudeo. ~ 가격 precio m al por menor, precio m de venta al público. ~상 ㉮ [장사] negocio m [comercio] al por menor, comercio pequeño, comercio en pequeña escala, menudeo. ㉯ [사람] detallista mf; minorista mf, comerciante mf de venta al por menor. ~업 comercio m al por menor, comercio m minorista. ~점 casa f minorista, tienda f de venta por menor, almacén m al por menor.

소매치기 ① [행위] ratería f. ~하다 hurtar del bolsillo, hurtar de faltriquera, hurtar con maña, ratear. ② [사람] carterista mf; ratero, -ra f.

소맥(小麥) ((식물)) trigo m.

소멸(消滅) extinción f, desaparición f; [말소] anulación f, cancelación f; [상쇄] compensación f. ~하다 desaparecer(se), extinguirse; [실효하다] caer en deuso. ~ 시효 prescripción f extintiva.

소모(消耗) desgaste m, abrasión f; [소비] consumo m. ~하다 gastar, desgastar, consumir. ~되다 desgastarse, consumirse. ~시키다 gastar, desgastar. ¶~량 cantidad f de desgaste. ~비 gastos mpl de consumo. ~전 guerra f de desgaste. ~품 artículo m de desgaste.

소목(小木) ((준말)) =소목장이.
¶~장(이) ebanista m.

소몰이 ① [행위] ganadería f. ② [사람] ganadero, -ra mf; RPI gaucho, -cha mf. ~꾼 ganadero m.

소묘(素描) dibujo m, esbozo m, diseño m, bosquejo m, boceto m. ~하다 dibujar, diseñar, esbozar, bosquejar.

소문(小門) ① [작은 문] puerta f pequeña. ② [보지] vulva f.

소문(所聞) rumor m. ~에 밝다 estar siempre al corriente de estado, divulgar un rumor, circular un rumor. ~을 퍼뜨리다 esparcir [divulgar] unas noticias. ¶~나다 correr un rumor, divulgarse unas noticias, esparcirse unas noticias. 소문난 잔치에 먹을 것 없다 ((속담)) Fanfarronada grande y asado pequeño.

소문만복래(笑門萬福來) La alegría atrae la suerte / La felicidad sale al paso de los que ríen.

소문자(小文字) (letra f) minúscula f.

소박(疏薄/疎薄) maltrato m. ~하다 maltratar, tratar mal. ~(을) 맞다 ser abandonada, ser maltratada. 소박 맞은 여자 mujer f abandonada, mujer f maltratada. ¶~데기 mujer f abandonada, mujer f maltratada, mujer f divorciada.

소박(素朴) simplicidad f, sencillez f, ingenuidad f, candidez f, candor m. ~하다 (ser) simple, sencillo, ingenuo, cándido, inocentón.

소방(消防) lucha f contra incendios, prevención f de fuego, tareas fpl de extinción (de un incendio). ~관 bombero, -ra mf; [본업이 아닌] persona f que combate un incendio. ~서 parque m de bomberos.

소변(小便) orina f, orines mpl; [어린이의] pipí m. ~을 보다 orinar(se); [어린아이가] hacer pis. ~이 잦다 orinar frecuentemente. ~이 마렵다 tener deseo de orinar. ~금지 ((게시)) No orinar (aquí) / No (se) orine / Prohibido orinar.

소복소복 amontonadamente. ~하다 apilarse, amontonarse.

소복하다 amontonarse, apilarse.

소부대(小部隊) unidad f pequeña.

소비(消費) consumo m, consumición f, consunción f, gasto m. ~하다 consumir, gastar. ~세 impuesto m sobre el consumo, impuesto m de consumo, derechos mpl de consumo. ~시장 mercado m de consumo. ~재 bienes mpl [artículos mpl] de consumo, bienes mpl duraderos. ~ 조합 cooperativa f de consumo, cooperativa f de consumidores.

소비자(消費者) consumidor, -dora mf. 최종 ~ consumidor m final. ~ 가격 precio m al consumidor, precio m de los consumidores, precio m de consumo. ~ 단체 organización f del consumidor.

소사(掃射) descarga f de barrido, descarga f arrastradora. ~하다 barrer con la descarga.

소사(燒死) muerte f por incendio [fuego], muerte f por quemadura. ~하다 morir quemado.

소산(所産) ((준말)) =소산물. ¶~물 producto m; [성과] fruto m; [결과] resultado m.

소상(小祥) (servicios mpl religiosos de motivo del) primer aniversario m de la muerte.

소상(塑像) imagen m plástica; [석고의] imagen m de yeso.

소생(小生) ((낮춤말)) yo, yo mismo.

소생(蘇生) resucitación f, reviviscencia f, revivicación f. ~하다 revivir, resucitar, renacer, volver a la vida. ~시키다 revivificar, reavivar, vivificar, dar nueva vida, devolver la vida.

소선거구(小選擧區) distrito m electoral pequeño.

소설(小說) ① novela f. ~의, ~적인 novelesco, novelístico. ~을 쓰다 escribir una novela, componer una novela. ② ((준말)) =소설책. ¶~가 novelista mf. ~책 novela f, libro m de cuentos.

소속(所屬) pertenencia f. ~하다 pertenecer. …에 ~된 perteneciente a algo. ¶~ 부대 su regimiento.

소송(訴訟) pleito m (civil), proceso m, litigio m. ~을 걸다 proceder, poner [entablar] pleito, entablar demanda, demandar, recurrir a la ley, pleitear. ~ 비용 costas fpl procesales, costas fpl del pleito. ~ 사건 caso m judicial [en litigio]. ~ 의뢰인 cliente mf. ~인 demandante mf; actor, -tora mf.

소수(小數) (fracción f) decimal f. ~점 punto m decimal, coma f.

소수(少數) minoría f, número m pequeño. ~의 minoritario, de número, de número pequeño. ~의 의견을 존중하다 respetar la opinión minoritaria. ¶~당 (partido m de) minoría, partido m minoritario. ~ 민족 minoría f (nacional), raza f minoritaria. ~ 의견 opinión *f* minoritaria [de la minoría]. ~파 minoría *f*.

소스 salsa *f*. ~ 그릇[병] salsera *f*.

소스라치다 espantarse, asustarse, tener*le* miedo, temer*le*.

소승(小乘) budismo *m* meridional; [경멸적으로] pequeño vehículo *m*. ~ 불교 =소승(小乘).

소시(少時) [어렸을 때] niñez *f*; [젊었을 때] muchachez *f*, juventud *f*. 소싯적에 en *su* niñez.

소시민(小市民) pequeña burguesía *f*.

소시지 salchicha *f*, salchichón *m*.

소식(小食) sobriedad *f* en el comer, el comer poca cantidad. ~하다 comer poco [ligeramente]. ~가 comedor *m* ligero.

소식(消息) noticia *f*, nueva *f*, comunicación *f*, información *f*; [편지] carta *f*, correspondencia *f*. ~이 있다 tener noticias. ¶~란 columna *f* de noticias. ~ 불통 ㉮ [소식의 왕래가 없음] no comunicación *f*. ㉯ [소식이 막혀 전혀 모름] No hay noticias. ~통 ㉮ [개인의] noticioso, -sa *mf*; persona *f* bien informada. ㉯ [집단의] fuente *f* bien informada. 믿을만한 ~에 따르면 según una fuente informada.

소신(所信) [신념] convicción *f*, creencia *f*; [의견] opinión *f*. ~을 피력하다 dar [expresar] *su* opinión.

소실[1](小室) [첩] concubina *f*. ~을 두다 tener *su* concubina.

소실[2](小室) ((해부)) utrículo *m*.

소실(消失) desaparición *f*, desvanecimiento *m*; [권리 등의] extinción *f*. ~하다 desaparecerse, desvanecerse, extinguirse.

소실(燒失) quemadura *f*. ~되다 quemarse, ser quemado, ser destruido por el fuego, consumirse por el fuego.

소심(小心) prudencia *f*, precaución *f*, timidez *f*, mezquindad *f*, tacañería *f*. ~하다 ㉮ [주의 깊다] (ser) cuidadoso, cautleoso, prudente. ~하게 cuidadosamente, con cuidado, cautelosamente, prudentemente, con precaución. ㉯ [도량이 좁다] (ser) mezquino, soez, tacaño. ㉰ [담력이 없고 겁이 많다] (ser) tímido, pusilánime.

소싸움 ((민속)) corrida *f* de toros.

소아(小兒) nene, -na *mf*; rorro *m*; crío *m*; el recién nacido, la recién nacida. ~의 infantil. ~과 pediatría *f*. ~과 병원 hospital *m* infantil. ~과 의사 pediatra *mf*, pedíatra *mf*. ~과학 pediatría *f*, pedología *f*.

소아마비(小兒痲痺) polio(mielitis) *f*, parálisis *f* infantil. 뇌성 ~ poliomielitis *f* cerebral. ~ 백신 poliovaccina *f*. ~ 예방 주사 inyección *f* preventiva contra poliomielitis. ~ 환자 poliomielítico, -ca *mf*.

소액(小額/少額) pequeña suma *f* [cantidad *f*].

소야곡(小夜曲) ((음악)) serenata *f*.

소연(小宴) festín *m*, fiesta *f* pequeña, convite *m* pequeño.

소염제(消炎劑) antiflogístico *m*.

소외(疏外/疎外) ① alienación *f*. ~하다 alienar, eludir, esquivar, menospreciar, despreciar, mantener a distancia. ~당하고 있다 ser despreciado, ser menospreciado. ② ((준말)) =자기 소외. ¶~감 sentimiento *m* alienado. ~감을 느끼다 sentirse alienado.

소요(所要) necesidad *f*, lo que se necesita. ~하다 [사람·사물이 주어일 때] necesitar, tardar; [사물이 주어일 때] costar. ~의 necesario, requerido. ~ 경비 gastos *mpl* de necesidad.

소요(逍遙) paseo *m*. ~하다 pasear(se), dar un paseo, deambular. ¶~ 학파 peripato *m*, aristotelismo *m*, escuela *f* peripatética.

소요(騷擾) tumulto *m*, sedición *f*, alboroto *m*, motín *m*, disturbio *m*. ~를 일으키다 armar [provocar] un alboroto.

소용(所用) uso *m*, servicio *m*. ~되다 usarse, servirse. …에게 ~되다 ser*le* útil, ser*le* de utilidad, servir*le*. ¶~없다 (ser) inútil, inservible, nulo, ser papel mojado, no servir. ~없는 물건 inutilidad *f*.

소용돌이 vórtice *m*, remolino *m* (de agua), torbellino *m*, voragine *f*, manga *f* marina, bomba *f* marina. ~에 휘말리다 ser tragado por un remolino.

소용돌이치다 arremolinarse, remolinar(se), remolinear, embravecerse, agitarse. 소용돌이치는 파도 oleaje *m* embravecido, olas *fpl* agitadas.

소우주(小宇宙) ① ((철학)) microcosmo *m*, microcosmos. ② =은하(銀河). ¶~론 microcosmia *f*.

소원(所願) deseo *m*, ruego *m*. ~하다 desear, rogar. 이루지 못한 ~ deseo *m* insatisfecho. ~ 성취하다 cumplir *su* deseo albergado. ~ 성취하옵소서 ¡Que cumpla su deseo!

소위(少尉) [육군의] alférez *mf*; *Arg*, *Col* subteniente *mf*; [해군의] alférez *mf*; [공군의] alférez *mf*; segundo teniente *m*, segunda teniente *f*.

소위원회(小委員會) subcomité *m*.

소유(所有) posesión *f*, propiedad *f*. ~하다 poseer, tener en *su* poder, tener en *su* posesión. ~격 caso *m* genitivo. ~권 (derecho *m* de) propiedad *f*, derecho *m* habiente. ~ 대명사 pronombre *m* posesivo. ~물[품] propiedad *f*. ~ 본능 instinto *m* codicioso. ~욕 avaricia *f*, codicia *f*, deseo *m* de poseer [de tener · de agarrar]. ~자[인] poseedor, -dora *mf*; propietario, -ria *mf*; dueño, -ña *mf*. ~주(主) propietario, -ria *mf*. ~ 형용사 adjetivo *m* posesivo.

소음(消音) eliminación *f* del ruido. ~하다 eliminar el ruido. ~기(器) ㉮ ((음악)) sordina *f*, apagador *m*. ㉯ [자동차의] silenciador *m*. ~ 장치 silenciador *m*.

소음(騒音) ruido *m*. bulla *f*.

소음순(小陰脣) labia *f* menor, ninfa *f*. ~염 ninfitis *f*.

소이탄(燒夷彈) bomba *f* incendiaria.

소인(小人) ① [나이 어린 사람] niño, -ña *mf*; chico, -ca *mf*. 대인 3 천원, ~ 천 백원 tres mil wones para los adultos, mil quinientos wones para los niños. ② [키 작은 사람] persona *f* baja; enano, -na *mf*; pigmeo, -a *mf*; liliputiense *mf*. ③ [도량이 좁고 간사한 사람] persona *f* mezquina y astuta. ④ =서민. ⑤ =소생.

소인(消印) matasellos *m.sing.pl.* ~하다 cancelar con un sello, poner (el) matasellos, matar el sello.

소인수(素因數) primer factor *m*. ~분해 análisis *m* de primer factor.

소일(消日) haraganería *f*. ~하다 haraganear, pasar el tiempo, divertirse. ~거리 diversión *f*, pasatiempo *m*.

소임(所任) deber *m*, obligación *f*. 중대한 ~ deber *m* importante, gran misión *f*, gran tarea *f*. 특별한 ~ misión *f* especial.

소자(小字) ① [조그마한 글자] letra *f* pequeña. ② [아명] nombre *m* que llamaban en *su* niñez.

소자본(小資本) poca capital *f*.

소작(小作) arrendamiento *m*, inquilinato *m*. ~하다 tener unas tierras en arriendo.

소장(小腸) intestino *m* delgado.

소장(少壯) juventud *f* vigorosa, joven *m*. ~의 joven. ~파 miembro *m* [grupo *m* · facción *f*] más joven. ~ 학파 escuela *f* joven.

소장(少將) [육군의] general *m* de brigada, general *m* de división; [해군의] contra-almirante *m*; [공군의] general *m* de división aérea.

소장(所長) jefe, -fa *mf* (de la oficina); director, -tora *mf*.

소장(所藏) posesión *f*. ~하다 poseer. ~품 artículos *mpl* en posesión.

소장(訴狀) petición *f*, ((법률)) demanda *f*, petición *f*. ~을 제출하다 presentar la petición.

소재(所在) ① [있는 곳] sitio *m*, ubicación *f* local, posición *f*, paradero *m*. ~를 정하다 localizar. ② =소재지. ¶ ~지 domicilio *m*, lugar *m*, sitio *m*. ~처 *su* paradero.

소재(素材) ① [예술 작품의 근본이 되는 재료] material *m*, materia *f*, tema *m*. 소설의 ~ materia *f* de la novela. 그림의 ~ materia *f* del cuadro. ② [가공을 하지 않은 그대로의 재료] materia *f* natural.

소정(所定) ¶ ~의 fijado, determinado, designado, señalado, prescripto. (지정된) ~의 기간내에 en el plazo señalado. ~ 시간에 a la hora señalada.

소제(掃除) limpieza *f*, barredura *f*, aseo *m*, barrido *m*. ~하다 limpiar, barrer.

소제목(小題目) subtítulo *m*.

소주(燒酒) sochu, aguardiente *m* coreano. ~잔 vaso *m* de *sochu*.

소주주(小株主) accionista *mf* que posee unas acciones.

소중하다(所重―) (ser) importante, precioso. 소중히 importantemente, preciosamente, con el mayor cuidado, cuidadosamente, cariñosamente, con cariño. 부모를 소중히 여기다 tener un gran amor a *sus* padres.

소지(所持) posesión *f*, pertenencia *f*. ~를 llevar (*algo* conn*sigo*), tener, poseer, ser dueño. ~인[자] [수표 따위의] portador, -dora *mf*; tenedor, -dora *mf*; [여권의] titular *mf*. ~품 objeto *m* que lleva consigo, objetos *mpl* personales.

소지(素地) [소질] aptitud *f*; [기초] fundamento *m*, base *f*. ~가 있다 tener una aptitud [una base].

소진(消盡) agotamiento *m*. ~하다 agotar.

소진(燒盡) quemadura *f* completo, reducción *f* a cenizas. ~하다 quemar completamente, reducir a cenizas.

소질(素質) disposición *f*, aptitud *f* natural *m*, talento *m*, aptitud *m*, naturaleza *f*. ~을 개발하다 cultivar los dones.

소집(召集) [회의 등의] convocación *f*; [군대의] llamiento *m*, reclutamiento *m*, leva *f*; [동원] movilización *f*. ~하다 convocar, llamar a filas; [군대를] reclutar; [동원하다] movilizar. ~나팔 toque *m* (de corneta). ~령 orden *f* de convocación. ~ 영장 convocatoria *f*, orden *f* de convocación.

소쩍새 ((조류)) cuclillo *m*, cuco *m*, chotacabras *m(f)*.

소찬(素饌) platos *mpl* con legumbres solamente, pero sin carnes y pescados.

소채(蔬菜) verduras *fpl*, legumbres *fpl*, hortalizas *fpl*. ~밭 huerta *f*, huerto *m*.

소책자(小冊子) folleto *m*, folletín *m*; [정치 선전 등의] panfleto *m*.

소첩(少妾) concubina *f* joven.

소청(所請) petición *f*, pedido *m*, solicitud *f*. ~하다 pedir, solicitar.

소총(小銃) fusil *m*; [카빈소총] carabina *f*; [라이플총] rifle *m*; [집합적] fusilería *f*. ~대 fusilería *f*. ~사격 disparo *m* [tiro *m*] de fusil. ~수(手) fusilero, -ra *mf*.

소추(訴追) persecución *f* judicial, acusación *f*. ~하다 perseguir judicialmente, acusar.

소출(所出) cosecha *f*, rendimiento *m*. ~이 많다 dar un buen rendimiento, producir [rendir] mucho. ~이 적다 dar un mal rendimiento, producir [rendir] poco.

소치(所致) resultado *m*, razón *f*. 나이의 ~로 por [debido a·a causa de] la edad.

소침(小針) aguja *f* pequeña; [시계의 시침] horario *m*.

소켓 casquillo *m*, enchufe *m* (de clamija), toma *f* de corriente, *AmL* tomacorriente(s) *m*, portaválvulas *m.sing.pl*; [전등의] portalámparas *m.sing.pl*.

소쿠리 cesta *f* de bambú.

소탈(疎脫,疏脫) informalidad *f*, falta *f* de ceremonia, sencillez *f*. ~하다 (ser) informal, sencillo, poco convencional, original, poco ceremonioso.

소탐대실(小貪大失) ¶~하다 encurrir en mucha pérdida persiguiendo pocas ganancias.

소탕(掃蕩) barredura *f*, aniquilamiento *m*, aniquilación *f*, exterminio *m*, exterminación *f*, anonadamiento *m*, anonadación *f*, desarraigo *m*, limpieza *f*. ~하다 barrer, aniquilar, exterminar, desarraigar, anonadar, limpiar. 적을 ~하다 barrer a los enemigos.

소태 ① ((준말)) =소태나무. ② ((준말)) =소태껍질. ¶~(와) 같다 (ser) muy amargo, amarguísimo, tener el sabor muy amargo. ~껍질 cáscara *f* del hombre grande. ~나무 hombre *m* grande.

소택(沼澤) pantano *m*, tremedal *m*, ciénaga *f*, fangal *m*, el pantano y la charca. ~지 marjal *m*, terreno *m* pantanoso, ciénaga *f*.

소통(疏通) comunicación *f*. ~하다 comunicar(se), entenderse. 우리들은 의사 ~이 된다 Tenemos buen entendimiento entre nosotros.

소파(搔爬) ((의학)) legrado *m*, raspado *m*, curetaje *m*, abrasión *f*, *CoS* raspaje. ~ 수술 operación *f* de legrado.

소파¹ [긴 안락 의자] sofá *m*.

소파² [한미 주둔군 지위 협정] Acuerdo *m* Coreano-Estadounidense sobre el Estatus de las Fuerzas en Corea, SOFA *m*.

소포(小包) ① [조그맣게 포장한 물건] paquete *m*, bulto *m*, lío *m*. ② ((준말)) =소포 우편(물). ¶~ 우편 servicio *m* de paquetes postales. ~ 우편료 franqueo *m* de paquete postal. ~ 우편물 paquete *m* postal, *AmS* encomienda *f*.

소폭(小幅) poco alcance *m*, límites *mpl* estrechos. ~의 변동 ((주식)) fluctuación *f* de poco alcance.

소품(小品) ① ((준말)) =소품문(小品文). ② ((준말)) =소품물(小品物). ③ [자그마한 제작품] pieza *f* pequeña, obra *f* pequeña. ¶~곡 pieza *f* corta, fragmento pequeño, apunte *m*, sketch *m*. ~ 담당 tramoyista *mf*.

소풍(逍風) ① [원족] excursión *f*. ~ 가다 ir de excursión, hacer una excursión, dar larga caminata. ② =산책.

소프라노 ((음악)) soprano *m*; [가수] soprano *mf*, tiple *mf*.

소프트 ① ((준말)) =소프트 모자. ② ((준말)) =소프트 칼라. ③ [부드럽고 온화함] suavidad *f*. ④ [부드러운] suave, blando. ¶~ 드링크 refresco *m*, bebida *f* no alcohólica. ~ 볼 ㉠ [소프트볼의 공] pelota *f* blanda. ㉡ [10명으로 하는 야구의 일종] softball *ing.m*. ~ 칼라 cuello *m* blando. ~ 크림 helado *m* blando.

소프트웨어 soporte *m* [equipo *m*] lógico, software *ing.m*, programa *m*. 개인용 ~ software *m* individual.

소피(所避) orina *f*; [어린이의] pipí *m*. ~(를) 보다 orinar(se), expeler la orina, hacer aguas menores, mear; [어린이가] hacer pipí [pis].

소하물(小荷物) paquete *m*, equipaje *m* (pequeño), bulto *m*; [철도의] equipaje *m*. ~로 보내다 enviar [mandar] en paquete. ¶~ 예치소 consigna *f* (de equipajes). ~ 임시 보관소 consigna *f*. ~차 carro *m* [carrito *m*] (para el equipaje); ((철도)) furgón *m* de equipaje.

소해정(掃海艇) dragaminas *m*, barreminas *m*.

소행(素行) conducta *f*, proceder *m*, comportamiento *m*. ~을 고치다 corregir *su* comportamiento, corregirse, enmendarse. ~이 나쁘다 comportarse mal.

소행성(小行星) planeta *f* menor.

소형(小型) tamaño *m* pequeño, tamaño *m* bolsillo. ~기 avioneta *f*. ~차 coche *m* pequeño, automóvil *m* (de tamaño) pequeño.

소혹성(小惑星)(천문) =소행성.

소홀하다(疏忽-) (ser) indiferente, descuidado, negligente. ¶소홀히 descuidadamente, negligentemente, con indiferencia. 소홀히 하다 menospreciar, descuidar, despreciar, hacer caso omiso, desdeñar.

소화(消火) extinción *f* de incendio [de(l) fuego]. ~하다 extinguir [apagar] el fuego [el incendio]. ~기 extintor *m* (de incendios). ~전(栓) boca *f* de riego, toma *f* de agua, bomba *m* [boca *f*] de incendios. ~ 호스 manguera *f* (contra incendios).

소화(消化) digestión *f*. ~하다 digerir. ~되다 digerirse. ¶~기 aparato *m* [órgano *m*] digestivo. ~불량 indigestión *f*, oligopepsia *f*; ((의학)) dispepsia *f*. ~ 불량증 dispepsia *f*. ~샘[선] glándula *f* digestiva. ~액 jugo *m* digestivo. ~ 작용 digestión *f*, funciones *fpl* digestivas. ~제 digestivo *m*.

소화물(小貨物) equipaje *m* pequeño.

소환(召喚) llamamiento *m*, emplazamiento *m*; ((법률)) citación *f*. ~하다 llamar, emplazar; citar. ~ 장(狀) (carta *f* de) citación *f*, comparendo *m*, emplazamiento *m*.

소환(召還) llamada *f*. ~하다 llamar, hacer volver.

속 ① [깊숙한 안] interior *m*, fondo *m*, lo más hondo, lo más profundo. 굴 ~ fondo *m* de la cueva. ② [깊숙한 안에 들어 있어서 중심을 이룬 유형·무형의 사물] corazón *m*. ~을 빼다 quitar el corazón. ③ ((준말)) =뱃속. ¶~이 편치 않다 tener el vientre indispuesto, tener los intestinos indispuestos. ④ =심보. ⑤ [철이 난 생각] discreción *f*, prudencia *f*. ~ 좀 차려라 Sé prudente. ⑥ =내막. ⑦ =소²(relleno). ¶~을 넣다 rellenar. ⑧ [내용] contenido *m*; [요리의 내용] ingredientes *mpl*. 상자의 ~을 보이다 mostrar el contenido de la caja. ⑨ [여럿의 가운데] centro *m*.

속(束) atado *m*, lío *m*, gavilla *f*, mazo *m*, manojo *m*, fajo *m*; [벼의] haz *m*; [종이의] resma *f*.

속(屬) ① [속관] suboficial *m*. ② ((동물·식물)) género *m*, dependencia *f*.

속가(俗歌) canción *f* popular, canto *m* vulgar, cantinela *f*.

속간(續刊) continuación *f* de la publicación. ~하다 continuar la publicación.

속개(續開) continuación *f*, reanudación *f*. ~하다 continuar, reanudar.

속결(速決) decisión *f* inmediata. ~ 하다 decidir inmediatamente.

속계(俗界) mundo *m* (mundano), vida *f* mundana. ~에 초연하다 mantenerse apartado del mundo.

속곳 combinación *f*, enagua *f*

속공(速攻) ataque *m* veloz. ~하다 lanzar el ataque veloz.

속구(速球) ((야구)) pelota *f* rápida.

속국(屬國) posesión *f*, dependencia *f*, estado *m* tributario.

속기(速記) taquigrafía *f*, estenografía *f*. ~하다 estenografiar, taquigrafiar, escribir en taquigrafía.

속내복(-內服) (-內衣) =속내의.

속내의(-內衣) ① [내의 속에 껴입는 내의] camiseta *f* que se pone en la ropa interior. ② =속옷.

속눈¹ [자의] escala *f* interior.

속눈² [조금 뜬 눈] ojos *mpl* medio cerrados.

속눈썹 pestaña *f*; [보통과는 다르게 안을 향하여 난 것] triquiasis *f*. 긴 ~ pestañas *fpl* largas. 인조 ~ 한 벌 unas pestañas postizas.

속다 ① [남의 꾀에 넘어가다] ser engañado, ser embaucado. ② [거짓을 참으로 알다] saber la mentira como la verdad.

속닥거리다 cuchichear, cuchuchear, hablar al oído, murmurar.

속닥이다 cuchichear, hablar al oído.

속단(速斷) [판단] juicio *m* rápido; [결단] resolución *f* pronta, decisión *f* pronta; [결론] conclusión *f* precipitada, conclusión *f* apresurada. ~하다 decir pronto, sacar una conclusión precipitada, saltar a una conclusión.

속달(速達) ① [빨리 배달함] servicio *m* rápido a domicilio, entrega *f* rápida a domicilio; [우편의] distribución *f* rápida. ~하다 entregar [servir] rápidamente a domicilio; distribuir rápidamente. ② ((준말)) =속달 우편. ¶~ 우편 correo *m* exprés, correo *m* expreso [urgente]; [편지] carta *f* urgente; [소포] paquete *m* urgente; ((표시)) Urgente / Expreso.

속담(俗談) refrán *m*, proverbio *m*. ~집 refranero *m*, colección *f* de refranes. ~학 aremiología *f*.

속답(速答) respuesta *f* [contestación *f*] rápida. ~하다 responder [contestar] rápidamente.

속도(速度) velocidad *f*. 빛의 ~ velocidad *f* de la luz. 소리의 ~ velocidad *f* del sonido. ~를 제한하다 limitar la velocidad. ¶~계 velocímetro *m*, indicador *m* de velocidad, cuentakilómetros *m*. ~ 위반 violación *f* de reglamentos de velocidad. ~ 위반자 violador, -dora *mf* de reglamentos de velocidad. ~ 제한 limitación *f* [límite *m*] de velocidad.

속독(速讀) lectura *f* rápida. ~하다 leer rápidamente.

속돌 ((광물)) piedra *f* pómez.

속되다(俗－) ① (ser) vulgar, común, basto, ordinario, popular, mundano, corriente. 속된 장식 decoración *f* de un gusto vulgar. ② [세속적이다] (ser) profano.

속뜻 ① [참뜻] significado *m* verdadero. ② [본심] *su* intención real, *su* motivo verdadero.

속력(速力) velocidad *f*, rapidez *f*. ~을 내다 dar más rápida velocidad. ~를 조절하다 regularizar la velocidad.

속령(屬領) posesión *f*, territorio *m*; [보호령] protectorado *m*; [식민지] colonia *f*.

속마음 *su* corazón. ~은 en el fondo. ~에서 de todo corazón. ~을 털어놓다 desahogarse, abrir*le* el pecho [el corazón], confesar.

속말 charla *f* confidencial, conversación *f* privada, pecho *m*, secreto *m*. ~을 하다 abrir [descubrir] el pecho.

속물(俗物) persona *f* vulgar [mundana], esnob *m*, filisteo *m*. ~근성 esnobismo *m*, filisteísmo *m*.

속박(束縛) sujeción *f*, coartación *f*; [제한] restricción *f*, limitación *f*. ~하다 sujetar, coartar, restringir, limitar. ~을 받다 sufrir el yugo, sujetarse al yugo.

속병(－病) enfermedad *f* intestinal.

속보(速步) paso *m* rápido, paso *m* acelerado, marcha *f* rápida; [말의] trote *m*; ((군사)) paso *m* ligero.

속보(速報) noticia *f* de última hora, reporte *m* urgente. ~하다 reportar pronto. ~판 tablilla *f* en que fijan listas, noticias etc., tabla *f* de anuncios de última hora.

속보(續報) noticias *fpl* continuas, informes *mpl* complementarios, nuevos *mpl* adicionales.

속보이다 (ser) transparente, diáfano, transparentarse, ser visto a través.

속사(速射) tiro *m* continuo y rápido. ~하다 disparar rápidamente. ~포 cañón *m* de tiro rápido.

속삭이다 cuchichear, cuchuchear, hablar al oído, murmurar, murmullar, susurrar, orejear, secretear, hablar en voz baja, hablar en cuchicheo.

속삭임 cuchicheo *m*, susurro *m*, murmullo *m*, el habla *f* secreta.

사랑의 ~ dulces [tiernas] palabras *fpl* de amor.

속산(速算) cálculo *m* rápido. ~하다 calcular rápidamente.

속살 [옷에 가리어진 부분의 피부] piel *f* debajo de la ropa, partes *fpl* del cuerpo ordinariamente cubiertas por la ropa. ~이 희다 tener la piel limpia.

속상하다 ① [마음이 불편하고 괴롭다] (estar) enfadado, enojado. ② =화나다.

속설(俗說) ① [민간에 전해 내려오는 설] tesis *f* [opinión *f*] popular [vulgar], creencias *fpl* populares, leyenda *f*, tradición *f*. ② =속담.

속성(速成) formación *f* intensiva, ejecución *f* [maestría *f*] rápida. ~과 curso *m* intensivo.

속세(俗世) mundo *m* humano [vulgar]. ~를 떠난 con poco mundo. ~를 버리다 renunciar al mundo.

속셈 ① [마음속으로 하는 요량이나 판단] intención *f* oculta, deseo *m* secreto, motivo *m* oculto; [타산] cálculo *m*. ~을 간파하다 adivinar el plan oculto (de), penetrar la intención. ② [암산] cálculo *m* mental, aritmética *f* mental. ~하다 calcular mentalmente.

속셔츠 camiseta *f* (interior).

속속(續續) sucesivamente, continuamente, en sucesión, constantemente, sin cesar, sin interrupción. 관객이 ~ 입장한다 Entran los expectadores sin interrupción.

속속들이 totalmente, muy bien, completamente. ~ 젖다 estar empapado, estar calado hasta los huesos; [옷이] chorrear, manchar.

속수무책(束手無策) recursos *mpl*, inventiva *f*, indefensión *f*. ~이다 No hay manera de hacer nada / No hay nada que hacer.

속시원하다 estar desahogado, desahogarse, abrir*le* el pecho [el corazón].

속어(俗語) ① [통속적인 저속한 말] vulgarismo *m*, renguaje *m* popular, giro *m* popular, lenguaje *m* familiar, expresión *f* familiar. ② ((은어)) jerga *f*, argot *m*. ③ =상말. ④ =속담(refrán).

속없다 ① [줏대가 없다] faltar la prudencia [discreción], no tener *su* propia opinión definitiva [fija]. ② [악의가 없다] (ser) inocente, inofensivo, no tener malicia.

속영(續映) continuación *f* de la película. ~하다 continuar la película; [연속하다] dar consecutivamente.

속옷 ropa *f* blanca [interior], ropa *f* íntima; [런닝] camiseta *f*; [여자의] enaguas *fpl*. ~ 바람으로 en paños menores, en ropa interior.

속이다 engañar, falsear, coger en la trampa, embaucar, gastar una broma; [거짓말하다] mentir; [은폐하다] disimular, fingir; [착복하다] desfalcar, escamotear, embolsillar ocultamente. 나이를 ~ esconder [disimular] los años.

속인(俗人) ① [속세의 사람] hombre *m* del mundo vulgar. ② [속된 사람] tipo *m* medio; vulgo, -ga *mf*; hombre *m* de la calle. ③ ((불교)) laico, -ca *mf*; lego, -ga *mf*; seglar *mf*.

속인(屬人) ¶~의 individual, personal. ~법 ley *f* personal. ~법주의 principio *m* de la ley personal. ~주의 principio *m* de la jurisdicción personal.

속임수(-數) treta *f*, truco *m*, falsedad *f*, engaño *m*, fraude *m*, halago *m* para engañar, superchería *f*, embuste *m*; [도박의] trampa *f*; [은폐] escamoteo *m*; [날조] sofisticación *f*; [외견의] simulación *f*, afectación *f*, fingimiento *m*.

속전(速戰) combate m rápido. ~ 속결 ataque *m* sorpresa con todo.

속절없다 (ser) desesperado, imposible, sin esperanzas, inútil, vano; [피할 수 없다] inevitable. 속절없는 노력 esfuerzo *m* vano. 속절없는 세상 mundo *m* vano.

속죄(贖罪) expiación *f*, reparación *f*, acto *m* penitencial; [예수에 대한] redención *f*. ~하다 expiar (un pecado), reparar *su* falta, rescatar, redimir.

속지(屬地) posesión *f*, dependencia *f*, territorio *m*. ~법 ley *f* territorial. ~법주의 principio *m* de la ley territorial. ~주의 principio *m* de la jurisdicción territorial.

속출(續出) ocurencia *f* continua, sucesión *f*. ~하다 suceder, ocurrir en sucesión.

속치마 enagua *f*.

속칭(俗稱) nombre *m* vulgar, apodo *m*, mote *m*, denominación *f* popular. ~하다 llamar popularmente.

속타다 impacientarse, inquietarse, preocuparse, ponerse nervioso, irritarse, estar preocupado.

속태우다 ① [속타게 하다] impacientar, agitar, inquietar, preocupar, poner nervioso, poner los nervios de punta, irritar, enojar, enfadar. ② [걱정이 되어 마음을 졸이다] preocuparse, inquietarse.

속편(續編/續篇) continuación *f*, segunda parte *f*. ~을 쓰다 escribir la continuación. 「태백 산맥」의 ~을 쓰다 escribir la continuación de *Taebaek sanmaek* [cordillera

Taebaek].

속표지(-表紙) portada *f*, carátula *f*.

속필(速筆) escritura *f* rápida. 그는 ~이다 El escribe rápidamente.

속하다(屬一) ① [딸리다] pertenecer, ser de. 나에게 속해 있는 땅 tierras *fpl* de mi propiedad, tierras *fpl* que me pertenecen. ② [가입해 있다] estar afiliado, ser miembro. ③ [종속되다] depender. ④ [분류되다] pertenecer, clasificarse. ⑤ [해당되다] corresponder.

속행(續行) continuación *f*, [재개] reanudación *f*. ~하다 continuar, seguir, proseguir, reanudar.

속효(速效) efecto *m* inmediato, resultados *mpl* instantáneos. ~가 있다 tener el efecto inmediato; ((의학)) ser activo. ~약 cura *f* milagrosa, remedio *m* rápido.

솎다 entresacar, hacer una entresaca. 배추를 ~ entresacar los repollos.

손¹ ① [사람의] mano *f*, [어린아이의] manita *f*. ~ 대지 마시오 ((게시)) No tocar / No toque. ② [손과 팔] las manos y los brazos; [팔] brazo *m*. …(쪽)의 ~을 들다 [권투·레슬링 따위에서] declarar vencedor *a* uno. 그의 ~을 들었다 El fue declarado vencedor. ③ [물건에 대한 아량] generosidad *f*. ~이 크다 (ser) generoso. 손이 많으면 일도 쉽다 ((속담)) A más manos menos trabajo.

손² ① ㉮[방문객] visitante *mf*; [집합적] visita *f*. ㉯[초대객] invitado, -da *mf*; convidado, -da *mf*. ㉰[숙박객] huésped *mf*. ㉱[영업하는 집에 찾아온 사람] cliente *mf*; parroquiano, -na *mf*; comprador, -dora *mf*; [집합적] clientela *f*, parroquia *f*.

손(係) ((준말))=자손. ② ((준말))=후손. 후예. ③ =손자.

손(損) ((준말))=손해(損害).

손가락 dedo *m*.

손가락질 torcedura *f* de dedo, choque *m* de las puntas de dedos. ~하다 señalar con el dedo, lesionar los dedos por un choque. ~(을) 받다 ser reprochado, ser censurado, incurrir en la censura, atraerse la censura, exponerse la censura.

손가방 cartera *f* (grande), portafolio *m*, maleta *f*, saco *m* de viaje.

손거스러미 padrastro *m*, respigón *m*. 손가락에 ~가 일어나 있다 tener un padrastro en el dedo.

손거울 espejo *m* de mano.

손금 líneas *fpl* de palma, rayas *fpl* de la mano. ~(을) 보다 levantar una quiromancía, adivinar el destino de *uno* por *sus* rayas de la palma, adivinar el porvenir de *uno* por las rayas de la mano. ¶~쟁이 quiromántico, -ca *mf*.

손꼽다 contar con los dedos, hacer la cuenta de la vieja. 크리스마스를 손꼽아 기다리다 esperar con impaciencia la llegada de Navidad.

손끝 punta *f* del dedo, dedos *mpl*.

손녀(孫女) nieta *f*.

손녀딸(孫女).

손놀림 movimiento *m* de las manos, gestos *mpl*. 서투른 [위태로운] ~으로 con (las) manos desmanadas [inhábiles], chapuceramente, zafiamente.

손님 ① [방문객] visitante *mf*; [집합적] visita *f*. ㉯ [초대객] invitado, -da *mf*; convidado, -a *mf*. ㉱ [숙박객] huésped *mf*. ② [고객] cliente *mf*; parroquiano, -na *mf*; comprador, -dora *mf*; [집합적] clientela *f*, parroquia *f*. ③ [승객] pasajero, -ra *mf*. [여객] viajero, -ra *mf*. ④ [관객] espectador, -dora *mf*.

손대다 ① [손으로 만지다] tocar. 손대지 마세요 ((게시)) No tocar / No toque. ② [일을 시작하다] comenzar, empezar, poner en marchar, emprender. 일에 ~ poner manos a la obra, emprender una tarea. 출판 사업에 ~ comenzar la publicación. ③ [관계하다] participar, tomar parte, intervenir, entrometerse. ④ [남을 때리다] golpear, dar un golpe. ⑤ [고치다] alterar, modificar. ⑥ [공금을 남의 돈 따위를 착복하다] malversar, desfalcar, apropiarse.

손대중 medición *f* por mano.

손도끼 hachuela *f*, destral *m*, el hacha *f* pequeña, podadera *f*, podón *m*, azuela *f*.

손도장(-圖章) sello *m* hecho con el dedo pulgar, señal *f* con el dedo pulgar por el sello.

손들다 ① [항복·굴복하다] rendirse, someterse. ② [힘에 겨워 도중에서 그만두다] aguantar, soportar.

손등 dorso *m* [reverso *m*] de la mano.

손때 suciedad *f* causada por las manos [por el manoseo].

손료(損料) (precio *m* de) alquiler *m*, arriendo *m*.

손목 muñeca *f*, pulsera *f*, carpo *m*. ~의 carpiano. ~을 잡다 coger*le a uno* por la muñeca.

손목시계(-時計) reloj *m* de pulsera.

손바구니 canasta *f*, cesta *f*.

손바느질 labor *f*, bordado *m*, costu-

ra *f* (a mano). ~을 한 cosido a mano. ~을 하다 coser a mano.

손바닥 palma *f* (de la mano). ~에 놓고 en la palma de la mano. ~만한 땅 terreno *m* muy pequeño.

손발 las manos y los pies, pies y manos; [사지] miembros *mpl*. ~을 묶다 atar*le* de pies y manos. ~을 펴다 estirar los miembros.

손버릇 ① [손에 익어진 버릇] acción *f* habitual de las manos. ② [남의 물건을 훔치거나 망가뜨리는 버릇] hábito *m* de robar.

손보다 reparar, remendar, arreglar, cuidar.

손부(孫婦) esposa *f* de *su* nieto.

손뼉 palmoteo *m*, palmada *f*, compás *m* dando palmadas, aplausos *mpl*. ~을 치다 ㉠ [손바닥을 마주 쳐서 소리를 내다] palmotear, batir palmas, dar palmadas, batir palmadas, llevar compás dando palmadas. ㉯ [기뻐하고 좋아하다] alegrarse, gozar, sentir placer.

손상(損傷) daño *m*, perjuicio *m*, injuria *f*, deterioro *m*, accidente *m*, casualidades *fpl*; [선박·선하의] avería *f*. ~하다 sufrir daño, perjudicar, dañar, perder.

손색(遜色) inferioridad *f*, humillación *f*, desventaja *f*. ~이 없다 no ser inferior, no llevar desventaja, no ir en zaga.

손수 ① [직접 제 손으로] personalmente, en persona, con *sus* propias manos. ~ 만든 hecho a mano; [자가 제품의] casero, hecho en casa. ② [제 스스로] se, sí, sí mismo.

손수건(-手巾) pañuelo *m*.

손수레 carretilla *f* (de mano), carretón *m* de mano. ~로 나르다 llevar en carretilla.

손쉽다 (ser) fácil; [간단하다] sencillo, simple, ligero. 손쉬운 문제 problema *m* fácil. 손쉽게 fácilmente, con facilidad. 손쉽게 처리하다 despachar fácilmente.

손실(損失) pérdida *f*, daño *m*, perjuicio *m*, detrimento *m*. ~하다 perder. 가벼운 ~ pérdida *f* pequeña. 큰 ~ gran pérdida *f*, pérdida *f* severa [seria·pesada].

손아귀 (en) las manos. ~에 있다 estar en *su* mano. ~에 넣다 capturar.

손아래 inferior *m*, subordinado *m*.

손아랫사람 inferior *mf*; menor *mf*; subordinado, -da *mf*.

손안 en las manos. ~에 넣다 poner en *sus* manos.

손오공(孫悟空) mono *m* maravilloso e imaginario.

손윗사람 superior *mf*; antiguo, -gua *mf*; anciano, -na *mf*.

손익(損益) pérdidas *fpl* y ganancias.

손익다 estar acostumbrado.

손자(孫子) nieto *m*. ~며느리 esposa *f* de *su* nieto.

손자국 marca *f* de la mano. ~을 남기다 dejar la marca de la mano.

손잡다 ① [서로 협력하여 같이 일하다] cooperar, colaborar; [한 패가 되다] asociarse, agruparse. ② ~ 야합하다.

손잡이 ① mango *m*. 가죽 · [전차나 버스 따위의] correa *f*. ② [항아리 · 가구의] asa *f*, agarradero *m*; [냄비 · 주전자 따위의] 활시위 모양을 한] asa *f*, orejuela *f*. ③ [문 따위의] manecilla *f*, tirador *m*. ④ [칼의] tahalí *m*, empuñadura *f*. ⑤ [지팡이 · 우산 따위의] puño *m*. ⑥ [문 · 창의] manilla *f*.

손장난 juguetteo *m*. ~하다 juguetear. 어린이가 강아지와 ~한다 El niño juguetea con el perrillo.

손장단(-長短) compás *m* con la mano, compás *m* marcado por las palmadas, palmas *fpl*.

손재간(-才幹) = 손재주.

손재주(-才-) habilidad *f*, destreza *f*, trabajo *m* a la ligera.

손전등(-電燈) linterna *f* portátil.

손전화(-電話) (teléfono *m*) móvil *m*, *Méj*, *AmL* (teléfono *m*) celular *m*.

손질 ① [손으로 잘 매만져 다듬는 일] mano *f* hecho a mano; [수선] reparo *m*, reparación *f*; [관리] cuidado *m*. ~하다 trabajar; [수선하다] reparar, remendar, arreglar; [관리하다] cuidar. ② [손으로 때리는 짓] manotada *f*, manotazo *m*. ~하다 manotear, dar golpes con las manos.

손짓 gestos *mpl*, gesticulación *f*, señal *f* por la mano. ~하다 gesticular, accionar, hacer gestos. ~으로 이야기하다 hablar [decir] accionando [con dactilología], hablar haciendo gestos, hablar con gestos, hablar por señas.

손찌검 manotada *f*, manotazo *m*. ~하다 manotear, dar golpes con las manos.

손크다 (ser) generoso.

손타다 ser robado.

손털다 perder todo.

손톱 uña *f*. ~을 깎다 [자신의] cortarse las uñas; [다른 사람의] cortar*le* las uñas. ¶ ~깎이 cortaúñas *m.sing.pl.* ~자국 arañazo *m*, uñarada *f*, uñada *f*, rasguño *m*, rascadura *f*, *Hond* uñetazo.

손풍금(-風琴) acordeón *m*.

손해(損害) daño *m*, perjuicio *m*; [큰] estrago *m*; [선박 · 선하의] avería *f*; [손실. 사상(死傷)] pérdida *f*, deterioro *m*, estropeo *m*; [불

리] desventaja *f*. ~를 주다 causar [producir] daño [perjuicio · estrago], dañar, perjudicar. ~ 입다 sufrir [padecer · recibir] daño, averiarse. ~ 배상 indemnización *f*, compensación *f*. ~ 배상금 indemnización *f*. ~ 보험 seguro *m* de [sobre] los daños.

솔¹ =소나무(pino). ¶ ~방울 piña *f*, piñón *m*. ~밭 pinar *m*.

솔² [먼지 · 때를 쓸어 떨어뜨리거나 풀칠할 때 쓰는] cepillo *m*; [소제용] cepillo *m* de limpiar; [면도용] brocha *f* de afeitar. ~로 털다 cepillar, acepillar, limpiar con el cepillo; [자신의 것을] cepillarse. ¶ ~질 cepilladura *f*, acepilladura *f*. ~질하다 cepillar, acepillar.

솔가지 rama *f* del pino.

솔개 ((조류)) milano *m*.

솔기 costura *f*; [상처의] sutura *f*.

솔깃하다 estar interesado.

솔래솔래 uno a uno, uno por uno. ~ 빠져 나가다 escabullirse uno a uno [uno por uno].

솔로¹ (음악)) solo *m*. ~ 가수 solista *mf*. ~ 앨범 album *m* en solitario. ~ 연주자 solista *mf*. ~ 런 cuadrangular *m* en solitario.

솔선(率先) acción *f* de tomar la iniciativa, el primero de todos. ~하다 hacer una casa el primero de todos, llevar, guiar, encabezar.

솔솔 suavemente, con suavidad, ligeramente, sin esfuerzo. 문제가 ~ 풀리다 resolver la cuestión difícil sin esfuerzo.

솔솔바람 brisa *f* suave.

솔씨 piñón *m*.

솔직하다(率直-) (ser) franco, sincero, abierto, simple y honrado.

솔직히 francamente, con franqueza, abiertamente. ~ 말하자면 francamente (hablando).

솔질 acepilladura *f*. ~하다 cepillar, acepillar, limpiar con el cepillo; [자신의 것을] cepillarse.

솔트 [전략 무기 제한 회담] conversaciones *fpl* para la limitación de armas estratégicas, SALT *ing.fpl*.

솜 algodón *m*, algodón *m* de rama, guata *f*. ~옷 vestido *m* enguatado, ropa *f* de algodón. ~털 ㉮ [새 따위의] plumón *m*. ㉯ [얼굴 · 몸의] vello *m*, pelusilla *f*; [윗입술 위의] bozo *m*, pelusilla *f*. ㉰ [식물의] pelusa *f*. ~를 떼어내는 기계 desmotadora *f* de algodón. ~화약 algodón *m* pólvora, pólvora *f* de algodón *m*, fulmicotón *m*.

솜씨 habilidad *f*, destreza *f*, arte *m(f)*, maña *f*, tino *m* capaz, obra *f* de mano; [능력] capacidad *f*, facultad *f*. ~가 좋은 hábil, diestro, experto. ~가 서툰 torpe, inhábil, desmañado.

솟구치다 volar alto y rápido, planear rápido, elevarse rápido y fuerte, remontarse rápido y fuerte.

솟다 ① [아래에서 위로나, 속에서 겉으로] ascenderse alto, fluir, correr; [물이] surgir, nacer, manar, brotra, salir a chorros [a borbotones]. 구름 위에 ~ elevarse sobre las nubes. ② [우뚝 서다] elevarse, levantarse, erguirse, encumbrarse, descollar sobre. 건물이 우뚝 솟아 있다 El edificio se eleva [se encumbra] alto.

솟아오르다 manar, brotar. 바위에서 물이 솟아오른다 El agua mana de una roca.

송고(送稿) envío m del manuscrito (al encargado de redacción). ~하다 enviar el manuscrito.

송곳 taladro m, barrena f (de mano), alesna f, lezna f, subilla f; [작은] punzón m; [전기·동력 천공기] taladradora f, taladro m; [손 드릴] taladro m (manual); [천공기] perforadora f, barreno m.

송곳니 diente m canino, diente m columelar, colmillo m, canino m.

송구(送球) ① [공을 던져 보냄] pase m de pelota. ~하다 pasar la bola. ② [핸드볼] balonmano m, pelota f de mano.

송구(送舊) acción f de pasar el año añejo. ~하다 pasar el año añejo. ~영신(迎新) acción f de pasar el año añejo y de recibir el año nuevo. ~영신하다 pasar el año añejo y recibir el año nuevo.

송구스럽다(悚懼−) sentir (mucho).

송구하다(悚懼−) sentir. 정말 송구합니다 Siento mucho.

송금(送金) remesa f, envío m (de dinero); [환] giro m. ~하다 remesar, remitir (el dinero), enviar (el dinero), enviar un giro (postal), remitir el dinero por giro postal. ~수취인 destinatario, -ria mf de remesa; consignatario, -ria mf. ~자 remitente mf de remesa. ~환 transferencia f. ~환어음 letra f de transferencia.

송년(送年) acción f de pasar el año añejo. ~호 último número m del año.

송달(送達) entrega f, despacho m, embarque m. ~하다 enviar, mandar, despachar.

송덕(頌德) elogio m. ~하다 elogiar.~비 monumento m en honor de uno.

송두리째 todo, completamente, perfectamente, enteramente, cabalmente, a fondo, a conciencia, rigurosamente, meticulosamente. ~

가져 가다 llevarse [retirar] todo. 재산을 ~ 없애다 perder todos sus bienes.

송료(送料) (coste m de) envío m, flete m, porte m; [우편세] franqueo m. ~를 지불하다[선불하다] franquear. ¶ ~ 무료 porte m franco, franqueo m libre. ~ 선불 porte m pagadero a la entrega. ~ 선불로 발송하다 mandar con el porte pagado.

송림(松林) bosque m de pinos.

송배전(送配電) transmisión f de electricidad.

송별(送別) despedida f. ~하다 despedirse. ~사 palabras fpl de despedida. ~식 ceremonia f de despedida. ~연 fiesta f de despedida. ~회 reunión f de despedida.

송부(送付) envío m, expedición f. ~하다 enviar, mandar, remitir.

송사(訟事) pleito m. ~하다 tener pleito, tener queja.

송사리 ① ((어류)) pececitos mpl, pececillos mpl, morralla f. ② [잘고 하찮은 무리] morralla f, persona f insignificante.

송송 ① [물건을 아주 잘게 써는 모양] en trozos menudos, en pedazos pequeños, en pedacitos, en trocitos. 파를 ~ 썰다 picar el puerro en pedacitos. ② [아주 작은 구멍이 빈틈없이 뚫린 모양] lleno de agujeros pequeños, perforando. ③ [피부에 잔 땀방울이나 소름 따위가] teniendo la frente perlada de sudor, estremeciéndose.

송수(送水) abastecimiento m [suministro m] de agua. ~하다 suministrar agua. ~관 cañería f (de conducto m de agua.

송수신기(送受信機) transmisor m receptor.

송수화기(送受話器) microteléfono m, micrófono m.

송신(送信) transmisión f, emisión f, servicio m de cablegrama; [사진의] servicio m de telefoto. ~하다 transmitir, emitir. ~소 transmisora f, emisora f. ~ 안테나 antena f retransmisora. ~탑 torre f de transmisión.

송아지 ternero m, ternera f, [한 살미만의] becerro m.

송알송알 ① [술 등이 괴어 거품이 이는 모양] fermentando, burbujeando. ② [물이 방울방울 엉긴 모양] en gotas profusas, profusamente. 땀이 ~ 나다 transpirar profusamente.

송어(松魚) ((어류)) trucha f.

송영(送迎) despedida f [acogida f] y recibimiento. ~하다 despedir y recibir, depedir y dar la bienvenida, despedir y dar buena acogida.

송유(送油) suministro *m* de petróleo. **~하다** suministrar el petróleo, enviar [mandar] el petróleo. **~관** oleoducto *m*.

송이 [포도 따위의] racimo *m*; [바나나 따위의] piña *f*, ReD racimo *m*; [귤 따위의] gajo *m*.

송이(버섯)(松栮ー) champiñón *m*; [버섯] hongo *m*, seta *f*.

송장 cadáver *m*, cuerpo *m* muerto (de una persona), muerto *m*. **~을 파내다** exhumar el cadáver.

송장(送狀) factura *f*. **~을 발행하다** facturar.

송장헤엄 estilo *m* espalda. **~을 치다** nadar a espalda [de espaldas・ de dorso]. **~침** espalda *f* [de espalda・de dorso].

송전(送電) trasmisión *f* [transmisión *f*] de la electricidad, transmisión *f* de energía, transmisión *f* y distribución de energía eléctrica. **~하다** transmitir la electricidad. **~소** lugar *m* de transmisión de energía. **~탑** torre *f* de transmisión de energía.

송죽(松竹) el pino y el bambú.

송진(松津) pez *f*, resina *f* de pino.

송충이(松蟲ー) ((곤충)) oruga *f* que come pino.

송치 ternero *m* nonato.

송치(送致) envío *m*, despacho *m*, remisión *f*. **~하다** enviar, despachar, remitir.

송편(松ー) *songpyon*, tarta *f* de arroz cocida al vapor en una capa de las hojas de pino.

송풍기(送風機) ventilador *m*.

송화(送話) transmisión *f* de un mensaje. **~하다** transmitir. **~구** boquilla *f* [T] transmisor *m*.

송환(送還) devolución *f*; [본국으로] repatriación *f*. **~하다** devolver; [본국으로] repatriar. **~되다** repatriar. **¶~자** repatriado, -da *mf*.

솥 olla *f*; [보일러용의] caldera *f*; [부뚜막] horno *m*. **한 ~ 밥을 먹다** compartir la mesa, vivir bajo el mismo techo.

쇄골(鎖骨) ((해부)) clavícula *f*.

쇄국(鎖國) aislamiento *m* nacional, país *m* cerrado al extranjero. **~하다** cerrar el país al extranjero. **~정책** política *f* de aislamiento nacional. **~주의** aislacionismo *m* (nacional). **~주의자** aislacionista *mf* (nacional).

쇄도(殺到) acudimiento *m* en tropel, prisa *f*, inundación *f*, aluvión *m*, avalancha *f*. **~하다** acudir en tropel, abalanzarse en tropel, precipitarse, agolparse, apiñarse, recibir un aluvión.

쇄빙(碎氷) hielo *m* machacado

[rompido], rompehielo *m*. **~하다** romper [machacar] el hielo. **~선** (barco *m*) rompehielos *m*, cortahielo *m*.

쇄석(碎石) piedra *f* machacada. **~기** quebrantadora *f* (de piedra), machacadora.

쇄신(刷新) renovación *f*, reforma *f*, innovación *f*. **~하다** renovar, reformar, innovar, formar de nuevo, rehacer. **인사를 ~하다** renovar el personal.

쇠 ① [철] hierro *m*. **~를 녹이다** fundir el hierro. ② [쇠붙이] metal *m*. **~의** metálico. ③ ((준말)) **=열쇠.** ④ ((준말)) **=자물쇠.**

쇠가죽 piel *f* [cuero *m*] de vaca.

쇠고기 carne *f* de vaca, ternera *f*, AmC, Méj carne *f* de res.

쇠고랑 ((속어)) **=수갑.**

쇠골 sesos *mpl* de vaca.

쇠귀 orejas *fpl* de vaca. **쇠귀에 경 읽기** ((속담)) Predicación a los oídos sordos.

쇠기름 sebo *m* (vacuno), grasa *f* de pella.

쇠꼬리 rabo *m* [cola *f*] de vaca.

쇠다 celebrar. **구정을 ~** celebrar el día de Año Nuevo del calendario lunar.

쇠똥[1] [쇠의 부스러기] desechos *mpl* de hierro, chatarra *f*.

쇠똥[2] [소의 똥] excremento *m* de vaca.

쇠망(衰亡) caída *f*, acabamiento *m*, decadencia *f*. **~하다** decaer.

쇠망치 martillo *m* de hierro.

쇠먹이 forraje *m*, pienso *m*.

쇠백장 carnicero, -ra *mf*.

쇠버짐 tiña *f*.

쇠불알 testículo *m* del toro.

쇠붙이 ① **=금속**(金屬). ② [철물이나 쇳조각] objetos *mpl* de hierro, ferretería *f*.

쇠비름 ((식물)) verdolaga *f*.

쇠뼈 hueso *m* de la vaca.

쇠뿔 cuerno *m* del toro. **쇠뿔도 단김에 빼라** ((속담)) A hierro candente [caliente] batir de repente.

쇠사슬 cadena *f*, traba *f*.

쇠스랑 mielga *f*, rastrillo *f*.

쇠약(衰弱) extenuación *f*, debilitación *f*, agotamiento *m*. **~하다** debilitarse, agotarse, flaquear.

쇠여물 forraje *m*, pienso *m*.

쇠잔하다(衰殘ー) deteriorarse, declinarse.

쇠죽(ー粥) gachas *fpl* de frijoles y pajas para el ganado.

쇠줄 alambre *m*, cuerda *f* de hierro.

쇠진하다(衰盡ー) deteriorarse, agotarse.

쇠창살(ー窓ー) verja *f*.

쇠코뚜레 nariguera *f*.

쇠퇴(衰退/衰頹) caída *f*, decreci-

쇠파리 ((곤충)) rezno *m.*

쇠하다(衰-) ① [힘이나 세력 따위가] decaer. ⓝ [쇠약해지다] debilitarse. ⓒ [감퇴하다] disminuirse, menguar. ⓓ [쇠퇴하다] declinar. ② [원기가] debilitarse [disminuir] el ánimo.

쇳독(-毒) veneno *m* metálico.

쇳돌 mineral *m* metalífero.

쇳물 mancha *f* metálica.

쇳소리 voz *f* aguda [penetrante].

쇳조각 pedazo *m* de metal.

쇼 [전시회] exposición *f*, exhibición *f*, [무대의] espectáculo *m.* ~ 맨 artista *m*, showman *ing./m*, [프로듀서] empresario *m*, hombre *m* del espectáculo. ~ 윈도 escaparate *m*, aparador *m*, *AmL* vidriera *f.*

쇼크 sacudida *f*, golpe *m*, choque *m*, conmoción *f.* ~를 느끼다 sentir el choque. ~를 받다 sufrir choque, recibir un golpe. ¶ ~사 (死) muerte *f* a consecuencia de un choque. ~사하다 morirse de un choque.

쇼핑 compra(s) *f(pl).* ~하다 hacer la compra. ~을 하러 가다 ir de compras. ¶ ~ 바구니 cesta *f* de la compra. ~백 [가게에서 제공하는 것] bolsa *f* (de plástico, papel etc.); [고객이 지참한 것] bolsa *f* (de la compra・de las compras). ~ 센터[몰] centro *m* comercial.

수 [좋은 도리나 방법] medio *m*, mano *f*; [장기 따위의] movimiento *m.* ~를 바꾸다 cambiar *su* plan [de parecer]. 말할 ~ 없다 no poder decir.

수(秀) excelente, A.

수(壽) ① [오래 삶] longevidad *f*, vida *f* larga, ancianidad *f*, duración *f* larga de la vida. ② [나이] edad *f.* ③ ((준말)) =수명. [목숨] ¶ ~를 다하다 gozar de la vida larga, vivir mucho tiempo. ④ [오래 견딤. 오래 쓸 수 있음] lo duradero.

수(數) ① ((준말)) =운수(運數). ¶ ~가 좋다[나쁘다] tener una bue-na [mala] suerte. ② [좋은 운수] buena suerte *f.*

수²(數) ① [셀 수 있는 물건의 많고 적음] número *m.* ~가 많다 (ser) numeroso, muchos, (un) gran número. ~가 적다 (ser) pocos, raros, un corto número (de). ② =숫자. ③ ((수학)) número *m.* ④ ((준말)) =수학.

수(繡) bordado *m*, bordadura *f.* ~(를) 놓다 bordar, adornar con bordado.

수가(酬價) honorario *m* médico.

수간호사(首看護師) enfermero, -ra *mf* en jefe.

수감(收監) prisión *f*, encierro *m*, aprisionamiento *m*, encarcelamiento *m.* ~하다 poner preso, aprisionar, encarcelar, meter en la cárcel.

수갑(手匣) esposas *fpl*, *Méj* manolla *f.* ~을 채우다 esposar, poner esposas.

수강(受講) asistencia *f* a la lectura. ~하다 asistir a la lectura. ~료 matrícula *f.*

수개(數箇) dos o tres; unos, unas; algunos, -nas; varios, -rias. ~월 unos meses, varios meses.

수거(收去) recogida *f.* ~하다 recoger. 쓰레기를 ~하다 recoger las basuras.

수건(手巾) toalla *f*, [손수건] pañuelo *m*, paño *m* de manos. ~을 짜다 torcer la toalla. ~으로 손을 닦다 secar las manos con una toalla. ¶ ~걸이 toallero *m.*

수경 재배(水耕栽培) hidroponía *f*, cultivo *m* hidropónico.

수고 faena *f*, trabajo *m*, pena *f*, fatiga *f*, esfuerzo *m.* ~하다 trabajar diligentemente. ~스럽다 (ser) molesto. 수고스럽지만 내일 좀 와 주시겠습니까? ¿Podría usted tomarse la molestia de venir mañana? / Siento molestarle, pero venga usted mañana.

수공(手工) obra *f* manual, maniobra *f*, obraje *m* artefacto. ~업 industria *f* artesanal [manual]. ~업자 artesano, -na *mf.* ~품 obra *f* de artesanía.

수괴(首魁) caudillo *m*, jefe *mf*, cabecilla *m*, instigador *m.*

수교(修交) (cultivación *f* de) amistad *f*, relaciones *fpl* amistosas, promoción *f* de buena voluntad. ~하다 firmar el pacto de amistad. ~ 조약 tratado *m* de amistad. ~ 포장 Medalla *f* de Mérito de Servicio Diplomático. ~ 훈장 Orden *f* de Mérito de Servicio Diplomático.

수구(水球) polo *m* acuático. ~ 선수 waterpolista *mf.*

수구(守舊) conservación *f.* ~하다 ser conservador. ~ 세력 fuerza *f* conservativa.

수군거리다 cuchichear, cuchuchear, hablar al oído, murmurar.

수군덕거리다 cuchichear al azar.

수권(授權) autorización *f*, delegación *f* de poder legal. ~하다 dar autoridad. ~ 자본 capital *m* autorizado. ~ 행위 acto *m* autorizado.

수그러지다 extinguirse, disminuir, decrecer. 화재가 수그러진다 El

incendio empieza a extinguirse / El fuego disminuye de intensidad.
수그리다 bajar. ☞숙이다
수금(收金) colección *f* de dinero. ~하다 coleccionar dinero. ~원 colector, -tora *mf* de dinero.
수급(受給) recibo *m* del sueldo. ~하다 recibir el sueldo [la pensión]. ~자 beneficiario, -ria *mf*.
수급(需給) la oferta y la demanda.
수긍(首肯) aprobación *f*, aceptación *f*, admisión *f*. ~하다 aprobar, aceptar, admitir, hacer una seña afirmativa, dar consentimiento, convencerse, consentir.
수기(手技) técnica *f* manual.
수기(手記) nota *f*, apunte *m*; [일기] diario *m*; [회상기] memorias *fpl*. ~를 적다 anotar, apuntar, hacer un memorándum.
수기(手旗) banderín *m*, banderita *f*.
수꽃 ((식물)) estaminífeo *m*, flor *f* macho, flor *f* estéril, flor *f* estaminífea; [비유] floración *f* vana, floración *f* sin frutos.
수꽃술 ((식물)) estambre *m* (*f*).
수나다(數—) hacer *su* agosto, sacarse la lotería,sacarse el gordo, tener la suerte inesperada.
수난(水難) ① [홍수의 재난] calamidad *f* por la inundación. ② [물로 인하여 받은 온갖 재해] calamidad *f* por el agua.
수난(受難) ① [재난을 당함] sufrimiento *m*, padecimiento *m*. ② [어려운 처지에 부닥침] situación *f* difícil. ③ ((기독교)) la Pasión (de Jesucristo). ¶~곡 la Pasión. ~극 misterio *m*. ~상(像) crucifijo *m*, imagen *f* de Jesucristo crucificado.
수납(收納) aceptación *f*, recibo *m*. ~하다 aceptar, recibir. ~ 기관 institución *f* receptora. ~액 cantidad *f* recibida. ~ 은행 banco *m* receptor. ~장 libro *m* de cuentas. ~ 전표 justificante *m*, recibo *m*.
수납(受納) recaudación *f*, cobranza *f*. ~하다 recaudar, cobrar.
수녀(修女) monja *f*, religiosa *f*. ~복 hábito *m* de monja. ~원 convento *m*. ~원장 abad, -desa *mf*.
수년(數年) unos años, varios años.
수놓다(繡—) bordar. 수틀로 ~ bordar al tambor.
수뇌(首腦) jefe *mf*, cabeza *m*; líder *mf*, dirigente *mf*. ~부 jefatura *f*, directorio *m*. ~ 회담 conferencia *f* (en la) cumbre.
수다 habladuría *f*, picotería *f*, charlatanería *f*, locuacidad *f*. ~를 떨다 chacharear, parlar, charlatear, charlar. ~스럽다 (ser) hablador, charlatán, chacharero, charlador, parlador, parlachín. ¶~쟁이 hablador, -dora *mf*, charlatán, -tana *mf*, chacharón, -rona *mf*, chacharero, -ra *mf*.
수다하다(數多—) (ser) numeroso. 수다한 사람들 gente *f* numerosa, personas *fpl* numerosas.
수단(手段) medida *f*, medio *m*, proyecto *m*, recurso *m*, designio *m*; [편법] expediente *m*; [도구] instrumento *m*; [방법] método *m*, modo *m*, manera *f*, procedimiento *m*. 외교적 ~ medida *f* diplomática.
수달(水獺) ((동물)) nutria *f*, nutra *f*.
수당(手當) bonificación *f*, [기본급 이외의] sobresueldo *m*; [상여금. 위로금] gratificación *f*, [사회 보장의] subsidio *m*, compensación *f*.
수도(水道) ① [뱃길. 물길] vía *f* fluvial, vía *f* navegable, canal *m* navegable. ② [물의 통로] el agua *f* (corriente), conducción *f* de agua. ~를 설치하다 instalar el (conducto de) agua corriente. ③ [상수도] acueducto. ④ =하수도. ¶~관 cañería *f* de agua. ~꼭지 grifo *m* (de agua), toma *f* de agua. ~세 impuesto *m* de agua. ~ 요금 tarifa *f* de consumo de agua. ~전(栓) boca *f* de riego, toma *f* de agua.
수도(首都) capital *f*, metrópoli *f*. ~권 zona *f* metropolitana.
수도(修道) asceticismo *m*, profesión *f* de la vida ascética. ~사(士) monje, -ja *mf*, fraile *m*; hermano, -na *mf*, religiosa *f*. ~ 생활 vida *f* monástica. ~승 monje, -ja *mf*. ~원 convento *m*, monasterio *m*, abadía *f*, cenobio *m*; [여자의] convento *m* de [para] monjas. ~원장 abad, -desa *mf*. ~자 ㉮ [도를 닦는 사람] asceta *mf*. ㉯ ((천주교)) religioso, -sa *mf*, monástico *m*. ~회 orden *f* religiosa.
수동(手動) ¶~의 a mano, de(l) mano, accionado a mano, manual. ~ 브레이크 freno *m* de [por] mano, torno *m*.
수동(受動) pasividad *f*. ~의 pasivo. ~적 pasivo, defensivo. ~적으로 pasivamente. ~적인 행동 actitud *f* pasiva. ~적 자세가 되다 ponerse a [en] la defensiva. ~태 voz *f* pasiva. ~형 forma *f* pasiva.
수두(水痘) ((의학)) varicela *f*.
수두룩하다 (ser) abundante, abundar. 돈이 ~ tener mucho dinero.
수라(修羅) ① ((준말)) =아수라. ② [싸움을 잘하는 귀신의 이름] diablo *m* que lucha bien. ¶~장 escena *f* sangrienta, campo *m* de mortandad, escena *f* de violencia,

escena f de confusión completa, pandemonio m, pandemónium m, caos m.

수락(受諾) aceptación f; [동의] consentimiento m. ~하다 aceptar, consentir, dar consentimiento. 정식 ~ aceptación f formal.

수량(水量) cantidad f de agua.

수량(数量) cantidad f. ~이 증가하다 aumentar de cantidad. ~이 감소하다 disminuir de cantidad.

수령 ① [곤죽같이 무르게 풀린 진흙이나 개흙이 괸 곳] lodazal m, lodazar m, barrizal m, pantano m, cienaga f, fangal m, cenagal m, tremedal m, lodo m, barro m, fango m. ~에 빠지다 caerse [hundirse] en un pantano, atascarse [encenagarse] en un barrizal. ② [헤어나기 힘든 처지] atascamiento m, atolladero m, estorbo m, obstáculo m.

수레 [동물이 끄는] carro m; [덮힌] carromato m.

수레바퀴 rueda f.

수려하다(秀麗−) (ser) bello, hermoso, soberbio, elegante, gallardo, garboso, gentil.

수력(水力) ① [물의 힘] fuerza f acuática. ② [물리] fuerza f hidráulica; [낙수 동력원] hulla f blanca; [유력하다] hulla f verde; [조력] hulla f azul. ~의 hidráulico. ~ 기계 máquina f hidroeléctrica. ~ 발전 generación f hidroeléctrica. ~ 발전기 alternador m hidráulico. ~ 발전소 central f hidroeléctrica, estación f de generador hidroeléctrico, planta f hidroeléctrica. ~ 전기 energía f hidroeléctrica, hidroelectricidad f.

수련(修錬/修練) entrenamiento m, práctica f, cultura f, adiestramiento m, disciplina f. ~하다 entrenar, practicar, cultivar, disciplinar. ~생 principiante mf; novato, -ta m; ~원 noviciado m.

수련(睡蓮) [식물] ninfea f.

수렵(狩獵) caza f. ~하다 cazar. ~가 cazador, -dora mf. ~ 금지 prohibición f de caza. ~장 coto m [vedado m] de caza.

수령(受領) aceptación f, recibo m, cobro m. ~하다 aceptar, recibir, cobrar.

수령(首領) caudillo m, jefe m, líder mf, dirigente mf, cabeza m; [반도의] cabecilla m.

수령(樹齡) edad f de un árbol.

수로(水路) canal m, vía f acuática, vía f fluvial, vía f de agua, vía f navegable, canal m navegable, corriente f de agua; [용수로] cauce m.

수록(收錄) anotación f, apunte m.

~하다 anotar, apuntar, quedar registrado, mencionar; [모으다] juntar, recoger, coleccionar.

수뢰(水雷) torpedo m; [부설] mina f submarina. ~정(艇) torpedero m, lancha f torpedera.

수뢰(受賂) aceptación f de soborno. ~하다 dejarse sobornar, aceptar un soborno.

수료(修了) terminación f de los estudios [del curso], acabamiento m. ~하다 terminar los estudios, completar el curso. ~자 persona f de terminar los estudios. ~증 diploma m.

수류탄(手榴彈) granada f de mano.

수륙(水陸) ① [물과 물] el agua y la tierra; [바다와 육지] el mar y la tierra. ② [수로와 육로] la vía fluvial y la vía terrestre. ~기 avión m anfibio.

수리 [조류] el águila f.

수리(水利) ① [수상 운송의 편리] comodidad f [facilidad f] del transporte acuático; [수운] transporte m por agua. ② [관개] riego m, irrigación f; [물의 이용] aprovechamiento m del agua.

수리(受理) aceptación f, recepción f. ~하다 recibir, aceptar. 원서를 ~하다 recibir una aplicación.

수리(修理) reparación f, reparo m, remiendo m, compostura f, composición f, arreglo m. ~하다 reparar, remendar, arreglar; [냄비·우산 등을] componer. ~공(工) (mecánico m) reparador m, (mecánica f) reparadora f. ~ 공장 taller m de reparación, garaje m. ~비 gastos mpl de reparación.

수리(數理) ① [수학의 이론이나 이치] principio m matemático. ② [셈] cálculo m, cuenta f.

수리부엉이 [조류] lechuza f, búho m [real]; [작은] mochuelo m.

수림(樹林) bosque m (frondoso), selva f.

수립(樹立) establecimiento m, fundación f, instauración f. ~하다 establecer, fundar, instaurar, erigir, plantear.

수마(睡魔) sueño m, somnolencia f, soñera f, modorra f.

수만(數萬) ① [여러 만] (unas) decenas de miles. ② [썩 많은 수효] bastantes números mpl. ~의 인파 muchedumbre f de bastantes números.

수많다(數−) (ser) numeroso, incontable, innumerable. 수많은 numeroso, incontable, innumerable, un gran número de. 수많은 군중 un gran número de la muchedumbre, muchedumbre f de personas.

수매(收買) compra f. ~하다 comprar.

수맥(水脈) vena *f* de agua.

수면(水面) superficie *f* del agua. ~에서 10 미터 위에 a diez metros de la superficie del agua.

수면(睡眠) sueño *m*, dormición *f*. ~하다 dormir, dormirse, quedarse dormido. ~의 hipnótico. ~을 충분히 하다 dormir bien, dormir perfectamente. ¶ ~ 부족 falta *f* de sueño, falta *f* de dormir, sueño *m* insuficiente. ~ 시간 horas *fpl* de sueño. ~약 píldora *f* [pastilla *f*] para dormir, somnífero *m*, soporífero *m*. ~제 opiato *m*, opiata *f*, narcótico *m*, medicamento *m* soporífero, narcótico.

수명(壽命) ① [사람이나 동물의] (duración *f* de la) vida. ~이 길다 gozar de larga vida. ~이 단축되다 acortarse la vida. ~이 연장되다 prolongarse la vida. ② [물건의] duración *f*, vida *f*. ~이 다한 전지 pila *f* gastada.

수모(受侮) insulto *m*. ~를 당하다 recibir [sufrir] un insulto.

수모(首謀) ① =주모(主謀). ② ((준말)) =수모자. ¶ ~자 cabecilla *mf*, promotor, -tora *mf*; promovedor, -dora *mf*, abanderizador, -dora *mf*.

수목(樹木) árbol *m*. ~이 무성한 cubierto [poblado] de árboles, boscoso. ~이 없는 desnudo, pelado. ¶ ~원 arboreto *m*, vivero *m* con fines científicos. ~ 학 dendrografía *f*. ~ 학자 dendró- grafo, -fa *mf*.

수묵(水墨) ① [빛이 엷은 먹물] tinta *f* china ligera. ② ((미술)) pintura *f* a tinta china. ~화 dibujo *m* [pintura *f*] a tinta china, pintura *f* en negro y blanco.

수문(水門) compuerta *f*, [운하의] esclusa *f*. ~을 열다[닫다] abrir [cerrar] una compuerta.

수밀도(水蜜桃) melocotón *m*, durazno *m*.

수박 ((식물)) sandía *f*, melón *m* de agua.

수반(水盤) bandeja *f* para colocar flores, florero *m* poco profundo de loza; [분수의] tazón *m*.

수반(首班) ① [반열 중의 수위] jefe *m*, cabeza *f*, cabeza *f* de posición. ② [행정부의 우두 머리] presidente, -ta *mf* del Gobierno; primer ministro *m*, primera ministra *f*; premier *m*; jefe *m* del gobierno.

수반(隨伴) acompañamiento *m*. ~하다 acompañar.

수발 servicio *m*. ~을 들다 servir.

수배(手配) ① [갈라 맡아서 지킴] arreglo *m*, disposición *f*, prepara-

ción *f* (por todas partes en busca de *uno*). ~하다 arreglar, preparar, disponer. 차(車)를 ~하다 disponer un coche. ② [범인을 잡으려고 수사망을 폄] busca *f*, búsqueda *f*. ~하다 buscar. ~ 중임 ((게시)) Se busca. ¶ ~ 사진 fotografía *f* del criminal buscado. ~자 persona *f* buscada por la policía.

수배(數倍) unas [varias] veces.

수백(數百) unas centenas, unos centenares. ~ 명 unos centenares de personas.

수백만(數百萬) unos millones, unos millones de personas. ~ 명

수법(手法) ① [수단. 방법] técnica *f*, procedimiento, método, manera de obrar. 새로운 ~의 사기 nuevo tipo *m* de estafa. 교묘한 ~ técnica *f* hábil, técnica *f* mañosa. ② [작품을 만들 때의 솜씨] habilidad *f*. 뛰어난 ~ habilidad *f* excelente.

수병(水兵) marinero *m*.

수복(收復) recuperación *f*, restablecimiento *m*. ~하다 recuperar, recobrar, repatriar.

수복(修復) restauración *f*. ~하다 restaurar.

수복(壽福) vida *f* larga y felicidad. ~강녕 vida *f* larga, felicidad y paz.

수북수북 acumuladamente, amontonadamente. ~하다 estar acumulado.

수북하다 amontonarse, apilarse. 할 일이 ~ tener un montón de trabajo que hacer.

수분(水分) humedad *f*, el agua *f*, substancias *fpl* líquidas; [과즙] zumo *m*, jugo *m*. ~과다 acuosidad *f*.

수분(受粉) ((식물)) polinización *f*. ~하다 fecundarse con polen.

수비(守備) defensa *f*, protección *f*. ~하다 defender, guardar, proteger. ~대 guarnición *f*. ~병 guardias *mpl*, guarnición *f*. ~수 jugador, -dora *mf* del equipo que no batea. ~진(陣) campamento *m* defensivo, posición *f* defensiva. ~ 팀 equipo *m* de defensa.

수사(修辭) retórica *f*. ~하다 retoricar. ~학 retórica *f*. ~학자 retórico, -ca *mf*.

수사(搜査) pesquisa *f*, investigación *f*, indagación *f*, averiguación *f*; [은 닉물의] registro *m*. ~하다 pesquisar, investigar, averiguar; registrar. ~ 선상에 오르다 hacerse objeto de la pesquisa. ¶ ~과 sección *f* de investigación criminal. ~대 cuerpo *m* de investigación. ~망 red *f* de pesquisas. ~

반 brigada *f* de investigación criminal, equipo *m* de investigación.

수사(數詞) ((언어)) numeral *m*.

수사납다(數一) (ser) desgraciado, desafortunado, desdichado.

수산(水産) industria *f* acuática. ~ 대학 facultad *f* de pesquería. ~물 productos *mpl* marítimos. ~업 industria *f* pesquera, industria *f* de productos marítimos. ~업 동 조합 cooperativa *f* pesquera. ~ 자원 recursos *mpl* pesqueros. ~ 조합 asociación *f* de productos marítimos. ~청 Dirección *f* General de la Pesca. ~학 piscicultura *f*. ~ 학교 escuela *f* de pesquería. ~ 학자 piscicultor, -tora *mf*. ~ 협동 조합 cooperativa *f* pesquera.

수삼(水蔘) ginseng *m* crudo.

수상(手相) quiromancia *f*, quiromancía *f*, adivinación *f* por las líneas de palma, adivinación *f* por las rayas de la mano, adivinación *f* por las rayas de la palma. ~을 보다 levantar una quiromancia. ¶~가 quiromántico, -ca *mf*. ~술[학] quiromancia *f*.

수상(水上) ① [물의 표면] superficie *f* de agua; [물의 위에] sobre el agua. ~에 뜨다 flotar sobre el agua. ② [물의 상류] corriente *f* superior. ¶~ 가옥(家屋) casa *f* construida sobre pilotes en el agua. ~ 경기 deporte *m* acuático, deporte *m* natatorio. ~ 경찰 policía *f* de puerto, policía *f* sobre el agua. ~ 교통 tráfico *m* marítimo. ~ 비행기 hidroaeroplano *m*, hidroavión *m*. ~ 생활 vida *f* acuática, vida *f* en el agua. ~ 스키 esquí *m* náutico [acuático].

수상(受像) imagen *f* de televisión, recepción *f* de imágenes. ~기 aparato *m* [receptor *m*] de televisión.

수상(受賞) recibo *m* de premio. ~하다 recibir un premio, recibir un galardón, ser galardonado, ser premiado, ser laureado, ganar premio. ~자 ganador, -dora *mf* (de un premio); premiado, -da *mf*; galardonado, -da *mf*; laureado, -da *mf*. ~ 작품 obra *f* premiada [laureada].

수상(首相) primer ministro *m*, primera ministra *f*; premier *m*. ~ 관저 residencia *f* oficial del primer ministro.

수상(授賞) concesión *f* de premio. ~하다 premiar, galardonar, dar el premio. ~실 [학교의] ceremonia *f* de reparto de premios; [문학상 등의] ceremonia *f* de entrega de premios.

수상(隨想) pensamientos *mpl* ocasionales.

수상하다(殊常一) (ser) sospechoso, suspicaz, desconfiado, receloso, dudoso, dudable, misterioso, fantástico, increíble, extraño, raro, incierto, inseguro. 수상히 sospechosamente, dudosamente, extrañamente. 수상히 여기다 sospechar, sospecharse, tener sospecha, formar sospecha, tener por sospechoso, tener duda.

수색(搜索) pesquisa *f*, búsqueda *f*, investigación *f*, indagación *f*. ~하다 pesquisar, hacer pesquisas, indagar, investigar, buscar. ~ 대 equipo *m* de búsqueda, cuerpo *m* de pesquisa. ~망 red *f* de pesquisas. ~ 영장 orden *f* de registro.

수서(手署) autógrafo *m*, manuscrito *m*, firma *f* escrita personalmente. ~하다 firmar personalmente.

수서(水棲) el vivir en el agua. ~의 acuático, marino.

수석(水石) ① [물과 돌] el agua y la piedra. ② [물과 돌로 이루어진 경치] paisaje *m* hecho en el agua y la piedra. ③ [물속에 있는 돌] piedra *f* en el agua. ④ =수석(壽石).

수석(首席) [석차] primer puesto *m*; [사람] primero *m*. 외교단의 ~ decano *m* del cuerpo diplomático. ¶~ 대표 delegado *m* principal. ~ 판사 juez *mf* principal.

수석(壽石) piedra *f* hermosa [curiosa] ornamental.

수선 alboroto *m*, escándalo *m*, ruido *m*. ~을 떨다 hacer un escándalo, hacer aspavientos, alborotar. ~(을) 부리다 alborotar, causar alboroto. ~(을) 피우다 hacer un escándalo, hacer un ruido.

수선(水仙) ((식물)) narciso *m*.

수선(垂線) ((수학)) (línea *f*) perpendicular *m*.

수선(修繕) reparación *f*, arreglo *m*, remiendo *m*, compostura *f*. ~하다 reparar, rehacer, arreglar, componer. ~공 reparador, -dora *mf*; componedor, -dora *mf*; reformador, -dora *mf*; restaurador, -dora *mf*. ~ 공장 taller *m* de reparación. ~비 gastos *mpl* de reparación.

수선화(水仙花) ((식물)) [나팔 수선] narciso *m*; [노랑 수선] junquillo *m*.

수성(水性) ① [물의 성질] carácter *m* de agua. ② =수용성(水溶性). ¶~ 도료[페인트] pintura *f* al agua.

수성(水星) ((천문)) Mercurio *m*.

수성(獸性) ① [짐승의 성질] bestialidad f, animalidad f, brutalidad f. ② [육체의 정욕] apetito m carnal. ③ [야만적 성질] temperamento m bárbaro.

수성암(水成岩) roca f sedimentaria.

수세(水洗) lavadura f, limpieza f por el agua corriente. ~하다 lavar. ~식 변기 taza f, inodoro m. ~식 변소 retrete m [excusado m] de agua corriente, inodoro m con chorro de agua.

수세(收稅) recaudación f, cobro m de impuestos. ~하다 recaudar.

수세(守勢) defensiva f. ~의 defensivo. ~를 취하다 tomar la defensiva. ~에 서다 ponerse a la defensiva.

수세미 fregador m, fregajo m.

수소((동물)) toro m; [거세한] buey m, toro m castrado.

수소(水素) ((화학)) hidrógeno m. ~폭탄 bomba f H, bomba f de hidrógeno, bomba f hidráulica.

수소문(搜所聞) indagaciones fpl de rumores. ~하다 preguntar por rumores, rastrear los rumores.

수속(手續) procedimiento m, proceso m, formalidad f, trámite m, diligencia f. ~하다 seguir las formalidades.

수송(輸送) transporte m, transportación. ~하다 transportar. ~기 avión m de transporte. ~기관 medios mpl de transporte. ~대 unidad f de transporte, unidad f de arrastre. ~력 capacidad f de transporte. ~로 ruta f de transporte. ~선(船) buque m [barco m] de transporte. ~열차 tren m de transportar. ~장비 equipo m de transporte. ~회사 compañía f [empresa f] de transportes.

수수 ((식물)) sorgo m, zahína f, mijo m (indio), alcandía f. ~밭 alcandial m.

수수께끼 [사물의 속내가 미궁에 빠져 알 수 없는 일] enigma m, adivinanza f, acertijo m, misterio m, quisicosa f. ② [놀이] rompecabezas m, acertijo m, adivinanza f. ~를 하고 놀다 jugar al rompecabezas [al acertijo], jugar a las adivinanzas.

수수료(手數料) comisión f; [관청 등의] derechos mpl (honorarios); [중개의] corretaje m. ~를 받다 cobrar [recibir] sus derechos.

수수방관(袖手傍觀) observación f indiferente. ~하다 expectar con las manos cruzadas, quedarse con los brazos cruzados, no dar pie ni patada.

수수하다 [옷차림새나 태도·성질이 무던하다] (ser) sobrio, modesto,

austero; [간소하다] sencillo, simple. 수수한 넥타이 corbata f de gusto sobrio y reposado.

수술 ((식물)) estambre m(f). ~대 filamento m.

수술(手術) ((의학)) operación f, intervención f quirúrgica. ~하다 operarle, practicarle una operación, ejecutar en uno una operación. ~대 mesa f de operaciones. ~복 bata f de operaciones. ~비 gastos mpl de operaciones. ~실 sala f de operaciones, quirófano m. ~의(醫) médico, -ca mf de operaciones.

수습(收拾) arreglo m, resolución f, control m. ~하다 arreglar, salvar, resolverse, despachar, manejar, controlar, conseguir dominar. 시국을 ~하다 controlar [conseguir dominar · restablecer] la situación agitada.

수습(修習) aprendizaje m (de un oficio). ~하다 hacer el aprendizaje. ~간호원 aprendiz, -diza mf de enfermera. ~공 aprendiz, -diza mf. ~기간 período m de prueba. ~기자 periodista m novato, periodista f novata.

수식(修飾) ① [겉모양을 꾸밈] adorno m, decoro m, decoración f, ornamentación f, ornato m. ~하다 adornar, decorar, ornamentar, exornar. ② ((언어)) modificación f, calificación f. ~하다 [명사를] calificar; [동사 · 형용사 · 부사를] modificar. ~어 modificador m, modificante m, palabra f modificativa.

수식(數式) fórmula f.

수신(受信) recepción f, recibo m de un mensaje, recibimiento m de un mensaje. ~하다 recibir, captar. ~기 receptor m. ~료 cuota f de recepción. ~소 oficina f de recepción. ~안테나 antena f de recepción. ~인[자] destinatario m. ~장치 equipo m receptor.

수신(修身) moral f, ética f. ~의 moral, ético. ~제가 capacitación f moral y administración familiar.

수심(水深) profundidad f del agua. ~을 측량하다 medir la profundidad del agua. ¶~계 batímetro m, hidrobarómetro m.

수심(垂心) ((수학)) ortocentro m.

수심(愁心) melancolía f, tristeza f, dolor m, congoja f. ~하다 estar [ser melancólico. ¶~가 canto m de melancolía.

수심(獸心) corazón m brutal.

수십(數十) (unas) decenas. ~ 명 (unas) decenas de personas.

수십만(數十萬) (unos) centenares de miles. ~ 명 centenares de miles de personas.

수압(水壓) presión f hidráulica. ~계 piezómetro m. ~ 펌프 pistón m hidráulico.

수액(樹液) savia f.

수양(收養) adopción f (de niños). ~하다 adoptar a un hijo [una hija]. ~딸[녀] hija f adoptiva. ~부모 padres mpl adoptivos. ~아들 hijo m adoptivo. ~아버지 padre m adoptivo. ~어머니 madre f adoptiva.

수양(修養) cultura f, cultivación f, educación f, formación f. ~하다 cultivar, educar.

수양버들(垂楊一) ((식물)) sauce m llorón, sauce m de Babilonia.

수억(數億) unos mil millones.

수업(受業) aprendizaje m, estudio m ~하다 aprender, estudiar, tomar lecciones.

수업(修業) [면학] persecución f de conocimiento, estudio m; [수료] terminación f de un curso. ~하다 perseguir el conocimiento, estudiar, terminar un curso. ~ 연한 años mpl necesarios para el graduación de una escuela, años mpl necesarios para la terminación de un curso de estudio. ~ 증서 certificado m de terminación de un curso, diploma m

수업(授業) enseñanza f, instrucción f, clase f; [강의] lección f; [과목] asignatura f. ~하다 dar la lección. ~ 중에 durante la clase. ~을 받다 asistir a una clase, recibir una clase, ser enseñado. ¶ ~료 cuotas fpl que se pagan en un colegio particular (사립 학교의), importe m de la matrícula; [개인 수업의] honorarios mpl de clase, honorarios mpl de enseñanza, honorarios mpl de pedagogía; Méj [사립 학교의] colegiaturas fpl. ~ 시간 (hora f de) clase f, curso m. ~ 연한 término m del año escolar, curso m del estudio. ~ 일수 número m de tiempos [años] de colegio. ~ 증서 certificado m [diploma m] de estudios.

수없다(數一) ser innumerable, no puede contarse, ser incontable, ser muy considerable.

수여(授與) concesión f, otorgamiento m, entrega f. ~하다 conceder, otorgar, dar, investir, entregar, conferir. ~식 (ceremonia f de la) entrega f.

수역(水域) zona f de aguas.

수염(鬚髥) ① [성숙한 남자의] barba f; [콧수염] mostacho m, bigote m; [구렛나룻] pastillas fpl. ② [벼·옥수수 등의] pedacitos mpl

de una espina. ③ [동물의] bigote m, mostachos mpl.

수영(水泳) natación f. ~하다 nadar, practicar la natación. ~에 능하다 ser buen nadador [buena nadadora f]. ~모 gorro m [gorra f] (de baño). ~복 bañador m, traje m de baño; ropa f para nadar, ropa f de playa, ropa f de baño; [팬티] taparrabo m. ~ 선수 nadador, -dora mf. ~자 nadador, -dora mf. ~장 piscina f, nadadero m, natatorio m; [실내의] piscina f cubierta. ~ 팬티 pantalones mpl de baño.

수예(手藝) labores fpl, artes mpl manuales, obra f de mano. ~품 artículo m de labor [de artes manuales].

수온(水溫) temperatura f del agua. ~계 termómetro m de agua.

수완(手腕) [능력] habilidad f, destreza f; [능력] capacidad f, talento m. ~이 있는 hábil, capaz, de talento. ~을 발휘하다 mostrar su habilidad. ¶ ~가 hombre m hábil [diestro].

수요(需要) demanda f, exigencias fpl, necesidad f. ~ 공급의 원칙 ley f de la oferta y la demanda. ~자 consumidor, -dora mf.

수요일(水曜日) miércoles m.sing.pl.

수용(收用) expropiación f. ~하다 expropiar.

수용(收容) acogida f, acogimiento m. ~하다 acoger, dar asilo, acomodar. ~ 능력 capacidad f. ~소 [난민의] asilo m; [포로의] campo m de prisioneros, campo m de concentración.

수용(受容) recepción f. ~하다 recibir, aceptar. ~력 capacidad f receptiva, receptividad f.

수우(水牛) ((동물)) =물소.

수원(水源) origen m, fuente f, manantial m de un río, origen m de un río. 강의 ~을 찾다 buscar manantial [origen] de un río. ¶ ~지(地) cuenca f, [수도의] embalse m, presa f, AmS represa f. ~지(池) embalse m, presa f, AmS represa f.

수월찮다 no ser fácil, ser difícil.

수월하다 ser fácil, no ser difícil.

수월히 fácilmente, con facilidad. 너무 ~ 생각하다 pensar demasiado fácilmente.

수위(水位) nivel m del agua.

수위(守衛) ① [지킴] guarda f. ② [경비를 맡아보는 사람] guardián m; guarda mf; conserje m; [문지기] portero m. ~실 conserjería f, portería f.

수위(首位) primer puesto m, primer lugar m, primera dignidad f. ~

타자 primer bateador *m*.
수유(授乳) lactancia *f*, lactación *f*, amamantamiento *m*. ~하다 dar de mamar, lactar, amamantar, dar el pecho, dar la teta, criar con leche. ~기 período *m* de lactancia, lactancia *f*, lactación *f*.
수육(獸肉) carne *f* del animal, carne *f* de bestia, carne *f*.
수은(水銀) mercurio *m*, azogue *m*. ~등 lámpara *f* de vapor de mercurio. ~주 columna *f* mercúrica. ~중독(중) hidrargirismo *m*.
수음(手淫) masturbación *f*, onanismo *m*, polución *f* voluntaria; [여자의] andromanía *f*. ~하다 masturbarse, procurarse solitariamente goce sexual.
수의(囚衣) vestido *m* de prisionero.
수의(壽衣/襚衣) mortaja *f*.
수의(隨意) voluntad *f* propia; [임의] opción *f*; [자유] libertad *f*. ~의 voluntario, opcional, libre. ~ 계약 contrato *m* privado.
수의(獸醫) 《(준말)》 =수의사. ¶ ~과 대학 facultad *f* de veterinaria. ~사 veterinario, -ria *mf*. ~학 veterinaria *f*, albeitería *f*. ~ 학교 escuela *f* veterinaria, colegio *m* de veterinaria, escuela *f* de veterinaria.
수익(收益) ganancia *f*, lucro *m*, beneficio *m*, rendimiento *m*.
수익(受益) beneficio *m*. ~자 beneficiario, -ria *mf*.
수인(囚人) reo *mf*.
수인사대천명(修人事待天命) Se hace todo lo posible y se espera la voluntad de la Providencia.
수일(數日) unos días, varios días.
수임(受任) aceptación *f* de un nombramiento. ~하다 ser nombrado, aceptar el nombramiento. ~자 [임명된 사람] persona *f* nombrada; [제의을 받은 사람] candidato, -ta *mf*.
수입(收入) renta *f*, ingresos *mpl*, entradas *fpl*; [이익] beneficios *mpl*, ganancias *fpl*, utilidades *fpl*, producto *m*. ~금 ingresos *mpl*, ganancias *fpl*. ~원 fuente *f* de ingresos. ~ 인지 timbre *m* (móvil), sello *m* [importe *m*] fiscal.
수입(輸入) ① [외국의 물품을 사들여 옴] importación *f*. ~하다 importar. ② [외국의 사상·문화 등을 배워 들여옴] introducción *f*. ~하다 introducir. ~국 país *m* importador. ~ 면장 licencia *f* de importación. ~상(商) importador, -dora *mf*. ~세 impuesto *m* sobre (la) importación. ~신고(서) declaración *f* de las importaciones. ~ 신용장 (carta *f* de) crédito *m* de importación. ~품 artículos

mpl de importación, artículos *mpl* importados. ~ 허가(서) licencia *f* [autorización *f*] de importación. ~ 회사 casa *f* [compañía *f*] importadora.
수자(數字) unas [varias] letras.
수자원(水資源) recursos *mpl* hidráulicos. ~ 개발 desarrollo *m* de recursos hidráulicos.
수작(秀作) obra *f* sobresaliente.
수작(酬酌) ① [술잔을 주고받음] cambio *m* de las copas de vino. ~하다 cambiar las copas de vino. ② [말을 주고받음] cambio *m* de palabras. ~하다 cambiar las palabras, decir, hablar, hacer comentarios.
수잠 sueño *m* ligero. ~들다 quedarse dormido, dormirse.
수장(水葬) entierro *m* en el mar [en el agua], sepultura *f* en el mar. ~하다 sepultar en el mar [en el agua].
수재(水災) desastre *m* (causado) por la inundación. ~민 víctimas *fpl* de inundación.
수재(秀才) escolar *mf* brillante, hombre *m* de talento, hombre *m* brillante, genio *m*.
수저 ① 《(높임말)》 =숟가락. ② [숟가락과 젓가락] la cuchara y los palillos. ¶ ~통 cucharero *m*.
수적(數的) ~으로 en número. 적은 ~으로 우세하다 Los enemigos son superiores en número.
수전(守戰) guerra *f* defensiva.
수전노(守錢奴) tacaño, -ña *mf*; avaro, -ra *mf*; avaricioso, -sa *mf*.
수절(守節) mantenimiento *m* de su integridad, fidelidad *f*. ~하다 mantener *su* integridad.
수정(水晶) cuarzo *m*, cristal *m*, cristal *m* de roca. ~ 같은, ~의 cristalino. ~ 유리 cristal *m*. ~체 cristalino *m*.
수정(受精) fecundación *f*, fertilización *f*, polinización *f*, inseminación *f*. ~하다 fecundarse, ser fecundado. ~시키다 fecundar. ¶ ~란 (卵) huevo *m* fecundado, huevo *m* fertilizado.
수정(修正) corrección *f*, enmienda *f*; [법안 등의] modificación *f*; [변경] cambio *m*; [정정] rectificación *f*; [사진 등의] retoque *m*. ~하다 corregir, enmendar, modificar, rectificar, retocar. ~안 enmienda *f* de un proyecto de ley. ~ 자본주의 capitalismo *m* modificativo [corregido].
수정과(水正果) *sucheonggwa*, refresco *m* de frutas.
수제(手製) hechura *f* de *su* propia mano, trabajo *m*. ~의 hecho a mano; [자가 제품의] casero, he-

cho en casa. ~품 artesanías *fpl*, objetos *mpl* artesanales, trabajos *mpl* manuales.

수제비 *suchebi*, sopa *f* de harina de trigo.

수제자(首弟子) el mejor discípulo, la mejor discípula.

수족(手足) ① [손발] pies *mpl* y manos; [사지] miembros *mpl*. ~이 차다 Los pies y manos están fríos. ② [손발과 같이 마음대로 부리는 사람] su hombre.

수족(水族) animales *mpl* acuáticos. ~관 acuario *m*.

수종(水腫) ((의학)) hidropesía *f*.

수종(數種) varias especies *fpl*.

수종(樹種) clase *f* de los árboles.

수주(受注) pedido *m* recibido. ~다 recibir [aceptar] el pedido. ~고 cantidad *f* de los pedidos recibidos.

수준(水準) ① [사물의 표준] nivel *m*. ~이 높은 de un nivel alto. ~이 낮은 de un nivel bajo. 같은 ~의 del mismo nivel. 사회적 ~ nivel *m* social. …과 같은 ~에 있다 estar al [en el] mismo nivel que *algo*. ② ((준말)) =수준기. ¶~기 nivel *m*. ~선 línea *f* horizontal. ~점 punto *m* de referencia, parámetro *m*.

수줍다 (ser) vergonzoso, esquivo.

수줍어하다 tener vergüenza, esquivarse, mostrarse vergonzoso, mostrarse tímido. 수줍어서 tímidamente, vergonzosamente.

수줍음 vergüenza *f*, timidez *f*, esquivez *f*, desapego *m*. ~을 잘 타다 ser vergonzoso. ~을 잘 타는 사람 vergonzoso, -sa *mf*.

수중(水中) [부사적] debajo del agua, bajo [en] el agua; [형용사적] submarino. ~에 en el agua, dentro del agua. ~의 submarino. ¶~ 발레 natación *f* sincronizada. ~ 안경 gafas *fpl* de buceo; [수영용] anteojos *mpl* de natación; [관측용] hidroscopio *m*.

수중(手中) [손의 안] en sus manos. ~에 en *su* mano, en *su* posesión.

수증기(水蒸氣) vapor *m* (de agua).

수지(收支) ingresos *mpl* y gastos, entradas *fpl* y salidas, cargo *m* y data. ~를 맞추다 cubrir las expensas con los ingresos.

수지(樹脂) resina *f*; [향료나 약품용의] bálsamo *m*. ~의 resinoro.

수지니(手−) halcón *m* amaestrado, halcón *m* adiestrado.

수지침(手指鍼) manopuntura *f*.

수직(手織) tejido *m* hecho a mano. ~기(機) telar *m* a mano.

수직(垂直) verticalidad *f*, dirección *f* vertical, perpendicularidad *f*. ~의, ~한 vertical, perpendicular (el

horizonte). ~으로 verticalmente, perpendicularmente, a polmo. ¶~선 (línea *f*) perpendicular *f*, (línea *f*) vertical *f*. ~ 이등분선 bisectriz *f* vertical.

수질(水質) cualidad *f* del agua. ~검사 examen *m* del agua; [분석] análisis *m* del agua. ~ 오염 contaminación *f* del agua, polución *f* del agua.

수집(收集) colección *f*. ~하다 coleccionar.

수집(蒐集) colección *f*; [자료 등의] compilación *f*, [우표의] filatelia *f*. ~하다 coleccionar, hacer colección, *AmL* juntar; [자료 등을] compilar. ~가 coleccionista *mf*; colector, -tora *mf*. ~광 maniaco, -ca *mf* por colecciones. ~벽 manía *f* por colecciones.

수차(數次) varias veces, repetidas veces, dos o tres veces.

수채 zanja *f*, cuneta *f*, acequia *f*, alcantarilla *f*, cloaca *f*. ~를 만들다[파다] hacer [excavar] la zanja.

수채화(水彩畵) acuarela *f*. ~로 a la acuarela. ~를 그리다 pintar un cuadro a la acuarela. ¶~가 acuarelista *mf*. ~ 물감 acuarela *f*.

수챗구멍 desagüe *m*.

수척하다(瘦瘠−) extenuarse. 수척한 extenuado, descarnado, debilitado, flaco, adelgazado, delgado.

수천(數千) millares, unos millares, varios millares, miles.

수첩(手帖) agenda *f*, libreta *f* de apuntes, memorándum *m*.

수초(水草) el agua *f* y la hierba; ((식물)) planta *f* acuática.

수축(收縮) contracción *f*; [천이나 의류 등의] encogimiento *m*. ~하다, ~되다 contraerse, encoger(se). ¶~근 (músculo *m*) constrictor *m*. ~력 poder *m* constrictor. ~성 contractibilidad *f*.

수축(修築) reparo *m*, reparación *f*, restauración *f*. ~하다 reparar, restaurar, renovar.

수출(輸出) exportación *f*. ~하다 exportar, enviar géneros de un país a otro. ~되다 exportarse. ¶~ 가격 precio *m* de exportación. ~ 면장 permiso *m* [licencia *f*] de exportación. ~상 [업자] exportador, -dora *mf*. ~품 (artículo *m* de) exportación *f*, artículos *mpl* exportados. ~항 puerto *m* de exportación. ~ 허가(증) licencia *f* [autorización *f*] de exportación. ~환 cambio *m* de exportación. ~회사 compañía *f* de exportación, casa *f* exportadora.

수출입(輸出入) exportación e importación. ~ 회사 casa *f* exportadora e importadora.

수취(受取) recibo *m*, cobranza *f*, recobro *m*. ~하다 recibir, recobrar, percibir. ~인 destinario, -ria *mf*; beneficiario, -ria *mf*.

수치(羞恥) vergüenza *f*, deshonra *f*, oprobio *m*, ignominia *f*, deshonra *f*, deshonor *m*, infamia *f*. ~스럽다 sentirse vergonzoso, avergonzarse, (ser) vergonzoso. ¶~심 pudor *m*, sentimiento *m* de vergüenza, vergüenza *f*.

수치(數値) valor *m* numérico.

수치질(一痔疾) hemorroide *f* externa, hemorroides *fpl* externas.

수칙(守則) reglamento *m*.

수캉아지 perrito *m* (macho).

수캐 perro *m* (macho).

수컷 macho *m*, varón *m*. ~의 macho, varonil. 공작 ~ pavo *m* real (macho).

수키와 roblón *m*, cobija *f*.

수탈(收奪) expropiación *f*, explotación *f*. ~하다 expropiar, explotar.

수탉 gallo *m*.

수태(受胎) concepción *f*, preñez *f*, fecundación *f*. ~하다 concebir, quedarse encinta. ~ 고지 ((천주교)) la Anunciación. ~력 poder *m* de concepción. ~ 조절 control *m* de concepción, control *m* de natalidad.

수톨쩌귀 bisagra *f* macho.

수통(水桶) cubo *m*, pozal *m*.

수통(水筒) cantimplora *f*.

수퇘지 cerdo *m*, puerco *m*.

수틀(繡一) bastidor *m*, tambor *m*.

수평(水平) horizontalidad *f*. ~의 horizontal, nivelado, plano. ~으로 horizontalmente. ~으로 하다 poner en posición horizontal.

수평선(水平線) horizonte *m*.

수평아리 polluelo *m*, pollito *m*.

수포(水泡) ① burbuja *f* de agua, borbotón *m*. ☞물거품 ② [헛된 결과] resultado *m* vano. ~로 돌아가다 convertirse en humo, resultar en vano, deshacerse como las espumas.

수포(水疱) ((의학)) flictena *f*, vesícula *f*, vejiga *f*, ampolla *f*, herpes *mpl*, *fpl*. ~의 vesicular. ~진(疹) empeine *m*, herpes *mpl*, *fpl*.

수표(手票) cheque *m*. 백만 원 짜리 ~ cheque *m* de [por] un millón de wones. ~를 발행하다 girar [librar] el cheque. ¶~ 발행 emisión *f* de cheques. ~ 발행인 girador, -dora *mf* de cheque, librador, -dora *mf* de cheque. ~수취인 beneficiario, -ria *mf*. ~장 libreta *f* de cheques, talonario *m* de cheques, talón *m* (talones) de cheques, chequera *f*. ~책 chequera *f*.

수풀 bosque *m*; [우거진 곳] espesura *f*, lugar *m* frondoso; [관목의] maleza *f*, matorral *m*; [잎의] follaje *m*. ~에 숨다 esconderse en la espesura.

수프 sopa *f*. ~(용)의 sopero. 닭(고기) ~ sopa *f* de gallina. ~ 그릇 [뚜껑 달린 움푹한] sopera *f*. ~ 접시 plato *m* sopero [hondo · de sopa].

수필(隨筆) ensayo *m*. ~가 ensayista *mf*. ~ 문학 ensayismo *m*, literatura *f* ensayística, literatura *f* de ensayos. ~ 작품 obra *f* ensayística. ~집 ensayos *mpl*, recopilación *f* de ensayos, colección *f* de ensayos.

수하(手下) seguidor, -dora *mf*; subordinado, -da *mf*.

수학(修學) estudios *mpl*, educación *f*, enseñanza *f*, estudio *m* de las ciencias. ~ 능력 capacidad *f* de estudios. ~ 여행 viaje *m* de estudios, excursión *f* escolar.

수학(數學) matemáticas *fpl*. ~자 matemático, -ca *mf*.

수해(水害) [손해] daños *mpl* causados por la inundación; [홍수] inundación *f*, desbordamiento *m*; [강의] riada *f*. ~ 이재민 quienes [los que] sufren de inundación, víctimas *fpl* de inundación. ~지(地) zona *f* de inundación, el área *f* inundada, región *f* inundada.

수행(遂行) ejecución *f*, cumplimiento *m*. ~하다 ejecutar, cumplir, llevar a cabo, realizar, poner por obra.

수행(隨行) acompañamiento *m*, escolta *f*. ~하다 escoltar, acompañar. ~원 acompañante *mf*; [집합적] comitiva *f*, séquito *m*.

수험(受驗) examen *m*. ~하다 examinarse, presentarse al examen. ~에 성공하다 salir bien en el examen de ingreso. ~ 과목 materias *fpl* [asignaturas *fpl*] del examen. ~료 derechos *mpl* de examen. ~ 번호 número *m* de examinado. ~생(자) examinando, -da *mf*. ~표 tarjeta *f* de examinado.

수혈(輸血) transfusión *f* de sangre, hematometacisis *f*. ~하다 transfundir, hacer una transfusión de sangre.

수형(受刑) acción *f* de ser castigo en la cárcel. ~하다 recibir el castigo [la condena] en la cárcel, ser castigado en la cárcel.

수혜자(受惠者) beneficiado, -da *mf*.

수호(守護) protección *f*, guardia *f*, defensa *f*. ~하다 proteger, custodiar, amparar, defender, guardar. ~성인 patrono, -na *mf*. ~신 dios _m_ tutelar, diosa _f_ tutelar. ~ 천사 ángel _m_ de la guarda, ángel _m_ custo.

수호(修好) cultivación _f_ de amistad, promoción _f_ de buena voluntad. ~ 조약 tratado _m_ de amistad.

수화(手話) conversación _f_ con las manos [con los dedos]; [손짓으로 하는 말] lenguaje _m_ gestual, lenguaje _m_ de gestos, lengua _f_ con dedos. ~로 말하다 hablar por señas. ¶~법 quirología _f_, dactilología _f_, dactilolalia _f_; [손짓 언어] lenguaje _m_ gestual [de gestos].

수화(受話) acción _f_ de hablar con las manos [los dedos]. ~기 auricular _m_, receptor _m_, microteléfono _m_.

수화물(手貨物) equipaje _m_ (de mano), maletines _mpl_ de mano; [탁송 화물] equipaje _m_ facturado. ~ 검사 control _m_ de equipajes. ~ 찾는 곳 [공항로비] recogida _f_ [recolección _f_] de equipajes. ~ 취급소 oficina _f_ de equipajes, despacho _m_ de equipajes. ~ 꼬리표 etiqueta _f_ de equipaje.

수확(收穫) cosecha _f_, recogida _f_, recolección _f_, rendimiento _m_; [곡물의] siega _f_; [포도의] vendimia _f_; [성과] fruto _m_, resultado _m_; [수확물] cosecha _f_. ~하다 cosechar, recoger. ~고[량] producción _f_, cosecha _f_, rendimiento _m_. ~기(期) estación _f_ [época _f_] de cosecha, cosecha _f_, recolección _f_. ~기(機) cosechadora _f_.

수회(收賄) aceptación _f_ de soborno [cohecho], _AmM_ aceptación _f_ de coima. ~하다 aceptar soborno, tomar soborno, [cohecho]. ~ 사건 caso _m_ de cohecho. ~자 sobornado, -da _mf_; [공무원] oficial _m_ corrupto, oficial _f_ corrupta. ~죄 crimen _m_ de soborno.

수회(數回) unas [varias] veces, dos o tres veces.

수효(數爻) número _m_.

수훈(殊勳) mérito _m_, hazaña _f_, proeza _f_. ~을 세우다 realizar una hazaña, realizar un acto de valor.

숙고(熟考) deliberación _f_, consideración _f_, reflexión _f_, premeditación _f_, madura _f_ (cuidadosa). ~하다 deliberar, considerar bien, preponderar, reflexionar, premeditar.

숙녀(淑女) dama _f_, señora _f_.

숙달(熟達) adiestramiento _m_. ~하다 hacerse experto, adquirir mucha práctica, ser perito, llegar a la perfección, estar adepto, estar proficiente.

숙덕거리다 susurrar, cuchuchear, cuchichear, murmurar, musitar.

숙덕공론(─公論) discusiones _fpl_ secretas, conferencia _f_ secreta.

숙덕이다 cuchuchear. ☞숙덕거리다

숙련(熟練) maestría _f_, destreza _f_, pericia _f_; [손재주] habilidad _f_ manual. ~하다 adquirir la maestría, perfeccionarse, adiestrarse, ser diestro, ser hábil, ser perito, conocer a fondo. ~공 obrero _m_ especializado, obrera _f_ especializada; operario _m_ experto, operaria _f_ experta.

숙면(熟眠) sueño _m_ profundo. ~하다 dormir profundamente, dormir a pierna suelta, dormir como un tronco, coger un sueño profundo.

숙명(宿命) hado _m_, destino _m_, sino _m_, fatalidad _f_, estrella _f_, suerte _f_, predestinación _f_. ~론 fatalismo _m_. ~론자 fatalista _mf_.

숙모(叔母) tía _f_ (carnal).

숙박(宿泊) hospedaje _m_, hospedamiento _m_, alojamiento _m_, aposentamiento _m_, aposento _m_. ~하다 hospedarse, alojarse, aposentarse, albergarse; [숙박하다] pararse, pasar la noche. ~료 hospedaje _m_, pensión _f_ del hotel, gastos _mpl_ de aposentamiento, gastos _mpl_ de posada. ~부 registro _m_ de hotel, registro _m_ de huéspedes, registro _m_ de hospedaje, registro _m_ de viajeros. ~소 dormitorio _m_. ~자[인] huésped _mf_. ~자 명부 registro _m_ de huéspedes. ~ 카드 ficha _f_ de inscripción (para los viajeros).

숙변(宿便) ① [변] heces _fpl_ contenidas [excrementos _mpl_ contenidos] mucho tiempo en los intestinos. ② [증상] coprostasia _f_, coprostasis _f_, estasis _f_ fecal.

숙부(叔父) tío _m_ (carnal).

숙사(宿舍) dormitorio _m_, alojamiento _m_, hospedaje _m_. ~를 제공하다 ofrecer alojamiento.

숙성(熟成) ① [익어서 충분하게 이루어짐] maduración _f_, madurez _f_. ~하다 madurar. ② ((화학)) [술의] añejamiento _m_, crianza _f_ [치즈의] maduración _f_. ~하다 madurar. ~시키다 [술을] añejar, criar.

숙소(宿所) ① [주소] dirección _f_, morada _f_, residencia _f_, domicilio _m_, casa _f_. ~를 옮기다 cambiar de casa. ② [여관] pensión _f_, posada _f_, hostal _m_, hospedería _f_, mesón _m_, hotel _m_. ~를 정하다 tomar albergue, hospedarse, alojarse.

숙식(宿食) hospedaje _m_. ~하다 hospedar. ~비를 지불하다 pagar el hospedaje.

숙어(熟語) modismo _m_.

숙원(宿願) deseo *m* antiguo, deseo *m* largamente acariciado, deseo *m* anhelado (por) largo tiempo, anhelo *m*. ~이었던 사업 negocio *m* anhelado (por) mucho [largo] tiempo.

숙의(熟議) (larga) deliberación *f*, larga discusión *f*, consultación *f* cuidadosa. ~하다 deliberar plenamente, consultar cuidadosamente, deliberar, discutir a fondo.

숙이다 agachar, bajar la cabeza, ponerse cabizbajo. 머리를 ~ agachar la cabeza.

숙적(宿敵) enemigo *m* mortal.

숙제(宿題) deberes *mpl*, tarea *f*, trabajo *m* escolar; [현안] cuestión *f* pendiente. 다년간의 ~ cuestión *f* de hace mucho tiempo. ~를 내다 poner [imponer · dar] los deberes. ~를 하다 hacer los deberes, hacer la tarea.

숙주(나물) brote *m* de judía verde.

숙직(宿直) guardia *f* de noche, vigilancia *f* de noche. ~하다 guardar por la noche, velar por la noche, estar de guardia de noche.

숙질(叔姪) el tío y *su* sobrino.

숙청(肅淸) depuración *f*, purga *f*, purgación *f*, limpia *f* perfecta del estado. ~하다 depurar, purgar, limpiar.

숙취(宿醉) resaca *f*.

숙환(宿患) enfermedad *f* crónica. ~을 앓고 있다 estar enfermo (por) largo tiempo, guardar cama (por) mucho tiempo.

순(旬) [10일간] período *m* de diez días. ② [10년] decenio *m*, curso *m* de diez años.

순(巡) ① ((존말)) =순행(巡行). ② [돌아오는 차례] orden *m*. ③ [활쏘기의] vuelta *f*.

순(筍) retoño *m*. 새 ~ brote *m*, yema *f*, renuevo *m*, retoño *m*.

순(純) puro, cierto, seguro, igual, idéntico, genuino, sincero, verdadero, inocente, sin mezcla. ~ 거짓말 pura mentira *f*, mentira *f* palpable.

순간(旬刊) ① [열흘마다 발행함] publicación *f* de cada diez días. ② [열흘마다 발행하는 잡지] revista *f* que sale cada diez días.

순간(瞬間) momento *m*, instante *m*. ~의, ~적인 momentáneo, instantáneo. ~적으로 momentáneamente, instantáneamente.

순결(純潔) pureza *f*, castidad *f*; [처녀성] virginidad *f*, integridad *f*. ~하다 (ser) puro, casto, inocente. ~한 사랑 amor *m* platónico.

순경(巡警) policía *mf*, agente *mf* de policía; guardia *m* civil; [시의] policía *mf* municipal; guardia *m* municipal.

순교(殉教) martirio *m* (religioso). ~하다 padecer martirio, sufrir martirio, morir de mártir. ~자 (martirologio *m*. ~자 mártir *mf*. ~ 정신 espíritu *m* de martirio.

순국(殉國) muerte *f* por la patria. ~하다 morirse por la patria. ~자 선열 mártir *m* (patriótico), mártir *f* (patriótica). ~ 정신 abnegación *f* por la patria, espíritu *m* de martirio, patriotismo *m*.

순금(純金) oro *m* puro.

순대 salchicha *f*, chorizo *m*. ~집 salchichería *f*, choricería *f*, tienda *f* del choricero.

순댓국 sopa *f* de salchicha.

순도(純度) (grado *m* de) pureza *f*.

순두부(~豆腐) tofu *m* sin cuajarse.

순례(巡禮) peregrinación *f*, peregrinaje *m*, romería *f*. ~하다 peregrinar, hacer una peregrinación, hacer una romería, ir en peregrinación.

순록(馴鹿) ((동물)) reno *m*, rangífero *m*, rengífero *m*.

순면(純綿) ((준말))=순면직물.

순면직물(純綿織物) algodón *m* puro.

순모(純毛) lana *f* pura.

순무 ((식물)) nabo *m*, rábano *m*.

순박하다(淳朴/醇朴-) (ser) simple (y honrado), sencillo, cándido, genuino.

순방(巡訪) visitas *fpl*. ~하다 hacer visitas. ~ 외교 diplomacia *f* de visitas.

순번(順番) turno *m*, orden *m*. ~으로 por turno, en orden, por *(su)* orden. ~을 기다리다 esperar *su* turno. ~을 양보하다 cecer *su* turno. 귀하의 ~을 기다려 주십시오 Espere su turno.

순사(殉死) inmolación *f*, suicidio *m* por la muerte de *su* señor. ~하다 morir siguiendo al monarca.

순산(順産) alumbramiento *f* feliz, parto *m* feliz. ~하다 tener un parto feliz, tener un feliz alumbramiento. ☞안산(安産)

순색(純色) color *m* puro.

순서(順序) turno *m*, orden *m*.

순수(純粹) ① [다른 것이 조금도 섞이지 않음] pureza *f*. ~하다 [순수한] puro, sin mezcla; [진짜의] verdadero, auténtico, genuino, legítimo; [정통의] castizo, de pura cepa; [정제하지 않은] no diluido. ② [마음에 사욕이나 사념이 없음] inocencia *f*, sencillez *f*, candidez *f*, candor *m*, ingenuidad *f*. ~하다 (ser) inocente, sencillo, cándido, candoroso, ingenuo.

순시(巡視) patrulla *f*, ronda *f*, inspección *f*. ~하다 patrullar, ir de ronda, rondar, vigilar la tienda, inspeccionar, mirar alrededor, hacer inspección. ~선 (lancha f) 정 patrullero m.

순식간(瞬息間) tiempo m corto. ~에 en un abrir y cerrar de ojos, en un santiamén. ~에 매진되다 agotarse en seguida.

순양(巡洋) crucero m. ~하다 hacer un crucero, patrullar. ~ 전함(戰艦) crucero m de batalla. ~함(艦) crucero m.

순연(順延) aplazamiento m, AmL postergación f. ~하다 aplazar [proponer] al día siguiente.

순열(順列) ((수학)) permutación f. ~ 조합 permutación f y combinación.

순위(順位) orden m, lugar m, puesto m, clasificación f, ranking ing.m; [등급] grado m. 테니스의 ~ clasificación f de tenis. ~ 결정전 las finales, la promoción.

순은(純銀) plata f pura.

순응(順應) adaptación f; [기후나 풍토에] aclimación f. ~하다 adaptarse, amoldarse, aclimatarse.

순이익(純利益) ganancia f neta [líquida], ganancia f pura; ingresos mpl netos, rentas fpl netas, beneficio m líquido [neto].

순전하다(純全-) (ser) puro (순수한), evidente (명백한), absoluto (전적인), perfecto (완전한), auténtico (진정한).

순정(純情) corazón m puro, ingenuidad f, candor m, inocencia f. ~하다 (ser) cándido, inocente. ~의 소녀 muchacha f ingenua. ¶ ~ 소설 novela f de amor.

순조(順調) condición f favorable, condición f normal, normalidad f, suavidad f. ~롭다 (ser) normal, favorable. ~로이 favorablemente, normalmente, en orden, con regularidad, con éxito, sin novedad.

순종(順從) obediencia f, docilidad f. ~하다 obedecer, (ser) obediente, dócil, manso.

순종(純種) sangre f pura, casta f no mezclada, raza f castiza, pura f raza. ~의 de pura raza, castizo.

순직(殉職) muerte f en deberes, muerte f en su puesto de trabajo. ~하다 morir en cumplimiento de sus deberes, caer víctima de sus deberes. ~자 víctima f de sus deberes, mártir m del deber.

순진(純眞) candor m, inocencia f, candidez f, ingenuidad f, sencillez f. ~하다 (ser) inocente, ingenuo, cándido, candoroso, genuino, puro, infantil.

순차(順次) orden m, turno m. ~적 gradual. ~적으로 [점점] gradual-

mente; [차례로] en orden, por turno.

순찰(巡察) patrulla f, ronda f, vuelta f de inspección. ~하다 patrullar, estar de patrulla, rondar, ir inspeccionando. ~대 patrulla f. ~대원 patrulla mf; [경찰] policía m, guardia m. ~병 soldado m patrullero. ~선 (lancha f) patrullera f. ~차 (coche m) patrulla f.

순탄하다(順坦-) ① [성질이 까다롭지 않다] (ser) dulce, tierno, delicado. ② [길이 평탄하다] (ser) poco accidentado, llano; [단조로운] monótono.

순풍(淳風) buena costumbre f. ~미속(美俗) buena moral f y buenos modales.

순풍(順風) viento m favorable [propicio], viento m de cola. ~을 타다 ir con viento favorable, ir viento en popa. ~에 돛을 달다 izar la vela al viento favorable, darse a la vela con el viento favorable; [비유적] tener el viento en popa.

순하다(順-) ① [성질이 부드럽다] (ser) dócil, obediente, apacible. ② [맛이 독하지 않다] (ser) dulce, suave, flojo. 순한 담배 tabaco m rubio, tabaco suave. ③ [일이 까다롭지 않다] salir muy bien, ir bien.

순항(巡航) acción f de cruzar, crucero m. ~하다 hacer un crucero, navegar. ~선(船) crucero m.

순행(巡行) patrulla f, ronda f, vuelta f de inspección. ~하다 patrullar, dar vueltas, andar alrededor; [담당 구역을] andar por su círculo.

순행(巡幸) viaje f real, gira f real, excursión f real, marcha f real. ~하다 hacer un viaje.

순혈(純血) [깨끗한 피] sangre f limpia, sangre f pura; [순수한 혈통] linaje m puro. ~종 pura casta f; [동물의] pura raza f.

순화(純化) purificación f, depuración f. ~하다 purificar, depurar.

순화(馴化) aclimatación f. ~하다 aclimatarse. ~시키다 aclimatar.

순화(醇化) refinamiento m, finura f, sublimación f, idealización f. ~하다 refinar, sublimar, idealizar.

순환(循環) circulación f, círculo m. ~하다 circular. ~ 계통 sistema m circulatorio. ~ 곡선 curva f periódica. ~ 급수 series fpl periódicas. ~기(器) aparato m circulatorio, ciclo m. ~기(期) ciclo m. ~ 도로 carretera f circular.

순회(巡廻) vuelta f; [야경·보초의] ronda f; [순찰] patrulla f. ~하다 dar vuelta, rondar, patrullar. ~중인 경관 agente mf en patrulla.

~ 도서관 biblioteca *f* circulante.
~ 문고 biblioteca *f* circulante.

숟가락 cuchara *f*.

술¹ [알코올 성분이 있는 음료] sul *m*, vino *m* coreano hecho de azúcar; [주류] vinos *mpl*, licores *mpl*, bebida *f* alcohólica; [포도주] vino *m*. ~을 따르다 servir el vino. ¶ ~고래 gran bebedor *m*, gran bebedora *f*. ~기운 vapores *mpl* [influencia *f*] de vino, influencia *f* de líquido, embriaguez *f*, borrachera *f*, olor *m* al alcohol, olor *m* vinoso. ~기운이 돌다 embriagarse, emborracharse. ~김 influencia *f* de licor. ~김에 다투다 pelearse bajo la influencia de licor. ~꾼 bebedor, -dora *mf*; borracho, -cha *mf*; borrachín, -china *mf*. ~내 olor *m* a licor [vino]. ~내가 나다 oler a licor [vino]. ~내를 풍기다 exhalar un olor a vino. ~벗 compañero, -ra *mf* de licor. ~병(瓶) botella *f* de vino, tinaje *m* de vino, jarro *m* de vino, cántaro *m* de vino. ~상(床) mesa *f* para el licor. ~안주 callos *mpl*, tapa *m*, guarnición *f*, acompañamiento *m*. ~자리 banquete *m*, fiesta *f*, fiesta *f* de beber. ~잔 ㉮ [술을 따라 마시는 그릇] vaso *m*, copa *f*; [가늘고 긴] caña *f*, copita *f* (de vino). ㉯ [몇 잔의 술] unos vasos de vino. ~좌석 asiento *m* para beber. ~집 bar *m*, taberna *f*, cantina *f*, mesón *m*, licorería *f*. ~창고 bodega *f*. ~추렴 recolección *f* de dinero para la juerga. ~친구 compañero, -ra *mf* de vino; amigo, -ga *mf* del alma. ~타령 acción *f* de entregarse a la bebida. ~통 cuba *f*, barril *m* de vino.

술² [따나 끈 따위의 실] borla *f*, fleco *m*. ~이 달린 con borlas. 커튼의 ~ (장식) borlas *fpl* de una cortina.

술래 columpio *m*.

술래잡기 juego *m* del escondite. ~하다 jugar a la gallina ciega, jugar al corre que te pillo.

술렁거리다 ① [활기를 띠다] animarse. ② [긴장하다] ponerse tenso. ③ [흥분하다] agitarse, excitarse.

술법(術法) truco *m* de magia, prestidigitación *f*, magia *f*.

술부(述部) predicado *m*.

술수(術數) ① =술법. ② =술책.

술술 [막힘없이] fluidamente, fluentemente, con soltura, con fluidez, corrientemente, a las mil maravillas. ~ 쓰다 escribir a vuelapluma, dejar correr la pluma. 서반아어를 ~ 말하다 hablar

español con soltura. ② [쉽게] fácilmente, con facilidad, sin dificultad. 난제를 ~ 풀다 resolver un problema difícil con facilidad.

술어(述語) predicado *m*.

술어(術語) ((준말)) =학술어.

술책(術策) estratagema *f*, ardid *m*, treta *f*, artificio *m*. ~에 빠지다 caer en una treta, ser cogido en una treta, ser víctima de una estratagema.

술취하다(一醉一) embriagarse, emborracharse, achisparse.

술회(述懷) recordación *f*. ~하다 relatar la reminiscencia, relatar la recordación, recordar. 지난날을 ~하다 contar [narrar] lo pasado con nostalgia.

숨 ① [사람·동물의] respiración *f*, [흡기] aliento *m*; [인간 이외의] hálito *m*; [눈에 보이는] vaho *m*. ~이 차, ~을 헐떡거리는 jadeante. ~을 쉬다 respirar, tomar aliento. ~을 내쉬다 espirar, expulsar aire. ~을 들이쉬다 aspirar, inspirar. ② [채소 따위의] frescura *f* (de las verduras).

숨결 aspiración *f*, respiración *f*. ~이 거칠다 respirar fuerte. ~이 가쁘다 estar corto de aliento, jadear, anhelar, ser corto de resuello, repirar con dificultad.

숨구멍 tráquea *f*, traquarteria *f*.

숨기다 esconder, ocultar, disimular, encubrir, guardar secreto, resguardar, amparar, defender, proteger; [비밀로 하다] guardar en secreto, tener en secreto.

숨김없이 francamente, con franqueza, sin ocultar nada, sin rodeos, sin reserva. ~ 말하다 hablar sin rodeos, decir francamente.

숨넘어가다 exhalar el último suspiro, expirar, morir, fallecer.

숨다 esconderse, ocultarse, refugiarse.

숨돌리다 ① [가쁜 숨을 가라앉히다] calmar el respiro jadeante. ② [바쁜 중에 잠시 쉬다] respirar, tomar un reposo [un descanso]; [멈추다. 쉬다] pausar. ~ 숨돌릴 짬도 없이 sin respirar, de un aliento.

숨막히다 ahogarse, sofocarse, asfixiarse. 숨막힐 듯한 bochornoso, sofocante, asfixiante. 숨막힐 듯한 더위 calor *m* sofocante.

숨바꼭질 (juego *m* del) escondite *m*, dormirlas *m*. ~하다 jugar al escondite, jugar al dormirlas.

숨소리 (sonido *m* de) respiración *f*.

숨쉬다 ① [내쉬다] respirar. ② [들이마시다] inspirar, aspirar. ③ [내뿜다] espirar, expulsar aire.

숨죽다 ① [초목이 시들어서] marchitarse. ② [야채가] perder la

frescura.

숨죽이다 ① [숨을 멈추다] parar el aliento. ② [숨소리가 들리지 않게 조용히 하다] contener la respiración, retener el aliento, aguantar el aliento. 숨죽이고 conteniendo la respiración. ③ [소금 따위로] hacer perder la frescura. 배추를 ~ hacer perder la frescura de los repollos.

숨지다 exhalar el último suspiro, morir, fallecer.

숨차다 sofocarse, faltar el aire, ahogarse.

숨통(一筒) ((해부)) =기관(氣管). ¶~을 끊다 hacer morir, matar.

숫구멍 ((해부)) fontanela f.

숫기(一氣) inocencia f, franqueza f.

숫돌 afiladera f, piedra f aguzadera.

숫되다 [순진] cándido, ingenuo, sencillo. 숫된 처녀 soltera f cándida.

숫색시 virgen f ⇨숫처녀.

숫자(數字) cifra f, número m.

숫제 ① [아예] preferible. 나는 네가 ~ 담배를 피우지 않기를 원했다 Yo prefería que no fumaras. ② [참말로] sinceramente, sin reservas, totalmente. ~ 마음을 바치다 dedicarse completamente.

숫처녀(一處女) virgen f, doncella f, muchacha f inocente.

숫총각(一總角) soltero m inocente.

숭고(崇高) sublimidad f, majestad f, excelsitud f. ~하다 (ser) sublime, majestuoso, noble, excelso, eminente, solemne.

숭늉 sungnyung m, el agua f de beber hirviendo en la olla en que el arroz ha sido cocido.

숭배(崇拜) culto m, adoración f, veneración f; [찬탄] admiración f. ~하다 adorar, venerar, rendir culto, admirar. ~자 fiel mf, adorador, -ra mf; admirador, -ra mf.

숭상(崇尙) respeto m, veneración f. ~하다 respetar, venerar, adorar, rendir culto; [상찬하다] admirar.

숭어 ((어류)) múgil m.

숯 carbón m (de leña·de madera· de vegetal). ~가마 horno m del carbón. ~검정 hollín m del carbón. ~등걸 carbonilla f, carboncillo m. ~불 fuego m del carbón. ~장수 ㉮ [숯을 파는 사람] carbonero, -ra mf; vendedor, -dora mf del carbón. ㉯ [얼굴이 검은 사람] el que tiene la cara negra como el carbón.

숱 densidad f, lo abundante, riqueza f; [수염의] lo poblado; [수량] cantidad f. ~이 많은 abundante, peludo, velludo; [수염의] poblado. ~이 많은 머리 pelo m grueso y abundante.

숱하다 ① [물건의 부피나 분량이 많다] (ser) mucho, rico. 숱한 돈 mucho dinero. ② [혼하다] ser abundante, copioso. 숱하게 볼 수 있는 물건 cosa f abundante.

숲 bosque m, floresta f; [식림] arboleda f, [밀림] selva f, [잡목 숲] matorral m, maleza f. ~길 sendero m [senda f] a través de los bosques.

쉬 ¡Fuera! / ¡Zape! / Méj ¡Uscale!

쉬이 =쉬.

쉬[1] [파리의 알] hueva f de la mosca.

쉬[2] ((준말)) =쉬이.

쉬[3] [떠들지 말라는 뜻으로 하는 소리] ¡Chis! / ¡Chist! / ¡Chitón! ~, 조용히 해라 ¡Chis! ¡Cállate!

쉬[4] [어린이에게 오줌을 누라고 옆에서 부추기는 소리] pis m, pipí m. ~하다 hacer pis, hacer pipí, Méj, Per hacer el uno.

쉬다[1] [음식이] echarse a perder, estropearse, corromperse, pudrirse, descomponerse; [우유 따위가] avinagrarse, estropearse, pasarse. 쉰 corrompido, descompuesto, podrido. 쉰 밥 arroz m blanco pudrido.

쉬다[2] [목청이] ronquear(se), ponerse ronco, enronquecerse, quedarse afónico. 쉰 목소리 voz f ronca, voz f bronca.

쉬다[3] ① [몸을] descansar, reposar; [마음을] tranquilizar. 몸을 ~ descansar el cuerpo. ② [하던 일을] cesar. 쉬지 않고 sin cesar, incesantemente, continuamente, sin interrupción, sin intermisión. ③ [잠을 자다] dormir; [잠자리에 들다] acostarse. 편히 ~ dormir bien, dormir (bien) perfectamente. ④ [결근하다] faltar, estar ausente.

쉬다[4] [호흡하다] respirar. 깊이 숨을 ~ respirar hondo [profundo].

쉬쉬하다 acallar(se), guardar un secreto, silenciar, amordazar.

쉬슬다 (la mosca) poner un huevo. 쉬슨 고기 carne f en mal estado.

쉬야 =쉬[4]. ¶~하다 hacer pipí [pis].

쉬엄 ¡A discreción! / ¡Descanso!

쉬엄쉬엄 con descansos frecuentes, intermitentemente.

쉬이 ① [쉽게] fácilmente, con facilidad. ~ 부서지다 estropearse con facilidad. ② [멀지 않은 장래에] pronto, dentro de poco, en el futuro cercano, poco después. 쉬 이 번 돈은 쉬이 없어진다 ((속담)) Los dineros del sacristán, cantando vienen y cantando van.

쉬파리 ① ((곤충)) [큰 파리] moscón m. ② ((곤충)) [쉬파리과의 파리] moscarda f, mosca f verde, mosca f azul.

쉬하다 orinar, hacer pipí, hacer pis.

쉰 cincuenta. ~ 살 cincuenta años.

쉰내 [빵의] olor m no fresco, olor m añejo; [버터나 치즈의] olor m rancio; [맥주의] olor m pasado; [우유의] olor m agrio, olor m cortado..

쉴새없이 sin cesar, incesantemente, continuamente, sin interrupción, sin intervalos.

쉼표(-標) ((음악)) pausa f.

쉽다 ① [어렵지 않다] (ser) fácil, no ser difícil. 쉬운 문제 problema m fácil, problema m simple. 쉬운 문장 frase f fácil. ② [가능성이 많다] ser propenso a + inf, tener tendencia a + inf.

쉽사리 [매우 쉽게] muy fácilmente, con facilidad, sin dificultad; [순조롭게] favorablemente, normalmente, en orden, con regularidad.

쉿 ¡Chitón! / ¡Punto en boca!

슈퍼- super-, sobre-. ~마켓 supermercado m. ~맨 superhombre m. ~박테리아 superbacteria f. ~스타 superestrella f. ~컴퓨터 superordenador m. ~ 헤비급 peso m superpesado.

슛 disparo m, chut m. ~을 하다 disparar, chutar.

스라소니 ((동물)) lince m.

스란치마 falda f larga.

스러지다 desaparecer, caer en desuso, hacerse anticuado.

스르르 con agilidad, suavemente.

스마일 sonrisa f.

스마트하다 (ser) esbelto, bien hecho, elegante, galano, distinguido.

스며들다 penetrar. 추위가 뼛속까지 스며든다 El frío me penetra hasta los huesos.

스모그 smog ing.m, niebla f tóxica, neblumo m. ~ 공해 contaminación f por la niebla tóxica.

스모킹 룸 salón m para fumadores.

스모킹 카 vagón m de fumadores.

스무 veinte. ~ 번째의 vigésimo.

스물 ① [열의 갑절] veinte. ② [스무 살의 나이] veinte años (de edad).

스미다 correrse, extenderse, emborracharse; [스미어 나오다] rezumar(se); [스미어 들다] infiltrarse, penetrar, calar.

스스럼없다 (ser) familiar, amistoso, franco, íntimo, abierto, fácil. 스스럼없는 이야기 cuento m familiar.

스스로 ① [저절로] se, por sí mismo; [자동적으로] automáticamente. ② [자진하여] (de) motu propio, voluntariamente. 아이들은 ~ 도왔다 Los niños ayudaron (de) motu proprio [voluntariamente]. ③ [제 힘으로] se, por su propio

esfuerzo. 하늘은 ~ 돕는 자를 돕는다 ((서반아 속담)) A quien se ayuda, Dios le ayuda / Ayúdate y el cielo te ayudará.

스승 maestro, -tra mf.

스웨덴 ((지명)) Suecia. ~의 (사람) sueco, -ca mf. ~어 sueco m.

스웨터 jersey m, suéter m.

스위스 ((지명)) Suiza f. ~의 suizo. ~ 사람 suizo, -za mf.

스위치 ① [전기 회로의] interruptor m, llave f (de encendido · de la luz); [보턴식의] pulsador m, botón m. ② [철도의 전철기] agujas fpl.

스윙 ((권투)) golpe m, swing ing.m. ② ((야구)) swing ing.m. ③ ((골프)) swing ing.m. ④ ((음악)) música f de swing.

스쳐보다 ojear [mirar] de soslao [de reojo · al soslayo · con el rabillo del ojo]

스치다 ① [서로 살짝 닿으면서 지나가다] rozar(se), rasar, pasar rasando; [서로] cruzarse. ② [생각이] ocurrirse. 좋은 생각이 머리에 스쳤다 Se me ocurrió una buena idea.

.스카우트 ① =척후병(斥候兵). ② [우수한 운동 선수나 영화 배우 등을 물색해 내는 사람] cazatalentos mf. ~를 하다 buscar las personas de talento. ③ ((준말))=보이[걸] 스카우트. ¶ ~ 운동 escutismo m, movimiento m de los scouts.

스카이다이버 paracaidista mf.

스카이다이빙 paracaidismo m.

스카치 위스키 güisqui m escocés, (wisky m) escocés m.

스카치 테이프 cel(l)o® m; AmL cinta f Scotch®; AmL (cinta f) Dúrex® m. ~를 붙이다 pegar con cinta Scotch®, pegar con cel(l)o®.

스카프 bufanda f, pañuelo m, pañolón m, chalina f, fular m.

스캐너 ① [텔레비전의] antena f exploradora, dispositivo m explorador. ② [레이더의] antena f direccional giratoria. ③ ((전자)) escansionador m, analizador m.

스캔들 escándalo m. ~을 일으키다 provocar un escándalo.

스커트 falda f, CoS pollera.

스컹크 ((동물)) mofeta f.

스케이터 patinador, -dora mf.

스케이트 patín m (para patinaje sobre hielo). ~를 타다 patinar. ¶ ~ 구두 patines mpl. ~ 링크 pista f de patinaje, patinódromo m, patinadero m. ~ 보드 monopatín m, Ven, CoS patineta f. ~ 선수 patinador, -dora mf. ~장 patinadero m, patinódromo m.

스케일 escala *f.*
스케줄 programa *m,* plan *m.*
스케치 bosquejo *m,* esbozo *m,* diseño *m,* croquis *m,* boceto *m.* ~하다 bosquejar, hacer un bosquejo, esbozar. ¶ ~북 cuaderno *m* de bocetos, cuaderno *m* para dibujos [de bosquejo].
스코어 ① [경기의 득점] gol *m,* tantos *mpl,* resultado *m.* 최종 ~ resultado *m* final. ¶ ~보드 marcador *m.* ~북 cuaderno *m* de tanteo.
스쿠버 escafandra *f.* ~ 다이빙 buceo *m* con escafandra.
스쿠터 [어른의] moto *f,* (motosilla *f*) escúter *m;* [어린이의] patinete *m;* [자동의] autopatinete *m.*
스크랩 recortes *mpl* (de periódicos). ~하다 hacer recortes, recortar. ~북 álbum *m* de recortes.
스크럼 reyerta *f,* mêlée *f,* línea *f* de luchadores fubolistas. ~을 짜다 formarse una mêlée; [데모 따위에서] entrelazar los brazos.
스크린 ① [병풍. 휘장] biombo *m,* mampara *f;* [창문의] mosquitero *m;* [보호하는] cortina *f.* ② [영사막] pantalla *f.* ③ [영화의 화면] pantalla *f.* ④ ((컴퓨터)) pantalla *f.* ⑤ [텔레비전의] pantalla *f.*
스크립터 guionista *mf.*
스크립트 guión *m.* 영화[텔레비전]의 ~ guión *m* de cine [televisión].
스키 esquí *m.* ~를 타다 esquiar. ~ 타러 가다 ir a esquiar. ¶ ~ 선수 esquiador, -dora *mf.* ~장 campo *m* de esquí; [트랙] pista *f* de esquí. ~화(靴) botas *fpl* de esquiar [de esquí].
스키어 esquiador, -dora *mf.*
스킨 [피부] [사람의] piel *f,* [얼굴의] cutis *f.* ~ 다이버 submarinista *mf,* buceador, -dora *mf,* buzo *mf.* ~ 로션 loción *f* de la piel.
스타 ① [별] estrella *f,* astro *m.* ② [인기 배우·가수·운동 선수 등] estrella *f,* figura *f* destacada, figura *f* brillante, primera figura *f,* as *m.* 사교계의 ~ flor *f* de la sociedad. ③ [장성] general *mf.*
스타디움 estadio *m.*
스타킹 medias *fpl.* ~ 한 켤레 un par de medias, unas medias. ~ 두 켤레 dos pares de medias.
스태미나 resistencia *f* (física), fuerza *f* física, vigor *m.*
스태프 personal *m,* plantilla *f.*
스탠드 ① [관람석] tribuna *f* (de espectadores), gradería. ② [매점] quiosco *m,* kiosco *m,* mostrador *m,* puesto *m,* soporte *m.*
스탠바이 [(항공기의) 캔슬 대기(의)] stand-by. ~로 stand-by. ~ 승객 pasajero, -ra *mf* stand-by. ~ 티켓 billete *m* [pasaje *m*] stand-by.
스탬프 sello *m;* *AmL* estampilla *f,* *Méj* timbre *f.* ~를 찍다 sellar, estampillar.
스테레오 ① ((준말)) =스테레오타입 ❶. ② [음향 방식. 또, 그 장치] estereofonía *f,* estéreo *m,* equipo *m* estereofónico [estéreo]. ~ 음악 música *f* estereofónica. ~ 전축 fonógrafo *m* estereofónico; [장치] tocadiscos *m* estereofónico. ~ 타입[판] ㉮ [연판] estereotipia *f,* estereotipio *m,* matriz *f,* cliché *m,* clisé *m.* ㉯ [틀에 박힌 사고 방식] estereotipo *m.*
스테이크 ① [서양 요리의 하나로, 구운 고기] filete *m,* bistec *m.* ② ((준말)) =비프스테이크.
스테인리스강(—鋼) acero *m* inoxidable.
스텝 ① [걸음] paso *m.* ② [디딤판] peldaño *m;* [탈것의] estribo *m.* ③ [계단] escalón *m.*
스토브 [난로] estufa *f,* hornillo *m;* [벽로] chimenea *f.* ~에 쬐다 calentarse a la estufa. ~에 불을 지피다 encender la estufa.
스톡 ① [재고품] surtido *m* (de mercancías), existencias *fpl,* mercancía *f* en existencias, mercaderías *fpl* almacenadas. ~을 하다 almaenar, adquirir existencias. ② [주식] acciones *fpl,* valores *mpl.*
스톱 parada *f.* ~하다 parar(se), detenerse. ~시키다 parar, detener. ~! ¡Alto! / ¡Pare! ¶ ~ 워치 cronómetro *m* (de segundos), reloj *m* de segundos muertos.
스튜디오 estudio *m.* 영화 ~ estudio *m* de cine. 텔레비전 ~ estudio *m* de televisión.
스튜어드 [비행기의] auxiliar *m* de vuelo, sobrecargo *m,* *AmL* aeromozo *m.*
스튜어디스 [비행기의] azafata *f,* auxiliar *f* de vuelo, sobrecargo *f.*
스트라이커 ① [동맹 파업자] huelguista *mf.* ② ((축구)) delantero, -ra *mf,* artillero, -ra *mf,* ariete *mf.*
스트라이크 ① [동맹 파업] huelga *f,* *AmL* paro *m.* ~ 참가자 huelguista *mf.* ② ((볼링)) pleno *m,* strike *ing.m,* *Méj* chuza *f.* ③ ((야구)) strike *ing.m,* golpe *m.* ~존 zona *f* de golpe.
스트레스 tensión *f,* estrés *m.*
스트렙토마이신 estreptomicina *f.*
스트리커 streaker *ing.mf,* persona *f* que corre desnuda en un lugar público.
스트리킹 corrida *f* desnuda en un lugar público, streaking *ing.m.* ~하다 correr desnudo en un lugar público, hacer streaking.

스트리퍼 striptisero, -ra *mf*.

스트립 ① [벌거벗음] desnudez *f*. ② ((준말)) =스트립 쇼. ¶~ 쇼 strip-tease *m*. ~ 쇼를 하다 hacer un strip-tease.

스티커 [풀칠되어 있는 작은 종이표] etiqueta *f* (engomada), (rótulo *m*) engomado *m*; [슬로건이 있는] pegatina *f*, adhesivo *m*.

스틱 ① [지팡이] bastón *m*; [나무 막대] palo *m*, vara *f*; [작은 가지] ramita *f*; [땔감용] astilla *f*. ② ((인쇄)) palo *m*. ③ ((하키)) palo *m*. ④ [드럼의] palillo *m*, *Méj* baqueta *f*. ⑤ ((항공)) palanca *f* de mando. ⑥ ((전자·컴퓨터)) mando *m*, joystick *ing.m*, palanca *f* de comandos manuales.

스팀 vapor *m*; [난방] calefacción *f* de vapor.

스파게티 espaguetis *mpl*, spaghetti *mpl*, fideos *mpl* largos, macarrones *mpl* delgados.

스파르타 Esparta *f*. ~의 espartano. ~식으로 espartanamente, severamente, con severidad. ¶~ 교육 educación *f* espartana.

스파링 ((권투)) sparring *ing.m*. ~ 파트너 ((권투)) sparring *ing.m*, sparringpartner *ing.m*.

스파이 ① [사람] espía *m*. ¶~망 red *f* de espionaje. ~ 소설 novela *f* de espionaje. ~전(戰) guerra *f* de espionaje. ~ 행위 espionaje *m*.

스파이커 [배구] spiker *ing.m*.

스파이크 ① [구두 밑창에 박는 뾰족한 징이나 못] clavo *m*, *Chi*, *Ven* púa *f*, *Col* carramplón *m*. ② ((배구)) remate *m*, remache *m*. ③ ((준말)) =스파이크 슈즈. ¶~ 슈즈 ㉮ ((축구)) botas *fpl*. ㉯ ((육상)) zapatillas *fpl* de clavos [de puntas; zapatillas *fpl* de atletismo; zapatos *mpl* con clavos.

스펀지 esponja *f*. ~ 케이크 bizcocho *m*.

스페어 piezas *f* de recambio, recambios *mpl*. ~ 운전사 chofer *mf* auxiliar. ~ 타이어 neumático *m* [rueda *f*] de repuesto [de recambio], llanta *f* de repuesto.

스페이스 [공간. 우주] espacio *m*.

스페인 ((지명)) España. ~의 (사람) español, -la *mf*. ~어 español *m*. ☞서반아. 에스빠냐.

스펙타클 espectáculo *m*. ~ 영화 película *f* de espectáculo.

스펙트럼 ((물리)) espectro *m*.

스펠링 ortografía *f*. [해폐]'의 ~은 어떻게 씁니까? ¿Cómo se escribe 'jefe'?

스포츠 deporte *m*. ~계 mundo *m* deportivo. ~맨 deportista *m*. ~맨십 espíritu *m* deportivo, deportivismo *m*, deportividad *f*, juego *m* limpio. ~ 센터 centro *m* deportivo, centro *m* de deportes. ~ 신문 periódico *m* deportivo; [일간지] diario *m* deportivo. ~ 의학 medicina *f* deportiva [de deportes]. ~ 정신 deportivismo *m*, espíritu *m* deportivo. ~ 카 coche *m* deportivo.

스포트라이트 [극장의] foco *m*; [빛 덩어리] reflector *m*; [가정의] spot *m*, luz *f* direccional.

스폰서 [프로그램·쇼의] patrocinador, -dora *mf*; [스포츠 이벤트의] patrocinador, -dora *mf*; espónsor *mf*; spónsor *m*.; [예술 분야의] mecenas *mf*.

스푼 [수저] cuchara *f*; [찻수저] cucharilla *f*; [작은 수저] cucharita *f*; [큰 수저] cucharón *m*.

스프레이 rociador *m*, vaporizador *m*, pulverizador *m*. ~ 건 pistola *f* pulverizadora.

스프린터 sprinter *ing.m*, velocista *m*.

스프린트 esprint *m*, sprint *ing.m*.

스프링 muelle *m*, resorte *m*. ~보드 trampolín *m*. ~보드 다이빙 salto *m* de trampolín. ~ 코트 gabán *m* de entretiempo.

스프링클러 [호스 달린] aspersor *m*, válvula *f*; [설탕·소금·밀가루용] espolvoreador *m*; [샤워·물통용] roseta *f*, alcachofa *f*; [관개용] regadera *f*, sistema *m* de regadío. ② [소방용] rociador *m*.

스피드 velocidad *f*, rapidez *f*. ~ 광 maníaco, -ca *mf* de la velocidad.

스피디하다 (ser) rápido.

스피츠 ((동물)) perro *m* de Pomerania, (perro *m*) lulú *m*.

스피커 ((준말)) =라우드스피커.

스핑크스 ① ((그리스 신화)) esfinge *f*. ② [수수께끼의 인물] persona *f* enigmática.

슬개골(膝蓋骨) ((해부)) rótula *f*.

슬그머니 de oculto, furtivamente, a hurtadillas, sigilosamente, ocultamente, secretamente, en secreto. ~가 버리다 irse furtivamente.

슬금슬금 a hurtillas, furtivamente, a escondidas, secretamente, en secreto.

슬기 sabiduría *f*, cordura *f*, prudencia *f*, juicio *m*, inteligencia *f*, buen sentido *m*. ~롭다 (ser) inteligente, sabio, prudente. ~로운 소년 muchacho *m* inteligente.

슬다 ① [알을] poner, depositar. ② [녹이] oxidarse, herrumbrarse.

슬라이더 guía *f*, cursor *m*, corredera *f*.

슬라이드 ① ((사진)) diapositiva *f*, transparencia *f*. 컬러 ~ diapositiva *f* en color. ② [현미경의] portaobjeto *m*, platina *f*. ③ [미끄러짐] deslizamiento *m*, desliz *m*. ¶~ 영사기 proyector *m* de diapo- sitivas [transparencia].

슬라이딩 desplazamiento *m*, deslizamiento *m*, resbalamiento *m*.

슬랭 vulgarismo *m*, jerga *f*, argot *m*; [무법자의] germanía *f*. ~ 사전 diccionario *m* del argot.

슬럼 [빈민굴. 빈민가] barrio *m* bajo [pobre], gueto *m*, ghetto *ing.m*, chabolas *fpl*.

슬럼가(-街)=슬럼.

슬레이트 pizarra *f*. ~ 지붕 tejado *m* de pizarras, tejado *m* empizarrado.

슬로건 eslogan *m*, slogan *ing.m*; [정치적인] lema *m*, consigna *f*, frase *f* de reclamo.

슬롯 머신 ① [자동 판매기] máquina *f* expendedora, distribuidor *m* automático. ② [현금이 나오는 자동 도박기] (máquina *f*) tragamonedas *m.sing.pl*, (máquina *f*) tragaperras *m.sing.pl*.

슬리퍼 zapatilla *f*.

슬리핑 백 [침낭] bolsa *f* de dormir, saco *m* de dormir.

슬며시 [드러나지 않게] a hurtadillas, furtivamente, a escondidas, sigilosamente, con sigilo, con secreto, secretamente; [가만히] con cuidado, cuidadosamente, tranquilamente, silenciosamente, sin hacer ruido. ~ 자리를 뜨다 dejar *su* asiento a hurtadillas.

슬슬 lentamente, ligeramente, suavemente, tranquilamente; [조금씩] poco a poco; [곧] pronto. ~ 갑시다 Vamos yendo.

슬쩍 [몰래] secretamente, en secreto, furtivamente, a escondidas, a hurtadillas; [가볍게] ligeramente; [능숙하게] diestramente, sagazmente, mañosamente. ~ 훔치다 escamotear, hurtar.

슬쩍하다 robar en secreto.

슬퍼하다 sentir (triste), entristecerse, afligirse, lamentarse, apesadumbrarse, apensionarse, ponerse triste, ponerse melancólico.

슬프다 (ser · estar) triste; [사람이] apenado, afligido, melancólico; [물건이] desconsolador, afligente, lamentable. 슬픈 사건 accidente *m* desconsolador. 슬픈 소식 noticia *f* triste [dessoladora · lamentable].

슬픔 tristeza *f*, aflicción *f*, pena *f*, lástima *f*, pesar *m*, dolor *m*, pesadumbre *f*, melancolía *f*. ~에 겨운 나머지 dado *su* dolor excesivo. ~에 빠져 있다 estar sumido [hundido] en la tristeza.

슬피 tristemente, con tristeza, con pena. ~ 울다 llorar tristemente.

슬하(膝下) cuidado *m* de *sus* padres. ~에 a *su* pie, bajo el cuidado de. 부모의 ~ casa *f* paternal, hogar *m* paternal.

습격(襲擊) ataque *m*, asalto *m*, acometida *f*. ~ 하다 atacar, asaltar, acometer, tomar por asalto.

습관(習慣) costumbre *f*; [풍속] uso *m*, práctica *f*, [버릇] hábito *m*; [관습] convención *f*, conveniencias *fpl* sociales; [타성] inercia *f*, rutina *f*. 일찍 일어나는 ~ costumbre *f* madrugadora. 습관은 제이의 천성이다 [(속담)] La costumbre es otra [una segunda] naturaleza.

습기(濕氣) humedad *f*. ~(가) 차다 humedecerse. ~(가) 찬 húmedo, ligeramente mojado, cargado de humedad. ¶~ 엄금 [(게시)] Consérvese [Manténgase] seco.

습도(濕度) ((물리)) humedad *f*. ~계 higrómetro *m*, psicrómetro *m*, higrómetro *m* de cabello, higrógrafo *m*. ~ 측정 higrometría *f*.

습득(拾得) recogida *f*, hallazgo *m*. ~ 하다 recoger; [발견하다] hallar, encontrar. ~물 objeto *m* encontrado [hallado], hallazgo *m*, cosa *f* encontrada, cosa *f* hallada.

습득(習得) adquisición *f*, aprendizaje *m*, adiestramiento *m*. ~ 하다 adquirir conocimiento, aprender del conocimiento.

습성(習性) hábito *m* (adquirido), costumbre *f*.

습자(習字) escritura *f*, caligrafía *f*. ~를 하다 aprender a escribir en letras caligráficas, aprender la caligrafía. ¶~지(紙) papel *m* de caligrafía.

습작(習作) ((미술)) estudio *m*. 나체 ~ estudio *m* de desnudo.

습지(濕地) terreno *m* húmedo, tierra *f* húmeda.

습진(濕疹) eccema *f*, eczema *f*.

습포(濕布) compresa *f* húmeda.

습하다(濕-) (ser) húmedo.

승(勝) victoria *f*. 3~하다 obtener tres victorias.

승(僧) ((불교)) monje, -ja *mf*.

승강(昇降) ascenso *m* y descenso. ~하다 ascender y descender. ~구(口) entrada *f*. ~기 ascensor *m*, elevador *m*; [화물용] montacargas *m*. ~장 plataforma *f*.

승강(乘降) entrada y salida. ~구(口) [비행기 따위의] portezuela *f*; [갑판의] escotilla *f*.

승강이(昇降-) riña *f* pequeña, altercado *m*, riña *f*, disputa *f*, pelea *f*. ~하다 tener una riña pequeña, discutir, reñir, pelear.

승개교(昇開橋) puente *m* levadizo.

승객(乘客) pasajero, -ra *mf*; viajero,

~ra *mf.* ~ 명부 lista *f* de pasajeros. ~수 número *m* de pasajeros.

승격(昇格) promoción *f,* ascenso *m,* elevación *f.* ~하다 obtener un ascenso, elevarse [promover] a un grado [rango] superior.

승계(承繼) sucesión *f.* ~하다 suceder, sustituir. ~인 sucesor, -ra *mf.*

승급(昇級/陞級) promoción *f,* ascenso *m.* ~하다 ascender, ser promovido, promover, obtener una posición superior.

승급(昇給) aumento *m* de sueldo. ~하다 obtener un aumento de sueldo. ~시키다 aumentar el sueldo.

승낙(承諾) [동의] consentimiento *m,* asenso *m;* [승인] aceptación *f,* aprobación *f.* ~하다 consentir, asentir, admitir, aceptar, aprobar, dar *su* consentimiento.

승냥이 ((동물)) chacal *m.*

승단(昇段) promoción *f.* ~하다 ser promovido [ascendido].

승려(僧侶) monje, -ja *mf,* sacerdote *mf.* ~ 계급[직] sacerdocio *m.* ~ 문학 literatura *f* sacerdotal.

승률(勝率) porcentaje *m* de victorias [de triunfos].

승리(勝利) victoria *f,* triunfo *m.* ~하다 ganar la victoria. 압도적인 ~ triunfo *m* decisivo [aplastante], victoria *f* decisiva [aplastante]. ~자 vencedor, -dora *mf,* ganador, -dora *mf.*

승마(乘馬) ① [말을 탐] paseo *m* a caballo, cabalgadura *f,* cabalgazón *m,* equitación *f.* ~를 배우다 aprender la equitación. ② =승용마. ¶~바지 pantalones *mpl* de montar. ~복 traje *m* de montar [de cabalgar]; [여자의] amazona *f.* ~화(靴) botas *fpl* de montar.

승무(僧舞) baile *m* [danza *f*] budista (tradicional de Corea).

승무원(乘務員) [배·비행기의] tripulante *mf;* [집합적] tripulación *f,* personal *m* (de un vehículo). ~ 명부 rol *m.*

승복(服服) sumisión *f.* ~하다 [복종하다] someterse, obedecer; [승인하다] aceptar, admitir. ~시키다 convencer.

승부(勝負) victoria o derrota; [경쟁] competición *f,* disputa *f,* lucha *f,* combate *m;* [시합] partido *m,* match *ing.m;* [경기] juego *m;* [일국] partida *f,* jugada *f.* ~를 다투다 competir, disputarse, jugar, jugar [tener] un partido.

승산(勝算) esperanza *f* del triunfo [de ganar], posibilidad *f* [cálculo *m*] de la victoria. ~이 없는 싸움 batalla *f* desesperada. ~이 있다 tener esperanza de ganar.

승선(乘船) embarco *m,* embarque *m,* embarcación *f.* ~하다 embarcar(se) (en un barco), subir (a un barco), subir a bordo.

승소(勝訴) triunfo *m* en los tribunales. ~하다 ganar la causa, ganar el pleito.

승승장구(乘勝長驅) ¶~하다 dar un paseo largo aprovechando la victoria, aprovechar la oportunidad.

승용(乘用) uso *m.* ~하다 usar, dirigir. ~마(馬) caballo *m* de silla. ~ 자동차 coche *m* (de uso) particular. ~차 ((준말)) =승용 자동차.

승인(承認) [인가] aprobación *f;* [동의] consentimiento *m;* [인식] reconocimiento *m.* ~하다 aprobar, consentir, reconocer.

승인(勝因) causa *f* de la victoria.

승자(勝者) ganador, -dora *mf;* vencedor, -dora *mf.*

승전(勝戰) victoria *f,* triunfo *m.* ~고 tambor *m* victorioso. ~비(碑) monumento *m* victorioso [de la victoria].

승진(昇進) promoción *f,* ascenso *m,* ascensión *f,* avance *m.* ~하다 ascender (un rango), promoverse, ser promovido, subir, avanzar. ~시키다 promover, ascender.

승차(乘車) subida *f.* ~하다 [버스에] subir al autobús; [자동차에] subir a [en] un coche; [열차에] subir al tren. ~권[표] billete *m, AmL* boleto *m.* ~장[정류장] parada *f* de autobuses.

승천(昇天/陞天) ① [하늘에 오름] ascensión *f.* ~하다 ascender [subir] al cielo. ② ((기독교·천주교)) Ascensión *f.* ~하다 ascender al cielo. 예수의 ~ Ascensión *f.*

승패(勝敗) victoria y [o] derrota. ~를 다투다 disputar la victoria.

승화(昇華) sublimación *f.* ~하다 sublimarse. ~시키다 sublimar.

승합(乘合) =합승(合乘). ¶~ 자동차[버스] autobús *m,* omnibús *m, Cuba* guagua *m;* [시내 버스] autobús *m.* ~차 ((준말)) =승합 자동차.

시 ((감탄사)) ¡Bah!

시(市) ① [시장] mercado *m,* plaza *f,* feria *f.* ~에 가다 ir al mercado. ② [도시] ciudad *f;* [행정체] ayuntamiento *m,* municipalidad *f,* municipio *m.*

시¹(時) hora *f.* 한 ~ la una. 열두 ~ las doce. 몇 ~에? ¿A qué hora? 지금 몇 ~입니까? ¿Qué hora es ahora?

시²(時) tiempo *m.*

시(詩) poesía *f* (총칭), poema *m* (한 편의), composición *f* poética; [시

구] verso *m*; [4행 단시] coplas *fpl*; [연] estrofa *f*. ~의 poético. ~와 산문(散文) la poesía y la prosa. 시어 dicción *f* poética.

시가(市街) calle *f*. ~를 산보하다 dar un paseo por la calle. ¶~전 lucha *f* [batalla *f*] urbana.

시가(市價) precio *m* de mercado.

시가(時價) precio *m* corriente.

시가(媤家) [집] casa *f* de *su* esposo; [식구] familia *f* de *su* esposo.

시가(詩家) =시인(詩人).

시가(詩歌) ① =시(詩). ② [시와 노래] poesía *f* [poema *m*] y música [y canción]

시가 [여송연] cigarro *m*.

시가레트 cigarrillo *m*, pitillo *m*.

시각(時刻) tiempo *m*, hora *f*. ~표 [열차 등의] horario *m*, itinerario *m*; [책자] guía *f* de trenes.

시각(視角) ((물리)) ángulo *m* visual [óptico de vista · de la visión].

시각(視覺) vista *f*, visión *f*, sentido *m* de la vista. ~의 visual. ~ 교육 educación *f* visual. ~ 예술 arte *m* cinético. ~ 예술가 artista *m* cinético, artista *f* cinética. ~적 visual. ~적으로 visualmente.

시간(時間) hora *f*, tiempo *m*. 열 ~ diez horas. ~당 100킬로미터 cien kilómetros por hora. 여기서 인천 국제 공항까지는 ~이 얼마나 걸립니까? ¿Cuánto tiempo se tarda de aquí al Aeropuerto Internacional de Incheon? ¶~ 엄수 puntualidad *f*. ~외 tiempo *m* suplementario, horas *fpl* extraordinarias de trabajo. ~외 근무 horas *fpl* extra(s). ~외 수당 pago *m* para horas extraordinarias, premio *m* por horas extras. ~표 ㉮ horario *m*; [수업의] horario *m* escolar, horario *m* de clases. ㉯ [탈것의 시각표] horario *m*, itinerario *m* (de trenes).

시건방지다 (ser) descarado, insolente, fresco, altisonante. 시건방진 행동 conducta *f* altisonante.

시경(詩經) las Odas.

시계(時計) reloj *m*. ~의 소리 tic-tac del reloj; [시계 치는 소리] campanada *f* de un reloj. ~가 있는 라디오 radiodespertador *f*(*m*). ~를 늦추다 atrasar [retrasar] el reloj. ~를 맞추다 poner el reloj en hora, poner bien el reloj. ~를 (5분) 빨리하다 adelantar el reloj (cinco minutos). ¶~ 방향 sentido *m* de las agujas del reloj. ~ 수리공 relojero, -ra *mf*, el [la] que repara relojes. ~점 relojería *f*, tienda *f* del relojero. ~점 주인 relojero, -ra *mf*. ~추 péndula *f*. ~탑 torre *f* de(l) reloj.

시계(視界) vista *f*, ángulo *m* visual [de visión], vista *f* extendida, visibilidad *f*. ~를 가리다 obstruir [impedir · tapar] la vista, limitar el horizonte. ~를 떠나다 salir del campo visual. ~에 들어오다 entrar en el campo visual [a la vista], tener en la vista. ~에서 사라지다 perderse de la vista.

시골 ① [서울에서 떨어진 지방] campo *m*, campiña *f*. ~의 campesino, campestre, rural, rústico. ~ 풍경 paisaje *m* campesino, escena *f* campesina. ② [고향] pueblo *m* natal, tierra *f* natal. ③ [지방] provincia *f*, región *f*, comarca *f*. ~의 provincial, provinciano, regional. ~에 가다 ir a la provincia. ¶~뜨기 paleto, -ta *mf*, rústico, -ca *mf*, campesino, -na *mf*, paisano, -na *mf*, aldeano, -na *mf*, provinciano, -na *mf*. ~말 lenguaje *m* rústico; [방언] dialecto *m*, provincialismo *m*. ~사람 campesino, -na *mf*. ~ 사투리 dialecto *m* [acento *m*] campesino, provincialismo *m*.

시공(施工) construcción *f*. ~하다 hacer construcción.

시공(時空) espacio-tiempo *m*. ~의 espaciotemporal. ~ 세계 mundo *m* espacio-temporal.

시구(市區) ① [시와 구] la ciudad y el barrio. ② [도시의 구역] barrio *m* de la ciudad.

시구(詩句) verso *m*, estancia *f*.

시구(始球) primera bola *f* [pelota *f*]. ~식 ceremonia *f* de tirar la primera bola [pelota]. ~식을 하다 tirar [patear 차다] la primera pelota [bola].

시국(市國) Ciudad *f*.

시국(時局) situación *f* actual, estado *m* actual de las cosas, estado *m* actual en cuestión, circunstancias *fpl* políticas actuales; [비상시] emergencia *f*; [전시] tiempo *m* de guerra.

시굴(試掘) perforación *f* experimental, exploración *f* de ensayo, sondeo *m*; [광산의] exploración *f* [reconocimiento *m* · cateo *m*] de una mina. ~하다 hacer perforaciones experimentales, realizar prospecciones, explorar, catear.

시궁창 albañal *m*, cloaca *f*, sumidero *m*, pozo *m* negro.

시그널 ① [신호] señal *f*. ② [철도의 신호기] señal *f*.

시극(詩劇) drama *m* en verso, pieza *f* de teatro en verso.

시근거리다[1] [숨을 가쁘게 쉬다] jadear, resollar, respirar entrecortadamente. 시근거리며 말하다 decir jadeando.

시근거리다[2] [뼈마디가] sentir el

temblor ligero de artritis.

시근시근 [뼈마디가] dolorosamente, con dolor. ~하다 [손가락·발·근육이] (ser) dolorido, adolorido; [눈이] irritado; [입술이] reseco.

시근하다 (ser) dolorido, adolorido. 나는 뼈마디가 ~ Tengo la articulación dolorida [adolorida]. / Me duele la articulación.

시금(試金) ensayo *m*. ~석 piedra *f* de toque, prueba *f* decisiva.

시금떨떨하다 (ser) algo ácido y áspero.

시금시금하다 (ser) muy ácido.

시금치 (식물) espinaca *f*.

시금털털하다 =시금떨떨하다.

시금하다 (ser) algo ácido.

시급(時急) emergencia *f*, urgencia *f*, inminencia *f*. ~하다 (ser) urgente, inminente.

시기(時期) tiempo *m*, temporada *f*, época *f*; [계절] estación *f*, sazón *m*. 같은 ~에 en la misma época.

시기(時機) [기회] (buena) oportunidad *f*, ventura *f*, suerte *f*, casualidad *f*; [경우] ocasión *f*, trance *m*. ~에 적합한 oportuno, conveniente, tempestivo, a propósito, pertinente. ¶ ~상조 madurez *f* antes de tiempo.

시기(猜忌) celos *mpl*, envidia *f*, celotipia *f*. ~하다 envidiar, tener celos, guardar envidia. ~심 recelo *m*, espíritu *m* receloso.

시꺼멓다 (ser) negro como el carbón, negro azabache.

시끄럽다 hacer ruido, (ser) ruidoso, bullicioso, alborotador, alborotado, estrepitoso, chillón, tumultuoso.

시끌벅적하다 hacer mucho ruido.

시끌시끌하다 hacer mucho ruido.

시나리오 guión *m*. ~ 작가 guionista *mf*.

시나브로 en el momento sobrante.

시난고난 el ser peor gradualmente, cada vez peor. ~하다 ir de mal en peor, empeorar.

시내 arroyo *m*; [작은] arroyuelo *m*, riachuelo *m*, río *m* pequeño.

시내(市內) ciudad *f* (propia), el área *f* entera de una ciudad. ~의 urbano, municipal, de la ciudad. ~ 배달 distribución *f* [repartición *f*] local (de correo). ~ 버스 autobús *m*, *Arg* colectivo *m*, omnibús *m*, *Méj* camión *m*, *Guat* camioneta *f*, *Cuba* guagua *f*. ~ 통화 llamada *f* [comunicación *f*] (telefónica)·conferencia *f*] urbana.

시너 disolente *m*, diluyente *m*.

시네라마 cinerama *m*.

시네마 [영화] cine *m*, película *f*. ② [영화관] cine *m*, *Chi* teatro *m*.

시네마스코프 cinemáscope *ing.m*.

시녀(侍女) doncella *f*, camareta *f*, dama *f* de honor.

시누이(媤—) cuñada *f*, hermana *f* política, hermana *f* de *su* esposo.

시누이올케(媤—) cuñadas *fpl*.

시늉 afectación *f*, aire *m*, apariencia *f*. …하는 ~을 하다 hacer como que + *inf*, fingir [afectar·aparentar·simular] + 「명사」[que + *ind*].

시다 ① [맛이] (ser) ácido, agrio, acedo, vinagrado. 시어지다 [우유 따위가] agriarse, avinagrarse. 시어진 우유 leche *f* cortada. ② [뼈마디가] doler, ser doloroso, estar muy dolorido, sentir mucho dolor. 발목이 ~ sentir mucho dolor en *su* tobillo. ③ [눈이] (ser) deslumbrante, resplandeciente, cegador, deslumbrador, deslumbrarse, encandilarse.

시단(詩壇) círculos *mpl* poéticos.

시달리다 ① [괴로움 당하다] ser aquejado, ser preocupado. 더위에 ~ ser preocupado por el calor. 생활에 ~ ser aquejado por la vida. ② [괴롭게 굴다] acosarse, acuciarse, hostigarse, molestar.

시대(時代) época *f*, era *f*, período *m*, periodo *m*, tiempos *mpl*; [시기] temporada *f*, [세대] generación *f*. ~에 뒤떨어진 anticuado, despasado. ¶ ~ 착오 anacronismo *m*. ~ 풍조 tendencia *f* del día.

시댁(媤宅) ((높임말)) =시가(媤家).

시도(市道) ① [시와 도] la ciudad y la provincia. ② [시의 도로] carretera *f* municipal.

시도(試圖) prueba *f*, intento *m*, ensayo *m*; [기도] empresa *f*. ~하다 probar, ensayar, experimentar, tratar de + *inf*; [기도하다] empresar, pretender (+ *inf*).

시동(始動) arranque *m*. ~(을) 걸다 arrancar, poner en marcha, *Chi* partir. 자동차 엔진의 ~을 걸다 arrancar el motor de automóvil. ¶ ~ 보턴[단추] botón *m* de arranque. ~ 스위치 interruptor *m* de arranque. ~ 장치 sistema *m* de arranque. ~ 키 [자동차 등의] llave *f* de contactol.

시동생(媤同生) cuñado *m* menor.

시들다 ponerse mustio, marchitarse, ajarse, secarse, enlaciarse.

시들시들 ligeramente marchitándose. ~하다 marchitarse un poco.

시들하다 ① [마음에 차지 않아 내키지 않다] estar descontento [insatisfecho] 시들한 표정을 하고 있다 tener un semblante descontento. ② [우습게 여길 만큼 보잘것없다] tener ningún valor, no valer nada.

시디롬 CD-ROM. ~ 드라이브 unidad *f* de CD-ROM. ~ 버너 que-mador *m* de CD-ROM.

시디시다 (ser) muy ácido [agrio].

시래기 hojas *fpl* de nabo [rábano] secado.

시럽 jarabe *m*.

시렁 anaquel *m*, estante *m*.

시력(視力) vista *f*, poder *m* visual. ~을 잃다 perder la vista. ~을 회복하다 recuperar [recobrar] la vista. ~이 약하다 tener la vista débil. ~이 좋다[나쁘다] tener buena [mala] vista. ¶ ~ 검사 examen *m* de (la) vista. ~ 검사표 tabla *f* del examen de la vista. ~ 검정(법) optometría *f*. ~ 검정기 optómetro *m*.

시련(試鍊/試練) experimento *m*, prueba *f*. ~기 período *m* de prueba.

시론(詩論) (ensayo *m* sobre) poética *f*; [시의 연구] estudio *m* sobre la poesía; [시의 비평] critismo *m* de poemas.

시료(詩料) material *m* para poesías.

시료(試料) muestra *f*.

시루 *siru*, vaporera *f* de barro (co-cido). ~떡 *siruteok*, pan *m* de arroz cocido al vapor.

시류(時流) corriente *f* [tendencia *f*] de la época, tendencia *f* [moda *f*] del mundo, tono *m* de sociedad; [유행] moda *f*.

시름 ansiedad *f*, preocupación *f*. ~없이 distraídamente, sin comprender, languidamente. ~ 바라보다 mirar sin comprender.

시리다 tener frío. 손[발·귀]이 ~ tener las manos frías [los pies fríos·las orejas frías].

시리즈 ① [책이나 영화 따위의 연속물] serie *f*, serial *m*, CoS serial *f*. 텔레비전 ~ serie *f* [serial *m*] de televisión. ② ((야구)) serie *f*. ~로 por entregas, por capítulo, en forma de serial [serie]; [(컴퓨터)] en serie. ~로 방송하다 transmitir por capítulos [en forma de serial·en forma de serie]. ~로 출판하다 publicar por entre-gas.

시립(市立) establecimiento *m* municipal. ~의 municipal. ~ 도서관 biblioteca *f* municipal.

시말(始末) [상태] situación *f*; [결과] consecuencia *f*, resultado *m*. ~서 excusa *f* [explicación *f*] escrita.

시멘트 cemento *m*. ~ 공장 fábrica *f* de cemento. ~ 블록 bloque *m* de cemento. ~ 콘크리트 hormigón *m* de cemento.

시모(媤母) 시어머니.

시무(始務) reanudación *f* del trabajo oficial después de la recesión de(l) Año Nuevo. ~하다 reanu-

dar el trabajo oficial después de la recesión de(l) Año Nuevo.

시무룩하다 (estar) malcontento, caprichudo, hosco.

시문(詩文) poesía *f* (y prosa). ~학 literatura *f* poética.

시민(市民) ciudadano, -na *mf*; [주민] habitante *mf*; vecino, -na *mf*. ~의 ciudadano, civil, cívico. ~의 소리 voz *f* del pueblo. ¶ ~권 ciudadanía *f*. ~ 운동 campaña *f* de los ciudadanos. ~ 혁명 revolución *f* civil. ~ 회관 salón *m* de los ciudadanos, palacio *m* para los ciudadanos.

시발(始發) salida *f*, primera salida *f* (por la mañana). ~하다 partir, salir. ~ 역 estación *f* de origen. ~ 열차 primer tren *m*. ~점 punto *m* de origen.

시범(示範) buen ejemplo *m*, ejemplo *m* [modelo *m*] para los otros. ~하다 demostrar, dar [mostrar] el buen ejemplo. ~ 경기 deporte *m* de exhibición. ~ 학교 escuela *f* ejemplar.

시법(詩法) arte *m* poético, arte *m* de versificación, prosodia *f*.

시부(媤父) padre *m* de *su* esposo. 시모 padres *mpl* de *su* esposo.

시부렁거리다 cotorrear, chacharear, balbucear, charlar, parlotear. 멋대로 ~ disparatar, decir disparates.

시비(是非) lo justo y lo injusto, justicia *f* e injusticia, el bien y el mal, lo bueno y lo malo. ~곡직 lo justo y lo injusto. ~조 actitud *f* desafiante, actitud *f* agresiva [de agresión]. ~조(로) 덤비다 ponerse agresivo [provocativo·provocador].

시비(施肥) abono *m*, fertilización *f*, abonación *f*, estiércol *m*. ~하다 fertilizar, abonar, estercolar.

시비(詩碑) monumento *m* inscrito con el poema.

시뻘겋다 (ser) carmesí. 시뻘겋게 되다 ponerse colorarado [rojo]. 얼굴이 시뻘겋게 되다 ruborizarse.

시사(示唆) sugerencia *f*, sugestión *f*, insinuación *f*. ~하다 sugerir, insinuar, proponer, hacer una sugerencia.

시사(時事) actualidades *fpl*, sucesos *mpl* corrientes, asuntos *mpl* (del día), tema *m*, cuestión *f*. ~를 논하다 discutir los sucesos corrientes. ¶ ~ 문제 problemas *mpl* de la actualidad; cuestiones *fpl* contemporáneas. ~ 서반아어 español *m* corriente. ~ 용어 términos *mpl* de la época. ~ 해설 comentario *m* de la actualidad.

시삼촌(媤三寸) tío *m* de *su* esposo.

시상(施賞) otorgamiento *m* de un

시상(詩想) idea *f* [imaginación *f*] poética, pensamiento *m* poético.

시새우다 ① [저보다 나은 사람을 투기하다] envidiar, tener envidia. ② [서로 남보다 낫게 하려고 다투다] competir(se). 시새워 공부하다 estudiar para la competición.

시새움 celos *mpl*, envidia *f*. ~이 많은 envidioso, celoso. ~하다, ~을 내다 tener envidia, tener celos, envidiar.

시선(視線) mirada *f*, vista *f*.

시선(詩仙) gran poeta *m*, gran poetisa *f*.

시선(詩選) antología *f* poética, colección *f* de poesías.

시설(施設) establecimiento *m*, instalación *f*, institución *f* [설비] equipo *m*; [고아·노인 등의] fundación *f*, asilo *m*, patronato *m*. ~하다 equipar, instalar, instituir.

시세(時勢) ① [그때의 형세] situación *f* actual [corriente], espíritu *m* del tiempo. [시가] cotización *f*, tipo *m*, tasa *f*, precio corriente, precio *m* (del mercado).

시소 ① [걸터앉아서 하는] 널뛰기] balanchín *m*, subibaja *m*. ~를 타다 columpiarse. ② [동요. 변동. 접전] vaivén *m*, oscilación *f*. ¶~게임 columpio *m* de balanchín.

시속(時速) velocidad *f* por hora. ~100킬로미터 cien kilómetros por hora.

시숙(媤叔) cuñado *m*.

시술(施術) operación *f*. ~하다 operar, hacer una operación. ~자 operador, -dora *mf*.

시스템 sistema *m*, mecanismo *m*, dispositivo *m*, instalación *f*; ((컴퓨터)) sistema *m*. ~ 에러 error *m* del sistema. ~ 파일 archivo *m* System.

시시덕거리다 retozar.

시시비비(是是非非) ¶~하다 llamar al pan pan y al vino vino, llamar cada cosa por *su* nombre. ~주의 principio *m* de llamar cada cosa por *su* nombre.

시시티브이 televisión *f* en circuito cerrado.

시시하다 (ser) insignificante, de poca importancia, fútil, trivial; [무익한] inútil; [가치 없는] sin valor, indigno; [어이없는] absurdo, bobo, ridículo; [무미 건조한] insípido, soso; [지루한] aburrido, tedioso, pesado.

시식(試食) prueba *f* de una comida, degustación *f*, ensayo *m*. ~하다 probar, degustar, probar una comida, ensayar.

시신(屍身) cadáver *m*.

시신경(視神經) nervio *m* óptico.

시심(詩心) sentimiento *m* poético.

시아버지(媤-) suegro *m*.

시아이에이 CIA *f*, Servicio *m* de Inteligencia Estadounidense.

시아이에프 CIF; costo, seguro y flete.

시아주버니(媤-) cuñado *m*, hermano *m* mayor de *su* esposo.

시안(試案) proyecto *m* [plan *m*] de prueba, plan *m* tentativo. ~을 작성하다 hacer [formar] un proyecto de prueba.

시야(視野) ① [눈의 보는 힘이 미치는 범위] vista *f*, visibilidad *f*, calidad *f* de visible, vista *f* extendida. ~에서 사라지다 desaparecer de la vista. ② [지식이나 사려가 미치는 범위] campo *m* visual.

시약(施藥) reactivo *m*. ~병(甁) botella *f* de reactivo.

시약(試藥) administración *f* gratuita de medicina. ~하다 dar las medicinas gratuitamente.

시어(詩語) lenguaje *m* [término *m*] poético, dicción *f* poética.

시어머니(媤-) suegra *f*, madre *f* política, madre *f* de *su* esposo.

시에이티브이 televisión *f* por cable, CATV *f*.

시에프 película *f* de publicidad.

시엠 spot *m* publicitario, emisión *f* publicitaria, anuncio *m*. ~ 송 canción *f* publicitaria.

시연(試演) ensayo *m*. ~하다 ensayar.

시영(市營) administración *f* municipal. ~의 municipal, comunal, de la municipalidad, de la ciudad. ~ 버스 autobús *m* municipal. ~ 아파트 apartamento *m* municipal.

시온주의(-主義) sionismo *m*. ~자 sionista *mf*.

시외(市外) alrededores *mpl* [afueras *fpl*] de una ciudad, barrios *mpl* periféricos. ~의 suburbano. ~에 살다 vivir en los barrios periféricos (de la ciudad). ¶~ 통화 llamada *f* [comunicación *f*] interurbana.

시우(詩友) amigo *m* poético, amiga *f* poética.

시운(時運) suerte *f*, fortuna *f*. ~이 불리하다 La condición nos es desfavorable. ~이 형통하다 La fortuna es buena para nosotros.

시운전(試運轉) ensayo *m*, prueba *f*; [열차 등의] viaje *m* de prueba; [기술을 익히는 운전] ejercicio *m* de práctica; [엔진 등의] marcha *f* de prueba; [자동차의] prueba *f* de circulación en carretera. ~하다 probar, hacer ensayo [pruebas], someter a prueba; [자동차를]

probar (en carretera).

시원섭섭하다 sentir emociones mezcladas de alegría y dolor.

시원스럽다 [태도가] (ser) rápido y enérgico, brioso; [걸음이] a paso ligero, activo; [성질이] franco, sincero, directo. 시원스레 con brío, con tono de eficiencia, francamente. 시원스레 말하다 decir con tono de eficiencia.

시원시원하다 (ser) claro y brioso, brillante, genial, animado, alegre, franco, vivo.

시원찮다 (ser) insatisfactorio, poco satisfactorio, dificiente, aburrido, soso, poco entusiasta.

시원하다 ① [알맞게 선선하다] hacer fresco. 시원한 바람 brisa f fresca [refrescante]. ② [몸이 서늘함을 느끼다] tener fresco. ③ [답답하거나 아픈 느낌이 없어지다] sentirse de buen humor. 눈매가 ~ tener ojos claros. ④ [언행이] (ser) enérgico [dinámico] y eficiente, activo, rápido, directo, franco. ⑤ [국물 맛이] no ser espeso. ⑥ [앞이 막힌 데 없이] (estar) abierto. 시원한 들 campo m abierto.

시월(十月) octubre m.

시위(示威) manifestación f. ~하다 manifestarse públicamente, hacer una manifestación pública. ~에 참가하다 asistir [participar] a una manifestación. ¶~대 manifestación f. ~ 대원 manifestante mf. ~ 운동 manifestación f. ~ 운동자[참가자] manifestante mf.

시음(試飮) prueba f, degustación f, cata f. ~하다 probar, degustar, catar. 포도주를 ~하다 degustar [probar · catar] el vino.

시의(時宜) circunstancias fpl, ocasión f, oportunidad f. ~에 적절한 oportuno, conveniente, tempestivo, pertinente, apropiado, con tiempo.

시의회(市議會) Ayuntamiento m, Municipalidad f, Municipio m, Asamblea f Municipal, Consejo m Municipal. ~ 의사당 Salón m de la Asamblea Municipal. ~ 의원 oonsejal -la mf. ~ 의원 선거 elección f municipal.

시인(是認) aprobación f, consentimiento m. ~하다 admitir, reconocer, aprobar, consentir, dar aprobación, dar consentimiento.

시인(詩人) poeta m(f), poetisa f.

시일(時日) ① [때와 날] el tiempo y el día; [날째] fecha f, tiempo m. 단~ tiempo m corto. ~을 요하다 requerir tiempo. ② [기일. 기한] plazo m. ~을 연기하다 prorrogar el plazo.

시작(始作) comienzo m, principio m;

[기원] origen m. ~하다 comenzar, empezar, iniciar(se); [강이] nacer; [습관이] originarse, empezar. 시작이 반(半) ((속담)) Obra empezada, medio acabada.

시작(詩作) composición f de poemas, creación f poética, obra f poética. ~하다 componer poesías.

시작(試作) ensayo m, prueba f, producción f [labricación f] tentativa. ~하다 ensayar, fabricar de ensayo [a prueba], hacer una prueba.

시장 el hambre f, ganas fpl de comer, necesidad f de comer. ~하다 tener hambre, estar hambriento. 몹시 ~하다 tener mucha hambre, tener estómago en los pies. 시장이 반찬 ((속담)) La mejor salsa es el hambre / A buena hambre no hay pan duro / A pan duro diente agudo.

시장(市長) alcalde, -desa mf.

시장(市場) mercado m; [광장 등에서는] plaza f. ~ 가격 precio m de mercado, precio m corriente, cotización f del mercado. ~ 조사 estudio m [investigación f] de(l) mercado. ~ 폭락 ((주식)) caída f en picado del mercado.

시재(詩才) talento m para componer la poesía.

시적(詩的) poético. ~으로 poéticamente. ~으로 표현하다 expresar poéticamente.

시절(時節) ① = 철¹. ¶~에 맞지 않는 intempestivo, fuera de la estación. = 때²❷. ¶행복한 ~이었다 Eran [Fueron] unos tiempos felices. ② [사람의 일생을 구분한 한 동안] ocasión f, oportunidad f, hora f, tiempo m. 어린 ~에 en su niñez, cuando era niño [niña].

시점(時點) momento m. 이 ~에서는 en este momento.

시정(市井) = 시가(市街). ¶~의 무뢰한 rufián m de barrio. ~의 소문 rumor m que circula.

시정(市政) administración f municipal.

시정(是正) rectificación f; [틀린 것의] corrección f. ~하다 rectificar, corregir, reajustar; [개선하다] reformar.

시제(時制) ((언어)) tiempo m. ~의 일치 concordancia f de tiempos.

시조(始祖) ① [맨 처음되는 조상] antepasado m, ascendiente m, progenitor m, antecesor m. ② [학문·기술·일의] iniciador, -dora mf; primer promotor m, primera promotora f, padre m; [창시자] fundador, -dora mf.

시조(時調) sicho, verso m coreano. ~를 읊다 recitar sicho. ~를 짓

다 componer *sicho*.

시종(始終) ① [처음과 끝] el principio y el fin. ② [처음부터 끝까지] 0esde el comienzo [el principio] hasta el fin, de cabo a cabo [rabo]. ~ 침묵을 지키다 seguir guardando el silencio. ¶~여일 constancia *f*. ~여일하다 (ser) constante. ~여일하게 constantemente. ~일관 ㉮ constancia *f*, consistencia *f*. ~일관하다 ser constante [consistente] en *su* principio o modo de obrar. ~일관한 정책 política *f* constante. ㉯ [부사적] constantemente, firmemente, con toda consistencia, desde siempre.

시중 servicio *m*, asistencia *f*, servidumbre *f*. ~하다 servir, atender, asistir, acompañar; [호위하다] escoltar; [간호하다] cuidar. ~(을) 들다 servir, atender, ayudar, asistir, servir de asistente, servie de ayudante, acompañar; [간호하다] cuidar; [호위하다] escoltar.

시중(市中) (en) la ciudad, (en) la calle. ~ 가격 precio *m* en el mercado. ~ 금리 tipo *m* de interés comercial.

시즌 temporada *f*, época *f*, estación *f* del año, tiempo *m* oportuno, sazón *m*. 스키 ~ temporada *f* de esquí. 여행 ~ temporada *f* de viaje.

시집(媤一) familia *f* de *su* esposo. ~(을) 가다 casarse (con un hombre), contraer matrimonio. ~(을) 보내다 casar. 딸을 ~ 보내다 casar a *su* hija, dar en matrimonio a *su* hija. 시집 가기 전에 기저귀 마련한다 ((속담)) No cantes victoria antes de hora / No cantes gloria hasta el final de la victoria. ¶~살이 vida *f* matrimonial (de una mujer). ~살이하다 vivir con la familia de *su* esposo.

시집(詩集) obras *fpl* poéticas, poesías *fpl*, cancionero *m*.

시차(時差) diferencia *f* horaria [de horas], diferencia *f* en tiempo.

시차(視差) paralaje *m*. 태양의 ~ paralaje *m* solar, paralaje *m* del sol.

시찰(視察) inspección *f*, observación *f*; [견학] visita *f*. ~하다 inspeccionar, hacer la inspección, observar, visitar, hacer la visita. 시찰단 cuerpo *m* de inspectores.

시책(施策) medida *f*, política *f*, plan *m* [curso *m*] de acción.

시청(市廳) ayuntamiento *m*, municipalidad *f*, municipio *m*, alcaldía *f*, edificio *m* de la gobernación.

시청(視聽) atención *f*. ~을 집중시키다 atraer la atención pública. ¶~료 tarifa *f* de subscriptores. ~자 televidente *mf*. ~자 참가 프로그램 programa *m* en el que participan los televidentes.

시청각(視聽覺) sentido *m* audiovisual. ~의 audiovisual. ~ 교육 educación *f* [enseñanza *f*] audiovisual. ~ 교재 materiales *mpl* audiovisuales, software *m* de aprendizaje.

시체(屍體) cadáver *m*. ~ 안치소 depósito *m* de cadáveres. ~ 해부 autopsia *f*.

시초(始初) ① [맨 처음] principio *m*, comienzo *m*. ~의 primero. ~에 al principio, en primer lugar, primero. ② [비롯됨] origen *m*. 싸움의 ~ origen *m* de pelea.

시추(試錐) sondeo *m*, perforación *f* (experimental). ~하다 perforar (a prueba), hacer perforaciones, hacer pruebas perforadoras. ~기 perforadora *f*, barreno *m*. ~선 buque *m* para perforaciones submarinas. ~ 장치 [해양 석유의] equipo *m* de perforación. ~탑 torre *f* de perforación.

시치미 inocencia *f* [ignorancia *f*] fingida, indiferencia *f* fingida, disimulación *f*. ~(를) 떼다 fingir [aparentar] inocencia, hacerse el tonto [el inocente · el ignorante]; [사람을 만나서] hacerse el sueco, afectar ignorancia.

시침질 hilván *m*, hilvanado *m*.

시침(時針) horario *m*.

시커멓다 (ser) muy negro, ser tan negro como un carbón.

시큰거리다 sentir el dolor sordo.

시큰시큰 siguiendo sintiendo el dolor sordo.

시큰둥하다 (ser) imprudente, descarado, chulo.

시큼하다 (ser) agrillo, algo agrio, algo ácido.

시키다 hacer + *inf*. 말을 ~ hacer decir.

시토 OTASE *f*, O.T.A.S.E. *f*, Organización *f* del Tratado del Sudeste de Asia, Organización *m* del Tratado de Asia Suboriental

시트¹ [앉는 좌석 · 자리] asiento *m*; [자전거의] asiento *m*, sillín *m*; [극장의] asiento *m*, butaca *f*; [기차의] plaza *f*. ~ 벨트 cinturón *m* de seguridad.

시트² ① [얇은 판] chapa *f*, plancha *f*, lámina *f*. ② [한 장의 종이] hoja *f*. ③ [자동차의 좌석이나 침대 따위의 아래위로 두 장 까는 흰 천] sábana *f*. 아래에 까는 ~ sábana *f* bajera [de abajo]. 위에 까는 ~ sábana *f* encimera [de arriba]. ④ [우표의] pliego *m*, hoja *f* de sellos.

시티 [엑스선 단층 촬영 장치] tomografía *f* computerizada.

시판(市販) venta *f* en el mercado. ~하다 vender en el mercado. ~중이다 estar en venta. ¶~ 가격 precio *m* en el mercado.

시퍼렇다 ① [더 짙을 수 없이 퍼렇다] (ser) muy azul. ② [놀라거나 즐거나 하여 몹시 질려 있다] (estar) pálido. 공포로 얼굴이 ~ estar pálido de horror. ③ [위풍이나 권세가 당당하다] (ser) poderoso, influyente. 서슬이 ~ tener mucha influencia.

시편(詩篇) ((성경)) (el libro de) los Salmos.

시평(時評) ① [그때의 비평이나 평판] crítica *f* de entonces. ② [시사에 관한 평론] crítica *f* de actualidades.

시평(詩評) crítica *f* poética.

시학(詩學) poética *f*.

시한(時限) límite *m* de tiempo, período *m*, periodo *m*. 약속 ~에 a la hora señalada. ~을 넘기다 retrasar, pasarse el tiempo. ¶~ 파업 huelga *f* de duración limitada. ~ 폭탄 bomba *f* de tiempo, bomba *f* de relojería, bomba *f* de reloj.

시합(試合) juego *m*, encuentro *m*, match *ing.m*; [주로 구기의] partido *m*; [격투기의] pelea *f*, lucha *f*, combate *m*; [장기나 바둑의] partida *f*; [마라톤 따위의] prueba *f*; [선수권 시합] campamento *m*; [토너먼트] torneo *m*. ~장 [정구의] pista *f*, *AmL* cancha *f*; [야구의] estadio *m*, campo *m* [*AmL* cancha *f*] (de béisbol), *Méj* parque *m* de béisbol; [축구의] campo *m* [*AmL* cancha *f*] de fútbol [*Méj* futbol]; [권투·레슬링의] cuadrilátero *m*, ring *ing.m*.

시행(施行) ① [실지로 행함] ejecución *f*, realización *f*. ~하다 llevar a cabo, ejecutar, hacer cumplir. ② [법령을 공포한 후 그 효력을 발생시킴] ejecución *f* de la ley. ¶~령 ordenanza *f* de ejecución. ~ 착오 (sistema *f* de) ensayos *mpl* y errores, (método *m* de) tanteos *mpl*.

시허옇다 (ser) blanco como la nieve, níveo -a.

시험(試驗) ① [학교 등의] examen *m*; [공무원 등의] oposiciones *fpl*; [콩쿠르] concurso *m*. ~을 치르다 examinarse, hacer [presentar·rendir·*CoS* dar] un examen. ~에 합격하다 aprobar [pasar·*Urg* salvar] el examen, ser aprobado en el examen, salir bien en el examen. ~에 낙방하다 suspender

[reprobar·*Urg* perder] un examen, fracasar [fallar·ser suspendido·salir mal] en el examen. ② [성능 등의] ensayo *m*, prueba *f*; [실험] experimento *m*. ~하다 ensayar, probar, tratar, someter a prueba, poner a prueba, probar el valor. ¶~ 공부 estudios *mpl* preparativos para examen de ingreso o reválida o calificación. ~ 공부하다 prepararse para el examen, preparar el examen. ~ 과목 asignatura *f* para el examen, materias *fpl* de examen. ~관 probeta *f*. ~ 아기 niño-probeta *m*, niña-probeta *f*, niño, -ña *mf* probeta. ~ 문제 problemas *mpl* [preguntas *fpl*] del examen. ~지 ⑦ [학교 등의] (papel *m* para) examen *m*, prueba *f*. ⓙ ((화학)) papel *m* de tornasol, papel *m* reactivo. ~ 지옥 terrible experiencia *f* del examen, dura prueba *f* del examen, inquietud *f* por examen.

시화(詩畵) ① [시와 그림] el poema y el cuadro. ② [시를 곁들인 그림] cuadro *m* ilustrado, cuadro *m* pictórico.

시황(市況) mercado *m*, condición *f* de mercado, estado *m* del mercado; [주식의] situación *f* de la bolsa. 활발한 ~ mercado *m* animado.

시회(詩會) club *m* poético.

시효(時效) prescripción *f*.

시흥(詩興) inspiración *f* poética.

식(式) ① [일정한 전례·표준·기준] estilo *m*, orden *m*. 한국~ estilo *m* coreano. 한국~으로 a la coreana, a lo coreano, a usanza coreana. ② [수학 등의] fórmula *f*. ③ [의식] ceremonia *f*, rito *m*, ritual *m*. ~을 거행하다 celebrar una ceremonia. ④ [방식] manera *f*; [방법] modo *m*.

식객(食客) gorrista *mf*, parásito, -ta *mf*; gorrón, -rrona *mf*.

식견(識見) conocimiento *m*, sabiduría *f*, discernimiento *m*, criterio *m*, vista *f*, visión *f*.

식곤증(食困症) languidez *f* [langor *m*] de la comida.

식구(食口) familia *f*, miembros *mpl* de una familia; [부양 가족의 수] boca *f*.

식권(食券) cupón *m* [talón *m*] de racionamiento.

식기(食器) [음식을 담는 그릇] vajilla *f* (de mesa), cubertería *f*, cristalería *f*; [주발] tazón *m*; [접시·수저·포크·나이프의 일인분] cubierto *m*.

식다 ① [공기·방이] refrigerarse, ponerse frío; [엔진·음식 등이]

enfriarse. ② [열정·열성이 줄다. 감정이 누그러지다] mitigarse, entibiarse, debilitarse, aliviarse, aligerarse, atenuarse. ③ [일이 틀어지다] fracasar.

식단(食單) ① [메뉴] menú *m*, lista *f* de platos; [불란서어에서 온 말] carta *f*. ~을 부탁합니다 El menú, por favor. ② [식단표] orden *f* de platos, preparación *f*. ~을 준비하다 preparar. ¶~표 =식단②.

식당(食堂) restaurante *m*, *AmS* restorán *m*; [간이 식당] 학교 등의] comedor *m*; [간이 식당] cafetería *f*, bar *m*, bodegón *m*, taberna *f*. ~차 coche *m* comedor, vagón *m* restaurante.

식대(食代) precio *m* para la comida.

식도(食刀) =식칼.

식도(食道) ((해부)) esófago *m*. ~암 cáncer *m* esofágico, cáncer *m* del esófago. ~염 esofagitis *f*.

식도락(食道樂) gastronomía *f*, gula *m*, gulosidad *f*. ~가 gastrónomo, -ma *mf*.

식량(食糧) provisiones *fpl*, víveres *mpl*, vituallas *fpl*, comestibles *mpl*, productos *mpl* alimenticios. ~난 dificultad *f* de obtener las provisiones. ~ 문제 problema *m* de víveres [de comestibles]. ~ 부족 falta *f* de provisiones, carestía *f* de víveres, déficit *m* de vituallas. ~ 원조 ayuda *f* alimentaria [alimenticia]. ~ 정책 política *f* de provisiones.

식료품(食料品) alimentos *mpl*, comestibles *mpl*, productos *mpl* alimenticios, artículos *mpl* alimenticios, artículos *mpl* de boca, provisiones *fpl*, víveres *mpl*, abarrote *m*. ~상 tendero, -ra *mf*, almacenero, -ra *mf*. ~점 almacén *m* [tienda *f*] de comestibles, tienda *f* de ultramarinos, tienda *f* de provisiones, abarrotería *f*.

식모(食母) criada *f*, sirvienta *f*, muchacha *f*, doméstica *f*, cocinera *f*.

식모(植毛) ((의학)) trasplante *m* del pelo. ~하다 trasplantar el pelo.

식목(植木) plantación *f*. ~하다 plantar un árbol. ~일 Día *m* del Árbol.

식물(食物) comida *f*, alimento *m*, comestibles *mpl*, manjar *m*.

식물(植物) planta *f*, vegetal *m*; [한 시대·한 지역의] flora *f*; [집합적] vegetación *f*. ~의 vegetal, floral. ~계 reino *m* vegetal. ~원 jardín *m* botánico. ~ 인간 humano *m* vegetal. ~지(誌) flora *f*. ~ 채집 colección *f* de plantas, colección *f* botánica, herborización *f*. ~학 botánica *f*. ~ 학자 botanista *mf*, botánico, -ca *mf*.

식민(植民) colonización *f*, colonia *f*; [사람] colono *m*, poblador *m*. ~하다 colonizar. ~의 colonial. ~국 país *m* colonizador. ~자 colonizador, -dora *mf*, colono *m*. ~ 정책 política *f* colonial, colonialismo *m*. ~지 colonia *f*.

식별(識別) discernimiento *m*, distinción *f*, sindéresis *f*, discreción *f*, entendimiento *m*, juicio *m*. ~하다 discernir, distinguir.

식복(食福) bendición *f* con las cosas de comer. ~이 있다 ser bendito con las cosas de comer.

식비(食費) gastos *mpl* de los alimentos, gastos *mpl* de la comida.

식빵(食一) pan *m*, *Méj* pan *m* blanco grande.

식사(式辭) discurso *m* (ceremonial). ~를 하다 pronunciar un discurso (en la ceremonia).

식사(食事) comida *f*, alimento *m*, sustento *m*. ~하다 comer, tomar, tener una comida.

식상(食傷) ① [물림] hartura *f*, hartazgo *m*, saciedad *f*. ~하다 hartarse, saciarse. ② [소화 불량으로 인한 병] ahitera *f*, ahito *m*; [소화 불량] indigestión *f*. ~하다 ahitarse, indigestarse.

식생활(食生活) vida *f* alimenticia, alimentación *f*. ~을 개선하다 mejorar la alimentación.

식성(食性) paladar *m*, preferencia *f*. ~에 맞는 음식 comida *f* favorita.

식수(食水) el agua *f* potable. ~난 escasez *f* de la agua potable.

식수(植樹) =식목(植木).

식순(式順) programa *m* de la ceremonia. ~에 따라 según el programa de la ceremonia.

식식거리다 respirar pesadamente [entrecortadamente], jadear.

식언(食言) violación *f* de una promesa, falta *f* a *su* palabra. ~하다 violar la promesa, faltar a *su* palabra, desdecirse de lo dicho.

식욕(食慾) apetito *m*, gana(s) *f(pl)* de comer. ~이 있다 tener apetito [ganas de comer]. ¶~ 감퇴 anepitimia *f*, decadencia *f* de apetito. ~ 부진 anorexia *f*, inapetencia *f*, falta *f* de apetito.

식용(食用) lo comestible, lo comible. ~의 comestible, comible, de comer, de mesa. ~에 적합한 comestible. ¶~ 버섯 hongo *m* comestible. ~유 aceite *m* comestible, aceite *m* alimenticio.

식용개구리(食用一) ((동물)) rana *f* comestible, rana *f* toro.

식용달팽이(食用一) ((동물)) babosa *f* comestible.

식육(食肉) ① [고기를 먹음] el comer carne. ~하다 comer carne,

ser carnívoro. ② [식용으로 하는 고기] carne f. ~점 carnicería f.

식이(食餌) ① =먹이(alimento). ¶~의 dietético. ② [조리한 음식물] comida f cocida, alimento m cocido. ~ 요법 dieta f, régimen m (alimentario·alimenticio·dietético·de comidas), alimentoterapia f, sitoterapia f, dietoterapia f.

식자(植字) composición f (de tipos), tipografía f. ~하다 componer los tipos. ~공 tipógrafo, -fa mf; cajista mf. ~기 monotipia f.

식자(識字) el saber la letra. ~ 우환 Quien poco sabe, poco teme.

식자(識者) sabio, -bia mf; erudito, -ta mf; entendido, -da mf.

식장(式場) salón m [sala f·lugar m] de ceremonia,; [결혼 피로연 등의] sala f de banquetes.

식전(式典) ceremonia f, rito m, ritual m.

식전(食前) ① [아침밥을 먹기 전] antes del desayuno, antes de desayunar. ② [밥을 먹기 전] antes de la comida, antes de comer.

식중독(食中毒) ((의학)) intoxicación f alimenticia [por alimentos]. ~에 걸리다 envenenarse con un alimento.

식초(食醋) vinagre m. ~를 치다 echar [poner] vinagre. ¶~병 vinagrera f. ~산 ácido m acético.

식충이(食蟲一) comilón, -lona mf; glotón, -tona mf.

식칼(食一) cuchillo m (para·de cocina); [고기 자르는] cuchilla f, [큰] faca f. ~로 자르다 cortar con un cuchillo.

식탁(食卓) mesa f (de comedor). ~에 앉으세요 Siéntese a la mesa. ¶~보 mantel m.

식품(食品) alimentos mpl, comestibles mpl, víveres mpl, provisiones fpl, vitualla f. ~ 가공 procesamiento m de alimentos. ~점 tienda f de comestibles.

식혜(食醯) bebida f dulce hecha de arroz fermentado.

식후(食後) después de la comida, después de comer.

식히다 [공기·방을] refrigerar; [엔진·음식·열정을] enfriar, poner frío, refrescar. 국을 ~ enfriar la sopa.

신[1] [발에 신는] calzado m, zapatos mpl.

신[2] [흥미와 열성이 생겨 매우 좋아진 기분] alegría f, júbilo m, gozo m, deleite m. ~이 나다 estar excitado.

신(神) ① [초인간적 또는 초자연적 존재] el Dios, el Ser Supremo; [잡신] dios, -sa mf. ~의 divino. ~의 조화 obra f divina. ② ((종

교)) el Dios, el Señor, la Providencia. ~의 divino. ~의 가호 protección f divina, providencia f.

신 escena f. 극적인 ~에 나오다 asistir a [presentar] una escena.

신간(新刊) nueva publicación f; [책] libro m recién publicado, nuevo libro m. ~ 서적 libro m recién publicado, nuevo libro m.

신격(神格) divinidad f. ~화(化) deificación f, divinización f. ~하다 deificar, divinizar.

신경(神經) (((해부)) nervio m. ~의 nérveo, nervioso. ~이 둔하다 ser lerdo, tener una percepción lenta. ¶~계(통) sistema m nervioso. ~과 neurología f. ~ 과민 hiperestesia f, hipersensibilidad f, nerviosidad f. ~ 과민증 hipersensibilidad f, nerviosismo m, eretismo m. ~과 의사 neurólogo, -ga mf; neurópata mf. ~ 마비 neurolepsis f, neuroplegia f. ~병 neuropatía f, neurosis f, enfermedad f nervosa. ~ 쇠약 neurastenia f, nuerataxia f, aneuria f. ~ 안정제 calmante m. ~ 외과 neurocirugía f. ~ 외과 의사 neurocirujano, -na mf. ~ 외과학 neurocirugía f. ~ 이식(술) injerto m nervioso. ~ 전 guerra f psicológica, guerra f de nervios. ~ 중추 centro m de nervio. ~증 neurosis f, neuronosis f, nerviosismo m, neuropatía f. ~질 nerviosidad f, nerviosidad f, neuroticismo m. ~통 neuralgia f, neurodinia f. ~학 neurología f. ~학자 neurólogo, -ga mf. ~ 해부학 neuroanatomía f. ~ 해부 학자 neuroanatómico, -ca mf.

신고(申告) declaración f, anuncio m, aviso m, manifestación f. ~하다 declarar, anunciar, avisar, manifestar, hacer una declaración. 소득을 ~하다 declarar la renta. ¶~서 declaración f, notificación f, informe m. ~ 용지 formulario m de declaración. ~자 relator m; declarante mf; declarador m.

신관(新館) nuevo edificio m; [별관] nuevo anexo m.

신교(信教) creencia f religiosa. ~의 자유 libertad f de conciencia.

신교(新教) ① ((기독교)) protestantismo m. ② ((기독교)) =신약. 신약 성서. ¶~도 protestante mf.

신구(新舊) lo nuevo y lo viejo. ~의 viejos y nuevos. ~약 el Nuevo Testamento y el Viejo Testamento.

신권(新券) nuevo billete m.

신권(神權) derecho m divino.

신규(新規) nueva regulación f, nuevo proyecto m. ~ 가입자 nuevo miembro *m*, nueva miembro *f*; neófito, -ta *mf*; recién ingresado, -da *mf*; [전화 등의] nuevo abonado *m*, nueva abonada *f*.

신극(新劇) teatro *m* moderno, teatro *m* nuevo, drama *m* nuevo, comedia *f* nueva.

신기(神技) destreza *f* divina, habilidad *f* divina, milagro *m*.

신기다 calzar, poner el calzado.

신기록(新記錄) plusmarca *f*, nuevo récord *m*. ~를 수립하다 batir un récord, alcanzar [establecer · hacer] un nuevo récord.

신기롭다(神奇一) (ser) excéntrico.

신기롭다(神奇一) (ser) original, novel, nuevo.

신기루(蜃氣樓) espejismo *m*.

신기원(新紀元) era *f* [época *f*] nueva.

신기하다(神奇一) (ser) maravilloso.

신기하다(新奇一) (ser) original.

신나다 (estar) eufórico, entusiasmado, excitado.

신낭만주의(新浪漫主義) neorromanticismo *m*.

신년(新年) [새해] Año *m* Nuevo; [정월 초하루] día *m* de Año Nuevo.

신념(信念) fe *f*, creencia *f*, convicción *f*. ~이 있는 seguro de sí. ~을 가지고 con fe. ~이 강한 사람 hombre *m* de convicción.

신다 ponerse. 구두를 ~ ponerse los zapatos.

신당(新黨) nuevo partido *m* político. ~을 결성하다 organizar un nuevo partido político.

신대륙(新大陸) Nuevo Mundo *m*.

신도(信徒) creyente *mf*; fiel *mf*; devoto, -ta *mf*.

신동(神童) niño *m* prodigioso, niña *f* prodigiosa; niño *m* prodigio, niña *f* prodiga.

신뒤축 tacón *m*.

신드롬 [증후군] sindrome *m*.

신들리다(神一) estar poseído por el demonio.

신랄하다(辛辣一) (ser) severo, incisivo, mordaz, acerbo, agudo, punzante, acre, corrosivo. ~하게 mordazmente, severamente. 신랄한 비평 criticismo *m* mordaz.

신랑(新郎) novio *m*, recién casado *m*, desposado *m*.

신력(新曆) ① [새 책력] nuevo calendario *m*. ② =태양력.

신록(新綠) verdor *m* fresco [tierno · nuevo]. ~의 계절 estación *f* de fresco verdor.

신뢰(信賴) confianza *f*, fe *f* en una persona, esperanza *f*, seguridad *f*, crédito *m*; [기대] espectación *f*. ~하다 confiar(se), tener confianza, contar, estar seguro, fiar,

fiarse.

신맛 sabor *m* ácido, sabor *m* agrio, agror *m*, gusto *m* agrio, acedía *f*, acidez *f*, agrura *f*, actosidad *f*.

신망(信望) confianza *f*, [인망] popularidad *f*.

신묘하다(神妙一) (ser) (misterioso y) maravilloso, misterioso, sobrenatural, sumiso, humilde.

신문(訊問) interrogatorio *m*, interrogación *f*, investigación *f*, pesquisa *f* judicial, pregunta *f*, indagación *f*. ~하다 interrogar, someter a un interrogatorio.

신문(新聞) ① [새로운 소식] nueva noticia *f*. ② [정기 간행물] periódico *m*; [일간지] diario *m*; [일반 신문] prensa *f*; [저널리즘] periodismo *m*, *AmL* diarismo *m*. ③ ((준말)) =신문지. ¶~계 periodismo *m*. ~ 광고 anuncio *m* periodístico. ~ 기사 artículo *m* (de un periódico). ~ 기자 periodista *mf*. ~ 발행인 editor, -tora *mf* de prensa. ~ 배달원 repartidor, -dora *mf* de periódicos. ~ 배달원 *Méj* periodiquero, -ra *mf*. ~ 보급소 agencia *f* de prensa. ~사 oficina *f* de periódico. ~ 사설 editorial *f*. ~ 소설 novela *f* de periódico, folletín *m*, folletón *m*. ~ 용어 lenguaje *m* periodístico. ~ 용지 papel *m* de prensa. ~인 periodista *mf*; *AmL* diarista *mf*. ~지 papel *m* de periódico. ~철 carpeta *f* de periódicos. ~팔이 ㉠ [배달원] repartidor, -dora *mf* de periódicos. ㉡ [신문 판매대의] vendedor, -dora *mf* de periódicos. ~ 편집(국) redacción *f*. ~ 협회 Asociación *f* de la Prensa.

신물 ① [먹은 것에 체하여 트림할 때 넘어오는 시척지근한 물] bilis *f* vomitada, vómito *m*. ② [지긋지긋하고 진절머리가 나는 일] aburrimiento *m*, fastidio *m*, tedio *m*, cansancio *m*, mal genio *m*. ~이 나다 aburrirse, hartarse, hastiarse, fastidiarse.

신바닥 suela *f* (del calzado).

신바람 alegría *f*, júbilo *m*. ~이 나다 alegrarse, animarse.

신발 =신. ¶~을 벗어 주십시오 ((게시)) Prohibido entrar con los zapatos puestos.

신발명(新發明) nueva invención *f*, invención *f* reciente [nueva].

신방(新房) cuarto *m* nupcial [para los novios], cama *f* nupcial.

신법(新法) ① [새로 만든 법] nueva ley *f*. ② [새로운 방법] nuevo método *m*.

신변(身邊) (*su*) cuerpo *m*. ~의 위험 peligro *m* personal.

신병(身柄) coleto *m*, su persona, su

cuerpo. ~을 넘겨주다 entregar.

신병(身病) enfermedad f, [만성의] mal m. ~으로 사직하다 dimitir [renunciar] debido a la mala salud.

신병(新兵) recluta m, soldado m recién alistado. ~을 모집하다 reclutar.

신봉(信奉) creencia f, fe f, confianza f. ~하다 profesar, adherirse.

신부(神父) ((천주교)) (reverendo) padre m. 김 ~ el padre Kim. ~ 님 [호격] iPadre! / [편지에서] el Reverendo Padre. / [편지에서] el señor cura.

신부(新婦) novia f, desposada f.

신부전(腎不全) insuficiencia f renal.

신부전증(腎不全症) =신부전.

신분(身分) ① [개인의 사회적 지위] posición f social, estatuto m, rango m. ② [명예] honor m, honra f, dignidad f. ~에 관계되다 recaer sobre el honor. ③ [재력] recursos mpl, ingreso m, entrada f, renta f. ~에 맞게 [맞지 않게] 지내다 vivir dentro de [fuera de] las rentas. ¶ ~증(명서) carnet m [carné m] de identificación [de identidad], AmL cédula f de identidad. ~ 증명 identificación f.

신비(神秘) misterio m. 자연의 ~ misterio m de naturaleza. 생명의 ~를 찾다 buscar el misterio de la vida.

신빙(信憑) creencia f, confianza f, confidencia f. ~하다 confiar, tener confianza, contar. ~할 만하다 ser confiable, ser fiable.

신빙성(信憑性) autenticidad f, credibilidad f. ~이 있는 auténtico, creíble, fidedigno. ~이 없는 dudoso, sospechoso.

신사(紳士) caballero m. ~ 숙녀 여러분! iDamas y caballeros! / iSeñoras y Señores!

신상(身上) [몸] cuerpo m; [형편] condición f, circunstancia f; [경력] vida f, historia f personal, carrera f. ~ 명세서 registro m [informe m] personal, datos mpl personales. ~ 발언 palabras fpl sobre sus asuntos personales. ~ 조사 investigación f referente a la persona.

신생(新生) nuevo nacimiento f, renacimiento m, el recién nacido. ~국 nuevo estado m [país m].

신생아(新生兒) (bebe m) recién nacido m, (beba f) recién nacida f. ~의 neonatal.

신석기(新石器) neolítico m. ~ 시대 edad f neolítica.

신선(神仙) semidiós m, ser m sobrehumano, ermitaño m, hada f.

신선로(神仙爐) hornillo m de latón para mantener la comida caliente en la mesa.

신선하다(新鮮-) (ser) fresco, puro. 신선한 공기 aire m puro, aire m fresco. 신선한 과실 fruta f fresca.

신설(新設) nueva fundación f. ~하다 crear, establecer [organizar] nuevo [nuevamente].

신세 endeudamiento m de gratitud, obligación f. ~(를) 지다 recibir la ayuda de otros.

신세(身世) su condición, sus circunstancias. 딱한 ~ circunstancias fpl desfavorables.

신세계(新世界) ① [새로운 세계] nuevo mundo m. ② =신대륙.

신세기(新世紀) nuevo siglo m.

신세대(新世代) nueva generación f.

신소리 juego m de palabras, retruécano m, agudeza f, dicho m gracioso; [농담] chiste m, broma f. ~하다 hacer un juego de palabras.

신속(迅速) velocidad f, rapidez f, celeridad f. ~하다 (ser) rápido, presto, veloz, acelerado, ligero. ~히 rápidamente, rápido, de prisa, prestamente, velozmente, a toda prisa, a todo correr.

신수(身手) su aparición, su aire, su semblante, su comportamiento, sus modales. ~가 훤하다 tener una buena aparición, tener buen semblante.

신수(身數) su suerte, su fortuna. ~가 좋은 사람 persona f feliz, persona f afortunada. ~가 피다 estar de suerte, tener la buena suerte.

신승(辛勝) ganancia f por un pelo, ganancia f con dificultad. ~하다 ganar por muy poco, ganar con dificultad.

신시(新詩) poema m moderno.

신시대(新時代) nueva era f, nueva época f.

신식(新式) nuevo modelo m, modelo m nuevo, estilo m nuevo, nuevo estilo m; [시스템] sistema m nuevo; [방법] método m nuevo.

신신부탁(申申付託) petición f seria, peticiones fpl repetidas. ~하다 pedir con seriedad, pedir repetidas veces.

신실하다(信實-) (ser) sincero, fiel, leal. 신실하게 sinceramente, con sinceridad, fielmente, lealmente, con lealtad, con fidelidad.

신심(信心) ① [옳다고 믿는 마음] creencia f, fe f. ② [종교를 믿는 마음] devoción f, piedad f. ~이 깊은 pío, piadoso, devoto.

신안(新案) idea f nueva, plan f nuevo; [의장(意匠)] designio m nuevo, invención f, novedad f. ~ (의장) 등록 registro m de un nuevo designio. ~ 특허 patente *m* de invención, patente *m* de modelo.

신앙(信仰) creencia *f*, fe *f*, religión *f*, devoción *f*, confianza *f*. ~하다 creer, tener fe. ~이 깊은 devoto, piadoso, religioso. ~의 자유 libertad *f* de cultos.

신약(神藥) medicina *f* maravillosa, medicina *f* milagrosa; [만병 통치 약] panacea *f*; [만능 고약] sanalotodo *m*.

신약(新約) ((준말)) =신약 성서. ¶~ el Nuevo Testamento. ~ 전서 Nuevo Testamento *m* Com- pleto.

신약(新藥) ① [새로 제조·판매되는 약품] nuevo medicamento *m*, nueva medicina *f*. ② =양약(洋藥).

신어(新語) nueva palabra *f*, neologismo *m*. ~를 만들다 formar [inventar] una nueva palabra.

신여성(新女性) muchacha *f* moderna, mujer *f* moderna.

신역(新譯) nueva traducción *f*. ~하다 traducir nuevamente.

신열(身熱) fiebre *f*.

신예(新銳) nuevo y superior. ~기 avión *m* de combate nuevamente producido. ~ 병기(兵器) armas *fpl* nuevas.

신용(信用) ① [믿고 씀] confianza *f*, confidencia *f*. ② [믿고 의심하지 않음] creencia *f*, fe *f*, crédito *m*, confianza *f*. ~하다 creer, tener confianza [fe], dar crédito. ~할만 한 confiable, creíble, fiable. ③ [평판이 좋고 인망이 있음] buena reputación *f*, buena fama *f*. ~을 잃다 perder *su* reputación. ④ ((경제)) crédito *m*. ¶~ 대부 crédito *m*, dinero *m* prestado a crédito. ~장 (carta *f* de) crédito *m*. ~ 조사 informes *mpl* de créditos. ~ 조합 [소비자의] cooperativa *f* de crédito, unión *f* de crédito. ~ 조회 referencia *f* de crédito. ~ 협동 조합 cooperativa *f*, asociación *f* de crédito.

신우(腎盂) ((해부)) pelvis *f* (renal). ~ 신염(腎炎) nefropielitis *f*. ~염 pielitis *f*, endonefritis *f*.

신원(身元) identidad *f*. ~을 알 수 없는 de origen dudoso. ~을 밝히 다 revelar *su* origen, acreditar *su* identidad. ~을 숨기다 ocultar *su* origen. ¶~ 보증 garante *m*, garantía *f*, fianza *f*, referencia *f*. ~ 보증금 dinero *m* para caución. ~ 보증서 referencia *f*. ~ 보증인 fiador, -dora *mf*; garante *mf*; [집합적] referencia *f*. ~ 조회 referencias *fpl*. ~ 조회처 referencia *f* (de crédito). ~ 증명 identifica-

ción *f*. ~ 증명서 identificación *f*, certificado *m* de antecedentes penales.

신음(呻吟) gemido *m*, gruñido *m*. ~하다 gemir, gruñir, lanzar quejidos, lamentarse.

신의(信義) confianza *f*, lealtad *f*, fidelidad *f*, fe *f*.

신의(神意) voluntad *f* de Dios, voluntad *f* divina, Providencia *f*.

신의(神醫) gran médico *m*.

신인(新人) ① =새댁❸. ② [예술 계·체육계 등의] nuevo, -va *mf*; novato, -ta *mf*; novel *mf*; principiante *mf*; cara *f* nueva; hombre *m* nuevo; novicio, -cia *mf*; [주로 가수나 배우 등의] debutante *mf*; [신세대] nueva generación *f*. ~ 배우 actor, -triz *mf* novel.

신임(信任) confianza *f*, fe *f*, crédito *m*. ~하다 tener confianza, poner confianza, hacer confianza, contar, confiar, fiar. ~장 carta *f* credencial. ~ 투표 voto *m* de confianza. ~ [단일 후보로] votación *f* ratificatoria.

신임(新任) nuevo nombramiento *m*. ~자 persona *f* recién nombrada [designada] (para un puesto [un cargo]).

신입(新入) (nueva) entrada *f*. ~ 사 원 nuevo empleado *m*, nueva empleada *f*. ~생 estudiante *mf* de primer año; nuevo estudiante *m*, nueva estudiante *f*; estudiante *m* recién ingresado, estudiante *f* recién ingresada; principiante *mf*. ~ 회원 nuevo miembro *m*.

신자(信者) creyente *mf*; fiel *mf*; devoto, -ta *mf*; [특히 불교의] adepto, -ta *mf*; budista *mf*. 독실 한 ~ beato, -ta *mf*.

신작(新作) nueva obra *f*, nueva producción *f*. ~을 쓰다 escribir una nueva obra.

신장(一欌) zapatera *f*, alacena *f* para zapatos, taquillón *m*.

신장(身長) estatura *f*, talla *f*.

신장(伸張) extensión *f*, expansión *f*, dilatación *f*. ~하다 alargarse, extenderse, dilatarse.

신장(新裝) ① [새로 장치함. 또 그 장치] nuevo atavío *m*; [장정] nuevo ligazón *f*. ~하다 amueblar, amoblar; [개축하다] remodelar, reformar. ② [새로운 복장] nueva ropa *f*, nuevo traje *m*, nuevo vestido *m*.

신장(新粧) renovación *f* del mobiliario, pintura *f* (y empapelado). ~하다 renovar el mobiliario, pintar, pintar y empapelar.

신장(腎臟) ((해부)) riñón *m*. 그는 ~ 이식을 받았다 Le han hecho un trasplante de riñón. ¶~ 결석

nefrolito *m*, cálculo *m* renal. ~
병 renopatía *f*, nefropatía *f*. ~염
(炎) nefritis *f*.

신저(新著) nueva obra *f*; [신간서]
último libro *m*, libro *m* recién
publicado, nueva publicación *f*.

신전(神殿) santuario *m*, templo *m*.

신정(新正) ① [새해의 첫머리] primero del Año Nuevo, primer mes
m del Año Nuevo, enero *m*. ②
[양력 설] Día *m* del Año Nuevo.

신제(新製) nueva fabricación *f* [ma-
nufactura *f*]. ~품 nuevo producto
m.

신조(信條) ① [신앙의 개조(箇條)]
credo *m*, oración *f*, símbolo *m* de
la fe. ② [굳게 믿고 있는 생각]
credo *m*, principio *m*, artículos
mpl de fidelidad.

신조(新造) nueva construcción *f*. ~
하다 construir [edificar · fabricar]
nuevamente. ~어 neologismo *m*.

신종(新種) ① [새로운 종류] nuevo
tipo *m*, nuevo estilo *m*. ~ 사기
fraude *m* de nuevo tipo. ② [새로
운 생물의 종류] nueva especie *f*;
[변종] nueva variedad *f*.

신주(新株) nuevas acciones *fpl*.

신중하다(愼重-) (ser) prudente,
circunspecto, discreto, juicioso;
[조심성 있는] cauteloso, precavido; [주의깊은] atento.

신지식(新知識) nuevo conocimiento
m. ~인 persona *f* con nuevos
conocimientos, intelectual *mf*.

신진(新陳) lo pasado y lo nuevo. ~
대사 metabolismo *m*.

신진(新進) nueva generación *f*. ~의
reciente, naciente, nuevo, joven.
~ 작가 escritor, -tora *mf* de
nueva generación; escritor, -tora
mf joven.

신짝 un zapato.

신창 suela *f*.

신천지(新天地) nuevo mundo *m*.

신청(申請) solicitud *f*, petición *f*,
súplica *f*, alegación *f*, demanda *f*.
~하다 solicitar, hacer una solicitud formal, demandar, dirigir una
petición. ~서 carta *f* de petición,
solicitud *f* escrita; [용지] formulario *m* de la solicitud, fórmula *f*
de petición. ~인[자] solicitante
mf; suplicante *mf*; [청원자] peticionario, -ria *mf*.

신체(身體) [사람의 몸] cuerpo
m. ~의 corporal, corpóreo, físico.
~의 구조 defecto *m* físico. ~의
구조 estructura *f* corpórea. ② [갓
죽은 송장] cadáver *m* recién
muerto. ¶~ 검사 reconocimiento
m médico, chequeo *m* (médico),
examen *m* médico [físico], inspección *f* física; [소지품의] registro *m*; [무기 소지에 대한] cacheo

m. ~ 장애자 minusválido, -da
mf; discapacitado, -da *mf*.

신체(新體) nuevo estilo *m*.

신체제(新體制) nuevo sistema *m*,
nuevo régimen *m*.

신축(伸縮) expansión *f* y contracción, elasticidad *f*. ~하다 dilatarse y contraerse, ensancharse y
encogerse, alargarse y acortarse,
ser elástico.

신축(新築) nueva construcción *f*,
construcción *f* reciente; [건물]
nuevo edificio *m*. ~하다 edificar
nuevamente, construir nuevamente, hacer un nuevo edificio; [개축
하다] reedificar, reconstruir.

신춘(新春) ① [새 봄] nueva primavera *f*. ② [새 해] año *m* nuevo,
primer mes *m* del año. ~을 맞이
하다 dar la bienvenida al año
nuevo ¶~ 휘호 primera caligrafía *f* del año nuevo.

신출귀몰(神出鬼沒) fugacidad *f*, velocidad *f* prodigiosa, aparición *f* y
desaparición repentina. ~하다
aparecer en lugares imprevistos
en momentos también imprevistos, aparecer repentinamente y
desaparecer repentinamente.

신출내기(新出-) novato, -ta *mf*.

신코 puntera *f*.

신탁(信託) fideicomiso *m*, depósito
m, confianza *f*, comisión *f* de
confianza, trust *ing.m*, consorcio
m monopolístico, administración *f*
por cuenta ajena. ~하다 dar en
fideicomiso, depositar, confiar. ~
통치 fideicomiso *m*, régimen *m*
de tutela. ~ 통치 이사회 Consejo
m de Administración Fiduciaria.
~ 투자 inversión *f* de fideicomiso. ~ 협정(協定) acuerdo *m* de
fideicomiso. ~ 회사 compañía *f*
fiduciaria.

신토불이(身土不二) Los productos
agrícolas nacionales son conve-
nientes a nuestra constitución
(física).

신통(神通) ① ((불교)) misterio *m*.
② [신기하게 깊이 통달함] mara-
villa *f*. ~하다 (ser) maravilloso,
extraordinario, admirable. ~력
(力) poder *m* místico, poder *m*
sobrenatural.

신트림 eructo *m* con el vómito
ácido.

신파(新派) escuela *f* nueva; [연극]
teatro *m* moderno y melodramático coreano. ~ 연극 teatro *m* de
la escuela nueva.

신판(新版) nueva edición *f*.

신품(新品) nuevo artículo *m*.

신하(臣下) súbdito *m*, vasallo *m*.

신학(神學) teología *f*. ~의 teológico.
~교 seminario *m*. ~ 대학 facul-

tad *f* de teología. ~자 teólogo, -ga *mf*.

신학기(新學期) [2학기제의] nuevo semestre *m*; [3학기제의] nuevo trimestre *m*.

신학문(新學問) ciencias *fpl* modernas.

신형(新型) nuevo estilo *m*, nuevo modelo *m*. ~ 자동차 nuevo modelo *m* de automóvil; [신품] coche *m* nuevo, último coche *m*.

신호(信號) señal *f*, seña *f*; [장치] semáforo *m*. ~하다 señalar, dar la señal, hacer señas, dar señas, hacer señales, hacer el semáforo, observar el semáforo, indicar. ~기(旗) bandera *f* de señales. ~기(機) señal *f*; [철도의] telégrafo *m* de señales; [교통의] semáforo *m*; [원반식의] disco *m*. ~ 나팔 corneta *f* de señales. ~등 semáforo *m*. ~수(원) [철도의] guardavía *m*. ~탄 bala *f* de señales.

신혼(新婚) nuevo matrimonio *m*, casamiento *m* reciente; [결혼 후 첫 한 달] luna *f* de miel. ~의 recién casado. ~ 부부 pareja *f* de recién casados, pareja *f* recién casada. ~ 생활 vida *f* de luna de miel. ~ 여행 viaje *m* de luna de miel, viaje *m* de novios, viaje *m* de nupcias.

신화(神話) mito *m*; [집합적] mitología *f*, fábula *f*.

신흥(新興) levantamiento *m* reciente, prosperidad *f* reciente. ~계급 clase *f* salida de la nada, clase *f* recién levantada, nueva clase *f*. ~ 종교 nueva religión *f*, nueva secta *f* religiosa.

싣다 ① [물건을] cargar; [배에] embarcar. 화물을 다시 ~ cargar de nuevo las mercancías. ② [글이나 그림 따위를] registrar, publicar, poner, agregar 논문을 잡지에 ~ poner una tesis en la revista.

실 hilo *m*; [방적사] hilaza *f*; [재봉실] hebra *f*. ~을 꿰다 enhebrar. ¶~패 carrete *m* [bobina *f* · RPI carretel *m*] de hilo.

실(室) sala *f*, salón *m*, cuarto *m*, habitación *f*, cámara *f*.

실(實) =실질(實質). ¶명분보다 ~을 택하다 sacrificar la apariencia para quedarse con el provecho.

실각(失脚) caída *f*, pérdida *f* de su puesto. ~하다 perder su puesto, ser destituido, perder su base, caer, venir a manos.

실감(實感) ① [실물을 접할 때 일어나는 감정] sensación *f* real, sentido *m* sólido de la realidad. ~하다 experimentar, sentir, darse cuenta cabal. ② [실제의 느낌] impresión *f* real.

실감개 carrete *m*, bobina *f*.

실개천 arroyuelo *m*, arroyo *m* muy estrecho, riachuelo *m* pequeño.

실격(失格) descalificación *f*, inhabilitación *f*, ((법률)) incapacidad *f*. ~하다 ser descalificado, inhabilitarse; [국회 의원이] perder su escaño; [경기에서] quedar eliminado. ~시키다 descalificar.

실고추 ají *m* fino, chile *m* fino.

실과(實果) fruta *f*. ☞과실(果實)

실과(實科) ① [실제 업무에 필요한 과목] curso *m* práctico. ② [초등학교의 한 과목] un curso de la escuela primaria.

실국화(─菊花) margarita *f* de los prados, maya *f*.

실권(失權) [권력의] pérdida *f* del poder [de la autoridad]; [권리의] pérdida *f* del derecho. ~하다 perder su poder, perder su autoridad; perder su derecho; ser privado del derecho al voto.

실권(實權) poder *m* verdadero [ejecutivo], autoridad *f* verdadera. ~을 쥐다 empuñar la autoridad verdadera, apoderarse del poder.

실기(失期) pérdida *f* del tiempo señalado. ~하다 perder el tiempo señalado.

실기(失機) pérdida *f* de la oportunidad [de la ocasión], tardanza *f*, retraso *m*. ~하다 perder la oportunidad [la ocasión], ser (demasiado) tarde.

실기(實技) técnica *f* [habilidad *f*] práctica. ~시험 examen *m* práctico; [운전의] examen *m* de conducir.

실내(室內) interior *m* del cuarto [de la habitación]. ~ 디자이너 interiorista *mf*. ~ 디자인 interiorismo *m*. ~복 [여자의] bata *f*, salto *m* de cama; [남자의] batín *m*, bata *f*, salto *m* de cama. ~악 música *f* de cámara. ~ 안테나 antena *f* interior. ~ 장식 [집의] decoración *f*; [직업] interiorismo *m*, decoración *f* de interiores. ~장식가 ⑦ [페인트공] pintor, -tora *mf*; [디자이너] interiorista *mf*, decorador, -dora *mf* (de interiores), tapicero, -ra *mf*. ~ 체육관 gimnasio *m*. ~화 zapatillas *fpl*; [무도화] zapatillas *fpl* de bailet.

실눈 ojos *mpl* finos, ojos *mpl* delgados y largos, ojos *mpl* entreabiertos. ~을 뜨다 entreabrir los ojos.

실답다(實─) (ser) sincero, digno de confianza, fidedigno, fiel.

실락원(失樂園) El Paraíso Perdido.

실력(實力) ① [실제의 역량] poder *m* real, habilidad *f* real, capacidad *f*, habilidad *f*, competencia *f*. ~이

있는 capaz, potente, apto, hábil, competente, de valía. ~을 발휘하다 mostrar [manifestar] *su* verdadera capacidad. ② [무력] fuerza *f*. ~에 호소하다 recurrir a la fuerza, recurrir a la acción directa. ¶~자 ㉮ [실력이 있는 사람] persona *f* influyente, personaje *m* (influyente), personalidad *f*, notables *mpl*, hombre *m* de habilidad. ㉯ [한 사회·단체의] prohombre *m*, magnate *m*, primate *m*, gran figura *f*.

실례(失禮) descortesía *f*, falta *f* de educación, indelicadeza *f*, incorrección *f*, [무례] insolencia *f*, impertinencia *f*, grosería *f*. ~합니다 (Con su) Permiso.

실례(實例) ejemplo *m* (verdadero·real·actual).

실로(實-) realmente, en realidad, verdaderamente, en verdad.

실로폰 xilofón *m*, xilófono *m*. ~ 연주가 xilofonista *mf*.

실록(實錄) crónica *f* auténtica, historia *f* auténtica.

실룩거리다 crisparse [encogerse·contraerse] nerviosamente, moverse a tirones, temblar nerviosamente.

실리(實利) utilidad *f*. ~를 중시하다 dar importancia a la utilidad.

실리다 ① [글이] (ser) publicado, escrito, puesto, registrado; [짐이] cargado, embarcado (배에). ② [글을] hacer publicar, hacer poner; [짐을] hacer cargar, hacer embarcar.

실리콘[1] ((화학)) [규소] silicio *m*. ~의 ((컴퓨터)) de silicio, silíceo. ~ 벨리 el Valle Silíceo, el Valle de Silicjo. ~ 칩 pastilla *f* de silicio.

실리콘[2] [규소 수지] silicona *f*, resina *f* silicónica; *Méj* silicón *m*.

실린더 cilindro *m*.

실마리 ① [실의 첫머리] borde *m* del hilo. ② [일·사건의 첫머리·단서] indicio *m*, pista *f*, guía *f*, punto *m* de apoyo; [출발점] comienzo *m*. 해결의 ~ punto *m* de apoyo para la solución.

실망(失望) desilusión *f*, decepción *f*, chasco *m*. ~하다 desilusionarse, decepcionarse, desanimarse, llevarse (un) chasco, desalentarse, quedar desilusionado [desanimado·decepcionado], tener una decepción. ~시키다 desilusionar, decepcionar, desalentar, desanimar, dar un chasco.

실명(失名) nombre *m* desconocido.

실명(失明) pérdida *f* de la vista, ceguera *f*. ~하다 perder la vista, cegarse.

실무(實務) negocio *m* práctico,

práctica *f*. ~에 경험이 많다 tener mucha experiencia en negocios. ¶~자[가] ㉮ [어떤 사무를 맡아 하는 사람] persona *f* encargada de trabajo (de oficina). ㉯ [실무에 익숙한 사람] hombre *m* (de negocios) práctico. ¶~(급) 회담 conversaciones *fpl* a nivel de hombres prácticos.

실물(實物) ① [실제로 있는 물건이나 사람] objeto *m* real, objeto *m* mismo, cosa *f* misma; [원물] original *m*; [진짜] objeto *m* genuino, cosa *f* auténtica, cosa *f* verdadera. ~의 real, sincero, genuino, verdadero; [진짜의] auténtico, legítimo, de verdad. ② [주식이나 상품 등의 현품·현물] artículo *m* real, artículo *m* actual. ¶~대[크기] tamaño *m* natural. ~ 크기의 사진 fotografía *f* de tamaño natural.

실밥 ① [실보무라지] hilacha *f*, hilacho *m*, residuos *mpl* [desechos *mpl*] del hilo. ② [솔기] costura *f*.

실뱀장어(-長魚) ((어류)) angula *f*.

실버들 sauce *m* llorón.

실비(實費) precio *m* de coste, gastos *mpl* reales, costo *m* (de producción), precio *m* de fábrica. ~ 제공 servicio *m* [ofrecimiento] al coste. ~ 제공하다 servir [ofrecer] al coste.

실사(實査) inspección *f* actual. ~하다 inspeccionar actualmente.

실상(實狀) [현상] circunstancias *fpl* actuales, actualidad *f*, estado *m* actual; [실태] realidad *f*, situación *f* real, situación *f* actual.

실상(實相) aspecto *m* real, verdad *f*, realidad *f*.

실상(實像) ((물리)) imagen *f* real.

실색(失色) palidez *f*. ~하다 palidecer, perder el color, alterar el semblante.

실생활(實生活) vida *f* real; [물질적인] vida *f* material; [일상의] vida *f* diaria, vida *f* cotidiana.

실성(失性) insania *f*, insanidad *f*. ~하다 quedarse insano, volverse loco, perder *su* corazón.

실성증(失性症) afonía *f*.

실세(實勢) ① [실제의 세력, 또 그 기운] poder *m* real. ~는 더 크다 El poder real es más grande. ② [실제의 시세] precio *m* de mercado real.

실소(失笑) risa *f* escapada. ~하다 echarse a reír, soltar el trapo, dejarse escapar una risa.

실속(實-) ① [실제로 들어 있는 속내용] contento *m* real. ② [겉으로 들어나지 않은 이익] ganancia *f* real. ~ 없는 물건 chuchería *f*, fruslería *f*.

실수(失手) equivocación *f*, error *m*,

yerro *m*; [부주의] descuido *m*, torpeza *f*. ~하다 equivocarse, cometer un fallo, cometer un error; [부주의하다] cometer descuido, hacer un descuido.

실수요(實需要) demanda *f* efectiva.

실수입(實收入) ingresos *mpl* reales.

실습(實習) práctica *f*; [현장에서의] aprendizaje *m*, ejercicios *mpl*; [실업 학교 등에서의] clase *f* práctica, ejercicios *mpl* prácticos. ~하다 practicar, hacer ejercicios prácticos. ~생 practicante *mf*; aprendiz, -za *mf*; empleado, -da *mf* que está cumpliendo *su* período de prueba; [인턴] médico, -ca *mf* practicante; pasante *mf*.

실시(實施) ejecución *f*, realización *f*. ~하다 ejecutar, poner en práctica, efectuar, realizar, llevar a cabo. ~되다 efectuarse, ejecutarse, realizarse; [법률 따위가] entrar en vigor.

실신(失神) desmayo *m*, desvanecimiento *m*, deliquio *m*, síncope *m*, insensibilidad *f*. ~하다 desmayarse, perder el sentido, perder el conocimiento, desvanecerse.

실어증(失語症) afasia *f*. ~ 환자 afásico, -ca *mf*.

실언(失言) palabra *f* imprudente, desliz *f* en la lengua. ~하다 usar palabras impropias, deslizar, hablar sin consideración, irse la lengua.

실업(失業) desempleo *m*, desocupación *f*, paro *m*, sin empleo *m*, sin oficio *m*, *Chi* cesantía *f*; [취직난] carestía *f* de empleo. ~하다 perder empleo, perder *su* trabajo, desocuparse, perder ocupación, quedar sin empleo. ~률 tasa *f* de desempleo. ~ 문제 problema *m* de sin empleo. ~ 보험 seguro *m* de desempleo, seguro *m* contra el desempleo, seguro *m* de paro. ~ 수당 paro *m*, subsidio *m* de paro, asignación *f* de paro. ~자 desocupados *mpl*, desempleados *mpl*, persona *f* sin empleo, parados *mpl*, los sin trabajo.

실업(實業) negocio *m*; [상업] comercio *m*; [공업] industria *f*. ~에 종사하다 dedicarse de negocios. ¶ ~가 industrial *mf*; hombre *m* de negocios; industrialista *mf*; negociante *mf*; comerciante *mf*. ~계 círculo *m* comercial, círculo *m* industrial, mundo *m* de negocios, mundo *m* industrial, mundo *m* comercial. ~ 학교 escuela *f* profesional [comercial].

실없다 ser de poca confianza, no ser fidedigno, ser absurdo, ser disparatado.

실연(失戀) amor *m* fracasado, amor *m* perdido, amor *m* frustrado, desengaño *m* amoroso; [짝사랑] amor *m* no correspondido. ~하다 llevarse un chasco en *sus* amores, frustrarse en *sus* amores, sufrir un desengaño amoroso, recibir calabazas.

실연(實演) representación *f*, demostración *f*, exhibición *f*; [쇼] espectáculo *m*. ~하다 representar, dar una exhibición, actuar en la escena.

실오라기 = 실오리.

실오리 un hilo.

실온(室溫) temperatura *f* de la habitación.

실외(室外) exterior *m* de la habitación. ~의 [옷] de calle; [겨울용] de abrigo; [식물] de exterior; [수영장] descubierto, al aire libre; [화장실] fuera de la vivienda, exterior. ~에서 al aire libre, fuera, afuera. ¶ ~ 안테나 antena *f* exterior.

실용(實用) uso *m* práctico, utilidad *f*, práctica *f*. ~ 단위 unidad *f* práctica. ~ 서반아어 español *m* práctico. ~ 신안 modelo *m* registrado. ~적 práctico. ~주의 utilitarismo *m*; [철학] pragmatismo *m*. ~주의자 utilitarista *mf*; pragmatista *mf*.

실은(實-) realmente, en realidad.

실의(失意) desencanto *m*, desilusión *f*, decepción *f*, frustración *f*; [절망] desesperación *f*, descorazamiento *m*. ~에 빠져 있다 (estar) desesperado, descorazonado.

실익(實益) ganancia *f* neta [líquida], ventaja *f* real, utilidad *f*, lo útil. ~이 있다 ser útil, ser lucrativo, ser provechoso, tener ganancia líquida [neta].

실재(實在) existencia *f* (actual), realidad *f*. ~하다 existir (realmente). ~의 real, actual.

실적(實績) resultados *mpl* reales; [일의 성적] expediente *m* profesional; [공적] méritos *mpl*, obra *f*, hechos *mpl*, hechos *mpl* reales.

실전(實戰) guerra *f* real, combate *m* (actual), batalla *f*. ~에 참가하다 participar [tomar parte] en la batalla.

실점(失點) tantos *mpl* perdidos.

실정(失政) política *f* mal llevada, desgobierno *m*, mala administración *f*.

실정(實情) realidad *f*, condición *f* actual [real], estado *m* actual [real], circunstancia *f* real, circunstancias *fpl* actuales, actualidad *f*, situación *f* real.

실정법(實定法) ley *f* positiva.

실제(實際) [사실] hecho *m*; [진실] verdad *f*; [현실] realidad *f*; [실지] práctica *f*, actualidad *f*. ~의 real, verdadero, actual, práctico. ~로 realmente, en realidad, efectivamente, en efecto, verdaderamente; [현재] actualmente, en la actualidad.

실존(實存) existencia *f*. ~의 existencial. ~주의 existencialismo *m*. ~주의자 existencialista *mf*. ~학 existencialismo *m*, filosofía *f* existencial.

실종(失踪) fuga *f*, deserción *f*, escapada *f*, desaparición *f*, huida *f*. ~하다 desaparecer, fugarse, desertar, huir, evadirse, tomar las de Villadiego. ~선고 adjudicación *f* de desaparencia. ~신고 reporte *m* de desaparencia. ~자 desaparecido, -da *mf*.

실증(實證) prueba *f*, demostración *f*, muestra *f*. ~하다 demostrar con hechos, probar de positivo, probar, comprobar.

실지(實地) práctica *f*. ~의 práctico.

실직(失職) desempleo *m*, desocupación *f*, paro *m*, pérdida *f* del empleo, pérdida *f* de ocupación, *Chi* cesantía *f*. ~하다 perder *su* ocupación, perder *su* empleo [*su* posición], ser despedido de *su* oficio. ~수당 paro *m*, subsidio *m* de desempleo, *Chi* subsidio *m* de cesantía. ~자 desempleados *mpl*, desocupados *mpl*, parados *mpl*, *Chi* cesantes *mpl*.

실질(實質) sustancia *f*, substancia *f*, materia *f*; [본질] esencia *f*. ~소득 renta *f* real. ~임금 salario *m* [sueldo *m*] real. ~적 substancial, real, substancioso.

실책(失策) error *m*, equivocación *f*. ~하다 equivocarse, cometer un error. ~으로 por equivocación, por error.

실천(實踐) práctica *f*. ~하다 practicar, poner en práctica, llevar a la práctica. ~이성 razón *f* práctica. ~철학 filosofía *f* práctica.

실체(實體) sustancia *f*, substancia *f*, esencia *f*; [현상에 대해] nóumeno *m*. ~가 없는 insustancial, insubstancial, falto de sustancia.

실추(失墜) caída *f*, pérdida *f* de *su* título. ~하다 caer, defamarse; [명성을] perder *su* título.

실측(實測) medida *f*; [토지의] inspección *f*, reconocimiento *m*, agrimensura *f*, apeo *m*, levantamiento *m* de un plano [de un terreno]; [지도 제작용의] medición *f*; [건물의] inspección *f*, peritaje *m*, peritación *f*. ~하다 medir, inspeccionar, reconocer;

[건물을] inspeccionar, llevar a cabo un peritaje.

실컷 mucho, en gran cantidad, abundantemente, en abundancia, hasta hartarse. ~ 웃다 reírse a más no poder, retorcerse de risa.

실크 ① [생사] seda *f*. ② =견직물. ¶~ 스크린 serigrafía *f*. ~ 프린트 serigrafía *f*. ~ 해트 sombrero *m* de copa (seda).

실크 로드 el Camino de Seda.

실탄(實彈) ① [쏘아서 실효가 있는 탄알] bala *f* de cartucho, cartucho *m* cargado, cartucho *m* con bala. ~을 발사하다 disparar bala de cartucho. ② [현금] (dinero *m*) efectivo *m*. ③ =현물.

실태(實態) condición *f* [estado *m*] actual, realidades *fpl*. ~조사 investigación *f* sobre la condición actual.

실토(實吐) confesión *f* verdadera. ~하다 confesar, decir la verdad entera, soltar la verdad.

실투(失投) ((야구)) lanzamiento *m* descuidado. ~하다 lanzar una pelota de manera descuidada, lanzar una pelota descuidada.

실파 puerro *m* fino, cebolla *f* escalonia.

실패 carrete *m*, bobina *f*, canilla *f*.

실패(失敗) fracaso *m*, malogro *m*, fallo *m*, derrota *f*, quiebra *f*. ~하다 frustrarse, fracasar, fallar, malograrse, llevarse al diablo, sufrir un contratiempo; [시험에] suspender, no pasar. ~작 obra *f* malograda, fracaso *m*.

실하다(實-) ① [튼튼하다] (ser) sano, saludable, robusto. 실하게 생긴 어린애 niño *m* robusto. ② [재산이] 넉넉하다] (ser) rico, adinerado. ③ [속이 옹골지다] (estar) lleno, substancial, rico en contenidos, sólido. ④ [믿을 수 있다] (ser) digno de confianza, fidedigno.

실행(實行) práctica *f*; [수행] ejecución *f*; [실현] realización *f*. ~하다 llevar a cabo; [수행하다] poner en obra, poner en ejecución; [실시하다] llevar a efecto, efectuar; [실현하다] realizar.

실향(失鄕) pérdida *f* del pueblo natal. ~민 habitante *mf* que se perdió el pueblo natal.

실험(實驗) experimento *m*, prueba *f*, ensayo *m*. ~하다 experimentar, hacer un experimento, probar, ensayar. ~실 laboratorio *m*. ~자 experimentador, -dora *mf*. ~장 terreno *m* de pruebas.

실현(實現) cumplimiento *m*, realización *f*; [실시] ejecución *f*, operación *f*; [실천] práctica *f*, acción *f*;

[수행] ejecución *f*, función *f*, representación *f*. ~하다 cumplir, llevar a cabo, realizar. ~되다 cumplirse, realizarse, ser realizado.

실화(失火) incendio *m* accidental. ~하다 prender fuego accidentalmente. ~의 원인 origen *m* del fuego accidental.

실화(實話) historia *f* verdadera [auténtica].

실황(實況) escena *f* real [actual], condición *f* actual. ~ 방송(放送) transmisión *f* en directo. ~ 방송을 하다 emitir [difundir] en el mismo sitio.

실효(失效) efecto *m* perdido, invalidación *f*, invalidez *f*, caducidad *f*, extinción *f*, prescripción *f*. ~하다 perder efecto, caducar, vencer, perder la validez.

실효(實效) efecto *m* real; [실제의] efecto *m* práctico; [유효성] eficacia *f*, eficiencia *f*. ~가 있는 efectivo, eficaz.

싫건좋건 quiera o no quiera, de todas maneras, bien o mal, después de todo. ~ 나는 가야 한다 Tengo que ir, quiera o no quiera.

싫다 no gustar*le*, odiar, abominar, no querer, disgustar, desagradar. 싫은 [불쾌한] desagradable, enfadoso, fastidioso, molesto, repugnante, repulsivo; [증오할] abominable, aborrecible, detestable, odioso; [호감이 가지 않은] antipático, desagradable. 싫은 냄새 mal olor *m*, olor *m* desagradable.

싫어하다 disgustar, no querer + *inf*, no tener ganas de + *inf*, querer mal, malquerer; [증오하다] odiar, sentir odio. 싫어하는 odioso, abominable, detestable. 싫어하는 일 trabajo *m* detestable. 싫어하는 녀석 tipo *m* odioso.

싫증(-症) aburrimiento *m*, fastidio *m*, tedio *m*, fatiga *f*, cansancio *m*. ~을 느끼다 sentir disgusto [asco · repugnancia], sentirse disgustado, sentirse a disgusto, no querer, cansarse, aburrirse.

심 [소의 심줄] nervio *m*, tendón *m*.

심(心) ① [죽에 곡식 가루를 잘게 뭉쳐 넣은 덩이] bola *f* de masa que se come en sopas o guisos. ② [종기 구멍에다 약을 발라 찔러 넣은 헝겊이나 종잇조각] pedacito *m* de tela [de papel]. ③ [나무의 고갱이] médula *f*. ④ [무 따위의 뿌리 속에 섞인 질긴 줄기] cogollo *m*. ⑤ [양복 저고리 어깨나 깃의] almohadillas *fpl*, hombreras *fpl*. ~을 넣다 enguatar, acolchar. ⑥ [연필 등 대의] mina *f*, gráfito *m* del lapiz. ~이 단단한 [연한] 연필 lápiz *m* duro [blando]. ⑦ [마음] corazón *m*, mente *f*.

심각하다(深刻-) (ser) serio, grave. 심각한 문제 problema *m* grave. 심각한 표정 expresión *f* grave, semblante *m* grave. ~한 얼굴을 하다 poner la cara seria, tomar una expresión grave, tomar un aire serio. ¶심각히 seriamente, gravemente, profundamente, severamente, con seriedad.

심경(心境) estado *m* de alma [de ánimo], sentimientos *mpl* íntimos. ~의 변화 cambio *m* de parecer, cambio *m* de actitud mental.

심근(心筋) ((해부)) miocardio *m*, parte *f* musculosa del corazón. ~경색 infarto *m* del miocardio. ~경색증 infarto *m* del miocardio. ~염 miocarditis *f*. ~ 운동도 miocardiograma *m*. ~증 miocardiosis *f*.

심금(心琴) emoción *f* más profundo. ~을 울리다 hacer vibrar la sensibilidad.

심급(審級) ((법률)) instancia *f*.

심기(心氣) mente *f*, humor *m*, sentimiento *m*.

심기(心機) mente *f*, actividad *f* mental. ~일전(一轉) cambio *m* de idea, cambio *m* de vida, ardor *m* renovado, nueva actividad *f* mental. ~일전하다 cambiar de idea [de vida].

심다 ① [풀이나 나무를] plantar. ② [씨앗을] sembrar.

심대하다(甚大-) (ser) muy grande, grandísimo, enorme, intenso, serio, inmenso, extraordinario.

심란하다(心亂-) (estar) confundido, turbado, inquietante, inquietador, trastornado.

심려(心慮) peocupación *f*, miedo *m*, temor *m*, cuidado *m*, ansia *f*, tormento *m*, molestia *f*, ansiedad *f*, inquietud *f*. ~하다 temer, tener miedo, preocuparse. ~를 끼치다 dar la molestia, molestar.

심령(心靈) ① [마음 속의 영혼] espíritu *m*, el alma *f* de un muerto. ~의 espiritual, psíquico. ② ((철학)) espritualismo *m*. ③ ((성경)) espíritu *m*, ánimo *m*.

심리(心理) (p)sicología *f*, mentalidad *f*, estado *m* de ánimo. ~극 ㉮ ((심리)) (p)sicodrama *m*. ㉯ ((연극)) drama *m* (p)sicológico. ~ 묘사 descripción *f* psicológica. ~분석 psicoanálisis *f*. ~ 상태 estado *m* de espíritu. ~ 요법 psicoterapia *f*. ~ 작용 psicosis *f*, efecto *m* psicológico, acción *f* mental. ~전 guerra *f* psicológica.

심리(審理) juicio *m*, proceso *m*, examen *m*, examinación *f*, vista *f* de una causa, investigación f, indagación f, averiguación f. ~하다 someter a un juicio, indagar, examinar, investigar, averiguar.

심리학(心理學) (p)sicología f. ~자 psicólogo, -ga mf.

심마니 simmani, recogedor m profesional del ginseng.

심문(審問) inquisición f, indagación f, examinación f, pesquisa f, interrogatorio m. ~하다 interrogar, preguntar, someter a un interrogatorio. ~을 받다 ser interrogado.

심미(審美) apreciación f de la belleza. ~가 esteta mf. ~안 sentido m estético, criterio m estético. ~주의 esteticismo m. ~파 escuela f estética. ~학 estética f. ~학자 estético, -ca mf.

심방(尋訪) visita f. ~하다 visitar, hacer una visita, ir a ver. 친구를 ~하다 visitar [hacer una visita] a un amigo.

심벌 [상징] símbolo m. 청춘의 ~ símbolo m de juventud. 평화의 ~로 como símbolo de paz.

심벌즈 ((악기)) platillo m, címbalo m, cimbalillo m. ~ 연주자[가] cimbalista mf.

심보(心—) manera f de ser, modo m de ser, temperamento m, carácter m, natural m, mente f.

심복(心腹) ① [가슴과 배] el pecho y el vientre. ② [매우 요긴하여 없어서는 안 될 사물] cosa f indispensable [muy necesaria]. ③ ((준말)) =심복지인. ~인 ~지인 confidente mf; brazo m derecho.

심부름 recado m, mensaje m, mandado m. ~하다 ser mensajero, ir a un recado. ~ 보내다 mandar. ¶ ~꾼 recadero, -ra mf; mandadero, -ra mf; mensajero, -ra mf. ~삯 propina f.

심부전(心不全) ((의학)) fallo m de corazón, colapso m cardíaco. ~증 insuficiencia f cardíaca.

심사(心事) pensamiento m del corazón, inquietud f, sentimiento m, pesar m, zozobra f, desasosiego m. ~가 복잡하다 estar confundido en mente.

심사(心思) malevolencia f, malicia f. ~ 뒤틀리다 sentirse malioso.

심사(深思) meditación f, intercesión f, contemplación f, profundo pensamiento m, reflexión f, cogitación f. ~하다 meditar, contemplar, reflexionar. ¶ ~숙고[묵고] meditación f, profunda reflexión f, consideración f cuidadosa. ~ 숙고하다 entregarse a una profunda reflexión, meditar, cavilar, considerar cuidadosamente.

심사(審査) examen m, investigación f, examinación f, inspección f. ~하다 examinar, investigar. ~원 [관] examinador, -dora mf; juez mf; miembro mf del jurado; [집합적] jurado mf. ~ 위원 juez mf, examinador, -dora mf; [콩쿠르의] jurado mf; miembro mf de un jurado. ~ 위원장 presidente, -ta mf del jurado; jefe, -fa mf de jurado examinador. ~ 위원회 comité m de examinación.

심상(心象) ((심리)) imagen f (mental), simulacro m, impresión f.

심성(心性) ① ((준말)) =심성정. ② ((불교)) corazón m puro fundamental que existe en sí mismo.

심성정(心性情) naturaleza f, disposición f, mente f, mentalidad f.

심술(心術) carácter m enfadado, genio m enfadado, malevolencia f, mala intención f, malicia f, mal genio m. ~꾸러기 persona f malévola; [여자나 어린이] cascarrabias mf; gruñón, -ñona mf.

심신(心身) el corazón y el cuerpo.

심실(心室) ((해부)) ventrículo m.

심심산천(深深山川) la montaña y el río profundísimos y aislados.

심심소일(—消日) =심심풀이.

심심파적(—破寂) =심심풀이.

심심풀이 pasatiempo m, diversión f, recreación f, afición f. ~하다 matar el tiempo, distraerse. ~로 por distracción, por pasatiempo, por entretenerse, para distraerse, para divertirse.

심심하다[1] [맛이] (ser) desabrido, insípido, tener poco sabor. 심심한 국 sopa f desabrida.

심심하다[2] [시간 보내기가 지루하고 재미가 없다] estar aburrido, aburrirse, sentir aburrimiento [tedio·fastidio], sentirse aburrido.

심야(深夜) plena noche f, media noche f, horas fpl avanzadas de noche, altas horas fpl de noche; [자정] medianoche f. ~에 avanzada la noche, muy tarde por la noche, en las horas avanzadas de la noche, a medianoche, en plena noche, a la hora avanzada de la noche. ~ 요금 tarifa f de media noche.

심오(深奧) (ser) profundo, hondo, esotérico, abstruso.

심원(深遠—) (ser) profundo, abstruso, esotérico, hermético.

심음(心音) sonido m cardíaco. 태아의 ~ ruidos mpl del corazón fetal.

심의(審議) deliberación f, discusión f. ~하다 deliberar, discutir. ~ 중이다 estar bajo deliberación. ¶ ~ 위원회 consejo m deliberante. ~

회 asamblea *f* deliberante.

심이(心耳) ((해부)) aurícula *f* (del corazón).

심장(心臟) ① ((해부)) corazón *m*. ~의 cardíaco, cardíaco. ~이 강하다 tener un corazón robusto. ~이 약하다 tener un corazón débil. ② [중심이 되는 가장 중요한 곳] corazón *m*, centro *m*. 국가 통치의 ~(부) centro *m* del gobierno. ③ =뱃심. ¶~ 결석 cardiolito *m*. ~ 마비 parálisis *f* de corazón, cardioplejía *f*. ~ 발육 부전 atelocardia *f*. ~ 발작 ataque *m* de corazón. ~병 cardiopatía *f*, enfermedad *f* cardíaca, enfermedad *f* del corazón. ~병 전문 의사 cardiólogo, -ga *mf*. ~병 환자 cardíaco, -ca *mf*; cardiaco, -ca *mf*. ~부 corazón *m* (de una ciudad). ~염 carditis *f*. ~ 이식 trasplante *m* [transplante *m*] de corazón, xenotrasplante *m*. ~ 판막 válvula *f* cardíaca. ~판막염 cardiovalvulitis *f*. ~ 판막증 enfermedad *f* de la válvula cardiaca. ~학 cardiología *f*. ~학자 cardiólogo, -ga *mf*.

심적(心的) mental. ~으로 mentalmente. ~ 결합 efecto *m* mental. ~ 작용 acción *f* mental.

심전계(心電計) (electro)cardiógrafo.

심전도(心電圖) electrocardiograma.

심정(心情) emoción *f*, sentimiento *m*, corazón *m*. ~을 헤아리다 presumir [sospechar] *su* sentimiento.

심중(心中) *su* mente, *su* intención, *su* corazón.

심증(心證) ① [인상] impresión *f*. ~을 해치다 dar una mala impresión. ② ((법률)) [판사의 확신] convicción *f*, creencia *f* fuerte. ~을 갖다 tener la creencia firme. ~을 얻다 ganar la creencia hecha en confianza.

심지(心-) mecha *f*, torcida *f*.

심지(心地) natural *m*, corazón *m*, carácter *m*.

심지(心志) mente *f*, intención *f*, voluntad *f*, propósito *m*.

심지어(甚至於) hasta, incluso. ~ 12월에도 hasta [incluso] en diciembre.

심취(心醉) entusiasmo *m*, adoración *f*, [일시적인] admiración *f* exagerada, apego *m*, afición *f* acérrima *f*. ~하다 entusiasmarse, prendarse, adorar, fascinarse, estar absorto, amar apasionadamente.

심취(深醉) borrachera *f*, embriaguez *f*, borrachez *f*, ebriedad *f*, emborrachamiento *m*. ~하다 (estar) borracho, ebrio, emborrachado.

심층(深層) profundidades *fpl*, espe-

sura *f*.

심룡(心-) mal corazón *m*. ~이 사납다 (ser) obstinado, terco, perverso.

심판(審判) ① ((법률)) juicio *m*, decisión *f*, fallo *m*; [사람] juez *mf*. ~하다 juzgar. ~을 내리다 dar [emitir] un juicio. 법의 ~을 받다 someterse a la justicia. ② [경기의] arbitraje *m*; [사람] árbitro *mf*, *AmL* réferi *mf*, referé *mf*. ~하다 arbitrar, hacer de árbitro, ejercer como árbitro. ③ ((기독교)) juicio *m*. 최후의 ~ el Juicio Final. 최후의 ~의 날 el día del Juicio Final. ¶~관 juez *mf*; [운동의] árbitro *mf*, *AmL* réferi *mf*, referé *mf*. 주심 árbitro *mf*, *AmL* réferi *mf*, referé *mf*. ~의 날 ((기독교)) el día del Juicio Final. ~장 jefe *mf* de los árbitros.

심포니 ((음악)) [교향곡] sinfonía *f*. ~ 오케스트라 orquesta *f* sinfónica.

심포지엄 simposio *m*.

심하다(甚-) (ser) extremo, enorme, extremado, intenso, intensísimo, severo, serio, violento, grave, excesivo, terrible, demasiado, mucho, muchísimo. 심한 감기 resfriado *m* fuerte. 심한 경쟁 competencia *f* muy reñida. 심한 눈 nieve *f* fuerte. 심한 더위 calor *m* penetrante [severo·intensísimo]. 심한 비 lluvia *f* fuerte. ¶심히 muy, mucho, muchísimo, extremamente, enormemente, intensamente, severamente, seriamente, violentamente, gravemente, excesivamente, terriblemente. 심히 괴로워하다 sufrir profundamente.

심해(深海) grandes profundidades *fpl* marinas, mar *m* profundo, abismo *m*, sima *f*, gran profundidad *f*.

심혈(心血) ① [심장의 피] sangre *f* del corazón. ② [가지고 있는 최대의 힘] vitalidad *f*, energía *f*. ~을 기울이다 poner toda *su* energía, poner toda *su* alma, dedicarse con todo el corazón, proponer toda *su* energía, consagrarse.

심호흡(深呼吸) respiración *f* profunda. ~을 하다 respirar profundamente.

십(十) diez.

십각형(十角形) decágono *m*.

십계(十戒) ((불교)) diez prohibiciones.

십계(十誡) ((준말)) =십계명.

십계명(十誡命) el Decálogo, las Tablas de la Ley, los Diez Mandamientos.

십구(十九) diez y nueve, diecinueve. 제 ~(의) decimonoveno, decimonono.

십구공탄(十九孔炭) briqueta *f* con diecinueve agujeros.

십년(十年) diez años. 십년 세도 없고 열흘 붉은 꽃 없다 ((속담)) La flor de la belleza es poco duradera.

십년감수(十年減壽) ¶그는 ~다 El está que se muere de miedo / El está con un miedo / El está con un susto que se muere.

십대(十代) ① [열번째의 대] décima generación *f* ② [10세에서 19세까지의 소년·소녀의 시대] adolescencia *f*. ~의 [소년·소녀·아들·딸] adolescente, que no llega a los veinte años; [패션] juvenil, para adolescentes. ~에 en la adolescencia.

십리(十里) cuatro kilómetros.

십만(十萬) cien mil.

십분(十分) bastante, suficientemente. ~ 유의하다 prestar atención suficientemente.

십사(十四) catorce. ~ 번째(의) decimocuarto.

십사금(十四金) catorce quilates de oro.

십삼(十三) trece.

십상 ① [썩 잘 된 일이나 물건] admirable, perfecto, ideal. 하이킹 날씨로는 ~이다 Es un día ideal para el excursionismo. ② [꼭 맞게. 썩 잘 어울리게] admirablemente, a juego, haciendo juego.

십상팔구(十常八九) diez por uno, muy probablemente, ocho o nueve entre diez, casi todos, casi completamente, probablemente. 일은 ~ 끝났다 La obra está casi terminada.

십시일반(十匙一飯) Es fácil ayudar a uno en caso de que muchos se unan.

십억(十億) mil millones.

십오(十五) quince. ~ 번째(의) decimoquinto.

십오야(十五夜) noche *f* del quince del calendario lunar, noche *f* de la luna llena, noche *f* de plenilunio.

십육(十六) diez y seis, dieciséis. ~ 번째(의) decimosexto.

십이(十二) doce. ~ 번째 duodécimo. ~지(支) doce signos horarios, Doce Ramas de la Tierra.

십이각형(十二角形) dodecágono *m*.

십이면체(十二面體) dodecaedro *m*.

십이 사도(十二使徒) doce apóstoles.

십이월(十二月) diciembre *m*.

십이 제자(十二弟子) doce discípulos.

십이지(十二支) doce signos zodiacales: 쥐 rata, 황소 toro, 범 tigre, 토끼 conejo, 용 dragón, 뱀 serpiente, 말 caballo, 양 oveja, 원숭

이 mono, 닭 gallo, 개 perro y 멧돼지 jabalí.

십이지장(十二指腸) duodeno *m*. ~ 궤양 úlcera *f* duodenal. ~염 duodenitis *f*. ~충 anquilostoma *m*, anquiloestomasia *f* duodenal, lombriz *f* intestinal. ~충염 anquilostomiasis *f*.

십이 진법(十二進法) numeración *f* de base doce.

십인십색(十人十色) Cuantos hombres, tantos pareceres / Cien cabezas, cien sentencias.

십일(十一) once. ~ 번째(의) undécimo.

십일(十日) ① [열흘] diez días. ② [열흘날] el diez.

십일월(十一月) noviembre *m*.

십일조(十一租) ① ((역사)) diezmo *m*. ② ((기독교)) diezmo *m*. ~를 교회에 내다 diezmar, pagar el diezmo a la iglesia.

십자(十字) cruz *f*. ~로 de través, a través, en cruz. ~를 긋다 hacer la señal de la cruz, hacer la cruz, trazar la cruz; [자신의 몸에] santiguarse, hacerse la cruz, trazar cruces sobre *su* pecho.

십자가(十字架) ((성경)) cruz *f*. ~를 지다 encargarse de *su* cruz, encargarse de la dificultad. ~에 못 박다 ((성경)) crucificar, clavar [fijar] en la cruz. ~에 못 박히다 ((성경)) ser crucificado.

십자가상(十字架像) crucifijo *m*, cruz *f*, efigie *f* de Cristo crucificado.

십자군(十字軍) cruzada *f*.

십자로(十字路) encrucijada *f*.

십자말풀이(十字─) crucigrama *m*.

십자매(十姉妹) ((조류)) bengalí *m*, uroloncha *f* doméstica, periquito

십자표(十字表) cruz *f*.

십자형(十字形) cruz *f*, forma *f* de la cruz. ~의 crucial, cruciforme.

십장(什長) ① [인부의 감독·두목] capataz *m*. ② ((역사)) jefe *m* de diez soldados.

십종 경기(十種競技) decatlón *m*. ~ 선수 decatlonista *mf*.

십중팔구(十中八九) =십상팔구.

십진법(十進法) [수의] numeración *f* decimal; [도량형의] sistema *m* decimal.

십진수(十進數) ((수학)) número *m* decimal.

십칠(十七) diez y siete, diecisiete. ~ 번째(의) decimoséptimo.

십팔(十八) diez y ocho, dieciocho. ~ 번째(의) decimoctavo.

십팔금(十八金) dieciocho quilates de oro.

십팔기(十八技) dieciocho artes marciales.

싯뻘겋다 (ser) vivamente rojo.

싯퍼렇다 =시퍼렇다.

싯허옇다 (ser) blanquísimo.

싱가포르 Singapur. ~의 singapurense. ~ 사람 singapurense *mf.*

싱겁다 ① [짜지 않다] (ser) desabrido, soso, insípido, poco salado. ② [술맛이 독하지 않다] (ser) suave; [물을 탄] aguado, insípido, flojo. ③ [언행이 멋쩍다] (ser) rápido, sin personalidad, flojo, endeble, aburrido, tedioso. ④ [체격이 어울리지 아니하다] (ser) inconveniente, inadecuado, impropiado, impropio. 싱겁게 키만 크다 ser sólo alto inadecuadamente.

싱글 ① [한 개. 단일] solo, sola. ② ((테니스·탁구)) individuales *mpl,* *AmL* singles *mpl.* 남자 ~ individuales *mpl* masculinos, *AmL* individuales *mpl* de caballeros. 여자 ~ individuales *mpl* femeninos, *AmL* individuales *mpl* de damas. ③ [남자 양복의 섶이 좁은 것] single *ing.m.* ④ ((골프)) individual *ing.m,* simple *ing.m.* ⑤ ((속어)) =독신. ⑥ ((야구)) sencillo *m.* ⑦ ((크리켓)) tanto *m.* ⑧ ((음악)) single *m,* (disco *m*) sencillo *m.* 7인치 ~ single. 12인치 ~ maxi-single. ⑨ ((준말)) =싱글 베드. ⑩ ((준말)) =싱글 히트. ⑪ [1인용 방] (habitación *f*) individual *f,* (habitación *f*) sencilla *f.* ¶~ 룸 [1인용 방] (habitación *f*) individual *f,* (habitación *f*) sencilla *f.* ~ 베드 cama *f* individual [sencilla]. ~ 히트 sencillo *m.*

싱글거리다 sonreír. 싱글거리면서 con una sonrisa, con una sonrisa radiante.

싱글벙글 con una sonrisa, con una sonrisa radiante, con una cara [un rostro] sonriente. ~하다 sonreír, sonreír felizmente, estar radiante de alegría, poner (la) cara risueña, reír entre dientes. ~ 웃는 얼굴 cara *f* [rostro *m*] sonriente.

싱숭생숭 ¶~하다 ponerse inquieto.

싱싱하다 (ser) fresco, nuevo, vivo, lleno de vida. 싱싱한 과일 fruta *f* fresca. 싱싱한 야채 verduras *fpl* frescas.

싱크대(－臺) fragadero *m; Andes, Méj* lavaplatos *mpl; RPl* pileta *f.*

싱크로나이즈드 스위밍 natación *f* sincronizada; *Méj* nado *m* sincronizado. ☞싱크 발레

싱크 탱크 [두뇌 집단] gabinete *m* estratégico, comité *m* asesor.

싶다 desear, querer, tener ganas de. …하고 싶어 미치다 [죽다] tener grandes deseos de + *inf,* tener ganas enormes de + *inf.* 나는 …하고 싶

다 Yo quiero [deseo] + *inf* / Me gusta [gustaría] …. 당신과 함께 가고 ~ Me gustaría ir con usted / Quiero [Deseo] ir con usted.

-싶다 parecer (que). 눈이 내릴 성~ Parece que va a nevar.

싫어하다 desear [querer·tener ganas de] + *inf.* 네가 하고 싶어하는 대로 해라 Haz como quieras.

싸개 [물건을 싸는 종이나 헝겊] envoltorio *m,* envoltura *f,* funda *f;* [책이나 신문의] faja *f;* [종이] papel *m* de envolver; [선물용] papel *m* de regalo.

싸고돌다 proteger, salvaguardar, apoyar, amparar, no abandonar. 친구를 ~ proteger a *su* amigo.

싸구려 ① [장사치가 손님을 끌려고 싸다는 뜻으로 외치는 일] ¡Barato! [매우 값이 싼 물건] artículo *m* barato [de precio bajo], baratura *f,* hojarasca *f,* oropel *m,* relumbrón *m.* ~로 a bajo precio, por una nonada. ~ 같은 una 수 cosa barata [mezquina]. ~로 팔 아 치우다 malvender. ③ [값 없는 낮은 물건] artículo *m* de mala calidad y de bajo precio.

싸구려판 venta *f* de regatear.

싸늘맞다 ① [날씨가 쌀쌀하게 차다] hacer un poco de frío. ② [차가우리만큼 차갑다] ser algo frío. 손이 ~ Las manos son algo fríos. ③ [마음속에 찬 기운이 일어나는 것 같은 느낌이 있다] ser frío. 싸느란 표정 expresión *f* fría.

싸늘하다 ① [날씨가] hacer (un poco de) frío. 싸늘한 겨울 날씨 tiempo *m* frío de invierno. ② [시체 같은 것이] estar frío (como un cadáver). 시체는 벌써 싸늘해 졌다 El cadáver ya está frío. ③ [마음속에 차가운 기운이 돌다] ser frío. 어딘가 싸늘한 분위기 una atmosfera *f* fría.

싸다¹ ① [보자기나 종이 등으로] envolver; [짐을 꾸리다] empaquetar, embalar, hacer la maleta; [덮다] cubrir; [자기의 몸을] envolverse. 종이로 싼 물건 objeto *m* [bulto *m*] envuelto en papel. 종이에 ~ envolver en papel. ② [감싸다] proteger, ayudar, amparar.

싸다² [불씨를] arder rápido. 불이 ~ El fuego arde intensamente.

싸다³ [똥·오줌 등을] [똥을] excrementar, deponer los excrementos, excretar; [오줌을] orinar(se), hacer pipí [pis].

싸다⁴ ① [입이 가볍다] (ser) frívolo, poco serio. 입이 싼 사람 persona *f* con mucha labia. 계집애가 입이 ~ La chica es frívola. ② [걸음이 빠르다] (ser) veloz, rápido, de pies ligeros. 싸게 걷다 andar velozmente [rápidamente·con rapidez]. ③ [물레 같은 것이 재빠르게 돌다] girar rápido. 싸게도 돈다 girar muy rápidamente. ④ [불꽃이 세다] (ser) fuerte. 싼 불로 a fuego fuerte ⑤ [성질 같은 것이 곧고 굳세다] (ser) vigoroso, fuerte, firme.

싸다⁵ [물건 값이] (ser) barato, económico, de bajo precio, de precio reducido. 싸게, 싼 값으로 barato, a bajo precio; [옷·식사·생활 따위를] con poco dinero, económicamente, a lo barato. 싼 hotel *m* económico. 싼 것이 비지떡 ((속담)) Lo barato sale caro.

싸다니다 ir de aquí para allá, trajinar, andar de un sitio a otro, moverse mucho, corretear.

싸라기 ① [쌀의 부스러기] arroz *m* medio triturado. ② ((준말)) =싸라기눈. ¶~눈 bolita *f* de nieve, granizo *m*.

싸리 ((식물)) =싸리나무.

싸리나무 trébol *m* de arbusto.

싸리버섯 ((식물)) seta *f* comestible.

싸매다 (envolver y) atar, amarrar.

싸바르다 aplicar pegamento, aplicar cola, pegar todo.

싸우다 ① [다투다] pelearse, discutir, reñir, disputar. A와 유산 때문에 ~ disputar con A por la herencia. ② [전쟁하다] hacer la guerra; [전투하다] librar batalla, combatir, luchar. ③ [장애·곤란 등을 극복하려고 하다] luchar; [경쟁하다] competir.

싸움 ① [언쟁. 불화] riña *f*, pelea *f*, reyerta *f*, pleito *m*, querella *f*, camorra *f*, discordia *f*, disensión *f*, desafío *m*; [분쟁] disturbio *m*, conflicto *m*. ~을 하다 reñir, pelearse, disputar, discutir; [분쟁을 일으키다] causar problemas, armar líos. ② [전쟁] guerra *f*, [전투] batalla *f*, lucha *f*, contienda *f*, combate *m*. ~을 하다 luchar, librar una batalla, combatir. ~에 이기다 ganar una batalla [la lucha]. ~에 지다 perder una batalla [la lucha]. ③ [투쟁] lucha *f*, contienda *f*. 가난과의 ~ lucha *f* contra la pobreza. 생존을 위한 ~ lucha *f* por la supervivencia, lucha *f* para sobrevivir. 암과의 ~ lucha *f* contra el cáncer. [경쟁] competencia *f*, competición *f*, rivalidad *f*. ~을 하다 competir. ¶~꾼 ogro *m*, persona *f* muy feroz. ~닭 gallo *m* de pelea. ~판 escena *f* de pelea. ~패 banda *f* de vándalos.

싸이다 envolverse, ser envuelto, ser cubierto. 종이에 싸인 책 [물건] libro *m* [bulto *m*] envuelto en el papel.

싸전(-廛) arrocería *f*.

쌀¹ ① [씨앗에서 처음 나오는] retoño *m*, brote *m*, pimpollo *m*, cogollo *m*, vástago *m*, botón *m*, renuevo *m*, simiente *m*, embrión *m*, yema *f*. ~이 나온다 Las hojas brotan. ② [근원. 시초] germen *m* 악의 ~을 잘라 버리다 cortar el germen de un mal. ③ ((준말)) =쌀수.

쌀² [종이 따위를 한 번에 베는 소리. 또, 그 모양] con tijereteo. 종이를 가위로 ~ 자르다 tijeretear el papel (con tijereta). ② [거침없이 밀거나 쓸어 나가는 모양] limpiamente, con limpieza. 마당을 ~ 쓸어 버리다 barrer [limpiar] el patio. ③ [조금도 남기지 않고 죄다] completamente, enteramente, todo, perfectamente. 핏기가 ~ 가시다 estar pálido completamente.

쌀둑 con tijereteo. ~ 자르다 tijeretear, cortar (en trozos pequeños), picar.

쌀수 buen augurio *m*, buen agüero *m*, presagio *m*, esperanza *f*, perspectiva *f*, punto *m* digno de verse, gracia *f*, valor *m*.

쌀쌀¹ ① [여러 번 쌍하는 모양, 또 그 소리] con tijereteo. 종이를 ~ 자르다 tijeretear el papel. ② [거침없이 밀거나 훑어 나가는 모양, 또 남김없이 죄다] todo, completamente. 돈을 ~ 쓸어가다 llevar todo dinero. ③ [정성들여 깨끗이 쓸거나 문지르는 모양] completamente, bien. ~ 쓸어라 Barre bien. ~ 문질러라 Frota bien.

쌀쌀² [손을 비비거나 비는 모양] en tono de súplica, humildemente, con humildad, 잘못했다고 ~ 빌다 rogar en tono de súplica que perdone.

쌀쌀하다 (ser) afable, amable, dócil, sumiso, de carácter franco, de carácter abierto, meloso, engolado, untuoso; [친해지기 쉬운] sociable, amigable.

쌀쌀이 acción *f* de gastar todo. ~ 하다 gastar todo.

쌀트다 ① [식물이 싹이 생겨나다] brotar, germinar, retoñar, abotonar, echar brotes, echar retoños, echar renuevo. 만물이 싹트는 춘삼월 marzo *m* primaveral que brotan todas las cosas. ② [어떤 일의 기운이 열리다] empezar a presentar, empezar a presentar otros síntomas.

쌀값 precio *m* barato.

쌀 arroz *m*. ~가게 arrocería *f*, tienda *f* de arroz. ~가루 harina *f* de arroz. ~가마니 saco *m* de pajas para arroz. ~겨 cáscara *f* de arroz. ~농사 [재배] cultivo *m* de arroz; [수확] cosecha *f* de arroz. ~밥 arroz *m* blanco, arroz *m* cocido. ~부대 saco *m* [costal *m*] para arroz. ~알 grano *m* de arroz. ~장사 comercio *m* [negocio *m*] de arroz. ~장수 arrocero, -ra *mf*; comerciante *mf* de arroz. ~집 arrocería *f*, tienda *f* de arroz.

쌀보리 ((식물)) centeno *m*.

쌀쌀맞다 (ser) frío, indiferente.

쌀쌀하다 ① [날씨가] hacer un poco de frío. 쌀쌀한 초겨을 바람 viento *m* frío del otoño temprano. ② [정다운 맛이 없고 차다] (ser) áspero, brusco, seco, frío, indiferente.

쌈 *sam*, comida *f* envuelta [arroz *m* envuelto] en las hojas de la planta. 상치~ *sam* en las hojas de lechuga. 김~ *sam* en la alga marina.

쌈지 petaca *f*.

쌈쌀하다 (ser) algo [un poco·ligeramente] amargo; [소스 따위가] salado; [술이] seco. 쌈쌀한 포도주 vino *m* seco.

쌍(雙) par *m*, pareja *f*. ~의 [소켓 등의] de conexión recíproca. 한 ~의 un par de. 비둘기 한 ~ una pareja de palomas.

쌍가마(雙-) dos rayas, rayas *fpl* dobles, *Salv* caminos *mpl* dobles.

쌀갈래길(雙-) encrucijada *f*.

쌍곡선(雙曲線) hipérbola *f*.

쌍구균(雙球菌) diplococo *m*.

쌍극(雙極) doblete *m*.

쌍꺼풀(雙-) párpados *mpl* dobles. ~(이) 지다 tener párpados dobles.

쌍날(雙-) doble filo *m*.

쌍두 마차(雙頭馬車) coche *m* de dos caballos.

쌍둥이(雙-) gemelos, -las *mfpl*; mellizos, -zas *mfpl*. [한 쪽은 gemelo, -la; mellizo, -za].

쌍떡잎(雙-) ((식물)) dicotiledóneas *fpl*. ~식물 dicotiledón *m*, dicotiledónea *fpl*.

쌍무(雙務) ¶~적 bilateral, sinalagmático. ~ 계약 contrato *m* bilateral [recíproco·sinalagmático]. ~ 무역 comercio *m* bilateral. ~ 협정 acuerdo *m* bilateral.

쌍발(雙發) bimotor *m*. ~의 bimotor. ~기 avión *m* bimotor.

쌍방(雙方) ambas partes *fpl*, ambos lados *mpl*.

쌍방울표(雙-標) nombre *m* de %.

쌍벽(雙璧) ① [구슬] bola *f*. ② [우열] gemelos *mpl* preciosos.

쌍봉(雙峰) pico *m* doble.

쌍봉낙타(雙峰駱駝) camello *m*.

쌍분(雙墳) tumba *f* doble.

쌍생녀(雙生女) gemela.

쌍생아(雙生兒) =쌍둥이(gemelo).

쌍수(雙手) ambas manos *fpl*.

쌍심지(雙心-) ① [덕] mecha *f* doble. ② [몹시 화가 난 두 눈에 핏발이 서는 일] lo inyectado en sangre.

쌍쌍이(雙雙-) de dos en dos, por parejas, *AmL* de a dos.

쌍안경(雙眼鏡) gemelos *mpl*, anteojos de larga vista; [야외·육군용] gemelos *mpl*, prismáticos *mpl*, binoculares *mpl*; [극장용] gemelos *mpl* [anteojos *mpl*] de teatro; [야간의] catalejo *m* nocturno.

쌍점(雙點) ① [두 점] dos puntos. ② [문장 부호 ":"] dos puntos.

쌍태(雙胎) feto *m* doble.

쌓다 ① [물건을 겹겹이 포개어 놓다] apilar, amontonar, hacer un montón, hacer una pila, colocar. 돌을 ~ hacer una pila de piedras, colocar una piedra sobre otra. [덕이나 공적을 여러 번 세우다] rendir. 공을 ~ rendir servicios distinguidos, hacer hazañas meritorias. ③ [기술·경험 등을] poner, acumular, amasar, amontonar, hacer, adquirir, llenarse. 경험을 ~ acumular la experiencia. 기초을 ~ poner el fundamento. ④ [구축하다] edificar, construir, hacer. ⑤ [재산 따위를] reservar, atesorar, juntar, acumular, amontonar.

쌓이다 ① [여러 개의 물건이] apilarse, amontonarse, acumularse. 눈이 ~ cubrirse con nieve. ② [근심·걱정이 겹치다] estar en mucha ansiedad. 슬픔이 ~ estar acongojado, estar afligido. ③ [할 일이 많다] estar por milar, amontonarse. ④ [훌륭한 기술·경험을 얻게 되다] acumularse, adquirirse, amasarse.

쌔근거리다 ① [가볍게 숨쉬다] respirar ásperamente, resoplar, jadear, resollar. ② [뼈마디가] sentir el dolor artrítico.

쌔다 [흔하게 흔하게 있다] sobrar; [사물이 주어일 때] sobreabundar; [사람이 주어일 때] sobreabundar, tener en sobra [en exceso·en abundancia·a profusión]; [비인칭 표현] haber demasiada [excesiva] abundancia.

쌕쌕 con un sonido sibilante, sibilantemente.

쌘 abundante, copioso, común.

쌨다 (ser) abundante. 일년의 이맘때면 배가 ~ En esta época del año hay peras en abundancia / En esta época hay abundancia de peras].

쌩쌩 ¶~ 날다 revolotear.

써내다 escribir y presentar.

써넣다 escribir, incluir, anotar, apuntar; [용지에] poner, rellenar, llenar. 서류에 ~ rellenar [llenar] un documento.

써다 bajar [menguar] la marea.

써레 trillo m.

써레질 trillo m. ~하다 trillar.

써리다 trillar.

썩 ① [거침없이 빨리] enseguida, ahora mismo, inmediatamente. ~ 물러나지 못할까 Vete ahora mismo. ② [아주 뛰어나게] sumamente, extremadamente, magníficamente, excelentemente, muy bien, muchísimo. muy bien.

썩다 ① [부패하다] pudrir(se), podrirse, corromperse, echarse a perder, descomponerse. 썩은 과실 fruta f podrida. 썩은 어금니 muela f cariada. ② [사용되지 않고 묵다] llenarse de polvo. ③ [좋은 재주·능력을 발휘하지 못하다] no demostrar su buena habilidad. ④ [사상이 건전하지 못하다] la idea no ser sana. ⑤ [나라의 정치가 문란하다] pudrirse, corromperse. ⑥ [분을 못 풀어 속이 상하다] desanimarse, perder el ánimo, partirle el alma..

썩어빠지다 pudrirse completamente.

썰다 cortar. 얇게 ~ [빵을] cortar en rebanadas; [고기를] cortar en tajadas; [케이크를] cortar en trozos; [레몬 등을] cortar en rodajas; [햄을] cortar en lonchas. 둘로 ~ cortar en dos.

썰매 trineo m; [작은] narria f, mierra f, rastra f, ~의 방울 cascabel m. ~를 타다 subir al [en el] trineo, pasear en trineo.

썰물 reflujo m, bajamar f, marea f baja [descendiente · menguante]. ~ 때에 en la marea baja.

쏘개질 chisme m. ~하다 contar chismes, contar cuentos.

쏘다 ① [화살이나 총탄을] tirar, disparar, arrojar, lanzar. 과녁을 ~ tirar al blanco. 화살을 ~ disparar una flecha, tirar flechas. 겨누고 쏘앗! ((구령)) Apunten ¡fuego! ② [벌레가 침으로 찌르다] picar. ③ [매운 맛이] picar.

쏘다니다 [여기저기] ir de un lado para otro, andar de la Ceca a la Meca, caminar sin rumbo fijo, errar, pasear, dar vueltas; [지방·도시를] vagar, deambular; [한 곳을] recorrer. 거리를 ~ vagar [deambular] por las calles.

쏘삭거리다 incitar, instigar, provocar.

쏘아보다 lanzarle miradas, mirarle con el ceño fruncido, ponerle cara de pocos amigos.

쏙독새 ((조류)) chotacabras m(f).

쏜살같다 correr [pasar] como una flecha, ser muy rápido.

쏜살같이 rápidamente, con rapidez, como una flecha, a todo correr.

쏟다 ① [그릇에 담긴 것을] verter, echar; [비우다] vaciar. 대야의 물을 ~ verter [echar] el agua del lavamanos. ② [마음을 기울여 열중하다] aplicar, dedicar, consagrar. ③ [피나 눈물 따위를] 흘리다] derramar. ④ [생각을 모두 말하다] desahogarse, abrirle el pecho [el corazón], decir francamente.

쏟아지다 rebosar, derramarse.

쏠다 ratonar, roer los ratones.

쏠리다 ① [한쪽으로] inclinar. ② [마음이나 눈길이] atraerse.

쏠쏠하다 (ser) así así, así asá, mediocre.

쏴쏴 a cántaros, a mares, torrencialmente.

쐐기¹ [물건을 쪼개기 위한] cuña f; [장소에 있도록 하기 위한] calce m, calzo m; [억지로 열게 하기 위한] calzo m; [구두용] cuña f. ~문자[글자] escritura f cuneiforme.

쐐기² ((곤충)) (larva f) oruga f, larva f.

쐬다¹ [(순대'의)] =쐬이다.

쐬다² [바람이나 연기 등을] tomar, poner. 바람을 ~ tomar el aire. 볕에 ~ exponer [poner] al sol.

쑤다 cocer, cocinar, hervir, preparar, hacer. 죽을 ~ hacer gachas. 풀을 ~ preparar el engrudo.

쑤석거리다 ① [연해 들추고 뒤지며 쑤시다] [방·서랍을] revolver; [집을] registrar (de arriba a abajo), hurgar, rebuscar. ② [남을 꾀다] 싸움따위에 끌어들이는 짓을 하다] 사람을 추기거나 꾀어 충동시키다] instigar, incitar, provocar.

쑤시다¹ [바늘로 찌르듯이 아프다] dolerle mucho, tener mucho dolor, tener [sentir] dolor sordo; [아픈 데가 주어] dolerle sordamente.

쑤시다² [구멍 같은 데를] mondar. 이를 ~ mondar [escarbarse] los dientes.

쑥¹ ((식물)) absenta f, ajenjo m, moxa f, artemisa f, artemisia f. ¶ ~대밭 terreno m de la absenta. ~대밭이 되다 ser completamente devastado. ~대밭을 만들다 convertirse en ruinas.

쑥² [순하고 어리석은 사람] persona f dócil y estúpida.

쑥³ ① [몹시 내밀거나 들어간 모양] bruscamente, de repente. ~ 내민 saliente; [건물의] saledizo. ~ 내민 눈썹 cejas fpl sobresalientes. ② [깊이 밀어 넣거나 길게 뽑아내는 모양] de un tirón, ni a dos tirones. 무를 ~ 뽑다 sacar el rábano.

쑥갓 ((식물)) margarita f de los prados, maya f.

쑥국화(-菊花) ((식물)) tanaceto m, hierba f lombriguera.

쑥덕거리다 conversar secretamente [en secreto].

쑥덕공론(-公論) conversación f secreta, conferencia f secreta. ~하다 discutir entre dientes, conversar secretamente.

쑥덕쑥덕 conversando secretamente [con secreto].

쑥덕이다 conversar secretamente.

쑥돌 ((광물)) = 화강암.

쑥스럽다 (estar) desconcertado, confuso.

쑥쑥 ① [눈에 띄게] a ojos vistas, preceptiblemente, visiblemente. ~ 자라다 crecer a ojos vistas; [건강하게 자라다] crecer muy sano. ~ 나오다 brotar uno tras otro, brotar una tras otra. ② [계속해서 살을 쑤시듯 아픈 모양] agudamente.

쑬쑬하다 (ser) tolerable, soportable, pasable, aceptable.

쓰개 sombrero m, gorro m, casco m; [여자의] tocado m.

쓰기 escritura f, el escribir.

쓰다¹ ① [붓·펜 등으로 글씨를 그리다] escribir, describir, redactar; [서식에 따라] formular; [신문에] publicar. 책을 ~ escribir un libro. ② [글을 짓다] componer.

쓰다² ① [모자 등을] ponerse. 모자를 ~ ponerse el sombrero. 모자를 써라 Ponte el sombrero. ② [우산 등을] abrir el paraguas. ③ [이불 따위를] 머리까지 푹 덮다] cubrir. ④ [(얼굴을) 보이지 않게 가리거나 덮다] taparse.

쓰다³ ① [사람을 부리다] manejar; [고용하다] emplear. 가정부를 ~ emplear una ama de llaves, emplear una doméstica. ② [온 정신을 기울이다] dedicar, dedicarse. ③ [힘이나 기술을 발휘하다] hacer un (gran) esfuerzo. ④ ㉮ [돈을 들이거나 없애다] gastar; [소비하다] consumir; [낭비하다] malgastar, derrochar. ㉯ [시간을 들이다] gastar, emplear. ㉰ [연장·원료로 사용하다] usar, servir, utilizar, servirse; [치다] echar. ⑤ [말을 사용하다] hablar. ⑥ [약을 먹이거나 바르다] aplicar, poner. ⑧ [색을] copularse, tener relaciones sexuales.

쓰다⁴ [묏자리를] escoger el sitio de la tumba.

쓰다⁵ [윷놀이 같은 데서 말을 옮기다] mover el caballo.

쓰다⁶ ① [맛이] (ser) amargo. 쓴 맛

gusto m [sabor m] amargo. 쓴 약 medicina f amarga. ② [입맛이 없다] no tener apetito. ③ [마음이 언짢다] (ser) amargo. 쓴 웃음 sonrisa f amarga.

쓰다듬다 ① [귀엽거나 탐스러워 손으로 쓸어 주다] acariciar, hacer caricias; [수염을] mesarse. ② [성이 났거나 울고 있는 아이를 살살 달래다] acariciar.

쓰디쓰다 ① [몹시 쓰다] (ser) muy amargo, amarguísimo. ② [몹시 괴롭다] (ser) amargo. 쓰디쓴 경험 amarga experiencia f.

쓰라리다 ① [상처가] [손가락·발·근육이] (ser) dolorido, adolorido; [눈이] irritado; [입술이] reseco. ② [괴롭다] (ser) doloroso, desagradable, amargo, penoso, angustiante, dar pena, angustiar.

쓰라림 [상처의] dolor m; [괴로움] pena f, amargura f, apuro m. ~을 겪다 encontrarse [verse] en un apuro.

쓰러뜨리다 ① [쓰러지게 하다] hacer caer, tumbar, abatir, tirar, echar abajo, derribar, destruir, echar por tierra; [눕히다] acostar. ② [패배시키다] vencer, derrotar, batir. ③ [죽이다] matar, asesinar.

쓰러지다 ① [한쪽으로 쏠려 넘어지다] caer(se), tumbarse; [도괴하다] hundirse, derrumbarse, derribarse; [땅에] caer por el suelo. ② [회사 등이 망하다] quebrar, hacer bancarrota. ③ [앓아 눕다] caer enfermo, caer en cama. ④ [죽다] morir, fallecer.

쓰레기 basura f, barreduras fpl; [찌꺼기] residuos mpl. 가정의 ~ residuos mpl domésticos. 사회의 ~ hez f de la sociedad. ~ 버리는 곳 basurero m, vertedero m (de basuras), AmL basural m. ~ 봉지 bolsa f de [para] la basura. ~ 수거 recogida f de (la) basura, RPI recolección f de residuos. ~ 수거인[자] colector, -tora mf de basuras; basurero, -ra mf. ~ 수거차 camión m de la basura [de basuras], coche m basurero. ~ 처리장 vertedero m (de basuras), basurero m. ~ 통 basurero m, basurera f, receptáculo m para ceniza [para polvo]; [휴지통] papelera f.

쓰레받기 pala f (de recoger la basura f), recogedor m (de polvo).

쓰레질 barrido m, barrida f.

쓰르라미 ((곤충)) una especie de la cigarra.

쓰르람쓰르람 chirrido m. ~ 울다 chirriar.

쓰리다 doler; [눈이] escocer, picar, arder; [상처가] escocer, CoS arder. 쓰린 가슴으로 con gran dolor de corazón.

쓰이다¹ ① [들다. 소용되다] gastarse, costar, consumir. 이 엔진에는 석유가 많이 쓰인다 Este motor consume mucho petróleo. ② [사용되다] usarse, emplearse, servir. 일상 생활에 쓰이는 물건 artículo *m* en la vida ordinaria.

쓰이다² ① [글씨가 써지다] escribirse. 쉽게 ~ escribirse fácilmente. 이 펜은 잘 쓰인다 Esta pluma (se) escribe bien. ② [글씨를 쓰게 하다] hacer escribir.

쑥 [슬쩍] rápida y silenciosamente; [척] abruptamente, bruscamente, con brusquedad; [빨리] rápidamente; [슬겹] hábilmente, con destreza.

쑥싹거리다 raspar, esconfinar.

쑥싹하다 ① [돈 따위를] quedarse con, embolsarse, desfalcar, malversar. ② [상쇄하다] cancelarse; [빚을] arreglar cuentas. ③ [얼버무리다] ocultar, tapar, disimular.

쑥쑥 frotándose las manos. 손을 ~ 비비다 frotarse las manos.

쓴맛 sabor *m* amargo, amargura *f*.

쓴웃음 risa *f* amarga. ~을 웃다 reírse amargamente.

쓸개 [해부] hiel *f*, bilis *f*, vesícula *f* (biliar). ~골 rótula *f*, choquezuela *f*. ~머리 ternera *f* [carne *f* de vaca] pegada con la hiel de la vaca. ~즙 hiel *f*, bilis *f*.

쓸다¹ ① [비로] barrer, limpiar con la escoba; [손으로 어루만져 문지르다] frotar. [제 일방의 일만 깨끗이 처리하다] azotar, barrer, arrastrar, arrollar, arrasar. ③ [유행병이 널리 퍼지다] extenderse. ④ [혼자 독차지하다] poseer exclusivamente, monopolizar. 판돈을 ~ ganar todo dinero.

쓸다² [줄 따위로] limar, raspar, esofinar, desbastar con la lima. 줄로 열쇠를 ~ limar una llave.

쓸데 uso *m*. 그는 돈의 ~를 모르고 있다 El no sabe gastar el [hacer uso del] dinero.

쓸데없다 no tener ningún valor, no valer nada, no servir para nada, no ser de ninguna utilidad, ser inútil. 이 가위는 ~ Estas tijeras no sirven para nada.

쓸데없이 sin necesidad, inútilmente, fuera de propósito, en vano, en balde, para nada. ~ 돈을 쓰다 gastar dinero.

쓸리다¹ [풀이 센 옷 등에 살갗이 벗겨지다] excoriarse, escoriarse. 무릎을 ~ escoriarse [excoriarse] las rodillas.

쓸리다² [곡식·풀 등이 바람에] inclinarse, ser inclinado.

쓸리다³ [비나 줄에 쓺을 당하다] barrerse, rasparse, limarse.

쓸모 uso *m*, utilidad *f*. ~가 있다 ser útil, ser utilizable, poderse usar.

쓸쓸하다 ① [날씨가 으스스하고 음산하다] (ser) deprimente, sombrío, lúgubre, fúnebre. ② [외롭고 적적하다] (ser) solitario, triste, sombrío, melancólico, desconsolado. 쓸쓸한 생활 vida *f* triste [solitaria·melancólica].

쓿다 pulir(se).

쓿은쌀 arroz *m* pulido.

씀씀이 gastos *mpl*. ~가 헤픈 gastoso, manirroto, pródigo.

씁스레하다 ser algo [bastante·un poco·ligeramente] amargo.

씁쓰름하다 =씁쓰레하다.

씁쓸하다 ser algo amargo.

씌다¹ ((준말)) =쓰이다. ¶글씨가 잘 ~ escribirse bien.

씌다² [귀신이 접하다] estar poseído [obseso] de un espíritu maligno. 악마가 쓴 남자 hombre *m* poseído por el demonio.

씌다³ ((준말)) =씌우다. ¶모자를 ~ poner el sombrero.

씌우개 cubierta *f*, cobertura *f*, cubertura *f*, tapadera *f*. 테이블 ~ cubierta *f* de mesa. 침대 ~ cubierta *f* de cama, cubrecama *f*, sobrecama *f*.

씌우다 ① [모자 따위를] poner, cubrir, extenderse. 모자를 ~ poner el sombrero. ② [허물을] poner la culpa al otro.

씨¹ ① [식물의 씨앗·종자] semilla *f*, simiente *m*; [포도·귤의] semilla *f*, *AmL* pepita *f*; [곡류의] grano *m*; [과실의] pepita *f*, pipa *f*. ② [동물의] casta *f*, raza *f*. ③ [아버지의 혈통] linaje *m* (del padre), línea *f* directa de una familia; [아이] hijo, -ja *mf*. ④ [사물의 근본] germen *m*, semilla *f*, causa *f*, origen *m*, sujeto *m*; [재료] tema *m*, materia *f*.

씨² [피륙의 가로 건너 짠 실] trama *f*. ~와 날 trama *f* y urdimbre.

씨³ [품사] parte *f* de la oración.

씨(氏) ① [성명 또는 이름 뒤에 붙어 존대의 뜻] señor *m*; [기혼녀에게] señora *f*; [미혼녀에게] señorita *f*; [이름 앞에서] don, doña. 김철수 ~ señor Kim Cheol Su. 수길 ~ Don Sukil. 미숙 ~ Doña Misuk. ② [이름 대신 높이어 일컫는 말] señor, señora, señorita. 김, 이 양 ~ los señores Kim y Lee.

씨감자 patatas *fpl* [*AmL* papas *fpl*] de siembra.

씨고기 pez *m* semental.

씨곡(一穀) grano *m* [cereal *m*] de siembra.

씨근씨근¹ [숨을] jadeando.

씨근씨근² [곤하게 자는 모양] muy profundamente.

씨금 =위선(緯線).

씨껍질 ((식물)) cáscara *f* de las semillas.

씨끝 ((언어)) =어미(語尾).

씨눈 embrión *m*; ((동물)) feto *m*.

씨다리 pepita *f* de oro aluvial.

씨닭 gallo *m* reproductor.

씨도(-度) grado *m* de latitud.

씨도리(준말)) =씨도리배추.

씨도리배추 repollo *m* dejado en el campo para la semilla.

씨돼지 cerdo *m* padre, verraco *m*, verrón *m*, cerdo *m* reproductor.

씨르래기 ((곤충)) =여치.

씨름 ① [우리 나라 고유의 경기] *sireum*, lucha *f* (típica coreana); [승부] combate *m* de lucha. ~하다 luchar, tener un combate de lucha. ②하는 일 [극복·채득하기 위해 노력하는 일] esfuerzo *m*; 씨름하다 [문제와] lidiar, batallar, esforzarse por resolver; [어려운 일과] enfrentarse, tratar de vencer. ¶~꾼 luchador, -dora *mf*. ~판 combate *m* de *sireum*.

씨말 semental *m*, caballo *m* garañón.

씨명(氏名) nombre y apellido(s).

씨받이 ① [채종] cruce *m*. ~하다 cruzar. 소의 ~를 하다 cruzar una vaca con un toro semental. ② =대리모(代理母).

씨방(-房) ((식물)) ovario *m*.

씨보(氏譜) genealogía *f*, libro *m* [árbol *m*] genealógico.

씨뿌리다 ① [파종하다] sembrar, esparcir semilla en tierra para que germine. ② [사물의 근원을 만들다] causar, provocar.

씨소 toro *m* semental.

씨아 limpiadora *f* de algodón. ~손 mango *m* de la limpiadora de algodón. ~질 limpiadura *f* de algodón.

씨알¹ [물고기의 크기] tamaño *m* de los peces. ~이 잘다 Los peces son pequeños.

씨알² ① =종란(種卵). ② [낟알] grano *m*. ③ [광물의 잔 알맹이] pepita *f* minúscula. ~머리 mala persona *f*, persona *f* asquerosa.

씨울 pueblo *m*, humano *m* puro. ~의 소리 voz *f* del pueblo.

씨암탉 gallina *f* reproductora. ~ 걸음 paso *m* menudo y afectado.

씨앗 semilla *f*.

씨젖 ((식물)) albumen *m*.

씨조개 concha *f* productora.

씨족(氏族) tribu *f*, familia *f*, clan *m*.

~ 사회 sociedad *f* tribual.

씨주머니 ((식물)) blastema *m*.

씨줄 =위선(緯線).

씨짐승 semental *m*.

씩¹ [소리 없이 한 번 싱겁게 웃는 모양] sin ruido. 혼자 ~ 웃다 sonreír solo sin ruido.

씩² ① [각각 같은 수효로 나누는 뜻을 나타냄] a, por. 하나~, 한 사람~ uno a uno, una a una; uno por uno, una por una. 하루에 세 번~ tres veces por día, tres veces al día. ② [제각기] cada uno, cada una, respectivamente, separadamente, por separado, individualmente.

씩씩하다 (ser) vigoroso, enérgico, fuerte, robusto, airoso, gallardo, garboso. 씩씩함 vigor *m*, robustez *f*. 씩씩한 청년으로 자라다 hacerse un joven fornido.

씰 sello *m*. ~을 붙이다 sellar, poner un sello. 크리스마스 ~ sello *m* de Navidad.

씰그러뜨리다 deformar, distorsionar, desviar.

씰그러지다 deformarse, distorsionar(se).

씹 ① [어른의 보지] vulva *f*, vagina *f*. ② ((속어)) [성교] coito *m*, cópla *f*, copulación *f*, relaciones *fpl* sexuales. ~하다 tener relaciones sexuales, tener coito.

씹거웃 vello *m* púbico [pubiano], pubis *m*, pubes *m*.

씹다 ① [입에 넣어 연해 깨물다] masticar, mascar; [깨물다] morder. 씹어서 잘게 machacar con los dientes. 담배를 ~ mascar [masticar] tabaco. 연필을 ~ morder un lápiz. ② [남을 나쁘게 말하다] hablar mal. 씹어 뱉 듯이 말하다 hablar con indignación.

씹두덩 pubis *m*, pubes *m*, parte *f* inferior del vientre.

씹히다 ① [씹음을 당하다] ser masticado, ser mascado. ② [남에게 씹는 말을 듣다] oír hablar mal. ③ [씹게 하다] hacer masticar [mascar].

씻가시다 lavar y enjuagar.

씻기다 ① [씻음을 당하다] ser lavado, lavarse. ② [씻게 하다] hacer lavar. 씻겨 주다 lavar.

씻다 ① [물로] lavar; [훔치다] enjugar; [접시 등을] fregar; [깨끗이 하다] limpiar; [세정하다] purificar, depurar; [자신의 몸을] lavarse. 얼굴을 ~ lavarse la cara. ② [누명을 벗다] borrar. 씻을 수 없는 치욕 vergüenza *f* indeleble.

ㅇ

아¹ [놀람·당황·초조] ¡Ah! / ¡Oh! / ¡Ay! / ¡Uf! / ¡Anda!

아² [기쁨·슬픔·뉘우침] ¡Ay! / ¡Ah! / Bueno.

아가 ((소아어)) =아기(nene).

아가미 agalla f.

아가씨 ① [처녀나 젊은 여자] señorita f, muchacha f. ~! ¡Señorita! ② [손아래 시누이] cuñada f.

아교(阿膠) cola f. ~로 붙이다 encolar.

아군(我軍) nuestras fuerzas.

아궁이 hogar m.

아귀 (어류) pejesapo m.

아귀다툼 =말다툼.

아그레망 beneplácito m, agrément fr.m, acuerdo m. ~을 요청하다 pedir un beneplácito.

아기 ① [어린아이] bebé m; niño, -ña mf. ~를 낳다 dar a luz. ② [나이어린 딸] hijita f; [나이 어린 며느리] nuerita f. ¶~ 예수 Niño Jesús. ~집 último m, matriz f.

아기뚱거리다 caminar [andar] como un pato, tambalearse.

아기자기 ¶~하다 (ser) encantador, dulce, precioso, muy feliz, lleno de interés, sabroso.

아기작거리다 caminar [andar] como un pato [con paso inseguro].

아까 hace un rato, hace poco.

아까워하다 sentir lamentablemente, sentir con pesar.

아깝다 (ser) lamentable, lastimero, lastimoso; [귀중하다] precioso, valiosísimo, valioso.

아끼다 escatimar, economizar, ahorrar, estimar, apreciar. 돈을 ~ escatimar el dinero. 시간을 ~ apreciar el tiempo; [이용하다] aprovechar al máximo el tiempo.

아낌없다 (ser) generoso, pródigo.

아낌없이 [주다] generosamente, pródigamente, a manos llenas.

아나운서 [라디오·텔레비전의] comentarista mf; [프로그램 사이의] locutor, -tora mf de continuidad.

아낙 ① [부녀가 거처하는 곳] habitación f para las mujeres, tocador m. ② (준말) =아낙네.

아낙네 esposa f, mujer f.

아날로그 análogo m. ~의 analógico. ~ 컴퓨터[계산기] ordenador m analógico.

아남자(兒男子) niño.

아내 esposa f, mujer f.

아네모네 ((식물)) anémona f.

아녀자(兒女子) ① [어린이와 여자] el niño y la mujer. ② [여자] mujer f.

아늑하다 (ser) acogedor, cómodo y acogedor, cómodo y calentito.

아는체하다 fingir saber.

아니¹ [부정 또는 반대의 뜻] no. ~ 가다 no ir. ~ 오다 no venir.

아니² ① [부정의 대답] no. 올 테냐 — ~ no, 못 가 ¿Vendrás? — No, no voy. ② [말의 강조나 의심스러움을 나타낼 때] ¡Vaya! / ¡Anda! / ¡Qué! / ¡Dios mío! ~ 이게 웬일이냐? ¡Qué! ¿Qué pasa?

아니꼬와하다 indignar.

아니꼽다 indignarse.

아니나다를까 como era de esperar.

아니다 no ser. 고래는 어류가 ~ La ballena no es pez. ¶아닌 밤중에 inesperadamente, sin pensarlo, de imprevisto.

아니야 no. ~, 그것은 틀렸다 No, es una equivocación.

아니오 [대답이 부정일 때] no; [대답이 긍정일 때] sí. ~, 그렇지는 아요 No, no es así.

아담 (성경) Adán.

아담하다(雅淡/雅澹—) (ser) elegante, fino. 아담한 집 casa f fina. 아담한 문체 estilo m elegante.

아동(兒童) niño, -ña mf; muchacho, -cha mf; [생도] alumno, -na mf; colegial, -la mf. ~ 교육 educación f infantil. ~ 문학 literatura f infantil. ~복 ropa f para los niños. ~ 복지법 derecho m de bienestar para los niños. ~ 심리학 psicología f infantil.

아둔패기 persona f estúpida [lerda].

아둔하다 (ser) estúpido, lerdo, pesado, bobo, tonto, torpe.

아듀 ¡Adiós!

아득하다 estar lejos, ser remoto, apartado. 아득한 옛날에 en tiempos remotos.

아들 hijo m.

아따 oye, ¡No me digas!, bueno, bien, a ver. ~, 미안하다 Oye, lo siento.

아뜩하다 sentirse mareado, quedarse atónito [helado / pasmado].

아라베스크 arabesco m.

아라비아 ((지명)) Arabia f. ~고무 goma f arábiga. ~ 숫자 numeración f arábiga. ~어 arábigo m. ~인 árabe mf; arábigo, -ga mf.

아랍 ① =아랍인. ② =아랍어. ¶~

어 árabe *m*. ~ 연맹 Liga *f* Arabe. ~인 árabe *mf*. ~ 제국 países *mpl* árabes.

아랑곳 asunto *m*, interés *m*. ~하다 preocuparse, entrometerse. ~하지 않고 sin preocuparse.

아래 ① [상자·병·서람·가방의] fondo *m*; [산·언덕·계단·나무의] pie *m*; [언덕·기둥·벽의] base *f*, basa *f*; [페이지의] final *m*, pie *m*. ~의 inferior, de abajo. ~에 debajo, en el fondo. ② [물건의 머리의 반대쪽] abajo. ~에서 desde abajo. ③ [지위나 신분·수량의 낮은 쪽] menos, menor; inferior, bajo. ④ [수준·질·정도 등이 다른 것보다 못한 쪽] bajo. 평균보다 ~다 ser más bajo que la media.

아래위 arriba abajo. ~로 쳐다보다 mirar de arriba abajo.

아래쪽 parte *f* inferior, parte *f* de abajo.

아래층(一層) piso *m* de abajo, piso *m* inferior; [일층] planta *f* baja. ~에 abajo.

아래턱 mandíbula *f* inferior.

아랫도리 parte *f* inferior (del cuerpo); [옷의] prenda *f* (de ropa) inferior.

아랫방(一房) habitación *f* exterior.

아랫배 abdomen *m*, vientre *m*, barriga *f*, bajo ombligo.

아랫사람 ① =손아랫사람. ② [지위가 낮은 사람] subordinado, -da *mf*; subalterno, -na *mf*.

아랫수염(一鬚髥) barba *f*.

아랫입술 labio *m* inferior, labio *m* de abajo.

아량(雅量) generosidad *f*, tolerancia *f*, magnanimidad *f*.

아련하다 ① [정신이 희미하다] (ser) borroso, vago. 기억이 ~ La memoria es borrosa. ② [아렴풋이 보이다] (ser) débil, tenue, oscuro.

아령(啞鈴) pesa *f*, mancuerna *f*, halteras *fpl*, halterio *m*. ~ 체조 ejercicio *m* de pesa.

아로새기다 grabar. 기억에 ~ grabar en la memoria.

아롱지다 (ser) rayado y listado, abigarrado, multicolor.

아뢰다 hablar [informar] al superior, decir, mencionar.

아류(亞流) seguidor, -dora *mf*, sectario, -ria *mf*, imitador, -dora *mf*.

아르 [면적의 단위] el área *f*.

아르바이트 [임시의] trabajo *m* provisional; [부업] pluriempleo *m*, trabajo *m* subsidiario, negocio *m* secundario, negocio *m* suplementario, empleo *m* suplementario, actividad *f* suplementaria. ~를 하다 [파트 타임으로] echar horas, hacer un trabajo subsidiario.

아르에이치 Rh. *m*, Rhesus *m*.

아르헨티나 ((지명)) la (República) Argentina. ~의 argentino. ~ 사람 argentino, -na *mf*. ~ 탱고 tango *m* argentino.

아른거리다 parpadear, titilar, oscilar.

아름 brazada *f*, brazado *f*. 세 ~ tres brazadas, tres brazados.

아름다움 hermosura *f*, belleza *f*.

아름답다 (ser) hermoso, bello, lindo.

아름드리 brazada *f*.

아리다 ① [음식이 몹시 매워 혀 끝이] (ser) picante. ② [다친 살이] tener [sentir] un cosquilleo [hormigueo], escocer, picar, arder.

아리땁다 (ser) precioso, encantador.

아리송하다 (ser) ambiguo.

아리아 ((음악)) aria *f*.

아릿하다 escocesr la punta de la lengua, ser acre.

아마 quizá, quizás, tal vez. ~ 그는 올 것이다 Quizás venga él.

아마(亞麻) lino *m*.

아마존 ① =아마존 강. ② ((신화)) [여장부, 여걸] amazona *f*.

아마존 강(一江) el Amazonas.

아마추어 aficionado, da *mf*; amateur *ing.mf*.

아메리카 América *f*. ~의 americano. ~ 사람 americano, -na *mf*.

아메리카 합중국(一合衆國) ((지명)) los Estados Unidos de América. ~의 (사람) estadounidense *mf*.

아메바 ameba *f*, amiba *f*. ~ 운동 movimiento *m* ameboideo.

아멘 ((성경)) ¡Amén!, Así sea.

아명(兒名) nombre *m* de su niño.

아목(亞目) ((동물)) suborden *m*.

아무 ① [꼭 이름을 지정하지 않는 대명사] alguien, alguno; [누구든지, 모든 사람] todo el mundo, todos; [아무든지] quien, quienquiera, cualquiera; [부정] nadie, ninguno. 젊은 사람은 ~나 cualquier persona joven, cualquiera que sea joven. ② [감추어 이르거나 가정하여 이를 때] alguno, cualquiera; [명사 앞에서] cualquier; [부정] ninguno; [부정이라도 강조하는 경우는 명사 뒤에서] alguno. ~ 일 없이 sin incidentes notables, con suavidad; [무사히] sano y salvo, sin accidentes. ~ 말 없이 sin decir nada.

아무개 Fulano de Tal; [여자] Fulana de Tal.

아무것 algo, alguno, cualquiera; [~도 (…이 아니다)] nada, ninguno. ~도 없다 No hay nada.

아무데 cualquier lugar [sitio]. ~도 없다 No hay en cualquier sitio.

아무때 cualquier hora [momento], siempre, en todo caso; siempre que, cada vez que. ~라도 a cualquier hora, en cualquier

momento. ~나 나한테 전화해라 Llámame cuando quieras.
아무래도 en ningún modo, en sentido alguno, de cualquier modo, absolutamente, por todos los medios, sea como fuere, como quiera que sea, todo lo que; [무슨 일이 있어도] a toda costa, cueste lo que cueste. ~ 그의 말이 거짓말 같다 Parece que él miente.
아무러면 lo que dice, quienquiera que diga.
아무런 ninguno; [남성 단수 명사 앞에서] ningún. ~ 사고 없이 sin ningún accidente, sin accidente ninguno, sin accidente alguno.
아무렇거나 en todo caso, por lo menos, de todos modos, de todas formas.
아무렇게 en cualquier manera, en cualquier modo.
아무렇게나 con indiferencia, indiferentemente, sin ganas, con poco entusiamo, de manera despreocupada, sin la debida atención, al azar. ~ 대답하다 dar una respuesta aleatoria. ~ 말하다 hablar al azar.
아무렇든지 en cualquier manera, en cualquier modo. ~ 좋다 salga lo que saliera, cueste lo que cueste.
아무려면 ① [설마] en alguna manera, en algún modo. ~ 그럴까 ¿Cómo podría ser posible? / Yo no puedo creerlo / No puede ser así. ② [말할 필요도 없이 그렇다] ¡Claro (que sí)! / ¡Cómo no! / ¡Por supuesto! / ¡Desde luego!
아무렴 ((준말)) =아무려면❷. ¶그에게 답장했니? — ~ ¿Le contestaste? — ¡Cómo no!
아무리 [~ … 하더라도] por (más · muy) + *adj · adv* que + *subj*. ~ 부자라 하더라도 Por (más) rico que sea.
아무짝 algún uso; [부정] nada. ~에도 쓸모가 없다 No sirve para nada.
아무쪼록 todo lo posible, lo más + *adj · adv* posible, cuanto antes. ~ 몸조심하세요 Tenga mucho cuidado con su salud.
아무튼 de todos modos, de todas maneras.
아물거리다 ① [눈이나 정신이] parpadear, titilar, bailar. ② [말이나 행동을] hablar ambiguamente [vagamente], hablar con evasivas.
아물다 cerrarse, cicatrizarse.
아바나 ((지명)) la Habana. ~의 habanero. ~ 사람 habanero, -ra *mf*. ~ 여송연 habano *m*.
아바네라 ① ((음악)) habanera *f*. ② [사교 댄스] *Cuba* habanera *f*.
아버지 padre *m*; [아빠] papá *m*.
아베 마리아 ① ((경칭)) [성모 마리아] Avemaría *m*. ② [성모 마리아의 찬송가] avemaría *f*.
아베크 pareja *f*. ~하다 salir (con).
아부(阿附) adulación *f*, lisonja *f*, halago *m*. ~하다 adular, lisonjear, halagar. ~자 adulador, -dora *mf*, lisonjero, -ra *mf*.
아비규환(阿鼻叫喚) confusión *f* terrible. ~의 참상 babel *f*.
아빠 papá *m*.
아뿔사 ¡Ay de mí! / ¡Dios Santo!
아사(餓死) muerte *f* de hambre [de inanición]. ~하다 morir(se) de hambre.
아삭아삭 crujientemente. ~하다 (ser) crujiente.
아성(牙城) cuartel *m* general, base *f* de operación; [악인들의] guardia *f*; [군사의] fortaleza *f*, bastión *m*; [시의] plaza *f* fuerte.
아세아(亞細亞) Asia *f*. ☞아시아
아세안 Asociación *f* de Naciones del Sureste Asiático.
아세틸렌 ((화학)) acetileno *m*.
아셈 Reunión *f* Asiático-Europea.
아수라(阿修羅) ((불교)) titán *m*.
아순시온 ((지명)) Asunción.
아쉬워하다 echar de menos, sentir, lamentar, deplorar, llorar. 김 씨의 죽음을 ~ sentir la muerte del Sr. Kim.
아쉽다 echar de menos, ser insuficiente, no satisfacer, no ser satisfactorio, *AmL* extrañar.
아스떼까어 azteca *m*.
아스라하다 [거리가] estar lejano; [소리 따위가] (ser) débil, vago.
아스러지다 hacerse pedazos.
아스파라거스 ((식물)) espárrago *m*.
아스팍 Consejo *m* Asiático-Pacífico.
아스팔트 asfalto *m*.
아스피린 aspirina *f*.
아슬아슬하다 (ser) peligroso, crítico. 아슬아슬하게 a duras penas, por un pelo, por los pelos.
아시아 el Asia *f*. ~의 asiático. ~ 대륙 Continente *m* Asiático. ~ 사람 asiático, -ca *mf*.
아씨 señora *f*, dama *f* joven.
아아 ¡Ah! / ¡Eh! / ¡Anda! / ¡Vaya!
아아(阿亞) Africa y Asia.
아악(雅樂) música *f* ceremonial, música *f* clásica de la Real Casa de *Choson*.
아야 ¡Ay! ~ 아파라 ¡Ay, qué dolor!
아양 coquetería *f*, coqueteo *m*, coquetismo *m*. ~(을) 부리다[떨다] ㉮ [어린이가] mimar, acariciar. ㉯ [여자가] coquetear, hacer coquetona, obrar con coquetería.
아역(兒役) ① [역] papel *m* de niño.

② [연기자] actor *m* niño, actriz *f* niña.

아연(亞鉛) ((광물)) zinc *m*, cinc *m*. ~광 mineral *m* de cinc. ~도금 galvanización *f* de cinc. ~판 plancha *f* de cinc.

아연(俄然) de repente, repentinamente, de súbito, súbitamente. ~긴장하다 ponerse tenso de repente, tensarse repentinamente.

아연 실색(啞然失色) asombro *m*, sorpresa *f*. ~하다 asombrarse, sorprenderse.

아연하다(啞然─) quedarse atónito.

아열대(亞熱帶) zona *f* subtropical.

아예 ① [애초부터] 당초부터 desde el principio. ~ 그는 내 말을 믿지 않았다 Desde el principio él no me ha creído. ② [절대로] absolutamente, nunca, jamás. ~ 믿지 말게 No lo creas absolutamente.

아옹 miau. ~하다 maullar.

아옹거리다 refunfuñar, renegar, pelear(se), discutir, reñir.

아옹다옹 discutiéndose uno de otro, peleándose uno de otro. ~하다 discutirse [pelearse] uno de otro.

아우 hermano *m* (menor), hermana *f* (menor).

아우성 grito *m*, alarido *m*; [집합적] gritería *f*, griterío *m*, vocerío *m*. ~을 치다 gritar, dar gritos, dar voces, vociferar, vocear, chillar.

아욱 ((식물)) malvavisco *m*.

아울러 y, con, ambos, junto con, al mismo tiempo, además.

아웃 ① [(야구)] out *ing.m*, hombre *m* fuera. ② [(축구・테니스)] fuera.

아웅 Miau!

아이¹ ① [나이가 어린 사람] niño, -ña *mf*; chico, chica *mf*; muchacho, -cha *mf*; chiquillo, -lla *mf*; chaval, -la *mf*; [집합적] criatura *f*. ② [자기나 남의 자식] su niño, su hija. ~가 없는 부부 esposos *mpl* sin hijos. ③ =태아. ④ [막 태어난 사람] bebé *m*. ~를 낳다 dar a luz (a un niño). 아이 자라 어른 된다 ((속담)) El niño es el padre del hombre.

아이² ((감탄사)) ① [남에게 무엇을 조를 때] ¡Mira! / ¡Dios mío! ~빨리 줘요 ¡Mira! Dame pronto. ② [(준말)] =아이고.

아이고 ¡Madre mía! / ¡Ave María! / ¡Dios mío! / ¡Válgame Dios! / ¡Ah! ~, 위험해 ¡Ah, cuidado! / ¡Ojo!

아이디어 idea *f*.

아이러니 ironía *f*.

아이비엠 [대륙간 탄도탄] proyectil *m* balístico internacional.

아이 섀도 ((화장품)) sombra *f* de ojos, crema *f* para los párpados,

sombreador *m* (de ojos). ~를 붙이다 sombrear los ojos.

아이스 [얼음] hielo *m*. ~ 댄스[댄싱] baile *m* sobre hielo. ~ 링크 pista *f* de (patinaje sobre) hielo. ~ 쇼 espectáculo *m* sobre hielo. ~ 케이크 torta *f* con baño de fondant.

아이스크림 helado *m*. ~가게 heladería *f*. ~ 가게 주인 heladero, -ra *m*. ~ 제조기 heladera *f*, heladora *f*, refrigerador *m* de helado. ~ 판매원 heladero, -ra *mf*.

아이스하키 hockey *m* sobre hielo.

아이시¹ [(물리)] [집적 회로] circuito *m* integrado.

아이시² [인터체인지] intercambiador *m*, enlace *m*.

아이엠에프 FMI *m*, Fondo *m* Monetario Internacional.

아이젠 crampón *m*, garfios *mpl* de trepar, trepadores *mpl*.

아이쿠 ¡Oh! / ¡Ah! / ¡Dios! / ¡Ay Dios! / ¡Dios mío! / ¡Uf! ~, 실례했습니다 ¡Oh, perdón!

아이큐 CI *m*, coeficiente *m* intelectual [de inteligencia], cociente *m* intelectual [de inteligencia].

아이템 [항목] ítem *m*.

아이티 Haití *m*. ~의 (사람) haitiano, -na *mf*. ~어 creole *m*.

아이티브이 televisión *f* industrial.

아장거리다 bambolear, marchar con paso incierto, andar *sus* primeros pasos.

아장걸음 paso *m* inseguro.

아장아장 caminando con afectación, al trote, de un modo vacilante, tambaleando; [걷기] pinos *mpl*.

아저씨 tío *m*.

아전인수(我田引水) Todo molinero hace venir el agua a su molinero.

아주 ① [매우. 썩] muy, mucho, bastante, suficientemente; [강조의 경우] 「형용사」 + -ísimo. ~ 비싸다 ser muy caro. ② [완전히. 전혀] completamente, (bien) perfectamente. ~ 잘 자다 dormir bien perfectamente, dormir a pierna suelta [a pierna tendida]. ③ [영원히] para siempre. ~ 가버 렸다 irse para siempre.

아주(亞洲) continente *m* del Africa.

아주(亞洲) continente *m* del Asia.

아주가리 ((식물)) ricino *m*, castor *m*. ~ 기름 aceite *m* de ricino [castor]. ~씨 semilla *f* de ricino.

아주머니 ① [숙모] tía *f*. ② [한 항 렬 되는 남자의 아내] cuñada *f*. ③ [부인네를 부르는 말] ¡Señora!

아주버니 cuñado *m*, hermano *m* mayor de *su* esposo.

아지랑이 ola *f* de calor, bruma *f*, niebla *f*, calina *f*, neblina *f*.

아지트 escondrijo *m*, escondite *m*; [악인의] guarida *f*.

아직 todavía, aún, ni hasta ahora. ~ 안했다 Todavía no. 늦지 않았다 Aún ahora no es demasiado tarde.

아찔하다 estar mareado, tener vértigo, sentir un vértigo.

아차 ¡Ay de mí! / ¡Dios santo! / ¡Dios mío! / ¡Maldito sea!

아첨(阿諂) adulación *f*, halago *m*, lisonja *f*, adulancia *f*. ~하다 adular, halagar, lisonjear. ~꾼 adulador, -dora *mf*; adulón, -lona *mf*; lisonjero, -ra *mf*.

아취(雅趣) elegancia *f*, gracia *f*.

아치(雅致) elegancia *f*, gracia *f*.

아치 ① ((건축)) arco *m*; [둥근 천정] bóveda *f*. ~형의 arqueado. ~식 aspa presa *f* en arco. ② [무지개 모양의 돌다리] puente *m* de piedra de la forma del arco. ③ ((야구)) =홈런.

아침 ① [날이 새어서 아침밥을 먹을 때까지의 동안] mañana *f*. ~의 matinal, matutino. ~에 [오전 중] por la mañana, *AmL* en la mañana. ~ 일찍 일어나는 사람 gran madrugador, -ra *mf*. ~ 일찍 일어나다 levantarse temprano, madrugar. ② ((준말))=아침밥. ~을 먹다 desayunar(se).

아침밥 desayuno *m*. ☞아침❷

아카데미 academia *f*. ~상 el Oscar, premio *m* Oscar. ~ 회원 académico, -ca *mf*; academista *mf*.

아카시아 ((식물)) acacia *f*.

아케이드 arcada *f*; [회랑식의] soportales *mpl*.

아코디언 ((악기)) acordeón *m*. ~ 연주가[자] acordeonista *mf*.

아크등(-燈) arco *m* voltaico.

아킬레스 건(-腱) tendón *m* de Aquiles.

아킬레스 힘줄 =아킬레스 건.

아트지(-紙) papel *m* cuché.

아틀리에 ① [화실] taller *m* [화가의] taller de pintura; [조각가의] taller *m* de escultor, estudio *m* de escultor. ② [사진관의 촬영실] estudio *m*.

아파트 ① [공동 주택 내의] 한 세대가 살림하는 몇 개의 방] piso *m*, apartamento *m*, *AmL* departamento *m*. 가구 딸린 ~ apartamento *m* amueblado. ② [공동 주택] casa *f* [edificio *m*] de pisos, edificio *m* de apartamentos.

아파하다 sentir(se) el dolor, quejarse de dolor.

아페리티프 aperitivo *m*.

아펙 Cooperación *f* Económica Asiático-Pacífica.

아편(阿片) opio *m*. ~을 피우다 fumar opio. ¶ ~굴 fumadero *m* de opio. ~ 전쟁 la Guerra del Opio. ~ 중독자 opiomano, -na *mf*.

아프다 ① [몸에 고통이 있다] [아픈 곳이 주어일 때] doler; [사람이 주어일 때] tener dolor. 머리[허리]가 ~ tener dolor de cabeza [espaldas], doler*le* cabeza [espaldas]. ② [마음이 괴롭다] afligirse, atormentarse, dolerse; [후회] tener remordimientos.

아프리카 el Africa *f*. ~의 africano. ~ 사람 africano, -na *mf*.

아프카니스탄 Afganistán. ~의 afgano. ~ 사람 afgano, -na *mf*.

아픔 [육체의] dolor *m*; [정신적인] dolor *m*, pena *f*; [쑤시는] escozor *m*, escocimiento *m*, escocedura *f*.

아하 ¡Dios mío! / ¡Ay por Dios! / ¡Válgame Dios! / ¡Anda!

아하하 ¡Ja, ja!

아한대(亞寒帶) zona *f* subglacial.

아호(雅號) seudónimo *m*, nombre *m* de guerra, apodo *m*, sobrenombre *m*, nombre *m* literario.

아홉 nueve. ~ 번째(의) noveno.

아황산(亞黃酸) ácido *m* sulfaroso. ~ 나트륨 sulfito *m* sódico.

아흐레 ① [아홉날] nueve días. ② ((준말)) =아흐렛날.

아흐렛날 ㉮ [아홉째의 날] noveno día *m*. ㉯ ((준말)) =초아흐렛날.

아흔 noventa. ~ 번째(의) nonagésimo.

악(惡) mal *m*, maldad *f*; [악덕] vicio *m*. ~하다 (ser) malo, maligno, malvado, vicioso, perverso. 선과 ~ el bien y el mal. 탐욕은 모든 ~의 근원이다 La avaricia es la raíz de todos los males.

악감(惡感) antipatía *f*, animosidad *f*, mal sentimiento *m*, malicia *f*.

악곡(樂曲) composición *f* [pieza *f*] musical [de música].

악공(樂工) músico, -ca *mf*.

악극(樂劇) opera *f*, drama *m* músical. ~단 compañía *f* teatral, compañía *f* de ópera; [서커스의] troupe *f* (musical).

악기(樂器) instrumento *m* musical. ¶ ~점 tienda *f* de instrumentos musicales.

악녀(惡女) mujer *f* malvada [maligna], mala mujer *f*.

악다구니 pelea(s) *f(pl)*.

악단(樂壇) mundo *m* musical, círculos *mpl* músicos.

악단(樂團) [관현악단] orquesta *f*, [취주악단] banda *f*, charanga *f*, [합주단] conjunto *m*.

악담(惡談) insultos *mpl*, improperios *mpl*, contumelia *f*. ~하다 hablar mal, maldecir.

악당(惡黨) billano *m*, bellaco *m*, pícaro *m*, bribón *m*, tunante *m*.

악대(樂隊) banda *f* (musical); [취주

charanga *f.* [관현] orquesta *f.*

악덕(惡德) vicio *m,* corrupción *f,* depravación *f,* inmoralidad *f,* mala conducta, vileza *f,* torpeza *f.* ~ 기업주 empresario *m* vicioso. ~ 상인 comerciante *m* deshonesto.

악독하다(惡毒-) (ser) vicioso, travieso, pícaro, viperino, perverso.

악동(惡童) ① [행이이 나쁜 아이] galopín *m,* pícaro *m,* picaruelo *m,* pilluelo *m,* niño *m* travieso, niña *f* traviesa. ② =장난꾸러기.

악랄하다(惡辣-) (ser) vil, ruin, sucio, astuto, pícaro, taimado, ladino, tramposo, cruel.

악령(惡靈) mal espíritu *m,* espíritu *m* maligno.

악례(惡例) mal ejemplo *m;* [나쁜 선례] mal precedente *m.*

악마(惡魔) ① ((불교)) diablo *m,* demonio *m;* [마왕] Satanás *m,* Lucifer *m.*

악명(惡名) mala reputación *f,* mala fama *f.* ~(이) 높다 tener mala fama [reputación].

악몽(惡夢) pesadilla *f,* hipnofobia *f,* incubo *m,* mal sueño *m,* sueño *m* maligno. ~ 같은 pesadillesco.

악물다 apretar los dientes. 이를 악물고 con *sus* dientes apretados, apretando los dientes.

악바리 persona *f* terca [obstinada].

악법(惡法) ① [나쁜 법률] mala ley *f.* ② [나쁜 방법] mala manera *f,* mal modo *m,* mal método *m.*

악벽(惡癖) vicio *m,* mal hábito *m,* mala costumbre *f.* ~을 고치다 corregir el vicio [mal hábito]

악보(樂譜) ((음악)) nota *f* musical, nota *f* de música; [쓰여져 있는 악보] música *f;* [총보] partitura *f.* ~대(臺) atril *m.* ~집 libro *m* de música.

악사(惡事) =악행(惡行).

악사(樂士) músico *m;* [악단원] miembro *m* de una orquesta.

악사(樂師) maestro *m* músico.

악서(惡書) libro *m* dañino, publicaciones *fpl* indeseables.

악선전(惡宣傳) vil propaganda *f,* propaganda *f* perniciosa.

악성(惡性) maldad *f,* malignidad *f,* mal índole *m.* ~ 인플레이션 inflación *f* perniciosa [viciosa]. ~ 종양 tumor *m* maligno.

악성(樂聖) (célebre) maestro, -tra *mf;* gran músico *m,* gran música *f.* ~ 베토벤 Beethoven *f,* célebre maestro de música.

악센트 ① ((언어)) acento *m,* énfasis *m.* ② [어조] tono *m,* acento *m.* ③ ((음악)) acento *m.* ④ [복장·건축·도안 등의 디자인에서] acento *m.* ~를 주다 acentuar.

악송구(惡送球) pelota *f* [bola *f*] loca.

악수(握手) estrechamiento *m* [apretón *m*] de manos; [화해] reconciliación *f.* ~하다 apretar [estrechar] la mano, saludar dando la mano; [서로] darse las manos, darse un apretón de mano.

악순환(惡循環) círculo *m* vicioso.

악습(惡習) vicio *m,* mala costumbre *f,* mal hábito *m.* ~에 물들다 contraer [adquirir] malos hábitos.

악식(惡食) comida *f* basta [frugal].

악쓰다 gritar, dar a gritos, chillar.

악어(鰐魚) ((동물)) [아시아·아메리카의] cocodrilo *m;* [아메리카의] caimán *m,* aligator *m.*

악역(惡役) papel *m* de pícaro].

악역(惡疫) [역병] peste *f,* pestilencia *f;* [전염병] epidemia *f.*

악연(惡緣) ① ((불교)) mal enlace *m,* relación *f* fatal. ② [헤어질래 야 헤어질 수도 없는 남녀의 인연] amor *m* [matrimonio *m*] fatal; [특히 결혼의] mala boda *f.*

악영향(惡影響) malefecto *m,* mala influencia *f,* daño *m.* ~을 미치다 tener [ejercer] mala influencia.

악용(惡用) abuso *m,* mal uso *m,* uso *m* incorrecto; [권장의] mala utilización *f;* [자금의] malversación *f;* [자원의] despilfarro *m.* ~하다 abusar, usar mal, hacer mal uso; [말·연장을] utilizar mal, emplear mal; [자원을] despilfarrar; [자금을] malversar.

악우(惡友) mal amigo *m.*

악운(惡運) mala suerte *f,* desventura *f,* desgracia *f.*

악의(惡意) mala intención *f* [voluntad *f*], malevolencia *f,* malicia *f.*

악인(惡人) malvado, -da *mf.*

악장(樂匠) maestro *m* de música.

악장(樂長) director *m* de banda..

악장(樂章) ((음악)) movimiento *m* (de música). 제1 ~ primer movimiento *m.*

악전고투(惡戰苦鬪) combates *mpl* desesperados [sangrientos], batalla *f* dificultosa [desventajosa]; [경기] partido *m* [juego *m*] reñido. ~하다 luchar desesperadamente [a muerte].

악절(樂節) ((음악)) pasaje *m.*

악정(惡政) mala administración *f,* mal gobierno *m,* desgobierno *m.*

악조건(惡條件) mala condición *f,* condiciones *fpl* [circunstancias *fpl*] desfavorables.

악질(惡疾) epidemia *f,* pestilencia *f.*

악질(惡質) mala calidad *f.* ~의, ~적(인) vicioso, maligno, malvado; [비열한] vil. ~적인 범죄 crimen *m* vil.

악착(齷齪) intolerancia *f,* terquedad *f,* obstinación *f,* tozudez *f,* tenacidad *f.* ~ 같다 (ser) flexible, persistente, firme, tenaz, terco, testarudo. ~같이 con mucho empeño, asiduamente. ~같이 일하다 trabajar duro, afanarse. ~스럽다 (ser) flexible, persistente, terco, testarudo. 돈에 ~스럽다 absorberse de lucro.

악처(惡妻) mala esposa f, esposa f maligna, esposa f malvada.

악천후(惡天候) mal tiempo m, tiempo m tempestuoso.

악취(惡臭) mal olor m, hedor m, olor m fétido [hediondo].

악취미(惡趣味) mal gusto m, cursi m. ~가 있다 tener mal gusto, ser cursi.

악평(惡評) [비평] crítica f desfavorable, censura f, reprobación f; [평판] mala fama f [reputación f]. ~하다 censurar severamente.

악필(惡筆) mala mano f, malas letras fpl, mala caligrafía f. ~이 다 tener mala letra [caligrafía].

악하다(惡一) ① [성질이] (ser) malo, perverso, cruel. ② [양심이] (ser) malvado, maligno, inconsciente.

악한(惡漢) pícaro m, bribón m, pillo m, tunante m, golfo m.

악행(惡行) mala acción f [conducta f], mal acto m, maldad f.

악형(惡刑) castigo m cruel, castigo m severo; [고문] tortura f.

악화(惡化) empeoramiento m; [병상의] agravación f. ~되다 empeorar(se), agravar(se), echarse a perder, ponerse peor, ir a peor.

악화(惡貨) mala moneda f.

안 interior m; [내부적] en, dentro (de), en el interior de. ~의 interior. ~으로 dentro, AmL adentro. ~에까지 hasta dentro. … ~에서 desde dentro de algo. ~에서 밖으로 desde el interior hacia afuera. 집(의) ~에 en casa. 차의 ~에 en el coche.

안(案) ① (준말) =안건(案件). ¶~을 내다 hacer una propuesta. ② =생각. 고안. ¶좋은 ~이 있다 Tengo una buena idea.

안간힘 afán m, desvelo m. ~(을) 쓰다 desvelarse (por + inf), afanarse (por + inf).

안감 ① forro m. 옷에 비단 ~을 대다 forrar el traje de seda. ② [물건의 안에 대는] guarnición f.

안개 niebla f; [바다의] bruma f. ~가 자욱한 nebuloso, brumoso. ~ 경적 sirena f (de niebla).

안개비 lluvia f fina.

안건(案件) propuesta f, proposición f, proyecto m, materia f. 중요한 ~ proyecto m importante.

안경(眼鏡) gafas fpl, AmL anteojos mpl, AmL lentes mpl. ~을 끼다 [벗다] ponerse [quitarse] las ga-

fas. ¶~ 다리 patilla f, brazo m. ~방 óptica f. ~사(士) óptico, -ca mf, oculista mf. ~상인 óptico, -ca mf. ~알 lentes fpl de las gafas. ~자국 marca f de las gafas. ~장이 óptico, -ca mf. ~쟁이 persona f con gafas. ~집 funda f para las gafas, estuche m de lentes [de anteojos]. ~테 montura f, armazón m(f).

안과(眼科) oftalmología f. ~의 oftalmológico. ~병원 hospital m oftálmico, clínica f oftálmica. ~의 oftalmólogo, -ga mf, oculista mf. ~학 oftalmología f.

안구(眼球) globo m ocular [del ojo]. ~ 건조증 oftalmoxerosis f. ~ 은행 banco m del ojo.

안기다 abrazarse, echarse en brazos.

안내(案內) guía f, conducción f. ~ 하다 guiar, conducir, llevar. ~ 광고 anuncio m informativo. ~도 plano m informativo. ~서 guía f, folleto m explicativo; [철도의] guía f de ferrocarriles. ~소 información f, oficina f de información; [관광객용의] oficina f de turismo. ~원 guía mf. ~인 guía mf; [관광의] cicerone m; [극장의] acomodador, -dora mf. ~장(狀) (tarjeta f de) invitación f.

안녕(安寧) ① ((경칭)) =평안(平安). ② [안전하고 평안함] paz f, tranquilidad f; [복지] bienestar m. ~하십니까? [usted에게] ¿Cómo está usted? / [오전 인사] Buenos días, Arg Buen día / [오후 인사] Buenas tardes / [저녁・밤 인사] Buenas noches. ~히 계십시오 [가십시오] ¡Adiós! / AmS ¡Chau! / [또 만나시다] Hasta la vista / [나중에 또 봅시다] Hasta luego / [곧 또 만나시다] Hasta pronto. ~히 가십시오 Que le vaya bien / Vaya con Dios / Que le pase bien. ~히 주무십시오 ¡Buenas noches! ③ [헤어질 때의 인사] ¡Adiós! / AmS ¡Chau!

안다 abrazar, mantener en sus brazos. 품에 ~ abrazar en su pecho, llevar en (los) brazos. 안아 올리다 tomar en brazos, alzar con los brazos.

안단테 ((음악)) andante.

안달 impaciencia f, preocupación f. ~하다 (ser) impaciente, nervioso, inquietarse, preocuparse.

안대(眼帶) venda f de los ojos, banda f ocular.

안데스(산맥=山脈) los Andes.

안도(安堵) alivio m. ~하다 sentir un gran alivio, sentirse aliviado, tranquilizarse, aliviarse. ~의 한숨을 내쉬다 dar un suspiro de alivio, respirar alivio.

안도라 ((지명)) Andorra f.

안되다¹ [실패하다] fracasar. 잘 안된 작품 obra f fracasada.

안되다² [섭섭하거나 가엾고 애석한 느낌이 있다] sentir, ser una pena, ser (una) lástima. 내 아내 는 감기입니다 − 그것 참 안되었 습니다 Mi esposa tiene un resfriado − iCuánto lo siento!

안뜰 patio m (interior).

안락 (安樂) bienestar m, comodidad f, confortación f, alivio m. ~하다 (ser) cómodo, confortativo, consolador. ~사 eutanasia f. ~의자 sillón m, poltrona f, butaca f.

안마 (按摩) masaje m, amasamiento m; [운동 중 또는 운동 후의] fricción f, friega f. ~하다 masajear, dar un masaje, dar una fricción [una friega], amasar. ~기(器) aparato m para el masaje. ~사(師) masajista mf. ~ 시술소 salón m de relax, burdel m.

안마 (鞍馬) ((체조)) potro m con arcos.

안마당 patio m (interior).

안면 (安眠) sueño m tranquilo [profundo · sosegado · reposado]. ~하 다 dormir tranquilamente [profundamente]. ~ 방해 perturbación f de sueño, alboroto m nocturno. ~ 방해를 하다 perturbar [interrumpir · impedir] el sueño.

안면 (顔面) = 얼굴(cara, rostro). ¶ ~의 표정 expresión f facial. ② [서로 낯이나 익힐 친분] conocimiento m. ~이 있다 conocer, conocer de vista. ¶ ~각 ángulo m facial, índice m facial. ~ 경련 prosopospasmo m. ~ 마 비 parálisis f facial, facioplejía f. ~ 신경통 neutalgia f facial.

안목 (眼目) punto m principal, substancia f de un escrito, ojo m, llave f, tonor m.

안무 (按舞) ((연극)) coreografía f. ~ 하다 componer una coreografía. ~가(家) coreógrafo, -fa mf.

안방 (−房) ① [집 안채의 부엌에 붙 은 방] habitación f interior (en la parte del fondo), habitación f más retirada de la casa. ② [안주인이 거처하는 방] tocador m.

안배 (按配/按排) [배치] disposición f; [배분] distribución f, asignación f. ~하다 disponer; distribuir, asignar.

안벽 (岸壁) ① [깎아지른 듯한 낭떠 러지로 된 벽] orilla f del agua del precipitadero. ② [항만·운하 의 부두나 물가를 따라 만든 벽] muelle m, malecón m, escollera f, embarcadero m.

안보 (安保) ((준말)) = 안전 보장.

안부 (安否) saludos mpl, recuerdos mpl, memorias fpl, salud f, noticia f, destino m. ~를 묻다 informarse de la salud, preguntar por la seguridad. ~를 전하다 dar recuerdos. 부인께 ~ 전해 주세요 − 당신도 Recuerdos [Saludos] a su señora − Igualmente.

안사돈 (−査頓) suegra f de su hija, madre f de su nuera.

안사람 mi mujer.

안색 (顔色) semblante m, tez f, aspecto m. ~이 좋다 tener buena cara, tener buen aspecto. ~이 나쁘다 estar pálido, tener mal aspecto.

안성맞춤 conveniencia f. ~의 conveniente, oportuno, propicio.

안식 (安息) reposo m, descanso m (feliz), réquiem m; [식후의] quiete m, asueto m. ~하다 descansar felizmente [cómodamente].

안식 (眼識) discernimiento m, perspicacia f, penetración f, ojos mpl. ~이 있다 entender, ser entendido. ~을 높이다 enriquecer [formar(se)] los ojos.

안심 carne f (de vaca) de costillas.

안심 (安心) ① [마음을 편안히 가짐] tranquilidad f, calma f, confianza f, fe f. ~하다 sosegarse, tranquilizarse, quedarse tranquilo. ~하십 시오 ¡Tranquilícese!

안약 (眼藥) colirio m, loción f para los ojos. ~병(瓶) cuentagotas m, gotero m.

안온 (安穩) paz f, apacibilidad f, tranquilidad f. ~하다 (ser) apacible, pacífico, tranquilo.

안위 (安危) la seguridad y el peligro, seguridad f, bienestar m, destino m.

안이하다 (安易−) (ser) fácil; [간단하 다] sencillo; [안락하다] cómodo. 안이한 생활 vida f fácil.

안일 (安逸) facilidad f, indolencia f, ocio m, ociosidad f, vida f ociosa. ~하다 (ser) fácil, estar ocioso.

안장 (安葬) entierro m, sepultura f, sepelio m. ~하다 enterrar, inhumar, sepultar.

안장 (鞍裝) [말의] silla f (de montar), montura f; [짐 안장] albarda f, [자전거의] sillín m, asiento m.

안전 (安全) seguridad f. ~한 seguro. ~ 개폐기 cortacircuitos m.sing.pl. ~ 띠[벨트] cinturón m de seguridad. ~ 면도(기) maquinilla f de afeitar (de seguridad). ~ 보장 seguridad f. ~ 장치 dispositivo m [aparato m] de seguridad; [총포의] seguro m. ~ 지대 zona f de seguridad.

안전 (眼前) ① = 눈앞. ② [눈으로 보 는 그 당장] inmediatamente. ~의

inmediato. ~의 이익 interés *m* inmediato.

안절부절못하다 impacientar, intranquilizarse, agitarse, inquietarse.

안정(安定) estabilidad *f*, estabilización *f*, firmeza *f*; [균형] equilibrio *m*, balanza *f*; [일정] constancia *f*. ~하다 mantenerse estable, estabilizarse, quedarse estable, equilibrarse, ponerse en equilibrio. ~기금 fondo *m* de estabilización. ~장치 estabilizador *m*.

안정(安靜) quietud *f*, sosiego *m*, tranquilidad *f*, reposo *m*, descanso *m*. ~하다 descansar [reposar] tranquilamente, guardar reposo completo. ~요법 tratamiento *m* [cura *f*] de reposo.

안주(安住) ① [자리잡고 편히 삶] vida *f* [vivienda *f*] tranquila. ~하다 vivir tranquilo. ② [현재의 상태에 만족함] contento *m*, contentamiento *m*, satisfacción *f*. ~하다 estar contento [satisfactorio].

안주(按酒) anchu, acompañamiento *m*, callos *mpl*, guarnición *f*.

안주머니 bolsillo *m* interior.

안주인(一主人) el ama *f* de casa.

안중(眼中) ① [눈 속] dentro del ojo. ② [눈에 비치는 바] atención *f*, consideración *f*. ~에 두지 않다 no prestar atención, no pensar nada.

안질(眼疾) enfermedades *fpl* [mal *m*] de los ojos; [안염] oftalmía *f*.

안집 ① [안채] edificio *m* interior [principal]. ② [한 집에서 여러 가구가 살 때의 주인댁] casa *f* de *su* amo del condominio.

안짱다리 patizambo, -ba *mf*; zambo, -ba *mf*.

안쪽 interior *m*, parte *f* interior. ~의 interior, interno.

안착(安着) llegada *f* sin novedad, feliz llegada *f*. ~하다 llegar sin novedad, llegar sano y salvo, llegar sin accidente alguno; [물건이] llegar con buena condición.

안창 suela *f* interior, plantilla *f*.

안채 edificio *m* principal [interior].

안치(安置) puesta *f*, instalación *f*, colocación *f*. ~하다 instalar, colocar, depositar, poner con ceremonia, guardar como reliquia. 시체를 ~하다 colocar [depositar] un cadáver.

안타(安打) bateo *m* seguro.

안타깝다 [애처롭다] lamentable; [애처롭다] sentir angustia [aflicción].

안테나 antena *f*, aerial *m*.

안팎 ① [안과 밖] el interior y el exterior. ~으로 por dentro y fuera. ② [내외] más o menos, casi, unos, alrededor de. 일주일 ~ alrededor de una semana,

unos ocho días, casi una semana. ③ [표리] dos [ambos] lados *mpl*.

안하무인(眼下無人) el despreciar a una persona y el ser arrogante.

앉다 ① [엉덩이를 바닥에 붙이고] sentarse, tomar asiento. 앉아 있다 estar sentado. 똑바로 ~ sentarse derecho. 식탁에 ~ sentarse a la mesa. 앉으십시오 Siéntese. ② [새나 곤충 등이] posarse.

앉은뱅이 baldado, -da *mf*; tullido, -da *mf*. ~저울 báscula *f*.

앉히다 ① [앉게 하다] sentar, hacer sentarse. ② [올려 놓다. 걸쳐 놓다] poner. 솥을 ~ poner la olla. ③ [취임시키다] nombrar, designar. 장관에 ~ nombrar ministro.

않을 수 없다 obligar a + *inf*, no poder menos de + *inf*. 나는 그를 존경하지 ~ Yo no puedo menos de respetarle a él.

알 ① [새·물고기·벌레 등의] huevo *m*; [물고기·조개류의] hueva *f*, freza *f*. ② [달걀] huevo *m*.

알거지 persona *f* tan pobre como un ratón de sacristía.

알다 ① [인식하거나 인정하다] saber, enterarse; [경험적으로] conocer. ② [모르는 것을 깨닫다] reconocer; [양해하다] enterarse. ③ [경험하다] experimentar, tener experiencia. ④ [서로 낯이 익다] conocer. 김 선생을 ~ conocer al Sr. Kim. ⑤ [생각하여 판단하고 분별하다] considerar, juzgar. 너 자신을 알라 Conócete a ti mismo. 아는 길도 물어 가라 ((속담)) Quien pregunta no yerra.

알뜰살뜰 ¶~하다 (ser) muy frugal. ~한 여인 mujer *f* muy de casa, esposa *f* abnegada.

알뜰하다 (ser) prudente, económico, frugal. 알뜰한 살림 vida *f* frugal.

알라 [회교의 신] Alá *m*.

알랑거리다 halagar, adular, lisonjear, alabar; [여자가] coquetear.

알랑쇠 adulador, -dora *mf*; lisonjero, -ra *mf*; zalamero, -ra *mf*.

알랑하다 ① [하찮고 보잘 것 없다] no tener ningún valor, no valer nada. ② [품성과 인격이 천하다] (ser) humilde, vil, bajo, vulgar.

알레르기 alergia *f*. ~성의 alérgico. ~성 질환 enfermedad *f* alérgica. ~성 천식 el asma *f* alérgica.

알렐루야 ((기독교)) =할렐루야.

알려지다 ((준말)) =알리어지다.

알력(軋轢) disputa *f*, lío *m*, embrollo *m*, complicación *f*, dificultades *fpl*. ~이 생기다 embrollarse, armar un lío, crearse dificultades.

알로에 (식물) (palo *m* de) áloe *m*.

알록달록 machado, moteado; [대리석이] veteado, jaspeado.

알록지다 mancharse.

알루미늄 ((화학)) aluminio *m*. ～ 새 시 marco *m* de aluminio.

알리다 informar, comunicar, avisar, hacer saber, dar a conocer, enterar; [예고하다] notificar anticipadamente; [공표하다] anunciar [publicar] oficialmente..

알리바이 coartada *f*.

알리어지다 ① [알게 되다] ser conocido, conocerse, saberse. ② [유명하게 되다] hacerse famoso.

알맞다 convenir, quedar bien, sentar bien, venir bien, (ser) adecuado [conveniente]. 알맞게 convenientemente, adecuadamente.

알맹이 ① [과실의] hueso *m*, cuesco *m*; [과실·견과의] almendra *f*. [옥수수·밀의] grano *m*. ② [사물의 중심·요점·핵심] substancia *f*, contenido *m*.

알몸 ① [벌거벗은 몸] cuerpo *m* desnudo. ～으로 en cueros vivos. ② [빈털털이] persona *f* sin un céntimo.

알바니아 ((지명)) Albania *f*. ～의 (사람) albanés, -nesa *mf*. ～사람 albanés *m*.

알밤 ① [밤톨] castaña *f* (pelada). ② [주먹으로 머리를 치는 일] golpe *m* en la cabeza con el puño. ～을 먹이다 dar un golpe en la cabeza con el puño.

알보지 vulva *f* sin pubis.

알부자(－富者) rico *m* substancial.

알뿌리 bulbo *m*.

알선(斡旋) buenos oficios *mpl*; [조정] mediación *f*; [추천] recomendación *f*. ～하다 interceder, arbitrar, ofrecer *sus* buenos oficios, prestar un servicio, mediar.

알슬다 desovar, poner las huevas.

알쏭달쏭 ① [무늬가] variopintamente, heterogéneamente. ～하다 (ser) variopinto, heterogéneo. ～한 무늬 figura *f* variopinta. ② [뜻이] vagamente, imprecisamente, ambiguamente. ～하다 (ser) vago, impreciso, ambiguo.

알아내다 ① [모르던 것을] encontrar. 답을 ～ encontrar la solución. ② [찾거나 연구하여] averiguar, aclarar, descubrir. 비밀을 ～ descubrir el secreto.

알아맞히다 acertar, adivinar.

알아보다 ① [조사하거나 탐지하여 보다] averiguar, examinar, investigar, indagar; [문의하다] inquirir, preguntar. ② [기억해 내다] reconocer, conocer. ③ ＝인정하다.

알아주다 ① [남의 장점을] admitir, reconocer. ② [남의 곤경을] entender. 슬픔을 ～ entender la tristeza.

알아차리다 ① [미리 정신을 모아 주의하거나 깨닫다] proveer, suministrar, proporcionar, tomar precauciones. ② ＝알아채다.

알아채다 adivinar, presentir, olfatear, percibir, sospechar, notar, advertir, observar, darse cuenta.

알알하다 ① [혀끝이] picar, resquemar. 혀가 ～ Me pica la lengua. ② [살갗이] picar. 햇볕에 탄 등이 ～ Me pica la espalda tostada por el sol. ③ [상처 같은 데가] 몹시 아리다 escocer.

알약(－藥) pastilla *f*, píldora *f*.

알젓 huevas *fpl* saladas.

알제리 ((지명)) Argelia *f*. ～의 argelino. ～ 사람 argelino, -na *mf*.

알주머니 ovisaca *m*.

알집 ((해부)) ovario *m*.

알짜 esencia *f*, nata *f*.

알차다 ① [속이] (estar) lleno, repleto, completo. ② [내용이] (ser) sustancioso.

알칼리 ((화학)) álcali *m*. ～계 alcalímetro *m*. ～ 반응 reacción *f* alcalina. ～ 비중계 alcalímetro *f*. ～성 체질 constitución *f* alcalina.

알코올 ((화학)) alcohol *m*. ② [주정] alcohol *m* (de vino). ③ [술] alcohol *m*, vino *m*, bebida *f* alcohólica, licor *m* alcohólico. ④ [소독용] alcohol *m* desinfectante. ～ 중독 alcoholismo *m*. ～ 중독자 alcohólico, -ca *mf*.

알타이 ((지명)) Altai. ～의 altaico. ～ 어족 familia *f* altaica.

알토 ((음악)) alto *m*. ～ 가수 contratenor *m*, alto *m*, contalto *f*.

알통 bola *f*, músculo *m*. ～을 솟게 하다 sacar bola, sacar músculo.

알파 [그리스어의 첫째 자모] A *f*, α *f*. ② [처음, 첫째] alfa *f*, principio *m*, comienzo *m*. ③ [그 이상의 얼마쯤] algo. 플러스 ～ más algo. ¶ ～선 rayos *mpl* alfa.

알파벳 alfabeto *m*, abecedario *m*. ～순 orden *m* alfabético. ～순으로 alfabéticamente.

알파인 경기(－競技) ＝알파인 종목.

알파인 종목(－種目) pruebas *fpl* alpinas.

알파카 ((동물)) alpaca *f*.

알프스(산맥) ((지명)) los Alpes.

알피니스트 alpinista *mf*.

알현(謁見) audiencia *f* (real). ～하다 ser recibido en audiencia, tener una audiencia.

앎 sabiduría *f*, conocimiento *m*, inteligencia *f*. ～은 힘이다 El saber es poder.

앓다 ① [병에 걸리어] estar enfermo, estar mal, enfermarse; [병에 걸려 있다] padecer una enfermedad. 앓고 있다 guardar la cama, caer en la enfermedad grave. ② [마음에 근심이 있어 속태우다] preocuparse, inquietarse.

암 ((준말)) =아무려면. ¶~, 그렇고 말고 ¡Claro! / ¡Por supuesto! / ¡Claro que sí! / ¡Desde luego!

암(癌) ① ((의학)) cáncer m, cancro m. ~으로 죽다 morir de cáncer. ② [고치기 힘든 나쁜 폐단] cáncer m. 우리 사회의 ~ cáncer m de nuestra sociedad. ¶~ 세포 célula f cancerosa.

암- ① [생물의 암컷] hembra. ~개미 hormiga f hembra. ② ((비유적)) hembra adj. ~나사 tuerca f, hembra f de tuerca, matriz f.

암갈색(暗褐色) (color m) pardo m.

암거래(暗去來) comercio m clandestino, comercio m [trato m] de contrabando.

암구다 copular, aparear.

암굴(岩窟) cueva f, caverna f.

암굴(暗窟) cueva f o(b)scura, caverna f o(b)scura.

암기(暗記) memoria f. ~하다 aprender de memoria. ~ 과목 asignatura f de memoria. ~력 retentiva f, memoria f.

암꽃 ((식물)) flor f pistilada.

암꽃술 ((식물)) pistilo m.

암나사(―螺絲) tuerca f.

암내[발정기의 냄새] celo m. ~(가) 나다 estar en celo, estar caliente. ~ 난 개 perro m en celo.

암내[겨드랑이의 악취] sobaquina f, sobaquera f. ~가 나다 oler a sobaquina.

암달러(暗―) dólar m negro. ~상 traficante mf del dólar negro. ~ 시장 mercado m del dólar negro.

암담(暗澹) ① [어두컴컴하고 쓸쓸함] tristeza y melancolía. ~하다 (ser) sombrío, triste y melancólico, lóbrego, tenebroso, lúgubre. ② [희망이 없고 막연함] desanimación f, desilusión f.

암만 =아무리. ¶~해도 a toda costa, a cualquier precio, cueste lo que cueste, sea como sea.

암말 yegua f.

암매(暗買) compra f clandestina. ~하다 comprar clandestinamente.

암매(暗賣) venta f clandestina. ~하다 vender clandestinamente.

암매매(暗賣買) =암거래(暗去來).

암매장(暗埋葬) =암장(暗葬).

암모니아 amoníaco m (NH₃). ~ 스 gas m amoníaco. ~ 비료 amonita f. ~수 agua f amoníaca.

암묵(暗默) silencio m, mudez f. ~의 silencioso, tácito, mudo, implícito. ~의 양해 consentimiento m tácito.

암반(岩盤) roca f base.

암벽(岩壁) pared f rocosa.

암비둘기 paloma f hembra.

암사슴 cierva f, gacela f.

암산(巖山) montaña f rocosa.

암산(暗算) cálculo m mental. ~하다 calcular mentalmente, hacer una cuenta mental.

암살(暗殺) asesinato m, homicidio m. ~하다 asesinar. ~당하다 ser asesinado. ~자 asesino, -na mf; homicida mf.

암상인(暗商人) estraperlista mf.

암석(巖石) roca f, peña f; [큰바위] peñasco m; [반석] risco m. ~이 많은 rocoso, roqueño, peñascoso. ~학 petrología f, litología f.

암소 vaca f.

암송(暗誦) recitación f. ~하다 recitar. 시를 ~하다 recitar un poema.

암수 macho y hembra, masculino y femenino.

암술 ((식물)) pistilo m.

암술대 ((식물)) stilo m.

암시(暗示) sugestión f, insinuación f, alusión f. ~하다 sugerir, insinuar, aludir, sugestionar.

암시세(暗時勢) estraperlo m, mercado m clandestino.

암시장(暗市場) estraperlo m, mercado m negro.

암실(暗室) cuarto m o(b)scuro, cámara f oscura.

암암리(暗暗裡) ¶~에 tácitamente, implícitamente; [비밀히에] en secreto, secretamente.

암야(暗夜) noche f o(b)scura.

암약(暗躍) ((준말)) =암중비약. ¶~하다 intrigar secretamente [a ocultas].

암자(庵子) ermita f.

암장(暗葬) entierro m secreto, sepultura f secreta. ~하다 enterrar en secreto [secretamente].

암중비약(暗中飛躍) intriga f secreta, ardid m secreto.

암초(暗礁) ① [바위] escollo m, arrecife m, rompiente m. ② [어려움] estancamiento m, estancación f, impedimento m, obstáculo m.

암치질(―痔疾) hemorroide m interno.

암캐 perra f.

암컷 hembra f, sexo m femenino.

암키와 teja f concava [hembra].

암탉 gallina f; [병아리의] gallinita f. 암탉이 울면 집안이 망한다 ((속담)) Si la mujer lleva pantalones la casa es triste.

암탕나귀 asna f, burra f, borrica f.

암톨쩌귀 gozne m [bisagra f] hembra.

암퇘지 cerda f, puerca f.

암투(暗鬪) enemistad f latente, hostilidad f latente, enemistad f secreta, disensión f secreta, hostilidad f tácita.

암팡지다 (ser) audaz, atrevido, intrépido, enérgico, osado.

암페어 ((전기)) amperio *m* (A).

암평아리 pollita *f*, polla *f*.

암표(暗票) billete *m* [AmL boleto *m*] ilegal. ~를 팔다 revender. ¶~상 revendedor, -dora *mf* de billetes.

암행 어사(暗行御史) inspector *m* secreto del rey.

암호(暗號) [주로 상업용] código *m*; [군호] contraseña *f*, santo *m* y seña; [비밀의] clave *f*, cifra *f*. ~문 escritura *f* cifrada [en cifra · en clave], criptograma *m*.

암흑(暗黑) o(b)scuridad *f*, tiniebla *f*, negrura *f*. ~한 bajos fondos *mpl*. ~기[시대] edad *f* negra, edad *f* de tinieblas.

압권(壓卷) lo mejor; [책의] las mejores páginas (de una obra); [클라이막스] climax *m*.

압도(壓倒) aplastamiento *m*. ~하다 aplastar, abrumar, derribar. ~적 abrumador, aplastante. ~적 승리 victoria *f* abrumadora, victoria *f* aplastante. ~적 다수로 por una abrumadora mayoría.

압력(壓力) presión *f*. 대기의 ~ presión *f* atmosférica. 재계의 ~으로 por la presión de los círculos financieros. ~을 넣다 hacer presión, empujar.

압력솥(壓力ー) olla *f* a presión.

압록강(鴨綠江) Río *m* Yalu.

압류(押留) embargo *m*, secuestro *m*, incautación *f*, comiso *m*. ~하다 embargar, secuestrar, incautarse, decomisar. ~당하다 ser secuestrado [embargado]. ¶~재산 propiedad *f* embargada.

압박(壓迫) opresión *f*, presión *f*; [강압] coerción *f*; [압제] tiranía *f*. ~하다 oprimir, apretar, suprimir, coercer, refrenar, ejercer [hacer] presión. ~봉대 compresa *f*. ~자 opresor, -sora *mf*; tirano, -na *mf*.

압사(壓死) muerte *f* por apretón, muerte *f* por compresión. ~하다 morir aplastado.

압살(壓殺) matanza *f* por apretón. ~하다 apretar a la muerte, matar estrujando.

압송(押送) convoy *m* de reos. ~하다 convoyar a los reos.

압수(押收) [재산의] confiscación *f*, incautación *f*; ((법률)) comiso *m*, decomiso *m*; [압류] embargo *m*. ~하다 confiscar, incautar, comisar, decomisar, embargar. ~ 영장 orden *f* judicial de confiscación. ~품 artículo *m* confiscado.

압승(壓勝) victoria *f* abrumadora. ~하다 ganar una victoria abrumadora, abrumar, aplastar, derrotar contundentemente.

압정(押釘) chincheta *f*, tachuela *f*.

~을 박다 fijar con una chincheta, clavar.

압정(壓政) [학정] tiranía *f*; [견제] despotismo *m*, gobierno *m* arbitrario. ~하다 tiranizar.

압제(壓制) [폭정] tiranía *f*; [강제] despotismo *m*; [압박] opresión *f*; [압제] coerción *f*. ~하다 tiranizar, oprimir.

압지(押紙/壓紙) papel *m* secante; ((인쇄)) teleta *f*.

압착(壓搾) prensa *f*, prensadura *f*, compresión *f*, estrujón *m*. ~하다 prensar, comprimir, estrujar. ~기 prensa *f*, compresor *m*. ~여과기 filtro *m* prensa, filtrador *m*.

압축(壓縮) [공기 등의] compresión *f*; [문장 등의] contracción *f*. ~하다 comprimir, condensar; contraer. ~ 가스 gas *m* comprimido. ~ 공기 aire *m* comprimido. ~기 compresor *m*, prensa *f*.

앗 ¡Ah! / ¡Oh! / ¡Dios mío! / ¡Válgame Dios! / ¡Hombre!

앗다 ((준말)) =빼앗다. ¶목숨을 앗아간 화마 fuego *m* que se quitó la vida.

앗아라 ¡Oh, no! / ¡Basta ya!

앙[1] [어린아이의 울음] ¶~하고 울다 llorar fuerte, echarse a llorar, ponerse a llorar, romper a llorar..

앙[2] [놀라게 하는 소리] ¡Bu!

앙가슴 [두 젖 사이의 가슴] parte *f* (del pecho) entre dos pechos.

앙갚음 venganza *f*, desquite *m*, vindicta *f*. ~하다 vengarse, vindicar, vengarse, desquitarse; [···에] vengarse, tomar venganza.

앙금 ① [물에 가라앉은 녹말 등의 부드러운 가루] posos *mpl*, hez *f*; Col conchos *mpl*, Chi conchos *mpl*; [찌꺼기] residuo *m*, resto *m*; [응어리] espuma *f*. ② ((화학)) [침전] sedimento *m*.

앙등(昂騰) el alza *f* (súbita). ~하다 alzar súbitamente. 물가의 ~ alza *f* de los precios.

앙상블 ① ((음악·연극)) conjunto *m*, conveniencia *f*. ② [같은 옷감으로 만든 한 벌의 부인복] traje *m* completo de mujer de un mismo modo. ③ [합주. 합창] coro *m*. ④ [소규모의 악단] concierto *m* armonioso.

앙상하다 ① [꼭 째지 않아 어울리지 않다] no sentar bien. ② [살이 빠져서] adelgazarse (demasiado), enflaquecerse, demacrarse. 앙상한 flaco, delgazado, flacucho, esquelético. ③ [나뭇가] estar pelado.

앙숙(怏宿) rencor *m*, rencilla *f*. ~이다 tener [guardar] rencor, llevarse [estar siempre] como el perro y el gato.

앙심(怏心) rencor *m*, enemistad *f*.

~을 먹다 guardar [tener] rencor.

앙앙거리다 llorar fuerte, molestar. 앙앙거리지 마라 No me molestes.

앙양(昂揚) exaltación f, ensalzamiento m, mejora f, realce m, aumento m, ampliación f, ascenso m, promoción f. **~하다** ensalzar, exaltar, realzar, dar realce.

앙증맞다 (ser) pequeñísimo, minúsculo, diminuto, menudo.

앙증하다 (ser) pizpireta, pizpereta. 앙증한 계집애 una jovencita pizpireta.

앙칼스럽다 (ser) fiero, feroz, temible, furibundo, vehemente, terco, testarudo, tozudo, inflexible.

앙칼지다 (ser) agudo, intenso, duro, severo, tenaz, firme, pertinaz, persistente.

앙케트 encuesta f, cuestionario m. **~(를) 하다** hacer una encuesta.

앙코르 repetición f, otra vez f, de nuevo. **~!** ¡Otra vez! / ¡Que se repita!

앙큼하다 (ser) zorro, zorrero, astuto. 앙큼한 사람 zorro, -rra mf, persona f astuta.

앙탈 refunfuñadura f, refunfuño m. **~하다** lloriquear, refunfuñar.

앞 ① [얼굴이나 눈이 향한 쪽] frente m. **~에(서)** delante, ante. 손님 ~에서 delante de los invitados. ② [차례에서 먼저 있는 쪽] frente m. **~의** anterior. **~에 antes. ~ 페이지** página f anterior. **~을 양보하다** ceder el paso. ③ [미래. 전도] futuro m, porvenir m. ④ [이전. 먼저] anterioridad f, precedencia f. **~의** anterior, precedente, último, pasado. ~ 대통령 presidente m anterior. ⑤ [전면] [건물의] frente m, fachada f; [옷의] frente m; [앞 부분] frente m, parte f delantera. **~의** [자리·바퀴·다리 등의] delantero, de delante; [선박 등의] de proa. **~에** enfrente, delante. **~ 자리** asiento m delantero.

앞가림 escape m de la ignorancia con dificultad. **~하다** escapar de la ignorancia con dificultad.

앞가슴 ① ((힘줄말)) =가슴. ② [윗도리의 앞자락] costadura f; [크게 터진] escote m.

앞길[1] ① [장차 나아갈 길] dirección f a dónde ir. **~을 막다** cerrar el paso. ② [앞으로 살아갈 길·전도] futuro m, porvenir m.

앞길[2] [집채의 앞쪽이나 마을의 앞에 있는 길] camino m de frente.

앞날 ① [앞으로 올 날] futuro m, provenir m. **~은 아무도 모른다** Nadie sabe lo que nos reserva el año próximo. ② [남은 세월] tiempo m restante [sobrante].

앞날개 el ala f delantera.

앞니 dientes mpl delanteros, diente m frontero, diente m incisivo.

앞다리 pata f delantera.

앞당기다 hacer [acabar] antes del tiempo, adelantar (el orden).

앞뒤 ① [전후] delante y detrás, de popa a proa, primero y último. ② [양끝] ambas extremidades fpl; [순서] orden m; [결과] consecuencia f.

앞뜰 jardín m del frente.

앞마당 patio m delantero.

앞머리 ① ((해부)) frente f. ② [머리의 앞쪽에 난 머리털] flequillo m, copete m. **~를 자르고** con la frente desmochada. ③ [앞뒤가 있는 물건의] 앞 부분] proa f. 배의 ~ proa f (del barco).

앞면(-面) ① [건물의] fachada f. ② [옷의] delantera f.

앞못보다 ① [눈이 어두워서] (ser) ciego. ② [무식하여] (ser) ignorante.

앞문(-門) ① puerta f de (la) calle; puerta f delantera; [차의] portezuela f delantera.

앞바다 ① [앞쪽의 바다] litoral m, costa f afuera. **~에 있는 섬** una isla costera, una isla del litoral. ② ((기상)) mar m cercano.

앞바퀴 rueda f delantera.

앞발 ① [네 발 짐승의] patas fpl delanteras. ② [앞으로 차는 발길] patadas fpl con la pata delantera.

앞산(-山) monte m enfrente de la casa.

앞서 ① [먼저] primero, antes que nada, antes, ya. ② [지난 번에] el otro día; [최근에] recientemente, últimamente. ③ [미리] de antemano, con anticipación.

앞서가다 ① [남보다 뛰어나다] sobresalir, distinguirse, descollar, superar, aventajar. ④ [먼저 죽다] perder, sobrevivir. 3년 전에 아내가 앞서갔다 Hace tres años que perdí a mi mujer.

앞서다 ① [남보다 먼저 나아가다] adelantarse. ② [남보다 훌륭하다] superar, aventajar. A보다 ~ superar [aventajar] a A.

앞세우다 ① [앞에 서게 하다] hacer ir al frente, hacer proceder, hacer anteceder. ② [먼저 내어놓다] dar prioridad. 경제 문제를 ~ dar prioridad al problema económico. ③ [자식이나 손자가 먼저 죽다] vivir más largo que su hijo o su nieto.

앞이마 ① ((강조어)) =이마. ② [이마의 가운뎃부분] región f central de la frente.

앞일 futuro m, porvenir m.

앞잡이 ① [안내] guía mf, cicerone

mf. líder *mf*. ~가 되다 hacer de guía. ② [주구] instrumento *m*, agente *mf*; títere *m*. 경찰의 ~ soplón, -lona *mf*.

앞장 [일] cabeza *f*. [사람] líder *mf*, dirigente *mf*; [원정대의] jefe, -fa *mf*; [갱의] cabecilla *mf*, jefe, -fa *mf*. ~(을) 서다 ㉮ [맨 앞에 서서 나아가다] ir a la cabeza, encabezar. ㉯ [중심이 되어 활동하다] sacrificarse, tomar la iniciativa.

앞지느러미 aleta *f* delantera.

앞지르다 ① [자기보다 앞서 가는 사람을] adelantar, pasar. 앞질리다 quedarse atrás, ir a la zaga. ② [남보다 힘이나 능력이] aventajar, exceder, superar, sobrepujar, adelantarse, anticiparse.

앞집 casa *f* de enfrente.

앞쪽 dirección *f* delantera, dirección *f* hacia delante. ~으로 hacia delante.

앞차(-車) ① [먼저 출발한 차] coche *m* que parte antes. ② [앞서 가는 차] coche *m* de delante, coche *m* que va adelante.

앞창 [신이나 구두의] media suela *f*. ~을 대다 poner media suela.

앞채 edificio *m* de frente.

앞치마 delantal *m*, mandil *m*; [소매 있는] delantal *m* de cocina. ~를 두르다 ponerse el delantal [el mandil].

애 [수고] molestia *f*, esfuerza *f*; [격정] preocupación *f*, ansiedad *f*. ~ (가) 타다 impacientarse, irritarse. ~(를) 먹다 molestarse, verse en un gran apuro [aprieto], perturbarse totalmente, quedar(se) todo complejo, tener dificultades, no saber qué hacer. ~(를) 먹이다 molestar, fastidiar. ~(를) 쓰다 tratar (de + *inf*).

애가(哀歌) ① [슬픈 마음을 나타낸 시가] elegía *f*; [사행시] endechas *fpl*. ② [사람의 죽음을 슬퍼하는 노래] canto *m* fúnebre.

애간장(-肝腸) hígado *m*. ~이 녹다 abrasarse, ~이 타다 estar irritado. ~(을) 태우다 ahogarse, apurarse, abrasar.

애걸(哀乞) pedimento *m*, suplicación *f*, súplica *f*, mendicación *f*. ~하다 pedir, suplicar, implorar, mendigar. ~ 복걸하다 suplicar, implorar, pedir de todo corazón.

애견(愛犬) perro *m* acariciado, perro *m* mimado. ~가 amante *mf* del perro.

애곡(哀哭) llanto *m*, gemidos *mpl*, luto *m*, lamentación *f*, duelo *m*, plañido *m*, lamento *m*, dolor *m*. ~하다 llorar, lamentar, plañir.

애교(愛校) amor *m* a *su* escuela. ~하다 amar a *su* escuela. ~심

amor *m* a *su* escuela.

애교(愛嬌) gracia *f*, simpatía *f*; [매력] encanto *m*, atractivo *m*. ~ 있는 gracioso, simpático, encantador, atractivo, dulce. ~ 있는 목소리 voz *f* encantador, voz *f* dulce. ~(를) 떨다 ser muy gracioso, ser muy encantador.

애국(愛國) patriotismo *m*, amor *m* para con la patria, nacionalismo *m*. ~가 himno *m* nacional. ~ 단체 sociedad *f* patriótica, organización *f* patriótica. ~심 patriotismo *m*, espíritu *m* patriótico, civismo *m*. ~자 patriota *mf*.

애기(愛機) avión *m* favorito.

애꾸 ① ((준말)) =애꾸눈. ② ((준말)) =애꾸눈이.

애꾸눈 un ojo ciego.

애꾸눈이 tuerto, -ta *mf*.

애끓다 preouparse, inquietarse.

애늙은이 joven *mf* que se comporta como una persona vieja.

애니메이션 animación *f*, dibujos *mpl* animados.

애달다 impacientarse, irritarse.

애달프다 sentir angustia [aflicción], tener el corazón martirizado, afligirse. 애달픈 이별 despedida *f* afligida [angustiada].

애도(哀悼) condolencia *f*, pésame *m*, duelo *m*. ~하다 expresar condolencia, dar el pésame, rezar la paz del alma de un difunto [una difunta], llorar, llorar la pérdida [la muerte]. ~의 말 condolencias *fpl*. ¶ ~가 lamentación *f*, elegía *f*. ~사 palabras *fpl* de condolencia [pésame]. ~자 doliente *mf*.

애독(愛讀) lectura *f* que interesa, amor *m* de la lectura. ~하다 leer con gusto, leer con vivo interés. ~서 libro *m* predilecto [favorito]. ~자 lector, -tora *mf*; [구독자] subscriptor, -tora *mf*.

애련(哀憐) piedad *f*, misericordia *f*, lástima *f*, compasión *f*. ~하다 (ser) lastimero, patético.

애로(隘路) ① [좁고 험한 길] camino *m* estecho y escarpado, vereda *f*; [산중의] desfiladero *m*, pasos *mpl* estrechos; [교통 체증이 일어나는 곳] cuello *m* de botella. ② [지장] impedimento *m* (장애), dificultad *f* (곤란), obstáculo *m*, daño *m* (해), estrangulamiento *m*.

애마(愛馬) caballo *m* favorito, caballo *m* preferido.

애매모호하다(曖昧模糊-) (ser) vago, o(b)scuro, indistinto, sombrío, problemático.

애매하다 sufrir injusticia, sentir victimizado, sentir discriminado.

애매하다(曖昧-) (ser) vago, impreciso, o(b)scuro, indeciso, confuso, irresoluto; [두 가지 뜻이 있는] ambiguo; [회피적] evasivo.

애먹다 tener la experiencia amarga, estar preocupado [inquieto].

애먹이다 molestar, irritar, fastidiar, acosar, desconcertar.

애먼 ① [엉뚱하게 딴] irrelevante, intrascendente, incorrecto, equivocado, erróneo, exagerado, inverosímil, increíble. ② [애매하게 딴] inocente, libre de pecado, que ignora el mal.

애무(愛撫) caricia f, mimo m. ~하다 acariciar, hacer caricia, mimar.

애물 ① [애를 태우는 물건이나 사람] cosa f preocupada, persona f preocupada. ② [나이 어려서 부모에 앞서 죽은 자식] hijo m que murió joven.

애물단지 =애물.

애벌레 ((곤충)) larva f, oruga f.

애사(哀史) historia f triste, cuento m triste, tragedia f.

애살스럽다 (ser) mezquino, tacaño, ruin, agarrado, AmS amarrete.

애서(愛書) libro m favorito. ~가 bibliófilo, -la mf; aficionado, -da mf a libros valiosos y raros. ~광 bibliomanía f; [사람] bibliómano, -na mf; bibliomántico, -ca mf.

애석(愛惜) piedad f, lástima f, compasión f. ~하다 ser lamentable, ser (una) lástima, apesadumbrarse, tomar pesadumbre, entristecerse, afligirse.

애송(愛誦) recitación f de su poema, canción f favorita. ~하다 cantar [recitar] con afición, aficionarse de recitar, recitar con gusto. ~시 poema m favorito. ~집 antología f de sus poemas favoritos.

애수(哀愁) tristeza f, pesadumbre f, melancolía f. ~를 느끼다 sentir triste.

애쓰다 esforzarse, hacer todo lo que se pueda, hacer cuanto se puede.

애연(愛煙) afición f al tabaco. ~하다 ser aficionado al tabaco. ~가 aficionado, -da mf al tabaco; gran fumador m, gran fumadora f.

애완(愛玩) afición f, cariño m. ~하다 tener afecto [amor·cariño], estar encariñado, estar aficionado, aficionarse, mimar, acariciar. ~가 amante mf, aficionado, -da mf. ~견 perro m faldero [de falda]. ~동물 animal m favorito, animal m mimado, animal m de compañía, mascota f. ~물 cosa f favorita [preferida].

애욕(愛慾) amor m sensual, pasión f de amor, apetito m sexual,

lujuria f.

애용(愛用) uso m habitual, uso m favorito, uso m preferido. ~하다 usar con (mucha) preferencia, patrocinar.

애원(哀願) ruego m, súplica f, imploración f, depreciación f. ~하다 rogar, suplicar, implorar.

애육(愛育) crianza f cariñosa [tierna], educación f afectuosa. ~하다 criar [educar] tiernamente.

애음(愛飲) afición f a la bebida. ~하다 aficionarse a [de] la bebida, beber [tomar] regularmente.

애인(愛人) novio, -via mf; amante mf; querido, -da mf, enamorado, -da mf.

애자(碍子/礙子) ((전기)) aislador m.

애장(愛藏) atesoramiento m. ~하다 atesorar, conservar, guardar (como un tesoro). ~서 su libro atesorado.

애저(-豬/猪) puerco m [cerdo m] lactante.

애절하다(哀切/哀絶-) (ser) triste, patético. 애절한 이야기 historia f triste.

애정(愛情) ① [사랑하는 마음] amor m, cariño m, afecto m. ~이 있는 cariñoso, afectuoso, amoroso. ~(이) 없는 frío, duro, sin compasión, sin amor. ② =연정(戀情).

애증(愛憎) el amor y el odio.

애지중지(愛之重之) mayor [mucho] cuidado m [cariño m]. ~하다 tratar con cariño, querer tiernamente, mimar, sentir [tener] mucho cariño.

애착(愛着) apego m, afición f, afecto m, adhesión f, pasión f. ~하다 amar apasionadamente.

애창(愛唱) amor m de la canción. ~하다 ser aficionado a cantar (una canción). ~곡(曲) canción f favorita, canción f que le gusta cantar.

애처(愛妻) ① [아내를 사랑하는] amor m [cariño m] a su esposa. ② [사랑하는 아내] amada esposa f, querida esposa f, esposa f favorita. ~가 marido m [esposo m] solícito, abnegado esposo m.

애처롭다 (ser) lamentable, lamentoso, lastimoso, lastimero, patético, conmovedor, digno de lástima, doloroso, penoso, miserable, pobre. 애처로이 lamentablemente, lastimeramente, lamentosamente, lastimosamente.

애첩(愛妾) su concubina favorita.

애초 principio m, comienzo m; [부사적] primero.

애칭(愛稱) diminutivo m (familiar y) cariñoso, término m de encariñamiento; hipocorístico m.

애타다 impacientarse, irritarse, inquietarse.

애태우다 impacientar, irritar.

애터지다 estar muy preocupado.

애롱(哀痛) lamentación f, lamento m, lástima f, duelo m, dolor m, profunda pena f. ~하다 lamentarse, llorar, llorar la muerte.

애틋하다 (ser) sincero, encarecido, profundo. .

애티 puerilidad f, calidad f de pueril, cosa f propia de niños. ~나다 ser pueril. ~를 벗다 crecer.

애프터서비스 servicio m postventa.

애향(愛鄕) amor m de su pueblo natal. ~심 patriotismo m local.

애호(愛好) afición f, gusto m. ~하다 aficionarse. ~가 aficionado, -da mf.

애호(愛護) protección f, amparo m. ~하다 proteger, amparar. 동물을 ~하다 proteger a los animales.

애호박 calabaza f joven y verde.

애환(哀歡) alegría f y tristeza.

액(厄) desgracia f, desastre m, infortunio m, calamidad f.

액(液) líquido m; [용액] solución f; [즙] jugo m; [나무의] savia f.

액날(厄-) día m calamitoso.

액년(厄年) año m calamitoso; [나이] edad f crítica [nefasta].

액때우다(厄-) exorcismo m. ~을 하다 exorcizar.

액땜(厄-) ((준말)) =액때움.

액막이(厄-) exorcismo m, conjuro m, libramiento m de pejiguera. ~를 하다 exorcizar. ¶ ~굿 exorcismo m.

액면(額面) ① [공채·주식·화폐 등의 권면] suma f, monto m, cantidad f, importe m. ② ((준말)) =액면 가격. ③ [표면에 내세운 사물의 가치] letra f. ~ 그대로 a la letra, al pie de la letra, literalmente. ~ 가격 valor m nominal [facial], valor m a la par.

액세서리 accesorios mpl.

액셀러레이터 acelerador m.

액수(額數) [금액] suma f, total m; [돈의] suma f, cantidad f.

액운(厄運) calamidad f, desastre m, desdicha f, desventura f.

액자(額子) marco m. ~에 끼운 그림 cuadro m.

액자(額字) letras fpl escritas en la tablilla.

액정(液晶) cristal m líquido.

액체(液體) líquido m; [유체] liquidez f; [유동체] fluido m. ~의 líquido, fluido. ¶ ~ 비중계 hidrómetro m, aerómetro m. ~ 연료 combustibles mpl líquidos.

액화(液化) licuación f, liquidación f,

licuefación f. ~하다 licuar, liquidar. ~ 가스 gas m licuado.

앨범 álbum m.

앰블런스 ambulancia f.

앰풀 ((의학)) ampolla f.

앳되다 (ser) pueril, infantil.

앵 zumbido m. ~~거리다 zumbar.

앵돌아지다 estar de mal humor.

앵두 cereza f. ~같은 입술 labios mpl tan rojos como la cereza.

앵두나무 ((식물)) cerezo m.

앵무(鸚鵡) ((조류)) =앵무새.

앵무새(鸚鵡-) papagayo m, loro m.

앵속(罌粟) ((식물)) 양귀비.

야 ① [매우 놀랍거나 반가울 때] ¡Ay! / ¡Ah! / ¡Oh! / ¡Oye! / ¡Hombre! / ¡Hola! ② [어른이 아이에게나 젊은 친구끼리] ¡Oye!

야(野) ① [야당] partido m de oposición. ② [민간] pueblo m.

야간(夜間) noche f, [부사적] por la noche, de noche. ~ 경기 juego m nocturno. ~ 근무 turno m nocturno [de la noche], servicio m nocturno [de noche · por la noche]. ~ 비행 vuelo m nocturno. ~ 수업 clases fpl nocturnas. ~ 열차 tren m nocturno. ~ 영업 servicio m nocturno. ~ 외출 salida f nocturna. ~ 작업 trabajo m nocturno, horas fpl extras. ~ 통행 금지 toque m de queda. ~ 학교 escuela f nocturna. ~ 흥행 funciones fpl nocturnas.

야경(夜景) vista f [escena f] nocturna.

야경(夜警) vigilancia f nocturna. ~꾼 vigilante m nocturno, guarda m nocturno; [구역내의] sereno m.

야곡(夜曲) ((음악)) nocturno m.

야광(夜光) ① [달] luna f. ② [밤에 빛나는 빛] luz f nocturna. ¶ ~ 도료 pintura f luminosa. ~ 시계 reloj m de esfera luminosa, reloj m luminoso. ~주 gema f que emite luz por la noche.

야광충(夜光蟲) ((곤충)) noctiluca f.

야구(野球) béisbol m. ~를 하다 jugar al béisbol. ~공 pelota f de béisbol. ~ 선수 jugador, -dora mf de béisbol; beisbolista mf. ~장 campo m de béisbol.

야근(夜勤) ((준말)) =야간 근무.

야금(冶金) metalurgia f. ~의 metalúrgico. ~술[학] metalurgia f.

야금(野禽) el ave f salvaje.

야금(夜禽) pájaro m nocturno.

야기하다(惹起-) causar, ocasionar, provocar, incitar. 분란을 ~하다 causar disturbio, causar confusión, perturbar.

야뇨증(夜尿症) enuresis f, incontinencia f de orina.

야단(惹端) ① [떠들썩하게 벌어진 일] clamor m, tumulto m, alboroto m, barahúnda f, protesta f, airada f, pelea f, riña f. ~하다 (ser) tumultuoso, clamoroso, estrepitoso, enfervorizado; [소리지르다] gritar. ② [소리를 높여 마구 꾸짖는 일] reprimenda f, regaño m, reprensión f, regañina f. ~하다 regañar, reñir, reprender; [잘 도리하다] amonestar. ~(을) 맞다 ser reprendido (severamente), reprenderse, recibir un rapapolvo. ~(을) 치다 reprender (severamente), regañar.

야단법석(惹端−) confusión f, alboroto m, juerga f, parranda f, parrandeo m, francachela f.

야담(野談) romance m histórico, cuento m histórico no oficial, narración f histórica (profesional). ~가 narrador m histórico (profesional), narradora f histórica (profesional).

야당(野黨) partido m opositor [de (la) oposición], oposición f.

야드 yarda f (0, 91 m).

야들야들 blanda y delicadamente, blandamente. ~하다 (ser) blando y delicado, blando; [가죽이] fino y flexible, suave. ~한 가죽 cuero m fino y flexible.

야릇하다 (ser) raro, extraño, curioso, disparatado, excéntrico, extravagante. 야릇한 사람 persona f rara. 야릇한 생각 idea f extravagante.

야마 ((동물)) llama f.

야만(野蠻) barbarie f, salvajez f, salvajismo m, barbarismo m. ~국 país m incivilizado [primitivo]. ~인 bárbaro, -ra mf; primitivo, -va mf; salvaje mf.

야망(野望) ambición f, aspiración f. 젊은이여, ~을 품어라 Jóvenes, Sed ambiciosos.

야맹증(夜盲症) ((의학)) hemeralopía f, ceguera f nocturna. ~의 hemerálope. ~ 환자 hemerálope mf.

야무지다 (ser) robusto, corpulento, firme, tenaz, resistente, fuerte, sólido, inquebrantable, testarudo.

야물다 ① [씨가 단단하게 익다] madurar. ② [일이 탈이 없다] prosperar, ir bien. ③ [헤프지 않고 단단하다] (ser) firme, tenaz.

야박스럽다(野薄−) (ser) cruel. 야박스레 cruelmente.

야박하다(野薄−) (ser) duro de corazón, despiadado, poco amable, insensible, poco compasivo, duro, cruel, malo, tacaño, roñoso, agarrado, mísero, mezquino.

야반(夜半) medianoche f. ~의 de medianoche. ~에 a [la] medianoche, en el silencio profundo de la noche. ~ 도주 fuga f de la

noche. ~ 도주하다 fugarse por la noche, largarse.

야밤(夜−) noche f profunda, altas horas fpl de la noche. ~에 a altas horas de la noche.

야비하다(野卑/野鄙−) (ser) vulgar, grosero, villano, vil, bajo, indigno, basto, tosco, ordinario.

야사(野史) historia f no oficial, crónica f no autorizada.

야산(野山) loma f, otero m.

야상곡(夜想曲) ((음악)) nocturno m.

야생(野生) nacimiento m por sí mismo. ~하다 vivir en estado salvaje. ~의 [동물이] salvaje; [식물·꽃·딸기류가] silvestre; [초목이] agreste; [숲에서] salvaje, montaraz. ~ 동물 fiera f, bestia f salvaje. ~마 caballo m salvaje. ~화(花) flor f silvestre.

야성(野性) salvajez f, naturaleza f brutal, naturaleza f salvaje [silvestre], rusticidad f, rustiquez f, rustiqueza f. ~적 salvaje, silvestre. ~미 belleza f rústica.

야속하다(野俗−) (ser) poco amistoso, antipático, desabrido, poco amable, inhospitalario, inhospitable, inhospital.

야수(野手) fileador, -dora mf. ~ 선택 selección f de fileador.

야수(野獸) fiera f, bestia f, animal m salvaje, bestia f montés. ~의 fiero, bestial. ~ 같은 brutal, feroz, bestial, selvático. ~성 bestialidad f, brutalidad f, ferocidad f. ~주의 fauvismo m. ~파 화가 fauvista mf.

야숙(野宿) vivaque m, acampamiento m. ~하다 vivaquear, dormir al aire libre, acampar.

야습(夜襲) asalto m [ataque m] nocturno. ~하다 asaltar por la noche.

야시장(夜市場) mercado m [puesto m] nocturno. ~을 열다 abrir un puesto en una feria nocturna.

야식(夜食) cena f, sobrecena f, recena f. ~을 들다 tomar la sobrecena, cenar, tomar la cena.

야심(野心) ambición f. ~을 가지고 con ambición, ambiciosamente. ¶ ~가 ambicioso, -sa mf. ~작 obra f ambiciosa. ~적 ambicioso.

야심만만하다(野心滿滿−) arder de ambición, estar lleno de ambición, ser muy ambicioso.

야심하다(夜深−) la noche ser profunda. 야심할 때까지 일하다 trabajar hasta muy entrada la noche.

야영(野營) campamento m, acampada f, vivaque m, vivac m, camping ing.m. ~하다 acampar, vivaquear, dormir al aire libre,

asentar los reales. ~지 campamento *m*, camping *ing.m*, sitio *m*
para acampar.

야옹 miau *m*, maullido *m*, maúllo
m. ~ ~ 울다 maullar.

야외(野外) ① [들판] campo *m*,
prado *m*. ~에서 al raso, a cielo
descubierto, a la intemperie. ~에
서 밤을 보내다 dormir al raso. ②
[집 밖] fuera de casa. ~의 [옷]
de calle; [겨울옷] de abrigo; [식
물] de exterior; [수영장] descubierto, al aire libre. ¶~ 극장
teatro *m* al aire libre. ~ 생활
vida *f* al aire libre. ~ 수업 clase
f al aire libre. ~ 수영장 piscina *f*
[*Méj* alberca *f*] descubierta. ~ 연
주회 concierto *m* al aire libre. ~
집회 reunión *f* al aire libre. ~ 촬
영 lugar *m* de filmación.

야위다 [살이 빠져] ponerse delgado, adelgazar. 야윈 delgado; flaco; adelgazador.

야유(夜遊) diversiones *fpl* nocturnas. ~하다 salir en busca de
diversiones nocturnas.

야유(野遊) excursión *f*, jira *f*, picnic
ing.m. ~하러 가다 ir de picnic.
¶~회(會) fiesta *f* campestre.

야유(揶揄) bromas *fpl*, pullas *fpl*,
chanzas *fpl*, barcia *f*, ahechaduras
fpl, granzas *fpl*, burlas *fpl*, abu-
cheo *m*. ~하다 bromear, hacer
bromas, tomar el pelo, bularse,
reírse, ridiculizar.

야음(夜陰) oscuridad *f* de la noche,
tinieblas *fpl* nocturnas, noche *f*.
~을 이용하다 aprovechar la no-
che. ~을 틈타다 [시기] aprovechando
(la oscuridad de) la noche.

야인(野人) ① [재야의 사람] persona
f fuera de la posición oficial. ②
㉮ [시골 사람] campesino, -na
mf; [농부] agricultor, -tora *mf*;
granjero, -ra *mf*. ㉯ [큰 농장의
소유주] hacendado, -da *mf*.

야자(椰子) ① [식물] =야자나무.
② [야자나무의 열매] coco *m*. ~
꽃 flor *f* de palmera. ~유 aceite
m de coco.

야자나무(椰子-) [식물] cocotero
m, palma *f*, palmera *f*.

야자수(椰子樹) [식물] =야자나무.

야전(野戰) batalla *f* campal, campaña *f*. ~군 ejército *m* de campaña. ~ 병원 hospital *m* de
campaña. ~ 장비 equipo *m* de
campaña. ~포 cañón *m* de
campaña; [집합적] artillería *f* de
campaña (de batalla).

야채(野菜) [요리용] verdura *f*, le-
gumbre *f*, hortaliza *f*; [식물] vegetal *m*. 싱싱한 ~ verdura *f*
fresca. ¶~ 가게 verdulería *f*,
verrdurería *f*, tienda *f* de verduras

~ 가게 주인 verdulero, -ra *mf*;
verdurero, -ra *mf*. ~밭 huerto *m*,
huerta *f*. ~상 vendedor, -dora *mf*
ambulante de verduras. ~ 샐러드
ensalada *f* de verduras. ~ 수프
sopa *f* de verduras, sopa *f* juliana.

야포(野砲) ((준말)) =야전포.

야하다(冶-) ① [천하게 요염하다]
(ser) chillón, brillante, llamativo,
vistoso, estridente. 야한 색깔 color *m* chillón [llamativo · vistoso].
② [되바라지다] (ser) pesado. 야
한 행동 actitud *f* pesada.

야하다(野-) ① [품위가 없어 상스
럽다] (ser) vulgar, vil, innoble,
abyecto, humilde, bajo, indecente.
야한 사람 persona *f* vulgar. ②
[박정할 만큼 이곳에만 밝다] ser
muy versado en *su* ganancia.

야학(夜學) ① ((준말)) =야학교. ②
[밤에 공부함] estudio *m* nocturno. ~하다 estudiar por la noche,
estudiar en la escuela nocturna.
~교 escuela *f* nocturna.

야합(野合) conspiración *f*, colusión *f*,
connivencia *f*. ~하다 conspirar,
maquinar, coludir, actuar en colusión (en connivencia).

야행(夜行) ① [밤에 길을 감] viaje
m nocturno. ~하다 viajar por la
noche. ② [밤에 활동함] actividad
f nocturna. ~하다 demostrar una
actividad nocturna. ~성 hábito *m* nocturno (de un animal). ~
성 동물 animal *m* nocturno.

야호 ¡Yao, yao!

야화(夜話) ① [밤에 모여 앉아 하는
이야기] cuento *m* nocturno. ②
((문학)) historia *f* popular [tradi-
cional].

야화(野話) ① [항간에 떠도는 이야
기] rumor *m*. ② [시골 이야기]
historia *f* rural.

야회(夜會) ① [밤에 있는 모임] reunión *f* nocturna, velada *f*, sarao
m. ② [밤의 서양풍 무도회] fiesta
f nocturna, fiesta *f* de noche,
tertulia *f* nocturna. ~를 열다 celebrar una fiesta nocturna. ¶~복
traje *m* [vestido *m*] de noche,
traje *m* de etiqueta.

약 cólera *f*, ira *f*, enfado *m*. ~을 올
리다 enfadar, irritar. ~이 오르다
enfadarse, irritarse.

약(略) ((준말)) =생략(省略).

약(藥) medicina *f*; [약제] medicamento *m*; [바르는 약] ungüento
m, untura *f*; [특효약] específico
m; [알약] pastilla *f*, píldora *f*; [상
처에 바르는 약] pomada *f* para
[de] las heridas (연고). ~을 들다
tomar medicina.

약(約) unos, unas; más o menos;
alrededor de; aproximadamente.

~ 100명 unas cien personas.

약간(若干) unos, un poco, algo, una pizca. ~의 [양] un poco de, algo de, unos cuantos de, pocos, una pequeña cantidad de; [수] unos, unas; algunos. ~의 돈 un poco de dinero.

약갑(藥匣) cajita f de la medicina.

약값(藥-) precio m de la medicina, gastos mpl por asistencia medical, honorarios mpl de médico.

약골(弱骨) ① [몸이 약한 사람] persona f débil, alfeñique m, debilucho m. ② [약한 골격] constitución f débil.

약관(約款) estipulación f, acuerdo m, convenio m, contrato m, artículo m, cláusula f.

약관(弱冠) ① [남자 나이 20세] veinte años de edad, joven mf. ② [약년] juventud f, edad f joven.

약국(藥局) farmacia f, botica f.

약다 ① [제게 이롭게만 하다] (ser) astuto, sagaz, vivo, artero, ladino, listo. 약게 astutamente, sagazmente. ② [꾀가 바르다. 영리하다] (ser) inteligente, perspicaz, hábil.

약대((동물)) camello m.

약도(略圖) bosquejo m, esquicio m, boceto m, esquema m.

약동(躍動) movimiento m (enérgico), moción f animada, agitación f, palpitación f. ~하다 mover animado, estar lleno de vida, latir con fuerza.

약력(略歷) historia f personal breve, curriculum vitae m (somero), contorno m de su carrera.

약모음(弱母音) vocal f débil.

약물(藥-) el agua f medicinal, el agua f mineral.

약물(藥物) agente m. droga f, medicina f, medicamento m; [달인 약] pócima f. ~을 넣다 medicar. ~ 요법 farmacoterapia f. ~ 중독 envenenamiento m medicinal. ~ 중독자 drogadicta mf. ~ 치료 medicamento m, medicación f. ~ 학 farmacología f.

약방(藥房) farmacia f, droguería f. ~문 prescripción f, receta f. 약방의 감초 (속담)) hombre m orquesta, mujer f orquesta.

약변화(弱變化) conjugación f débil.

약병(藥瓶) botella f de medicina, redoma f, vial m, ampolla f, botiquín m. [향수의] frasco m.

약병아리(藥-) polluelo m.

약보(略報) información f sumaria.

약보합(弱保合) tendencia f alcista y bajista.

약봉지(藥封紙) sobre m de medicinas.

약분(約分) reducción f [simplificación f] de una fracción. ~하다

reducir [simplificar] una fracción.

약빠르다 (ser) ingenioso, agudo, astuto.

약빠리 persona f ingeniosa.

약사(略史) historia f breve, historia f abreviada, historia f compendiada.

약사(藥師) farmacéutico, -ca mf.

약사발(藥沙鉢) tazón m para la medicina.

약삭빠르다 (ser) astuto, sagaz.

약세(弱勢) ① [세력이 약함] influencia f débil. ② [물가나 주가의] tendencia f bajista.

약소(弱小) la pequeñez y la debilidad. ~하다 (ser) pequeño y débil. ~국 país m pequeño.

약속(約束) promesa f, compromiso m, palabra f; [만날 약속] cita f. ~하다 prometer, comprometer, hacer una promesa, dar su palabra; citar, tener una cita. ~처럼 conforme a la palabra. ~의 장소 lugar m [sitio m] de cita. ~ 시간에 a la hora citada, a la hora prometida. ¶~ 어음 pagaré m, abonaré m, vale m. ~의 땅 ((성경)) Tierra f Prometida, Tierra f de Promisión, Tierra f de Promesa.

약손(藥-) ((준말)) =약손가락.

약손가락(藥-) (dedo m) anular m, dedo m médico.

약솜(藥-) =탈지면(脫脂綿).

약수(約數) ((수학)) divisor m.

약수(藥水) el agua f mineral, el agua f medicinal. ~터 manantial m (de agua mineral).

약술(略述) sumario m, informe m breve, esquema m breve. ~하다 hacer un esquema, resumir, hacer un resumen, explicar resumidamente.

약시(弱視) ambliopía f, ambliopia f, debilidad f de la vista. ~의 ambliope, de vista débil. ~ 환자 ambliope mf.

약식(略式) informalidad f. ~의 informal, simplificado; ((법률)) sumario. ~으로 informalmente, sin formalismo, sumariamente. ¶~ 명령 orden f sumaria. ~ 복장 traje m ordinario [informal]. ~ 재판 proceso m [juicio m] sumario. ~ 절차 procedimiento m sumario.

약실(藥室) dispensario m, sala f medicinal del doctor; [총통 안의] cartucho m.

약쑥(藥-) moxa f.

약아빠지다 (ser) muy astuto. 약아빠진 놈 tipo m muy astuto.

약어(略語) ((언어)) abreviatura f, abreviación f; [머리글자] sigla f.

약오르다 ① [고추·담배 등이] tener

ingredientes estimulantes. ② [화가 나다] enfadarse, irritarse.

약올리다 enfadar, enojar, irritar, encolerizar, enfurecer.

약용(藥用) uso *m* medicinal. ~의 medicinal. ~ 비누 jabón *m* medicinal, jaboncillo *m*. ~ 식물 planta *f* medicinal, hierba *f* medicinal. ~ 작물 producto *m* agrícola medicinal. .

약육강식(弱肉強食) Lo débil llega a ser víctima de lo fuerte / El pez grande se come [devora] al pequeño.

약은꾀 trampa *f* [ardid *f*] astuta, astucia *f*, truco *m*.

약음(弱音) sonido *m* débil.

약자(弱者) débil *mf*. ~를 돕다 defender [socorrer] a los débiles.

약자(略字) abreviatura *f*, [한자의] carácter *m* chino simplificado; [속기의] signos *mpl* estenográficos.

약장(藥欌) armario *m* medicinal con cajones.

약장수(藥-) vendedor, -dora *mf* de las medicinas.

약재(藥材) ((준말)) =약재료.

약재료(藥材料) medicinas *fpl*.

약저울(藥-) balanza *f* medicinal.

약전(略傳) biografía *f* breve.

약점(弱點) flaco *m*, punto *m* débil, punto *m* flaco, defecto *m*.

약정(約定) contrato *m*, acuerdo *m*, compromiso *m*, convenio *m* mutuo. ~하다 hacer arreglos, acordar, concertar, convenir, ponerse de acuerdo entre sí. ~ 기간 período *m* estipulado. ~서 convención *f* escrita, contrato *m*.

약제(藥劑) drogas *fpl*, medicamento *m*, producto *m* químico. ~사 farmacéutico, -ca *mf*; boticario, -ria *f* ~실 dispensario *m*. ~학 farmacología *f*.

약조(約條) [언약] promesa *f*; [규정] regla *f*, acuerdo *m*, condición *f*. ~하다 prometer. ~금 depósito *m* [entrega *f* inicial] de contrato.

약졸(弱卒) soldado *m* cobarde.

약종(藥種) droga *f*.

약종(藥種) =약재료(藥材料). ¶~상 vendedor, -dora *mf* de materia médica; comerciante *mf* de drogas.

약주(藥酒) ① [약술] vino *m* medicinal. ② [막걸리보다 맑은, 알코올분 11도의 술] *yakchu*, vino *m* de arroz. ③ ((높임말)) =술.

약지(藥指) =약손가락.

약진(弱震) terremoto *m* débil, sacudida *f* [seísmo *m*] débil.

약진(躍進) ① [힘차게 앞으로 뛰어나감] movimiento *m* rápido. ~하다 precipitarse. ② [매우 빠르게 진보함] desarrollo *m* rápido

[enorme], gran progreso *m*. ~하다 desarrollarse rápidamente, hacer un progreso enorme

약질(弱質) persona *f* de constitución *f* débil [delicada], alfeñique *m*.

약체(弱體) ① [약한 몸] cuerpo *m* débil. ~의 débil, delicado, flojo, endeble. ② [약한 조직체] organización *f* débil. ¶~ 내각 gabinete *m* débil. ~ 보험 seguro *m* débil.

약초(藥草) hierba *f* [planta *f*] medicinal. ~ 채집 herborización *f*.

약칭(略稱) abreviatura *f*, abreviación *f*. ~하다 abreviar.

약탈(掠奪) pillaje *m*, saqueo *m*, rapiña *f*, despojo *m*, hurto *m*, robo *m* con violencia. ~하다 pillar, saquear, hurtar, robar. ~물 [품] botín *m*, despojo *m*, pillaje *m*, presa *f*, objetos *mpl* robados. ~자 saqueador, -dora *mf*; pillador, -dora *mf*

약탕(藥湯) baño *m* medicinal. ~관 tetera *f* [hervidor *m*]. ~기 [약을 담는 탕기] tazón *m* para la medicina. ⨁ =약탕관.

약품(藥品) ① =약(藥). ② [약의 품질] cualidad *f* mecinal. ③ =약제. ¶~ 공업 industria *f* farmacéutica. ~류 productos *mpl* farmacéuticos.

약하다(藥-) ① [약으로 쓰다] usar como la medicina. ② [약을 쓰다] usar la medicina.

약하다(弱-) ① [힘이] (ser) débil, endeble, flojo; [섬약하다] frágil, quebrandizo. ② [튼튼하지 못하다] (ser) débil, frágil, delicado. ③ [연하고 무르다] (ser) tierno, blando. ④ [견디어 내는 힘이 세지 못하다] (ser) débil, tener (una) debilidad. ⑤ [의지가] (ser) débil, tener (una) debilidad.

약학(藥學) farmacia *f*, química *f* farmacéutica; [약리학] farmacología *f*. ~ 대학 facultad *f* de farmacia. ~ 박사 doctor, -tora *mf* en farmacia.

약혼(約婚) promesa *f* de matrimonio, palabra *f* de matrimonio, compromiso *m*, compromiso *m* matrimonial, esponsales *mpl*, noviazgo *m*. ~하다 prometerse, comprometerse. ¶~녀 prometida *f*, novia *f*. ~ 반지 anillo *m* de noviazgo [de esponsales]. ~식 ceremonia *f* esponsalicia. ~ 예물 [선물] regalo *m* esponsalicio [de esponsales]. ~자 novio, -via *mf*; desposado, -da *mf*; prometido, -da *mf*; futuro, -ra *mf*

약효(藥效) efecto *m* [poder *m*] medicinal [de medicina], resultado *m* del remedio, eficacia *f*.

알개 persona *f* obstinada [terca].

알궂다 (ser) raro, extraño, singular, traicionero, traidor, obstinado.

알따랗다 (ser) algo delgado, fino.

알밉다 (ser) ofensivo, insultante, descaredo, insolente, fresco, odioso, aborrecible, detestable.

알팍하다 (ser) muy delgado, muy fino. 알팍한 책 libro *m* muy delgado.

얇다 ① [두께가] (ser) delgado, fino. ② [빛깔이] (ser) claro, pálido, ligero. 얇은 색 color *m* claro. ③ [언행이 빠히 들여다보이다] (ser) descarado, insolente.

얇디얇다 (ser) delgadísimo, muy delgado.

얌전하다 (ser) benévolo, tranquilo, calmado, apacible, dulce, delicado, bueno, lleno de gracia, modesto, decente, decoroso, que se porta bien. 얌전히 tranquilamente, formalmente, dócilmente, dulcemente, con gracia, con garbo. 얌전히 걷다 andar con gracia. 얌전히 굴다 portarse bien, comportarse.

얌체 persona *f* egoísta, sinvergüenza *mf*.

양(羊) ① ((동물)) oveja *f*; [거세하지 않은 수컷] carnero *m*; [거세한 수컷] carnero *m* castrado; [암컷] oveja *f* (hembra); [새끼] cordero *m*, corderillo *m*, corderito *m*, borrego *m* (한 살 이상), (corderillo *m*) recental *m* (포유기의). ② ((기독교ㆍ천주교)) [신자] fiel *mf*, creyente *mf*, devoto, -ta *mf*. 길 잃은 ~ fiel *m* perdido. ¶~가죽 badana *f*; [무두질한] piel *f* de borrego [de cordero]; [무두질한 새끼 양의] cordero *m*, borreguillo *m*. ~고기 añojo *m*, cordero *m* (새끼 양의), carnero *m*, carne *f* de carnero, carne *f* de ovino (de más de un año). ~떼 carnerada *f*. ~우리 redil *m*. ~치기 ovejero, -ra *mf*; carnerero *m*, pastor *m*. ~털 lana *f* de cordero.

양(良) bueno.

양(胖) estómago *m* de vaca.

양(陽) ① ((역학)) yang, Yang, positividad *f*. ~과 음 Yin y Yang, lo positivo y lo negativo, principio *m* masculino y femenino.. ② ((준말)) =양극(陽極). ③ ((수학)) positivo *m*.

양(量) ① ((준말)) =분량. 식량(食量). 국량(局量). ¶~에 차다 estar lleno; [만족하다] estar satisfecho, estar contento. ~껏 먹다 comer hasta hartazgo, darse un hartazgo. ② [수량ㆍ무게ㆍ부피의 총칭] cantidad *f*, volumen *m*.

양(兩) ① [옛날 화폐ㆍ중량의 단위]

yang. ② [한 냥] un yang. ~ 닷 돈 un *yang* y cinco *don*.

양(孃) señorita *f*, Srta. 김 ~ señorita Kim, Srta. Kim.

양-(兩) dos; ambos, -bas; un par. ~국가 ambos países, dos países. ~측 ambas partes *fpl*.

양가(良家) buena familia *f*, familia *f* respetable. ~의 de buena familia. ¶~人집 familia *f* respetable, buena familia *f*. ~ㅅ집 규수 hija *f* de buena familia.

양가(兩家) ambas [dos] casas *fpl*, ambas [dos] familias *fpl*.

양갈보(洋-) ① [서양 사람을 상대로 하는 갈보] prostituta *f* a los europeos. ② [서양의 창부] prostituta *f* europea.

양감(量感) volumen *m* en el cuadro. ~이 있는 masivo, voluminoso, enorme, grande.

양계(養鷄) avicultura *f*, cría *f* de gallinas. ~하다 criar las gallinas. ~의 avícola. ~가 gallinero, -ra *mf*; pollero, -ra *mf*; avicultor, -tora *mf*. ~업 industria *f* avícola. ~장 granja *f* avícola, gallinero *m*, pollera *f*, corral *m*; [산란장] ponedero *m*.

양곡(糧穀) grano *m*, cereal(es) *m(pl)*, provisiones *fpl*. ~상 comerciante *mf* al por menor de cereales. ~시장 mercado *m* de cereales. ~창고 granero *m*.

양공주(洋公主) =양갈보.

양과자(洋菓子) pastel *m*, torta *f*, pastelillo *m*.

양국(兩國) dos [ambos] países *mpl*, dos [ambas] naciones *fpl*.

양군(兩軍) ① [양편의 군사] ambos ejércitos *mpl*, los dos ejércitos *mpl*, ambas tropas *fpl*. ② [운동 경기에서] ambos [dos] equipos.

양궁(洋弓) tiro *m* de arco (europeo), ballesta *f*.

양귀비(楊貴妃) ((식물)) amapola *f*. ~꽃 flor *f* de amapola.

양극(兩極) ① ((지리)) dos polos. ② ((물리)) polo *m* del norte y del sur, polo *m* positivo y negativo. ~의 bipolar. ③ ((전기)) dos electrodos *mpl*. ~단 dos extremos *mpl*. ~성 polaridad *f*. ~ 지방 zonas *fpl* polares.

양극(陽極) ánodo *m*, polo *m* positivo. ~의 anódico. ~선 rayos *mpl* anódicos. ~ 전류(電流) corriente *f* anódica.

양근(陽根) ① [자지] pene *m*. ② ((화학)) radical *m* positivo.

양기(良器) ① [좋은 그릇] buena vasija *f*. ② [좋은 재능] buen talento *m*.

양기(陽氣) ① [햇볕의 기운] luz *f* del sol, sol *m*. ② [양성의 기운]

poder m positivo. ③ [남자의 몸 안의 정기] vigor m, vitalidad f, virilidad f, energía f, fuerza f.

양껏 hasta hartarse, hasta hartazgo. ~ 먹다 hartarse, darse hartazgo.

양녀(養女) hija f adoptiva. ~로 삼 다 adoptar, ahijar. ~가 되다 ser adoptada.

양념 especia f, condimento m, guiso m, salsa f. ~을 치다 condimentar, sazonar (con especia), dar sazón al manjar; [소금과 후춧가루로] salpimentar. ¶~ 그릇[병] ampollera f, vinagrera f, aceitera f, Chi alcuza f. ~장 salsa f (china) para el condimento.

양다리(兩-) ambas piernas fpl. ~를 걸치다 nadar entre dos aguas.

양단(兩斷) corte m de dos (partes), división f en dos partes.

양단(洋緞) satén m extranjero.

양달(陽-) solana f, lugar m soleado [bañado por el sol・en que da el sol].

양담배(洋-) tabaco m importado, tabaco m extranjero.

양당(兩黨) dos [ambos] partidos mpl (políticos). ~의 bipartidista. ~ 정치 política f bipartidista. ~ 제도 sistema m bipartidista.

양대(兩大) dos grandes. ~ 세력 dos grandes influencias fpl.

양도(讓渡) [재산의] transferencia f, enajenamiento m, transmisión f, entrega f, traspaso m; [권리의] concesión f. [영토의] cesión f; [어음의] negociación f. ~하다 traspasar, ceder, transmitir, transferir, conceder; (법률)) enajenar; [유증하다] legar. ~가격 precio m de cesión. ~세 impuesto m sobre transmisiones patrimoniales. ~인 cedente mf; concedente mf; enajenador, -dora mf; cesionista mf; otorgador, -dora mf; transgeridor, -dora mf; asignante mf. ~ 증서 título m traslativo de dominio.

양도체(良導體) buen conductor m.

양돈(養豚) cría f de cerdos [porcinos], cría f del ganado porcino. ~하다 criar los cerdos. ~가 porquero, -ra mf; criador, -dora mf de cerdos [porcinos]. ~업 industria f de la cría de cerdos. ~장 pocilga f, porqueriza f.

양동이(洋-) cubo m [balde m] de metal.

양동 작전(陽動作戰) operación f de diversión; ((운동)) finta f; ((군사)) amago m. ~을 하다 hacer una finta, finar, AmL fintear; amagar, hacer un amago.

양두구육(羊頭狗肉) Dar gato por liebre.

양딸(養-) hija f adoptiva.

양딸기(洋-) ((식물)) fresa f alpina.

양력(陽曆) ((준말)) =태양력. ¶~ 설 día m del Año Nuevo del calendario solar.

양로(養老) socorro m a los ancianos. ~ 보험 seguro m de la vejez. ~ 시설 institución f para los ancianos. ~ 연금 pensión f [anualidad f] para los ancianos. ~원 asilo m de ancianos.

양립(兩立) compatibilidad f; [공존] coexistencia f. ~하다 ser compatible, coexistir.

양막(羊膜) amnios m.sing.pl.

양말(洋襪) calcetín m; [긴 양말] medias fpl. ~ 한 켤레 un par de calcetines. ~대님 ligas fpl.

양면(兩面) ① [두 면] ambos lados mpl, ambas facetas fpl, ambas caras fpl, dos caras fpl. ② [두 가지 방면] dos campos mpl, ambos campos mpl. ~ 레코드 disco m de dos caras. ~ 작전 operación f por dos frentes, operación f por ambos lados. ~ 테이프 cinta f de dos caras adhesivas.

양모(羊毛) lana f; [한 마리 분의] vellón m. ~의 de lana, lanero. ~를 자르다 cortar la lana a un cordero, esquilar los corderos. ¶~ 공업 industria f lanera. ~상 comerciante mf de la lana. ~제품 artículos mpl de lana. ~직 tejido m de lana.

양모제(養毛劑) regenerador m del cabello, tónico m para el cabello, loción f capilar.

양물(陽物) ① [자지] pene m. ② [양기 있는 사람] persona f muy varonil.

양미(兩眉) dos cejas fpl. ~간 entrecejo m. ~간을 찌푸리다 fruncir el entrecejo.

양미(糧米) arroz m (para el alimento), provisiones fpl, comida f..

양민(良民) ① [선량한 백성] buenos ciudadanos mpl, buen pueblo m, gente f pacífica. ② [천역에 종사하지 않은 일반 백성] pueblo m sin dedicarse al trabajo humilde.

양반(兩班) ((역사)) yangban, noble mf; hidalgo, -ga mf.

양방(兩方) ① [이쪽과 저쪽] ambos, los dos, ambas partes fpl, ambos lados mpl. ~의 ambos. ② [두 방향] dos [ambas] direcciones fpl.

양배추(洋-) ((식물)) col f, berza f, repollo m. ~ 절임 chucrut m.

양변(兩邊) ① [양쪽의 변] dos lados mpl, ambos lados mpl. ② [양쪽 가장자리] dos bordes mpl, ambos bordes mpl.

양변기(洋便器) taza f, inodoro m.

양보(讓步) concesión f, conciliación

f, transacción f. ～하다 ceder, conceder, hacer concesión. ～문 oración f concesiva. ～절 cláusula f concesiva. ～ 접속사 conjunción f concesiva.

양복(洋服) ropa f, [주로 남성용] traje m; [여성용] vestido m; [한복에 대해] vestido m europeo. ～감 paño m, tela f, tejido m, géneros mpl tejidos. ～걸이 percha f, colgante m, Cuba perchero m. ～바지 pantalones mpl. ～장 armario m, ropero m, cómoda f, [거울 달린] armario m de luna. ～장이 sastre, -tra mf. ～쟁이 ((속어)) persona f que se pone la ropa europea. ～저고리 saco m, americana f. ～점 sastrería f, tienda f de confección. ～점 주인 sastre, -tra mf; [부인복의] modista mf. ～지 paño m, tela f, tejido m, géneros mpl tejidos.

양봉(養蜂) apicultura f. ～하다 criar abejas, dedicarse a la apicultura. ～가 colmenero, -ra mf; apicultor, -tora mf; ～업 apicultura f. ～장 colmenar m, abejar m.

양부(養父) padre m adoptivo. ～모 padres mpl adoptivos.

양부인(洋婦人) ① [서양 부인] mujer f occidental, dama f extranjera. ② =양갈보.

양분(兩分) división f en dos partes iguales; ((수학)) [이등분] bisección f. ～하다 dividir en dos partes iguales; [이등분하다] bisecar.

양분(養分) alimento m, nutrición f, nutrimiento m, alimentos mpl nutritivos, sustento m. ～이 있는 nutritivo, nutriente. ～을 섭취하다 nutrirse.

양산(洋傘) paraguas m.sing.pl.

양산(陽傘) parasol m, quitasol m, sombrilla f.

양산(量産) fabricación f [producción f] en serie [en masa]. ～하다 fabricar en serie [en masa].

양상(樣相) aspecto m, apariencia f, fase f, cariz m; ((논리)) modalidad f.

양상추(洋-) ((식물)) lechuga f.

양생(養生) cuidado m de la salud; [병후의] recuperación f [conservación f] de la salud, aplicación f práctica de la ciencia sanitaria. ～하다 cuidar de la salud, cuidarse, recuperarse. ～법 régimen m, higiene f, profiláctica f.

양서(良書) buen libro m, libro m provechoso, libro f excelente.

양서(洋書) ① [서양 책] libro m occidental, libro m europeo, libro m extranjero, libro m importado. ② [서양 글씨] escritura f occidental.

양서 동물(兩棲動物) ((동물)) (ani-

mal m) anfibio m, anfibios mpl.

양성(兩性) ① [남성과 여성] ambos sexos mpl, dos sexos mpl. ～의 bisexual, anfígamo. [웅성과 자성] estambres mpl y pistilos mpl. ～의 bisexual, hermafrodita. ③ ((화학)) =의 anfótero.

양성(良性) carácter m benigno. ～의 benigno, inocente. ～ 종양 tumor m benigno.

양성(陽性) ① [양의 성질] positividad f, positiva f. ～의 positivo. ② ((준말)) =양성 반응. ¶ ～ 반응 reacción f positiva; [투베르클린의] cutirreacción f positiva. ～자 protón m.

양성(陽聲) ((언어)) voz f clara.

양성(養成) formación f, entrenamiento m, educación f, cultivación f, crianza f, fomento m, capacitación f. ～하다 entrenar, disciplinar, formar, educar, criar, cultivar, fomentar. ～소(所) escuela f [centro m] de capacitación, escuela f práctica, plantel m; [스포츠의] escuela f [centro m] de entrenamiento.

양손(兩-) ambas [dos] manos fpl.

양손잡이(兩-) ambidextro, -tra mf; persona f ambidextra [ambidiestra].

양송이(洋松相) seta f europea, hongo m europeo.

양수(羊水) líquido m amniótico. ～가 터지다 romper [salir] el líquido amniótico.

양수(兩手) ambas manos fpl. ☞양손

양수(揚水) bombeo m de agua. ～기 bomba f de agua. ～ 펌프 bomba f de agua.

양수(陽數) número m positivo.

양수기(量水器) contador m [metro m] de agua.

양순음(兩脣音) bilabial f.

양순하다(良順-) (ser) bueno, obediente, apacible, manso, dócil, benigno, sumiso, pacífico, dulce.

양식(良識) buen sentido m. ～이 있다 tener sentido.

양식(洋式) ((준말)) =서양식. ¶ ～ 가구 mueble m (de estilo) europeo, mueble m occidental.

양식(洋食) comida f occidental, plato m extranjero, cocina f extranjera, comida f a la occidental [a la europea]. ～점 restaurante m.

양식(樣式) ① [일정한 형(식)] estilo m; [서류의] formalidad f. ② [모양. 꼴] forma f. 판에 박힌 ～ forma f de estilo. ③ [예술 작품·건축물 등의] estilo m, orden m.

양식(養殖) cultivo m, cultura f, cría f; [물고기의] piscicultura f. ～하다 cultivar, criar. ～ 어업 pesca f piscícola. ～업 piscicultura f. ～장

criadero m; [물고기의] piscina f, vivero m. ~ 진주 perla f cultivada.

양식(糧食) alimento m, provisiones fpl, suministro m, abastecimiento m, víveres mpl; [특히 군의 1인분] ración f; ((성경)) pan m, alimento m.

양식기(洋食器) vajilla f, cubierta f, cristalería f.

양심(良心) conciencia f. ~의 가책 reparo m de la conciencia. ~의 소리 voz f de la conciencia. ¶ ~범 criminal mf de conciencia. ~의 자유 libertad f de conciencia. ~적 concienzudo.

양아들(養-) hijo m adoptivo.

양아버지(養-) padre m adoptivo.

양악(洋樂) ((준말)) =서양 음악. ¶ ~가 músico, -ca mf de la música occidental [europea]. ~기 instrumento m musical occidental.

양안(兩眼) ambos ojos mpl.

양약(良藥) buena medicina f, ((성경)) medicina f, salud f, buen remedio m, alivio m, nueva fuerza f. 양약은 입에 쓰다 ((속담)) Las buenas medicinas son amargas (al paladar).

양약(洋藥) medicina f occidental, medicinas fpl importadas, medicinas fpl extranjeras.

양어(養魚) piscicultura f, cría f de peces. ~하다 criar el pescado. ~가 piscicultor, -tora mf. ~장 piscifactoría f. ~지 piscina f.

양어깨(兩-) ambos hombros mpl.

양어머니(養-) madre f adoptiva.

양어버이(養-) =양부모(養父母).

양여(讓與) transferencia f, traspaso m; [영토의] cesión f; [이권의] concesión f. ~하다 traspasar, ceder, transferir, conceder. ~세 impuesto m de transferencia. ~자 transferidor, -dora mf.

양옥(洋屋) =양옥집.

양옥집(洋屋-) casa f del estilo europeo.

양요리(洋料理) cocina f occidental [europea], plato m occidental [europeo].

양용(兩用) uso m anfibio.

양우리(羊-) redil m.

양웅(兩雄) dos héroes mpl, dos grandes hombres mpl.

양원(兩院) ambas cámaras fpl. ~제도 bicameralismo m, sistema m bicameral.

양위(讓位) abdicación f. ~하다 abdicar.

양유(羊乳) leche f de oveja.

양육(養育) crianza f, educación f, cultivo m. ~하다 criar, cuidar, educar, mantener, sostener. ~비

gastos mpl [expensas fpl] de criar a los niños. ~원 asilo m (de pobres), casa f de caridad, hospicio m; [고아의] orfanato m, orfelinato m. ~자 [동물의] criador, -dora mf; reproductor, -tora mf; Col criandero, -ra mf; [식물의] cultivador, -dora mf.

양은(洋銀) metal m blanco, plata f alemana, alpaca f.

양의(良醫) buen médico m, buena médica f.

양의(洋醫) ① [서양 의학을 배운 의사] médico, -ca mf que aprendió la medicina europea. ② [서양 의사] médico m europeo, médica f europea.

양이온(陽-) ion m positivo.

양일(兩日) dos [ambos] días.

양자(兩者) los dos, las dos mf; ambos, -bas mf; ambas personas fpl; ambos partidos mpl; ambas partes fpl. ~ 택일 alternativa f, opción f entre dos cosas.

양자(陽子) =양성자(陽性子).

양자(量子) ((물리)) cuanto m. ~론 teoría f de los cuanta [de los cuantos].

양자(養子) hijo m adoptivo; [행위] adopción f.

양잠(養蠶) sericultura f, sericicultura f. ~하다 criar los gusanos de seda. ~의 sericícola. ~가 sericultor, -tora mf; sericicultor, -tora mf. ~소 criadero m de gusanos de seda. ~실 vivero m de gusanos de seda. ~업 sericultura f, sericicultura f.

양장(洋裝) ① [서양식의 복장] ropa f europea [occidental · extranjera], traje m europeo [occidental · extranjero], vestido m europeo [occidental · extranjero]. ~하다 ponerse la ropa europea [el traje europeo · el vestido europeo]. ② [책의 양식 장정] encuadernación f a la europea. ~점 almacén m de novedades, tienda f de costura. ~점 주인 modista mf.

양재(良才) buen talento m.

양재(良材) ① [좋은 재목·재료] buenos materiales mpl, maderaje m excelente (재목). ② [훌륭한 인재] buen talento m, buena persona f hábil, buen hombre m de habilidad.

양재(洋裁) alta costura f, costura f (a la europea). ~사 modista mf, modisto m. ~ 학교 academia f de costura. ~ 학원 escuela f de artes de modista, instituto m de modistas.

양재기(洋-) vajilla f esmaltada.

양잿물(洋-) soda f cáustica.

양적(量的) cuantitativo.

양전기(陽電氣) ((물리)) electricidad *f* positiva.

양전자(陽電子) ((물리)) positrón *m*.

양젖(羊-) leche *f* de oveja.

양조(釀造) elaboración *f*; [증류] destilación *f*, destilado *m*; [발효] fermentación *f*, [포도주의] vinificación *f*. ~하다 fermentar, elaborar licores, destilar, fabricar, hacer. 맥주를 ~하다 fabricar (la) cerveza. ¶~업 industria *f* fermentadora de bebidas alcohólicas. ~(업)자 destilador, -dora *mf*; [맥주의] cervecero, -ra *mf*. ~장 destilería *f*; [포도주의] fábrica *f* de cerveza, cervecería *f*, *Méj* cervecera *f*; [포도주의] bodega *f*. ~통 cuba *f* [tonel *m* · barril *m*] (de vino).

양주(洋酒) ① [서양에서 들어온 술] licores *mpl* occidentales [extranjeros · importados]. ② [서양식 양조법으로 만든 술] licor *m* hecho por el método de destilación occidental.

양지(陽地) lugar *m* solar, solana *f*, lugar *m* soleado, lugar *m* bañado por el sol. ~ 바르다 estar lleno de sol, ser soleado, hacer sol. ~ 바른 soleado, con mucho sol. 양지가 음지되고 음지가 양지된다 ((속담)) No hay bien ni mal que dure cien años.

양지(諒知) entendimiento *m*. ~하다 entender, comprender, saber. ~하시기 바랍니다 Permítame informarle / Se lo suplico [ruego] que le informe.

양지머리 el hueso y la carne de la costilla de la vaca.

양질(良質) buena calidad *f*, superior calidad *f*. ~의 원유 petróleo *m* de buena calidad.

양쪽(兩-) ambos lados *mpl*, ambas partes *fpl*; [사람] los dos, las dos; ambos, ambas. ~으로 a [por] ambos lados.

양차다(量-) ① [만족할 정도로 배가 부르다] (estar) harto, lleno. ② [마음에 만족하다] estar contento [satisfecho].

양책(良策) buena medida *f* [idea *f*].

양처(良妻) buena esposa *f*.

양철(洋鐵) (hoja *f* de) lata *f*, hojalata *f*, hierro *m* galvanizado. ~공 hojalatero *m*. ~ 지붕 위의 고양이 gato *m* sobre el tejado de hojalata.

양초(洋-) vela *f*, candela *f*.

양촛대(洋-臺) candelero *m*, candela *f*, palmatoria *f*; [가지 장식이 달린] candelabro *m*; [생일 케이크용] portavela *f*.

양측(兩側) ① [두 편] ambas partes *fpl*. ② [양쪽의 측면] ambos lados *mpl*. ~에 a [por] ambos lados.

양치(養齒) ((준말)) =양치질. ¶소금물로 ~하다 enjuagar la boca [hacer gárgaras] con agua salada. ¶~질 gárgaras *fpl*, gargarismo(s) *m(pl)*, enjuague *m*, limpieza *f* de los dientes.

양치기(羊-) cría *f* de ganado ovino; [사람] ovejero, -ra *mf*.

양친(兩親) padres *mpl*.

양탄자(洋-) alfombra *f*, tapiz *f*, moqueta *f*, *Col*, *Méj* tapete *m*.

양털(羊-) lana *f*.

양파(洋-) ((식물)) cebolla *f*.

양팔(兩-) ambos brazos *mpl*.

양편(兩便) ambos lados *mpl*.

양푼 cuenco *m* grande de latón.

양품(洋品) artículos *mpl* occidentales [europeos · extranjeros], artículos *mpl* importados. ~점 camisería *f*, mercería *f*. ~점 주인 camisero, -ra *mf*.

양풍(良風) buena costumbre *f*.

양피(羊皮) piel *f* de borrego, piel *f* de cordero, piel *f* de carnero, zamarro *m*, cabritilla *f*, *RPI* corderito *m*.

양해(諒解) entendimiento *m*, comprensión *f*; [묵계] acuerdo *m* tácito. ~하다 entender, comprender.

양호(養護) cuidado *m* protectivo, protección *f*. ~하다 dar el cuidado protectivo, proteger. ~ 교사 maestro, -tra *mf* para la protección de los estudiantes. ~ 시설 institución *f* protectiva. ~실 sala *f* de protección de los estudiantes.

양호하다(良好-) (ser) muy bueno, bonísimo, excelente, venturoso.

양화(良貨) buena moneda *f*. 악화는 ~를 구축한다 La mala moneda expulsa la buena moneda.

양화(洋貨) ① [서양에서 수입된 물화] artículo *m* importado de los países occidentales. ② [서양의 화폐] moneda *f* occidental.

양화(洋畵) ① =서양화. ② [서양에서 제작한 영화] película *f* occidental [europea], cine *m* occidental [europeo · extranjero], filme *m* occidental. ~가 pintor, -tora *mf* al óleo.

양화(洋靴) zapatos *mpl*; [단화] botas *fpl*. ~점 zapatería *f*. ~점 주인 zapatero, -ra *mf*.

양화(陽畵) (prueba *f*) positiva *f*, imagen *f* positiva.

양회(洋灰) cemento *m*.

얕다 ① [깊지 않다] [물 · 강 · 못이] (ser) poco profundo, haber poca profundidad, tener poca profundidad; [접시가] llano, plano. 얕은 물 el agua *f* poco profunda. ② [심지가 두텁지 않다] (ser) superficial. 얕은 생각 pensamiento *m* superficial. ③ [정의·학문·지식이 적다] (ser) superficial, irreflexivo, imprudente, frívolo, ligero, leve.

얕보다 menospreciar, despreciar, desdeñar, hacer poco caso, hacer ningún caso, tener en menos, tener en poco, apreciar en menos lo que merece.

얕잡다 menospreciar, desdeñar, despreciar.

어¹ ① [가벼운 놀람이나 초조할 때] ¡Vaya! / ¡Anda! ② [문득 떠오른 생각이나 상대자의 주의를 일으키는 말에 앞서] ¡Ah!

어² ① [사물에 감동됐을 때] ¡Vaya! / ¡Anda! ─ 그것 참 좋군 ¡Anda! ¡Qué bueno! ② [손아랫사람이나 벗 사이에] sí. ~ 곧 가겠다 Sí, iré pronto.

어가(御駕) carruaje *m* real.

어가(漁家) casa *f* de pescadores.

어간(魚肝) hígado *m* del pez. ~유(油) aceite *f* de hígado del pez.

어간(語幹) radical *m*, raíz *f*.

어감(語感) sentido *m* de la lengua, sentido *m* lingüístico.

어구(語句) ① [말과 구] las palabras y las frases, frase *f*. ② [말의 구절] párrafo *m*.

어구(漁具) utensilio *m* de pesca, aparejos *mpl* de pesca.

어구(漁區) zona *f* de pesca, zonas *fpl* pesqueras.

어군(魚群) cardumen *m*, banco *m*. ~ 탐지기 detector *m* de cardumen.

어군(語群) grupo *m* de (la) palabra.

어귀 entrada *f*, [관문] puerta *f*, [강의] desembocadura *f*.

어귀차다 (ser) fuerte, firme, sólido.

어그러지다 ① [빗나가다 틀어지다] desviarse, apartarse, tener dislocado. ② [생각과 달라지다] ser contrario, ir en contra, oponerse, ir contra, discrepar, estar reñido. ③ [사이가] estar separado.

어근(語根) raíz *f* de una palabra.

어금니(해부) muela *f*, diente *m* molar, molar *m*.

어긋나다 ① [서로 엇갈리다] deslizarse, mudarse de sitio. ② [서로 꼭 맞지 아니하다] dislocarse. 뼈가 ─ desarticularse. 팔이 ─ dislocarse un brazo. ③ [어그러지다] defraudar, fallar, no marchar.

어기(漁期) temporada *f* de pesca, estación *f* de pesca.

어기다 [약속·시간·명령 등을] faltar, no cumplir, oponer, desobedecer, violar, violar, infringir, quebrantar. 시간을 어기지 않고 puntualidad, puntualmente, a tiempo. 약속을 ─ faltar a [vio-

lar·quebrantar·romper] la promesa, faltar a la palabra, no cumplir *su* promesa. ② [틀리게 하다] hacer equivocar.

어기적거리다 tambalearse, andar vacilante, caminar [andar] como un pato.

어깨 ① [팔이 몸에 붙은 관절의 윗부분] hombro *m*. ② [옷의 소매와 깃의 사이] entre la manga y el cuello. ③ [맡은 바 책임이나 사명] responsabilidad *f*, misión *f*. ─가 무겁다 asumir la responsabilidad pesada. ④ ((속어)) =불량배. 깡패. ¶~걸이 chal *m*, mantón *m*, echarpe *m*. ─끈 tirante *m*. ─동무¹ [나이나 키가 비슷한 동무] amigo, -ga *mf* en niñez, compañero, -ra *mf* de juegos. ─동무² [팔을 서로 어깨 위에 얹어 끼고 나란히 서는 짓] brazos *mpl* sobre los hombros. ─동무하고 con los brazos sobre los hombros. ─뼈 escápula *f*, omoplato *m*, omóplato *m*. ─총 ¡Al hombro armas! / ¡Al hombro, ar! ─춤 danza *f* de hombros, danza [baile *m*] de alegría. ─춤을 추다 danzar [bailar] de alegría. ─쭉지 articulación *f* del hombro.

어눌하다(語訥─) tener un impedimiento del habla, balbucear, farfullar, balbucir, titubear.

어느 ① [의문] ¿qué? ¿cuál? 그것을 ~ 가게에서 샀습니까? ¿En qué tienda lo ha comprado usted? ② [어느 …이나] algún, alguna; [모든 것의] cada; [부정문에서] ningún, niguna; [한] un, una; cierto; [어느것이나] cualquier. ~ 날 un día, cierto día, algún día. ~ 날 아침 una mañana. ~ 날 오후 una tarde. ~ 날 밤 una noche.

어느것 ¿cuál?, ¿cuáles? [~이나 모두] cualquiera; [부정문에서, ~이나 …이 아니다] ninguno.

어느덧 antes (de) que se sepa, mientras uno no es consciente, sin *su* conocimiento, inadvertidamente.

어느때 =언제.

어느때고 siempre que, siempre y cuando que, siempre jamás, cada vez, siempre, todo el tiempo, en todo tiempo, en cualquier tiempo, en todo caso. ~ 좋을 때에 오세요. Venga cuando quiera usted.

어느분 alguien; alguno, -na. 실례지만 ~이십니까? ¿Podría preguntar su nombre? / ¿Cuál es su nombre?

어느새 se advertido, sin que se dé, rapidísimo, en un abrir y cerrar de ojos, en un santiamén.

어느 정도(─程度) algo, un poco, en

cierto modo, una parte, una porción. ~의 [양적으로] un poco de, algo de; [수적으로] unos, unas. ~까지 hasta cierto punto.

어느쪽 ① [어느편] ¿Qué lado?, ¿Dónde?, ¿Cuál? ② [어느 방향] ¿Qué dirección?, ¿qué parte? 서울의 ~ 에 사십니까? ¿En qué parte de Seúl vive usted?

어느편(-便) =어느쪽.

어두육미(魚頭肉尾) La cabeza del pez y la cola del animal son exquisitas.

어두일미(魚頭一味) En el pez la cabeza es la más exquisita.

어두커니 en el crepúsculo matutino.

어두컴컴하다 (ser) oscurísimo, muy oscuro.

어두어둑하다 (ser · estar) o(b)scuro, sombrío.

어둑하다 ① [조금 어둡다] (ser · estar) algo oscuro. 어둑한 밤 noche f algo oscura. ② [되바라지지 않고 어수룩하다] (ser) simple, ingenio, sencillo.

어둠 o(b)scuridad f, tenebrosidad f, tinieblas fpl; [저녁] anochecer m; [황혼] crepúsculo m. ~ 속에서 en la oscuridad, en lo oscuro, a obscuras.

어둠침침하다 (ser) oscuro, poco iluminado, sombrío, oscuro y apagado.

어둡다 ① [빛이] (ser · estar) o(b)scuro, sombrío, tenebroso. 어두운 동굴 cueva f oscura. ② [시력이나 청력이] (ser) débil. ③ [사물에 밝지 못하다] (ser) ignorante, no saber, no conocer, desconocer, ignorar. ④ [빛깔이] (ser) o(b)scuro. ⑤ [분위기나 표정 따위가] (ser) o(b)scuro, sombrío, tenebroso, taciturno, lóbrego, lúgubre.

어드레스 ((컴퓨터)) dirección f.

어디¹ ① [어느 곳] ¿Dónde? ~에, ~에서 ¿Dónde? ~로, ~에 ¿A-dónde?, ¿A dónde? ~로부터 ~에서(부터) ¿De dónde? ~로 해서, ~를 지나서 ¿Por dónde? 여기가 ~입니까? ¿Dónde estamos? 당신은 ~에 사십니까? ¿Dónde vive usted? ② [밖일 필요가 없는 「어느 곳」] cualquier parte f. ~에서도 볼수 없다 No se puede encontrar en ninguna parte.

어디² ((감탄사)) bueno, pues, entonces, (vamos) a ver. ~ 좀 보여 주세요 [봅시다] Bueno, déjeme ver / ¡A ver!

어때 ¿Qué tal? 건강은 ~? ¿Qué tal (tu salud)?

어떠하다 ¿Qué, Cómo. 몸은 어떠합니까? [환자에게] ¿Cómo [Qué tal] se encuentra usted? / ¿Cómo está usted?

어떠하든지 de algún modo, de alguna manera, de alguna forma, en todo, de todas maneras.

어떤 ① cierto; un, una; algún, alguna; no sé qué; [(막연히 어떤 사람을 가리켜) 모(某) …] no sé cuántos. ~ 날 un día, algún día, cierto día. ② [여하한. 어떠한] ¿qué?, qué clase [especie · suerte · género · tipo] de, cuál. ~ 이유로 ¿Por qué? ③ [어떤 …라도] cualquiera, cualquier persona, todo, cada; [어떤 사람도 …이 아니다] nadie, ninguna persona. ~ 경우든지 en cualquier caso, en todos los casos.

어떻게 ¿Cómo?, ¿Qué?, ¿Qué tal?, ¿De qué manera?, ¿Cómo mo-do? ~ 지내느냐? ¿Cómo estás? / ¿Qué tal (estás)? 요즈음 ~ 지내십니까? ¿Cómo está usted estos días? ~ 할까요? ¿Qué hago?

어떻다 ((준말))=어떠하다. ¶커피 한 잔 어떻습니까? ¿Quiere usted otra taza de café?

어란(魚卵) freza f, hueva f (de los peces), ovas fpl de pescado, lechecillas fpl de peces.

어려움 dificultad f, apuros mpl, privaciones fpl, lo difícil. ~ 없이 sin dificultad. 경제적인 ~ penu-ria f (económica). ~에 대처하다 hacer frente a [desafiar] dificultades.

어려워하다 ① [윗사람을] sentirse obligado, tener escrúpulo, vacilar, tener miedo. ② [일할 때 힘이 들어 애를 쓰다] esforzarse.

어련하다 (ser) seguro, natural, razonable, lógico. 당신은 만족합니까? — 어련하겠습니까요 ¿Estás contento? — Por supuesto [Naturalmente · Claro]

어렴풋하다 ① [기억이] vago, confuso, tenue. ② [잘 보이거나 잘 들리지 않다] (ser) o(b)scuro, poco iluminado, débil, tenue, apenas visible, apenas perceptible, ligero, leve, opaco. ③ [잠이 깊이 들지 않다] no dormir profundamente.

어렵(漁獵) ① =고기잡이. ¶~하다 pescar. ② [고기잡이와 사냥] la pesca y la caza. ~하다 pescar y cazar. ~ 금지 ((게시)) Prohibido pescar / No pesque / No pescar.

어렵다 ① [하기가 힘들거나 괴롭다] (ser) difícil; [복잡하다] (estar) complicado, delicado. 어려운 문제 cuestión f difícil. 어려운 수술 operación f delicada. ② [살림이 가난하다] (ser) pobre. 어려운 사람들 los pobres, los necesitados. 가계가 ~ vivir en gran [con mucha] estrechez.

어렵사리 muy difícilmente, con mucha dificultad.

어로(漁撈) pesca *f*, pesquería *f*. ~의 pesquero. ~ 수역 zonas *fpl* pesqueras, pesquerías *fpl*. ~ 저지선 línea *f* de restricción pesquera. ~ 협정 acuerdo *m* pesquero.

어록(語錄) analectas *fpl*.

어뢰(魚雷) ((군사)) torpedo *m*. ~정 torpedero *m*.

어루러기 ((의학)) leucodermia *f*, vitiligo *m*, albinismo *m*.

어루만지다 ① [손으로 쓰다듬어 주다] pasar la mano, frotar suavemente, estregar suavemente, dar palmaditas; [애무하다] acariciar; [마사지하다] masajear, friccionar; [머리카락을] alisar. 등을 ~ pasar la mano por la espalda. ② [마음을] consolar, aliviar la pena [la afección], aplacar, amansar.

어류(魚類) ((동물)) peces *mpl*. ~지(誌) ictiografía *f*. ~학 ictiología *f*. ~ 학자 ictiólogo, -ga *mf*.

어르다¹ mecer.

어르다² ((준말)) =어우르다.

어르신네 ① [남의 아버지] *su* padre. ② [나이 많은 사람] anciano, -na *mf*; viejo, -ja *mf*.

어른 ① [성인] adulto, -ta *mf*; mayor *mf*; hombre *m*, mujer *f*. ② [지위나 항렬이 높은 사람] superior *mf*. ③ [장가들거나 시집간 사람] casado, -da *mf*. ④ ((경칭)) anciano, -na *mf*, viejo, -ja *mf*; usted. ¶ ~스럽다 ser digno de un adulto, parecer una persona adulta, ser sabio para *su* edad, ser precoz, ser prematuro.

어른거리다 parpadear, titilar, oscilar, vacilar una llama, brillar con luz trémula.

어름 ① [두 물건의 끝이 닿은 거리] cruce *m*, intersección *f*. ② [물건과 물건의 한가운데] centro *m*, mitad *f* de camino. 두 지점의 ~에 a mitad de camino entre dos puntos.

어름거리다 ① [언행을] decir ambiguamente [con ambigüedad], hablar con evasivas [subterfugio], usar equívocos, hablar entre dientes. ② [일을 엉터리로 하여 눈을 속이다] amañar, escatimar, cicatear, mezquinar.

어리광 coquetería *f* del niño. ~(을) 부리다 [여자가] coquetear, hacer arrumacos, hacer zalamerías; [아이가] mimar.

어리굴젓 ostras *fpl* saladas con pimiento picante [ají picante] en polvo.

어리다¹ ① [눈에 눈물이 괴다] llenarse de lágrimas, llorar de emoción, hacer llorar. 눈물이 ~

llenarse de lágrimas. ② [영기어 괴다] espesarse, solidificarse, cuajar, coagularse. ③ [눈이] deslumbrarse, escandalizarse.

어리다² ① [나이가 적다] (ser) pequeño. 어릴 때(에) en *su* (tierna) infancia, en *su* niñez. 어릴 때부터 desde *su* infancia, desde *su* niñez, desde niño. ② [경험이 적거나 수준이 낮다] (ser) infantil, pueril, novicio, inexperto.

어리대다 pasear, deambular, vagar, caminar sin rumbo flojo, errar, andar con vueltas, holgazanear, haraganear, flojear.

어리둥절하다 no saber qué + *inf*, despistarse, distraerse, estar despistado, estar distraído, estar aturdido, quedarse atónito [pasmado · helado], quedar perplejo [estupefacto].

어리벙벙하다 (estar) desconcertado, perplejo.

어리석다 (ser) estúpido, torpe, tonto, bobo, atontadado. 어리석은 짓 estupidez *f*, tontería *f*.

어린아이 niño, -ña *mf*.

어린양(－羊) ① ((기독교・천주교)) Jesús Cristo. ② [유순함] docilidad *f*, obediencia *f*; [천진스러움] inocencia *f*.

어린이 niño, -ña *mf*.; infante, -ta *mf*; [영아] niño, -ña *mf* de pechos; bebé *m*; *Per, RPl* bebe, -ba *mf*, *Andes* guagua *f*. ~ 같은 infantil, como un niño; [유치한] pueril, niñero, aniñado. ~ 취급하다 tratar como si fuera niño. ¶ ~날 día *m* de los Niños, el cinco de mayo. ~ 놀이터 centro *m* de juegos infantiles. ~이 대공원 Gran Parque *m* para los Niños. ~답다 (ser) infantil. ~역 galán *m* joven, galancete *m*, papel *m* de galancete. ~옷 ropa *f* de niño, vestido *m* para (los) niños. ~ 프로그램 programa *m* para (los) niños. ~ 헌장 Carta *f* de Protección de Menores. ~ 회관 salón *m* para (los) niños.

어림 [견적] cálculo *m*, evaluación *f*, estimación *f*; [예측] pronóstico *m*, adivinación *f*, conjetura *f*. ~하다 calcular, evaluar, conjeturar, pronosticar, adivinar.

어림없다 no llegar a la suela del zapato, ser insignificante.

어림짐작 adivinación *f* improvisada, conjeturas *fpl*, suposiciones *fpl*.

어릿광대 payaso, -na *mf*.

어마 ((준말)) =어마나.

어마나 ¡Hombre! / ¡Caramba! / ¡Hola! / ¡Vaya! / ¡Toma! // [곤혹] ¡Ay! / ¡Dios mío! / ¡Jesús! / ¡Madre mía! / *ReD* ¡Coño!

어마어마하다 [대단하다] (ser) colosal, decomunal, tremendo, enorme, imponente, grande; [당당하다] magnífico, espléndido, majestuoso, ostentoso.

어망(漁網/魚網) red f de pesca, albareque m, cintagorta f, arenquera f, salmonera f.

어머니 ① [자기를 낳은 여성] madre f, [엄마] mamá f. ~의 materno, maternal. ~의 사랑 amor m [cariño m] materno. ② [자식을 가진 부인] madre f. ③ [무엇이 생겨난 근본] origen m, fuente f, madre f, causa f, motivo m. 필요는 발명의 ~ La necesidad es la madre de la invención. ¶ ~ 교실 cursillo m para las madres. ~날 día m de la Madre.

어목(魚一) carne f de peces machucada y cocida.

어문(語文) la palabra y la escritura. ~ 학 la lingüística y la literatura.

어물(魚物) ① =물고기(pez). ② [가공하여 말린 해산물] pescado m salado [secado]. ¶ ~전 pescadería f.

어물거리다 prevaricar, hablar con evasivas, hablar con subterfugio, usar equívocos [de expresiones ambiguas].

어미 ① ((속어)) madre f, mamá f. ② [새끼를 낳은 암짐승] animal f hembra.

어미(魚尾) ① [물고기의 꼬리] cola f del pez. ② =눈초리.

어미(語尾) [단어의] terminación f de palabra, desinencia f, inflexión f [변화 어미], última sílaba f; [동사의] terminación f. ~ terminal. ~ 변화 declinación f, desinencia f, inflexión f; [동사의] conjugación f. ~ 탈락 apócope f, apócopa f.

어민(漁民) pescador m, -dora mf. ~ 조합 sindicato m de pescadores, sociedad f cooperativa de pescadores.

어버이 padres mpl, padre y madre. ~의 paterno, paternal. ~의 사랑 amor m [cariño m] paternal.

어법(語法) [표현법] fraseología f, uso m de dicción, modo m de expresión; [문법] gramática f, [문장론] sintaxis f. ~에 어긋나다 violar la gramática.

어보(魚譜) atlas m de peces.

어복(魚腹) ① [물고기의 배] vientre m del pez. ② ((해부)) =장딴지.

어부(漁夫/漁父) pescador, -dora mf. ~가 piscatoria f, canción f de pescadores.

어부지리(漁父之利) A río vuelto, ganancia de pescadores.

어분(魚粉) harina f de pescado,

polvo m de peces secos.

어불성설(語不成說) falta f de lógica. ~의 ilógico. ~로 de modo ilógico, ilógicamente. 그것은 전혀 ~이다 Es contra toda la razón.

어색하다(語塞一) ① [서먹서먹하다] ser forzado, estar [sentirse] incómodo, sentirse cohibido. 어색한 미소 sonrisa f forzada. ② [보기에 서투르다] ㉮ [동작이] (ser) rígido, tieso, desmañado. 어색한 동작 movimiento m rígido. ㉯ [표현이] (ser) torpe, desgarbado, difícil, duro. 어색한 문장 estilo m duro.

어서 ① [빨리, 곧] pronto, enseguida, en seguida, rápidamente, rápido, deprisa, sin tardanza, sin dilación, sin demora; [급히] apresuradamente; [감탄사적] ¡Eai / ¡Vaya! / ¡Vamos! / ¡Ahora! / ¡Bien! / ¡Bueno! ~ 따라가 Vete pronto. ② [환영] por favor, amablemente. ~ 들어오십시오 Pase [Entre], por favor.

어선(漁船/魚船) barco m pesquero [pescador], barco m de pesca.

어설프다 (ser) descuidado; [어학이나 연구 등이] pobre; [표면적] superficial, somero; [불완전한] insuficiente, imperfecto. 어설픈 지식 conocimientos mpl superficiales [someros], seudocultura f, conocimientos mpl insuficientes.

어설피 superficialmente, someramente, insuficientemente, imperfectamente.

어세(語勢) expresión f, énfasis m(f), tono m, voz f. ~를 높이다 acentuar, recalcar.

어수룩하다 ① [언행이 숫되고 후하다] (ser) inocente, generoso. ② [되바라지지 않고 좀 어리석은 듯하다] (ser) ingenuo, cándido, inocentón, sencillo, simple, simplón.

어수선하다 ① [사물이 얽히어 뒤섞여] estar en desorden, estar en confusión, estar desordenado [revuelto·tumultuoso]. ② [근심이 많아서 마음이 산란하다] estar [sentirse] desasosegado [intranquilo], estar confuso [en confusión].

어순(語順) orden m de palabras.

어스럭송아지 ternero m grueso.

어스름 penumbra f, crepúsculo m vespertino, anochecer m. ~에 en la penumbra, al anochecer.

어슬렁거리다 haraganear, holgazanear, andorrear, corretear, andar sin objetos, callejear, deambular, vagabundear.

어슴푸레 vagamente, oscuramente, con oscuridad, ligeramente, suavemente. ~하다 ㉮ [기억에 뚜렷이 떠오르지 않고 몹시 흐리마리

하다] notar levemente [vagamente], tener el vago presentimiento (de que + *inf*). ~한 기억 memoria *f* vaga [borrosa], recuerdo *m* confuso. ⊕ [뚜렷이 보이거나 들리지 않고 희미하다] llegar a *sus* oídos. ⊕ [좀 어둑하다] (ser) algo o(b)scuro, opaco, vago, brumoso, sombrío. ~한 불빛 luz *f* pálida [débil].

어슷비슷하다 (ser) más o menos igual, bastante semejante.

어슷하다 (ser) inclinado, oblicuo, diagonal. 어슷하게 oblicuamente, diagonalmente, en diagonal.

어시장(魚市場) mercado *m* de pescados.

어안(魚眼) ojo *m* de(l) pez. ~ 렌즈 objetivo *m* de ojo de pez.

어안이 벙벙하다 quedar(se) estupefacto [atónito]. 어안이 벙벙해서 con estupor, con la boca abierta.

어어 ¡Caramba! / ¡Caray! / ¡Carajo!

어어이 ¡Oye! / ¡Eh!

어업(漁業) pesca *f*, [산업] industria *f* pesquera. ~국(국) país *m* pesquero. ~권 derecho *m* de pesca. ~ 자원 recursos *mpl* pesqueros. ~ 조약 acuerdo *m* pesquero.

어여쁘다 (ser) bonito, lindo, hermoso, bello.

어엿하다 (ser) respetuoso, decente, decoroso. 어엿한 신사 caballero *m* honorable [decente]. 어엿한 집안 familia *f* respetuosa.

어용(御用) ① [임금이 씀] servicio *m* real, negocio *m* real. ② [정부에서 씀] servicio *m* gubernamental, negocio *m* oficial, asuntos *mpl* administrativos. ¶ ~ 기자 periodista *mf* progubernamental. ~ 신문 órgano *m* gubernamental, periódico *m* comprometido con el gobierno, diario *m* (de tendencia) oficial.

어우러지다 harmonizar, poner en armonía, unirse. 두 강물이 어우러진다 Las aguas de los dos ríos confluyen.

어울리다 ① [조화되다] venir*le* bien, convenir*le*, sentar*le* bien, ir*le* (bien), venir*le* bien, caer*le* bien, quedar*le* bien, favorecer*le*; armonizar, hacer juego, [적당하다] (ser) conveniente, apropiado, adecuado, apto, a propósito. 어울리는 부부 matrimonio *m* de buena pareja. ② [교제하다] tratarse, frecuentar. 외국인과 ~ tratarse con el extranjero.

어원(語原/語源) ((언어)) etimología *f*, origen *m* (de una palabra). ~의 etimológico. ~을 조사하다 etimologizar, buscar la etimología (de las palabras). ¶ ~론 etimolo-

gía *f*. ~ 연구 estudio *m* etimológico. ~학 etimología *f*.

어유(魚油) aceite *m* de pescado.

어음 letra *f* (de cambio). ~을 발행하다 librar [girar] una letra. ~을 인수하다 aceptar una letra. ~을 할인하다 descontar una letra. ¶ ~ 교환 compensaciones *fpl* bancarias. ~ 교환소 cámara *f* compensadora. ~ 발행인 girador, -dora *mf*; librador, -dora *mf*. ~ 수취인 recibidor, -dora *mf*. ~ 인수인 aceptador, -dora *mf* (de una letra); aceptante *mf* (de una letra). ~ 할인 descuento *m* de una letra.

어의(語義) significado *m* de un vocablo [una palabra].

어이구 ¡Anda! / ¡Vaya! / ¡Ah! / ¡No me digas! ☞아이고

어이어이 ¡Ay! / ¡Pobre de mí!

어이없다 quedar(se) estupefacto [atónito]. 어이없는 요구 petición *f* exorbitante.

어장(漁場) pesquera *f*.

어정어정 ociosamente, con ocio, sin hacer nada.

어정쩡하다 (ser) desconfiado, suspicaz, sospechoso, dudoso, dubitativo, evasivo, cuestionable, discutible; [애매하다] vago, ambiguo; [부정확한] incorrecto.

어제 ayer. ~부터 de ayer acá. ~지 hasta ayer. ~ 아침 ayer (por la) mañana, *AmL* ayer (en la) mañana. ~ 오후(에) ayer por la tarde, *AmL* en la tarde.

어젯밤 anoche, ayer (por la) noche.

어조(語調) tono *m* (de voz), acento *m*, entonación *f* (억양), eufonía *f* (계음), manera *f* de hablar.

어족(魚族) peces *mpl*.

어족(語族) familia *f*.

어줍다 ① [언어나 동작이] (ser) aburrido, torpe, lerdo, indeciso, irresoluto, poco entusiasta, inanimado, vago, evasivo. ② [서투르다] no (ser) cualificado [calificado], no especializado, poco hábil, torpe, no estar familiarizado, no tener experiencia, no familiar. ③ [저리다] (estar) entumecido.

어중간하다(於中間－) (ser) incompleto, fragmentario.

어중이떠중이 todos *mpl*, montón *m*, masas *fpl*, muchedumbre *f*.

어지간하다 (ser) bastante, considerable, tolerable, suficiente, pasable, decente. 어지간히 bastante, considerablemente, muy bien, pasablemente, razonablemente bien.

어지러뜨리다 perturbar, trastornar, disturbar, poner en desorden, poner en confusión; [지저분하게 하다] revolver.

어지럽다 ① [눈이 아뜩아뜩하고 정신이 얼떨떨하다] estar mareado, sentir vaguido, desvanecerse; [현기증이 나다] dar vueltas. ② [모든 것이 혼란하고 어수선하다] (estar) en desorden, turbulento, caótico, desorganizado.

어지럽히다 desordenar, perturbar, disturbar, poner en desorden [en confusión]. 질서를 ~ perturbar el orden.

어지르다 dejar en desorden, desordenar, desarreglar, revolver. 서랍을 ~ revolver el cajón.

어지자지 hermafrodita *mf*; bisexual *mf*.

어질다 (ser) bueno, de buen corazón, bondadoso, generoso, davidoso, magnánimo, bonévolo, de benevolencia. 어질고 마음 corazón *m* compasivo, benevolencia *f*.

어질병(一病) ＝현기증(眩氣症).

어질어질 vergitinosamente. ~하다 estar totalmente confundido, ser un torbellino, dar vueltas.

어째서 ((준말)) ＝어찌하여서. ¶~ 늦느냐? ¿Por qué llegas tarde?

어쨌든 ((준말)) ＝어찌하든지. ¶~ 오겠습니다 De cualquier modo vendré.

어쩌다가 ① [뜻밖에 우연히] por casualidad, de caulidad, de manera fortuita, casualmente. ~ 만난 친구 amigo, -ga *mf* casual. ② [가끔] a veces, unas veces, algunas veces, de vez en cuando, de cuando en cuando. ~ 일어나는 사건 acontecimiento *m* [suceso *m*] raro, ocurrencia *f* rara

어쩌면 ① [추측] posiblemente, tal vez, quizá, quizás, acaso, por ventura, probablemente, a lo mejor, puede ser, por acaso. ~ 비가 밤에 올 지도 모른나 Puede (ser) que llueva esta noche / Quizás llueva por la noche. ② [의외의 일을 탄복하는 소리] ¡qué!, ¡cuán! ~ 색시가 그렇게 예쁠까 ¡Qué hermosa es ella!

어쩐지 sin intención especial, sin causa concreta, no sé por qué, indefiniblemente. ~ 나는 슬프다 Estoy triste sin causa concreta / No sé por qué, pero me siento triste.

어쩔 수 없다 (ser) inevitable. 나이는 ~ La edad dirá / La edad va a decir.

어찌 ① [방법] cómo, qué. ~ 해서든지 a toda costa, sin falta, sin duda, a cualquier precio. ~ 할 수 없는 inevitable. ~ 할 수 없이 inevitablemente. ② [어떠한 방법으로] ¿Cómo? ③ ((감탄사)) demasiado, ¡qué!, muy. ~ 비싼지

¡Es demasiado caro! ④ [왜] ¿Por qué? ~ 해서 ¿Por qué?

어찌나 ((강조어)) ＝어찌❶.

어찔하다 sentir un mareo, dar un vahído.

어차피(於此彼) de todos modos, de todas maneras, en todo caso; después de todo (결국).

어처구니없다 ((속어)) ＝어이없다. ¶어처구니없어 con la boca abierta, con estupor. 어처구니없이 ridículamente, de forma ridícula, monstruosamente.

어촌(漁村) aldea *f* de pescadores.

어칠비칠 tambaleantemente, inseguramente, vacilantemente. ~하다 tambalearse. ~ 걷다 andar a paso lento.

어탁(魚拓) imprenta *f* de pez.

어투(語套) manera *f* de hablar, tono *m*, hábito *m* en habla.

어퍼컷 ((권투)) golpe *m* de abajo arriba, golpe *m* corto hacia arriba, uppercut *ing.m*, gancho *m*. ~을 먹이다 dar un uppercut.

어폐(語弊) palabra *f* inadecuada, términos *mpl* mal entendidos, abuso *m* de palabras.

어포(魚脯) tajadas *fpl* de pescado secado.

어필(御筆) escritura *f* del rey.

어학(語學) ① [언어를 연구하는 학문] (estudio *m* de las) lenguas *fpl*. ~의 천재 genio *m* en lengua. ② ((준말)) ＝언어학.

어항(魚缸) pecera *f*.

어항(漁港) puerto *m* pesquero.

어허 ¡No me digas! / ¡Anda! / ¡Vaya! / ¡Ay! / ¡Ah!

어험 ¡Ejem!

어형(語形) forma *f* de la palabra.

어획(漁獲) pesca *f*, pesquería *f*. ~고 (cantidad *f* de) pesca *f*, suma *f* de pesca, redaja *f*. ~량 cantidad *f* de pesca.

어휘(語彙) vocabulario *m*, léxico *m*, glosario *m*. ~집 vocabularios *mpl*. ~ 학자 vocabulista *mf*.

억(億) cien millones.

억누르다 oprimir, refrenar, frenar, dominar, contener, apretar, reprimir, restringir. 억누를 수 없는 욕망 deseos *mpl* incontenibles. 감정을 ~ contener la emoción.

억류(抑留) detención *f*, arresto *m*, internamiento *m*; [선박의] embargo *m*. ~하다 detener, arrestar, prender, embargar. ~소 campo *m* de detención, campo *m* de internamiento. ~자 detenido, -da

억만(億萬) ① [억] cien millones *mpl*, millar *m* de millones. ② [아주 많은 수] números *mpl* incontables. ¶~장자 billonario, -ria *mf*; archimillonario, -ria *mf*.

억설(臆說) conjetura *f*, suposición *f*, [가설] hipótesis *f*, [학리적 가설] teoría *f*. ～하다 conjeturar, hacer una conjetura, suponer, hacer una hipótesis.

억세다 ① [뻣뻣하고 세다] (ser) rígido, duro, tieso, resistente, fuerte, tenso, inflexible, áspero, hirsuto. ② [몸이나 뜻이 굳고 세차다] (ser) fuerte, tenaz, firme, forzudo, vigoroso, robusto, muscular, sólido. 억세게 fuertemente, tenazmente, obstinadamente, sólidamente, firmemente.

억수 lluvia *f* torrencial, aguacero *m*. ～ 같은 비 lluvia *f* torrencial. 비가 ～로 쏟아지다 llover a cántaros, llover copiosamente, diluviar.

억압(抑壓) opresión *f*, represión *f*, sujeción *f*. ～하다 oprimir, reprimir, sujetar. ～자 depresor, -sora *mf*. ～적 depresivo.

억양(抑揚) entonación *f*, entonamiento *m*, acento *m*.

억울하다(抑鬱－) sufrir injusticia, victimizarse, tratarse injustamente, discriminarse, ser maltratado, ser mortificado.

억제(抑制) represión *f*, supresión *f*, control *m*, freno *m*, inhibición *f*. ～하다 frenar, refrenar, contener, reprimir, mortificar, dominar.

억지 sinrazón *f*, despropósito *m*, falta *f* de razón, obstinación *f*. ～로 contra *su* voluntad, forzosamente, por (la) fuerza, a la fuerza, con violencia. ～로 열다 abrir a la fuerza. ～ 참다 sufrir hasta el extremo.

억지웃음 risa *f* forzada.

억지춘향이 acción *f* de hacer contra *su* voluntad, lo convincente.

억척 actitud *f* agresiva, firmeza *f*, terquedad *f*, obstinación *f*, tozudez *f*. ～ 같은 여인 mujer *f* firme [testaruda].

억척스럽다 (ser) firme, terco, testarudo, tozudo, tenaz, tesonero, perseverante. 억척스레 firmemente, con firmeza, tercamente, tenazmente, con tesón.

억측(臆測) suposición *f*, conjetura *f* (infundada), adivinación *f*, imaginación *f*. ～하다 suponer, conjeturar (a la ventura), adivinar, imaginar.

억하심정(抑何心情) Es difícil de entender por ⋯ / Yo no sé por qué ⋯. 무슨 ～으로 그런 말을 하오 Yo no sé por qué tú me lo dice.

언감생심(焉敢生心) ¿Cómo te atreves tú a + *inf*? ～ 여기에 왔느냐? ¿Cómo te atreves tú a venir aquí?

언급(言及) mención *f*, referencia *f*, alusión *f*, comentario *m*. ～하다 mencionar, referirse, hacer referencia, hacer mención.

언니 hermana *f* mayor.

언더라인 (línea *f* de) subraya *f*. ～을 긋다 surayar.

언덕 ① [땅에 비탈진 곳] cuesta *f*, declive *m*, pendiente *f*. 가파른 ～ declive *m* escarpado, cuesta *f* pina. ② [나지막한 산] colina *f*, collado *m*, loma *f*, cerro *m*, monte *m*. ～길 cuesta *f*, declive *m*, pendiente *f*. ～배기 cima *f*, cumbre *f*.

언도(言渡) ＝선고(宣告).

언동(言動) palabras *fpl* y acciones. ～을 삼가다 tener cuidado en sus palabras y acciones, ser prudente en *sus* palabras y acciones.

언뜻 ① [잠깐] un momento, un rato. ～ 보면 a primera vista. ～ 보다 echar [dar] un vistazo [una ojeada], echar una mirada rápida. ② [별안간, 문득] de repente, repentinamente, súbitamente.

언로(言路) camino *m* de palabras.

언론(言論) palabra *f*, prensa *f*, periodismo *m*. ～계 prensa *f*. ～기관 órgano *m* de expresión, órgano *m* de opinión pública. ～인 periodista *mf*. ～자유 libertad *f* de palabra; [신문과 잡지의] libertad *f* de prensa; [출판의] libertad *f* de imprenta.

언명(言明) declaración *f*, afirmación *f*. ～하다 declarar, manifestar, afirmar, hacer una declaración [manifestación], proclamar.

언문(言文) palabra *f* y escritura. ～일치 unificación *f* de la lengua hablada y de la escrita.

언문(諺文) (속어) ＝한글(coreano).

언변(言辯) elocuencia *f*, talento *m* oratorio. ～이 있는 elocuente.

언사(言辭) palabras *fpl*, el habla *f*, lenguaje *m*, lengua *f*, [표현] expresión *f*. 외교적 ～ lenguaje *m* diplomático.

언성(言聲) voz *f*, tono *m*. 가냘픈 ～ voz *f* débil. 굵은 ～ voz *f* profunda. 화난 ～ voz *f* colérica.

언약(言約) promesa *f* verbal [oral · de palabra]. ～하다 prometer de palabra.

언어(言語) lengua *f*, idioma *m*, el habla *f*. ～ 능력 facultad *f* de habla. ～ 도단의 fuera de la ley, abdominable, prepóstero, ultrajoso, indecible, inexcusable, incalificable. ～도단의 demanda *f* prepóstera. ～도단의 행위 conducta *f* escandalosa [inexcusable]. ～ 불통 dificultad *f* de comunicación. ~ 상통 facilidad *f* de comunicación. ~ 장애 defecto *m* [impedimento *m*] del habla; [실어증] afasia *f*. ~학 lingüística *f*, filología *f*, filológica *f*. ~학자 lingüista *mf*, filólogo, -ga *mf*.

언쟁(言爭) disputa *f*, discusión *f*, riña *f*, contienda *f*, pelea *f*, querella *f*. ~하다 disputar, discutir, pelear(se), reñir, altercar.

언저리 canto *m*, borde *m*, orilla *f*, límites *mpl*. 도시의 ~ los límites de la ciudad.

언제 ① [의문] ¿Cuándo?; [몇 시] ¿Qué hora?; [며칠] ¿Qué día? ~까지 ¿Hasta cuándo? [늦어도] ~까지는 ¿Para cuándo? ~부터 ¿Desde cuándo? ② [미래] 언젠가 día, otro día, un día u otro; [근일 중에] un día de estos, uno de estos días, en un futuro cercano. ~ 찾아 뵙겠습니다 Le visitaré algún día. ③ [과거의] antes, en otro tiempo, otras veces, antiguamente. ~ 우리가 만났었지요? Nos hemos visto antes, ¿verdad?

언제나 ① [어느 때에나] siempre; [스물네 시간] a todas horas; [보통] ordinariamente; [···할 때마다] siempre que, cada vez que, cuandoquiera, cuando ··· siempre, al + *inf* siempre. ~처럼 como de costumbre. 아버지께서는 ~ 후하시다 Mi padre siempre es generoso. ② [끊임없이, 계속하여] constantemente, continuamente.

언제든지 cuandoquiera, en todo caso; [항상] siempre, siempre que + *ind · subj*, cada vez que + *in d · subj*. ~ (좋을 때) 오너라 Ven cuando quieras.

언제인가 ① [조만간] tarde o temprano. ② [이전 어느 때에] antes, en otro tiempo, otras veces, un día, el otro día.

언중유골(言中有骨) sentido *m* implícito en comentarios, intención *f* cubierta con un velo en comentarios.

언중유언(言中有言) implicación *f* en la declaración directa.

언질(言質) promesa *f*, fianza *f* de palabra, palabra *f* (de honor). ~을 받다 coger [tomar · agarrar] la palabra, cogerse [agarrarse] a la palabra.

언짢다 estar de mal humor, estar malhumorado, tener cara de pocos amigos, sentirse mal. 언짢은 꿈 mal sueño *m*. 언짢은 날씨 mal tiempo *m*. 언짢은 소식 mala noticia *f*.

언청이 labihendido, -da *mf*.

언행(言行) dichos *mpl* y hechos, palabra(s) *f(pl)* y obra(s) [acciones]. ~일치 conformidad *f* de la acción a la palabra, conformidad *f* entre las palabras y los hechos.

얹다 ① [물건을 딴 물건 위에 올려 놓다] poner, colocar, echar; [짐을] cargar. 선반에 ~ poner en el estante. 이마에 손을 ~ [자신의] ponerse la mano en la frente. ② [돈을 덧붙이다] dar un extra.

얹히다 ① [「얹다」의 피동] ser puesto, ser colocado, ser cargado. ② [배가 좌초되다] encallar (en). ③ [먹은 음식이] pesar, ser pesado, ser indigesto. 돼지고기는 잘 얹힌다 La carne de cerdo es muy pesada [indigesta]. ④ [남에게 붙어 살다] contar con *su* apoyo.

얻다 ① [주는 것을 받아 가지다] recibir. ② [구하던 것을 받거나 가지게 되다] conseguir, obtener, lograr, alcanzar, recibir, tener; [노동 따위에 의해] ganar. 명성을 ~ conseguir la fama. ③ [이해하다, 터득하다] aprender, enseñar, entender, comprender. ④ [임자 없는 물건을 줍다] recoger. ⑤ [꾸거나 빌리다] tomar prestado, pedir prestado; [주택 · 방을] alquilar. ⑥ [사람을 맞다] tomar, recibir, casarse, adoptar. ⑦ [차지하거나 손에 넣다] sacar, apoderarse, conquistar. ⑧ [힘 따위를] ganar, tener. ⑨ [병에 걸리다] padecer, contraer.

얻어맞다 recibir un golpe.

얻어먹다 ① [남의 음식을] pedir limosna, vivir de limosna, vivir de la mendicidad, mendigar. ② [욕을] difamarse, calumniarse, hablarse mal.

얼[1] [밖에서 들어난 홈] rasguño *m*, arañazo *m*; [과일 · 식물의] magulladura *f*; [금, 균열] raja *f*, rajadura *f*, grieta *f*; [골절] fractura *f*, rotura *f*. ~이 생기다 agrietarse.

얼[2] [정신, 넋] espíritu *m*; [혼] el alma *f*; [의지] voluntad *f*. 민족의 ~ espíritu *m* del pueblo.

얼간 [소금에 조금 절이는 간] saladura *f* ligera, poca saladura *f*. ~하다 salar ligeramente. ② ((준말)) =얼간망둥이. ③ ((준말)) =얼간이.

얼간망둥이 simplón, -plona *mf*, bobo, -ba *mf*, persona *f* indecisa.

얼간이 idiota *mf*, bobo, -ba *mf*, tonto, -ta *mf*.

얼굴 ① [머리의 앞면] cara *f*, rostro *m*, faz *f*. 둥근 ~ cara *f* ovalada. 못생긴 ~ cara *f* fea, rostro *m* feo. 포동포동한 ~ cara *f* rolliza. ~을 맞대고 cara a cara. ~을 들고 boca arriba. ~을 숙이고 boca abajo. ~을 붉히다 ruborizarse, sonrojarse, ponerse colorado, ponerse rojo. ② [용모] facciones *fpl*, fisonomía *f*. ~이 고운 bien parecido, de buen parecer. ③ [신용이나 평판. 체면] honor *m*, prestigio *m*. ~을 깎다 desprestigiar, deshonrar. ④ [표정] semblante *m*, expresión *f*. 쓸쓸한 ~ semblante *m* triste. ⑤ [안면] conocimiento *m*.

얼굴빛 [안색] tez *f*; [표정] cara *f*, rostro *m*, semblante *m*, expresión *f*, aspecto *m*. 어두운 ~ tez *f* oscura. 밝은 ~ tez *f* clara.

얼근하다 ① [조금 매워서 입 안이] estar un poco picante. ② [술이 거나하여 정신이] estar medio borracho, estar un poco ebrio [borracho · embriagado].

얼기설기 con enredo, en desorden completo, intrincadamente. ~ 얽힌 enredado, complicado, intrincado. ~ 얽힌 사건 asunto *m* enredado.

얼다 ① [응결하다] helar(se), congelarse, entumecerse de frío. 언 helado, congelado. 언 손가락 dedos *mpl* helados. ② [기가 죽다] turbarse, ponerse nervio.

얼떨결에 en el momento de confusión, por descuido.

얼떨떨하다 (estar) desconcertado, perplejo, de desconcierto, de perplejidad.

얼렁뚱땅 astutamente, con astucia, con trampa, con ardid, con halagos. 일을 ~ 해치우다 hacer un trabajo chapucero.

얼레 carrete *m*, carretel *m*, bobina *f*. 실의 ~ carrete *m* de hilo.

얼레빗 peine *m* basto.

얼룩 [오점] mancha *f*, [반점] mancha *f*, mácula *f*, borrón *m*, manchón *m*, lunar *m*, pintarrajo *m*. ~이 지다 mancharse.

얼룩덜룩하다 (ser) de [a] lunares [motas], *Col*, *Ven* de pepas.

얼룩말 (동물) cebra *f*.

얼룩소 vaca *f* pintada.

얼룩얼룩하다 (ser) abigarrado, multicolor, de [a] lunares [motas].

얼룩점(-點) mancha *f*.

얼룩지다 estar manchado. 얼룩진 manchado, salpicado. 땀으로 얼룩진 manchado de sudor.

얼룩이 ① [동물] animal *m* de lunares. ② [점] mancha *f*.

얼른 rápidamente, rápido, deprisa, pronto, enseguida, en seguida, sin demora.

얼리다 [얼게 하다] helar; [냉동하다] congelar, refrigerar.

얼마 ① [양] ¿cuánto? / ¿cómo? / ¿qué precio? 이것은 ~입니까? ¿Cuánto cuesta [vale · es] esto? / ¿A cómo es esto? / ¿Qué precio

tiene esto? ② [밝혀 말할 필요가 없는 수량·값·정도 따위를 나타내는 말] algo, un poco, una parte, una porción. ~ 안 되다 no ser mucho. ~ 안 가서 poco (tiempo) después. ~ …이 아니다 poco, no … mucho.

얼마간 [一間] [수] algunos, -nas; [양] un poco de. ~의 돈 algún dinero, un poco de dinero. 일만의 ~의 돈 poco más de diez mil wones.

얼마나 ① [의문] ¿cuántos?, ¿cuántas? (수); ¿cuánto?, ¿cuánta? (양); ¿cuánto tiempo? (시간); cuánto (금액). 책이 ~ 있습니까? ¿Cuántos libros tiene usted? 돈은 ~ 필요합니까? ¿Cuánto dinero necesita usted? ② [여복] ¡qué!, ¡cuánto!, ¡cómo!, ¡qué punto. ~ 아름다운 경치냐 ¡Qué hermoso es el paisaje!

얼마든지 como quiera, cuanto quiera, todo lo que quiera, cualquier(a), tanto … como [cuanto], todo, sin cesar. ~ (모두라도) 드리겠습니다 Le doy cuanto [todo lo que] usted quiera.

얼마만큼 ① =얼마나. ② [정도] algo, un poco, una parte, una porción.

얼마쯤 =얼마름.

얼마름 ((준말))=얼마만큼.

얼버무리다 ① [말을] equivar, eludir, soslayar, sortear, sisimular, obscurecer, valerse de subterfugios, hablar con evasivas. ② [잘 씹지 않고 삼키다] tragar sin mascar bien, tragar rápidamente. ③ [여러 가지를 대충 섞어 버무리다] mezclar, combinar.

얼빠지다 estar loco, estar fuera de juicio, hacerse el [la] inocente, hacerse el tonto [la tonta].

얼빼다 cautivar, encantar, atraer, captar, fascinar, seducir.

얼싸 ¡Bravo! / ¡Viva! / ¡Hurra!

얼싸안다 abrazar, dar un brazo, estrechar en sus brazos.

얼씨구 ① [흥겨워 떠들 때에] ¡Hurra! / ¡Viva! / ¡Vaya! / ¡Yupi! / ¡Qué placer! / ¡Qué alegría! ~ 좋다 ¡Qué bueno! ② [조롱으로 하는 소리] ¡Caramba! / ¡Coño!

얼선 apareciendo un rato. ~ 못 하다 no atreverse a aparecer ni un rato en *su* presencia.

얼씬거리다 aparecer frecuentemente en *su* presencia.

얼어붙다 ① [단단히 얼다] helarse completamente. ② [긴장·무서움 따위로] poner en tensión.

얼얼하다 ① [혀끝이 몹시 아리다] (estar) picante, salpimentado. ② [햇볕에 너무 쬐어서] picar. 햇볕

에 탄 등이 ~ Me pica la espalda
tostada por el sol. ③ [상처 같은
데가] escocer. 상처가 ~ Me es-
cuece la herida. ④ [술이 취하여]
estar vago, estar confuso.

얼음 hielo *m*. ~이 얼다 helarse. ~
이 언 helado, congelado. ~ 같이
helado, álgido. ~ 같이 찬 helado,
frío como el hielo. ¶ ~ 과자 [막대
기가 있는] polo *m* helado, paleta
f helada, *RPI* palito *m* helado,
Chi chupete *m* helado. ~ 덩이
témpano *m* de hielo; [얼음 조각]
trozo *m* de hielo. ~ 물 물 조각
helada, el agua *f* con hielo. ~ 베
개 almohada *f* con hielo. ~ 사탕
azúcar *m* cande, azúcar *m* candi.
~ 조각 hielo *m* quebrado, pedazo
m de hielo, trozo *m* de hielo. ~
지치기 patinaje *m*. ~ 집 heladería
f, casa *f* donde se vende hielo. ~
찜(질) cataplasma *f* con la bolsa
de hielo. ~ 찜을 하다 aplicar la
cataplasma con la bolsa de hielo.

얼쩡거리다 haraganear, holgazanear.

얼추 [거의] casi; [대강] unos, más
o menos, aproximadamente; [개략
적으로] en líneas generales, en
términos generales.

얼추잡다 hacer un cálculo aproximado, calcular aproximadamente.

얼치기 ① [이것도 저것도 아닌 중간
치기] lo medio. ② [탐탁하지 않은
사람] idiota *mf*; tonto, -ta *mf*. ③
[이것 저것이 조금씩 섞인 것]
mezcla *f* con varias cosas.

얼크러지다 enredarse.

얼큰하다 = 얼근하다.

얼토당토 아니하다 (ser) irrelevante,
intrascendente, absurdo, ridículo,
extravagante.

얽다¹ ① [얼굴이] tener picado de
viruelas. 얽은 자리 (marca *f* de)
viruela *f*. ② [물건의 거죽에 홈이
많이 나다] tener muchos defectos, magullarse, deshuesar.

얽다² ① [노끈이나 새끼 따위로]
atar, apretar, amarrar, vendar,
entretejer. ② [없는 일을 있는 것
처럼 꾸미다] inventar(se), acuñar,
forjar.

얽매다 ① [얽어서 매다] sujetar,
atar, amarrar, ligar. ② [일에 몸
과 마음을 기울이다] sujetar.

얽매이다 ① [얽혀서 매이다] ser
atado, ser amarrado. ② [어떤 일
에] estar sujeto, tener limitación.

얽어매다 atar, amarrar; [쇠사슬로]
encadenar, atar con cadena.

얽히다 [얽음을 당하다] enredarse, embrollarse, trabarse, enmarañarse. 얽힌 enredado, embrollado. ② [서로 엇갈리다] confundirse, complicarse. 얽힌 confundido.
③ [얽어 감기다] hacerse un ovi-

llo. ④ [애매하게 걸리다] enre-
darse, abrazar. ⑤ [생각 등이 복
잡해지다] complicarse. ⑥ [어떤
사실이 관련되다] verse envuelto,
meterse, (estar) complicado.

엄격하다(嚴格-) (ser) estricto, severo, riguroso. 엄격히 estrictamente, severamente, rigurosamente, terminantemente. 엄격히
말하면 estrictamente (hablando).

엄금(嚴禁) prohibición *f* estricta. ~
하다 prohibir estrictamente. 이곳
에서는 흡연을 ~ 함 ((게시)) Aquí
se prohíbe estrictamente fumar.

엄니 ① [송곳니] diente *m* canino.
② = 어금니.

엄단(嚴斷) decisión *f* estricta, disposición *f* estricta. ~ 하다 decidir
estrictamente [severamente].

엄동(嚴冬) la estación más fría, frío
m picante, invierno *m* severo,
pleno invierno *m*, lo más recio
del invierno. ~ 에 en pleno invierno, en lo más recio del
invierno.

엄두 pensamiento *m* que se atreve
a hacer *algo*. ~ 가 나지 않다 no
atreverse a hacer *algo* en *su*
corazón. ~ 를 못 내다 no atreverse a concebir la idea (de +
inf), no entrar en *su* cabeza [en
su corazón], ser inconcebible.

엄마 ((소아어)) mama *f*, mamá *f*.

엄명(嚴命) orden *f* estricta [riguro-
sa · severa], mandato *m* estricto
[riguroso · severo]. ~ 하다 dar
una orden estricta, mandar [or-
denar] estrictamente. ~ 에 따라
según la orden estricta.

엄밀하다(嚴密-) (ser) severo, estricto, riguroso, estrechado, preciso, escrupuloso. 엄밀히 estrictamente, severamente, rigurosamente, estrechamente.

엄벌(嚴罰) castigo *m* severo [rigu-
roso], punición *f* severa. ~ 하다
castigar severamente [rigurosa-
mente], condenar a un castigo
severo [a una pena rigurosa].

엄벙덤벙 precipitadamente, sin reflexionar, imprudentemente, de
modo temerario. ~ 하다 portarse
sin pensar, ser frívolo.

엄살 exageración *f* de dolor, gran
alboroto *m*. ~ 꾸러기 persona *f*
quisquillosa.

엄선(嚴選) selección *f* estricta. ~ 하
다 seleccionar rigurosamente, elegir severamente [cautelosa- men-
te].

엄수(嚴守) observancia *f* estricta
[rigurosa]. ~ 하다 observar estrictamente [rigurosamente]. 시간
의 ~ puntualidad *f*. 시간을 ~ 하
다 ser puntual.

엄숙하다(嚴肅-) (ser) serio, solemne, augusto, majestuoso, grave. 엄숙히 seriamente, con seriedad, solemnemente, con solemnidad, augustamente, con majestuosidad.

엄습(掩襲) ataque *m* repentino. ~다 atacar repentinamente.

엄연하다(嚴然-) ① [겉 모양이 장엄하고 엄숙하다] (ser) solemne, grave, majestuoso, autoritario, severo, duro. ② [명백하다] (ser) evidente, innegable, indiscutible. 엄연한 사실 hecho *m* evidente [innegable · indiscutible].

엄정 중립(嚴正中立) neutralidad *f* estricta [rigurosa · absoluta]. ~을 지키다 mantener una neutralidad estricta [rigurosa · absoluta].

엄정하다(嚴正-) (ser) severo, riguroso, estricto; [정확하다] exacto, justo; [공평하다] imparcial. 엄정히 severamente, rigurosamente, estrictamente; exactamente, justamente; imparcialmente, con imparcialidad.

엄중(嚴重) severidad *f*, rigor *m*, rigurosidad *f*. ~하다 (ser) severo, estricto, riguroso, rigoroso. ~히 severamente, con severidad, estrictamente, rigurosamente. ~히 경계하다 precaver estrictamente, cuidar rigurosamente.

엄지가락 [손의] dedo *m* pulgar; [발의] dedo *m* pulgar (del pie).

엄지발가락 dedo *m* gordo (del pie), pulgar *m* (del pie).

엄지발톱 uña *f* del dedo gordo.

엄지손 =엄지손가락.

엄지손가락 (dedo *m*) pulgar *m*, dedo *m* gordo.

엄지손톱 uña *f* del pulgar.

엄처 시하(嚴妻侍下) gobierno *m* dominado por mujeres. ~에 있는 남자 hombre *m* que se manda [se domina] la mujer. ~의 남편 marido *m* dominado por *su* mujer, calzonazo *m.sing.pl.*

엄청나다 (ser) numeroso, innumerable, incalculable, profuso, absurdo, terrible, grave, serio.

엄친(嚴親) *su* (propio) padre.

엄포 amenazas *fpl* vanas, amenazas *fpl* que se las lleva el viento, farol *m*, fachenda *f*. ~(를) 놓다 amenazar.

엄하다(嚴-) (ser) duro, severo, estricto, rígido, riguroso, rigoroso.

엄호(掩護) protección *f*, cubrimiento *m*. ~하다 proteger, cubrir. ~ 사격 fuego *m* de protección.

업(業) ① ((준말)) =직업. ¶변호사를 ~으로 하다 ser abogado de profesión. ② ((불교)) [선악의 소행] actos *mpl* hechos [pecados *mpl* cometidos] en esta vida y

en otras anteriores. ③ ((불교)) [응보] karma *m*, retribución *f* inevitable.

업계(業界) círculos *mpl*, sector *m* industrial.

업다 [사람이나 물건을] llevar [cargar] al hombro [a cuestas · a las espaldas], cargar, cargar a *su* espalda. 아기를 ~ cargar a *su* niño al hombro.

업무(業務) operación *f*; [일] trabajo *m*, negocio *m*, oficio *m*. ~ 감사 inspección *f* de operaciones. ~ 관리 administración *f* de operaciones. ~ 보고 informaciones *fpl* de operación. ~ 시간 horas *fpl* de oficina, horas *fpl* laborables [hábiles].

업보(業報) ((불교)) karma *m*.

업신여기다 despreciar, menospreciar, desestimar, hacer poco caso.

업자(業者) comerciante *mf*, negociante *mf*; industrial *mf*.

업적(業績) [성과] resultado *m*, fruto *m*; [일. 작품] obra *f*, trabajo *m* realizado. ~를 올리다 arrojar buenos resultados, realizar un buen trabajo.

업종(業種) sección *f* de industria, sección *f* de empresa, rama *f* de comercio, rama *f* industrial, rama *f* comercial, ramo *m*. ~별 clasificación *f* industrial, clasificación *f* por industria. ~별로 하다 clasificar por industria.

업체(業體) ① ((준말)) =기업체. ② ((준말)) =사업체.

업태(業態) condiciones *fpl* [estado *m*] de negocio.

업히다 ① [업힘을 당하다] abrazarse a las espaldas. 어머니의 등에 ~ abrazarse a las espaldas de su mamá. ② [남의 등에 업게 하다] hacer cargar [llevar] al hombro.

없다 ① [어떤 곳을 차지하고 있지 않다] no ocupar, no haber, no estar. 나무 하나 없는 산 montaña *f* sin un árbol. 이 방에는 수도가 ~ En esta habitación no hay agua corriente. ② [존재하지 않다] no existir, no haber, no estar, no encontrarse. 없어서는 안될 imprescindible, indispensable, necesario. ③ [가지지 않다] no tener. 버릇이 ~ (ser) malcriado, descortés. ④ [생겨나거나 일어나지 않다] no ocurrir.

없애다 ((준말)) =없이하다.

없어지다 [분실하거나] perderse; [소멸하다] desaparecer, irse, pasar(se), alejarse. 위험이 없어졌다 Ha pasado el peligro.

없이 sin, sin que + *subj.* 틀림~ sin falta, sin duda.

없이하다 remover, gastar, perder.

엇갈리다 discrepar, estar en desacuerdo; [모순] contradecirse; [길이] cruzarse. 길을 ~ cambiar otro camino.

엇바꾸다 cambiarse (el uno al otro), cambiar mutuamente, cambiar el uno al otro. 책을 ~ cambiar los libros el uno al otro.

엇비슷하다 (ser) casi similar, casi parecido, casi semejante, casi el mismo, estar a la altura.

엉거주춤하다 vacilar, titubear, dudar, estar indeciso. 엉거주춤하게 medio, inclinado, medio agachado; [비유적으로] con actitud tímida. 엉거주춤한 자세 postura *f* media, postura *f* medio inclinada.

엉겁결에 sin querer, involuntariamente, inconscientemente, sin intención, de improviso, sin previo aviso.

엉겅퀴 ((식물)) cardo *m*, abrojo *m*.

엉금엉금 arrastrándose, gateando, yendo a gatas, a [en] cuatro patas. ~ 기어가다 avanzar a [en] cuatro patas.

엉기다 ① [액체 따위가] coagularse, cuajar. ② [무엇이 한데 뒤얽히다] enredarse. ③ [일을 허둥거리다] ponerse [estar] nervioso, aturullarse.

엉덩방아 tamborilada *f*, golpe *m* que se da al caer en el suelo. ~ (를) 찧다 coger una liebre, caerse al suelo, caer de culo..

엉덩이 caderas *fpl*, nalgas *fpl*, culo *m*, trasero *m*.

엉덩이바람 andar *m* tambaleante.

엉덩잇짓 movimientos *mpl* de *sus* caderas, tambaleo *m* de *sus* caderas. ~하다 tambalearse de *sus* caderas.

엉덩춤 baile *m* de caderas, hula-hula. ~을 추다 bailar el hula-hula.

엉덩판 caderas *fpl*, nalgas *fpl*. ~이 넓다 ser ancho de caderas.

엉뚱하다 (ser) absurdo, ridículo, desmedido, desmesurado, raro, extravagante, disparatado, excéntrico, incoherente, incongruente. 엉뚱한 결과 resultado *m* absurdo.

엉망 estropeamiento *m*, ruina *f*, destrucción *f*. ~으로 만들다 estropear, arruinar, destruir, corromper.

엉망진창 ((힘줌말)) =엉망.

엉성하다 ① [꼭 째이지 않아 어울리지 않다] (ser) mal hecho, tosco, chapucero, poco esmero. ② [탐탁하지 않다] (ser) desfavorable, insatisfactorio, poco satisfactorio,

deficiente, poco convincente. ③ [뼈만 남도록 버쩍 마르다] (ser) descarnado, delgado y adusto, huesudo, delgado, flaco; [병후에] demacrado.

엉엉 llorando amargamente, vociferando, desgañitándose, con llanto desgarrado. ~ 울다 llorar amargamente, llorar a lágrima viva.

엉치뼈 ((해부)) hueso *m* sacro.

엉클다 enredar, enmarañar.

엉클어뜨리다 enredar, enmarañar.

엉클어지다 [털이나 카페트가] apelmazarse; [머리카락이] enmarañarse. (털이) 엉클어져 있다 estar apelmazado.

엉큼하다 tener un intento oculto, tener una segunda intención, estar lleno de ambición profundamente arraigada.

엉키다 ((준말)) =엉클어지다.

어터리 [터무니없는 말이나 행동] disparate *m*, dicho *m* sin orden ni concierto, el habla *f* [plática *f* · conversación *f*] impensada [casual]; [쓰레기] basura *f*. ~ 화가 pintorzuelo, -la *mf*.

엊그저께 hace dos o tres días.

엊그제 ((준말)) =엊그저께.

엎다 trastornar, poner lo de arriba abajo; [컵·물병 등을] volcar; [우유·내용물을] derramar; [배를] volcar, hacer volcar; [책상·배를] dar*le* la vuelta; [정부를] derrocar, derribar.

엎드러뜨리다 hacer caer boca abajo.

엎드러지다 (resbalar y) caer boca abajo, caer de bruces.

엎드리다 prosternarse, ponerse de bruces, tenderse [tumbarse] boca abajo (en el suelo). 엎드려 눕다 tenderse, echarse, tumbarse. 엎드려 자다 acostarse boca abajo, ponerse de bruces.

엎어놓다 poner boca abajo. 카드를 ~ poner la carta cara [boca] abajo.

엎어지다 ① [앞으로 넘어지다] caerse (hacia adelante). ② =뒤집히다. ③ [결판이 나다] fracasar, fallar, ser destruido, ser arruinado, ser estropeado.

엎지르다 verter, derramar.

엎질러지다 verterse, derramarse.

엎쳐뵈다 ① [구차하게 남에게 머리를 숙이다] humillarse. ② ((속어)) =절하다.

엎치다 ① [배를 땅 쪽으로 깔다] poner el vientre hacia la tierra, caer boca abajo. ② ((힘줌말)) =엎다. ¶엎친 데 덮치다 Siempre llueve sobre mojado / Las desgracias nunca vienen solas / Salir de las llamas y caer en las brasas / Salir de Herodes y entran en Pilatos.

엎치락뒤치락 dando vueltas (en la cama). ~하다 dar vueltas. 침대에서 ~하다 dar vueltas en la cama.

에 ① [부사격 조사] ㉮ [처소·때·대상] a, en, de, por. 3시~ a las tres. 오전에~ por la mañana, *AmL* en la mañana. ㉯ [진행 방향] ~학교에~ 가다 ir a la escuela. ㉰ [원인] por. 바람~ 날리는 갈대 junco *m* que se vuela por el junco. 다섯 살 적~ a los cinco años de edad, cuando yo tenía cinco años de edad. ㉱ [단위나 비율] a, por. 천 원~ 사과 세 개 tres manzanas por mil wones. ㉲ [접속 조사] y. 떡~ 술~ 고기~ 잘 먹다 comer *teok*, *sul* y carne bastante.

에게 a, para. ~에게 ~ 편지를 쓰다 escribir a *su* hermana.

에고 ① ((철학·심리)) el yo, el ego. ② [자만, 아욕] amor propio, ego *m*.

에고이스트 ① [이기주의자] egoísta *mf*. ② [자기 중심주의자] egotista *mf*.

에고이즘 ① [이기주의] egoísmo *m*. ② [자기 중심주의] egotismo *m*.

에구구 ¡Ay! / ¡Qué cosa! / ¡Vaya por Dios! / ¡Ay por Dios!

에콰아도르 ((지명)) el Ecuador. ~의 (사람) ecuatoriano, -na *mf*.

에끼 ¡Caray! / ¡Maldita sea! — 뒈져라 ¡Por todos los demonios!

에나멜 esmalte *m*; [피혁의] charol *m*. ~ 가죽 piel *f* esmaltada, cuero *m* esmaltado, charol *m*. ~ 구두 zapatos *mpl* de charol. ~ 세공 esmalte *m*.

에너지 energía *f*. ~의 energético. ~ 산업 industria *f* energética. ~ 위기 crisis *f* energética, crisis *f* de energía. ~ 자원 recursos *mpl* energéticos. ~ 정책 política *f* energética. ~ 혁명 revolución *f* de (la) energía.

에누리 rebaja *f*, descuento *m*, reducción *f*. ~하다 rebajar, descontar.

에덴 ((성경)) Edén, región *f* de Edén. ~ 동산(東山) el Paraíso Terrenal, el (jardín del) Edén.

에델바이스 ((식물)) edelweiss *m*.

에도 ① [조차도] aún. ② [도 또한, ~에 대하여도] también, además, así como, para. 무슨 일~ 시기와 장소가 있다 Hay tiempo y lugar para cualquier cosa.

에라 ① [체념] Bueno, Bien. ~ 그럼 극장에 가자 Bueno, vamos al cine. ② [주의. 환기] ¡Oye! — 비켜라 ¡Oye! Hazte [Apártate] a un lado. !

에러 ((컴퓨터)) error *m*.

에로 ① ((준말)) =에로티시즘. ② [형용사적] erótico, obsceno, sexual, sensual, pornográfico, verde. ~ 문학 pornografía *f*, literatura *f* obscena [pornográfica]. ~ 영화 película *f* pornográfica [verde].

에메랄드 ① ((광물)) esmeralda *f*. ② [에메랄드 빛] verde *m* esmeralda, color *m* de esmeralda.

에베레스트(산) el Monte Everest.

에서 ① [어떤 사물의 처소] en, a. 한국~ en Corea. 학교~ 집까지 de la escuela a la casa. ② [주격 조사로] ¶우리 회사~ 이겼다 Ganó nuestra compañía. ④ [동기. 원인] de. 책임감~ del sentido de la responsabilidad. ⑤ [견지] desde, según, por. 교육적 견지~ 보면 desde el punto de vista educador. ⑥ [보다] más. 이~ 더 큰 사랑은 없다 No hay amor más grande que éste. ⑦ [최상급에서] de, entre, en. 세계~ 가장 긴 강 el río más largo del mundo. ⑧ [단위] a. 물은 섭씨 100도~ 끓는다 El agua hierve a cien grados centígrados.

에세이 [수필] ensayo *m*. ~ 작가 ensayista *m*.

에스빠냐 España. ~의 español. ~말[어] español *m*., castellano *m*, idioma *m* español, lengua *f* española. ~ 사람[인] español, -la *mf*. ~ 어 사전 Diccionario *m* de la Lengua Española. ~ 왕국 Reino *m* de España.

에스오에스 S.O.S. *m*, SOS *m*.

에스컬레이터 escalera *f* mecánica.

에스코트 escolta *f*. ~하다 escoltar.

에스키모 esquimal *mf*. ~어 (aleuto)esquimal *m*.

에스파냐 =에스빠냐. 서반아.

에스페란토 ((언어)) esperanto *m*. ~ 사용자[주의자] esperantista *mf*.

에스피판(-板) disco *m* de 78 rotaciones por minuto.

에어 [공기. 공중] aire *m*. ¶~백 bolsa *f* de aire. ~ 브레이크 ㉮ [자동차의] freno *m* de aire, freno *m* neumático. ㉯ [비행기의] freno *m* aerodinámico. ~ 쇼 demostración *f* de acrobacia aérea; [전시장] salón *m* aeronáutico. ~컨~ 에어 컨디셔너. ~ 컨디셔너 acondicionador de aire.

에어로빅 ☞에어로빅스.

에어로빅 댄스 danza *f* aeróbica.

에어로빅스 aerobismo *m*, aerobic(s) *m*.

에워싸다 rodear, cercar. 도시를 ~ rodear la ciudad.

에워싸이다 rodearse, ser rodeado.

에이 Bueno / Entonces / ¡Oh, sí! /

¿Qué? / ¡Eh? / ¡Bah!

에이비엠 misil *m* antibalístico. ~망
(網) red *f* del misil antibalístico.

에이비형(-型) grupo *m* AB.

에이에스 =애프터서비스.

에이즈 SIDA *m*, Síndrome *m* de
Inmunodeficiencia Adquirida. ~
환자 sidoso, -sa *mf*.

에이커 acre *m* (0,405 hectáreas).

에이펙 APEC *f*, O.C.E.A.P *f*, Cooperación *f* Económica Asiático-
Pacífica.

에이프런 [가정용] mandil *m*, delantal *m*; [노동자용] mandil *m*.

에잇 ¡Caray! / ¡Carajo! ~ 빌어먹
을! ¡Caray! / ¡Carajo!

에참 ¡Caramba! / ¡Caray! / ¡Carajo!

에청 aguafuerte *f*, grabado *m*.

에크 ¡Dios mío! / ¡Santo cielo! /
¡Ay por Dios! / ¡Vaya por Dios!

에테르 ((화학)) éter *m*. ~의 etéreo.

에티오피아 Etiopía *f*. ~의 etíope,
etiópico. ~ 사람 etíope *mf*.

에티켓 buenas maneras *fpl*, urbanidad *f*, cortesía *f*, buenos modales
mpl.

에페 ((펜싱)) espada *f* (de esgrima),
épée *m*, epe(e) *m*.

에피소드 ① [삽화] episodio *m*,
capítulo *m*. ② [일화] anécdota *f*,
episodio *m*. ③ [음악] pasaje *m*.

에필로그 epílogo *m*.

에헤 ¡Caramba! / ¡Dios bendito! /
¡Por Dios! / ¡Cómo se te ocurre! /
¡Ay, no!

에헴 ¡Ejem! ~하다 carraspear.

엑스 광선(-光線) =엑스선.

엑스 레이 ① =엑스선. ② =엑스선
사진.

엑스선(-線) rayos *m* X. ¶~ 검사
examen *m* de rayos X. ~ 사진
fotografía *f* por rayos X. ~ 촬영
radiografía *f*, roentgenografía *f*.

엑스트라 ① [연극이나 영화의] ex-
tra *mf*. ② [잡지의 임시 증간호]
número *m* extra. ③ [신문의 호
외] número *m* extra.

엔간하다 (ser) bueno, adecuado,
considerable. 엔간한 거리 buena
distancia *f*. 엔간한 교육 buena
educación *f*.

엔도르핀 endorfina *f*.

엔조이 gozo *m*, alegría *f*. ~하다
divertirse, pasarlo bien.

엔지 ((영화)) no bueno.

엔지니어 ingeniero, -ra *mf*; técnico,
-ca *mf*.

엔지오 NGO *ing.f*, ONG *f*, Organización *f* no gubernamental.

엔진 motor *m*.

엔터 키 ((컴퓨터)) tecla *f* Entrar.

엔트리 ① [경기 참가 신청자] participante *mf*, [참가자 수] número
m de participantes. ② [사전의]
표제어·수록 어휘] entrada *f*. ③

((컴퓨터)) entrada *f*.

엘니뇨 ((기상)) El Niño. ~ 현상(現
象) El Niño.

엘레지 pene *m* del perro.

엘리베이터 [승객용] ascensor *m*,
Méj elevador *m*. [화물용] elevador *m*, montacargas *m.sing.pl*;
[곡물 창고용] elevador *m* de
granos. ~ 걸 ascensorista *f*.

엘리트 [집합적] elite *f*, élite *f*, la
flor (y nata), lo selecto, lo escogido; [개인] hombre *m* selecto.
~ 그룹 grupo *m* selecto. ~ 의식
elitismo *m*. ~주의 elitismo *m*.
~의 지자 elitista *mf*.

엘살바도르 ((지명)) El Salvador. ~
의 (사람) salvadoreño, -ña *mf*.

엘시 [신용카드] carta *f* de crédito.

엠브이피 jugador *m* más destacado.

엥겔 계수(-係數) coeficiente *m* de
Engel.

엥겔 법칙(-法則) Ley *f* de Engel.

여가(餘暇) tiempo *m* libre, tiempo
m desocupado. ~에 en ratos
desocupados [libres], en el tiempo
libre.

여가수(女歌手) cantatriz *f*, cantante
f, cantadora *f*, cantarina *f*.

여각(餘角) ((수학)) ángulo *m* complementario.

여간(如干) unos, unas; un poco. ~
힘들지 않다 no ser difícil un
poco. ~ 영리하지 않다 ser sor-
prendentemente inteligente.

여감방(女監房) celda *f* para las
mujeres.

여객(旅客) viajero, -ra *mf*; [주로 배
나 비행기의] pasajero, -ra *mf*. ~
기 avión *m* de pasajeros. ~ 명부
lista *f* de pasajeros. ~ 배 barco *m*
de pasajeros. ~ 수화물 보관소
consigna *f*. ~ 열차 tren *m* de
pasajeros. ~ 운임 tarifa *f* de
viaje. ~ 전무 revisor, -sora *mf*.

여건(與件) ① [주어진 조건] presupuesto *m*, premisa *f*. ② ((논리))
dato *m*.

여걸(女傑) heroína *f*, amazona *f*.

여격(與格) ① [준말] =여격 조사.
② ((언어)) objetivo *m* indirecto.
~ 동사 verbo *m* dativo. ~ 조사
adverbio *m* dativo.

여공(女工) obrera *f*.

여과(濾過) filtración *f*. ~하다 filtrar, colar, depurar. ~기 filtro *m*,
coladera *f*, colador *m*, destilador
m, filtrador *m*, potabilizadora *f*
(음료수). ~지 filtro *m*.

여관(旅館) hostal *m*, pensión *f*, hotel *m*; [시골의 간이 여관] posada
f, fonda *f*, mesón *m*.

여교사(女教師) maestra *f*, profesora
f.

여교장(女校長) directora *f*.

여군(女軍) ① [군인] soldada *f*,

militar *f.* ② [군대] legión *f* de mujeres.

여권(女權) derecho *m* de (la) mujer, sufragio *m* femenino, sufragio *m* de mujer. ~ 신장 extensión *f* de derecho de mujer.

여권(旅券) pasaporte *f.* ~ 검사 revisión *f* del pasaporte. ~과 sección *f* de pasaporte. ~ 발급 expedición *f* del pasaporte.

여근(女根) ((해부)) vulva *f.*

여급(女給) moza *f*, camarera *f.*

여기 [이 곳] aquí, este lugar *m*, *AmL* acá. ~에 aquí, acá. ~에서 de aquí, desde aquí. ~까지 hasta aquí. ~로 por aquí. ~ 앉으십시오 Siéntese aquí, por favor.

여기다 considerar, tratar. 어린애로 ~ tratar como a un niño.

여기자(女記者) periodista *f.*

여기저기 aquí y allá, aquí y allí, aquí y acullá, acá y allá.

여념(餘念) idea *f* diferente. ~(이) 없다 (estar) absorto, enfrascado.

여느 ① [보통의. 예사로운] ordinario, acostumbrado, habitual, usual, de siempre, de costumbre. ~때처럼 como de costumbre, como siempre. ② [그 밖의 다른] otro, diferente.

여단(旅團) brigada *f.* ~을 편성하다 formar una brigada. ~장 general *mf* de brigada, brigadier *m.*

여닫다 abrir y cerrar.

여닫이 ① [열고 닫는 일] el abrir y el cerrar. ② [밀거나 당겨서 여는 문] puerta *f* móvil.

여담(餘談) digresión *f.* ~은 그만두고 volviendo ahora a nuestro tema. ~을 하다 hacer una digresión.

여당(與黨) partido *m* del [en el] poder, partido *m* del [en el] gobierno, partido *m* gubernamental, partido *m* gubernante.

여덕(餘德) influencia *f* persistente de una gran virtud. 조상의 ~ beneficios *mpl* recibidos de los antepasados, influencia *f* benigna de antepasados.

여덟 ocho. ~ 번 ocho veces. ~ 시 las ocho.

여덟째 octavo *m.* ~의 octavo.

여독(旅毒) fatiga *f* del viaje.

여독(餘毒) efecto *m* secundario.

여동생(女同生) hermana *f* (menor).

여드레 ① [여덟 날] ocho días. ② [(준말)] =여드렛날.

여드렛날 ① [(준말)] =초여드렛날. ② [여їл째의 날] el 8 [ocho].

여드름 grano *m*, acné *m(f)*, acne *f*, espinilla *f*, pústula *f*, postilla *f.*

여든 ochenta. ~ 살 ochenta años.

여래(如來) ① ((불교)) =석가. ② ((불교)) ((준말)) =석가모니여래.

여러 mucho, varios, diversos. ~ 사람 muchas personas, distintos tipos de personas.

여러 가지 muchas especies, muchos tipos [tipos]. ~의 diferentes, distintos, diversos, varios, varias clases de, varias especies de, distintos géneros de, distintos tipos de. ~로 de varias maneras, de distintos modos. ~ 물건을 사다 [팔다] comprar [vender] diversas cosas.

여러 번 a menudo, frecuentemente, con frecuencia, varias veces, unas cuantas veces; [되풀이해서] repetidamente, reiteradamente, repetidas veces.

여러분 caballeros *mpl*, señores *mpl*, ustedes. (신사 숙녀) ~! ¡Damas y caballeros!

여러해살이 ((식물)) =다년생. ¶ ~ 뿌리 raíz *f* perenne. ~식물[풀] planta *f* perenne.

여럿이 ① [여러 사람] muchas personas *fpl*, muchos. ② [여러 사람이 함께] junto con muchos, con muchas personas.

여로(旅路) viaje *m.*

여론(興論) opinión *f* pública. ~의 일치 consenso *m* de la opinión pública. ¶ ~조사 encuesta *f.*

여류(女流) dama *f*, mujer *f*, sexo *m* femenino, bello sexo *m.* ~의 femenino, de mujer. ~ 문인[문학가] literata *f.* ~ 비행가 aviadora *f.* ~ 소설가 novelista *f.* ~ 수필가 ensayista *f.* ~ 시인 poetisa *f.* ~ 작가 escritora *f*, autora *f.* ~ 화가 pintora *f.*

여름 verano *m*, estío *m.* ~(을) 타다 (ser) veraniego, debilitarse por el calor de verano, abrumarse de calor, adelgazar a causa del calor del verano. ¶ ~내 todo el verano. ~ 방학[휴가] vacaciones *fpl* de verano. ~옷 ropa *f* de verano, ropa *f* veraniega, traje *m* [vestido *m*] veraniego.

여리다 ① [질기지 않고 연하다] (ser) blando, mullido. 여린 치즈 queso *m* blando. ② [의지나 감정 따위가 약하고 무르다] (ser) dulce, amable, tierno, suave. ③ [표준보다 조금 모자라다] (ser) insuficiente, escaso.

여망(餘望) ① [아직 남은 희망] esperanza *f* restante. ② [장래의 희망] esperanza *f* futura.

여망(興望) popularidad *f*, confianza *f*, reputación *f*, estimación *f*, crédito *m.* 국민의 ~ confianza *f* del pueblo.

여명(黎明) ① [희미하게 밝아 오는 새벽] el alba *f*, aurora *f*, amanecer *m*, madrugada *f.* ~에 al alba, al amanecer. ② [희망의 빛] luz *f* de la esperanza. ¶ ~기 amaneci-da *f*, época *f* amaneiente, albores *mpl*, aurora *f*.

여무지다 (ser) duro, fuerte, maduro.

여물 ① [마소용] forraje *m*, pienso *m*, heno *m*, pasto *m*. 말에게 ~을 주다 pastar caballo con forraje. ② [흙을 이길 때, 썬 짚] pajas *fpl* cortadas. ¶ ~죽 forraje *m* hervi-do. ~통 pesebre *m*.

여물다 ① [씨가] madurar, llegar a madurez. 잘 여문 옥수수 maíz *m* bien maduro. ② [일이] estar bien maduro. ③ [사람이] (ser) vigoro-so, fuerte, firme.

여미다 adjustar, arreglar, poner en orden. 옷깃을 ~ adjustar *su* tra-je, ajustarse, arreglarse.

여반장(如反掌) (ser) muy fácil, facilísimo. 그런 일은 ~이다 Es muy fácil.

여배우(女俳優) actriz *f* (*pl* actrices).

여백(餘白) margen *m*, espacio *m*, blanco *m*. ~에 쓰다 escribir en el margen. ~을 메꾸다 llenar el espacio.

여별(餘ㅡ) ① [가외의 물건] extra *f*, sobras *fpl*, repuesto *m*, AmL restos *mpl*. ~ 열쇠 duplicado *m* de una llave; [마스터키] llave *f* maestra. ~ [옷] repuesto *m*.

여보 ① ((낮춤말)) = 여보시오. ② [자기 아내나 남을 부르는 말] ¡Cariño! / ¡Mi vida! / i(Mi) Amor! / ¡Tesoro! / [남편에게] ¡Querido! / [아내에게] ¡Querida!

여보세요 ¡Hola! / ¡Oiga! / Por fa-vor / Perdón / Perdóneme / [전화에서] / [받는 측] ¡Diga! / ¡Dígame! / ¿Dígame? / Cuba Oigo // [거는 측] ¡Diga! / ¡Oigame!

여봐라 ¡Mira! / ¡Oye! / ¡Eh! / ¡Oh!

여봐란듯이 efusivamente, expresi-vamente, aparatosamente, osten-tosamente, con ostentación.

여부(與否) sí o no, si. 성공 ~ éxito o fracaso.

여부없다(與否ㅡ) ① [여부를 말할 필요가 없다] No se necesita decir sí o no. ② [조금도 틀림이 없다] (ser) seguro, confirmado, incues-tionable, irrefutable, inequívoco.

여비(旅費) gastoss *mpl* de viaje, gastos *mpl* de desplazamiento, pasaje *m*. ~를 지급하다 pasar los gastos de viaje.

여비서(女秘書) secretaria *f*.

여사(女史) ① [시집간 여자의 존칭] señora *f*. ② [저명한 여성 이름 뒤에 쓰는 말] señora *f*. 김 ~ la señora Kim; [호격] ¡Señora Kim!

여사무원(女事務員) oficinista *f*.

여사장(女社長) presidenta *f*.

여색(女色) ① [여자와의 육체적 관계] relaciones *fpl* sexuales con una mujer, coito *m*; [색욕] deseo *m* sexual; [육욕] deleite *m* se-xual. ② [여자의 모습이나 얼굴빛] tez *f* mujeril, figura *f* mujeril. ③ [미인, 미색] mujer *f* bella, mujer *f* hermosa; [집합적] belleza *f*, belleza *f* femenina.

여생(餘生) (resto *m* de) la vida, tiempo *m* que queda vida. 나는 ~이 얼마 남지 않았다 Ya no me quedan muchos años de vida / Ya no me quedan más que muy pocos días.

여선생(女先生) maestra *f*, profesora *f*, instructora *f*.

여섯 seis. ~ 번째(의) sexto *m*.

여섯째 sexto. ~의 sexto.

여성(女性) ① [여자] mujer *f*, sexo *m* femenino, bello sexo *m*, sexo *m* débil.. ~의 femenino, femenil, de (la) mujer. ~의 몸매 adema-nes *mpl* femeniles. ② [여자의 성질] femineidad *f*, femenilidad *f*, carácter *m* femenil. ③ [서구어 문법에서] femenino *m*, género *m* femenino. ~의 femenino. ¶ ~관 vista *f* de bello sexo. ~ 교육 educación *f* de mujeres. ~ 명사 ustantivo *m* femenino, nombre *m* femenino. ~ 문제 problema *m* de mujeres. ~미 hermosura *f* [belle-za *f*] femenina. ~복 vestido *m* para mujeres. ~부(部) Ministerio *m* de Igualdad Sexual. ~부 장관 ministro, -ra *mf* de Igualdad Sexual. ~참정권 sufragio *m* [derecho *m* de voto] de la mujer. ~ 호르몬 hormón *m* femenino.

여성(女聲) voz *f* femenina.

여세(餘勢) fuerza *f* sobrante. ~를 몰아서 por fuerza sobrante.

여송연(呂宋煙) cigarro *m*, (cigarro *m*) puro *m*. ~을 피우다 fumar un cigarro [un puro].

여순경(女巡警) policía *f*.

여식(女息) hija *f*.

여신(女神) diosa *f*. 자유의 ~ diosa *f* de Libertad.

여신(與信) prestación *f*, préstamo *m*, crédito *m*, empréstito *m*. ~ 업무 negocio *m* de crédito. ~ 한도 línea *f* de crédito, límite *m* de crédito. ~ 한도액 límite *m* de crédito.

여아(女兒) ① [딸] hija *f*. ② [여자 아이] niña *f*, muchacha *f*. ~를 출산하다 dar a luz a una niña.

여야(與野) el partido gubernamental y la oposición.

여왕(女王) ① [여자 임금] reina *f*, soberana *f*. ~ 이사벨 reina *f* Isabel. ② [어떤 영역에서의 중심 되는 여성] reina *f*, belleza *f*, beldad *f*. 미의 ~ reina *f* de belleza. 사교계의 ~ reina *f* de círculos sociales. ¶ ~ 개미 hormiga *f* reina. ~벌 abeja *f* reina.

여우 ① ((동물)) zorro *m*; [암컷] zorra *f*; [새끼] zorrillo *m*, cachorro *m* de zorro. ② [매우 교활하고 변덕스러운 여자] zorra *f*, mujer *f* astuta y engañosa.

여우(女優) (준말) =여배우.

여우별 sol *m* intermitente.

여우비 lluvia *f* intermitente, lluvia *f* irregular, lluvia *f* con sol.

여우원숭이 ((동물)) lémur *m*.

여위다 ① [몸이] adelgazar(se), enflaquecer(se), ponerse flaco, ponerse delgado, demacrarse. ② [가난하여 살림이 보잘것없다] ser tan pobre como un ratón de sacristía.

여유(餘裕) ① [넉넉하고 남음이 있음] sobra *f*, excedente *m*; [여지] lugar *m*, espacio *m*, margen *m*; [한가함] tiempo *m* libre. ~를 남기다 dejar espacio. 돈에 ~가 있다 tener dinero suficientemente. ② [덤비지 않고, 사리를 너그럽게 판단하는 마음이 있음] soltura *f*, desahogo *m*, calma *f*, tranquilidad *f*. ~ 있는 생활 vida *f* holgada.

여의다 ① [사별하다] perder; [죽은 사람이 주어일 때] morirse. 부모를 ~ perder *sus* padres. ② [멀리 떠나 보내다] enviar [mandar] al lugar lejano. ③ [딸을] 시집보내다] casar (a *su* hija).

여의사(女醫師) médica *f*, doctora *f*.

여인(女人) ~ 천하 gobierno *m* dominado por mujeres.

여인(女人) =나그네.

여인숙(旅人宿) pensión *f*, posada *f*, fonda *f*, mesón *m*, hostal *m*, hostería *f*, *Col* residencial *m*.

여자(女子) mujer *f*; [소녀] muchacha *f*, chica *f*; [여아] chica *f*, hija *f*; [처녀] señorita *f*, muchacha *f*; [암컷] hembra *f*. ~ 같은 femenino, de (la) mujer. ~적 afemenado, mujeril, mujeriego. ~다운 mujeril. ~처럼 como una mujer. ¶ ~ 대학교 Universidad *f* Femenina. ~ 대학생 (estudiante *f*) universitaria *f*. ~ 친구 amiga *f*.

여장(女裝) vestido *m* (femenino), atavío *m*, compostura *f*, traje *m* en la mujer. ~하다 disfrazarse de mujer.

여장부(女丈夫) heroína *f*, mujer *f* varonil [valiente], amazona *f*.

여전하다(如前−) ser el mismo, ser como de costumbre, ser como siempre.

여점원(女店員) dependiente *f*.

여죄(餘罪) más crimen *m*, otro crimen *m*, otro delito *m*, delito *m* diferente.

여지(餘地) ① [남은 땅] terreno *m* sobrante, terreno *m* restante. ② [여망이 있는 앞길] futuro *m* de la esperanza. ③ [나위] espacio *m*, lugar *m*, sitio *m*, cabida *f*. 아직 ~가 있다 Hay espacio libre todavía.

여쭈다 decir, informar, mencionar.

여쭙다 (높임말) =여쭈다.

여차 nimiedad *f*, insignificancia *f*.

여차여차하다(此此如此−) ser tal y tal, ser tal y cual.

여차장(女車掌) cobradora *f*.

여체(女體) cuerpo *m* mujeril.

여치 ((곤충)) grillo *m*.

여탕(女湯) baño *m* para las mujeres.

여태까지 hasta ahora, hasta este momento, aún, todavía.

여파(餘波) efecto *m* secundario, resultados *mpl* consecuencias *fpl*, secuela *f*, repercusión *f*.

여편네 ① [결혼한 여자] mujer *f* casada *f*. ② ((비칭)) =아내.

여필종부(女必從夫) Lo que la esposa debe seguir a su esposo.

여학교(女學校) escuela *f* femenina.

여학사(女學士) licenciada *f*.

여학생(女學生) alumna *f*, colegiala *f*, estudiante *f*.

여행(旅行) viaje(s) *m(pl)*; [일주] recorrido *m*; [원족] excursión *f*; [순례] peregrinación *f*. ~하다 viajar, hacer un viaje. ~자 viajero, -ra *mf*. ~ 가방 maleta *f*, baúl *m*; [1,2박용] fin *m* de semana, bolso *m* de viaje, bolso *m* de fin de semana. ~ 경비 gastos *mpl* de viaje. ~ 보험 seguro *m* de viaje. ~사 agencia *f* de viajes. ~ 안내 guía *f* turística, infoamación *f* turística. ~ 안내소 información *f* de turismo, agencia *f* de viajes, agencia *f* de turismo. ~자 viajero, -ra *mf*; [관광객] turista *mf*. ~자 수표 cheque *m* de viajero(s).

여형제(女兄弟) hermana *f*.

여호와 ((성경)) Jehová.

여흥(餘興) diversión *f*, entretenimiento *m* adicional. ~으로 como una extra, para el entretenimiento adicional.

역(逆) ① [반대] oposición *f*, inverso *m*, revés *m*, lo contrario. ~의 inverso, contrario, opuesto. ~으로 inversamente, a la inversa, al revés, del revés, al contrario, por el contrario. ~ 방향으로 con rumbo contrario, en (la) dirección opuesta [contraria], en sentido opuesto [inverso]. ② ((철학)) contrariedad *f*.

역(驛) estación *f* (de ferrocarriles). ~원 empleado, -da *mf* de la estación; oficial *mf* de la estación; [집합적] personal *m* de la estación. ~장 jefe *m* de estación.

역(役) papel *m*, parte *f*. ~을 하다 desempeñar su papel.

역(譯) traducción *f*, versión *f*. 고전의 현대어 ~ traducción *f* [versión *f*] moderna de una obra clásica.

역겹다(逆-) (ser) pestífero, asqueante, repugnante, insoportable, dar mucha rabia, dar asco.

역경(逆境) adversidad *f*, apuros *mpl*, infortunio *m*, desgracia *f*, situación *f* adversa. ~에 처하다 estar en apuros [la adversidad].

역기(力技) =역도(力道).

역대(歷代) generaciones *fpl* sucesivas. ~의 sucevivo.

역도(力道) halterfilia *f*, levantamiento *m* de pesos. ~ 선수 halterofilo, -la *mf*.

역량(力量) habilidad *f*, capacidad *f*, talento *m*. ~이 있는 hábil, capaz, de mucho talento. ~이 있는 정치가 estadista *mf* hábil.

역류(逆流) contracorriente *f*, corriente *f* contraria, reflujo *m*. ~하다 fluir en la dirección contraria, correr a la dirección contraria, correr hacia atrás, refluir en sentido inverso, remontar.

역마차(驛馬車) diligencia *f*, coche *m* de diligencia.

역무원(驛務員) personal *m* de la estación (de ferrocarril).

역방(歷訪) gira *f*. ~하다 girar, hacer una gira. 각국을 ~하다 hacer una gira por diversos países.

역부족(力不足) falta *f* de habilidad. ~이다 ser incapaz, estar por encima de su capacidad.

역비례(逆比例) ((수학)) proporeión *f* inversa.

역사(力士) luchador *m*, hércules *m*, hombre *m* muy fuerte.

역사(歷史) historia *f*. ~의 histórico, historial. ~ 이전의 prehistórico. ~를 기록하다 historiar, escribir historias. ¶~가 historiador, -dora *mf*. ~관 vista *f* histórica, concepción *f* de énfasis. ~극 drama *m* histórico. ~ 소설 novela *f* histórica. ~ 이래 desde (el comienzo de) la historia. ~ 자료 historiografía *f*.

역선전(逆宣傳) contra-propaganda *f*. ~하다 hacer contra-propaganda.

역선풍(逆旋風) contracción *f*.

역설(力說) afirmación *f*, aseveración *f*. ~하다 subrayar, recalcar, insistir, dar relevancia.

역수입(逆輸入) reimportación *f*. ~하다 reimportar.

역수출(逆輸出) reexportación *f*. ~하

다 reexportar.

역습(逆襲) contraataque *m*. ~하다 contraatacar, hacer un contraataque.

역시(亦是) [또한] también, igualmente, asimismo, del mismo modo; [부정문에서] tampoco, no … tampoco; [결국] después de todo, bien pensado todo.

역어(譯語) traducción *f*, palabra *f* traducida.

역원(役員) oficial *mf*; funcionario, -ria *mf*; socio, -cia *mf*.

역원(驛員) =역무원(驛務員).

역임(歷任) servicio *m* consecutivo en varios puestos. 요직을 ~하다 ocupar sucesivamente puestos importantes.

역작(力作) obra *f* maestra.

역장(驛長) jefe, -fa *mf* de estación.

역저(力著) obra *f* maestra.

역전(逆轉) inversión *f*, reversión *f*, mudanza *f* de suerte. ~하다 invertirse, cambiar en sentido contrario. ~시키다 invertir.

역전 경주(驛傳競走) carrera *f* de relevos (de posta).

역점(力點) ① [힘을 가하는 점] punto *m* de aplicación de potencia. ② [강조점] (punto *m* de) énfasis *m*. ~을 두다 poner énfasis.

역주(力走) corrida *f* dura. ~하다 correr duro, correr a más no poder, correr a toda velocidad.

역주(譯註) ① [번역과 주석] la traducción y la anotación. ② [번역자의 주석] notas *fpl* del traductor.

역투(力投) ① [힘껏 던짐] lanzamiento *m* total. ~하다 lanzar [tirar] con todas sus fuerzas. ② ((야구)) lanzamiento *m* [tiro *m*] total. ~하다 lanzar [pichear] con todas sus fuerzas.

역투(力鬪) combate *m* dificultoso, combate *m* desesperado, lucha *f* ardua. ~하다 combatir desesperadamente, luchar con arduidad.

역학(力學) ((물리)) dinámica *f* ~의 dinámico. ~자 dinamista *mf*. ~적 dinámico.

역할(役割) papel *m*, parte *f*, oficio *m*; [사명] misión *f*. 중대한 ~ papel *m* importante.

역행(逆行) movimiento *m* contrario; [후퇴] retroceso, acción *f* de recular, retrogradación *f*. ~하다 moverse en dirección opuesta, recular, retroceder.

역효과(逆效果) efecto *m* [resultado *m*] contrario. ~의 contraproducente.

엮다 ① [노끈이나 새끼로] tejer, tricotar; [셋으로] trenzar; [섞어

짜다] entretejer; [뜨개바늘로] hacer punto de aguja; [갈구리바늘로] hacer croché. ② [물건을] tejer, entretejer. 울타리를 ~ tejer la cerca, hacer la cerca. ③ [여러 가지 사실을 줄대어 말하거나 적다] tejer, entretejer, intercalar, ponerse a escribir. ④ [책을 편찬하다] compilar.

엮은이 compilador, -dora *mf*.

엮음 compilación *f*, redacción *f*.

엮이다 tejerse, entretejerse.

연(年) año *m*; [일년] un año. ~ 1 회 una vez al año. ~ 평균 promedio *m* anual.

연(鉛) ((광물)) plomo *m*.

연(鳶) cometa *f*, pandorga *f*.

연(蓮) loto *m*, ninfea *f*. ~ 뿌리 raíz *f* de loto.

연(緣) ① ((준말)) =연분(緣分). ② ((불교)) condición *f*, causa *f* secundaria. ③ =가. 가장자리.

연간(年刊) publicación *f* anual.

연간(年間) durante un año. ~의 anual. 쌀의 ~ 생산액 producción *f* anual de arroz.

연감(年鑑) anuario *m*, almanaque *m*.

연거푸(連一) muchas veces continuas, continuamente, sucesivamente, consecutivamente, de un modo sucesivo.

연결(連結) unión *f*, liga *f*, enlace *m*; [차량의] enganche *m*, conexión *f*, acoñomiento *m*. ~하다 unir, ligar, juntar, enlazar, enganchar, conectar, acoplar.

연계(連繫) liga *f*, unión *f*. ~하다 ligar, unir. ~되다 ligarse, unirse.

연고(軟膏) ungüento *m*, pomada *f*, bizma *f*, unto *m*, untra *f*.

연고(緣故) ① [사유] razón *f*, causa *f*. ② [혈통·정분 또는 법률상으로 맺어진 관계] 마 [관계] relación *f*, conexión *f*, enlace *m*; [혈연] parentesco *m*; [중계] intermedio *m*, buenos oficios *mpl*. ~가 있다 tener buena recomendación. ㉯ [친척] pariente *mf*; [아는 사람] conocido, -da *mf*. ③ =인연. ~권 derecho *m* preferente. ~자 pariente *mf*, pariente, -ta *mf*, familiar *mf*. ~지 lugar *m* preferente.

연골(軟骨) cartílago *m*, cartilágine *m*, ternilla *f*. ~의 cartilágineo, cartilaginoso.

연공(年功) ① [오래 근속한 공로] servicio *m* largo y meritorio; [근속] servicio *m* largo, antigüedad *f* en el empleo. ~에 따라 por largo servicio, según la antigüedad, en consideración a la antigüedad. ② [여러 해 동안 익힌 기술] experiencia *f* larga. ~에 따라 por

larga experiencia.

연공(年頁) tributo *m* (anual).

연관(鉛管) tubo *m* de plomo.

연구(研究) estudio *m*; [조사] investigación *f*. ~하다 estudiar, investigar, indagar, hacer investigaciones. ~ 과제 tema *m* [materia *f*] de investigación. ~관[인] investigador, -dora *mf*. ~ 논문 tratado *m*, trabajo *m* de investigación; [학위 논문] tesis *f*. ~소 instituto *m* [centro *m*] (de investigaciones), laboratorio *m*. ~실 despacho *m* [cuarto *m*] de investigación, cuarto *m* de estudio; [화학 따위의] laboratorio *m* (de investigación).

연구(軟球) pelota *f* blanda.

연구(聯句) pareado *m*, dístico *m*.

연구개(軟口蓋) ((해부)) velo *m* del paladar. ~음 sonido *m* velar.

연극(演劇) drama *m*, teatro *m*, función *f* teatral, representación *f* teatral; [희곡] obra *f* de teatro. ~의 teatral, de teatro. ~계 mundo *m* del teatro, mundo *m* de las tablas, teatro *m*. ~론 dramaturgia *f*. ~배우 teatrólogo, -ga *mf*. ~인 artista *mf* teatral. ~제 fiesta *f* teatral.

연근(蓮根) ((식물)) raíz *f* de loto.

연금(年金) pensión *f*, anualidad *f*; [금리에 의한] renta *f*. ~ 수령자 jubilado, -da *mf*; pensionado, -da *mf*; pensionista *mf*.

연금(軟禁) arresto *m* domiciliario. ~하다 limitar [restringir] a *su* casa. 자택에 ~하다 someter a arresto domiciliario.

연금술(鍊金術) alquimia *f*. ~의 alquímico. ~사 alquimista *mf*.

연기(延期) aplazamiento *m*, prórroga *f*, [기간 연장] prolongación *f*, alargamiento *f*. ~하다 aplazar, diferir, prorrogar, posponer, prolongar, alargar.

연기(煙氣) humo *m*. ~가 나는 humeante. ~로 가득찬 방 habitación *f* llena [cargada] de humo. ~가 나다 humear, echar humo, estar humeante.

연기(演技) ① [배우의] representación *f*, desempeño *m*, función *f*, interpretación *f*, actuación *f*. ~하다 actuar, representar *su* papel, desempeñar *su* papel. ② ((체조)) práctica *f*. ~하다 practicar. ¶ ~자 actor, -triz *mf*.

연꽃(蓮一) ((식물)) flor *f* de loto.

연내(年內) dentro del año.

연년(連年) años *mpl* sucesivos, por varios años. ~ 형제 hermanos *mpl* nacidos en años seguidos.

연단(演壇) tribuna *f*, estrado *m*, plataforma *f*; [스테이지] tablado *m*; [설교단] púlpito *m*.

연달다(連-) continuar, seguir, sucederse. 연달은 [상호 연관이 있는] sucesivo; [연관이 없는] consecutivo. 연달아 continuamente, sucesivamente, sin intervalo, sin interrupción, sin cesar, incesantemente, uno después de otro.

연대(年代) ① [지나온 시대] período *m* pasado. ② [시대] época *f*, período *m*, era *f*; [세대] generación *f*; [연호] fecha *f*.

연대(連帶) solidaridad *f*. ~하다 solidarizarse. ~ 보증 garantía *f* solidaria. ~ 보증인 confiador, -dora *mf*; fiador *m* solidario, fiadora *f* solidaria. ~ 서명 firma *f* conjunta. ~ 책임 responsabilidad *f* solidaria, solidaridad *f*.

연대(聯隊) regimiento *m*. ~의 regimental. ~장 jefe *m* de regimiento.

연도(年度) año *m*, término *m*; [달력의] año *m* del calendario; [회계 연도] año *m* fiscal, término *m* del año, ejercicio *m*; [학교] año *m* escolar; [사업 연도] año *m* del negocio.

연도(沿道) borde *m* de la carretera [del camino], camino *m*, ruta *f*.

연돌(煙突) chimenea *f*, cañón *m* de chimenea.

연두(年頭) principio *m* del año; [설날] día *m* del Año Nuevo. ~ 교서 mensaje *m* de(l) Año Nuevo (del Presidente).

연두(軟豆) ((준말)) =연둣빛.

연두색(軟豆色) =연둣빛.

연둣빛(軟豆-) verde *m* amarillento, (color *m*) verde *m* claro.

연락(連絡/聯絡) [통지] aviso *m*, noticia *f*, información *f*; [접촉] enlace *m*, coordinación *f*, contacto *m*; [교통·통신] comunicación *f*; [접속] empalme *m*. ~하다 avisar, informar, comunicar, empalmar. ~기 avión *m* de enlace. ~망 red *f* de comunicaciones. ~병 soldado, -da *mf* de enlace. ~ 부절 tráfico *m* incesante. ~선 barco *m* de empalme; [페리] ferribote *m*, transbordador *m*, ferry (boat) ing.*m*; [소형 페리] balsa *f*, barca *f*. ~소[처] oficina *f* de enlace de contacto). ~역 estación *f* de empalme. ~ 위원회 comité *m* de enlace, comisión *f* de enlace. ~ 장교 oficial *mf* de enlace.

연령(年齡) edad *f*, años *mpl* (de edad). ~별 grupo *m* etario. ~순 orden *m* de edad. ~ 제한 límite *m* de edad. ~차(差) disparidad *f* [discrepancia *f*] de edad.

연례(年例) ¶ ~의 anual. ~ 보고 informe *m* anual. ~ 총회 Asam-

blea *f* General Anual. ~ 행사 eventos *mpl* anuales.

연로(年老) vejez *f*, edad *f* avanzada, edad *f* vieja, edad *f* anciana. ~하다 (ser) viejo, anciano.

연료(燃料) combustible *m*, carburante *m*. ~의 보급 abastecimiento *m* de combustible. ¶ ~봉 combustible *m* nuclear. ~비 gastos *mpl* de combustibles. ~ 탱크 tanque *m* de combustible.

연루(連累) implicación *f*, complicidad *f* en un crimen. ~하다 ser cómplice en un crimen. ~자 cómplice *mf*.

연륜(年輪) ((식물)) anillo *m* anual, círculo *m* anual.

연리(年利) interés *m* anual, interés *m* por año. ~ 5푼으로 a cinco por ciento de interés por año.

연립(聯立) alianza *f*, coalición *f*, unión *f*. ~하다 ser aliado, ser unido. ~ 내각[정부] gabinete *m* de coalición, gobierno *m* coalicionista. ~ 방정식 ecuaciones *fpl* con varias incógnitas. ~ 주택 casa *f* de vecindad [de vecinos] de un solo piso; [두 세대용의] casa *f* de dos viviendas adosadas.

연마(硏磨/鍊磨) ① [여러 번 갈고 닦음] pulimento *m*, brillo *m*, lustre *m*; [금속의] bruñido *m*; [칼의] afiladura *f*, amoladura *f*. ~하다 pulir, pulimentar, abrillantar, bruñir, afilar, amolar, dar brillo, sacar brillo; [금강사로] esmerilar; [보석을] ciclar. ② [단련] estudio *m*, ejercicio *m*, enseñanza *f*, educación *f*. ~하다 practicar constantemente, hacer el ejercicio, experimentar una disciplina dura. ¶ ~기 molinillo *m*, afilador *m*, afiladora *f*. ~ 도구 pulidor *m*, ReD pulidora *f*. ~반 afilador *m*, afiladora *f*. ~지 papel *m* de lija.

연말(年末) fin *m* de(l) año. ~에 a fines de(l) año, a final de(l) año, al terminar el año. 2003년 ~에 al terminar el año 2003. ¶ ~ 보고 informe *m* de fin de año. ~ 상여금 bonificación *f* [gratificación *f*] del fin de año. ~ 세일 rebajas *fpl* de fin de año. ~ 정산 ajuste *m* del impuesto sobre la renta del fin de año.

연맹(聯盟) liga *f*, federación *f*, unión *f*. ~을 맺다 unirse, aliarse.

연면적(延面積) superficie *f* total. 건물의 ~ superficie *f* total del edificio.

연명(延命) supervivencia *f*. ~하다 sobrevivir, quedar vivo, salvarse, ganarse la vida.

연명(連名/聯名) firma *f* conjunta. ~하다 firmar conjuntamente. ~으

로 de mancomún, unidamente, mancomunadamente, en común.

연모 [도구] instrumento *m*; [재료] material *m*.

연못(蓮-) estanque *m* de loto, estanque *m* (del agua). ~가 borde *m* del estanque.

연문(戀文) carta *f* de amor, carta *f* amorosa.

연미복(燕尾服) frac *m*.

연민(憐憫/憐愍) compasión *f*, lástima *f*, piedad *f*. ~의 정 piedad *f*, simpatía *f*, compasión *f*. ~을 느끼다 mover la lástima. ~의 정을 느끼다 tener compasión, tener piedad.

연발(連發) ① [연이어 일어남] ocurrencia *f* sucesiva. ~하다 ocurrir sucesivamente. ② [잇따라 쏨] disparos *mpl* sucesivos. ~하다 disparar sucesivamente. ~총 revólver *m*.

연방 continuamente, constantemente, sucesivamente. ~ …하다 seguir + 「현재 분사」. ~ 들락거리다 seguir entrando y saliendo, entrar y salir continuamente. ~ 웃다 seguir sonriendo, sonreír continuamente.

연방(連放) = 연발(連發)②.

연방(聯邦) federación *f*, unión *f* federal, estado *m* federal, confederación *f*. ~의 federal, federativo. ~제 sistema *m* federal.

연배(年輩) edad *f*, edad *f* madura. 동~ la misma edad.

연변(沿邊) el área *f* a lo largo del río [del ferrocarri].

연보(年報) anuario *m*, informe *m* anual, reporte *m* anual, boletín *m* anual.

연보(年譜) crónica *f* (personal).

연봉(年俸) sueldo *m* anual. ~ 이천만 원 sueldo *m* anual de veinte millones de wones.

연분(緣分) lazo *m* [vínculo *m*] predestinado, relación *f*, afinidad *f*, conexión *f*, destino *m*. ~이 맺다 tener un vínculo íntimo. ~을 끊다 romper. 어떤 ~도 없다 no tener ninguna relación. 부부의 ~ llegar a contraer matrimonio.

연분홍(軟粉紅) color *m* (de) rosa (claro·ligero), (color *m*) rosa *m* pálido, color *m* de ibis.

연불(延拂) pago *m* diferido.

연비례(連比例) ((수학)) proporción *f* continua.

연사(演士) orador, -dora *mf*.

연산(年産) producción *f* anual.

연상(年上) edad *f* mayor. ~의 de edad mayor, mayor. ~의 여인 mujer *f* de edad mayor. ~의 아내 esposa *f* mayor (que *uno*).

연상(聯想) asociación *f* de ideas;

[환기] evocación *f*; [유추] analogía *f*. ~하다 asociar las ideas, acordarse, pensar.

연서(連署) firma *f* en común, firmas *fpl* comunadas; [부서(副署)] refrendata *f*, refrendo *m*. ~하다 firmar en común, refrendar. ~인 confirmante *mf*.

연서(戀書) carta *f* amorosa.

연석(宴席) banquete *m*, partida *f* de comida. ~에 참석하다 asistir a un banquete.

연설(演說) discurso *m*, oración *f*; [훈시] alocución *f*; [격려의] arenga *f*. ~하다 dar un discurso, pronunciar un discurso, discursar; [개인에게] dirigirse. ~가 orador, -dora *mf*, discursante *mf*. ~문 oración *f* de discursos. ~집 colección *f* de discursos.

연세(年歲) ((높임말)) = 나이. ¶~가 많다 ser viejo, tener muchos años.

연소(年少) mocedad *f*, edad *f* tierna, pueridad *f*, niñería *f*. ~의 menor, joven, juvenil.

연소(延燒) extensión *f* del fuego [del incendio], propagación *f* del fuego [del incendio]. ~하다 extenderse [propagarse] el incendio.

연소(燃燒) combustión *f*, encendimiento *m*, inflamación *f*. ~하다 quemarse, encenderse, inflamarse, abrasarse. ~시키다 quemar, encender, inflamar, abrasar.

연속(連續) continuación *f*, continuidad *f*, sucesión *f*, serie *f*. ~하다 continuar. ~극 [방송의] drama *m* consecutivo [en serie]; [텔레비전의] telenovela *f*, culebrón *m*; [라디오의] radionovela *f*. ~물 [텔레비전·라디오의] serie *f*, serial *m*, CoS serial *f*. ~ 방송[방영] serialización *f*. ~ 방송을 하다 serializar, seriar. ~상연 sesión *f* continua, AmL función *f* continua (CoS 제외), CoS función *f* continuada; serialización *f*. ~적 sucesivo, consecutivo.

연쇄(連鎖) ① [양편을 연결하는 사슬] cadena *f*. ② [서로 연이어 맺음] conexión *f*, serie *f*. 사상의 ~ serie *f* de ideas encadenadas [eslabonadas].

연수(年收) ingresos *mpl* anuales, entrada *f* anual, renta *f*.

연수(研修) cursillo *m*, estudio *m*, capacitación *f*, adiestramiento *m*; [스포츠의] entrenamiento *m*. ~하다 cursar, estudiar, adiestrar, entrenar. ~생 cursillista *mf*; aprendiz, diza *mf*. ~소[원] instituto *m* de estudio, instituto *m* [centro *m*] de formación profesional.

연습(演習) ① =연습(練習). ② [군대 또는 함대의] maniobras *fpl*, prácticas *fpl* militares. ~하다 realizar [hacer] las maniobras. ③ =세미나.

연습(練習/鍊習) práctica *f*, ejercicio *m*; [반복 연습·리허설] ensayo *m*; [스포츠의] entrenamiento *m*. ~하다 ejercitar; [연설·연극·연주회를] ensayar(se); [스포츠를] entrenarse. ~시키다 ejercitar, hacer práctica; [댄서·음악가를] hacer ensayar; [스포츠를] entrenar. ¶~곡(曲) estudio *m*. ~기 avión *m* de entrenamiento. ~ 문제 (cuestiones *fpl* de) ejercicio *m*. ~ 부족 falta *f* de ejercicio, falta *f* de entrenamiento. ~ 비행 vuelo *m* de práctica. ~생 aprendiz, -diza *mf*; estudiante *mf*. ~선(船) buque *m* escuela. ~ 시간 hora *f* de ensayo. ~장(帳) cuaderno *m* de ejercicios. ~장(場) sala *f* de [terreno·lugar *m* de] entrenamiento [ejercicios], campo *m* de maniobras. ~함 buque *m* escuela, buque *m* del entrenamiento.

연승(連勝) victorias *fpl* sucesivas. ~하다 vencer sucesivamente, traer una serie de victorias, ganar sucesivamente.

연시(年始) ① =연초(年初). ② =설.

연시(軟柿) caqui *m* maduro.

연식(軟式) tipo *m* blando. ¶~ 볼 pelota *f* blanda. ~ 야구 béisbol *m* de bola blanda. ~ 정구 tenis *m* de pelota blanda.

연안(沿岸) costa *f*, litoral *m*.

연애(戀愛) amor *m*, enamoramiento *m*. ~하다 estar enamorado, enamorarse. ~ 결혼 matrimonio *m* [casamiento *m*] por amor. ~관 vista *f* de amor. ~ 사건 aventura *f* amorosa, amores *mpl*. ~ 소설 novela *f* romántica, novela *f* de amor, novela *f* rosa. ~ 편지 carta *f* de amor, carta *f* amorosa.

연약(軟弱) debilidad *f*, blandura *f*. ~하다 [성격이] (ser) débil [blando] de carácter, de carácter débil; [지반 등이] poco sólido, poco firme, blando.

연어(鰱魚) ((어류)) salmón *m*.

연예(演藝) representación *f*, función *f* (teatral), entretenimiento *m*, espectáculo *m*, atracción *f*. ~계 mundo *m* del espectáculo, mundo *m* de entretenimiento. ~인 artista *mf*; ejecutante *mf*; actor, -triz *mf*; intérprete *mf*; festejador, -dora *mf* profesional.

연월일(年月日) fecha *f*, data *f*. ~를 기입하다 fechar, datar. ~이 없는 편지 carta *f* sin fecha, carta *f* sin fechar.

연유(煉乳) leche *f* condensada, leche *f* concentrada.

연유(緣由) ① =사유(事由). ② =유래(origen). ¶~하다 originarse. 사건의 ~ origen *m* del accidente.

연인(戀人) novio, -via *mf*; amigo *m* cariñoso, amiga *f* cariñosa; [정부(情夫)] amante *m*, querido *m*; [정부(情婦)] amante *f*, querida *f*, concubina *f*.

연일(連日) cada día, día tras día, días consecutivos; [매일] todos los días.

연임(連任) renombramiento *m*, reelección *f*. ~하다 ser renombrado, ser redesignado, ser reelegido.

연잇다(連一) [연속하다] continuar sin interrupción; [연결하다] conectar juntos, comunicar juntos, unir juntos. 연이은 continuo; [서로 관련이 있는] sucesivo; [서로 관련이 없는] consecutivo. 연이은 불행 desgracias *fpl* consecutivas.

연잎(蓮一) hoja *f* de loto.

연장((건축)) herramienta *f*.

연장(年長) [사람] mayor *mf*, mayor *mf*.

연장(延長) extensión *f*, prórroga *f*, prolongación *f*. ~하다 alargar, prolongar, prorrogar, dilatar, extender. ~선 línea *f* de extensión. ~전 prórroga *f*.

연재(連載) publicación *f* en serie. ~하다 publicar en serie. ~ 만화 [보통 1회 4컷의 신문·잡지의] tira *f* cómica, historieta *f*. ~만화가 humorista *mf*. ~물 [라디오·텔레비전의] serial *m*. ~ 소설 novela *f* por entregas, novela *f* en serie.

연정(戀情) amor *m*, pasión *f*, pasión *f* amorosa.

연좌(連坐) ① [잇따라 앉음] acción *f* de sentarse en grupo. ② [연루] complicidad *f*, implicación *f*. ~하다 ser cómplice, implicarse. ~ 데모 sentada *f*, *Méj* sitin *m*. ~제(도) responsabilidad *f* colectiva.

연주(演奏) ejecución *f* (musical), interpretación *f* (de una pieza musical). ~하다 [작품을] ejecutar, interpretar; [악기를] tocar, tañer. ~가 concertista *mf*; intérprete *mf*; ejecutante *mf*. ~ 곡목 repertorio *m*, programa *m*. ~자 músico *mf*, músico, -ca *mf*; instrumentista *mf*; tocador, -dora *mf*; tañedor, -dora *mf*. ~회 concierto *m*; [독주회] recital *m*.

연주황(軟朱黃) color *m* de carne.

연중(年中) todo el año, año *m* completo. ~ 무휴 abierto todo el año, abierto 365 días. ~ 행사 ritos *mpl* (fijos) anuales [del año], ceremonias *fpl* (fijas) anuales [del año].

연지(臙脂) ① [색] carmesí *m*, arrebol *m*, colerete *m*. ~를 바르다 pintarse los labios de colorete, darse de colorete. ② [입술 연지] [막대꼴] pintalabios *m.sing.pl*, lápiz *m* de labios, barra *f* de labios, *AmL* lápiz *m* labial; [물질] rouge *m*, carmín *m*. ~분 [연지와 분] el pintalabios y los polvos (de tocador). ④ =화장품.

연차(年次) ① [나이의 차례] orden *m* por edad. ② [햇수의 순서] orden *m* cronológico. ③ [매년] cada año, todos los años. ~ 계획 proyecto *m* anual, plan *m* anaual. ~ 대회 asamblea *f* general anual. ~ 보고 reporte *m* anual. ~ 총회 asamblea *f* general anual.

연착(延着) llegada *f* tardía, arribo *m* tardío, tardanza *f* en llegar. ~하다 llegar con retraso, tener retraso.

연체(延滯) atraso *m*, retraso *m*, retardo *m*, retardación *f*, caído *m* atrasado, lo atrasado. ~하다 ser atrasado, ser retrasado, tener atrasos. ~금[료] importe *m* atrasado; [은행·주식의] deuda *f* atrasada. ~ 이자 interés *m* atrasado [diferido], interés *m* no pagado al vencimiento.

연초(年初) principio *m* del año. ~에 al principio el año, a principios [comienzos] del año.

연출(演出) ejecución *f*, desempeño *m*, dirección *f*, representación *f*; [영화·텔레비전의] producción *f*; [연극] puesta *f* en escena, producción *f*; [라디오·연극의] dirección *f*; [쇼의] versión *f*, producción *f*. ~하다 ejecutar, poner en obra, dirigir, representar, interpretar; [영화와 텔레비전에서] producir, realizar; [연극을] poner en escena; [쇼를] montar, poner en escena; [라디오·연극의] dirigir. ¶~가 [영화·텔레비전·연극의] productor, -tora *mf*, [라디오·연극의] director, -tora *mf*. ~법 manera *f* de ejecución.

연탄(煉炭) briqueta *f*, losilla *f*, barra *f* de carbón. ~ 가스 gas *m* de carbón. ~ 공장 fábrica *f* de briqueta. ~ 난로 estufa *f* de briqueta.

연파(連破) derribo *m* sucesivo. ~하다 derribar sucesivamente.

연패(連敗) derrotas *fpl* sucesivas. ~하다 ser derrotado sucesivamente.

연패(連霸) =연승(連勝).

연평균(年平均) media *f* anual. ~ 강우량 precipitación *f* pluvial media

anual, media *f* anual de lluvia.

연표(年表) ((준말)) =연대표. ¶역사 ~ tabla *f* cronológica de la historia. 한국사 ~ lista *f* [tabla *f*] cronológica de la historia de Corea.

연필(鉛筆) lápiz *m*. ~로 쓰다 escribir con lápiz. ¶~깎이 sacapuntas *m.sing.pl*, cortalápices *m.sing.pl*, afilalápices *m.sing.pl*, *Col* tajalápices *m.sing.pl*. ~심 mina *f*. ~화 dibujo *m* a lápiz.

연하(年下) edad *f* menor. ~의 menor, de edad menor. ~의 남자 hombre *m* de edad menor.

연하(年賀) felicitaciones *fpl* del Año Nuevo, salutación *f* del Año Nuevo. ~ 우편 correo *m* del Año Nuevo. ~장 tarjeta *f* [carta *f*] de felicitación del Año Nuevo.

연하다(軟一) ① [무르고 부드럽다] (ser·estar) tierno, blando. 연한 고기 carne *f* blanda. 연하게 하다 ablandar; [가죽을] suavizar. 연해지다 ablandarse, suavizarse. ② [빛이 열고 산뜻하다] (ser) suave, claro, opaco.

연한(年限) período *m*, término *m*, plazo *m*. ~이 되다 vencer el término de años.

연합(聯合) [결합] unión *f*, asociación *f*; [연맹] liga *f*, alianza *f*; [연결] combinación *f*; [합동] amalgamación *f*; [정당·국가의] coalición *f*, alianza *f*. ~하다 unirse, aliarse, asociarse, ligarse, formar una alianza. ~국(가) países *mpl* aliados. ~군 ejército *m* aliado, fuerzas *fpl* aliadas, fuerzas *fpl* unidas; [1·2차 세계 대전의] Aliados *mpl*. ~ 전선 frente *f* unida. ~ 함대 flotas *fpl* unidas.

연해(沿海) costa *f*, litoral *m*.

연해(連一) sucesivamente, continuamente, incesantemente, sin cesar, sin parar, sin descansar. ~ 일하다 trababajar sin parar [sin descansar].

연행(連行) arresto *m*. ~하다 arrestar, llevar consigo (forzadamente); [억지로 끌고 가다] arrastrar [acarrear] a la fuerza.

연혁(沿革) historia *f*.

연호(連呼) llamada *f* continua. ~하다 llamar continuamente.

연화(蓮花·蓮華) flor *f* de loto.

연회(宴會) fiesta *f*, banquete *m*, festín *m*. ~를 열다 tener [celebrar·preparar]. un banquete. ~석 asiento *m* de banquetes. ~장 sala *f* [salón *m*] de banquetes.

연휴(連休) días *fpl* feriados consecutivos. 하루 거른 ~ días *mpl* festivos escalonados.

열 diez. ~ 번째(의) décimo. 열 번

찍어 아니 넘어가는 나무가 없다 ((속담)) Muchos golpes derriban un roble.

열(列) ① [사람·물건이 죽 벌여 선 줄] línea f; [횡렬] fila f; [종렬] columna f, hilera f; [종구 앞 등 의] cola f; [행진] desfile m. 마지 막 ~ la última fila. (물건) 사는 사람들의 ~ cola f de comprado-res. ② [줄을 세는 단위] línea f. 네 ~ cuatro líneas.

열(熱) ① [열기] calor m. ~을 가하 다 calentar. ~을 내다 irradiar, radiar, emitir calor. ~을 전하다 transmitir el calor. ② [체온] temperatura f. [병의] fiebre f, calentura f. ~이 높다 tener fie-bre alta. ~이 있다 tener fiebre. ~을 재다 medir [tomar] la tem-peratura del cuerpo. ③ [열의·감 광] fiebre f, entusiasmo m, ardor m. ~을 올리다 entusiasmarse, apasionasrse. ④ [격정. 노함] pa-sión f, cólera f, ira f enfado m. ~이 나다 enfadarse. ¶ ~손실 pérdida f por efecto Joule, pér-dida f de calor; ((전기)) pérdida f por resistencia. ~에너지 energía f térmica, energía f calorífica. ~ 용량 capacidad f térmica [calorí-fica].

열강(列强) (grandes) potencias fpl. 세계[유럽]의 ~ potencias fpl del mundo [de Europa].

열거(列擧) enumeración f. ~하다 enumerar, numerar, contar, cal-cular, detallar, especificar.

열광(熱狂) pasión f, exaltación f, entusiasmo m, furor m, demencia f, manía f. ~하다 entusiasmarse, apasionarse, exaltarse, excitarse.

열기(熱氣) ① [뜨거운 기운] aire m caliente; [강한] aire m ardiente; [열] calor m. ② ~신열(身熱). ¶ ~가 있다 tener fiebre. [흥분 된 분위기] atmósfera f calurosa, entusiasmo m, fervor m, ardor m, pasión f.

열기구(熱氣球) globo m de aire caliente.

열넷 catorce.

열넷째 decimocuarto m.

열녀(烈女) mujer f virtuosa, mujer f de virtud.

열다[열매 등이 맺히다] dar, nacer, vegetar. 실과가 ~ dar fruto.

열다[2] ① [닫히거나 막히거나 가리어 진 것을] abrir. 문을 ~ abrir la puerta. ② [사업·경영·흥행 등을] 시작하다, 경영하다] abrir, esta-blecer, fundar. 가게를 ~ abrir la tienda. ③ [모임을 개최하다] ce-lebrar, dar. ④ [새로운 기틀을 마 련하다] abrir. ⑤ [어떤 관계를 맺 다] establecer. 국교를 ~ estable-

cer las relaciones diplomáticas.

열다섯 quince. ~ 번째(의) decimo-quinto m.

열다섯째 decimoquinto m.

열대(熱帶) trópicos mpl, zona f tórrida [tropical]. ~의 tropical. ~ 과실 fruta f tropical. ~ 기후 clima m tropical. ~ 림 selva f tropical. ~ 병 enfermedad f tropi-cal. ~ 식물 planta f tropical, flora f tropical. ~야(夜) noche f tropical. ~어 pez m tropical. ~ 의학 medicina f tropical. ~ 지방 regiones fpl tropicales.

열두 doce. ~ 번째(의) duodécimo.

열등(劣等) inferioridad f. ~하다 (ser) inferior, bajo, pobre, vulgar, soez, rústico. ~감 humillación f, (complejo m de) inferioridad f. ~ 생 estudiante m atrasado, estu-diante f atrasada. ~아 niño m atrasado, niña f atrasada. ~ 의식 complejo m de inferioridad.

열람(閱覽) inspección f, lectura f. ~ 하다 leer, revisar, registrar, ins-peccionar. ~권 billete m [AmS boleto m] de entrada de una biblioteca. ~료 cuota f [coste m] de entrada de una biblioteca. ~ 석 asiento m de lectura. ~실 sala f de lectura. ~자[인] lector, -tora mf, leyente m, visitante mf. ~표 ficha f de préstamo.

열량(熱量) cantidad f de calor; [칼 로리] caloría f. ~의 calorífico. ~ 을 측정하다 medir la cantidad de calor. ~가 valor m calorífico. ~계 calorímetro m. ~ 단위 uni-dad f térmica. ~식 alimento m calorífico. ~ 측정 calorimetría f.

열렬하다(熱烈/烈烈-) (ser) fervien-te, ardiente, fervoroso, caluroso, vehemente, apasionado. 열렬한 사 랑 amor m ardiente [apasionado]. 열렬히 fervientemente, ardiente-mente, calurosamente, con vehe-mencia, apasionadamente, vehe-mentemente. ~ 사랑하다 enamo-rarse locamente, estar enamorado locamente. ~ 응원하다 vitorear con entusiasmo.

열리다[1] [열매가] darse, producirse, producir fruto. 열매가 ~ darse el fruto.

열리다[2] ① [닫히거나 막히거나 가리 어진 것이] abrirse. 열린 abierto. 열린 문 puerta f abierta. 문이 ~ abrirse la puerta. ② [문화가 개발 되다] ser civilizado, ser ilustrado, ser modernizado. ③ [장이] abrirse, empezarse. ④ [어떤 모임 이 개최되다] celebrarse. ⑤ [가게 따위가] abrir(se).

열망(熱望) anhelo m, deseo m (ar-diente). ~하다 suspirar, anhelar, esperar encarecidamente, ansiar, desear, ardientemente.

열매 ① [식물의] fruto *m*; [과실] fruta *f*; [견과] nuez *f*; [장과] baya *f*. ~를 맺다 dar fruto. ② [어떠한 일에 힘써 거둔 결과] fruto *m*. 애정의 ~ fruto *m* de amor.

열무 rabinito *m*, rábano *m* joven. ~김치 *kimchi* de rabanitos.

열반(涅槃) ① ((불교)) [해탈의 경지] estado *m* mental de Buda. ② ((불교)) =입적(入寂). ¶~에 가다 morir, fallecer, entrar en la nirvana.

열변(熱辯) [연설] discurso *m* ferviente; [웅변] elocuencia *f* vehemente. ~을 토하다 dar un discurso ferviente.

열병(熱病) ① ((의학)) [고열을 수반하는 질병] fiebre *f*, calentura *f*, pirexia *f*. ② ((의학)) =장티푸스. ¶~ 환자 paciente *mf*; aquejado, -da *mf* de una fiebre.

열사(烈士) patriota *mf*; héroe *m*, heroína *f*. 순국 ~ mártir *mf*.

열사(熱砂) arena *f* calurosa.

열사병(熱射病) insolación *f*.

열선(熱線) rayo *m* calorífico.

열성(熱誠) ardor *m*, devoción *f*, entusiasmo *m*; [성실] sinceridad *f*; [열의] celo *m*. ~에 가득한 lleno de sinceridad. ~을 다해 con mucho entusiasmo, entusiastamente, con celo.

열세(劣勢) inferioridad *f*, desventaja *f*, inferioridad *f* numérica, inferioridad *f* en números. ~의 inferior en números. ~를 만회하다 recuperar la ventaja.

열셋 trece. ~째(의) decimotercero.

열쇠 ① [자물쇠를 여는 쇠붙이] llave *f*. ~로 열다 abrir con llave. ② [일을 해결하는 데 필요한 사물] clave *f*, llave *f*. 문제 해결의 ~ clave *f*. ¶~ 고리 llavero *m*. ~ 구멍 ojo *m* (de la cerradura). ~ 꾸러미 llavero *m*. ~ 다발 manojo *m* de llaves, llavero *m*. ~ 보관소[보관함] llavero *m*. ~ 수리인[제조자] llavero, -ra *mf*.

열심(熱心) celo *m*, entusiasmo *m*, ahinco *m*, fervor *m*, ardor *m*, diligencia *f*, asiduidad *f*. ~한 [열렬한] entusiasta, apasionado, ferviente, ardiente, fervoroso, entusiástico; [근면한] diligente, asiduo, aplicado; [활동적인] activo, vigoroso; [전심의] afanoso; [주의 깊은] atento. ~히 apasionadamente, fervientemente, con fervor, con ardor, asiduamente, con ahínco, con mucho entusiasmo, con toda el alma, en cuerpo y alma, atentamente. ~히 강의를 듣다 prestar mucha atención a

la clase, escuchar la clase muy atentamente.

열십자(一十字) cruz *f*. ~로 en forma de cruz.

열아홉 diez y nueve, diecinueve.

열아홉째 decimonoveno *m*, decimonono *m*. ~의 decimonoveno.

열악하다(劣惡一) (ser) inferior, malo, tosco, basto, ordinario. 열악한 상품 mercadería *f* de mala calidad.

열애(熱愛) amor *m* apasionado. ~하다 amar apasionadamente, admirar ciegamente.

열여덟 diez y ocho, dieciocho.

열여덟째 decimooctavo *m*. ~의 decimooctavo.

열여섯 diez y seis, dieciséis.

열여섯째 decimosexto *m*. ~의 decimosexto.

열역학(熱力學) termodinámica *f*.

열연(熱演) representación *f* apasionada. ~하다 representar apasionadamente [ardientemente · con entusiasmo].

열오르다 ① [신열이 올라] ponerse caliente por la fiebre. ② [열성이 나다] estar lleno de sinceridad. ③ [일시적으로 흥분하다] excitarse [entusiasmarse] temporalmente.

열의(熱意) pasión *f*, entusiasmo *m*, ardor *m*, celo *m*, ahinco *m*, fervor *m*. ~ 있는 entusiástico, lleno de entusiasmo, celoso. ~를 가지고 con fervor, con ardor, apasionadamente, con entusiasmo. ~가 없다 no tener entusiasmo.

열이온(熱一) ((물리)) termión *m*. ~의 termiónico.

열일곱 diez y siete, diecisiete.

열일곱째 decimoséptimo *m*. ~의 decimoséptimo.

열전(列傳) (series *fpl* de) biografías *fpl*.

열전(熱戰) ① [열렬한 쟁패전] partido *m* muy reñindo, torneo *m* ardiente, torneo *m* fervoroso, lucha *f* ferviente. ② [무력에 의한 본래의 전쟁] guerra *f* caliente.

열정(熱情) fervor *m*, ardor *m*, pasión *f*, vehemencia *f*, celo *m*. ~ 있는 persona *f* apasionada. ~적 ardiente, apasionado. ~적으로 ardientemente, apasionadamente. ~인 사랑 amor *m* ardiente.

열중(熱中) entusiasmo *m*. ~하다 entusiasmarse, tener mucha afición, estar loco; [몰두하다] absorberse, entregarse; [전념하다] dedicarse, aplicarse, andar [bailar · ir] de coronilla.

열째 décimo. ~의 décimo. ~ 번 décimo *m*.

열차(列車) tren *m*. 첫 ~ primer

tren *m*. 마지막 ~ último tren *m*.
¶~ 기관사 maquinista *mf*. ~ 사고 accidente *m* de tren. ~ 승무원 empleado, -da *mf* del ferrocarril. ~ 시간표 horario *m* de tren, horario *m* de ferrocarril. ~ 여행 viaje *m* en tren.

열창(熱唱) acción *f* de cantar aplicadamente. ~하다 cantar aplicadamente.

열풍(熱風) viento *m* caliente [cálido·abrasador]; [사하라 사막 등의] simún *m*; [지중해 연안의] siroco *m*.

열하나 once.

열하루 [하루 동안] once días; [열하룻날] el 11 [once].

열하룻날 el 11 del mes. 섣달 ~ el 11 de diciembre.

열한째 undécimo *m*.

열핵(熱核) núcleo *m* térmico. ~의 termonuclear. ~ 에너지 energía *f* termonuclear. ~ 연료 combustible *m* termonuclear.

열혈(熱血) sangre *f* ardiente, ahinco *m*, ardor *m*, celo *m*. ~ 남아[한] hombre *m* (de temperamento) apasionado, hombre *m* (de sangre) ardiente. ~ 청년 joven *m* ardiente [apasionado].

열화(熱火) ① [뜨거운 불] fuego *m* caliente. ② [급한 화증(火症)] cólera *f*, ira *f*. ~같이 노하다 inflamarse de cólera.

열흘 ① [십 주야] diez días. ② [열흘날] el 10 [diez] (del mes).

열흘날 el 10 [diez] (del mes).

엷다 ① [두께가 두껍지 않다] (ser) delgado, fino. ② [사물의 밀도·농도·빛깔 따위가] (ser) claro, ligero, flojo, pálido, suave, opaco. ③ [웃음 따위가] (ser) ligero. 엷은 미소 sonrisa *f* ligera.

염가(廉價) precio *m* barato, precio *m* de oferta, precio *m* de rebajas, precio *m* de ganga, precio *m* de oportunidad, precio *m* bajo, precio *m* moderado, precio *m* módico. ~ 매입 ganga *f*. ~ 판 edición *f* popular. ~ 판매 venta *f* de saldos. ~품 artículos *mpl* baratos.

염기(鹽氣) sabor *m* de sal, gusto *m* salado, gusto *m* de sal. ~가 있는 salino, salobre.

염기(鹽基) ((화학)) base *f*.

염도(鹽度) grado *m* salado.

염두(念頭) mente *f*, pensamiento *m*. ~에 두다 tener en cuenta, tener presente; [고려하다] considerar, tener en consideración, pensar.

염려(念慮) [걱정] ansiedad *f*, inquietud *f*, preocupación *f*; [불안] miedo *m*, temor *m*; [위험] peligro *m*, riesgo *m*; [가능성] posibilidad *f*. ~하다 inquietarse, temer, preocuparse.

염료(染料) (material *m* de) tintura *f*, materia *f* colorante, colorante *m*. ~ 공업 industria *f* tintorera.

염매(廉買) ganga *f*, buena compra *f*, compra *f* a bajo precio, compra *f* con rebaja, compra *f* de rebajas, compra *f* barata. ~하다 comprar a bajo precio.

염매(廉賣) venta *f* a bajo precio, venta *f* con rebaja, venta *f* de oferta, venta *f* de ganga, venta *f* de saldos, venta *f* barata. ~하다 vender a bajo precio [con rebaja], liquidar.

염문(艶聞) asuntos *mpl* amorosos, episodio *m* de amor, romance *m*.

염병(染病) ① [장티푸스] (fiebre *f*) tifoidea *f*, tifus *m* abdominal. ② ((준말)) =전염병(epidemia). ¶~할 ¡Coño! / ¡Mierda!

염분(鹽分) porción *f* de la sal, cantidad *f* de sal, salinidad *f*, salobridad *f*.

염불(念佛) ((불교)) invocación *f* [rezo *m*·oración *fl* budista, repetición *f* del nombre de Buda. ~하다 repetir el nombre de Buda de forma audible o de forma inaudible, rezar a Buda.

염산(鹽酸) ((화학)) ácido *m* clorhídrico, ácido *m* hidroclórico; [공업] ácido *m* muriático.

염색(染色) tintura *f*, tinte *m*, teñidura *f*, teñido *m*. ~하다 teñir, colorear. ~ 공장 taller *m* de tintura. ~소 tintorería *f*.

염색체(染色體) cromosoma *m*. ~의 cromosómico.

염세(厭世) pesimismo *m*. ~가 pesimista *mf*; [사람을 싫어하는] misántropo, -pa *mf*. ~관 concepción *f* pesimista, pesimismo *m*. ~ 자살 suicidio *m* del asco para la existencia. ~적 pesimista. ~주의 pesimismo *m*. ~주의자 pesimista *mf*. ~증 síntoma *m* pesimista. ~ 철학 filosofía *f* pesimista.

염소 ((동물)) cabra *f*, chiva *f*, cabrón *m*; [수컷] macho cabrío *m*; [암컷] cabra *f*; [새끼] cabrito *m*, chivo *m*.

염습(殮襲) envolvimiento *m* del cadáver en la mortaja. ~하다 envolver el cadáver en la mortaja.

염원(念願) deseo *m*, anhelo *m*. ~하다 desear, anhelar, hacer votos, formular votos. 세계 평화를 ~하다 desear la paz del mundo.

염장(殮葬) funerales *mpl* después de envolver el cadáver en la mortaja. ~하다 hacer funerales después de envolver el cadáver en la mortaja.

염쟁이(殮-) persona *f* que trabaja en una funeraria.

염전(鹽田) salina *f*, campo *m* de sal.

염주(念珠) (《불교》) rosario *m*, cordón *m* de cuentas. ¶ ~를 세다 contar las cuentas. ¶ ~끈 sarta *f* de cuentas. ~알 cuenta *f*.

염증(炎症) inflamación *f*, enconamiento *m*; [피부의] dermatitis *f*, dermitis *f*. ~를 일으키다 inflamar(se), enconarse, causar inflamación.

염증(厭症) = 싫증(disgusto).

염직(染織) ① [피륙에 물들임] tintura *f*, tinte *m*. ② [염색과 직조] la tintura y la textura.

염출(捻出) ① [비틀어 냄] torcedura *f*. ~하다 torcer. = 안출(案出). ③ [돈을 억지로 장만함] preparación *f* por fuerza. ~하다 preparar por fuerza.

염치(廉恥) (sentido *m* de) honor *m*, integridad *f*, honradez *f*. ~를 소중 하게 여기다 mantener honor sobre cualquier cosa, estimar honor.

염치없다(廉恥-) (ser) impudente, descarado, indiscreto, sin miramientos, desvergonzado, sinvergüenza. 염치없이 impudentemente, con la mayor desvergüenza, desvergonzadamente, descaradamente.

염탐(廉探) espionaje *m*. ~하다 espiar. ~꾼 espía *mf*.

염통(-) [해부] = 심장(心臟)(corazón).

염하다(殮-) = 염습(殮襲)하다.

엽견(獵犬) perro *m* de caza, galgo *m*, podenco *m*, sabueso *m*.

엽관 운동(獵官運動) buscaempleos *m*. ~을 하는 사람 pretendiente *mf* de buscaempleos.

엽궐련(葉-) cigarro *m*, (cigarro *m*) puro *m*.

엽기(獵奇) buscada *f* de curiosidad grotesca. ~ 문학 literatura *f* que excita una curiosidad insana. ~ 소설 novela *f* que excita una curiosidad insana. ~적 curioso de rareza, que excita una curiosidad insana.

엽기(獵期) ① [사냥하는 데 좋은 철] estación *f* [temporada *f*] de caza. ② [사냥을 허가하는 기간] época *f* [período *m*] de caza.

엽록소(葉綠素) (《식물》) clorofila *f*.

엽록체(葉綠體) cloroplasto *m*.

엽색(獵色) lascivia *f*, aventuras *fpl* amorosas, libídine *f*, libidinosidad *f*, libertinaje *m*, disipación *f*. ~가 mujeriego *m*.

엽서(葉書) (《준말》) = 우편 엽서. 그림 엽서. ¶ ~를 보내다 enviar [despachar] una tarjeta postal.

엽연초(葉煙草) tabaco *m* de hojas.

엽차(葉茶) ① [차나무의] té *m* verde, té *m* ordinario. ② [한 번 우려낸 홍차를 재탕한 차] segundo brebaje *m* de té. ③ [차나무의 어린 잎을 따 쪄서 말린 차] té *m* cocido y secado de las nuevas hojas.

엽초(葉草) tabaco *m* de hojas.

엽총(獵銃) escopeta *f* para la caza.

엿[1] gluten *m* de trigo, sacarosa *f*, azúcar *m* de caña, caramelo *m* (coreano), *Guat* melcocha *f*.

엿[2] [여섯] seis. ~ 냥 seis *yanges*.

엿가래 pieza *f* de yeot.

엿가위 tijeras *fpl* para el vendedor de yeot.

엿기름 malta *f*, malta *f* de cebada, sojas *fpl* germinadas. ~ 가루 malta *f* en polvo.

엿듣다 escuchar a las puertas, escuchar a hurtadillas, atisbar, mirar a hurtadillas, entrever.

엿보다 ① [남이 모르게] acechar, espiar, atisbar, esrudriñar, mirar furtivamente. 살짝 ~ entrever, divisar, echar una ojeada, echar una mirada furtiva, atisbar. 옆방의 동정을 ~ espiar lo que pasa en el cuarto de al lado. ② [알맞은 때를 기다리다] acechar. 기회를 ~ acechar la oportunidad, acechar la ocasión.

엿살피다 acechar, espiar, atisbar, escrudriñar, vigilar, hacer la acechona.

엿새 ① [여섯 날] seis días. ② (《준말》) = 엿샛날.

엿샛날 el 6 [seis] (del mes).

영 = 도무지. 전혀. ¶ ~ 입맛이 없다 no tener apetito de ninguna manera.

영(令) (《준말》) ① = 명령. ② (= 법령(法令). ③ = 약령(藥令).

영(零) cero *m* (0), nada. 1대 ~으로 이기다 vencer por uno a cero.

영(齡) período *m* del crecimiento del gusano de seda.

영(靈) ① (《준말》) = 신령(神靈). ② (《준말》) = 영혼. ¶ ~과 육 el alma *f* y el cuerpo, espíritu *m* y carne, espíritu *m* y cuerpo. ~의 세계 el otro mundo, el reino de los muertos.

영(永) (《준말》) = 영영(永永). ¶ ~ 소식이 없다 nunca hay ninguna noticia

영가(靈歌) (《음악》) (canto *m*) espiritual *m*. 흑인 ~ (canto *m*) espiritual *m*, espiritual *m* negro.

영감(靈感) inspiración *f*, numen *m*. ~을 주다 inspirar, dar inspiración. ~을 받다 inspirarse, recibir inspiración.

영걸(英傑) gran hombre *m*, héroe *m*.

영검(靈-) milagro *m*, respuesta *f* de Dios.

영겁(永劫) ((불교)) eternidad *f*. ~의 eterno.

영결(永訣) despedida *f* eterna (entre el vivo y el muerto). ~하다 despedirse de *uno* eternamente. ~식 ceremonia *f* funeral.

영계(-鷄) polluelo *m*, pollito *m*. ~ 백숙 polluelo *m* cocido con arroz.

영계(靈界) ① [정신 또는 그 작용이 미치는 범위] mundo *m* espiritual [mental]. ~의 현상 fenómeno *m* espiritual. ② [영혼의 세계] reino *m* de los muertos, el otro mundo.

영고(榮枯)=영고 성쇠(榮枯盛衰).

영고 성쇠(榮枯盛衰) prosperidad *f* y decaecimiento, vicisitud *f* de la vida.

영공(領空) espacio *m* (aéreo) [aire *m*] territorial. ~ 침해 violación *f* del espacio (aéreo) territorial. ~ 침해를 하다 violar el espacio territorial.

영관(領官) oficial *mf* superior.

영광(榮光) gloria *f*, aureola *f*; [명예] honor *m*, honra *f*. 신의 ~ la Gloria de Dios.

영구(永久) eternidad *f*, perpetuidad *f*, permanencia *f*. ~하다 (ser) eterno, perpetuo, permanente.

영구(靈柩) ataúd *m*, féretro *m*. ~차 coche *m* [carro *m*] fúnebre; [말이 끄는] carroza *f* fúnebre.

영국(英國) ((지명)) Inglaterra *f*. ~의 (사람) inglés, -lesa *mf*.

영내(領內) territorio *m*, dominio *m*. ~에서 en el territorio.

영내(營內) (en el) cuartel *m*. ~ 거주 residencia *f* en el cuartel. ~ 생활 vida *f* en el cuartel.

영농(營農) explotación *f*, cultivo *m*, labranza *f*, agricultura *f*. ~가 agricultor, -tora *mf*. ~ 자금 fondo *m* de labranza.

영도(零度) grado *m* cero.

영도(領導) dirección *f*, guía *f*, liderazgo *m*, jefatura *f*. ~하다 dirigir, guiar. ~력 poder *m* de liderazgo. ~자 dirigente *mf*; líder *mf*.

영락(零落) ① [초목의] la marchitez y la caída. ~하다 marchitar y caer. ② [세력이나 살림의] ruina *f*, arruinamiento *m*, decadencia *f*. ~하다 arruinarse, decaer, caer en la ruina, caer en la miseria.

영령(英靈) [죽은 사람의 영] el alma *f* del muerto; [전사자의 영혼] el alma *f* de un soldado muerto [de un héroe caído] en la guerra [en el campo de batalla], espíritu *m* de los caídos.

영롱하다(玲瓏-) (ser) lúcido, brillante, transparente, esplendoso.

영리(營利) lucro *m*, ganancia *f*, beneficio *m*. ~를 목적으로 하다 tener objeto lucrativo.

영리하다(怜悧-) (ser) inteligente, listo; [사려가 깊은] prudente, cuerdo, discreto; [예민한] agudo, sagaz, perspicaz.

영면(永眠) sueño *m* eterno, fallecimiento *m*, muerte *f*. ~하다 descansar en paz, dormir el sueño eterno [de la eternidad]. 부디 ~ 하소서 Que en paz descanse / Q.E.P.D. / q.e.p.d.

영명(英名) fama *f*, gran nombre *m*, reputación *f*. ~을 얻다 ganar fama.

영문 ① [까닭] causa *f*, razón *f*, porqué *m*. ~을 모르다 no saber porqué. 너 무슨 ~이냐? ¿Qué te pasa? ② [형편] circunstancias *fpl*.

영문(英文) inglés *m*, texto *m* en inglés, composición *f* inglesa. ~학 literatura *f* inglesa.

영물(靈物) ser *m* espiritual, ser *m* sagrado, ser *m* divino.

영민하다(英敏-) (ser) inteligente, sagaz, agudo.

영부인(令夫人) su señora.

영빈관(迎賓館) Yongbinkwan, Palacio *m* de Huéspedes de Honor.

영사(映寫) proyección *f*, rodaje *m*. ~하다 proyectar, rodar. ~기 proyector *m* (cinematográfico).

영사(領事) cónsul *mf*. ~의 consular. ~관(館) consulado *m*. ~ 사증 legalización *f* consular. ~ 사증료 derechos *mpl* consulares. ~ 송장 factura *f* consular. ~ 재판소 la Corte Consular. ~ 증명서 certificado *m* consular.

영상(映像) imagen *f*, reflexión *f*, silueta *f*.

영상(零上) sobre el cero (centígrado). ~ 20도 veinte grados sobre el cero.

영생(永生) ((기독교)) vida *f* eterna [inmortal], inmortalidad *f*. ~하다 vivir inmortalmente [eternamente], gozar de la inmortalidad; ((성경)) vivir para siempre.

영세(永世) eternidad *f*, permanencia *f*, perpetuidad *f*. ~불망(不忘) recuerdo *m* eterno. ~ 중립국 estado *m* neutral permanente.

영세(零細) lo pequeño, lo mezquino. ~ 기업 empresa *f* a pequeña escala, empresa *f* menuda. ~농 agricultor, -tora *mf* a pequeña escala. ~민 indigente *m*, pobre *m*, pobrísimo *m*. ~ 자금 fondo *m* en pequeña escala. ~ 자본 pequeño capital *m*.

영세(領洗) ((천주교)) bautismo *m*. ~를 베풀다 bautizar. ~를 받다

recibir el bautismo, ser bautizado. ¶ ~명 nombre *m* de pila.

영속(永續) permanencia *f*, duración *f*, persistencia *f*. ~하다 durar, perpetuarse, perdurar.

영수(領收/領受) recepción *f*. ~하다 recibir. ~인 consignatario, -ria *mf*; depositario, -ria *mf* judicial; recaudador, -dora *mf*. ~증[서] recibo *m*.

영수(領袖) dirigente *mf*; jefe, -fa *mf*; líder *mf*.

영시(零時) cero horas *fpl*, hora *f* cero.

영식(令息) su hijo. A씨의 ~ hijo *m* del señor A.

영아(嬰兒) lactante *mf*; infante *mf*. ~ 사망률 mortalidad *f* de los infantes. ~ 살해(죄) infanticidio *m*. ~ 살해범 infanticida *mf*. ~ 세례 bautismo *m* infantil.

영악스럽다 (ser) feroz, fiero, cruel.

영악하다 (ser) astuto.

영악하다(獰惡-) (ser) feroz, fiero.

영안실(靈安室) morgue *m*.

영애(令愛) su hija.

영약(靈藥) medicina *f* milagrosa, remedio *m* milagroso.

영양(令孃)=영애(令愛).

영양(羚羊) ((동물)) antílope *m*.

영양(榮養) nutrimento *m*, nutrición *f*, alimentación *f*, nutricio *m*. ~있는 nutritivo, alimentoso, alimenticio, nutricio; [영양도 있고 맛도 좋은] suculento. ~이 없는 poco nutritivo, poco alimenticio. ¶ ~가 valor *m* nutritivo, caloría *f*. ~ 결핍 subalimentación *f*, falta *f* de alimentación, subnutrición *f*. ~ 과다 supernutrición *f*. ~물 alimento *m* sustancioso, sustancia *f* nutritiva. ~ 부족 falta *f* de nutrición, nutrición *f* insuficiente, hipoalimentación *f*. ~분 nutrimiento *m*, elementos *mpl* nutritivos [nutricios]. ~사 dietista *mf*; experto, -ta *mf* en dietética. ~ 상태 condiciones *fpl* nutritivas. ~ 섭취 nutrición *f*, nutrimento *m*. ~ 섭취량 consumo *m* nutritivo. ~소(素) nutrimento *m*. ~식(食) comida *f* fortificante, comida *f* muy nutritiva. ~ 실조 inanición *f*, desnutrición *f*, anomalotrofía *f*. ~제 nutrición *f*, tónico *m*. ~학 nutriología *f*, bromatología *f*. ~학자 nutriólogo, -ga *mf*; nutricionista *mf*; bromatólogo, -ga *f*.

영어(英語) inglés *m*, lengua *f* inglesa. ~를 말하다 hablar inglés.

영업(營業) negocio *m*, comercio *m*, trabajo *m*. ~하다 hacer negocios, dedicarse a los negocios, llevar a cabo un negocio; [가게·사무소 등이] estar abierto; [개업하다] abrir un negocio. ¶ ~ 감찰 licencia *f* comercial. ~권 derecho *m* del negocio. ~ 금지 prohibición *f* de los negocios. ~부 sección *f* de negocios, departamento *m* de negocios. ~비 gastos *mpl* del negocio. ~세 impuesto *m* comercial. ~소 oficina *f* [establecimiento *m*] comercial. ~ 소득 ingresos *mpl* comerciales. ~ 수입 renta *f* comercial. ~ 시간 horas *fpl* de comercio [de oficina·de trabajo]. ~ 자금[자본] capital *m* operacional, fondo *m* de operaciones. ~ 장소 lugar *m* de negocios. ~ 종목 categoría *f* de los negocios. ~ 허가 permiso *m* [licencia *f*] comercial.

영역(英譯) traducción *f* al inglés. ~하다 traducir alinglés.

영역(領域) ① [한 나라의] territorio *m*. ② [학문·연구 등의] dominio *m*, campo *m*, esfera *f*; [전문] especialidad *f*.

영영(永永) para siempre, eternamente, perpetuamente.

영예(榮譽) honor *m* (glorioso), gloria *f*, blasón *m*. ~롭다 (ser) glorioso, honorable.

영욕(榮辱) la gloria y la deshonra, honor y / o desgracia.

영웅(英雄) héroe *m*, heroína *f*. ~담 heroída *f*, cuento *m* heroico. ~ 숭배 adoración *f*, culto *m* a los héroes. ~심 ambición *f*. ~적 heroico. ~전 biografía *f* de héroes. ~호걸 héroe *m*.

영원(永遠) eternidad *f*, perpetuidad *f*; [불멸] inmortalidad *f*. ~한 eterno, perpetuo, inmortal, perdurable, duradero. ~한 생명 vida *f* eterna. ~히 para siempre, eternamente, perpetuamente.

영유(領有) posesión *f*. ~하다 poseer, tomar posesión. ~권 dominio *m*. ~물 posesión *f*.

영인(影印) fotograbado *m*; [인쇄술] fototipografía *f*. ~하다 imprimir por fototipografía. ~본 impresión *f* fototipográfica.

영장(令狀) orden *f* judicial. ~의 발부 emisión *f* de orden. ~을 내다 dar orden. ¶ ~ 집행 cumplimiento *m* de orden.

영재(英才) (hombre *m* de) talento *m*, (hombre *m* de) genio *m*, hombre *m* de alta inteligencia. ~ 교육 educación *f* especial para niños brillantes.

영적(靈的) espiritual, incorpóreo. ~으로 espiritualmente, incorpóreamente. ¶ ~ 감응 respuesta *f* espiritual. ~ 감전 telepatía *f* espiritual. ~ 교류 simpatía *f* espiritual. ~ 생활 vida *f* espiritual.

영전(榮轉) promoción *f*, cambio *m* favorable de cargo [de puesto]. ~하다 ser promovido, mudarse de un cargo a otro superior.

영전(靈前) ante el alma de un difunto, delante del espíritu de los muertos. ~에 바치다 dedicar una ofrenda al difunto.

영점(零點) ① [득점·점수가 없음] cero *m*. ② [어는 점] punto *m* cero.

영접(迎接) recepción *f*, acogida *f*. ~하다 acoger.

영정(影幀) retrato *m*.

영주(永住) residencia *f* permanente. ~하다 residir permanentemente, establecerse definitivamente, fijar *su* residencia [*su* domicilio] permanente. ~권 derecho *m* permanente.

영지(靈芝) una especie de la seta, planta *f* prometedora.

영토(領土) territorio *m*, dominio *m*, posesión *f*. ~적 야심 ambición *f* territorial. ¶ ~권 derecho *m* territorial. ~ 문제 problema *m* territorial. ~ 분쟁 disputa *f* territorial. ~ 침범 invasión *f* territorial (de otro país). ~ 확장 expansión *f* de territorio.

영특하다(英特-) (ser) sabio, inteligente. 영특한 아이 niño *m* sabio, niña *f* sabia.

영특하다(獰慝-) (ser) astuto. 영특한 사람 persona *f* astuta.

영패(零敗) partido *m* ganado sin que marque el contrario. ~하다 ser vencido sin marcar ningún tanto.

영하(零下) bajo cero. ~ 20도 veinte grados bajo cero.

영합(迎合) lisonja *f*, adulación *f*, halago *m*. ~하다 lisonjar, adular, halagar, congraciarse, insinuarse, insinuarse en el ánimo. …의 뜻에 ~하는 인물 persona *f* que satisface el gusto de *uno*.

영해(領海) mar *m* territorial, aguas *fpl* territoriales, aguas *fpl* jurisdiccionales, soberanía *f* marítima.

영향(影響) influencia *f*, efecto *m*. 날씨의 ~으로 debido al tiempo. ~을 미치다 influir, ejercer influencia. ¶ ~력 influencia *f*. ~력 있는 influyente, influente. ~력 있는 인물 personaje *m* influyente.

영혼(靈魂) el alma *f*. ~ 불멸설 (doctrina *f* de) la inmortalidad del alma, inmortalidad *f*.

영화(映畵) película *f*, filme *m*; [집합적] cine *m*, cinematografía *f*, séptimo arte *m*. ~를 보다 ver una película. ~ 감독 director, -tora *mf* de cine; cineasta *mf*. ~관 cine *m*, cinema *m*. ~ 대본 guión *m* (de cine). ~ 배우 actor, -triz *mf* (de cine); cineasta *mf*; artista *mf* de cine; estrella *f*. ~사 compañía *f* de películas. ~ 스타 estrella *f* de cine, cineasta *mf*. ~ 제작소 estudio *m* de cine, centro *m* de producción cinematográfica. ~ 제작자 productor *m* cinematográfico, productora *f* cinematográfica; cineasta *mf*; director, -tora *mf* de producción. ~ 제작회사 Compañía *f* Productora Cinematográfica. ~ 촬영 cinematografía *f*, filmación *f*, rodaje *m*. ~ 촬영기 tomavistas *m*; [전문가용] cámara *f* cinematográfica, cámara *f* de cinematógrafo. ~ 촬영 기사 cinematografista *mf*. ~ 촬영소 estudio *m* cinematográfico. ~ 팬 aficionado, -da *mf* al cine; cineísta *mf*. ~ 필름 película *f* (de cinematógrafo).

영화(榮華) prosperidad *f*, esplendor *m*; [호사] magnificencia *f*, fausto *m*, gloria *f*. ~로이 con gloria, gloriosamente, prósperamente. ~롭다 (ser) glorioso, próspero.

옅다 ① [바닥까지의 거리가] (ser) poco profundo, no haber profundidad, tener poca profundidad. ② [빛이] (ser) claro, ligero. ③ [학문·지식 등이] (ser) superficial.

옆 lado *m*; [측면] flanco *m*; [신체의 옆구리] costado *m*. ~의 lateral, de al lado. ~ 창구 ventanilla *f* de al lado. …의 ~에 al lado de *algo*, junto al *algo*; [가까이] cerca de *algo*.

옆구리 costado *m*, flanco *m*, lado *m*. 오른쪽 ~ costado *m* derecho.

옆길 camino *m* de al lado, carretera *f* secundaria, carretera *f* vecinal, calle *f* lateral, lateral *f*.

옆면(-面) lado *m*.

옆모습 perfil *m*.

옆얼굴 perfil *m*, silueta *f*.

옆자리 asiento *m* de al lado.

옆집 casa *f* de al lado; [이웃집] casa *f* vecina, vecindad *f*. ~의 de al lado. ~ 사람 vecino, -na *mf* de al lado.

예¹ [옛적. 오래 전] pasado *m*, tiempos *mpl* antiguos. ~로부터 desde (los) tiempos antiguos.

예² ((준말)) =여기. ¶ ~ 앉아라 Siéntate aquí. ~가 어딥니까? ¿Dónde estoy [estamos]?

예³ ① [네] sí. ~, 알겠습니다 Sí, yo lo sé. ② [존대할 자리에 재우쳐 묻는 말] ¿eh?, ¿qué?, ¿cómo?. ~, 뭐라고요 ¿Cómo? / ¿Qué? ~ 그 러세요 ¿De veras?

예(例) ① ((준말)) =전례(前例). ¶ ~가 없는 sin precedente. ② [이미 말한 바. 늘 알고 있는 바]

lo dicho. ~의 그 가게 la tienda de lo dicho. ③ [본보기] ejemplo m; [경우] caso m. ~를 들면 por ejemplo.

예감(豫感) presentimiento m. …의 ~을 하다 presentir algo, tener presentimiento de algo.

예견(豫見) previsión f, pronóstico m. ~하다 prever, pronosticar. ~ 할 수 있는 previsible.

예고(豫告) aviso m (previo), advertencia f, información f previa, notificación f (previa), anuncio m previo; [허가] petición f de permiso [de licencia]. ~하다 anunciar (por anticipado·con anticipación), avisar [comunicar] (de antemano·previamente).

예금(預金) depósito m; [돈] dinero m depositado; [저금] ahorro(s) m(pl). ~하다 depositar dinero, ingresar dinero. ~을 인출하다 sacar dinero depositado (de la cuenta). ¶ ~ 계좌 cuenta f de depósito. ~ 동결 congelamiento m de depósitos. ~ 보험 seguro m de depósitos. ~액 dinero m en depósito. ~ 용지 formulario m de depósito. ~ 이율 tasa f de depósito. ~ 이자 interés m sobre el depósito. ~자(者) depositador, -dora mf; depositante m, -ta f, depositante mf. ~ 증서 certificado m de depósito. ~ 통장 libreta f bancaria, libreta f [cartilla f] de ahorros.

예기 ¡Caramba! / ¡Caray! / ¡Carajo!

예기(銳氣) alto espíritu m, ardor m, coraje m, vigor m, energía f.

예기(豫期) [기대] expectativa f, expectación f; [예상] previsión f, pronóstico m; [희망] esperanza f. ~하다 esperar, prever. ~치 못한 inesperado, imprevisto, impensado. ~했던 대로 como era de esperar, como se esperaba.

예끼 ¡Caramba! / ¡Caray! / ¡Carajo!

예납(豫納) pago m adelantado [anticipado]. ~하다 pagar anticipadamente, pagar por adelantado.

예년(例年) ① [보통으로 지나온 해] año m normal, año m ordinario, año m promedio, año m medio. ② [매년. 해마다] cada año, todos los años. ~의 anual. ~대로 como cada año, como todos los años.

예능(藝能) ① [예술과 기능] el arte y la técnica. ② [연극·가요·음악·무용·영화 등의 총칭] talentos mpl, espectáculo m, conocimientos mpl. ~계 círculos mpl artísticos, mundo m de espectáculo. ~인 artista mf.

예라 ① [아이들에게 비키라는 뜻으

로] ¡Anda (ya)! / ¡Dale! ② [아이들에게 그리 말라는 뜻으로] ¡Por favor! / ¡Para! ② [무슨 일을 해 보겠다거나, 그만두겠다고 작정할 때] Bueno / Bien / Vale / Está bien. ~ 집어 치워라 Bueno. ¡Basta ya!

예리하다(銳利一) [연장 따위가] (ser) afilado. 예리한 날 hoja f afilada. ② [두뇌나 판단력이] (ser) agudo, perspicaz.

예매(豫買) compra f adelantada. ~하다 comprar anticipadamente.

예매(豫賣) venta f adelantada, venta f anticipada. ~하다 vender anticipadamente, vender de antemano, vender con anticipación. ¶ ~권 billete m [AmL boleto m] reservado.

예명(藝名) seudónimo m, nombre m de guerra.

예문(例文) ejemplo m de frase, frase f ejemplar, modelo m. ~을 인용하다 citar una frase de ejemplo.

예물(禮物) ① [사례의 뜻을 표하여 주는 물건] regalo m, obsequio m. ~을 주다 dar el regalo. ② [시집 어른들게 답례로] regalos mpl de los mayores de su novio a la novia. ③ [신랑 신부가 답례로] regalo m, obsequio m. 결혼 ~ regalos mpl nupciales, regalos mpl de boda, regalos mpl de casamiento.

예민하다(銳敏一) (ser) agudo, penetrante, vivo, perspicaz, inteligente, sagaz, ingenioso, sutil.

예방(豫防) prevención f, precaución f, protección f. ~하다 prevenir, precaver, tomar precaución, proteger. ~법 medida f de precaución, método m de precaución, precaución f. ~약 profiláctico m, antídoto m, medicina f preventiva. ~ 완친 vacuna f preventiva. ~ 위생 higiene f preventiva. ~ 의학 medicina f preventiva. ~ 접종 vacunación f. ~ 접종을 하다 vacunar, inocular. ~ 접종 증명서 certificado m internacional de vacunación. ~ 주사 inyección f preventiva.

예방(禮訪) visita f de cortesía. ~하다 visitar cortésmente, hacer una visita de cortesía.

예배(禮拜) ① [경의를 표하여 배례함] culto m al honor, adoración f al honor. ② ((종교)) culto m (천주교의), adoración f, servicio m (기독교의), ritos mpl, rezo m; [의식] oficio m. ~하다 adorar, venerar, rendir culto, rezar, hacer reverencia. ~당 ((기독교)) iglesia f, templete m, oratorio m; [학교·

회사 등의] capilla f.

예법(禮法) cortesía f, etiqueta f, modales mpl, educación f, protocolo m. ~에 맞다 ajustarse a la etiqueta, cumplir con la etiqueta. ~에 어긋나다 ir en contra de la etiqueta.

예보(豫報) pronóstico m, predicción f, pronosticación f. ~하다 pronosticar, predecir. 일기를 ~하다 pronosticar (el tiempo).

예복(禮服) traje m de etiqueta [de ceremonia]; [군인의] uniforme m completo; [부인의] traje m escotado; [연미복] frac m, casaca f. ~을 입고 in traje de etiqueta.

예비(豫備) ① [미리 준비함] reserva f, reservación f, repuesto m. ~하다 reservar. ~로 가지고 있다 tener reservado, tener de reserva. ② [(법률)] preparación f. ~하다 preparar. ~의 preparativo, preliminar. ¶~ 고사 examen m preliminar. ~군 ⑦ [예비역으로 편성된 군대] reservas fpl. ⓝ = 예비대. ⓛ ((준말)) =향토 예비군. ~금 reserva f. ~대 tropa f de reserva. ~병 reservista mf; soldado, -da m f de reserva. ~ 부품 pieza f de recambio, pieza f de repuesto. ~비 fondo m de emergencia, reserva f. ~ 시험 examen m previo [preparatorio]. ~역 servicio m en reserva. ~자금 fondo m de reserva. ~ 자본 capital m de reserva. ~ 점검 inspección f preliminar. ~ 타이어 llanta f de repuesto, neumático m de recambio. ~품 repuesto m. ~ 회담 conferencia f preliminar.

예쁘다 (ser) bonito, lindo, mono, monín, bello, hermoso, guapo. 예쁜 인형 muñeca f bonita. 예쁜 꽃 flor f bonita [hermosa · linda].

예쁘장하다 (ser) algo [bastante] bonito [bello · lindo · hermoso · guapo].

예사(例事) ① [보통] costumbre f [usanza f] común; [형용사적] usual, común, acostumbrado, ordinario, corriente. ~ 사람 hombre m corriente. ② [일상사] asunto m usual, asunto m común. ③ [버릇] hábito m, costumbre f.

예산(豫算) ((경제)) presupuesto m. ~을 세우다 presupuestar, hacer un presupuesto; [돈의] asignar. ~을 초과하다 exceder el presupuesto. ¶~ 삭감 desmoche m presupuestario, reducción f presupuestaria. ~안 (proyecto m del) presupuesto m. ~액 cantidad f del presupuesto. ~ 연도 año m presupuestario. ~ 초과 exceso m del presupuesto. ~ 편성 compi-

lación f del presupuesto.

예상(豫想) pronóstico m; [추측] conjetura f, presunción f; [기대] expectativa f, expectación f. ~하다 prever, pronosticar, presuponer, conjeturar, presumir, esperar. ~ 대로 como se presumía, según se ha [había] previsto. ¶~액 cantidad f estimada.

예상외(豫想外) improvisto, impensado; [틀린] desacertado, equivocado; [조리에 닿지 않은, 엉뚱한] incoherente, incongruente, inconexo. ~로 inesperadamente, más de la cuenta, fuera de expectación, contrariamente a la expectación.

예선(豫選) eliminatoria f, prueba f preliminar; [선거] elección f previa, preelección f. ~을 하다 preelegir, elegir previamente, hacer una eliminatoria. ~을 통과하다 pasar la (prueba) preliminar, pasar una (prueba) eliminatoria.

예수 ((성경)) Jesús. ~교 ⑦ =기독교. ⓝ = (기독교) [신교] protestantismo m. ~교 iglesia f. ~ 그리스도 Jesucristo.

예순 sesenta. ~ 번째(의) sexagésimo. ~ 명 sesenta personas.

예술(藝術) arte m(f); [미술] bellas artes fpl. ~가 artista mf. ~ 감각 sentido m artístico. ~계 mundo m del arte, círculos mpl artísticos. ~미 belleza f de arte. ~원 Academia f Coreana de Artes. ~ 작품 obra f de arte. ~적 artístico. ~제 la Fiesta Artística. ~품 obra f del arte.

예스럽다 (ser) anticuado.

예습(豫習) preparación f (de la lección · de la clase); [극 · 음악 따위의] ensayo m. ~하다 preparar la lección, ensayar.

예시(例示) ejemplificación f, ejemplo m. ~하다 ejemplificar, demostrar con ejemplos.

예식(禮式) ceremonia f; [종교의] ritos mpl. ~의 ceremonial. ~장 salón m ceremonial, salón m de ceremonia.

예심(豫審) instrucción f (de un expediente), examen m preliminar (de una causa criminal). ~하다 examinar preliminarmente, instruir (una causa). ~ 중이다 estar en instrucción.

예약(豫約) reserva f, reservación f; [구독 예약] su(b)scripción f. ~하다 reservar, hacer una reserva, AmL hacer una reservación; subscribir, suscribir, abonarse. ~금 cuota f de reserva; su(b)scripción f. ~석 (asiento m) reservado m, plaza f reservada; [테이블]

mesa *f* reservada. ~자 su(b)scriptor, -tora *mf*. ~처 despacho *m* de billetes; oficina *f* de suscripción.

예언(豫言/預言) profecía *f*, predicción *f*, pronosticación *f*, pronóstico *m*. ~하다 profetizar, predecir, pronosticar, anunciar lo futuro. ~자 profeta, -tisa *mf*.

예외(例外) excepción *f*, caso *m* excepcional. ~의 excepcional, extraordinario. ~로 하다 exceptuar, hacer una excepción. ~ 없이 sin excepción. ~적 excepcional, extraordinario. ~적으로 excepcionalmente. ~ 없는 규칙은 없다 No hay regla sin excepción.

예우(禮遇) tratamiento *m* respectuoso, recepción *f* cortés. ~하다 recibir cortésmente, tratar respectuosamente, atender con toda cortesía.

예의(禮儀) cortesía *f*, (buena) educación *f*, etiqueta *f*, urbanidad *f*, buenos modales *mpl*, buenas formas *fpl*. ~바르다 (ser) cortés, político, bien educado. ~바르게 cortésmente, con cortesía. ~바르게 행동하다 portarse bien, comportarse.

예인(藝人) artista *mf*.

예인망(曳引網) red *f* barredera.

예인선(曳引船) remolcador *m*, barco *m* remolque.

예전 otros tiempos *mpl*, tiempos *mpl* antiguos, pasado *m*. ~의 antiguo, de otros tiempos. ~(는) antes, en otros tiempos, antiguamente, en tiempos antiguos, antaño, una vez. ~부터 desde los tiempos antiguos. ~ 대로 de costumbre, como antes.

예절(禮節) etiqueta *f*, cortesía *f*, modales *mpl*, maneras *fpl*, educación *f*. ~ 바르게 de una manera educada. ~이 바르다 ser (una persona) de buena conducta, ser (una persona) de buenos modales, ser educado.

예정(豫定) plan *m*, programa *m*, proyecto *m*, calendario *m*, arreglo *m* previo; [시간표] horario *m*. ~하다 proyectar, planear, acordar de antemano, concertar de antemano, arreglar previamente, fijar [designar]. de antemano [anticipadamente]. ~ 시간 hora *f* fijada. ~일 día *m* fijado. ~표 programa *m*.

예제(例題) [보기] ejemplo *m*; [연습문제] ejercicio *m*. ~를 주다 dar un ejemplo, dar un ejercicio.

예증(例證) ejemplo *m* (que prueba). ~하다 probar [demostrar] con ejemplo.

예진(豫診) examen *m* médico preliminario.

예찬(禮讚) ① ((불교)) servicio *m* a tres Tesoros y admiración de sus méritos. ~하다 servir a tres Tesores y admirar sus méritos. ② [칭찬하여 높임] alabanza *f*, elogio *m*, adoración *f*, glorificación *f*. ~하다 alabar, elogiar, alabanzar, adorar, glorificar. 미의 ~ culto *m* de belleza, glorificación *f* de hermosura.

예체능계(藝體能系) sistema *m* de artes y deportes.

예측(豫測) previsión *f*, pronóstico *m*, predicción *f*, pronosticación *f*; [추측] suposición *f*, cálculo *m*. ~하다 pronosticar, predecir, suponer, calcular.

예치(預置) depósito *m*. ~하다 guardar en depósito, guardar en consignación, depositar. 하물을 ~하다 guardar el equipaje en depósito [en consignación]. ¶~금 dinero *m* depositado, dinero *m* en depósito. ~물 dinero *m* en depósito. ~소 depositaría *f*. ~인[자] depositario, -ria *mf*; consignatario, -ria *mf*. ~증 recibo *m* de depósito.

예컨대(例-) por ejemplo.

예탁(預託) deposición *f*. ~하다 depositar. ~금 dinero *m* en depósito. ~자 depositante *mf*.

예편(豫編) reclutamiento [alistamiento] *m* en la primera reserva. ~하다 reclutarse [alistarse] en la primera reserva.

예포(禮砲) salva *f*, honras *fpl* militares [navales]. ~를 쏘다 descargar una salva. 21발의 ~ salva *f* de veintiún cañonazos.

예향(藝鄕) región *f* [comarca *f*] central de la cultura y el arte.

옐로 카드 tarjeta *f* amarilla.

옛 antiguo, viejo. ~ 친구 amigo *m* antiguo, viejo amigo *m*.

옛글 letras *fpl* antiguas, literatura *f* antigua, escritura *f* antigua.

옛길 camino *m* antiguo.

옛날 tiempos *mpl* antiguos, pasado *m*; [형용사적] antiguo, viejo. ~에 en la antigüedad, tiempo ha, una vez. ~ 옛적 antigüedad *f* muy remota. ~ 옛적에 en la antigüedad muy remota, muy antiguamente. ~ 이야기 cuento *m* antiguo, historia *f* antigua.

옛말 ① [고어] antigua palabra *f*. ② [격언] proverbio *m*, refrán *m*.

옛사람 los antiguos, el muerto. ~이 되다 fallecer, morir.

옛사랑 ① [지난날 맺었던 사랑] amor *m* pasado. ② [지난날 사랑하던 사람] ex-amante *mf*.

옛이름 nombre *m* antiguo.

옛이야기 cuento *m* antiguo.

옛일 cosas *fpl* pasadas, hechos *mpl* pasados, sucesos *mpl*, lo pasado.

옛적 años *mpl* pasados, antigüedad *f*. ~과 같이 como el otro tiempo.

옜네 Aquí tienes / Aquí tienes.

옜다 ① ((준말)) =여기 있다(Aquí está). ¶ ~, 애야 Aquí está, hijo mío / Aquí tienes, hijo mío. ② [에라, 모르겠다] Vale, no lo sé.

오 ① [옳지] Bien / Correctamente. ② ((준말)) =오냐. ③ [놀람·칭찬 등 절실한 느낌을 나타낼 때 내는 소리] ¡Ah! / Bueno. ~, 너구나 Ah, eres tú. ~, 염려 마라 Bueno, no importa / Bueno, no te preocupes.

오(五) cinco. ~ 년(年) cinco años, quinquenio *m*. ~ 배 quintuplicación *f*. ~ 배의 quíntuplo.

오가다 ir y venir, ir y volver, venir e ir.

오각형(五角形) pentágono *m*.

오갈병(一病) enfermedad *f* rizada.

오갈피(一한방) corteza *f* de la raíz de la aralia.

오갈피나무 ((식물)) aralia *f*.

오감(五感) cinco sentidos: vista, oído, olfato, paladar y tacto.

오개년 계획(五個年計劃) plan *m* quinquenal. 경제 개발 ~ plan *m* quinquenal para el desarrollo económico.

오계(烏鷄) ① [털이 까만 닭] gallo *m* con el pelo negro. ② ((준말)) =오골계(烏骨鷄).

오곡(五穀) ① [다섯 가지 곡식] cinco cereales: arroz, cebada, soja, mijo y kaoliang. ② =곡식. ¶ ~밥 comida *f* de cinco cereales, comida *f* de arroz apelmazado, kaoliang, mijo apelmazado, soja negra, y judía roja. ~ 백과(百果) todos los cereales y muchas frutas.

오골계(烏骨鷄) *ogolgye*, gallo *m* que la carne, la piel y el hueso son de color negro.

오그라들다 encogerse, acurrucarse, acortarse, dar calambre, entumecerse, agarrotarse; [작게 되다] achicarse, disminuir; [좁아지다] estrecharse; [옷감이] encogerse.

오그라지다 ① [가장자리가 안쪽으로 옥아가다] inclinarse hacia adentro. ② [작아지다. 좁아지다] achicarse, disminuir, encogerse. ③ [옴츠러지다] encogerse, acurrucarse, agarrotarse. 추위로 agarrotarse por el frío.

오그리다 [몸을] agacharse, encogerse, bajarse doblando las rodillas; [등·팔·다리를] doblar, flexionar; [물건을] torcer, curvar, apalear, cascar, romper.

오글거리다 ① [물이] hervir a fuego lento, chisporrotear, crepitar. ② [벌레 같은 것들이] enjambrar.

오금 corva *f*, correjón *m*, jarrete *m*.

오기(傲氣) ① [남에게 지기 싫어하는 마음] obstinación *f*, pertinacia *f*, porfía *f*, orgullo *m*. ② [오만스런 기운] arrogancia *f*.

오기(誤記) error *m*, escrito *m* erróneo, errata *f*; [철자의] falta *f* ortográfica. ~하다 equivocarse al escribir, escribir incorrectamente.

오나가나 siempre, todo el tiempo, constantemente.

오냐 sí, vale. ~, 들어오너라 Sí, pasa.

오냐오냐하다 consentir, mimar.

오누이 hermano *m* y hermana.

오뉴월 mayo y junio. ~ 염천(炎天) calor *m* sofocante de mayo y junio del calendario lunar.

오는 próximo, que viene. 오는 토요일 próximo sábado *m*, sábado *m* que viene.

오늘 ① [지금 지내고 있는 이 날] hoy. ~부터[이후] de [desde·a partir de] hoy, de hoy en adelante. ~까지 hasta hoy, hasta la fecha. ~ 아침 esta mañana. ~ 후 esta tarde. ~ 밤 esta noche. ② ((준말)) =오늘날.

오늘날 (en) estos días, en nuestros días, en nuestros tiempos, hoy (en) día.

오다 ① [공간적·시간적으로 가까이 닥치다] venir, llegar. 만나러 ~ venir a ver. ② [비·눈 따위가] caer, venir. 비가 ~ llover. ③ [잠·졸음·아픔 따위가] venir, llegar. 잠이 ~ tener sueño. ④ [때·계절·기한 따위가] llegar, venir. 제비 한 마리가 왔다고 여름이 되는 것은 아니다 Una golondrina no hace verano. ⑤ [유래하다. 말미암다] venir, proceder, ser de. ⑥ [어떤 일·사태가 닥치다] llegar, ocurrir. ⑦ [전등·불·가스 따위가 켜지다] encenderse. ⑧ [어떤 곳이나 정도에 미치다] llegar, subir. ⑨ [전화·전보 또는 소식 따위가] llegar, venir, recibir. ⑩ [차례나 순서가] llegar. 차례가 ~ llegar el turno, tocar el turno.

오다가다 de vez en cuando, de cunado en cuando, a veces.

오답(誤答) respuesta *f* incorrecta.

오대양(五大洋) cinco océanos.

오도방정 frivolidad *f*, veleidad *f*. ~을 떨다 actuar frívolamente.

오독(誤讀) mala lectura *f*. ~하다 leer mal.

오돌토돌 desigualmente. ~하다 ser desigual.

오동(梧桐) ((식물)) =오동나무.

오동나무(梧桐一) ((식물)) parasol *m* de sultán.

오동보동 chapanecamente, rechonchamente. ~하다 (ser) chapaneco, rechoncho.

오동포동 carirredondamente, rollizamente. ~하다 (ser) carirredondo, rollizo.

오두막(一幕) choza *f*, cabaña *f*, barraca *f*, casuca *f*, casucha *f*, caseta *f*, tugurio *m*, chabola *f*, casa *f* abandonada. ~집 choza *f*, cabaña *f*, barraca *f*, sotechado *m* (지붕만 있는), cabaña *f* rústica, cabaña *f* de leño (원목); [전시장의] tabladillo *m*, barraca *f* [caseta *f*] de feria.

오들오들 temblando, trémulamente, tembladamente. ~ 떨다 temblar, estremecerse.

오디 mora *f*.

오디션 audición *f*. ~을 받다 presentarse a la audición.

오디오 audio *m*.

오뚝이 dominguillo *m*, tentetieso *m*, muñeca *f* volteante.

오라버니 hermano *m* (mayor).

오라범댁 cuñada *f*, esposa *f* de *su* hermano mayor.

오락(娛樂) entretenimiento *m*, recreo *m*, pasatiempo *m*, diversión *f*, recreación *f*, recreo *m*. ~가 distrito *m* [centro *m*] de diversión. ~물 juguete *m*. ~ 센터 parque *m* [centro *m*] de atracciones. ~ 시설 comodidades *fpl* [facilidades *fpl* · instalaciones *fpl* · entretenimientos *mpl*] de recreo [de diverśión]. ~실 sala *f* de juegos [de recreo · de diversiones · de entretenimientos].

오락가락하다 volver y adelantar, ir de una parte a otra, ir continuamente de un lado para otro.

오랑우탄 ((동물)) orangután *m*.

오랑캐 bárbaro *m*, salvaje *m*.

오랑캐꽃 ((식물)) violeta *f*.

오래 (por) mucho [largo] tiempo, largamente, dilatadamente. ~ 걸리다 [사물이 주어일 때] llevar [durar] mucho [largo] tiempo; [사람이 주어일 때] tardar mucho (tiempo).

오래가다 durar (mucho); [내구성이 있다] resistir; [보존성이 있다] conservar.

오래간만 después de mucho tiempo. ~입니다 Hace mucho (tiempo) que no le veo [vi·he visto].

오래다 hacer mucho (tiempo). 내 동생은 집을 나간 지가 ~ Hace (mucho) tiempo que mi hermano salió de casa.

오래도록 (por) mucho [largo] tiempo, muchísimo tiempo.

오래되다 [시간이] tardarse mucho; [고기가] pasarse.

오래오래 (por) muchísimo tiempo, para siempre, eternamente, por muchos [largos] años. 할아버지, ~ 사세요 Abuelito, (que) viva muchos años.

오래전(一前) hace mucho tiempo, hace un siglo, hace años. ~부터 desde hace (mucho) tiempo.

오랫동안 (por) mucho [largo] tiempo. 나는 ~ 그를 만나지 못했다 Hace (mucho) tiempo que no le veo [vi].

오렌지 naranja *f*. ~나무 naranjo *m*.o. ~색 (color *m*) anaranjado *m*, color *m* naranja, naranjado *m*. ~ 주스 naranjada *f*, zumo *m* [*AmL* jugo *m*] de naranja.

오로지 sólo, solamente, más aturdido que nunca, extraordinariamente aturdido. ~ 공부에 전념하다 dedicarse únicamente al estudio, entregarse seriamente a los estudios.

오류(誤謬) ① [그릇되어 이치에 어긋남] error *m*, equivocación *f*, yerro *m*, falta *f*. ② ((논리)) juicio *m* equivocado, idea *f* errónea. ③ ((컴퓨터)) error *m*.

오륜(五倫) cinco reglas morales en las relaciones humanas.

오륜(五輪) ① ((불교)) cinco ruedas. ② [오륜 마크의 다섯 개의 고리] cinco anillos ③ =근대 올림픽. ¶~기 bandera *f* olímpica. ~ 대회 los Juegos Olímpicos, Olimpiada *f*, Olimpíada *f*. ~탑 torre *f* olímpica

오르가즘 orgasmo *m*.

오르간 [풍금] armonio *m*; [파이프 오르간] órgano *m* (de la iglesia).~ 연주자 organista *mf*.

오르내리다 ① [올라갔다 내려갔다 하다] subir y bajar; [가격 따위가] fluctuar, oscilar. ② [남의 입에 자주 말거리가 되다] ser chismorreado, ser chismeado. 뭇사람의 입에 ~ chismorrearse, chismearse.

오르다¹ ① [아래에서 위로] subir, escalar, ascender, elevarse, alzarse, trepar(se). 계단을 ~ subir las escaleras. ② [병독이 옮아 앓게 되다] contagiarse, transmitirse, pegarse, ser infeccioso. 옴이 ~ contagiarse el picor. ③ [지위·계급이 높아지다] ascender, subir. ④ [탈것에] tomar, subir; [말 따위에] montar. ⑤ [기록에 적히다] ser anotado, quedar registrado, inscribirse, registrarse, matricularse, publicarse, ser publicado. ⑥ [값이 비싸지거나 임금·세금 등이] alzarse, elevarse, subir, au-

오르다²

mentar. 물가가 ~ alzarse [elevarse·subir] el precio. ⑦ [몸에 살이 많아지다] estar gordo, engordar. ⑧ [실적·효과가 나타나다] subir, adelantar. 성적이 ~ subir las notas. ⑨ [술이나 약 따위의 기운이] subirse (a la cabeza). ⑩ [때 따위가 거죽에 묻다] ensuciarse, mancharse.

오르다² ① [길을 떠나다. 출발하다] salir, partir. ② [솟아 일어나다] arderse. 불길이 ~ encenderse, estar (envuelto) en llamas. ③ [성하여지다] prosperar. 기세가 ~ estar en espíritu. ④ [식탁·도마 따위에 음식물이] ser puesto. ⑤ [어떤 정도에 달하다] alcanzar. ⑥ [울분·화 따위가 나다] enfadarse, enojarse, irritarse. ⑦ [귀신들리다] (estar) endemoniado, poseído (por el demonio).

오르되브르 entremés m.

오르락내리락 subiendo y bajando, oscilando, fluctuando. ~하다 subir y bajar, oscilar, fluctuar.

오르막 repecho m. ~길 camino m en cuesta, camino m en subida.

오른 ① [오른쪽] derecha f. ② [오른쪽의] derecho, de la derecha.

오른짝 ① [(준말)] =오른편짝. ② [물건의 오른쪽의 것] lo de la derecha.

오른쪽 derecha f, mano f derecha, lado m derecho. ~은 서서 계실 분, 왼쪽은 걸어가실 분 ((게시)) Por favor, en las escaleras mecánicas sitúense a la derecha para permitir el paso.

오른팔 ① [오른쪽 팔] brazo m derecho. ② [큰 힘이 되는 중요한 사람] brazo m derecho.

오른편(짝) (一便) derecha f.

오름세 (一勢) tendencia f al alza, el alza f.

오리 ① ((조류)) pato m. 새끼 ~ cerceta f. ② [(준말)] =집오리.

오리걸음 paso m tambaleante. ~을 걷다 andar con paso tambaleante.

오리나무 [식물] aliso m.

오리너구리 [동물] ornitorrinco m.

오리다 [신문이나 종이를] recortar, cortar. 신문 오린 것 recorte m de periódico.

오리무중 (五里霧中) desorientado, a tientas, a ciegas, aturdimiento excesivo. ~이다 no saber lo que se pesca, no saber por dónde (se) anda.

오리발 ① ((동물)) =물갈퀴(aleta). ② [살가죽이 달라붙은 손발] mano f palmípeda, pie m palmípedo.

오리엔테이션 orientación f. ~을 하다

오리지널 ① =본원(original). ② [독창적] original adj. ③ [미술·문학

작품의 원작 또는 원본] original m, obra f original. ~의 original.

오막살이 ① [오두막집] cabaña f de paja, choza f. ② [오두막집에서 사는 살림살이] vida f en la cabaña de paja.

오막살이집 =오막살이 ❶.

오만 (五萬) ① [숫자] cincuenta mil. ② [퍽 많은 수량] bastante cantidad f.

오만 (傲慢) arrogancia f, altanería f, soberbia f, presunción f, altivez f. ~하다 (ser) arrogante, altanero, soberbio, altivo.

오매불망하다 (寤寐不忘一) llevar en el corazón constantemente, no olvidar nunca.

오메가 ① [그리스어의 최종 자모] Ω, ω. ② [최종. 끝] fin m. ③ [옴의 기호] Ω.

오면가면 viniendo y yendo.

오면체 (五面體) pentaedro m.

오명 (汚名) ① [더러워진 이름이나 명예] dishonra f, deshonor m, mancha f, infamia f. ~을 쓰다 sufrir mala reputación, verse atribuido de una conducta fea. ~을 씌우다 infamar, difamar, deshonrar. ② =누명 ❷.

오목거울 espejo m cóncavo.

오목눈 ojos mpl hundidos.

오목렌즈 lentes fpl cóncavas.

오목면경 (一面鏡) =오목거울.

오목오목 con hundimiento, abolladura. ~하다 ser hundido, ser abollado, ~하게 하다 abollar, hacer una marca, hacerle una abolladura.

오목하다 (ser) hundido, abollado. 오목한 눈 ojos mpl hundidos. 눈이 ~ tener los ojos hundidos.

오묘하다 (奥妙一) (ser) profundo, abstruso, recóndito.

오물 (汚物) ① [지저분하고 더러운 물건] cosa f sucia [mugrienta·inmunda], suciedad f, inmundicia f, mugre m, basura f, porquería f. [하수의] aguas fpl sucias, aguas fpl negras, aguas fpl residuales]. ② [배설물] excremento m, excreción f, evacuación f. ~ 수거 vaciamiento m (del agua sucia).

오물거리다¹ [작은 벌레나 물고기 따위가] enjambrar, retorcerse.

오물거리다² [입 안에 든 음식을] mordiscar, mordisquear. 빵 조각을 ~ mordiscar un pedazo de pan. ② [말을 속시원히 하지 않고] hablar entre dientes, farfullar, mascular.

오므라들다 cerrarse, encoger(se), marchitarse, secarse, resecarse y arrugarse, perder frescura; [풍선 따위가] desinflarse, deshincharse. 오므라든 encogido.

오므라뜨리다 encoger, contraer, estrechar, angostar, cerrar. 우산을 ~ cerrar el paraguas. 팔을 ~ encoger el brazo.

오므라이스 arroz *m* con omelette.

오므라지다 =오므라들다.

오므리다 encoger. 자기의 몸을 ~ encogerse. 입을 ~ fruncir los labios, fruncir la boca.

오믈렛 tortilla *f* (de huevos), tortilla *f* francesa, omelette *f*.

오밀조밀하다(奧密稠密一) ① [공예에 관한 의장이] (ser) muy meticuloso, minucioso, escrupuloso, circunspecto, cauto. ② [사물에 대한 정리의 솜씨가] (ser) muy elaborado, detallado, minucioso, exquisito.

오발(誤發) ① [잘못하여 발포·발사함] descarga *f* [disparo *m*] accidental. ~하다 descargar por casualidad. ② [실수로 말을 잘못함] equivocación *f* por error. ~하다 equivocar por error.

오발탄(誤發彈) bala *f* equivocada por error.

오밤중(午一中) =한밤중.

오배자나무(五倍子一) ((식물)) agalla *f*, bugalla *f*.

오백(五百) quinientos, -tas.

오벨리스크 obelisco *m*.

오변형(五邊形) =오각형(五角形).

오보(誤報) información *f* [comunicación *f*·noticia *f*] errónea [equivocada].

오보에 ((악기)) oboe *m*. ~ 연주자 oboe *mf*; oboísta *mf*.

오복(五福) cinco fortunas: 수(壽) longevidad, 부(富) riqueza, 강녕(康寧) salud, 유호덕(攸好德) amor de la virtud y 고종명(考終命) muerte pacífica.

오붓하다 ① [허실이 없이 필요한 것만 있어] (ser) bastante, suficiente, abundante, sustancial. ② [살림이 포실하다] (ser) bueno, acomodado, confortable, cómodo.

오븐 horno *m*. 가스 ~ horno *m* a [de] gas.

오비다 atizar. 불을 ~ atizar al fuego.

오비이락(烏飛梨落) Una pera cae en cuanto un cuervo vuela del árbol / Es sospechado inadvertidamente por los otros.

오빠 hermano *m* mayor.

오산(誤算) ① [잘못 셈함] mal cálculo *m*, cómputo *m* erróneo, error *m* de cálculo. ~하다 calcular mal. ② [잘못된 추측이나 예상] desacierto *m*, equivocación *f*.

오색(五色) ① [다섯 색] cinco colores cardinales: azul, amarillo, rojo, blanco y negro. ② [여러 빛깔] varios colores *mpl*, colores *mpl* variados.

오선(五線) ((음악)) cinco líneas. ~보 pentagrama *m*. ~지 papel *m* pautado [de música].

오세아니아 ((지명)) la Oceanía.

오소리 ((동물)) tejón *m*. ~굴 tejonera *f*.

오손(汚損) daño *m*, perjuicio *m*, ensuciamiento *m*, mancha *f*. ~하다 dañar, perjudicar, ser perjudicial, manchar.

오솔길 sendero *m*, senda *f*.

오수(午睡) =낮잠(siesta).

오수(汚水) el agua *f* sucia; [하수의] aguas *fpl* residuales, aguas *fpl* negras.

오순도순 armoniosamente, en armonía, con buenas relaciones. ~ 잘 지내다 vivir juntos felizmente.

오스트레일리아 ((지명)) Australia *f*. ~의 (사람) australiano, -na *mf*.

오스트리아 ((지명)) Austria *f*. ~의 (사람) austríaco, -ca *mf*.

오식(誤植) ((인쇄)) error *m* de imprenta, errata *f* (de imprenta), error *m* tipográfico. ~ 정정표 fe *f* de erratas.

오심(誤審) juicio *m* erróneo, juicio *m* errado, nulidad *f* juicio por motivo de error.

오십(五十) cincuenta. ~ 번째(의) quincuagésimo, cincuentenario. ~대 사람 cincuentón, -tona *mf*.

오십보백보(五十步百步) Lo mismo da / No hay mucha diferencia entre los dos / Lo mismo da el uno al otro.

오싹 tiritando, teniendo escalofríos. ~하다 tiritar, tener escalofríos, enfriarse, sentir frío, tener frío. 몸이 ~하다 tener frío, sentir frío.

오싹오싹하다 estremecerse, horripilarse, aterrorizarse, horrorizarse [estremecerse·temblar] de miedo; [오한으로] sentir escalofríos, tiritar.

오아시스 oasis *m.sing.pl.*

오역(誤譯) traducción *f* errónea [equivocada·mala·inexacta]. ~하다 traducir mal, traducir con errores, interpretar siniestramente.

오열(五列) quinta columna *f*.

오열(嗚咽) sollozo *m*. ~하다 sollozar.

오염(汚染) contaminación *f*, polución *f*. ~하다 contaminar. ~되다 contaminarse, ser contaminado. ~도(度) nivel *m* de contaminación. ~ 물질 contaminante *m*. ~원 fuente *f* contaminadora, fuentes *fpl* de contaminación. ~ 제거 descontaminación *f*.

오월(五月) mayo *m*. ~ 단오 *Owol Dano*, festival *m* del cinco de mayo del calendario lunar.

오이 ((식물)) pepino *m*; [작은 오이] pepinillo *m*. ~ **밭** pepinar *m*.

오이시디 Organización *f* para la Cooperación y el Desarrollo Económico, OCDE *f*.

오이풀 ((식물)) pimpinela *f*.

오인(誤認) concepto *m* falso, idea *f* equivocada. ~**하다** entender mal, reconnocer erróneamente. …을 범인으로 ~**하다** confundir [equivocar] a *uno* con el autor del crimen.

오일(五日) ① [닷샛날] el cinco. ② [기간] cinco días.

오일 petróleo *m*; [윤활유] aceite *m*, lubricante *m*; [연료 오일] fuel-oil *m*, gasoil *m*; [가정이나 난로용] querosene *m*, kerosene *m*, combustible *m* líquido. ~ **달러** petrodólar *m*. ~ **쇼크** choque *m* de aceite. ~ **스토브** estufa *f* de aceite. ~ **탱커** [선박의] petrolero *m*; [트럭] camión *m* cisterna (para petróleo); [유조선] buque *m* petrolero.

오입(誤入) acción *f* de irse de putas. ~**하다** ir(se) de putas, putañear. ~**쟁이** putañero *m*.

오자(誤字) letra *f* [palabra *f*] errónea, errata *f*, palabra *f* desacertada, error *m* clerical.

오작(誤作) operación *f* equivocada. 컴퓨터의 ~ operación *f* equivocada del ordenador.

오전(午前) mañana *f*. ~의 matutino, matinal, de la mañana. ~ 아홉 시에 a las nueve de la mañana. 오늘 ~(에) esta mañana. 내일 ~(에) mañana por [AmL en] la mañana. 어제 ~(에) ayer por la mañana. ¶ ~**반** clase *f* matutina.

오점(汚點) ① [얼룩] mancha *f*, borrón *m*. ② [결점] deshonra *f*.

오존(화학) ozono *m*. ~**계** ozonómetro *m*. ~ **발생기** ozonizador *m*. ~**층** ozonosfera *f*, capa *f* de ozono.

오종 경기(五種競技) pentatlón *m*. 근대 ~ pentatlón *m* moderno. ~ 선수 pentatleta *mf*.

오죽 muy, mucho, verdaderamente, realmente, qué, cuánto. ~ **배가** 고프겠니 Tú debes tener mucha hambre.

오죽(烏竹) ((식물)) bambú *m* negro.

오줌 orina *f*, orines *mpl*; [어린이의] pis *m*, pipí *m*. ~(을) 누다 orinar(se), mear; [어린이가] hacer pis, hacer pipí. ~(을) 싸다 orinarse, ensuciar(se), mojar, hacer aguas; [어린이가] hacerse pis, hacerse pipí. ~(이) 마렵다 tener ganas de orinar; [어린이가] hacer pis, hacer pipí. ¶ ~**독** veneno *m*

de la orina. ~**똥** la orina y el estiércol. ~**버캐** poso *m* de la mancha de orina. ~**소태** frecuencia *f* urinaria. ~**싸개** niño, -ña *mf* que se orina durante el sueño; incontinente *mf*; [행위] incontinencia *f* (de orina), emisión *f* involuntaria de la orina. ~**장군** recipiente *m* para la orina. ~**통** ㉮ (해부) = 방광. ㉯ (오줌을 누거나 담아 두는 통) orinal *m*.

오중(五重) quíntuplo *m*. ~**주** ((음악)) quinteto *m*, quintego *m*. ~**창** ((음악)) quinteto *m*.

오지(奧地) interior *m* (de un país), rincón *m* remoto.

오직 sólo, solamente, simplemente.

오직(汚職) corrupción *f*, escándalo *m*. ~**하다** dejarse sobornar, dejarse corromper, ensuciarse las manos.

오진(誤診) diagnosis *f* errónea, diagnóstico *m* erróneo. ~**하다** hacer una diagnosis errónea, diagnosticar erróneamente, diagnosticar equivocadamente, equivocarse de diagnosis.

오징어 ((어류)) calamar *m* (등딱지가 없는), jibia *f* (등딱지가 있는). ~ 먹물 tinta *f*. ~**포** calamar *m* secado, jibia *f* secada.

오차(誤差) error *m*; ((천문)) aberración *f*. ~**율** tasa *f* de error.

오찬(午餐) almuerzo *m*. ~**을** 들다 almorzar, tomar un almuerzo, comer. ~**회** fiesta *f* de almuerzo.

오촌(五寸) ① [다섯 치] cinco pulgadas coreanas. ② [종숙] hijo *m* de *su* tío abuelo; [종질] hijo, -ja *mf* de *su* sobrino; sobrino, -na *mf* de *su* padre.

오케스트라 ① [관현악단] orquesta *f*. ~의 [음악] orquestal; [주자] de orquesta; [곡] para orquesta, orquestal. ② [무대 앞의] 일등석 platea *f*, patio *m* de butacas, butaca *f* de platea. ¶ ~ **박스** [석] orquesta *f*, foso *m* de la orquesta, foso *m* orquestal. ~ **음악** música *f* orquestal. ~ **주자** músico, -ca *mf* de orquesta.

오케이 ① [완료·만사 해결·합격· 옳다 따위의 뜻] ¡Vale! / ¡Bueno! / ¡De acuerdo! / ¡Muy bien! / ¡Está bien! / ¡Vaya (pues)! / AmC ¡Va pues! / ¡Okey! 만사가 ~다 Todo va [marcha] bien. ② [교료] Visto Bueno (V°. B°.).

오토메이션 [자동 조작 방식] automación *f*, automatización *f*. ~ 공장 fábrica *f* automatizada.

오토바이 motobicicleta *f*, moto *f*, RaD motorconcho *m*, motor *m*; [경찰의] motocicleta *f* de policía.

오톨도톨하다 (ser) escarpado, accidentado, escabroso.

오판(誤判) mal juicio *m*, error *m* de cálculo. ~하다 juzgar [calcular] mal. ~ 사건 caso *m* de mal juicio.

오팔((광물)) [단백석] ópalo *m*.

오퍼 ① [신청] ofrecimiento *m*, oferta *f*. ② [(경제)] oferta *f*. ~하다 ofrecer, hacer una oferta. ~상 [수출업자] exportador, -dora *mf* de oferta.

오페라((음악)) ópera *f*. ~ 가수 operista *mf*; cantante *mf* de ópera. ~ 하우스 Opera *f*, teatro *m* de ópera.

오페레타 opereta *f*.

오펙 Organización *f* de Países Exportadores de Petróleo, OPEP *f*, OPEC *f*.

오프너 [병따개] abridor *m*, abrebotellas *m*; [깡통따개] abrelatas *m*.

오프 사이드 fuera de juego, off side *ing.m*, AmL fuera de lugar.

오프셋((인쇄)) impresión *f* offset, offset *ing.m*. ~ 인쇄를 하다 imprimir en offset.

오픈 게임 primer partido *m*, juego *m* inicial.

오픈 세트((영화)) set *m* montado al aire libre.

오픈 카 coche *m* descubierto.

오피스 oficina *f*. ~ 걸 oficinista *f*.

오한(惡寒) ((한방)) escalofrío *m*, calofrío *m*. ~이 나다 escalofriarse, sentir [tener] escalofríos.

오합지졸(烏合之卒) chusma *f*, muchedumbre *f* desordenada, gentío *m*, turba *f*, gentualla *f*, gentuza *f*, morralla *f*.

오해(誤解) malentendido *m*, mal entendimiento *m*, mala interpretación *f*, concepto *m* erróneo, equívoco *m*. ~하다 entender mal, comprender mal, malinterpretar, interpretar [juzgar] mal.

오행시(五行詩) quintilla *f*.

오현(五絃) [다섯 줄] cinco cuerdas.

오현금(五絃琴) pentacordio *m*.

오형(━型) ((의학)) o-forma *f*.

오호(嗚呼) ¡Ay! / ¡Oh! / ¡Ah! ~라 ¡Ay (de mí)!

오호호 ¡Ja, ja!

오후(午後) tarde *f*, postmeridiano *m*. ~의 de la tarde, postmeridiano. ~에 por la tarde, AmL en la tarde. ¶ ~반 clase *f* de la tarde.

오히려 menos mal, no tan mal; [차라리] más bien, antes (bien). 도둑질을 하느니보다 굶어 죽는 편이 ~ 낫다 Más bien moriría antes que hurtar.

옥(玉) ① [보석] gema *f*, piedra *f* preciosa, joya *f*. ② [경옥] jade *m*, piedra *f* nefrítica. ③ [구슬] bola *f*. 옥에도 티가 있다 ((속담))

No hay oro sin tacha / Hay mancha hasta en el sol.

옥(獄) =감옥(監獄)(cárcel). ¶ ~에 가두다 echar a la cárcel, encarcelar, tener preso, aprisionar.

옥고(玉稿) sus manuscritos *m*.

옥고(獄苦) apuros *mpl* de la vida en la cárcel. ~를 견디다 soportar [tolerar] los apuros de la vida en la cárcel. ~를 치르다 quejarse de apuros en la cárcel.

옥내(屋內) interior *m* de la casa. ~의 [옷·신발] para estar en casa; [식물] de interior(es); [풀·테니스 코트] cubierto, techado. ~에 dentro, en casa, bajo techo. ~에서 en (el interior de la) casa.

옥니 diente *m* inclinado hacia adentro.

옥답(沃畓) arrozal *m* fértil.

옥도정기(沃度丁幾) =요오드팅크.

옥돔(玉━) ((어류)) pargo *m*.

옥동자(玉童子) precioso hijo *m*, bebé *m* precioso, una joya de niño.

옥리(獄吏) carcelero, -ra *mf*.

옥문(獄門) puerta *f* de la cárcel.

옥바라지(獄━) provisión *f* al prisionero de la ropa y la comida de fuera de la cárcel. ~하다 proveer al prisionero de la ropa y la comida de fuera de la cárcel.

옥사(獄死) muerte *f* en la cárcel. ~하다 morir en la cárcel [en la prisión].

옥사(獄舍) edificio *m* de la cárcel.

옥사쟁이(獄━) carcelero, -ra *mf*.

옥살이(獄━) =감옥살이.

옥상(屋上) terraza *f*, azotea *f*. ~에 en la terraza, en la azotea. ¶ ~ 가옥 Ir a vendimiar y llevar uvas de postre / Dorar sobre oro. ~ 정원 jardín *m* terraza, jardín *m* azotea, terraza *f* [azotea *f*] ajardinada. ~ 주택 ático *m*.

옥새(玉璽) sello *m* real.

옥석(玉石) ① =옥돌. ② [옥과 돌] la gema y la guija, los jades y las piedras. ③ [좋은 것과 궂은 것] lo bueno y lo malo, el trigo y la cizaña.

옥소(沃素) ((화학)) yodo *m*.

옥쇄(玉碎) muerte *f* al honor, combate *m* hasta la muerte. ~하다 morir de manera honorable, preferir la muerte al deshonra, combatir hasta la muerte.

옥수(玉水) el agua *f* cristalina.

옥수(玉手) ① [임금의 손] manos *fpl* del rey. ② [옥과 같이 맑고 고운 손] manos *fpl* hermosas como un jade.

옥수수((식물)) maíz *m*, Guat, Nic elote *m*. ~밭 maizal *m*. ~ 이삭 panoja *f*. ~ 뷔김 palomita *f*.

옥신각신 escaramuza *f*, refriega *f*,

옥외(屋外) exterior *m*, campo *m* raso, aire *m* libre. ~의 exterior, externo; [옷] de calle, [겨울용] de abrigo; [식물] de exterior. ~에서 afuera, fuera de casa; [노천에서] al aire libre, al raso, a cielo descubierto, a la intemperie. ¶~ 안테나 antena *f* exterior. ~ 집회 reunión *f* al aire libre.

옥죄이다 (ser) apretado, apretujado, ajustado, ceñido.

옥중(獄中) interior *m* de la cárcel. ~에서 en la cárcel, en la prisión.

옥타브 ((음악)) octava *f*.

옥탄(化學) índice *m* de octano. ~값[가] índice *m* de octano.

옥토(沃土) tierra *f* fértil.

옥토끼(玉一) ① [달 속에 산다는 전설상의 토끼] conejo *m* en la luna. ② [털빛이 흰 토끼] conejo *m* con pelo blanco.

옥호(屋號) razón *f* social.

옥황상제(玉皇上帝) Dios *m*, rey *m* de los reyes.

온¹ [백(百)] ciento.

온² [모두의. 전부의] todo, entero, completo, perfecto, total. ~ 누리 todo el universo.

온³ [뜻밖의 일, 놀라운 일 따위를 당했을 때 하는 말] ¡Ay! / ¡Qué cosa! / ¡Vaya por Dios! ~, 지독하군 Vaya por Dios, eso sí que es terrible.

온갖 todos los +「명사」, todas las +「명사」, toda la clase de +「명사」; [여러 가지의] vario, diverso, distinto. ~ 것 todo. ~ 과실 toda clase de frutas.

온건론자(穩健論者) moderado *m*.

온건주의(穩健主義) moderantismo.

온건파(穩健派) palomas *fpl*, partido *m* moderado; [사람] moderado, -da *mf*.

온건하다(穩健一) (ser) moderado, bueno y moderado, sensible, calmoso y juicioso. 온건한 사상 idea *f* moderada.

온고지신(溫故知新) estudio *m* de lo antiguo y la busca de lo nuevo. ~하다 estudiar lo antiguo y buscar [aprender] lo nuevo.

온기(溫氣) calor *m*, calor *m* templado [moderado].

온난(溫暖) calor *m* templado [moderado]. ~하다 (ser) templado, de calor moderado, tibio, cálido. ~한 지방 región *f* templada.

온당하다(穩當一) (ser) apropiado, conveniente, razonable, moderado. 온당한 요구 petición *f* moderada, petición *f* razonable.

온대(溫帶) zona *f* templada. ~ 기후 clima *m* templado. ~림 selva *f* de la zona templada. ~ 지방 región *f* templada.

온데간데없다 desaparecer de repente, no poder hallarse en ningún sitio repentinamente.

온도(溫度) temperatura *f*. 공기의 ~ temperatura *f* del aire. 몸의 ~ temperatura *f* del cuerpo. ~를 재다 medir la temperatura.

온도계(溫度計) termómetro *m*.

온돌(溫突/溫埃) ondol, hipocausto *m* coreano, sistema *m* de calefacción bajo el suelo a la coreana. ~방 *ondolbang*, habitación *f* con ondol.

온두라스 ((지명)) Honduras *f*. ~의 (사람) hondureño, -ña *mf*.

온라인 ((컴퓨터)) conectado, en línea. ~ 시스템 sistema *m* en línea, operación *f* directa en línea, reducción *f* de datos en línea.

온몸 todo el cuerpo; [부사적] de pies a cabeza. ~운동 ejercicio *m* de todo el cuerpo.

온밤 toda la noche.

온상(溫床) ① [묘상] semillero *m*, almajara *f*, almáciga *f*. ② [사물 또는 사상 따위의 양성에 적합한 지반이나 환경] vivero *m*, semillero *m*, sementera *f*, caldo *m* de cultivo, hervidero *m*. ¶~ 재배 cultivo *m* de semillero.

온수(溫水) el agua *f* caliente. ~ 공급 suministro *m* de agua caliente. ~난방 calefacción *f* por agua caliente.

온순하다(溫順一) (ser) apacible, dócil, benévolo, amable, obediente, sumiso.

온쉼표(一標) silencio *m* entero.

온스 onza *f* (28. 35 g).

온실(溫室) ① [난방 장치가 된 방] habitación *f* con calefacción. ② [그린 하우스] invernadero *m*, invernáculo *m*.

온욕(溫浴) baño *m* con el agua caliente. ~하다 bañarse con el agua caliente.

온유하다(溫柔一) (ser) suave, blando, dócil, apacible.

온음(一音) ((음악)) tono *m* entero. ~계 escala *f* diatónica. ~정 tono *m*. ~표 semibreve *f*, redonda *f*.

온전하다(穩全一) (ser) entero, intacto, perfecto.

온점(一點) punto (.).

온정(溫情) benevolencia *f*, ternura *f*, indulgencia *f*, cordialidad *f*, amabilidad *f*, cariño *m*, afecto *m*.

온종일(一終日) todo el día, día *m* entero. ~ 책을 읽다 leer un libro todo el día.

온집안 toda la casa; [가족 전체] toda la familia. ~을 찾다 buscar [mirar] en toda la casa.

온천(溫泉) termas *fpl*, fuente *f* termal, baños *mpl* calientes. ~수 aguas *fpl* termales. ~장 balneario *m* de aguas termales, baños *mpl* termales.

온탕(溫湯) ① [온천의 뜨거운 물] aguas *fpl* termales. ② [적당한 온도의 탕] sopa *f* de la temperatura templada.

온통 totalmente, enteramente.

온풍(溫風) viento *m* templado.

온혈(溫血) ① ((한방)) sangre *f* caliente del ciervo como la medicina. ② ((동물)) sangre *f* caliente. ~ 동물 animal *m* de sangre caliente.

온화하다(溫和一) ① [기후가] (ser) templado, benigno, calmado, sereno, apacible, moderado, tranquilo, quieto, suave; [겨울에 날씨가] no muy frío. ② [성질・태도가 온순하고 인자하다] (ser) apacible, dulce, manso, benigno, moderado, comedido, calmado, razonable.

온후하다(溫厚一) (ser) afable, manso, suave, cortés, amable, fino.

올¹ ((준말)) =올해(este año). ¶ ~ 안에 en este año.

올² ① [실이나 줄의 가닥] hebra *f*, cabo *m*, textura *f*, filamento *m*, comba *f*, torcedura *f*. ~이 성긴 basto. ② [실이나 줄의 가닥을 세는 말] hebra *f*, cabo *m*. 실 한 ~ una hebra de hilo, un cabo de hilo.

올가미 ① [짐승을 잡는 장치] trampa *f*, cepa *f*, soga *f*, dogal *m*; [그물의] lazo *m* (corredizo), red *f*; [바구니의] armadijo *m*. ~로 잡다 cazar con trampa. ② [사람이 걸려들게 꾸민 깜찍한 꾀] trampa *f*, ardid *f*, estafa *f*.

올곧다 (ser) honesto, honrado.

올되다 ① [나이보다 일찍 지각이 나다] (ser) precoz. 올된 아이 niño, -ña *mf* precoz. ② [일찍이 되다] madurar temprano.

올드미스 solterona *f*.

올라가다 ① [아래에서 위로] subir, alzar, elevar, levantar, ascender; [산에] escalar, subir; [나무에] trepar(se), subirse; [탈것에] subir, tomar; [말・나귀에] montar(se); ((연극)) [막이] levantarse; [새・연이] elevarse, remontarse, remontar el vuelo. ② [지위가 높아지다] (ser) ascendido, promovido. ③ [흐름을 거슬러 상류로 가다] ir contra el río (la corriente). ④ [상경하다] ir a Seúl, ir a la capital. ⑤ [값이 비싸지다] subir, alzar, aumentar, elevarse; [폭등하다]

dispararse.

올려놓다 poner. 책을 선반 위에 ~ poner los libros en el anaquel.

올려다보다 ① [아래쪽에서 위쪽을] levantar la cara, mirar hacia arriba. 산을 ~ mirar la montaña. ② [존경하는 마음으로 높이 받들며 우러르다] respetar, admirar.

올리다 ① [오르게 하다] alzar, elevar, levantar, subir; [가격・지위를] subir, elevar, ascender, promover; [증가시키다] aumentar. 값을 ~ alzar [subir] el precio. ② [칠・단청・도금 따위를 위에 입히다] cubrir, bañar, recubrir, enchapar, chapear, barnizar, dar una capa de laca, dorar, pintar. ③ [윗사람에게 바치다] ofrecer, ofrendar, presentar, dedicar. ④ [병이나 병균을 옮기다] infectar, contagiar. ⑤ [문서나 신문・입김에 드러내다] inscribirse. ⑥ [따귀 따위를 때리다] dar, golpear.

올리브 ① [식물] olivo *m*. ② [열매] aceituna *f*, oliva *f*. ~나무 [식물] olivo *m*. ~ 밭 olivar *m*. ~색 (color *m*) aceituna, color *m* olivo, color *m* de aceituna verde. ~유 aceite *m* de oliva.

올림 ① =증정(贈呈). ② [편지에서] (Saluda) A usted atentamente / Le [Lo] saludo atentamente.

올림표(一標) ((음악)) sostenido *m*.

올림피아드 ① [역사] cuatro años entre la fiesta de la Olimpiada y la otra Olimpiada. ② [올림픽 경기] Olimpiada *f*, Olimpíada *f*, los Juegos Olímpicos.

올림픽 ((준말)) =올림픽 경기.

올림픽 게임 las Olimpiadas.

올림픽 경기(一競技) ① [고대 그리스의] los Juegos Olímpicos, Olimpiadas *fpl*, Olimpíadas *fpl*, olimpiada *f*, olimpíada *f*. ② ((준말)) =국제 올림픽 경기 대회. ¶ ~ 대회 los Juegos Olímpicos. ~장 estadio *m* olímpico. ~ 조직 위원회 Comité *m* de Organización de los Juegos Deportivos Olímpicos.

올림픽 대회(一大會) =올림픽 경기.

올망졸망하다 ser de varios tamaños pequeños. 올망졸망한 어린이들 niños *mpl* de los mismos tamaños aproximados.

올무¹ [새나 짐승을 잡는 올가미] trampa *f*, cepo *m*, cepa *f*; [그물의] lazo *m*. ~로 잡다 cazar con trampa.

올무² [일찍 자란 무] rábano *m* [nabo *m*] temprano.

올바로 correctamente, justamente, honradamente, honestamente.

올바르다 (ser) correcto, justo; [마음이] honrado, honesto, recto.

올밤 castaña *f* precoz, castaña *f* tempra- na.
올벼 arroz *m* precoz [temprano].
올보리 cebada *f* precoz [temprana].
올봄 esta primavera.
올빼미 ① ((조류)) lechuza *f*; [큰] buho *m*; [작은] mochuelo *m*, cárabo *m*, antillo *m*, bruja *f*, oliva *f*, *Méj* tecolote *m*. ② [밤에 자주 나돌아다니는 사람] vagabundo *m* nocturno, vagabunda *f* nocturna.
올차다 ① [야무지고 기운차다] (ser) substancial, robusto, macizo. 그 아이 참 ~ ¡Qué substancial es el niño! ② [곡식의 알이 일찍 들다] madurar temprano.
올챙이 ((동물)) renacuajo *m*. ~ 기자 periodista *m* novato. ~배 barriga *f*, panza *f*, vientre *m* protuberante, abdomen *m* prominente. ~ 작가 escritor *m* novato.
올케 cuñada *f*, hermana *f* política.
올해 este año, año *m* en curso.
옭다 ① [친친 잡아 매다] atar, amarrar; [밀·옥수수를] agavillar. ② [올가미를 씌우다] coger con un lazo, ahorcar. ③ [꾀로 남을 걸려들게 하다] armar trampa.
옭매다 atar, amarrar.
옭매듭 nudo *m* corredizo.
옭매이다 atarse, amarrarse.
옭아매다 atar, amarrar. 짐을 ~ atar el equipaje [el paquete], empaquetear, embalar.
옮겨심기 =이식(移植).
옮기다 ① [사물의 자리를 바꾸어 정하다] ㉮ trasladar, mudar, cambiar. 짐을 ~ mudar el equipaje. ㉯ [다른 그릇에] trasladar, travasar. ② [주거·처소 따위를 바꾸어 가다] trasladar, cambiar(se), mudarse. ③ [들은 말을 딴 데에 전하다] hablar, hacer correr, difundir. ④ [글자·그림 따위를 본보기대로 쓰거나 그리다] copiar. ⑤ [병 따위를 전염시키다] pasar, comunicar, contagiar, propagar. ⑥ [번역하다] traducir. ⑦ [발걸음을] dar un paso (adelante), seguir *su* camino, mover los pasos.
옮다 ① [사물이 자리를 바꾸다] cambiar. ② [주거·처소 따위를 바꾸다] mudarse. ③ [말·소문이 퍼져 가다] difundirse, propagarse, divulgarse. ④ [병·버릇·사상 등이 감염하다] propagarse, contagiarse.
옮아가다 ① [자리를 다른 데로 바꾸어 가다] cambiarse, acercarse, arrimarse, trasladarse, desplazarse. 창가로 ~ acercarse a la ventana. ② [주거·처소 따위를 바꾸다] mudarse, cambiarse. 일산으로 ~ mudarse a Ilsan. ③ [소문·말·병 따위가 퍼져 가다] difundirse, propagarse, divulgarse.
옳다[1] [공정하다] (ser) justo; [정확하다] correcto, exacto; [정당하다] recto, legal; [합법적이다] legítimo, lícito; [일리가 있다] tener razón. 당신의 말씀이 옳습니다 Tiene usted razón.
옳다[2] [마음에 맞을 때] ¡Vale!
옳지 ¡Bien! / ¡Bueno! / ¡Vale! / Sí. ~, 그렇게 하면 된다 ¡Bueno! Debes hacerlo.
옴[1] ((의학)) sarna *f*. ~약 sanífugo *m*. ~쟁이 sarnoso, -sa *mf*.
옴[2] ((물리)) ohmio *m*, ohm *m* (Ω). ~계 ohmímetro *m*. ~의 법칙 Ley *f* de Ohm.
옴니암니 varios gastos *mpl*, varias expensas *fpl*.
옴두꺼비 ((동물)) sapo *m*.
옴벌레 ((동물)) cunículo *m*.
옴지락거리다 moverse lentamente.
옴질거리다 ① [몸피 작은 것이] moverse despacio y frecuentemente. ② [주저하다] vacilar, titubear. ④ [질긴 것을 입에 물고 오물거리며 씹다] mordiscar, mordisquear, masticar, mascar.
옴짝달싹 con un movimiento muy ligero, moviéndose ligeramente [levemente]. ~ 못 하다 no moverse ni una pulgada.
옴츠러들다 encogerse, achicarse, agarrotarse gradualmente.
옴츠리다 encogerse, acurrucarse, estrecharse, angostarse, achicarse; [공포로] espantarse, estremecerse.
옴팡눈 ojos *mpl* hundidos y redondos.
옴폭 con hueco. ~하다 ser hundido. ~ 패인 볼 mejillas *fpl* hundidas. 눈이 ~하다 tener los ojos hundidos.
옵서버 observador, -dora *mf*.
옵션 opción *f*. ~ 가 precio *m* de opción. ~ 계약 contrato *m* de opciones.
옷 ropa *f*; [양복] traje *m*; [드레스] vestido *m*; [의류] vestuario *m*, ropaje *m*; prenda *f* de vestir; [의상] vestidura *f*. ~을 입다 [벗다] ponerse [quitarse] la ropa. 옷이 날개라 ((속담)) El sastre hace al hombre. 옷은 새 옷이 좋고 사람은 옛 사람이 좋다 ((속담)) Traje, el más nuevo y amigo, el más antiguo.
옷가게 tienda *f* de tela. ~ 주인 pañero, -ra *mf*.
옷감 paño *m*, tela *f*, género *m*, tejido *m*, textura *f*.
옷거리 apariencias *fpl* de *su* ropa.
옷걸이 percha *f*, cuelgacapas *m*; [가지가 있는] perchero *m*.
옷고름 cordón *m* de la blusa.

옷깃 cuello *m*, solapa *f*.

옷섶 cuello *m* exterior del abrigo.

옷자락 faldas *fpl*, bajo(s) *m(pl)*, faldillas *f*, [긴] faldón *m*.

옷장(－欌) armario *m*, ropero *m*, cómoda *f*, guardarropa *m*.

옷차림 atuendo *m*, indumentaria *f*.

옷치레 atuendo *m* lujoso [de lujo].

옷핀 horquilla *f*.

옹(翁) anciano *m* (venerable). 함석헌 ~ el anciano Sr. Ham Seok Heon.

옹고집(壅固執) egoísmo *m*, terquedad *f*, obstinación *f*, porfía *f*, testarudez *f*, terquería *f*, terqueza *f*, terquez *f*, tozudería *f*. ~쟁이 egoísta *mf*; egoistón, -tona *mf*, testarudo, -da *mf*, terco, -ca *mf*.

옹골지다 (ser) substancial, duro, sólido. 옹골진 과실 frutas *fpl* duras.

옹골차다 ① [견실하고 충만하다] estar bien lleno. ② [다부지다] (ser) duro, fuerte, robusto, sólido, firme, macizo.

옹기(甕器) cerámica *f*. ~가마 horno *m* de cerámica. ~그릇 cerámica *f*. ~장수 vendedor, -dora *mf* de cerámica. ~장이 alfarero, -ra *mf*; ceramista *mf*; artista *m* cerámico, artista *f* cerámica. ~전[점] tienda *f* de cerámica.

옹기종기 densamente, espesamente, compactamente.

옹달샘 pozo *m* pequeño.

옹립(擁立) ① [군주를 즉위시킴] entronización *f*, entronizamiento *m*. ~하다 entronizar, colocar en el trono, exaltar al trono. ② [지도자로 세움] sostenimiento *m*, apoyo *m*, ayuda *f*. ~하다 sostener, apoyar [ayudar] a un puesto.

옹색하다(壅塞－) ① [생활이] estar en un aprieto [un apuro]. ② [매우 비좁다] (ser) muy estrecho, muy angosto. 옹색한 방 habitación *f* muy estrecha. 집이 ~ La casa es demasiado estrecha.

옹위(擁衛) salvaguarda *f*, escolta *f*. ~하다 vigilar, custodiar, proteger, escoltar, guardar, acompañar, llevar, conducir.

옹이 nudo *m*. ~가 있는 nudoso.

옹졸하다(壅拙－) ① [성질이] (ser) superficial. 옹졸한 사람 persona *f* superficial. 옹졸한 남자 hombre *m* superficial. 옹졸한 여인 mujer *f* superficial. ② [됨됨이가] (ser) torpe, patoso, pobre.

옹호(擁護) protección *f*, amparo *m*, defensa *f*, sostenimiento *m*, patrocinio *m*, auxilio *m*. ~하다 proteger, amparar, defender, favorecer, sostener, patrocinar, tomar a *uno* su jefe proclamándo*le*.

옻 barniz *m*, laca *f*, goma *f* laca. ~(을) 칠하다 pintar con laca, lacar, laquear. ~(을) 타다 (ser) alérgico a la hiedra venenosa. ~(이) 오르다 ser envenenado por la laca contraer la enfermedad de la laca.

옻나무 ((식물)) barniz *m* del Japón, ailanto *m*, árbol *m* del cielo, árbol *m* de laca, zumaque *m*.

옻칠(－漆) laca *f*, goma *f* de laca, barniz *m* (de laca). ~하다 barnizar (con laca).

와[1] [여럿이 떠드는 소리] con un gran clamor, fuerte, alto, en voz alta. 청중이 ~ 하고 웃었다 El auditorio se reventó de risa.

와[2] ① [접속 조사] y; [i‥hi로 시작되는 단어 앞에서] e. 개~ 소의 perro y la vaca. 아버지~ 아들 padre e hijo. ② [부사격 조사] a. 언니~ 닮은 동생 hermana *f* parecida a su hermana. ③ [부사격 조사] con. 누나~ 같이 공부하다 estudiar con *su* hermana.

와글거리다 ① [많은 사람이나 벌레 등이] enjambrar, aglomerarse, apiñarse, pulular. ② [적은 물이 야단스럽게 소리를 내며 끓다] hervir haciendo mucho ruido.

와닥닥 de repente, repentinamente, de súbito, súbitamente, de prisa y corriendo, a la(s) carrera(s), a todo correr, a toda prisa. ~ 일어서다 levantarse [ponerse de pie] de un salto.

와당(瓦當) pedazos *mpl* de punta de la teja.

와당탕 ruidosamente, bulliciosamente, haciendo mucho ruido, a gritos. ~하다 hacer mucho ruido.

와들와들 temblando, estremeciéndose, titiritando, tiritando. 추워서 ~ 떨다 temblar [tiritar · estremecerse] de frío.

와락 bruscamente, en tropel, de repente, repentinamente, súbitamente, de súbito.

와르르 ① [쌓여 있던 작고 단단한 물건이] con enorme ruido. ② [천둥 소리가] tronando. ③ [괴어 있던 물이] desplomado. ~ 넘어지다 caer desplomado. ④ [물이 야단스럽게 끓는 소리] hirviendo con mucho ruido.

와병(臥病) el acostarse en el lecho de enfermo. ~하다 acostarse en el lecho de enfermo.

와신상담(臥薪嘗膽) lucha *f* por la realización de *su* propósito soportando mucha dificultad. ~하다 luchar por la realizar *su* propósito soportando mucha dificultad.

와우(蝸牛) ((동물)) caracol *m*. ~각 cáscara *f* de caracol; ((해부))

cóclea *f*. ~관 ((해부)) conducto *m* coclear.

와이더블유시에이 Asociación *f* de Jóvenes Cristianas, Albergue *m* Cristiano para Chicas Jóvenes, YWCA *f*.

와이셔츠 camisa *f*.

와이엠시에이 Asociación *f* Cristiana de Jóvenes, Asociación *f* de Jóvenes Cristianos, Albergue *m* Cristiano para Chicos Jóvenes, YMCA *f*.

와이퍼 limpiaparabrisas *m.sing.pl*.

와인 ① [술] vino *m*. ② [술. 주류] vino *m*. ¶ ~ 글라스 ㉮ [술잔. 양주용 잔] copa *f*. ㉯ [포도주용의 술잔] copa *f* de vino.

와일드 카드 ① [카드 게임에서] comodín *m*. ② [골프·테니스] invitación *f* a participar en un torneo aun cuando el jugador no cumple los requisitos. ③ ((축구)) puesto *m* en las finales adjudicado a los mejores equipos de entre los perdedores. ④ ((컴퓨터)) comodín *m*.

와전(訛傳) distorsión *f*, deformación *f*, tergiversación *f*. ~하다 deformar, falsear, tergiversar, falsear los hechos.

와지끈 ¡Patapum! ~거리다 estrellarse, chocar.

와트 vatio *m*, watt *ing.m*. ~계 vatímetro *m*. ~시 vatio-hora *m*.

와하하 ¡Ja, ja, ja!

와해(瓦解) [가족의] desintegración *f*, [회사의] desmembramiento *m*; [정당의] disolución *f*, [대화의] fracaso *m*; [왕·독재자·제국의] caída *f*, derrumbe *m*, desmoronamiento *m*. ~하다 disolver, deshacer (가정을), desintegrar (팀·그룹을), terminar (미팅·파티를), derrumbarse, desmoronarse, desplomarse, hundirse, venirse abajo. ~되다 [부부·애인들·무리가] separarse; [군중이] dispersarse, romperse, deshacerse, disolverse.

왁스 ① [봉랍] cera *f*. ② [스키용의] pasta *f*.

왁자지껄하다 alborotar, armar jaleo, formar un estrépito; (ser) ruidoso, vociferante.

왁친 ((의학)) vacunación *f*, vacuna *f*. ~ 주사 vacunación *f*, inyección *f* de vacuna.

완강하다(頑强一) (ser) forzudo, tenaz, osbtinado, testarudo, terco, porfiado, pertinaz. 완강히 tenazmente, tercamente, obstinadamente, pertinazmente, testarudamente, porfiadamente, con obstinación, con tenacidad. ~ 저항하다 resistir(se) tenazmente [obstinadamente].

완결(完結) conclusión *f*, terminación *f*, término *m*, acabamiento *m*, finalización *f*, fin *m*, final *m*. ~하다 completar, concluir (completamente), finalizar, terminar.

완고하다(頑固一) (ser) obstinado, terco, de cabeza dura, pertinaz, tenaz.

완곡법(婉曲法) perifrasis *f*, circunlocución *f*, eufemismo *m*.

완곡하다(婉曲一) (ser) indirecto, perifrástico, caracterizado por el eufemismo.

완공(完工) =준공(竣工).

완구(玩具) juguete *m*. ~점 jeguetería *f*.

완급(緩急) ① [느림과 빠름] lentitud y rapidez, circunstancia *f*. ~에 의해 según las circunstancias. ② = 위급.

완납(完納) pago *m* completo [entero·íntegro]. ~하다 pagar completamente [enteramente·íntegramente]. 세금을 ~하다 pagar los impuestos enteros.

완두(豌豆) ((식물)) guisante *m*.

완력(腕力) fuerza *f* del brazo, violencia *f*, fuerza *f* física, robustez *f* muscular. ~으로 a la fuerza, por fuerza, por [con] violencia.

완료(完了) terminación *f*, acabamiento *m*, conclusión *f*. ~하다 terminar, acabar, concluir, consumar, tener hecho. ~되다 terminarse, concluirse, acabarse. ¶ ~시제 tiempo *m* perfecto.

완만하다(緩慢一) ① [행동이 느릿느릿하다] (ser) lento. ② [활발하지 않다] (ser) flojo, pausado, inactivo, paralizado. ③ [경사가 급하지 않다] (ser) suave.

완벽(完璧) perfección *f*, gema *f* perfecta. ~하다 (ser) completo, perfecto, intachable, impecable, irreprochable.

완보(緩步) paso *m* lento. ~하다 andar lentamente.

완본(完本) = 완질본(libro completo).

완봉(完封) ① [완전히 봉함] cierre *m* completo; [완전히 봉쇄함] bloque *m* completo. ~하다 cerrar [bloquear] completamente. ② ((야구)) partido *m* ganado sin que marque el contrario.

완불(完拂) pago *m* completo. ~하다 pagar completamente.

완비(完備) provisión *f* [preparación *f*] completa. ~하다 completarse, perfeccionarse, estar bien surtido.

완성(完成) perfeccionamiento *m*, acabamiento *m*, cumplimiento *m*, terminación *f*, perfección *f*. ~하다 perfeccionarse, llevarse a cabo. ¶ ~품 artículo *m* [producto *m*] terminado, producto *m* acabado.

완수(完遂) acabamiento *m*, efectuación *f* perfecta, ejecución *f* cabal, realización *f* perfecta. ~하다 acabar, realizar, llevar a cabo, lograr [conseguir·realizar] a la perfección, desempeñar.

완숙(完熟) ① [완전히 익음] maduración *f*, maduramiento *m*, madurez *f*. ~하다 madurar, volverse maduro. ② [완전히 삶음] cocedura *f* completa, cocción *f* completa. ~하다 cocer (completamente). ~된 cocido completamente. 달걀을 ~하다 cocer el huevo. ¶~기 (época *f* de) madurez *f*.

완승(完勝) victoria *f* completa. ~하다 ganar una victoria completa, triunfar completamente.

완역(完譯) traducción *f* completa. ~하다 traducir completamente.

완장(腕章) brazalete *m*, brazal *m*. ~을 달다[차다] ponerse un brazalete [un brazal].

완재(完載) publicación *f* completa. ~하다 publicar completamente.

완전(完全) perfección *f*, integridad *f*, enteroza *f*, totalidad *f*. ~하다 (ser) perfecto, completo, entero, total, cabal. ~히 perfectamente, completamente, enteramente, a la perfección, por completo, plenamente, del todo, totalmente, a fondo. ¶~ 고용 pleno empleo *m*, colocación *f* completa. ~ 무결 integridad *f*, impecabilidad *f*, perfección *f* absoluta. ~ 범죄 crimen *m* perfecto.

완제(完製) fabricación *f* completa. ~품 producto *m* completamente fabricado.

완주(完走) corrida *f* entera. ~하다 correr la carrera entera.

완질본(完帙本) libro completo.

완충(緩衝) amortiguamiento *m* de sacudida; ((컴퓨터)) memoria *f* intermedia, memoria *f* interfaz, tampón *m*. ~하다 amortiguar la sacudida. ~기(器) amortiguador *m*. ~기(機) parachoques *m*; [철로의] tope *m*. ~ 범퍼 tope *m* amortiguador. ~ 작용 acción *f* reguladora. ~ 장치 amortiguador *m*; [열차의] tope *m*; [자동차의] parachoques *m.sing.pl.* ~ 지대 zona *f* neutral [parachoques].

완치(完治) curación *f* completa. ~하다 curarse completamente.

완쾌(完快) recuperación *f* completa de la salud, curación *f* completa de una enfermedad. ~되다 recuperarse [recobrar la salud·curar(se)] completamente.

완투(完投) lanzamiento *m* completo hasta nueve entradas. ~하다

lanzar [pichear] completamente hasta nueve entradas.

완패(完敗) derrota *f* total, derrota *f* completa. ~하다 sufrir una completa derrota, ser derrotado completamente. ~시키다 vencer completamente, derrotar del todo.

완행(緩行) [느리게 감] ida *f* lenta. ~하다 ir lentamente. ② ((준말)) =완행 열차. ¶~ 열차 tren *m* local [ómnibus].

완화(緩和) mitigación *f*, modificación *f*, alivio *m*. ~하다 mitigar, moderar, aflojar; [가볍게] aliviar, aligerar; [감하다] disminuir, reducir. ~제 paliativo *m*, emoliente *m*. ~책 medida *f* neutralizante.

왈(曰) ① [가라사대] dice, dicen, dijo, dijeron. 공자 ~ Confucio dijo. ② [이른바] (así) llamado.

왈가닥 mujerzuela *f*, muchacha *f* revoltosa [retozona], pícara *f*.

왈가왈부(曰可曰否) argumento *m* en pro y en contra. ~하다 argüir [discutir·debatir] pro y contra.

왈츠 vals *m*. ~를 추다 bailar el vals, valsar, valsear.

왈칵 de repente, repentinamente, de súbito, súbitamente. ~ 성내다 arrebatarse de ira, encenderse.

왈칵하다 (ser) colérico, irascible, de genio vivo, de mucho genio.

왔다갔다 ① [자주 오고가고 하는 모양] yendo y viniendo, al retortero. ~하다 ir y venir, venir e ir, andar al retortero, deambular, vagar. ② [정신이] al retortero. ~하게 만들다 traer al retortero.

왕(王) ① [임금] rey *m*. ~의 real, del rey. ② [장·우두머리] jefe, -fa *m/f*. ③ [으뜸] pimate *m*, rey *m*. 백수의 ~ rey *m* de los animales [de la selva], león *m*.

왕가(王家) familia *f* [casa *f*] real. 부르봉 ~ casa *f* Borbónica, casa *f* de Borbón; [사람들] los Borbones.

왕개미(王) hormiga *f* grande.

왕거미(王-) araña *f* grande.

왕겨(王-) barcia *f*, ahechaduras *fpl*, granzas *fpl*.

왕고집(王固執) obstinación *f* muy seria; [사람] persona *f* muy obstinada.

왕골 (식물) junco *m*, juncia *f*. ~자리 estera *f* (de junco).

왕관(王冠) corona *f*, diadema *f*.

왕국(王國) reino *m*, monarquía *f*. 아라곤 ~ reino *m* de Aragón. 태권도 ~ Corea, país *m* campeón de taekwondo.

왕궁(王宮) palacio *m* real.

왕권(王權) autoridad *f* real. ~ 신수설 teoría *f* del derecho divino de la dignidad regia.

왕년(往年) tiempo *m* pasado, antigüedad *f*, pasado *m*.

왕눈이(王一) persona *f* con ojos grandes.

왕대접(王一) vaso *m* grande.

왕도(王道) camino *m* real.

왕도(王都) capital *f* (de un reino).

왕래(往來) ida *f* y venida [vuelta]; [통행] circulación *f*; [교통] tránsito *m*, tráfico *m*. ~하다 ir y venir, ir y volver, circular.

왕림(枉臨) visita *f*. ~하다 visitar, hacer una visita.

왕립(王立) institución *f* real. ~의 real. ~ 음악 학교 Conservatorio *m* Real.

왕명(王命) orden *f* del rey.

왕모래(王一) arena *f* gruesa [basta].

왕밤(王一) castaña *f* gigantesca.

왕방울(王一) campanilla *f* grande.

왕복(往復) ida *f* y vuelta. ~하다 ir y venir, ir y volver; [비행기로] volar regularmente; [버스·기차로] viajar regularmente. ¶ ~ 여행 viaje *m* de ida y vuelta. ~ 엽서 tarjeta *f* (postal) con respuesta pagada. ~ 운임 tarifa *f* de ida y vuelta. ~ 차비 pasaje *m* de ida y vuelta. ~표[차표] billete *m* [pasaje *m*·AmL boleto *m*] de ida y vuelta.

왕비(王妃) reina *f*, esposa *f* del rey.

왕새우(王一)((동물)) langosta *f*.

왕성(王城) alcázar *m* real.

왕성(旺盛) florecimiento *m*, lozanía *f*, vigorosidad *f*, rebustez *f*. ~하다 (ser) vigoroso.

왕세손(王世孫) hijo *m* mayor del príncipe heredero.

왕세자(王世子) príncipe *m* heredero. ~비(妃) princesa *f* heredera.

왕손(王孫) ① [임금의 손자] nieto *m* del rey. ② [임금의 후손] descendientes *mpl* del rey.

왕실(王室) familia *f* real.

왕업(王業) reinado *m* del rey.

왕왕(往往) a veces, unas veces, algunas veces, de vez en cuando, de cuando en cuando.

왕위(王位) trono *m*, corona *f*. ~를 계승하다 suceder el trono.

왕자(王子) príncipe *m*, infante *m*.

왕자(王者) ① [임금] rey *m*, monarca *m*. ② [으뜸가는 것] campeón, -ona *mf*. 복싱의 ~ campeón *m* de(l) boxeo.

왕정(王政) ① [임금의 정치] política *f* real. ② [군주 정체] monarquía *f*, gobierno *m* monárquico [real]. ¶ ~복고 restauración *f* de la monarquía.

왕조(王朝) dinastía *f*, reinado *m*. 조선 ~ dinastía *f* (de) *Choson*.

왕족(王族) familia *f* real, miembro *mf* de la familia real.

왕좌(王座) ① [임금이 앉는 자리] asiento *m* regio; [임금의 지위] trono *m*. ~에 오르다 ascender [subir] al trono. ② [으뜸가는 자리] el primer puesto, supremacía *f*, rey *m*, reina *f*.

왕진(往診) visita *f* a un paciente. ~하다 visitar [hacer visitas] a un paciente [un enfermo], ir a examinar al enfermo en *su* casa. ~료 honorarios *mpl* de la visita del médico. ~ 시간 hora *f* de la visita del médico.

왕초(王一) jefe, -fa *mf* de los mendigos.

왕통(王統) linaje *m* real, descendientes *mpl* reales.

왕후(王后) =왕비(王妃).

왜¹ [이유·원인] ¿Por qué?, ¿Por qué razá?, ¿Por qué motivo?, ¿Cómo?; [목적] ¿Con qué objeto? ~ 안 오느냐? ¿Por qué no vienes?

왜² [의문을 나타낼 때] ¿Cómo? ~? 무슨 일이냐? ¿Cómo? ¿Qué te pasa?

왜(倭)((준말)) =왜국(倭國)(Japón).

왜-(倭一) del Japón; japonés, -nesa. ~돗자리 estera *f* japonesa.

왜가리((조류)) garza *f* (real).

왜경(倭警) policía *f* japonesa.

왜곡(歪曲) deformación *f*, torcimiento *m*, falseamiento *m*. ~하다 deformar, torcer, falsear.

왜구(倭寇) piratas *mpl* japoneses.

왜냐하면 porque, como, pues, que.

왜란(倭亂) ① [왜인들이 일으킨 난리] guerra *f* por los japoneses. ② ((준말)) =임진 왜란(壬辰倭亂).

왜소하다(矮小一) (ser) bajo, pequeño, enano, diminuto, minúsculo.

왜적(倭敵) el Japón como un país enemigo.

왜적(倭賊) piratas *mpl* japoneses.

왜정(倭政) reinado *m* japonés. ~ 시대 período *m* del reinado japonés en Corea (1910-1945).

왝왝 vomitando, haciendo arcadas. ~하다 vomitar, hacer arcadas.

왠지 no saber por qué. 나는 ~ 쑥스럽다 No sé por qué es indecoroso.

왱왱 silbando, aullando, en alto, en voz alta, ruidosamente, haciendo mucho ruido, a gritos. ~하다 silbar, aullar, hacer mucho ruido.

외 ((식물)) ((준말)) =오이(pepino).

외(外) ① [이외] excepto, además (de). 그 ~에 fuera de eso. ② [밖] fuera.

외가(外家) familia *f* [casa *f*] de línea materna. ~ 쪽의 materno, materno, por parte de madre, de línea materna. ¶ ~댁 casa *f* de línea materna.

외각(外角) ángulo *m* exterior.

외갈래 una sola bifurcación. ~길 camino *m* con una sola bifurcación.

외강내유하다(外剛內柔-) ser fuerte afuera pero suave adentro.

외견(外見) apariencia *f*, aspecto *m*, aire *m*, vista *f* exterior.

외계(外界) ① [바깥 세계] mundo *m* exterior [externo]; [지구 밖] espacio *m* exterior. ② ((철학)) fenómena *f* exterior, mundo *m* físico. ¶ ~인 hombre *m* espacial.

외고집(-固執) terquedad *f*, obstinación *f*, tozudez *f*, porfía *f*, testarudez *f*. ~쟁이 persona *f* terca.

외곬 ① [한 곳으로만 트인 길] único camino *m*, un solo camino. ② [단 한 가지 방법이나 일] una sola manera, un solo modo, única cosa *f*. ~의 fervoroso, apasionado. ~으로 simplemente, sencillamente, exclusivamente, con sencillez, con entusiasmo; [맹목적으로] ciegamente.

외과(外科) ((의학)) cirugía *f*. ~의 quirúrgico. ~ 병원 clínica *f*, hospital *m* quirúrgico. ~ 수술 operación *f* quirúrgica. ~ 수술실 quirófano *m*, sala *f* de operaciones. ~의(醫) cirujano, -na *mf*.

외곽(外廓) ① [성 밖으로 다시 둘러 쌓은 성] muro *m* exterior. ② [바깥 테두리] contorno *m*, perfil *m*, periferia *f*; [건물의] cerco *m* exterior. ¶ ~ 단체 sociedad *f* dependiente a la otra.

외관(外觀) apariencia *f*, aspecto *m*, vista *f* exterior; [외면] exterior *m*. ~에는 al parecer.

외교(外交) diplomacia *f*. ~가 ㉮ [외교의 당국자] diplomático, -ca *mf*. ㉯ [사교에 능한 사람] hombre *m* sociable, mujer *f* sociable. ~계 mundo *m* diplomático. ~관 diplomático, -ca *mf*. ~ 관계 relaciones *fpl* diplomáticas. ~단 cuerpo *m* diplomático. ~ 문제 problema *m* diplomático. ~ 사절 misionario *m* diplomático, misionaria *f* diplomática; enviado *m* diplomático, enviada *f* diplomática. ~적 diplomático. ~ 정책 política *f* diplomática [exterior]. ~ 통상부 Ministerio *m* de Asuntos Exteriores y Comercio.

외국(外國) (país *m*) extranjero *m*. ~의 extranjero, exterior. ~ 무역 comercio *m* exterior, comercio *m* extranjero. ~ 시장 mercado *m* extranjero. ~어 lengua *f* extranjera, idioma *m* extranjero. ~어 대학(校) universidad *f* de lenguas extranjeras [de estudios extranje-

ros. ~어 학교 escuela *f* de lenguas extranjeras. ~인 extranjero, -ra *mf*.

외국환(外國換) divisa *f* (extranjera), (letra *f* de) cambio *m* extranjero. ~ 은행 banco *m* del cambio extranjero.

외근(外勤) servicio *m* externo. ~하다 trabajar fuera de la oficina. ~ 사원 empleado, -da *mf* de servicio externo; [세일즈 따위의] representante *mf*; viajante *mf*; solicitador, -dora *mf*. ~자 persona *f* que trabaja externamente; solicitador, -dora *mf* (de pedidos).

외길 el único camino. ~로 la entrada *f* estrecha al callejón sin salida.

외나무다리 puente *m* de leño.

외눈 ① [한쪽 눈] un solo ojo. ~의 de un solo ojo. ② =애꾸눈.

외도(外道) ① [바르지 않은 길] camino *m* injusto. ② =오입. ~를 하다 ㉮ [오입하다] putañear, putear. ㉯ [다른 잡짓에 손을 대다] tocar en las otras cosas vulgares.

외돌토리 una sola persona.

외딴 solitario, apartado, aislado, separado. ~곳 un lugar solitario, un lugar apartado, un lugar aislado. ~길 camino *m* solitario [aislado]. ~방 habitación *f* aislada, cuarto *m* aislado. ~섬 isla *f* solitaria [aislada]. ~집 casa *f* aislada [apartada].

외딸 ① [아들 없이 단 하나뿐인 딸] *su* única [sola] hija sin hijos. 그의 ~ su única hija sin hijos. ② [딸로는 하나뿐인 딸] una sola hija. 내 ~ una sola hija mía.

외떡잎((식물)) monocotiledón *m*. ~식물 monocotiledóneas *fpl*.

외람되다(猥濫-) atreverse, osarse.

외래(外來) ① [밖에서 옴] venida *f* de fuera. ② [외국에서 옴] venida *f* del país extranjero. ~의 ㉮ extranjero, exótico, de fabricación extranjera, de origen extranjera; [수입된] importado. ③ [환자가 외부에서 병원에 다님] ida *f* al hospital de fuera. ④ =외래 환자. ¶ ~ 문화 cultura *f* extranjera. ~ 사상 ideas *fpl* extranjeras, pensamiento *m* importado. ~어 vocablo *m* [palabra *f*] de origen extranjero, palabra *f* exótica. ~종 especies *fpl* introducidas. ~ 진료 consulta *f* de enfermos no hospitalizados. ~품 artículos *mpl* importados. ~ 환자 paciente *m* externo, paciente *f* externa; paciente *mf* de consulta; paciente *m* no internado, paciente *f* no internada.

외로움 soledad *f*, aislamiento *m*.

외롭다 (ser) solitario. 외로운 생활 vida *f* solitaria.

외면¹(外面) ① [겉면] (parte *f*) exterior *m*, faces *fpl* exteriores; [표면] superficie *f* (externa). ~의 exterior, externo, visible. ② [겉모양] aspecto *m*, apariencia *f*.

외면²(外面) [보기를 꺼려 얼굴을 돌려 버림] vuelta *f* de la cara, desviación *f* de mirada. ~하다 volver la cara, desviar la mirada, no mirar de frente, torcer las narices.

외모(外貌) apariencia *f*, planta *f*. ~가 좋은 de buena apariencia, bien parecido. ~가 나쁜 de mala apariencia, mal parecido.

외무(外務) ① [외국에 관한 정무] asuntos *mpl* exteriores, relaciones *fpl* exteriores, asuntos *mpl* extranjeros, relaciones *fpl* extranjeras. ② [집 밖에 다니며 보는 사무] negocio *m* fuera de la casa. ③ =외근(外勤). ¶~부 Ministerio *m* de Asuntos Exteriores.

외박(外泊) alojamiento *m* fuera de *su* propio domicilio; [선원 등의] licencia *f*. ~하다 no volver a casa, pernoctar, alojar fuera de la casa, quedarse por ahí.

외벽(外壁) ((건축)) pared *f* exterior.

외부(外部) exterior *m*, parte *f* exterior [de fuera], superficie *f*. ~의 exterior, externo. ~ 사람 extranjero, -ra *mf*.

외분비(外分泌) ((해부)) secreción *f* externa.

외빈(外賓) [외국 손님] huésped *m* [turista · visitante *m*] extranjero, huésped *f* [turista · visitante *f*] extranjera; [외부 손님] huésped *m* [visitante *m*].

외사(外事) asuntos *mpl* exteriores, asuntos *mpl* extranjeros. ~과 Sección *f* de Asuntos Exteriores.

외사촌(外四寸) ((준말)) =외종 사촌.

외삼촌(外三寸) tío *m* materno. ~댁 ⑦ =외숙모. ④ [외삼촌의 집] casa *f* de *su* tío materno.

외상 crédito *m*, fiado *m*. ~으로 사다 comprar a crédito [a plazo · (al) fiado]. ~으로 팔다 vender a crédito [a plazo · (al) fiado]. ¶~ 거래 transacciones *fpl* a crédito. ~ 판매 venta *f* a crédito [al fiado]. ~ 판매 사절 ((게시)) No vendemos a crédito.

외상(外相) ministro, -tra *mf* de Asuntos Exteriores.

외상(外傷) herida *f* externa, lesión *f* visible; ((의학)) traumatismo *m*, lesión *f* traumática.

외설(猥褻) obscenidad *f*, indecencia *f*, lascivia *f*, libertinaje *m*, pornografía *f*. ~ 문학 pornografía *f*, literatura *f* obscena [pornográfica · verde]. ~물 cosas *fpl* pornográficas.

외세(外勢) ① [바깥의 형세] circunstancias *fpl* externas, condición *f* [situación *f*] externa. ② [외국의 세력] influencia *f* extranjera, poder *m* extranjero.

외손(外孫) ① [딸이 낳은 자식] nietos *mpl* políticos, hijos *mpl* de *su* hija. ② [딸의 자손] descendientes *mpl* de *su* hija. ~녀 *su* nieta política. ~자 *su* nieto político.

외숙(外叔) tío *m* materno, hermano *m* de *su* madre. ~모 tía *f* materna, esposa *f* de *su* tío materno. ~부 tío *m* materno. esposo *m* de *su* tía materna.

외식(外食) cena *f* de fuera, comida *f* que se toma fuera del propio domicilio. ~하다 comer fuera [en el restaurante], cenar fuera.

외신(外信) noticias *fpl* extranjeras. ~ 기자 reportero, -ra *mf* de noticias extranjeras. ~ 부장 editor, -tora *mf* del departamento de noticias extranjeras.

외아들 el único hijo, el hijo único, el solo hijo.

외압(外壓) presiones *fpl* externas.

외야(外野) ① [(야구)] los jardines, las praderas, campo *m*. ② ((준말)) =외야수. ③ ((준말)) =외야석. ¶~석 tribuna *f* descubierta en los jardines. ~수 jardinero, -ra *mf*.

외양(外樣) aspecto *m*, apariencia *f*.

외양간(喂養間) [말의] caballeriza *f*, cuadra *f*; [말 이외의] establo *m*; [소의] corral *m* de vacas.

외용(外用) uso *m* externo, uso *m* tópico, aplicación *f* externa. ~하다 aplicar externamente.

외우다 aprender de memoria, memorizar.

외유(外遊) viaje *m* por el extranjero, viaje *m* por el mundo. ~하다 viajar por el extranjero, viajar por el mundo, ir al extranjero. ~에서 돌아오다 volver del viaje extranjero.

외유내강하다(外柔內剛─) (ser) suave y dócil aparentemente pero robusto espiritualmente, ser manso por apariencia pero fuerte como un roble en espíritu.

외이(外耳) oído *m* externo. ~염 otitis *f* externa, conchitis *f*.

외인(外人) ① [자기와 관계 없는 사람] persona *f* sin relación. ② [어느 일에 관계 없는 사람] persona *f* de fuera. ③ ((준말)) =외국인. ④ ((천주교)) ateísta *mf*. ¶~ 부

대 legión f extranjera. ~촌 villa f para los extranjeros. ~ 출입 금지 [(게시)] Prohibido el paso / Prohibida la entrada / Prohibida la entrada a toda persona ajena a la empresa.

외자(外資) capital m extranjero; [투자] inversión f extranjera. ~를 도입하다 introducir [acoger] las inversiones extanjeras. ¶ ~ 도입 introducción f [inducción f] de inversiones extranjeras.

외장(外裝) ① [포장] envoltorio m, envoltura f. ~하다 envolver. ② ((전기)) cubierta f. ~하다 cubrir. ③ [자동차의] embellecedor m, banda f lateral, Col bocel m. ④ ((조선)) blindaje m. ~의 blindar. ~의 blindado. ⑤ ((토목)) revestimiento m. ~하다 revestir.

외적(外的) [사물의 외부에 관한 (것)] exterior, externo, extrínseco. ~ 조건 condición f exterior. ② [물질이나 육체에 관한 (것)] material, físico, corporal.

외적(外敵) enemigo m exterior.

외접(外接) ((수학)) circunscripción f. ~하다 circunscribir. ~원(圓) círculo m circunscripto.

외제(外製) ((준말)) =외국제. ¶ ~차 coche m de fabricación extranjera.

외조모(外祖母) =외할머니.

외조부(外祖父) =외할아버지.

외족(外族) ① [외가 쪽의 일가] pariente m materno, familia f materna. ② [제 족속이 아닌 외부의 족속] raza f diferente.

외종 사촌(外從四寸) primo m materno, prima f materna.

외주(外注) pedido m exterior.

외지(外地) región f extranjera, país m extranjero, tierra f extranjera. ~ 근무 servicio m en el extranjero. ~ 생활 vida f ultramarina.

외지다 (estar) aislado, apartado.

외진(外診) ((의학)) consulta f en la casa del enfermo.

외채(外債) ((준말)) =외국채(外國債). ¶ ~를 모집하다 emitir [colocar·procurar] un bono [un empréstito] (en el extranjero), levantar el bono [el empréstito] extranjero. ② [외국에 대한 채무] deuda f externa. ¶ ~ 시장 mercado m de la deuda exterior.

외척(外戚) ① [같은 본 이외의 친척] pariente mf excepto el mismo linaje. ② [외가 쪽 친척] parentesco m materno, parientes mpl maternos.

외출(外出) salida f. ~하다 salir (de casa). ~ 금지령 toque m de queda. ~복 traje m de calle. ~ 증 permiso m de salida.

외치(外治) ① =외교(外交). ② [조정의 공식적인 정치] política f oficial. ③ ((의학)) cura f quirúrgica.

외치다 gritar, dar un grito, dar a gritos, exclamar. 기뻐서 ~ gritar [dar un grito] de alegría.

외침 grito m, griterío m, vocerío m.

외톨 [마늘의] un solo diente maduro; [밤의] una sola castaña madura. ② ((준말)) =외톨토리.

외톨박이 =외톨●.

외투(外套) abrigo m, gabán m; [얇은 복지의] gabardina f, [소매 없는] capa f, [군인용] capote m; [부인·어린이용] tapado m; RPl sobretodo m, Cuba chaquetón m.

외판(外販) venta f ambulante. ~원 viajante mf (de comercio); representante mf.

외팔이 manco, -ca mf.

외풍(外風) ① [바람] corriente f de aire, viento m que entra de fuera. ② [풍속] costumbre f introducida del extranjero.

외피(外皮) ① [겉껍질] cubierta f. ② ((동물)) epidermis f, cutícula f; [피부] piel f; [거북의] carapacho m. ③ ((식물)) cáscara f; [나무의] corteza f; [콩 따위의] vaina f; [소맥의] cascabillo m; [과피] hollejo m, pericarpio m.

외할머니(外一) abuela f materna.

외할아버지(外一) abuelo m materno.

외항(外航) navegación f oceánica. ~선 barco m transatlántico.

외항(外港) puerto m exterior.

외해(外海) océano m, alta mar f, mar m exterior.

외향성(外向性) extroversión f, extraversión f. ~의 extrovertido.

외형(外形) forma f externa, figura f [외관] apariencia f, exterioridad f, aspecto m exterior. ~(상)의 externo, visible, aparente superficial.

외화(外貨) ① [외국의 화폐] divisa f (extranjera), moneda f extranjera. ~를 획득하다 obtener [adquirir] divisas. ② [외국에서 오는 화물] mercancías f importadas, mercaderías fpl importadas. ¶ ~ 거래 transacción f en divisas. ~ 보유 reserva f de divisas. ~ 보유량 cantidad f de tenencia de divisas. ~ 부족 escasez f de divisas. ~ 시장 bolsa f de divisas. ~ 유출 salida f de divisas extranjeras, fuga f de divisas. ~ 절약 economía f [ahorro m] de divisas. ~ 획득 adquisición f de divisas.

외환(外患) temor m por agresión extranjera, incomodidad f externa.

외환(外換) divisas fpl, divisa f extranjera. ~ 교환 cambio m de

외환 은행 divisas. ~ 보유고 reserva *f* de divisas. ~ 시장 mercado *m* de divisas.

외환 은행(外換銀行) ((준말)) =외국환 은행. ☞외국환

왼 izquierda *f*; [형용사] izquierdo.

왼발 pie *m* izquierdo.

왼손 mano *f* izquierda [zurda·siniestra].

왼손잡이 zurdo, -da *mf*. ~의 zurdo. ~용의 para zurdos.

왼쪽 izquierda *f*, mano *f* izquierda, lado *m* izquierdo. ~의 izquierdo. ~에[으로] a la izquierda, a mano izquierda, al [en el] lado izquierdo. ~으로 꺾어지십시오 Tuerza a la izquierda.

왼팔 brazo *m* izquierdo.

왼편(-便) izquierda *f*, lado *m* izquierdo, mano *f* izquierda, dirección *f* hacia [a] la izquierda.

요 yo, colchón *m*. ~를 갈다 hacer la cama, poner el colchón.

요가 yoga *f*. ~ 수행자 yogui *mf*.

요강 bacín *m*, orinal *m*.

요강(要綱) principio *m* principal, resumen *m*, idea *f* general, esquema *f*.

요건(要件) [필요 조건] requisito *m*, condición *f* necesaria, condición *f* indispensable; [중요한 건] asunto *m* importante.

요격(邀擊) ataque *m* por sorpresa, emboscada *f*, celada *f*, sorpresa *f*. ~하다 atacar por sorpresa, poner celada, asechar, asaltar, sobrecoger, sorprender. ~기 interruptor *m*. ~ 미사일 ㉮ [지대지 미사일] misil *m* tierra-tierra. ㉯ [탄도탄 요격 미사일] misil *m* antimisil. ~위성 satélite *m* antisatélite.

요관(尿管) ((해부)) uréter *m*.

요괴(妖怪) fantasma *m*, espectro *m*; [괴물] monstruo *m*, duende *m*, aparición *f*.

요구(要求) requerimiento *m*, reclamación *f*, exigencia *f*; [정당한 권리로써의] reivindicación *f*; [노조의 요구] plataforma *f* reivindicativa; [요청] demanda *f*, petición *f*. ~하다 requerir, reclamar, exigir, reivindicar, demandar, pedir.

요구르트 yogur *m*, yogurt *m*.

요귀(妖鬼) espectro *m*.

요금(料金) precio *m*; [표시된] tarifa *f*; [항공의] billete *m*, pasaje *m*; [버스의] billete *m*, *AmL* boleto *m*; [수수료] derechos *mpl*, honorario *m*; [비용] coste *m*. ~선납 franqueo *m* pagado. ~ 징수소 cabina *f* de peaje. ~표 lista *f* de precio, tarifa *f*. ~ 후납 A franquear en destino.

요기(妖氣) aire *m* siniestro, aire *m* extraño, aire *m* demoníaco.

요기(療飢) el hambre *f* mitigante. ~하다 mitigar el hambre.

요긴하다(要緊一) (ser) esencialmente [muy] importante. 요긴히 importantemente, con importancia, necesariamente.

요도(尿道) ((해부)) uretra *f*. ~의 uretral. ~ 결석 cálculos *mpl* uretrales, uretolitiasis *f*. ~경 uretroscopio *m*. ~관 canal *m* uretral. ~ 괄약근 músculo *m* de esfínter uretral. ~염 uretritis *f*, inflamación *f* de la uretra. ~출혈 uretrorragia *f*.

요동(搖動) sacudida *f*, temblor *m*, vacilación *f*, fluctuación *f*, movimiento *m*, oscilación *f*; [자동차의] traqueteo *m*. ~하다 temblar, agitarse, vacilar, fluctuar, moverse; [크게] balancearse, mecerse; [흔들흔들] oscilar, balancearse; [자동차를] traquetear.

요들 ((음악)) canción *f* tirolesa. ~가수 cantante *m* tirolés, cantante *f* tirolesa.

요란(搖亂/擾亂) ruido *m*, conmoción *f*, alboroto *m*, tumulto *m*, jaleo *m*, escándalo *m*. ~하다 [기계·기차가] (ser) ruidoso, hacer mucho ruido; [사무실·거리가] ruidoso; [사람·아이·파티가] bullicioso; [모임이] acalorado.

요람(要覽) informe *m* del perito, peritaje *m*, peritación *f*, resumen *m*, contorno *m*; [안내서] manual *m*, guía *f*.

요람(搖籃) cuna *f*, mecedor *m*. ~에서 desde la infancia, desde la cuna. ~에서 무덤까지 (durante) toda la vida.

요령(要領) ① [요점] punto *m*, lo esencial, lo substancial, quid *m*. ② [기교] habilidad *f*, tacto *m*, maña *f*, secreto *m*, tino *m*, don *m*. ¶ ~부득 equivocidad *f*, ambigüedad *f* vaguedad *f*.

요령(搖鈴) campanilla *f*.

요로(要路) ① [가장 긴요한 길] camino *m* [arteria *f*] principal. 교통의 ~ arteria *f* principal del tráfico. ② [중요한 자리] puesto *m* importante, posición *f* importante; [당국] autoridades *fpl*. ~에 있는 사람들 las autoridades.

요리(料理) ① ㉮ [식품의 맛을 돋우어 조리함] cocina *f*, arte *m* culinario. ~하다 cocinar, cocer, guisar; [장만하다] hacer, preparar. ㉯ [조리한 음식] comida *f*, manjar *m* que se sirve, plato(s) *m*(*pl*); [진미] golosina *f*. ② [다루어 처리함] manejo *m*. ~하다 manejar, despachar el asunto. ¶ ~대 tocador *m*, aparador *m*, tajo *m* de cocina. ~법 [특정 요리의]

receta f, [일반적인] arte m culinario, arte f culinaria, gastronomía f. ~사 cocinero, -ra mf. ~상 (床) mesa f para los platos. ~책 libro m de (la) cocina, libro m de recetas, recetario m.

요망(要望) demanda f, deseo m, grito m. ~하다 demandar, desear, gritar.

요물(妖物) ① [요사스런 물건] cosa f extraña. ② [언행이 간악한 사람] tentador, -dora mf.

요법(療法) terapia f, tratamiento m, cura f, terapéutica f, método m de tratar a los enfermos.

요부(妖婦) tentadora f, maga f, bruja f, sirena f, bampiresa f, seductora f.

요부(要部) parte f esencial.

요부(腰部) cadera f, cintura f.

요사(夭死) =요절(夭折).

요사이 (en) estos días, en nuestros tiempos, hoy día, hoy en día.

요산요수(樂山樂水) amor m de la naturaleza.

요새 ((준말)) =요사이. ¶ ~ 젊은이 los jóvenes de hoy [estos días].

요새(要塞) fortaleza f, fuerte m, bastión m, plaza f fuerte, baluarte m, fortificación f. ¶ ~전 guerra f de sitio. ~지(대) zona f fortificada, zona f estratégica. ~포 cañón m de una fortaleza.

요소(尿素) ((화학)) urea f.

요소(要所) posición f importante, punto m importante, lugar m importante, [전략상의] lugar m estratégico.

요소(要素) elemento m, parte f esencial; [요인] factor m (importante); [필요 요건] requisito m.

요술(妖術) magia f, brujería f, hechicería f, sortilegio m, nigromancia f, juego m de manos, pasapasa f, prestigitación f, juglaría f. ~을 걸다 hechizar, encantar. ~을 부리다 practicar nigromacia. ¶ ~ 방망이 la lámpara de Aladino. ~사(쟁이) mago, -ga mf; prestigitador, -dora mf.

요시찰인(要視察人) persona f bajo la observación, individuo m sospechoso.

요식업(料食業) negocio m de restaurante.

요실금(尿失禁) ((한방)) incontinencia f urinaria.

요약(要約) resumen m, compendio m, epítome m. ~하다 resumir, hacer un resumen, compendiar, condesar, epitomar.

요양(療養) recuperación f; [치료] cura f, tratamiento m médico. ~하다 recuperarse, recobrar la salud, recibir tratamiento, seguir un tratamiento. ~ 중이다 estar bajo el tratamiento médico, estar en tratamiento. ¶ ~비 expensas fpl de asistencia médica. ~소[원] sanatorio m.

요업(窯業) (industria f) cerámica f, alfarería f. ~가 ceramista mf; alfarero, -ra mf. ~소 alfarería f.

요염(妖艶) coquetería f, fascinación f, hechicería f, encanto m, encantam(i)ento m, encantación f, coquetismo m, seducción f, voluptuosidad f. ~하다 (ser) hechicero, fascinador, fascinante, encantador, coquetón, seductor, voluptuoso.

요오드 yodo m. ~산 ácido m yódico. ~산염 yodato m. ~ 요법 yodoterapia f. ~ 중독(증) yodismo m. ~ 팅크 tintura f de yodo.

요요 yoyo m.

요원(要員) ① [필요한 인원] personal m necesario. ② [중요한 지위에 있는 임원] personal m.

요원(燎原) campo m que estalla el fuego, pradera f. ~한 불길 =요원지화(燎原之火). ~한 불길처럼 퍼지다 extenderse como un reguero de pólvora.

요원지화(燎原之火) reguero m de pólvora, fuego m arrasador.

요원하다(遙遠/遼遠-) (estar) muy lejos.

요인(要人) personaje m, personalidad f, persona f importante.

요인(要因) factor m, elemento m; [주요 원인] causa f principal. 중요한 ~ elemento m importante.

요일(曜日) días mpl de la semana. 오늘은 무슨 ~입니까? ¿Qué día (de la semana) es hoy?

요전(-前) [며칠 전] el otro día, hace unos [algunos · pocos] días, hace algún tiempo; [최근] recientemente, últimamente; [전번] antes. ~번 el otro día, hace unos días.

요절(夭折) muerte f prematura. ~하다 morir(se) prematuramente, morir(se) joven.

요절(腰折/腰絶) ¶ ~하다 retorcerse de risa, desternillarse de risa. ~복통하다 desternillarse de risa.

요절나다 estropearse, arruinarse, destrozarse, destruirse. 요절난 차 coche m inutilizado.

요절내다 estropear, arruinar, destrozar, desfigurar, destruir.

요점(要點) punto m esencial [importante · vital · clave · principal].

요정(妖精) hada f, ninfa f, duende m. 꽃의 ~ hada f de flores. 숲의 ~ dríada f, díade f.

요정(料亭) yocheong, restaurante m

(coreano) con *kisaeng*, casa *f* de *kisaeng*.

요주의(要注意) ¡Cuidado! / ¡Ojo!

요즈음 ① [요 때의 즈음. 작금] hoy (en) día, actualmente, en la actualidad, estos días, hoy, ahora. ~의 de hoy (día). ~의 젊은이 los jóvenes de hoy. ② [요때의 즈음에] recientemente, últimamente, hace poco.

요지(要地) [교통상의] lugar *m* importante, posición *f* importante para comunicaciones; [전략상의] punto *m* estratégico, posición *f* estratégica.

요지(要旨) punto *m* esencial, punto *m* principal, lo esencial, lo fundamental; [대요] resumen *m*.

요지경(瑤池鏡) espejo *m* mágico.

요지부동(搖之不動) firmeza *f*, tenacidad *f*, perseverancia *f*. ~하다 (ser) firme, adamantino, diamantino, inquebrantable, inexorable.

요직(要職) rango *m* [puesto *m*] importante, posición *f* importante.

요철(凹凸) irregularidad *f*.

요청(要請) demanda *f*, petición *f*, solicitud *f*, reclamación *f*, reivindicación *f*, instancia *f*. ~하다 demandar, pedir, solicitar, reclamar, reivindicar, instar.

요충지(要衝地) punto *m* importante, posición *f* importante, puesto *m* importante; [전략상의] punto *m* estratégico, posición *f* estratégica.

요컨대 en resumen, en suma, en una palabra.

요통(腰痛) dolor *m* de cintura.

요트 [큰 것] valero *m*, yate *m*; [작은 것] balandro *m*. ~를 타다 navegar (a vela). ~ 경주[레이스] regata *f* (por yates). ~ 놀이 navegación *f* a vela, paseo *m* en yate. ~ 선수 regatista *m*.

요판(凹版) ((인쇄)) chapa *f* convexa de cobre. ~ 인쇄 impresión *f* en chapa convexa de cobre.

요항(要項) punto *m* esencial; [개요] substancia *f*. 입학 시험 ~ guía *f* para el examen de ingreso.

요행(僥倖) chiripa *f*, fortuna *f* inesperada, buena suerte *f* [fortuna *f*]. ~으로 por suerte, por fortuna, afortunadamente, de chiripa, por (una) casualidad. ¶ ~수 casualidad *f* feliz [afortunada], buena fortuna *f* inesperada.

욕(辱) ① ((준말)) =욕설. ¶ ~하다 maldecir, insultar, injuriar. ~하지 마라 No me insultes. ② [명예스럽지 못한 일] vergüenza *f*, humillación *f*, insulto *m*, injuria *f*. ③ =수고(受苦). ¶ ~ 보셨습니다 Pasó usted muchos apuros.

욕(慾/欲) ((준말)) =욕구(deseo).

욕객(浴客) bañador, -dora *mf*; [해수욕 · 온천 따위의] bañista *mf*.

욕구(欲求/慾求) deseo *m*, necesidad *f*. ~하다 desear. ~ 불만 frustración *f*. ~ 불만을 일으키다 sentir frustrado, tener frustración.

욕되다(辱-) (ser) vergonzoso, bochornoso, ser una vergüenza.

욕망(慾望) deseo *m*, apetito *m*; [야망] ambición *f*; [갈망] ansia *f*; [탐욕] codicia *f*.

욕보다(辱-) ① [치욕을 당하다] ser deshonorado. ② [곤란을 겪다. 몹시 고생하다] costar (trabajo), pasar apuros [dificultades · privaciones]. ③ [강간을 당하다] ser violado.

욕보이다(辱-) ① [치욕을 주다] deshonorar. ② [곤란 · 수고를 당하게 하다] abusar. ③ [여자를 범하다] violar, insultar.

욕설(辱說) maledicencia *f*, maldición *f*, injuria *f*, insulto *m*. ~을 퍼붓다 emplear lenguaje ofensivo, proferir insultos [invectivas].

욕실(浴室) ((준말)) =목욕실(baño).

욕심(慾心) ① [물질적] avaricia *f*, codicia *f*. ~이 많은 codicioso, avariento, avaro, insaciable. ② [관능적] deseo *m*, apetito *m*, pasión *f*. ¶ ~꾸러기[쟁이] codicioso, -sa *mf*, avaro, -ra *mf*.

욕쟁이(辱-) calumniador, -dora *mf*; difamador, -dora *mf*.

욕정(慾情) [충동적으로 일어나는 욕심] deseo *m*, pasión *f*, apetito *m*. ~을 억제하다 dominar [contener] su pasión. ② =색욕(色慾).

욕조(浴槽) bañera *f*.

욕하다(辱-) hablar mal, calumniar, difamar, censurar, culpar, reprender. 욕하지 마라 No hables mal.

옷욧 sábana *f*.

용(龍) dragón *m*. 용의 꼬리보다 닭의 머리가 낫다 ((속담)) Más vale ser cabeza de ratón que cola de león.

용감무쌍하다(勇敢無雙하다) (ser) de una bravura sin igual.

용감하다(勇敢-) (ser) valiente, valeroso, bravo. 용감히 valientemente, con valor, con valentía, valerosamente.

용건(用件) negocio *m*, asunto *m*; [방문의] objeto *m* de la visita. 급한 ~ negocio *m* urgente.

용공(容共) simpatía *f* por el comunismo. ~ 사상 ideología *f* procomunista.

용광로(鎔鑛爐) horno *m* de fusión [de fundición]; [높은] alto horno *m*.

용구(用具) [공구] herramienta *f*, instrumento *m*; [용품] utensilios mpl, útiles mpl; [장치] aparato m; [집합적] equipo m. 등산 ~ equipo m de alpinismo.

용기(用器) ① [기구를 사용함] uso m del instrumento, uso m de la herramienta. ② [사용하는 기구] instrumento m, herramienta f.

용기(勇氣) coraje m, valor m, bravura f, ánimo m, osadía f, intrepidez f. ~ 있는 valiente, bravo, valeroso, brioso.

용기(容器) recipiente m, receptáculo m, vasija f.

용꿈(龍-) sueño m con suerte, suerte f afortunada. ~(을) 꾸다 tener [soñar] un sueño con suerte.

용납(容納) toleración f, aprobación f, admisión f, permiso m. ~하다 tolerar, admitir, aprobar, permitir. ~ 할 수 없는 inexcusable, imperdonable.

용단(勇斷) decisión f valerosa, medida f decisiva. ~을 내리다 tomar una decisión valerosa.

용달(用達) servicio m de reparto a domicilio. ~하다 repartir a domicilio. ~료 gastos mpl de envío [de transporte]. ~차 camioneta f [furgoneta f] de los repartos.

용도(用途) ① [씀씀이] uso m, servicio m, aplicación f, aprovechamiento m. ② [드는 비용] gastos mpl, expensas fpl. ③ [물품의 공급] suministro m.

용돈(用-) dinero m para gastos personales, asignación f, dinerillo m, dinero m disponible; [주로 여자의] alfileres mpl; [여행용] gastos mpl; [어린이용] dinero m de bolsillo.

용되다(龍-) ser grande y glorioso. 미꾸라지 ~ hacerse de la pobreza a la fortuna.

용두사미(龍頭蛇尾) anticlímax m, suceso m caracterizado por un descenso de la tensión, paso m repentino de lo sublime a lo prosaico y trivial, mucho ruido y pocas nueces. ~로 끝나다 quedar(se) en agua de borrajas.

용두질(龍頭-) masturbación f, onanismo m. ~하다 masturbarse, practicar la masturbación.

용량(用量) [약의] dosis f.

용량(容量) capacidad f, cabida f, contenido m, volumen m.

용렬하다(庸劣-) (ser) mediocre.

용례(用例) ejemplo m. ~ 사전 diccionario m de ejemplos.

용마루 caballete m.

용맹(勇猛) bravura f, valor m, valentía f, coraje m. ~하다 (ser) intrépido, heroico, varonil, valiente, bravo. ~스럽다 (ser) guerre-

ro, bélico. ~스레 bélicamente, heroicamente, osadamente.

용명(勇名) fama f (por su bravura), gran reputación f, gran fama f.

용모(容貌) fisonomía f, semblante m, facciones fpl, rasgos mpl, cara f, rostro m.

용무(用務) negocio m, asunto m, empleo m. ~로 por [para] negocios.

용법(用法) uso m, modo m de empleo, modo m de usar, cómo usar, manera f de usar; [용법서] instrucciones fpl (para uso · sobre el uso), indicaciones fpl.

용변(用便) necesidades fpl (naturales). ~을 보다 hacer de vientre, hacer del cuerpo.

용병(用兵) táctica f, manipulación f de tropas. ~하다 manipular las tropas. ~술 táctica f, estrategia f. ~학 táctica f.

용병(傭兵) guerrero m bravo.

용사(勇士) ① [용맹스런 사람] hombre m valiente [bravo], héroe m, guerrero m. ② =용병(勇兵).

용서(容恕) perdón m, excusa f, disculpa f, tolerancia f, remisión f. ~하다 perdonar, disculpar, excusar, dispensar, tolerar.

용선(傭船) ① [선박을 운송용으로 차입하는 것] fletam(i)ento m. ~하다 fletar (un barco), alquilar un barco. ② [운송용 차입 선박] barco m fletado. ¶ ~ 계약 (contrato m de) fletamento m. ~료 flete m. ~서 póliza f de fletamento. ~자 fletador, -dora mf. ~주(主) fletador, -dora mf.

용설란(龍舌蘭) ((식물)) agave f, pita f, maguey m, AmL henequén m.

용솟음(湧-) chorro m; [말의] torrente m; [감정·혈액의] efusión f. ~(을) 치다 chorrear,기운이 치다 entusiasmarse, alentarse, animarse.

용수(用水) el agua f de uso, el agua f del aljibe. ~로 canal m de irrigación. ~지 alberca f.

용수철(龍鬚鐵) muelle m, resorte m.

용쓰다 animarse, alentarse.

용암(鎔巖/熔巖) ((지질)) lava f. ~ 굴 curva f de lava.

용어(用語) palabra f, dicción f; [어휘] vocablo m; [술어] términos mpl; [집합적] terminología f. ~ 사전 diccionario m de términos, léxico m.

용역(用役) servicio m. ~권 usufructo m. ~산업 industria f de servicios.

용의(用意) preparativa f, precaución f, prevención f. ~하다 preparar, proveer.

용의(容疑) sospecha *f.* 살인 ~로 bajo la sospecha de homicdia. ¶~자 sospechoso, -sa *mf.*

용의주도하다(用意周到一) (ser) prudente, cuidadoso, cauto, precavido, sagaz.

용이하다(容易一) (ser) fácil. 용이히 fácilmente, con facilidad.

용인(容認) toleración *f,* consentimiento *m,* admisión *f,* asentimiento *m;* [허가] permiso *m.* ~하다 tolerar, consentir, admitir, asentir, dar consentimiento.

용재(用材) materiales *mpl,* maderaje *m,* madera *f* de construcciones. ~림(林) bosque *m* para materiales.

용적(容積) [용량] capacidad *f,* cabida *f;* [체적] volumen *m.* ~량 capacidad *f,* medida *f* cúbica.

용접(鎔接) soldadura *f,* soldeo *m.* ~하다 soldar. ~공 soldador, -dora *mf.* ~기 soldadora *f.* ~봉 varilla *f* para soldar, electrodo *m* infungible. ~용 인두 soldador *m.* ~제 fundente *m* para soldar.

용지(用地) terreno *m* (reservado); [건설용 공터] solar *m.*

용지(用紙) formulario *m,* papel *m* en blanco. ~에 기입하다 rellenar el formulario.

용태(容態) condición *f* de un paciente. ~가 좋다 estar bien, estar bueno.

용퇴(勇退) retirada *f* [dimisión · jubilación *f*] voluntaria. ~하다 retirarse [dimitir · jubilarse] voluntariamente; [자발적으로] resignar voluntariamente.

용품(用品) artículos *mpl,* utensilios *mpl.*

용하다 ① [재주가] (ser) hábil, diestro. 용한 의사 médico *m* diestro, médica *f* diestra. ② [착하고 훌륭하다] (ser) bueno y excelente. ③ [순하고 용렬하다] (ser) dócil y estúpido.

용해(溶解) ① [액체에 의한] disolución *f,* solución *f.* ~하다 disolver, licuar, liquidar, desleír. ~되다 disolverse. ¶~도 solubilidad *f,* temperatura *f* de fusión. ~액 solución *f.* ~열 calor *m* de disolución. ~점 punto *m* de fusión.

용해(鎔解) derretimiento *m,* fundición *f.* ~하다 derretirse, fundirse.

용호상박(龍虎相搏) lucha *f* entre dos gigantes.

우 a toda prisa, de repente. ~ 몰려 올라가다 [내려가다] subir [bajar] corriendo [a todo correr · a toda prisa].

우(右) derecha *f.* ~측 통행 ((게시)) Mantenga su derecha. ~로 나란 히! ¡Alineación, derecha!

우(優) excelencia *f,* superioridad *f;* [평점] excelente, A; [논문에 대해] mención *f* honorífica. ~를 받다 sacar [tener] excelente.

우거(寓居) ① ㉮ [임시로 몸을 부쳐 삶] vida *f* temporaria [temporánea]. ~하다 vivir temporariamente [temporalmente]. ㉯ [임시 로 몸을 부쳐 사는 집] residencia *f* temporaria [temporánea]. ② [자 기의 주거] mi humilde casa.

우거지 ugochi, hojas *fpl* exteriores de repollos [de otras verduras]. ~상(相) cara *f* avinagrada, cara *f* de vinagre, ceño *m* fruncido, sobrecejo *m,* semblante *m* ceñudo [enfadado · disgustado], mueca *f.*

우거지다 darse bien, crecer bien, crecer en abundancia, darse en abundancia, crecer frondoso.

우겨대다 insistir, mantener, sostenerse, mantenerse, persistirse, perseverar.

우격다짐 prepotencia *f,* arbitrariedad *f,* compulsión *f* fuerte, compulsión *f* violenta, coerción *f.* ~하다 obligar [precisar] por fuerza.

우경(右傾) viraje *m* [inclinación *f*] a [hacia] la derecha. ~하다 inclinarse a la derecha, dar vueltas a derecha, virar hacia la derecha.

우골(牛骨) hueso *m* de la vaca.

우국(憂國) patriotismo *m.* ~지사 patriota *mf.* ~ 충정 su patriotismo intenso.

우군(友軍) fuerzas *fpl* amigas, ejército *m* aliado.

우군(右軍) ((준말)) =우익군.

우그러뜨리다 aplastar, hundir, abollar.

우그러지다 hundirse, abollarse.

우그리다 hundir, abollar.

우글거리다 hormiguear, pulular.

우글우글 en enjambre, a manadas, hormigueando, pululando, bullendo. ~하다 bullir, hormiguear, pulular.

우글쭈글 arrugado, abollado. ~하다 arrugarse, abollarse.

우기(右記) mención *f* arriba. ~의 arriba mencionado.

우기(雨期) temporada *f* [estación *f*] época *f*] de (las) lluvias; [7월·9 월] invernazo *m.*

우기다 insistir, mantener, sostener, mantenerse, persistir, perseverar.

우는소리 queja *f, AmL* reclamo *m,* quejido *m,* gemido *m,* lamento *m,* lamentación *f.* ~하다 quejarse, reclamar, gemir, gimotear, lloriquear, lamentarse, murmurarse.

우단(羽緞) terciopelo *m.*

우당탕 con un ruido sordo, con un baque, con un sonido ligero, con un ruido pesado, ruidosamente.

우대(優待) tratamiento *m* [trato *m*] especial [cordial·generoso·afectuoso·cortés], buena acogida *f*, bienvenida *f*, hospitalidad *f*. ~하다 tratar cordialmente, recibir con agasajo [con buena acogida], recibir hospitalariamente. ~권(券) invitación *f*, billete *m* de regalo.

우두(牛痘) vacuna *f*, vacunación *f*, vaccinación *f*. ~를 놓다 vacunar, inocular las vacunas. ¶ ~ 자국 marca *f* de vacunación.

우두둑 crujiendo. ~거리다 crujir.

우두머리 jefe, -fa *mf*; líder *mf*; dirigente *mf*; director, -tora *mf*; [정계의] cacique *mf*; [반도·갱의] cabecilla *mf*, jefe, -fa *mf*.

우두커니 distraídamente, cruzado de brazos. ~서 있다 quedarse cruzado de brazos.

우둔하다(愚鈍−) (ser) tonto, estúpido, lerdo, torpe, necio, bobo, idiota, imbécil.

우둘우둘하다 (ser) fibroso, con mucho cartílago.

우동통하다 (ser) rollizo, gordo, corpulento, regordete.

우등(優等) ① [훌륭하게 빼어난 등급] grado *m* superior. ~의 superior, de superior clase. ② [성적이 높은 등급] excelencia *f*, superioridad *f*. ¶ ~상 [학교의] premio *m* de excelencia, premio *m* de honor; [콩쿠르 등의] premio *m* de honor. ~생 alumno, -na *m* sobresaliente; estudiante *mf* sobresaliente.

우뚝 ① [높이 솟은 모양] alto, en alto, en lo alto, arriba, prominentemente. ~하다 (ser) alto, majestuoso. ② [남보다 뛰어난 모양] eminentemente, prominentemente, extraordinariamente.

우라늄 ((화학)) uranio *m*. ~광 uranita *f*, yacimiento *m* de uranio.

우라질 ¡Caramba! / ¡Carambita!

우락부락 ① [몸집이 크고 얼굴이 험상한] siniestramente, ferozmente, fieramente, macabramente. ~하다 (ser) macabro, siniestro, feroz, fiero, de facciones duras. ② [행동이나 말이 난폭한] groseramente, descortésmente, ásperamente, roncamente, con aspereza. ~하다 (ser) maleducado, grosero, descortés, áspero, ronco, brutal, bruto, violento, rudo, brusco, basto.

우랄 ((지명)) Ural. ~의 urálico. ~ 산맥 los Urales, los montes Urales. ~알타이 어족 uraloaltaica *f*.

우람스럽다 (ser) imponente.

우람하다 (ser) imponente, impresionante, magnífico, espléndido.

우량(雨量) = 강우량(降雨量).

우량(優良) excelencia *f*, superioridad *f*. ~하다 (ser) excelente, superior, bueno, escogido; [질이] de calidad superior, de mejor calidad; [종자가] de casta superior; [말이] de pura sangre, de raza; [그레이하운드가] de raza; ((경제)) de primera clase, de primer orden. ~ 고객 cliente *mf* de primer orden. ~ 도서 libros *mpl* excelentes. ~ 주(株) acciones *fpl* de primer orden [de toda confianza]. ~품 producto *m* excelente.

우러러보다 ① [높은 데를 쳐다보다] mirar, mirar [ver] hacia arriba, levantarse los ojos [las cejas]. 하늘을 ~ mirar al cielo. ② [앙모하다] admirar, respetar.

우렁쉥이 ((동물)) ascidia *f*.

우렁이 ((동물)) caracol *m* (del río).

우렁차다 gritar en voz alta, dar un grito en voz alta. 우렁찬 목소리 voz *f* resonante.

우레 [천둥] trueno *m*. ~가 울리다 tronar.

우렛소리 trueno *m*. ~가 나다 tronar, retumbar el trueno.

우려(憂慮) preocupación *f*, inquietud *f*, ansiedad *f*, ansia *f*, pena *f*, intranquilidad *f*, angustia *f*. ~하다 angustarse, apurarse, ponerse ansioso, inquietarse, preocuparse.

우려내다 ① [금품을] hacer chantaje. 돈을 ~ mendigar dinero, sacar de gorra dinero. ② [물건을 물에 담가] reducir, extraer. 끓여 맛을 ~ reducir [extraer] por cocción, hacer un cocimiento.

우려먹다 ① [재탕·삼탕으로 여러번 우려내어 먹다] tomar extrayendo la medicina coreana por cocción dos o tres veces. ② [남의 물건을] hacer chantaje. ⇨우려내다 ❶

우롱(愚弄) mofa *f*, burla *f*, irrisión *f*, ridículo *m*, befa *f*, escarnio *m*. ~하다 mofar(se), burlarse, hacer mofa, hacer burla, ridiculizar, poner en ridículo, hacer el ridículo, befar, escarnecer.

우료(郵料) ((준말)) =우편 요금.

우루구아이 ((지명)) el Uruguay. ~의 uruguayo. ~ 공화국 República *f* Oriental del Uruguay. ~ 라운드 ronda *f* del Uruguay. ~ 사람 uruguayo, -ya *mf*.

우르르 en tropel. ~ 밀어닥치다[몰려들다] entrarse (todos juntos), precipitarse (todos juntos), lanzarse (todos juntos).

우리¹ [조류·동물의] jaula *f*, [양의] redil *m*, aprisco *m*; [소의] corral *m*.

우리² [기와를 세는 단위] *uri*, dos mil (tejas).

우리³ [자기나 자기 무리] nosotros. ~의 nuestro. ~를, ~에게 nos, a

nosotros. ~의 것 el nuestro, la nuestra, los nuestros, las nuestras, lo nuestro. ~ 자신 nosotros mismos, nosotras mismas. ~ 집 nuestra casa. ~ 나라 nuestro país.

우리다 ① [물건을 물에 담가] reducir, extraer. 끓여 맛을 ~ reducir [extraer] por cocción, hacer un cocción. ② [무엇을 억지로 얻다] hacer chantaje, sacar de gorra, usurpar, arrebatar, sacar, extraer.

우마(牛馬) la vaca y el caballo.

우마차(牛馬車) coches mpl.

우매하다(愚昧一) (ser) estúpido, bobo, tonto, torpe.

우멍거지 fimosis f.

우멍하다(ー) (ser) hundido.

우무 =한천(寒天).

우묵하다(ー) (ser) hueco, hundido. 우묵한 눈 ojos mpl hundidos. 우묵한 땅 hondonada f, hondón m, tierra f hundida.

우문(愚問) cuestión f estúpida. ~우답(愚答) diálogo m estúpido. ~현답(賢答) respuesta f sabia a la cuestión estúpida.

우물 pozo m, aljibe m. 우물 안 개구리 ((속담)) La rana en el pozo no conoce el océano. 우물을 파도 한 우물을 파라 ((속담)) Piedra movediza, nunca moho cobija. ¶ ~물 el agua f de(l) pozo. ~지다 ⑦ [빰에 보조개가 생기다] hacerse hoyuelos. ㉯ [우묵하게 되다] ser hundido.

우물(愚物) idiota mf; tonto, -ta mf.

우물거리다[1] [벌레나 물고기 등이] enjambrar, aglomerarse, apiñarse, pulular, revolotear.

우물거리다[2] ① [음식을 입에 넣고] mascar, masticar, mascular. ② [의사 표시를] hablar entre dientes, farfullar, mascullar.

우물마루 suelo m a [de] cuadros.

우물반자 techo m a cuadros.

우물쭈물 perezosamente, con vacilación, vacilando, titubeando. ~하다 vacilar, titubear.

우릇가사리 ((식물)) agar-agar m.

우미(優美) elegancia f, gracia f. ~하다 (ser) elegante, gracioso.

우박(雨雹) granizo m. ~이 내리다 granizar.

우발(偶發) ocurrencia f, incidente m, suceso m causal. ~하다 producirse accidentalmente, ocurrir [suceder] casualmente. ~ 사건 accidente m, asunto m incidental, acontecimiento m. ~ 사고 accidente m (incidental). ~적 incidental, eventual, accidental, casual, fortuito. ~적으로 accidentalmente, casualmente, por ca-

sualidad.

우방(友邦) país m amigo; [맹방] los Aliados, nación f aliada.

우비(雨備) impermeable m; [몸에 꼭 맞는] gabardina f.

우비다 atizar, hurgar(se), sacar, meterse el dedo, escarbarse.

우사(牛舍) =외양간.

우산(雨傘) paraguas m.sing.pl. ~꽃이 paragüero m. ~살 varilla f del paraguas. ~ 손잡이 mango m del paraguas. ~집 funda f del paraguas.

우상(偶像) ídolo m, imagen f. ~ 숭배 idolatría f, adoración f de ídolo, paganismo m, gentilidad f. ~ 숭배자 idólatra mf. ~ 타파(주의) [파괴(주의)] iconoclasmo m. ~화 idolatría f.

우생(優生) aristogénesis f. ~학 eugenesia f, eugénesis f. ~학자 eugenista mf.

우선(優先) precedencia f, preferencia f, prioridad f. ~하다 preceder, tener prioridad. ~권 (derecho m de) prioridad f. ~배당 dividiendo m preferente. ~ 순위 orden m de prioridad. ~적 de preferencia, preferente. ~주 acciones fpl preferentes.

우선(于先) primeramente, primero, en primer lugar, al principio, en el principio, ante todo.

우선하다 ① [앓던 병이] mitigarse, calmarse, aliviarse. ② [물러거나 급박하던 형편이] relajarse.

우성(優性) carácter m dominante, dominancia f. ~의 dominante. ~ 법칙 ley f de dominancia. ~ 인자 gen m dominante. ~ 형질(形質) carácter m dominante.

우세 vergüenza f, humillación f. ~스럽다 (ser) vergonzoso, humillante. ~스레 vergonzosamente, humillantemente.

우세(郵稅) franqueo m.

우세(優勢) superioridad f, preponderancia f, predominancia f, predominación f, predominio m, prepotencia f. ~하다 (ser) superior, dominante, preponderante, predominante, poderoso. ~승 victoria f por puntos.

우송(郵送) envío m postal, envío m por correo. ~하다 mandar [enviar] por correo. ~료 porte m (de correos), franqueo m. ~ 무료 libre de porte de correo.

우수 ① [일정한 수효 외에 더 받는 물건] adición f, extra f, bonificación f. ② ((준말)) =우수리.

우수(右手) mano f derecha.

우수(憂愁) melancolía f, tristeza f, pesadumbre f, congoja f, pena f, dolor m. ~의 melancólico, triste.

~에 젖다 ponerse [encontrarse] melancólico [triste]. tener un aire triste. ~에 잠기다 ser presa de la tristeza, sumirse en el dolor.

우수리 vuelta f, cambio m.

우수마발(牛溲馬勃) ① [가치 없는 말] palabra f sin ningún valor. ② [가치 없는 글] oración f sin ningún valor. ③ [품질이 나쁜 약의 원료] materia f prima de la medicina de la calidad inferior.

우수수 ① [물건이] en grandes masas, en conjunto. ② [가랑잎이] susurrando. ~하다 susurrar.

우수하다(優秀-) (ser) excelente, destacado, sin par, brillante, superfino, sobrefino; [최고급의] superior, sobresaliente; [뛰어나다] aventajar, superar, sobrepujar.

우스개 jocosidad f, festividad f.

우스갯소리 chiste m, historieta f, chanza f, broma f, dicho m burlesco, burla f, chocarrería f. ~로 en chanza, de chanza, en zumba. ~를 하다 bromear, hacer bromas, contar un chiste.

우스꽝스럽다 (ser) ridículo, gracioso, chistoso, humorístico. 우스꽝스레 ridículamente, graciosamente, chistosamente, humorísticamente.

우습다 ① [웃음이 날 만하다] [농담] (ser) gracioso, cómico, chistoso; [사람의] divertido, gracioso, entretenido, burlesco; [묘하다] raro, extraño, curioso. ② [하찮다. 가소롭다] (ser) ridículo, risible, de risa, absurdo.

우승(優勝) victoria f, triunfo m; [선수권] campeonato m. ~하다 ganar [obtener·conseguir] la victoria, triunfar, salir victorioso. ~기 bandera f de triunfo [de campeonato]. ~배[컵] copa f de trofeo. ~자 vencedor, -dora mf, triunfador, -dora mf; triunfante mf. ~팀 equipo m triunfador.

우시장(牛市場) mercado m de las vacas.

우심하다(尤甚-) (ser) más grave, extremo, excesivo, severo.

우아 ¡Hurra! / ¡Viva!

우아하다(優雅-) (ser) gracioso, elegante, refinado, fino. ~하게 graciosamente, elegantemente.

우애(友愛) amistad f, fraternidad f, hermandad f.

우엉 ((식물)) bardana f, cadillo m.

우여곡절(迂餘曲折) vicisitudes fpl, peripecias fpl. 인생의 ~ vicisitudes fpl de la vida.

우연(偶然) casualidad f, eventualidad f, contingencia f. ~의 일치 coincidencia f fortuita. ~히 por casualidad, casualmente, acciden-

talmente, de improviso, por azar, por ventura, inesperadamente, inpensadamente. 우연히 만나다 tropezar, encontrarse casualmente [por casualidad].

우열(優劣) superioridad e inferioridad, mérito y demérito. ~ 없이 sin ninguna diferencia, de igual a igual. ~을 다투다 competir por la superioridad, disputar por la superioridad [la preeminencia].

우완(右腕) brazo m derecho.

우왕좌왕(右往左往) ya a la derecha ya a la izquierda, ora por un lado ora por otro, entre unas cosas y otras. ~하다 confundirse, desordenarse, correr de un lado para otro en total confusión.

우울증(憂鬱症) melancolía f, hipocondría f, lipemanía f. ~ 환자 hipocóndrico, -ca mf.

우울하다(憂鬱-) (estar) melancólico, triste, de un humor melancólico.

우월감(優越感) sentimiento m de predominio [superioridad], complejo m de superioridad. ~을 가지다 creerse superior, tener un sentimiento de superioridad. ~을 맛보다 gozar [disfrutar] de su superioridad.

우월성(優越性) superioridad f.

우월하다(優越-) (ser) superior, supremo, predominante, preponderante, incomparable, sin par.

우위(優位) superioridad f, precedencia f, posición f predominante; [절대적인] supremacía f. ~를 점하다 ocupar la posición predominante.

우유(牛乳) leche f, leche f de vaca. ~ 한 잔 un vaso de leche. ~병 botella f de leche. ~ 소독기 esterilizador m de leche. ~ 장수 [판매인] lechero, -ra mf. ~ 판매소 lechería f.

우유부단하다(優柔不斷-) (ser) indeciso, irresoluto. 우유부단한 성격 carácter m indeciso.

우육(牛肉) carne f de vaca, AmL carne f de res.

우의(友誼) amistad f, relación f amistosa, fraternidad f, camaradería f, buena voluntad f.

우의(雨衣) impermeable m.

우이독경(牛耳讀經) Es lo mismo que predicar al viento / Entra por un oído y sale por otro / Echar margaritas al puerco.

우익(右翼) ① [오른쪽의 날개] el ala f derecha. ② [오른쪽의 부대. 대열의 오른쪽] el ala f derecha; [오른쪽의 부대의 병사] soldados mpl del ala derecha. ③ [보수파·국수주의·파시즘 등의 입장] derecha f, [사람] derechista mf. ④ ((야

구)) [라이트 필드] parte _f_ derecha del campo. ⑤ ((축구)) [라이트 윙] extremo _m_ derecha, el ala _f_ derecha. ¶~ 단체 organización _f_ de derechas. ~수 jugador, -dora _mf_ de la parte derecha del campo.

우익(右翼) ① [새의 날개] el ala _f_ del pájaro. ② [보좌하는 사람] brazo _m_ derecho, ayudante _mf_.

우인(友人) amigo, -ga _mf_.

우장(雨裝) impermeable _m_, ropa _f_ impermeable, ropa _f_ para lluvia.

우정(友情) amistad _f_, sensibilidad _f_ amistosa, intimidad _f_, amor _m_, cariño _m_, simpatía _f_.

우정(郵政) servicio _m_ postal, administración _f_ postal.

우주(宇宙) universo _m_, cosmos _m_, espacio _m_. ~의 universal, espacial, del espacio, cósmico. ~ 개발 desarrollo _m_ espacial. ~ 로켓 cohete _m_ espacial. ~ 로켓 발사 lanzamiento _m_ de un cohete espacial. ~ 물리학 cosmofísica _f_, astrofísica _f_. ~복 traje _m_ espacial. ~ 비행 astronavegación _f_, astronáutica _f_, vuelo _m_ espacial. ~ 비행사 astronauta _m_. ~선(船) astronave _m_, nave _m_ [vehículo _m_] espacial. ~ 센터 centro _m_ espacial. ~ 시대 era _f_ [época _f_] espacial. ~ 여행 viaje _m_ espacial. ~ 여행자 viajero, -ra _mf_ espacial. ~ 왕복선 transbordador _m_ espacial, lanzadera _f_ espacial. ~ 정류장[정거장] estación _f_ espacial. ~ 정복 conquista _f_ del espacio. ~ 탐사 exploración _f_ espacial. ~ 탐험 exploración _f_ espacial. ~ 통신 comunicaciones _fpl_ espaciales. ~학 cosmología _f_. ~ 학자 cosmólogo, -ca _mf_.

우중(雨中) durante la lluvia. ~에 en la lluvia, mientras llueve.

우중충하다 ① [어둡고 침침하다] (ser) sombrío, lúgubre. 우중충한 날 día _m_ sombrío. ② [색이 오래 되어 바래서] (ser) apagado, desvaído; [직물·진바지가] que ha perdido el color, desteñido; [사진·글씨가] descolorido, desvaído.

우지끈 con gran estrépido, con un estallido. ~하다 crepitar, chisporrotear, estrellarse, chocar, romperse.

우지끈거리다 hacer ruido agrietado.

우지직 ① [마른 보릿짚 따위가 불타는 소리] crepitando, chiporroteando. ② [장국물 등이 바짝 졸아드는 소리] hirviendo, llevando a punto de ebullición. ③ [마른 솔가지 따위를 부러뜨릴 때 나는 소리] rompiéndose, quebrándose.

우지직거리다 crepitar, chisporrotear.

우직하다(愚直-) (ser) estúpido y indiscreto, simple (y honesto), ingenuo, cándido y crédulo.

우짖다 ① [울며 부르짖다] dar alaridos, gritar en voz alta. ② [울어 지저귀다] chillar.

우풀거리다 =우쭐하다.

우풀하다 engreírse, vanagloriarse, envanecerse, enorgullecerse.

우천(雨天) ① [비가 오는 날] día _m_ [tiempo _m_] lluvioso, lluvia _f_. ② [비 내리는 하늘] cielo _m_ que llueve. ¶~ 순연 postergado al primer día hermoso.

우체국(郵遞局) oficina _f_ de correos, casa _f_ de correos, correos _mpl_, _AmL_ correo _m_; [본국] (oficina _f_) central _f_.

우체부(郵遞夫) cartero _mf_.

우체통(郵遞筒) [가정용] buzón _m_, _Ven_ casillero _m_; [거리의] buzón _m_ (de correo).

우취(郵趣) filatelia _f_, afición _f_ filatélica. ~회 la Sociedad Filatélica.

우측(右側) derecha _f_, lado _m_ derecho, mano _f_ derecha. ~의 derecho. ~ 통행 ((게시)) Mantenga su derecha.

우툴두툴 escarpadamente, accidentadamente. ~하다 [바위·산·해안이] (ser) escarpado; [지형이] accidentado, escabroso, agreste; [나무가] nudoso; [표면·잔디가] desigual, con desniveles; [땅·길이] desigual, lleno de baches.

우파(右派) derecha _f_, [사람] derechista _mf_.

우편(右便) derecha _f_, lado _m_ derecho, mano _f_ derecha.

우편(郵便) correo _m_. ~의 postal, de correos. ~으로 por correo. ¶~ 낭 saca _f_ de correos, saco _m_ de correspondencia; [우편 집배원용] cartera _f_ (del cartero). ~ 물 envíos _mpl_ postales, correo _m_, objeto _m_ postal. ~ 배달 distribución _f_ [repartición _f_] del correo. ~ 배달 구역 zona _f_ de distribución del correo. ~ 번호 código _m_ postal (C.P.). ~ 부대 saca _f_ de correos. ~ 사무 servicio _m_ postal. ~ 사무 처리기 máquina _f_ franqueadora-etiquetadora. ~ 사서함 apartado _m_ postal, apartado _m_ de correos, casilla _f_ postal, _CoS_, _Per_, _Urg_ casilla _f_ de correo(s). ~선(船) paquebot(e) _m_, buque _m_ de correos, barco _m_ correo. ~ 소인 matasellos _m.sing.pl_. ~ 소포 paquete _m_ postal, servicio _m_ de paquetes postales. ~ 업무 servicio _m_ postal. ~ 열차 tren _m_ correo. ~ 엽서 tarjeta _f_ postal, postal _f_. ~ 요금 porte _m_ (de correos), franqueo *m*, tarifa *f* postal, gastos *mpl* de franqueo. ~ 운반차 vagón *m* correo. ~ 저금 ahorro *m* postal, ahorro *m* en Caja Postal, depósito *m* postal. ~ 전신환 transferencia *f* telegráfica postal. ~ 제도 sistema *m* postal. ~ 조약 tratado *m* postal, convención *f* postal. ~ 주문 venta *f* por correo. ~ 주문 카탈로그 catálogo *m* de venta por correo. ~ 집배국 oficina *f* de correos de distribución. ~ 집배원 cartero *mf*. ~ 투표 votación *f* por correo. ~함 buzón *m*. ~환 giro *m* postal.

우표(郵票) sello *m*, sello *m* de correos, sello *m* postal, *AmL* estampilla *f*, *Méj* timbre *m*. ~집 filatelia *f*. ~수집가 filatelista *mf*. ~ 자동 판매기 máquina *f* estampilladora, máquina *f* expendedora de sellos. ~첩 álbum *m* de sellos.

우피(牛皮) cuero *m* de vaca.

우향우(右向右) (구령) ¡Media vuelta a la derecha! / ¡A la derecha!

우호(友好) amistad *f*, bienquerencia *f*. ~ 관계 relaciones *fpl* amistosas, relaciones *fpl* de amistad. ~ 단체 organización *f* amiga. ~적 amistoso, amigable. ~ 조약 tratado *m* de amistad.

우화(雨靴) botas *fpl* de agua, chanclos *mpl* (de goma).

우화(寓話) fábula *f*, alegoría *f*, parábola *f*. ~ 작가 fabulista *mf*; autor, -tora *mf* de fábulas. ~적 alegórico, parabólico, apólogo. ~집 fábulas *fpl*.

우환(憂患) ① [근심이나 걱정되는 일] ansiedad *f*, preocupación *f*, molestia *f*. ~이 있다 tener ansiedades, estar preocupado. ② [병으로 인한 걱정] preocupación *f* causada por la enfermedad *f*.

우황(牛黃) (한방) bezoar *m*. ~이 든 소 vaca *f* bezoárdica.

우회(迂廻/迂回) rodeo *m*, desvío *m*, vuelta *f*, camino *m* indirecto. ~하다 desviarse, dar un rodeo, dar una vuelta, hacer un rodeo, rodear, tomar camino indirecto, ir por un camino más largo que el directo [que el ordinario], dar una larga vuelta [un gran rodeo]. ~ 도로 carretera *f* de circunvalación, desvío *m*, camino *m* tortuoso, camino *m* muy largo. ~ 작전 operación *f* indirecta.

우회전(右回轉/右廻轉) vuelta *f* a la derecha. ~하다 girar [torcer · doblar · tomar] a la derecha. ~ 금지 ((게시)) Se prohíbe girar a la derecha.

우후죽순(雨後竹筍) hongos *mpl* después de la lluvia. ~처럼 나오다 crecer [surgir] como hongos, crecer de la noche a la mañana.

욱박지르다 intimidar.

욱시글거리다 enjambrar, apiñarse, pulular, revolotear.

욱신거리다 ① [머리나 상처 등이 쑤시면서 아프다] sentir un cosquilleo, sentir un hormigueo, sentirse con pena. ② [큰 것 여럿이 뒤섞여서 세게 북적거리다] enjambrar, hormiguear, pulular, revolotear, apiñar.

욱하다 enfadarse [enojarse · irritarse] impetuosamente, subirse la sangre a la cabeza.

운(運) ((준말)) =운수(運數). ¶~이 좋은 afortunado. ~이 나쁜 desgraciado, de poca suerte, de mala suerte. ~ 좋게 afortunadamente, por suerte, por fortuna. ~ 좋다 tener buena suerte.

운(韻) ((준말)) =운자(韻字)(rima). ¶~을 달다[맞추다] rimar.

운구(運柩) transporte *m* del ataúd. ~하다 transportar el ataúd.

운동(運動) ① [물체의] movimiento *m*, moción *f*. ~하다 moverse. ② ㉮ [신체의] gimnasia *f* (체조), agonística *f*, ejercicio *m*. ㉯ [경기] deporte *m*, atletismo *m*. ~하다 hacer ejercicio [gimnasia], hacer deporte, practicar deportes. ③ [여러 방면에 적극적으로 활동하는 일] movimiento *m*, promoción *f*, campaña *f*, cruzada *f*. ~하다 promover. ¶~가 atleta *mf*; deportista *mf*. ~ 경기 atletismo *m*. ~구점 tienda *f* de deportes. ~권 círculo *m* de movimiento. ~ 근육 músculo *m* motor. ~ 기관 órganos *mpl* de locomoción. ~량 capacidad *f* de la moción; ((물리)) momento *m*, ímpetu *m*. ~모 (자) gorro *m* de deportes. ~복 traje *m* de deportes, vestdio *m* deportivo. ~ 부족 falta *f* de ejercicio físico. ~ 불능 acinesia *f*, acinesis *f*. ~ 선수 atleta *mf*; deportista *mf*. ~ 셔츠 camisa *f* de deportes. ~ 신경 nervio *m* motor. ~ 에너지 energía *f* cinética. ~장 [학교의] patio *m* (de recreo), campo *m* de recreo [de deportes] [경기장] estadio *m*. ~ 정신 espíritu *m* deportivo, deportividad *f*. ~학 cinemática *f*. ~화 zapatillas *fpl* de deportes, tenis *m*. ~회 fiesta *f* deportiva [atlética · de los deportes], reunión *f* atlética, fiesta *f* de ejercicios atléticos.

운두 altura *f* de los zapatos, altura *f* del cuenco. ~가 낮은 구두

zapatos *mpl* escotados.

운명(運命) suerte *f*, destino *m*, fatalidad *f*, fortuna *f*, sino *m*, estrella *f*. ¶~의 여신 la Fortuna. ~의 장난 caprichos *mpl* de la vida [de la suerte]. ¶~론 fatalismo *m*. ~론자 fatalista *mf*. ~선 [손금의] línea *f* de la fortuna. ~적 fatal. ~적으로 fatalmente.

운명(殞命) muerte *f*, fallecimiento *m*. ~하다 morir, fallecer.

운모(雲母) ((광물)) mica *f*.

운무(雲霧) la nube y la niebla.

운문(韻文) verso *m*.

운반(運搬) transporte *m*, transportación *f*. ~하다 transportar, llevar. ~비 gastos *mpl* de transporte. ~인 porteador, -dora *mf*; [역·공항의] maletero *m*, mozo *m*, *RPl* changador *m*; [병원의] camillero, -ra *mf*. ~차 furgoneta *f*, camioneta *f* de reparto, vagón *m* de mercancías, camión *m*. 환자 ~차 ambulancia *f*.

운석(隕石) ((광물)) aerolito *m*, meteorito *m*.

운세(運勢) destino *m*, hado *m*, estrella *f*, suerte *f*. ~가 좋다[나쁘다] tener [mala] estrella, estar bajo una buena [mala] estrella.

운송(運送) transporte *m*, transportación *f*, porte *m*. ~하다 transportar, portear, trajinar. ~품 mercancías *fpl*. ~ 회사 compañía *f* de transportes, empresa *f* de transportes, empresa *f* expedidora.

운수(運數) suerte *f*, fortuna *f*. ~가 좋다 tener buena suerte. ~가 나쁘다 tener mala suerte.

운수(運輸) transporte *m*, transportación *f*. ~ 기관 medios *mpl* de transportes. ~ 사업 negocio *m* de transportes. ~업 empresa *f* de transportes. ~업자 transportista *mf*. ~ 회사 compañía *f* de transportes.

운영(運營) operación *f*, manejo *m*, administración *f*, dirección *f*. ~하다 operar, manejar, administrar, dirigir. ~비 gastos *mpl* directivos. ~ 위원 miembro *m* del comité directivo. ~ 위원회 comité *m* directivo. ~ 자금 fondo *m* de operación [explotaciones].

운용(運用) ① [적용] aplicación *f*, empleo *m*. ~하다 aplicar, hacer funcionar, emplear. ② [자금의] operación *f*, manejo *m*; [투자] inversión *f*. ~하다 operar, manejar; [투자하다] invertir. ¶~ 자금 fondo *m* de operaciones.

운운(云云) ① [이러이러함] tal, tal y cual, que si tal que si cual; […따위·등] etcétera, etc., y (lo)

demás. ② [이러쿵저러쿵 말함] el habla *f*; [주석] comentario *m*; [비평] crítica *f*, criticismo *m*.

운율(韻律) ritmo *m*. ~의 rítmico.

운임(運賃) precio *m* de transporte; [배의] flete *m*; [여객 운임] precio *m* de viaje, tarifa *f*; [배·비행기의] pasaje *m*. ~ 무료 porte *m* franco. ~ 보험 seguro *m* de flete. ~ 보험료 포함 가격 costo, seguro y flete, CSF, CIF. ~ 포함 가격 costo y flete. ~표 tarifa *f*. ~ 협정 acuerdo *m* de tarifa.

운자(韻字) rima *f*, carácter *m* rimante.

운전(運轉) ① [기계나 수레 따위의] conducción *f*, *AmL* manejo *m*. ~하다 conducir, manejar; [경주용 차를] pilotar, pilotear. 자동차를 ~하다 conducir un automóvil. ② [움직여 나아가게 함] operación *f*, función *f*, trabajo *m*, funcionamiento *m*; [자본의] manejo *m*. ~하다 operar, funcionar, hacer funcionar [자본을] manejar. ¶~ 교습소 autoescuela *f*, *Méj* escuela *f* de manejo. ~ 기사[사] conductor, -tora *mf*; chófer *mf*; chofer *mf*; [택시의] taxista *mf*; [경주용 자동차의] piloto *mf*; [열차의] maquinista *mf*. ~대 ((속어)) = 핸들. ~ 면허 시험 examen *m* de conducir [*AmL* de manejar]. ~ 면허(증) permiso *m* de conducción, permiso *m* de conducir, *AmL* licencia *f* de conducción, licencia *f* de conductor, carnet *m* [carné *m*] de conductor, carnet *m* [carné *m*] de conducir, *Chi* carné *m*, *Méj* licencia *f* para conducir, *Urg* libreta *f*, *Col* pase *m* (de conducir). ~석 asiento *m* del conductor.

운집(雲集) enjambre *m*, nube *f*, multitud *f* (de gente reunida), concurrencia *f*, gentío *m*. ~하다 enjambrar, aglomerarse, apiñarse, pulular.

운치(韻致) elegancia *f*, sabor *m*, encanto *m*, buen gusto *m*, gracia *f*. ~가 있는 elegante, sugetivo, expresivo, de buen gusto, distinguido, refinado, encantador.

운하(運河) canal *m*. ~를 파다 excavar el canal. ¶~ 지대 zona *f* del Canal, zona *f* [región *f*] canalizada.

운항(運航) transporte *m* por agua, servicio *m* marítimo, navegación *f*, operación *f*; [비행기의] vuelo *m*. ~하다 navegar, operar, hacer servicio, volar.

운행(運行) ① [열차·버스의] servicio *m*, marcha *f*. ~하다 hacer el servicio. ② ((천문)) movimiento *m.* ¶~ 노선 ruta *f*, línea *f*. ~ 시간표 horario *m*. ~ 정지[중지] suspensión *f* del servicio. ~표 diagrama *m*.

운휴(運休) suspensión *f* [parada *f*] del servicio.

울 [양모] lana *f*. ~ 마크 marca *f* de lana.

울걱거리다 gargarizar, hacer gárgaras.

울고불고 llorando y gritando. ~하다 llorar y gritar [dar gritos].

울근거리다 mascullar, farfullar, hablar entre dientes, mascar, masticar.

울근불근[1] [서로 으르대며] en desacuerdo, en pugna.

울근불근[2] [울근거리며 불근거리는] mascando, mascullando.

울근불근[3] [몸이 여위어] huesudamente. ~하다 (ser) huesudo.

울긋불긋 en varios colores, en diversos colores. ~하다 (ser) pintoresco, de colores vivos, multicolor, lleno de colores [colorido].

울꺽 ① [먹은 음식을 토하려고 하는 모양] esputando, vomitando, tosiendo. ~ 토하다 esputar, expectorar, vomitar, devolver, arrojar. ② [분한 생각이 한꺼번에 꽉 치미는 모양] teniendo un ataque de furia.

울다 ① [소리를 내면서 눈물을 흘리다] llorar; [눈물을 흘리다] derramar lágrimas, verter lágrimas; [아이들이 칭얼거리다] gemir, chillar; [갓난애가] dar vagidos; [흐느껴] sollozar; [통곡하다] llorar, gemir; [엉엉] lloriquear. ② [짐승이] gritar, dar voces; [새가] cantar, cotorrear, gritar; [작은 새가] piar; [예리하게] chillar; [개·원숭이 따위가 슬프게] aullar, dar aullados; [개가] ladrar, aullar; [강아지가] gañir, ladrar; [소가] mugir; [말이] relinchar; [돼지가] gruñir; [고양이가] maullar; [수탉이] cacarear, cantar; [암탉이] clocar, cacarear; [알을 낳는 암컷이] cloquear; [병아리가] piar, pipiar; [집오리가] graznar, hacer cua cua; [까마귀가] graznar; [비둘기가] arrullar, cantalear, zurear; [개구리가] croar, cantar; [매미가] cantar; [양·산양·염소가] balar; [벌레가] chirriar, cantar; [벌이] zumbar; [귀뚜라미가] chirriar. 울지 않는 아이 젖 주랴 ((속담)) El que no llora no mama / El que se queja, obtiene.

울대 [새의] órgano *m* vocal.

울렁거리다 ① [가슴이 두근거리다] palpitar, latir con fuerza. 울렁거리는 가슴 corazón *m* palpitante. ② [물결이 연해 흔들리다] agitarse, sacudirse, rodar; [보트가] bambolearse, dar bandazos. ③ [뱃속이] nausear, sentir náusea, tener ganas de vomitar.

울렁이다 ① [가슴이] palpitar. ② [토할 것같이] nausear, sentir náuseas.

울리다 ① [울게 하다] hacer llorar; [눈물을 흘리게 하다] arrancar lágrimas; [감동시키다] conmover, emocionar; [슬프게 하다] afligir, desconsolar, apenar. ② [종 따위를] sonar, tocar, hacer sonar, repicar. ③ [널리 세상에 알려지게 하다] (ser) famoso, popular, conocido mucho, tener fama, sonar. ④ [소리가 퍼지다] tronar, retumbar, detonar, sonar.

울먹거리다 seguir estando a punto de llorar.

울먹이다 estar a punto de llorar, tener ganas de llorar.

울며불며 llorando y gritando.

울밑 debajo de la cerca. ~에 선 봉선화 bálsamo *m* debajo de la cerca.

울보 llorón, -rona *mf*.

울부짖다 aullar, gritar (llorando), dar un grito, llorar, gemir, lamentarse, chillar, dar alaridos.

울분(鬱憤) reconcomio *m*, resentimiento *m*, enfadado *m* (contenido), rencor *m*, rabia *f*, cólera *f* contenida, enfado *m*, enojo *m*, furia *f*, reprimida *f*, ira *f*, disgusto *m*. ~하다 enfadarse, enojarse, irritarse. ~을 참다 controlar *su* cólera.

울상(-相) cara *f* llorosa [triste], rostro *m* lloroso. ~이다 estar a punto de llorar. ~을 하다 poner (la) cara llorosa [triste].

울어대다 seguir llorando.

울울창창하다(鬱鬱蒼蒼-) (ser) espeso, denso, frondoso, lujuriante.

울음 llanto *m*, grito *m*, lágrimas *fpl*. ~을 그치다 dejar de llorar.

울음바다 mar *m* de llanto.

울음보 llanto *m* de romper sin contener. ~를 터뜨리다 romper a llorar, echarse [ponerse] a llorar.

울음소리 ① ㉮ [갓난애의] vagido *m*. ㉯ [우는 소리] voz *f* lacrimosa, voz *f* ahogada por las lágrimas. ㉰ [흐느낌] llanto *m*, sollozo *m*, gemido *m*. ② ㉮ [짐승의] voz *f*, grito *m*. ㉯ [새의] voz *f*, grito *m*, canto *m*. ㉰ [벌레의] canto *m*, chirrido *m*. ㉱ [개·원숭이 따위의] aullido *m*, aúllo *m*.

울적하다(鬱寂-) (ser) melancólico, triste, solitario, sentirse solo.

울창하다(鬱蒼-) (ser) frondoso, espeso, denso.

울컥 ① [먹은 것을 급히 토하려는

모양] de repente, repentinamente, de súbito, súbitamente. ~ 토하다 vomitar de repente. ② [분한 생각이] de [en] cólera, de repente, de pronto, repentinamente. ~ 화내다 arder de cólera, enfurecerse.

울타리 cerca f, valla f, cercado m, AmL cerco m; [산울타리] seto m verde, seto m vivo.

울룩불룩 =울퉁불퉁.

울퉁불퉁 desigualmente, accidentadamente, toscamente, ásperamente. ~하다 (ser) desigual, accidentado, tosco, áspero. ~한 길 camino m desigual [escabroso].

울화 (鬱火) cólera f (reprimida), furia f (reprimida), ira f. ~가 치밀다 hervir la sangre de rabia. ¶~병[증] ((한방)) cólico m.

울화통 ((힘줌말)) =울화. ¶~(이)터지다 ofenderse, irritarse.

움¹ [싹] brote m, retoño m, renuevo m, yema f, germen m; [꽃의] capullo m. ~이 트다 [식물이] echar, echar retoños, retoñar; [잎이] brotar, salir; [씨가] germinar.

움² [추위·더위·비바람을 막거나 겨울에 화초·채소 등을 두는 곳] sótano m, cova f; [포도주용] bodega f; [석탄용] carbonera f.

움막 (-幕) sótano m, bodega f, cova f. ~집 casa f con el sótano.

움직거리다 moverse, agitarse; [지렁이·물고기가] retorcerse, avanzar serpenteando [culebreando].

움직이다 ① [위치를 바꾸다] mover(se), trasladar(se). ② [동작을 계속하다] mover(se), agitarse; [이동하다] correr; [조작하다] manejar, hacer funcionar, accionar; [시동을 걸다] poner en marcha.

움직임 movimiento m, actividad f.

움질거리다 mover tímidamente, mover con timiez, entretenerse.

움집 sótano m usado como la residencia.

움쭉달싹 moviéndose. ~ 않다 no moverse.

움찔 con sobresalto, con susto. ~하다 acobardarse, titubear, arredrarse.

움찔거리다 asustarse, sobresaltarse, sobrecogerse, tener un sobresalto, entremecerse.

움츠리다 acurrucarse, acocharse, meter, encogerse, agachar. 머리를 ~ meter la cabeza entre los hombros; [숙이다] agachar la cabeza. 몸을 ~ acurrucarse, encogerse al cuerpo.

움켜잡다 agarrar.

움켜쥐다 agarrar, empuñar.

움큼 un puñado, una pizca, un pellizco. 한 ~의 흙 una pizca [un pellizco] de tierra.

움키다 agarrar, sujetar.

움트다 echar brotes, echar retoños, echar yemas.

움파 puerros mpl cultivados en el sótano.

움파다 hundir.

움펑눈 ojos mpl hundidos y redondos.

움펑눈이 persona f con los ojos hundidos (y redondos).

움쭉 hundidamente. ~ 패인 hundido, hueco, cóncavo. ~ 들어간 눈 ojos mpl hundidos.

웃기다 hacer reír, dar risa, move a risa. 농담으로 ~ excitar [mover] a risa con un chiste.

웃다 ① [기뻐서] reír(se); [미소 짓다] sonreír(se); [큰소리로] echar [lanzar · soltar] una carcajada, reírse a carcajadas, prorrumpir en una carcajada. ② [빈정거려 조롱하다] burlarse, mofarse, abuchear. 웃는 낯에 침 뱉으랴 ((속담)) Cortesía de boca, gana mucho y poco cuesta / Una respuesta amable calma la ira.

웃돈 diferencia f. ~을 치르다 pagar la diferencia en efectivo [en metálico].

웃돌다 exceder, sobrepasar, rebasar, ser más que.

웃물 ① ⇨윗물. ② [겉물] el agua f flotante sobre el otro sin mezclarlo.

웃대다 reír(se) a menudo.

웃어른 mayor mf; anciano, -na mf; superior mf.

웃옷 [겉옷] guardapolvo m; [의사 따위의] bata f; [공원(工員) 따위의] mono m; [어린이의] delantal m; [상의] chaqueta f, americana f, AmL saco m; [오바] abrigo m. ~을 벗다 quitarse la chaqueta. ~을 입다 ponerse la chaqueta.

웃음 risa f; [미소] sonrisa f; [폭소] carcajadas fpl, risotadas fpl. 거짓 ~ la risa falsa. ~은 제일 좋은 약이다 La risa es el mejor remedio.

웃음거리 ridiculez f, fábula f, objeto m de murmuración, motivo m de risa, cosa f de risa, cosa f de broma. ~로 만들다 ridiculizar, poner en ridículo, tomar a risa, RPI jugar risa.

웃음엣소리 chiste m, historieta f; [농담] broma f, chanza f.

웃통 parte f superior (del cuerpo). ~을 벗다 quitar la ropa de la parte superior, quitarse la americana.

웅계 (雄鷄) gallo m.

웅그리다 agacharse, ponerse en cuclillas.

웅담 (熊膽) ((한방)) hiel m del oso.

웅대하다(雄大一) (ser) grandioso, magnífico, grande, sublime, imponente.

웅덩이 charco m, charca f, balsa f, alberca f, ciénaga f, pantano m.

웅변(雄辯) elocuencia f. ~의 elocuente, oratorio. ~가 orador, -dora mf. ~술 (arte m de) la elocuencia, oratoria f. ~조 tono m elocuente.

웅성거리다 hacer ruido, hablar atropelladamente [confusamente], murmurar, cuchichear, agitarse, excitarse.

웅장하다(雄壯一) (ser) grandioso, magnífico, espléndido, sublime, espectacular.

웅지(雄志) gran ambición f.

웅크리다 agacharse, ponerse en cuclillas, acurrucarse, acuclillarse, hacerse un ovillo.

워낙 ① [본디부터. 원래가] naturalmente, de un modo natural, por naturaleza, originariamente, al principio, principalmente. ② [아주. 두드러지게. 원체] muy, mucho. ~ 길이 험하다 El camino es muy accidentado

워낭 cencerro m.

워드(⦅컴퓨터⦆) palabra f. ~ 프로세서 procesador m de textos. ~ 프로세싱 tratamiento m de textos, procesamiento m de textos, procesamiento m de palabras.

워리 ¡Aquí, perrito!

워밍업 calentamiento m. ~하다 hacer ejercicios de calentamiento.

원¹ [우리 나라 화폐의 단위] won m. 만 ~ diez mil wones.

원²(⦅준말⦆) =워낙.

원³(⦅감탄사⦆) ¡Mi Dios! / ¡Dios (mío)! / ¡No me digas! / ¡Por Dios!

원¹(院) [중앙 행정 기관의 이름] Academia f, Institución f, Secretaría f, Corte f, Tribunal m. 과학 ~ Academia f de Ciencia.

원²(院) (⦅준말⦆) =의원(議院). ¶~을 구성하다 formar la cámara de parlamento.

원¹(圓) ① =동그라미(círculo). ¶~을 만들다 formar un círculo. ② (⦅수학⦆) círculo m. ~의 circular. ~을 그리다 trazar [dibujar] un círculo.

원²(圓) [화폐 개혁 전의 우리 나라 화폐 단위] won m.

원(願) (⦅준말⦆) =소원(所願).

원가(原價) ① [본디 사들일 때의 값] coste m, AmL costo m, precio m de coste, costo m primo; [공장·제조 원가] precio m de fábrica. ~로 al precio de fábrica. ¶~ 계산 contabilidad f de costes [AmL costos], balance m en el precio de fábrica.

원간본(原刊本) libro m de la primera edición.

원격(遠隔) distancia f remota. ~하다 (ser) lejano, distante, remoto, apartado. ~ 의 teleguaje m. ~ 의학 telemedicina f. ~ 제어[조작] control m remoto, teleconrol m, telemanipulación f. ~ 조종 telemando m, telecontrol m.

원고(原告) demandante mf, actor, -tora mf; querellante mf. ~측 parte f demantante. ~측 변호사 abogado, -da mf de demandante.

원고(原稿) manuscrito m, cuartillas fpl; [초안] borrador m; [인쇄의] original m (de imprenta), texto m. ~를 쓰다 hacer [preparar] un manuscrito. ¶~료 remuneración f (para el autor), recompensa f por cuartillas. ~ 용지[지] cuartilla f, papel m de borrador.

원광(原鑛) mina f principal.

원군(援軍) refuerzos mpl, fuerza f socorredora, socorro m.

원근(遠近) distancia f. ~법 perspectiva f. ~ 조절 [눈의] acomodación f. ~ 화법 escenografía f.

원금(元金) capital m, fondo m; [이자에 대한] principal m.

원급(原級) grado m positivo.

원기(元氣) ánimo m, vigor m, fuerza f, aliento m; [건강] (buena) salud f. ~ 부족 falta f de ánimo.

원기(原器) patrón m, prototipo m.

원기둥(圓一) (⦅수학⦆) cilindro m.

원내(院內) ① [「원(院)」자가 붙은 각종 기관의 내부] interior m del instituto, interior m del hospital. ② [국회의 안] interior m de la cámara [del parlamento·de la Asamblea Nacional·de las Cortes·del congreso]. ¶~ 간사 diputado, -da mf responsable de la disciplina de su grupo parlamentario, diputado m [senador m] encargado [diputada f encargada] de mantener la disciplina de partido. ~ 교섭 단체 grupo m de negociación en el parlamento. ~ 총무 dirigente mf del parlamento [de la Asamblea Nacional].

원년(元年) ① [임금이 즉위한 해] primer año m del reinado del rey. ② [나라를 세운 해] año m de la fundación de un país. ③ [연호로 정한 첫 해] primer año m que se decidió la era cronológica.

원단(元旦) (mañana f del) día m del Año Nuevo.

원단(元緞) tela f no elaborada (como la materia prima).

원당(原糖) (⦅준말⦆) =원료당.

원대(原隊) *su* unidad. ~에 복귀하다 volver a *su* unidad.

원대하다(遠大一) (ser) de gran alcance, trascendental, con visión de futuro, clarividente.

원동(原動) motivo *m* para la acción. ~기 motor *m*, máquina *f* motriz. ~력 fuerza *f* motriz, motor *m*, promotor *m*.

원둘레(圓一) ((수학)) =원주(圓周).

원래(元來/原來) [원래는] originalmente, originariamente; [최초에는] primitivamente; [태어날 때부터] de nacimiento; [본질적으로] por naturaleza; [처음부터] del [desde el] principio; [처음에는] al principio, al comienzo.

원로(元老) decano *m*, veterano *m*, mayores *mpl*.

원로(遠路) camino *m* lejano.

원론(原論) teoría *f*, principios *mpl*.

원료(原料) materia *f* prima. ~당 azúcar *m* crudo.

원리(元利) principal *m* [capital *m*] e interés.

원리(原理) principio *m*, teoría *f*. 궁극적 ~ principio final.

원만하다(圓滿一) (ser) apacible, pacífico, afable, armonioso, amistoso, perfecto.

원망(怨望) [원한] rencor *m*, enemistad *f* antigua, resentimiento *m*; [증오] odio *m*; [불평] queja *f*. ~하다 resentir, reprochar, vituperar. 자신을 ~하다 reprocharse a *sí* mismo.

원망(願望) deseo *m*, ansia *f*, anhelo *m*, aspiración *f*. ~하다 desear, ansiar, anhelar.

원맨 쇼 función *f* de un solo artista.

원면(原綿) algodón *m* en rama.

원명(原名) título *m* original, verdadero título *m*, nombre *m* original.

원모(原毛) lana *f* en rama, lana *f* natural, lana *f* burda.

원목(原木) tronco *m*, madero *m*, madera *f*.

원무(圓舞) vals *m*. ~곡 vals *m*.

원문(原文) (texto *m*) original *m*. ~으로 읽다 leer en el original.

원반(原盤) disco *m* original.

원반(圓盤) disco *m*. ~던지기 lanzamiento *m* de disco. ~던지기 선수 discóbolo, -la *mf*.

원병(援兵) refuerzos *mpl*, socorro *m*.

원본(原本) ① [준말] =원간본. ② [등사·초록·개정·번역 등을 하기 전의] (libro *m*) original *m*. ③ [등본·초본의] (documento *m*) original *m*.

원부(原簿) libro *m* mayor.

원뿔(圓一) ((수학)) cono *m*. ~의 cónico. ~ 곡선 sección *f* cónica.

~꼴 forma *f* de cono. ~면 cono *m* circular, superficie *f* cónica.

원사이드 게임 juego *m* desigual.

원산(原産) origen *m* (de un producto). ~지 procedencia *f*, origen *m*, lugar *m* de origen; [동물·식물의] habitat *m*. ~지 증명서 certificado *m* de origen.

원상(原狀) estado *m* original. ~복귀 restauración *f* a *su* estado original. ~회복 recuperación *f* a *su* estado original.

원색(原色) color *m* primario, color *m* original, color *m* natural. ~사진 heliocromía *f*. ~적 indecente, lascivo, lujurioso, subido de tono, verde. ~적으로 indecentemente, lascivamente, lujuriosamente. ~적인 농담 chiste *m* verde, chiste *m* subido de tono.

원서(原書) ① [번역한 책 등에 대해 그 원책] (texto *m*) original *m*, obra *f* original. 동끼호떼를 ~로 읽다 leer el Quijote en el original. ② =양서(洋書).

원서(願書) solicitud *f*, aplicación *f*. ~를 제출하다 presentar [formalizar] *su* solicitud [*su* aplicación]. ¶ ~ 용지 formulario *m* de solicitud. ~ 제출 presentación *f* de solicitud.

원석(原石) ① =원광(原鑛). ② [가공 전의 보석] joya *f* cruda.

원성(怨聲) queja *f*, pesar *m*, molestia *f*.

원소(元素) elemento *m* (químico), cuerpo *m* simple. ~ 기호 símbolo *m* químico.

원수(元首) [준말] =국가 원수.

원수(元帥) ① ((역사)) jefe *m* de los generales. ② [군인의 가장 높은 계급] [육군의] mariscal *m*, general *m* en jefe; [해군의] almirante *m* supremo.

원수(怨讐) ① [원한이 맺힌 사람] enemigo, -ga *mf*. ② [원한의 대상이 되는 물건] objeto *m* de *su* rencilla.

원숙하다(圓熟一) ① [무르익다] (ser) maduro. ② [능숙하다] (ser) hábil, diestro, experto, experimentado, maduro. ③ [인격·지식 따위가] (ser) maduro.

원숭이 ① ((동물)) mono, -na *mf*; mico, -ca *mf* [꼬리 없는] simio *m*, macaco *m* [아프리카 북부 지방의]. ② [남의 흉내를 잘 내는 사람] mona *f*. 원숭이도 나무에서 떨어진다 ((속담)) Nadie es perfecto.

원시(原始/元始) ① [처음] principio *m*, comienzo *m*. ② [본디대로여서 진화 또는 발전하지 않음] lo primordial, lo original. ~의 originario, .original, primordial. ③ [자연]

그대로의 상태] estado *m* original de naturaleza, lo natural. ~의 primitivo, originario, primigenio.¶ ~림 selva *f* virgen. ~ 사회 sociedad *f* primitiva. ~ 생활 vida *f* primitiva. ~ 시대 edad *f* primitiva, tiempos *mpl* primitivos. ~인 (hombres *mpl*) primitivos *mpl*.

원시(遠視) ① [멀리 봄. 먼 곳까지 보임] vista *f* remota [distante], visión *f* de futuro. ② ((준말)) = 원시안. ¶ ~경 gafas *fpl* contra la hipermetropía. ~안 presbicia *f*, hipermetropía *f*.

원심(原審) juicio *m* [sentencia *f*] original. ~을 파기하다 anular la sentencia original.

원아(園兒) niños *mpl* de jardín de infancia; niños *mpl* de kindergarten; párvulo, -la *mf* de jardín de infancia.

원안(原案) proyecto *m* [plan *m*] original; [의안] proposición *f* original.

원앙(鴛鴦) ① ((조류)) ánade *m* mandarín. ② [화목하고 늘 동반하는 부부] matrimonio *m* muy unido.

원앙새(鴛鴦−) ((조류)) = 원앙.

원액(元額/原額) número *m* original, cantidad *f* original.

원액(原液) solución *f* no diluida.

원양(遠洋) océano *m* remoto, alta mar *f*. ~의 de las profundidades (marinas), de altura, en alta mar. ~ 어선 barco *m* pesquero de altura. ~ 어업 pesca *f* de altura, pesca *f* en alta mar, pesca *f* en mares lejanos. ~ 항해 navegación *f* transoceánica.

원어(原語) idioma *m* original, palabra *f* primitiva. ~로 읽다 leer en *su* idioma original.

원예(園藝) [야채의] horticultura *f*; [화초·정원수의] jardinería *f*. ~가[사] horticultor, -tora *mf*; jardinero, -ra *mf*.

원외(院外) ① ~의 no parlamentario, extraparlamentario. ~ 교섭 단체 grupo *m* extraparlamentario. ~ 투쟁 lucha *f* no parlamentaria, lucha *f* extraparlamentaria.

원유(原油) petróleo *m* bruto, petróleo *m* no refinado, crudos *mpl* petrolíferos, petróleo *m* crudo, aceite *m* crudo.

원음(原音) pronunciación *f* original, sonido *m* [tono *m*] original.

원인(原人) hombres-monos *mpl*, hombre *m* primitivo.

원인(原因) causa *f*, origen *m*, motivo *m*, principio *m*, raíz *f*, razón *f*.

원인(遠因) causa *f* remota.

원일(元日) día *m* del Año Nuevo.

원일점(遠日點) afelio *m*.

원자(原子) ① ((철학)) átomo *m*. ② ((화학)) átomo *m*. ¶ ~ 가 valencia *f*, valor *m* atómico. ~ 기호 símbolo *m* químico. ~량 peso *m* atómico. ~력 energía *f* atómica [nuclear], potencia *f* nuclear. ~력 발전 generación *f* de energía atómica, generación *f* de la electricidad por la energía nuclear. ~력 발전기 reactor *m* generador. ~력 발전소 central *f* (eléctrica) nuclear. ~력 병원 Hospital *m* Centro del Cáncer de Corea. ~력 잠수함 submarino *m* atómico, submarino *m* de propulsión nuclear. ~로 (horno *m*) reactor *m*, pila *f* atómica, horno *m* atómico. ~ 물리학 física *f* nuclear. ~ 물리학자 físico, -ca *mf* nuclear; atomista *mf*. ~ 번호 número *m* atómico. ~병 enfermedad *f* atómica. ~설[론] teoría *f* atómica, atomismo *m*, hipótesis *f* atómica. ~탄[폭탄] bomba *f* atómica, bomba *f* de fisión nuclear. ~핵 núcleo *m*, núcleo *m* atómico.

원자재(原資材) materia *f* prima.

원작(原作) obra *f* original *f*. ~료 honorarios *mpl* de la obra original. ~자 escritor, -tora *mf*.

원장(元帳) libro *m* mayor.

원장(院長) director, -tora *mf*.

원장(園長) director, -tora *mf*.

원저(原著) obra *f* [libro *m*] original.

원저자(原著者) autor, -tora *mf* original; escritor, -tora *mf*.

원적(原籍) ① [본디의 본적] domicilio *m* permanente, domicilio *m* original, lugar *m* de origen. ② [본적] domicilio *m* legal.

원적지(原籍地) domicilio *m* de origen, lugar *m* de *su* domicilio (registrado), lugar *m* de origen.

원전(原典) texto *m* original.

원점(原點) ① [근원·기준으로 되는 점·지점] punto *m* de partida, punto *m* de arranque; [근원] origen *m*, principio *m*. ~으로 돌아가다 volver al principio, recuperar el espíritu original. ② ((수학)) origen *m*.

원점(圓點) punto *m* redondo.

원정(遠征) expedición *f*. ~하다 hacer una expedición. ~ 경기 partido *m* de gira deportiva. ~군 ejército *m* expedicionario, fuerza *f* expedicionaria. ~대 expedición *f*. ~ 대원 expedicionario, -ria *mf*. ~ 부대 tropa *f* expedicionaria. ~팀 equipo *m* de gira deportiva.

원제(原題) título *m* original.

원조(元祖) ① [시조] fundador *m*. ② [어떤 일을 시작한 사람] fundador, -dora *mf*; iniciador, -dora *mf*; padre *m*; [발명자] inventor, -tora *mf*.

원조(援助) ayuda *f*, asistencia *f*, auxilio *m*, apoyo *m*; [구원] socorro *m*; [비호] amparo *m*; [지원] sostén *m*; [보조] subsidio *m*. ~하다 ayudar, auxiliar, asistir, apoyar, socorrer, amparar. ~국 país *m* de ayuda. ~금 fondo *m* de ayuda, dinero *m* de ayuda, ayuda *f* monetaria. ~ 물자 artículos *mpl* de ayuda.

원족(遠足) excursión *f*; [장거리 도보] caminata *f*. ~하다 hacer una excursión, darse una caminata.

원죄(冤罪) acusación *f* falsa. ~를 입다 ser falsamente acusado, ser imputado un pecado.

원죄(原罪) pecado *m* original.

원주(圓周) ((수학)) círculo *m*, circunferencia *f*. ~율 coeficiente *m* de la circunferencia.

원주(圓柱) columna *f*.

원주민(原住民) indígena *mf*; aborigen *mf*; nativo, -va *mf*; autóctono, -na *mf*.

원주소(原住所) residencia *f* original.

원지(原紙) cliché *m*, clisé *m*, ciclostil *m*, matriz *f*, papel *m* stencil [estarcido].

원질(原質) substancia *f* elementaria.

원채(原 -) edificio *m* principal.

원천(源泉) ① [물이 흘러나오는 근원] fuente *f*, manantial *m*. ② [사물의 근원] fuente *f*, origen *m*, procedencia *f*. 지식의 ~ fuente *f* de conocimiento. ¶~ 과세 impuesto *m* deducido de la fuente de ingresos. ~ 소득세 impuesto *m* retenido. ~ 징수 retención *f*.

원초(原初) principio *m*, comienzo *m*. ~적 del principio. ~적인 것 lo del principio.

원추리 ((식물)) asfódelo *m*.

원칙(原則) principio *m*, norma *f*, regla *f* general, regla *f* fundamental, ley *f* fundamental. ~으로 하다 tener por principio. ~을 세우다 establecer un principio.

원컨대(願 -) ¡Ojalá! / ¡Dios quiera que ···! / ¡Desearía que ···!

원탁(圓卓) mesa *f* redonda. ~ 기사단 Caballeros *mpl* de la Mesa Redonda. ~ 회의 mesa *f* redonda, conferencia *f* a mesa redonda.

원통(圓筒) cilindro *m*.

원통하다(冤痛 -) tener pena [dolor · pesadumbre].

원투(-鬪)(권투) uno dos, uno-dos.

원판(原板) [사진] cliché *m* (negativo), negativa *f*; [인화하기 전의] plancha *f* seca.

원판(原版) ((인쇄)) molde *m* original.

원판(圓板) tabla *f* redonda.

원폭(原爆) ((준말)) =원자 폭탄. ¶ ~ 기지 base *f* atómica. ~ 실험 prueba *f* atómica. ~ 피해자 víctima *f* de la bomba atómica.

원피스 ((준말)) =원피스 드레스.

원피스 드레스 traje *m* de una pieza.

원하다(願 -) ① [바라다] desear, querer. ② [하고자 하다] querer hacer. ③ [부러워하다] envidiar, tener envidia. ④ [청원하다] pedir. ⑤ [기원하다] rezar, orar, rogar, pedir. ⑥ [갈망하다] aspirar.

원한(怨恨) rencor *m*, resentimiento *m*, odio *m*, encono *m*, animosidad *f*, ojeriza *f*, afrenta *f*; [악의] malevolencia *f*; [혐오] tirria *f*; [적의] hostilidad *f*. ~을 품다 guardar rencor, tener resentimiento, estar resentido, resentir. ~을 사다 incurrir en el rencor.

원해(遠海) alta mar *f*, océano *m*. ~어 pez *m* pelágico.

원행(遠行) viaje *m* lejano, viaje *m* largo. ~하다 hacer un viaje lejano, dar un paseo largo.

원형(原形) forma *f* original.

원형(原型) arquetipo *m*, prototipo *m*, modelo *m*.

원형(圓形) círculo *m* redondo. ~의 circular, redondo. ~ 극장 teatro *m* circular; [로마 시대의] anfiteatro *m*.

원형질(原形質) protoplasma *m*.

원호(援護) amparo *m*, ayuda *f*, patrocinio *m*, apoyo *m*, sostén *m*, protección *f*. ~하다 apoyar, patrocinar, proteger.

원혼(冤魂) espíritu *m* maligno. ~을 위로하다 consolar el espíritu maligno.

원화(-貨) won *m*.

원화(原畵) original *m*, pintura *f* [dibujo *m*] original. 피카소의 ~ original *m* de Picasso.

원활하다(圓滑 -) (ser) armonioso, suave, moderado, regular.

원훈(元勳) ① [나라를 위한 가장 큰 훈공] el mayor mérito (por su país). ② [((역사))] hombre *m* de estado veterano.

원흉(元兇) instigador, -dora *mf*, inductor, -tora *mf*, cabecilla *mf*.

월=글월. 문장(文章).

월(月) ① [태음] luna *f*. ② [한 해의 십이분의 일] mes *m*. ③ ((준말)) =월요일. ~ 1회 una vez al mes. 삼개~ tres meses. ⑤ [세월. 광음] tiempo *m*. ⑥ [달마다. 매월] todos los meses, cada mes. ~급 sueldo *m* mensual.

월간(月刊) publicación *f* mensual. ~ (잡)지 revista *f* mensual.

월간(月間) por un mes.

월갈 ((언어)) =문장론(sintaxis).

월경(月頃) un mes más o menos.

월경(月經) menstruación *f*, menstruo *m*, regla *f*. ~기 período *m* menstrual. ~대 cinturón *m* higiénico, banda *f* higiénica; [월경용 내프킨] paño *m* higiénico, compresa *f*. ~ 불순 dismenorrea *f*. ~통 menalgia *f*, algomenorrea *f*.

월경(越境) violación *f* de la frontera. ~하다 pasar [atravesar] la frontera; [침입] violar la frontera.

월계(月計) cuenta *f* mensual. ~하다 contar mensualmente.

월계관(月桂冠) lauréola *f*, laureola *f*, corona *f* de laurel.

월계수(月桂樹) laurel *m*, lauro *m*.

월계화(月季花) rosa *f* china.

월광(月光) = 달빛(luz de la luna). ~곡 Sonata de Luz de la Luna.

월권(越權) abuso *m*. ~ 행위 abuso *m* de la autoridad. ~행위를 하다 abusar de *su* autoridad.

월급(月給) sueldo *m* [salario *m*] mensual, mensualidad *f*, paga *f*. ~날 día *f* de paga. ~ 봉투 envoltura *f* [sobre *m*] de pago. ~ 쟁이 asalariado, -da *mf*; empleado, -da *mf*. ~지불 명부[대장] plantilla *f*, nómina *f*, *AmL* planilla *f* (de sueldos).

월남(越南) Vietnam. ~의 (사람) vietnamés. ~-mesa *mf*. ~어 vietnamés *m*.

월동(越冬) invernación *f*. ~하다 [동물·새가] invernar, hibernar; [사람·군이] pasar el invierno, invernar. ~비 gastos *mpl* para invernar. ~ 준비 preparación *f* para invernar.

월드 시리즈 la Serie Mundial.

월드 컵 el Mundial, la Copa del Mundo, la Copa Mundial.

월등하다(越等-) (ser) superior, extraordinario. 월등히 sumamente, extraordinariamente, excepcionalmente. 월등히 좋은 [품질이] de primera calidad, de buena calidad. 월등히 낫다 (ser) mucho mejor, muy superior.

월력(月曆) calendario *m*.

월례(月例) cada mes. ~의 mensual. ~회 reunión *f* mensual.

월말(月末) fin *m* del mes, fines *mpl* de(l) mes, finales *mpl* de(l) mes. ~에 a fines del mes, al fin del mes.

월반(越班) promoción *f* a la clase superior.

월보(月報) boletín *m* mensual.

월부(月賦) ① [다달이 나눈 할당] distribución *f* mensual. ② ((준말)) =월부불(月賦拂). ¶~금 dinero *m* de la cuota mensual. ~불 cuota *f* mensual, plazo *m* mensual, pago *m* mensual, entre-ga *f* mensual. ~ 지불 pago *m* por mensualidad. ~ 판매 venta *f* a plazos [por mensualidad].

월북(越北) ¶~하다 ir a Corea del Norte a través de la Línea de Armisticio.

월사금(月謝金) honorarios *mpl* mensuales [de escuela]; [학교의] derechos *mpl* de enseñanza, matrícula *f*.

월석(月石) roca *f* lunar.

월세(月貰) alquiler *m* mensual.

월세계(月世界) ① [달의 세계] luna *f*, mundo *m* lunar. ~ 여행 viaje *m* lunar. ② [달빛이 환히 비치는 온 세상] todo el mundo que la luz de la luna brilla claramente.

월수(月收) (준말) =월수입. ¶~입 entrada *f* mensual, ganancias *fpl* [ingresos *mpl*] mensuales.

월식(月食/月蝕) ((천문)) eclipse *m* lunar, eclipse *m* de la luna.

월야(月夜) noche *f* con la luna.

월여(月餘) un mes más o menos.

월요일(月曜日) lunes *m.sing.pl.* ~마다 (todos) los lunes.

월일(月日) ① [달과 해] la luna y el sol. ② [달과 날] el mes y el día, fecha *f*, data *f*.

월정(月定) contrato *m* mensual. ~구독료 subscripción *f* mensual. ~(구)독자 su(b)scriptor, -tora *mf* mensual.

월초(月初) principios *mpl* del mes. ~에 a principios de(l) mes, a comienzos de(l) mes.

월출(月出) salida *f* de la luna, luna *f* saliente.

웨딩 [결혼식] boda *f*, casamiento *m*, *AmS* matrimonio *m* (*RPI* 제외). ~ 드레스 vestido *m* [traje *m*] de novia, ropa *f* [vestido *m*] de boda. ~ 마치 marcha *f* nupcial. ~ 케이크 tarta *f* [pastel *m*] de boda, tarta *f* de mantrimonio.

웨이터 camarero *m*, mozo *m*.

웬 ¿Qué?, ¿Qué clase de? ~ 책이냐? ¿Qué clase de libro es? / ¿Qué libro es? ~ 떡이냐 ¡Qué suerte!

웬걸 ¡Dios mío! / ¡Válgame Dios!

웬만큼 pasablemente, bastante, considerablemente, en gran medida, casi. ~ 좋은 결과 resultados *mpl* bastante buenos.

웬만하다 (ser) pasable, aceptable, tolerable, satisfactorio, excelente, amplio.

웬일 qué cosa, qué causa, qué razón. ~입니까? ¿Qué pasa?

웰터급(一級) peso *m* medio-mediano, peso *m* mediano ligero, (peso *m*) welter *m*; ((레슬링)) peso *m* semimedio.

위 ① [기준으로 삼는 사물이나 부분

보다 높은 쪽) parte *f* superior. ~의 superior, de arriba. ~에 encima de, sobre, en. ~로 arriba. ~에서 de arriba. ~를 향해서, ~쪽으로 hacia arriba. 비탈길 ~로 cuesta arriba. ~에서 아래로 de arriba a abajo. 얼굴을 ~로 하고 boca arriba. ② =꼭대기(cima, cumbre, pico, cúspide). ¶맨 ~ el más alto, de más arriba. 산 ~에 en la cima [la cumbre] de la montaña. ③ 〔거죽. 표면〕 superficie *f*. ~의 de arriba. ~에 en, sobre, encima de. 땅 ~에 en el suelo. ④ 〔(지위나 정도·능력·품질 따위가) 보다 높거나 나은 쪽. 또 그 사람) superior, fuerte, habilidad *f*. ~에 있어서는 A보다 ~이다 ser más fuerte que A보다 *algo*. 품질이 ~다 La calidad es superior. ⑤ 〔(수가 어떤 것에 비하여) 많은 편) mayor. 신부의 나이가 두 살 ~다 La novia es dos años mayor. ⑥ 〔「앞」 또는 「앞에 적은 것」의 뜻) arriba, arriba mencionado. ⑦ 〔「(그) 위에」의 꼴로 쓰이어 「그것에 더하여」의 뜻) por añadidura, además, encima, … y además, … y encima.

위(位) ① ((존말)) =지위(地位). ② =위치(位置. 등수) lugar *m*, puesto *m*, rango *m*. 제2~ el segundo lugar.

위(胃) ((해부)) estómago *m*; 〔새의〕 buche *m*; 〔소의〕 cuajar *m*; 〔육식 동물의〕 fauces *fpl*; 〔반추 동물의〕 panza *f*, barriga *f*. ~가 약하다 tener el estómago débil [delicado], ser delicado de estómago. ~가 강하다[좋다] tener el estómago sano [fuerte].

위결장(胃結腸) colon *m* gástrico.

위경(危境) situación *f* crítica, peligro *m*, riesgo *m*. ~에 en peligro.

위경(胃鏡) gastroscopio *m*.

위경련(胃痙攣) convulsión *f* estomacal, calambre *m* de(l) estómago, gastrodinia *f*, gastrospasmo *m*. ~을 일으키다 tener una convulsión estomacal.

위관(胃管) tubo *m* estomacal.

위관(尉官) oficial *m* subalterno.

위궤양(胃潰瘍) ((의학)) úlcera *f* gástrico, úlcera *f* del estómago. ~증 gastrohelcosis *f*.

위근(胃筋) músculo *m* estomacal.

위급(危急) emergencia *f*, crisis *f*, peligro *m* inminente. ~하다 (ser) crítico.

위기(危機) crisis *f*, momento *m* crítico [crucial], emergencia *f*. ~를 벗어나다 escaparse a [de] la ciris, salir de la crisis, librarse de la crisis, librarse de un aprie-

to. ~에 처하다 caer en estado de crisis.

위대하다(偉大-) (ser) grande. 위대한 국민 gran pueblo *m*. 위대한 사람 gran hombre *m*.

위도(緯度) latitud *f*.

위독(危篤) gravedad *f*, peligro *m* de muerte. ~하다 estar muy grave, agonizar, estar en peligro de muerte.

위동맥(胃動脈) arteria *f* estomacal.

위락(慰樂) entretenimiento *m*. ~시설 instalaciones *fpl* de entretenimiento.

위력(威力) poder *m*, autoridad *f*, influencia *f*, poderío *m*. ~ 있는 poderoso, fuerte, potente, fortísimo, influyente.

위력(偉力) gran poder *m*, fuerza *f* poderosa.

위령(慰靈) consuelo *m* a la alma de un difunto. ~제 honras *fpl* fúnebres, oficios *mpl* para el descanso del alma de un difunto, servicio *m* memorial a los difuntos. ~탑 cenotafio *m*, monumento *m* funerario.

위로(慰勞) ① 〔수고를 치하하여 마음을 즐겁게 해줌) reconocimiento *m* [apreciación *f*] de servicios. ~하다 reconocer [apreciar] servicios, agradecer el servicio, recompensar por el servicio. ② 〔괴로움·슬픔을 잊도록 마음을 편하게 해줌) consuelo *m*, consolación *f*, conforte *m*. ~하다 consolar, confortar. ¶~금 recompensa *f*, gratificación *f*, gratificación *f* pecuniaria por los servicios.

위문(慰問) consolación *f*, consuelo *m*, visita *f* (de consuelo). ~하다 preguntar por la salud, expresar la simpatía, ir a consolar. ~대 bolsa *f* de regalo. ~품 carta *f* consolatoria. ~선 barco *m* de servicios. ~ 편지 carta *f* consolatoria, carta *f* de simpatía. ~품 regalos *mpl*, obsequios *mpl*.

위반(違反) violación *f*, infracción *f*, contravención *f*, transgresión *f*, quebrantamiento *m*, ultraje *m*. ~하다 violar, infringir, contravenir, quebrantar, cometer una infracción. ~자 contaventor, -tora *mf*, infractor, -tora *mf*.

위배(違背) violación *f*. ☞위법

위법(違法) violación *f* de la ley, ilegalidad *f*, ilegitimidad *f*, ofensa *f* contra una ley; 〔경기의 파울〕 falta *f*. ~자 infractor, -tora *mf* de la ley.

위벽(胃壁) pared *f* del estómago.

위병(胃病) gastrosis *f*, dolor *m* de estómago, turbación *f* del estómago, enfermedad *f* del estóma-

go, enfermedad f gástrica. ~ 치
료 gastroterapia f. ~학 gastolo-
gía f. ~ 학자 gastrólogo, -ga mf.
~ 환자 dispéptico, -ca mf.

위병(衛兵) ① ((역사)) soldados
mpl. ~ [호위하는 군졸] guardia
f, centinela f, soldado m de
guarnición. ③ [군사] guardia
mf. ~ 교대 relevo m de guardias. ~ 근무(勤務) servicio m de
guardia. ~ 소 puesto m de guardia, cuarto m de guardia. ~ 장교
oficial m de la guardia.

위산(胃酸) ácido m gástrico. ~결핍
증 anaclorhidria f. ~ 과다 hiper-
clorhidria f, acidez f estomacal,
ácido m excesivo en el estómago.
~ 과다증 gastroxinsis f, hiper-
quilia f, clorhidria f. ~ 통 gastro-
cólico m, cólico m gástrico.

위샘(胃-) glándula f gástrica.

위생(衛生) higiene f, sanidad f, salubridad f. ~ 의 higiénico, sanitario. ~ 관리 administración f sanitaria. ~ 냅킨 compresa f, paño
m higiénico, toalla f sanitaria. ~
대(帶) cinturón m utilizado para
sujetar una compresa. ~법 (ley f
de) higiene f. ~병 sanitario, -ria
mf. ~복 ropa f sanitaria. ~ 시설
instalaciones fpl sanitarias. ~적
higiénico, sanitario. ~ 컵 copa f
sanitaria. ~ 타월 compresa f,
paño m higiénico. ~학 higiene f,
profiláctica f, ciencia f sanitaria.
~ 학자 higienista mf.

위선(偽善) hipocresía f. ~ 의 hipócrita. ~을 행하다 conducirse la
hipocresía. ~ 자 hipócrita mf,
lobo m disfrazado de cordero. ~
적 hipócrita. ~적으로 hipócrita-
mente, con hipocresía.

위성(衛星) ((천문)) satélite m. ~공
항 aeropuerto m satélite. ~ 국가
país m satélite, estado m satélite,
satélite m. ~ 도시 ciudad f satélite. ~ 발사 lanzamiento m de
un satélite. ~ 방송 radiodifusión
f por satélite. ~ 중계 retransmisión f por (vía) satélite. ~ 통신
telecomunicaciones f por satélite.

위세(威勢) ① [힘. 세력] poder m,
influencia f, autoridad f, aliento
m. ~가 당당하다 tener un poder
irresistible. ~ 를 떨치다 ejercer
su autoridad [su influencia · su
poder]. ② [원기] espíritu m,
energía f, aliento m. ~ 있는 animado, valiente, gallardo, activo,
trenzado.

위수(衛戍) guarnición f. ~령 decreto m de guarnición. ~병 tropas
fpl de guarnición.

위스키 whisky m, whiski m, güisqui m. ~ 소다 whisky m con

soda. ~ 잔 vaso m de whisky.

위신(威信) prestigio m, influencia f,
dignidad f, autoridad f.

위아래 ① =상하(上下). ¶ ~ 한 벌
traje m (completo), la chaqueta y
el pantalón, la chaqueta y los
pantalones. ② [윗사람과 아랫사
람] el superior y el inferior.

위안(慰安) consuelo m, consolación
f, recreo m, solaz m. ~하다
consolar, recrear, solazar. ~부
comodidad f, comfort m. ~부
prostituta f, puta f, ramera f. ~소
club m del servicio. ~ 시설 instalaciones fpl de recreo.

위암(胃癌) ((의학)) cáncer m del
estómago, cáncer m gástrico..

위압(威壓) coacción f, intimidación f
por autoridad. ~하다 coaccionar,
intimidar, amedrentar, acobardar,
imponer. ~감 sentido m de coacción. ~적 imponente.

위액(胃液) jugo m gástrico. ~결핍
증 aquilia f gástrica. ~ 분비 과
다증 gastrorrea f. ~ 분비선(分泌
腺) glándula f gástrica.

위약(胃弱) indigestión f, gastraste-
nia f, apepsia f, dispepsia f.

위약(胃藥) medicamento m para el
estómago.

위약(違約) [계약의] incumplimiento
m [infracción f] del contrato; [약
속의] incumplimiento m [infrac-
ción f] del compromiso [de la
promesa], falta f de promesa. ~
하다 incumplir [infringir · quebrantar · romper] el contrato, faltar a su palabra [a su promesa],
incumplir [infringir · quebrantar ·
romper] su compromiso [su
promesa]. ~금 indemnización f.
~ 보증금 multa f.

위엄(威嚴) dignidad f, majestad f,
prestigio m. ~ 있는 digno, majestuoso, imponente, augusto. ~
이 없는 humilde, falto de dignidad, sin dignidad, poco serio.

위업(偉業) gran obra f [empresa f],
obra f noble, hazaña f. 조상의 ~
hazañas fpl de los antepasados.
~을 성취하다 llevar a cabo una
gran empresa.

위염(胃炎) ((의학)) gastritis f.

위용(偉容) aspecto m [apariencia f]
majestuoso, aspecto m imponente,
apariencia f imponente, grandeza
f, grandiosidad f. [주로 사람의]
porte m [aire m] majestuoso
[señorial].

위원(委員) miembro mf de una
comisión [un comité]. ~단 grupo m de los miembros de la
comisión. ~장 jefe mf (de la
comisión); presidente, -ta mf (de
la comisión).

위원회(委員會) comisión *f*, comité *m*, junta *f*. ~를 소집하다 convocar (los miembros de) una comisión.

위의(威儀) dignidad *f*, postura *f* majestuosa, aire *m* ceremonioso. ~ 있는 majestuoso, señorial. ~를 갖추다 tomar una actitud digna [majestuosa], comprotatar solemnemente.

위인(偉人) gran hombre *m*, gran mujer *f*; héroe *m*, heroína *f*. ~전 vida *f* de un gran hombre.

위인(為人) [개성] personalidad *f*, individualidad *f*; [성격] carácter *m*; [사람] individuo *m*.

위임(委任) comisión *f*, delegación *f*; ((상업)) poder *m*; ((법률)) mandato *m*. ~하다 delegar, comisionar, otorgar poder, encomendar. ~권 poder *m* (notarial). ~자 mandante *mf*; poderdante *mf*. ~장 poder *m*, procuración *f*, poder *m* general, procura *f*, carta *f* credencial, credenciales *fpl*. ~통치 mandato *m* (internacional). ~통치국 país *m* [estado *m*] mandatario. ~통치령 mandato *m*. ~통치령 territorio *m* bajo mandato.

위자료(慰藉料) solatium *m*, compensación *f*, indemnización *f*.

위장(胃腸) ① ((해부)) el estómago y los intestinos. ~ =배, 복부. ~병 enfermedad *f* gastrointestinal. ~약 medicamento *m* gastrointestinal; [소화제] digestivo *m.* ~염 gastroenteritis *f*, enterogastritis *f*. ~장해 indisposición *f* digestiva. ~절개술 gastroenterotomía *f*.

위장(偽裝) disfraz *f*, simulación *f*, fingimiento *m*, camuflaje *m.* ~하다 disfrazar, simular, fingir, camuflajar, *AmL* camuflajear; ~을] disfrazarse. ~ 도산 bancarrota *f* [quiebra *f*] fraudulenta. ~수출 exportación *f* fraudulenta.

위정(爲政) administración *f* de la política. ~자 hombre *m* de estado, administrador, -dora *mf*; estadista *mf*; gobernante *mf*.

위조(偽造) falsificación *f*, falseamiento *m*. ~하다 falsificar, contrahacer. ~한 documento *m* falso. ~ 복사 copias *fpl* falsificadas. ~수표 cheque *m* falsificado [falso]. ~ 여권 pasaporte *m* falsificado, pasaporte *m* falso. ~자 falsificador, -dora *mf*. ~죄 falsificación *f*. ~ 증서 bono *m* falsificación *f*. ~ 지폐[화폐] billete *m* falso, falsificación *f*, moneda *f* falsa. ~품 falsificación *f*, imitaciones *fpl* ilegales, artículo *m* contrahecho.

위중하다(危重－) estar en condición

crítica, ser grave.

위증(危症) síntoma *m* de la enfermedad grave.

위증(僞證) testimonio *m* falso, evidencia *f* falsa, falsa evidencia *f*, perjurio *m*. ~하다 dar un testimonio falso, testimoniar en falso, perjurar, jurar en falso. ~자 perjuro, -ra *mf*; perjurador, -dora *mf*. ~죄 perjurio *m*.

위짝 parte *f* superior.

위쪽 dirección *f* superior [de arriba].

위촉(委囑) [위탁] comisión *f*, encargo *m*, encomienda *f*; [의뢰] solicitud *f*, petición *f*, ruego *m*, súplica *f*. ~하다 encargar, encomendar.

위축(萎縮) ① [마르고 시들어서 초그라듦] encogimiento *m*, contracción *f*. ~하다 encogerse, marchitarse, achicarse. ② ((의학)) atrofia *f*. ~하다 atrofiarse. ~되다 paralizarse, quedarse de piedra, quedarse hecho una estatua, quedarse paralizado.

위층(－層) piso *m* superior, planta *f* superior; [부사어] arriba.

위치(位置) ① ㉮ [자리] asiento *m*, posición *f*. ㉯ [지위] puesto *m*, posición *f*, rango *m*. 높은 ~에 있는 사람 hombre *m* de rango (alto). ② [처소] residencia *f*. ③ [곳, 장소] lugar *m*, sitio *m*.

위 카타르(胃－) gastritis *f*, catarro *m* estomacal.

위탁(委託) encargo *m*; ((상업)) consignación *f*. ~하다 confiar, encargar, consignar. ~ 매매 compraventa *f* en comisión. ~ 판매 venta *f* en depósito [en comisión], (venta *f* por) consignación *f*. ~ 판매자 comisionista *mf*. ~품 mercancías *fpl* consignadas.

위태롭다(危殆－) (ser) peligroso, arriesgado, riesgado.

위태위태하다(危殆危殆－) (ser) muy peligroso, muy arriesgado.

위태하다(危殆－) ① [형세・형편이] estar mal de dinero, tener una gran pobreza, tener una gran escasez. ② [마음을 놓을 수가 없다] no poder respirar tranquilo, no quedarse tranquilo. ③ [위험하다] (ser) peligroso, arriesgado.

위턱 ① [위의 턱] mandíbula *f* superior. ② [위쪽으로 턱처럼 내민 것] saliente *m* hacia arriba, parte *f* saliente hacia arriba.

위통 ① [상체] cuerpo *m* superior. ② [윗부분] parte *f* superior. ③ =웃옷.

위통(胃痛) dolor *m* de estómago; ((의학)) gastralgia *f*.

위트 ingenio *m*, agudeza *f*, ocurrencia *f*, salida *f*.

위패(位牌) tablilla *f* mortuaria (budista), tablilla *f* monumental.

위폐(僞幣) moneda *f* falsa; [위조 지폐] billete *m* falso [falsificado].

위풍(威風) aire *m* imponente, aire *m* majestuoso, ademán *m* dignificado. ~하다(하) ser) majestuoso, imponente; [행진 따위가] marcial. 위풍당당하게 majestuosamente, con majestad, con un aire marcial.

위하다(爲一) ① [(어떤 사람이나 사물을) 사랑하거나 소중히 여기다] querer, tener en gran estima, estimar, apreciar, valorar, estimar. 책을 신주처럼 ~ querer mucho los libros. ② [공경하다] respetar, tener en cuenta, venerar, reverenciar, admirar, honrar. 부모를 ~ honrar a *sus* padres. ③ [(일정한 목적이나 행동을) 이루려고 생각하다] pensar. ¶위하여 ⑦ [편의] por el beneficio de, a favor, en pro de, a *su* cuenta, en ventaja de, a la ventaja de, en favor de, en interés de. 당신을 위하여 para usted, en favor de usted. ④ [결과] en consecuencia de, debido a. ⑤ [목적] para, para el propósito de, con la intención de, por, con el objeto de, a fin de, para que + *subj*. 평화를 위하여 por [para causa de] la paz.

위하수(胃下垂) ((의학)) gastroptosis *f*, ptosis *f* gástrica.

위해(危害) daño *m*, perjuicio *m*, injuria *f*, peligro *m*, riesgo *m*. ~를 가하다 hacer daño [mal], dañar, perjudicar, herir.

위헌(違憲) inconstitucionalidad *f*, violación *f* de la constitución.

위험(危險) peligro *m*, riesgo *m*. ~하다 (ser) peligroso, arriesgado. ~을 막다 prevenirse contra el peligro. ~을 무릅쓰다 arriesgarse, aventurarse, correr peligro. ~에 빠지다 caer en el riesgo, ponerse en peligro, exponerse a un peligro.

위협(威脅) amenaza *f*, intimidación *f*. ~하다 amenazar, intimidar, amedrentar, atemorizar. ~ 사격 disparo *m* de aviso.

위화(違和) discordancia *f*. ~감 discordancia *f*, disentimiento *m*.

위확장(胃擴張) gastrectasia *f*, dilatación *f* gástrica, dilatación *f* del estómago. ~증 macrogastria *f*.

위훈(偉勳) gran mérito *m*, hazaña *f*, proeza *f*, desempeño *m* meritorio, gran hazaña *f*, gran proeza *f*, acción *f* [obra *f*] meritoria.

윈드 서핑 surf *m* a vela, windsurf *ing.m*, windsurfing *ing.m*.

윗- de arriba, superior.

윗눈썹 cejas *fpl* superiores.

윗니 diente *m* de arriba, diente *m* superior.

윗대(一代) generación *f* superior.

윗도리 ① [몸뚱이의 허리 윗부분] parte *f* superior de la cintura. ② ((속어)) =웃옷.

윗몸 parte *f* superior del cuerpo humano.

윗물 el agua *f* de la corriente de arriba. 윗물이 맑아야 아랫물이 맑다 ((속담)) La más ruin oveja sigue a la buena.

윗벌 americana *f*, saco *m*.

윗변(一邊) ((수학)) lado *m* superior.

윗사람 superior *mf*; mayor *mf*.

윗옷 =상의(上衣).

윗입술 labio *m* superior.

윗자리 asiento *m* de honor, cabecera *f*.

윙 silbando. ~하다 silbar.

윙윙 silbando, zumbando. ~하다 silbar, zumbar.

윙윙거리다 silbar, zumbar.

윙크 guiño *m*, guiñada *f*, señas *fpl* de un ojo. ~하다 guiñar, guiñar el ojo, hacer un guiño [guiños], hacer una guiñada, cucar un ojo [los ojos].

유 ① [있음. 존재함] existencia *f*. ② ((불교)) lo que existe, existencia *f*. ③ ((철학)) existencia *f*. ④ =또(又). ¶십(十)~삼년(三年) trece años.

유(類) ① =무리. ② [(준말)] =종류. ③ ((생물)) =강(綱). 목(目).

유가(有價) lo valioso. ~의 valioso, negociable. ~ 증가 títulos *mpl* valores, valoress *mpl*, valores *mpl* mobiliarios; [채권] obligaciones *fpl*, bonos *mpl*, acciones *fpl*.

유가(油價) precio *m* del petróleo.

유가족(遺家族) ① [죽은 사람의 뒤에 남은 가족] familia *f* del difunto, familia *f* de la difunta. ② ((준말))=전몰 군경 유가족. ¶~ 연금 pensión *f* a la familia sobreviviente.

유감(遺憾) lástima *f*, sentimiento *m*. ~의 뜻 sentimiento *m*, pesar *m*. ~으로 생각하다 sentir [lamentar] *algo* [que + *subj*]. ~입니다 ¡Qué lástima! / ¡Qué pena! / Es un asunto lamentable.

유개(有蓋) el tener la tapa [el tejado]. ~의 cubierto, con tapa. ~차 carromato *m*, carreta *f* (con toldo), carreta *m* [coche *m*] cubierto. ~ 화(물)차 vagón *m* de carga, furgón *m* (cubierto).

유객(誘客) solicitación *f* de (los) clientes; [매춘부의] alcahuetería *f*. ~하다 solicitar (a los clientes); [매춘부의] alcahuetear.

유격(遊擊) diversión f, divertimiento m estratégico, asalto m, incursión f. ataque m repentino, sorpresa f, guerrilla f. ~하다 eludir, esquivar, asaltar, atracar. ~대 guerrilla f, tropa f [fuerza f · columna f] volante. ~병 guerrillero, -ra mf; partisano, -na mf; miembro mf de la resistencia. ~수 torpedero, -ra mf. ~전 guerrilla f.

유고(有故) [사고] accidente m; [까닭] causa f, razón f. ~시에 al tiempo de un accidente, en caso de un accidente.

유고(遺稿) obra f póstuma.

유골(遺骨) restos mpl, cenizas fpl. ~을 봉안하다 poner las cenizas.

유공(有功) mérito m. ~의 meritoso, benemérito. ~자 hombre m de mérito, persona f de mérito.

유과(乳菓) dulce m de leche.

유곽(遊廓) distrito m de prostitutas, barrio m nocturno de diversiones.

유괴(誘拐) rapto m, secuestro m, AmL plagio m. ~하다 secuestrar, raptar, cometer un rapto, AmL plagiar. ~범[자] secuestrador, -dora mf; raptor, -tora mf. ~ 사건 caso m de secuestro. ~죄 secuestro m, rapto m.

유교(儒教) confucianismo m, confucionismo m. ~도 confuciano, -na mf; confucionista mf. ~ 사상 ideas fpl confucianas. ~적 confuciano, confucionista.

유구무언(有口無言) Hay boca pero no hay palabra de decir / No hay palabras de excusar.

유구하다(悠久-) (ser) eterno, permanente. 유구한 역사 historia f eterna.

유권(有權) posesión f del derecho. ~자 poseedor, -dora mf del derecho; [선거의] elector, -tora mf; votante mf. ~ 해석 interpretación f autoritaria.

유급(有給) ¶~의 asalariado. ~직 posición f pagada, oficina f que recibe un sueldo mensual. ~ 원 miembro mf de los empleados en plantilla. ~ 휴가 vacaciones fpl pagadas [retribuidas].

유급(留級) =낙제(落第).

유기(有期) ((준말)) =유기한. ¶~의 rescindible, redimible, limitado. ~ 징역 trabajos mpl forzados de duración limitada. ~한 duración f limitada. ~형 cadena f de duración limitada.

유기(有機) ① ((준말)) =유기 화학. ② ((준말)) =유기 화합물. ¶~ 화학 química f orgánica. ~ 화합물 compuesto m orgánico.

유기(遺棄) abandono m, desamparo m. ~하다 abandonar, dejar, des-

amparar. ~ 시체 cadáver m abandonado.

유기(鍮器) recipiente m de latón.

유난 lo poco corriente, lo poco común, lo poco frecuente. ~하다 (ser) poco corriente, poco común, poco frecuente, inusual, muy exigente, fuera de lo corriente [común], excepcional, fastidioso, particular, quisquilloso. ~히 extraordinariamente, singularmente, fuera de lo normal, excepcionalmente, inusitadamente. ~(을) 떨다 portarse [comportarse] fastidiosamente. ~스럽다 (ser) fastidioso, particular.

유네스코 Organización f de las Naciones Unidas para Educación, Ciencia y Cultura; Organización f para la Educación, la Ciencia y la Cultura de las Naciones Unidas, UNESCO f.

유년(幼年) niño, -ña mf. ~기 infancia f, niñez f.

유능(有能) habilidad f, competencia f, capacidad f, talento m. ~하다 (ser) hábil, competente, talentoso.

유니버시아드 universiada f.

유니세프 Fondo m de la Infancia de las Naciones Unidas, UNICEF f.

유니폼 uniforme m.

유다르다(類-) (ser) raro, poco corriente, poco común, poco frecuente, singular, fuera de lo corriente [común], inusual. ¶유달리 extraordinariamente, singularmente, fuera de lo normal, excepcionalmente, inusitadamente, entre otros. 유달리 눈에 띄다 saltar a los ojos, señalarse [destacarse · sobresalir] entre otros.

유단자(有段者) poseedor, -dora mf de más de primer dan [primer grado]; poseedor, -dora mf del cinturón negro.

유당(乳糖) lactosa f.

유대(紐帶) vínculo m, lazo m; [관계] relación f, liga f. ~를 가지다 establecer [tener] una relación. ~를 끊다 romper los lazos, romper los vínculos.

유대((성경)) Judea f. ~의 judío. ~교 judaísmo m. ~력 calendario m judío. ~ 민족 raza f judía. ~인 judío, -día mf.

유덕(遺德) mérito m, virtud f. 고인의 ~을 기리다 recordar con emoción los méritos [las virtudes] del difunto.

유덕하다(有德-) (ser) virtuoso. 유덕한 사람 hombre m de virtud, persona f virtuosa.

유도(乳道) ① [젖이 나오는 분량] cantidad f que la leche sale. ②

[젖이 나오는 분비선] glándula f secretoria que la leche sale.

유도(柔道) yudo m, judo m. ~를 하다 practicar (el) judo. ~를 배우다 aprender (el) judo. ¶~가 judoka mf; yudoca mf. ~복 traje m [uniforme m] de yudo. ~ 사범 instructor, -tora mf de judo. ~선수 judoka mf; yudoca mf; luchador, -dora mf de yudo. ~장 plataforma f de competición.

유도(誘導) ① [꾀어서 이끎] incitación f, instigación f, dirección f guiada. ~하다 incitar, instigar, dirigir, guiar, conducir. ② ((물리)) inducción f. ③ ((화학·수학)) derivación f. ¶~ 미사일 proyectil m teledirigido. ~신문 pregunta f tendenciosa [capcio sal. ~ 장치 sistema m [control m] de teleguismo. ~ 전기 electricidad f inducida. ~ 전류 corriente f inductiva [inductora]. ~체 derivado m. ~ 코일 corriente f de inducción. ~탄 proyectil m dirigido, proyectil m teledirigido.

유도(儒道) ① [유교의 도] confucianismo m. ② [유교와 도교] el confucianismo y el taoísmo.

유독(有毒) ¶~하다 (ser) venenoso, ponzoñoso, nocivo, tóxico. ~ 가스 gas m tóxico. ~균 hongo m venenoso. ~ 물질 substancia f venenosa. ~성 toxicidad f, venenosidad f.

유동(流動) fluidez f, liquidez f, flote m, flotación f, fluctuación f. ~하다 flotar, fluctuar, fluir, correr, circular. ~ 부채 pasivo m circulante, pasivo m corriente. ~성 fluidez f, liquidez f, ((사회)) movilidad f. ~식(食) alimento m líquido, comida f líquida. ~ 자금 fondo m circulante. ~ 자본 capital m circulante. ~ 자산 activo m circulante, activo m corriente, activo m líquido. ~적 flotante, movible, inestable. ~체 fluido m; [액체] líquido m.

유두(乳頭) ① [젖꼭지] papila f, mamila f, pezón m; [남자의] tetilla f. ② [젖꼭지 모양의 작은 돌기] papila f, apendículo m papilar. ¶~를 aréola f. ~선 línea f mami- lar. ~암 papilocarcinoma f. ~염 mamilitis f, papilitis f. ~종 tumor m papilar, papiloma m.

유들유들 descaradamente, frescamente, sin vergüenza. ~하다 (ser) descarado, fresco, atrevido.

유람(遊覽) excursión f, viaje m de recreo, excursión f por los lugares de interés. ~객 turista mf; visitante mf. ~ 버스 autobús m de turismo, autobús m de excur-

sión. ~선 barco m de excursión, lancha f de excursión, lancha f de recreo; [요트] yate m.

유랑(流浪) vagabundeo m, vagabundez f, vagabundería f, vagancia f, divagancia f. ~하다 vagabundear, errar, vagar. ~ 극단 compañía f teatral ambulante. ~민 pueblo m errante; nómada mf. ~벽 hábito m vagabundo. ~ 생활 vida f errante, vida f vagabundo, -da mf; vago, -ga mf. ~자 vagabunda, nomadismo m. ~인 vagabundo, -da mf; vago, -ga mf.

유래(由來) [기원] origen m, génesis f; [내력] historia f; [출처] fuente f, procedencia f, derivación f; [원인] causa f. ~하다 proceder, originarse, venir, derivar(se), tener su origen, tener su principio.

유러달러 eurodólar m.

유럽 Europa f. ~의 europeo. ~ 공동 시장 Mercado m Común Europeo. ~ 공동체 Comunidad f Europea, CE f. ~ 사람 europeo, -a mf. ~ 연합 Unión f Europea, UE f. ~ 의회 Parlamento m Europeo.

유려하다(流麗-) (ser) suave y elegante, fácil y afluyente, fluido y elegante. 유려한 문장 estilo m fluido y elegante.

유력하다(有力-) (ser) influyente, poderoso, potente, fuerte; [증거가] convincente; [믿을만한] fidedigno, solvente, fiable. 유력한 소식통 fuente f fidedigna. ¶~자 personaje m poderoso [influyente·prominente]; gran personaje m; potentado, -da mf.

유령(幽靈) fantasma m, espectro m, aparición f, aparecido m, duende m, espíritu m, visión f, sombra f, quimera f. ~ 도시 pueblo m fantasma, ciudad f fantasma. ~선 buque m fantasma, barco m fantasma. ~ 인구 población f fantasma [falsa]. ~주 acción f fantasma. ~ 회사 compañía f fantasma.

유례(類例) ejemplo m semejante, ejemplo m análogo, caso m similar, ejemplo m similar. ~ 없다 (ser) excepcional, singular, único, raro, sin ejemplo semejante, sin paralelo, sin precedentes, sin igual, sin rival, sin par, incomparable, no tener paralelo en historia. ~없이 sin igual, sin par.

유로화(-貨) euro m.

유료(有料) Se necesita peaje [pago]. ~의 de pago; [통행의] de peaje. ~ 도로 carretera f de peaje, Méj carretera f de cuota. ~ 변소 servicios mpl de pago. ~ 입장 entrada f de pago. ~ 주차장

aparcamiento *m* de pago. ~ 통화 llamada *f* (telefónica) de pago.

유류(油類) petróleo *m*, aceite *m* de toda clase. ~ 파동 fluctuación *f* violenta en petróleo.

유리(有利) ventaja *f*. ~하다 (ser) favorable, conveniente, ventajoso, provechoso, lucrativo, útil. ~하게 favorablemente, ventajosamente, con ventaja. ~한 조건 término *m* ventajoso.

유리(琉璃) cristal *m*, vidrio *m*. ~ 가게 cristalería *f*, vidriería *f*. ~ 공업 hialotecnia *f*, hialurgia *f*, industria *f* del cristal [vidrio]. ~ 공예 hialotecnia *f*, hialurgia *f*. ~ 공장 cristalería *f*, vidriería *f*, taller *m* [fábrica *f*] de cristal. ~그릇 vidriería *f*, cristalería *f*, todo género de vidrios y cristales. ~문 puerta *f* de cristal [vidrio], puerta *f* vidriera, puerta *f* con cristales. ~병 botella *f* de cristal [vidrio]. ~ 섬유 fibra *f* de cristal [vidrio], lana *f* de cristal. ~ 세공 [기술] hialotecnia *f*, hialurgia *f*. [제품] cristalería *f*, cristales *mpl*, vidrios *mpl*, objetos *mpl* elebora-dos de cristal [vidrio]. ~잔 vaso *m* de vidrio. ~ 제품 cristalería *f*, cristal *m*. ~창 vidriera *f*, ventana *f* de cristal [vidrio]. ~컵 copa *f* de cristal [vidrio].

유리(遊離) isolación *f*, separación *f*, aislamiento *m*. ~하다 isolarse, aislarse, apartarse. ~시키다 iso-lar, aislar, apartar.

유리(瑠璃) lapislázuli *m*. ~빛[색] azur *m*, azul *m* brillante. ~의 azur, azul celestre.

유린(蹂躙) devastación *f*, invasión *f*; [권리 따위의] ofensa *f*, atropello *m*, pisoteo *m*, infracción *f*, violación *f*. ~하다 devastar, asolar, invadir, pisotear, infringir, atropellar, violar.

유림(儒林) confucianos *mpl*, espe-cialistas *mpl* confucianos.

유망주(有望株) ① (〈증권〉) acciones *fpl* activas. ② [사람] hombre *m* prometedor, hombre *m* prome-tiente, joven *m* prometedor, joven *m* prometiente.

유망하다(有望-) (ser) prometedor, prometiente. 유망한 prometedor, que promete, de porvenir, de futuro. 유망한 젊은이 joven *m* prometedor.

유머 humor *m*, humorismo *m*, sentido *m* del humor, chiste *m*. ~리스트 humorista *mf*. ~ 소설 novela *f* humorística. ~ 작가 es-critor *m* humorístico, escritora *f* humorística; humorista *mf*.

유명(有名) fama *f*, reputación *f*,

notoriedad *f*. ~하다 (ser) famoso, célebre, ilustre, conocido, renom-brado, afamado, notorio, reputado. ~한 술 licor *m* de marca (cono-cida). ¶ ~세 nobleza *f* obliga. ~점 tienda *f* famosa.

유명(幽明) ① [어둠과 밝음] la oscuridad y la claridad. ② [저승 과 이승] este mundo y el otro. ~을 달리하다 fallecer, morir.

유명무실하다(有名無實-) (ser) no-minal. 유명무실하게 nominalmen-te.

유모(乳母) niñera *f*, nodriza *f*, el ama *f* de cría. ~차 cochecito *m* (de bebé), coche *m* silla.

유목(遊牧) nomadismo *m*. ~의 nó-mada, nómade. ~민 nómada *mf*; pueblo *m* nómada. ~민족 pueblo *m* nómada. ~ 생활 nomadismo *m*, vida *f* nómada. ~ 시대 edad *f* [época *f*] nómada.

유무(有無) existencia *f* (o no exis-tencia), sí o no.

유문(遺文) obra *f* póstuma. ~집(集) colección *f* de obras póstumas.

유물(唯物) existencia *f* del material. ~관 concepción *f* materialística. ~론 materialismo *m*. ~론자 ma-terialista *mf*. ~론적 materialista. ~ 변증법 dialéctica *f* materialís-tica. ~ 사관 matrialismo *m* his-tórico, concepción *f* materialística de la historia. ~주의 materialis-mo *m*. ~주의자 materialista *mf*.

유물(遺物) ① =유품(遺品). ② [유 적의 출토품] reliquias *fpl*, restos *mpl*, vestigio *m*. 고대의 ~ restos *mpl* de la antigüedad.

유민(流民) refugiado, -da *mf*, des-amparado, -da *mf*.

유민(遺民) pueblo *m* del país des-truido.

유발(誘發) inducción *f*, provocación *f*. ~하다 inducir, provocar, pro-ducir. 사건을 ~하다 causar un accidente.

유방(乳房) pecho *m* (de la mujer), mama *f*; [남자의] mamila *f*, tetilla *f*. ~의 mamario, mamilar. ~ 성형 mamoplastia *f*. ~ 성형술 ma-miliplastia *f*, mastoplastia *f*. ~암 cáncer *m* mamario, cáncer *m* en el [del] pecho. ~염 mamitis *f*, mastitis *f*.

유별(有別) distinción *f*. ~하다 dis-tinguir, hacer distinciones. ~나다 (ser) distintivo, característico, pe-culiar, personal, inconfundible. 유 별난 사람 persona *f* peculiar; [남 자] hombre *m* peculiar; [여자] mujer *f* peculiar.

유별(類別) clasificación *f*, ordena-ción *f*. ~하다 clasificar, ordenar.

유보(留保) reservación *f*, reserva *f*.

~하다 reservar.

유복자(遺腹子) hijo *m* póstumo, niño *m* póstumo.

유복하다(有福-) (ser) bienaventurado, bendito, dichoso, afortunado, feliz.

유복하다(裕福-) (ser) rico, adinerado, acaudalado, acomodado, opulento, abundante. 유복한 생활 vida *f* abundante.

유부(有夫) acción *f* de tener *su* marido. ~의 casada. ~녀 (mujer *f*) casada *f* con *su* esposo.

유부(有婦) acción *f* de tener *su* esposa. ~남 (hombre *m*) casado *m* con *su* esposa.

유부(油腐) yubu, tofu *m* [queso *m* de soja] frito después de cortar muy fino. ~국수 *yubuguksu*, tallarines *mpl* [fideo *m* · espagueti *m*] de *yubu*. ~초밥 *yubuchobab*, pasta *f* de tofu [queso *m* de soja] frito rellena de arroz con vinagre.

유불(儒佛) el confucianismo y el budismo. ~선(仙) el confucianismo, el budismo y el taoísmo.

유비(有備) La prevención ya ha terminado.

유비무환(有備無患) Hombre prevenido vale por dos / Más vale prevenir que curar.

유사(有史) comienzo *m* de la historia, existencia *f* de la historia. ~이전의 prehistórico. ¶~ 시대 tiempo *m* prehistórico, época *f* prehistórica. ~ 이래 desde que hay historia, en historia.

유사(有事) emergencia *f*, urgencia *f*. ~시 caso *m* de urgencia [emergencia], punto *m* crítico, momento *m* decisivo.

유사(類似) semejanza *f*, analogía *f*, similitud *f*. ~하다 semejarse, asemejarse, parecerse, semejar. ~ 뇌염 encefalitis *f* sospechosa. ~ 사건 caso *m* similar. ~ 상표 marca *f* similar. ~점 punto *m* de semejanza. ~ 종교 religión *f* semejante. ~품 imitación *f*, producto *m* similar.

유산(有産) propiedad *f*. ~의 dueño de bienes raíces, adinerado, acaudalado. ~ 계급 burguesía *f*, clase *f* burguesa. ~자 adinerados *mpl*; acaudalados *mpl*; burgués, -guesa *mf*.

유산(流産) ① [낙태] aborto *m*, malparto *m*, aborción *f*. ~하다 abortar, malparir, motivar aborto. ② [중지] suspensión *f*, anulación *f*, cancelación *f*. ~되다 suspenderse, anularse, cancelarse.

유산(遺産) ① [사후에 남긴 재산] herencia *f*, bienes *mpl* relictos, legado *m*. ~을 남기다 legar una fortuna [una propiedad], dejar una herencia [un legado]. ② [후대에 남긴 가치 있는 문화나 전통] patrimonio *m*. ~의 patrimonial. ~ 관리 administración *f* de herencia. ~ 관리인 administrador, -dora *mf* de herencia. ~ 분쟁[다툼] disputa *f* sobre la herencia. ~ 분할 división *f* de la herencia. ~ 상속 (sucesión *f* de) herencia *f*. ~ 상속세 impuesto *m* sobre herencia [sucesión de legado]. ~ 상속인 heredero, -ra *mf* (de la propiedad).

유상(有償) compensación *f*, consideración *f*, ((법률)) préstamo *m* oneroso. ~ 대부 préstamo *m* oneroso. ~ 원조 ayuda *f* onerosa. ~ 증자 aumento *m* del capital oneroso.

유색(有色) ¶~의 de color. ~ 인종 raza *f* de color.

유생(儒生) confuciano, -na *mf*; confucianista *mf*.

유서(由緖) origen *m*; [역사] historia *f*. ~ 있는 de buen origen, con historia clara, noble, histórico. ~ 있는 건축물 edificio *m* histórico. ~ 깊은 가문 familia *f* histórica, linaje *m* histórico.

유서(遺書) testamento *m*. ~를 쓰다 [만들다] hacer [otorgar] *su* testamento.

유선(有線) alambre *m*, cable *m*. ~망 red *f* de cables. ~ 방송 radiodifusión *f* por cable. ~ 전신 telegrama *m* por cable. ~ 전화 teléfono *m* por cable. ~ 중계 reemisión *f* por cable. ~ 텔레비전 televisión *f* por cable. ~ 통신 comunicaciones *fpl* por cable.

유선(乳腺) glándula *f* mamaria. ~염 mastitis *f*, mastadenitis *f*.

유선(乳線) línea *f* mamaria.

유선형(流線型) líneas *fpl* aerodinámicas. ~의 aerodinámico. ~형 열차 tren *m* aerodinámico.

유성(有性) ¶~의 ((생물)) sexual. ~ 생식 reproducción *f* sexual, gamogénesis *f*.

유성(油性) naturaleza *f* oleaginosa. ~의 de aceite. ~ 도료[페인트] pintura *f* de aceite.

유성(流星) ((천문)) estrella *f* fugaz, exhalación *f*, bólido *m*, meteoro *m*. ~군(群) grupo *m* meteórico. ~우(雨) chubasco *m* meteórico. ~진(塵) polvo *m* meteórico.

유성(遊星) ((천문)) planeta *f*.

유성기(留聲機) ⇒축음기(蓄音機).

유성 영화(有聲映畵) película *f* sonora.

유성음(有聲音) sonido *m* sonoro.

유성화(有聲化) sonorización *f*. ~하다 sonorizar.

유세(有稅) ¶~의 imponible, sujeto

a impuesto, sujeto a derechos arancelarios, sujeto a la tributación. ~지(地) terreno m sujeto a la tributación. ~품 artículos mpl imponibles [de pago].

유세(遊說) campaña f oratoria, vuelta f por una comarca en solicitación (de votos); [선거의] viaje m electoral. ~하다 viajar por la campaña oratoria, hacer una campaña; [선거의] hacer un viaje [una gira] electoral, ir de viaje para solicitar votos, ir a solicitar.

유소년(幼少年) el niño y el muchacho.

유소시(幼少時) cuando · era niño [niña], en su niñez. ~부터 desde su niñez, desde su infancia.

유소하다(幼少−) (ser) joven · niño.

유속(流速) velocidad f de corriente. ~계 tacómetro m, hidrómetro m, hidrotaquímetro m, medidor m de corriente.

유수(有數) número m contado. 우리 나라 ~의 음악가 uno de los músicos eminentes de nuestro país.

유수(流水) el agua f corriente.

유숙(留宿) alojamiento m, hospedamiento m. ~하다 alojar, hospedar, aposentar, poner en alojamiento. ~객 inquilino, -na mf.

유순하다(柔順−) (ser) dócil, manso, obediente, sumiso. 유순한 사람 persona f dócil [mansa · obediente · sumisa]; cordero, -ra mf.

유스 호스텔 albergue m juvenil, albergue m de (la) juventud.

유시(幼時) infancia f, niñez f. ~에 en su infancia, en su niñez. ~부터 desde su infancia, desde su niñez.

유시(流矢) flecha f perdida.

유시(諭示) instrucción f, mensaje m, advertencia f, amonestación f. ~하다 amonestar, instruir, dar instrucción, ordenar.

유식(有識) erudición f, inteligencia f. ~하다 (ser) docto, sabio, erudito, culto, educado. ~ 계급 clase f educada, intelectualidad f. ~자 persona f inteligente; sabio, -bia mf; erudito, -ta mf.

유신(維新) yusin, reforma f vigorizante, renovación f; [복고] restauración f. ~ 헌법 Constitución f para Reforma Vigorizante.

유실(流失) despojo m por avalancha. ~하다 perderse por avalancha, llevarse, perderse lavado por un diluvio [desbordamiento]. ~ 가옥 casa f llevada [arrastrada] por la inundación.

유실(遺失) pérdida f. ~하다 perder,

dejar con descuido. ~물 objeto m [artículo m] perdido, pérdidas fpl, propiedad f perdida, objeto m olvidado. ~물 광고 anuncio m de objetos perdidos. ~물 보관소[취급소] oficina f de objetos perdidos.

유실수(有實樹) (árbol m) frutal m.

유아(幼兒) infante m, bebé m. ~기 primera infancia f. ~병 enfermedades fpl infantiles. ~ 병원 Hospital m Infantil. ~ 사망률 índice m de mortalidad infantil. ~ 살해 infanticidio m. ~ 살해자 infanticida mf. ~ 세례 bautismo m infantil.

유아(乳兒) lactante mf; criatura f; niño, −ña mf de teta; niño, −ña mf de pecho; niño m mamón, niño m recién nacido; nene m; AmS guagua f..

유아(唯我) Solo soy yo el mejor. ~독존 egolatría f, santo m solo soy yo por todo el cielo y la tierra. ~의 ególatra, egoláltrico.

유아(遺兒) ① [부모가 죽고 남아 있는 아이] huérfano, −na mf; niño, −ña mf del difunto; niño m póstumo, niña f póstuma. ② =기아(棄兒).

유안(硫安) ((화학)) sulfato m (de) amoníaco.

유암(乳癌) ((의학)) =유방암.

유압(油壓) presión f del aceite. ~계 manómetro m de aceite, indicador m de presión de aceite, indicador m hidráulico.

유액(乳液) ① ((식물)) látex m. ② ((화학)) loción f lechosa.

유야무야(有耶無耶) vaguedad f, incertidumbre f. ~하다 (ser) evasivo, vago, ambiguo, indeciso, irresoluto, no decisivo, no concluyente, no comprometer a nada.

유약(釉藥) vidriado m. ~을 칠한 vidriado. ¶~ 자기 vidriado m, cerámica f vidriada.

유약하다(幼弱−) (ser) joven y débil.

유약하다(柔弱−) (ser) afeminado, débil, blando, amujerado, enclenque, carecer de vigor varonil.

유어(類語) sinónimo m. ~ 사전 diccionario m de sinónimos.

유언(流言) rumor m (falso), bulo m, noticia f sin fundamento. ~ 비어 rumor m, rumor m falso, rumor m infundado, bulo m.

유언(遺言) testamento m, última voluntad f. ~하다 testar, hacer [otorgar] testamento. ~자 testador, −dora mf. ~장 testamento m. ~ 집행자 testamentario, −ria mf; albacea mf.

유업(遺業) trabajo m dejado. 부친의

~을 계승하다 seguir el trabajo dejado por *su* padre.

유에프오 objeto *m* volante [volador] no identificado, ovni *m*, OVNI *m*.

유엔 Naciones *fpl* Unidas. ~군 사 령부 Comando *m* de Fuerzas de las Naciones Unidas. ~ 기구 Organización *f* de las Naciones Unidas, ONU *f*. ~ 대사 embajador, -dora *mf* en las Naciones Unidas. ~ 본부 sede *m* de las Naciones Unidas. ~ 사무 총장 secretario, -ria *mf* de las Naciones Unidas. ~ 총회 Asamblea *f* General de las Naciones Unidas. ~ 헌장 Carta *f* de las Naciones Unidas. ~ 회원국 miembro *m* de las Naciones Unidas. ☞국제 연합

유역(流域) cuenca *f*.

유연성(柔軟性) flexibilidad *f*, elasticidad *f*. ~이 없다 carecer de flexibilidad [elasticidad].

유연탄(有煙炭) carbón *m* bituminoso.

유연하다(柔軟ー) (ser) blando, elástico; [구부러지기 쉬운] doblable, flexible. 유연한 근육 músculo *m* elástico. 유연한 몸 cuerpo *m* elástico.

유연하다(悠然ー) ser tranquilo.

유영(遊泳) ① [물 속에서 헤엄치며 놂] natación *f* en el agua. ~하다 nadar. ② ~처세(處世). ③ [어떤 경지에서 즐김] diversión *f*. ~하다 divertirse.

유예(猶豫) ① [망설여 일을 결행하지 않음] vacilación *f*, duda *f*, hesitación *f*. ~하다 vacilar, dudar, hesitar. ② [시일을 미루거나 늦춤] aplazamiento *m*, *AmL* postergación *f*; [형집행·징병 등의] prórroga *f*; [(경제)] gracia *f*, respiro *m*. ~하다 aplazar, posponer, prorrogar, *AmL* postergar. ③ ((준말)) =집행 유예. ¶~ 기 간 [해고의] plazo *m* de despedida; [지불의] días *mpl* de gracia.

유용(有用) utilidad *f*. ~하다 (ser) útil, provechoso, valioso.

유용(流用) malversación *f*, apropiación *f* indebida, incautación *f*. ~하다 malversar, incautarse.

유우(乳牛) =젖소.

유원지(遊園地) parque *m* de atracciones [de diversiones].

유월(六月) junio *m*.

유월절(逾月節/踰月節) Pascua *f*.

유유낙낙 唯唯諾諾) consentimiento *m* obediente [dócil·sumiso]. ~하다 consentir obedientemente [dócilmente·sumisamente].

유유상종(類類相從) Cada oveja con su pareja.

유유자적(悠悠自適) comodidad *f*, tranquilidad *f*. ~하다 descansar a

gusto y con toda comodidad, ponerse cómodo, estar a *sus* anchas, sentirse en *su* propia casa.

유유하다(悠悠ー) ① [태연하고 느긋하다] (ser) tranquilo. ② [느릿느릿하고 한가하다] (ser) lento y ocioso. ③ [아득히 멀다] (estar) muy lejos. ¶유유히 ㉮ con calma, con toda tranquilidad, tranquilamente, lentamente, quietamente, sin precipitación, sin preocupaciones. 유유히 살아가다 vivir tranquilamente [sin preocupaciones], llevar una vida holgada. ㉯ [(움직임이) 느릿느릿하고 한가히] con tiempo, despacio.

유의(留意) atención *f*. ~하다 prestar atención, preocuparse, hacer caso, tomar en cuenta, tener en cuenta. 건강에 ~하다 tener cuidado de la salud; [자신의] cuidarse.

유의어(類義語) sinónimo *m*.

유익하다(有益ー) (ser) útil, provechoso, edificativo, edificante, lucrativo; [교육적인] educativo, instructivo.

유인(有人) acción *f* de tripular. ~의 tripulado. ~ 우주선 astronave *f* tripulada. ~ 위성(衛星) satélite *m* tripulado.

유인(幽人) ermitaño, -ña *mf*; eremita *mf*.

유인(誘引) tentación *f*, seducción *f*. ~하다 tentar, inducir, seducir.

유인(誘因) causa *f* provocadora [inmediata], motivo *m* incitador [directo], incentivo *m*.

유인물(油印物) impresos *mpl*.

유인원(類人猿) antropoide *m*.

유일(唯一) unidad *f*. ~하다 (ser) único. ~한 친구 único amigo *m*, única amiga ~ 무이하다 (ser) único, incomparable, sin igual, sin par. ¶~ 사상 única idea *f*. ~신 Dios *m*, Señor *m*.

유임(留任) retención *f* en el cargo. ~되다 quedarse [permanecer] en *su* cargo.

유입(流入) afluencia *f*, entrada *f*. ~하다 afluir, entrar; [강물이] desembocar.

유자(柚子) cidra *f*.

유자(遺子) =유복자(遺腹子). ¶~녀 ㉮ [죽은 사람의 자녀] hijos *mpl* del difunto. ㉯ [전사한 군인이나 경찰관의 자녀] hijos *mpl* de los caídos en la guerra.

유자격(有資格) ¶~의 diplomado, titulado, calificado, habilitado. ~자 persona *f* calificada [habilitada].

유자나무(柚子ー) ((식물)) cidro *m*.

유자망(流刺網) una especie de la red de pesca.

유작(遺作) obra *f* póstuma.
유장하다(悠長一) ① [길고 오래다] (ser) largo. ② [마음에 여유가 있다] (ser) lento, pausado, deliberado.
유저(遺著) obra *f* póstuma.
유적(遺跡/遺蹟) ruinas *fpl*, vestigios *mpl*, reliquia *f*, restos *mpl*, huellas *fpl*. ~을 찾다 visitar ruinas, visitar restos, visitar escenas de eventos históricos. ¶~지 ruinas *fpl*.
유전(油田) petrolífero *m*, yacimientos *mpl* petrolíferos, campos *mpl* petroleros, campo *m* de petróleo. ~지대 distrito *m* petrolífero. ~탐사[개발] exploración *f* petrolífera.
유전(流轉) ① [변전] vicisitud *f*, [방랑] vagabundeo *m*, divagación *f*. ~하다 vagar, errar, andorrear. ② ((불교)) [윤회] transmigración *f*, metempsícosis *f*. ~하다 transmigrar.
유전(遺傳) herencia *f*. ~하다 heredar, heredarse, transmitirse. ~공학 ingeniería *f* de herencia. ~법칙 ley *f* de herencia. ~병 heredopatía *f*, enfermedad *f* hereditaria. ~자 gen *m*, gene *m*. ~학 genética *f*. ~학자 geneticista *mf*; genetista *mf*.
유정(有情) afecto *m*, cariño *m*, sentimientos *mpl* compasivos, sensibilidad *f*. ~하다 (ser) afectuoso, cariñoso, sensible, sensitivo.
유정(油井) pozo *m* petrolero, pozo *m* de petróleo. ~ 시추 perforación *f* de pozos de petróleo. ~시추기 perforador *m* [perforadora *f*] de pozos de petróleo.
유제품(乳製品) producto *m* lácteo.
유조(油槽) tanque *m* petrolero. ~선 petrolero *m*, buque *m* petrolero, barco *m* [buque *m·* vapor *m*] tanque, buque *m* cisterna. ~차 camión *m* cisterna, vagón *m* tanque.
유족(遺族) los deudos, familia *f* del difunto, familia *f* de la difunta. ~ 연금 seguro *m* de supervivencia. ~ 연금 renta *f* vitalicia, anualidad *f* de supervivencia.
유족하다(有足一) (ser) suficiente.
유족하다(裕足一) ① (ser) abundante, adinerado, acomodado. ~ 유족하게 살다 ser adinerado, vivir en la abundancia.
유종(有終) acabamiento *m* perfecto. ~하다 acabar [terminar] perfectamente. ~의 미(美) perfecto fin *m*, canto *m* de cisne.
유종(乳腫) ((의학)) mastitis *f*.
유죄(有罪) culpabilidad *f*, criminalidad *f*. ~하다 (ser) culpable. ~의

culpable. ~를 선고하다 declarar [sentenciar] culpable. ¶~ 판결 veredicto *m* de culpabilidad. ~혐의자 criminal *m* sospechoso, criminal *f* sospechosa.
유즙(乳汁) leche *f*; [식물의] látex *m*. ~ 분비 lactación *f*. ~질 lactescencia *f*.
유증(遺贈) donación *f*; [동산의] legado *m*. ~하다 donar por voluntad de un difunto; [동산을] legar. ~물 legado *m*.
유지(有志) [준말)] =유지자(有志者). ¶~자 persona *f* influyente.
유지(乳脂) ① =크림. ② =유지방. ¶~ 비누 jabón *m* de crema.
유지(油脂) aceite y grasa, grasa y aceite graso. ~상 aceitería *f*, [사람] aceitero, -ra *mf*.
유지(油紙) papel *m* (untado) de aceite, papel *m* a óleo.
유지(維持) mantenimiento *m*, sostenimiento *m*, preservación *f*, conservación *f*. ~하다 mantener, sostener, conservar, guardar. ~비 gastos *mpl* de mantenimiento, gastos *mpl* de conservación.
유지(遺志) deseo *m* [intención *f·* voluntad *f*] de un difunto, último deseo *m*.
유지(遺址) =유적(遺跡).
유지방(乳脂肪) leche *f*, crema *f*.
유진무퇴(有進無退) avance *m* sin retirada. ~하다 avanzar sin retirada.
유질(乳質) ① [젖의 성질·품질] carácter *m* de la leche, cualidad *f* de la leche. ② [젖과 같은 성질] carácter *m* como la leche.
유징(油徵) ((지질)) síntoma *m* que hay gas natural en el subterráneo.
유착(癒着) ① ((의학)) cicatrización *f*, conglutinación *f*, aglutinación *f*, adhesión *f*. ~하다 cicatrizarse, conglutinarse, aglutinar. ~시키다 cicatrizar, conglutinar, aglutinar. ② [사물이 결합되어 있음] vínculo *m*, unión *f*.
유찰(流札) anulación *f* de licitación. ~하다 anularse la licitación.
유창하다(流暢一) (ser) fluido, corriente, afluente, elocuente. 유창한 문장 estilo *m* suelto. ¶유창히 fluidamente, con fluidez, corrientemente, afluentemente, elocuentemente, con soltura, con facilidad, de corrido. 유창히 말하다 hablar fluidamente [elocuentemente].
유채(油菜) ((식물)) colza *f*.
유채(油彩) =유화(油畵).
유채색(有彩色) ((미술)) color *m* con el tono de color.
유체(有體) materialidad *f*. ~의 ma-

terial, físico, tangible, corporal;
((법률)) corpóreo.
유체(流體) 【물리)) fluido *m*. ~ 공
학 ingeniería *f* hidráulica. ~ 동력
학 hidrodinámica *f*. ~ 압력 presión *f* hidráulica. ~ 역학 hidrodinámica *f*.
유추(類推) analogía *f*. ~하다 razonar [explicar] por analogía. …에
서 ~하면 a juzgar por *algo*, a
razonar por *algo*. ¶ ~법 analo-
gismo *m*. ~ 해석 interpretación *f*
analógica.
유출(流出) salida *f*, fuga *f*, efusión *f*,
derrame *m*; [물의] desagüe *m*,
flujo *m*. ~하다 salir(se), fluir,
verterse, derramarse. 두뇌의 ~
huida *f* de cerebros. 외화의 ~
fuga *f* de divisas.
유충(幼蟲) ((곤충)) larva *f*, oruga *f*.
~기 período *m* larval.
유취(乳臭) olor *m* a leche.
유층(油層) estrato *m* [yacimiento
m] petrolífero.
유치(留置) retención *f*, detención *f*,
arresto *m*, captura *f*. ~하다 detener, retener, poner en calabozo.
~장 calabozo *m*, cuarto *m* [casa
f · estación *f*] de detención. nte.
유치(誘致) invitación *f*. ~하다 invitar. 공장을 ~하다 invitar la
instalación de una fábrica.
유치원(幼稚園) jardín *m* de infancia,
Méj jardín *m* de niños, *RPl*
jardín *m* de infantes, *Chi* jardín
m infantil, *AmL* kindergarten *m*.
~ 보모[선생] parvulista *mf*; educador, -dora *mf*. ~생[원아] niño, -
-ña *mf* del jardín de infancia;
párvulo, -la *mf*.
유치하다(幼稚-) ① [나이가 어리다]
(ser) infantil, joven. ② [정도가
낮다] (ser) pueril. ③ [아직 익숙
하지 않다] (ser) rudimental, rudimentario.
유쾌하다(愉快-) (ser) alegre, jovial, festivo; [즐거운] divertido,
jubiloso, gracioso. 유쾌하게 alegremente, jubilosamente, con júbilo, gozosamente.
유탄(流彈) bala *f* perdida [extravia-
da], balazo *m* al tuntún. ~에 맞
다 herirse por balas extraviadas.
유탄(榴彈) granada *f*, metralla *f*. ~
다 obús *m*.
유태(猶太) ((역사)) Judea. ¶ ~의
judío. ☞ 유대
유턴 cambio *m* de sentido, media
vuelta *f*, *CoS* giro *m* [vuelta *f*]
en U. ~하다 cambiar de sentido,
dar media vuelta, virar en
redondo, virar en U, *CoS* dar
vuelta en U, girar en U. ~ 금지
((게시)) Prohibido dar la vuelta.
유토피아 ① [이상향] utopía *f*, uto-

pia *f*. ~의 utópico. ② [실현성이
없는 공상 · 계획] fantasía *f*.
유통(流通) ① [공기나 액체 따위가
거침없이 흘러 통함] ventilación *f*.
~하다 ventilar, airear. ② [화폐나
수표 등이 세상에 널리 통용됨]
circulación *f*; [어음의] negociación
f. ~하다 circular, correr, tener
curso legal. ~시키다 poner en
circulación. ③ [상품이 생산자 · 상
인 · 소비자 사이에 거래됨] dis-
tribución *f*. ~하다 distribuir. ¶ ~
가격 precio *m* de circulación. ~
시장 mercado *m* de circulación.
~ 어음 valor *m* circulante. ~ 자
본 capital *m* circulante. ~ 화폐
moneda *f* corriente, moneda *f* en
circulación, moneda *f* de curso
legal.
유파(流派) escuela *f*, secta *f*.
유폐(幽閉) encierro *m*, encerra-
miento *m*, confinamiento *m*, reclusión *f*, prisión *f*. ~하다 encerrar, confinar, recluir.
유포(流布) circulación *f*, propaganda
f, diseminación *f*, divulgación *f*,
difusión *f*. ~하다 circular, difundirse, extenderse, esparcirse.
유품(遺品) legado *m*, objeto *m*
dejado por un difunto.
유하다(留-) ① [자다] dormir. ②
[묵다] hospedarse, alojar(se).
유하다(柔-) ① [부드럽다] (ser)
blando, tierno. ② [성질이 태평스
럽고 눅다] (ser) benigno. ③ [걱
정이 없다] No hay preocupación.
유학(留學) estudio *m* en el extranjero. ~하다 ir a estudiar al extranjero, estudiar en el extranjero. ~생 estudiante *mf* que estudia en el extranjero.
유학(儒學) confucianismo *m*, confucionismo *m*, enseñanza *f* de
Confucio, filosofía *f* china. ~자
confuciano, -na *mf*; confucio, -cia
mf; confucianista *mf*.
유한(有限) ¶ ~의 limitado; ((수학))
finito. ~ 책임 responsabilidad *f*
limitada. ~ 책임 사원 socio *m*
comanditario, socia *f* comanditaria. ~ [책임] 회사 sociedad *f* de
responsabilidad limitada, S.L.
유한(有閑) ociosidad *f*, ocio *m*,
holgazana *f*, tiempo *m* desocupado [de descanso]. ~하다 (ser)
ocioso, lento, pausado. ~ 계급
[층] gente *f* acomodada, clase *f*
desocupada, clases *fpl* ricas que
llevan una vida de ocio. ~ 마담
[부인] dama *f* rica y ociosa.
유한(遺恨) rencor *m*, rencilla *f*,
enemistad *f*, malicia *f*. ~을 품다
tener rencor, guardar rencor.
유해(有害) lo nocivo, lo dañino, lo
pernicioso, perjuicio *m*, daño *m*.

~하다 perjudicarse, ser dañoso, ser perjudicial. ~ 곤충 insecto m nocivo. ~무익 perjuicio m e intilidad. ~물 substancia f nociva, objeto m nocivo, artículo m nocivo. ~식물 comida f venenosa.

유해(遺骸) ① [죽은 사람의 몸] cuerpo m muerto. ② =유골.

유행(流行) ① [의복·화장·사상 등의] moda f. ~하다 estar en moda, estar en boga, ser de moda, reinar. ~의 moda, a la moda. ② [병이나 재해가 널리 퍼지는 일] propagación f. ~하다 propagarse, extenderse, reinar. ¶ ~가 canción f popular; [유행중인] canción f de moda. ~가 가수 cantante mf popular; cantador, -triz mf popular. ~병 epidemia f, enfermedad f epidémica. ~성(性) epidemicidad f, carácter m epidémico de una enfermedad. ~성 감기 gripe f, influenza f. ~어(語) palabra f popular.

유혈(流血) derramiento m [efusión f] de sangre, matanza f. ~의 참사 accidente m sangriento.

유형(有形) ① [형체가 있음] materialidad f. ~의 material, corporal, concreto, tangible. ②((불교)) lo corpóreo. ¶ ~ 문화재 bienes mpl culturales visibles. ~물 objeto m material.

유형(類型) tipo m, ejemplo m.

유혹(誘惑) tentación f, seducción f. ~하다 tentar, seducir. ~을 거절하다 rechazar la tentación. ¶ ~자 tentador, -dora mf; seductor, -tora mf.

유화(油畵) (pintura f al) óleo m. ~로 그리다 pintar al óleo. ~를 그리다 pintar un cuadro al óleo. ¶ ~가 pintor, -tora mf al óleo. ~구(具) óleos mpl. ~ 물감 colores mpl de la pintura al óleo. ~ 초상화 retrato m al óleo.

유화(宥和) apaciguamiento m, pacificación f, aplacamiento m. ~하다 apaciguar, mitigar, aplacar, pacificar. ~ 정책 política f contemporizadora [de contemporización].

유화하다(柔和ー) (ser) dócil, manso, apacible, dulce. 유화한 얼굴 fisonomía f dulce, semblante m apacible.

유황(硫黃) ((화학)) azufre m. ~불 fuego m de azufre. ~천 manantial m sulfuroso.

유회(流會) suspensión f de una asamblea, postergación f indefinita de una junta. ~하다 suspender la junta [la reunión].

유효(有效) validez f, eficacia f, eficiencia f. ~하다 (ser) eficaz,

efectivo; [표 등이] válido; [사용할 수 있는] utilizable. ~ 기간 plazo m [término m] de validez, plazo m vigente, período m utilizable. ~ 사격 disparo m eficaz. ~ 사거리[사정] alcance m efectivo, distancia f eficaz. ~성 validez f, eficacia f, eficiencia f. ~ 숫자 figura f significante. ~ 에너지 energía f efectiva. ~ 투표 voto m válido [eficaz].

유훈(遺訓) instancias fpl, instrucciones fpl, últimas instrucciones fpl del difunto, último precepto m. ~ 정치 política f a instancia.

유훈자(有勳者) poseedor, -dora mf de condecoración.

유휴(遊休) inactividad f, desocupación f. ~의 inactivo; [기계가] muerto; [공장 등이] en paro. ~ 공장 fábrica f en paro. ~ 노동력 labor f ociosa, trabajo m ocioso. ~ 시설 facilidades fpl inactivas. ~ 자금 dinero m inactivo. ~ 자본 capital m inactivo.

유흥(遊興) diversión f, fiesta f, festejos mpl. ~하다 divertirse. ~가 centro m de diversiones. ~비 gastos mpl de diversiones. ~세 impuesto m de divessión. ~업 negocio m con instalaciones de diversiones. ~업소 lugar m de festejos. ~ 음식세 impuestos mpl sobre diversiones, comida y bebida.

유희(遊戱) ① [장난으로 놂. 즐겁게 놂] juego m, recreo m. ~를 하다 jugar. ② [유치원·초등 학교 등의] juego m; [스포츠] deporte m. ~하다 entretenerse, divertirse, distraerse. ¶ ~ 본능 instinto m juguetón. ~실 sala f de juego, cuarto m de los juguetes. ~장 campo m de recreo, parque m de atracciones.

육(六) seis. 제 ~(의) sexto m. ~배(의) séxuplo m.

육(肉) ① [짐승의 고기] carne f de animal. ② [살] carne f.

육감(六感) ((준말)) =제육감. ¶ ~으로 por instinto, por intuición. ~으로 알다 saber por instinto.

육감(肉感) deseo m carnal, sentido m sensual, sensualidad f, lujuria f, concupiscencia f, voluptuosidad f. ~주의 sensualismo m.

육교(陸橋) viaducto m, puente m de ferrocarril elevado.

육군(陸軍) ejército m. ~의 militar, del ejército. ~ 군악대 banda f militar. ~ 대학 Academia f Militar del Estado Mayor. ~ 본부 Estado m Mayor General del

Ejército, cuartel *m* general del ejército. ~ 사관 학교 Academia *f* Militar. ~ 참모 총장 jefe *m* del Estado Mayor del Ejército.

육대주(六大洲) ① [여섯 주] seis continentes: Asia, Africa, Europa, América del Norte, América del Sur y Oceania. ② [전세계] todo el mundo, mundo *m* entero.

육로(陸路) ruta *f* por tierra. ~로 por tierra, por vía terrestre. ~ 수송 transporte *m* por tierra. ~ 여행 viaje *m* por tierra.

육류(肉類) carne *f*.

육면체(六面體) hexaedro *m*.

육백(六百) seiscientos, -tas.

육법전서(六法全書) compendio [código *m*] de leyes, conjunto *f* de seis códigos.

육상(陸上) ① [육지의 위] en la tierra. ~의 terrestre. ~으로 por tierra, por vía terrestre. ② ((준말)) =육상 경기. ¶~ 경기 deportes *mpl* atléticos, atletismo *m*. ~ 근무 servicio *m* en tierra. ~ 수송 transporte *m* terrestre.

육성(肉聲) voz *f* natural, voz *f* viva, voz *f* humana.

육성(育成) crianza *f*, crecimiento *m*, desarrollo *m*. ~하다 criar, nutrir, educar; [형성하다] formar; [조성하다] desarrollar, fomentar, promover. ~회 asociación *f* de apoyo de la escuela. ~ 회비 derechos *mpl* de apoyo de la escuela.

육송(陸送) transporte *m* terrestre. ~하다 transportar por tierra.

육순(六旬) ① [예순 날] sesenta días. ② [예순 살] sesenta años de edad. ¶~ 노인 sexagenario, -ria *mf*; sesentón, -tona *mf*.

육식(肉食) comida *f* de carne, alimento *m* animal. ~하다 comer carne, alimentarse de carne. ~ 성 persona *f* que come carne. ~ 동물 (animal *m*) carnívoro *m*, animal *m* de rapiña.

육신(肉身) cuerpo *m*.

육십(六十) sesenta. ~ 번째(의) sexagésimo. ~ 대의 노인 sexagenario, -ria *mf*.

육아(育兒) crianza *f* (de bebé), puericultura *f*, cuidado *m* de los niños. ~법 puericultura *f*. ~비 gastos *mpl* de puericultura. ~시설 guarderías *fpl*. ~원 asilo *m* de huérfanos, inclusa *f*.

육안(肉眼) ojo *m* nudo. ~으로 볼 수 있는 visible [perceptible] a simple vista. ~으로 볼 수 없는 invisible [imperceptible] a simple vista. ~으로 보다 ver con los ojos (nudos).

육영(育英) educación *f* de jóvenes talentosos. ~ 사업 obra *f* de

educación, obra *f* docente, obra *f* educativa, trabajo *m* educacional.

육우(肉牛) ganado *m* vacuno.

육종(育種) cría *f*, crianza *f*. ~하다 cirar.

육중주(六重奏) ((음악)) sexteto *m*.

육중하다(肉重一) (ser) pesado. 육중하게 pesadamente.

육지(陸地) tierra *f*. ~에 닿다 llegar a la tierra. ~에 오르다 desembarcar.

육질(肉質) carnosidad *f*.

육체(肉體) cuerpo *m*; [정신에 대한] carne *f*. ~의 [신체의] corpóreo, corporal, físico; [살의] carnal. ~ 관계 relaciones *fpl* sexuales. ~ 노동 trabajo *m* físico, trabajo *m* de brazos. ~ 노동자 obrero, -ra *mf* (manual); peón, -ona *mf*, bracero, -ra *mf*. ~미 hermosura *f* física, belleza *f* física. ~적 corpóreo, corporal, físico, carnal. ~파 glamour *ing.m*, encanto *m* sensual que fascina. ~파 여인 seductora *f*, mujer *f* glamourosa.

육촌(六寸) ① [여섯 치] seis pulgadas. ② [사촌의 아들딸] sexto grado *m* de consanguinidad; primo *m* segundo, prima *f* segunda.

육친(肉親) pariente *m* consanguíneo [carnal], consanguinidad *f*.

육탄(肉彈) bomba *f* humana. ~ 공격 ataque *m* de suicidio. ~전 combate *m* mano a mano, batalla *f* cuerpo a cuerpo.

육필(肉筆) autógrafo *m*, quirógrafo *m*. ~ 원고 manuscritos *mpl* autógrafos.

육하 원칙(六何原則) seis elementos básicos para el reporte de noticias: ¿quién? 누가, ¿cuándo? 언제, ¿dónde? 어디서, ¿qué? 무엇을, ¿por qué? 왜 y ¿cómo? 어떻게.

육해공(陸海空) tierra, mar y aire. ~의 terrestre, naval y aéreo. ~군 fuerzas *fpl* terrestres, navales y aéreas. ~ 합동 작전 operaciones *fpl* conjuntas de fuerzas terrestres, navales y aéreas.

윤(潤) ((준말)) =윤기(潤氣)(lustre). ¶~(이) 나다 ponerse lustroso. ~(을) 내다 lustrar, bruñir, pulir, pulimentar, dar brillo, dar lustre.

윤곽(輪廓) contorno *m*, perfil *m*; [자태의] silueta *f*; [얼굴의] rasgos *mpl*; [소묘, 개략] esbozo *m*, bosquejo *m*.

윤기(潤氣) lustre *m*, brillo *m*, viso *m*, cutis *m.sing.pl*, tez *f*.

윤년(閏年) año *m* bisiesto.

윤달(閏一) mes *m* bisiesto.

윤락(淪落) ruina *f*, miseria *f*. ~하다 caer a la miseria. ~가 brudel *m*. ~녀 mujer *f* arruinada.

윤리(倫理) ① [사람이 지켜야 할 도리] código m de conducta. ② ((준말))=윤리학. ¶~관 vista f ética. ~학 ética f, moral f. ~학자 ético, -ca mf.

윤번(輪番) turno m, rotación f. ~으로 por turno, por rotación. ~제 sistema m de por turno.

윤작(輪作) rotación f de cultivos, siembra f de rotación. ~하다 alternar cultivos.

윤전(輪轉) rotación f. ~하다 rotar. ~기[인쇄기] rotativa f, prensa f de rollo; [등사판의] multicopista f. ~ 재료 material m rodante.

윤택(潤澤) ① [윤기 있는 광택] lustre m, brillo m. ② [물건이 풍부함. 넉넉함] abundancia f, copia f, fertilidad f. ~하다 (ser) abundante, copioso, amplio, fértil.

윤활(潤滑) lubricación f. ~하다 (ser) lubricante, lubricativo, lubricador. ~유 (aceite m) lubricante m, aceite m lubricador [lubrificante].

윤회(輪廻) ① [차례로 돌아감] moción f perpetua, mutación f constante. ② ((불교)) metempsicosis f, transmigración f. ~하다 transmigrar, rotar, dar vueltas, girar. ¶~ 사상 idea f transmigratoria. ~설 transmigracionismo m.

율(率) ① ((준말)) =비율(比率). ② ((준말))=능률(能率)(eficiencia).

율동(律動) ① [주기적인 운동] ritmo m, movimiento m rítmico; ((수학)) cadencia f. ② ((준말))=율동 체조. ¶~미 belleza f rítmica. ~체조 gimnasia f rítmica.

율무 ((식물)) lágrima f de Job [de David].

율법(律法) ley f, mandamiento m.

율사(律士) =법률가(法律家).

융기(隆起) ① [높게 일어나 들뜸. 또, 그 부분] protuberancia f. ~하다 sobresalir. ② ((지질)) elevación f, levantamiento m. ~하다 elevarse, levantarse. ~도 isla f elevada. ~ 해안 costa f elevada.

융단(絨緞) alfombra f, moqueta f, Col, Méj tapete m, RPI moquete f. ~을 깔다 alfombrar. ¶~ 폭격 bombardeo m por [de] saturación.

융성(隆盛) prosperidad f, florecimiento m. ~하다 (ser) próspero, floreciente.

융숭하다(隆崇-) (ser) atento, hospitalario, cariñoso, cordial. 융숭한 대접 trato m cordial, trato m hospitalario. 융숭히 atentamente, hospitalariamente, cariñosamente, cordialmente. 융숭히 대접하다 tratar atentamente.

융자(融資) financiación f, financia-

miento m; [대부] préstamo m. ~하다 financiar, prestar. ~를 받다 ser financiado. ¶~금 préstamo m. ~ 기관 organismo m de financiación. ~ 회사 compañía f financiera.

융통(融通) ① [막힘 없이 통용됨] circulación f. ② [금전·물품 등을 서로 돌려 씀] préstamo m. ~할 수 있는 돈 dinero m disponible. 돈을 ~하다 agenciársela [agenciarse · arreglárselas · arreglarse] para juntar dinero. ③ [임기 응변으로 일을 처리함] flexibilidad f, adaptabilidad f. ¶~성 flexibilidad f, adaptabilidad f.

융합(融合) fusión f, unión f, amalgamación f. ~하다 fusionarse, fundirse, unir, amalgamar.

융화(融和) armonía f, propiciación f, concierto m, buenas relaciones fpl; [화해] reconciliación f. ~하다 armonizarse, propiciar, reconciliarse. ¶~ 정책 política f de reconciliación. ~책 medida f de reconciliación.

윷 yut, juego m de cuatro-ramita. ~놀이 juego m de yut.

으깨다 aplastar, moler, triturar, majar, estrujar, mascar, masticar, machacar. 마늘을 ~ majar [machacar] ajos.

으드득거리다 crujir.

으드득으드득 crujientemente. ~ 소리 내며 먹다 ronzar. 그는 ~ 이를 간다 Le rechinan los dientes.

으뜸 ① [첫째] primero m. ② [우두머리] jefe, -fa mf; líder mf. ③ [기본. 근본] base f, fundación f, raíz f.

으뜸가다 ser el primero entre muchos, ser el mejor de muchos.

으례 ① =의당(宜當). ② =대개.

으로 como, por, en calidad de. 정직한 사람~ 통하다 pasar por honrado. ☞로

으로는 para. 그의 작품~ 이것은 나쁜 편이다 Para ser obra suya, ésta es mediocre.

으르다¹ [으깨다] majar, machacar, moler.

으르다² [위협하다] amenazar, intimidar. 그는 권총으로 나를 죽이겠다고 을렀다 El amenazó matarme con la pistola.

으르대다 amenazar.

으르렁거리다 ① [동물이] rugir, bramar, mugir, aullar. ② [몹시 화가 나서] llevarse uno a otro.

으름장 amenaza f, intimidación f. ~(을) 놓다 amenazar, intimidar.

으리으리하다 (ser) magnífico, espléndido, majestuoso, imponente, impresionante, solemne.

으스대다 presumirse, fanfarronear;

[자만하다] jactarse, vanagloriarse.

으스름달 luna *f* neblinosa [brumosa]. ~밤 noche *f* con luz de la luna neblinosa.

으스름하다 (ser) neblinoso.

으스스 temblando con frío. ~한 날씨 tiempo *m* fresquito.

으슥하다 (estar) apartado, aislado, solitario. 으슥한 곳 lugar *m* solitario.

으슴푸레하다 (ser) neblinoso, brumoso, oscuro, poco iluminado, débil, tenue. 달빛이 ~ La luna brilla débil.

으쓱¹ [갑자기 무섭거나 차가울 때] horriblemente, horrosamente. ~하다 (ser) horrible, horroso.

으쓱² [잘난 듯이 느껴 어깨를] orgullosamente. ~하다 animarse, reanimarse, estar orgulloso.

으쓱거리다 [어깨를] alzar los hombros, erguir los hombros.

으악 [토하는 소리] vomitona *f*. ② [놀라 지르는 소리] ¡Bu!

윽박지르다 intimidar, amedrentar, atemorizar.

은(銀) ((광물)) plata *f*. ~의 de plata, argentino.

은가락지(銀一) anillo *m* de plata.

은가루(銀一) plata *f* en polvo, polvo *m* de plata, plata *f*.

은거(隱居) retiro *m*, retirada *f*. ~하다 retirarse de la vida activa.

은공(隱功) favor *m*, mérito *m*.

은광(銀鑛) ① [은을 캐내는 광산] mina *f* de plata. ② [은을 함유한 광석] mineral *m* que contiene plata.

은괴(銀塊) lingote *m* de plata, plata *f* en barras.

은니(銀一) diente *m* de plata.

은니(銀泥) pasta *f* de plata. ~ 그림 pintura *f* plateada.

은닉(隱匿) encubrimiento *m*, ocultación *f*, escondimiento *m*. ~하다 esconderse, encubrir, ocultar, receptar, dar refugio, dar asilo. ~ 물자 objetos *mpl* encubiertos. ~처 escondite *m*, escondrijo *m*.

은덕(恩德) favor *m*, beneficio *m*.

은도금(銀鍍金) plateadura *f*, plateado *m*. ~하다 argentar, platear.

은돈(銀一) moneda *f* de plata.

은둔(隱遁) retiro *m* (del mundo), reclusión *f*. ~하다 retirarse del mundo, retirarse de vida pública, vivir en lugar retirado, recluirse de sociedad. ~ 생활 vida *f* solitaria. ~자 asceta *mf*; ermitaño, -ña *mf*. ~처 ermita *f*.

은륜(銀輪) ① [은으로 만든 바퀴] rueda *f* de plata. ② =자전거.

은막(銀幕) ① =영사막(pantalla de cine). ② =영화계. ¶~의 여왕 reina *f* del mundo de la pantalla.

은메달(銀一) medalla *f* de plata.

은메달리스트(銀一) medallista *mf* de plata.

은밀(隱密) secreto *m*. ~하다 (ser) secreto, confidencial.

은박(銀箔) hoja *f* de plata. ~지 papel *m* de plata.

은반(銀盤) ① [은쟁반] plato *m* de plata. ② =달(luna). ③ [얼음판] pista *f* de (patinaje sobre) hielo.

은반계(銀盤界) mundo *m* del deporte de hielo. ~의 여왕 reina *f* del mundo del deporte de hielo.

은반지(銀斑指) anillo *m* de plata.

은발(銀髮) ① [은빛의 머리털] pelo *m* platinado, pelo *m* platino, pelo *m* argentino. ② =백발(cana).

은방(銀房) platería *f*.

은방울(銀一) campanilla *f* de plata.

은배(銀杯) copa *f* de plata.

은백색(銀白色) color *m* blanco como la plata.

은본위제(銀本位制) patrón *m* (de) plata, ley *f* de la plata.

은비녀(銀一) pasador *m* de plata.

은빛(銀一) color *m* argentino. ~의 argentino, plateado.

은사(恩師) maestro *m* venerado [respetado], maestra *f* venerada [respetada]; [옛날의] maestro *m* antiguo, maestra *f* antigua.

은사(恩赦) amnistía *f*, indulto *m*. ~를 받다 recibir la amnistía [un indulto], ser amnistiado.

은상(銀賞) premio *m* de plata, segundo premio *m*.

은색(銀色) color *m* argentino.

은세계(銀世界) mundo *m* cubierto de nieve, paisaje *m* nevado.

은수저(銀一) cuchara *f* de plata.

은시계(銀時計) reloj *m* de plata.

은신(隱身) escondimiento *m*. ~하다 esconderse. ~처 escondrijo *m*, escondite *m*, refugio *m*; [범인의] guarida *f*.

은어(銀魚) pez *m* fluvial coreano, (una especie de) trucha *f*.

은어(隱語) jerga *f*, jerigonza *f*, argot *m*; [비어] lengua *f* verde; [도적의] germanía *f*. ~ 사전 diccionario *m* del argot.

은연중(隱然中) secretamente, en secreto, tácitamente.

은유(법)(隱喩(法)) metáfora *f*.

은은하다(隱隱一) ① [겉으로 드러나지 않고 아슴푸레하고 흐릿하다] (ser) vago, impreciso, poco claro. ② [먼 데서 울려오는 소리] (ser) distante, lejano, remoto.

은인(恩人) bienhechor, -chora *mf*; benefactor, -tora *mf*. 당신은 내 생명의 ~이다 Te debo la vida.

은잔(銀盞) vaso *m* de plata, copa *f* de plata.

은장도(銀粧刀) cuchillo *m* ornamental de plata.

은장식(銀裝飾) ornamento m [decoración f · adorno m] con plata. ~하다 decorar [ornar · adornar] con plata.

은전(恩典) gracia f [favor m] especial. 특사의 ~을 입다 ser (el) objeto de una amnistía.

은제(銀製) [은으로 된] (hecho) de plata; [은제품] artículo m de plata. ~의 (hecho) de plata.

은제품(銀製品) artículo m de plata.

은종이(銀─) ① [은지] papel m de plata. ② [남과 주석의 합금을 종이처럼 편 것] papel m de estaño.

은총(恩寵) ① [높은 사람한테서 받는 특별한 은혜와 사랑] favor m. ~을 받다 recibir el [gozar del] favor del soberano. ② [하느님의 인류에 대한 사랑] gracia f. ~을 받다 recibir la gracia de Dios.

은침(銀鍼) aguja f de plata, acupuntura f de plata.

은컵(銀─) copa f de plata.

은택(恩澤) gracia f e influencia benévola. 문명의 ~을 입다 gozar del beneficio de civilización.

은테(銀─) montura f de plata, aro m plateado.

은퇴(隱退) [직업에서] jubilación f, retiro m; [군에서] retiro m. ~하다 jubilarse, retirarse. ~한 jubilado, retirado. ~시키다 jubilar, retirar. ¶~ 경기 [야구 등 구기의] partido m de despedida; [권투·레슬링 등의] combate m [lucha f] de despedida. ~ 생활 vida f retirada [jubilada].

은하(銀河) ① [우리 은하] vía f láctea, camino m de Santiago. ② [외부 은하] galaxia f. ¶~계 galaxias fpl, sistema m galáctico.

은행(銀行) banco m. ~가(家) banquero, -ra mf. ~가(街) centro m de bancos. ~ 강도 ladrón, -drona mf del banco; [행위] robo m del banco. ~권(券) billete m de banco, pagaré m bancario, billete m emitido por el banco. ~ 대출 anticipo m bancario. ~ 송금 transferencia f del banco, traspaso m del banco. ~ 수수료 comisión f bancaria. ~ 수표 cheque m bancario. ~ 신용장 crédito m bancario. ~ 영업 시간 horario m bancario, horas fpl bancarias. ~ 예금 depósito m bancario. ~원 banquero, -ra mf; empleado, -da mf de banco. ~ 인수 어음 letra f aceptada por un banco. ~주 acciones fpl bancarias. ~ 지로 giro m bancario. ~ 지점 sucursal f de banco. ~ 통장 libreta f de banco.

은행(銀杏) fruto m de brenea, fruto

m de gingo, nuez f de gingko.

은행나무(銀杏─) ((식물)) gingo m, gincgo m, gingko m, brenea f.

은혜(恩惠) ① [베풀어 주는 혜택] favor m, beneficio m, gracia f; [은의] obligación f, deuda f, [자비] merced f, [친절] bondad f, benignidad f, benevolencia f. ② ((기독교)) gracia f, amor m de Dios.

은혼식(銀婚式) bodas fpl de plata, vigésimo quinto aniversario del casamiento.

은화(銀貨) moneda f de plata.

을(乙) [차례에서 둘째] segundo; [급수의] B; [두 사람 중에서 후자] segundo, último.

을씨년스럽다 ① [남이 보기에 퍽 쓸쓸하다] (ser) muy triste, desconsolado, sombrío, lúgubre, solitario, desanimado. ② [살림이 매우 군색하다] (ser) pobre, miserable.

을종(乙種) clase B, segundo grado m.

읊다 recitar. 시를 ~ recitar un poema.

읊조리다 recitar, cantar, canturrear, tatarear, tararear.

음(音) ① [음향] sonido m, tono m; [유쾌한 소리] son m, resonancia f; [잡음] ruido m; [악기의 음] toque m, tañido m. 높은 ~ tono m alto. 낮은 ~ tono m bajo. ② [(준말)] =자음. ③ [한자를 읽을 때의 소리] pronunciación f.

음(陰) ① [(철학)] Yin, principio m negativo en naturaleza. ② ((수학)) signo m negativo. ③ [(준말)] =음극(陰極). ¶~으로 양으로 tanto en secreto como en público, implícita y explícitamente, pública y ocultamente.

음가(音價) valor m fonético.

음각(陰刻) grabado m. ~하다 grabar.

음감(音感) sentido m de sonido. ~ 교육 educación f auditiva.

음경(陰莖) ((해부)) pene m, falo m, miembro m viril. ~ 귀두 glande m [bálano m] del pene.

음계(音階) ((음악)) escala f (musical), gama f. ~ 연습을 하다 practicar [ejercitar] la escala. ~로 노래를 부르다 solfear. (피아노로) ~를 켜다 hacer gamas (en el piano).

음극(陰極) ((전기)) polo m negativo, cátodo m. ~관 tubo m de rayos catódicos. ~선 línea f de cátodo, rayos mpl catódicos.

음낭(陰囊) ((해부)) escroto m.

음담(淫談) charla f verde [inmoral · obsceno · indecente]. ~패설 fábula f milesia.

음덕(陰德) actitud f oculta de cari-

음독(飲毒) toma *f* de veneno. ~하다 tomar veneno. ~ 자살 suicidio *m* por veneno. ~ 자살하다 suicidarse con veneno, envenenarse.

음란(淫亂) lujuria *f*, lascivia *f*, libídine *m*, libidinosidad *f*, lubricidad *f*, impudicia *f*, carnalidad *f*, intemperancia *f*, libertinaje *m*, obscenidad *f*, incontinencia *f*; [색광] andromanía *f*; [남자의] satiriasis *f*, [여자의] ninfomanía *f*. ~하다 (ser) lujurioso, lascivo, libidinoso. ~증 andromanía *f*.

음량(音量) volumen *m* (de la voz), volumen *m* del sonido. 라디오의 ~을 올리다 subir [aumentar] el volumen de la radio. ~계 volúmetro *m*. ~ 조절 regulación *f* de(l) volumen, regulador *m* [control *m*] de(l) volumen.

음력(陰曆) ((준말)) =태음력. ¶ ~ 유월 그믐 날 el último día de junio del calendario lunar.

음력설(陰曆) día *m* del Año Nuevo del calendario lunar.

음료(飲料) bebida *f*, licor *m*, refresco *m*, potación *f*.

음료수(飲料水) el agua *f* potable.

음률(音律) ritmo *m*.

음매 mu. ~ 울다 mugir.

음모(陰毛) pubis *m*.

음모(陰謀) complot *m*, conjura *f*, conspiración *f*, intriga *f*. ~를 꾸미다 tramar un complot, conjurarse, conspirar, intrigar. ¶ ~가 [자] intrigante, *mf*; maquinador, -dora *mf*; conspirador, -dora *mf*.

음문(陰門) vulva *f*, vagina *f*, partes *fpl* genitales, partes *fpl* pudendas. ~염 vulvitis *f*.

음미(吟味) examen *m*, prueba *f*, indagación *f*, investigación *f*. ~하다 examinar, probar, investigar, inquirir.

음반(音盤) disco *m*.

음부(音符) ((음악)) nota *f* musical 전[2분 · 4분 · 8분 · 16분 · 32분] ~ (nota *f*) redonda *f* [blanca · negra · corchea · semicorchea · fusa] ~ 기호 clave *f*, llave *f*. ¶ 솔 [파] ~ clave *f* de sol [de fa].

음부(陰部) ((해부)) región *f* pubiana, partes *fpl* genitales, pubis *m*.

음색(音色) tono *m*, timbre *m*, entonación *f*, entonamiento *m*.

음서(淫書) libro *m* erótico, pornografía *f*.

음성(音聲) voz *f*, sonido *m*. 감미로운 ~ voz *f* dulce. ¶ ~ 기관 órgano *m* fonético. ~학 fonética *f*. ~ 학자 fonetista *mf*.

음성(陰性) negatividad *f*, caso *m* negativo. ~의 negativo. ¶ ~ 거래 transacción *f* ilícita. ~ 반응 reacción *f* negativa; [투베르크린의] cutirreacción *f* negativa. ~ 수입 (beneficio *m*) extra *m*, incentivo *m*. ~ 자금(資金) fondo *m* ilícito.

음속(音速) velocidad *f* del sonido. ~의 벽 barrera *f* del sonido.

음수(陰數) ① =우수(偶數). ② ((수학)) número *m* negativo.

음순(陰脣) labios *mpl* de la vulva.

음식(飲食) ((준말)) =음식물. ¶ ~의 즐거움 placer *m* de la mesa. 간단한 ~ pequeño refrigerio *m*, refrigerio *m* ligero. 조잡한 ~ humilde comida *f*, humildes platos *mpl*. ¶ ~물 la comida y la bebida, alimentos *mpl*, comestibles *mpl*, provisiones *fpl*, manjar *m*, comida *f*, platos *mpl*. ~점 restaurante *m*.

음악(音樂) música *f*. ~의 músico, musical. ~을 좋아하는 filarmónico. ~의 대가 gran músico *m*, gran música *f*. ¶ ~가 músico, -ca *mf*; director, -tora *mf* de la música. ~광 melómano, -na *mf*; filarmónico, -ca *mf*. ~당 pabellón *m* de música, quiosco *m* [kiosco *m*] (de música). ~대 banda *f* ~ 애호가 aficionado, -da *mf* a la música, amante *mf* de la música. ~원 Conservatorio *m* de Música. ~학 musicología *f*. ~ 학자 musicólogo, -ga *mf*. ~학교 academia *f* de música. ~회 concierto *m*.

음양(陰陽) ① [천지 만물을 만들어 내는 두 가지 기운] principios *mpl* de varón y hembra, el sol y la luna. ② [전기 또는 자기의 음극과 양극] lo positivo y lo negativo. ③ ((철학)) Yin y Yang.

음역(音域) [악기의] diapasón *m*; [소리의] registro *m*.

음욕(淫慾) deseo *m* carnal, apetito *m* sexual.

음운(音韻) fonema *m*, fonograma *m*. ~학[론] fonética *f*, fonología *f*. ~ 학자 fonetista *mf*; fonólogo, -ga *mf*.

음울하다(陰鬱) (ser) melancólico, sombrío, lúgubre, triste, fúnebre, lóbrego.

음으로(陰) ocultamente, secretamente, en secreto. ~ 양으로 sin que nadie lo sepa, tanto en público como en privado.

음이온(陰) anión *f*, ión *m* negativo.

음전기(音電氣) ((전기)) electricidad *f* negativa.

음절(音節) sílaba *f*. ~의 silábico. ~

문자 carácter m silábico. ~ 분해 silabación f. ~ 분해하다 silabear, silabar. 단어를 ~ 분해하다 silabear una palabra.

음정(音程) ((음악)) intervalo m (musical), tono m.

음조(音調) ① [소리의 높낮이와 강약 및 빠르기] ㉮ [악센트] acento m. ㉯ [인토네이션] entonación f. ㉰ [어조, 색조] tono m. 강한 ~로 말하다 hablar en tono fuerte [duro]. ② [(음악이나 시가의) 가락] tono m.

음주(飮酒) bebida f, el beber (alcohol). ~하다 beber (alcohol). ~가 bebedor, -dora mf. ~ 운전 conducción f en estado de embriaguez, delito m de conducir bajo la influencia del alcohol. ~ 운전하다 conducir en estado de embriaguez. ~ 운전자 conductor, -tora mf en estado de embriaguez.

음지(陰地) lugar m donde hay sombra f, sombra f. ~에서 a la sombra. 음지도 양지(陽地) 된다 ((속담)) No hay mal que dure cien años.

음질(音質) calidad f del sonido [tono], sonoridad f.

음치(音癡) sin talento musical. ~이다 no tener un oído musical [para la música].

음침하다(陰沈一) (ser) sombrío, lúgubre, fúnebre. 음침한 방 habitación f sombría.

음탕하다(淫蕩一) (ser) lascivo, lujurioso, libertino, voluptuoso, disipado.

음파(音波) onda f sonora. ~계 audiómetro m. ~ 측정 audiometría f. ~ 측정기 fonómetro m. ~ 탐지기 sónar m.

음표(音標) ((음악)) nota f.

음표 문자(-文字) ① ((언어)) = 음성 기호. ② ((언어)) = 표음 문자.

음해(陰害) perjuicio m al otro. ~하다 perjudiciar al otro.

음핵(陰核) clítoris m.

음향(音響) sonido m, resonancia f, eco m, ruido m. ~ 관제 control m de sonido. ~기 resonador m. ~실 caja f acústica. ~ 측정기 medidor m de acústica. ~ 탐지기 sonodetector m. ~학 acústica f. ~ 효과 efectos mpl sonoros.

음험하다(陰險一) (ser) taimado.

음화(陰畵) negativo m; [유리 제품의] placa f negativa; ((사진)) fotografía f negativa; ((인쇄)) clisé m, cliché m.

음흉(陰凶) maldad f, perversidad f. ~하다 (ser) malvado, perverso, malo, maligno, astuto, taimado.

읍(邑) ① [행정 구역] Eub, pueblo

m. ② [(준말)] = 읍내(邑內). ¶ ~ 사무소 oficina f de Eub.

읍민(邑民) habitante mf de Eub.

읍소(泣訴) súplica f con lágrimas. ~하다 implorar [suplicar] con lágrimas.

읍장(邑長) alcalde, -desa mf (de Eub).

응 sí, vale, Está bien.

응가 caca f.

응가하다 ((유아어)) [똥누다] hacer caca. 너 ~했니? ¿Has hecho caca?

응결(凝結) congelación f, [피의] coagulación f; [기름의] coajadura f. ~하다 congelarse, coagularse, cuajarse.

응고(凝固) solidificación f; [피·우유 따위의] coagulación f, cuajadura f, congelación f. ~하다 solidificarse, congelarse, endurecerse, ponerse sólido; [우유·기름·피 따위가] coagularse, cuajarse; [시멘트 따위가] fraguar. ~점 punto m de congelación, temperatura f de solidificación.

응급(應急) emergencia f, urgencia f, primera asistencia f, despacho m provisional. ~ 수단 disposición f urgente y provisional [de urgencia]. ~ 조처 medidas fpl urgentes, disposición f de emergencia. ~ 치료 remedio m provisional, cura f provisional, primeros auxilios mpl.

응낙(應諾) consentimiento m, aprobación f, permiso m, acuerdo m. ~하다 consentir, permitir.

응달 sombra f, umbría f. ~의 umbrío, sombreado; [나무] que da mucha sombra, umbroso. 응달에도 햇빛 드는 날이 있다 ((속담)) No hay mal que dure cien años.

응답(應答) respuesta f, contestación f. ~하다 responder, contestar. ~이 없습니다 [전화에서] No hay respuesta / Nadie contesta / No contestan.

응당(應當) ① [마땅히, 당연히] naturalmente, sin falta, necesariamente. ② [당연함] lo natural.

응대(應待) atención f. ~하다 atender.

응대(應對) ① [상대하여 응답함. 손님을 접대함] respuesta f, contestación f; [면담] entrevista f, conferencia f; [접대] recepción f. ~하다 responder, contestar, entrevistarse, conferir. ② [어떤 문제에 대해 서로 이야기함] conversación f personal. ~하다 conversar personalmente.

응모(應募) participación f, subscripción f, súplica f, petición f, solicitud f. ~하다 participar, tomar parte, subscribirse. ~ 원고 artículo *m* presentado al concurso. ~자 participante *mf*; subscriptor, -tora *mf*; suscriptor, -tora *mf*; aspirante *mf*. ~ 작품 obra *f* presentada al concurso.

응보(應報) justo castigo *m*, compensación *f*, retribución *f*.

응분(應分) acuerdo *m* con *sus* circunstancias [*su* habilidad]. ~의 기부 hacer una donación conforme a *sus* medios económicos.

응사(應射) respuesta *f* al disparo. ~하다 responder al disparo.

응석 mal genio *m*, rabieta *f*. ~(을) 하다 mimar (demasiado), malcriar, consentir, chiquear. ~(을) 부리다 rabiar, importunar, porfiar, mimar, portarse como un niño mimado. ¶~꾸러기[둥이] niño *m* displicente [mimado · mimoso], niña *f* displicente [mimada · mimosa]. ~받이 ㉮ [응석을 받아 주는 일] mimo *m*. ㉯ =응석둥이.

응수(應手) contraataque *m*. ~하다 hacer un contraataque.

응수(應酬) contestación *f*, respuesta *f*. ~하다 contestar, responder, devolver un insulto, replicar, argüir, objetar, llevar la contraria, reponer.

응시(凝視) mirada *f* fija, mirada *f* fija sin parpadear. ~하다 mirar fijamente, mirar de hito en hito, fijar (estrechamente) la vista [la mirada], aguzar la vista, clavar la vista, no quitar los ojos.

응시(應試) solicitud *f* de un examen, presentación *f* para un examen. ~하다 solicitar un examen, presentarse a un examen. ~자 candidato, -ta *mf*.

응애응애 ¡Ña, ña, ña! / ¡Gua, gua, gua! ~ 소리를 내다 dar primer grito infantil, venir al mundo.

응용(應用) aplicación *f*, adaptación *f*. ~하다 aplicar, poner en la práctica. ~ 과학 ciencia *f* aplicada. ~ 미술 bellas artes *fpl* aplicadas, arte *m* aplicado.

응원(應援) [원조] ayuda *f*, asistencia *f*, subsidio *m*, auxilio *m*; [지원] apoyo *m*; [성원] animación *f*, estímulo *m*; [성원] vítores *mpl*; [원군] refuerzos *mpl*. ~하다 ayudar, asistir, auxiliar, socorrer, apoyar, sostener, reforzar, animar, estimular. ~가 canción *f* de los hinchas. ~단 partido *m* de vítores, grupo *m* de hinchas. ~석 sección *f* de los vítores [de los hinchas · de los aplausos]. ~자 partidario, -ria *mf*; [스포츠의] hincha *mf*; seguidor, -dora *mf*.

응전(應戰) respuesta *f* al ataque del enemigo. ~하다 responder al ataque del enemigo, tomar desafío.

응접(應接) atención *f*, recepción *f*, entrevista *f*. ~하다 atender, recibir, tener entrevista. ~ 세트 juego *m* de muebles para el recibidor. ~ 응접실 salón *m* de recepciones, sala *f* de recibo.

응하다(應一) ① [답하다] contestar, responder. ② [승낙하다] acceder, consentir, aceptar, concertar. ③ [응모하다] presentarse. ④ [필요 · 수요에] conceder, otorgar, satisfacer. 시대의 요구에 ~ satisfacer las exigencias de la época.

의 de. 나~ 책 mi libro. 김 씨~ 집 la casa del Sr. Kim.

의(義) ① [지켜야 할 도리] justicia *f*. ② [오류의 하나] deber *m*. ③ ((준말)) =덕의(德義). ④ ((준말)) =도의. ⑤ [글자나 글의 뜻] significado *m*, significación *f*. ⑥ [남과 맺은, 혈연과 같은 관계] juramento *m*.

의(誼) ((준말)) =정의(情誼). ¶~가 두터운 형제 hermanos *mpl* íntimos, hermanos *mpl* llenos de intimidad.

의거(依據) dependencia *f*. ~하다 apoyarse, fundarse, depender (de).

의거(義擧) conducta *f* caballerosa, conducta *f* caballeresca, acto *m* heroico [loable · honesto].

의견(意見) opinión *f*, parecer *m*; [생각] idea *f*, concepto *m*; [견해] vista *f*; [판단] juicio *m*. ~의 대립 divergencia *f*. ~의 일치 consenso *m*. ¶~서 opinión *f* escrita, declaración *f* de *su* vista.

의결(議決) decisión *f*, resolución *f*, determinación *f*. ~하다 decidir, resolver, determinar. ~권 derecho *m* de voto [de votar], voto *m*. ~ 기관 órgano *m* de decisión.

의경(義警) ((준말)) =의무 경찰.

의과 대학(醫科大學) Escuela *f* Superior de Medicina, Facultad *f* de Medicina, Colegio *m* de Medicina.

의관(衣冠) la ropa y el sombrero, vestido *m* para la corte, la levita y la diadema.

의기(意氣) ánimo *m*, brío *m*; [사기] espíritu *m*, moral *f*; [정력 · 힘] vigor *m*. ~ 왕성하다 estar animadísimo, estar muy brioso [animoso], tener una moral elevada. ¶~상투[투합] lo congenial. ~상투하다 congeniar bien. ~소침 enflaquecimiento *m*. ~소침하다 extenuarse, adelgazarse, enflaquecerse, estropearse, desencajarse. ~양양 orgullo *m* con la victoria.

의기(義氣) espíritu *m* caballeroso, caballería *f*, sentimiento *m* de justicia, sentimiento *m* de honor, espíritu *m* de sacrificio personal, caballerosidad *f*, hidalguía *f*, heroísmo *m*. ¶ ~ 있는 caballeroso, heroico. ¶ ~ 남아(男兒) hombre *m* caballeroso.

의논(議論) consulta *f*, conferencia *f*, conversación *f*; [교섭] negociación *f*; [조정] ajuste *m*. ~하다 consultar, conversar, mantener una conversación.

의당(宜當) naturalmente, necesariamente. ~히 naturalmente, necesariamente, razonablemente, como Dios manda, como es debido.

의도(意圖) ① [장차 무엇을 하려는 계획] intención *f*, propósito *m*. ~하다 intentar, tener intención, proponerse, pretender. ② [생각] pensamiento *m*, lo que se esconde, intención *f* oculta. ¶ ~적 intencionado. ~적으로 intencionadamente, deliberadamente, con intención.

의례(儀禮) =의식(儀式). 전례(典禮).

의례적(儀禮的) ceremonial, de cortesía, solemne, ceremonioso, protocolario; [형식적인] formulario. ~으로 con un ademán ceremonioso, con aire formal. ~인 방문 visita *f* de cortesía; [형식적인] visita *f* formularia.

의론(議論) argumento *m*, discusión *f*, debate *m*, controversia *f*, polémica *f*, disputa *f*. ~하다 discutir, debatir, argüir, argumentar, contender, disputar.

의롭다(義一) (ser) recto, justo, caballeroso, solidario, de espíritu cívico.

의뢰(依賴) ① [남에게 의지함] dependencia *f*. ~하다 depender. ② [남에게 부탁함] petición *f*, encargo *m*, ruego *m*, solicitud *f*, súplica *f*. ~하다 pedir, encargar, rogar; [위임하다] confiar, encomendar, poner en manos. ~서(書) solicitud *f* escrita, carta *f* de encargo, carta *f* de petición. ~심 deseo *m* de depender de otra persona. ~인 cliente *mf*.

의료(衣料) material *m* para la ropa, vestidos *mpl*, prendas *fpl* de vestir, ropaje *m*, vestuario *m*. ~비 gastos *mpl* de ropa. ~품 매장 sección *f* de vestidos, departamento *m* de ropa.

의료(醫療) tratamiento *m* médico, tratamiento *m* medicinal, tratamiento *m* curativo, asistencia *f* médica, cuidados *mpl* médicos. ~계 mundo *m* médico, círculos

mpl médicos. ~ 기계 aparato *m* médico. ~ 보험 seguro *m* de gastos médicos. ~ 보험증 certificado *m* de seguro de gastos médicos. ~비 gastos *mpl* médicos. ~ 비용 costes *mpl* médicos. ~ 센터 centro *m* médico. ~ 수가 cargo *m* para gastos médicos, honorario *m* para el tratamiento médico, honorario *m* médico. ~ ~원 centro *m* médico. ~ 행위 acto *m* médico.

의류(衣類) ropa *f*, vestidos *mpl*, vestidura *f*. ~ 가게 ropería *f*, tienda *f* de modas, casa *f* de modas. ~ 가게 주인 propietario, -ria *mf* de una casa de modas. ~ 공장 taller *m* de confección, fábrica *f* de prendas de vestir.

의리(義理) ① [도리] rectitud *f*, sentido *m* moral, justicia *f*, moralidad *f*. ~가 강한 사람 hombre *m* de probidad. ② [신의] lealtad *f*, integridad *f*, obligación *f*, (sentido *m* de) deber *m*, deuda *f*, gratitud *f*. ~로 por cumplir, por respeto a la obligación. ~가 강한 formal, concienzudo. ~가 있는 남자 hombre *m* que tiene (un) gran sentido del deber [de las conveniencias sociales].

의무(義務) deber *m*, obligación *f*, responsabilidades *fpl*. ~로 por obligación, por deber. ~감 sentido *m* del deber. ~ 경찰 policía *f* obligatoria. ~ 교육 enseñanza *f* obligatoria, educación *f* obligatoria. ~론 deontología *f*. ~적 obligatorio. ~적으로 obligatoriamente, por obligación.

의무(醫務) asuntos *mpl* médicos, negocios *mpl* medicinales. ~실 ㉮ [병원의] farmacia *f*, despensario *m*. ㉯ [학교·공장의] enfermería *f*.

의문(疑問) ① [의심해 물음] cuestión *f*. ② [의심스러운 문제나 점] duda *f*. ~의 죽음 muerte *f* misteriosa. ~을 품다 dudar, concebir una duda, abrigar una duda, tener duda, sospechar. ③ ((언어)) interrogación *f*. ~의 interrogativo. ~ 대명사 pronombre *m* interrogativo. ~문 oración *f* interrogativa. ~부표(符標) signos *mpl* de) interrogación (¿ ?). ~ 부사(副詞) adverbio *m* interrogativo. ~사 interrogativo *m*. ~점 punto *m* dudoso. ~ 형용사 adjetivo *m* interrogativo.

의뭉하다 (ser) astuto.

의미(意味) sentido *m*, significación *f*, significado *m*; [어의] acepción *f*. ~하다 significar, querer decir. ~ 있는 significante. ~ 없는 sin sentido, absurdo, disparatado, insensato. ¶~론 semántica f, semasiología f.

의미심장하다(意味深長-) (ser) expresivo, de profunda significación, muy significativo, tener un sentido profundo. 의미심장하게 con profunda significación, con aire insinuante, con aire significante, expresivamente.

의법(依法) conformidad f con la ley. ~하다 ser de conformidad con la ley, ser con arreglo a la ley. ~처단 castigo m según la ley. ~처리 disposición f según la ley.

의병(義兵) tropas fpl leales, fuerzas fpl por razón de la justicia leal. ~장 jefe m de tropas leales.

의복(衣服) =옷(ropa, traje, vestido). 의복이 날개라 ((속담)) Por el traje se conoce al personaje.

의분(義憤) indignación f justa (contra la injusticia). ~을 느끼다 indignarse. ~을 참다 reprimir [contener] la indignación justa.

의붓딸 hijastra f.

의붓아들 hijastro m.

의붓아버지 padrastro m.

의붓어머니 madrastra f.

의붓자식 hijastro, -tra mf.

의사(義士) partidario, -ria mf leal.

의사(義死) muerte f por la justicia. ~하다 morir por la justicia.

의사(意思) intención f, intento m, propósito m; [의지] voluntad f; [생각] pensamiento m, idea f. ~가 통하다 hacerse entender, llegar a entenderse. ~를 전하다 hacer conocer sus intenciones. ¶~소통 entendimiento m mutuo.

의사(擬似) sospecha f, duda f. ¶~콜레라 cólera f dudosa, colerina f, cólera f esporádico, caso m que tiene semejanza con el cólera.

의사(醫師) médico, -ca mf; doctor, -tora mf; [내과의] médico, -ca mf; [외과의] cirujano, -na mf; [개업의] médico, -ca mf. ~ 면허장 licencia f médica ~회 colegio m de médicos.

의사(議事) [심의] debate m, deliberación f; [의제] materia f de discusión, asunto m de discusión, tema m para discusión. ~를 방해하다 obstruir [obstruccionar] el debate. ~를 진행하다 dar curso al debate. ¶~당 Sala f de Actos, Parlamento m, Sala f de Sesiones. ~록 el acta f (de la sesión), libros mpl de actas. ~일정 orden f de(l) día, agenda f. ~정족수 número m fijo de debate. ~진행 procedimiento m de debate.

의상(衣裳) ① [겉에 입는 저고리와

치마] la falda y la blusa. ② [옷] ropa f, [주로 남자용] traje m; [주로 여성용] vestido m; [집합적] vestimenta f, vestidura f, ropaje m, vestuario m, indumentaria f. ~ 담당자 [영화·연극의] accesorista mf; diseñador, -dora mf de vestuario; ayudante, -ta mf de camerino; attrezzista mf. ~실 [극장의] guardarropía f.

의서(醫書) tratado m médico, libro m medicinal.

의석(議席) ① [회의 자리] asiento m en una cámara. ~에 앉다 sentarse en un asiento, tomar un asiento. 의회에 ~을 보유하다 tener un asiento. ② [회의장에서 의원이 앉은 자리] escaño m, banco m de los parlamentarios. ¶~수 número m de escaños.

의수(義手) mano f postiza, mano f artificial.

의술(醫術) medicina f, arte m médico, arte f médica, ciencia f médica. ~은 인술이다 La medicina es una arte benévola.

의식(衣食) la ropa y el alimento, la ropa y la comida. ~주 techo, el vestido, el alimento y la vivienda; [생활 필수품] subsistencias fpl.

의식(意識) conciencia f, consciencia f, conocimiento m, sentido m. ~하다 tener conciencia, tomar conciencia, estar consciente, estar sensible. ~ 있는 concienzudo. ~을 잃다 perder el conocimiento, perder el sentido. ¶~ 불명 estado m sin conciencia. ~불명 상태에 있다 estar sin conciencia.

의식(儀式) ceremonia f; [종교의] rito m, ritual m.

의심(疑心) duda f, [불신] desconfianza f, escama f; [미심쩍음] malacia f, suspicacia f; [혐의] sospecha f. ~하다 dudar; [불신] desconfiar; [혐의] sospechar, recelar. ~ 없는 indudable; [확실한] cierto, seguro. ~이 많은 receloso, suspicaz. ~ 없이 sin duda, indudablemente. 아무런 ~ 없이 sin ninguna duda, sin duda alguna, fuera de toda duda, sin sombra de duda.

의아(疑訝) duda f, sospecha f. ~하다 dudar, sospechar, no saber, preguntarse. ~해 하다 sospechar, extrañarse, dudar.

의안(義眼) ojo m postizo [artificial].

의안(議案) proyecto m de ley. ~서 cédula f ante díem.

의약(醫藥) ① [의료에 쓰는 약품] medicina f [medicamento m. ② [의술과 약품] el arte médico y el medicamento. ¶~ 분업 separación f de las funciones de los médicos y de los farmacéuticos, división f de la medicina y la farmacia. ~품 (artículo m de) medicamento m, medicina f.

의역(意譯) traducción f libre. ~하다 traducir libremente, hacer una traducción libre.

의연(義捐) contribución f, donación f. ~하다 contribuir, donar. ~금 contribución f, susbscripción f, donación f.

의연하다(依然-) no es diferente de antes, es igual a antes. 의연히 como antes, inalterablemente, como de costumbre, como lo era.

의연하다(毅然-) (la voluntad ser) firme, resuelto, decidido. 의연한 태도 actitud f resuelta, actitud f decidida. 의연히 firmemente, resueltamente, decididamente, con firmeza, con resolución.

의예과(醫豫科) curso m premedical.

의외(意外) sorpresa f, lo inesperado, lo imprevisto, accidente m. ~의 impensado, imprevisto, inesperado, inopinado; [불의의] accidental, fortuito; [놀랄만한] sorprendente. ~의 일 lo imprevisible, accidentalidad f. ~로 inesperadamente, imprevistamente, de improviso, sin previo aviso, de forma imprevista, cuando nadie lo esperaba, inopinadamente, impensadamente, contra toda previsión.

의욕(意慾) gana f, afán m, anhelo m, deseo m, entusiasmo m; [야심] ambición f. ~을 잃다 perder la gana. ¶ ~적 entusiasta, ambicioso. ~적으로 de buena gana, con entusiasmo, con ganas; [관심을 가지고] con interés. ~적인 작품 obra f ambiciosa.

의용(義勇) heroísmo m, coraje m, hombrada f. ~군 tropas fpl voluntarias, ejército m de voluntarios, cuerpo m de voluntarios. ~병 (soldado m) voluntario m. ~소방대 retén m [equipo ·Chi compañía f] de bomberos voluntarios.

의원(依願) destitución f a su solicitud. ~ 면직 destitución f a solicitud, jubilación f voluntaria.

의원(醫員) cirujano m, -na mf; miembro mf del cuerpo médico.

의원(醫院) clínica f, consultorio m (de médico).

의원(議員) miembro mf de una asamblea (legislativa); parlamentario, -ria mf; congresista mf; diputado, -da mf; miembro mf del Congreso [del Parlamento].

의원(議院) cámara f de Parlamento, cámara f de un cuerpo legislati-

vo, gabinete m. ~ 내각제 gobierno m parlamentario. ~ 제도 sistema m parlamentario.

의의(意義) ① [의미. 뜻] significado m, significación f, sentido m; importancia f. ~ 있는 significativo, significante; [중요한] importante; [유익한] útil.

의인(義人) hombre m justo [recto], mártir m.

의인(擬人) personificación f, imitación f. ~하다 personificar, imitar. ~범[화] personificación f. ~화하다 personificar.

의자(椅子) silla f; [팔걸이가 있는] sillón m, butaca f; [등이 없는 긴] banco m, taburete m; [소파] sofá m; [총칭] asiento m. ~에 앉다 sentarse en una silla. ¶ ~팔걸이 brazo m; [객차의] ménsula f.

의장(意匠) diseño m, dibujo m (decorativo). ~ 등록 registro m de diseño [de dibujo].

의장(艤裝) equipo m de un barco [un buque], apresto m. ~하다 equipar [armar] un barco.

의장(議長) presidente, -ta mf. 국회 ~ Presidente, -ta mf; Presidente mf. ¶ ~ 서리 presidente m adjunto. ~석 sillón m [silla f] presidencial. ~직 presidencia f. ~ 직권 autoridad f del presidente.

의전(儀典) ceremonia f, protocolo m, formalidad f. ~관 oficial m ceremonial [de protocolo]. ~ 비서 secretario m de protocolo. ~실 oficina f de protocolo.

의절(義絶) expulsión f; [상속권의 박탈] desheredación f. ~하다 romper [interrumpir] la afinidad [parentesco], expulsar, echar de casa, desheredar.

의젓하다 (ser) digno, magnánimo, generoso, liberal, dadivoso, bueno, portarse bien.

의제(議題) tema m [sujeto m·materia f] (de discusión). ~에 올리다 poner en deliberación, poner bajo discusión.

의족(義足) pierna f postiza, pierna f artificial.

의존(依存) dependencia f. ~하다 depender. 석유의 해외 ~도 grado m de dependencia del petróleo extranjero.

의좋다(誼-) (ser) íntimo, familiar. 의좋은 사이 relación f íntima. 의좋은 자매 hermanas fpl íntimas.

의중(意中) mente f, corazón m, pecho m, intención f, pensamiento m, opinión f. ~의 사람 querido, -da mf; amante mf; Dulcinea f, amada f, mujer f querida. ~을 떠보다 sondear los pensamientos, tantear las intenciones.

의지(依支) ayuda *f*, asistencia *f*, dependencia *f*, confianza *f*, amparo *m*, sostén *m*. ~하다 depender, contar, confiar, arrimarse, apoyarse, recurrir, buscar ayuda.

의지(意志) [뜻] voluntad *f*, albedrío *m*. 굳은 ~ voluntad *f* fuete [de hierro]. 박약한 ~ voluntad *f* débil [frágil]. ~가 강한 de voluntad firme. ~가 약한 de voluntad débil. ~에 반(反)하여 contra *su* voluntad. ~가 강한 사람 persona *f* de voluntad firme.

의지(義肢) miembro *m* artificial, prótesis *f* de miembro.

의지가지없다 (ser) desemparado. 의지가지없는 신세 condición *f* desamparada.

의처증(疑妻症) sospecha *f* morbosa [mórbida] sobre la castidad de su esposa.

의치(義齒) = 틀니 (diente postizo).

의탁(依託) dependencia *f*. ~하다 depender.

의표(意表) sorpresa *f*. ~를 찌르다 sorprender (con un plan inesperado), coger de [por] sorpresa.

의학(醫學) medicina *f*, ciencia *f* médica. ~상의 médico, medicinal. ~상으로 médicamente. ¶ ~계 mundo *m* médico, círculos *mpl* medicinales. ~ 박사 doctor, -tora *mf* en medicina. ~부 facultad *f* [departamento *m*] de medicina. ~생 estudiante *mf* de medicina. ~서 libro *m* médico. ~자 médico, -ca *mf*, doctor, -tora *mf*. ~ 전문학교 Escuela *f* de Medicina.

의향(意向) intención *f*, propósito *m*, disposición *f*; [생각] idea *f*; [의견] opinión *f*. ~을 떠보다 sondear la intención [la opinión].

의협(義俠) caballería *f*, hombría *f*, conducta *f* caballerosa, caballerosidad *f*, heroicidad *f*, generosidad *f*. ~심 caballerosidad *f*, caballería *f*, espíritu *m* caballeresco.

의형(義兄) hermano *m* jurado.

의형제(義兄弟) hermanos *mpl* jurados. ~를 맺다 jurar ser hermano, formar los vínculos hermanales.

의혹(疑惑) duda *f*, sospecha *f*, recelo *m*. ~하다 dudar, sospechar. ~을 품다 sospechar, tener duda, acoger duda, abrigar una sospecha.

의회(議會) Cortes *fpl*, Parlamento *m*, Congreso *m*, Asamblea *f* Nacional. ~의 parlamentario. ~ 민주주의 democracia *f* parlamentaria. ~ 정치 parlamentarismo *m*, política *f* parlamentaria. ~제(도) sistema *m* parlamentario, parla-

mentarismo *m*. ~주의 parlamentarismo *m*. ~주의자 parlamentarista *mf*.

이[1] ① [사람·동물의] diente *m*; [어금니] muela *f*; [송곳니] diente *m* canino; [빠드렁니] diente *m* de embustero; [젖니] diente *m* de leche; [앞니] dientes *mpl* de adelante, incisivos *mpl*, palas *fpl*, paletas *fpl*; [사랑니] diente *m* del juicio. ~의 dental. ② [기구·기계 등의] [톱니] diente *m*; [톱니바퀴의] punto *m* (de diente), diente *m* (de rueda).

이[2] ((곤충)) piojo *m*. ~ 잡듯 하다 mirar [buscar] hasta en el último rincón [recoveco], rebuscar.

이[3] [사람] persona *f*, el que, quien. 저 ~가 누굽니까? ¿Quién es aquella persona?

이[4] ① ((준말)) =이이(esta persona). ② ((준말)) =이것(éste). ③ [이러한 형편] esta condición. ④ [형용사적] este. ~ 물건 este artículo. ~ 사람 esta persona.

이(二/貳) ① [둘] dos. 제~(의) segundo. ~분의 일 un medio, mitad *f*. ~ ~는 사(四) Dos por dos son cuatro. ② [두] dos. ~ 명 dos personas.

이(利) ① [장사하여 덧붙는 돈] ganancias *fpl*. ② ((준말)) =이익(利益). ③ ((준말)) =변리(邊利).

이(里) [행정 구역] Ri, aldea *f*.

이간(離間) alienación *f*, alejamiento *m*, distanciamiento *m*, separación *f*, ruptura *f*, desunión *f*. ~하다 alienar, alejar, separar, desunir, crear discordia. ~을 붙이다 hacer alejar la relación creando discordia. ¶ ~질 =이간. ~책 intriga *f* para desunir a los amigos.

이갈다[1] [새 이가 나다] salir los dientes.

이갈다[2] ① [아래윗니를 맞대고 문질러 소리를 내다] rechinar [crujir] los dientes. ② [분에 못 이겨] dar diente con diente.

이갈리다 rechinarse [crujirse] los dientes.

이것 [지시 대명사] éste, ésta, éstos, éstas, esto. ~은 무엇입니까? ¿Qué es esto? ~은 책이다 Este es un libro. ~은 얼마입니까? ¿Cuánto es [vale] esto?

이것저것 unas y otras cosas, tal y cual, esto y aquello, una cosa u otra. ~을 말하다 hablar de tal y cual, hablar de esto y aquello, hablar de una cosa u otra.

이겨내다 vencer, salvar, superar, resistir. 어려움을 ~ vencer [salvar·superar] la dificultad. 병을 ~ vencer la enfermedad.

이견(異見) opinión *f* diferente, objeción f.

이골¹ ((해부)) =치수(齒髓).

이골² [몸에 푹 밴 버릇] hábito m. ~(이) 나다 estar acostumbrado al hábito.

이곳 ① [여기] aquí, acá, este lugar. ~으로 오너라 Ven aquí [acá]. ② [이 지방] esta comarca [región].

이공(理工) ciencias fpl e ingeniería. ~과 departamento m de ciencias e ingeniería. ~ 대학[학부] facultad f de ciencias e ingeniería.

이과(耳科) otología f. ~ 전문의(專門醫) otólogo, -ga mf.

이과(理科) [학문] ciencia f; [과목] curso m de ciencias; [학부] facultad f de ciencias. ~ 대학 Escuela f Superior de Ciencias, Facultad f de Ciencias.

이구동성(異口同聲) voz f unánime, común acuerdo m, consentimiento m común. ~의 unánime. ~으로 a una voz, al unísono, unánimemente, de común acuerdo, a coro.

이국(異國) (país m) extranjero m, tierra f extranjera. ~에 몸이 morir en el extranjero, enterrar en el extranjero. ¶~인 extranjero, -ra mf. ~적 exótico. 정취 exotismo m. ~ 취미 exotismo m, exoticidad f. ~풍 exotismo m.

이권(利權) privilegio m, concesión f, derecho m. ~을 얻다 conseguir el derecho, obtener la concesión.

이글거리다 ① [불꽃이] (estar) encendido. ② [얼굴이 자꾸 붉어지다] ponerse colorado [rojo] frecuentemente. ③ [정열·정기·노염 따위가] (estar) encendido.

이글이글 vivamente, encendidamente. ~하다 (estar) vivo, encendido. ~ 타오르다 arder vivamente.

이급(二級) segunda clase f.

이기(利己) propio interés m, egoísmo m. ~설 doctrina f egoísta. ~심 espíritu m egoísta. ~적 egoísta. ~주의 egoísmo m. ~주의자 egoísta mf.

이기(利器) ① [썩 잘 드는 연모. 아주 날카로운 병기] el arma f blanca, el arma f cortante. ② [편리한 기구] instrumento m ventajoso, conveniencia f, comodidad f.

이기다¹ ① [적을 처부수다] derrotar, vencer, triunfar. ② [우열·승부 등을 다투어] ganar, llevarse la victoria, triunfar. 시합에 ~ ganar el partido. ③ [억제하기 힘든 일을 넘어 억누르다] vencer, superar. 유혹을 ~ vencer la tentación. ④ [몸을 가누거나 바로하다] mantener el equilibrio.

이기다² ① [흙·가루 등을] amasar, formar una masa, hacer una masa, trabajar, sobar. 밀가루를

~하다 amasar harina de trigo. ② [칼로 두드려] picar (en trozos menudos), moler. ③ [빨래 등을] batir, montar, zurrar.

이기죽거리다 criticar por motivos, quejarse (sin motivo), decir tonterías.

이까짓 esto, tal cosa, esta cantidad.

이끌다 ① [잡고 끌다] acompañar, conducir, hacer pasar, indicar. 자리에 ~까지 conducir hasta su asiento, indicar su asiento. ② [따라오도록 인도하다] dirigir, encabezar; [군대 등을] mandar, conducir, guiar. ③ [마음이나 시선이 쏠리게 하다] encantar, embelesar, seducir.

이끼 ((식물)) musgo m. ~낀 musgoso, cubierto de musgo. ~ 같은 como de musgo. 구르는 돌에는 이끼가 끼지 않는다 ((속담)) Piedra movediza, nunca moho cobija.

이날 ① [오늘] hoy, este día. ② [특정한 날] ese día, el mismo día.

이날저날 día tras día, de día en día, día a día.

이남(以南) sur m. 한강 ~ sur m del Han.

이내 pronto, dentro de poco, en seguida, enseguida, inmediatamente, ahora mismo. ~ 와야 해 Tienes que venir dentro de poco.

이내(以內) menos de, dentro. …의 ~에 dentro de algo. 10년 ~에 menos de diez años, antes de diez años.

이네(들) ellos, ellas.

이녁 yo, mi, me, a mí.

이년 esta puta, esta bruja, esta tía, esta tunanta, esta mocosa. ~(아)! ¡Esta puta! / ¡Esta bruja!

이년생(二年生) [대학의] estudiante mf de segundo curso.

이념(理念) ① ((철학)) idea f, ideología f. ② =관념. ¶~적 ideológico. ~적으로 ideológicamente.

이놈 este tipo, este individuo, este tío. ~아! ¡Este granuja! / ¡Este pillo!

이농(離農) éxodo m rural.

이뇨(利尿) diuresis f, uresis f. ~ 과다 hiperdiuresis f. ~제 diurético m.

이다¹ [머리 위에 얹다] llevar en su cabeza.

이다² [기와·볏짚 등으로 지붕 위를 덮다] cubrir, techar. 기와를 ~ tejar, cubrir de tejas.

이다³ [서술격 조사] ser; [되다] cumplir, tener. 이것은 책~ Este es un libro.

이다음 próximo, próxima vez f. ~의 próximo. ~에 luego, después.

이다지 [형용사 부사 앞에서] tan;

[동사를 수식할 때] tanto. ~ 많이 tanto. ~ 빨리 tan rápido. ~ 오래 tan largo tiempo.

이단(異端) [카톨릭에 대한] herejía *f*, paganismo *m*; [정통에 대한] heterodoxia *f*. ~의 herético, heterodoxo. ~설 doctrina *f* herética. ~자 hereje *mf*; heterodoxo, -xa *mf*.

이달 este mes, mes *m* presente, mes *m* corriente. ~ 15일 el 15 (quince) de este mes.

이대로 así, de esta manera, de este modo, a este ritmo. ~ 계속 가세요 Siga usted todo derecho por este camino.

이데올로기 ideología *f*.

이동(異動) alteración *f*, cambio *m*, mudanza *f*. 내부의 ~ cambio *m* en el cuerpo. 인사 ~ alteración *f* del personal.

이동(移動) mudanza *f*, traslado *m*, movimiento *m*, transferencia *f*; [민족・종류의] migración *f*, emigración *f*. ~하다 mudarse, moverse, pasar, trasladarse, migrar. ~ 경찰 policía *f* ferroviaria, policía *f* que traslada. ~ 무대 escena *f* móvil. ~ 방송 radiodifusión *f* móvil. ~ 병원 ambulancia *f*. ~ 전화 (teléfono *m*) móvil *m*, *AmL* celular *m*. ~ 주택 caravana *f* fija. ~차 [영화・텔레비전의] dolly *m*. ~ 촬영 travelling *ing.m*. ~ 통신 comunicación *f* móvil.

이두근(二頭筋) bíceps *m*.

이두 박근(二頭膊筋) bíceps *m* braquial.

이득(利得) ganancia *f*, beneficio *m*. ~이 많은 lucrativo, lucroso. ~을 올리다 lucrarse.

이등(二等) segunda clase *f*, segundo puesto *m*, segundo grado *m*, segundo premio *m*, el segundo. ~으로 여행하다 viajar en segunda (clase). ~병 soldado *m* segundo, soldada *f* segunda. ~상 segundo premio *m*. ~ 선실 camarote *m* de segunda (clase), camarote *m* de clase de turista. ~차 vagón *m* de segunda (clase). ~표 billete *m* [*AmL* boleto *m*] de segunda (clase).

이등변(二等邊) ¶ ~의 isósceles. ~ 사다리꼴 trapecio *m* isósceles. ~삼각형 triángulo *m* isósceles. ~ 삼각형 rectángulo isósceles.

이등분(二等分) bisección *f*. ~하다 bisecar, dividir en dos partes iguales. ~선 bisectriz *f*.

이따가 después de un rato, al cabo de un rato, poco después.

이따금 a veces, algunas veces, unas veces, de vez en cuando, de cuando en cuando, alguna que

otra vez, ocasionalmente.

이따위 tal, así, como ése, de ese tipo. ~ 것 tal cosa.

이때 en este momento, en esta ocasión, ahora. 바로 ~에 en este mismo momento. ~까지 hasta ahora, hasta este tiempo, hasta hoy día.

이때껏 hasta ahora; [아직] todavía, aún.

이똥 sarro *m*. ~이 낀 sarroso.

이라크 ((지명)) el Irak, el Iraq. ~의 (사람) iraquí *mf*; iraqués, -quesa *mf*.

이란 ((지명)) el Irán. ~의 (사람) iraní *mf*.

이란성(二卵性) ¶ ~의 bivitelino. ~ 쌍둥이 gemelos *mpl* bivitelinos, gemelos *mpl* falsos.

이랑¹ [논이나 밭의] caballón *m*, lomo *m*, camellón *m*.

이랑² [접속 조사] y, e, o, u, con. 산~ 강~ la montaña y el río.

이래 dicen, se dice. 그는 도둑놈~ Dicen [Se dice] que él es ladrón.

이래(以來) desde, desde que; [그후] desde entonce, desde aquel tiempo, después de aquello; [금후] en el futuro. 유사 ~ desde los albores de la historia.

이래봬도 como yo soy, a pesar de mi aparición. ~ 나는 바로 여기 서울 태생입니다 Aquí donde usted me ve, he nacido en el mismo Seúl.

이래서 así … (como), de este modo, de esta manera, como éste.

이래저래 con esto y eso, una cosa o otra, en varias maneras, en varios modos. 나는 ~ 바쁘다 Estoy ocupado con una cosa o otra.

이랬다저랬다 esta manera y esa manera. ~하다 (ser) cambiante, variable, veleidoso, inconstante, voluble, informal.

이러나저러나 por lo menos, en todo caso, de todos modos, de todas maneras, de cualquier manera.

이러니저러니 por esto y por otras cosas.

이러다 hacer [decir・pensar] así. 서둘러라 ~ 기차 놓칠라 Date prisa, o perderemos el tren.

이러므로 por eso, por esta razón, así.

이러이러하다 (ser) tal y tal, tal y cual.

이러저러하다 ser tal y tal, ser tal y cual.

이러쿵저러쿵 por esto y por otras cosas, molestamente, enfadosamente.

이러하다 ser éste, ser el siguiente, ser así. 내 생각은 ~ Mi opinión es ésta [la siguiente].

이력저력 de algún modo, de alguna manera, de alguna forma, antes de que se sabe. ~ 하는 동안에 mientras tanto, entre tanto, entretanto.

이런[1] ((준말)) =이러한(tal, este, de este modo, de tal modo, así). ¶ ~ 일 una cosa de esta forma, una cosa tal.

이런[2] ¡Hombre! / ¡Caramba!

이런저런 esto y eso, una cosa u otra. ~ 일로 바쁘다 Estoy ocupado con una cosa y otra.

이렇게 tan, así. ~ 나쁜 tan malo. ~ 일찍 tan temprano. ~ 많은 tanto. ~ 많이 tanto.

이렇다 ((준말)) =이러하다. ¶ 그 방법은 ~ El método es éste [el siguiente].

이레 ① [일곱째의 날] =이렛날. ② [일곱 날. 칠 일] siete días.

이렛날 ① [일곱째의 날] séptimo día m. ② [초이렛날] el 7 [siete].

이력(履歷) historia f personal, carrera f, antecedentes mpl. ~서 historia f personal, curriculum vitae, antecedentes mpl de su vida.

이례(異例) excepción f, caso m excepcional. ~적 excepcional.

이론(異論) objeción f, oposición f, opinión f diferente. ~ 없이 unánimemente. ~ 이 없다 no tener objeción. ~을 제기하다 protestar, presentar objeción.

이론(理論) teoría f. ~을 세우다 teorizar, especular, expresar teoría, formar teoría. ¶ ~가 teórico, -ca mf. ~적 teórico. ~ 투쟁 lucha f teórica. ~화 teorización f.

이롭 siete años del caballo y de la vaca.

이롭다(利-) (ser) bueno, beneficioso, provechoso, útil, ventajoso.

이루 ① [있는 것을 모두] (lo) todo. 한이 없는 사랑 어찌 ~ 말하랴 ¿Se puede cómo decirlo todo acerca del amor infinito? ② [여간해서는 도저히] de ninguna manera, de ningún modo, imposible. ~ 말할 수 없는 indescriptible, inefable, inenarrable.

이루(二壘) ((야구)) segunda base f, base f segunda. ~수 segunda base mf; jugador, -dora mf de segunda base; basevolero, -ra mf de la segunda. ~타 golpe m de dos bases, doblete m, tubey m.

이루다 ① [어떤 상태나 결과가 되게 하다] formar, hacer. 한 가정을 ~ formar una familia. ② [일을 마무리 짓다] completar, efectuar, llevar a cabo, realizar. ③ [목적을 성취하다] conseguir, alcanzar. 이

룰 수 없는 사랑 amor m que no se puede alcanzar, amor m imposible.

이루어지다 realizarse, efectuarse, cumplirse, quedar satisfecho. 이루어질 수 없는 사랑 amor m desesperado, amor m sin esperanza.

이룩하다 ① [달성하다] completar, efectuar. ② [나라·도읍·집 등을 새로 세우다] edificar, construir, establecer, fundar.

이류(二流) segunda clase f, segundo orden m, segunda categoría f. ~학교 escuela f de segunda categoría. ~ 호텔 hotel m de segunda clase [categoría].

이륙(離陸) despegue m, AmL descolaje m. ~하다 despegar, AmL descolar. ~ 시간 hora f de despegue. ~지 lugar m de despegue. ~ 활주 pista f de despegue.

이륜차(二輪車) vehículo m de dos ruedas.

이르다[1] ① [장소·시간에 닿다] llegar, alcanzar, conducir. ② [다른 데에 미치다] [마침내 …하기에] acabar por [en] + inf; [결과가 … 하기에] resultar algo + adj; [하기에] llegar a + inf, venir a + inf.; [수미(首尾)가 …하기에] lograr + inf, conseguir + inf. 오늘에 이르기까지 hasta hoy día, hasta ahora. ③ [일정한 시간에 미치다] alcanzar, llegar.

이르다[2] ① [말하여] decir. ② [알아듣거나 깨닫게 말하다] dárselo todo mascado. ③ [고자질하다] acusar, chivarse.

이르다[3] [더디지 않고 빠르다] (ser) temprano. 이른 아침 mañana f temprana.

이른바 (así) llamado. ~ 초강대국이라는 país llamado [que se llama] superpotencia.

이른봄 primavera f temprana.

이를터이면 por así decirlo; [요컨대] en una palabra; [예를 들면] por ejemplo.

이를테면 ((준말)) =이를터이면. ¶ 그는 ~ 살아 있는 사전이다 El es, por así decirlo, un diccionario viviente [andante·ambulante].

이름 ① [사람의] nombre m; [성명] nombre y apellido. 만수라는 ~의 사내아이 niño m que se llama Mansu. ~을 대다 decir su nombre, dar su nombre; [···라] llamarse. ② [사물을 구별하기 위한 칭호] nombre m. 꽃의 ~ nombre m de la flor. ③ [개개의 단체 등을 가리키는 칭호] nombre m. ④ [평판] fama f, reputación f. ⑤ [명예] honor m. ~을 더럽히다 ㉮ [자신의] deshonrarse, manchar su nombre. ㉯ [타인의] deshonrar, manchar el nombre, perjudicar la reputación. ~을 버리고 실리를 취하다 sacrificar el honor a la ventaja. ⑥ [구실. 명분] pretexto *m*, excusa *f*. 자선이란 ~ 아래 bajo el pretexto de la beneficencia. ⑦ [명의. 자격] nombre *m*, título *m*. ~ 만의 nominal, sólo de título. ~ 만의 회원 miembro *mf* nominal. ¶ ~써 sustantivo *m*, nombre *m*. ~자 nombre *m*. ~표 etiqueta *f* de identificación.

이리¹ [물고기 수컷의] lechecillas *fpl* de los peces, lecha *f*.

이리² ((동물)) lobo *m*.

이리³ ① [이곳으로] acá, a este lugar. ~ 오너라 Ven acá. ② [이러하게] tan, así. ~ 많이 tanto.

이리저리 de un lado a [para] otro, de acá para allá.

이리하다 decir como esto.

이리하여 así, de este modo, de esta manera.

이마 frente *f*. 넓은 ~ frente *f* ancha, frente *f* alta. 좁은 ~ frente *f* angosta. ~에 내 천(川)자를 쓰다 arrugar la frente, enfurruñarse. ~에 피도 안 마르다 todavía ser jovencito.

이만 ① [이만한. 이 정도의] este, esta. ~한 크기 este tamaño. ~한 높이 esta altura. ② [이만 하고서. 이것만으로써] con esto, ya. 오늘은 ~ 하자 Vamos a dejar de hacer aquí hoy.

이맘때 a [por] este tiempo, en esta época, a estas horas. 내년 ~ a [por] estas fechas [en esta época] del año que viene. 어제 ~ ayer a estas horas.

이맛살 arrugas *fpl* en la frente. ~을 찌푸리다 arrugar el entrecejo.

이면(裏面) ① [속. 안. 내면] interior *m*. ② [속사정] secreto *m*, pensamiento *m*, intención *f* oculta. 인생의 ~ lado *m* sórdido de la vida.

이명(耳鳴) resonido *m* [zumbido *m*] de los oídos. ~증 timpanofonía *f*.

이명(異名) sobrenombre *m*; [별명] apodo *m*, mote *m*.

이모(二毛) ① [검은 털과 흰 털] pelo *m* negro y pelo blanco. ② ((준말)) =이모지년. ¶ ~작 cultivo *m* de dos cosechas, dos cosechas anuales de arroz de un mismo campo, dos cosechas por año, dos producciones de arroz y trigo en sucesión. ~지년(之年) treinta y dos años de edad.

이모(姨母) hermana *f* de *su* madre, tía *f* (materna). ~부 esposo *m* de *su* tía materna, tío *m*.

이모저모 todo, todos los aspectos. ~로 고맙습니다 Muchas gracias por todo.

이목(耳目) ① [귀와 눈] las orejas y los ojos. ② [남들의 주의] atención *f* de uno, atención *f* pública. ~을 끌다 atraer [llamar] la atención pública. ~을 피하며 engañar al mundo, evitar *su* atención. ③ =시청(視聽).

이목구비(耳目口鼻) ㉮ [귀·눈·입·코] orejas, ojos, boca y nariz. ㉯ [용모] facciones *fpl*, rasgos *mpl*. 선이 굵은 ~ facciones

이물 proa *f*. ~부터 침몰하다 hundirse por la proa.

이물(異物) ((의학)) cuerpo *m* extraño, substancia *f* extraña.

이미 ya, antes (de ahora), ya hace tiempo, ya hace mucho. ~ 때가 늦었다 El tiempo ya es tarde.

이민(移民) ① [외국으로] migración *f*, emigración *f*; [사람] emigrante *mf*. ~하다 emigrar, migrar, hacer una migración. 그의 부모는 빠라구아이로 ~갔다 Sus padres emigraron al Paraguay. ② [외국에서] inmigración *f*; [사람] inmigrante *mf*. ~하다 inmigrar. ¶ ~관리 사무소 oficina *f* de inmigración. ~법 ley *f* de inmigración. ~선 barco *m* de emigrantes, vapor *m* para emigrantes. ~ 수속 trámites *mpl* inmigratorios. ~청 Dirección *f* General de Migración.

이민족(異民族) raza *f* diferente.

이바지 ① [공헌함] contribución *f*. ~하다 contribuir, hacer una contribución, constituir una ayuda. ② [힘들여 음식을] 보내다. 또, 그 음식] suministro *m*, provisión *f*, servicio *m*; [음식] comida *f* para servir. ~하다 suministrar, abastecer, proveer, proporcionar, facilitar.

이발(理髮) corte *m* de pelo, peinado *m*, peluquería *f*. ~하다 cortarse el pelo, peinarse. ~기 máquinilla *f* para peinado. ~사 peluquero, -ra *m*; barbero, -ra *m*; peinador, -dora *mf*. ~소 peluquería *f*.

이밥 arroz *m* blanco [cocido].

이방(異方) región *f* extaña [extranjera]. ~성 anisotropía *f*, heterotropía *f*.

이방(異邦) país *m* extranjero. ~인 ㉮ [다른 나라 사람] extranjero, -ra *mf*; forastero, -ra *mf*. ㉯ [유대 사람이 선민 의식에서 그들 이외의 여러 민족] gentil *mf*.

이번(一番) esta vez, ahora. ~은 네 차례다 Ahora es tu turno / Ahora te toca el turno.

이베리아 ((지명)) Iberia *f*. ~ 반도 la Península Ibérica.

이벤트 ① [사건] acontecimiento *m*,

suceso *m*. ② [경기 따위의 종목·시합] prueba *f*. ③ [행사] acontecimiento *m*, evento *m*.

이변(異變) ① [괴이한 변고] fenómeno *m* extraordinario, suceso *m* extraordinario. ② [예상 밖의 사태] caso *m* anormal; [사고] accidente *m*, contratiempo *m*, percance *m*; [재앙] catástrofe *f*, desastre *m*, siniestro *m*, calamidad *f*; [급변] emergencia *f*.

이별(離別) despedida *f*, separación *f*, división *f*; [이혼] divorcio *m*. ~하다 despedirse, separarse, decir adiós; [이혼하다] divorciarse. ~의 눈물 lágrima *f* de la despedida. ¶ ~가 canción *f* de la despedida. ~주 vino *m* de la despedida.

이보다 (más·menos·mejor·peor que esto, en comparación con esto. ~ 낫다 ser mejor que esto.

이보다(利─) ① [이익이 되다] sacar provecho. ② [이익을 얻다] obtener [lograr] ganancia.

이복(異腹) madre *f* diferente. ~의 nacido de madre diferente, medio hermano, media hermana; hermanastro. ~ 동생 hermano *m* menor de padre, medio hermano *m* menor. ~형 hermano *m* mayor de padre, medio hermano *m* mayor.

이본(異本) ① [진기한 책] libro *m* raro. ② [같은 책으로 내용·글자가 다소 다른 책] versión *f* diferente, copia *f* de una edición diferente.

이봐 ¡Oye! / ¡Mira! / ¡Hombre!

이부(二部) escuela *f* nocturna. ¶ ~ 수업 ⑦ [이부 교수] enseñanza *f* de la escuela nocturna. ④ [이부제의 나중 수업] segunda clase *f*. ~작 obra *f* de dos partes. ~제 ⑦ [이부 교수를 하는 제도] sistema *m* de la enseñanza de la escuela nocturna; [주야간제] sistema *m* diurno y nocturno.

이부자리 ropa *f* de cama, colchón *m*. ~를 펴다 hacer cama. ~를 개다 quitar (la ropa de) cama. ~를 접다 doblar [plegar] colchones.

이북(以北) ① [어떤 지점을 한계로 한 북쪽] más al norte, más septentrional. 적도 ~ más al norte de la línea equinoccial. ② [우리나라에서는 북위 38°선 이북] norte *m* del paralelo 38°. ③ [북한] Corea del Norte, Norcorea. ~ 사람 norcoreano, -na *mf*.

이분(이) [이 어른] este mayor. ② [이 사람] esta persona *f*, éste, ésta *f*; [이 신사] este señor *m*, este caballero *m*; [기혼 여성] esta señora *f*, [미혼 여성] esta señorita *f*.

이분(二分) división *f* en dos. ~하다 dividir [partir] en dos. ~의 일 un medio, la mitad. ¶ ~법 dicotomía *f*. ~ 쉼표 medio silencio *m*. ~ 음표 (nota *f*) blanca, (nota *f*) mínima *f*.

이불 colchón *m*, colcha *f*, cubrecama *f*, sobrecama *f*, cobertor *m*. 깃털 넣은 ~ colchón *m* de plumas, enredón *m*. ¶ ~감 tela *f* para el colchón. ~보 cobertor *m*, manta *f* para la cama. ~잇 tela *f* de cubrir el colchón. ~장 cómoda *f* para los colchones.

이브 ((기독교)) Eva.

이브닝 ① [저녁] noche *f*; [어둠기 전] tarde *f*. ② ((준말)) =이브닝 드레스. ¶ ~ 가운 traje *m* de noche. ~ 드레스 [남자용] traje *m* de etiqueta; [부인용] traje *m* de noche. ~ 코트 traje *m* de etiqueta.

이비인후과(耳鼻咽喉科) otorrinolaringología *f*. ~ 의원 clínica *f* de otorrinolaringología. ~ 의사 otorrinolaringólogo, -ga *mf*.

이사(二死) dos fueras.

이사(理事) director, -tora *mf*; administrador, -dora *mf*. ~국 país *m* miembro. ~장 director *m* jefe, directora *f* jefa; presidente, -ta *mf* (del) consejo de administración; administrador, -dora *mf* general. ~회 junta *f* directiva, consejo *m* de administración, directorio *m*.

이사(移徙) mudanza *f*, cambio *m* de casa. ~하다 mudarse, cambiar de casa. ~하고 있다 estar de mudanza. 다른 집으로 ~하다 mudarse a otra casa. ¶ ~비용 gastos *mpl* de mudanza.

이사이 estos días, hoy (en) día, actualmente, en la actualidad, recientemente, últimamente.

이삭 espiga *f* (caída), *AmS* espigajo *m*. ~(을) 줍다 espigar, recoger las espigas. ~ 줍는 사람 espigador, -dora *mf*. ¶ ~줍기 recogimiento *m* de espigas.

이산(離散) dispersión *f*, separación *f*. ~하다 dispersarse, separarse, esparcirse, desparramarse. ~ 가족 familia *f* dispersada [separada].

이삼(二三) dos o tres. ~ 일 dos o tres días.

이삿짐 cargas *fpl* de mudanza. ~센터 mudanzas *fpl*. ~ 운반차 carro *m* de mudanzas.

이상(以上) ① [수량·정도] más de, más que, sobre, encima, ultra además. 5인 ~의 가족 familia *f* (que consta) de más de cinco miembros. ② [비교] más (que).

나는 이 ~ 지불할 수 없다 No puedo pagar más. ③ [이제까지 말한 내용] contenido *m* arriba [indicado · mencionado]. ~과 같이 como arriba mencionado. ~(입니다) Nada más / Eso es todo / [강연 등에서] He dicho. ④ [이미 …한[된] 바에는] ya que + *ind*, puesto que + *ind*, visto que + *ind*, una vez que + *ind*.

이상(異狀) anomalía *f*, condición *f* [síntoma *m*] anormal, indisposición *f*, novedad *f*. ~이 있다 (estar) anormal, descompuesto, desconcertado, en desorden (impropio). ~이 없다 estar normal, estar en un estado normal, estar conforme, estar todo correcto, estar en (buen) orden.

이상(異常) rareza *f*, cosa *f* rara, singularidad *f*, lo extraño, lo raro, anormalidad *f*, anomalía *f*, extrañeza *f*, irregularidad *f*, aberración *f*. ~하다 (ser) extraño, raro, anormal, anómalo, singular, extraordinario, insólito. ~ 건조 sequedad *f* excesiva. ~ 난동 invierno *m* cálido anormal. ~ 심리 mentalidad *f* anormal. ~ 심리학 psicología *f* anormal. ~아 niño, -ña *mf* anormal.

이상(理想) ideal *m*; [집합적] idealismo *m*. ~의 ideal; [완벽한] perfecto. 높은 ~ ideal *m* noble, ideal *m* sublime. ~을 품다 tener [concebir] un ideal. ¶~가 idealista *mf*. ~향 utopía *f*, utopia *f*.

이색(二色) dos colores. ~쇄 impresión *f* con dos colores. ~판(版) impreso *m* con dos colores.

이색(異色) ① [다른 빛깔] diverso color *m*, color *m* diferente. ② [색다름. 또 그러한 것] novedad *f*, singularidad *f*, lo original, lo novedoso.

이성(二姓) ① [두 가지의 성] dos apellidos. ② [성이 다른 두 임금] dos reyes con los apellidos diferentes. ③ [두 남편] dos maridos, dos esposos.

이성(異性) ① [성질이 다름. 또는 다른 성질] naturaleza *f* diferente, carácter *m* diferente. ② [남녀 · 암수의 성이 다름. 또, 다른 것] sexo *m* opuesto, otro sexo *m*. ~의 heterosexual. ③ [남성이 여성을, 여성이 남성을 가리키는 말] hombre *m*, mujer *f*. ~간의 교제 relaciones *fpl* entre el sexo opuesto. ~(화학) isomería *f*. ¶~애(愛) amor *m* heterosexual.

이성(異姓) apellido *m* diferente.

이성(理性) razón *f*, seso *m*. ~이 있는 razonable. ~이 없는 irracional, irrazonable. ~을 잃다 per-

der la razón. ¶~론 racionalismo *m*. ~적 racional; [분별이 있는] razonable.

이세(二世) ① [어떤 나라에 이주해 간 이민의 자녀] segunda generación *f*. ② ((준말)) =이세 국민. ③ ((속어)) =자녀(子女). ④ ((불교)) mundo *m* del presente y del futuro, dos vidas. ⑤ [다음 세대] generación *f* siguiente. ⑥ [같은 이름을 가지고 둘째 번으로 자리에 오른 황제 · 교황] Segundo, -da. 펠리뻬 ~ Felipe II. 이사벨 ~ Isabel II. ¶~ 국민 pueblo *m* de la generación siguiente, los niños.

이솝 우화(-寓話) Fábulas *fpl* de Esopo.

이송(移送) transporte *m*, transportación *f*, transferencia *f*, traspaso *m*, transmisión *f*. ~하다 llevar, transportar, transferir.

이수(履修) complemento *m* (de un curso de estudio), práctica *f*, ejercitación *f*. ~하다 completar, terminar, practicar, ejercitar.

이순(耳順) sesenta años de edad.

이스라엘 ((지명)) Israel *m*. ~의 israelí, israelino. ~ 민족 pueblo *m* de Israel. ~ 사람 israelí *mf*, israelita *mf*.

이슥하다 avanzar la noche. 이슥한 밤에 tarde por la noche. 이슥할 때까지 hasta avanzada la noche.

이슬 ① ((물리)) rocío *m*. 밤 ~ relente *m*. 아침 ~ rocío *m* (matinal). ② [덧없는 생명] vida *f* efímera. ③ [눈물] lágrima *f*. ¶~방울 gotas *fpl* de rocío. ~점 punto *m* de rocío, punto *m* de condensación, temperatura *f* de saturación.

이슬람 ① ((종교)) islam *m*. ② [이슬람교의 세계] islamismo *m*, mahometismo *m*. ¶~교 islamismo *m*, mahometismo *m*, musulmanismo *m*. ~교도 islamita *mf*, mahometano, -na *mf*, musulmán, -mana *mf*.

이슬비 llovizna *f*, chispa *f*, cernidillo *m*. ~가 내리다 lloviznar.

이승 ((불교)) este mundo, esta vida, mientras se vive. ~을 떠나다 morir, fallecer.

이시 [유럽 공동체] Comunidad *f* Europea, CE *f*.

이식(二食) ① [두 끼분의 식사] dos comidas. ② [하루에 두 번 식사함] dos comidas al día. ~하다 comer dos veces al día.

이식(利息) interés *m*. ☞이자(利子)

이식(利殖) acumulación *f* de dinero, ganancia *f*, lucro *m*. ~하다 acumular dinero.

이식(移植) [식물의] trasplantación *f*;

[장기의] trasplante *m*, transplante *m*; [피부의] injerto *m*. 심장 ~ 을 하다 hacer un trasplante de corazón.

이실직고(以實直告) el decir la verdad.

이심(二心) ① [두 가지 마음] dos corazones. ② [배반하는 마음] negras intenciones *fpl*, doblez *f*, traición *f*. ~의 doble, traidor, alevoso. ~을 품다 abrigar negras intenciones. ③ [변하여 바뀌기 쉬운 마음] veleidad *f*, inconstancia *f*, volubilidad *f*. ~의 veleidoso, inconstante, voluble.

이심(二審) ((준말))=제이심.

이심(異心) ① [딴 마음] intención *f* diferente. ~을 품다 abrigar la intención diferente. ② =이심(二心)❶. ¶ ~ 동체 dos almas en un cuerpo.

이심전심(以心傳心) telepatía *f*, mutua comprensión *f* tácita, entendimiento *m* tácito. ~의 [메시지] telepático; [사람] con telepatía, telépata. ~으로 telepáticamente, con telepatía, telepáticamente, tácitamente.

이십(二十) ① [스물] veinte. ~ 번째 (의) vigésimo. ~ 대에 en *su* edad de veinte. ~ 대의 de los veinte a los treinta años (de edad). ② [나이 스무 살] veinte años de edad.

이십사금(二十四金) oro *m* puro, veinticuatro quilates de oro.

이십세기(二十世紀) el siglo veinte.

이쑤시개 mondadientes *m.sing.pl.*, escarbadientes *m.sing.pl*, palillo *m*.

이앓이 dolor *m* de muela. ~를 하다 tener dolor de muela, doler las muelas, doler los dientes.

이앙(移秧)=모내기. ¶ ~기 máquina *f* plantadora de arroz.

이야기 ① [담화] conversación *f*, plática *f*, narración *f*, relato *m*, habla *f*; [잡담] charla *f*; [사실. 허구] historia *f*, ficción *f*. ~하다 decir, hablar, conversar, contar, charlar, relatar, narrar, describir, referir, dar cuenta. ② =소설(novela). ③ =소문(rumor). 평판 (fama, reputación). ④ [화제] tema *m*, tópico *m*, asunto *m*. ⑤ [진술] declaración *f*. ~하다 declarar. ⑥ [교섭] negociación *f*. ~하다 negociar. ⑦ [상담] consulta *f*, discusión *f*. ~하다 consultar, discutir. ¶ ~꾼 narrador, -dora *mf*. ~ 상대 compañero, -ra *mf*. ~쟁이 narrador, -dora *mf*. ~책 libro *m* de cuentos.

이야깃거리 tema *m* (de conversación).

이양(移讓) cesión *f*, transferencia *f*, traspaso *m*. ~하다 ceder, transferir, traspasar. 재산의 ~ traspaso *m* de la propiedad al otro.

이어(서) posteriormente, ulteriormente, siguiente, seguido, consecutivo, próximo, continuamente, sucesivamente. 3년 연~ durante tres años consecutivos (seguidos].

이어가다 durar, continuar. 전통 문화를 ~ durar la cultura tradicional.

이어달리기 (carrera *f* de) relevos *mpl*. 400미터 ~ los cuatrocientos metros relevos. ~ 주자 corredor, -dora *mf* de relevos.

이어받다 [재산이나 지위·신분·권리·의무 따위를] suceder, heredar. 부친의 뒤를 ~ suceder a *su* padre.

이어지다 (ser) continuado, relacionado, ser conectado.

이어폰 audífono *m*, auricular *m*, receptor *m* teléfono. ~을 끼다 ponerse el auricular.

이엉 paja *f*, juncos *mpl*. 지붕에 ~을 이다 cubrir [techar] con paja [juncos], empajar, *AmS* quinchar.

이여 ¶슬픔 ~ 안녕 ¡Adiós, tristeza! 내 사랑~ ¡Amor mío!

이역(二役) ① [두 가지 역할] dos papeles. ② [배우가 두 사람의 역을 함] papel *m* doble. 일인 ~을 하다 hacer [interpretar] un papel doble.

이역(異域) ① [이국의 땅] tierra *f* extranjera [extraña], extranjero *m*, país *m* extranjero. ~ 땅에 묻히다 ser enterrado en la tierra extranjera. ② [제 고장이 아닌 딴 곳] aldea *f* [pueblo *m*] diferente; [먼곳] lugar *m* lejano. ~에서 고국을 그리워하다 añorar en suelo extraño el país natal.

이역시(─亦是) asimismo, de la misma manera, lo mismo, otro tanto, esto también, esta persona también, este hombre también; [여자] esta mujer también.

이열치열(以熱治熱) Pagar con la misma moneda / El poder expulsa con el poder.

이염(耳炎) ((의학)) otitis *f*. 내~ otitis *f* interna, otitis *f* internal. 외~ otitis *f* externa. 중~ otitis *f* media.

이온 ((물리·화학)) ion *m*, ión *m*.

이왕(已往) ① =이전(以前)(el pasado). ¶ ~의 de antaño, pasado. ② ((준말)) =이왕에. ¶ ~에 ya, una vez (que). ~이면 si, mientras, con tal de que (+ *subj*), siempre que (+ *subj*). ~지사(之事) pasado *m*.

이외(以外) excepción *f.* …~에 excepto *algo*, salvo, menos, fuera de, con [a] excepción de; [···에 덧붙여] además de, aparte de, (no ···) sino, (no ···) más que. 이 ~에 además, además de esto, fuera de esto.

이용(利用) uso *m*, utilización *f*, aprovechamiento *m*. ~하다 usar, utilizar, aprovechar, hacer uso, utilizarse, servirse, valerse, aprovecharse. ¶ ~자 usuario, -ria *mf.*

이용(理容) corte *m* de pelo y la cara hermosa. ~사 peluquero, -ra *mf.*

이웃 ① [경계가 서로 접해 있음] vecindad *f*, vecino *m*, lugar *m* cercano, sitio *m* cercano. ~의 vecino, próximo, contiguo. ~한 나라 país *m* vecino. ~ 방 habitación *f* contigua. ② [서로 접하여 사는 집] casa *f* vecina, casa *f* contigua, casa *f* próxima. ③ [서로 접하여 사는 사람] vecino, -na *mf*; [집합적] vecindario *m*. ~과의 교제 trato *m* con los vecinos. ~과 교제를 하다 tratar con los vecinos. ④ ((성경)) vecino *m*, prójimo *m*, amigo *m*. 이웃 사촌 ((속담)) Más vale vecino cercano que un hermano lejano. ¶ ~간 relaciones *fpl* vecinas [부사적] [부사적] entre vecinos. ~집 casa *f* vecina, casa *f* contigua, casa *f* próxima, casa *f* de al lado.

이원제(二院制) sistema *m* bicameral.

이월(二月) febrero *m*.

이월(移越) suma y sigue, transferencia *f*, traspaso *m*, traslado *m*. ~하다 trasferir, trasladar, sumar y sigue. 앞 페이지에서 ~ ((부기)) balance *m* que viene desde la página anterior, saldo *m* anterior. ¶ ~금 dinero *m* trasladado, suma *f* de la vuelta, saldo *m* anterior.

이유(理由) razón *f*, porqué *m*; [원인] causa *f*; [동기] motivo *m*; [구실] pretexto *m*. ~있는 razonable. ~ 없는 sin razón, mal fundado, infundado, inmotivado. ~없이 sin razón, sin motivo, sin ton ni son, sin ocasión. ~ 없는 반항 resistencia *f* sin razón, resistencia *f* infundada.

이유(離乳) destete *m*, ablactación *f*. ~하다 ablactar, destetar, desmamar, despechar. ~기 período *m* de destete. ~식 régimen *m* del niño destetado.

이윤(利潤) ganancia(s) *f(pl)*, beneficio(s) *m(pl)*, provecho *m*, utilidades *fpl*, rédito *m*, fruto *m*; [순익]

ganancia *f* neta. ~과 손해 pérdidas *fpl* y ganancias. ~을 추구하다 perseguir ganancias. ¶ ~ 분배 reparto *m* de ganancias, participación *f* en las ganancias [de los trabajadores en los beneficios].

이율(利率) tipo *m* de interés, tasa *f* de interés, tanto *m* por ciento.

이율 배반(二律背反) antinomia *f*. ~의 antinómico.

이윽고 después de un rato, al cabo de un rato, luego, poco después, con el tiempo.

이의(異意) ① [다른 의견] opinión *f* diferente. ② [모반하려는 마음] corazón *m* que va a alzarse en armas.

이의(異義) sentido *m* diferente, homonimia *f*.

이의(異議) ① [반대] objeción *f*, oposición *f*, reparo *m*; [불찬성] disentimiento *m*; [항의] protesta *f*. ~ 없이 sin objeción; [만장 일치로] por unanimidad. ¶ ~ 신청 objeción *f*, reclamación *f*, ((법률)) recusación *f*. ~ 신청인 reclamante *mf*.

이이 éste, -ta *mf*; esta persona *f*; [남자] este señor *m*, este caballero *m*, este hombre *m* [여자] esta mujer *f*, esta señora *f*; [미혼 여자] esta señorita *f*.

이익(利益) ① [물질적으로나 정신적으로] beneficio *m*. ② [유익하고 도움이 됨] utilidad *f*, interés *m*. ~이 있는 fructuoso, útil. ···의 ~을 위해서 en [por] interés de *uno*. 자신의 ~을 위하여 por *su* (propio) interés. ③ ((경제)) ganancia *f*, beneficio *m*, provecho *m*, utilidad *f*. ~이 있는 lucrativo, rentable, remunerado. ¶ ~금 ganancia *f*, beneficio *m*. ~ 배당[분배] reparto *m* de ganancias, participación *f* en las ganancias, participación *f* en los beneficios, dividendo *m* activo. ~폭 margen *m* de benefico.

이인(二人) ① [두 사람] dos personas. ② [부모] padres *mpl*, padre y madre. ③ [부부] marido y esposa, esposos *mpl*. ¶ ~삼각 carrera *f* en que una persona lleva atada una pierna a la del compañero. ~승 biplaza *f*. ~조 dúo *m*. ~칭 segunda persona *f*.

이임(離任) acción *f* de dejar *su* puesto. ~하다 dejar *su* puesto.

이입(移入) introducción *f*, importación *f*. ~하다 introducir, importar, transportar.

이자 ((해부)) páncreas *m*. ~액 jugo *m* pancreático.

이자(-者) esta persona; [남자] este hombre, este tipo, este sujeto;

[이 여자] esta mujer.

이자(利子) interés *m*, rédito *m*. 높은 ~로 con alto interés. 낮은 ~로 a [con] bajo interés. 무~로 sin interés. ~ 마진 margen *m* de interés neto. ~부(附) con intereses, que devenga interés. ~부 중권 título *m* con intereses. ~소득 [수입] ingresos *mpl* por interés, interés *m* devengado. ~ 지불 pago *m* de intereses.

이자 택일(二者擇一) alternativa *f*.

이작(裏作) segunda cosecha *f*, cosecha *f* de invierno.

이장(里長) alcalde, -desa *mf* (de *ri*); jefe, -fa *mf* de la aldea.

이장(移葬) =개장(改葬).

이재(理財) finanzas *fpl*, recursos *mpl* financieros, situación *f* financiera, situación *f* económica, economía *f*, ciencia *f* rentística. ~에 밝다 ser versado a la economía. ¶~가 economista *mf*; financiero, -ra *mf*. ~국 Departamento *m* Financiero, Departamento *m* Rentístico. ~학 economía *f* política.

이재(罹災) sufrimiento *m* de catástrofe [calamidad]. ~하다 sufrir catástrofe [calamidad]. ~ 구조 기금 fondo *m* de socorro para víctimas calamitosas. ~민 damnificado, -da *mf*; [사망자] víctima *f*. ~지 localidad *f* agobiada.

이적(利敵) favor *m* al enemigo. ~행위 actitud *f* que favorece al enemigo.

이적(移籍) ① [호적을 딴 곳으로 옮김] cambio *m* de *su* domicilio permanente. ~하다 cambiar *su* domicilio permanente. ② [운동선수의] traspaso *m*. ~하다 traspasar.

이적(異蹟) ① [기이한 행적] logro *m* extraño. ② [신의 힘으로 되는 불가사의한 일, 기적] milagro *m*, misterio *m*, maravilla *f*. ~을 행하다 hacer milagros, hacer maravillas. ③ [기독교] señal *f*.

이전(以前) ① [이제보다 전] antes, anteriormente, ~의 anterior, ex-. ~처럼 como antes. ~부터 desde antes, desde (mucho) tiempo. 내 ~의 아내 mi ex-esposa. ② [아주 전. 옛날. 이왕] antes, antiguamente, en otros tiempos. ③ [기준이 되는 때를 포함하여 그 전] antes de. 오후 네 시 ~(에) antes de las cuatro de la tarde.

이전(移轉) ① [장소·주소 등을 다른 데로 옮김] mudanza *f*, traslado *m*, cambio *m* de domicilio. ~하다 mudarse, trasladarse, mudarse de casa [lugar], cambiarse de casa [lugar], moverse. ~시키다 mudar,

trasladar. ~한 주소 nueva dirección *f*, nuevo domicilio *m*. ② [권리 따위를 넘김] transferencia *f*, traspaso *m*. ~하다 transferir [pasar · traspasar] el derecho. ¶ ~ 등기 registro *m* de transferencias. ~ 주소 dirección *f* de transferencia.

이전투구(泥田鬪狗) injurias *fpl*. ~를 연출하다 cubrirse de injurias.

이점(利點) ventaja *f*.

이정(里程) distancia *f* (recorrida) (en millas), kilometraje *m*, número *m* de leguas; [항공기 등의 마일리지] millaje *m*. ~표(表) tabla *f* de distancias. ~표(標) mojón *m*, hito *m* kilométrico.

이제 ① [지금] ahora; [이미] ya. ~부터 desde ahora; [금후] de aquí (en) adelante, en lo futuro. ~ 너무 늦었다 Ya es demasiado tarde. ② [지금 곧] ahora mismo. ~ 갑니다 Ahora mismo me voy. ¶ ~까지[껏] hasta ahora. ~야 ahora; *AmS* recién. ~와서 ahora.

이젤(畵架(畫架)] caballete *m*.

이종(二種) dos clases, dos especies. ¶ ~ 우편물 correo *m* [correspondencia *f*] de segunda clase.

이종(姨從) ((준말))=이종 사촌. ¶ ~ 사촌 primo, -ma *mf* por la tía maternal.

이종(異種) ① [다른 종류] especie *f* diferente, clase *f* diferente; [또 하나의] otra especie [clase *f*]. ② [변한 종자] variedad *f*, heterogeneidad *f*. ¶ ~ 교배[번식] hibridación *f*.

이주(移住) migración *f*, [외국으로] emigración *f*, [외국에서] inmigración *f*. ~하다 emigrar, inmigrar, colonizar. ~민 población, -da *mf*; [외국에 간] emigrante *mf*; [외국에서 온] inmigrante *mf*.

이중(二重) duplicación *f*, doble *m*, doblez *f*, dobladura *f*. ~의 doble, duplicado. ~가격 precio *m* doble. ~ 간첩 espía *mf* doble. ~ 결혼 bigamia *f*. ~ 과세(課稅) imposición *f* doble. ~ 국적 doble nacionalidad *f*, nacionalidad *f* doble, dos nacionalidades. ~ 모음 diptongo *m*. ~ 번역 traducción *f* doble. ~ 부정 doble negativa *f*. ~ 생활 vida *f* doble, vida *f* inconsistente. ~ 성격 doble personalidad *f*. ~ 외교 diplomacia *f* doble. ~ 유리 doble ventana *f*, doble acristalamiento *m*. ~ 인격 doble personalidad *f*, personalidad *f* doble, personalidad *f* dual, carácter *m* doble. ~ 자음 consonante *f* doble. ~ 주(음악)) dúo *m*, dueto *m*. ~창(唱) ((음악)) dúo *m*, dueto *m*. ~주

(窓) contraventana *f.*

이지(理智) intelecto *m*, inteligencia *f*. ~적 intelectual, inteligente.

이지러지다 ① [한 귀퉁이가 떨어지다] desportillarse. ② [한쪽이 차지 않다] menguar. 달이 이지러져 간다 La luna está menguando.

이직(移職) = 전직(轉職).

이직(離職) separación *f* de *su* posición, pérdida *f* de empleo. ~하다 desocuparse, dejar *su* trabajo, dejar *su* empleo, dejar *su* posición, abandonar *su* empleo. ~률 porcentaje *m* de separación. ~자 parado, -da *mf*; desempleado, -da *mf*; desocupado, -da *mf.*

이진법(二進法) escala *f* binaria.

이질(姨姪) ① [여자의 자매간의 자녀] hijos *mpl* de *su* hermana. ② [아내의 자매의 자녀] hijos *mpl* de la hermana de *su* esposa.

이질(異質) heterogeneidad *f.* ~적 heterogéneo, de calidad diferente, de naturaleza diferente.

이질(痢疾) ((의학)) disentería *f.* ~(성)의 disentérico. ~균 bacilo *m* disentérico.

이집트 ((지명)) Egipto *m.* ~의 egipcio. ~ 사람 egipcio, -cia *mf.*

이쪽[1] [이의 부스러진 조각] pedazo *m* roto del diente.

이쪽[2] [이곳을 향한 쪽] aquí, acá, este lado *m*; [방향] esta dirección. ~으로 por aquí, por acá. ~으로 오너라 Ven acá.

이쪽저쪽 este lado y aquel lado.

이차(二次) ① [두번째] segundo *m.* ② [부차] segunda importancia *f.* ~의 secundario. ¶~ 대전 Guerra *f* Mundial II, Segunda Guerra *f* Mundial. ~ 방정식 ecuación *f* cuadrática, ecuación *f* de segundo grado. ~ 산업 segunda industria *f.* ~식 expresión *f* cuadrática. ~ 원 segunda dimensión *f.* ~ 함수 función *f* cuadrática. ~항 término *m* cuadrático.

이착륙(離着陸) el despegue y el aterrizaje. ~하다 despegar y aterrizar.

이채(異彩) ① [이상한 광채] brillo *m* extraordinario. ② [남다름. 뛰어남] prodigio *m*, maravilla *f*, pasmo *m*, figura *f* conspicua. ~를 띠다 lucir (mucho), brillar, destacarse, descollar, sobresalir, ser conspicuo.

이처럼 así, tanto. ~ 많은 분이 참석해 주셔서 고맙습니다 Agradezco la presencia de tantas personas.

이첩(移牒) notificación *f*, información *f*, comunicación *f.* ~하다 notificar, informar, comunicar.

이취임(離就任) ¶~하다 dejar *su* puesto y asumir *su* puesto.

이층(二層) ① [단층 위에 한 층 더 올려 지은 층] dos pisos. ② [고층 건물에서, 밑에서 두 번째 층] primer piso *m*, primera planta *f*, piso *m* principal, *AmS* segundo piso *m.* ~의 de arriba, del principal. ~에서 arriba. ~에 en los altos. ~의 방 habitación *f* del primer piso. ¶~ 버스 autobús *m* de dos pisos. ~집 casa *f* de dos pisos, casa *f* de dos plantas.

이치(理致) razón *f*, principio *m.* ~를 따지다 razonar. ~에 맞다 ser razonable.

이코노믹 [경제적] económico. ~ 클래스 clase *f* económica.

이키 ¡Ah! / ¡Oh! / ¡No me digas! ~, 벌레다 ¡Oh! Es insecto.

이탈(離脱) secesión *f*, separación *f.* ~하다 separarse, escindirse. ~을 ~하다 separarse de *su* partido (político).

이탈리아 ((지명)) Italia *f.* ~의 (사람) italiano, -na *mf.* ~어 italiano *m.*

이탓저탓 con esta excusa y ésa.

이태 dos años.

이태리(伊太利) = 이탈리아.

이태릭 ((인쇄)) (letra *f*) itálica *f*, cursiva *f*, carácter *m* cursivo. ~ 문자[활자] (letra *f*) itálica *f.* ~체 cursiva *f.*

이토록 como esto, tal.

이튿날 ① [둘껫날] el segundo día. ② [다음 날] el día siguiente. ③ ((준말)) =이튿날.

이틀 ① [두 날] dos días, ambos días. ~마다 cada dos días. ~ 걸러 cada tres días. ② ((준말)) =이튿날. ③ ((준말)) =초이틀.

이틀거리 ((한방)) malaria *f.*

이판사판(理判事判) situación *f* de cómo no poder hacer en el callejón sin salida.

이팔(二八) ((준말)) =이팔청춘.

이팔 청춘(二八青春) joven *mf* de dieciséis años de edad, joven *mf* de antes de o después de dieciséis años de edad.

이편(-便) ① [이쪽의 편] este lado. ② [자기] nuestra parte, nuestro lado, nosotros, yo.

이편저편(-便-便) ① [이쪽저쪽. 여기저기] de un lado a otro, aquí y allá. ② [이편짝 사람 저편짝 사람] la persona de este parte y la de aquella parte.

이편짝(-便-) este lado, esta parte.

이하(以下) ① [수량·정도] menos *a*, bajo, inferior *a.* 스무 살 ~의 사람 persona *f* menor [que no pasa] de veinte años. ② [거기에서 뒤] lo siguiente, el resto, lo demás. ~ 등등 y así lo demás, etc. ~와 같이 como sigue.

이학(理學) ① [자연 과학을 연구하는 학문] ciencias *fpl* naturales, física *f*. ② =철학(哲學). ③ ((준말)) =성리학.

이한(離韓) salida *f* [partida *f*] de Corea. ~하다 salir de Corea.

이합(離合) la separación y la unión. ¶ ~집산 alineamiento *m*.

이항(二項) ¶ ~의 binomial. ~식 binomio *m*.

이해 este año, (año *m*) corriente *m*.

이해(利害) interés *m* (*pl* intereses). ~의 대립 oposición *f* de intereses. ~의 일치 coincidencia *f* de intereses. ¶ ~ 관계 relaciones *mpl* (comunes). ~ 관계인 los interesados. ~득실 las ganancias y las pérdidas, la ventaja y la desventaja. ~ 상반 tanto las ganancias como las pérdidas, tanto la ventaja como la desventaja. ~상반하다 ser tanto provechoso como no provechoso. ~ 타산 [계산] cálculo *m* de la pérdida y la ganancia; [욕심] interés *m* personal, egoísmo *m*.

이해(理解) comprensión *f*, entendimiento *m*, aprehensión *f*, inteligencia *f*. ~하다 comprender, entender; [깨닫다] ver, darse cuenta (de); [알다] enterarse [알고 있다] saber, conocer; [납득하다] explicarse. ~력 comprensividad *f*, facultad *f* de comprensión. ~심 entendimiento *m*.

이행(履行) cumplimiento *m*, ejecución *f*, desempeño *m*, realización *f*, ejercicio *m*. ~하다 cumplir, desempeñar, llevar a cabo, realizar.

이현령비현령(耳懸鈴鼻懸鈴) Una verdad se puede interpretar de esta manera o de aquella manera.

이혼(離婚) divorcio *m*, separación *f*. ~하다 divorciarse, separarse. ¶ ~ 소송 pleito *m* de divorcio. ~ 소송을 제기하다 presentar una demanda de divorcio. ~ 수당 alimentos *mpl*, asistencias *fpl*. ~ 수속 procedimiento *m* [trámites *mpl*] de divorcio. ~자 divorciado, -da *mf*. ~장 libelo *m* de repudio.

이화(梨花) flor *f* del peral.

이화학(理化學) fisicoquímica *f*.

이환(罹患) infección *f* de una enfermedad. ~하다 tomar contracto la enfermedad, contraer [coger] una enfermedad. ~율 morbilidad *f*. ~자 persona *f* infectada, víctima *f*.

이후(以後) ① [지금부터 뒤] en adelante, de aquí en adelane, de hoy en adelante, desde ahora (en adelante), a partir de ahora, a partir de hoy; [장래에] en el futuro, en lo porvenir, en lo sucesivo. ② [일정한 때로부터 뒤] desde, de, a partir de, después de, desde … en adelante. 그 ~ desde entonces, a partir de entonces, después de (eso), luego, más tarde.

익년(翌年) el año que viene, el año próximo, el año próximo.

익다[1] ① [열매·씨가] madurar(se). 익은 madurado. 익지 않은 verde. 익은 과실 fruta *f* madura. ② [뜨거운 기운을 받아 날것이 먹을 수 있게 되다] (estar) cocido, hecho. 익은 cocido, hecho; [감자·밥·야채 등이] hervido; [술·김치·장 등이] fermentar, añejarse; [치즈가] madurar.

익다[2] ① [자주 경험하여] (ser) hábil, experto, diestro, habilidoso; [일꾼이] cualificado, calificado; [일에] de especialista, especializado; estar familiarizado, estar experimentado, tener experiencia. ② [여러 번 겪어 보아] familiarizarse, estar acostumbrado. 귀에 익은 목소리 voz *f* acostumbrada al oído. 내 손에 익은 사전 mi diccionario bien familiarizado. ③ [잘 아는 사이다] conocer bien.

익명(匿名) anónimo *m*, seudónimo *m*, alias *m*, incognito *m*. ~의 anónimo, incognito. ~으로 anónimamente, de manera anónima, alias, bajo un seudónimo, usando un alias, bajo un nombre falso. ~의 편지 carta *f* anónima. ¶ ~ 광고 publicidad *f* ciega. ~ 기부 contribuciones *fpl* anónimas. ~ 기증 donación *f* anónima, regalo *m* anónimo. ~자 anónimo, -da *mf*. ~ 투고 contribución *f* anónima [sin firma]. ~ 투서 anónimo *m*, letras *fpl* anónimas.

익모초(益母草) ((식물)) agripalma *f*.

익사(溺死) ahogamiento *m*, ahogo *m*. ~하다 ahogarse (en el agua), morir ahogado. ~자 ahogado, -da *mf*. ~체 cadáver *m* de un ahogado.

익살 broma *f*, chiste *m*, gracia *f*, chanza *f*, comedia *f*, humorada *f*, chuscada *f*, humorismo *m*. ~(을) 떨다[부리다] echar a broma, hacer una cosa jocosa, guasearse. ¶ ~극 comedia *f*, farsa *f*, entremés *m*, sainete *m*, zarzuela *f*. ~꾼[꾸러기] bromista *mf*; humorista *mf*.

익살스럽다 (ser) humorístico, gracioso, ridículo, ridiculoso, chistoso, jocoso, cómico, juguetón. 익살스레 humorísticamente, graciosamente, ridículamente, cómicamente. 익살스레 이야기하다 hablar humorísticamente.

익숙하다 (ser) hábil, experto, cualificado, calificado, diestro, habilidoso, tener experiencia, tener habilidad.

익숙해지다 acostumbrarse, habituarse; [친해지다] familiarizarse; [풍토에] aclimatarse. 익숙해진 acostumbrado, habituado. 여러번 경험해서 익숙해진 experimentado. 익숙해진 솜씨로 con manos expertas, hábilmente, con habilidad.

익조(益鳥) ((조류)) pájaro *m* útil.

익충(益蟲) insecto *m* útil.

익히다 ① [익게 하다] madurar, volver maduro; [날것을] hacer, preparar. (요리를) 너무 ~ cocinar demasiado, recocer, dejar pasar. 감자를 ~ hacer [preparar] las patatas. ② [뜨겁거나 담근 음식 물이 제 맛이 들게 하다] añejar, hacer fermentar. 포도주를 ~ añejar el vino. ③ [익숙하게 하다] tener ejercicio, practicar, entrenarse, ejercitarse.

인 hábito *m* acostumbrado. ~이 박히다 acostumbrarse. 담배에 ~이 박히다 acostumbrarse a fumar.

인¹(仁) ((윤리)) benevolencia *f*, humanidad *f*, filantropía *f*.

인²(仁) ① [씨에서 껍질을 벗긴 배 및 배젖] embrión *m*. ② [세포의 핵 안에 있는 입상체] gránulo *m*.

인(印)=도장(sello).

인(燐) ((화학)) fósforo *m*. ~의, ~ 을 함유한 fosfórico, fosforado.

인가(人家) casa *f*, domicilio *m* humano. ~ 가까이 alrededor de la aldea, cerca de la aldea. ~가 드문 poco poblado, poco habitado.

인가(認可) autorización *f*, aprobación *f*, permiso *m*, sanción *f*. ~하다 autorizar, aprobar, permitir, sancionar. ¶ ~을 certificado *m*, licencia *f*, patente *m*, permiso *m*, autorización *f*.

인가(隣家) casa *f* vecina.

인간(人間) hombre *m*, ser *m* humano, humano *m*, mortales *mpl*; [가치 판단에서] persona *f*. ~의 humano, personal. ~ 개조 reforma *f* en humanidad. ~ 게놈 genoma *m* humano. ~ 공학 cibernética *f*, ergonomía *f*, ingeniería *f* humana. ~ 관계 relaciones *fpl* humanas. ~ 문화재 patrimonio *m* cultural humano. ~미(美) sentimiento *m* humano, humanidad *f*. ~ 복제 clonación *f* humana, clonaje *m* [clon *m*] humano. ~성 humanismo *m*, humanidad *f*, naturaleza *f* humana, cualidad *f* humana. ~애 humanidad *f*. ~적 humano. ~적 으로 humanamente.

인감(印鑑) impresión *f* de sello. ~

도장 sello *m* registrado, sello *m* legal. ~ 신고 registro *m* de impresión de sello. ~ 증명 autorización *f* [legalización *f*] de un sello, certificado *m* de impresión de sello. ~ 증명서 certificado *m* de impresión de sello.

인건비(人件費) desembolso *m* del personal, gastos *mpl* de personal, costos *mpl* de mano de obra.

인격(人格) personalidad *f*, carácter *m*; ((법률)) individuo *m*. ~을 존중하다 respetar la personalidad, respetar la dignidad humana. ~을 무시하다 ignorar la personalidad, ignorar la dignidad humana.

인견(人絹) ① ((준말)) =인조견. ② ((준말)) =인조 견사(人造絹絲).

인견사(人絹絲) ((준말)) =인조 견사.

인계(引繼) entrega *f*, traspaso *m*, sucesión *f*. ~하다 [사무를] entregar, transferir, tomar posesión de (negocios); [계승하다] suceder, seguir, ser sucesor de, reemplazar.

인공(人工) ① [사람이 하는 일] trabajo *m* humano, obra *f* humana. ② [인조] artificialidad *f*, calidad *f* artificial, calidad *f* de artificio, artificio *m*. ~의 artificial. ¶ ~ 감미료 dulcificante *m* artificial. ~ 낙태 aborto *m* artificial. ~ 부화 incubación *f* artificial. ~ 분만 parto *m* artificial. ~ 수정 caprificación *f*, cabrahigadura *f*, partenogénesis *f* artificial. ~ 신장 riñón *m* artificial. ~ 심장 corazón *m* artificial. ~ 위성 satélite *m* artificial. ~적 artificial. ~ 피임법 anticoncepción *f* artificial, contracepción *f* artificial. ~ 호흡 respiración *f* artificial. ~ 호흡기 pulmotor *m*, máquina *f* respiratoria artificial.

인과(因果) ① [원인과 결과] la causa y el efecto. ② ((불교)) karma *m*; [전생의] retribución *f* de los bienes o males cometidos en una vida anterior; [운명] destino *m*. 피할 수 없는 ~ retribución *f* inevitable. ¶ ~ 관계 relación *f* causal. ~율 causalidad *f*, ley *f* de causa y efecto, principio *m* de la causalidad. ~응보 Quien mal siembra, mal coge.

인구(人口) población *f*; [주민의 수] número *m* de habitantes. ~의 poblacional. ~의 증가 aumento *m* [crecimiento *m*] de población. ~의 감소 disminución *f* [baja *f*] de población, despoblación *f*. ¶ ~ 과잉 exceso *m* de población, superpoblación *f*. ~ 국세 조사

censo *m*. ~ 問題 problema *m* de población, problema *m* demográfico. ~ 밀도 densidad *f* de población, densidad *f* demográfica. ~ 조사 censo *m* de población, censo *m* demográfico. ~ 조사를 하다 hacer el censo de los habitantes. ~ 통계 estadísticas *fpl* demográficas, estadísticas *fpl* sobre población. ~ 피라미드 pirámide *m* de población.

인구론(人口論) El ensayo sobre el principio de la población (de Malthus).

인권(人權) ① =자연권(自然權). ② [인간의 기본적 권리] derechos *mpl* humanos. ~을 유린하다 infringir [atropellar] los derechos humanos, atropellar derecho personal. ~을 존중하다 respetar los derechos humanos. ¶ ~ 기구 organización *f* pro derechos humanos. ~ 문제 problema *m* de los derechos humanos. ~ 상담소 centro *m* de consultación de derechos humanos. ~ 선언 Declaración *f* del Derechos Humanos; [불란서 혁명의] Declaración de los Derechos del Hombre y del Ciudadano. ~ 유린 atropello *m* [violación *f*] de derecho personal, violación *f* de los derechos humanos. ~ 침해 violaciones *fpl* de los derechos humanos.

인근(隣近) vecindad *f*. ~의 vecino, cercano, próximo, adyacente.

인기(人氣) [세상 사람의 좋은 평판] popularidad *f*. ~ 있는 popular, favorito. ~ 없는 impopular. ¶ ~ 배우 actor, -triz *mf* popular; ídolo *m* del escenario; [영화의] ídolo *m* de la pantalla, estrella *f* de cine. ~ 소설 novela *f* popular, novela *f* que causa sensación. ~ 작가 escritor, -tora *mf* popular. ~ 투표 voto *m* de popularidad.

인기척(人-) indicación *f* de la persona que hay alrededor.

인내(忍耐) paciencia *f*, perseverancia *f*, sufrimiento *m*, aguante *m*. ~하다 tener paciencia, perseverar, aguantar. ~는 모든 슬픔을 낫게 한다 A cualquier duelo la paciencia es remedio. ¶ ~력[심] paciencia *f*.

인내천(人乃天) ((천도교)) El hombre es el cielo.

인대(靭帶) ((해부)) ligamento *m*.

인덕(人德) virtud *f* (natural).

인덕(仁德) benevolencia *f*, humanidad *f*, generosidad *f*.

인도(人道) ① [보도] acera *f*. ② [인간으로서의 마땅한 도리] humanidad *f*. ~에 반(反)한 inhumano, cruel. ¶ ~주의 humanitarismo *m*.

~주의자 humanista *mf*.

인도(引渡) ① [물건·권리를 건네어 줌] entrega *f*, [권리의] traspaso *m*, cesión *f*, [범인의 국제적인] extradición *f*. ~하다 entregar, poner en manos; [권리의] traspasar, transferir, rendir, ceder. ② ((법률)) entrega *f*. ~하다 entregar. ¶ ~ 가격 precio *m* entregado. ~ 기간 plazo *m* de entrega. ~ 날짜 fecha *f* de entrega. ~ 조건 condiciones *fpl* de entrega. ~ 증 nota *f* de entrega. ~ 필 entregado. ~ 항 puerto *m* de entrega.

인도(引導) ① [가르쳐 일깨움] despertamiento *m* después de la enseñanza. ~하다 despertar después de enseñar. ② [길을 안내함] guía *f*. ~하다 guiar. ③ ((불교)) [사람을 불도로 이끄는 일] guía *f* al budismo. ~하다 guiar al budismo. ¶ ~자 guía *mf*.

인도(印度) ((지명)) la India. ~의 indio, hindú. ~ 사람 indio, -dia *mf*; hindú *mf*. ~어 hindi *m*.

인도네시아 ((지명)) Indonesia *f*. ~의 indonesio. ~ 사람 indonesio, -sia *mf*. ~어 indonesio *m*.

인도양(印度洋) el (Océano) Indico.

인동(忍冬) ① ((식물)) =인동덩굴. ② ((한방)) [the stems y las hojas de la madreselva secada] ¶ ~덩굴 madreselva *f*.

인두 ① [바느질할 때 쓰이는 기구] *indu*, planchuela *f* [plancha *f* pequeña] con la forma de corazón para planchar el pliegue de la tela. ② ((군밥)) =납땜인두 (soldador). ③ [이발용의] tenacillas *fpl*, encrespador *m*. ④ [머리 곱슬곱슬하게 하는] rizador *m*.

인두질 el planchar; [납땜] soldadura *f*. ~하다 planchar; [납땜하다] soldar.

인두(人頭) ① [사람의 머리] cabeza *f* humana. ② [사람의 머릿수] número *m* de las personas. ~세 capitación *f*, impuesto *m* comunitario de capitación.

인두(咽頭) ((해부)) faringe *f*. ~의 faríngeo. ~염 faringitis *f*. ~통 faringalgia *f*.

인디언 ① [인도 사람] indio, -dia *mf*; hindú *mf*. ~의 indio, hindú. ② [아메리칸 인디언] indígena *mf*; indio, -dia *mf*. ~의 indígena, indio.

인디오 indio, -dia *mf*.

인력(人力) ① [사람의 힘] poder *m* humano, fuerza *f* (humana), facultad *f* humana. ② [인간의 노동력] mano *f* de obra, personal *m*; [인적 자원] recursos *mpl* humanos. ¶ ~난 dificultad *f* de la mano de obra. ~ 수출 exportación *f* de la mano de obra.

인력(引力) [지구의] gravedad *f*, gravitación *f* terrestre; [물체간의] atracción *f*; [자기의] magnetismo *m*.

인력거(人力車) carrito *m* [vehículo *m*] tirado por un hombre, calés *m*, calesa *f* (oriental de dos ruedas tirada por un hombre). ~꾼 calesero *m*.

인류(人類) ser *m* humano, humanidad *f*, género *m* humano, raza *f* humana. ~의 humano. ~ 사회 sociedad *f* humana. ~에 amor *m* a la humanidad. ~학 antropología *f*. ~학자 antropólogo, -ga *mf*.

인륜(人倫) [도덕] moralidad *f*, moral *f*, [인도] humanidad *f*. ~에 반(反)하다 ser contrario a la humanidad, atentar contra la moralidad.

인마(人馬) ① [사람과 말] el hombre y el caballo. ② [마부와 말] el cochero y el caballo.

인망(人望) ① [신뢰] confianza *f*. ② [존경] estimación *f*, respeto *m*. ~ 있는 estimado, respetado. ~ 없는 poco estimado. ~이 높다 disfrutar de la reputación alta. ③ [인기] popularidad *f*. ~ 있는 popular. ~ 없는 impopular.

인맥(人脈) relaciones *fpl* estrechas de las personas de la misma línea.

인면(人面) cara *f* del hombre. ~ 수심 Bestia con la cara humana; Cara de santo, corazón de gato.

인멸(湮滅) extinción *f*, apagamiento *m*; [고의적] destrucción *f*, abolición *f*, supresión *f*. ~하다 extinguirse, apagarse, suprimir, destruir. 증거를 ~하다 suprimir las pruebas.

인명(人名) nombre *m* del hombre. ~록 directorio *m*. ~ 사전 diccionario *m* biográfico.

인명(人命) vida *f* humana, vida *f*. ~의 손해 pérdida *f* de la vida. ~은 무엇보다도 중요하다 La vida humana es inestimable. ¶ ~ 경시 desprecio *m* de la vida humana. ~ 경시를 하다 despreciar la vida humana. ~ 구조 salvamento *m* (de la vida humana). ~ 재천(在天) La vida y la muerte del hombre dependen del cielo. ~ 존중 respeto *m* a la vida humana.

인모(人毛) pelo *m* del hombre.

인문(人文) civilización *f*, cultura *f*. ~의 civil, cultural. ~ 과학 ciencias *fpl* humanas, ciencia *f* de cultura. ~주의 humanismo *m*. ~ 주의자 humanista *mf*. ~지리학 geografía *f* humana [descriptiva · política]. ~ 학부 facultad *f* de ciencias humanas.

인물(人物) ① [사람과 물건] el hombre y el objeto. ② [인품] personalidad *f*, carácter *m*. ~을 보증하다 garantizar la personalidad. ~을 시험하다 poner a prueba la personalidad. ③ [인재] hombre *m* (de habilidad), talento *m*. 금년의 ~ hombre *m* del año. ④ [용모] figura *f* (humana). 걸출한 ~ figura *f* sobresaliente. ⑤ [등장 인물] personaje *m*. ¶ ~평 crítica *f* personal, caracterización *f*. ~화 figura *f*; [초상화] retrato *m*; [풍경. 정물] pintura *f* de figura. ~화 artista *mf*; pintor, -tora *mf* de retratos.

인민(人民) pueblo *m*. ~의 popular. ~의 소리 voz *f* popular, voz *f* del pueblo. ¶ ~ 공화국 república *f* popular. ~군 ejército *m* popular. ~당 Partido *m* Popular. ~ 위원회 comité *m* popular. ~ 재판 juicio *m* popular. ~ 전선 frente *m* popular. ~ 투표 plebiscito *m*, referéndum *m*.

인보이스 ((경제)) [송장] factura *f*.

인복(人福) =인덕(人德).

인본(印本) libro *m* impreso.

인본주의(人本主義) ((철학)) humanismo *m*, humanitarismo *m*. ~주의자 humanista *mf*.

인부(人夫) peón *m*; jornalero, -ra *mf*; trabajador, -dora *mf*; operario, -ria *mf*; bracero, -ra *mf*; culí *mf*; [짐꾼] maletero *m*, mozo *m*, RPI changador *m*. ~십장 capataz *mf*; capataza *f*.

인분(人糞) excrementos *mpl* (humanos), estiércol *m* humano, heces *fpl*.

인사(人士) persona *f*, hombre *m*.

인사(人事) ① [남에게 공경하는 뜻으로 하는 예의] saludo *m*, salutación *f*. ~하다 saludar, complimentar, hacer una reverencia, inclinarse en señal de saludo. ~도 없이 sin decir adiós, sin mandar ni siquiera un saludo, a la francesa. ② [처음 만나 하는 인사] intercambio *m* de *sus* nombres. ~하다 intercambiarse los nombres, presentarse uno de otro. ③ [사람들 사이에 지켜야 할 예의] complimentos *mpl*, cortesía *f*, etiqueta *f*. 그것은 ~가 아니다 No es etiqueta. ④ [사람이 하는 일] negocio *m* personal, negocio *m* humano, asunto *m* humano, lo que el hombre puede hacer. ⑤ [개인의 의식·능력·신분에 관한 일] asuntos *mpl* personales, personal *m*. ~계 sección *f* de personal. ~ 고과 clasificación *f* de méritos, rendimiento *m* efectivo. ~과 departamento *m* de personal. ~ 관리 dirección *f* [administración *f*· gerencia *f*· gestión *f*] de personal. ~ 문제 cuestiones *fpl* de personal, problema *m* de relaciones humanas. ~ 위원회 Comisión *f* de Personal, Comité *m* de Personal. ~ 이동 movimiento *m* de personal, reorganización *f* de personal. ~장 tarjeta *f* de saludo, carta *f* de saludo, carta *f* de salutación. ~ 정책 política *f* de personal. ~처 Oficina de Negocios Humanos. ~ 행정 administración *f* de(l) personal.

인사불성(人事不省) insensibilidad *f*, desmayo *m*. ~이 되다 desmayarse.

인산인해(人山人海) corro *m*, corrillo *m*, muchedumbre *f* de personas, multitud *f* de personas, horda *f*. ~를 이루다 estar de bote en bote

인삼(人蔘)((식물)) insam, ginseng *m*, ginsén *m*. 고려 ~ goryeo insam, ginsén *m* [ginseng *m*] coreano. ¶~주 vino *m* de ginsén. ~차 té *m* de ginsén.

인상(人相) fisonomía *f*, fisonomía *f*, facciones *fpl*. ~이 좋은 de buena fisonomía. ~이 나쁜 de mala fisonomía, de expectación ominosa. ¶~서 descripción *f* fisonómica.

인상(引上) ① [끌어 올림] levantamiento *m*. ~하다 levantar. ② [값·요금·봉급 등을 올림] subida *f*, el alza *f*. ~하다 subir, alzar. ③ ((역도)) levantamiento *m*.

인상(印象) impresión *f*. 첫 ~ las primeras impresiones. ¶~적 impresionante. ~주의 impresionismo *m*. ~주의자 impresionista *mf*. ~파 ㉮ escuela *f* impresionista. ㉯ [사람] impresionista *mf*. ~파 음악 música *f* impresionista. ~파 화가 pintor, -tora *mf* impresionista.

인색하다(吝嗇ㅡ) (ser) mezquino, avaro, tacaño, miserable, avaricioso. 인색한 사람 tacaño, -ña *mf*, avaro, -ra *mf*, persona *f* mezquina; cicatero, -ra *mf*.

인생(人生) vida *f*, vida *f* humana, vida *f* del hombre. 가시밭 ~ vida *f* de espinas. 장밋빛 ~ vida *f* de rosas. ~을 즐기다 gozar de la vida, disfrutar de la vida. ~은 꿈이다 La vida es sueño [ensueño]. 인생은 짧고 예술은 길다 La vida es corta, el arte largo. 인생은 겨우 오십 년(年) ((속담)) La vida es un soplo [un sueño]. ¶~관 vista *f* [concepto *m*] de la vida. ~ 무상 vida *f* efímera. ~행

로[항로] curso *m* de *su* vida.

인선(人選) selección *f* del personal. ~하다 seleccionar una persona. ¶~난 dificultad *f* de seleccionar persona adepta.

인성(人性) naturaleza *f* humana, humanismo *m*; [본성] instinto *m* humano. ~론 tratado *m* de naturaleza humano. ~주의자 humanista *mf*. ~학 etología *f*.

인세(印稅) ① ((법률)) =인지세. ② [저서 뒤에 붙인 검인의 수만큼 출판사로부터 받는 돈] derechos *mpl* de autor, regalías *fpl*, royalties *ing.mpl*, honorarios *mpl*.

인솔(引率) mando *m*, guía *f*, dirección *f*, mandamiento *m*. ~하다 dirigir, encabezar; [군대 등을] mandar, conducir, guiar. ~자 líder *mf*, dirigente *mf*; jefe, -fa *mf*, guía *mf* responsable; conductor, -tora *mf*.

인쇄(印刷) imprenta *f*, impresión *f*, estampación *f*. ~하다 imprimir, tirar, estampar, dar a la imprenta [a la estampa]. ~공 impresor, -sora *mf*; tipógrafo, -fa *mf*; prensista *mf*. ~ 공장 taller *m* de impresión. ~기(계) máquina *f* de imprimir, máquina *f* impresora, impresora *f*, prensa *f*, máquina *f* de estampar. ~물 impresos *mpl*. ~물 재중(在中) Impresos. ~소 imprenta *f*, tipografía *f*. ~술 tipografía *f*, arte *m* de imprimir, arte *m* de la imprenta. ~업 imprenta *f*. ~업자 impresor *m*. ~ 용지 papel *m* para imprimir. ~인[자] impresor *m*. ~체 (문자) letra *f* impresa, letra *f* de imprenta [molde]. ~판 clisé *m*, plancha *f*, placa *f* (de imprenta).

인수(人數) número *m* de personas.

인수(引受) recibo *m*; [환어음의] aceptación *f*; [보증] garantía *f*, seguridad *f*, empresa *f*; [정부] contratación *f*. ~하다 ㉮ [정부에서] encargarse, comprometerse, recibir, admitir, emprender, tomar por *su* cuenta, tomar en mano; [보증하다] garantizar. ㉯ [어음을] aceptar, honrar una letra de cambio; [주를] suscribir (por 50 acciones). ㉰ [책임을] ser responsable, tener la responsabilidad, tener cargo, ser obligado, salir fiador. 책임을 ~하다 asumir la responsabilidad. ㉱ [남의 대신으로] encargarse, reemplazar. ¶~ 가격 precio *m* de aceptación. ~ 거절 falta *f* de aceptación, recusación *f*. ~ 어음 letra *f* aceptable. ~ 은행 banco *m* de aceptación. ~인 garante *mf*; fiador, -dora *mf*; [지불의] dita *f*; [환어음

의] aceptante *mf*; aceptador, -dora *mf*. ~증 certificado *m* de aceptación. ~ 회사 casa *f* de aceptaciones..

인수(因數) ((수학)) factor *m*. ~ 분해 descomposición *f* factorial, descomposición *f* en factores, factorización *f*.

인술(仁術) ① [인을 행하는 방법] método *m* de hacer la benevolencia. ② [의술] arte *m* benevolente, ciencia *f* de medicina.

인슐린 ((화학)) insulina *f*. ~ 쇼크 shock *m* de insulina.

인스턴트 [즉석] instante *m*. ~ 식품 comida *f* precocinada.

인식(認識) conocimiento *m*, cognición *f*; [이해] comprensión *f*, [확인] reconocimiento *m*. ~하다 conocer, comprender, reconocer, darse cuenta. ¶~ 능력 facultad *f* de conocimiento. ~력 cognición *f*. ~론[학] epistemología *f*. ~ 부족 falta *f* de comprensión. ~표 disco *m* de identificación.

인신(人身) ① [사람의 몸] cuerpo *m* humano. ② [개인의 신상·신분] *su* persona. ¶~ 공격 ataque *m* personal, agresión *f* personal. ~ 공격을 하다 lanzar ataques personales. ~ 매매 tráfico *m* humano; [여성의] trata *f* de blancas.

인심(人心) espíritu *m* humano, corazón *m* de hombre, sentimiento *m* popular, sentimiento *m* humano, natura *f* humana, clánimo *m* de la gente; [여론] opinión *f* pública. ~이 동요하다 inquietarse el pueblo, agitarse el pueblo.

인심(仁心) benevolencia *f*, bondad *f*, buen corazón *m*, corazón *f* benévolo.

인애(仁愛) beneficencia *f*, benevolencia *f*, caridad *f*, filantropía *f*, afecto *m* humano.

인양(引揚) salvamento *m*, rescate *m*, salvataje *m*. ~하다 salvar, rescatar. 화물의 ~ salvamento *m* del cargamento. ¶~ 작업 operación *f* de rescate, operación *f* de salvamento.

인어(人魚) [여자] sirena *f*, [남자] tritón *m*.

인연(因緣) ① [서로의 연분] lazo *m*. 부부의 ~ lazos *mpl* matrimoniales, lazos *mpl* entre marido y mujer, lazos *mpl* entre esposos. ② [어느 사물에 관계되는 연줄] ㉮ [관계] relación *f*, conexión *f*; [유대] lazo *m*. ㉯ [혈연] parentesco *m*. ㉰ [친척 관계] alianza *f*, afinidad *f*. ㉱ [숙연] destino *m*, fatalidad *f*. ③ =유래. 내력. ④ =이유. 원인. ⑤ (불교) karma *m*. ¶~을 끊다 romper. 부모와 자식

의 ~을 끊다 romper los lazos [las relaciones] de padres e hijos [paterno-filiales].

인용(引用) cita *f*, citación *f*, referencia *f*. ~하다 citar, referirse. ~되다 ser citado. ~구 cita *f*. ~례 ejemplos *mpl* citados. ~문 frase *f* citada, cita *f*. ~부 comillas *fpl* (≪ ≫); raya *f* (—). ~서 libro *m* [obra *f*] de referencia. ~어 cita *f*. ~어 사전 diccionario *m* de citas.

인원(人員) ① [사람의 수효] número *m* de personas. ② [한 떼를 이룬 여러 사람] grupo *m*; [직원] cuerpo *m*, empleados *mpl*; [정원] personal *m* fijo, plantilla *f*; [집합적] personal *m*, dotación *f*. ~을 배치하다 dotar de personal.

인자(人子) ① [사람의 아들] hijo *m* del hombre. ② ((기독교)) Jesús. ③ (성경) hijo *m* de los hombres, (hijo *m* de) hombre *m*.

인자(仁者) persona *f* benévola.

인자(因子) ① ((수학)) =인수(因數). ② [낱낱의 요소] elemento *m*, causa *f* elemental, concausa *f*. ③ =유전자.

인자하다(仁慈—) (ser) benévolo, benevolente, misericordioso. 인자하신 어머니 madre *f* benévola.

인장(印章) =도장(圖章).

인재(人才) hombre *m* de habilidad [de talento].

인재(人材) hombre *m* capacitado [hábil], hombre *m* de talento [de habilidad], hombre *m* capable, personaje *m*, talento *m*. 널리 ~를 구하다 buscar públicamente a los hombres de talento. ¶~ 등용 selección *f* de las personas capacitadas para los puestos más altos.

인재(人災) calamidad *f* causada por el descuido del hombre.

인적(人跡/人迹) huella *f* humana. ~이 끊긴 despoblado, solitario, no pisado no hollado, inhabitado. ~이 닿지 않는 inexplorado, virgíneo.

인적(人的) humano. ~ 관계 relaciones *fpl* humanas. ~ 손해 pérdida *f* de recursos humanos. ~ 자원 recursos *mpl* humanos.

인절미 *incheolmi*, tarta *f* hecha [pan *m* hecho] de arroz apelmazado, pan *m* coreano típico.

인접(隣接) vecindad *f*. ~하다 confinar, limitar, lindar, colindar. ~한 contiguo, inmediato, lindante, convecino, adyacente. ~한 마을 aldea *f* adyacente. ¶~지 terrenos *mpl* colindantes, tramo *m*.

인정(人情) ① [사람이 본디 가지고 있는 온갖 욕망] deseo *m* humano, pasión *f* humana, naturaleza *f*

humana. ② [남을 동정하는 마음씨] sentimientos *mpl* humanos; [동정심] compasión *f*, piedad *f*; [인간성] humanidad *f*. ~이 있는 humano, humanitario, compasivo, piadoso. ~이 없는 inhumano, despiadado. ③ [세상 사람의 다사로운 마음] afabilidad *f*. 이곳 사람들은 ~이 넘친다 Aquí la gente es muy afable. ④ [옛날, 벼슬아치들에게 은근히 주던 선물] regalo *m* que se daba al funcionario público.

인정(認定) [확인] comprobación *f*, constatación *f*; [승인] autorización *f*, reconocimiento *m*; [증명] atestación *f*, certificación *f*. ~하다 comprobar, constatar, reconocer, atestar, autorizar, admitir; [평가하다] estimar, apreciar.

인제 ① [이제에 이르러] ahora, ya. ~ 끝났다 Ya se acabó. ② [이제로부터 곧] desde ahora, pronto. ~ 곧 가겠다 Me voy pronto.

인조(人造) trabajo *m* humano, obra *f* humana, artificialidad *f*. ~의 artificial; [모조의] postizo; [합성의] sintético. ~견 seda *f* artificial, rayón *m*. ~ 견사 hilo *m* para el rayón. ~ 고무 goma *f* sintética. ~ 물감[염료] tinte *m* [tintura] artificial. ~ 버터 margarina *f*. ~ 보석 piedra *f* preciosa sintética. ~ 비료 abono *m* artificial, fertilizante *m* artificial. ~빙 hielo *m* artificial. ~ 상아 marfil *m* artificial, marfil *m* de imitación. ~석(石) piedra *f* de imitación. ~ 섬유 fibra *f* sintética. ~육 carne *f* sintética. ~ 인간 autómata *m*, robot *m*, hombre *m* artificial [postizo], hombre *m* mecánico. ~ 진주 perla *f* artificial [imitada], perla *f* de imitación, perla *f* falsa.

인종(人種) raza *f*, razas *fpl* humanas, etnía *f*; [인류학상의] raza *f* etnológica. ~ 개량 mejora *f* de la raza, eugenesia *f* racial. ~론 eugenismo *m*. ~ 개량주의자 eugenista *mf*. ~론 etnografía *f*. ~ 문제 problema *m* racial. ~ 생물학 etnobiología *f*. ~ 언어학 etnolingüística *f*. ~적 de raza, racial, etnológico, étnico, etnográfico. ~적 편견 prejuicio *m* racial. ~ 차별 discriminación *f* racial. ~ 차별주의 segregacionismo *f* racial. ~ 차별주의 segregacionismo *m*; [나치의] racismo *m*. ~ 차별주의자 segregacionista *mf*; racista *mf*. ~ 평등 igualdad *f* racial. ~학 etnología *f*. ~학자 etnógrafo, -fa *mf*; etnólogo, -ga *mf*.

인주(印朱) tampón *m* (de sello),

almohadilla *f* (para entintar), tinta *f* de sello. ~갑 caja *f* para tampón. ~합(盒) cuenco *m* de latón con tapa para tampón.

인준(認准) aprobación *f* del cuerpo legislativo. ~하다 aprobar.

인증(人證) ((준말)) =인적 증거.

인증(引證) alegación *f*, cita *f*, invocación *f*. ~하다 alegar, aducir, citar, invocar.

인증(認證) ratificación *f*, sanción *f*, certificación *f*. ~하다 ratificar, sancionar, certificar. ~식 ceremonia *f* de atestación, ceremonia *f* de investidura.

인지(人指) dedo *m* índice.

인지(人智) intelecto *m*, conocimiento *m* (humano), inteligencia *f* humana, erudición *f*. ~의 intelectual.

인지(印紙) timbre *m*, estampilla *f*, sello *m*, poliza *f*. ~를 붙이다 timbrar, poner un timbre, pegar un sello, poner un sello; [우편 요금을 지불하다] franquear. ¶ ~세 timbrado *m* fiscal, sellado *m* fiscal, timbre *m*, timbre *m* nacional, derecho *m* de timbre, impuesto *m* de timbre. 수입 ~ timbre *f*.

인지(認知) reconocimiento *m*, legitimación *f*. ~하다 reconocer, legitimar.

인지상정(人之常情) naturaleza *f* humana, humanidad *f*.

인질(人質) =볼모(rehén). ¶ ~로 잡다 tomar como rehén.

인책(引責) responsabilidad *f* de sí mismo. ~하다 asumir la responsabilidad, declararse responsable. ~ 사직 dimisión *f* por responsabilidad.

인척(姻戚) pariente *m* político, parienta *f* política; pariente, -ta *mf* por afinidad. ~ 관계 afinidad *f*, parentesco *m* político. ~ 관계를 맺다 contraer parentesco.

인체(人體) cuerpo *m* humano. ~에 유해한 nocivo a [para] la salud, malsano. ~에 해가 되는 infensivo. ¶ ~ 구조 estructura *f* del cuerpo. ~ 면역 결핍 바이러스 virus *m* de inmunodeficiencia humana, VIH *m*. ~ 실험 experimento *m* con el cuerpo humano. ~ 측정 antropometría *f*, somatometría *f*. ~ 해부 anatomía *f* del cuerpo humano, somatotomía *f*.

인출(引出) retirada *f*, AmL retiro *m* (de fondos). ~하다 retirar.

인치 pulgada *f*. 3~ tres pulgadas.

인칭(人稱) ((언어)) persona *f*. ~의 personal. 비~의 impersonal. 제일~ primera persona *f*. 제이~ segunda persona *f*. 제삼~ tercera persona *f*. ¶ ~ 대명사

pronombre *m* personal. ~ 변화
variación *f* de persona.

인큐베이터 [보육기] incubadora *f*.

인터내셔널 ① [국제적] internacional. ② [노동자 및 사회주의 단체의 국제적 조직] Internacional *f*. ~의 노래 canción *f* de Internacional. 제1 ~ la Primera Internacional. 제2 ~ la Segunda Internacional. 제3 ~ la Tercera Internacional. 공산주의 ~ la Internacional Comunista.

인터넷 Internet *m*, la Web, la Red, la Telaraña. ~으로 다시 볼 수 있습니다 Se puede ver de nuevo por el Internet. ~ 도메인 dominio *m* de Internet. ~ 로봇 robot *m* de Internet. ~ 바이러스 virus *m* del ordenador. ~ 방송 difusión *f* en Internet. ~ 사용자 internauta *mf*. ~ 주소 dirección *f* (de protocolo) de Internet.

인터뷰 entrevista *f*, interviú *m*. ~ 하다 entrevistar(se), tener una entrevista.

인터체인지 intercambiador *m*, enlace *m*, empalme *m*, nudo *m* (de carreteras).

인터페론 interferón *m*.

인터폰 interfono *m*.

인터폴 Interpol *f*.

인턴 interno, -na *mf*.

인테리어 interior *m*. ~ 디자이너 interiorista *mf*. ~ 디자인 interiorismo *m*. ~ 장식 ㉮ [주택의] decoración *f*. ㉯ [직업] interiorismo *m*, decoración *f* (de interiores). ~ 장식가 ㉮ [페인트공] pintor, -tora *mf*. ㉯ [디자이너] interiorista *mf*; decorador, -dora *mf* (de interiores).

인텔리 ((준말)) =인텔리겐치아. ¶ ~ 계급 clase *f* intelectual.

인텔리겐치아 intelectual *m*, [집합적] intelectualidad *f*, los intelectuales.

인토네이션 [억양] entonación *f*.

인파(人波) oleada *f* (de gente), ola *f* (de gente), muchedumbre *f*, multitud *f* (de olaje), gente *f* inundante, mar *m* de cabezas, circulación *f* de transeúntes.

인파이터 luchador, -dora *mf*.

인편(人便) agencia *f* de una persona. ~으로 por una persona. ~으로 보내다 enviar [mandar] por una persona.

인품(人品) personalidad *f*, carácter *m* (personal), apariencia *f* personal. ~이 고상하다 ser de apariencia noble, ser de una noble apostura.

인플레 ((준말)) =인플레이션.

인플레이션 inflación *f*.

인플루엔자 influenza *f*, gripe *f*.

인하(引下) rebaja *f*, reducción *f*, disminución *f*. ~하다 rebajar, reducir. ~책 medida *f* de reducción.

인해(人海) una riada de gente, mar *m* de personas. ~ 전술 estrategia *f* de lanzar olas de hombres al combate.

인형(人形) ① [사람의 형상] figura *f* (del hombre). ② [여자 형상의] muñeca *f*, [남자 형상의] muñeco *m*; [꼭두각시 인형] títere *m*, marioneta *f* de muñeca. ~을 사용하다 manejar los títeres. ③ [자기 의지대로 행동하지 못하는 사람] títere *m*. ¶ ~극 función *f* [espectáculo *m*] de marioneta [de títeres]. ~ 조종자 titiritero, -ra *f*.

인형(仁兄) [편지에서] Mi querido amigo:

인화(人和) armonía *f* [unión *f*] entre personas, unión *f* de corazones, concordia *f*, paz *f*, unión *f*, armonía *f*.

인화(引火) encendido *m*, ignición *f*, inflamación *f*. ~하다 prenderse fuego, inflamarse. ~하기 쉬운 inflamable. ¶ ~물 inflamable *m*, fosfuro *m*. ~성 inflamabilidad *f*. ~성 물질 inflamable *m*. ~점 punto *m* de inflamación.

인화(印畵) impresión *f*, tiraje *m*, prueba *f*, fotografía *f* impresionada; [사진의] copia *f*. ~하다 imprimir, tirar, imprimir [tirar] copias. ~지 papel *m* fotosensible, papel *m* de copias, papel *m* para estampa [para impresión por contacto].

인후(咽喉) ((해부)) garganta *f*. ~병 enfermedad *f* laringofaringeal. ~선(腺) gládula *f* gutural. ~염 esfagitis *f*.

일 ① [업으로 삼고 하는 모든 노동] trabajo *m*, tarea *f*, labor *f*, cargo *m*; [손일] oficio *m*, obra *f* de mano. ~을 하다 trabajar, hacer un trabajo, desempeñar su cargo, dedicarse al trabajo. ☞일하다. ② [용무] negocio *m*, asunto *m*. ~이 있을 경우에는 en caso de que ocurra algo. ③ [큰 난리·변동] tumulto *m*, revuelto *m*, disturbio *m*; [혼란] confusión *f*. ④ [사고] incidente *m*, accidente *m*, problema *m*. ~이 생기면 en caso de emergencia. ⑤ [특별한 형편, 사정] circunstancia *f*. ⑥ [어떤 경험] experiencia *f*, haber +「과거분사」. 그를 만난 ~이 있습니까? ¿Le ha visto usted alguna vez? ⑦ [돈이 많이 드는 행사] gran acontecimiento *m*. ⑧ [다스리는 책임] responsabilidad *f*.

일(一) uno; [형용사적] un, una. ~ 가구 una familia. 제~과 lección *f* una, lección *f* primera. 제~의 primero.

일(日) ① ((준말)) =일요일. ② [날. 해. 하루. 낮] día *m*. 기념~ aniversario *m*, día *m* conmemorativo. ③ [날짜·날수를 셀 때 쓰는 말] 「남성 정관사 el + 기수」 (1일은 기수 대신에 서수를 씀), día *m*. 1~ el 1 [primero]. 2~ el 2 [dos]. 15~ el 15 [quince].

일가(一家) ① [성과 본이 같은 겨레붙이] pariente *m*, parienta *f*; [집합적] parentesco *m*. 가까운 ~ pariente *m* cercano, parienta *f* cercana. 먼 ~ pariente *m* lejano, parienta *f* lejana. ② [한집안] una familia, miembro *mf* de una familia; [가정] un hogar. 장남 ~ familia *f* de *su* hijo mayor. ③ [학문·예술·기술 분야 등에서 독립한 한 유파] una escuela; [대가] una autoridad. 1~ 친척 parientes *mpl*.

일가견(一家見) vista *f* personal, vista *f* privada, *su* propia opinión.

일각(一刻) ① [15분] quince minutos, un cuarto. ② [짧은 시간] momento *m*, instante *m*, tiempo *m* corto. 일각이 삼추(三秋) 같다 ((속담)) El tiempo corto se siente ser largo como los diez años debido a la esperanza sincera. 1~천금(千金) El tiempo es oro.

일간(一間) un compartimiento (de la casa). ~두옥(斗屋) choza *f*, cabaña *f*, casa *f* solitaria, casa *f* humilde, casa *f* con una sola habitación. ~ 초옥(草屋) choza *f*, cabaña *f*.

일간(日刊) ① [날마다 간행함] publicación *f* diaria. ~의 diario, de publicación diaria, que se publica diariamente, que sale todos los días. ② ((준말)) =일간 신문. 1~지[신문] diario *m*, periódico *m* diario.

일간(日間) ① ((준말)) =일일간(一日間). ② [가까운 며칠 사이] dentro de unos días, un día de éstos, uno de estos días; [곧] pronto, dentro de poco. ~ 만나자 A ver si nos vemos pronto / Nos veremos un día de éstos.

일갈(一喝) un grito recio. ~하다 gritar con voz en trueno, tronar, reprender con voz recia, dar un grito recio.

일감 =일거리.

일개(一介) ① [보잘것없는 한 낱] un polvo, poquedad *f*, nimiedad *f*. ② [한낱 보잘것없는] mero, simple. 1~ 서생 mero estudiante *m*, nada más que un estudiante.

일개(一個/一箇) uno, una; una pieza. ~의 un, una. ~ 천 십 유로 diez euros cada uno.

일개미 (hormiga *f*) trabajadora *f*.

일개인(一個人) un individuo, una persona particular, una persona privada. ~의 individual, privado, personal, particular.

일거(一擧) ① [한 번의 동작] un movimiento, una acción, un esfuerzo. ② [단번] una sola vez, un solo golpe. ~에 por un solo empeño, de un golpe, de un solo golpe, de una vez. ~에 무너뜨리다 destruir de un solo golpe. 1~양득(兩得) Matar dos pájaros con una piedra [de un tiro]. ~일동(一動) todo movimiento. ~일동을 주시하다 observar cuidadosamente *sus* movimientos.

일거리 trabajo *m*, cosas *fpl* que trabajar, trabajo *m* que hacer, cosas *fpl* que hacer. ~가 있다 tener trabajo que hacer. ~가 없다 no tener trabajo que hacer, estar sin trabajo.

일거수일투족(一擧手一投足) =일거리. ☞일거(一擧)

일건(一件) un asunto, un negocio, una cuestión. ~ 기록[서류] expediente *m*.

일격(一擊) un golpe; [총의] un disparo, un tiro; [칼의] una estocada; [주먹의] un puñetazo. ~을 가하다 dar un golpe.

일견(一見) ① [한 번 봄] una vista, un vistazo. ~하다 pasar los ojos (sobre), dar un vistazo, ver con una ojeada. ② [한 번 보아. 언뜻 보기에] al parecer, según parece, a primera vista, por el aspecto, a simple vista.

일결(一決) ① [한 번 작정됨] decisión *f*, acuerdo *m*. ~하다 decidir, resolver, parar en decisión, acordar. ② ((제방 따위가) 한 번에 터짐] rompimiento *m*. ~하다 romperse.

일계(日計) cuenta *f* diaria, gastos *mpl* diarios. ~표 balance *m* de comprobación diario.

일고(一考) consideración *f*, pensamiento *m*. ~하다 considerar, pensar, tener una consideración.

일고(一顧) atención *f*, consideración *f*. ~의 가치도 없다 no valer la pena, ser indigno, ser totalmente despreciable, no darse un bledo, no darse un comino, no darse un pepino.

일고여덟 siete u ocho.

일곱 siete. ~의 séptimo.

일곱이레 cuarenta y nueve días después de que el niño nació.

일곱째 séptimo *m*. ~의 séptimo. ~

날 el séptimo día.

일과(日課) tarea f diaria, trabajo m diario, trabajo m cotidiano; [예정] programa m de trabajo del día. ~를 정하다 fijarse un plan diario. ¶~표 programa m diario.

일관(一貫) ① ((준말)) =일이관지(一以貫之). ② [처음부터 끝까지 같은 주의·방법으로 계속] consistencia f, coherencia f. ~하다 ser consistente, ser coherente, penetrar, pasar de parte a parte. ¶~성 consistencia f, coherencia f, consecuencia f. ~성 있는 consistente, coherente, consecuente. ~성 없는 inconsistente, incoherente, inconsecuente.

일괄(一括) bulto m, resumen m. ~하다 englobar, abarcar, amarrar en un atado, hacer un lío, poner juntos, hacer un bulto, juntar; [요약하다] resumir, recapitular, epitonar. ~하여 en bloque, en conjunto, en masa, en resumen, en bulto, a granel. ~하여 사다 [팔다] comprar [vender] en montón [en un lío·todos juntos]. ¶~사표 dimisión f en masa. ~상정 presentación f en conjunto. ~소송 pleito m en bloque.

일광(日光) luz f del sol, rayos mpl de sol, solana f, sol m. ~에 말리다 secar al sol. ~에 소독하다 desinfectar por exposición al sol. ¶~소독 desinfección f por exposición al sol, desinfección f solar. ~소독을 하다 desinfectar por exposición al sol. ~요법 helioterapia f, cura f helioterápica. ~욕 insolación f, baño m de sol. ~욕을 하다 bañarse al sol, tomar el sol. ~욕실 solario m.

일교차(日較差) diferencia f que la temperatura se cambia al día.

일구다 ① [기경(起耕)하다] cultivar, labrar, arar. ② [땅을 쑤셔 겉이 솟게 하다] cavar (la tierra).

일구월심(日久月深) lo que se espera atentamente.

일국(一國) ① [한 나라] un país, una nación. ② [온 나라] todo el país. ¶~이체제 un país, dos sistemas.

일군(一軍) ① [온 군대] todo el ejército, toda la tropa, un ejército, una tropa. ② [제1군] Primer Ejército m.

일그러지다 torcerse; [변형되다] deformarse.

일금(一金) (suma f de) dinero m. ~ 10만 원 (suma f de) cien mil wones.

일급(一級) ① [한 계급] un grado. ② [등급의 첫째] primero m, primera clase f, primera categoría f.

③ [최고 수준] primer orden m, primera clase f. ④ [바둑·유도·태권도 등의] primer grado m.

일급(日給) jornal m, paga f diaria, sueldo m diario. ~ 노동자(쟁이) jornalero, -ra mf. ~제 sistema m de pago a diario [a jornal].

일기(一技) una técnica, un talento. 일인(一人)~ un hombre, una técnica.

일기(一期) ① [어떤 시기를 몇으로 나눈 것의 하나] un término, un período, una temporada. ② [한평생] toda la vida, toda su vida.

일기(一騎) un solo jinete. ~당천 un guerrero que vale por mil, guerrero m incomparable.

일기(日記) diario m. ~를 쓰다 llevar el diario, escribir su diario, apuntar su diario. ¶~장 cuaderno m del diario; [영업상의] diario m, libro m (de) diario.

일기(日氣) tiempo m, condición f atmosférica. 좋은 ~ buen tiempo m. 나쁜 ~ mal tiempo m. ¶~개황 condiciones fpl generales meteorológicas. ~도 mapa m meteorológico. ~불순 tiempo m inclemente, mal tiempo m. ~예보 pronóstico m [predicción f] del tiempo, boletín m meteorológico, pronosticación f meteorológica.

일깨다[1] [잠을 일찍이 깨다] despertarse temprano.

일깨다[2] ((준말)) =일깨우다[1,2].

일깨우다[1] [자는 사람을 일찍이 깨우다] despertar temprano.

일깨우다[2] [가르쳐서 깨닫게 하다] convencer. 무식한 사람을 ~ convencer al ignorante.

일꾼 ① [육체 노동을 하는 사람] trabajador, -dora mf; obrero, -ra mf; culí mf. ② [어떤 일이든지 잘 처리하거나 맡아 할 만한 사람] hombre m de habilidad. ③ [중대한 일을 맡아 하거나 할 만한 사람] pilar m.

일나가다 salir a trabajar.

일내다 hacer, cometer (un error), arruinar, echar por tierra, estropear.

일녀(一女) japonesa f.

일년(一年) ① [한 해] un año. ~의 anual. ~에 al año, por año. ~ 안에 en un año. ~마다 cada año, anualmente. ② [일학년] primer año m, primer grado m. ¶~감 tomate m. ~근(根) raíz f de un año. ~내 todo el año, durante un año. ~생 ㉮ [일학년 학생] alumno, -na mf del primer grado. ㉯ ((식물)) =한해살이. ㉰ ((준말)) =일년생 식물. ¶~생 식물 planta f anual.

일념(一念) una voluntad firme, un

intento, un deseo ardiente, un deseo vehemente. ~으로 con mucho celo, con fervor, con recogimiento, de todo corazón.

일다¹ ① [없었던 것이 처음으로 생기다] levantarse. 바람이 ~ levantarse el viento. ② [약하거나 희미한 것이 성해지다] hacerse vivo [próspero・denso]. 불이 ~ arder vivamente el fuego.

일다² ① [몸・물건이 저절로 위로 향하여 움직이다] moverse hacia arriba. 거품이 ~ burbujear, hacer burbujas. 불꽃이 ~ chisporrotear, echar chispas, chispear. ② [형세의 힘이 점점 두드러지게 나타나다] aparecer notable más y más. 가운(家運)이 ~ la fortuna de familia es próspera.

일다³ ① [곡식을] cribar. 쌀을 ~ separar cribando arroz. ② [물건을] lavar. 사금을 ~ lavar oro, cribar oro.

일단(一段) ① [계단 따위의 한 층계] un paldaño, un escalón. 계단을 ~ 오르다 [내리다] subir [bajar] un escalón. ② [문장・이야기 등의 한 토막] un párrafo. ③ [인쇄물의 한 칸] columna f. ~ 기사 artículo m de una columna. ④ [기어를 변속할 경우에, 그 첫 단] (la) primera, primera marcha f [velocidad f]. ~ 기어를 넣다 poner [meter] (la) primera. ⑤ [바둑・태권도・검도・유도 등의 초단 또는 한 단] [한 단] un grado; [초단] primer *dan* m, primera cinta f negra.

일단(一團) un grupo, una banda, una tropa. 관광객의 ~ un grupo de turistas.

일단(一端) ① [한 끝] un extremo. ② [사물의 일부분] una parte, un aspecto. 사건의 ~ un aspecto del acontecimiento.

일단(一旦) [한 번] una vez; [좌우간에] de todos modos, en todo caso; [당장은] por lo pronto, de pronto, por el momento; [형식적이만] por pura formalidad, si bien formalmente; [가볍게] de paso, ligeramente, por encima; [임시로] provisionalmente. ~ 유사시에 en caso de emergencia.

일단락(一段落) pausa f, conclusión f, etapa f. ~을 짓다 acabar, terminar, concluir, poner fin, poner término, cortar.

일당(一黨) un partido. ¶~ 국회 legislatura f de un partido. ~ 독재 dictadura f de un solo partido.

일당(一當) paga f diaria, jornal m.

일당백(當百) una persona que vale cien personas.

일대(一代) una generación; [일생]

una vida, toda la vida; [한 시대] una época. ~의 de *su* tiempo, de *su* época. ~의 영웅 el héroe de su época, el héroe de *su* tiempo. ¶~기 biografía f, vida f.

일대(一帶) zona f, región f, vecindad f, cercanía f, barrio m. 이 ~에 en la vecindad, por aquí, alrededor, en estas cercanías, en este barrio.

일대(一隊) un grupo, una compañía, una banda, una tropa, una bandada (del ave).

일대(一對) [한 쌍] un par, una pareja. ~를 이루다 formar [hacer・de] pareja. ¶~일 hombre a hombre. ~일로 싸우다 hacer combate singular. ~일로 승부하다 jugar un partido sin desventaja.

일도양단(一刀兩斷) medida f drástica, nudo m gordiano. ~의 조치를 취하다 tomar la medida drástica, cortar el nudo gordiano.

일독(一讀) (una) lectura f. ~하다 leer (una vez), leer de cabo a cabo, hojear un libro.

일동(一同) todos *mpl*. 우리들 ~ todos nosotros. 사원 ~ todos los empleados de la compañía.

일득일실(一得一失) una ventaja y una desventaja.

일등(一等) ① [첫째 등급] primer puesto m, primer lugar m, primera categoría f, el número uno, N°.1; [사람] el primero, la primera. ~의 primero; [남성 단수 명사 앞에서] primer. ~으로 primeramente, primero, en primer lugar. ② [한 등급] una categoría, una clase, un grado. ③ ((불교)) igualdad f. ¶~급 cualidad f de honor. ~병 soldado, ~da mf (de segunda clase). ~상 primer premio m. ~표 billete m [AmL boleto m] de primera (clase). ~품 artículo m de primera clase. ~ 항해사 primer piloto m.

일란성(一卵性) ¶~의 monocigótico, uniovular, encigótico, monovular. ~성 쌍생아 gemelos mpl monocigóticos, mellizos mpl uniovulares, gemelos mpl encigóticos.

일람(一覽) una ojeada, un vistazo. ~하다 dar un vistazo, dar una ojeada, echar una mirada; [책 등을] recorrer, hojear. ~표 lista f, tabla f (sinóptica), cuadro m (sinóptico).

일러두기 notas fpl preliminares.

일러두다 decir, pedir, solicitar, ordenar.

일러바치다 delatar, dar el soplo, ir con el soplo, soplar, acusar, soplonear.

일러주다 ① [가르쳐 주다] enseñar, hacer saber. ② [알려 주다] decir, informar, aconsejar.

일력(日曆) calendario *m* (diario), almanaque *m*.

일련(一連) una serie. ~의 una serie de. ~ 번호 números *mpl* seguidos, números *mpl* consecutivos [en serie].

일렬(一列) ① [하나의 줄] una línea; [세로의] una fila; [가로의] una hilera. ~로 en fila, en hilera. ② [첫째 줄] primera línea *f*, primera pila *f*. ¶ ~ 종대 fila *f* india.

일례(一例) un ejemplo. ~를 들면 por ejemplo.

일로(一路) ① [한 방향으로 곧장 뻗어 나가는 길] camino *m* derecho. 악화 ~를 걷다 ir empeorándose, ir de mal en peor. 증가 ~에 있다 ir en continuo aumento, seguir aumentando. ② [곧장] inmediatamente, derecho. ~ 매진(邁進) avance *m* hacia el camino derecho. ~ 매진하다 ponerse en camino directamente, avanzar todo derecho.

일루(一縷) un hilo. ~의 una hilo. ~의 희망 un hilo de esperanza, centelleo *m* de esperanza, esperanza *f* tenue, última paja *f*.

일루(一壘) ① [(야구)] primera base *f*. ~수(手) [(야구)] (beisbolista *mf* de) primera base *mf*; jugador, -dora *mf* de primera base. ~타 [(야구)] sencillo *m*.

일류(一流) ① [첫째 가는 지위] primer rango *m*, primer orden *m*, primera categoría *f*, primera clase *f*. ② [같은 유파] la misma escuela. ¶ ~ 가수 cantante *mf* de primera. ~ 극장 teatro *m* de primera categoría. ~ 대학교 universidad *f* de primera categoría. ~ 브랜드 marca *f* de renombre. ~ 회사 compañía *f* líder.

일률(一律) uniformidad *f*. ~적 uniforme. ~적으로 uniformemente, de la misma manera.

일리(一理) ① [하나의 이치] una razón. 그의 말에도 ~가 있다 El tiene razón desde cierto punto de vista / El tiene algo de razón. ② [동일한 이치] la misma razón.

일막극(一幕劇) = 단막극(單幕劇).

일말(一抹) una sombra, un dejo, una escena; [약간. 다소] una parte. ~의 불안 una inquietud vaga, un hilo de inquietud.

일망타진(一網打盡) redada *f*. ~하다 hacer una redada. 도둑의 ~ una redada de ladrones.

일맥(一脈) una vena. ~ 상통 un hilo sutil de relación.

일면(一面) ① [한쪽. 일방. 일방면] un lado, un aspecto. ~으로는 por un lado, por una parte, desde un punto de vista. ② [주위의 일대·전체] toda la superficie. ~에 por todas partes. ③ [처음으로 한 번 만나 봄] una vista por primera vez. ~하다 ver a una persona desconocida por primera vez. ~인 역인 면의 하나 un *Myeon*. ⑤ [부사적] en cambio, por otra parte. ⑥ [신문의] primera plana *f*. ~ 기사 artículo *m* en primera plana. ~ 톱 [구기용 코트의] una pista. ¶ ~식 conocimiento *m* de cara. ~식도 없는 사람 desconocido, -da *mf*; forastero, -ra *mf*.

일명(一名) ① [한 사람] una persona; [남자 한 명] un hombre; [여자 한 사람] una mujer. ② [본이름 밖에 따로 부르는 이름] seudónimo *m*, alias *m*, apodo *m*, otro nombre *m*.

일목(一目) ① [하나의 눈] un ojo. ② [한 번 봄] una mirada, una ojeada. ③ [(바둑)] una piedra, una casa. ~요연 evidencia *f*, claridad *f*. ~요연하다 (ser) evidente, obvio, claro, claro con sólo echar un vistazo.

일몰(日沒) puesta *f* de(l) sol. ~하다 ponerse el sol.

일문일답(一問一答) una pregunta y una respuesta, diálogo *m*. ~하다 sostener un diálogo; [서로] intercambiar preguntas y respuestas.

일박(一泊) aposentamiento *m* [hospedaje *m*·alojamiento *m*] de una noche. ~하다 hospedarse una noche, parar una noche, alojarse una noche. ~ 여행을 하다 hacer un viaje de dos días.

일반(一般) ① generalidad *f*, contorno *m*, plan *m* general; [요목] esquema *m*. ② [일반 대중] público *m*. ~의 평판에 따르면 según la opinión general, a juicio del público en general. ~에게 공개하다 abrir al público. ¶ ~ 개념 concepto *m* general. ~ 교서 mensaje *m* presidencial sobre el estado de la Nación. ~ 국민 público *m* general. ~ 대중 público *m* general. ~ 독자 lectores *mpl* en general, lectores *mpl* ordinarios, lectores *mpl* comunes. ~ 여권 pasaporte *m* general. ~ 예금 ahorro *m* general. ~ 원칙 principio *m* general. ~인 público *m* general. ~적 [전반적인] general; [보편적] universal; [보통의] corriente, común, ordinario; [대중적인] popular. ~적으로 generalmente, en general, por lo general, comúnmente, por lo común, ordinariamente.

일발(一發) un disparo, un tiro; [타격] un golpe. ~로 de un tiro.

일방(一方) [한쪽] un lado, una parte; [다른 쪽] otro lado m, otro bando m; [적대 관계의] un bando. ~의 [거리의] de sentido único. ~적 unilateral, oblicuo, parcial; [전횡적] arbitrario. ~적으로 unilateralmente, parcialmente, arbitrariamente, por una parte. ¶ ~ 통행 una vía, tráfico m uniteral; ((게시)) Sentido m único, Dirección f única.

일방(一放) =단방(單放).

일배(一杯) una copa, un vaso, una caña, una taza.

일백(一百) ciento; [명사 앞에서] cien. ~ 가지 걱정 las cientas preocupaciones.

일벌((곤충)) abeja f neutra, abeja f obrera.

일변(一邊) ① [한 쪽. 한 편] una parte. ② ((수학)) un lado. ③ [다른 한 편으로] en otra parte. ¶ ~도(徒) exclusivismo m. ¶ ~의 exclusivista.

일병(一兵) ① ((군사)) ((준말)) =일등병. ② [한 사람의 병사] un soldado, una soldada.

일보(一步) un paso. ~마다 a cada paso. ~ 양보하다 ceder un paso, hacer una pequeña concesión, conceder un punto. ~ 전진하다 dar un paso (hacia) adelante. ~ 후퇴하다 dar un paso (hacia) atrás.

일보(日報) ① [나날의 보고 또는 보도] informe m diario, información f diaria, reporte m diario, boletín m diario. ② [신문] diario m.

일보다 cuidar de sus negocios, poder con el trabajo, trabajar.

일복(一服) =작업복(作業服).

일복(一福) muchos trabajos que hacer, muchos trabajos. ~(이) 많다 seguir teniendo muchos trabajos que hacer. ~(이) 터지다 tener muchos trabajos que hacer.

일본(日本) el Japón, el Nipón. ~의 japonés, niponés. ~ 뇌염 encefalitis f japonesa. ~ 문학 literatura f japonesa. ~ 사람 japonés, -nesa mf; niponés, -nesa mf. ~ 어 japonés m, lengua f japonesa.

일부(一夫) ① [한 사내] un hombre. ② [한 개의 필부] un hombre ordinario, un hombre común. ③ [한 남편] un marido, un esposo. ¶ ~ 다처 poligamia f. ~ 다처의자 polígamo m. ~ 일처[일부] monogamia f. ~ 종사 servicio m a un solo esposo.

일부(一部) ① [한 부분] una parte, una porción, una sección, una división. ~의 parcial. ② [한 벌]

una colección. ③ [서책의 한 부] un ejemplar; [1권] un tomo. ¶ ~ 분 una parte, una sección, una porción, una división. ~ 분의 parcial, seccional. ~ 수정 corrección f parcial.

일부(日附) fecha f. ~ 변경선 [날짜 변경선] línea f del cambio de fecha. ~인 fechador m.

일부(日賦) pago m diario, entrega f cotidiana. ~ 적립 저금 depósito m cotidiano.

일부러 a propósito, de propósito, de intento, intencionalmente, intencionadamente, con intención, deliberadamente, expresamente, ex profeso, adrede. ~ 틀리다 equivocarse a sabiendas.

일분(一分) ① [한 치의 십분의 일] un décimo de un chi. ② [한 돈의 십분의 일] un décimo de un don, 0,37565 gramos. ③ [한 시의 60 분의 일] un minuto. ④ [1할의 10 분의 일] uno por ciento. ⑤ [각도·경위도 1도의 60 분의 1] un sexagésimo de un grado.

일비일희(一悲一喜) =일희일비.

일사(一死) ① un out, un hombre fuera ② [한 사람] una soldada.

일사(一事) ① una cosa. ② [한 사건] un asunto. ¶ ~부재리 cosa f juzgada.

일사(日射) brillo m de la luz del sol. ~병 termoplejía f, heliosis f, insolación f, asoleamiento m.

일사분기(一四分期) primer trimestre m.

일사불란하다(一絲不亂−) (ser) inquebrantable, perfecto. 일사불란한 단결 unión f inquebrantable, unión f perfecta. 일사불란하게 하다 marchar en perfecta alineación.

일사천리(一瀉千里) con gran rapidez, con mucha velocidad, a toda correr, rápidamente; [기세 좋게] vigorosamente; [쉬지 않고] sin cesar.

일산(日産) ① [매일의 생산고] producción f diaria. ② [일본에서 만든 물건] producto m japonés.

일산(日傘) sombrilla f.

일삼다 ① [그 일에 종사하다] dedicarse. 술 마시는 것을 ~ dedicarse a beber. ② [자기의 직무로 알다] saber como su negocio.

일상(日常) [날마다] diariamente, de diario, cada día, todos los días; [늘. 항상] siempre. ~의 cotidiano, de todos días; [보통의] ordinario, corriente. ¶ ~ 생활 vida f diaria [cotidiana], vida f de todos los días. ~ 업무 asuntos mpl diarios. ~ 용어 palabra f cotidiana. ~적 cotidiano, diario. ~ 회화 conversación f diaria.

일색(一色) ① [한 빛] un (solo) color. ~의 de un solo color, monocromo. ② [뛰어난 미인] belleza *f* excelente. 천하 ~ belleza *f* sin par (en el mundo). ③ [특색이나 정경] un carácter, una escena.

일생(一生) *su* vida, *su* vida entera; [부사적] toda la vida, por todo el curso de la vida. ~의 de toda la vida. ~의 경험 toda una vida de experiencia. ¶~토록 (durante) toda la vida, toda *su* vida, durante *su* vida, mientras se vive. ~일대 toda la [*su*] vida. ~일대의 걸작 máxima obra *f* maestra de *su* vida. ~일사 vida *f* y muerte, el vivir y el morir.

일서(逸書) libro *m* perdido.

일석이조(一石二鳥) Matar dos pájaros de una pedrada [de un tiro].

일선(一線) ① [하나의 선] una línea. ② ((준말))=제일선(第一線).

일설(一說) ① [하나의 설] una teoría. ② [어떤 말] una palabra. ③ [다른 말] otra opinión *f*. ~에 의하면 según otra opinión, otros dicen que.

일성(一聲) una voz, un grito.

일세(一世) ① [사람의 일생] toda la vida. ② [온세상] todo el mundo, el mundo entero. ~를 풍미하다 dominar [reinar] todo el mundo [la época]. ③ [한 임금의 시대] reinado *m* (de un rey). ④ [한 혈통이나 유파의 원조, 또는 같은 이름의 황제나 법왕 중 첫 대의 사람] primero, -ra. 이사벨 1세 Isabel I [Primera]. 페데리꼬 ~ Federico I [Primero]. ⑤ [그 시대. 당대] una época, una era, una edad. ~의 영웅 héroe *m* de la época. ⑥ [과거·현재·미래의 삼세 중의 하나] uno del pasado, el presente y el futuro. ⑦ [이주민 등의 최초의 대(代)의 사람] primera generación *f*. 재일 동포 ~ residente *m* coreano [residente *f* coreana] de primera generación en el Japón. 한국계 미국인 ~ estadounidense *mf* de primera generación de origen coreano. ⑧ [아버지로부터 아들에 걸치는 일대] una generación. ⑨ [30 년 동안] (por) treinta años.

일세기(一世紀) ① [백 년] un siglo, cien años. ② [첫 세기] primer siglo *m*.

일소 buey *m* (de labranza).

일소(一笑) ① [한 번 웃음] una risa, una sonrisa, una risada. ~하여 con una risa, con una sonrisa. ② [경시하는 웃음] risa *f* de desprecio. ~에 붙이다 tomar a broma, reírse, echar a risa, tomar a risa, carcajearse, ridiculizar.

일소(一掃) exterminio *m*, exterminación *f*, aniquilación *f*, aniquilamiento *m*, extirpación *f*, depuración *f*; [추방] expulsión *f*. ~하다 quitar, barrer, limpiar, extirpar, depurar; [근절하다] exterminar, aniquilar; [추방하다] expulsar.

일손 ① [일하고 있는 손] mano *f* de trabajar. ② [일하는 솜씨] habilidad *f* de trabajar. ③ [일하는 사람] mano *f* de obra, brazos *mpl*, trabajadores *mpl*. ~이 부족하다 [모자라다] carecer de la mano de obra, carecer de manos, estar escaso de manos.

일수(日收) ① [원금과 변리를 일정한 날짜에 나눠 날마다 거둬들이는 일. 또, 그 빚] préstamo *m* coleccionado a plazos diarios. ② ((준말))=일수입. ~놀이 préstamo *m* a plazos diarios. ~입(入) ganancias *fpl* diarias. ~쟁이 prestamista *mf* que colecciona a plazos diarios [en cuotas diarias]. ~스돈 dinero *m* de préstamo a plazos diarios.

일수(日數) ① [날의 수] número *m* de los días. ② [그 날의 운수] suerte *f* del día.

일숙직(日宿直) servicio *m* de día y vigilancia de noche.

일순(一巡) un círculo, una vuelta, una patrulla, una ronda. ~하다 dar una vuelta, patrullar, estar de patrulla, volver el turno al principio, hacer un viaje circular.

일순(一瞬) un momentito.

일순간(一瞬間) un momentito, un instante; [부사적] momentáneamente, instantáneamente. ¶~에 al momento, en un momento, en un instante, en un abrir y cerrar de ojos, en un santiamén.

일시(一時) ① [한때. 한동안] (por) un momento, por algún tiempo. ② [같은 때] al mismo tiempo, una vez. ③ [그 당시. 동시대] entonces, en aquel tiempo, tiempo *m* simultáneo. ¶~ 고용 empleo *m* temporal. ~금 suma *f* global, asignación *f* global. ~에 al mismo tiempo, a la vez, simultáneamente, a un tiempo, de una vez; [갑자기] de repente, repentinamente, de súbito, súbitamente. ~적 provisional, temporal, eventual, ocasional, pasajero, transitorio, fugaz. ¶~으로 provisionalmente, temporalmente.

일시(日時) la fecha y la hora.

일시동인(一視同仁) [박애] benevolencia *f* universal, confraternidad *f* universal, espíritu *m* fraternal; [공평] imparcialidad *f*. ~의 imparcial, cosmopolita. ~동인설

cosmopolitanismo *m*.

일식(一式) un juego. ~의 완전한 차도구 ~ juego *m* completo de té.

일식(日食) comida *f* japonesa, comida *f* a la japonesa, plato *m* japonés.

일식(日蝕/日食) eclipse *m* solar, eclipse *m* de(l) sol.

일신(一身) ① [자기의 한 몸] su vida, sí mismo. ~을 걸고 al riesgo de la vida. ~을 걸다 arriesgar la vida, jugarse la vida. ~을 바치다 dedicarse a la vida. ② [온몸] todo el cuerpo, el cuerpo entero. ¶~상 su propio asunto, su asunto personal, su asunto particular. ~상의 개인적인, 사적인 personal, particular, privado. ~상의 문제 problema *m* personal. ~상의 사정으로 por la razón personal, por razones personales, por razones particulares.

일신(一新) renovación *f*, renuevo *m*, reformación *f*. ~하다 renovar, reengendrar, rehacer, reformar, cambiar completamente.

일신(日新) renovación *f* diaria. ~하다 ser renovado diariamente.

일심(一心) ① [한 마음] un corazón, una mente, el mismo corazón. ~으로 con todo su corazón, fervorosamente, asiduamente, atentamente. ~이 되다 entregarse, dedicarse. ② [한쪽에만 마음을 씀] entusiasmo *m*. ③ [여러 사람의 마음이 일치함] incorporación *f*, unificación *f*. ¶~동체 incorporación *f*, unificación *f*, un cuerpo.

일심(一審) ((준말)) =제일심.

일쑤 ① [가끔 잘하는 짓] práctica *f* habitual, práctica *f* acostumbrada. 극장 가기가 ~다 soler ir al cine. ② [곧잘] a menudo, con frecuencia, frecuentemente. ~ 지각을 하다 soler llegar tarde al trabajo [a la clase].

일약(一躍) de repente, repentinamente, de súbito, súbitamente, de un salto, a un salto, de golpe, de una vez, a un brinco, en una zancada. ~ 유명하게 되다 hacerse célebre de repente, alcanzar la fama de la noche a la mañana.

일어(日語) ((준말)) =일본어.

일어나다 ① [누웠다가 앉거나, 앉았다가 서다] levantarse; [일어서다] levantarse, ponerse de pie; [상체를 일으키다] incorporarse. 의자에서 ~ levantarse de la silla. 일어나거라 Levántate. ② [자지 않고 깨어 있다] despertarse. 그는 아직 일어나 있다 El todavía está despierto. ③ [일이나 기운이 생기다·발생하다] ocurrir, suceder. ④

[한창 성해지다] prosperar. ⑤ [잠에서 깨어 잠자리에서 나오다] levantarse. 일찍 ~ madrugar, levantarse temprano. 일찍 일어나는 사람 madrugador, -dora *mf*. ⑥ [불이 붙기 시작하다] arder, quemarse. ⑦ [바람이] soplar, levantarse, correr; [전기가] generarse.

일어서다 ① [앉았다가 서다] levantarse, poner de pie. 일어서라 Levántate. ② [기운이 생겨 번창해지다] levantarse, prosperarse, recuperarse.

일억(一億) cien millones.

일언(一言) ① [한 마디 말] una palabra. ② [간단한 말] palabra *f* breve. ¶~반구 una sola palabra, palabra *f* muy breve. ~가 없다 no tener excusa, no hay con qué excusarse [disculparse]. ~지하(之下) una sola palabra.

일없다 ① [필요없다] no necesitar, no haber necesidad, no querer, no desear. ② [괜찮다] no importar. 나는 일없습니다 No me importa.

일엽편주(一葉片舟) una barca.

일요(日曜) ((준말)) =일요일. ¶~판 edición *f* dominical, suplemento *m* dominical. ~학교 escuela *f* dominical.

일요일(日曜日) domingo *m*. ~의 dominical. ~마다 (todos) los domingos, cada domingo. ~ 이외의 날 día *m* de semana.

일용(日用) uso *m* diario, necesidad *f* diaria. ¶~품 artículo *m* de uso diario, artículo *m* de necesidad cotidiana, necesarios *mpl*, géneros *mpl* diarios.

일용(日傭) =날품팔이.

일원(一元) ① [같은 본원] causa *f* única, origen. ② ((수학)) lo que contiene una incógnita. ¶~론 monismo *m*. ~론자 monista *mf*. ~설 monogénesis *f*, unidad *f* de origen. ~ 이차 방정식 ecuación *f* de segundo grado con una incógnita. ~ 일차 방정식 ecuación *f* simple.

일원(一員) un miembro; [조합·단체의] socio, -cia *mf*; [구성원] componente *mf*, integrante *mf*.

일원제(도)(一院制(度)) sistema *m* unicameral, 의 unicameral, de una sola cámara.

일월(一月) enero *m*. 2004년 ~ 1일 el 1 de enero de 2004.

일월(日月) ① [해와 달] el sol y la luna. ② [날과 달] el día y el mes. ③ =광음(光陰). ¶~광 la luz de sol y de luna. ~성신 el sol, la luna y las estrellas. ~식 el eclipse solar y el eclipse lunar.

일위(一位) ① [첫째의 지위] el primer puesto, el primer lugar, el primer rango, el número uno, Nº. 1. ~를 점하다 obtener [ganar] el primer lugar; [상태] ser el primero, ocupar el primer lugar. ② [한 분. 한 사람] una persona; [남자 한 분] un hombre; [여자 한 분] una mujer.

일으키다 ① [일으켜 세우다] levantar, poner a pie, enderezar. 상체를 ~ incorporarse. 넘어진 사람을 ~ levantar al hombre caído. ② [일 따위를 시작하다] causar, ocasionar, producir; [감정을] suscitar, provocar. 중대한 결과를 ~ causar [ocasionar] consecuencias graves. ③ [세우다. 창설하다] fundar, establecer, iniciar, organizar. 학교를 ~ fundar [establecer] una escuela. 산업을 ~ iniciar la industria. ④ [깨우다] despertar. ⑤ [발생시키다] generar. 전기를 ~ generar la electricidad. ⑥ [활기를 돋우다] prosperar. 가세를 ~ prosperar la suerte familiar.

일이관지 (一以貫之) penetración *f*. ~하다 penetrar.

일익 (一翼) una parte, un papel, un rol. ~을 담당하다 formar parte (de).

일인 (一人) una persona; [남자] un hombre; [여자] una mujer. ~당 per cápita, por persona. ~용 방 habitación *f* sencilla. ¶~분 una ración. ~승 비행기 monoplaza *f*. ~ 이역 papel *m* doble. ~ 일기 un hombre, un arte. ~칭 ((언어)) primera persona *f*.

일일 (一日) ① [하루] un día. ② [달의 초하루] el 1 [primero]. ¶~ 여삼추 Sentir como si el día fuera años, esperar impacientemente. ~ 일선 (一善) Buenas acciones [Buenas obras] al día.

일일이 (一一) uno por uno, una por una; uno a uno, una a una; [모조리] todo.

일임 (一任) encargo *m*. ~하다 confiar, dejar, encargar, dejar un negocio enteramente.

일자 (一字) ① [하나의 문자] una letra. ② [짧은 글] oración *f* corta. ③ [한일자] línea *f* recta. ¶~무식 ignorancia *f* total [completa].

일자 (日字) fecha *f*.

일자리 trabajo *m*, empleo *m*, puesto *m* (de trabajo), plaza *f*, colocación *f*, [직업] profesión *f*, ocupación *f*. ~를 구하다 buscar un empleo, buscar una colocación, buscar un trabajo. ~를 얻다 colocarse, encontrar un empleo, adquirir un empleo.

일장 (一場) una escena, una vez. ~

의 연설을 하다 tomar la palabra, hacer un discurso, dirigir la palabra. ¶~춘몽 prosperidad *f* vana como un sueño primaveral, sueño *m* vano en primavera. 인생은 ~춘몽이다 La vida es un sueño.

일장일단 (一長一短) méritos y deméritos, ventajas y desventajas.

일전 (一戰) una batalla. ~을 하다 librar una batalla.

일전 (日前) hace unos días, el otro día, un día, recientemente.

일절 (一切) todo, totalmente, completamente, absolutamente, rotundamente, terminantemente.

일점혈육 (一點血肉) un solo niño que dio a luz ella misma. ~도 없는 노부부 matrimonio *m* viejo sin (tener ni) un solo niño.

일정 (日程) programa *m* [orden *m*] del día. ~에 넣다 ejercer el orden del día, poner manos a la obra. ~을 짜다 determinar [fijar] el programa del día. ¶~표 lista *f* del programa del día.

일정하다 (一定一) fijar, definir, unificar, afirmar. 일정한 [고정된] fijo; [결정된] decidido, determinado, definido; [규정의] establecido; [규칙적인] regular; [불변의] invariable, perpetuo. 일정한 가격 precio *m* fijo. 일정한 서식 fórmula *f* establecida. 일정한 수입 ingresos *mpl* fijos.

일제 (一齊) juntos, todos juntos, en conjunto; [···와 함께] con *uno*, en compañía de *uno*; [···와 협력하여] en cooperación con *uno*; [그룹으로] en un grupo; [동시에] a un tiempo, a la vez. ¶~ 검거 detención *f* general [en masa]. ~ 단속 vigilancia *f* general. ~ 사격 descarga *f* cerrada; [함선의] andanada *f*; [예포] salva *f*. ~ 사격을 (가)하다 lanzar una (nube de) descarga.

일조 (一兆) un billón, un millón de millones.

일조 (日照) sol *m*. ~권 derecho *m* al sol, derecho *m* a la insolación. ~량 cantidad *f* del sol. ~시간 duración *f* del sol, (hora *f* de) insolación *f*. ~율 porcentaje *m* del sol.

일조일석 (一朝一夕) en un día, en tiempo breve.

일족 (一族) [친족] parentesco *m*, parentela *f*; [씨족] clan *m*; [가족] familia *f*. 김씨 ~ el clan del señor Kim.

일종 (一種) [한 종류] una especie, un género, una clase; [변종] una variedad. ~의 una especie [una clase] de, una variedad de. 동물

의 ~ una especie de animal.

일주(一周) una vuelta, una rotación, un rodeo, un giro; [주항] una circunnavegación. ~하다 dar una vuelta, circunnavegar.

일주(一週) ① =일주(一周). ② ((준말))=일주간. 일주일. ¶~간 una semana, ocho días. ~기(忌) (servicios mpl religiosos con motivo del) primer aniversario m de la muerte. ~년 un año cumplido, un aniversario. ~일(日) una semana.

일지(日誌) diario m. ☞일기(日記)

일직(日直) servicio m de día [de fiesta]. ~하다 estar de servicio de día, estar de guardia de día, servir al día. ~ 사령 oficial m al día.

일직선(一直線) ① [하나의 직선] una línea recta. ~의 recto, derecho, directo. ~으로 en línea recta, directamente. ② [쪽 곧음. 또 그 줄] lo derecho; [곧은 줄] línea f recta. ~으로 가다 ir derecho, ir en línea recta.

일진(一陣) ① [한 떼의 군사의 진] una tropa, un grupo. ② [첫째의 진] primera tropa f, primer grupo m. 선수단의 제~ el primer grupo de jugadores. ③ [바람 따위가 한바탕 일어남] un soplo, una ráfaga. ¶~ 광풍 una ráfaga de viento, una racha, una bocanada de aire de viento.

일진(日辰) suerte f del día. ~이 좋은 날 día m propicio (de un buen augurio). ~이 사나운 날 día m de un mal augurio.

일진(日進) progreso m diario. ~하다 progresar diariamente. ~월보(月步) progreso m constante, progreso m rápido, avance m firme, adelanto m rápido.

일진일퇴(一進一退) avances y retroceso. ~하다 ya adelantarse ya atrasarse, fluctuar.

일찌감치 =일찍거니.

일찍거니 (un poco) más temprano. ~ 나서다 salir más temprano.

일찍 ((준말))=일찍이. ¶~ 자다 acostarse temprano [con las gallinas].

일찍이 ㉮ [이르게] temprano; 매우 ~ muy temprano; [정해진 시간 전에] antes de la hora determinada; [기일 전에] antes de la fecha determinada. 아침 ~ temprano por la mañana, muy de mañana. 조금 ~ un poco antes, un poco más temprano. ~ 자다 dormir temprano. ㉯ [이전에, 이 전까지] antes. ~ 이런 일은 없었다 Antes no había tal cosa.

일차(一次) ① [한 차례. 한 번] una vez. ② [첫 번] la primera vez. ~의 primero; [남성 단수 명사 앞에서] primer. ③ [수학] primer grado m. ④ [부사적] una vez. ¶~ 방정식 ecuación f de primer grado. ~의 (수학) primera industria f. ~ 시험 primer examen m; [예비 시험] examen m preliminar. ~적 primero, primario. ~적으로 primero. ~ 전지 batería f de pilas. ~ 제품 productos mpl primarios. ~ 코일 arrollamiento m primario [de entrada], bobina f primaria. ~ 회로 circuito m primario.

일착(一着) primera llegada f, primer lugar m, primer puesto m. ~하다 llegar el primero, ganar la carrera, ocupar el primer lugar.

일처 다부(一妻多夫) poliandria f.

일천하다(日淺─) hacer poco (tiempo), (ser) corto, no ser largo, no ser mucho (la fecha).

일체(一切) ① [모든 것. 온갖 사물] todo, todas las cosas. ② [모든] todo. ~의 재산을 잃다 perder todos los bienes. ③ [통틀어. 모두] en total, totalmente.

일체(一體) ① [한결같음] uniformidad f, constancia f. ② [전부] todo. ③ [한몸] un cuerpo. ~가 되어 en uno, en un grupo, en masa. ~가 되다 incorporarse, hacerse uno.

일촉즉발(一觸卽發) explosión f posible a cada momento.

일촌광음(一寸光陰) tiempo m muy corto, un momentito m.

일축(一蹴) ① [한 번 참] una patada. ~하다 dar una patada [un puntapié], pegar una patada [un puntapié]. ② [단번에 물리침] rechazo m. ~하다 rechazar, rehusar, denegar, negar.

일출(日出) salida f del sol, sol m naciente, orto m. ~하다 salir el sol.

일취(日就) =일취월장(日就月將).

일취월장(日就月將) progreso m diario y mensual. ~하다 progresar diariamente y mensualmente, progresar constantemente.

일층(一層) ① [한 겹] un piso, una capa. ② [여러 층으로 겹친 것의 맨 밑] piso m bajo, planta f baja, Chi primer piso m. ③ [한결 더. 한층] más, aún más, tanto más, doblemente, por duplicado.

일치(一致) coincidencia f; [의견 따위의] acuerdo m, concierto m, concordia f, unanimidad f, consenso m; ((언어)) concordancia f. ~하다 coincidir, concordar. ~시키다 hacer coincidir, acordar, conciliar, concordar. ¶~ 단결

unión f, solidaridad f, cooperación f armoniosa, colaboración f armoniosa.

일침(一針/一鍼) una aguja. ~(을) 놓다 aconsejar severamente [con severidad].

일컫다 ① [이름지어 부르다] ponerle nombre. ② [무어라고 부르다] llamar. ③ = 칭찬하다.

일터 trabajo m, taller m; [사무소] oficina f. ~에 가다 ir al trabajo.

일파(一派) ① [하천의 한 지류] un afluente. ② [학문·종교·예술·무술 등의 한 분파] una escuela; [종파] una secta. ~를 세우다 fundar una escuela, fundar una secta. ③ [한 동아리] una facción; [당파] un partido. ~를 이루다 formar una facción.

일편(一片) una pieza, un pedazo, un trozo, un fragmento, una pizca, una miaja, un mendrugo. ~ 단심 (丹心) corazón m sincero.

일평생(一平生) = 한평생.

일폭(一幅) un cuadro, una hoja. ~의 명화 una pintura notable.

일품(一品) ① [하나의 물품] un objeto, un artículo. ② [품질이 제일 나은 물건] el mejor objeto, el objeto de la mejor calidad. ¶ ~ 요리 plato m de lujo que es muy sabroso.

일품(逸品) artículo m excelente [raro], cosa f excelente.

일하다 trabajar, hacer un trabajo; [근무하다] estar empleado, servir. 열심히 ~ trabajar mucho [duro·con ahínco·con entusiasmo]. 일하기 시작하다 empezar [comenzar] a trabajar.

일행(一行) ① [한 동아리] un grupo, una partida. 관광객 열 명 ~ un grupo de diez turistas. ② [함께 가는 사람] compañía f, comitiva f, séquito m. 김 씨 ~ el señor Kim y su comitiva.

일화(日貨) ① [일본 화폐] moneda f japonesa, billete m japonés. ② [일본에서 수입된 상품] mercancía f importada del Japón.

일화(逸話) anécdota f, episodio m, chismografía f, chismería f.

일확천금(一攫千金) captura f de la riqueza de golpe, golpe m súbito de azar.

일환(一環) ① [줄지어 있는 많은 고리 중의 하나] una cadena. ② [밀접한 관계가 있는 사물의 일부분] una parte, un vínculo, un lazo. …의 ~으로 como parte integral de *algo*.

일회용(一回用) para una vez. ~용 주사기 inyector m para una vez.

일흔 setenta. ~ 번째(의) septuagésimo.

일희일비(一喜一悲) sentimiento m de alegría y tristeza. ~하다 sentirse ya alegre, ya triste.

읽기 lectura f.

읽다 leer; [낭독하다] recitar. 읽는 법 lectura f, modo m de leer, pronunciación f. 많은 책을 읽으세요. Lea usted muchos libros.

읽을거리 contento m (de leer).

읽히다 ① [읽게 하다] hacer leer. 어린이에게 동화를 ~ hacer leer a los niños el libro infantil [los libros de cuentos infantiles]. ② [읽음을 당하다] ser leído, leerse.

잃다 ① [가졌던 사물이 자기도 모르게 없어지다] perder, malograr, extraviar. 시력을 ~ perder la vista. 지갑을 ~ perder *su* portamonedas. ② [도둑을 맞거나 노름·내기에 져서] perder. ③ [남편·자식·손아랫사람·친구가 죽다] perder. 부모를 ~ perder a *sus* padres. ④ [가까운 친구 사이가 멀어지다] apartarse. 벗을 ~ apartarse de *su* amigo. ⑤ [가는 길을 못 찾다] perderse, descarriarse, extraviarse. 죄송하지만 길은 잃었는데 서울역은 어디로 가면 됩니까? Perdóneme, me he perdido. ¿Por dónde se va a la estación de Seúl?

임 [사모하는] querido, -da *mf*. ~을 그리워하다 añorar a *su* querido [querida].

임검(臨檢) (visita f de) inspección f, inspección f oficial. ~하다 inspeccionar, visitar y examinar.

임계(臨界) ¶ ~의 crítico. ~각 ángulo m crítico. ~ 고도 altura f crítica. ~점 punto m crítico.

임관(任官) ① [관직에 임명됨] nombramiento m. ~하다 nombrar. ~되다 ser nombrado (a un oficio), nombrarse. ② [사관 후보생·사관생도가 장교로 임명됨] nombramiento m de un grado de oficial, instalación f militar. ~하다 nombrar oficial. ¶ ~식 ceremonia f de instalación. ~ 장교 oficial *mf* (del ejército) (con grado de teniente o superior a teniente).

임균(淋菌) ((의학)) gonococo m.

임금 rey m, reina f; monarca *mf*; soberano m, soberana f.

임금(賃金) paga f, gaje m, jornal m, sueldo m, salario m. ~을 내리다 bajar el sueldo. ~을 얻다 ganar el sueldo. ~을 올리다 subir [aumentar] el sueldo. ~을 지불하다 pagar el sueldo. ¶ ~ 노동자 peón m; jornalero, -ra *mf*. ~ 동결 congelación f salarial. ~ 수준 level m de sueldo. ~ 인상 aumento m salarial, aumento m [aumentación f] de sueldo. ~ 인

하 reducción *f* salarial. ~표 escala *f* de sueldos.

임기(任期) mandato *m*, término *m* de servicio. ~ 만료 cumplimiento *m* [expiración *f*] de servicio.

임기응변(臨機應變) entrada *f* ingeniosa, ocurrencia *f* ingeniosa, ingenio *m*, sagacidad *f*. ~의 de acuerdo con circunstancias, de expediente, oportuno, improviso, improvisto, ingenioso.

임대(賃貸) alquiler *m*, arriendo *m*, arrendamiento *m*. ~하다 alquilar, arrendar, dar en arriendo, dejar en arriendo. ~ 계약(서) contrato *m* de alquiler, escritura *f* de arrendamiento. ~료 (precio *m* de) alquiler *m*, arriendo *f*, coste *m* de arrendamiento, *AmL* costo *m* de arrendamiento. ~ 아파트 piso *m* de alquiler, apartamento *m* de alquiler, *AmL* departamento *m* de alquiler. ~인 arrendador, -dora *mf*, arrendante *mf*, alquilador, -dora *mf*. ~ 주택 casa *f* de alquiler. ~차 alquiler *m*. ~차 계약 contrato *m* de alquiler.

임면(任免) nombramiento y destitución. ~하다 nombrar y destituir. ~권 derecho *m* [autoridad *f*] de nombramiento y destitución.

임명(任命) nombramiento *m*, designación *f*, nominación *f*. ~하다 nombrar, designar. ~되다 ser nombrado, ser designado. ¶~권 derecho *m* de nombramiento. ~식 ceremonia *f* de nombramiento, investidura *f*. ~장 carta *f* de nombramiento.

임무(任務) cargo *m*; [직무] oficio *m*; [사명] misión *f*; [역할] papel *m*; [의무] deber *m*; tarea *f*, obligación *f*. ~를 과하다 asignar [designar] un cargo. ~를 수행하다[다하다] desempeñar bien *su* cargo.

임박(臨迫) urgencia *f*, apremio *m*, inminencia *f*. ~하다 (ser) urgente, apremiante; [위험 따위가] inminente, aproximarse, acercarse.

임부(妊婦/姙婦) mujer *f* preñada *f*, mujer *f* encinta [embarazada]. ~복 vestido *m* de embarazada, vestido *m* de futura mamá, vestido *m* de premamá.

임산(林産) =임산물.

임산물(林産物) productos *mpl* forestales.

임산부(姙産婦) mujer *f* embarazada, mujer *f* parturienta.

임상(臨床) asistencia *f* a la cama. ~ 병리학 patología *f* clínica. ~ 실험 ensayo *m* clínico. ~심리학 psicología *f* clínica. ~의(醫) terapeuta *mf*; clínico, -ca *mf*. ~ 의학

medicina *f* clínica, clínica *f*, terapéutica *f*.

임시(臨時) período *m* temporal. ~의 [일시적인] temporal, provisional; [대리의] interino; [특별한] especial, extraordinario; [부정기적인] eventual, ocasional; [조건부의] condicional; *AmS* provisorio. ~로 provisionalmente, temporalmente, especialmente, extraordinariamente, como eventual. ~ 각의 consejo *m* extraordinario del gabinete. ~ 고용 empleo *m* temporal. ~ 고용인 jornalero, -ra *mf*; obrero, -ra *mf* eventual; interino, -na *mf*; empleado *m* temporáneo, empleada *f* temporánea. ~공 laborero, -ra *mf* eventual. ~ 국회 sesión *f* extraordinaria de la Asamblea Nacional. ~ 변통 expediente *m*, medidas *fpl* de emergencia, recurso *m* provisional, arreglo *m* provisional. ~비 gastos *mpl* extraordinarios. ~ 사무소 oficina *f* temporal [provisional]. ~ 수당 subsidio *m* especial. ~열차 tren *m* extraordinario [suplementario]. ~ 예산 presupuesto *m* provisional. ~의 장 [국회의] presidente *m* interino (de la asamblea), presidenta *f* interina. ~ 의회 asamblea *f* extraordinaria (de las Cortes). ~적 provisional, temporal, extraordinario, especial. ~ 정부 gobierno *m* provisional. ~직 puesto *m* provisional. ~ 총회 asamblea *f* general extraordinaria. ~ 휴교 cierre *m* temporal de la escuela. ~ 휴업 cierre *m* temporal [provicional].

임신(妊娠) [수태] concepción *f*; [임신 상태] preñez *f*, embarazo *m*, gravidez *f*, gestación *f*; [임신 기간] preñado *m*. ~하다 concebir, embarazarse, quedarse embarazada. ~시키다 preñar, embarazar, empreñar, poner encinta a una mujer. ¶~복 traje *m* de embarazo. ~부 preñada *f*, mujer *f* preñada, mujer *f* encinta. ~ 자궁 útero *m* grávido. ~ 중절(中絶) aborto *m* (provocado).

임야(林野) bosques *mpl* y campos, selva *f*, bosques *mpl*.

임업(林業) silvicultura *f*, ingeniería *f* forestal. ~의 forestal.

임용(任用) nombramiento *m* (oficial), empleo *m* oficial. ~하다 nombrar, designar para un empleo oficial.

임원(任員) oficial *mf*. ~석 asiento *m* para oficiales. ~ 선거 elección *f* de oficiales. ~ 회의 reunión *f* de oficiales.

임의(任意) voluntad *f*, voluntariedad *f*. ~의 libre, facultativo, arbitrario; [자발적인] espontáneo, voluntario.

임자¹ [주인] dueño, -ña *mf*; [경영자] propietario, -ria *mf*; [소유자] poseedor, -dora *mf*. ~ 없는 집 casa *f* libre. ~ 있는 여자 mujer *f* casada.

임자² ① [자네] imcha, tú. ② [부부끼리 쓰는 대명사] imcha, tú.

임전(臨戰) presencia *f* en una batalla. ~하다 estar en frente, tomar parte en una batalla. ~ 퇴 no saber retirada en un campo de batalla. ~태세 preparación *f* para acción. ~태세를 취하다 prepararse para la guerra.

임정(臨政) ((준말)) =임시 정부. ¶ ~ 요인 persona *f* importante del gobierno provisional.

임종(臨終) ① [죽음에 임함] momento *m* final, última hora *f*, hora *f* suprema (de la muerte), fin *m* de la vida. ~에 al momento de la muerte, al último momento de la vida, en el momento de morir, en el momento de expirar. ~의 고백 confesión *f* de lecho de la muerte. ② [부모가 돌아갈 때 그 자리에 같이 있음] presencia *f* en el lecho de muerte de *sus* padres. ~하다 esperar el momento de muerte de *sus* padres.

임지(任地) *su* puesto, *su* lugar de nombramiento.

임진왜란(壬辰倭亂) Invasión *f* Japonesa a Corea (de 1592).

임질(淋疾) ((의학)) gonorrea *f*, blenorragia *f*, blenorrea *f*. ~의 gonorreico, blenorrágico. ~균 gonococo *m*.

임차(賃借) alquiler *m*, arriendo *m*, arrendamiento *m*, préstamo *m*, empréstito *m*. ~하다 alquilar, arrendar. ~ 가격 valor *m* de arrendamiento. ~권 locación *f*, inquilinato *m*, derecho *m* de arrendamiento. ~인 arrendatario, -ria *mf*; arrendador, -dora *mf*; inquilino, -na *mf*. ~지 terreno *m* arrendado.

임파(淋巴) ((해부)) linfa *f*. ~관 vaso *m* linfático. ~관염 linfangitis *f*. ~선 glándula *f* linfática. ~선염 linfadenitis *f*. ~선종 linfadenoma *m*. ~선 세포 linfocito *m*. ~액 linfa *f*. ~절 ganglio *m* linfático.

임포텐스 ((의학)) impotencia *f*.

임하다(臨一) ① nombrar.

임하다(臨一) ① [높은 곳에서 낮은 곳을 대하다] 높게 속히 ~ ((성경)) venir a ti pronto, ir pronto a ti. ② [치자가 피치자를

대하다] enfrentarse. ③ [높은 사람이 낮은 사람의 집으로 가다] asistir, ir. ④ [어떤 장소에 도달하다] alcanzar. ⑤ [어떤 일에 당하다] enfrentarse, hacer frente. ⑥ ~면(面)하다.

임학(林學) ((준말)) =삼림학.

입 ① [소리를 내는 기관] boca *f*. ~으로 oralmente, verbalmente. ~으로만 de boca. ~에서 ~으로 de boca en boca. ~을 벌리고 con la boca abierta, boquiabierto. ② [말씨, 말투] ¶ ~에 담을 수 없는 inmencionable, innombrable, tabú. ~을 모아 a coro, al unísono. ③ [남의 말·소문] palabra *f* de otros, rumor *m*. ④ =식구. ¶ 우리 집은 ~이 다섯이 Nosotros somos una familia de cinco. 입에든 떡도 넘어가야 제것이다 ((속담)) Del plato [De la mano] a la boca se enfría la sopa. 입에 쓴 약이 병에도 좋다 ((속담)) Medicina que pica, cura [sana].

입가 labios *mpl*, boca *f*.

입가심하다 quitar el dejo [el resabio·mal gusto de boca]. ~으로 para quitar el dejo [el resabio·mal gusto de boca].

입각(入閣) entrada *f* en el gabinete. ~하다 entrar en el gabinete.

입각(立脚) ¶ ~하다 basarse, fundarse, apoyarse, estribar, estar al elemento.

입간판(立看板) pancarta *f*, tablero *m* de anuncio de pie.

입감(入監) encarcelamiento *m*. ~하다 ser encarcelado, ser metido en la cárcel.

입건(立件) proceso *m*. ~하다 procesar [enjuiciar] a *uno* por *algo*.

입고(入庫) ① [상품의] almacenamiento *m*, almacenaje *m*, guarda *f* en depósito. ~하다 almacenar (las mercancías). ② [버스·전차의] entrada *f* en el garaje. ~하다 entrar en el garaje. ~시키다 meter en el garaje. ~료 gastos *mpl* de almacén, almacenaje *m*.

입관(入棺) colocación *f* del cadáver en un ataúd. ~하다 colocar *su* cadáver en un ataúd. ~식 rito *m* de la colocación del cadáver en el ataúd, rito *m* de ataúd.

입교(入校) ① [군사 학교에의 입학] ingreso *m* en la escuela militar. ~하다 ingresar [entrar] en la escuela militar. ② [입학] ingreso *m*. ~하다 ingresar. ¶ ~식 ceremonia *f* de ingreso (en la escuela militar).

입구(入口) entrada *f*; [문] puerta *f*; [동굴의] boca *f*; [흥행장의] puerta *f* de entrada.

입국(入國) ingreso *m* [entrada *f*] en

un país; [이민·여행자의] inmigración f. ~하다 ingresar [entrar] en un país. ~ 관리 사무소 Oficina f Nacional de Inmigración. ~ 금지 prohibición f de ingreso. ~ 비자 visado m [AmL visa f] de ingreso, visado m de entrada. ~ 사증 visado m, visa f. ~세 derechos mpl de entrada. ~ 수속 trámites mpl de entrada. ~ 자 inmigrante mf. ~ 신고서 tarjeta f de embarque (y/) o desembarque. ~ 카드 tarjeta f de entrada. ~ 허가(증) permiso m de ingreso [entrada].

입금(入金) [수령] recibo m; [수령금] dinero m recibido, suma f recibida. ~하다 ingresar en cuenta, abonar en cuenta. ~ 전표 nota f de recibo; [은행의] recibo m de depósito..

입길 boca f del que habla mal del defecto de otros. ~에 오르내리다 ser discutido por otros.

입김 ① [입에서 나오는 더운 김] vapor m de aliento. ② [입으로 나오는 내쉬는 숨의 기운] aliento m. ③ =영향력.

입내[1] [소리·말로써 내는 흉내] imitación f de la voz, imitación f de la manera de hablar, bufonada f, bufonería f. ~(를) 내다 imitar la voz, imitar la manera de hablar, bufonear(se).

입내[2] [입에서 나는 고약한 냄새] (mal) olor m a boca. ~가 나다 oler la boca.

입다 ① [옷을 착용하다] ponerse, vestirse. 입고 있다 llevarse (una prenda), estar vistiéndose. 옷을 ~ vestirse, ponerse el vestido. ② [피해·손해를 보거나 부상을 당하거나 누명 등을 쓰다] sufrir. 피해를 ~ sufrir daños. ③ [도움을 받다] recibir, gozar. 은혜를 ~ ser favorecido, gozar del favor, recibir un favor, recibir una merced. ④ [상을 당하다] estar de luto, guardar luto.

입다물다 callar, no hablar.

입단(入團) afiliación f (a una organización [una asociación]). ~하다 afiliarse, ingresar, unirse.

입담 =언변(言辯).

입당(入黨) afiliación f [adhesión f] a un partido político, ingreso m [entrada f] en un partido político. ~하다 afiliarse a [adherirse a · ingresar en · entrar en] un partido político.

입대(入隊) alistamiento m, incorporación f. ~하다 alistarse en el ejército [en la armada], alistarse en la milicia, entrar en un servicio militar; [지원하다] hacerse

soldado. ~식 parada f ceremonial de recluta. ~자 recluta mf.

입덧 indisposición f causada por la preñez, náuseas fpl [vómitos mpl] (de mujer encinta), mareo m. ~(이) 나다 perder su apetito, tener mareo, marearse.

입도(立稻) arroz m natural en el arrozal. ~ 선매 venta f del arroz antes de madurar.

입동(立冬) el noveno de veinte y cuatro divisiones estacionales, primer día que empieza el invierno.

입력(入力) ① ((전기)) potencia f de entrada, potencia f específica ② ((컴퓨터)) entrada f. ~ 데이터 datos mpl de entrada, datos mpl a procesar. ~ 에러 error m de entrada. ~ 장치 dispositivo m de entrada, órgano m de entrada.

입마개 bozal m.

입막다 obligar a callar, obligar a que no se hable.

입막음 prohibición f de habla. ~하다 prohibir hablar, parar, imponer el silencio, obligar a guardar el secreto, amordazar, silenciar.

입맛 apetito m, sabor m, gusto m, paladar m. ~에 맞는 de buen paladar, bueno al paladar. ~이 있다 tener buen apetito. ~이 없다 no tener apetito. ~을 잃다 perder su apetito.

입맞추다 besar, dar un beso; [서로] besarse. 빰에 ~ darle un besito en la mejilla. 손에 ~ besar la mano.

입맞춤 beso m; [가벼운] besito m. ~을 하다 besar, dar un beso; [가볍게] dar un besito.

입문(入門) ① [스승을 따라 그 제자가 됨] aprendizaje m. ~하다 hacerse discípulo. ② [어떤 학문을 배우려고 처음 들어감] entrada f (en una escuela privada). 정계의 ~ entrada f en el mundo político, dedicación f a la política. ③ ((준말)) =입문서. ¶ ~서(書) introducción f, iniciación f.

입바르다 (ser) franco, sincero, directo, sin dobleces. 입바른 소리 palabra f franca, palabra f sincera.

입방아찧다 rezongar, estarle encima, meterse. 입방아찧는 사람 persona f de lengua mordaz.

입버릇 expresión f favorita, muletilla f, estribillo m.

입벌리다 abrir la boca.

입법(立法) legislación f. ~의 legistivo, legislador. ~권 poder m legislativo. ~ 기관 cuerpo m legislativo, órgano m legislativo, AmL legislatura f. ~부 cuerpo m legislativo, órgano *m* legislativo, *AmL* legislatura *f*. ~자 legislador, -dora *mf*. ~화 legislación *f*. ~화하다 legislar. ~ 회의 asamblea *f* constituyente.

입비뚤이 persona *f* con la boca retorcida.

입사(入社) entrada *f* en una firma [en una compañía]. ~하다 entrar en un compañía, entrar en una sociedad [una firma]. ~ 계약 [졸업 전] contrato *m* de trabajo antes de graduarse. ~ 시험 examen *m* de colocación, examen *m* de admisión [de entrada] en una compañía.

입사(入射) ((물리)) incidencia *f*. ~의 incidente. ~각 ángulo *m* de incidencia, ángulo *m* de incidente. ~광선 rayo *m* de luz incidente. ~ 점 punto *m* incidente.

입산(入山) ① [산에 들어감] entrada *f* en la montaña. ~하다 entrar en la montaña. ② [불교] entrada *f* en la montaña para hacerse sacerdote budista [para ser ordenado sacerdote budista]. ~하다 hacerse sacerdote budista, ser ordenado sacerdote budista. ¶~ 수도 ascetismo *m* en la montaña.

입상(入賞) obtención *f* de premio. ~하다 ganar un premio. 1등에 ~하다 ganar el primer premio. ¶~자 ganador, -dora *mf* del premio, laureado, -da *mf*. ~ 작품 obra *f* laureada, obra *f* premiada.

입상(立像) estatua *f*. [작은] figurilla *f*.

입석(立石) [무덤 앞의] acción *f* de erguir la piedra delante de la tumba, piedra *f* erigida delante de la tumba.

입석(立席) paraíso *m* [cazuela *f*] de un teatro. ~만 있음 ((게시)) ¡No quedan asientos! ¶~ 손님 espectador, -dora *mf* de pie.

입선(入選) acción *f* de ser escogido. ~하다 ser escogido [seleccionado], pasar el examen de selección. ~자 ganador, -dora *mf*, persona *f* seleccionada [escogida]; triunfante *mf*. ~화 pintura *f* escogida.

입소(入所) entrada *f*, admisión *f*; [교도소에] encarcelamiento *m*, prisión *f*. ~하다 ser admitido en la institución; [교도소에] entrar a la prisión.

입속말 murmullo *m*, murmurio *m*, susurro *m*. ~하다 murmurar, susurrar, murmullar.

입수(入手) adquisición *f*, consecución *f*, conseguimiento *m*, obtención *f*, recibo *m*. ~하다 obtener, adquirir, conseguir, lograr, alcan-

zar, recibir, llegar a manos.

입술 labios *mpl*. ~의 labial. ~이 두터운 de labios gruesos. ~이 얇은 de labios finos. ~을 깨물다 morderse los labios, morderse la lengua. ~을 깨물면서 참다 aguantar mordiéndose los labios. ¶~소리 sonido *m* labial. ~ 연지 ㉮ [막대꼴의] pintalabios *mpl*, lápiz *m* [barra *f*] de labios, lápiz *m* labial. ㉯ [물질] carmín *m*, rouge *m*, carmín *m* rojo [pintura *f*] de los labios.

입시(入試) ((준말)) =입학 시험.

입신(立身) ascenso *m* [avance *m*] en el mundo, triunfo *m* en la vida. ~하다 ascender en el mundo. ~ 양명 ascenso *m* en el mundo y obtención de la fama. ~ 출세 avance *m* en *su* carrera, éxito *m* en la vida, carrera *f* de éxito.

입실(入室) ① [방에 들어감] entrada *f* en la habitación. ② [어떤 기관·군대의 부속 의무실 등에] entrada *f* en el hospital como un enfermo. ~하다 entrar en el hospital como un enfermo.

입심 locuacidad *f*, elocuencia *f*. ~이 좋다 (ser) locuaz, elocuente.

입싸다 (ser) palabrero, palabrón.

입씨름 peleas *fpl*, discusiones *fpl*, reyerta *f*, disputa *f*, riña *f*, gresca *f*. ~하다 pelear(se), discutir, armar camorra, debatir, rentar.

입쎗기다 dar dinero para callar la boca, comprar el silencio.

입안(立案) planeamiento *m*, planeación *f*, plan *m*, proyecto *m*. ~하다 planear, diseñar, proyectar, planificar. ~자(者) planificador, -dora *mf*, proyectista *mf*.

입양(入養) adopción *f*. ~하다 adoptar.

입어(入漁) pesca *f* en la zona pesquera de otros. ~권 derecho *m* de entrada a la zona pesquera. ~료 precio *m* para la pesca en la zona pesquera de otros.

입영(入營) alistamiento *m*, reclutamiento *m*. ~하다 alistarse, entrar en el cuartel. ~시키다 alistar, reclutar.

입원(入院) hospitalización *f*, *CoS* internación *f*, entrada *f* [ingreso *m*] en un hospital; [상태] hospitalidad *f*. ~하다 hospitalizarse, entrar en un hospital, ser llevado a un hospital. ~시키다 ingresar, hospitalizar, internar en un hospital. ¶~료 tarifa *f* de hospitalización, cargos *mpl* de acomodación en el hospital. ~ 수속 trámites *mpl* de hospitalización, formalidades *fpl* requeridas para entrar en un hospital. ~실 sala *f* de hospitalización. ~ 환자 (enfermo *m*) hospitalizado *m*, (enferma *f*) hospitalizada *f*; paciente *m* interno, paciente *f* interna.

입자(粒子) partícula *f*, grano *m*.

입장(入場) admisión *f*, entrada *f*. ~하다 entrar. ~을 거절하다 rehusar la entrada. 엄숙하게 ~하다 hacer una entrada solemne. ¶ ~객 [관객] espectador, -dora *mf*; [청중] auditorio, -ria *mf*; [집합적] público *m* asistente, entrada *f*. ~권 (billete *m* [AmL boleto *m*] de) entrada *f*, [정거장의] billete *m* [AmL boleto *m*] de andén. ~권 판매소 taquilla *f* (de billete de entrada), AmL boletería *f*. ~ 판매원 taquillero, -ra *mf*. ~료 precio *m* de entrada, (derechos *mpl* de) entrada *f*. ~ 무료 ((게시)) Entrada *f* gratis / Entrada *f* libre / Admisión *f* libre.

입장(立場) situación *f*, puesto *m*; [견지] punto *m* de vista. ~이 곤란하다 estar en una situación delicada. ~을 밝히다 denotar su punto de vista.

입적(入寂) ((불교)) fallecimiento *m*, muerte *f*, entrada *f* en el nirvana. ~하다 fallecer, morir, corporarse en el nirvana.

입적(入籍) entrada *f* en un registro familiar. ~하다 entrar [inscribirse] en un registro familiar, poner nombre en el registro familiar.

입정(入廷) entrada *f* en la sala de un tribunal. ~하다 entrar en la sala de un tribunal.

입주(入住) instalación *f*, ocupación *f*. ~하다 instalarse (en una casa), ocupar (una casa), mover en (el apartamento) [가정에] vivir, vivir con una familia. ~자 habitante *mf*; morador, -dora *mf*.

입증(立證) prueba *f*, testimonio *m*, comprobación *f*, demostración *f*. ~하다 probar, comprobar, demostrar, atestiguar.

입지(立地) localización *f*. ~(적) 조건 factores *mpl* de localización, situación *f* geográfica, condición *f* de localidad.

입지(立志) propuesta *f* que se hace a *sí* mismo de hacer *algo*. ~전 biografía *f* del hombre [de la mujer] que ha alcanzado *su* posición gracias a *sus* propios esfuerzos, historia *f* de éxito. ~전 속의 인물 hombre *m* que ha alcanzado *su* posición gracias a *sus* propios esfuerzos.

입질 mordedura *f*, picadura *f*.

입찰(入札) licitación *f*. ~하다 licitar, hacer una oferta, hacer una propuesta, hacer una licitación escrita. ~에 붙이다 poner en licitación, vener (artículo) por propuesta [licitación]. ¶ ~ 가격 precio *m* de licitación. ~ 공고 aviso *m* público de licitación. ~자 licitador, -dora *mf*; licitante *mf*; [경매의] postor, -tora *mf*.

입천장(-天-) ((해부)) paladar *m*. ~의 palatino. ~소리 palatal *f*.

입체(立替) adelanto *m*, anticipo *m*. ~하다 pagar por adelantado, pagar por anticipado, adelantar el pago. ~금 adelanto *m*, anticipo *m*, dinero *m* adelantado, suma *f* adelantada.

입체(立體) sólido *m*; ((기하)) cuerpo *m*. ~의 sólido. ~각 ángulo *m* sólido. ~감 efecto *m* estereoscópico. ~ 감각 sentido *m* estereoscópico. ~ 교차로 cruce *m* al nivel. ~ 기하학 geometría *f* sólida, geometría *f* del espacio. ~미 hermosura *f* sólida. ~ 방송 emisión *f* estereofónica. ~ 사진 estereofotografía *f*, fotografía *f* estereoscópica, estereograma *m*, anáglifo *m*. ~ 영화 cine *m* tridimensional, cine *m* en tres dimensiones. ~ 음악 música *f* estereofónica. ~ 음향 estereofonía *f*. ~전 guerra *f* tridimensional. ~파 cubismo *m*; [단체] cubistas *mpl*. ~파 예술가 [화가·조각가] cubista *mf*.

입초(入超) exceso *m* de la importación sobre la exportación, balanza *f* desfavorable del comercio exterior, balanza *f* comercial desfavorable, déficit *m* de la balanza comercial.

입초(立哨) guardia *f*, centinela *f*; [순경의] servicio *m* de puesto. ~하다 estar de guardia; [보초] estar de centinela, estar de servicio de puesto. ~병 centinela *m*.

입촌(入村) entrada *f* en la aldea. ~하다 entrar en la aldea.

입추(立秋) primer día *m* del otoño, comienzo *m* del otoño, uno de veinte y cuatro divisiones estacionales.

입추(立錐) el erguir la barrena. ~의 여지도 없다 Está de bote en bote / No hay espacio ni de estar de pie.

입춘(立春) comienzo *m* de la primavera, primer día *m* de la primavera (alrededor del tres o cuatro de febrero).

입출력(入出力) ((컴퓨터)) entrada-salida *f*, entradas-salidas *fpl*, entrada/salida *f*. ~ 장치 dispositivo *m* de entrada-salida, dispositivo *m* de entrada/salida. ~ 제어 장치

치 controladora *f* de entrada-
salida.

입하(入荷) llegada *f* (de mercaderías), llegada *f* (de mercancías).
~하다 llegar. ~ 통지 notificación *f* de arribada.

입하(立夏) comienzo *m* del verano,
primer día *m* del verano, uno de
las veinticuatro divisiones estacionales, alrededor del cinco o
seis de mayo.

입학(入學) ingreso *m* en una escuela, entrada *f* en una escuela,
matrícula *f*; [허가] admisión *f*. ~
하다 ingresar en una escuela,
entrar en una escuela, ser admitido (en una escuela), matricularse en la escuela. ~금 derechos
mpl de ingreso [de matrícula]. ~
생 [대학의] estudiante *mf* que
ingresa a la universidad. ~ 시험
examen *m* de ingreso [de admi-
sión]. ~식 ceremonia *f* de admisión [ingreso]. ~ 원서 solicitud *f*
de ingreso [de admisión].

입항(入港) entrada *f* del [en el]
puerto, llegada *f* al puerto. ~하다
entrar en el puerto, llegar al
puerto; [기항하다] tocar en el
puerto. ~선 barco *m* que entra
en el puerto. ~세 derechos *mpl*
de puerto [de quilla]. ~ 수속
despacho *m* de entrada.

입향순속(入鄕循俗) Hay que bailar
al son que se toca / Donde
fueres haz como vieres.

입헌(立憲) constitucionalismo *m*. ~
국 país *m* constitucional. ~ 군주
국[제] monarquía *f* constitucional.

입회(入會) ingreso *m*, entrada *f*; [등
록] inscripción *f*. ~하다 entrar,
ser miembro, asociarse. 클럽에 ~
하다 entrar [ingresar] en un club.
¶ ~금 derechos *mpl* de ingreso,
cuota *f* de entrada. ~비 cuota *f*
de inscripción. ~ 원서 solicitud *f*
de inscripción. ~자 persona *f*
admitida (a una sociedad); nuevo
miembro *m*, nueva miembro *f*,
socio, -cia *mf*.

입회(立會) ① presencia *f*, asistencia
f, sesión *f*. ~하다 presenciar,
asistir; [증인으로] actuar [servir]
de testigo. ② [거래소의] sesión *f*.
오전의 ~ sesión *f* de la mañana.
¶ ~ 변호사 abogado, -da *mf*
compareciente. ~인 [증인] testigo
mf; [투표의] escrutador, -dora
mf. ~ 중인 testigo *mf*.

입후보(立候補) candidatura *f*. ~하다
presentarse como candidato, declarar [anunciar · presentar] *su*
candidatura. ~를 선언하다 anunciar *su* candidatura. ¶ ~ 등록
registro *m* de *su* candidatura. ~

자 candidato, -ta *mf*.

입히다 ① ㉮ [의(衣)생활을 시켜 주
다] vestir, poner. 옷을 ~ vestir,
poner el vestido. ② [입게 하다 ·
당하게 하다 · 끼치다] hacer su-
frir, ocasionar, causar. 상처를 ~
herir, dar un golpe que produzca
llaga, fractura o contusión. 손해
를 ~ hacer sufrir daños, ocasionar daños, causar daños. ③ [물
건의 거죽에] cubrir, bañar, recubrir, enchapar. 초콜릿을 입힌 cubierto de chocolate, bañado en
chocolate.

잇 [이부자리 · 베개 따위의 거죽을
싸는 피륙] colchón *m*; [베개 · 소
파 · 타이프라이터 등의] funda *f*,
[침대의] cubrecama *m*, sobrecama *f*, colcha *f*.

잇꽃 (식물) alazor *m*, cártamo *m*.

잇다 ① [끝과 끝을 맞대어 서로 붙
게 하다] juntar, ligar, unir, atar.
두 관을 ~ conectar dos tubos.
판자 두 개를 ~ unir dos tablas.
② [앞뒤가 끊어지지 않게 계속하
다] heredar, suceder, seguir. 가업
을 ~ suceder el negocio familiar.
③ [뒤를 잇달다] continuar.

잇단음표(-音標) ((음악)) tresillo *m*
(3), quintillo *m* (4), cinquillo *m*
(5), seisillo *m* (6), etc.

잇달다 ① [연달다] unir, juntar,
conectar, ligar. ② [이어 달리다]
continuar, sucederse. 잇달은 [서
로 관련이 있는] sucesivo; [관련이
없는] consecutivo. 잇달아 uno
tras otro, uno detrás de otro,
uno después otro; [계속해서]
continuamente, sucesivamente.

잇닿다 continuar, formar parte. 땅에
잇닿는 comunicable por tierra. 잇
닿은 토지 tierra *f* contigua.

잇대다 continuar, durar. 잇대서
continuamente, sin interrupción.

잇따르다 seguir, suceder. 잇따라 일
주일(간) durante la semana que
sigue.

잇몸 encía *f*. ~ 염증 gingivitis *f*.

잇바디 =치열(齒列)(dentadura).

잇살 grieta *f* de las encías.

잇새 entre el diente y el diente,
entre los dientes.

잇소리 (sonido *m*) dental *f*.

잇속 parte *f* blanda del centro de
los dientes.

잇속(利—) fuente *f* de ganancias,
fuente *f* de beneficios. ~ 있는 장
사 negocio *m* rentable.

잇자국 huella *f* del diente; [어금니
의] huella *f* del colmillo.

있다 estar; [유무] existir, hallarse,
encontrarse, verse, haber (3인칭
단수형으로 직설법에서는 hay);
[살다] vivir, residir, habitar, morar. 이 방에는 사람이 많이 ~

Hay mucha gente en esta habitación.

있음직하다 (ser) possible, probable. 있음직한 일 posibilidad *f*, probabilidad *f*.

잉글랜드 ((지명)) Inglaterra *f*. ~의 inglés. ☞영국.

잉꼬 ((조류)) papagayo *m*, cotorra *f*, guacamayo *m*, perico *m*, zapoyolito *m*.

잉어 ((어류)) carpa *f*, [관상용의] carpa *f* roja, carpa *f* dorada.

잉여(剩餘) sobrante *m*, excedente *m*, superávit *m*, sobra *f*. ~ 가치 valor *m* de la plusvalía, valor *m* del excedente. ~금 superávit *m*. ~ 농산물 excedentes *mpl* agrícolas. ~ 물자 materias *fpl* sobrantes. ~ 생산물 productos *mpl* sobrantes. ~ 자금 fondos *mpl* sobrantes.

잉잉 gimoteando, lloriqueando. ~ 울다 gimotear, lloriquear.

잉카 [사람] inca *mf*; [민족] incas *mpl*. ~의 incaico. ~ 문명 civilización *f* incaica. ~ 문화 cultura *f* incaica. ~ 사람 inca *mf*. ~ 제국 el Imperio Incaico. ~족 los incas.

잉크 tinta *f*. 붉은 ~ tinta *f* roja [colorada · encarnada]. 제도용 [복사용] ~ tinta *f* para plano [copiar]. ¶~로 쓰다 escribir con tinta. ¶~병 tintero *m*. ~ 얼룩 [심리 테스트용] mancha *f* de tinta, borrón *m*. ~ 지우개 goma *f* de tinta, líquido *m* borrador de tinta, raspador *m* líquido de tinta.

잉태(孕胎) preñez *f*, preñado *m*,

concepción *f*. ~하다 concebir, preñarse, embarazarse. ~시키다 embarazar, preñar, empreñar. ~ 한 여인 mujer *f* preñada [embarazada]. ~ 중이다 (estar) embarazada, encinta.

잊다 ① [망각하다] olvidar, olvidarse, desmemoriarse; [생각이 나지 않다] no recordar, no acordarse. 잊을 수 없는 inolvidable, memorable, que no se debe olvidar nunca, imposible de olvidar; [생각 따위를] imborrable. 잊을 수 없는 날 día *m* inolvidable. ② [놓고 오다] olvidar, dejar olvidado. 잊은 물건 objeto *m* dejado en un lugar; [습득물] objeto *m* hallado; [잃은 물건] objeto *m* perdido.

잊어버리다 olvidarse. 나는 완전히 잊어버렸다 Se me ha olvidado del todo.

잊히다 olvidarse. 잊혀진 olvidado, caído en el olvido, enterrado en el olvido.

잎 ((식물)) hoja *f*; [집합적] follaje *m* (nuevo); [새 잎] hojas *fpl* nuevas, hojas *fpl* jóvenes; [푸른 잎] verdura *f*. 마른 ~ hoja *f* seca. 말린 ~ hoja *f* secada.

잎담배 tabaco *m* de hojas.

잎사귀 hoja *f*.

잎샘 (추위) frío *m* de la primavera temprana.

잎숟가락 cuchara *f* curda.

잎잎이 cada hoja, todas las hojas.

잎자루 pecíolo *m*, rabillo *m*.

잎줄기 filocladio *m*, cladodio *m*.

잎파랑이 ((식물)) clorofila *f*.

ㅈ

자¹ [길이를 재는] regla *f*; [접자] metro *m* plegable [plegadizo]. ~로 선을 긋다 trazar una línea con una regla.

자² [길이의 단위] *cheok*, medida *f*, una unidad de longitud, pie *m* coreano (0.33 metro).

자³ [남의 주의를 불러일으켜 행동을 재촉할 때] ¡Ea! / ¡Vaya! / ¡Ahora! / ¡Anea! / Pues. ~, 가자 ¡Ahora, vámonos! / Pues, vamos.

자(子) ① [아들] hijo *m*. ② ((존칭)) =공자. ¶~왈(曰) Dijo Confucio. ③ [십이지의 첫째] Signo *m* de la Rata.

자¹(字) [사람의 본이름 외에 부르는 이름] (p)seudónimo *m*, alias *m*, apodo *m*, sobrenombre *m*.

자²(字) [글자] letra *f*, carácter *m*.

자(紫) = 자줏빛(púrpura).

자(者) tipo *m*, hombre *m*, persona *f*, gente *f*, uno *m*, individuo *m*; […하는 자] quien, el que.

자가(自家) su propia casa *f*, su propia familia *f*. ~의 su propio, personal, privado, particular. ~ 감염 autoinfección *f*. ~ 생식 autogamia *f*. ~용 [개인용] uso *m* propio [personal]; [차] su coche. ~용차 coche *m* particular [privado]. ~ 운전 autoconducción *f*. ~ 진단 autodiagnosis *f*.

자가사리 ((어류)) siluro *m*, bagre *m*.

자각(自覺) conciencia *f*, conocimieno *m* de sí mismo; [각성] despertar *m*; [정신 병자의] perspicacia *f*. ~ 하다 tener conciencia, ser consciente, despertarse.

자간(子癇) ((의학)) eclampsia *f*.

자갈 guija *f*, piedrecita *f*, canto *m*, rodado *m*, pedrejón *m*, china *f*; [작은 돌] cascajo *m*. ~길 camino *m* de grava [de gravilla], camino arenoso [con cascajos]. ~밭 cascajal *m*, cascarjar *m*, cascajera *f*, pedregal *m*, campo *m* pedregoso, campo *m* de grava. ~채취장 gravera *f*.

자개 madreperla *f*, nácar *m*, *Chi* concha *f* de perla. ~를 박다 hacer incrustaciones de nácar, taracear con nácar. ¶~장 armario *m* taraceado con nácar.

자객(刺客) asesino *m*.

자격(資格) calificación *f*; [요건] requisito *m*; [능력] capacidad *f*, aptitud *f*; [권능] facultad *f*, atribución *f*; [타이틀] título *m*; [권리] derecho *m*. ~이 있는 calificado, habilitado, idóneo, apto, competente, capaz. ~이 없는 descalificado, incompetente, no calificado, no capacitado, sin título; [무면허의] sin carnet, sin carné, sin licencia, sin permiso, no autorizado. ¶~ 박탈 descalificación *f*. ~ 상실 inhabilitación *f*. ~ 시험 examen *m* de calificación. ~ 심사 examen *m* de calificaciones. ~ 정지 suspensión *f* de calificación. ~증 certificado *m* [constancia *f*] de calificación.

자격지심(自激之心) remordimientos *mpl* de conciencia, conciencia *f* sucia, complejo *m* de culpabilidad.

자결(自決) ① [자기의 일을 스스로 해결함] autodeterminación *f*, determinación *f* propia, resignación *f* voluntaria. ~하다 determinar por sí mismo. ② =자살(自殺). ¶~권 derecho *m* de autodeterminación. ~주의 principio *m* de autodeterminación.

자고(鷓鴣) ((조류)) perdiz *f*, perdigón *m*.

자고로(自古─) ((준말)) =자고이래로. ¶~ 내려온 풍습 costumbres *fpl* de larga tradición.

자고이래(로) desde tiempos antiguos, desde la antigüedad, tradicionalmente.

자구(字句) palabras *fpl* y frases; [집합적] fraseología *f*, dicción *f*, expresión *f*, letra *f*.

자구 행위(自救行爲) autoayuda *f*; ((경제)) autofinanciación *f*.

자국 [물건이 닿아 생긴 자리] marca *f*, mancha *f*; [피부에 배거나 데거나 수술한 자국] cicatriz *f*; [우두의 자국] marca *f*, señal *f*; 긁힌 [할퀸·손톱] ~ rasguño *m*, arañazo *m*, araño *m*, rascadura *f*.

자국(自國) su (propio) país, su patria, su tierra natal [nativa], madre patria *f*. ~민[인] compatriota *mf*; paisano, -na *mf*. ~어 lengua materna, lengua *f* nativa vernácula. ~ 통화 moneda *f* nacional.

자궁(子宮) ((해부)) útero *m*, matriz *f*. ~경 uteroscopio *m*, histeroscopio *m*, metroscopio *m*. ~ 내막염 endometritis *f*. ~암 metrocarcinoma *m*, cáncer *m* uterino. ~염 metritis *f*, uteritis *f*, inflamación *f* del útero. ~외 임신 embarazo *m* extrauterino, embarazo *m* ectópico, preñez *f* extrauterina. ~ 절개(술) histerotomía *f*. ~ 출혈 hemorragia *f* uterina.

자귀 ((연장)) azuela *f*, doladera *f*.

자규(子規) ((조류)) =두견이.

자그마치 un poco, unos; [반의적으로] no ··· tanto. 술을 ~ 마셔라 No bebas tanto.

자그마하다 (ser) algo pequeño.

자극(刺戟) estímulo *m*; [흥분] excitación *f*. [추진] impulso *m*. ~하다 estimular, excitar, impulsar. ¶~제 excitante *f*, estimulante *m*.

자극(磁極) polo *m* magnético.

자금(資金) capital *m*, fondos *mpl*, dinero *m*. ~의 흐름 flujo *m* de fondos, corriente *f* de fondos. 외국에 있는 ~ fondos *mpl* en el extranjero. ¶~난 dificultades *fpl* financieras. ~ 동결 congelación *f* de fondos. ~ 부족 falta *f* de fondos, escasez *f* de fondos. ~ 조달 financiación *f*. ~ 출처 fuente *f* de fondos. ~ 통제 control *m* de fondos. ~ 회 capitalización *f*. ~ 회전 rotación *f* de fondos.

자급(自給) autosuficiencia *f*, autarquía *f*, suministro *m* por sí mismo. ~하다 suministrar por sí mismo. ¶~ 경제 economía *f* autosuficiente, autarquía *f*. ~ 자족 autosuficiencia *f*, autarquía *f*, suficiencia *f* de sí mismo. ~ 자족 경제 autarquía *f*.

자긍(自矜) orgullo *m*, presunción *f*, arrogancia *f*; [자찬] alabanza *f* de sí, admiración *f* de sí. ~하다 enorgullecerse, estar orgulloso.

자기(自己) sí, sí mismo, uno mismo, el yo, el ego. ~의 personal, privado, particular. ~ 위주의 egoísta.

자기(自記) ① [스스로 기록함] inscripción *f* por sí mismo. ~하다 inscribirse. ~의 inscrito por sí mismo. ② [기계가 자동 작용으로 부호나 문자를 기록하는 일] autoregistro *m*. ~하다 registrar.

자기(瓷器/磁器) porcelana *f*, cerámica *f*, china *f*, loza *f*.

자기(磁氣) magnetismo *m*. ~의 magnético. ~를 띤 magnético. ~를 띄게 하다 magnetizar, imanar.

자기앞 수표(自己-手票) cheque *m* al portador.

자꾸 repetidamente, repetidas veces, frecuentemente, con frecuencia, a menudo, muchas veces. ~ 만지다 toquetear, tocar repetidamente.

자꾸자꾸 [신속하게] rápidamente, en sucesión rápida; [기운 좋게] vigorosamente, enérgicamente; [소리내어] ruidosamente, bulliciosamente, con mucho ruido.

자나깨나 día y noche, todo el tiempo, dormido y despierto.

자네 tú. ~의 [명사 앞에서] tu; [명사 뒤에서] tuyo. ~에게 te, a ti. ~를 te, a ti. ~와 함께 contigo.

자녀(子女) hijos *mpl*, hijo e hija. ~ 교육 educación *f* para los hijos.

자다 ① [잠을] dormir(se); [잠들다] dormirse, quedarse dormido. 잘 수 없다 no poder dormir. ② [불던 바람 등이] calmar(se), ponerse en calma, apaciguarse, tranquilizarse, sere- narse, disiparse. ③ [남녀가 잠자리를 함께 하다] tener relaciones sexuales. ④ [(잠을) 취하다] dormir(se). 낮잠을 ~ dormirse la siesta, tomar la siesta.

자담(自擔) pago *m* de *su* bolsillo, *su* propia costa, *su* propia cuenta. ~하다 pagar de *su* bolsillo.

자당(自黨) *su* propio partido.

자당(慈堂) *su* madre.

자동(自動) automación *f*, automatismo *m*. ~의 automático. ~으로 움직이다 moverse automáticamente. ¶~ 권총 pistola *f* automática; [연발] revólver *m* automático. ~ 금전 출납기 cajero *m* automático. ~ 문 puerta *f* automática. ~ 브레이크 freno *m* automático. ~사 verbo *m* intransitivo, verbo *m* neutro. ~ 소총 fusil *m* automático; [기관단총] metralleta *f*. ~ 시계 reloj *m* de cuerda automática. ~식 차단기 cortocircuitador *m* automático. ~ 신호기 semáforo *m* automático. ~ 장치 autómata *m*. ~ 전화 응답기 contestador *m* automático. ~ 판매기 tragaperras *m*, tragamonedas *m*, traganíqueles *m*, autómata *m*. ~ 현금 인출 장치 cajero *m* automático, cajero *m* bancario. ~ 현금 지급기 cajero *m* automático, cajero *m* bancario. ~화 automatización *f*. ~ 화기 el arma *f* de fuego automática.

자동차(自動車) vehículo *m*, automóvil *m*, coche *m*, *CoS* auto *m*, *AmL* carro *m* (*CoS* 제외). ~의 automovilístico. ~로, ~를 타고 en coche, en automóvil. ~ 안에서 en el coche. ~에 오르다 subir en [a] un automóvil, montar en automóvil. ~로 가다 ir en coche, ir en automóvil. ~에서 내리다 bajar(se) [apearse] de un coche. ~를 운전하다 conducir el coche, *AmL* manejar el coche. ¶~ 경주 carrera *f* de automóviles, automovilismo *m*. ~ 경주자 corredor, -dora *mf*, piloto *mf*. ~ 경주장 motódromo *m*, pista *f* de carreras. ~ 교습소 autoescuela *f*. ~ 도로 autovía *f*, autopista *f*, carretera *f* (de primer orden). ~ 등록 registro *m* de automóviles. ~ 번호

matrícula f, AmL placa f, CoS patente f, PRI chapa f. ~ 보험 seguro m de automóviles. ~ 부품 piezas fpl [accesorios mpl] de automóviles. ~ 사고 accidente m automovilístico. ~세 impuesto m sobre el automóvil. ~ 수리 [정비] 공장 taller m de reparación. ~ 전용 도로 autopista f. ~ 학원 auto-escuela f.

자두 endrina f. ~나무 endrino m. ~ 밭 endrinal m.

자디잘다 (ser) muy pequeño, peque-ñísimo.

자라 ((동물)) tortuga f de mar. 자라 보고 놀란 가슴 소댕 보고 놀란다 ((속담)) El gato escaldado, del agua fría huye.

자라다 ① [차차 커지다. 어른이 되다] crecer, criarse. 건강하게 ~ crecer sin conocer ninguna enfermedad, crecer sano. ② [발전하다] desa-rrollarse, formarse. ③ [차차 많아지다] aumentar, incrementar.

자락 [옷 · 피륙의] dobladillo m, falda f, pollera f, Chi basta f.

자랑 orgullo m, jactancia f. ~하다 orgullecerse, gloriarse, sentir or-gullo, ponerse [estar] orgulloso; [뽐내다] jactarse, alardear, ufanar-se, vanagloriarse. ~거리 honor m, gloria f, orgullo m; [명성] fama f, reputación f. ~스럽다 sentirse or-gulloso. ~스레 orgullosamente, con orgullo, con vanidad, con jactancia, lleno de orgullo. ~스레 생각하다 orgullecerse, sentir orgu-llo, sentirse orgulloso.

자력(自力) fuerza f propia. ~으로 solo, sin ayuda de nadie, por sí mismo, por la fuerza propia, por sí solo, por el esfuerzo propio.

자력(資力) medios mpl (financieros), recursos mpl (económicos); [자금] fondos mpl, caudal m, capital m.

자력(磁力) atracción f [fuerza f] magnética; [자성] magnetismo m. ~계 magnetómetro m.

자료(資料) datos mpl, documentos mpl, materiales mpl; [집합적] do-cumentación f. ~를 수집하다 co-leccionar datos, reunir documen-tos, documentarse.

자루¹ [헝겊 주머니] saco m, bolsa f, saca f; [큰] bolsón m, costal m, talega f; [작은] saquete m, saqui-llo m.

자루² [연장 · 기구 따위의 손잡이] mango m, puño m, asa f.

자루³ ① [긴 물건의 세는 단위] unidad f, pieza f. 연필 두 ~ dos lápices. 총 세 ~ tres pistolas. ② [자루에 든 것을 세는 단위] saco m. 콩 한 ~ un saco de habas.

자루걸레 fregona f, mopa f.

자라다 ① [단단히 동여매다] atar, AmL amarrar (RPI 제외); [조이다] apretar, ajustar, tensar. ② [끊어 내다] cortar. ③ [해고시키다] despedir, destituir. ④ [단락을 짓다] terminar, acabar, resolver.

자리¹ ① [앉거나 서거나 누울 장소] asiento m, [장소] lugar m, sitio m, plaza f; [빈자리] espacio m; [의자] silla f, [의장 · 회장 등의] sillón m de la presidencia. ~에 앉다 tomar asiento, sentarse. ~에 앉히다 sentar en el asiento. ② [무슨 일이 있었던 곳] lugar m, sitio m. 그 ~에서 en el mismo lugar [sitio], ahí mismo; [즉석에서] en el acto; [현장에서] en flagrante. ③ [무엇을 두거나 놓는 곳] lugar m, sitio m. 가방 하나 더 들어갈 ~ 있습니까? ¿Cabe otra maleta? ④ [자국] marca f, señal f, nota f, impresión f, huella f. 상처(받은) ~ abertura f [labio mpl · boca f] de la herida. ⑤ [계급이나 직무로서 몸이 놓이는 곳] puesto m, posi-ción f, plaza f; [교수의] cátedra f. 중요한 ~ posición f importante. ¶~다툼 lucha f por el buen asiento. ~다툼하다 luchar por el buen asiento. ~보전 acostamiento m, en el lecho de enfermo.

자리² ① [바닥에 까는 물건] estera f, esterilla f; [문앞의] felpudo m, Col tapete m; [욕실의] alfombrilla f, alfombrita f, Col tapete del baño. ② [깔고 덮고 잘 이부자리] col-chón m. ③ ((준말)) =잠자리.

자린고비(玼吝考妣) avaro, -ra mf; tacaño, -ña mf.

자립(自立) independencia f, manu-tención f por sí mismo. ~하다 independizarse, hacerse indepen-diente, mantenerse por sí mismo. ~ 경제 economía f autofinanciada.

자막(字幕) subtítulo m. ~이 넣어진 con subtítulos, subtitulado. ~을 넣다 subtitular.

자막대기 regla f que mide una yarda.

자만(自慢) jactancia f, arrogancia f. ~하다 jactarse, enorgullecerse, envanecerse, presumirse, ufanarse.

자만(自滿) autosuficiencia f. ~하다 ser autosuficiente, estar ufano.

자매(姉妹) hermanas fpl. 배 다른 media hermana f. ¶~ 결연 establecimiento m de solidaridad entre hermanas. ~교(校) escuela f hermana.

자맥질 ((준말)) =무자맥질.

자메이카 ((지명)) Jamaica f. ~의 (사람) jamaicano, -na mf.

자멸(自滅) [자연 멸망] destrucción f natural; [자기 파멸] destrucción f de sí mismo, perdición f espontánea. ~하다 destruirse naturalmente, perderse, provocar *su* propia ruina, destruirse a sí mismo, arruinarse a sí mismo.

자명종(自鳴鐘) (reloj *m*) despertador *m*.

자명하다(自明-) (ser) evidente, obvio, manifiesto. 자명한 이치 verdad *f* evidente [inconstable], axioma *m*. 자명한 진리 perogrullada *f*.

자모(子母) hijo *y su* madre. ~음 consonante *y* la vocal. ~자 la letra consonante *y* la vocal.

자모(字母) ① [낱자] alfabeto *m*, abecedario *m*. ② ((인쇄)) =모형 (母型). ¶~순 orden *m* alfabético.

자모(姉母) *su* hermana *y su* madre.

자모(慈母) ① [어머니] madre *f* afectuosa, madre *f* bondadosa, madre *f* cariñosa. ② [서모] concubina *f* de *su* padre.

자못 muy, excesivamente, sumamente, extremadamente. ~ 만족한 듯 이 con (un) aire de verdadera satisfacción, rebosando de alegría.

자문(自問) pregunta *f* a sí mismo. ~하다 preguntarse a sí mismo. ~ 자답 soliloquio *m*, monólogo *m*. ~ 자답하다 soliloquiar, monologar.

자문(諮問) consulta *f*. ~하다 consultar. 위원회에 ~하다 consultar [presentar] a un comité para deliberación. ¶~ 기관 organismo *m* consultivo. ~ 위원회 comité *m* consultivo, comisión *f* consultiva.

자물쇠 cerradura *f*, cerrojo *m*; [돈주 머니 모양의] candado *m*.

자물통=자물쇠.

자바 원인(-猿人) pitecántropo *m* en posición vertical.

자박 con un paso suave. ~거리다 andar suavemente.

자반 pescado *m* salado y secado.

자반병(紫瘢病) ((의학)) púrpura *f*.

자반뒤집기 retorcimiento *m* de dolor. ~를 하다 retorcerse de dolor.

자발(自發) espontaneidad *f*. ~적 espontáneo, voluntario. ~적으로 (de) motu proprio, por su cuenta, por iniciativa propia, voluntariamente *m*. espontáneamente, por *su* propia voluntad, por sí mismo. ~ 적으로 사직하다 dimitir [renunciar · presentar *su* dimisión] voluntariamente.

자발없다 (ser) colérico, impaciente, desasosegado, inquieto.

자백(自白) confesión *f*, declaración *f* del delito, reconocimiento *m* del delito. ~하다 confesar, declarar *su* crimen [*su* delito], reconocer el delito en una declaración.

자본(資本) capital *m*, fondos *mpl*, capital *m* comercial, capital *m* líquido. ~의 축적 acumulación *f*

de capital. 막대한 ~ capital *m* fuerte. ¶~가 capitalista *mf*. ~금 capital *m*, capital *m* principal. ~ 시장 mercado *m* de capitales. ~주 propietario, -ria *mf* del capital. ~ 주의 capitalismo *m*. ~주의자 capitalista *mf*.

자본론(資本論) ((책)) el Capital.

자부(子婦) nuera *f*, hija *f* política.

자부(自負) jactancia *f*, presunción *f*, orgullo *m*, arrogancia *f*, espíritu *m* jactancioso. ~하다 jactarse, vanagloriarse, tener presunción, creerse, presumir, ufanarse. ~심 confianza *f* en sí mismo, presunción *f*, orgullo *m*, engreimiento *m*.

자비(自費) *sus* propios gastos, *su* costa propia. ~로 a costa propia. ~생 estudiante *m* privado, estudiante *f* privada.

자비(慈悲) caridad *f*, misericordia *f*, amor *m* al prójimo, conmiseración *f*; [동정] compasión *f*, piedad *f*. ~ 롭다스럽다 (ser) misericordioso. ~로이[스레] misericordiosamente. ~심 misericordia *f*, caridad *f*, compasión *f*, piedad *f*.

자빠뜨리다 derribar, derrocar, tumbar; [건물을] tirar [echar] bajo, *Méj* tumbar; [나무를] talar; [기를] bajar; [정부를] tirar bajo, derrocar.

자빠지다 caerse, tumbarse.

자산(資産) bienes *mpl*, propiedades *fpl*, fortuna *f*, recursos *mpl*; ((상 업)) activo *m*; [세습 재산] patrimonio *m*. ~과 부채 activos *mpl* y pasivos. ~이 있다 tener fortuna, poseer fortuna. ~을 남기다 dejar la propiedad. ~을 동결하다 congelar los bienes. ~을 만들다 hacer una fortuna. ~가 hombre *m* de fortuna [de bienes], persona *f* opulenta.

자살(自殺) suicidio *m*. ~하다 suicidarse, matarse. ~골 autogol *m*, *CoS* gol *m* en contra. ~골을 넣다 meter un autogol. ~ 미수 intento *m* de suicidio. ~ 행위 acto *m* de suicidio.

자살(刺殺) asesinato *m* a puñaladas. ~하다 matar [asesinar] a puñaladas.

자상(自傷) herida *f* autoinfligida. ~ 하다 ser autoinfligido. ~ 행위 herida *f* autoinfligida.

자상(刺傷) puñalada *f*, estocada *f*, pinchazo *m*. ~을 내다 dar una estocada.

자상하다(仔詳-) (ser) detallado, minucioso, pormenorizado. 자상히 detalladamente, minuciosamente.

자색(姿色) belleza *f*, hermosura *f*. ~ 이 아름답다 (ser) hermoso, bello.

자색(紫色) =자줏빛.

자생(自生) autogénesis *f*, generación

f espontánea; [야생] crecimiento *m* natural, crecimiento *m* silvestre. ~하다 vegetar silvestre, nacer naturalmente, crecer naturalmente, ser autógeno. ~지 식물 plantas *fpl* nativas. ~지 tierra *f* nativa.

자서(自敍) escritura *f* de su propia historia. ~하다 escribir su propia historia. ~전 autobiografía *f*. ~전 작가 autobiógrafo, -fa *mf*.

자석(磁石) imán *m*; [지남철] brújula *f*, compás *m*. ~의 magnético. ~의 인력 atracción *f* magnética.

자석영(紫石英) =자수정(紫水晶).

자선(自選) ① [자기 자신에게 투표함] votación *f* a sí mismo, elección *f* de sí mismo. ~하다 votarse a sí mismo. ② [제 작품을 제가 골라 뽑음] su propia selección *f*. ~하다 hacer una selección de su propia obra.

자선(慈善) caridad *f*, beneficencia *f*, filantropía *f*, amor *m* al prójimo. ~의 benéfico, de beneficencia, con fines benéficos, filantrópico. ~을 베풀다 hacer (el) bien, dar limosna. ¶~가 bienhechor, -chora *mf*; benefactor, -tora *mf*; caritativo, -va *mf*; filántropo, -pa *mf*. ~ 공연 función *f* benéfica, función *f* de beneficencia, beneficio *m*, espectáculo *m* benéfico. ~냄비 olla *f* benéfica, olla *f* de caridad. ~ 단체 organización *f* benéfica [de beneficencia]. ~ 사업 obra *f* benéfica [filantrófica]. ~시(市) bazar *m*. ~ 음악회 concierto *m* benéfico [de beneficio].

자성(自省) introspección *f*, reflexión *f*, examen *m* de conciencia. ~하다 reflexionar, hacer examen de conciencia.

자성(磁性) ((물리)) magnetismo *m*. ~의 magnético.

자세(姿勢) postura *f*, posición *f*; [태도] actitud *f*; [포즈] pose *m*; [모양] apariencia *f*, figura *f*, porte *m*; [걸음 때의] andares *mpl*. ~가 좋은 de buena postura.

자세하다(仔細/子細─) (ser) detallado, minucioso. 자세히 detalladamente, en detalle.

자손(子孫) descendiente *mf*; [집합적] descendencia *f*, posteridad *f*.

자수(自手) (con) *sus* propias manos. ~로 con *sus* propias manos. ~성가(成家) alcance *m* de *su* posición gracias a *sus* propios esfuerzos.

자수(自首) denunciación *f* por sí mismo. ~하다 denunciarse a las autoridades, entregarse a la policía, denunciarse a la policía.

자수(刺繡) bordado *m*, bordadura *f*, encaje *m*. ~하다 bordar, labrar,

recamar. ~한 블라우스 blusa *f* bordada. ¶~ 바늘 aguja *f* de bordado. ~실 hilo *m* de bordado. ~자 bordador, -dora *mf*. ~틀 bastidor *m*, tambor *m* de bordar.

자수정(紫水晶) [광물] amatista *f*.

자숙(自肅) continencia *f*, abstinencia *f*. ~하다 contenerse, abstenerse.

자습(自習) instrucción *f* por sí mismo, estudio *m*, aplicación *f*, obra *f* en casa. ~하다 instruir por sí mismo, estudiar por sí mismo, estudiar sin maestro. ~서(書) enseñanza *f* por sí mismo, enseñanza *f* sin maestro. ~ 시간 hora *f* de estudios.

자승자박(自繩自縛) caída *f* en su propia trampa. ~하다 caer en su propia trampa.

자식(子息) ① [아들과 딸] hijos *mpl*, hijo e hija. ~이 많다 tener muchos hijos. ~이 없다 no tener hijos. ② [「놈」보다 낮추어 욕하는 말] tipo *m*, hombre *m*, *Méj* chavo *m*. 나쁜 ~ mal tipo *m*, mal hombre *m*. ③ [어린아이를 귀엽게] niño, -ña *mf*; guapito, -ta *mf*.

자신(自身) se, sí mismo. ~의 su, propio, mismo, de sí mismo; [개인의] personal. ~에 의해 por sí mismo, en persona, personalmente.

자신(自信) confianza *f* en sí mismo, seguridad *f* en sí mismo. ~하다 confiar, tener (la) plena confianza. ~ 있는 seguro en sí mismo. ~ 있는 사람 persona *f* segura en sí mismo. ~을 가지고 있다 tener confianza en sí mismo. ~을 얻다 ganar confianza. ~을 잃다 perder confianza.

자신만만하다(自信滿滿─) estar lleno de confianza en sí mismo.

자아(自我) ego *m*, egoísmo *m*, yo *m*, uno mismo, sí mismo. ~주의 egoísmo *m*, egotismo *m*. ~주의자 egoísta *mf*, egotista *mf*.

자아내다 ① [실을 연달아 뽑아 내다] hilar. ② [액체나 기체를 잇따라 흘러나오게 하다] extraer [sacar] por máquina, succionar, aspirar. ③ [감정을] provocar, excitar, estimular, producir, despertar, suscitar.

자애(慈愛) caridad *f*, amor *m* al prójimo, benevolencia *f*, cariño *m*, afecto *m*, ternura *f*. ~롭다 (ser) benévolo, amoroso. ~로이 benévolamente.

자양(滋養) nutrición *f*, nutrimiento *m*. ~물[품] artículo *m* nutritivo, comida *f* nutritiva [sustancial], nutrimiento *m*. ~분 substancia *f* [materia *f*] nutritiva.

자업자득(自業自得) consecuencia *f* del acto propio, castigo *m* bien merecido, justo castigo *m*, Con tu pan te lo comas.

자연(自然) ① [천연 그대로의 상태] naturaleza *f.* ~의 natural. ~을 벗으로 삼다 no tener amigo más que la naturaleza, vivir (en contacto) con la naturaleza. ~을 즐기다 vivir en amistad con la naturaleza. ② =자연히. ¶~계 (mundo *m* de la) naturaleza *f.* ~ 과학 ciencia(s) *f(pl)* natural(es). ~ 과학자 científico, -ca *mf.* ~ 보호 conservación *f* de la naturaleza, protección *f* del medioambiente natural. ~ 분만 parto *m* natural. ~사(史) historia *f* natural. ~사(死) muerte *f* natural. ~ 요법 fisioterapia *f.* ~주의 naturalismo *m.* ~주의자 naturalista *mf;* lakista *mf.* ~ 현상 fenómeno *m* natural, fenómeno *m* de la naturaleza. ~ 환경 medio *m* ambiente natural.

자연히(自然-) naturalmente, con naturalidad; [저절로] por sí mismo, (por sí) solo; [자발적으로] espontáneamente, voluntariamente; [본능적으로] instintivamente.

자영(自營) autodirección *f*, autoadministración *f*, autofinanciación *f.* ~하다 llevar un negocio independiente, hacer *sus* negocios independientemente.

자오선(子午線) ① ((천문)) meridiano *m.* ~의 meridiano, meridional. ② =경선(經線).

자옥하다 (estar) lleno, cubierto, ser denso. 자옥한 안개 bruma *f* densa. 자옥한 연기 humo *m* denso.

자외선(紫外線) rayos *mpl* ultravioletas, luz *f* ultravioleta. ~의 ultravioleta. ~ 요법 tratamiento *m* por los ultravioletas.

자욱하다 (ser) denso. ☞자옥하다

자웅(雌雄) ① =암수(macho y hembra). ¶병아리의 ~를 감별하다 sexar los polluelos. ② [강약·승부·우열의 비유] victoria o derrota, supremacía *f*, maestría *f.* ~을 다투다 luchar por la hegemonía, rivalizar.

자원(自願) lo voluntario. ~하다 ofrecer [contribuir] voluntariamente. ~ 봉사자 voluntario, -ria *mf.* ~자 voluntario, -ria *mf.*

자원(資源) recursos *mpl* (naturales). 국가의 ~ recursos *mpl* nacionales. ¶~ 개발 desarrollo *m* de recursos. ~ 보호 conservación *f* de recursos.

자위(自慰) ① [스스로 위로하여 안심을 얻음] consuelo *m* de sí mismo. ~하다 consolarse. ② [수음] onanismo *m*, masturbación *f.* ~행위를 하다 masturbarse, entregarse a la masturbación.

자위(自衛) autodefensa *f.* ~하다 de-

fenderse. ~권 derecho *m* de defensa propia. ~ 본능 instinto *m* de defensa propia. ~책 medidas *fpl* defensivas.

자유(自由) libertad *f.* 개인의 ~ libertad *f* personal. 신교의 ~ libertad *f* de conciencia. 신앙의 ~ libertad *f* de cultos. 양심의 ~ libertad *f* de conciencia. ¶~ 결혼 matrimonio *m* libre. ~ 경제 economía *f* libre. ~ 공업 지역 zona *f* franca industrial. ~당 partido *m* liberal. ~당의 liberal *mf.*

자율(自律) dominio *m* de sí mismo, autocontrol *m*, autodominio *m*, determinación *f* de sí mismo, autoregulación *f;* ((철학)) autonomía *f.* ~의 autónomo. ~권 derecho *m* autónomo. ~성 autonomía *f.* ~ 신경 nervios *mpl* autónomos.

자음(子音) ((언어)) consonante *f.* ~의 consonántico. ~자(字) letra *f* consonante, consonante *f.*

자음(字音) pronunciación *f* de sonido que representa carácter chino.

자의(自意) su propia voluntad. ~로 voluntariamente, espontáneamente. ~식 conciencia *f* de sí mismo, conciencia *f* de *su* propia estimación, conciencia *f* de la propia identidad.

자인(自認) reconocimiento *m*, confesión *f.* ~하다 reconocer, admitir, confesar.

자일 ((등산)) cuerda *f*, soga *f.*

자임(自任) pretensión *f*, presunción *f.* ~하다 ser (un) creído, estimarse apto para hacer una cosa.

자자손손(子子孫孫) descendencia *f*, descendientes *mpl*, hijos *mpl.*

자자하다(藉藉-) difundirse, propagarse, extenderse.

자작(子爵) vizconde *m.* ~ 부인(夫人) vizondesa *f.*

자작(自作) ① ~자제(自製) su propia obra, su propia producción, su propia composición, producción *f* de su mano. ~하다 hacer solo, escribir solo. ② [제 땅으로 농사 지음] cultivo *m* de su propio cortijo [su propia hacienda·su propia granja]. ~하다 cultivar su propio cortijo [su propia hacienda·su propia granja]. ¶~농(農) agricultura *f* propietaria, agricultura *f* hacendada; [농민] agricultor *m* [labrador *m*] propietario [hacendado], agricultora *f* [labradora *f*] propietaria [hacendada]. ~시(詩) su propio poema.

자잘하다 todos ser pequeños.

자장(磁場) campo *m* magnético.

자장가(-歌) canción *f* de cuna.

자장면(중 醜醬麵) *chachangmyeon*, fideo *f* mixto con carne, verduras,

etc. en la salsa china tostada.
자장자장 iro ro!
자재(資材) materiales *mpl*, recursos *mpl*. ~과 Sección *f* de Suministro. ~ 관리 administración *f* de materiales. ~난 escasez *f* de materiales.
자전(自轉) rotación *f* (sobre *su* eje). ~하다 girar, dar vuelta, rodar.
자전거(自轉車) bicicleta *f*; [2인용의] tendem *m*. ~ 타는 사람 ciclista *mf*. ¶~ 경기 ciclismo *m*, carrera *f* ciclista, carrera *f* de bicicletas. ~ 경기장 velódromo *m*. ~ 선수 ciclista *mf*. ~ 여행 gira *f* en bicicleta. ~ 여행자 ciclista *mf*. ~포 tienda *f* de bicicletas.
자정(子正) medianoche *f*. ~에 a medianoche.
자정(自淨) autopurificación *f*.
자제(子弟) ① [남의 아들의 경칭] su hijo. ② [남의 집안의 젊은이] joven *m* de la familia de otros.
자제(自制) abnegación *f*, autocontrol *m*, dominio *m* de sí mismo. ~하다 abnegarse, refrenarse, contenerse, reprimirse. ~의 abnegado. ~력 autodominio *m*, dominio *m* [control *m*] de sí mismo. ~심 dominio *m* de sí mismo.
자조(自助) autoayuda *f*; ((경제)) autofinanciación *f*, autofinanciamiento *m*. ~ 정신 espíritu *m* de autoayuda.
자조(自嘲) burla *f* de sí mismo. ~하다 burlarse de sí mismo. ~적 burlador de sí mismo.
자족(自足) independencia *f*; ((경제)) autosuficiencia *f*, autarquía *f*. ~하다 (ser) independiente, autosuficiente, autárquico.
자존(自存) existencia *f* independiente.
자존(自尊) respeto *m* propio, orgullo *m*, amor *m* propio. ~하다 respetarse a sí mismo. ~심 orgullo *m*, amor *m* propio, propia estimación *f*, (propia) dignidad *f*, pundonor *m*.
자주 muchas veces, a menudo, frecuentemente, con frecuencia, repetidas veces, repetidamente, con mucha frecuencia, una y otra vez; [끊임없이] continuamente, sin cesar, sin interrupciones; [끈질기게] con insistencia, encarecidamente.
자주(自主) independencia *f*, autonomía *f*. ~ 국방 independencia *f* de defensa nacional, defensa *f* propia de *su* país. ~권 autonomía *f*, derechos *mpl* soberanos. ~ 독립 independencia *f*. ~적 autónomo, voluntario; [독립의] independiente, libre. ~적으로 voluntariamente, por *su* propia iniciativa. ~ 정신

espíritu *m* independiente.
자주(紫朱) =자줏빛.
자주(紫朱) tinte *m* purpúreo.
자줏빛(紫朱-) púrpura *f*, color *m* púrpureo, color *m* morado; [짙은] color *m* purpúreo oscuro; [엷은] color *m* purpúreo pálido.
자중(自重) amor *m* propio, dignidad *f*, [신중함] prudencia *f*, circunspección *f*. ~하다 cuidarse de sí mismo, tener prudencia, ser prudente, ser circunspecto. ¶~ 자애 cuidado *m* de sí mismo.
자중지란(自中之亂) lucha *f* [contienda *f*] entre ellos mismos, conflictos *mpl* internos.
자지 pene *m*, miembro *m* viril.
자진(自進) ¶~하다 servir como voluntario, sentar plaza. ~해서 por *su* propia voluntad, voluntariamente, de buena gana. ¶~ 납세 (신고) 제도 sistema *m* de autoliquidación (tributaria).
자질(資質) manera *f* de ser, modo *m* de ser, temperamento *m*, natural *m*, cualidad *f*, don *m*, naturaleza *f*, carácter *m*.
자질구레하다 (ser) insignificante, frívolo, sin importancia, nimio. 자질구레한 물건 artículos *mpl* menudos.
자찬(自讚) alabanza *f* de sí mismo. ~하다 alabarse, admirarse, glorificarse.
자책(自責) reproche *m* de sí mismo, reconvención *f* de sí mismo. ~하다 reprochar [convenir] a sí mismo, reprocharse, reconvenirse, acusarse. ~감 conciencia *f* sucia, remordimientos *mpl* de conciencia. ~골 autogol *m*. ~점 carrera *f* limpia.
자천(自薦) autorecomendación *f*. ~하다 autorecomendarse.
자철(磁鐵) hierro *m* magnético. ~광 (鑛) magnetita *f*.
자청(自請) ¶~하다 ofrecer [contribuir] voluntariamente, servir como voluntario.
자체(自體) ① [자기의 몸] su propio cuerpo. ② [그 자신] sí, sí mismo; [부사적] en sí, por sí, por naturaleza, de por sí, en efecto, originalmente, fundamentalmente.
자체(字體) forma *f* de letra, carácter *m* de letra, letra *f*; [필적] quirografía *f*, escritura *f*; [활자의] tipo *m*.
자초지종(自初自終) (todas las) circunstancias *fpl*, toda historia *f*, todos los detalles.
자초(自招) ¶~하다 buscarse, exponerse. 재앙을 ~하다 exponerse la calamidad.
자축(自祝) celebración *f* de sí mis-

mo. ~하다 celebrarse a sí mismo.

자취 ① [남아 있는 흔적] rastro *m*, huella *f*, pisada *f*. ② [행방. 간곳] rastro *m*, paradero *m*. ~를 감추다 desaparecer(se), huir sin dejar rastro, cubrir el rastro, esconderse, ocultarse.

자취(自炊) preparación *f* de comida por sí mismo. ~하다 preparar [hacer] comida por sí mismo.

자치(自治) autogobierno *m*, autonomía *f*, regionalismo *m*. ~ 단체 autonomía *f*, cuerpo *m* de autogobierno. ~제 autonomía *f*, sistema *m* de autogobierno.

자침(磁針) aguja *f* magnética.

자칫 casi, por poco. ~ 잘못하면 si sucede lo peor, en caso (de) que haya emergencia.

자칭(自稱) ① [남에게 대해 자기 자신을 일컬음] llamamiento *m* de sí mismo. ~하다 llamarse a sí mismo. ② =자찬(自讚). ③ [스스로 일컬음] presunción *f*, pretensión *f*. ~하다 pretenderse, darse el título, titularse, llamarse. ③ [문법에서] [제1인칭] primera persona *f*.

자타(自他) sí y el otro. …은 ~가 다 인정하고 있다 Está públicamente reconocido que + ind.

자탄(自歎/自嘆) sentimiento *m* de la profunda pena a sí mismo, queja *f* a sí mismo. ~하다 quejarse a sí mismo, sentir la profunda pena a sí mismo.

자태(姿態) ① [모습] figura *f*, forma *f*, imagen *f*. ② [체격] tipo *m*, talle *m*, planta *f*. ③ [윤곽] silueta *f*, contorno *m*, perfil *m*. ④ [양상] aspecto *m*, apariencia *f*, presentación *f*.

자택(自宅) *su* propia casa, *su* propia familia, *su* propio domicilio, *su* propio hogar. ~ 구금 arresto *m* domiciliario. ~ 요법 curativa *f* en *su* casa.

자퇴(自退) dimisión *f* [renuncia *f*·resignación *f*] voluntaria; [입후보 따위의] retirada *f*. ~하다 presentar *su* dimisión [*su* renuncia].

자투리 pedazo *m*, sobras *fpl*, trozo *m*, recorte *m*. ~땅 terreno *m* sobrado.

자파(自派) *su* propio partido, *su* propia facción.

자판(字板) ((컴퓨터)) =키보드.

자패(紫貝) ((조개)) moreta *f*.

자폐아(自閉兒) niño *m* autista, niña *f* autista.

자폐증(自閉症) ((의학)) autismo *m*.

자포자기(自暴自棄) desesperación *f*, abandono *m* (de sí mismo). ~하다 desesperarse, abandonarse a la desesperación.

자폭(自爆) autodestrucción *f*, explo-

sión *f* suicida. ~하다 autodestruirse; [배가] hundirse; [비행기가] estrellar *su* avión contra un objetivo; [폭탄으로] matarse con una bomba.

자필(自筆) autógrafo *m*, *su* propia escritura. ~의 autógrafo, escrito por sí mismo, manuscrito, de *su* puño y letra; [유언 등이] ológrafo. ~ 서명 firma *f* autógrafa. ~ 원고 autógrafo *m*. ~ 유언장 (testamento *m*) ológrafo *m*. ~ 이력서 historia *f* personal autógrafa.

자학(自虐) masoquismo *m*. ~하다 torturarse.

자해(自害) suicidio *m*. ~하다 suicidarse, matarse, darse voluntariamente muerte.

자행(恣行) rebeldía *f*. ~하다 hacer como se quiera, permitirse.

자형(字形) forma *f* de carácter.

자형(姉兄) cuñado *m* mayor, esposo *m* de *su* hermana mayor.

자혜(慈惠) caridad *f*, ternura *f*, benevolencia *f*, bondad *f*, amor *m* al prójimo, humanidad *f*. ~ 의원 hospital *m* benévolo, hospital *m* de benevolencia, hospital *m* gratuita. ~원 casa *f* de benevolencia.

자화(自畵) *su* propio cuadro, *su* propia pintura. ~상 autorretrato *m*. ~자찬 autobombo *m*, alabanza *f* de sí mismo, admiración *f* de sí mismo, egolatría *f*.

자활(自活) automantención *f*. ~하다 automantener, mantenerse a sí mismo, vivir con *sus* propios recursos, sustentar por sí mismo.

자회사(子會社) empresa *f* [casa *f*] filial, empresa *f* subsidiaria.

자획(字畵) trazo *m* de una representación gráfica.

작(作) [제작] fabricación *f*, producción *f*; [저작] obra *f*; [농작] cosecha *f*, cultivo *m*.

작가(作家) autor, -tora *mf*; escritor, -tora *mf*.

작고(作故) muerte *f*, fallecimiento *m*. ~하다 morir, fallecer, dejar de existir.

작곡(作曲) composición *f* (música). ~하다 componer (la música), dar (una canción) a música. ~가[자] compositor, -tora *mf*.

작금(昨今) recientemente, en nuestros días, hoy (en) día, estos días.

작년(昨年) el año pasado.

작다 (ser) pequeño, chico; [키가] bajo. 작은 나라 país *m* pequeño. 작은 키 estatura *f* baja.

작달막하다 (ser) pequeñuelo, achaparrado, retacón; [다리가] corto.

작달비 lluvia *f* recia [torrencial], chaparrón *m*, aguacero *m*.

작당(作黨) formación *f* de banda. ~

하다 formar una banda, unirse, hacer causa común.

작대기 varilla f, vara f, barra f, larga f, palo m, pértiga f, vardasca f.

작도(作圖) ① [그림·지도·설계도 등을 그림] dibujo m, figura f de dibujos. ~하다 dibujar figuras. ② ((기하)) construcción f. ~하다 construir.

작동(作動) funcionamiento m. ~하다 funcionar, marchar, andar.

작두(斫一) el hacha f para el foraje [el pienso].

작디작다 (ser) muy pequeño, pequeñísimo.

작렬(炸裂) estallido m, reventón m, explosión f, voladura f. ~하다 estallar, reventarse, volar, hacer soltar (una mina).

작명(作名) bautizo m, bautismo m. ~하다 poner/e nombre, bautizar, poner/e por nombre, apodar.

작문(作文) composición f. ~하다 componer, hacer una composición.

작물(作物) producto m agrícola, productos mpl del campo.

작법(作法) composición f, método m. ~ una ley.

작별(作別) despedida f. ~하다 despedirse, decir adiós.

작부(酌婦) camarera f, mesera f.

작사(作詞) composición f (de la letra). ~하다 componer [escribir] la letra (de una canción). ~자 autor, -tora mf de la letra.

작살 arpón m, fisga f. ~을 던지다 arponear, arponar.

작성(作成) redacción f, preparación f, hechura f, armadura f. ~하다 redactar, hacer, preparar, formar.

작시(作詩) versificación f. ~하다 versificar. ~법 versificación f. ~자 versificador, -dora mf; versista mf.

작심(作心) resolución f, determinación f. ~하다 resolver, determinar. ~삼일 decisión f [determinación f] efímera [fugaz], plan m poco firme, plan m inestable.

작약(炸藥) ((식물)) peonía f.

작약(雀躍) salto m [baile m] de gozo [de alegría]. ~하다 bailar [saltar] de alegría [de gozo], no cabar en sí de gozo.

작업(作業) trabajo m, obra f, operación f. ~하다 trabajar, obrar. ~ 공정 proceso m de trabajo. ~ 교대 turno m de trabajo. ~모 gorra f de faena. ~반 grupo m de trabajo, reunión f de trabajo. ~복 ropa f [uniforme m] de faena, blusa f, vestido m [ropa f] de trabajo, traje m de faena; [아래위가 붙은 청색의] blusa f de obrero. ~시간 hora f de trabajo, horario

m de trabajo. ~ 시간표 horario m de trabajo. ~실 taller m. ~원[자] trabajador, -dora mf; obrero, -ra mf. ~장 taller m (artesanal), lugar m de trabajo [de obra]. ~화(靴) zapatos mpl de faena. ~환경 ambiente m laboral.

작열(灼熱) candencia f. ~하다 arder(se). ~하는 ardiente, candente, tórrido.

작용(作用) acción f, ejecución f, función f, efecto m, proceso m. ~하다 actuar, obrar, accionar, ejecutar, funcionar, operar. ~과 반작용 acción f y reacción.

작위(爵位) título m [dignidad f] de lord, título m nobiliario. ~를 내리다 conceder el título de lord.

작은곰자리 ((천문)) la Osa Menor.

작은아버지 tío m, hermano m menor de su padre.

작은어머니 tía f, esposa f de su tío menor.

작은집 ① [따로 사는 아들 또는 아우의 집] la casa de su hijo, la casa de su hermano menor. ② [남의 본마누라에 대해어 작은집] la casa de su concubina.

작자(作者) ① =소작인(小作人). ② ((낮춤말)) =위인(爲人). ③ ((준말)) =저작자. ④ [물건을 살 사람] comprador, -dora mf.

작전(作戰) ① [싸움하는 방법을 세움] estrategia f, táctica f, plan m de campaña. ② ((군사)) operación f (militar). ~을 세우다 proyectar la estrategia. ¶~ 개시일 día m D. ~ 기지 base f de operaciones. ~ 명령 orden f de operación. ~지(구) zona f de operación. ~ 참모 Estado m Mayor Operacional. ~회의 consejo m de guerra.

작정(作定) decisión f, determinación f, intención f. ~하다 decidir, determinar, intentar + inf. …할 ~이다 pensar + inf, ir a + inf.

작파(作破) abandono m de trabajo. ~하다 abandonar el trabajo.

작품(作品) obra f, ((영화)) producción f. ~집 obras fpl. 시~ obras fpl poéticas.

작풍(作風) estilo m, manera f.

작황(作況) cosecha f, cultivo m, recolección f, prospectiva f de un cosecha. ~이 좋다 tener buena cosecha.

잔(盞) ① [음료를 따라 마시는 작은 그릇] vaso m, copa f, taza f; [가느다란] caña f. 커피 한 ~ una taza de café. 물 한 ~ un vaso de agua. 포도주 한 ~ una copa de vino. 맥주 한 ~ una caña de cerveza, un vaso de cerveza. ② ((준말))=술잔.

잔가시 espina f fina, espinita f.

잔가지 ramita *f.*
잔고(殘高) =잔액(殘額).
잔교(棧橋) ① [계곡에 높이 걸쳐 놓은 다리] puente *m* puesto cruzando los barrancos. ② [부두의 화물이나 선객용 다리] muelle *m.*
잔금(殘金) saldo *m,* resto *m,* lo restante, dinero *m* sobrante.
잔기침 tos *f* ligera, tos *f* leve. ~하다 toser ligeramente.
잔꾀 astucia *f* pequeña, artificio *m* mezquino. ~(를) 피우다 emplear un artificio mezquino.
잔나비 ((동물)) mono, -na *mf.*
잔당(殘黨) restos *mpl*; superviviente *mf*; sobreviviente *mf*; refugiado, -da *mf.*
잔돈 ① [작은 돈] cambio *m,* monedas *fpl, AmL* sencillo *m, Méj* feria *f, Col* menudo *m*; [호주머니 속 등에 있는 잔돈] dinero *m* suelto. ② =우수리.
잔돌 guija *f,* guijarro *m,* piedrecita *f,* china *f.*
잔디 césped *m,* céspede *m.* ~밭 prado *m,* gramal *m,* césped *m.*
잔뜩 muchísimo, extremamente, sumamente, completamente. ~ 화가 나서 en un arranque de cólera.
잔루(殘壘) ((야구)) corredor *m* dejado en base.
잔류(殘留) quedada *f.* ~하다 quedarse, permanecer, seguir en el mismo sitio.
잔말 refunfuñadura *f.* ~하다 refunfuñar, buscar quisquillas, regañar duro.
잔무(殘務) asuntos *mpl* restantes, negocio *m* restante, negocios *mpl* por despachar.
잔병(-病) insalubridad *f,* estado *m* enfermizo.
잔병(殘兵) tropas *fpl* abandonadas, tropas *fpl* que han perdido a su comandante.
잔상(殘像) imagen *f* consecutiva, imagen *f* restante.
잔설(殘雪) restos *mpl* de nieve, nieve *f* que queda sin disolverse.
잔소리 ① =잔말(refunfuñadura). ② [꾸중으로 하는 여러 말] reprimenda *f,* regaño *m,* reproche *m,* reprobación *f,* censura *f,* regañina *f.* ~하다 reprender, regañar, reprochar, censurar. ~꾼 parlanchín, -china *mf*; refunfuñador, -dora *mf.*
잔손 atención *f* minuciosa, toque *m* pequeño. ~(이) 가다 requerir muchas molestias. ¶~질 toque *m* final, toque *m* pequeño.
잔솔 pino *m* pequeño.
잔술(盞-) vino *m* por la copa.
잔심부름 .mandados *mpl.* ~하다 hacer los mandados. ~꾼 recadero, -ra *mf*; mandadero, -ra *mf.*
잔악하다(殘惡-) (ser) atroz, cruel.
잔액(殘額) balance *m,* resto *m.*
잔업(殘業) horas *fpl* extra(s), horas *fpl* extraordinarias, trabajo *m* de sobretiempo, trabajo *m* de horas extras [suplementarias]. ~하다 hacer horas extra(s). ~금지 prohibición *f* de tiempo extra; ((게시)) Se prohíbe tiempo extra. ~수당 jornal *m* [sueldo *m*] de horas extraordinarias, paga *f* por horas extras [por horas extraordinarias].~ 시간 horas *fpl* extra(s), horas *fpl* extraordinarias.
잔인(殘忍) atrocidad *f,* crueldad *f,* brutalidad *f,* inhumanidad *f.* ~하다 (ser) atroz, cruel, sangriento, brutal, inhumano, despiadado. ~무도하다 ser cruelísimo. ~성 naturaleza *f* cruel, crueldad *f,* inhumanidad *f,* atrocidad *f.*
잔일 asuntos *mpl* pequeños, detalles *mpl* finos.
잔잔하다 ① [바람·물결·소리 따위가] calmarse, sosegarse, amainar. 잔잔한 바다 mar *m* tranquilo. ② [병세·형세 따위가] calmarse, ceder, mitigarse.
잔재(殘滓) ① [남은 찌꺼기] residuo *m,* desperdicio *m,* restos *mpl*; [액체의] posos *mpl.* ② [지난날의] escoria *f,* vestigio *m.*
잔재미 placer *m* leve.
잔재주(-才-) ① [자질구레한 일을 잘 해내는 재주] artificio *m* mezquino, trabajo *m* hecho a la ligera, habilidad *f,* talento *m,* destreza *f.* ② [얕은 재주] astucia *f* somera, treta *f* inútil, artificio *m* inútil.
잔주름 arruga *f* fina, arruga *f* pequeña; [눈꼬리의] patas *fpl* de gallo; [치마의] frunce *m,* pliegue *m.*
잔치 fiesta *f,* banquete *m,* festín *m.*
잔칫날 día *m* de fiesta, día *m* de banquete.
잔칫상(-床) mesa *f* para la fiesta.
잔칫집 casa *f* que se celebra la fiesta.
잔털 pelo *m* fino. .
잔학(殘虐) crueldad *f,* brutalidad *f,* inhumanidad *f,* atrocidad *f,* barbaridad *f.* ~하다 (ser) cruel, brutal, inhumano, atroz, bárbaro.
잔해(殘骸) restos *mpl,* residuos *mpl,* esqueleto *m*; [건물의] ruinas *fpl,* escombros *mpl.*
잔혹하다(殘酷-) (ser) cruel, brutal, sangriento, atroz, inhumano.
잘 ① [옳고 바르게] bien, bueno, correcto, honesto, honrado. 마음을 ~ 써라 Sé bueno / Sé honrado. ② [좋게. 훌륭하게] bien. ~ 그린 그림 cuadro *m* bien pintado. ~ 나가다 ㉮ salir [ir · andar] bien. ㉯ [성공하다] tener éxito, tener buen

resultado. ㉺ [사이좋게] llevarse bien, entenderse bien. ③ [익숙하고 능란하게] bien, hábilmente, excelentemente, con arte, con ingenio, con maña. ~ 속이다 engañar con maña. 노래를 ~ 부르다 cantar bien. ④ [탈없이. 편하게] bien, en paz, pacíficamente. ~ 가시오 Vaya con Dios / Adiós. ⑤ [만족하게] muy satisfecho, satisfactoriamente, con satisfacción. ~ 먹었습니다 [초대받아 식사를 끝내고] Estoy (muy) satisfecho. ⑥ [예쁘고 아름답게] bien, hermosamente, guapamente. ~ 생긴 얼굴 cara f bien parecida, rostro m bien parecido.

잘다 ① [크기가 작다] (ser) pequeño. 잘게 자르다 cortar [partir] en trozos [en pedazos]. 잘게 썰다 picar, desmenuzar, cortar en pedazos pequeños. ② [가늘다] (ser) delgado, fino. 잔 뿌리 raíz f fina. 잘게 다진 고기 picadillo m. ③ [자세하다] (ser) detallado. 잔 주석 notas fpl detalladas. ④ [성질이] (ser) cerrado, de miras estrechas.

잘라먹다 ① [동강을 내어 먹다] comer cortando en pedazos, cortar y comer. 떡을 ~ cortar la tarta y comerla. ② [돈이나 물건을] apoderarse, estafar. 빚을 ~ apoderarse de la deuda, no pagar la deuda. ③ [횡령하다] usurpar, desfalcar. 공금을 ~ usurpar el dinero público.

잘래잘래 sacudiendo su cabeza.

잘록하다 (ser) delgado, esbelto; [목이나 허리가] fino. 잘록한 허리 cintura f fina.

잘리다 ① [남에게 잘라먹음을 당하다] ser estafado, ser timado. ② [끊어지게 되다] cortarse, romperse; [갈이] cortar; [중간에서 끊기다] interrumpirse. 얇게 잘린 빵 pan m bien cortado en rebanadas. ③ [해고당하다] ser despedido, ser destituido. 목이 ~ ser despedido, ser destituido.

잘먹다 ① [식생활에 부족함이 없다] no faltar el alimento. ② [가리지 않고] comer cualquier cosa; [어떤 특정한 것을] gustarle la comida especial.

잘못 ① [잘하지 못한 짓] equivocación f, culpa f, falta f, yerro m, errata f; [종교·도덕상의] pecado m; [범죄] delito m. ~하다 equivocarse, cometer un error. ~으로 por error, por equivocación, erróneamente; [부주의로] por descuido, descuidadamente. ② [그릇되게. 틀리게] mal, incorrectamente, por error, por equivocación. ~ 보다 tomar [tener] por otro, equivocar.

~ 쓰다 equivocarse al escribir, escribir incorrectamente.

잘못하다 equivocarse, cometer un error, cometer una equivocación, tener la culpa, errar, errarse. 계산을 ~ calcular mal.

잘박거리다 salpicar.

잘생기다 (ser) guapo, bien parecido, hermoso, bello, bonito. 잘생긴 남자 hombre m guapo. 잘생긴 여자 mujer f guapa [bonita].

잘잘 ((준말)) =잘래잘래.

잘잘² [열이나 온도가 매우 높아 더운 모양] hirviendo (a fuego lento). 커피가 ~ 끓고 있다 El café está hirviendo / El café está que pela. 방이 ~ 끓는다 La habitación es un horno.

잘잘못 justicia o injusticia, lo correcto y lo incorrecto, meritos y deméritos. ~을 분간할 줄 알다 saber distinguir entre lo que está bien y lo que está mal.

잘하다 ① [옳고 착하게 하다] hacer correcto, ser bueno; [좋고 훌륭하게 하다] hacer excelentemente, hacer perfectamente. 서반아어를 ~ hablar afluentemente [correctamente·muy bien]. ② [익숙하고 능란하게 하다] hacer bien, hacer hábilmente. 요리를 ~ ser un buen cocinero, cocinar bien.

잠 ① [눈을 감고 쉬는 의식 없는 상태] sueño m; [낮잠] siesta f. ~ 못 이루는 sin poder dormir, en blanco. ~ 못 이루는 밤 una noche sin poder dormir. 깊은 ~ sueño m pesado [profundo]. 얕은 ~ sueño m ligero. ~을 자다 dormir(se). ~을 재우다 dormir, hacer dormir. ② [누에의] dormida f, sueño m.

잠간(暫間) ((준말)) =잠시간(暫時間).

잠결 estando dormido. ~에 en su sueño, estando dormido. ~에 듣다 escuchar medio dormido.

잠귀 oído m estando dormido. ~(가) 밝다 tener el sueño ligero. ~(가) 어둡다 tener el sueño pesado.

잠그다¹ [여닫는 물건을] cerrar (con llave), acerrojar. 열쇠로 ~ cerrar con llave. 가스를 ~ cerrar la llave del gas; [사고·요금 미지불 따위로] cerrar el gas. 문을 ~ cerrar la puerta con llave.

잠그다² [액체 속에 물건을] mojar, bañar, meter, sumergir, poner a [en] remojo, hundir.

잠기다¹ ① [여닫게 된 물건이] cerrarse. 문이 ~ cerrarse la puerta con llave. ② [목이] roncarse, hacerse ronco. 잠긴 목소리 voz f ronca.

잠기다² ① [액체 속에] hundirse, sumergirse, inundarse. 물에 ~ hundirse al agua. ② [한 가지 일에만 골몰하다] estar absorto. 생각에 ~ estar absorto en pensamientos.

잠깐 un momento, un rato; [부사적] por un tiempo, por un instante, por un rato. ~만 기다려라 Espera un momento / [전화에서] No cuelgues.

잠꼬대 ① [잠을 자면서 저도 모르게 중얼거리는 헛소리] somnilocuencia f. ~하다 hablar en sueño. ② [사리에 닿지 않는 엉뚱한 말] el habla f [opinión f] necia, disparate m, divagaciones fpl, tonterías fpl, estupideces fpl, majaderías fpl. ~하다 hablar disparates [tonterías], hablar a tontas y a locas.

잠꾸러기 dormilón, -lona mf.

잠들다 ① [잠을 자게 되다] dormirse, adormir, quedarse dormido, conciliar el sueño. 푹 ~ dormirse profundamente. ② [죽다] morir, fallecer, yacer, descansar. 고이 잠드소서 Que en paz descanse / q.e.p.d. / Q.E.P.D.

잠망경(潛望鏡) periscopio m.

잠바 pichi m, cazadora f, blusa f holgada de obrero, zamarra f de piel. ☞점퍼

잠방이 calzoncillos mpl.

잠버릇 hábito m de dormir.

잠보 dormilón, -lona mf.

잠복(潛伏) ① [몰래 숨어 엎드림] escondite m, escondrijo m, emboscada f, ocultación f. ~하다 esconderse, ocultarse, mantenerse escondido, estar al acecho, vigilar, ocultarse. ② ((의학)) incubación f, latencia f. ~하다 permanecer [quedar] en un estado latente. ¶ ~ 근무 servicio m de emboscada. ~기 período m de incubación, incubación f. ~성 latencia f.

잠사(蠶絲) hilo m de seda. ~ 시험장 laboratorio m de sericultura. ~업 industria f sericultural.

잠수(潛水) sumersión f, sumergimiento m, zumbullida f, inmersión f, buceo m, submarinismo m. ~하다 sumergirse, bucear, zambullirse, tirarse (al agua). ~교 puente m sumergido en la inundción. ~모 yelmo m de buceo. ~ 모함 buque m de depósito de submarinos, abastecedor m de marinos. ~병 enfermedad f submarina, enfermedad f de los buzos. ~복 escafandra f, traje m de buzo, sumergible m. ~사 buzo m; submarinista mf, hombre-rana, mujer-rana mf. ~정 submarino m pequeño. ~함 submarino m.

잠시(暫時) momento m, rato m; [부사적] en un momento. ~의 momentáneo. ~ 동안에 en un instante, al momento. ~ 후 después de un rato, al cabo de un rato. ~ 기다리시오. Espere usted un momento.

잠실(蠶室) cuarto m donde se crían los gusanos de seda.

잠언(箴言) máxima f, aforismo m, proverbio m, sentencia f.

잠언(箴言) ((성경)) Proverbios mpl.

잠업(蠶業) [(준말)=양잠업(養蠶業). ~ 시험소 estación f experimental de sericultura. ~ 시험장 laboratorio m de sericultura.

잠열(潛熱) calor m latente, fiebre f interna.

잠옷 ropa f de dormir, camisón m, pijamas mpl.

잠입(潛入) penetración f, infiltración f. ~하다 penetrar, infiltrarse, entrar secretamente.

잠자다 dormir; [낮잠을] dormir una siesta, tomar una siesta; [취침하다] acostarse. 늦도록 ~ dormir hasta tarde. 일찍 ~ dormir temprano.

잠자리[1] ① [잠을 자는 곳] cama f, lecho m, lugar m de dormir. ~를 펴다, ~를 만들다, ~를 보다 hacer una cama, AmL tender una cama. ~에 들다 acostarse, meterse en la cama, irse a la cama. ② =동침(同寢).

잠자리[2] ((곤충)) libélula f, caballito m del diablo.

잠자코 sin decir (ni una) palabra, sin decir nada, en silencio, silenciosamente; [허락 없이] sin pedir permiso; [이의 없이] con obediencia, obedientemente. ~ 있다 permanecer (en silencio), callarse, guardar silencio, no decir nada, quedarse [permanecer] silencioso [callado]; [사람에 말하지 않다] ocultar, permanecer con la boca cerrada; [대답하지 않다] no responder nada; [눈을 감다] cerrar los ojos. ~ 있어라 ¡Silencio! / ¡Cállate!

잠잠하다(潛潛) callarse, ser tranquilo. 바람이 잠잠해진다 Se calma el viento.

잠재(潛在) estado m latente. ~하다 (estar) latente, ocultado, quedarse en el estado lantente. ~력 energía f potencial. ~ 실업자 parados mpl no inscritos, empleados mpl latentes [potenciales · invisibles]. ~의식 subconciencia f. ~적 latente. ~적으로 latentemente.

잠재우다 ① [잠자게 하다] hacer dormir. ② [부풀어 오른 것을 가라앉히다] prensar.

잠적하다(潛跡-) desaparecer.

잠정적(暫定的) provisional, interino, temporal, accidental, AmL provisorio. ~적으로 provisionalmente.

잠행(潛行) viaje *m* en disfraz, viaje *m* de incógnito, andanza *f* secreta. ~하다 viajar en disfraz, viajar en incógnito.

잡거(雜居) residencia *f* mixta, residencia *f* de los indígenas y los extranjeros en vecindad. ~하다 vivir juntos.

잡건(雜件) asuntos *mpl* misceláneos.

잡곡(雜穀) cereales *mpl*. ~밥 arroz *m* cocido y cereales, comida *f* de cereales. ~상 comerciante *mf* de cereales. ~전 tienda *f* de cereales.

잡귀(雜鬼) demonio *m*.

잡균(雜菌) gérmenes *mpl* varios, bacterias *fpl* varias.

잡급(雜給) paga *f* miscelánea.

잡기(雜記) notas *fpl* misceláneas, miscelánea *f* literaria, misceláneos *mpl*. ~장 memorándum *m*, libro *m* de apuntes, agenda *f*.

잡년(雜─) mujer *f* sucia [asquerosa], puerca *f*, guarra *f*.

잡념(雜念) distracciones *fpl*, ideas *fpl* varias, divagaciones *fpl*, diversos pensamientos *mpl*. ~을 없애다 alejar de sí las distracciones.

잡놈(雜─) hombre *m* ruin [vulgar], patán *m*, ballaco *m*, canalla *m*.

잡다① [손 따위로 움켜 쥐고 놓지 않다] tomar, sujetar, agarrar, asir, empuñar, coger, aprehender, captar; [공·물건을] coger, agarrar; [덫으로 쥐·사자를] coger, atrapar; [물고기를] coger, pescar. 나비를 ~ coger una mariposa. 핸들을 ~ tomar [agarrar] el volante. ② [권리 따위를 쥐다] tomar, asumir, apoderarse; [기회를] aprovechar. 권력을 ~ tomar [asumir] el poder [el mando]. ③ [담보로 맡다] embargar. ④ [주인·집 또는 직장·목표 등을 정하다] fijar, decidir, determinar; [선정하다] elegir; [예약하다] reservar. 골라 잡다 elegir, seleccionar. 날짜를 ~ fijar la fecha. 일자리를 ~ obtener un puesto. ⑤ [논에 물을 끌어 넣다] regar, irrigar. ⑥ [결점을 집어 내다] hallar (el defecto). ⑦ [어떤 내용을 대강 적어 두거나, 증거 따위를 장악하다] apuntar, obtener, tener. ⑩ [(준말)] =붙잡다. ⑩ [기차·비행기를 타다] coger, tomar. ⑪ [전파·암호 따위를 알아내다] detectar, llevar (arrestado).

잡다² [마음으로 헤아리다] estimar.

잡다³ ① [동물을 죽이다] matar. ② [남을 헐뜯어 구렁에 넣다] calumniar, difamar, deshonrar. ③ [화재를 끄다] extinguir, apagar. 불을 ~ extinguir el incendio, apagar el fuego. ④ [노한 마음이나 방탕한 마음을 가라앉히다] calmar, miti-

gar. 통증을 ~ calmar el dolor.

잡다⁴ ① [굽은 물건을 곧게 하다] enderezar. ② [의복에 주름을 내다] arrugar.

잡다하다(雜多─) (ser) misceláneo, varios, diversos, variados.

잡담(雜談) chismorreo *m*, cotilleo *m*, chisme *m*, charla *f*. ~하다 chismorrear, cotillear, contar chismes.

잡동사니 batiburrillo *m*, batiborrillo *m*, ensalada *f*, mezcolana *f*, géneros *mpl* diversos, cachivache *m*, bagatela *f*, cascotes *mpl*, escombros *mpl*, trastos *mpl* viejos, moralla *f*, deshecho *m*.

잡목(雜木) maleza *f*, tallar *m*, soto *m*, madera *f* inferior de construcción; [땔나무] leña *f*.

잡무(雜務) ocupaciones *fpl* menudas, pequeñas obligaciones *fpl*, negocios *mpl* [deberes *mpl*] misceláneos.

잡문(雜文) artículo *m* de tema ligero, miscelánea *f* literaria.

잡문(雜問) [질문] pregunta *f* miscelánea; [문제] problema *m* misceláneo.

잡배(雜輩) hombre *m* vulgar, gente *f* menuda, pececillos *mpl*.

잡범(雜犯) crímenes *mpl* misceláneos.

잡병(雜病) varias [diversas] enfermedades *fpl*.

잡부(雜夫) =잡역부(雜役夫).

잡부금(雜賦金) cuotas *fpl* misceláneas.

잡비(雜費) gastos *mpl* misceláneos.

잡상인(雜商人) comerciante *m* misceláneo, comerciante *m* miscelánea.

잡색(雜色) ① [갖가지 색이 뒤섞인 빛깔] varios colores *mpl*. ② [온갖 종류의 사람이 뒤섞임] todas las clases de gente.

잡서(雜書) libros *mpl* misceláneos.

잡세(雜稅) impuestos *mpl* misceláneos.

잡소리(雜─) conversación *f* sucia [obscena], bagatelas *fpl*, fruslerías *fpl*.

잡수입(雜收入) ingresos *mpl* misceláneos, rentas *fpl* misceláneas.

잡식(雜食) dieta *f* mixta, polifagia *f*. ~ 동물 animal *m* omnívoro. ~성 polifagia *f*.

잡신(雜神) dios *m*, espíritu *m* maligno [maléfico].

잡아가다 llevar (arrestado).

잡아가두다 encerrar, aprisionar.

잡아내다 ① [속의 것을 잡아 밖으로 나오게 하다] echar, sacar, arrancar, expulsar. ② [결점이나 틀린 곳을 지적하다] señalar, observar, criticar.

잡아넣다 poner.

잡아당기다 tirar, *AmL* jalar (*CoS* 제

외). 뒤로 ~ tirar hacia atrás. 앞으로 ~ tirar hacia adelante.

잡아들이다 detener, arrestar, hacer la detención [el arresto].

잡아떼다 ① [붙어 있는 것을] separar. ② [아는 것을 모른다고] fingir ser ignorante, negar descaradamente lo evidente.

잡아매다 atar, *AmL* amarrar. 소를 ~ atar la vaca. 허리를 ~ atar por la cintura.

잡아먹다 ① [동물을] matar y comer; [짐승이] devorar. 잡아먹고 살다 alimentarse. ② [시간·자재·경비 따위를] 낭비하다] gastar, tomar, costar, llevar.

잡아죽이다 coger y matar.

잡아채다 arrebatar.

잡아타다 coger. 택시를 ~ coger el taxi.

잡역(雜役) trabajos *mpl* misceláneos, tareas *fpl* misceláneas. ~꾼 peón *m*. ~부(夫) peón *m*, gañan *m*, jornalero *m*, bracero *m*. ~부(婦) asistenta *f*.

잡음(雜音) ruido *m*; [전파의] interferencias *fpl*, parásitos *mpl* [ruidos *mpl*] atmosféricos.

잡인(雜人) persona *f* de fuera, intruso *m*, entremetido *m*.

잡일(雜-) =잡역(雜役).

잡종(雜種) cruce *m*, *AmL* cruza *f*; [동물의] híbrido *m*; mestizo, -za *mf*; [사람의] mestizo, -za *mf*. ~개 perro *m* mestizo [bastardo]. ~말 caballo *m* cruzado.

잡지(雜誌) revista *f*; [정기 간행물] publicación *f* periódica. ~대 revistero *m*. ~사 compañía *f* de revista.

잡채(雜菜) *chabchae*, plato *m* mixto con verduras y carne de vaca, *chino* chop suey *m*.

잡초(雜草) hierbajo *m*, mala hierba *f*. ~를 뽑다 deshierbar, desherbar.

잡치다 ① [잘못해 그르치다] estropear, arruinar, afear, aguar, deteriorar, destruir. 이 빌딩들은 도시를 잡쳤다 Estos edificios han afeado la ciudad. ② [기분을 상하다] ofender. 기분을 ~ ofender, herir susceptibilidades. 기분이 ~ levantarse con el pie izquierdo.

잡탕(雜湯) ① [한국 또는 볶은 음식] callos *mpl* coreanos, sopa *f* mixta, comida *f* tostada mixta. ② ㉮ [여러 가지가 뒤섞여 난잡한 모양이나 물건] mezcla *f*, combinación *f*, confusión *f*, desorden *m*, promiscuidad *f*. ㉯ [난잡한 행동을 하는 사람] golfo, -fa *mf*, persona *f* que no tiene disciplina, persona *f* que pierde el control.

잡화(雜貨) miscelánea *f*, artículos *mpl* diversos [varios·en general],

mercancías *fpl* misceláneas, mercaderías *fpl* en general; [일용 잡화] enseres *mpl* domésticos, utensilios *mpl* domésticos. ~상 ㉮ [장수] tendero, -ra *mf*; almacenero, -ra *mf* (특히 *CoS*); mercero, -ra *mf*; comerciante *mf* de enseres domésticos. ㉯ [장사] comercio *m* de enseres domésticos. [상점] mercería *f*, tienda *f* de comestibles [de ultramarinos·de mercaderías misceláneas].

잡히다¹ ① [잡음을 당하다] cogerse. ② [논 등에 물이 들어가 차게 되다] regarse, irrigarse. ③ ((준말)) =붙잡히다.

잡히다² ① [동물이 잡음을 당하다] cogerse; [사냥에서] cazarse; [낚시에서] pescarse. ② [남의 모해를 입다] entramparse, caerse, ser conspirado. ③ [결점이나 흠을 잡혀] descubrirse. ④ [화재가 진화되다] extinguirse, apagarse.

잡히다³ ① [굽은 것이 곧게] enderezarse. ② [의복 따위에 주름이 서게 되다] ser arrugado, ser plisado.

잡히다⁴ [담보로 맡게 되다] empeñar, dejar *algo* en prenda, entrampar.

잣 [잣나무의 열매] piñón *m*. ~나무 pino *m* blanco coreano.

잣다 ① [물레를 돌려 실을 뽑다] hilar. ② [물을 높은 곳으로 빨아 올리다] aspirar, bombear.

장(丈) [길이의 단위] diez *cheok*.

장¹(長) =길이(longitud).

장²(長) [단체나 관청의 각 부처의] jefe, -fa *mf*; presidente, -ta *mf*; director, -tora *mf*.

장(章) capítulo *m*. 제1~ primer capítulo *m*.

장(帳) [장막] cortina *f*.

장(張) ① [종이 같은 것을 세는 데 쓰는 말] hoja *f*; [수건 따위의] unidad *f*. ② [활·쇠뇌·금슬을 세는 말] un arco.

장(將) ① =장수(將帥). ② ((장기)) *Cho* (楚).

장¹(場) [시장] mercado *m*, plaza *f*; [정기적인] feria *f*. ~에 가다 ir a la feria, ir al mercado. ((준말)) =장날.

장²(場) ((물리)) campo *m*.

장³(場) ((연극)) escena *f*.

장(腸) [해부] intestino *m*, entrañas *fpl*, vísceras *fpl*; [동물의] tripas *fpl*. ~의 intestinal.

장(醬) ① ((준말)) =간장. ② [간장·된장] salsa *f* [pasta *f*] de soja.

장(欌) armario *m*, ropero *m*, estante *m*, guardarropa *f*.

장가 matrimonio *m*, casamiento *m*. ~[를] 가다 ㉮ [장가들러 가다] ir a casarse. ㉯ =장가(를) 들다. ~(를) 들다 casarse, contraer matrimonio. ~(를) 들이다[보내다] casar a su hijo. ¶～처(妻) *su primer esposa, su esposa legal.

장갑(掌匣) guantes *mpl*; [손가락 끝이 나온] mitones *mpl*; [벙어리 장갑] manoplas *fpl*, milones *mpl*. ～ 한 켤레 un par de guantes.

장갑(裝甲) coraza *f*, blindaje *m*, armadura *f*; ((군대)) acorazado *m*. ～하다 acorazar, blindar. ～차 tanque *m*, coche *m* blindado.

장거리(長距離) larga distancia *f*, gran distancia *f*. ～ 경주[달리기] carrera *f* de fondo, carrera *f* de larga distancia, maratón *m*. ～ 미사일 proyectil *m* [misil *m*] de largo alcance. ～ 버스 autobús *m* de línea. ～ 열차 tren *m* de largo recorrido. ～ 전화 conferencia *f*, (teléfono *m* de) larga distancia *f*, llamada *f* interurbana. ～ 통화 llamada *f* de larga distancia, conferencia *f* (internaurbana).

장검(長劍) espada *f* larga.

장고(長考) largo pensamiento *m*. ～ 하다 pensar mucho [largamente].

장관(壯觀) ① [훌륭한 광경] vista *f* magnífica, espectáculo *m* grandioso, panorama *m* maravilloso, vista *f* majestuosa, vista *f* espléndida. ② =구경거리.

장관(長官) ministro, -tra *mf*; *Méj* secretario, -ria *mf*.

장교(將校) oficial *mf*. ～단 cuerpo *m* de oficiales.

장구(악기) *changgu*, tambor *m* del cuerpo de ánfora.

장구하다(長久一) (ser) eterno, permanente. 장구하게 eternamente, permanentemente.

장국(醬一) ① [맑은 국] sopa *f* clara. ② [간장을 탄 국] sopa *f* con salsa de soja.

장군 balde *m* [cubo *m*] de madera.

장군[1](將軍) ((군사)) general *mf*.

장군[2](將軍) ① ((장기)) jaque *m* mate; [감탄사적] ¡Jaque al rey! ② [장군을 부를 때] ¡Señor general!.

장기(長技) habilidad *f* especial, fuerte *m*, especialidad *f*. 그 노래가 그의 ～이다 Esa canción es su fuerte [su especialidad].

장기(長期) largo plazo *m*, larga duración *f*, período *m* largo, término *m* largo. ～ 대부 préstamo *m* a largo plazo. ～ 사채 bono *m* depositado. ～ 신탁 fideicomiso *m* a largo plazo. ～ 예금 depósito *m* a largo plazo. ～전 larga guerra *f*. ～ 차관 préstamo *m* a largo plazo.

장기(將棋) *changki*, (juego *m* de) ajedrez *m* (coreano). ～를 두다 jugar a *changki*, jugar al ajedrez. ¶～짝 pieza *f* de ajedrez. ～판 tablero *m* de ajedrez, damero *m*.

장기(臟器) vísceras *fpl*, entrañas *fpl*.

～ 이식 trasplante *m* de vísceras.

장끼 faisán *m*.

장난 juego *m*; [오락] diversión *f*, entretenimiento *m*; [농담] broma *f*, chanza *f*; [못된 장난] broma *f* pesada, broma *f* de mal gusto; [짓궂은] travesura *f*, diablura *f*, jugarreta *f*. ～하다 jugar; [즐겁게 놀다] divertirse, entretenerse; [희롱거리다] juguetear, bromear. ～꾸러기 chiquillo *m* travieso, chiquilla *f* traviesa; niño *m* travieso, niña *f* traviesa; pilluelo, -la *mf*, pícaro, -ra *mf*. ～꾼 juguetón, -tona *mf*. ～치다 juguetear, hacer travesuras.

장난감 juguete *m*. ～ 가게 juguetería *f*. ～ 가게 주인 juguetero, -ra *mf*. ～ 기차 trencito *m*. ～ 자동차 autito *m*.

장날(場一) día *m* de la feria [del mercado].

장남(長男) hijo *m* mayor, primogénito *m*.

장녀(長女) hija *f* mayor, primogénita *f*.

장년(壯年) edad *f* viril. ～기 edad *f* madura, edad *f* adulta. ～ 시대 flor *f* de la juventud, primavera *f* de la vida, edad *f* viril.

장년(長年) ① [늙은이] viejo, -ja *mf*; anciano, -na *mf*. ② [긴 세월] muchos años, largos años *mpl*. ¶～기 madurez *f*, edad *f* adulta.

장뇌(樟腦) canfor *m*, alcanfor *m*.

장님 ciego, -ga *mf*.

장단(長短) ① [긴 것과 짧은 것] lo largo y lo corto, longitud *f*. ② [장점과 단점] el mérito y el deméríto, el mérito y el defecto, buen punto y mal punto. ③ [노래·춤·풍류 등의 길고 짧은 가락] *changdan*, ritmo *m*. ¶～(을) 맞추다 animar el canto.

장단점(長短點) =장단(長短)❶.

장담(壯談) afirmación *f*, aseveración *f*, jactancia *f*. ～하다 asegurar, garantizar, jactarse, fanfarronear.

장대(長一) palo *m* (largo), vara *f* larga, barra *f* larga, pértiga *f*, vara *f* de bambú.

장대높이뛰기(長一) salto *m* de [con] pértiga, salto *m* con garrocha. ～ 선수 saltador, -dora *mf* con pértiga.

장대하다(壯大一) (ser) grandioso, magnífico, colosal, soberbio.

장도(壯途) misión *f* importante, curso *m* ambicioso. ～에 오르다 empezar en el curso ambicioso.

장도(壯圖) gran proyecto *m*, gran empresa *f*.

장도(長途) viaje *m* largo, jornada *f* larga. ～에 오르다 empezar [comenzar] el viaje largo.

장도리 pata f de cabra, martillo m.

장독(醬-) tarro m de salsa de soja. ~대 altar m para los tarros de salsa de soja.

장딴지 pantorrilla f.

장래(將來) ① [앞날] futuro m, porvenir m. ~의 futuro, venidero. ~에 en el futuro, en lo futuro; [언젠가는] un día, algún día. ~가 유망한 청년 joven m de porvenir, joven m con mucho porvenir. ② =전도(前途). ¶~가 촉망되다 prometer mucho, tener mucho futuro. ③ =장래에(en el futuro, en lo futuro).

장려(奬勵) exhortación f, fomento m. ~하다 fomentar, exhortar. ~금 subsidio m, subvención f, prima f. ~상 premio m fomentador.

장려하다(壯麗-) (ser) magnífico, esplédido, grandioso, suntuoso.

장력(張力) (fuerza f de) tensión f.

장렬(葬列) cortejo m fúnebre, comitiva f fúnebre, procesión f fúnebre.

장렬하다(壯烈-) (ser) heroico, épico, valeroso, valiente, magnánimo.

장례(葬禮) funerales mpl, funeral m, ceremonias fpl fúnebres, servicio m funeral, entierro m. ~ 미사 misa f funeral. ~비 gastos mpl funerales. ~식(式) funerales mpl, exequias fpl, ceremonias fpl fúnebres. ~차 carroza f funeral.

장로(長老) ① [덕이 높고 나이 많은 사람] superior mf; decano, -na mf. ② ((종교)) eclesiático m, patriarca m. ③ ((기독교)) anciano, -na mf. ¶~교 Iglesia f Presbiteriana. ~교(회) presbiteriano, -na mf. ~파 presbiterianismo m.

장롱(欌籠) guardarropa f, cómoda f, tocador m; [양복용의] armario m.

장르(佛) ① (문학)) género m. ② ((미술)) =풍속도.

장리(長利) interés m anual de un cincuenta por ciento.

장마 larga lluvia f, lluvia f continua [continuada]. ~(가) 들다 comenzar [empezar] la lluvia continuada [continua · larga]. ~(가) 지다 seguir [continuar] lloviendo varios días, llover continuamente muchos días. ¶~ 전선 frente m de (temporada de) lluvias. ~철 estación f de las lluvias, período m de lluvias, temporada f de lluvias, período m de tiempo lluvioso.

장막(帳幕) tienda f, cortina f. 죽의 ~ la cortina de bambú. 철의 ~ telón m de acero, AmL cortina f de hierro.

장만 preparación f. ~하다 preparar, hacer, estar listo; [사다] comprar. 점심을 ~하다 preparar el almuerzo. 집을 ~하다 comprar una casa.

장면(場面) ① [장소의 겉으로 드러난 면. 또, 그 광경] escena f, espectáculo m, cuadro m, aspecto m; [장소] lugar m, sitio m. ② ((연극 · 영화)) plano m, situación f.

장모(丈母) suegra f, madre f política, madre f de su esposa.

장모음(長母音) vocal f larga.

장문(長文) mucho texto. ~의 편지 larga carta f.

장물(贓物) objetos mpl robados, artículos mpl robados, géneros mpl robados. ~아비 perista mf; AmS reducidor, -dora mf. ~죄 delito m de objetos robados. ~ 취득 compra f [adquisición f] de objetos robados. ~ 취득죄 delito m de adquisición de objetos robados.

장미(薔薇) ((식물)) rosal m. ~ 한 송이 una rosa. ¶~꽃 rosa f. ~색 rosa m, color m (de) rosa. ~원 rosaleda f, rosedal m, rosalera f.

장밋빛(薔薇-) rosa m, color m (de) rosa.

장바구니(場-) cesto m para mercado.

장발(長髪) melena f, cabello m largo, pelo m largo. ~족 hippy ing.mf.

장벽(腸壁) pared f intestinal.

장벽(障壁) barrera f, obstáculo m, fortaleza f, espaldón m, muralla f, cerca f.

장병(長病) enfermedad f crónica, enfermedad f larga [prolongada · de mucho tiempo].

장병(將兵) oficiales mpl y soldados, soldados mpl.

장보기(場-) compra f. ~하다 hacer la compra [CoS las compras], Col, Ven hacer el mercado.

장보다(場-) ① [시장에서 저자를 열다] abrir la tienda. ② [물건을 팔거나 사기 위해 장으로 가다] hacer la compra, CoS hacer las compras, Col, Ven hacer el mercado; [시장에 가다] ir al mercado; [사러] ir de compras; [팔러] ir de ventas.

장본인(張本人) cabecilla mf; promotor, -tora mf; autor, -tora mf.

장부 ((건축)) espaldón m, cola f de milano.

장부(丈夫) ① [장성한 남자] hombre m adulto. ② ((준말)) =대장부. 장부 일언(一言)이 중천금(重千金) Palabra dada, palabra sagrada.

장부(帳簿) libro m de cuentas; [기록] registro m.

장비(裝備) equipo m; [무장] armamento m. ~하다 equiparse, armarse.

장비(葬費) gastos mpl funerales.

장사 negocio m, comercio m, tráfico m, trato m. ~하다 negociar, hacer negocios, vender, comerciar.. ~를 시작하다 comenzar [empezar] un negocio. ~를 그만두다 dejar el negocio. ¶~꾼 comerciante *mf*, vendedor, -dora *mf*.

장사(壯士) ① [기개와 체질이 썩 굳센 사람] hombre *m* musculoso. =역사(力士). ¶힘이 ~다 ser tan fuerte como un hércules. ③ [프로 씨름에서, 각 체급별 우승자에게 주는 칭호] hércules *m*.

장사(長蛇) ① [긴 뱀] serpiente *f* [culebra *f*] larga. ② [열차] tren *m*; [긴 행렬] desfile *m* largo, parada *f* larga. ~진 larga cola *f*.

장사(葬事) (servicio *m*) funeral *m*, entierro *m*, exequias *fpl*. ~(를) 지내다 celebrar funerales, enterrar.

장생(長生) vida *f*, longevidad *f*. ~하다 vivir mucho tiempo, gozar de una vida larga. ~불사 inmortalidad *f*, vida *f* eterna, longevidad *f* eterna. ~약 elíxir *m* de larga vida, medicamento *m* de larga vida. ~초 planta *f* de vida eterna.

장서(藏書) ① [책을 간직해 둠] colección *f* de libros, biblioteca *f*. ② [간직해 둔 책] libros *mpl* coleccionados. ¶~가 bibliófilo, -la *mf*, aficionado, -da *mf* de colección de libros. ~광 ⑦ [벽] bibliomanía *f*. ④ [사람] bibliómano, -na *mf*, bibliomántico, -ca *mf*.

장성(將星) general *mf*.

장소(場所) lugar *m*, sitio *m*; [자리] asiento *m*; [위치] localidad *f*, posición *f*; [부지] terreno *m*, solar *m*; [공간] espacio *m*.

장손(長孫) el nieto mayor. ~녀 la nieta mayor.

장송(葬送) compañía *f* del funeral. ~하다 acompañar al funeral. ~(행진)곡 marcha *f* fúnebre.

장수 vendedor, -dora *mf*, comerciante *mf*, negociante *mf*. 생선 ~ pescadero, -ra *mf*.

장수(長壽) vida *f* larga, longevidad *f*. ~하다 vivir muchos años, gozar de una larga vida, gozar (de) longevidad, tener vida larga. ~법 secreto *m* de la longevidad, arte *m* de longevidad, macrobiótica *f*. ~촌 aldea *f* de vida larga.

장수(將帥) jefe *m*, comandante *m*, general *m*.

장수(張數) número *m* de hojas.

장승 mijero *m*, piedra *f* millera.

장시간(長時間) largo tiempo *m*.

장시일(長時日) largo tiempo *m*, largo período *m* de tiempo, años *mpl*.

장식(裝飾) decoración *f*, ornamentación *f*; [장식품] ornamento *m*, adorno *m*; [집·실내·가구 등] decorado *m*. ~하다 decorar, adornar, ornar, engalanar. ~가 inte-

riorista *mf*; decorador, -dora *mf*; ornamentador, -dora *mf*. ~ 미술 arte *f* decorativa. ~술 arte *f* decorativa. ~품[물] adornos *mpl*, ornamento *m*, figura *f* decorativa, artículo *m* de adorno, artículo *m* de fantasía. ~화(畫) pintura *f* decorativa.

장신(長身) gran estatura *f*, estatura *f* alta, figura *f* alta. ~의 alto, de gran estatura.

장신구(裝身具) adorno *m*, accesorios *mpl*, atavío *m* personal, ornamento *m* personal; [보석] joya *f*, alhaja *f*.

장악(掌握) dominio *m*, comando *m*, asimiento *m*. ~하다 apoderarse, poseer, asir, tener a su comando, hacerse con el poder.

장안(長安) capital *f*, Seúl. 서울 ~ Seúl, ciudad *f* capital.

장애(障碍/障礙) obstáculo *m*, impedimento *m*, dificultades *fpl*, embarazo *m*; [질환] mal *m*, desventaja *f* física. ~를 극복하다 vencer [superar] las dificultades. ~를 만나다 encontrar un obstáculo. ~물 obstáculo *m*. ~달리기[경주] [육상 경기의] carrera *f* de vallas, hurdle *ing.m*; [경마의] carrera *f* de obstáculos. ~인 minusválido, -da *mf*; disminuido, -da *mf*; discapacitado, -da *mf*. ~인 노약자 (지정)석 [버스·지하철의] (asiento *m*) reservado *m*. ~인 복지법 ley *f* de bienestar para personas impedidas. ~ 시설 instalaciones *fpl* para minusválidos. ~인 올림픽 대회 los Juegos Paralímpicos. ~인의 날 día *m* de los minúsvalidos.

장어(長魚) ((준말)) =뱀장어.

장엄(莊嚴) solemnidad *f*, grandeza *f*, majestuosidad *f*, majestad *f*. ~하다 (ser) solemne, majestuoso, sublime, magnífico, grandioso, espléndido, suntuoso. ~하게 solemnemente, majestuosamente. ¶~ 미사 misa *f* solemne.

장염(腸炎) ((의학)) endoenteritis *f*, enterisis *f*, intestinitis *f*.

장외(場外) fuera de cámara, fuera de un sitio, fuera de la sala; [경기장의] fuera del estadio; [주식의] fuera de bolsa de valores. ~ 거래 transacción *f* fuera de bolsa de valores, operación *f* con valores no cotizados, comercio *m* ilegal de acciones sin cotización oficial.

장원(壯元) persona *f* que ganaba el primer puesto en el examen estatal. ~하다 ganar el primer puesto en el examen estatal.

장유(長幼) los viejos y los jóvenes. ~유서(有序) Los jóvenes deben ceder el paso a los mayores.

장유(醬油) salsa *f* de soja, *AmL*

salsa *f* de soya.

장음(長音) sonido *m* largo, vocal *f* larga. ~계 escala *f* mayor. ~부 acento *m* largo, signo *m* de sonido largo [de vocal larga], macrotono *m*. ~정 intervalo *m* mayor.

장의(葬儀) funeral *m*, funerales *mpl*, exequias *fpl*, ritos *mpl* fúnebres, entierro *m*. ~사 funeraria *f*. ~차 carroza *f* funeral, coche *m* [carro *m*] fúnebre.

장의자(長椅子) sofá *m*, canapé *m*.

장인(丈人) suegro *m*, padre *m* político.

장인(匠人) artesano *m*, -na *mf*. ~ 정신 espíritu *m* del artesano.

장자(長子) hijo *m* mayor, (hijo *m*) primogénito *m*. ~의 primogénito *m*. ~ 상속권 primogenitura *f*.

장작(長斫) leña *f*. ~을 패다 cachar leñas.

장장(長長) muy largo, larguísimo. ~ 세월 tiempo *m* larguísimo.

장전(裝塡) carga *f*. ~하다 cargar.

장점(長點) mérito *m*; [강점] (punto *m*) fuerte *m*, cualidad *f*; [이점] ventaja *f*; [가치] valor *m*.

장정(壯丁) hombre *m* sano, joven *m* robusto, adulto *m*; [징병 적령자] joven *m* de la edad del servicio militar obligatorio, *AmL* joven *m* de la edad de conscripción.

장정(裝幀) arte decorativo de un libro; [제본] encuadernación *f*; [책 전체의 의장] presentación *f*. ~하 다 decorar un libro, encuadernar, empastar.

장족(長足) ① [긴 다리] piernas *fpl* largas. ② [빠르게 나아가는 걸음] paso *m* rápido. ~의 진보 grandes progresos *mpl*, progresos *mpl* rápidos, grandes adelantos *mpl*.

장중(掌中) =수중(手中). ¶~에 en *sus* manos, en palma de la mano, en poder.

장중하다(莊重一) (ser) sublime, solemne, grandioso, imponente.

장지(葬地) cementerio *m*.

장차(將次) en el futuro, en lo futuro, algún día.

장총(長銃) rifle *m*, fusil *m*.

장출혈(腸出血) enterohemorragia *f*.

장치(裝置) aparato *m*, equipo *m*, preparativa *f*, colocación *f*, disposición *f*, dispositivo *m*, mecanismo *m*; [기계의] instalación *f*; ((연극)) decorado *m*; ((영화)) equipo *m*. ~ 하다 poner, instalar, colocar, acomodar, amueblar, armar, pertrechar.

장침(長針) ① [긴 바늘] aguja *f* larga. ② [분침] minutero *m*.

장카타르(腸一) catarro *m* intestinal,

enterocolitis *f*, enteritis *f*.

장타(長打) ((야구)) golpe *m* [jit *m*] largo. ~를 때리다 batear largo bombo. ¶~을 tipo *m* del golpe largo. ~자 bateador, -dora *mf* del golpe largo.

장터(場一) (plaza *f* del) mercado *m*.

장티푸스(腸一) (fiebre *f*) tifoidea *f*, tifus *m* abdominal. ~ 예방 주사 inoculación *f* antitifoidea.

장판(壯版) ① [기름 먹인 종이 바른 방바닥] suelo *m* cubierto de papel laminado. ② ((준말)) =장판지. ¶~방 habitación *f* con suelo cubierto de papel. ~지(紙) papel *m* laqueado con aceite de soja.

장편(長篇) obra *f* voluminosa, historia *f* larga. ~ 만화 영화 dibujos *mpl* animados de largometraje. ~ 소설 novela *f* larga. ~ 영화 película *f* de largometraje, (película *f* de) largo metraje *m*, película *f* larga [de gran metraje].

장하다(壯一) ① [하는 일이 매우 훌륭하다] (ser) espléndido, glorioso, excelente, grande, valiente. 장하게 싸우다 luchar valientemente. ② [갸륵하다] (ser) admirable, ejemplar, loable, plausible, laudable. 장 한 학생 estudiante *mf* ejemplar.

장학(獎學) fomento *m* [promoción *f*] de estudio. ~금 beca *f*. ~ 기금[자 금] fondo *m* de beca. ~사(관) inspector, -tora *mf* (de escuela). ~생 becario, -ria *mf*.

장형(長兄) hermano *m* mayor.

장화(長靴) botas *fpl*; botas *fpl* altas; [반장화] botines *mpl*. ~를 신다[벗 다] ponerse [quitarse] las botas.

장황하다(張皇一) (ser) tedioso, fastidioso, pesado, demasiado largo, prolijo, redundante, difuso.

잦다¹ [액체가 졸아들어 밑바닥에 깔 리다] reducirse.

잦다² [빈번하다] (ser) frecuente.

재¹ [타고 난 뒤에 남는 가루] ceniza *f*. 담뱃~를 털다 sacudir cenizas de cigarrillo.

재² [높은 산의 고개] cadena *f*, cerro *m*, paso *m*.

재가(再嫁) segundas nupcias *fpl*, segundo matrimonio *m*. ~하다 volver a casarse, casarse en segundas nupcias.

재가(裁可) sanción *f*, aprobación *f*. ~하다 sancionar, dar la sanción, aprobar.

재간(才幹) talento *m*, habilidad *f*, capacidad *f*, aptitud *f*, idoneidad *f*. ~꾼 persona *f* muy talentosa, persona *f* de gran talento.

재간(再刊) nueva publicación *f*, re-publicación *f*, reimpresión *f*, reedición *f*. ~하다 volver a publicar, republicar, reimprimir, reeditar.

재갈 freno *m*, bocado *m*, mordaza *f*.

재개(再開) reapertura *f*, reanudación *f*. ~하다 reabrir, reanudar, abrir de nuevo, empezar de nuevo, volvera a abrir.

재개발(再開發) reexplotación *f*. ~하다 reexplotar, volver a explotar. ~ 지역 el área *f* de reexplotación. ~ 사업 obra *f* de reexplotación.

재건(再建) [건물 등의] reconstrucción *f*, reedificación *f*; [국가·경제 등의] restablecimiento *m*. ~하다 reconstruir, reedificar, restablecer. ~비 gastos *mpl* de reedificación, gastos *mpl* de reconstrucción.

재건축(一建築) reconstrucción *f*. ~하다 reconstruir, volver a construir.

재검사(再檢査) reexaminación *f*, nueva inspección *f*. ~하다 volver a examinar, examinar otra vez, reexaminar, inspeccionar de nuevo.

재검토(再檢討) revisión *f*, reexamen *m*, reexaminación *f*, reconsideración *f*, repaso *m*. ~하다 revisar, reexaminar, reconsiderar, repasar.

재결(裁決) veredicto *m*, fallo *m*, juicio *m*; [결정] decisión *f*. ~하다 presentar un veredicto, dar juicio, decidir, pronunciar un veredicto.

재결합(再結合) reunión *f*, recombinación *f*. ~하다 reunir, recombinar.

재경(在京) estancia *f* [permanencia *f*] en Seúl, resideencia *f* en la capital. ~하다 residir en la capital, estar en la capital.

재경(財經) finanzas *fpl* y economía.

재계(財界) mundo *m* financiero [económico], círculos *mpl* [centros *mpl*·sectores *mpl*] financieros. ~인 ㉮ [금융가] financista *mf*. ㉯ [실업가] comerciante *mf*; hombre *m* de negocios, mujer *f* de negocios. ㉰ [자본가] capitalista *mf*.

재고(再考) reconsideración *f*. ~하다 reconsiderar, reflexionar, repensar.

재고(在庫) ① [창고 따위에 있음] almacenamiento *m*. ~를 조정하다 ajustar el almacenamiento. ② ((준말)) =재고품. ¶~ 정리 liquidación *f*, saldo *m*, ajuste *m* de existencias. ~ 조사 inventario *m*. ~품 existencias *fpl* en almacén, mercaderías *fpl* (existentes) en almacén.

재교(再校) revisión *f*, segunda prueba *f*. ~하다 corregir la segunda prueba.

재교부(再交付) reexpedición *f*. ~하다 volver a expedir, reexpedir, expedir de nuevo.

재교육(再教育) reeducación *f*. ~하다 volver a educar, reeducar.

재구성(再構成) reconstrucción *f*, reorganización *f*. ~하다 reorganizar, reconstruir.

재귀(再歸) reflexión *f*. ~ 대명사 pronombre *m* reflexivo. ~ 동사 verbo *m* reflexivo. ~열 fiebre *f* recurrente, fiebre *f* periódica. ~ 용법 uso *m* reflexivo.

재기(才氣) talento *m*, ingeniosidad *f*, inventiva *f*.

재기(再起) recobro *m*, recuperación *f*, restauración *f*. ~하다 restaurarse; [병에서] recobrar la salud; [불행 등에서] levantarse de nuevo. ~ 불능 mejora *f* imposible.

재난(災難) [재액] calamidad *f*, desastre *m*, catastrofe *m*; [불의의 사고] accidente *m*, contratiempo *m*, emergencia *f*, muerte *f* violenta; [불행] desgracia *f*, infortunio *m*, adversidad *f*, revés *m*.

재녹음(再錄音) doblaje *m*. ~하다 doblar.

능능(才能) talento *m*; [능력] capacidad *f*,habilidad *f*; [본래의] don *m*.

재다[^1] ① [자나 저울 또는 계기로 아리다] medir, tomar, pesar (무게를). ② [시간적 길이를 계기로 헤아리다] medir. ③ [남의 실정을 알아보다] espiar. ④ [탄환이나 화약을 넣다] cargar. ⑤ [앞뒤를 따지어 헤아리다] calcular. ⑥ [뽐내다] jactarse.

재다[^2] ① [동작이 날쌔고 재빠르다] (ser) ágil, rápido. 걸음이 ~ tener el paso rápido. ② [물건이 �섭사리 더워지다] calentarse. ③ [입올 가볍게 눌리다] (ser) ligero, suelto de lengua, hablador.

재단(財團) ① fundación *f*, consocio *m* financiero. ② ((준말)) =재단법인. ~ 법인 persona *f* jurídica [judicial] de fundación.

재단(裁斷) ① [재결] sentencia *f* de juicio, juicio *m*, decisión *f*, resolución *f*, fallo *m*, juicio *m* final, adjudicación *f*. ~하다 juzgar, decidir, tomar la decisión, resolver, fallar, adjudicar, dar la causa por conclusa. ② [마름질] corte *m*. ~하다 cortar, recortar. ¶~ 가위 tijeras *fpl* de sastre. ~기 cizallas *fpl*, cortante *m*, cortador *m*, cortadora *f*; [종이의] guillotina *f*; [철사용] tenazas *fpl*; [유리용] diamante *m*, cortavidrios *mpl*. ~법 corte *m*. ~사 sastre, -tra *mf*; [자르는 사람] cortador, -dora *mf*.

재독(再讀) relectura *f*. ~하다 volver a leer, releer.

재두루미 ((조류)) grulla *f* con nuca blanca.

재떨이 cenicero *m*.

재래(在來) ¶~의 tradicional, convencional, ordinario, común, existente, corriente, usual, criollo. ~식 무기 armas *fpl* convencionales. ~종 especies *fpl* naturales.

재량(裁量) discreción *f*. …의 ~에 일임하다 dejar a la discreción de uno. ¶ ~권 poder *m* discrecional.

재력(財力) recursos *mpl*, poder *m* financiero, estado *m* financiero, medios *mpl*. ~이 있다 tener recursos, tener gran poder financiero.

재롱(才弄) acción *f* graciosa. ~(을) 부리다[떨다] juguetear. ¶ ~둥이 bebé *m* gracioso.

재료(材料) material *m*, materia *f*; [자료] dato *m*; [제재(題材)] asunto *m*, materia *f* de que se trata; [요리의] ingrediente *m*. ~비 gastos *mpl* de [para los] materiales. ~역학 dinámica *f* de materiales.

재림(再臨) ① [다시 옴] segunda venida *f*, segunda llegada *f*. ~하다 volver a venir [llegar], llegar de nuevo. ② ((그리스도)) adviento *m*. ¶ ~설 adventismo *m*. ~파 adventistas *mpl*.

재목(材木) ① [건축·기구 제작용 나무] madera *f*, madera *f* de construcción, maderaje *m*. ② [어떤 직위에 합당한 인물] personaje *m* adecuado (para un puesto).

재무(財務) asuntos *mpl* financieros, finanzas *fpl*, financiamiento *m*, financiación *f*. ~부 Ministerio *m* de Hacienda.

재무장(再武裝) rearme *m*. ~하다 rearmar.

재물(財物) propiedad *f*, bienes *mpl*, tesoros *mpl*, fortuna *f*, riqueza *f*.

재미 interés *m*, distracción *f*, entretenimiento *m*, entretención *f*, diversión *f*, recreo *m*, pasatiempo *m*; [만족] satisfacción *f*; [취미] afición *f*, gusto *m*, delicia *f*, encanto *m*; [즐거움] goce *m*, placer *m*, deleite *m*; [우수운 일] gracia *f*. ~(를) 보다 pescar a río revuelto, sacar el jugo, sacar raja. ~(를) 붙이다 aficionarse, tomar el gusto. ¶ ~없다 no ser interesante [divertido], (ser) seco, soso, insípido, prosaico, sin encanto, falto de interés, poco interesante, sin gracia. ~있다 (ser) encantador, interesante; [즐겁다] divertido, recreativo, entretenido; [우습다] gracioso. ~있는 사람 hombre *m* interesante. ~있는 책 libro *m* interesante.

재미(在美) estancia *f* [residencia·permanencia *f*] en los Estados Unidos de América. ~ 동포 residentes *mpl* coreanos en los Estados Unidos de América.

재발(再發) ① [다시 생겨남. 다시 발생함] reaparición *f*, repetición *f*; [병의] recaída *f* (회복 도중에), recidiva *f* (회복후). ~하다 volver a aparecer, aparecer otra vez [de nuevo], recaer. ② [두 번째 발송함] segundo envío *m*, segundo despacho *m*. ~하다 enviar [mandar·despachar] por segunda vez.

재발견(再發見) redescubrimiento *m*. ~하다 redescubrir.

재발행(再發行) nueva emisión *f*. ~하다 emitir de nuevo, volver a emitir.

재방송(再放送) reemisión *f*, retransmisión *f*. ~하다 retransmitir, volver a transmitir, volver a radiodifundir.

재배(再拜) ① [두 번 절함] el saludar dos veces; [두 번 하는 절] saludos *mpl* de dos veces. ② [편지 끝에 쓰는 말] Atentamente / Afectuosamente.

재배(栽培) cultivo *m*. ~하다 cultivar. ~법 método *m* de cultivo. ~식물 planta *f* cultivada. ~자 cultivador, -dora *mf*.

재벌(財閥) *chaebol*, plutocracia *f*, plutocracia *f* financiera, consorcio *m* financiero, consorcio *m* de empresas; [개인] plutócrata *mf*. ~개혁 reforma *f* de *chaebol*.

재범(再犯) segundo delito *m*, segunda infracción *f*, recaída *f*, reincidencia *f*. ~하다 cometer la segunda infracción.

재보(財寶) tesoro *m*, riqueza *f*, bienes *mpl* y tesoros, cosas *fpl* preciosas. ~를 쌓다 amontonar riqueza.

재보험(再保險) reaseguro *m*. ~하다 reasegurar. ~의 reasegurador. ~약정 contrato *m* de reaseguro. ~자 reasegurador, -dora *mf*. ~회사 compañía *f* reaseguradora.

재봉(裁縫) costura *f*, hechura *f*, (corte *m* y) confección *f*. ~하다 coser. ~사 sastre, -tra *mf*; confeccionador, -dora *mf*; costurero, -ra *mf*; [부인복의] modista *mf*, modisto *m*. ~사(絲)[실] hilo *m* de coser.

재봉틀 máquina *f* de coser.

재분배(再分配) redistribución *f*. ~하다 redistribuir.

재빠르다 (ser) ágil, rápido.

재빨리 ágilmente, con agilidad, rápido, rápidamente, pronto, prontamente, con presteza, en seguida, enseguida.

재사(才士) hombre *m* de talento [de dotes].

재산(財産) propiedad *f*, fortuna *f*, bienes *mpl*, bienes *mpl* de fortuna, hacienda *f*, caudal *m*. ~가 hombre *m* de fortuna [de propiedad·de caudales], millonario, -ria *mf*, multimillonario, -ria *mf*; propietario *m* acaudalado [adinerado], propietaria *f* acaudalada. ~ 상속

sucesión *f* de la propiedad. ~세
impuesto *m* de [sobre] la propiedad inmobiliaria [privada].

재삼(再三) repetidas veces, una y
otra vez, más que una vez, repetidamente, muchas veces, frecuentemente. ~재사 repetidamente,
reiteradamente, repetidas veces.

재상(宰相) primer ministro *m*, primera ministra *f*.

재색(才色) ingenio *m* y belleza.

재생(再生) ① [죽게 되었다가 다시
살아남] resucitación *f*, renacer *m*.
~하다 resucitar. ② [신앙을 가져
새로운 생활을 시작함] comienzo
m de nueva vida. ③ [버리게 된
물건을 다시 살려서 쓰게 만듦]
regeneración *f*, el reproducir lo
que estaba destruido. ~하다 rehacer, regenerar. ④ ((심리)) reminiscencia *f*. ⑤ ((생물)) reproducción *f*. ⑥ [녹음·녹화한 음성·영
상 등을 다시 들려 주거나 보여 주
는 일] reproducción *f*. ¶ ~ 타이어 rueda *f* re-
generadora. ~품 reproducción *f*,
regeneración *f*.

재생산(再生産) reproducción *f*. ~하
다 reproducir.

재선(再選) ① ((준말)) =재선거. ②
[재차의 당선] acción *f* de ser
reelegido. ~하다 ser reelegido.

재선거(再選擧) reelección *f*. ~하다
reelegir.

재소자(在所者) presidiario, -ria *mf*.

재수(再修) preparación *f* para repetir
el examen de ingreso universitario. ~하다 empollar [preparar]
para repetir un examen de ingreso
universitario. ~생 estudiante *mf*
que salió mal en el examen de
ingreso universitario y ha empo-
llado para el examen.

재수(財數) ① [재물에 대한 운수]
fortuna *f* de la propiedad. ② [좋은
일을 만나게 되는 운수] suerte *f*,
fortuna *f*. ~가 있다 tener suerte.

재수술(再手術) reoperación *f*. ~하다
volver a operar, volver a practicar
una operación.

재시합(再試合) vuelta *f* de juego.

재시험(再試驗) reexamen *m*, segundo
examen *m*, examen *m* suplementario, nuevo ensayo *m*. ~하다
reexaminar, volver a examinar.

재심(再審) revisión *f*, reexamen *m*.
~하다 revisar, reexaminar, volver
a examinar, examinar de nuevo.

재심사(再審査) reexamen *m*. ~하다
reexaminar.

재앙(災殃) [재난] calamidad *f*, desastre *m*; [불행] desgracia *f*, infortunio *m*, desventura *f*, desdicha
f. ~을 물리치다 exorcizar, librar de
demonio; [자신의] evitar la cala-

midad.

재액(災厄) calamidad *f*, percance *m*,
contratiempo *m*, desgracia *f*.

재야(在野) ① [벼슬길에 오르지 않고
민간에 있음] lo que no ocupa
ningún puesto oficial. ② [정당이
정권을 잡지 못하고 야당의 입장에
있는 일] situación *f* opuesta al
poder. ~ 단체 organización *f*
que no toma en el gobierno. ~
인사 persona *f* que no ocupa
ningún puesto oficial.

재연(再演) repetición *f* de una
representación, segunda función *f*.
~하다 poner en escena otra vez,
volver a representar.

재연(再燃) resurgencia *f*, reviviscencia *f*, renacimiento *m*, resurrección
f. ~하다 volver a arder.

재외(在外) estancia *f* en el (país)
extranjero. ~ 공관 embajadas *fpl*
y legaciones en el extranjero.

재우다 ① [잠을 자게 하다] hacer
dormir, alojar, hospedar, aposentar,
acostar. ② [부푼 솜 따위를] reposar. 고기를 ~ reposar la carne.

재원(才媛) genio *m* femenino, ingenio *m* femenino, muchacha *f*
discreta.

재원(財源) recursos *mpl* financieros;
[자금] fondos *mpl*, medios *mpl*

재위(在位) reinado *m*.

재인식(再認識) reconocimiento *m*. ~
하다 reconocer una vez más.

재일(在日) estancia *f* [permanencia *f*]
en el Japón; [부사적] en el Japón.
~ 동포 residentes *mpl* coreanos
en el Japón. ~ 한국 거류 민단
Asociación *f* de los Coreanos
Residentes en el Japón.

재임(在任) estancia *f* en la oficina.
~하다 tener oficio, estar en la
oficina. ~ 기간 período *m* de
estancia en la oficina.

재입국(再入國) reingreso *m*. ~하다
reingresar, volver a entrar. ~ 사
증[비자] visado *m* [AmL visa *f*]
de reingreso. ~ 허가(증) permiso
m de reingreso.

재입학(再入學) reingreso *m*, readmi-
sión *f* a la universidad. ~하다
reingresar, volver a ingresar, re-
admitir, volver a admitir, admitir
de nuevo.

재작년(再昨年) año *m* antepasado,
hace dos años, dos años ha.

재잘거리다 charlar, parlotear.

재적(在籍) inscripción *f*, matrícula *f*.
~하다 (estar) inscrito, matricula-
do.

재정(財政) finanzas *fpl*, administración *f* financiera, hacienda *f* (pública), economía *f*. ~가 financiero,
-ra *mf*. ~ 경제부 Ministerio *m* de
Finanzas y Economía. ~ 보증

garantía *f* financiera. ~ 보증인 fiador *m* financiero. ~학 ciencia *f* rentística.

재정(裁定) arbitrio *m*, arbitraje *m*, arbitramento *m*; [결정] decisión *f*. ~하다 arbitrar, fallar, decidir, decidir como árbitro. ~의 árbitro.

재조사(再調査) reexamen *m*, nuevo examen *m*. ~하다 reexaminar, volver a examinar.

재조직(再組織) reorganización *f*. ~하다 reorganizar.

재주(才-) ① [타고난 소질] habilidad *f*, talento *m*, don *m*, dote *f*. ~를 보이다 sacar *sus* habilidades. ② [잘하는 기술이나 솜씨] destreza *f*, arte *m*, artes *mpl* de entretenimiento, juego *m* de manos, artería *f*; [연기] juego *m*, representación *f*; [곡예] acrobacia *f*, acrobatismo *m*. 한가지 ~에 뛰어나다 sobresalir [destacarse · distinguirse] en un arte. ~(를) 부리다 hacer juegos. ¶ ~꾼 persona *f* de gran talento. ~넘기 [땅에서] voltereta *f*, CoS vuelta *f* (de) carnero; [공중에서] (salto *m*) mortal *m*; [자동차의] vuelta *f* de campana. ~넘다 [땅에서] hacer volteretas, CoS dar vueltas (de) carnero; [공중에서] dar un (salto) mortal.

재중(在中) incluso. 견본(見本) ~ Muestras. 사진 ~ Fotografías.

재즈(음악) jazz *m*. ¶ ~ 가수 cantante *mf* de jazz. ~ 연주자 ejecutante *mf* de jazz. ~ 음악 música *f* de jazz.

재지(才智) ingenio *m*, talento *m*, inteligencia *f*.

재직(在職) permanencia *f* en el puesto [en el empleo · en la oficina]. ~하다 ocupar un puesto, estar en un puesto, estar en una posición. ~ 기간[연한] años *mpl* de servicio, período *m* de servicio. ~자 titular *mf* del cargo.

재질(資質) dotes *fpl*, dones *mpl*, don *m* natural, talentos *mpl*.

재차(再次) otra vez, de nuevo, nuevamente, una vez más; [두 번째로] por segunda vez; [되풀이해서] repetidas veces, repetidamente. ~하다 hacer otra vez.

재창(再唱) acción *f* de volver a cantar. ~하다 volver a cantar, cantar otra vez.

재채기 estornudo *m*. ~하다 estornudar.

재첩 ((조개)) concha *f* corbícula.

재청(再請) ① [거듭 청함] pedido *m* repetido. ~하다 pedir repetidas veces; [앙코르] bis *m*. ~하다 pedir repetidas veces, pedir la petición. ② [회의 때, 남의 동의에 찬성하여 거듭 청함] apoyo *m*. ~하

다 segundar, apoyar.

재촉 apremio *m*, acuciamiento *m*, urgencia *f*. ~하다 apremiar, acuciar, urgir, apurar, apresurar.

재출발(再出發) repartida *f*, vuelta *f* a empezar, reanudación *f*. ~하다 repartir, partir de nuevo.

재취(再娶) segundo matrimonio *m*, segundas nupcias *fpl*. ~ 하다 volver a casarse, casarse por segunda vez [en segundas nupcias].

재치(才致) ingenio *m*, destreza *f*, agudeza *f*, inteligencia *f*, habilidad *f*, conocimiento *m*, gracia *f*, sagacidad *f*, sal *f*. ~가 있다 (ser) inteligente, diestro, mañoso, listo, capaz, sagaz, agudo, perspicaz. ~꾼 persona *f* ingeniosa, persona *f* ocurrente, ingenio *m*.

재킷 chaqueta *f*. 스포츠 ~ americana *f*, AmL saco *m* (sport).

재탕(再湯) segunda decocción *f*. ~하다 recocer, volver a cocer, cocer de nuevo. ~한 약 medicina *f* cocida de nuevo.

재통일(再統一) reunificación *f*. ~하다 reunificar.

재투자(再投資) reinversión *f*. ~하다 reinvertir.

재판(再版) ① [이미 간행된 출판물을 다시 출판함. 또, 그 출판물] segunda edición *f*, reimpresión *f*; [출판물] segunda publicación *f*. ~하다 reimprimir, volver a imprimir, volver a publicar. ② [과거의 어떤 일이 다시 되풀이되는 일] repetición *f*. ~을 연출하다 repetir *su* locura.

재판(裁判) justicia *f*, proceso *m*, juicio *m*; [소송] pleito *m*; [판결] resolución *f* (judicial). ~하다 hacer justicia, juzgar, enjuiciar, someter a la justicia. ~관 juez *mf*. ~권 derecho *m* judicial, jurisdicción *f*. ~장 presidente, -ta *f* de(l) tribunal.

재판소(裁判所) tribunal *m*, juzgado *m*, audiencia *f*, AmS corte *f*.

재편성(再編成) reorganización *f*, reestructuración *f*, recomposición *f*. ~하다 reorganizar, reestructurar, recomponer.

재평가(再評價) revalorización *f*, AmL revaluación *f*. ~하다 revalorizar, AmL revaluar.

재학(在學) matrícula *f* (en una escuela). ~하다 estar matriculado (en una escuela), ser estudiante (de una escuela). ~생 estudiante *m* matriculado, estudiante *f* matriculada. ~증명서 certificado *m* de matrícula, certificado *m* escolar.

재할인(再割引) redescuento *m*, nuevo descuento *m*, nueva rebaja *f*. ~하다 redescontar, volver a descontar, volver a rebajar.

재해(災害) calamidad *f*, desastre *m*, siniestro *m*; [사고] accidente *m*. ~ 대책 본부 centro *m* contra calamidad. ~ 복구비 fondo *m* de ayuda a los damnificados de una catástrofe. ~자 víctima *f* de un desastre; damnificado, -da *mf*. ~지(地) región *f* atacada por el desastre, lugar *m* del siniestro.

재향(在郷) campiña *f*, campo *m*, distritos *mpl* rurales. ~ 군인 reservista *mf*; excombatiente *mf*, ex-soldado, -da *mf*. ~ 군인회 asociación *f* de excombatientes.

재현(再現) ① [두 번째로 나타남] resurgimiento *m*, reparición *f*. ~하다 resurgir, reaparecer, aparecer de nuevo, aparecer otra vez, volver a aparecer. ~되다 resurgirse, reaparecer. 황금 시대의 ~ 하다 resurgir el siglo de oro. ② ((심리)) =재생(再生)(reproducción).

재혼(再婚) segundo matrimonio *m*, segundo casamiento *m*, segundas nupcias *fpl*. ~하다 volver a casarse, casarse en segundas nupcias [por segunda vez].

재화(財貨) =재물(財物).

재확인(再確認) reafirmación *f*. ~하다 reafirmar.

재활(再活) ① [다시 살림] resucitación *f*. ~하다 resucitar. ② [다시 활용함] reutilización *f*. ~하다 reutilizar. ③ [다시 활동함] nueva acción *f*. ~하다 volver a actuar.

재회(再會) nuevo encuentro *m*, reunión *f*. ~하다 reunir de nuevo, volver a ver, volver a encontrarse.

잼 mermelada *f*, confitura *f*, compota *f*, jalea *f*, *RPI* dulce *m*. ~ 바른 빵 pan *m* con mermelada.

잼버리 congreso *m* (de exploradores), reunión *f* nacional o internacional de muchachos exploradores.

잽 ((권투)) jab *ing.m*, corto *m*.

잽싸다[잽] ágil, veloz, rápido. 잽싸게 ágilmente, ligeramente, con agilidad, rápidamente, de prisa, pronto, velozmente.

잿더미 montón *m* de ceniza.

잿물[잰] ① [재를 물로 발아서 우려낸 물] el agua *f* de ceniza. ② [도자기용 약] vidriado *m*, esmalte *m*, barniz *m*. ~ (한 말) =양잿물.

잿밥(齋-) arroz *m* ofrecido a Buda.

잿빛 gris *m*, color *m* gris. ~이 도는 pardusco.

쟁그랑 estrepitosamente. 병이 ~ 깨졌다 Se rompió la botella estrepitosamente.

쟁기 arado *m*, pala *f*.

쟁론(爭論) reyerta *f*, disputa *f*, riña *f*, contienda *f*, querella *f*, camorra *f*, bronca *f*, alteración *f*, debate *m*,

controversia *f*. ~하다 reñir, disputar, altercar, contender, disputar.

쟁반(錚盤) bandeja *f*, charola *f*, *AmL* azafate *m*, *AmL* charola *f*, *AmL* charol *f*.

쟁의(爭議) disputa *f*, conflicto *m*, litigio *m*, contienda *f*, camorra *f*, complicación *f*, perturbación *f*. [파업] huelga *f*. ~권 derecho *m* de huelga. ~ 참가자 participante *mf* en el litigio.

쟁쟁하다 ① [구슬의 울리는 소리가] (ser) claro, sonoro, resonante, retumbante. 쟁쟁한 목소리 voz *f* clara. ② [지나간 소리가] persistir, sonar.

쟁쟁하다(錚錚-) (ser) prominente, eminente, sobresaliente, distinguido, de importancia. 쟁쟁한 인물 hombre *m* eminente, mujer *f* eminente.

쟁점(爭點) punto *m* litigante, meollo *m* del conflicto; [논쟁점] manzana *f* de la discordia, punto *m* [tema *m*] de discusión.

쟁취(爭取) contienda *f* para poseer, arrebatina *f*. ~하다 ganar, obtener, adquirir.

쟁탈(爭奪) contienda *f*, lucha *f*, disputa *f*, competencia *f*, competición *f*, concurso *m*, contienda *f* para poseer, esfuerzo *m*. ~하다 luchar, contender, arrebatar, saquear, disputar(se), andar a la rebatiña. ~전 esfuerzo *m*.

저¹ ((악기)) *cheo*, flauta *f*.

저² ① [「나」의 겸사말] yo, mi, me. ② ((준말)) =저이. ③ ((준말)) = 저것. ④ [자기로부터 보일 만한 곳에 있는 사람이나 사물을 가리키는 말] aquel, aquella, aquellos, aquellas. ~ 남자 aquel hombre *m*. ~ 여자 aquella mujer *f*.

저³ [머뭇거리면서 내는 소리] Bueno / (Vamos) A ver / Pues (entonces).

저(著) ((준말)) =저술(著述).

저가(低價) precio *m* barato [bajo].

저개발(低開發) subdesarrollo *m*. ~의 subdesarrollado. ~국(國) país *m* subdesarrollado; [발전 도상국] país *m* en vías de desarrollo.

저것 aquél, aquélla, aquéllos, aquéllas; [중성] aquello. ~은 무엇입니까? ¿Qué es aquello?

저격(狙擊) apunte *m* y disparo, tiro *m* certero, tiros *mpl*, disparos *mpl*. ~하다 apuntar y disparar, tirar de tiro certero, tirar desde una posición embocada, tirar, disparar. ~병 tirador *m* emboscado.

저고리 *cheogori*, blusa *f* tradicional coreana.

저공(低空) cielo *m* bajo. ~ 비행 vuelo *m* bajo; [지상을 스칠 정도의] vuelo *m* rasante. ~ 비행을 하

다 volar bajo, volar a ras de suelo [de tierra], volar rasando el suelo.

저금(貯金) [행위] ahorro *m*, economía *f*; [돈] ahorros *mpl*, economías *fpl*. ~하다 ahorrar, economizar. ~을 인출하다 sacar [retirar] dinero de los ahorros. ¶~계좌 cuenta *f* de ahorro. ~통 hucha *f*, *AmL* alcancía *f*. ~통장 libreta *f* de ahorros.

저금리(低金利) interés *m* bajo, tarifa *f* de interés bajo, moneda *f* barata. ~ 정책 política *f* de crédito a tipo bajo de interés, política *f* moneda barata.

저급(低級) grado *m* inferior, clase *f* inferior, inferioridad *f*. ~하다 (ser) inferior, bajo, de grado inferior; [저속하다] vulgar, vil.

저기 allí, allá, en aquella parte, en aquel lugar.

저기압(低氣壓) baja presión *f* (atmosférica, depresión *f* (atmosférica), ciclón *m*.

저까짓 esa clase de, tal, tan trivial, tan pequeño, tan despreciable.

저냐 plato *m* sofrito.

저널리스트 periodista *mf*.

저널리즘 periodismo *m*.

저녁 ① [해가 지고 밤이 되어 오는 때] noche *f*; [어두워지는 전] tarde *f*. ~에 [어두워지는 전에] por la tarde, *AmL* en la tarde; [어두워진 후에] por la noche, *AmL* en la noche. ~ 열 시에 a las diez de la noche. ② ((준말)) =저녁밥(cena). ¶~을 먹다 cenar, tomar la cena, *AmL* comer.

저녁밥 cena *f*, *AmL* comida *f*. ~을 먹다 cenar, tomar la cena. ~을 짓다 preparar la cena.

저능(低能) idiotez *f*, imbecilidad *f*. ~하다 (ser) idiota, imbécil, falto de inteligencia, tonto. ~아 niño, -ña *mf* imbécil; niño, -ña *mf* anormal; idiota *mf*.

저다지 tanto, muy, como eso, en ese modo.

저당(抵當) ① [맞서서 겨룸] competición *f*, competencia *f*. ~하다 competir(se). ② ((법률)) fianza *f*, prenda *f*, seguridad *f*, pignoración *f*; [부동산의] hipoteca *f*. ~하다 dar en prenda.

저당권(抵當權) derecho *m* de hipoteca, título *m* de propiedad depositada en calidad de hipoteca [de pignoración]. ~ 설정 empeño *m*, hipoteca *f*. ~ 설정자 deudor *m* hipotecario, deudora *f* hipotecaria. ~자 acreedor *m* hipotecario, acreedora *f* hipotecaria.

저락(低落) caída *f*, depreción *f*, descenso *m*, disminución *f*. ~하다

caer, disminuir, decrecer.

저러하다 ser así, ser como eso.

저런 ¡Hombre! / ¡Caramba! / ¡Hola! / ¡Madre mía! / ¡Jesús! / ¡Dios mío! / ¡De veras!

저렇게 así, tan, tanto, de esa manera, de ese modo, de esa suerte, de tal suerte.

저력(底力) energía *f* propia, *su* propia fuerza, *su* verdadera fuerza. ~이 있다 tener reservas de energía [de fuerza].

저렴하다(低廉-) (ser) barato, de precio bajo.

저리 ① [저러하게. 저와 같이] así, como eso, de esa manera. ② [저 곳으로. 저쪽으로] allá, a ese lugar. ~ 가십시오 Váyase allá.

저리(低利) interés *m* bajo, tipo *m* bajo. ~ 자금 fondo *m* de interés bajo.

저리다 sentirse dolorido, sentir(se) pena, sentir(se) dolor, entumecerse; [마비되다] paralizarse. 다리가 ~ entumecerse*le* la pierna y el brazo, tener la pierna y el brazo paralizados.

저마다 cada uno, todo el mundo, cada gente, todos los hombres.

저만큼 tan, tanto, como así.

저만하다 (ser) tal, tan, tanto. 저만한 미녀 mujer *f* tan hermosa.

저맘때 alededor de ese tiempo, en esa época del día [mes · año].

저명 인사(著名人士) personalidad *f*.

저명하다(著名-) (ser) célebre, renombrado, famoso, eminente, prominente.

저물가(低物價) precio *m* bajo. ~ 정책 política *f* de precio bajo.

저물다 ① [해가] ponerse. 해가 ~ ponerse el sol. ② [한 해가] terminar. 한 해가 ~ terminar el año.

저미다 cortar en tajadas, tajar, picar, hacer picadillo, partir, dividir. 저민 조각 tajadura *f*, picadura *f*; [고기 따위의] tajada *f*, picadillo *m*. 고기를 ~ picar [hacer picadillo] la carne.

저버리다 ① [약속을 어기다] violar, quebrantar, abandonar, faltar, desertar, separarse, defraudar. 약속을 ~ violar *su* promesa, romper *su* promesa, faltar a *su* palabra. ② [은혜를 모른 체하다] traicionar, faltar. 신의를 ~ traicionar [faltar a] la confianza.

저변(底邊) ① ((수학)) ((구용어)) = 밑변. ② [사물의 밑바닥을 이루는 부분] la capa más baja. 사회의 ~ la capa más baja de la sociedad.

저서(著書) obra *f*, libro *m*. 그는 ~가 많다 El ha escrito muchos libros.

저소득(低所得) bajos ingresos *mpl*, ingresos *mpl* bajos, ingresos *mpl* reducidos. ~ 계층 grupo *m* de bajos ingresos, acoplamiento *m* de ingresos de tipo inferior. ~자 persona *f* de ingresos bajos.

저속(低俗) vulgaridad *f*, vileza *f*, bajeza *f*, ordinariez *f*, grosería *f*, mal gusto *m*, chabacanería *f*. ~하다 (ser) vulgar, vil, bajo, grosero, de mal gusto, ordinario, chabacano.

저속(低速) =저속도(低速度).

저속도(低速度) velocidad *f* baja [lenta], pequeña velocidad *f*.

저수(貯水) el agua *f* acumulada, almacenaje *m* de agua. ~하다 acumular el agua, retener el agua. ~량 volumen *m* del agua retenida [acumulada], almacenaje *m* de agua. ~조 depósito *m* de agua. ~지 estanque *m*, depósito *m* [arca *f*] de agua; [댐 등의] embalse *m*. ~탑 torre *f* de agua.

저술(著述) escritura *f*, autoría *f*, redacción *f*; [저작물] obra *f*, libro *m*. ~하다 escribir, componer, redactar. ~가 autor, -tora *mf*; escritor, -tora *mf*. ~업 profesión *f* literaria, profesión *f* de las letras.

저습지(低濕地) zona *f* de bajas presiones, lugar *m* pantanoso, lugar *m* cenagoso.

저습하다(低濕−) (ser) bajo y húmedo.

저승 otro mundo *m*, ultratumba *f*; [내세] la otra vida, la vida futura.

저압(低壓) ① [낮은 압력] baja presión *f*, presión *f* baja. ② [낮은 전압] bajo voltaje *m*, baja tensión *f*. ③ ((기상)) =저기압.

저액(低額) poca cantidad *f*. ~ 소득자 persona *f* de una renta baja, persona *f* de ingresos bajos. ~ 소득층 clases *fpl* de ingresos bajos, clases *fpl* de una renta baja.

저열(低熱) temperatura *f* baja, fiebre *f* baja.

저열하다(低劣−) (ser) vulgar, vil, ruin.

저온(低溫) ((준말)) =저온도(低溫度). ~ 냉동 refrigeración *f* de baja temperatura. ~ 요법 crioterapia *f*.

저온도(低溫度) baja temperatura *f*.

저울 balanza *f*. ~에 달다 pesar. ~눈 escala *f* de la balanza. ~대 astil *m*, (balanza *f*) romana *f*. ~추 pesa *f*.

저율(低率) ① [어떤 표준보다 낮은 비율] tipo *m* bajo, tasa *f* baja. ② [헐한 이율] tipo *m* barato, tasa *f* barata. ~의 이자로 a interés de tipo barato.

저음(低音) ① [낮은 소리, 낮은음] sonido *m* de tono bajo, voz *f* baja. ~으로 노래하다 cantar en voz baja. ② ((음악)) [베이스] bajo *m*.

¶~ 가수 bajo *m*. ~부 bajo *m*. ~부 기호 clave *f* de fa. ~부 악기 contrabajo *m*, bajo *m*.

저의(底意) intención *f* oculta [encubierta·secreta], segunda intención *f*. ~가 있는 de intención encubierta, de [con] segunda intención.

저이 aquella persona *f*; [남자] aquel hombre *m*; [여자] aquella mujer *f*, aquél, -lla *mf*; él, ella *mf*.

저인망(底引網) red *f* barredera, red *f* de (pesca de) arrastre, jábega *f* jorro *m*, red *f* de jorro. ~을 치다 hacer pesca de arrastre, pescar con red de arrastre. ¶~ 어업 pesca *f* con red barredera, pesca *f* de arrastre.

저임금(低賃金) sueldo *m* bajo, poco sueldo *m*, salario *m* escaso. ~으로 일하다 trabajar a poco sueldo [salario]. ¶~ 정책 política *f* de sueldo bajo.

저자 ① [가게] tienda *f*. ② [장] plaza *f*, mercado *m*.

저자(著者) ((큰말)) =저작자(著作者). ¶~ 불명의 책 libro *m* anónimo. ~의 서명 autógrafo *m* del autor. ¶~ 미상 anónimo *m*.

저자세(低姿勢) actitud *f* conciliadora, [moderada]. ~를 취하다 tomar una actitud conciliadora [moderada].

저작(著作) escrito *m*, escritura *f*, obra *f* literaria, producción *f* literaria, redacción *f* de las obras. ~하다 escribir (libros). ~자 autor, -tora *mf*; escritor, -tora *mf*.

저작가(著作家) escritor, -tora *mf*; autor, -tora *mf*; hombre *m* de letras.

저작권(著作權) derechos *mpl* de autor, derechos *mpl* de reproducción, propiedad *f* literaria, *copyright ing.m.* ~으로 보호하다 registrar los derechos, obtener el copyright. ~을 소유하다 tener los derechos, tener el copyright.

저작물(著作物) obras *fpl*, escritos *mpl*.

저장(貯藏) almacenamiento *m*, provisión *f*, reserva *f*; [보존] conservación *f*; [과실의] conserva *f*. ~하다 almacenar, conservar; [과실·야채를] hacer conserva, poner en conserva. ~소 depósito *m*, almacén *m*, *Chi*, *Col*, *Méj* bodega *f*. ~실 almacén *m*, depósito *m*, *Méj* bodega *f*; [음식용의] despensa *f*. ~품 productos *mpl* almacenados, reservas *fpl*, provisiones *fpl*.

저절로 sí solo, por sí mismo, solo, de por sí, sin ayuda, espontáneamente, automáticamente, naturalmente.

저조(低調) ① [낮은 가락] tono *m*

menor, tono *m* bajo, voz *f* baja. ~하다 (ser) bajo. ② [침체함] flojedad *f*, inactividad *f*, inactición *f*. ~하다 (ser) flojo, inactivo. ~한 경기 situación *f* económica floja. ③ [능률이 오르지 않음] baja eficacia *f*.

저주(詛呪) maldición *f*, imprecación *f*. ~ 하다 maldecir, echar maldición, imprecar, hechizar, execrar. ~ 받을! ¡Maldito sea! / [여자에게] ¡Maldita sea!

저주파(低周波) baja frecuencia *f*.

저지(低地) tierras *fpl* bajas, parte *f* baja. 시내의 ~ parte *f* baja de la ciudad.

저지(沮止) impedimento *m*, estorbo *m*, obstáculo *m*, obstrucción *f*. ~하다 impedir, dificultar, obstaculizar, dificultar, obstruir, estorbar, detener.

저지르다 cometer. 잘못을 ~ cometer un error.

저질(低質) mala cualidad *f*, *AmL* mala calidad *f*.

저쪽 aquel lado *m*, aquella dirección *f*; [건너쪽] (allá) otro lado, más lejos, más allá. ~에 en aquella dirección, allá; [멀리] lejos, a lo lejos, en la lejanía; [건너편에] más allá de ···. ~으로 al otro lado. ~에서 del otro lado.

저처럼 ① [저만한 정도로] como aquello, tal. ~ 큰 나무 tal árbol grande. ② [저와 같이] como aquello.

저촉(抵觸) ① [서로 부딪침] frotación *f*, colisión *f*. ~하다 chocar (contra). ② [법률이나 규칙에] 위배되거나 거슬림] contravención *f*, violación *f*. ~하다 ser contrario, ser opuesto, chocar (contra), ir contra, infringir, contravenir.

저축(貯蓄) ① [절약하여 한데 모아 둠] ahorro *m*, economías *fpl*, depósito *m*. ~하다 ahorrar(se), economizar. ② [현재의 잉여를 장래를 위해 모아 둠] provisión *f*, reserva *f*. ~하다 reservar, atesorar. [모으다] acumular, amontonar. ¶ ~ 보험 seguro *m* de ahorros. ~ 예금 구좌 cuenta *f* de ahorros, cuenta *f* de depósito, cuenta *f* a plazo. ~ 운동 campaña *f* de ahorros. ~ 은행 caja *f* de ahorros, banco *m* de ahorros.

저탄(貯炭) reservas *fpl* de carbón.

저택(邸宅) ① [왕후의 집] casa *f* regia. ② [규모가 큰 집] palacio *m*, mansión *f*, casa *f* grande, castillo *m*, residencia *f*.

저토록 tanto.

저편(－便) ① ＝저쪽. ② [저쪽 편의 사람들] otro partido *m*, personas *fpl* del otro lado.

저하(低下) caída *f*, baja *f*, bajada *f*, declinación *f*, caimiento *m*, decadencia *f*, menoscabo *m*, deterioración *f*. ~하다 caer, bajar, declinar, inclinarse hacia abajo, descender, deteriorar.

저학년(低學年) grados *mpl* [cursos *mpl*] inferiores, cursos *mpl* elementales, clases *fpl* bajas.

저항(抵抗) ① ＝대항(對抗). ¶~하다 resistir(se), oponerse, oponer resistencia, hacer frente. ② ((물리)) resistencia *f*. ③ ((물리)) ＝전기 저항. ④ [권력이나 권위·구도덕에의 반항] resistencia *f*, oposición *f*, desobediencia *f*. ~하다 resistir. ~계 ohmímetro *m*. ~기 [전기] resistencia *f* (eléctrica), resistor *m*.

저해(沮害) impedimento *m*, traba *f*, estorbo *m*. ~하다 impedir, poner trabas, ponere obstáculos, estorbar, vedar.

저혈압(低血壓) hipotensión *f*.

저희 ① ((경사말)) nosotros, -tras. ② [저 사람들] aquellas personas.

적(赤) ((준말)) ＝적색(赤色).

적(炙) pincho *m* de carne de vaca, pincho *m* de pollo.

적(的) ① ＝과녁(blanco). ② [대상·목표·표적] blanco *m*, foco *m*, objeto *m*, centro *m*. 선망의 ~ objeto *m* de la envidia.

적(敵) ① [자기와 원수인 사람] enemigo, -ga *mf*. ② [싸움의 상대] adversario, -ria *mf*, opositor, -tora *mf*; antagonista *mf*, rival *mf*; competidor, -dora *mf*.

적(籍) registro *m* civil; [본적] domicilio *m* legal.

적갈색(赤褐色) color *m* moreno rojizo, color *m* de las hojas caídas.

적개(敵愾) indignación *f* justificada al enemigo.

적개심(敵愾心) [적의] hostilidad *f*, enemistad *f*; [경쟁심] emulación *f*, rivalidad *f*. ~에 불타다 sentir emulación, rivalizar. ~을 일으키다 excitar [inspirar] hostilidad.

적격(適格) competencia *f*. ~의 apto. ~이다 [자격이] ser competente [calificado]; [적성이] ser apto. ~ 자(者) competente *mf*, calificado, -da *mf*.

적교(吊橋) puente *m* colgante.

적국(敵國) país *m* enemigo [hostil].

적군(赤軍) ejército *m* rojo.

적군(敵軍) tropa *f* enemiga, ejército *m* enemigo, fuerza *f* enemiga.

적극(積極) ① [바싹 다잡아서 활동함] lo positivo. ② [적극적] positivamente, activamente. ¶~성 positividad *f*. ~성이 없다 ser poco emprendedor. ~적 positivo, activo; emprendedor, dinámico. ~적으로 positivamente, activamente.

적금(積金) ① [돈을 모아 둠] colección f de dinero; [모아둔 돈] dinero m coleccionado. ② [일정한 금액을 적립하는 저금] ahorro m de plazo, depósito m de plazo.

적기(適期) tiempo m oportuno. ~의 oportuno, en tiempo.

적나라하다(赤裸裸一) (ser) desnudo, descubierto; [솔직하다] franco, sincero, abierto. 적나라하게 francamente, sin reserva, sinceramente, abiertamente.

적다[글로 쓰다] escribir, apuntar, anotar, poner escrito, redactar; [서술하다] describir. 연필로 ~ escribir con lápiz.

적다[많지 않다] [양이] (ser) poco, de poco volumen; [수가] pocos, poco numeroso; [부족하다] faltar, no ser suficiente. 적지 않은 손해 pérdida f considerable.

적당하다(適當一) convenir, adaptarse, sentar [venir · ir · quedar] bien, ser adecuado [conveniente · apto · apropiado], adecuarse. 적당한 conveniente, adecuado, moderado; [시의를 얻은] oportuno, tempestivo; [이상적인] ideal. 적당한 가격 precio m razonable.

적대(敵對) desafío m, hostilidades fpl, operaciones fpl hostiles. ~하다 desafiar, enmistarse, oponerse, ser hostil, ser antagónico; [저항하다] resistir. ~国 país m hostil. ~시 consideración f con hostilidad. ~시하다 ser hostil, considerar un enemigo. ~행위 actitud f hostil, hostilidades fpl, operaciones fpl hostiles, antagonismo m.

적도(赤道) ecuador m. ~ 기념비 monumento m a la mitad del mundo. ~ 무풍대 zona f de las calmas ecuatoriales; ((기상)) las calmas ecuatoriales.

적령(適齡) edad f apropiada; [결혼의] edad f casadera, edad f núbil; [징병의] edad f propia para [de] reclutamiento. ~기 época f de edad propia. ~아(兒) niño, -ña mf apropiada para el ingreso escolar.

적립(積立) acumulación f, ahorro m, reserva f. ~하다 acumular, amontonar, ahorrar, reservar. 돈을 ~하다 reservar dinero. ¶ ~금 reserva f. ~금 fondo m de reserva.

적막(寂寞) soledad f, desolación f, desolamiento m. ~하다 (ser) solitario, desolado, desierto.

적반하장(賊反荷杖) El ladrón ataca al amo con un garrote.

적발(摘發) revelación f, denuncia f, delación f. ~하다 revelar, delatar, denunciar; [폭로하다] descubrir.

적법(適法) legalidad f. ~의 legal, legítimo, justo, conforme a la ley

legítima; [법에 저촉 없이] lícito.

적병(敵兵) soldado m enemigo.

적부(適否) propiedad f, lo apropiado, lo adecuado, aptitud f, capacidad f.

적분(積分) integración f, cálculo m integral. ~하다 integrar. ~ 방정식 ecuación f integral. ~법 integración f. ~학 cálculo m integral. ~ 함수 función f integral.

적삼 chaqueta f sin forro para el verano.

적색(赤色) color m rojo. ~의 rojo, del color rojo. ~ 잉크 tinta f roja.

적설(積雪) nevada f, nieve f amontonada, nieves fpl. ~량 nevada f.

적성(適性) aptitud f, idoneidad f. ~의 adoptado. ~이 있다 (ser) apto, idóneo. ¶ ~ 검사 examen m de aptitud, examen m de cualidad, examen m de adaptabilidad.

적성(敵性) carácter m de enemigo; [적의] hostilidad f. ~을 나타내다 mostrar hostilidad. ¶ ~ 국가 país m hostil [enemigo].

적소(適所) lugar m [posición f] conveniente [propia].

적수(赤手) mano f vacía. ~로 manivacío, sin armas. ~공권 manos fpl vacías y puños desnudos. ~공권으로 [자금 없이] sin recursos; [무기없이] sin armas.

적수(敵手) rival f, competidor, -dora mf; antagonista mf.

적시(適時) tiempo m oportuno [conveniente]. ~의 oportuno, conveniente. ~타 golpe m oportuno.

적시다 mojar, humedecer (con líquido), empapar, remojar, sumergir.

적신호(赤信號) ① [교통 기관의 정지 신호] luz f roja, semáforo m en rojo. ② [위험 신호] señal f roja, señal f peligrosa.

적십자(赤十字) ① [휘장] cruz f roja. ② ((준말)) =적십자사. ¶ ~기 bandera f de la Cruz Roja. ~ 병원 Hospital m de la Cruz Roja. ~사 Sociedad f de la Cruz Roja. ~ 조약 convención f de la Cruz Roja. ~ 회담 conversaciones fpl de la Cruz Roja.

적어도 a lo menos, por lo menos, al menos, cuando menos; [최소로도] como mínimo.

적역(適役) puesto m adecuado [propio], papel m adecuado.

적역(適譯) buena traducción f, traducción f exacta. ~하다 dar buena traducción.

적외선(赤外線) rayos mpl infrarrojos, radiación f infrarroja. ~ 필름 película f infrarroja, película f de infrarrojos. ~ 현미경 microscopio m infrarrojo, microscopio m de rayos infrarrojos.

적요(摘要) sumario m, resumen m,

extracto *m*, compendio *m*, sinopsis *f*; [책의] epítome *m*.

적용(適用) aplicación *f*. ~하다 aplicar. ~할 수 있는 aplicable.

적응(適應) adaptación *f*, aptitud *f*. ~하다 adaptarse, acostumbrarse; [기후·풍토에] aclimatarse ~시키다 adaptar.

적의(敵意) hostilidad *f*, enemistad *f*, adversidad *f*. ~가 있는 hostil. ~를 보이다 mostrar hostilidad.

적이 un poco, ligeramente.

적이나 ① [약간이라도, 다소라도] un poco por lo menos. ② =적이.

적임(適任) ① [임무에 적당함] aptitud *f*, capacidad *f*, adecuación *f*, competencia *f*, propiedad *f*, idoneidad *f*. ~의 apto, adecuado, apropiado, competente, habilitado, idóneo. ② =적임자. ¶~자 persona *f* adecuada [apta], hombre *m* competente.

적자(赤字) cifra *f* roja, déficit *m*.

적자(適者) persona *f* más adecuada. ~ 생존 supervivencia *f* [sobrevivencia *f*] de los más aptos.

적장(敵將) general *m* enemigo.

적장자(嫡長子) primogénito *m* de la esposa legítima.

적재(適材) talento *m*. ~적소 Cada cosa en su lugar.

적재(積載) cargamento *m*. ~하다 cargar. ~량 carga *f*; [적재할 수 있는 용량] capacidad *f* de carga. ~톤수 tonelaje *m* de capacidad.

적적하다(寂寂－) (ser) solitario, desolado, desierto, desconsolado. 적적한 곳 lugar *m* solitario.

적전(敵前) enfrente del enemigo.

적절하다(適切－) (ser) conveniente, adecuado, propio, propiado, pertinente, preciso, idóneo, atinado, pintiparado. 적절히 adecuadamente, apropiadamente.

적정(適正) convenciones *fpl*, normas *fpl*. ~하다 (ser) apropiado, propio, justo, razonable. ~ 가격 precio *m* razonable, precio *m* apropiado.

적중(的中) acertamiento *m*, blanco *m*, diana *f*. ~하다 acertar en el blanco, dar en el blanco. ~시키다 acertar, atinar.

적지않다 (ser) un buen número.

적지않이 mucho, a un buen número.

적진(敵陣) campo *m* enemigo, posición *f* [línea *f*] enemiga. ~을 돌파하다 romper la línea enemiga.

적출(摘出) extracción *f*, escogimiento *m*, revelación *f*; ((외과)) extirpación *f*. ~하다 extraer, sacar (por operación), arrancar, extirpar.

적출(嫡出) legitimidad *f*. ~의 legítimo. ~자(子) hijo *m* legítimo.

적침(敵侵) invasión *f* enemiga. ~을 분쇄하다 aniquilar [destrozar] la invasión enemiga.

적탄(敵彈) bala *f* [bomba *f*· granada *f*] enemiga, proyectiles *mpl* enemigos. ~에 쓰러지다 caer bajo la bala enemiga.

적포도주(赤葡萄酒) (vino *m*) tinto *m*. ~색 rojo *m* granate.

적하(積荷) carga *f*, flete *m*, cargamento *m*. ~하다 cargar.

적함(敵艦) barco *m* (de guerra) del enemigo.

적합하다(適合－) ser apto [adecuado· apropiado], adaptarse, convenir, ir bien, venir bien, sentar bien, adecuarse.

적혈구(赤血球) glóbulo *m* rojo, hematíe *m*, eritrocito *m*.

적히다 escribirse, ser escrito, ser apuntado.

전(全) todo, total, entero, completo. ~인류 toda la humanidad.

전[1](前) ① [그 전·이전] antes (de), hace. …하기 ~에 antes de + *inf*, antes (de) que + *subj*. 늙기 ~에 antes de que se haga viejo. 10년 ~에 hace diez años, diez años atrás. ② [막연히 과거를 이르는 말] pasado. ③ [기원전] antes de. ~ 500년 quinientos años antes de Jesucristo. ④ [편지나 사연을 상대 앞으로 보냄] a, para. 아버님 ~ 상서 la carta a mi padre.

전[2](前) [자격·직함 따위를 나타내는 명사 앞에서] ex, ex-, anterior; [챔피언] antiguo. ~ 대통령 ex presidente.

전(煎) *cheon*, tortilla *f* coreana.

전(甎) adobe *m*.

전(錢) ① [돈의 단위] *cheon*, céntimo *m*, *AmL* centavo *m*. ② [옛날 엽전 열 푼] diez *pun*, diez céntimos.

전(廛) tienda *f*.

전가(傳家) ¶~의 hereditario. ~지보(之寶) reliquia *f*. ~지보도(之寶刀) espada *f* de reliquia, espada *f* atesorada en la familia, baza *f*.

전가(轉嫁) imputación *f*. ~하다 imputar, echar la culpa a otro.

전갈(全蠍) ((동물)) escorpión *m*.

전갈(傳喝) mensaje *m* (verbal), recado *m*, mandato *m*. ~하다 mandar [enviar] un mensaje, enviar [mandar] un recado.

전개(展開) despliegue *m*, desarrollo *m*, desenvolvimiento *m*; [진전] evolución *f*; ((수학)) desarrollo *m*. ~하다 desplegarse, desarrollarse, desenvolverse. ~시키다 desarrollar, desplegar, desenvolver.

전갱이 ((어류)) caballa *f*.

전거(典據) autoridad *f*; [출전] referencia *f*; [원전] fuente *f*, documento *m* original.

전거(轉居) mudanza *f*, traslado *m*, cambio *m* de residencia. ~하다

mudarse, trasladarse, cambiar de residencia.

전격(電擊) rayo *m*, sacudida *f* eléctrica. ~ 작전 operación *f* de relámpago, ataque *m* fulgurante [rápido]. ~적 (de) relámpago, fulgurante, rápido.

전경(全景) vista *f* completa [general], panorama *m*, todo el paisaje, toda la escena.

전공(前功) mérito *m* anterior.

전공(專攻) especialidad *f*, estudio *m* especial. ~하다 especializarse, estudiar una especialidad. ~과목 asignatura *f* principal, tema *m* del estudio especial. ~의(醫) médico, -ca *mf* especial.

전공(戰功) mérito *m* militar, hazaña *f* militar, servicios *mpl* meritorios [distinguidos] en la guerra.

전과(全科) curso *m* completo, todo curso de estudios (en un colegio).

전과(前科) crimen *m* [ofensa *f*] anterior [precedente]. ~가 있다 tener antecedentes criminales. ¶ ~자 ex-recluso, -sa *mf*; ex-presidiario, -ria *mf*; recluso, -sa *mf* [presidiario, -ria *mf*] de antecedentes criminales; ex-reo *mf*.

전과(戰果) frutos *mpl* de una batalla, logros *mpl* militares, resultado *m* de la guerra, victoria *f*. ~를 올리다 ganar por la guerra.

전관(專管) jurisdicción *f* exclusiva. ¶ ~ 수역 zona *f* pesquera exclusiva.

전광(電光) ① =번개. 번갯불. ② [전기등의 불빛] luz *f* eléctrica, chispa *f* eléctrica, rayo *m* eléctrico.

전광석화(電光石火) ㉮ [극히 짧은 시간] tiempo *m* muy corto. ㉯ [아주 신속한 동작] movimiento *m* muy ágil. ~처럼 como un relámpago, como un centello.

전교(全校) toda la escuela, escuela *f* entera. ~생 todos los alumnos [estudiantes] de la escuela.

전구(電球) bombilla *f*.

전국(全國) todo el país, el país entero, toda la nación. ~의 nacional.

전국민(全國民) todo el pueblo.

전군(全軍) todo el ejército.

전권(全卷) ① [모든 권] todos los volúmenes [tomos]. ② [그 권 전부] todo el volumen, todo el tomo.

전권(全權) poderes *mpl* plenos, facultades *fpl* amplias, plenipotencia *f*. ~공사 ministro *m* plenipotenciario. ~ 대사(大使) embajador *m* plenipotenciario.

전권(前券) primer tomo *m*, tomo I (primero).

전근(轉勤) traslado *m*, cambio *m* de empleo [cargo]. ~하다 ser trasladado, cambiar empleo [cargo].

전기(前記) lo mencionado antes. ~의 mencionado [dicho] antes [más arriba], sobredicho, antedicho.

전기(前期) primer período *m* [término *m* · curso *m*]; [전반] primera mitad *f*, [상반기] primer semestre *m*.

전기(傳記) biografía *f*, historia *f* biográfica. ~의 biográfico. ~ 문학 literatura *f* biográfica. ~물 escritos *mpl* biográficos. ~ 소설 biografía *f* ficticia, novela *f* biográfica. ~ 작가 biógrafo, -fa *mf*.

전기(電氣) electricidad *f*. ~의 eléctrico. ¶ ~공 electricista *mf*. ~공학 electrotecnia *f*, electro-tecnología *f*; [대학교의] ingeniería *f* eléctrica. ~ 기사 electricista *mf*; electrotécnico, -ca *mf*; [대학 학위를 가진] ingeniero *m* electronico, ingeniera *f* electrotécnica. ~ 기술자 electricista *mf*. ~ 난로 estufa *f* eléctrica. ~ 다리미 plancha *f* eléctrica. ~ 담요 manta *f* eléctrica. ~ 도금 galvanostegia *f*, galvanoplastia *f*, galvanoplástica *f*, electroplastia *f*, electrodeposición *f*, galvanización *f* eléctrica; [금도금] dorado *m* por la galvanplastia; [은도금] plateado *m*. ~료 tarifa *f* de la electricidad, tarifas *fpl* eléctricas. ~ 마사지 electromasaje *m*. ~ 면도기 maquinilla *f* [máquina *f*] de afeitar, afeitadora *f* (eléctrica). ~ 밥솥 olla *f* eléctrica. ~ 분해 electrólis *f*. ~ 요법 electroterapia *f*. ~ 용접 soldadura *f* eléctrica. ~ 용접공 soldador *m* eléctrico. ~ 용접기 soldadura *f* eléctrica. ~ 용접봉 electrodo *m*. ~ 진공 청소기 aspiradora *f* eléctrica. ~ 치료 electroterapia *f*. ~ 회로 circuito *m* eléctrico. ~ 회사 compañía *f* eléctrica. ~ 히터 calefactor *m* eléctrico. ~시불 luz *f* eléctrica.

전기(戰記) crónica *f* [memorias *fpl*] de la guerra. ~물(物) relato *m* [historieta *f*] de la guerra.

전기가오리(電氣-) torpedo *m*.

전기뱀장어(電氣-長魚) gimnoto *m*.

전기장어(-長魚) anguila *f* eléctrica.

전나무 ((식물)) abeto *m* (blanco).

전날(前-) ① [어떤 날의] bajo ante 앞의 날] día *m* anterior [precedente], víspera *f*. 출발 ~에 la víspera de la salida. 축제 ~에 el día antes de la fiesta. ② [지난날] el pasado, día *m* pasado.

전년(前年) ① [작년] año *m* pasado. ② [지나간 해] año *m* anterior, año *m* precedente.

전념(專念) dedicación *f*, concentración *f* de la mente. ~하다 dedicarse, entregarse, sumergirse, ocuparse.

전능(全能) omnipotencia *f.* ~하다 (ser) omnipotente, todopoderoso. ~한 신(神) Todopoderoso *m.*

전단(傳單) folleto *m*, panfleto *m*, volante *m*, hojilla *f*, hojuela *f*, papel *m* [hoja *f*] volante, cartel *m*, letrero *m*, anuncio *m*, pasquín *m*. ~을 뿌리다 esparcir papeles volantes, dar pasquines a los transeúntes, distribuir carteles.

전달(前一) ① [지난 달] mes *m* pasado. ② [어떤 달의 바로 앞의 달] mes *m* anterior.

전달(傳達) transmisión *f*, entrega *f*, traspaso *m*, comunicación *f*. ~하다 transmitir, entregar, comunicar, anunciar, pasar, dar, recitar, enviar, transferir.

전담(全擔) toda responsabilidad *f*, carga *f* completa. ~하다 encargarse.

전답(田畓) el arrozal y el campo.

전당(典當) prenda *f*, empeño *m*. ~(을) 잡다 empeñar. ~(을) 잡히다 empeñar, dar [dejar] en prenda, prendar, entregar en prenda, entregar en garantía. ¶ ~포 montepío *m*, casa *f* de empeño(s), *Méj* monte de piedad. ~표 papeleta *f* de empeños.

전당(殿堂) ① [신불을 모신 집] santuario *m*, templo *m*. ② [크고 화려한 집] palacio *m*, mansión *f*.

전대(前代) época *f* pasada, época *f* anterior, última generación *f*.

전대미문(前代未聞) lo que no ha oído hasta el día. ~ inaudito. ~의 홍수 inundación *f* inaudta.

전도(全圖) [그림] cuadro *m* entero, pintura *f* entera; [지도] mapa *m* entero [completo], plano *m* completo. 서울 ~ plano *m* completo de Seúl, mapa *m* entero de Seúl.

전도(前途) ① [앞으로 나아갈 길] camino *m* que recorrer. ~가 양양하다 estar lleno de esperanzas. ② ~ 유망하다.

전도(傳道) ① ((기독교)) misión *f*, evangelización *f*, predicación *f*, propaganda *f*. ~하다 predicar la fe, evangelizar, propagar la religión, difundir el evangelio. ③ ((성경)) predicación *f*. ~하다 predicar, anunciar el mensaje. ¶ ~사(師) evangelista *mf*; predicador, -dora *mf*; evangelizador, -dora *mf*; [해외에서의] misionero, -ra *mf*.

전도(傳導) [물리] transmisión *f*, conducción *f*. ~하다 transmitir, conducir. ~체 conductor *m*.

전동(電動) electromoción *f*. ~기 motor *m* (eléctrico), electromotor *m*. ~력 fuerza *f* electromotriz. ~자 armadura *f* de motor.

전등(電燈) luz *f* [lámpara *fl*] eléctrica.

~을 켜다[끄다] escender [apagar] la luz. ¶ ~갓 pantalla *f* (de lámpara). ~불 luz *f* eléctrica. ~알 bombilla *f*.

전라(全裸) desnudez *f* (completa). ~의 completamente desnudo, totalmente desnudo, en cueros (vivos), en pelotas, *Méj* encuerado, *Per* calato. ~로 desnudo. ~의 여인 mujer *f* desnuda.

전란(戰亂) disturbio *m* [confusión *f*] por la guerra, guerra *f*. ~의 이라크 el Irak en guerra.

전람(展覽) exhibición *f*, exposición *f*, muestra *f*, show *ing.m.* ~하다 exponer. ~회 exhibición *f*, exposición *f*. ~회장 sala *f* [salón *m*] de exposiciones; [화랑] galería *f*.

전래(傳來) transmisión *f*. [외래의] introducción *f*. ~하다 transmitirse, introducirse.

전략(戰略) estrategia *f*, estratagema *f*, táctica *f*, maniobra *f*. ~상의 estratégico. ~으로 이기다 exceder en táctica militar [en maniobra]. ¶ ~가 estratégico, -ca *mf*, estratega *mf*. ~ 무기 armas *fpl* estratégicas. ~ 물자 materias *fpl* estratégicas.

전량(全量) toda la cantidad.

전력(全力) todas *sus* fuerzas, todas las energías, esfuerzo *m* total, todo lo posible. ~으로 a todo poder. ~을 다하여 con todo el esfuerzo, con todas *sus* fuerzas, con todas *sus* energías, con toda energía. ~을 다하다 hacer cuanto pueda, hacer todo lo posible.

전력(前歷) *su* historia anterior, *su* récord pasado, *su* historia pasada, *su* récord anterior, *sus* antecedentes, *su* pasado, carrera *f* antigua.

전력(電力) electricidad *f*, fuerza *f* eléctrica, energía *f* eléctrica. ~계 vatímetro *m*, electrodinamómetro *m*. ~ 공급 fuente *f* de energía, suministro *m* de energía. ~선 línea *f* de energía, línea *f* de alto voltaje, electroducto *m*. ~ 회사 compañía *f* eléctrica, compañía *f* de electricidad.

전력(戰力) potencia *f* militar, fuerza *f* militar, poder *m* militar. ~을 증강하다 reforzar la fuerza militar.

전례(前例) precedente *m*, ejemplo *m* anterior. ~ 없이 inaudito, sin precedente, sin ejemplo. ~에 따라 conforme al precedente. ~가 없다 ser sin precedente.

전류(電流) corriente *f* eléctrica, fluido *m* eléctrico. ~가 통하다 tener la corriente. ¶ ~계 amperímetro *m*, galvanómetro *m*. ~량 fuerza *f* de corriente en amperios.

전립선(前立腺) próstata *f*, glándula *f*

prostática. ~의 prostático. ~ 수술 operación f prostática. ~암 cáncer m de próstata.

전말(顚末) [상세함] detalle m, particulares mpl; [경위] curso m del evento; [사정] circunstancia f. ~을 이야기하다 contarle los particulares completos, contar detalladamente. ¶~서 excusa f escrita, explicación f escrita..

전망(展望) perspectiva f, vista f, panorama m, observación f. ~하다 ver, mirar, observar. ~대 mirador m, atalaya f, belvedere m, plataforma m de observación. ~성 perspectiva f (futura). ~차 coche m panorámico. ~탑 torre f de observación.

전매(專賣) monopolio m, monopolización f. ~하다 monopolizar. ~특허 patente f, privilegio m exclusivo. ~특허권 patente f. ~특허품 artículo m monopolizado. ~품 artículo m monopolizado.

전면(全面) toda la superficie; [신문의] toda página, toda plana. ~의 a toda página, a toda plana. ~강화 paz f general. ~광고 anuncio m a toda página, anuncio m toda plana, anuncio m utilizando toda una página de periódico. ~적 general, total, entero, completo. ~전쟁 guerra f total.

전면(前面) delantera f, frente m; [물의] fachada f, [전경(前景)] primer plano m.

전멸(全滅) aniquilamiento m, anonadación f. ~하다 aniquilarse, ser aniquilado. ~시키다 aniquilar.

전모(全貌) todos los aspectos.

전몰(戰歿) muerte f en (la) batalla. ~하다 morir [caerse] en la batalla. ~ 용사 caídos mpl en batalla, héroes mpl en batalla. ~자 caídos mpl, muertos mpl [difuntos mpl·fallecidos mpl] en batalla [en el campo de honor]. ~ 위령탑 monumento m a los soldados caídos. ~ 장병 (oficiales mpl y) soldados mpl caídos (en (la) batalla).

전무(專務) ① [전문적으로 맡아보는 사무·] negocio m profesional. ② ((준말)) =전무 이사. ¶~ 이사 director, -tora mf general.

전무식(全無識) ignorancia f total.

전무하다(全無一) no tener nada.

전무후무하다(前無後無一) (ser) inaudito, insólito, sin precedentes, único.

전문(前文) ① [앞에 쓴 글] oración f mencionada arriba. ② [법령의 목적이나 제정 취지 등을 밝히는 머리 부분의 글] preámbulo m. ~을 인용하다 citar el preámbulo.

전문(專門) especialidad f. ~의 especial; [직업적인] profesional. ~가 especialista mf; experto, -ta mf, perito, -ta mf. ~ 경영인 director, -tora mf profesional. ~ 대학 facultad f profesional. ~ 분야 campo m especializado. ~ 용어 término m técnico. ~의 médico, -ca mf especialista. ~점 tienda f especializada.

전반(全般) totalidad f, generalidad f. ~적 general, global. ~적으로 generalmente, en general, por lo general.

전반(前半) primera mitad f; [축구 등의] primer tiempo m. ~기 año m de primera mitad. ~부 parte f de primera mitad. ~전 primer tiempo m.

전방(前方) ① [앞쪽] frente. ~의 que está delante, delantero, de más allá. ~에서 de frente. ~으로 adelante. ② [제일선] primera línea f. ¶~ 기지 base f de avance. ~ 지휘소 puesto m de mando.

전방(廛房) tienda f.

전번(前番) el otro día, la vez anterior. ~의 anterior, último.

전범(戰犯) ① ((준말)) =전쟁 범죄 (crimen de guerra). ② ((준말)) = 전쟁 범죄자. ¶~자 ((준말)) =전 쟁 범죄자.

전법(戰法) táctica f, estrategia f.

전별(餞別) despedida f. ~하다 despedirse. ~금 dinero m [regalo m] de despedida. ~연(宴) fiesta f [banquete m] de despedida. ~주 (酒) vino m de despedida. ~회 reunión f de despedida.

전병(煎餅) crep(e) m, AmL panqueque m.

전보(電報) telegrama m, cable m, despacho m telegráfico; [해외에] cablegrama m. ~로 por telegrama, telegráficamente. ~료 precio m de telegrama. ~문 texto m de telegrama. ~ 용지 fórmula f de telegrama.

전복(全鰒) abulón m, oreja f marina, oreja f de mar, Chi loco m.

전복(顚覆) derribo m, vuelco m, trastorno m; [선박의] zozobra f; [정부 등의] derrocamiento m, caída f. ~하다 derribar, volcar(se), trastornarse, zozobrarse.

전봇대(電報一) poste m eléctrico.

전부(全部) todo, lo todo; [합계] suma f, total m; [부사적] totalmente, enteramente, en total, en suma, completamente.

전분(澱粉) ((화학)) =녹말(almidón).

전사(戰士) ① [싸움을 잘 하는 병사] guerrero, -ra mf; combatiente mf; soldado, -da mf. ② [작업 현장에서 땀흘려 일하는 사람] obrero,

-ra *mf*; trabajador, -dora *mf*.

전사(戰史) historia *f* militar, historia *f* de la guerra.

전사(戰死) muerte *f* en la batalla [en el combate]. ~하다 morir en la batalla [en el combate·en la guerra], quedar en el campo. ~자 muertos *mpl* [difuntos *mpl*·caídos *mpl*] en la guerra.

전산(電算) ((준말)) =전자 계산기. ¶~ 사식 fotocomposición *f* en ordenador.

전상(戰傷) herida *f* por guerra. ¶~병 soldado *m* herido por (la) guerra. ~자 herido, -da *mf* por (la) guerra.

전생(前生) ((불교)) vida *f* anterior, existencia *f* pasada, preexistencia *f*. ~연분 relación *f* de karma.

전생애(全生涯) toda la vida.

전서(全書) libro *m* completo.

전선(全線) ① [모든 선로] todas las líneas de ferrocarril. ② [모든 전선] todos los cables eléctricos.

전선(前線) ① [적전 부대가 형성하는 가로의 선] primera línea *f*, frente *m*. ② [맨 선두에 서서 활동하는 일. 또, 그 지위] frente *m*. 산업~ frente *m* industrial. ③ ((기상)) frente *m*.

전선(電線) línea *f* eléctrica, cable *m* eléctrico, alambre *m* eléctrico, cordón *m*, cordel *m* eléctrico; [전신의] línea *f* telegráfica.

전선(戰線) frente *m* de batalla.

전설(傳說) ① [예로부터 전해 내려오는 이야기] leyenda *f*, tradición *f*. ② =전언(傳言).

전성(全盛) (cenit *m*·auge *m*·colmo *m* de) prosperidad *f*, plena prosperidad *f*, pleno florecimiento *m*. ¶~기 período *m* de plena prosperidad. ~ 시대 época *f* de plena prosperidad [de pleno florecimiento], cenit *m*, todo *su* esplendor.

전세(前世) ① =전대(前代). ② ((불교)) =전생(前生).

전세(專貰) reserva *f*, reservaciones *fpl*, contrato *m*, empleo *m*, chárter *m*; ((게시)) Reservado. ~기(機) =전세 비행기. ~내다 reservar, hacer una reserva. ~ 버스 autobús *m* chárter. ~ 비행기 avión *m* chárter.

전세(傳貰) alquiler *m*, contrato *m* de alquiler, contrato *m* de arrendamiento. ~권 derecho *m* de alquiler. ~내다 arrendar, tomar en arriendo, fletar, alquilar. ~방 habitación *f* aquilada. ~ 보증금 depósito *m*, caución *f*, fianza *f*. ~人돈[값] dinero *m* de alquiler. ~집 casa *f* aquilada.

전세계(全世界) todo el mundo, mundo *m* entero.

전소(全燒) destrucción *f* total por incendio. ~하다 quedar destruido completamente en un incendio.

전속(專屬) exclusividad *f*. ~하다 pertenecer exclusivamente. ~의 exclusivo. ~자 cantante *mf* perteneciente; cantante *m* ligado, cantante *f* ligada. ~ 부관 adecán *m*.

전속(轉屬) mudanza *f* (de un militar). ~하다 cambiar de cuerpo militar.

전속력(全速力) toda (la) velocidad *f*.

전손(全損) pérdida *f* [avería *f*] total.

전송(電送) transmisión *f* telegráfica. ~하다 transmitir por telegrama, telefotografiar. ~ 사진 telefotografía *f*. ~ 사진기 telefotógrafo *m*.

전송(轉送) transmisión *f*, remisión *f*, reenvío *m*. ~하다 transmitir, remitir, traspasar.

전수(專修) especialización *f*, estudio *m* exclusivo. ~하다 especializar(se).

전수(傳受) herencia *f*. ~하다 heredar, recibir.

전수(傳授) iniciación *f*, transmisión *f*, instrucción *f*. ~하다 iniciar, transmitir, instruir. ~자(者) iniciador, -dora *mf*.

전술(前述) ¶~한 mencionado [dicho] antes [más arriba]. ~한 바와 같이 como antes mencionado, como se ha dicho [ha mencionado] antes.

전술(戰術) táctica *f*; [전략] estrategia *f*. ~가 táctico, -ca *mf*, estratégico, -ca *mf*. ~ 작전 operaciones *fpl* tácticas.

전승(全勝) victoria *f* completa. ~하다 ganar victoria completa, ganar todos los partidos, salir invicto.

전승(傳承) transmisión *f*, tradición *f*. ~하다 transmitir de generación a generación.

전승(戰勝) victoria *f*, triunfo *m*. ~하다 ganar una victoria. ~국 país *m* victorioso. ~ 기념일 día *f* (conmemorativo) de la victoria. ~자 vencedor, -dora *mf*.

전시(全市) toda la ciudad, ciudad *f* entera.

전시(展示) exposición *f*, exhibición *f*. ~하다 exponer, exhibir. ~실 sala *f* [salón *m*] de exposiciones. ~장 exposición *f*. ~품 objetos *mpl* expuestos, objetos *mpl* en exposición; [작품] obras *fpl* expuestas.

전시(戰時) tiempo *m* [período *m*] de guerra, guerra *f*. ~중에 durante la guerra, en tiempo de guerra. ~ 경제 economía *f* de (la) guerra. ~ 내각 gabinete *m* (ministerial) de guerra. ~ 산업 industria *f* de guerra. ~ 상태 estado *m* de guerra. ~ 수당 prima *f* de guerra, bonificación *f* de guerra.

전신(全身) todo el cuerpo, cuerpo *m* entero. ~ 마사지 masaje *m* de todo el cuerpo. ~ 마취 panaestesia *f*, holonarcosis *f*, anestesia *f* general. ~ 불수 paralisis *f* total [general]. ~ 운동 ejercicio *m* de cuerpo entero.

전신(前身) vida *f* pasada.

전신(電信) telégrafo *m*, telegrafía *f*; [해저 전신] cable *m*. ~ 의 telegráfico, cablegráfico. ~ 국 oficina *f* telegráfica, oficina *f* cablegráfica. ~ 기 telégrafo *m*, equipo *m* de telegráfico. ~ 료 precio *m* de telegrama. ~ 망 red *f* telegráfica. ~ 법 telegrafía *f*. ~ 부호 cifra *f* telegráfica. ~ 주 poste *m* eléctrico. ~ 환 giro *m* telegráfico, transferencia *f* telegráfica, remesa *f* telegráfica.

전심(全心) todo su corazón. ~을 다하여 con todo su corazón. ¶ ~전 todo su cuerpo y su alma.

전심(專心) todo el corazón. ~하다 entregarse, dedicarse, aplicarse. 학문에 ~하다 dedicarse al estudio, sumergirse en el estudio.

전압(電壓) voltaje *m*, presión *f* eléctrica, tensión *f* eléctrica. ~을 올리다 elevar el voltaje.

전액(全額) cantidad *f* total, importe *m* total, monto *m* total, suma *f* total.

전야(前夜) víspera *f*, la noche precedente, anoche. ~제(祭) fiesta *f* de víspera.

전언(傳言) mensaje *m* (verbal), recado *m*. ~하다 enviar palabra, escribir. ~을 남기다 dejar un recado.

전업(專業) especialidad *f*, ocupación *f* especial, monopolio *m*. ~ 농가 agricultor *m* dedicado completamente a la agricultura. ~자 especialista *mf*; monopolista *mf*.

전업(電業) industria *f* eléctrica.

전업(轉業) cambio *m* de empleo, cambio *m* de ocupación, cambio *m* de negocios. ~하다 cambiar de empleo, cambiar de negocios, cambiar de ocupación.

전역(全域) toda la región, toda la comarca, toda la provincia.

전역(全譯) traducción *f* [versión *f*] completa. ~하다 traducir completamente.

전역(轉役) traslado *m*; [제대] baja *f*. ~하다 trasladar; [제대하다] dar de baja del ejército.

전연(全然) enteramente, de todo, en absoluto, íntegramente, cabalmente, totalmente.

전열(電熱) calor *m* eléctrico. ~기 calentador *m* eléctrico.

전열(戰列) frente *m*, línea *f* de batalla.

전염(傳染) contagio *m*, infección *f*, diseminación *f*. ~하다 pasar, comunicar, contagiar, ser infeccioso. ~되다 contagiarse, transmitirse, pegarse. ~병 epidemia *f*, contagio *m*, enfermedad *f* contagiosa, enfermedad *f* infecciosa.

전용(專用) uso *m* exclusivo. ~권 derecho *m* exclusivo. ~기 avión *m* privado. ~로 [자동차의] autopista *f*. ~선(線) [철도의] línea *f* de ferrocarril para el uso exclusivo de su propietario; [전화의] línea *f* exclusiva; [관청의] línea *f* oficial. ~주차장 aparcamiento *m* exclusivo. ~차 coche *m* privado [particular].

전용(轉用) apropiación *f*, asignación *f*, malversación *f*. ~하다 aplicar, destinar, asignar, malversar, cometer malversaciones.

전우(戰友) compañero *m* de armas, camarada *m* de armas, hermano *m* en armas. ~애 compañerismo *m*.

전운(戰雲) nube *f* de guerra.

전원(田園) campo *m*. ~의 rural, campesino, campestre, pastoril, pastoral. ~곡 pastoral *f*. ~ 교향곡 sinfonía *f* pastoral. ~ 도시 ciudad *f* rural [bucólica]. ~ 생활 vida *f* rural [en el campo].

전원(全員) todos, todos los miembros, toda la persona, todo el mundo; [승무원] tripulación *f*. 승객은 ~ 무사하다 Todos los pasajeros están sanos y salvos.

전원(電源) fuente *f* de energía eléctrica [de alimentación], fuerza *f*.

전위(前衛) ① [전방의 호위] vanguardia *f*. ~의 de vanguardia, vanguardista. ~ 부대 tropa *f* vanguardista, tropa *f* de vanguardia. ② ((준말)) =전위대. ③ ((테니스・배구)) jugador *m* delantero, jugadora *f* delantera. ④ [사회・운동이나 예술 운동에서 가장 선구적인 사람이나 집단] vanguardia *f*; [사람] vanguardista *mf*. ¶~대 vanguardia *f*, avanzada *f*. ~ 예술 pintura *f* de vanguardia, arte *m* de vanguardia. ~ 예술가 artista *mf* de vanguardia.

전유(專有) posesión *f* exclusiva. ~하다 poseer exclusivamente. ~권 derecho *m* exclusivo. ~물 objeto *m* exclusivo.

전율(戰慄) estremecimiento *m* [temblor *m*] de horror [de miedo]. ~하다 estremecerse, temblar de miedo [horror], temblequear.

전음(全音) ((음악)) tono *m* entero. ~계 escala *f* diatónica.

전의(戰意) intención *f* hostil, deseo *m* de la guerra, espíritu *m* bélico, ánimo *m* de lucha, moral *f*.

전의(轉義) [비유적인] sentido *m* figurativo [figurado·metafórico]; [파생적인] sentido *m* derivado.

전이(轉移) ① [옮김] cambio *m*, transición *f*. ~하다 cambiar. ② ((의학)) metástasis *f*. ~하다 [암이] metastacizar. 암의 ~ metástasis *f* cancerosa.

전인(全人) todo el hombre, persona *f* polifacética. ~ 교육 educación *f* para todo el hombre.

전인(前人) predecesor, -sor *mf*. ~ 미답(未踏) lo inexplorado, lo que nadie ha alcanzado hasta ahora.

전인구(全人口) toda población.

전일(全一) lo perfecto.

전일(全日) ① [하루 종일] todo el día. ② [모든 날] todos los días. ~제 sistema *m* diurno.

전임(前任) predecesor, -sora *mf*. ~의 precedente. ~자 antecesor, -sora *mf*.

전임(專任) exclusividad *f*. ~의 [학생·군인의] de tiempo completo, de servicio completo; [고용·지위] de jornada completa, de tiempo completa. ~ 강사 lector *m* numerario, lectora *f* numeraria; instructor, -tora *mf* de tiempo completo. ~ 교사 maestro, -tra *mf* de tiempo completo. ~ 교수 catedrático, -ca *mf* titular.

전임(轉任) traslado *m*, cambio *m* de puesto. ~하다 (ser) mudado, trasladado. ~시키다 trasladar a puesto nuevo. ¶~자 persona *f* trasladada. ~지 nuevo puesto *m*.

전입(轉入) ① [전교하여 입학함] transferencia *f*. ~하다 transferir. ② [다른 거주지에서 옮기어 들어옴] traslado *m*. ~하다 mudarse, cambiar de domicilio. ¶~생 estudiante *m* preferido [estudiante *f* preferida] de la otra escuela. ~신고 declaración *f* de traslado (de domicilio).

전자(前者) el primero; el anterior; aquél, aquélla *mf*; aquéllos *mpl*, aquéllas *fpl*.

전자(電子) electrón *m*. ~의 electrónico. ~ 계산기 calculadora *f* electrónica, ordenador *m*, computadora *f*, computador *m*. ~ 공업 industria *f* electrónica. ~ 공학 electrónica *f*, ingeniería *f* electrónica, electrotécnica *f*. ~관 tubo *m* electrónico. ~ 두뇌 calculadora *f* electrónica. ~ 산업 industria *f* electrónica. ~ 오락 juegos *mpl* recreativos electrónicos. ~ 오락실 sala *f* de juegos

recreativos electrónicos. ~ 오르간 órgano *m* electrónico. ~ 우편 correo *m* electrónico [por ordenador]. ~음악 música *f* electrónica. ~ 출판 publicación *f* electrónica. ~파 ondas *fpl* electrónicas. ~ 현미경 microscopio *m* electrónico.

전자기(電磁氣) electromagnetismo *m*. ~장 campo *m* electromagnético. ~파 ondas *fpl* electromagnéticas. ~학 electromagnetismo *m*.

전작(全作) todas las obras.

전작(前酌) licor *m* bebido antes.

전장(全長) longitud *f* total, longitud *f* completa; [부사적] de largo, de longitud; [배의] de proa a proa.

전장(前章) capítulo *m* anterior.

전장(前場) bolsa *f* de mañana.

전장(戰場) campo *m* de batalla.

전재(全載) publicación *f* entera en una página, inserción *f* entera en una página. ~하다 publicar, insertar, poner. 일면에 ~하다 publicar [insertar·poner] en toda la página.

전재(戰災) devastación *f* [destrozo *m*] de la guerra.

전재(轉載) reproducción *f*, copia *f*, transcripción *f*. ~하다 reproducir, copiar, transcribir. ~를 금함 ((게시)) Prohibida la reproducción / Se prohibe la reproducción. ¶~권 derecho *m* de reproducción privada.

전쟁(戰爭) guerra *f*. ~의 guerrero. ~을 하다 hacer (la) guerra, guerrear. ¶~ 고아 huérfano, -na *mf* de guerra. ~ 문학 literatura *f* de guerra. ~ 미망인 viuda *f* de guerra. ~ 보험 seguro *m* de guerra. ~ 포로 prisionero *m* de guerra. ~ 화 pintura *f* de guerra.

전적(全的) total, todo, entero. ~으로 totalmente, enteramente.

전전(戰前) período *m* anterior a la guerra.

전전(輾轉) de un lugar a otro, rodando, de mano a mano. ~하다 errar [vagar] de un lugar a otro, rodar, ir rodando, vagabundear.

전전(前前) tiempos *mpl* anteriores; [오래전] hace mucho tiempo. ~날 la antevíspera. ~달 hace dos meses.

전전긍긍(戰戰兢兢) cuidado *m* con temor, temor *m*, miedo *m*, inquietud *f*, timidez *f*, nerviosismo *m*. ~하다 estar todo atemorizado, estar sobrecogido de terror, temblar con espantos incesantes.

전정(前情) amor *m* anterior, amistad *f* vieja.

전정(剪定) poda *f*, monda *f*, remonda *f*; [식목] escamonda *f*. ~하다 podar. ~가위 podaderas *fpl*, tijeras fpl de podar.

전제(前提) ((논리)) premisa f. ~로 하다 suponer, presuponer. ~ 조건 condición f previa.

전제(專制) autocracia f, despotismo m. ~의 autocrático, despótico, absoluto, arbitrario, arbitral, despótico. ~국 monarquía f absoluta. ~ 군주 monarca m absoluto, autócrata m, déspota m. ~적 autocrático, despótico, absoluto, arbitrario, arbitral. ~ 정치 absolutismo m, gobierno m espótico, régimen m autocrático, autocracia f.

전조(前兆) presagio m; [선악의] agüero m; [징후] síntoma m.

전조등(前照燈) farol m, faro m.

전주(前奏) preludio m. ~곡 preludio m; [오페라의] obertura f.

전주(前週) semana f pasada.

전주(電柱) poste m eléctrico; [전신의] poste m de telégrafo; [전화선의] poste m de teléfono.

전지(全知) omnisciencia f. ~의 omnisciente, omniscio. ~전능 omnipotencia f.

전지(全紙) hoja f completa.

전지(剪枝) rama f podada. ~하다 podar, cortar las ramas.

전지(電池) [라디오・카메라・시계 등의] pila f; [자동차・오토바이의] batería f (eléctrica); [건전지] pila f seca; [축전지] acumulador m. ~ 충전 carga f de acumuladores. ~충전기 cargador m de pila; [자동차의] cargador m de baterías. ~ 회로 circuito m de baterías.

전지(轉地) cambio m de aire. ~하다 cambiar del aire, mudar del aire. ~ 요법 tratamiento m por cambio de aire, climatoterapia f. ~ 요양 tratamiento m para el cambio de aire.

전직(前職) ocupación f anterior. ~ 장관 exministro, -tra mf.

전직(轉職) cambio m de profesión [de ocupación・empleo・puesto・trabajo]. ~하다 cambiar de profesión, mudar de empleo [ocupación・puesto・trabajo].

전진(前進) marcha f hacia delante [al frente], avance m, adelanto m. ~하다 marchar (hacia delante), avanzar, adelantar.

전질(全帙) colección f completa (de libros).

전집(全集) obras fpl completas, colección f completa. 고은 ~ obras fpl completas de Go Eun.

전차(電車) tren m eléctrico; [시내 전차] tranvía m; Chi carro m. ~로 en tranvía.

전차(戰車) ① =병거(兵車). ② [탱크] tanque m. ¶ ~대 unidad f de tanques, cuerpo m de tanques. ~

포 cañón m de tanque.

전처(前妻) esposa f anterior, esposa f divorciada; [첫 아내] primera esposa f, primera mujer f. ~ 소생 (小生) hijos mpl de su esposa anterior.

전천후(全天候) todo tiempo. ~기(機) avión m para todo tiempo. ~농 업 agricultura f para todo tiempo. ~ 폭격기 caza(-)bombardero m.

전철(前轍) experiencia f del mismo error [fracaso] (que uno). ~을 밟 다 seguir en la velación de otro, repetir la misma derrota, cometer el mismo fracaso.

전철기(轉轍機) aguja f de cambio, cambiavía f, agujas fpl, cambio m de vía.

전철수(轉轍手) guardagujas m, AmS cambiovía m, cambiador m.

전체(全體) ① [온 몸] todo el cuerpo. ② [전부. 총체] todo, totalidad f. ¶ ~적 integral, todo, total, entero; [전반적] general. ~적으로 en total, totalmente, en conjunto, en general, generalmente. ~주의 totalitarismo m, totalismo m. ~주의 국가 país m totalitario. ~주의자 totalista mf.

전초(前哨) avanzada f, puesto m de avanzada, puesto m avanzado. ~ 기지 base f de avanzada. ~병 soldado m de avanzada. ~ 부대 tropas fpl de avanzada. ~전 escaramuza f.

전축(電蓄) gramófono m eléctrico.

전출(轉出) mudanza f afuera, efusión f, emanación f. ~하다 mudarse afuera. ~계[신고] notificación f de mudanza. ~ 지 lugar m de mudanza.

전치(全治) recuperación f [cura f] completa [perfecta]. ~하다 recuperarse completamente, curar(se) [sanar] completamente.

전치(前置) anteposición f, acción f de anteponer. ~하다 anteponer, preponer. ~사 preposición f. ~사구 modo m preposicional.

전쾌(全快) =완쾌(完快).

전토(全土) todo el país, todas las partes, todo el territorio.

전통(傳統) tradición f; [관습] convención f; [계승] sucesión f. ~미 belleza f tradicional. ~적 tradicional, convencional. ~주의 tradicionalismo m, convencionalismo m.

전투(戰鬪) combate m, batalla f. ~하다 combatir, batallar. ~ 개시 ((구령)) ¡Acción! ~기 (avión m de) caza; avión m de combate. ~력 capacidad f ofensiva, fuerza f bélica, potencia f bélica, fuerza f [potencia f・valor m] de combate. ~모 gorra f de batalla. ~ 병과

cuerpo *m* de batalla. ~복 traje *m* [uniforme *m*] de campaña, guerrera *f*. ~ 부대 unidad *f* de batalla. ~원 combatiente *mf*.

전파(全破) destrucción *f* completa. ~하다 destruir completamente. ~되다 destruirse completamente.

전파(電波; (물리)) onda *f* eléctrica; [라디오의] onda *f* radioeléctrica, onda *f* hertziana. ~계 ondámetro *m*. ~ 유도탄 cohete *m* radiodirigido. ~ 탐지(기) radar *m*. ~ 탐지 장치 radar *m*.

전파(傳播) propagación *f*, difusión *f*, divulgación *f*, espansión *f*, diseminación *f*, transmisión *f*. ~하다 difundirse, divulgarse, propagarse, diseminarse, circular.

전패(全敗) derrota *f* completa. ~하다 sufrir derrota completa, perder todos los partidos.

전편(全篇) volumen *m* completo, toda la obra.

전편(前篇) primera parte *f*, primer tomo *m*, serie *f* anterior.

전폭(殿下) anchura *f* entera, ancho *m* entero, toda anchura. ~적 todo, pleno, total, incondicional. ~적으로 todo, plenamente, en plenitud, incondicionalmente. ~적 신뢰로 con toda confianza.

전폭기(戰爆機) caza-bombardero *m*.

전표(傳票) nota *f* (de cuenta), volante *m*. ~를 떼다 hacer una nota, pasar una nota.

전표(錢票) vale *m*, recibo *m*, resguardo *m*, nota *f*.

전하(殿下) Su alteza, Su majestad.

전하다(傳一) ① [이 곳에서 저 곳으로 옮기다] mover. ② [소식을 알리다] informar, notificar, comunicar; [말하다] decir. ③ [전수하다] instruir, introducir, iniciar, dar, conceder, hacer saber, hacer conocer. ④ [남겨주다] transmitir, dejar, pasar (sucesivamente de unos a otros). ⑤ [외국으로부터] introducir. ⑥ [전도하다] conducir, transmitir.

전학(轉學) cambio *m* de escuela. ~하다 mudarse a otra escuela, cambiar de escuela. ~생 estudiante *m* transferido de otra escuela.

전함(戰艦) ① [전쟁에 직접 사용하는 함선] buque *m* [barco *m*] de batalla. ② ((준말)) =전투함.

전항(前項) ① [앞에 적혀 있는 사항] artículo *m* [párrafo *m*·cláusula *f*] precedente [anterior]. ~에서 en la cláusula precedente [anterior]. ② ((수학)) antecedente *m*.

전해(前一) ① [지난해] año *m* pasado. ② [어떤 해의 바로 전의 해] año *m* anterior.

전해(電解; ((준말)) =전기 분해. ¶~물[질] electrolito *m*.

전향(轉向) ① [방향을 바꿈] cambio *m* de dirección. ~하다 cambiar la dirección. ② [방향 전환] conversión *f*, transformación *f*. ~하다 convertirse, enmendarse, transformarse. ¶~자 converso, -sa *mf*.

전혀(全一) totalmente, absolutamente, de todo, en absoluto. ~…이 아니다 (no) … nada, no …en absoluto [de ninguna manera·de ningún modo·nunca].

전형(典型) ① [모범이 될 만한 본보기] modelo *m*, ejemplar *m*. ② [조상이나 스승을 본받은 틀] tipo *m*, prototipo *m*; [이상적인 상] ideal *m*. ¶~적 típico, ideal. ~적 미인 belleza *f* ideal, modelo *m* de belleza.

전형(銓衡) selección *f*, elección *f*, escogimiento *m*, deliberación *f*, consideración *f*. ~하다 seleccionar, elegir, escoger, entresacar, deliberar, considerar, designar. ~ 고사 examen *m* de selección.

전화(電化) electrificación *f*, electrización *f*. ~하다 electrificar, electrizar. 철도를 ~하다 electrificar la línea ferroviaria.

전화(電話) teléfono *m*. ~로 por teléfono. ~를 걸다 llamar (por teléfono), telefonear. 장거리 ~를 걸다 poner una conferencia (de larga distancia). ~ 교환원 telefonista *mf*; operador, -dora *mf*. ~국 oficina *f* de telecomunicaciones, oficina *f* de teléfono; [교환국] central *f* telefónica, central *f* de teléfonos. ~기 teléfono *m*; [수화기] receptor *m*; [송수화기] auricular *m* (con micrófono). ~ 번호 (número *m* del) teléfono *m*, número *m* telefónico. ~ 번호부 guía *f* telefónica·de teléfonos; *Col, Méj* directorio *m*. telefónico; *AmL* directorio *m* telefónico (*CoS* 제외). ~ 요금 gastos *mpl* telefónicos; [통화료] coste *m* de la llamada. ~카드 tarjeta *f* telefónica; *AmL* llamado *m* (telefónico). ~ 호출 llamado *m* (telefónica). ~ 회사 compañía *f* telefónica, compañía *f* de teléfonos.

전화위복(轉禍爲福) La mala fortuna trae la buena fortuna a veces / La desgracia se convierte en la bendición.

전환(轉換) conversión *f*, cambio *m*, vuelta *f*, transformación *f*, trueque *m*, torno *m*. ~하다 convertir(se), cambiar, transformar(se), modificar, volverse, dar un torno, trocar. ¶~ 스위치 punto *m* de cambio de frecuencia. ~점 punto *m* de cambio, fase f de transformación, momento m crítico. ~ 주식 accion f convertible.

전황(戰況) situación f militar, situación f de la guerra, desarrollo m [progreso m] de la batalla. ~을 보고하다 informar la situación militar.

전회(前回) vez f anterior; [연속물의] última instalación f. ~의 anterior, último, precedente.

전후(前後) ① [앞과 뒤] delante y detrás. ~의 생각도 없이 sin saberlo nada. ② [처음과 마지막] el principio y el fin. ③ [경(頃)] 쯤, 앞뒤] antes y después. 20세 ~ veinte años más o menos. ¶ ~ 관계 [문장의] contexto m. ~ 좌우 todos los lados, todos los sentidos, todas las direcciones, todas las partes.

전후(戰後) pos(t)guerra f; [부사적] después de la guerra. ~파 generación f de la posguerra; [사람] pos(t)guerra mf.

절 [별찰] templo m (budista), monasterio m (budista), convento m (budista).

절² [인사] saludo m, salutación f. ~하다 saludar, hacer una reverencia, inclinarse para saludar.

절¹(節) ① [(언어)] cláusula f, párrafo m. ② [문장의] sección f; [시의] estrofa f; [성서의] versículo m.

절²(節) ① =절개. ② [예산 편성의] artículo m.

절감(切感) sentimiento m profundo. ~하다 sentir profundamente [sinceramente].

절감(節減) economía f, ahorro m, reducción f. ~하다 economizar, ahorrar, reducir.

절개(切開) incisión f, operación f, desbridamiento m. ~하다 incidir, practicar [hacer] una incisión, operar, cortar desbridar. ~ 수술 operación f (quirúrgica).

절개(節槪) fidelidad f, honor m, integridad f, castidad f. ~ 있는 casto, puro, honesto, íntegro, fiel, leal. ~를 지키다 preservar castidad [integridad].

절경(絶景) paisaje m hermosísimo [muy hermoso], vista f maravillosa [encantadora].

절계(節季) ① [계절의 끝] fin m de la estación. ② [음력 12월] diciembre m del calendario lunar.

절골(折骨) fractura f del hueso. ~하다 romper el hueso. ~되다 romperse el hueso. ☞ 골절(骨折).

절교(絶交) rompimiento m [ruptura f] de la amistad. ~하다 romper (las relaciones). ~장 carta f de rompimiento.

절구 mortero m, molino m. ~돌 muela f, piedra f [rueda f] de molino. ~질 moledura f, molimiento m. ~질하다 moler. ~통 ⑦ =절굿공이. ④ [뚱뚱한 사람 (특히 여자의 별명)] (mujer f) gorda f.

절굿공이 ① majador m, pilón m, majadero m, machacadera f, machaca f. ~로 빻다 moler con majadero, machacar, aprisonar. ② [(화학)] [실험용의] mano f.

절규(絶叫) exclamación f, grito m, jaculatoria f, chillido m; [비명] alarido m; [무언가 요구하는 소리] clamor m. ~하다 exclamar, gritar, dar un grito, lanzar un grito, gritar a voz en cuello, vocear, chillar; [어린아이가] llorar a gritos.

절기(節氣) una subdivisión de las veinticuatro estaciones del año, ciclo m estacional.

절다¹ [물체에 염분이] ser salado, ser puesto sal, ser echado sal. 절인 salado, echado con sal, puesto con sal, condimentado, sazonado.

절다² [걸음을] cojear, renquear, AmL renguear. 다리를 절며 걷다 cojear, andar cojeando.

절단(切斷) corte m, cortadura f, ((외과)) abscisión f; [손발의] amputación f. ~하다 cortar, recortar, dividir, partir, amputar. ¶ ~기 máquina f cortante; [철사용의] tenazas fpl; [유리용의] diamante m, cortavidrios m; [대패의] cuchilla f. ~면 sección f. ~ 수술 amputación f. ~ 수술을 하다 practicar una amputación.

절대(絶對) ① lo absoluto. ~의 absoluto, incondicional, categórico. ~로 absolutamente, en absoluto, decididamente, positivamente, de modo absoluto. ② ((준말)) =절대로. ¶ ~ 가격 precio m absoluto. ~값 valor m absoluto. ~ 개념 concepto m absoluto. ~ 다수 mayoría f absoluta. ~ 평가 valoración f absoluta.

절도(節度) moderación f, mesura f. ~ 있는 moderado.

절도(竊盜) robo m, hurto m, latrocinio m, ratería f. ~하다 robar, cometer un robo, hurtar, cometer un hurto, ser reo de ratería. ~범 autor, -tora mf de un robo. ~죄 robo m, hurto m. ~ 행위 acto m de robo.

절따말 caballo m castaño.

절뚝거리다 cojear, renquear.

절뚝발이 cojo, -ja mf.

절량(絶糧) escasez f de alimento. ~ 농가 vivienda f del granjero para la escasez de alimento.

절로 ((준말)) ① =저절로. ② =저리

로(allá). ¶~ 가거라 Vete allá.

절룩거리다 =절다².

절름발이 cojo, -ja *mf*.

절망(切望) anhelo *m*, deseo *m* vehemente, ansia *f*. ~하다 anhelar, desear [esperar] ardientemente [fervorosamente], ansiar, apetecer, desear con vehemencia.

절망(絶望) desesperación *f*, desesperanza *f*. ~하다 desesperarse, perder las esperanzas, perder toda esperanza. ~감 sentimiento *m* desesperado. ~적 desesperado, desesperado. ~적으로 desesperadamente. 환자의 상태는 ~적이다 El enfermo está en un estado desesperado [desesperante].

절명(絶命) fin *m* de la vida, muerte *f*, fallecimiento *m*. ~하다 fallecer, morir, expirar.

절묘하다(絶妙一) (ser) exquisito, soberbio, sumamente fino.

절미(節米) economía *f* de arroz. ~하다 economizar arroz. ~운동 movimiento *m* para economizar arroz.

절박하다(切迫一) (ser) apremiante, urgente, acuciante, inminente.

절반(折半) [반] mitad *f*, medio *m*. ~하다[반으로 나누다] partir [dividir] por (la) mitad, partir en mitades; [경비·시간·길이를] reducir a la mitad, reducir en un cincuenta por ciento; [수(數)를] dividir por dos.

절벽(絶壁) ① [험한 낭떠러지] precipicio *m*, acantilado *m*, barranco *m*, despeñadero *m*, escarpa *f*, risco *m*, derrumbadero *m*. ② [귀머거리] sordo, -da *mf*; persona *f* sorda; [사리에 어두운 사람] persona *f* estúpida.

절상(切上) [화폐의] revaluación *f*, revalorización *f*. ~하다 revaluar, revalorizar.

절색(絶色) hermosura *f* sin par, modelo *m* de hermosura.

절세(節世) [세상과 교제를 끊음] retiro *m* del mundo. ~하다 retirarse del mundo. ② =절대(代代). ❷. ¶~ 가인 belleza *f* [hermosura *f*] sin par [incomparable], mujer *f* de hermosura sin par [incomparable].

절세(節稅) economía *f* de impuestos. ~하다 economizar impuestos.

절수(節水) economía *f* de agua. ~하다 economizar el agua, reducir el consumo del agua, hacer frugal de agua.

절승(絶勝) paisaje *m* de hermosura sin par.

절식(絶食) ayuno *m*. ~하다 ayunar.

절식¹(節食) [절기에 맞추어 먹는 음식] comida *f* de las estaciones.

절식²(節食) ① [음식을 절약해 먹음] comida *f* que come economizando. ~하다 comer economizando la comida. ② [건강·미용 등을 위하여] moderación *f* en la comida. ~하다 moderar en la comida, comer moderadamente, ser moderado en *su* comida, tratar de no comer mucho.

절실하다(切實一) ① [더시없이 적절하다] (ser) conveniente, adecuado, preciso. ② [아주 긴요하다] (ser) muy importante, muy necesario.

절약(節約) ahorro *m*, economía *f*, economización *f*. ~하다 ahorrar, economizar, hacer economías; [절감하다] reducir; [절식하다] escatimar, cicatear. ~가 (hombre *m*) económico *m*, (mujer *f*) económica *f*, ahorrador, -dora *mf*; [인색한 사람] cicatero, -ra *mf*; tacaño, -ña *mf*; ahorrativo, -va *mf*.

절연(絶緣) ① [인연을 끊음] ruptura *f*, separación *f* (de relación). ~하다 romper las relaciones, separarse relación, poner aparte, romper. ~기(器) aislador *m*. ~기(機) máquina *f* de aislamiento. ~선 hilo *m* electroaislado. ~ 스위치 seccionador *m* de línea. ~장 carta *f* de separación. ~ 테이프 cinta *f* aisladora.

절연(絶煙) moderación *f* de fumar. ~하다 moderarse de fumar.

절이다 encurtir. 소금에 ~ encurtir, conservar en sal, salar, sazonar con sal.

절임 encurtidos *mpl*, escabeche *m*, adobo *m*; [야채] verduras *fpl* [legumbres *fpl*] en adobo.

절전(節電) economía *f* de la electricidad. ~하다 economizar la electricidad.

절절하다(切切一) (ser) ardiente. 절절한 사랑의 편지 carta *f* de amor ardiente.

절정(絶頂) ① [산의 맨 꼭대기] cumbre *f*, cima *f*, pico *m*. ② [사물의 치오른 극도] apogeo *m*, auge *m*, zenit *m*, cenit *m*, cima *f*. 득의의 ~ zenit *m* del orgullo. ③ [클라이맥스] clímax *m*.

절제(切除) extirpación *f*, ablación *f*, resección *f*; escisión *f*; ((접미어)) -ectomía. ~하다 extirpar, resecar, recortar. ~술 resección *f*.

절제(節制) moderación *f*, templanza *f*, abstinencia *f*, continencia *f*. ~하다 moderarse, templarse, refrenarse, contener *su* pasión.

절조(節操) constancia *f*, fidelidad *f*, integridad *f*; [주의] principio *m*; [여자의] castidad *f*.

절족동물(節足動物) artrópodo *m*.

절종(絶種) =멸종(滅種).

절주(節酒) moderación *f* [templanza

f·sobriedad *f*] en la bebida. ~하
다 templarse en la bebida, ser
sorbio en la bebida, beber moderadamente.

절지동물(節肢動物)=절족 동물.

절차(節次) procedimiento *m*, formalidad *f*, trámite *m*, diligencia *f*. ~
상의 formalidades *fpl* legales.
~를 밟다 proceder, cumplir los
trámites, cumplir las formalidades.

절찬(絶讚) ensalzamiento *m*, gran
admiración *f*, elogio *m* entusiasta,
alabanza *f* entusiasta. ~하다 ensalzar, hacer los máximos elogios,
hacer grandes alabanzas.

절창(絶唱) canción *f* excelente, pieza
f hermosísima de poesía.

절충(折衷) acuerdo *m* mutuo, arreglo
m, compromiso *m*, eclecticismo *m*,
término *m* medio. ~하다 tomar
un término medio. ~안 término
medio, medida *f* conciliativa. ~주
의 eclecticismo *m*. ~주의자 ecléc-
tico, -ca *mf*.

절충(折衝) negociación *f*. ~하다
negociar.

절취(切取/絶取/截取) recorte *m*, cortadura *f*, corte *m*. ~하다 recortar,
cortar. 신문의 기사를 ~하다 re-
cortar las notas de un periódico.
~선 línea *f* perforada.

절취(竊取) hurto *m*, robo *m*. ~하다
hurtar, robar. 남의 물건을 ~하다
hurtar el objeto del otro.

절치(切齒) crujidos *mpl* de los dientes. ~부심 crujidos *mpl* de los
dientes y preocupación por rencor.

절친하다(切親一) (ser) íntimo. 절친
한 친구 amigo *m* íntimo, amiga *f*
íntima.

절터 ruinas *fpl* del templo budista.

절판(絶版) edición *f* agotada. ~된
agotado. ~되다 agotarse la edición, dejar agotada la edición.
¶~본 libro *m* de la edición
agota- da.

절편 *cheolpyeon*, pan *m* típico coreano blanco apretado por la tabla
con flores redonda y cuadrada.

절품(切品) agotamiento *m* de existencias. ~하다 agotar. ~되다
agotarse.

절품(絶品) objeto *m* muy excelente.

절필(絶筆) última escritura *f*, última
composición *f*. ~하다 abandonar
la escritura, dejar *su* pluma.

절하(切下) reducción *f*; [평가의] devaluación *f*, devalorización *f*. ~하
다 reducir, devaluar, devalorizar.

절해(絶海) pleno mar *m*, mar *m*
remoto. ~ 고도(孤島) isla *f* perdida en pleno mar, isla *f* solitaria
en el mar remoto.

절호(絶好) gran oportunidad *f*. ~의
espléndido, magnífico, excelente,

óptico, finísimo, el mejor, sin par,
grande. ~의 기회 ocasión *f* inmejorable, ocasión *f* única, oportunidad *f* inmejorable, oportunidad *f*
única, oportunidad *f* excelente.

절후(節侯) subdivisión *f* de las
estaciones.

젊다 (ser) joven, juvenil; [손아래]
más joven, menor. 젊은 사원
empleado, -da *mf* joven. 젊었을 때
부터 desde joven.

젊디젊다 (ser) muy joven.

젊어지다 remozar, ponerse joven,
rejuvenecerse, volverse joven.

젊은이 joven *mf*.

젊음 juventud *f*.

점(占) adivinación *f*, advinanza *f*, [손
금의] quiromancia *f*; [카드의] cartomancia *f*, ((접미어)) -mancia,
-mancía. ~을 치다 adivinar, predecir, echar [decir] buenaventura;
[카드로] echar las cartas.

점(點) ① [작고 둥글게 찍는 표]
punto *m*. ~을 찍다 puntuar, poner
un punto, puntear. ② [산재하는
작은 얼룩] lunar *m*, mota *f*, *Col*,
Ven pepa *f*; [동물의 살갗의] mancha *f*; [얼룩] mancha *f*. ③ [살갗
쓸 때에 한 번 찍는 획] punto *m*,
jota *f*. 한 ~ 의 획 un punto y
una letra, una jota y una tilde. ④
[글의 구절을 구별하려고 찍는 표]
punto *m*. ⑤ [어느 지적된 사항을
나타내는 부분] punto *m*, aspecto
m. ⑥ ((화학)) punto *m*. ⑦ [여럿
가운데서 선택하여 결정할 때 쓰는
말] punto *m*, marca *f*. ⑧ ((수학))
coma *f*, punto *m* decimal. ⑨ [살갗
의] mancha *f* [marca *f*] de nacimiento, antojo *m*, lunar *m*. ⑩ ㉮
[성적의] nota *f*, marca *f*. ㉯ [경기
의] punto *m*, tanteo *m*, tanto *m*.

점감(漸減) disminución *f* progresiva,
disminución *f* gradual, decrecimiento *m* [descenso *m*] progresivo
[gradual]. ~하다 disminuir [de-
crecer] gradualmente.

점거(占據) ocupación *f*, toma *f*, posesión *f* exclusiva. ~하다 ocupar,
tomar. ~자 ocupa *mf*, ocupante
mf, ocupador, -dora *mf*.

점검(點檢) inspección *f*, examen *m*,
llamada *f* de la lista, revista *f*; [확
인] verificación *f*. ~하다 inspeccionar, examinar, revisar, pasar
lista.

점괘(占卦) signo *m* de adivinación.

점등(點燈) alumbrado *m*, farol *m*,
iluminación *f*. ~하다 encender,
alumbrar, iluminar. ~시간 hora *f*
de alumbrado. ~ 장치 instalación
f de alumbrado.

점령(占領) ocupación *f*, posesión *f*.
~하다 ocupar, tomar posesión,
apoderarse. ~국 país *m* de ocu-

pación. ~군 fuerzas *fpl* de ocupación, ejército *m* de ocupación, ejército *m* ocupante, tropas *fpl* ocupantes. ~자 ocupador, -dora *mf*; ocupante *mf*. ~지 territorio *m* ocupado. ~지역[지구] zona *f* ocupada, territorio *m* ocupado, país *m* ocupado.

점막(粘膜) (membranza *f*) mucosa *f*. ~ 분비물 reuma *f*, reúma *f*. ~샘 glándula *f* túnica mucosa.

점멸(點滅) parpadeo *m*, titileo *m*. ~하다 [빛이] pestañear, parpadear. ~기 interruptor *m*. ~등 intermitente *m*.

점박이 [사람] persona *f* con mancha de nacimiento; [짐승] animal *m* manchado [pinto].

점보 jumbo *m*. ¶~ 제트기 jumbo *m*, jumbo-jet *m*.

점서(占書) libro *m* sobre la adivinación.

점선(點線) línea *f* de puntos, línea *f* punteada, puntos *mpl* sucesivos.

점성(占星) horóscopo *m*, adivinación *f* por las estrellas. ~가 astrólogo, -ga *mf*. ~술 astrología *f*. ~술가 astrólogo, -ga *mf*. ~학 astrología *f*, observación *f* de los astros.

점수(點數) ① [점의 수효] número *m* de lunares. ② [성적을 나타내는 숫자] número *m* de marcas, marca *f*, nota *f*; [운동의] tantos *mpl*, tanteo *m*. ③ =끗수. ④ [물건의 가짓수] especie *f* de los objetos. ~표 lista *f* de puntos.

점술(占術) pronosticación *f*, adivinación *f*.

점심(點心) ① [낮에 끼니로 먹는 음식] almuerzo *m*. ~하다 ⑦ [점심을 먹다] almorzar, tomar el almuerzo. ④ [점심먹이를 짓다] preparar el almuerzo. ② ((불교)) comida *f* que se toma al tener hambre.

점안(點眼) colirio *m* en el ojo. ~하다 instilar colirio en el ojo. ~기 cuentagotas *m.sing.pl*. ~수 colirio *m*, solución *f* oftálmica, loción *f* para los ojos.

점액(粘液) ① [끈끈한 액체] moco *m*, mucosidad *f*; [식물의] mucilago *m*. ② ((해부)) flema *f*. ¶~ 분비 mixopoiesis *f*, blenorragia *f*. ~샘 비선[샘] glándula *f* de baba. ~분비증 blenosis *f*. ~산 ácido *m* múcico.

점원(店員) dependiente *mf*; empleado, -da *mf* de tienda; [세일즈맨] vendedor, -dora *mf*.

점유(占有) posesión *f*, ocupación *f*. ~하다 ocupar, posesionarse. ~권 derecho *m* de posesión. ~물 posesión *f*, propiedad *f*. ~자 ocupador, -dora *mf*; ocupante *mf*; pose-

edor, -dora *mf*. ~ 재산 propiedad *f* privada.

점입가경(漸入佳境) aproximación *f* al climax. ~하다 acercarse [aproximarse] al climax.

점자(點字) braille *m*, Braille *m*, letras *fpl* Braille [de puntos (para los ciegos)]. ~법 braille *m*, Braille *m*. ~서(書) escritura *f* en relieve de los ciegos, libro *m* con letras puntuales para ciegos. ~책 libros *mpl* en braille.

점잔 aire *m* dignificado. ~(을) 부리다 darse aires. ~(을) 빼다 tomar un aire tranquilo, mostrarse impasible [impertérrito], estar ceremonioso.

점잖다 (ser) dignificado, ceremonioso, distinguido, fino, decente, respectable, elegante.

점재(點在) esparcimiento *m* por todas partes. ~하다 estar esparcido, estar desparramado.

점쟁이 adivino, -na *mf*; sortílego, -ga *mf*; agorero, -ra *mf*; quiromántico, -ca *mf*; [카드의] cartomántico, -ca *mf*; [점성가] astrólogo, -ga *mf*.

점적(點滴) ① [낱낱의 물방울] gotas *fpl* de agua. ② [물방울을 떨어뜨림] la acción de caer gotas de agua. ¶~기 cuentagotas *m*, gotero *m*. ~약 gotas *fpl* médicas.

점점(點點) ① [낱낱의 점] cada punto. ② [여기저기 점찍은 듯이 흩어져 있음] esparcimiento *m* por aquí y por allí, acá y allá, por aquí y por allí, desparradamente.

점점(漸漸) poco a poco, paso a paso, gradualmente, progresivamente. ~ 멀어지다 alejarse poco a poco.

점주(店主) dueño, -ña *mf* [propietario, -ria *mf*] de la tienda; tendero, -ra *mf*; dueño, -ña *mf* de una firma.

점증(漸增) crecimiento *m* [aumento *m*] progresivo [gradual]. ~하다 crecer [aumentar] progresivamente [gradualmente].

점지 bendición *f* con un hijo. ~하다 bendecir con un hijo, dar un niño.

점진(漸進) progreso *m* gradual. ~하다 progresar gradualmente, hacer un progreso gradual, mover paso a paso. ~적 gradual, progresivo, paulativo. ~적으로 gradualmente, progresivamente. ¶~주의 principios *mpl* moderados.

점찍다 señalar. 범인으로 ~ sospechar que es el crimen.

점차(漸次) gradualmente, poco a poco, paso a paso, paulatinamente. ~ 나아지다 recuperarse gradualmente.

점착(粘着) adhesión *f*, adherencia *f*. ~하다 adherir. ~력 fuerza *f* coherente, fuerza *f* adherente. ~성 adhesión *f*. ~제 adherente *m*, adhesivo *m*, pegamiento *m*. ~ 테이프 cinta *f* adhesiva; ((전기)) cinta *f* aislante.
점철(點綴) esparcimiento *m*. ~하다 esparcir, tildar, estar esparcio, puntuar, intercalar.
점치다(占−) adivinar. ☞점(占)
점토(粘土) arcilla *f*.
점퍼 [잠바] pichi *m*, jumper *m* (*AmL f*).
점포(店鋪) tienda *f*. ~를 내다 abrir una tienda.
점프 ① [체육에서의 뜀질] salto *m*. ~하다 saltar. ② ((스키)) [도약 경기] salto *m*. ¶ ~대(臺) =도약대.
점하다(占−) tomar, ocupar.
점호(點呼) llamada *f*, revista *f*. ~하다 pasar lista, revistar.
점화(點火) ignición *f*, encendido *m*; [폭약의] inflamación *f*. ~하다 encender, pegar fuego, inflamar. ~기(器) encendedor *m*, dispositivo *m* de encendido, ignitor *m*. ~ 장치 dispositivo *m* de encendido. ~전 bujía *f* (de encendido), bujía *f* de ignición, *AmC* chispero *m*.
접 ciento; [명사 앞에서] cien. 오이 한 ~ cien pepinos. 감 두 ~ doscientos caquis.
접(接) ((식물)) injerto *m*. ~을 붙이다 injertar.
접각(接角) ángulo *m* contiguo.
접객(接客) recepción *f* de los huéspedes. ~하다 recibir a los huéspedes. ~업 industria *f* de servicios, negocio *m* de servicios. ~업자 dueño, -ña *mf* del negocio de servicios, dueño, -ña *mf* del restaurante [del hotel]..
접견(接見) recepción *f*, audiencia *f*, entrevista *f*. ~하다 recibir una visita, dar [conceder] audiencia, recibir en audiencia.
접경(接境) frontera *f*, límite *m*.
접골(接骨) composición *f* de los huesos fracturados. ~하다 componer un hueso roto, ensalmar. ~사 osteópata *mf*, ensalmador, -dora *mf*, componedor, -dora *mf*.
접근(接近) acercamiento *m*, acceso *m*, aproximación *f*, proximidad *f*. ~하다 acercarse, aproximarse; [상태] estar cada vez más cerca [próximo].
접다 ① [천·종이 등을] doblar; [의자·책상·날개 등을] plegar. 접어지다 [종이·신문이] doblarse; [의자·책상이] plegarse; [지도·포스터가] doblarse, plegarse. 접는 plegador, que pliega. 접지 마시오 ((게시)) No doblar. ② [폈던 것을 본디의 모양이 되게 하다] cerrar. 우산을 ~ cerrar el paraguas.
접대(接待) servicio *m* (de comida y bebida), agasajo *m*, recepción *f*, obsequio *m*, ágape *m*, hospedaje *m*, acogida *f*, hospitalidad *f*, asistencia *f*, servicio *m*. ~하다 servir, encargarse del servicio de comida y bebida, agasajar, obsequiar, recibir, hospedar, festejar, tratar. ~부(婦) mujer *f* que se encarga del servicio de comida y bebida para fiestas, cafeterías etc. ~비 gastos *mpl* de recepción. ~실 ㉮ [호텔에서] salón *m*. ㉯ [집에서] salón *m*, comedor *m*, cualquier habitación *f* donde se puede recibir. ~원 recepcionista *mf*, encargado, -da *mf* de recepción.
접두사(接頭辭) ((언어)) =접두어.
접두어(接頭語) ((언어)) prefijo *m*.
접때 el otro día, hace unos días.
접목(椄木/接木) ① [접붙이기] injerto *m*, injertación *f*. ~하다 injertar. ② [접목한 나무] árbol *m* injertado.
접문(接吻) beso *m*. ~하다 besar, dar un beso.
접미사(接尾辭) ((언어)) =접미어.
접미어(接尾語) ((언어)) sufijo *m*.
접붙이기(椄−) injerto *m*, injertación *f*. ~를 하다 injertar.
접붙이다(椄−) injertar.
접사(接辭) ((언어)) afijo *m*.
접선(接線) ① ((수학)) (línea *f*) tangente *f*. ~의 tangencial. ② [줄을 댐. 접촉함] contacto *m*. ~하다 ponerse en contacto, contactar, hacer contacto.
접속(接續) conexión *f*, enlace *m*, unión *f*, juntura *f*, montaje *m*, engranaje *m*, articulación *f*, acoplamiento *m*, contacto *m*; [교통의] empalme *m*. ~하다 conectar, unir, juntar, enlazar, empalmar, entroncar, ligar, trabar. ~곡 popurrí *m*. ~기 cierracircuito *m*. ~ 상자 caja *f* de distribución, caja *f* de empalmes-cables. ~선 línea *f* conexiva, ramal *m*; [철도의] riel *m* de empalme. ~어 ㉮ =교착어. ㉯ =접속사. ~역 estación *f* empalme. ~ 열차 tren *m* de empalme.
접수(接收) ① [받아서 거둠] cobranza *f*, recibimiento *m*. ~하다 cobrar, recibir. ② [권력 기관이 필요상 국민의 소유물을 수용함] confiscación *f*, expropiación *f*. ~하다 confiscar, expropiar.
접수(接受) [문서류를 처리하기 위해 받아들임] recepción *f*, recibo *m*, aceptación *f*. ~하다 recibir, aceptar, poseer. ~구 =접수 창구. ~ 담당자 recepcionista *mf*. ~ 번호 número *m* de recibo. ~부(簿) libro *m* de recibo. ~ 시간 horas

fpl de recepción, horas *fpl* de portería. ~중 recibo *m*. ~창구 ventanilla *f* de recibo, información *f*. ~처 oficina *f* de información, recepción, ventanilla *f* de recepción, mesa *f* de recepción.

접시 plato *m*; [음식용 큰 접시] fuente *f*; [작은] platillo *m*, plato *m* pequeño. 수프용 ~ plato *m* sopero. 납작한 ~ plato *m* trinchero. 큰 ~ platón *m*. 받침 [찻잔 등의] platillo *m*.

접시꽃 ((식물)) malvarrosa *f*, malva *f* real, malva *f* loca, malva *f* rósea, malva *f* arbórea.

접시받침 ((건축)) platillo *m*.

접시천칭 (一天秤) balanza *f* de Roberval.

접시형 안테나 (一形一) antena *f* parabólica.

접안경 (接眼鏡) =접안 렌즈.

접안렌즈 (接眼一) ocular *m*.

접어들다 ① [어느 시기나 나이에 가까워지다] entrar, acercarse, aproximarse. ② [어느 지점을 넘거나 들어서다] acercarse, aproximarse.

접어주다 ① [너그럽게 대해 주다] disculpar, dejar pasar, soportar, aguantar, tolerar. ② ((바둑·장기)) dar la ventaja.

접영 (蝶泳) ((수영)) estilo *m* mariposa. ~을 하다 nadar (estilo) mariposa, nadar a mariposa, *Méj* nadar de mariposa.

접요 (摺一) colchón *m* plegable.

접의자 (摺椅子) silla *f* plegable, silla *f* de tijera, *Méj* silla *f* plegadiza.

접자 (摺一) regla *f* de carpintero, metro *m* plegable [plegadizo].

접전 (接戰) lucha *f* cuerpo a cuerpo, combate *m* no decidido; [경기의] juego *m* reñido, partido *m* reñido. ~하다 combatir cuerpo a cuerpo, combatir con igual constancia.

접점 (接點) ((기하)) punto *m* de contacto, punto *m* de tangencia.

접종 (接種) inoculación *f*, vacunación *f*. ~하다 inocular, vacunar, vacunarse, ponerse una vacuna.

접지 (接紙) plegadura *f* [plegado *m*] de papel; [접는 행위] papel *m* plegable. ~하다 plegar [doblar] el papel. ~공 plegador, -dora *mf*. ~기(機) máquina *f* de plegar, plegadora *f* mecánica, plegador *m*.

접질리다 dislocarse, torcerse, hacerse un esguince, distenderse.

접착 (接着) adhesión *f*, adherencia *f*, pegamiento *m*, pegadura *f*. ~하다 adherir, pegar; [아교풀로] encolar. ~제 adhesivo *m*, pegamento *m*. ~종이 papel *m* adhesivo. ~테이프 cinta *f* adhesiva.

접책 (摺冊) libro *m* plegable.

접촉 (接觸) ① [맞붙어 닿음] contacto *m*, toque *m*. ~하다 tocar, hacer un contacto; [가볍게] rozar. ② [교섭합] contacto *m*. ~하다 tener contacto, tener trato, ponerse en contacto, estar en contacto; [상태] tener contacto, estar en contacto. ③ ((의학)) contacto *m*. ~하다 ponerse en contacto. ④ ((전기)) contacto *m*. ~하다 hacer contacto. ¶ ~ 사고 choque *m*.

접하다 (接一) ① [인접하다] lindar, limitar, estar junto. ② [응접·교재하다] tratar, tener contacto, atender, recibir. ③ [수취하다] recibir. ④ [접촉하다] tocar.

접합 (接合) ① [한데 대어 붙임] unión *f*, ((목공)) ensambladura *f*. ~하다 unir, juntar, acoplar, ensamblar. ② ((동물·해부)) conjugación *f*. ~하다 conjugar.

젓 *cheot*, pescado *m* salado, pescado *m* conservado [camarones *mpl* conservados,] conservado en escabeche; [알의] huevas *fpl* saladas.

젓가락 (箸一) palillos *mpl*. ~통 estuche *f* para los palillos.

젓갈 =젓.

젓다 ① [액체를 고르게 하려고 휘둘러 섞다] remover, menear, mover. 가끔 ~ remover de cuando en cuando. ② [배를 움직이려고 노를 두르다] remar, bogar, dar el remo. 노를 ~ remar, bogar al remo. ③ [어떤 의사를 말 대신 손이나 머리를 흔들어 나타내다] señalar, hacer señas, sacudir, zarandear.

젓대 ((악기)) =대금(大笒).

정[1] [연장] cincel *m*; [목재용] formón *m*, escoplo *m*; [둥근] gubia *f*.

정[2] =정말로. 참으로.

정 (正) justicia *f*, rectitud *f*.

정 (疔) divieso *m*, ántrax *m*.

정 (情) [애정] cariño *m*, amor *m*, afecto *m*, ternura *f*; [열정] pasión *f*; [감정] sentimiento *m*; [감동] emoción *f*; [동정] compasión *f*, simpatía *f*; [성심] cordialidad *f*, [자비] caridad *f*, misericordia *f*, [인정] naturaleza *f* humana.

정 (靜) tranquilidad *f*, paz *f*, inactividad *f*. ~중동(中動) la moción entre [en medio de] la tranquilidad.

정 (挺) *cheong*. 권총 2 ~ dos pistolas. 삽 1 ~ una pala.

정- (正) ① 「올바른」 「바로」의 뜻] recto, justo, correcto, verdadero, formal, legal, normal. ② 「부(副)」에 대해, 주장됨의 뜻] regular. ~교사 maestro, -tra *mf* regular. ~회원 miembro *m* regular.

-정 (亭) casita *f*, pabellón *m*.

-정 (整) [cantidad *f* de dinero, suma *f*, total *m*. 십만 원— el total de cien mil wones.

-정 (錠) pastilla *f*, tableta *f*. 아스피

린 ~ pastilla *f* de aspirina, tableta *f* de aspirina. 1회 3~ 복용할 것 Tomar tres pastillas cada vez.

정가(正價) precio *m* normal, precio *m* justo, precio *m* verdadero, último precio *m*.

정가(定價) precio *m* fijo; [표시 가격] precio *m* de lista, precio *m* de nómina. ~표(表) lista *f* de precios, catálogo *m* de precios. ~표(票) etiqueta *f* de precio.

정각(正刻) tiempo *m* exacto; [부사적] en punto. ~ 12시에 a las doce en punto.

정각(定刻) tiempo *m* fijo, hora *f* señalada. ~에 al tiempo fijo, a la hora fijada [establecida · señalada].

정간(停刊) suspensión *f* de la publicación. ~하다 suspender la publicación. ~되다 suspenderse la publicación.

정갈스럽다 =정갈하다.

정갈하다 (ser) elegante, limpio, petimetre, ordenado y limpio.

정감(情感) emoción *f*, sentimiento *m*, gracia *f*, encanto *m*, fluidez *f*. ~ 있는 문장 estilo *m* fluido. ~을 나타내다 mostrar *su* sentimiento.

정강(政綱) programa *m* político, política *f*, declaración *f* formal de principio.

정강이 espinilla *f*, canilla *f*. ~받이 espinillera *f*. ~뼈 tibia *f*.

정거(停車) =정차(停車)(parada).

정거장(停車場) estación *f* (de ferrocarril); [버스의 정류소] parada *f* de autobuses; [자동차 등의] puesto *m*.

정견(政見) opinión *f* política, plataforma *f*, programa *m* (político), criterio *m* político, vista *f* política.

정결스럽다(淨潔−) (ser) puro y limpio.

정결하다(貞潔−) (ser) casto, virtuoso, constante, fiel.

정결하다(淨潔−) (ser) ordenado, limpio, sanitario.

정결하다(精潔−) (ser) puro y limpio.

정겹다(情−) (ser) íntimo, amistoso, amigable, familiar, cercano.

정경(政經) la política y la economía. ~ 분리 separación *f* de economía y política. ~ 유착 adhesión *f* de política y economía.

정경(情景) ① [감흥과 경치] inspiración *f* y paisaje, escena *f*. ② [가없은 처지에 있는 딱한 경상(景狀)] escena *f* [vista *f*] patética.

정계(政界) ((준말)) =정치계(政治界). ¶~에 들어가다 ir por la política, meterse en el mundo político. ~를 은퇴하다 retirarse de la vida política, retirarse del mundo político.

정곡(正鵠) ① [과녁의 한복판이 되는 점] blanco *m*. ~에서 빗나가다 errar el blanco. ~에 맞다 dar en el blanco. ~을 맞추다 hacer blanco. ② [목표나 핵심이 되는 것] punto *m* principal. ~을 찌르다 atinar, dar, acertar.

정공(正攻) ataque *m* frontal, ataque *m* de frente. ~하다 lanzar un ataque frontal. ~법 táctica *f* franca [abierta] de ataque.

정관(定款) estatuto *m*, artículos *mpl* de incorporación, memorandum *m* de asociación.

정관(精管) conducto *m* deferente. ~ 수술 vasectomía *f*. ~염 deferentitis *f*, vasitis *f*. ~ 절개술 vasotomía *f*.

정관사(定冠詞) ((언어)) artículo *m* definido, artículo *m* determinado.

정교(正敎) ① [사교가 아닌 바른 종교] religión *f* correcta. ② ((기독교)) =그리스 정교회.

정교(政敎) ① [정치와 종교] la política y la religión, la iglesia y el estado. ② [정치와 교육] la política y la educación.

정교(情交) ① [친밀한 교제] intimidad *f*, relaciones *fpl* íntimas. ② [남녀간에 색정을 주고받는 교제] relaciones *fpl* amorosas, relaciones *fpl* sexuales. ~를 맺다 tener relaciones amorosas.

정교사(正敎師) profesor *m* numerario, profesor *m* regular.

정교하다(精巧−) (ser) fino, exquisito, primoroso, excelente, delicado, ingenioso.

정구(庭球) tenis *m*. ~를 치다 jugar al tenis, *AmL* jugar tenis. ¶~공 pelota *f* de tenis. ~ 라켓 raqueta *f* de tenis. ~ 선수 tenista *mf*. ~ 시합 partido *m* de tenis. ~장 cancha *f* de tenis, cancha *f* de tenis, cancha *f* de tenis. ~화 zapatillas *fpl* (de tenis), tenis *mpl*.

정국(政局) situación *f* política. ~ 안정 estabilidad *f* de la situación política. ~의 불안정 inestabilidad *f* de la situación política.

정권(政權) poder *m* (político). ~ 교체 cambio *m* de régimen. ~욕 ambición *f* para el poder político.

정규(正規) regularidad *f*, formalidad *f*, legalidad *f*. ~의 regular, formal; [합법의] legal; [합당한] reglamentario, debido. ~군(軍) tropas *fpl* regulares. ~병 soldado, -da *mf* de línea, soldado, -da *mf* regular.

정규(定規) regla *f*, norma *f*.

정근(精勤) diligencia *f*, aplicación *f*, asistencia *f* regular, cumplimiento *m* de *su* deber. ~하다 trabajar asiduamente, trabajar diligentemente, diligenciar. ~상 premio *m* de aplicación [de asiduidad de asistencia]. ~자 persona *f* regular en asistencia.

정글 selva *f* (tropical); [특히 동남 아시아의] jungla *f*.

정금(正金) ① [순금] oro *m* puro. ② [금이나 은 따위로 만든 정화] moneda *f* (de oro y plata).

정기(正氣) conciencia *f*, conocimiento *m*, sobriedad *f*; [광기에 대해] razón *f*, cordura *f*, juicio *m*. ~를 잃다 perder los sentidos. ~를 회복하다 recobrar

정기(定期) período *m* fijo, tiempo *m* fijo, término *m* fijo. ~의 periódico, regular, fijo. ~로 periódicamente. ~ 간행물 periódico *m*, publicaciones *fpl* peródicas. ~ 국회 Asamblea *f* Nacional de la sesión regular. ~권 abono *m* (de temporada). ~ 보험 seguro *m* temporal. ~불 pago *m* periódico. ~ 연금 anualidad *f* rescindible. ~ 예금 depósito *m* a plazo fijo, depósito *m* a término fijo. ~ 운행 [버스의] línea *f*. ~적 periódico, regular, fijo. ~적으로 periódicamente, regularmente, a un tiempo fijo. ~ 적금 ahorro *m* de plazo, depósito *m* de plazo. ~ 총회 asamblea *f* general ordinaria. ~편 servicio *m* regular. ~ 항공기 avión *m* (de pasajeros). ~ 휴일 día *m* de descanso regular.

정나미(情−) cariño *m*, apego *m*, afecto *m*, sentimiento *m* afectuoso. ~(가) 떨어지다 estar harto, estar indignado, estar furioso; [강하게] estar asqueado.

정녀(貞女) ① [동정을 깨뜨리지 않은 여자] virgen *f*. ② =정부(貞婦).

정년(停年) edad *f* para jubilarse, edad *f* de límite, límite *m* de edad, edad *f* límite, edad *f* de jubilación, edad *f* reglamentaria, ancianidad *f*, [군인의] edad *f* de retiro. ~제 sistema *m* sobre la edad de límite. ~ 퇴직 retiro *m* por edad.

정다각형(正多角形) ((수학)) polígono *m* equilátero, polígono *m* regular.

정다면체(正多面體) ((수학)) poliedro *m* regular.

정다이(情−) amistosamente. ~ 대하다 tratar amistosamente.

정담(政談) discusión *f* política, discurso *m* político, charla *f* política.

정담(情談) ① [다정한 이야기] conversaciones *fpl* amistosas [amigables · agradables · cordiales]. ② [남녀가 애정을 주고받는 이야기] conversaciones *fpl* íntimas.

정답(正答) contestación *f* correcta.

정답다(情−) (ser) íntimo, amigable, amistoso, afable, cariñoso, afectuoso, simpático, atractivo. 정답게 íntimamente, amigablemente, afablemente, amistosamente, cariñosamente, afectuosamente.

정당(政黨) partido *m* político. ~ 정치 política *f* de partido. ~ 지도자 líder *mf* del partido político.

정당 방위(正當防衛) defensa *f* legal, defensa *f* propia; ((법률)) legítima defensa *f*, defensa *f* propia.

정당성(正當性) lo justo, legalidad *f*, [인간 관계에 있어서] legitimidad *f*.

정당하다(正當−) (ser) justo, justificado, derecho; [합법적] legal, legítimo.

정당 행위(正當行爲) acto *m* legal, actitud *f* legal.

정당화(−化) justificación *f*. ~하다 justificar.

정도(正道) justicia *f*, camino *m* recto, camino *m* justo, camino *m* de la virtud. ~를 밟다 pisar el camino de la virtud.

정도(程度) ① [알맞은 한도] grado *m*; [수준] nivel *m*; [한도] límite *m*; [양] medida *f*, [표준] norma *f*, [범위] extensión *f*. ~가 높은 de alto nivel, de alta norma. ~가 낮은 de bajo nivel, de baja norma. ② ㉮ [대충. 대략. 쯤] aproximadamente, cerca de, alrededor de, unos +「수사」, (poco) más o menos, como. 만 원 ~ (como) cosa de diez mil wones. ㉯ [만큼] tan + *adj* · *adv* + como. 성냥갑 ~의 크기 tamaño *m* de una cajita de cerillas. ㉰ [적어도. 최소한] por lo menos.

정독(精讀) lectura *f* atenta, lectura *f* cuidadosa. ~하다 leer atentamente [cuidadosamente · con atención].

정돈(停頓) parada *f*, detención *f*, estancación *f*. ~되다 pararse, estancarse, paralizar, quedar paralizado.

정돈(整頓) arreglo *m*, orden *m*, ajuste *m*, ajustamiento *m*. ~하다 arreglar, ordenar, poner en orden, colocar, coordinar, acondicionar, acomodar.

정들다(情−) ponerse íntimo, llegar a amar; [새로운 곳에] aclimatarse. 정든 님 *su* querido, *su* querida.

정떨어지다(情−) estar disgustado. 정떨어진 seco, brusco, categórico.

정략(政略) política *f*, táctica *f* política, política *f* del Estado, arte *m* de gobernar. ~ 결혼 matrimonio *m* de conveniencia. ~적 político. ~적으로 políticamente.

정량(定量) cantidad *f* fija, norma *f* de capacidad. ~의 normal, regular. ~ 분석 análisis *m* cuantitativo.

정력(精力) energía *f*, vigor *m*, fuerza *f* vital, vitalidad *f*, resistencia *f*. ~이 왕성한 lleno de energía, enérgico. ¶~가 persona *f* enérgica, persona *f* vigorosa, hombre *m* de energía. ~ 감퇴 falta *f* de energía, pérdida *f* de vigor, pérdida *f* de energía. ~적 enérgico, vigoroso, lleno de energía, lleno de vitalidad. ~적으로 enérgicamente, vigorosamente, con (mucha) energía. ~제 tónico, medicina *f* tonificante. ~주의 energismo *m*.

정련(精鍊) refinamiento *m*, refinación *f*, refinado *m*, refino *m*. ~하다 refinar. ~소 refinería *f*.

정렬(貞烈) castidad *f*, virtud *f*. ~하다 (ser) casto, virtuoso.

정렬(整列) ① [가지런히 벌여 섬] alineamiento *m*, alineación *f*, orden *m* regular, formación *f*. ~하다 alenearse, poner en fila, poner en hileras, formarse en línea. ② ((컴퓨터)) alineación *f*.

정례(定例) usanza *f*, costumbre *f*. ~각의 consejo *m* regular [ordinario] de ministros. ~국무 회의 reunión *f* regular del gabinete.

정론(正論) argumento *m* justo [recto], razonamiento *m* justo.

정류(停留) parada *f*. ~하다 parar, pararse, detenerse, hacer alto. ~소[장] parada *f*.

정류(精溜) ((화학)) rectificación *f*, refinamiento *m*, purificación *f*. ~하다 rectificar, refinar, purificar.

정리(定理) ((수학)) teorema *m*.

정리(情理) humanidad *f*, razón *f* y sentimiento *f*.

정리(整理) arreglo *m*, ajuste *m*; [정리 통합] consolidación *f*; [파산 정리] liquidación *f*. ~하다 arreglar, poner en orden, acomodar, consolidar, regularizar; [파산 정리하다] liquidar. 재고품을 ~하다 liquidar existencias. ¶ ~철 fichero *m*, casillero *m*, clasificador *m*. ~함 cómoda *f*.

정립(定立) elaboración *f*, creación *f*. ~하다 elaborar, crear. 이론을 ~하다 crear [elaborar] una teoría.

정립(鼎立) confrontación *f* triangular. ~하다 estar tres presonas [cosas] en una posición triangular.

정말(正一) ① [참말] verdad *f*, realidad *f*. ~같은 verosímil, probable. ~같지 않은 inverosímil, poco probable. ~입니까? ¿Es verdad? / ¿Verdad que sí? ② ((준말)) =정말로.

정말로(正一) verdaderamente, en realidad, de verdad, realmente, en serio, seriamente, sinceramente.

정맥(靜脈) vena *f*. ~의 venoso. ~류(瘤) várice *f*, varice *f*, variz *f*, flebangioma *m*. ~암 flebocarcinoma *m*. ~압 presión *f* venosa. ~염 flebitis *f*. ~ 주사 inyección *f* intravenosa [de la vena], fleboclisis

f, venoclisis *f*. ~혈 sangre *f* negra [venosa].

정면(正面) (plena) frente *f*, delantera *f*, cara *f* principal; [건물의] fachada *f* principal, frontispicio *m*; [교회의] portada *f*. ~의 집 casa *f* de enfrente. ¶ ~ 공격 ataque *m* frontal, ataque *m* de frente. ~도 vista *f* frontal, vista *f* de frente. ~상(像) retrato *m* frontal, retrato *m* de frente. ~ 충돌 colisión *f* frontal, colisión *f* cara a cara.

정모(正帽) sombrero *m* [gorra *f*· kepis *m*] de etiqueta.

정무(政務) negocios *mpl* gubernativos, asuntos *mpl* políticos. ~장 관 ministro *m* parlamentario.

정문(正門) puerta *f* principal.

정물(靜物) objeto *m* inanimado, naturaleza *f* muerta, bodegón *m*. ~화(畵) (pintura *f* de) naturaleza muerta, pintura *f* de vida inmóvil. ~화가 pintor, -tora *mf* de naturaleza muerta.

정미(正味) ① [물건의 외피를 제외한 내용] contenido *m* neto. ② [포장 따위의 무게를 뺀 알맹이의 무게] (peso *m*) neto *m*.

정미(精米) ① ((준말)) =정백미(精白米). ② [기계 장치로 벼를 찧어 입쌀을 만듦] descascarillado *m* de arroz. ¶ ~기 descascaradora *f* de arroz. ~소 molino *m* descascarador de arroz.

정밀 과학(精密科學) ciencia *f* exacta.

정밀 기계(精密機械) máquina *f* de precisión.

정밀도(精密度) precisión *f*.

정밀하다(精密一) (ser) preciso, minucioso, exacto

정박(碇泊/碇泊) anclaje *m*, ancoraje *m*. ~하다 anclar, ancorar, echar el ancla, echar las anclas, fondear. ~료 anclaje *m*, ancoraje *m*. ~선 barco *m* al ancla. ~지 fondeadero *m*, ancladero *m*, amarradero *m*. ~항 puerto *m* de anclaje.

정박아(精薄児) =정신 박약아.

정반대(正反對) todo lo contrario, oposición *f* directa [inversa], antítesis *f*. ~의 inverso, directamente opuesto. ~로 a la inversa, por la inversa, en oposición directa, en oposición inversa.

정방형(正方形) ((수학)) =정사각형.

정벌(征伐) subyugación *f*, conquista *f*, sujeción *f*, supresión *f*, castigo *m*, punición *f*; [원정] expedición *f*; [구제] exterminación *f*. ~하다 subyugar, conquistar, someter, sojuzgar, suprimir, castigar.

정변(政變) cambio *m* político, cambio *m* de gobierno, crisis *f* política; [쿠데타] golpe *m* de Estado.

정병(精兵) tropa *f* escogida.

정보(情報) información f, informe m, noticia f, aviso m. 불리한 ~ información f desfavorable. 유리한 ~ información f favorable. ¶ ~ 기관 servicio m secreto (de inteligencia). ~망 red f de información, red f informativa. ~부 Agencia f de Inteligencia. ~부 장관 ministro, -tra mf de Agencia de Inteligencia. ~ 산업 industria f informativa, industria f de información. ~ 처리 sistematización f de datos. ~ 통신부 Ministerio f de Información y Comunicaciones.

정복(正服) uniforme m (de gala), traje m de etiqueta.

정복(征服) conquista f. ~하다 conquistar, hacer una conquista. ~군 ejército m victorioso. ~자 conquistador, -dora mf.

정본(正本) texto m original, ejemplicación f; [(법률)] copia f certificada, documento m original, documento m legal, documento m auténtico.

정부(正副) principal y subordinado; [서류] original y copia. ~ 두 통으로 par duplicado.

정부(政府) ① [한 나라의 통치 기구] gobierno m; [국가] Estado m. ~의 gubernamental, del gobierno, estatal, de(l) Estado. ② [행정부] administración f, centro m administrativo. ③ [국고] tesoro m nacional, finanzas fpl públicas. ¶ ~군 fuerzas fpl gubernamentales, tropas fpl gubernamentales. ~ 당국 autoridades fpl gubernamentales. ~미[보유미] arroz m del gobierno. ~안 proyecto m del gobierno.

정부(貞婦) mujer f virtuosa.

정부(情夫) amante m, querido m.

정부(情婦) amante f, querida f.

정분(情分) amistad f cordial, afecto m, intimidad.

정비(整備) arreglo m, mantenimiento m, equipo m completo, conservación f, manutención f. ~하다 arreglar, ordenar, equipar completamente, conservar, preparar. ~공[사] mecánico, -ca mf. ~원 arreglador, -dora mf.

정비례(正比例) ((수학)) proporción f [razón f] directa. A는 B에 ~한다 A estar en proporción directa con [a] B.

정비례(正比例) proporción f constante [definida].

정사(正史) historia f auténtica.

정사(正使) delegado m [enviado m] en jefe, mensajero m mayor.

정사(正射) ① [정면에서 쏨] tirada f del frente. ② [수직으로 투사함] proyección f verticalmente. ¶ ~영

proyección f ortogonal.

정사(政事) asuntos mpl gubernamentales [del gobierno].

정사(情死) suicidio m doble, suicidio m por amor, suicidio m de dos amantes. ~하다 morir juntos por amor, cometer doble suicidio, cometer suicidio por amor.

정사(情事) ① [남녀간의 사랑에 관한 일] amores mpl, amoría f, intriga f amorosa. ~에 눈뜨다 entender amor. ② [정부(情夫)와 정부(情婦)와의 관계] aventura f, romance m, amoríos mpl.

정사각형(正四角形) ((수학)) cuadrado m (regular).

정사면체(正四面體) ((수학)) tetraedro m regular.

정사원(正社員) miembro mf regular; empleado, -da mf regular.

정산(精算) cuenta f detallada, cuenta f minuciosa, ajustamiento m; ((상업)) balance m. ~하다 hacer una cuenta exacta [detallada], balancear una cuenta, hacer un balance. ~소 [역의] oficina f de reajuste de billetes. ~인 ajustador, -dora mf de avería.

정삼각형(正三角形) ((수학)) triángulo m equilátero, triángulo m regular.

정상(正常) normalidad f. ~으로 돌아가다 volver a la normalidad. ¶ ~분만 eutocia f. ~아(兒) niño, -ña mf normal. ~ 체위 [성교의] postura f del misionero. ~화 normalización f. ~하다 normalizar.

정상(頂上) ① [산꼭대기] cumbre f, cima f. 산의 ~에서 en la cumbre de la montaña. ② [최상. 절정] cenit m, zenit m, ápice m, auge m, acmé m. ③ [최상급의 지도자] cumbre f, líder m. ~ 회담 (conferencia f) cumbre f, conferencia f en [a] (la) cumbre.

정상(情狀) circunstancias fpl. ~ 참작 circunstancias fpl atenuantes. ~ 참작하다 tener una cuenta [atender a] las circunstancias atenuantes.

정상배(政商輩) agiotista mf.

정색[1](正色) ① [안색을 바르게 함] corrección f del semblante. ~하다 corregir el semblante. ② [얼굴에 나타난 엄정한 빛] cara f seria, gesto m serio, aire m solemne. ~하다 mantener la cara seria.

정색[2](正色) [순정한 색] color m puro.

정서(正書) ① [글씨를 또박또박 박아서 씀] copia f clara. ~하다 copiar claramente. ② [초잡았던 글을 정식으로 베껴 씀] copia f formal. ~하다 copiar formalmente. ¶ ~법 ortografía f.

정서(淨書) ① [글씨를 깨끗이 씀]

copia *f* en limpio, copia *f* limpia, escrito *m* en limpio. ~하다 copiar [hacer copia] en limpio, escribir en limpio. ② [초잡은 글을 다시 바르게 베낌] copia *f* correcta. ~하다 copiar correctamente.

정서(情緒) emoción *f*, sentimiento *m*, encanto *m*. ~ 교육 educación *f* de los sentimientos (estéticos).

정석(定石) ① [(바둑)] *cheongseok*, fórmula *f* en juego de *baduc*. ② [사물의 처리에 정하여진 방식] regla *f* general, gambito *m*.

정선(精選) selección *f* estricta. ~하다 elegir estrictamente, escoger con cuidado [cuidadosamente].

정설(定說) teoría *f* establecida, teoría *f* definitiva.

정성(精誠) aplicación *f*, cuidado *m*, esmero *m*, sinceridad *f*, ansia *f*, anhelo *m*, vehemencia *f*. ~껏 con todo corazón, esmeradamente, con (mucho) esmero, cuidadosamente, con (mucho) cuidado.

정세(情勢) situación *f*, condiciones *fpl*, circunstancias *fpl*. ~의 변화 cambio *m* de la situación.

정수(定數) ① [정해진 운수] destino *m*, hado *m*. ② [일정한 수효나 수량] número *m* fijo, cantidad *f* fija. ③ ((수학·물리)) constante *f*.

정수(淨水) ① [깨끗한 물] el agua *f* clara, el agua *f* limpia. ② [물을 깨끗이 함] purificación *f* del agua, filtración *f* del agua; [깨끗이 정화한 물] el agua *f* purificada. ~하다 purificar el agua, filtrar el agua. ¶ ~기 filtrador *m* del agua. ~장 estación *f* de filtración, planta *f* de purificación del agua.

정수(精粹) ① [순수하고 깨끗함] pureza *f*, integridad *f*. ~하다 (ser) puro, íntegro. ② [청백하고 사욕이 없음] inocencia *f* sin deseo privado, puridad *f* sin deseo privado.

정수(精髓) ① [뼈의 속에 있는 골] médula *f*, tuétano *m*. ② [사물의 중심을 이루는 것] esencia *f*, quintaesencia *f*; [정화] flor *f*.

정수(整數) (número *m*) entero *m*., número *m* integral, integral *f*.

정수리(頂一) vértice *m*.

정숙(貞淑) castidad *f*, virtud *f* femenina. ~하다 (ser) casto, virtuoso, modesto.

정숙(靜肅) silencio *m*, tranquilidad *f*, quietud *f*, solemnidad *f*, sosiego *m*, soledad *f*. ~하다 (ser) silencioso, tranquilo, quieto, solemne.

정승(政丞) primer ministro *m*.

정시(定時) ① [정해진 시간] tiempo *m* fijo, hora *f* establecida, hora *f* fijada. ~에 al tiempo fijo. ② [일정한 시기] tiempo *m* periódico.

정식(正式) formalidad *f*, método *m*

regular. ~의 formal, regular; [공식의] oficial; [법정의] legal. ~으로 formalmente, regularmente, oficialmente, legalmente, debidamente, en debida forma. ¶ ~ 결혼 matrimonio *m* legal. ~ 여권 pasaporte *m* legal.

정식(定式) fórmula *f*, formalidades *fpl*. ~의 formular, regular, formal.

정식(定食) comida *f* regular, dieta *f*, cubierto *m*. 오늘의 ~ menú *m* del día.

정신(精神) ① [마음이나 생각] espíritu *m*, el alma *f*, mente *f*. ~의 espiritual, mental; [심리적인] psíquico; [육체에 대해] moral. ~차려라! ¡Animo! / ¡Ten cuidado! ② [의식] conciencia *f*, consciencia *f*. 정신 일도 하사 불성(精神一到何事不成) ((속담)) Querer es poder. ¶ ~ 감응 telepatía *f* (mental). ~ 감정 prueba *f* psiquiática, teste *m* psiquiático. ~과 departamento *m* de psiquiatría [de psicosis]. ~과 의사 médico, -ca *mf* psiquiátra. ~과학 psicociencia *f*, ciencia *f* mental. ~ 교육 educación *f* moral. ~ 기능 función *f* mental. ~ 노동 trabajo *m* mental. ~ 노동자 trabajador, -dora *mf* mental. ~력 mentalidad *f*, fuerza *f* mental. ~ 무장 armamento *m* mental. ~ 박약 oligofrenia *f*, amencia *f*, debilidad *f* mental, atraso *m* [retraso *m*] mental. ~ 박약아 anormal *mf*. ~ 병 psicosis *f*, enfermedad *f* mental. ~ 병원 manicomio *m*. ~ 병 의사[전문 의사] psiquiatra *mf*. ~병자 (p)sicópata *mf*. ~병학 psiquiatría *f*. ~병 학자 psiquiatra *mf*. ~ 분열증 esquizofrenosis *f*. ~ 분열증 환자 esquinofrénico, -ca *mf*. ~사(史) historia *f* del espíritu. ~ 쇠약 atopia *f*. ~ 연령 edad *f* mental. ~ 운동 movimiento *m* psicomotor. ~ 이상 (p)sicosis *f*. ~ 이상자 trastornado, -da *mf* mental; lunático, -ca *mf*. ~ 장애 desorden *m* mental. ~ 지체아 niño, -ña *mf* deficiente mental. ~ 착란 aberración *f* mental. ~ 통일 concentración *f* mental [del espíritu · de la mente].

정실(情實) favoritismo *m*, parcialidad *f*. ~ 인사 nombramiento *m* por el favoritismo.

정액(定額) valor *m* fijo, suma *f* fija.

정액(精液) semen *m*, esperma *f*, líquido *m* seminal. ~ 은행 banco *m* de semen.

정양(靜養) reposo *m*. ~하다 reposarse. ~차 para el reposo.

정어리(魚類) sardina *f*.

정연하다(整然一) (estar) bien ordenado, bien arreglado, sistemático.

정열(情熱) pasión *f*, ardor *m*, fervor *m*, afección *f*. ~을 가지고 con pasión, con ardor, con ferevor. ~에 불타다 quemarse de pasión. ¶~적 apasionado, afectuoso, ardoroso, ardiente, fervoroso, ferviente. ~으로 apasionadamente, ardientemente.

정염(情炎) pasión *f*, fuego *m* de pasión, llama *f* de pasión. ~에 불타다 encenderse con pasión. ~을 불태우다 encender pasión.

정예(精銳) ① [썩 날래고 용맹스러움] la agilidad y la bravosidad. ② [가려 뽑은 군사] soldados *mpl* escogidos, soldados *mpl* selectos; [군] tropa *f* escogida. ~ 부대 tropas *fpl* de primera.

정오(正午) mediodía *m*. ~의 de(l) mediodía. ~에 a(l) mediodía. ~까지 hasta (el) mediodía.

정오(正誤) corrección *f*, rectificación *f*. ~표 fe *f* de erratas.

정온(定溫) temperatura *f* constante [fija]. ~으로 보존하다 mantener a una temperatura constante.

정욕(情欲) ① [마음에 이는 여러 욕구] deseos *mpl*. ② ((불교)) deseo *m* codicioso.

정욕(情慾) ① [색정. 성욕] pasiones *fpl*, deseo *m* [apetito *m*] sexual [carnal · sensual], concupiscencia *f*, lujuria *f*. ~적 concupiscente, lujurioso. ~적으로 lujuriosamente. ~의 노예 esclavo *m* de pasión. ② ((성경)) deseo *m*, pasión *f*.

정원(定員) personal *m* fijo, personal *m* regular, número *m* fijo de personas; [정족수] quórum *m*; [수용력] capacidad *f* (completa), número *m* de plazas; [막료의] fuerza *f* completa de un cuerpo. 버스의 ~ capacidad *f* del autobús.

정원(庭園) jardín *m*; [넓은] parque *m*; [마당] patio *m*; [뒷뜰] corral *m*. ~사 jardinero, -ra *mf*. ~수 árbol *m* del [para el] jardín, arbusto *m* de jardín (ornamental).

정월(正月) enero *m*. ~ 초하루 día *m* del Año Nuevo, el primero de enero.

정유(精油) ① [식물에서 채취하여 정제한] aceite *m* arómico refinado. ~하다 refinar aceite. ② ㉮ [석유를 정제함] refinado *m* [refinación *f*] del petróleo. ㉯ [정제한 석유] petróleo *m* refinado. ~하다 refinar petróleo. ¶~ 공장 refinería *f* de petróleo. ~관 oleoducto *m*. ~소 refinería *f* de petróleo.

정육(正肉) carne *f* de la carne de vaca.

정육(精肉) carne *f* sin grasa y huesos, carne *f* fresca (de vaca). ~점 carnicería *f*. ~점 주인 carnicero, -ra *mf*.

정육면체(正六面體) ((수학)) hexaedro *m* regular.

정음(正音) ① [한자의 본래의 올바른 음] pronunciación *f* correcta. ② ((준말)) =훈민 정음.

정의(正義) justicia *f*, derecho *m*, rectitud *f*, equidad *f*. ~의 소리 voz *f* de la justicia.

정의(定義) definición *f*. ~하다 definir, dar una definición.

정의(情誼) amistad *f*, afecto *m*. 깊은 ~ amistad *f* profunda.

정이월(正二月) enero y febrero.

정자(正字) ① [똑똑하고 체가 바른 글자] letra *f* correcta. ② [한자의 원글자] letra *f* original de caracteres chinos. ¶~법 ortografía *f*.

정자(亭子) pabellón *m*, quiosco *m*.

정자(精子) ((생물)) esperma *f*, espermatozoide *m*, zoospermo *m*, espermatozoo *m*. ~ 은행 banco *m* de esperma.

정작 verdad *f*, realidad *f*, actualidad *f*, [부사적] verdaderamente, realmente, en realidad, actualmente, prácticamente.

정장(正裝) uniforme *m* de gala, traje *m* de etiqueta. ~하다 vestirse de etiqueta, vestirse de gala, vestirse de ceremonia, estar en uniforme; [군인이] ponerse uniforme de gala.

정쟁(政爭) conflictos *mpl* políticos, disputa *f* [controversia *f*] política; [당파간의] lucha *f* de partidos (políticos).

정적(政敵) adversario *m* [rival *m* · opositor *m* · competidor *m* · antagonista *m*] político.

정적(靜寂) silencio *m*, tranquilidad *f*, sosiego *m*, calma *f*, quietud *f*. ~하다 (ser) silencioso, tranquilo.

정전(停電) interrupción *f* eléctrica, corte *m* de electricidad, apagón *m*. ~하다 interrumpir la electricidad. ~되다 ser cortado la corriente eléctrica.

정전(停戰) armisticio *m*, alto el fuego, suspensión *f* de las hostilidades, tregua *f*, *AmL* cese *m* del fuego. ~하다 suspender la guerra, suspender las hostilidades. ~ 협정 tratado *m* de tregua. ~ 회담 conferencia *f* de la tregua.

정절(貞節) castidad *f*, fidelidad *f*.

정점(頂點) ① [맨 꼭대기의 점] cumbre *f*, cima *f*, punto *m* culminante. ② [사물의 절정] clímax *m.sing.pl*.

정정(訂正) corrección *f*, rectificación *f*, revisión *f*, enmienda *f*. ~하다 corregir, rectificar, revisar, enmendar. ~본 libro *m* corregido. ~ 재판 segunda edición *f* revisada. ~ 증보 revisión *f* y aumento. ~ 증보판 edición *f* revisada [corregida] y aumentada. ~판 edición *f* revisada.

정정(政情) =정세(政勢). ¶이 나라는 ~이 불안정하다 Es inestable la situación política de este país.

정정당당하다(正正堂堂−) (ser) digno y imparcial, abierto y franco. 정정당당히 con dignidad e imparcialidad, imparcial y justamente, dignamente, con dignidad, cara a cara.

정정하다(亭亭−) ① [나무 따위가] levantarse [alzarse · erguirse] alto. ② [노인이] (ser) vigoroso, activo; [건장하다] estar bien de salud, estar sano y fuerte, ser saludable, ser fuerte como un roble, estar con una salud de hierro.

정제(精製) ① [정성을 들여 잘 만듦] hecho *m* bien elaborado. ~하다 hacer bien elaboradamente. ② [원료나 조제품을] refinamiento *m*. ~하다 refinar. 석유를 ~하다 refinar el petróleo. ¶~ 공장 refinería *f*. ~당 azúcar *m* refinado. ~법 procedimiento *m* de refinar. ~소 refinería *f*. ~유 aceite *m* refinado. ~품 artículos *mpl* refinados.

정제(錠劑) pastilla *f*, píldora *f*, tableta *f*.

정조(貞操) ① [여자의] castidad *f*, virtud *f*, fidelidad *f*. ~가 굳은 casta, virtuoso, fiel, perseverante. ② [성적 순결을 보존하는 일] conservación *f* de la virginidad. ~대 cinturón *m* de castidad. ~ 유린 violación *f* de la castidad.

정족수(定足數) quórum *m*, número *m* necesario, núnero *m* de individuos de una corporación [de una sesión].

정종(正宗) *cheongchong*, vino *m* coreano hecho de arroz.

정주(定住) permanencia *f*, residencia *f* fija. ~하다 establecerse, instalarse, radicarse, domiciliarse, vivir permanentemente, fijar el domicilio.

정중동(靜中動) movimiento *m* en la nada.

정중하다(鄭重−) (ser) cortés, cordial, afable, atento, hospitalario, caritativo. 정중히 cortésmente, con cortesía, atentamente, cordialmente, urbanamente, afablemente, respetuosamente, con reverencia. 정중히 대접하다 recibir con mucha hospitalidad [cordialmente], conceder cordial recepción.

정지(停止) parada *f*, detención *f*; [중단] interrupción *f*; [중지] suspensión *f*; ((법률)) entredicho *m*, prohibición *f*. ~하다 parar(se), detenerse, suspenderse. ~ 신호 señal *f* de parada.

정지(整地) [경지의] arreglo *m* [preparación *f*] (de un terreno); [택지의] allanamiento *m* [nivelación *f*] (de un terreno). ~하다 arreglar [preparar] (un terreno), allanar [nivelar] (un terreno).

정직(定職) empleo *m* [trabajo *m*] regular [fijo], profesión *f* [ocupación *f*] fija. ~을 얻다 adquirir un empleo fijo.

정직(停職) suspensión *f* de empleo [de oficio].

정직하다(正直−) (ser) honrado, honesto; [솔직하다] franco, recto. ~하게 honradamene, honestamente, francamente.

정진(精進) ① [전심] asiduidad *f*, concentración *f* de corazón. ② [종교상의] devoción *f*, purificación *f* religiosa. ③ [몸을 깨끗이 하고 마음을 가다듬음] purificación *f*. ~하다 aplicarse, purificarse.

정차(停車) parada *f*. ~하다 parar(se). ~ 금지 ((게시)) Prohibido parar / Se prohibe parar / No pare / No parar.

정착(定着) ① [한 곳에 자리잡아 떠나지 않음] fijación *f*. ~하다 fijarse, establecerse firmemente, echar raíces, instalarse, asentarse, fijar *su* residencia, arraigarse. ② [고착하여 쉬 떨어지지 않음] fijación *f*. ~하다 fijarse. ③ ((사진)) fijación *f*, fijado *m*. ~하다 fijar, virar. ④ ((미술)) fijación *f*. ~하다 fijar.

정찰(正札) etiqueta *f* [marbete *m*] de precio, marca *f* del precio fijo, marbete *m* de un solo precio; [가격] precio *m* fijo. ~하다 fijarse se precio *m* fijo. ~제 sistema *m* de precio fijo. ~ 판매 venta *f* a precio fijo.

정찰(偵察) reconocimiento *m*, exploración *f*. ~하다 reconocer, hacer un reconocimiento, explorar. ~기 avión *m* de reconocimiento, aeroplano *m* de exploración. ~대 cuerpo *m* de exploración, destacamento *m* explorador. ~병 explorador, -dora *mf*; escucha *mf*. ~ 부대 patrulla *f* de reconocimiento, avanzada *f*. ~ 비행 vuelo *m* de exploración [de reconocimiento].

정책(政策) política *f*. ~을 수립하다 estructurar [formular] un programa político [una línea política].

정처(定處) lugar *m* fijo, sitio *m* fijo, rumbo *m* fijo. ~ 없이 a la ventura, sin rumbo fijo, a la deriva.

정체(正體) ser *m*, figura *f* verdadera; [본성] carácter *m* verdadero, verdadero carácter *m*. ~를 알 수 없는 misterioso, enigmático, ininteligible; [기묘한] extraño; [신분을 알 수 없는] de linaje dudoso. ¶~ 불명 lo anómalo, lo extraño.

정체(政體) régimen *m*, sistema *m* de gobierno.

정체(停滯) estancamiento *m*, estancación *f*, detención *f*, parada *f*, retardación *f*, paralización *f* de los negocios; [교통의] congestión *f*; [사람의] abarrotamiento *m*; [산적] acumulación *f*; [소화 불량] indigestión *f*; [지불의] declive *m* a atrasos. ~하다 estancarse, detenerse, amontonarse, retardarse.

정초(正初) principio(s) *m(pl)* de enero. ~에 al prinicipio de enero, a principios de enero.

정초(定礎) piedra *f* de la esquina. ~식 colocación *f* de piedras de la esquina.

정충(精蟲) ((생물)) zoospermo *m*.

정취(情趣) humor *m*, encanto *f*, gracia *f*, fluidez *f*; [기분] modo *m*, atmósfera *f*; [느낌] sentimiento *m*; [아치] efecto *m* artístico.

정치(定置) fijación *f*. ~하다 fijar, emplazar, instalar.

정치(政治) política *f*, gobierno *m*. ~의 político. ~[인] político, -ca *mf*; estadista *mf*; hombre *m* de estado. ~계 mundo *m* político, círculos *mpl* políticos. ~범 criminal *m* político. ~ 운동 campaña *f* política, movimiento *m* político. ~ 자금 fondos *mpl* políticos, fondos *mpl* para actividades políticas. ~학 ciencias *fpl* políticas, política *f*, politicología *f*. ~학자 politólogo, -ga *mf*.

정치망(定置網) perchel *m*, red *f* fija.

정칙(正則) sistema *m* regular, regularidad *f*, normalidad *f*.

정탐(偵探) espionaje *m*. ~하다 espiar. ~꾼 espía *mf*; detective *m* secreto, detective *f* secreta.

정통(正統) legitimidad *f*. ~의 legítimo. ~주의 legitimismo *m*. ~주의자 legitimista *m*. ~파 escuela *f* ortodoxa, ortodoxia *f*; [사람] ortodoxo, -xa *mf*. ~ 학파 escuela *f* ortodoxa.

정통(精通) conocimiento *m* hondo [profundo · completo]. ~하다 (ser) versar, docto, versarse, tener perfecto conocimiento.

정파(政派) grupo *m*, camarilla *f*.

정판(整版) =오프셋 인쇄.

정판(整版) ((인쇄)) recomposición *f*. ~하다 recomponer.

정평(定評) crítica *f* pertinente.

정평(定評) reputación *f* (fija · establecida), fama *f*, opinión *f* establecida. ~ 있는 de fama, reputado, famoso, reconocido, admitido, concedido.

정하다(定一) [결정하다] decidir, determinar, fijar; [결심하다] decidir + *inf*, determinar + *inf*, decidirse a

+ *inf*, determinarse a + *inf*; [협정하다] acordar, arreglar; [선정하다] elegir; [지정하다] nombrar, asignar. 규칙을 ~ fijar [establecer] reglas. 날짜를 ~ fijar la fecha.

정학(停學) expulsión *f* temporal de la escuela, suspensión *f* de asistir a la escuela.

정해(正解) contestación *f* [solución *f*] correcta, respuesta *f* exacta, entendimiento *m*. ~하다 contestar [descifrar] correctamente, dar una contestación correcta.

정해(精解) solución *f* [interpretación *f*] precisa [exacta]. ~하다 solver [interpretar] precisamente [exactamente].

정현(正弦) ((수학)) seno *m* (recto). ~ 곡선 curva *f* sinoidal.

정형(定形) forma *f* fija, figura *f* [tipo *m*] regular, tipo *m* fijo. ~ 없이 sin forma fija, amorfo, informe, anómalo, disforme.

정형(定型) forma *f* fija, metro *m* fijo, figura *f* regular, principios *mpl*. ~시 poema *m* de forma fija, verso *m* de metro fijo.

정형(整形) ((의학)) ortopedia *f*, operación *f* plástica. ~ 수술 operación *f* plástica, tratamiento *m* ortopédico. ~ 수술을 하다 hacer una operación ortopédica, apelar a la ortopedia. ~술 ortopedia *f*, ortomorfia *f*. ~외과 ortopedia *f*, cirugía *f* ortopédica. ~ 외과 의사 ortopedista *mf*; cirujano *m* ortopédico, cirujana *f* ortopédica.

정혼(定婚) esponsales *mpl*, compromiso *m* (matrimonial). ~하다 prometer en matrimonio.

정화(正貨) metálico *m*, moneda *f* corriente, dinero *m* en circulación.

정화(淨化) purificación *f*, depuración *f*, limpieza *f*. ~하다 purificar, depurar, limpiar. ~ 장치 depurador *m*, aparato *m* para depurar, instalación *f* para la purificación. ~조 purificador *m*.

정화수(井華水) *cheonghwasu*, el agua *f* sacada del pozo al amanecer.

정확(正確) exactitud *f*, precisión *f*, puntualidad *f*, certeza *f*. ~하다 (ser) correcto, exacto, justo, puntual, preciso, cierto. ~히 correctamente, exactamente, con exactitud, con precisión, en punto, a punto fijo, regularmente, puntualmente.

정황(情況) situación *f*, circunstancia *f*, condición *f*, estado *m* de negocios, estado *m* de (las) cosas. ~ 증거 evidencia *f* circunstancial, prueba *f* indicadora, indicios *mpl* vehementes.

정회(停會) ① [회의를 정지함] suspensión *f* de una reunión. ~하다

suspender una reunión. ② [국회의] suspensión *f* de sesiones del parlamento. ~하다 suspender algunas sesiones del parlamento.

정회(情懷) recuerdo *m* cariñoso [afectuoso], hermoso recuerdo *m*.

정회원(正會員) miembro *mf* regular.

정훈(政訓) ((군사)) información *f* y educación de tropas.

정휴일(定休日) [근무자 등의] día *m* de descanso regular; [상점 등의] día *m* feriado de comercio, día *m* de cierre regular.

정히(正一) exactamente, verdaderamente, realmente, justamente, debidamente, precisamente, puntualmente. ~ 영수함 He recibido debidamente.

젖 ① [분만 후에 유선에서 분비되는 뿌연 액체] leche *f*, [모유] leche *f* de madre. 소의 ~ leche *f* de vaca). ~을 빨다 mamar. ~을 주다 dar de leche. ② =유방. ③ [식물의 줄기나 잎에서 나오는] leche *f*.

젖가슴 pecho *m*, busto *m*.

젖꼭지 ① ((해부)) papila *f*, mamila *f*, teta *f*, pezón *m*; [남자의] tetilla *f*. ② [젖병의 고무 젖꼭지] tetina *f*, *Méj* chupón *m*, *CoS* chupete *m*, *Col* chupo *m*.

젖꽃판 ((해부)) aréola *f*.

젖내 olor *m* a leche. ~가 나다 oler a leche. ~가 나는 que huele a leche. ~(가) 나다 todavía ser lactante, estar en pañales, ser infantil, ser pueril, mocoso. 젖내나는 소녀 chica *f* que está en pañales [en mantillas].

젖니 diente *m* de leche.

젖다¹ [뒤로 기울어지다] inclinarse atrás.

젖다² ① [물이 묻어] mojarse, humedecerse, calarse, empaparse. 젖은 mojado, húmedo. 젖기 쉬운 fácil de humedecerse. 젖은 땅 tierra *f* húmeda. 젖은 옷 traje *m* mojado. 눈물로 젖은 눈 ojos *mpl* humedecidos de lágrimas. 흠뻑 ~ empaparse, quedarse empapado. 흠뻑 젖어 있다 estar calado hasta los huesos. ② [무슨 일이 버릇이 되다] contraer. 악습에 ~ contraer [adquirir] malos hábitos. ③ [귀에 익다] oír, resonar en *sus* oídos.

젖당(一糖) láctina *f*, lactosa *f*.

젖동생(一同生) hermano *m* adoptivo, hermana *f* adoptiva.

젖떨어지다 ser destetado. 젖떨어진 어린애 niño *m* destetado, niña *f* destetada. 젖떨어진 동물 animal *m* destetado.

젖떼기 ① [젖뗄 때가 된 아이나 짐승] niño, -ña *mf* [animal *m*] del período de destete. ② [이유] destete *m*.

젖떼다 destetar. 젖뗀 어린애 niño *m* destetado, niña *f* destetada.

젖먹이 bebé *m*; niño, -ña *mf* de pecho; niño *m* recién nacido, niña *f* recién nacida; infante *m*, infanta *f*, nene, -na *mf*; *AmS* guagua *f*.

젖몽울 ① =젖샘. ② [젖에 서는 멍울] mastitis *f*. ~이 서다 sufrir de mastitis.

젖몸살 mastitis *f*. ~을 앓다 sufrir de mastitis.

젖배 vientre *m* que mama el nene. ~(를) 곯다 el nene no mama hasta darse un hartazgo [hasta hartarse]

젖병(一瓶) biberón *m* (*pl* biberones).

젖비린내 ① [젖에서 풍기는 비린내] olor *m* a leche. ~가 나다 oler a leche. ② [유치한 느낌] puerilidad *f*. ~(가) 나다 (ser) pueril, infantil.

젖빛 color *m* lechoso [blanco como la leche]. ~의 lechoso, blanco como la leche. ~ 유리 vidrio *m* lechoso.

젖산(一酸) ((화학)) ácido *m* láctico.

젖샘(一腺) ((해부)) glándula *f* mamaria.

젖소 vaca *f* lechera.

젖통 =젖퉁이. ¶~이 큰 여인 mujer *f* con pinta de ordinaria. ~이 큰 소녀 chica *f* con mucho busto, chica *f* muy pechugona.

젖퉁이 pecho *m*. ☞유방(乳房)

젖혀놓다 ① [뒤집어놓다] poner al revés. ② [방치하다] dejar a un lado; [무시하다] desatender, no hacer caso.

젖히다 inclinar, echar, encorvar, torcer, doblar. 뒤로 ~ arquear, encorvar, doblar. 몸을 ~ enderezarse. 머리를 ~ inclinar [echar] la cabeza.

제 ① [「나」의 낮춤말인 「저」의 특별히 변한 말] yo. ~가 하겠습니다 Yo lo haré. ② [「자기」의 낮춤말인 「저」의 특별히 변한 말] él, ella. ③ ((준말)) =저의(mi).

제(祭) =제사(祭祀).

제(諸) [모든] todo. ~ 단체 todas las asociaciones.

제(題) ((준말)) ① =제목(題目). ② =제사(題詞).

제(劑) ((한방)) veinte bolsas de la medicina para la cocción.

제-(第) número *m*, Nº. ~5조 =2항 el artículo quinto, la cláusula segunda. ~9교향곡 la novena sinfonía.

제각기(一各其) cada uno, respectivamente, separadamente, individualmente, distintamente, a coro.

제강(製鋼) manufactura *f* [fabricación *f*] de acero. ~소 acería *f*, fábrica *f* de acero.

제거(除去) eliminación *f*, exclusión *f*, remoción *f*, extirpación *f*. ~ 하다

sacar, quitar, eliminar, suprimir, excluir, remover, extirpar.

제격(一格) lo adecuado para *su* posición social. 그녀에게는 한복이 ~이다 A ella le sienta perfectamente el vestido tradicional coreano.

제고장 *su* tierra [*su* suelo] natal.

제곱 ((수학)) cuadrado *m*, duplicación *f* del mismo número, segunda potencia *f*, potencia *f* de segundo grado. ~하다 cuadrar, duplicarse, multiplicar un número por sí mismo, elevar al cuadrado. ~근 raíz *f* cuadrada (√). ~근풀이 extracción *f* de una raíz cuadrada. ~ 미터 metro *m* cuadrado.

제공(提供) ofrecimiento *m*, oferta *f*, proposición *f*, propuesta *f*. ~하다 ofrecer, suministrar, abastecer, proveer, presentar. 서비스를 ~하다 ofrecer *sus* servicios. ~자 donante *mf*.

제공권(制空權) supremacía *f* aérea, poder *m* aéreo, dominio *m* aéreo. ~을 장악하다 tener el dominio del aire [el poder aéreo].

제과(製菓) productos *mpl* de confitería, fabricación *f* de confites y pasteles. ~업 industria *f* de confitería. ~업자 confitero, -ra *mf*; pastelero, -ra *mf*. ~점 confitería *f*, pastelería *f*, repostería *f*, dulcería *f*. ~회사 compañía *f* de confitería.

제구(制球) control de la pelota. ~력 control *m* de la pelota.

제구(祭具) utensilios *mpl* usados en los servicios religiosos.

제구실 *su* función; [의무] *sus* deberes, *su* obligación. ~을 하는 남자 hombre *m* hecho y derecho.

제국 sin mentiras, naturalmente, por naturaleza, de un modo natural.

제국(帝國) imperio *m*. ~의 imperial. ~주의 imperialismo *m*. ~주의자 imperialista *mf*.

제국(諸國) diversos países *mpl*, (todos) los países.

제군(諸君) caballeros *mpl*, ustedes; [연철의 경우] Damas y caballeros, Señoras y Señores, Señores.

제금((악기)) címbalo *m* pequeño.

제금(提琴) ((악기)) violín *m*. ~을 켜다 tocar [tañer] el violín. ¶~가 violinista *mf*.

제기¹ ((장난감)) una especie del volante [de la plumilla].

제기² ((준말)) =제기랄.

제기(祭器) platos *mpl* usados en los servicios religiosos.

제기(提起) planteamiento *m*. ~하다 proponer. 문제를 ~하다 plantear un problema.

제기랄 ¡Caray! / ¡Carajo! / *ReD* ¡Coño! / ¡Mierda!

제단(祭壇) altar *m*.

제당(製糖) producción *f* azucarera, manufactura *f* [fabricación *f*] de azúcar. ~공장 azucarera *f*. ~소 refinería *f* de azúcar, azucarera *f*, ingenio *m* azucarero. ~업 industria *f* azucarera. ~업자 fabricante *mf* de azúcar. ~회사 compañía *f* azucarera, compañía *f* de fabricación de azúcar.

제대(除隊) [만기의] licencia *f* del servicio militar; [병·사고에 의한] exención *f* por inútil. ~하다 dar de baja del ejército, quedar libre [exento] del servicio militar; [만기로] obtener la licencia, licenciarse. ~병 soldado *m* librado, soldada *f* librada; [만기의] soldado *m* licenciado, soldada *f* licenciada.

제대로 tal y como está, así como está.

제도(制度) sistema *m*, instituciones *fpl*, régimen *m*; [조직] organización *f*. ~를 만들다 establecer un régimen.

제도(製圖) diseño *m*, dibujo *m* (lineal), diseñaduría *f*; [지도의] cartografía *f*. ~하다 diseñar, dibujar, hacer un plano. ~공 diseñador, -dora *mf*. ~기 instrumento *m* de dibujo. ~실 sala *f* de dibujo. ~용지 papel *m* de dibujo. ~판 tabla *f* de dibujo.

제도(諸島) (muchas) islas *fpl*, todas las islas, archipiélago *m*.

제도(濟度) ((불교)) salvación *f*, redención *f*. ~하다 salvar el alma. 중생을 ~하다 salvar el alma de la humanidad.

제독(除毒) =해독(解毒).

제독(提督) almirante *m*, comandante *m* de escuadra.

제동(制動) frenado *m*. ~기 freno *m*, retrana *f*. ~기를 걸다 poner el freno, poner la retrana. ~수 [철도의] guardafrenos *mf.sing.pl*, retranquero *m*. ~장치 mecanismo *m* detenedor, mecanismo *m* de paro.

제등(提燈) farol *m* de papel, linterna *f* de papel, linterna *f* veneciana, parolillo *m*.

제때 tiempo *m* regular. ~에 a tiempo.

제라늄 ((식물)) geranio *m*.

제련(製鍊) refinación *f*, refinadura *f*. ~하다 refinar, purificar. ~소 refinería *f*. ~업 industria *f* de refinación. ~업자 refinador, -dora *mf*.

제례(祭禮) ceremonias *fpl* religiosas, ritos *mpl* expiatorios, ritos *mpl* propiciatorios. ~하다 observar ceremonias religiosas.

제로 [영] cero *m*, nada. ~ 게임 ㉮ ((테니스)) juego *m* en blanco, juego *m* a cero. ⊕ ((야구)) partido *m* ganado sin que marque el contrario. ~ 세트 set *m* en blanco, set *m* a cero.

제막(除幕) acción *f* de descubrir el velo. ~하다 quitar el velo (de la estatua), descubrir una estatua, inaugurar una estatua. ~식 (ceremonia *f* de) inauguración *f*.

제멋 *su* aire. 누구나 ~에 산다 Cada uno vive a su aire.

제멋대로 sin preocupaciones, a *su* aire, a *su* capricho, a *su* guisa, a *su* modo.

제명(-命) vida *f* natural.

제명(除名) expulsión *f*, exclusión *f*. ~하다 expulsar, excluir, borrar el nombre de una lista, expeler.

제명(題名) título *m*.

제모(制帽) gorra *f* oficial, gorra *f* uniforme; [학교의] gorra *f* escolar, gorra *f* de escuela.

제목(題目) título *m*. ~을 붙이다 titular, intitular.

제물(祭物) ① [제사에 쓰는 음식] comida *f* para el servicio religioso. ② [희생물] sacrificio *m*, ofrenda *f*; [희생자] víctima *f*. ~을 바치다 hacer una ofrenda.

제물에 de por sí, por sí mismo.

제반(諸般) todo tipo, toda clase, todo género, toda suerte, todas cosas. ~ 준비 todos los preparativos.

제발 por favor. ~ 부탁합니다 Se lo ruego, por Dios.

제방(堤防) malecón *m*, dique *m*, represa *f*. ~을 축조하다 [구축하다] construir el malecón, construir el dique, represar, terraplenar.

제법 considerablemente, bastante, muy, notablemente.

제보(提報) suministro *m* de informaciones. ~하다 suministrar informaciones.

제복(制服) uniforme *m*; [하인·급사의] librea *f*. ~을 입다 vestirse de uniforme, uniformar.

제본(製本) ① [만든 물건의 본보기] muestra *f*. ② [인쇄물 등을 책으로 만듦] encuadernación *f* (de libros). ~하다 encuadernar. ¶ ~ 기계 encuadernador *m*. ~소 (taller *m* de) encuadernación *f*. ~자 encuadernador, -dora *mf*.

제부(弟夫) cuñado *m*, esposo *m* de *su* hermana menor de una mujer.

제분(製粉) molienda *f*, molinería *f*, fabricación *f* de la harina. ~하다 moler. ~ 공장 molino *m* harinero. ~기 molino *m*. ~업 molinería *f*, industria *f* harinera. ~ 업자 molinero, -ra *mf*. ~ 회사 compañía *f* harinera.

제비[¹] [가부를 결정하는 한 방법으로 쓰는 물건] lotería *f*, rifa *f*, sorteo *m*, tómbola *f*, [특히 축구 추첨] quinelas *fpl*. ~가 뽑히다 sacar premio. ~ 뽑다 rifar, sortear, echar (a) suertes, echar (a) balotas.

제비[²] ((조류)) golondrina *f*. 제비 마리가 왔다고 여름이 되는 것은 아니다 ((속담)) Una golondrina no hace verano.

제비꽃 ((식물)) violeta *f*.

제비추리 carne *f* de vaca de las costillas interiores.

제빙(製氷) fabricación *f* de hielo, hilandería *f*. ~하다 fabricar el hielo. ~ 공장[소] fábrica *f* de hielo. ~기 máquina *f* de fabricar hielo.

제사(祭祀) servicio *m* funeral, servicio *m* religioso, ritos *mpl* religiosos. ~지내다 =제사내다. ~人날 día *m* expiatorio [propiciatorio]. ~ㅅ밥 comida *f* expiatoria, comida *f* propiciatoria.

제사(製絲) hilado *m*, hilandería *f*, fabricación *f* de hilados. ~ 공장 fábrica *f* de hilados, taller *m* de hilados, hiladero *m*. ~업 industria *f* hilandera, industria *f* de hilados, hilatura *f*.

제사(題詞) prólogo *m*, mote *m*, letras *fpl* preliminares, palabras *fpl* preliminarias.

제사(題辭) prefacio *m*, epígrafe *m*.

제사(第四) cuarto *m*. ~의 cuarto.

제삼(第三) tercero *m*. ~의 tercero; [남성 단수 명사 앞에서] tercer. ~국 tercer país *m*, tercer estado *m*, tercera nación *f*, tercer poder *m*. ~ 세계 tercer mundo *m*. ~ 세력 tercera potencia *f*. ~인칭 tercera persona *f*. ~자 tercera parte *f*, tercero *m*, tercera persona *f*.

제상(祭床) mesa *f* usada en el servicio religioso.

제설(除雪) barredura *f* de nieve. ~하다 quitar [limpiar] la nieve, desembarazar de nieve, barrer la nieve. ~기 quitanieves *m*. ~ 작업 trabajo *m* de barredura de nieve. ~차 quitanieves *m.sing.pl*.

제설(諸説) opiniones *fpl* diversas, versiones *fpl* diversas, interpretaciones *fpl* diversas; [이론] teorías *fpl* variadas. ~이 분분하다 haber versiones [intrepretaciones] diversas.

제세(濟世) salvación *f* del mundo. ~하다 salvar el mundo. ~ 안민(安民) salvación *f* del mundo y el alivio del pueblo.

제소(提訴) apelación *f*. ~하다 apelar.

제수(弟嫂) cuñada *f*, hermana *f* política, esposa *f* de *su* hermano menor.

제수(除數) ((수학)) divisor *m*.

제수(祭需) ① [제사용 여러 가지 음식이나 재료] cosas *fpl* para el servicio religioso. ② ＝제물(祭物).

제스처 gesto *m*, ademán *m*, gesticulación *f*, [표현의] mímica *f*. ~를 하다 hacer gestos, gesticular.

제시(提示) presentación *f*, exhibición *f*, [제안] proposición *f*. ~하다 presentar, enseñar, mostrar; [제안하다] proponer.

제시간(─時間) tiempo *m* apropiado. ~에 a tiempo. ~에 돌아오너라 Vuelve a tiempo.

제안(提案) propuesta *f*, proposición *f*. ~하다 proponer, hacer una propuesta. ~자 proponedor, -dora *mf*; proponente *mf*.

제암(制癌) oncostasis *f*.

제압(制壓) opresión *f*. ~하다 oprimir; [지배하다] dominar; [굴복시키다] someter, sujetar. 시장을 ~하다 dominar [conquistar] el mercado.

제야(除夜) la Nochevieja, la Noche Vieja, víspera *f* del día del Año Nuevo, la noche de Fin de Año. ~의 종 campana *f* de la Nochebuena. ~의 종소리 campanadas *fpl* de Noche Vieja, campanadas *fpl* de la víspera del año nuevo.

제약(制約) [사물의 성립에 필요한 조건이나 규정] condición *f*, control *m*. ~하다 controlar. ② [제한] limitación *f*, restricción *f*. ~하다 limitar, restringir.

제약(製藥) ① [약을 제조함] fabricación *f* de medicinas. ~의 farmacéutico. ② [제조한 약] medicina *f* fabricada. ¶~업 industria *f* farmacéutica. ~학 farmacología *f*. ~회사 compañía *f* farmacéutica.

제어(制御) control *m*, mando *m* [비행기의], reglaje *m*, dominio *m*, gobierno *m*, freno *m*. ~하다 controlar, dominar, dirigir, gobernar.

제염(製鹽) fabricación *f* de sal. ~하다 fabricar sal. ~소 salinas *fpl*.

제왕(帝王) [황제와 국왕] el emperador y el rey. ~ 절개 수술 operación *f* cesárea. ~ 절개술 sección *f* cesárea, histerectomía *f* cesárea, gastrohisterotomía *f*.

제외(除外) excepción *f*, exclusión *f*. ~하다 exceptuar, excluir.

제우스 ((그리스 신화)) Zeus *m* (로마 신화의 Júpiter에 해당).

제용직씨 ((언어)) ＝자동사(自動詞).

제위(帝位) trono *m*, corona *f*.

제위(諸位) caballeros *mpl*.

제유(製油) manufactura *f* del petróleo, fabricación *f* del aceite. ~소 fábrica *f* de aceite, refinería *f* de petróleo.

제육(猪肉) carne *f* de cerdo, carne *f* de puerco.

제육(第六) sexto *m*. ~의 sexto. ~감 sexto sentido *m*; [직관] intuición *f*.

제의(提議) propuesta *f*, proposición *f*. ~하다 proponer, hacer una proposición. ~자 proponente *mf*.

제이(第二) segundo *m*, segundo, secundario. ~ 성징(性徵) carácter *m* sexual secundario. ~ 외국어 segundo idioma *m*. ~인칭 segunda persona *f*. ~차 세계 대전 Segunda Guerra *f* Mundial, Guerra *f* Mundial II (Segunda).

제일(祭日) ＝제삿날.

제일(第一) ① [첫째] primero *m*. ~의 primero; [최초의] primario; [본원의] primordial; [주요한] principal. ~로 primeramente, primero, en primer lugar; [우선] ante todo, antes que nada. ~과 lección *f* primera, primera lección *f*, lección *f* una. ~장 capítulo *m* primero, primer capítulo *m*. ② [가장 많이] el más; [가장 적게] el menos. 반에서 ~ 열심히 공부하는 학생 el más estudioso de la clase. 한국에서 ~ 높은 산 la montaña más alta de Corea. ¶~인자 primer personaje *m*, número uno. ~종 전염병 primera epidemia *f*. ~차 세계 대전 Guerra *f* Mundial I, Primera Guerra *f* Mundial.

제자(弟子) discípulo *m*, -la *mf*; [도제(徒弟)] aprendiz, -za *mf*.

제자(題字) epígrafe *m*, inscripción *f* preliminar.

제자리 lugar *m* original. ~로 돌아가다 volver atrás, regresar, ir de espaldas, retirarse.

제작(製作) fabricación *f*, manufactura *f*, producción *f*, elaboración *f*. ~하다 fabricar, manufacturar, producir. ~가 productor, -tora *mf*. ~권 derecho *m* de producción. ~ 번호 número *m* de fábrica. ~비 coste *m* de producción. ~소 fábrica *f*, taller *m*; [스튜디오] estudio *m*. ~스텝 plantilla *f* de producción. ~자 fabricante *mf*; constructor, -tora *mf*; manufacturero, -ra *mf*; elaborador, -dora *mf*; [영화의] productor, -tora *mf*.

제재(制裁) sanción *f*, [벌] castigo *m*, punición *f*; [형벌] pena *f*. ~하다 sancionar, castigar.

제재(製材) aserradura *f* (de madera). ~하다 aserrar. ~공(工) aserrador, -dora *mf*; leñador, -dora *mf*. ~공장 aserradero *m*. ~기 aserrador *m*, máquina *f* aserradora. ~소 aserradero *m*, Col aserrío *m*. ~업 industria *f* maderera.

제재(題材) materia *f*; [주제] sujeto *m*, tema *m*.

제적(除籍) eliminación *f* de un nombre del registro, anulación *f* del registro. ~하다 borrar [remover] su nombre del registro.

제전(祭典) ① [제사의 의식] ritos mpl religiosos, servicio m religioso. ② [예술 발표회나 체육 대회 등] festival m, fiesta f.

제정(制定) promulgación f (de una ley), estatuto m. ~하다 promulgar (una ley), poner en ejecución, establecer, estatuir. 법률을 ~하다 establecer una ley, legislar.

제정(帝政) régimen m [gobierno m] imperial.

제정(帝政) religión y estado, iglesia y estado. ~ 일치 teocracia f, unidad f de iglesia y estado.

제정(提呈) presentación f. ~하다 presentar, ofrecer. 신임장을 ~하다 presentar las credenciales [la carta credencial].

제정신(―精神) [실신에 대해] conciencia f, [광기에 대해] razón f, cordura f, juicio m. ~으로 돌아오다 volver en sí, recobrar, recobrar el sentido [el conocimiento]. ~을 잃다 olvidarse de sí mismo, perder la razón.

제조(製造) fabricación f, manufactura f, [생산] producción f, [조립] montaje m; [조제] preparación f, [옷의] confección f, [식료품의] elaboración f, producción f. ~하다 fabricar, manufacturar, producir, confeccionar, montar, preparar, elaborar. ~ 공장 fábrica f (de fabricación). ~ 공정 proceso m de fabricación. ~업 industria f manufacturera. ~업자 fabricante mf; productor, -tora mf, elaborador, -dora mf. ~원(元) fabricante m, productor m. ~ 원가 precio m de fábrica, precio m del fabricante, coste m de fabrica ción. ~품 productos mpl, productos mpl manufacturados, manufacturas fpl.

제지(制止) detención f, prohibición f, [억압] represión f. ~하다 detener, refrenar, reprimir, impedir, frenar, contener, atajar, estorbar.

제지(製紙) fabricación f de papel. ~ 공장 fábrica f de papel. ~업 industria f papelera. ~ 원료 pulpa f. ~ 회사 compañía f (manufacturera) de papel.

제창(提唱) abogación f, propuesta f, introducción f, disertación f, discurso m. ~하다 abogar, proponer.

제창(齊唱) coro m; ((음악)) unísono m, unísono f, homofonía f. ~하다 cantar en coro, cantar al unísono.

제책(製冊) = 제본(製本).

제철 estación f (conveniente), sazón m. ~이다 estar a punto; [과일 따위가] estar maduro. ~이 지난 tardío, atrasado, fuera de sazón.

~이 아닌 fuera de estación, fuera de tiempo, intempetivo, a destiempo.

제철(製鐵) fabricación f de hierro, fundición f de hierro, siderurgia f. ~소 fábrica f siderúrgica. ~업 siderurgia f, industria f siderúrgica. ~ 업자 siderúrgico, -ca mf. ~주(株) acciones fpl siderúrgicas. ~ 회사 compañía f siderúrgica.

제철(蹄鐵) herradura f.

제쳐놓다 ① [거치적거리지 않게 치워 놓다] poner removiendo. ② [따로 골라 놓다] escoger, seleccionar, elegir. ③ [미루어 놓다] dejar sin hacer. 일을 ~ dejar su trabajo sin hacer.

제초(除草) escardadura f, escarda f, desyerba f. ~하다 escardar, desyerbar. ~기(器) escardillo m. ~기(機) desyerbador m, escarda f, escardador m, extirpador m de hierbas. ~약[제] herbicida f.

제출(提出) presentación f, [제안] proposición f. ~하다 presentar, proponer, ofrecer, dar a conocer, introducir, dar una queja, dar una objección.

제충(除蟲) eliminación f de insectos, insecticidio m. ~하다 eliminar los insectos. ~제(劑) insecticida m.

제충국(除蟲菊) ((식물)) crisantemo m de vermífugo, píretro m.

제취(除臭) desodorización f. ~하다 desodorizar.

제칠(第七) séptimo m. ~의 séptimo.

제트 ① =제트 엔진. ② =제트기. ③ [분사. 분출. 사출] chorro m. ¶ ~기 avión m (con motor a reacción), avión m a [de] chorro, avión m jet, avión m de propulsión a chorro, reactor m. ~ 기류 chorros mpl de viento (que soplan de oeste a este a la altura de diez kilómetros), corrientes fpl estratosféricas, manga f de aire. ~ 엔진 motor m a [de] reacción, reactor m, propulsor m a [de] reacción] a chorro, aeropropulsor m por reacción.

제판(製版) composición f, estampado m de prueba. ~하다 componer. ~기(機) aparato m para reproducción de clisés, confeccionadora f de placas offset, clisador m.

제팔(第八) octavo m. ~의 octavo. ¶ ~예술 película f.

제패(制霸) dominio m, hegemonía f, supremacía f. ~하다 dominar, conquistar, reinar.

제품(製品) producto m; [상품] artículo m. 금년의 새 ~ nuevos productos mpl de este año. ¶ ~ 원가 coste m (de productos).

제하다(除―) ① [덜어 버리다] substraer, deducir, restar. 봉급에서 세금을 ~ deducir del sueldo el impuesto. ② ((수학)) dividir. ③ [없애다] eliminar; [제외하다] excluir, exceptuar.

제한(制限) restricción f, límite m, limitación f, coartación f. ~하다 restringir, limitar, coartar. ~ 선거 sufragio m limitado. ~ 속도 velocidad f limitada. ~ 송전 límite m de potencia.

제해권(制海權) dominio m [control m] del mar, poderío m [poder m] marítimo, supremacía f naval, potencia f del mar.

제헌(制憲) establecimiento m de una constitución. ~ 국회 las Cortes Constituyentes. ~절 Día m de la Constitución.

제혁(製革) curtido m, curtimiento m, fabricación f de cuero. ~하다 curtir, fabricar cuero. ~공 curtidor, -dora mf. ~ 공장 curtiduría f. ~소 curtiduría f, tenería f.

제호(題號) título m (de un libro).

제화(製靴) fabricación f de zapatos. ~공 fabricante mf de zapatos. ~ 공업 industria f del calzado [del zapatos]. ~ 공장 fábrica f de zapatos.

제휴(提携) alianza f, coalición f, cooperación f, ayudas fpl mutuas, confederación f. ~하다 cooperar, colaborar, asociarse. 서로 ~하다 aliarse, asociarse, ayudarse, confederarse, coalizarse.

젠장 ① ((준말))=젠장맞을. ② ((준말))=젠장칠.

젠장맞을 ¡Caramba! / ¡Cáscaras! / ¡Mierda! / ¡Carajo! / ReD ¡Coño!

젠장칠 ¡Caramba! / ¡Cáscaras! / ¡Mierda! / ReD ¡Coño!

젠체하다 presumir de, engreírse, darse aires.

젤라틴((화학)) gelatina f.

젤리 jalea f.

젯밥(祭一) chetbab, arroz m cocido que ha sido ofrecido en el sacrificio, comida f quitada después de los ritos religiosos.

조 ((식물)) mijo m.

조(組) ① clase f, [단] compañía f, colección f, [팀] equipo m, tripulación f, [집단] grupo m, [도당] cuadrilla f, firma f, [부대] banda f, [놀이의] pandilla f. ② [벌] juego m, serie f, surtido m. 트럼프 한 ~ una baraja de naipes. 커피세트 한 ~ un juego de café. ③ ((인쇄)) composición f.

조¹(調) ((준말))=곡조(曲調). ¶다 ~ tono m en do.

조²(調) [그런 말투나 행동] tono m, actitud f, manera f. 시비~로 con actitud desafiante, insolentemente.

조³(條) artículo m. 헌법 제1~ el Artículo Primero de la Constitución.

조(朝) dinastía f, reinado m, reino m, reina f. 조선~ dinastía f (de) Choson. 펠리뻬 2세~ reinado m de Felipe II.

조(兆) billón m. 1~ un billón, un millón de millones.

조가(弔歌) canto m fúnebre, elegía f.

조가비 cáscara f de la concha. ~ 세공 obra f de cáscara de la concha.

조각 pedazo m, pieza f, trozo m, cacho m; [1인분] porción f; [육류·생선의] tajada f; [과일의] tajada f; [천의] tela f, tejido m; [부스러기] retal m, desperdicio m. 빵한 ~ un pedazo de pan. ~(이)나다 romperse, rajarse. ¶~달 creciente m. ~배 barca f. ~보 tela f de envolver de retales.

조각(組閣) formación f del gabinete. ~하다 formar [organizar] un gabinete.

조각(彫刻) escultura f, grabado m, talla f. ~하다 esculpir, grabar; inscribir; [끌로] cincelar. ~가 escultor, -tora mf; escultipdor, -dora mf; grabador, -dora mf; cincelador, -dora mf. ~도(刀) escoplo m., tallador m, cuchillo m (de contornear), gubia f, punzón m; [동관용의] buril m.

조각조각 en pedazos. ~ 찢다 romper en pedazos, hacer pedazos, hacer pedacitos..

조간(朝刊) ((준말))=조간 신문.

조간 신문(朝刊新聞) diario m de la mañana, periódico m matutino.

조갈(燥渴) sed f. ~이 나다 tener sed.

조감도(鳥瞰圖) vista f aérea, vista f (a vuelo) de pájaro.

조감독(助監督) ayudante mf de director.

조강지처(糟糠之妻) esposa f que ha compartido la adversidad de su marido [días de estrechez con su marido].

조개 ((동물)) marisco m; [모시조개·대합 따위 식용의] almeja f, [패각] concha f. ~ 껍데기 concha f. ~ 더미 montón m de conchas. ~젓 mariscos mpl escabechados [salados]. ~탕 sopa f de mariscos. ~살 carne f de almeja.

조개탄(一炭) briqueta f oval.

조객(弔客) doliente mf; visitante mf para la condolencia.

조건(條件) condición f, [수학 등의] datos mpl (de un problema); [상황] circunstancia f. ~ 반사 reflejo m condicionado. ~법 modo m condicional. ~부 condicionado m.

조경(造景) paisajismo m. ~가 jardinero, -ra mf paisajista. ~술 arquitectura *f* paisajista.

조교(弔橋) puente *m* colgante.

조교(助敎) ayudante *mf*; asistente *mf*.

조교수(助敎授) profesor *m* adjunto, profesora *f* adjunta.

조국(祖國) patria *f*, tierra *f* natal. ~을 위해 por la patria. ¶~애 patriotismo *m*.

조그마하다 (ser) un poco pequeño, algo poco, no ser bastante [tan] grande, no ser muy mucho.

조금 un poco, un poquito, una pizca, un poquitín, algo, un tanto. 아주 ~ un poquito, un poquitito. ~ 더 un poco más. ~씩 ~씩 poco a poco, paso a paso, gradualmente. ~씩 ~씩 마시다 beber a sorbos.

조금(潮─) marea *f* muerta.

조급(躁急) impaciencia *f*, desasosiego *m*. ~하다 (ser) impaciente. ~히 impacientemente, con impaciencia. ~히 일하다 trabajar precipitadamente.

조급하다(躁急─) (ser) urgente.

조기(어류) ombrina *f*, corvina *f* amarilla.

조기(弔旗) bandera *f* de duelo [de condolencia a media asta]; [선박의] pabellón *m* a media asta.

조기(早起) levantamiento *m* temprano. ~하다 levantarse temprano, madrugar. ~ 축구회 reunión *f* de futbolistas madrugadoras.

조기(早期) primeros estadios *mpl*, estado *m* primitivo. ~의 temprano, primitivo. ~ 교육 educación *f* temprana.

조깅 jogging *ing.m.* ~하다 hacer jogging.

조끼[1] chaleco *m*.

조끼[2] [맥주 따위의] jarra *f*, jarro *m*, botija *f*, botijuela *f*, jarro *m* de cerveza, jarra *f* de cerveza.

조난(遭難) desastre *m*, accidente *m*, siniestro *m*, calamidad *f*, desgracia *f*; [배의] naufragio *m*. ~하다 [배가] naufragar, hacer naufragio, zozobrar la embarcación, sufrir un accidente. ~자 náufrago, -ga *mf*; víctima *f*; siniestrado, -da *mf*.

조달(調達) provisión *f*, abastecimiento *m*, almacenamiento *m*, suministro *m*; [식량의] aprovisionamiento *m*. ~하다 proveer, abastecer, proveerse. ~청 Dirección *f* [Oficina *f*] de Suministro.

조동사(助動詞) verbo *m* auxiliar.

조랑말 potro, -tra *mf*.

조력(助力) ayuda *f*, auxilio *m*, socorro *m*, apoyo *m*, asistencia *f*; [협력] cooperación *f*. ~하다 ayudar, auxiliar, asistir, socorrer; [서로 돕다] ayudarse uno a otro.

조련(調練) ① [병사를 조종하는 연습] ejercicio *m* militar, disciplina *f*, instrucción *f*, práctica *f*, entrenamiento *m*, adiestramiento *m*. ~하다 entrenar, adiestrar. ② [훈련을 거듭하여 쌓음] domadura *f*, doma *f*. ~하다 domar. ¶~사 domador, -dora *mf*.

조련(操練) ① =교련(敎鍊). ② [남을 몹시 강박함] coacción *f*. ~하다 obligar, forzar, compeler. ¶~사 entrenador, -dora *mf*; adiestrador, -dora *mf*. ~장 campo *m* de entrenamiento.

조령모개(朝令暮改) falta *f* de principio, variabilidad *f*, informalidad *f*. ¶~하다 cambiar el orden frecuentemente.

조례(條例) reglamento *m*, ordenanza *f*, regla *f*, ley *f*.

조례(朝禮) reunión *f* matutina antes de empezar las clases [el trabajo].

조로(早老) presenilidad *f*, vejez *f* precoz. ~하다 avejentarse. ~증 progeria *f*, micromegalía *f*. ~ 현상 geromorfismo *m*.

조로(朝露) ① [아침 이슬] rocío *m* matinal, rocío de la mañana. ② [덧없는 인생] vida *f* efímera.

조로(─爐) =물뿌리개.

조롱(嘲弄) burla *f*, mofa *f*. ~하다 reírse, burlarse, ridiculizar.

조롱박(─ ─) ① [식물] =호리병박. ② [호리병박으로 만든 바가지] cazo *m* de agua hecho de calabaza.

조루(早漏) eyaculación *f* precoz, prospermia *f*. ~증 enfermedad *f* de eyaculación precoz.

조류(鳥類) aves *fpl*, pájaros *mpl*. ~학 ornitología *f*. ~ 학자 ornitólogo, -ga *mf*.

조류(潮流) corriente *f* mareal, [marina]; [사상 등의] corriente *f*, tendencia *f*.

조류(藻類) ((식물)) algas *fpl*. ~학 algología *f*. ~ 학자 algólogo, -ga *mf*.

조르다 ① [끈 따위로 단단히 죄다] estirar, atiesar, arremangar, atar, unir. ② [끈덕지게 무엇을 요구하다] pedir con insistencia, pedir importunamente, importunar pidiendo. ③ [재촉하다] apresurar, dar prisa, acosar, acuciar, hostigar, perseguir.

조리(笊籬) colador *m* (pequeño) de bambú.

조리(條理) razón *f*, lógica *f*. ~ 있는 razonable, lógico, justo, convincente, racionable, conforme a la razón. ~에 맞는 coherente, consecuente. ~에 닿지 않는 irrazonable, ilógico, injustificable, absurdo, irracionable.

조리(調理) ① [몸의] cuidado *m* de la salud, recuperación *f*. ② [요리]

cocina *f.* ~하다 cocinar, cocer, guisar. ¶~대 (mesa *f* de) cocina *f.* ~사 cocinero, -ra *mf.* ~실 cocina *f.* ~장 cocina *f.*

조리개 [렌즈의] abertura *f*, apertura *f*; [장치] diafragma *m.*

조리다 cocer, hervir, condensar cociendo.

조림 comida *f* cocida con [en] salsa de soya, alimento *m* conservado cocido en la salsa de soja. 생선 ~ pescado *m* cocido con salsa de soja.

조림(造林) repoblación *f* forestal, silvicultura *f*, plantación *f* de bosques. ~하다 reprobar con árboles, plantar bosques. ~가 silvicultor *m.* ~학 silvicultura *f.*

조립(組立) [구조] construcción *f*, estructura *f*; [조직] organización *f*, sistema *m*, constitución *f*; [작업] composición *f*, montaje *m*, ensamblaje *m*, armazón *m*; [기계] conjunto *m* de piezas. ~하다 componer, montar, armar, combinar (las piezas), construir, instalar. ~공 montador, -dora *mf.* ~공장 fábrica *f* [taller *m*·planta *f*] de montaje, factoría *f* de ensamblaje. ~식 가옥 casa *f* prefabricada, casa *f* desarmable.

조마조마하다 estar ansioso, ponerse impaciente, inquietarse, impacientarse, palpitar, temblar de miedo.

조막 tamaño *m* más que el puño. 크기가 ~만하다 ser de tamaño más que el puño.

조막손 mano *f* atrofiada.

조막손이 persona *f* con una mano atrofiada.

조만간(早晚間) ⑦ [이르든지 늦든지 간에] tarde o temprano. ④ [곧] ya, pronto, dentro de poco; [가까운 장래] en un futuro cercano [próximo]; [언젠가] algún día. 그는 ~ 돌아올 것이다 El volverá pronto / El volverá dentro de poco. ④ [근간, 일간] un día de éstos, uno de estos días.

조망(眺望) vista *f*, panorama *m*, paisaje *m.* ~하다 ver, mirar.

조명(照明) iluminación *f*, alumbrado *m.* ~하다 iluminar, alumbrar. ~ alumbrado *m.* ~ 장치 aparato *m* de alumbrado (para escena). ~탄 bomba *f* de iluminación.

조모(祖母) abuela *f.*

조목(條目) artículo *m*, cláusula *f.*

조목조목(條目條目) artículo por artículo.

조무래기 ① [자질구레한 물건] artículos *mpl* pequeños, artículos *mpl* diversos. ② [어린아이들] niños *mpl*, chicos *mpl.*

조문(弔文) discurso *m* fúnebre, palabras *fpl* de condolencia, escrito *m* de tratamiento funeral.

조문(弔問) vistita *f* por condolencia. ~하다 hacer una visita de condolencia [de pésame], visitar por condolencia. ~ 가다 ir a dar el pésame, rezar por la paz del alma de un difunto [de una difunta]. ¶~객 doliente *mf*; visitante *mf* para condolencia.

조문(條文) [본문] texto *m*; [조항] artículo *m*, cláusula *f.* ~을 해석하다 interpretar el artículo.

조물(造物) ① objetos *mpl* hechos por el Creador. ② ((성경)) criatura *f*, creación *f.* ¶~주 el Creador, el Dios, el Dios que creó.

조미(調味) condimento *m*, sazón *m*, condimentación *f.* ~하다 sazonar, condimentar, dar sabor. 소금과 후추로 ~하다 salpimentar. ¶~료 condimento *m*, sazonamiento *m.*

조밀하다(稠密-) (ser) denso, populoso, lleno de gente, atestado, abarrotado. 조밀함 densidad *f.*

조바심 ansiedad *f*, preocupación *f*, impaciencia *f.* ~을 내다 impacientarse.

조반(朝飯) desayuno *m.* ~을 들다 desayunar, tomar un desayuno.

조발(調髮) ① [머리를 땋음] trenza *f* de pelo. ~하다 trenzar el pelo. ② [머리를 깎음] corte *m* de pelo, peluquería *f.* ~하다 cortarse el pelo.

조밥 mijo *m* cocido.

조변석개(朝變夕改) mutabilidad *f*, volubilidad *f*, inconstancia *f*, voluntariedad *f*, capricho *m.* ~하다 cambiar constantemente.

조병(造兵) fabricación *f* de armas. ~창 arsenal *m.*

조부(祖父) abuelo *m.*

조부모(祖父母) el abuelo y la abuela, abuelos *mpl.*

조사(弔詞/弔辭) palabra *f* de condolencia, alocución *f* fúnebre, discurso *m* funeral, mensaje *m* de condolencia, condolencia(s) *f(pl)*, pésame *m.* ~를 하다 pronunciar palabras de condolencia, pronunciar una alocución fúnebre.

조사(早死) muerte *f* precoz [prematura]. ~하다 morir joven.

조사(助詞) ((언어)) partícula *f*, palabra *f* auxiliar.

조사(調査) investigación *f*, averiguación *f*, indagación *f*, examen *m*, encuesta *f*, [인구 등의] censo *m*; [심문] interrogación *f.* ~하다 investigar, averiguar, examinar, hacer una investigación; hacer una encuesta; hacer el censo; [불평·요구·주장 등을] estudiar, examinar; [성격·배우·

의심 등을] hacer indagaciones, hacer averiguaciones; [심문하다] interrogar; [참고로 보다] consultar, informarse; [찾다] buscar. ¶ ~관(官) examinador, -dora *mf*; investigador, -dora *mf*; [단체] equipo *m* investigador [investigación]. ~ 위원회 comisión *f* investigadora, comité *m* de investigación.

조산(早産) parto *m* prematuro, aborto *m*, abortamiento *m*. ~하다 dar a luz prematuramente, abortar. ¶ ~아(兒) niño *m* prematuro, niña *f* prematura; niño *m* [nene *m*] nacido prematuramente, aborto *m*.

조산(助産) partería *f*, obstetricida *f*. ~하다 ayudar el parto. ~사(師) partero, -ra *mf*; comadrona *f*, matrona *f*. ~소 maternidad *f*.

조산(造山) montículo *m* [montecillo *m*] artificial.

조상(弔喪) condolencia *f*, pésame *m*. ~하다 condolerse, dar la condolencia, dar el pésame, expresar*le* *sus* condolencias. ~ 가다 ir a dar el pésame [la condolencia].

조상(祖上) antepasado, -da *mf*; antepasados *mpl*; antecesores *mpl*; ascendientes *mpl*; [집합적] ascendencia *f*; [직계의] progenitor, -tora *mf*. ~ 전래의 땅 tierra *f* ancestral. ¶ ~ 숭배 culto *m* de los antepasados.

조상(彫像) estatua *f*. 대리석 ~ estatua *f* de mármol.

조색(調色) entonación *f*; ((사진)) viraje *m*.

조생종(早生種) ((농업)) especies *fpl* prececes.

조서(弔書) carta *f* de condolencia.

조서(調書) protocolo *m*, registro *m* escrito, atestado *m*. ~를 작성하다 instruir el atestado.

조석(朝夕) ① [아침과 저녁] la mañana y la noche. ② ((준말)) =조석(朝夕)반.

조석변개(朝夕變改) =조변석개.

조선(造船) construcción *f* naval [de barcos]. ~하다 construir un barco. ~소 astillero *m*, arsenal *m*. ~ 회사 compañía *f* [empresa *f*] constructora naval.

조선(朝鮮) ((지명)) Corea. ~의 coreano. ~ 기와 teja *f* coreana. ~ 사람 coreano, -na *mf*. ~ 옷 ropa *f* tradicional coreana. ~ 종이 papel *m* coreano, papel *m* de Corea. ~ 총독부 Virreinato *m* Coreano.

조성(早成) ① [일찍 성취함] cumplimiento *m* temprano. ~하다 cumplir temprano. ② =조숙(早熟)❷.

조성(助成) ayuda *f*, fomento *m*, subsidio *m*, subvención *f*. ~하다 ayudar, fomentar, subvencionar.

조성(造成) manufactura *f*, producción *f*, construcción *f*. ~하다 hacer, manufacturar, fabricar, producir, construir, fermentar.

조성(組成) formación *f*, constitución *f*, composición *f*. ~하다 formar, constituir, componer.

조세(租稅) impuestos *mpl*, cargas *fpl* fiscales, tributo *m*. ~를 경감하다 reducir los impuestos.

조소(彫塑) la escultura y el modelado; [회화에 대해] escultura *f*. ~가 (家) artista *m* plástico, artista *f* plástica; escultor, -tora *mf*.

조소(嘲笑) risa *f* burlana, burla *f*, mofa *f*, irrisión *f*; [강한] escarnio *m*. ~하다 burlarse, reírse, mofarse, poner en ridículo.

조속하다(早速−) (ser) pronto, listo, no perder tiempo. 조속한 조치 despacho *m* pronto. 조속히 pronto, al instante, inmediatamente, presto, sin demora, en el acto, en seguida, enseguida.

조수(助手) ayudante, -ta *mf*; asistente, -ta *mf*.

조수(潮水) marea *f*, agua *f* del mar.

조숙(早熟) crecimiento *m* temprano. ~하다 crecer temprano.

조숙하다(早熟−) (ser) precoz, prematuro. 조숙한 아이 niño, -ña *mf* precoz.

조시(弔詩) elegía *f*.

조식(粗食) dieta *f* [comida *f*] frugal, comidas *fpl* sencillas, frugalidad *f*. ~하다 vivir frugalmente.

조식(朝食) desayuno *m*.

조실부모(早失父母) pérdida *f* de *sus* padres en *su* niñez. ~하다 perder a *sus* padres en *su* niñez.

조심(操心) [주의] cuidado *m*; [경계] caución *f*, precaución *f*; [신중] prudencia *f*, discreción *f*; [삼가함] moderación *f*. ~하다 tener cuidado, cuidar. ~하십시오 Tenga cuidado / Cuídese. 페인트 ~! ¡Cuidado con la pintura!

조아리다 postrarse, prosternarse, arrodillarse.

조악품(粗惡品) artículo *m* tosco.

조악하다(粗惡−) (ser) tosco, basto, de calidad inferior, poco fino.

조야(朝野) gobierno *m* y pueblo.

조약(條約) tratado *m*, convención *f*, pacto *m*, acuerdo *m*, convenio *m*. ~에 조인하다 firmar un tratado. ~을 개정하다 reformar un tratado. ~을 비준하다 ratificar un tratado. ¶ ~ 가맹국 país *m* firmante, país *m* signatario.

조약돌 guija *f*, guijarro *m*, piedrecita *f*, grava *f*, gravilla *f*, china *f*.

조어(造語) ① [새로 말을 만듦. 또, 그 말] neologismo *m*, palabra *f* de nuevo cuño. ② [이미 있는 말을

짜맞추어 복합어를 만듦] palabra *f* inventada.

조언(助言) consejo *m*, asesoramiento *m*; [경고] advertencia *f*. ~하다 aconsejar, dar consejo, asesorar; [경고하면] advertir. ~에 따르다 seguir el consejo.

조업(操業) operación *f*, funcionamiento *m*; [어업] faena *f*. ~하다 operar, hacer funcionar, faenar. ~을 개시하다 empezar a trabajar, comenzar el trabajo, comenzar la actividad. ¶ ~ 단축 reducción *f* de las horas de operación.

조역(助役) ① [도와서 거들어 줌] asistencia *f*, socorro *m*, ayuda *f*, favor *m*. ~하다 ayudar, asistir. ② ((준말)) =조역꾼. ③ [부역장의 구칭] subjefe *m* de (la) estación.

조연(助演) papel *m* secundario. ~다 hacer un papel secundario. ~자 actor *m* secundario, actriz *f* secundaria; ((연극)) [오페라·발레에서의] figurante, -ta *mf*; comparsa *mf*; ((영화)) extra *mf*.

조영(造營) construcción *f*. ~하다 construir, edificar, erigir.

조예(造詣) erudición *f*. ~가 깊다 ser erudito, ser versado, tener profundos conocimientos, tener un conocimiento profundo.

조용조용하다 ser muy callado.

조용하다 (ser) silencioso, tranquilo, callarse, guardar silencio.

조용히 calladamente, silenciosamente, tranquilamente, en calma, con silencio, en silencio, sin decir nada, sin decir palabra; [허락 없이] sin pedir permiso; [살짝] en sigilo, con suavidad. 아주 ~ sin decir ni pío. ~ 있다 no decir nada, quedarse [permanecer] silencioso. ~ 듣다 escuchar en silencio. ~ 해라! !Cállate! / ¡Silencio! / ¡A callar! / ¡Chito! / ¡Chitón! ~ 합시다 ¡Callémonos! / Vamos a callarnos.

조우(遭遇) encuentro *m*. ~하다 encontrarse. 불행에 ~하다 topar [encontrarse] con la desgracia.

조울병(躁鬱病) ciclotimia *f*, psicosis *f* maniacodepresiva.

조위(弔慰) condolencia *f*, pésame *m*. ~하다 condolerse, dar el pésame, expresar*le* sus condolencias. ~금 dinero *m* de condolencia.

조율(調律) afinación *f*, templadura *f*. ~하다 afinar. ~사 afinador, -dora *mf*; templador, -dora *mf*.

조음(調音) articulación *f*, entonación *f*, entonamiento *m*, modulación *f* de la voz; [악기의 줄의] afinación *f*. ~하다 articular, ejecutar; [악기를] afinar.

조의(弔意) condolencia *f*, pésame *m*. ~를 표하다 expresar condolencias, dar el pésame.

조이다 =죄다.

조인(調印) firma *f*, rúbrica *f*, sello *m*. ~하다 firmar, sellar. ~국 poder *m* signatario, poder *m* firmante, país *m* firmante. ~식 ceremonia *f* de firma. ~자 firmante *mf*; signatorio, -ria *mf*.

조작(造作) invención *f*, fábula *f*, creación *f*. ~하다 inventar, fabricar, crear.

조작(操作) manejo *m*, operación *f*, maniobra *f*, manipulación *f*. ~하다 manejar, operar, manipular, accionar, maniobrar, hacer funcionar.

조잡하다(粗雜一) (ser) rudo, tosco, rústico, grosero; [일이] chapucero, poco esmerado.

조장(助長) promoción *f*. ~하다 promover, fomentar, favorecer, estimular, contribuir.

조장(組長) jefe, -fa *mf* del grupo.

조전(弔電) telegrama *m* de condolencia, telegrama *m* de pésame. ~을 치다 telegrafiar [cablegrafiar] manifestando la condolencia, enviar un telegrama de condolencia [de pésame].

조절(調節) regulación *f*, regularización *f*, control *m*, ajuste *m*, modulación *f*. ~하다 regular, regularizar, controlar, ajustar. ~기 regulador *m*. ~ 밸브 válvula *f* del regulador.

조정(朝廷) corte *f* (real).

조정(漕艇) ① [보트를 저음] remadura *f*, remamiento *m*. ② ((운동)) regata *f*. ¶ ~ 경기 =조정(漕艇)②.

조정(調停) mediación *f*, [중재] arbitraje *m*; [화해] conciliación *f*. ~하다 mediar, arbitrar, conciliar. ~자 mediador, -dora *mf*; árbitro *m*.

조정(調整) regulación *f*, arreglo *m*, ajuste *m*, ajustamiento *m*, modulación *f*. ~하다 regular, arreglar, ajustar, poner en orden, revisar, modular.

조제(調製) preparación *f*, fabricación *f*, manufactura *f*. ~하다 preparar, hacer, componer. ~법 receta *f*.

조제(調劑) fabricación *f*, confección *f*; [약품 등의] preparación *f* (de medicinas). ~하다 fabricar, confeccionar, preparar un medicamento; [처방의 조제] preparar una receta. ~법 química *f* farmacéutica. ~사 farmacéutico, -ca *mf*. ~실 farmacia *f*. ~약 medicina *f* preparada, medicina *f* confeccionada.

조조(早朝) primeras horas *fpl* de la mañana, mañana *f* temprana. ~ 할인 descuento *m* de las primeras horas de la mañana.

조족지혈(鳥足之血) muy poca cantidad *f*.

조종(弔鐘) toque *m* de difuntos, doble *m*, campana *f* fúnebre. ~을 치다 doblar.

조종(組宗) antepasados *mpl* reales [del rey], progenitor *m*.

조종(操縱) control *m*, conducción *f*, dirección *f*, manipulación *f*; [배·비행기의] pilotaje *m*; [배의] maniobra *f*, guía *f*. ~하다 controlar, conducir, dirigir, pilotar, manejar, manipular; [배·비행기를] pilotear; [배를] maniobrar, guiar; [군을] maniobrar. ~간 palanca *f* de mando, mango *m* de escoba. ~사 piloto *mf*, aviador, -dora *mf*. ~석 asiento *m* [puesto *m*] del piloto. ~실 cámara *f* (del piloto). ~ 장치 grupo *m* de control, mandos *mpl*; [배의] aparato *m* de gobierno; [자동차의] (mecanismo *m* de) dirección *f*.

조주(助奏) ((음악)) obligado *m*.

조준(照準) puntería *f*. ~하다 apuntar, tomar puntería, asestar. ~기(器) mira *f*. ~기(機) mecanismo *m* de puntería en dirección, mecanismo *m* de orientación, visual *m* de apuntar. ~점 punto *m* de puntería.

조지다 ① [단단히 맞추다] agarrar [atar] fuerte, asegurar bien. ② [일이나 말을 호되게 단속하다] ejercer el control estricto. ③ [호되게 때리다] dar un golpe fuerte.

조직(組織) ① ((생물)) tejido *m*. 근육 ~ tejido *m* muscular. 신경 ~ tejido *m* nervioso. ② [단체의] [기구] organización *f*; [구성] formación *f*, constitución *f*; [구조] estructura *f*; [체계] sistema *m*. ~하다 organizar, formar, constituir, sistematizar. ~되다 componerse, organizarse. ¶ ~ 위원회 comité *m* organizador. ~적 orgánico, sistemático. ~ 책 encargado *m* organizador, encargada *f* organizadora.

조짐(兆朕) presagio *m*, augurio *m*, agüero *m*, síntoma *m*, signo *m*, señal *f*.

조차 también, además, hasta, aun, aun cuando; [부정의 경우] ni siquiera, ni aun. 아이들~ 그것을 알고 있다 Hasta los niños lo saben.

조찬(朝餐) desayuno *m*. ~을 들다 desayunar, tomar el desayuno.

조청(造淸) melaza *f*.

조졸하다 (ser) (cómodo y acogedor, bien dispuesto, pequeño y cómodo, pequeño y agradable, pequeño y limpio.

조총(弔銃) tres descargas de fusilería en el servicio religioso.

조총(鳥銃) ① =새총. ② ((구용어)) =화승총(火繩銃).

조치(措置) disposición *f*, remedio *m*,

manejo *m*, colocación *f*, arreglo *m*. ~하다 disponer, tomar medidas.

조카 sobrino, -na *mf*. ~딸 sobrina *f*. ~ 며느리 esposa *f* de *su* sobrino. ~ 사위 esposo *m* de *su* sobrino.

조타(操舵) manejo *m* del timón, dirección *f*, gobierno *m*, acción *f* de timonear. ~하다 manejar el timón, dirigir, gobernar. ~수 timonel *m*, timonero *m*. ~실 cámara *f* del timón.

조퇴(早退) salida *f* temprana de la escuela [de la oficina]. ~하다 salir de la escuela [de la oficina] más temprano que como de costumbre.

조판(組版) composición *f*. ~하다 componer, poner en tipo.

조판(彫版) grabado *m*. ~하다 grabar.

조폐(造幣) acuñación *f*. ~하다 acuñar. 돈을 ~하다 acuñar dinero. ~ 공사 Fábrica *f* Nacional de Moneda y Timbre.

조포(弔砲) cañonazo *m* de condolencia, cañonazos *mpl* disparados de minuto en minuto.

조합(組合) ① asociación *f*, corporación *f*, sociedad *f*, unión *f*; ((속어)) asocio *m*; [노동 조합] sindicato *m*. ~에 가입하다 hacerse socio (de una asociación). ② ((수학)) combinación *f*. ¶ ~원 miembro *mf* de sindicato [de asociación]; asociado, -da *mf* a un sindicato.

조합(調合) preparación *f* de medicina, mezcla *f*, composición *f*, confección *f*. ~하다 mezclar, preparar, componer, confeccionar.

조항(條項) artículo *m*, cláusula *f*; [집합적] clausulado *m*.

조혈(造血) hematogénesis *f*, hemopoyesis *f*, hematosis *f*, hematopoyesis *f*. ~하다 aumentar la sangre. ~제 hemafaciente *m*.

조형(造形) plástica *f*. ~의 plástico, formativo. ~ 미술[예술] artes *fpl* plásticas, artes *fpl* formativas.

조형(造型) molde *m*; ((건축)) moldura *f*. ~하다 moldear, formar.

조혼(早婚) matrimonio *m* temprano [precoz]. ~하다 casarse muy joven. ~ 장려하다 fomentar el matrimonio temprano.

조화(弔花) tributos *mpl* florales, ofrendas *fpl* florales.

조화(造化) creación *f*, naturaleza *f*.

조화(造花) flor *f* artificial. 장미의 ~ rosa *f* artificial.

조화(調和) ① [일치] armonía *f*, armonización *f*, concordia *f*, concordancia *f*. ~하다 armonizar, hacer juego. ~된 색 colores *mpl* que armonizan, colores *mpl* que van bien. ② [화합] reconciliación *f*, ajuste *m*, conciliación *f*, entendimiento *m*. ③ [음색의] sinfonía *f*. ④ [균형] simetría *f*.

조회(朝會) reunión *f* matutina.

조회(照會) información *f*, solicitud *f* de informes [de información]; [신원 따위의] referencia *f*. ~하다 informarse, pedir información [referencias], solicitar informes.

족(足) ① [소·돼지 따위의 다리 아랫부분] manita *f*. ② [켤레] par *m*. 양말 한 ~ un par de calcetines.

족두리 *chokduri*, yelmo *m* como la corona negra puesto por la mujer.

족벌(族閥) clan *m*, camarilla *f*. ~정치 gobierno *m* de clan. ~주의 nepotismo *m*.

족보(族譜) árbol *m* genealógico, genealogía *f*. ~의 genealógico. ~학자 genealogista *mf*.

족속(族屬) [가족] familia *f*; [일가] pariente *m*.

족쇄(足鎖) grillos *mpl*, manijas *fpl*, cadena *f*. ~를 채우다 engrillar, meter en grillos, encadenar.

족자(簇子) *chokcha*, rollo *m* colgante, colgadura *f*, cuadro *m* colgante.

족적(足跡/足迹) huella *f*, pisada *f*, rastro *m*, pasos *mpl*, pista *f*, señal *f*. ~을 남기다 dejar las huellas.

족제비 (동물) comadreja *f*, armiño *m*.

족족 cada vez, cuandoquiera. 오는 ~ cuandoquiera vengan.

족집게 ① [잔털이나 가시 등을 뽑는 작은 기구] pinzas *fpl*, tenacillas *fpl*, arrancapelos *mpl*. ② [잘 알아맞히는 점쟁이] mago *m*. ¶ ~ 같다 ser un mago.

족치다 ① [규모를 줄여 작게 만들다] cortar, picar, cortar a tajos. ② [차차 줄이다] malgastar, derrochar. ③ [깨뜨리다] destruir, destrozar. ④ [몹시 족대기다] obligar [insitir] mucho.

족하다(足−) (ser) bastante, suficiente, bastar. 그것으로 ~ Eso está bien / Eso basta / Está bien así / ¡Vale!

족히(足−) bastante, suficientemente.

존경(尊敬) respeto *m*, estima *f*, estimación *f*, aprecio *m*; [숭배] veneración *f*, reverencia *f*, adoración *f*. ~하다 respetar, estimar, apreciar, venerar, reverenciar, adorar. 내가 ~하는 선생님 mi respetado [estimado] profesor.

존귀(尊貴) nobleza *f*. ~하다 ser noble.

존당(尊堂) su estimada madre.

존대(尊待) tratamiento *m* con respecto. ~하다 tratar con respecto. ~어 término *m* de respecto.

존득거리다 (ser) pegajoso, viscoso.

존립(存立) existencia *f*, susbsistencia *f*. ~하다 existir, mantenerse.

존망(存亡) la existencia y la destrucción, vida o muerte, destino *m*, existencia *f*, suerte *f*. 위급~의 때 crisis *f*, momento *m* crítico.

존망지추(存亡之秋) tiempo *m* de crisis. 국가 ~에 en este momento de crisis nacional.

존속(存續) continuación *f*, duración *f*, permanencia *f*, subsistencia *f*. ~하다 continuar, durar, perdurar, perseverar, subsistir.

존속(尊屬) antepasado, -da *mf*; ascendiente *m* (lineal). ~ 살해 homicidio *m* de ascendiente; [부친] parricidio *m*; [모친] matricidio *m*. ~ 살해자 [부친] parricida *mf*; [모친] matricida *mf*.

존숭(尊崇) reverencia *f*, veneración *f*, respeto *m*, culto *m*, adoración *f*. ~하다 venerar, venerenciar, respetar.

존안(尊顔) su cara, su rostro.

존엄하다(尊嚴−) (ser) digno, santo, majestuoso, grande, solemne.

존재(存在) ① [실제로 있음. 또 있는 그것] existencia *f*, ser *m*, subsistencia *f*. ~하다 existir, ser, estar, quedar. 나는 생각한다. 고로 ~한다 Yo pienso, luego existo [soy]. ② [어떤 인간] hombre *m*, persona *f*. 위대한 ~ gran hombre *m*.

존중(尊重) respeto *m*, estima *f*, estimación *f*, consideración *f*, aprecio *m*. ~하다 respetar, estimar, considerar, apreciar, tener mucha estimación, considerar bien. 목숨보다 명예를 ~하다 preferir la honra a la vida.

존칭(尊稱) título *m* de honor, título *m* honorífico.

존폐(存廢) conservación y [o] abolición, existencia e inexistencia.

존함(尊啣/尊銜) su nombre.

졸(卒) ① [(장기)] *chol*, soldado *m*. ② ((준말)) =졸업.

졸[2](卒) [죽음] muerte *f*, fallecimiento *m*. 1999년 10 월 5일 ~ Se murió el cinco de octubre de 1999.

졸고(拙稿) mi manuscrito.

졸깃졸깃 pegajosamente, adhesivamente. ~하다 (ser) pegajoso, adhesivo, engomado; [고기가] correoso, duro; [과자가] masticable.

졸다[1] [꾸벅꾸벅] dormitar; [잠깐] dormirse, adormilarse, descabezar un sueño, echarse un sueño. 졸면서 운전하다 conducir durmiéndose, dormirse conduciendo.

졸다[2] [적어지다] reducirse.

졸도(卒徒) ① [부하 군졸] *sus* soldados. ② [부하로 있는 변변치 못한 사람] gente *f* de poca monta, los indios.

졸도(卒倒) desmayo *m*, desfallecimiento *m*, deliquio *m*; ((의학)) síncope *m*. ～하다 desmayarse, perder el sentido, desfallecer(se), dar un síncope, sincopizarse.

졸라대다 pedir [demandar] con insistencia. importunar.

졸라매다 atar, *AmL* amarrar (*RPl* 제외); [보트를] amarrar.

졸렬하다 [劣--] (ser) torpe, pobre, desmañado, inhábil, estúpido.

졸리다¹ [졸음이 오다] tener sueño, sentir soñoliento, tener ojos pesados, tener ojos con sueño, dar*le* el sueño. 졸린 눈 ojos *mpl* soñolientos. 무척 ～ tener mucho sueño.

졸리다² [남에게 졸음을 당하다] (ser) importunado, molestado, irritado, fastiado.

졸막졸막 en diversos tamaños pequeños, en diversas cantidades pequeñas. ～하다 (ser) variopinto, heterogéneo, diversos en tamaño.

졸망졸망 en [a] pequeño tamaño. ～ 하다 (ser) de tamaño pequeño.

졸문(拙文) ① [졸렬하게 지은 글] escrito *m* chapucero. ② [자기가 지은 글의 겸칭] mi escrito.

졸병(卒兵)＝병졸(兵卒).

졸부(猝富) nuevo rico *m*, rico *m* repentino, millonario *m* que permanece en la noche.

졸속(拙速) ¶～의 improvisado. ～주의 método *m* improvisado.

졸아들다 [옷·천이] encoger(se); [고 기가] achicarse; [목재·쇠가] contraerse.

졸업(卒業) graduación *f*, conclusión *f* del curso. ～하다 graduarse, terminar el curso; [대학교를] obtener el título, terminar la carrera, *AmL* recibirse; [학사 학위를 얻다] licenciarse; [중고등 학교를] terminar el bachillerato, *AmL* recibir de bachiller. ～ 논문 tesis *f* (para graduarse); [석사 과정의] tesis *f* de licenciatura; [박사 과정의] tesis *f* doctoral. ～생 graduado, -da *mf*; [예정자] graduando, -da *mf*; [학사 학위를 가진 사람] licenciado, -da *mf*; [대학의] posgraduado, -da *mf*; [고등 학교의] bachiller *mf*. ～ 시험 examen *m* de graduación. ～식 graduación *f*, ceremonia *f* de graduación [de terminación·de entrega de títulos]; [고등 학교의] graduación *f*. ～장 diploma *m*. ～ 증서 diploma *m*, certificado *m* de la terminación del curso.

졸역(拙譯) ① [졸렬한 번역] pobre traducción *f*. ② [자기의 번역] mi traducción.

졸음 adormecimiento *m*, sueño *m* (ligero), soñolencia *f*, somnolencia *f*, sopor *m*, duermevela *f*, soñera *f*, modorra *f*. ～이 오다 tener sueño,

ser presa de la soñera, tener ojos pesados.

졸이다 ① [고기 등을] reducir por medio de la cocción. ② [마음을] sentirse nervioso, apresurarse, impacientarse, afanarse, temer, tener un miedo enorme.

졸작(拙作) ① [졸렬한 제작] pobre fabricación *f*; [졸렬한 작품] pobre obra *f*, obra *f* mal hecha. ② [자기의 작품의 겸칭] mi pobre obra.

졸장부(拙丈夫) gallina *f*, cagueta *f*, cobarde *m*, miedoso *m*, hombre *m* de miras estrechas.

졸전(拙戰) ① [전쟁] guerra *f* poco hábil. ② [시합] partido *m* poco hábil.

졸졸 ① [가는 물줄기 등이] murmurando, murmullando, con murmullo, gota a gota, a gotas. ～ 흐르 다 correr murmullando [con murmullo], correr a gotas [gota a gota], caer gota a gota, gotear, escurrir, fluir en un hililo, fluir en un chorrillo. ② [어린아이나 강아지 등이] con insistencia, al asechado, en todas partes.

졸졸거리다 murmurar, murmullar, murmujear, susurrar.

졸중(卒中)＝졸중풍.

졸중풍(卒中風) ((한방)) apoplejía *f*.

졸지(猝地) situación *f* repentina. ～에 repentinamente, de repente, súbitamente, de súbito, de pronto. ～ 에 파산하다 hacer bancarrota repentinamente.

좀참나무 ((식물)) roble *m*, encina *f*.

졸책(拙策) pobre plan *m* [proyecto *m*], plan *m* mal hecho, medida *f* imprudente, medida *f* indiscreta.

졸필(拙筆) ① [졸렬한 글씨] mala letra *f*. ② [글씨를 잘 쓰지 못한 사 람] persona *f* con la mala letra. ③ [자기 필적의 겸칭] mi mala letra.

졸하다(卒－) fallecer, morir.

좀¹ ((곤충)) polilla *f*, lepisma *f*.

좀² ① ((준말))＝조금(un poco). ② [남에게 청할 때] por favor. ～ 기 다려 주십시오 Espere un momento, por favor.

좀³ [그 얼마나] ¡Qué …! / ¡Cuánto …! ～ 예쁜가 ¡Qué bonito!

좀더 un poco más, un momento más, un rato más. ～ 기다려 보자 Vamos a esperar [Esperemos] un momento más.

좀도둑 ladroncillo, -lla *mf*; ladronzuelo, -la *mf*; [소매치기] ratero, -ra *mf*. ～질 ratería *f*. ～질하다 ratear, hurtar.

좀먹다 apolillar.

좀스럽다 ① [사물의 규모가 작다] (ser) pequeño, a [en] pequeña escala. ② [도량이 좁고 성질이 잘다] (ser) de miras estrechas, estrecho;

[곰상스럽다] puntilloso.

좀약(－藥) naftalina *f*, bola *f* de naftalina.

좀처럼 [여간해서] raramente, rara vez, apenas, por maravilla; [섭사리] fácilmente, con facilidad, ligeramente. 그녀는 ～ 웃지 않는다 Ella apenas ríe / Ella ríe rara vez.

좁다 ① [길이보다 넓이가 작다] (ser) estrecho, *AmL* angosto; [옷의 통이] (estar) ajustado, ceñido. 좁은 길 sendero *m*, senda *f*, caminito *m*, camino *m* estrecho, calle *f* estrecha, calleja *f* angosta. 좁은 habitación *f* estrecha [pequeña]. ② [도량이나 소견이 작다] (ser) de mentalidad cerrada, intolerante.

좁쌀 ① [조의 열매인 쌀] mijo *m* pelado. ② [몹시 작은 사물이나 사람] cosa *f* muy pequeña; [사람] persona *f* muy pequeña; pigmeo, -a *mf*. ③ [매우 잘고 째째한 사람] tacaño, -ña *mf*; mezquino, -na *mf*.

좁혀지다 estrecharse, angostarse.

좁히다 estrechar, angostar, hacer (más) estrecho [angosto]; [간격을] reducir; [자리를] correrse, estrecharse. 간격을 ～ reducir la distancia.

종 sirviente, -ta *mf*; esclavo, -va *mf*.

종(種) ① =종자(種子). ② [종류. 같은 부류] especie *f*, género *m*, clase *f*, categoría *f*; [동물의] raza *f*; [식물의] variedad *f*. ③ [생물의] especie *f*. ～의 기원 origen *m* de las especies. ④ [(준말)] =종개념.

종(縱)=세로. ¶～의 vertical. ～ 횡 longitud y anchura.

종(鐘) campana *f*; [작은] campanita *f*; [한 벌의] carillón *m*, sonería *f*. ～을 치다 tocar [tañer・hacer sonar] la campana, darcampanadas; [조종(弔鐘)을] doblar; [회전시켜서] voltear la campana.

종가(宗家) familia *f* principal, casa *f* original, familia *f* encabezada.

종가(終價) último valor *m* en bolsa.

종각(鐘閣) campanario *m*.

종간(終刊) =폐간(廢刊).

종간호(終刊號) último número *m*.

종강(終講) terminación *f* de la lección [del curso]; ～하다 terminar la última lección [el curso], dar la última lección.

종개념(種概念) ((논리)) concepto *m* específico.

종견(種犬) perro *m* reproductor.

종결(終結) conclusión *f*, fin *m*, acabamiento *m*, terminación *f*. ～하다 concluirse, finalizar, llegar al fin, llegar al final, llegar a la conclusión. ～시키다 poner fin, poner punto final, ultimar, terminar, finalizar,

acabar, concluir. ～짓다 concluir.

종곡(終曲) ((음악)) final *m*.

종교(宗敎) religión *f*. ～의 religioso. ～를 믿다 creer en una religión. ¶～가 religioso, -sa *mf*. ～ 개혁 reforma *f* religiosa; ((역사)) Reforma *f*. ～계 mundo *m* religioso, círculos *mpl* religiosos. ～사 historia *f* de religiones. ～ 음악 música *f* religiosa. ～ 의식 rito *m* religioso. ～인 religioso, -sa *mf*. ～ 재판 Inquisición *f*. ～ 재판소 Santo Oficio *m*, tribunal *m* eclesiástico, Inquisición *f*. ～화 pintura *f* religiosa. ～ 회의 concilio *m*.

종국(終局) fin *m*, conclusión *f*, cláusula *f*, final *m*, término *m*, última fase *m*, fase *f* final.

종군(從軍) ida *f* al frente. ～하다 ir al frente, ir a la guerra, ir acompañando a la tropa. ～ 기자 corresponsal *mf* de guerra. ～ 기장 medalla *f* de guerra.

종극(終極) finalidad *f*, extremidad *f*. ～의 final, último, extremo.

종기(終期) fin *m*, terminación *f*, final *m*.

종기(腫氣) bulto *m*; [발진] erupción *f*, grano *m*; [궤양] úlcera *f*; [농양] absceso *m*.

종다래끼 nasa *f* (pequeña), cesto *m* [cesta *f*] de pescador.

종다리 ((조류)) alondra *f*, calandria *f*.

종다수(從多數) acción *f* de seguir las vistas de la mayoría. ～하다 seguir las vistas de la mayoría.

종단(終端) fin *m*, final *m*.

종단(縱斷) sección *f* vertical. ～하다 atravesar en [por] toda su longitud, cortar [dividir] verticalmente. ～면 sección *f* vertical.

종달거리다 quejarse, reclamar, refunfuñar, rezongar.

종달새 ((조류)) =종다리.

종대(縱隊) columna *f*, fila *f* vertical, fila *f* en fondo.

종돈(種豚) verraco *m*, verrón *m*, cerdo *m* padre.

종두(種痘) vacuna *f*, vacunación *f*, inoculación *f*. ～하다 vacunar, inocular la vacuna. ～ 증명서 certificado *m* de vacunación.

종래(從來) hasta el presente, hasta ahora, hasta el día. ～의 existente, usual, habitual, convencional, antiguo, tradicional. ～처럼 usual, como de costumbre, como hasta ahora, como siempre.

종량세(從量稅) derecho *m* específico.

종량제(從量制) sistema *m* según medición.

종려(棕櫚) ((식물)) =종려나무.

종려나무(棕櫚－) palma *f*, palmera *f*.

종렬(縱列) columna *f*, fila *f* vertical, fila *f* en fondo. ～을 이루다 formar una fila.

종료(終了) terminación *f*, fin *m*, conclusión *f*. ~하다 acabar, terminar, finalizar, concluir. ~식 ceremonia *f* de terminación.

종루(鐘樓) campanario *m*.

종류(種類) clase *f*, género *m*, categoría *f*, suerte *f*, ((생물)) especie *f*, variedad *f*.

종마(種馬) caballo *m* padre, caballo *m* semental, semental *m*.

종막(終幕) [종연] caída *f* de telón; [최후의 막] último acto *m*; [종국] fin *m*, desenlace *m*.

종말(終末) fin *m*, conclusión *f*, fin *m* del mundo. ~론 escatología *f*.

종목(種目) artículo *m*, ítem *m*, especie *f*, renglón *m*; ((운동)) prueba *f*.

종묘(宗廟) santuario *m* ancestral de la familia real.

종묘(種苗) ① [씨앗과 모종] las semillas y las plantas de semillero ② [식물의 싹을 심어서 기름] plantación *f* del brote. ~하다 plantar el brote. ③ [묘목이 될 씨를 심음] siembra *f* para las plantas de semillero. ~하다 sembrar las plantas de semillero. ¶~장 semillero *m*.

종무(終務) fin *m* del negocio del año, cierre *m* de los negocios oficiales al final del año.

종무소식(終無消息) No hay ninguna noticia.

종반(終盤) fin *m*, última etapa *f*. ~전 última etapa *f*, etapa *f* final.

종범(從犯) [행위] complicidad *f*; [사람] cómplice *mf*.

종법(宗法) código *m* de una secta, reglamento *m* religioso.

종별(種別) clasificación *f*, separación *f* por especies, distinción *f* por especies. ~하다 clasificar, ordenar por especies.

종사(從事) dedicación *f*, consagración *f*. ~하다 ocuparse, dedicarse; [전념하다] consagrarse, entregarse, aplicarse.

종소리(鐘-) campanada *f*, toque *m* de la campana, sonido *m* de las campanas; [난타] repique *m*, repiquete *m*; [작은 종의] tintineo *m*.

종속(從屬) [의존] dependencia *f*; [복종] subordinación *f*, sumisión *f*. ~하다 depender; [상태] estar bajo la dependencia, subordinarse, someterse, estar subordinado, subordinar. ~ 관계 relación *f* subordinada, relación *f* vertical. ~국 país *m* satélite. ~문 oración *f* subordinada, subordinado *m*. ~ 이론 teoría *f* dependiente. ~적 dependiente. ~절 cláusula *f* subordinada. ~ 접속사 conjunción *f* subordinante.

종손(宗孫) nieto *m* mayor de la familia principal.

종손(從孫) sobrino *m* nieto, nieto *m* de *su* hermano. ~녀 sobrina *f* nieta. ~부 esposa *f* de *su* sobrino nieto.

종시(終始) desde el principio hasta el fin, de cabo a cabo.; [항상] siempre, en todo tiempo.

종시일관(終始一貫) =시종일관.

종식(終熄) cese *m*, cesación *f*. ~하다 cesar, acabar, reducir. 교전의 ~ cese *m* de hostilidades.

종신(終身) ① [한평생을 마침] *su* muerte, *su* fallecimiento, fin *m* de vida. ② [=임종(臨終). ③ [명을 다하기까지의 동안] toda la vida. ~의 vitalicio, perpetuo. ¶~ 고용 empleo *m* vitalicio. ~ 연금 pensión *f* vitalicia, vitalicio *m*. ~형 cadena *f* perpetua, pena *f* vitalicia. ~ 회원 miembro *m* perpetuo [vitalicio], miembro *f* perpetua [vitalicia].

종심(終審) juicio *m* final.

종씨(宗氏) clan *m* del mismo apellido.

종아리 pantorrilla *f*. ~(를) 맞다 ser golpeado en las pantorillas. ~(를) 치다 dar un golpe en las pantorillas.

종알거리다 murmurar, musitar, murmurar [hablar] entre dientes.

종양(腫瘍) tumor *m*, neoplasia *f*.

종업(從業) trabajo *m* en servicio. ~하다 dedicarse a *su* trabajo. ~원 trabajador, -dora *mf*, empleado, -da *mf*; obrero, -ra *mf*, operario, -ria *mf*; dependiente *mf*; [집합적] personal *m*, plantilla *f*.

종업(終業) ① [업무를 끝마침] conclusión *f* de obra, fin *m* de la jornada; [상점의] cierre *m*. ~하다 terminar el trabajo. ② [한 학기·한 학년을 다 끝냄] clausura *f* del curso. ~하다 clausurar el curso.

종연(終演) terminación *f* [fin *m*] de la función, caída *f* de telón. ~하다 terminar la función, bajar el telón.

종영(終映) terminación *f* de la presentación (de la película).

종용(慫慂) persuasión *f*, consejo *m*, sugerencia *f*. ~하다 convencer, persuadir, aconsejar, sugerir, proponer.

종우(種牛) toro *m* semental, toro *m* padre, toro *m* reproductor.

종유굴(鐘乳窟) ((지질)) gruta *f* de estalactitas (y estalagmitas).

종유동(鐘乳洞) ((지질)) =종유굴.

종유석(鐘乳石) ((광물)) estalactita *f*.

종이 papel *m*. ~ 한 장 un papel, una hoja de papel. ~ 한 연(連) una resma de papel. ¶~ 조각 pedazo *m* de papel; [못쓰는] papel *m* usado, pedazo *m* y recortes de papel. ~ 호랑이 tigre *m* de papel.

종일(終日) todo el día, el día entero; [24시간] durante veinticuatro horas. ~토록 todo el día, de la mañana a la noche.

종자(從者) acompañante *mf*; asistente *mf*; escudero, -ra *mf*; [집합적] séquito *m*, comitiva *f*, acompañamiento *m*.

종자(種子) ① [식물의] semilla *f*, simiente *f*, variedad *f*. ② [동물의] raza *f*.

종장(終章) la última parte de la canción, el último de los tres versos de un *sicho* [un verso].

종장(終場) el último mercado del día.

종적(蹤迹) [발자취] pisada *f*, huella *f*, señal *f*, indicio *m*, rastro *m*; [행방] paradero *m*. ~을 감추다 desaparecer, cubrir *su* rastro, no dejar huella, esconderse, huir sin dejar rastro.

종전(從前) ① [이전] antes; [이제까지] hasta ahora. ~처럼 como antes, como hasta entonces. ② [지금보다 이전] más antes que ahora. ~의 anterior, antecedente.

종전(終戰) terminación *f* [fin *m*] de la guerra, terminación *f* de hostilidad. ~하다 la guerra terminar. ~후 después de la terminación de la guerra, en la pos(t)guerra.

종점(終點) terminal *f*; [역] estación *f* terminal; [정류소] parada *f* final, final *m* de trayecto. 버스 ~ terminal *f* de autobuses.

종정(宗正) ① [종파의 가장 높은 어른] el mayor de una secta. ② ((불교)) jefe *m* de la secta de *Chogyechong*.

종족(宗族) clan *m*, familia *f*.

종족(種族) raza *f*, tribu *f*; [동물·식물의] familia *f*, especies *fpl*, género *m*. ~ 보존 preservación *f* de las especies. ~ 본능 instinto *m* racial.

종종(種種) ① [물건의 가지가지] varias especies *fpl*, varias clases *fpl*, especies *fpl* diferentes. ② [가끔] de vez en cuando, de cuando en cuando, algunas veces, unas veces, a veces.

종종걸음 pasos *mpl* cortos (y ligeros), pasos *mpl* apresurados [rápidos]. ~으로 a pedacitos, a pasos cortos. ~으로 걷다 andar a pasos cortos [a pasitos·con pasos menudos]. ~(을) 치다 andar a pasitos cortos, andar a trotecillos, andar a pasos cortos, trotar, ir a trote, corretear.

종주(宗主) ① =적장자(嫡長子). ② [조상의 위패] tablilla *f* ancestral. ③ ((역사)) señor *m* feudal. ¶ ~국

estado *m* protector.

종주(縱走) recorrida *f* longitudinal (de una cadena de montañas). 국토 ~ (a)travesía *f* de todo el territorio nacional.

종중(宗中) familias *fpl* del mismo clan.

종지 taza *f* pequeña, cuenco *m* pequeño. 간장 ~ la taza pequeña para la salsa de soja.

종지(終止) ① [끝] fin *m*, término *m*; [끝을 냄] terminación *f*, acabamiento *m*. ~하다 terminar, acabar. ② ((음악)) cadencia *f*. ¶ ~부 punto *m* final.

종지뼈 ((해부)) rótula *f*.

종질(從姪) hijo *m* de *su* primo. ~녀 hija *f* de *su* primo.

종착(終着) última llegada *f*. ~하다 llegar últimamente [por último]. ~역 estación *f* terminal; [인생의] donde muere la línea, paradero *m*.

종축(種畜) reproductor, -tora *mf*. ~목장 granja *f* de reproductores.

종친(宗親) ① [임금의 친족] familia *f* real, parientes *mpl* reales. ② =친속. 친족. ¶ ~회 reunión *f* de parientes.

종파(宗派) ① [지파에 대해 종가의 계통] rama *f* principal de una familia. ② ((불교)) secta *f*. ③ = 교파. ¶ ~ 근성 espíritu *m* sectario. ~심[주의] sectarismo *m*.

종패(種貝) concha *f* reproductora.

종피(種皮) ((식물)) testa *f*.

종합(綜合) síntesis *f.sing.pl*, generalización *f*; ((철학)) coligación *f*. ~하다 sintetizar, integrar, formar un todo. ~ 개발 desarrollo *m* general. ~ 경기장 estadio *m* integrado. ~ 병원 hospital *m* general. ~세 impuesto *m* general sobre [a] la renta. ~ 예술 arte *m* sintético.

종형(從兄) primo *m* (mayor).

종회(宗會) reunión *f* de familia, reunión *f* familiar.

종횡(縱橫) longitud y anchura, longitud y latitud, lo largo y lo ancho, todas las direcciones; [직물의] urdimbre y trama. ~으로 a lo largo y a lo ancho, longitudinal y atravesadamente, vertical y horizontalmente; [사방으로] en [por] todas las direcciones; [자유 자재로] con facilidad, con gran soltura. ~ 무진으로 libremente, con libertad, con franqueza, a voluntad..

좆 pene *m* (del adulto).

좇다 ① [뒤를 따르다] seguir. 순서를 좇아 en orden. ② [복종하다] obedecer. 명령을 ~ obedecer la orden. ③ [대세를 따르다] dejarse llevar por la corriente, seguir la corriente.

좇아가다 ① [뒤를 따라가다] seguir.

그를 좇아가세요 Sígale. ② [남이 하는 대로 따르다] seguir. 그가 하는 대로 좇아가세요 Siga como haga él.

좇아오다 ① [뒤를 따라오다] seguir. 나를 좇아오세요 / [tú에게] Sígueme / [usted에게] Sígame. ② [남이 하는 대로 따르다] seguir.

좋다¹ ① [즐겁다. 유쾌하다] alegrarse (de + inf · de que + subj), divertirse. 좋게 생각하지 않다 estar disgustado [descontento]. 기분이 ~ Me siento bien / Me alegro mucho. ② [아름답다] (ser) hermoso, bello, lindo, bonito. 경치가 ~ El paisaje es hermoso. ③ [훌륭하다] (ser) bueno, magnífico, excelente, espléndido, precioso. 좋은 집안 buena familia f. 좋은 선물 regalo m precioso, regalo m espléndido. ④ [슬기롭다] (ser) inteligente, listo. 머리가 ~ ser inteligente. ⑤ [효험이 있다] (ser) eficaz, eficiente. 만병에 ~ ser muy eficaz contra todas las enfermedades. ⑥ [낫다. 좋다] (ser) bueno, útil. 좋은 결과 buen resulto m, buena consecuencia f, buen éxito m. 좋은 소식 buenas noticias fpl. ⑦ [바르다. 착하다] (ser) bueno. 좋은 일 buena conducta f. ⑧ [마음에 들다. 마땅하다] gustar, preferir. ⑨ [상관 없다] no importar le. 좋습니다 No importa. ⑩ [적당하다. 알맞다] (ser) conveniente, adecuado, oportuno, razonable. 좋은 가격 precio m razonable. ⑪ [경사스럽다. 기쁘다] (ser) alegre, feliz. 좋은 날 día m feliz. ⑫ [화목하다. 친하다] (ser) amable, íntimo. ⑬ [날씨 따위가] claro; [하늘이] (ser) despejado, claro; [날이] despejado; [하늘이나 기후가] despejarse, aclararse, serenarse; [물이] aclararse. 날씨가 ~ hacer buen tiempo.

좋다² [감탄사] ¡Vale! / ¡Bien! / ¡Bueno! / ¡Muy bien! /

좋아 =좋다².

좋아지다 mejorarse, medrar; [향상되다] progresar.

좋아하다 gustar, encantar, ser aficionado, tener gusto, ser amigo; [사랑하다] amar, tener cariño, querer; [더 좋아하다] preferir, gustar más. 음악을 좋아하는 사람 aficionado, -da mf a la música, amante mf de la música.

좋이 ① [좋게] bien. ② [패] bien considerablemente; [넉넉히] abundantemente, en abundancia, copiosamente; [충분히] suficientemente bien. ~ 먹다 comer en abundancia.

좌(左) izquierda f. ~의 izquierdo, siniestro. ~로 a la izquierda.

좌(座) ① [앉을 자리] asiento m (de sentarse). ② ((불교)) [불상을 세는 말] imagen f. 불상 두 ~ dos imágenes de Buda.

좌경(左傾) radicalización f. ~의 radical inclinar a la izquierda. ~화하다 tender [inclinarse] a la izquierda. ~ 사상 pensamiento m izquierdista.

좌골(坐骨) ((해부)) cía f, isquión m. ~ 신경 nervio m isquiático. ~ 신경염 isquiatitis f. ~ 신경통 ciática f, isquialgia f, isquioneuralgia f.

좌기(左記) apunte m abajo mencionado. ~의 abajo mencionado, siguiente. ~와 같이 como sigue, como abajo mencionado, como infrascripto. ~의 사람 persona f siguiente.

좌담(座談) charla f, conversación f familiar, conversación f de sobremesa, diálogo m. ~하다 charlar. ~회 mesa f redonda, simposio m.

좌변(左邊) lado m izquierdo.

좌불안석(坐不安席) el no poder sentarse mucho tiempo en un lugar por la inquietud. ~이다 no estarse quieto, moverse inquieto, ponerse inquieto, sentirse fuera de lugar.

좌상(坐像) estatua f sentada.

좌석(座席/座席) asiento m; [극장의] asiento m, butaca f, localidad f, lugar m; [비행기·기차 따위의] plaza f, [자전거의] asiento m, sillín m; [교회의] banco m. ~을 예약하다 reservar un asiento. ~ 없음 ((게시)) [극장에서] No quedan localidades / No quedan asientos. ¶ ~권 billete m de reservación.

좌선(坐禪) ((불교)) meditación f religiosa, meditación f [contemplación f] sedente de los budistas. ~하다 sentarse con las piernas cruzadas, sentarse para meditar, abstraerse, practicar la meditación (religiosa).

좌시(坐視) mirada f con indiferencia. ~하다 mirar con indiferencia, mirar con ojos indiferentes, quedar a pie enjuto. ~할 수 없다 no poder quedarse indiferentemente.

좌약(坐藥) supositorio m, cala f.

좌완(左腕) brazo m izquierdo. ~ 투수 zurdo, -da mf.

좌우(左右) ① [왼쪽과 오른쪽] la izquierda y la derecha. ② [준말] =좌지우지. ③ [옆] su lado, dos lados; [두 방향] dos direcciones. ~에 en ambos lados. ~를 보다 mirar alrededor. ④ [측근. 측근자] su séquito m. 좌익과 우익] la izquierda y la derecha; [좌파와 우파] el izquierdista y el derechista. ¶ ~간 de todos modos, de todas formas, de cualquier modo, de cualquier manera, de todas maneras. ~ 연타 ((권투)) uno dos. ~익 la izquierda y la derecha. ~편 la izquierda y la derecha.

좌우(座右) ¶ ~에 siempre a *su* alcance. ~명(銘) máxima *f*, consigna *f*, aforismo *m*, lema *m*, divisa *f*.

좌익(左翼) ① [왼쪽 날개] el ala *f* (*pl* las alas) izquierda. ② ((준말)) =좌익군. ③ [급진적·과격적인 당파] izquierda *f*, partido *m* radical, facción *f* radical. ④ ((축구)) = 레프트 윙(ala izquierda). ⑤ ((야구)) jardín *m* izquierdo. ⑥ ((준말)) = 좌익수. ¶ ~ 분자 elemento *m* izquierdista ~ 사상 radicalismo *m*, ideología *f* izquierdista. ~수 jardinero *m* izquierdo. ~ 운동 movimiento *m* izquierdista.

좌장(座長) presidente, -ta *mf*; jefe, -fa *mf*.

좌절(挫折) ① [마음과 기운이 꺾임] desánimo *m*. ~하다 desanimarse. ② [수포로 돌아감] fracaso *m*, frustración *f*. ~하다 fracasar, frustrarse.

좌정(坐定) ¶ ~하다 sentarse, tomar asiento.

좌중(座中) toda la asistencia, toda la concurrencia, todas las personas presentes, todos los presentes. ~을 바라보다 mirar a todos los que están presentes.

좌지우지(左之右之) ¶ ~하다 llevar la batuta, tener la sartén por el mango. 회사를 ~하다 llevar la batuta en la compañía, tener la sartén por el mango en la compañía. ☞좌우(左右)❷.

좌천(左遷) degradación *f*, relegación *f*, destierro *m*. ~하다 degradar, relegar, desterrar.

좌초(坐礁) escallo *m*, encalladura *f*, varadura *f*, siniestro *m*. ~하다 encallar, varar.

좌충우돌(左衝右突) acción *f* de dar una puñalada, dar un golpe y ser golpeado aquí y allá.

좌측(左側) izquierda *f*, mano *f* izquierda, lado *m* izquierdo. ~의 izquierdo, siniestro. ~으로 a la izquierda, a mano izquierda. ~으로 꺾어지십시오 Tuerza a la izquierda. ~ 통행 Mantenga [Manténganse] la [su] izquierda. 차[보행자]는 ~ 통행 Vehículos [Peatones] por la izquierda.

좌파(左派) facción *f* izquierda (de un partido), izquierda *f*, el ala *f* izquierda; [사람] izquierdista *mf*.

좌판(坐板) puesto *m*, *Méj* mesa *f*.

좌표(座標) ((수학)) coordenadas *fpl*.

좌하(座下) señor, Sr; señora, Sra.

좌향좌(左向左) ((구령)) i(Media vuelta) a la izquierda!

좌현(左舷) babor *m*.

좌회전(左廻轉) vuelta *f* izquierda, giro *m* izquierdo. ~하다 girar [doblar·torcer] a la izquierda. ~ 금지 ((게시)) Prohibido [Se prohíbe] girar a la izquierda.

좍 en un momento, en un santiamén, cerrar de ojos, de repente. 웬일인지 비밀이 ~ 퍼졌다 De algún modo el secreto se divulgó.

좍좍 ① [굵은 빗방울이나 물줄기가] a torrentes, a cántaros, a mares. 비가 ~ 오다 llover a cántaros, chaparrear. ② [글을 거침 없이] con fluidez, con soltura, fluentemente. ~ 읽다 leer con fluidez.

좔좔 a torrentes. 물이 ~ 흘렀다 El agua salía a torrentes.

죄(罪) delito *m* (경범죄), crimen *m*, culpa *f*; [종교·도덕상의] pecado *m*; [과실] falta *f*; [벌] castigo *m*, pena *f*. ~ 있는 culpable. ~ 없는 inocente. ~를 고백하다 confesar, confesarse culpable. ~를 범하다 cometer un delito, cometer un crimen; [종교·도덕상의] pecar.

죄과(罪科) infracción *f*, delito *m*, crimen *m*, culpa *f*; [처형] castigo *m*.

죄과(罪過) delito *m*, crimen *m*, error *m*, culpa *f*. ~가 없는 사람 persona *f* inocente.

죄¹ ① [느즈러진 것을] [매듭을] apretar, sujetarse; [밧줄을] tensar. 고삐를 ~ tensar la rienda. 벨트를 ~ sujetarse con el cinturón. ② [벌어진 사이를] [볼트를] apretar; [조다·바퀴를] ajustar. 볼트로 ~ atornillar, sujetar con un tornillo [un perno]. ③ [마음을 좋여 간절히 바라고 기다리다] sentir nervioso [inquieto·preocupado]. 마음을 ~ preocuparse, inquietarse, sentir nervioso. ④ [쪼아 깎아 내다] recortar cincelando.

죄² [모두] todo, totalmente, enteramente, cabalmente. ~ 먹어 버리다 comerse todo. ~ 자백하다 confesar todo.

죄명(罪名) nombre *m* del delito, título *m* de acusación. 사기 ~으로 por fraude; [용의] bajo la acusación de fraude.

죄목(罪目) nombre *m* del delito. 사기 ~으로 por fraude.

죄상(罪狀) delito *m*, crimen *m*, culpabilidad *f*, culpa *f*, naturaleza *f* de un crimen. ~을 부인하다 negar *su* culpabilidad. ~을 인정하다 reconocer *su* culpa. ~을 자백하다 confesar *su* crimen, confesar *su* delito.

죄송(罪悚) sentimiento *m*, pesar *m*,

arrepentimiento *m*, excusas *fpl*. ~
하다 sentir, tener pena. ~합니다
Siento mucho / Perdón / Perdone
(usted) / Perdóneme / Excúseme /
Dispénseme / *AmL* Disculpe / [부
탁이 있읍니다] ¿Me hace el
favor?

죄수(罪囚) prisionero, -ra *mf*; cautivo, -va *mf*; reo, -a *mf*; preso, -sa
mf; encarcelado, -da *mf*; recluso,
-sa *mf* ~복 traje *m* de prisionero. ~ 호송차 coche *m* celular,
automóvil *m* de reos.

죄악(罪惡) [종교상의] pecado *m*; [법
률상의] crimen *m*, delito *m*; [도덕
상의] vicio *m*. ~을 범하다 cometer un delito [un crimen].

죄암죄암 ¡Agarra, agarra!

죄어들다 apretar fuerte.

죄업(罪業) [(불교)] pecado *m*.

죄인(罪人) criminal *mf*; reo *mf*;
delincuente *mf*; [종교상의] pecador,
-dora *mf*.

죄짓다(罪一) cometer un delito [un
crimen].

죄책(罪責) ① responsabilidad *f* de
un crimen. ② [(성경)] castigo *m*,
falta *f*, consecuencia *f*.

죄쇠 hebilla *f*; [가방 등의] cierre *m*.

죔틀 torno *m* [tornillo *m*] de banco.

주(主) ① [주장. 근본] parte *f* principal. ~가 되는 principal, capital. ~
된 요인 factor *m* principal, causa *f*
principal. ¶ ~의 만찬 ㉮ =최후의
만찬. ㉯ [(성경)] la Cena del
Señor.

주(朱) ① =주홍(朱紅). ② [안료] cinabrio *m*, bermellón *m*.

주(洲) ① [흙·모래가 수중에 퇴적하
여 수면에 나타난 땅] banco *m* de
arena. ② [대륙] continente *m*. 5
대~ los Cinco Continentes.

주(株) ① [주장. 근본] =주식(acción). ②
[(준말)] =주권.

주(註/注) nota *f*, anotación *f*, comentario *m*, glosa *f*; [각주(脚註)] nota
f a pie de página. ~(를) 내다
anotar, comentar, glosar. ~(를) 달
다 anotar, comentar, glosar. 주를
단 anotado, comentado, con notas.

주(週) semana *f*. ~의 semanal. ~ 1
회의 semanal. ~ 1회(로) sema-
nalmente, una vez a la semana,
cada semana.

주가(株價) cotización *f* de las acciones, precio *m* de la acción, valor
m de acciones, cambio *m* de una
acción.

주간(主幹) superintendente *mf*; [잡지
의] editor, -tora *mf* en jefe.

주간(晝間) día *m*; [부사적] de día,
durante el día. ~의 diurno. ~에
de día, por el día, durante el día.
~에 근무하다 trabajar durante el
día.

주간(週刊) publicación *f* semanal. ~
신문 periódico *m* semanal. ~ 잡지
semanario *m*, revista *f* semanal.

주간(週間) semana *f*. ~의 semanal.
1~ una semana, ocho días. 2~
dos semanas, quince días.

주객(主客) ① [주인과 손] el anfitrión y el huésped. ② [주되는 사
물과 거기 딸린 사물] el principal
y el auxiliar. ¶ ~ 전도 el poner
el carro delante del caballo.

주객(酒客) borracho, -cha *mf*.

주거(住居) domicilio *m*, vivienda *f*,
residencia *f*, morada *f*, habitación
f; [독채] casa *f*; [아파트] piso *m*,
apartamento *m*, *AmL* departamento *m*. ~하다 habitar, residir, morar, vivir. ~의 자유 libertad *f* de
residencia. ¶ ~비 gastos *mpl* de
vivienda. ~인 residente *mf*; morador, -dora *mf*; habitante *mf*; vecino, -na *mf*. ~ 지역 el área *f* [re-
gión *f*] recidencial.

주거니 받거니 cambiando. ~하며 마
시다 beberse cambiando unos de
otros.

주걱 ① [(준말)] =밥주걱. ② [(준
말)] =구둣주걱. ¶ ~턱 barbilla *f*
saliente, barbilla *f* prominente.

주검 cadáver *m*, cuerpo *m* muerto.

주격(主格) caso *m* nominativo.

주견(主見) *su* propia opinión, opinión
f principal.

주경야독(晝耕夜讀) trabajo *m* de día
y estudio de noche, trabajo *m*
diurno y estudio *m* nocturno. ~하
다 trabajar de día y estudiar de
noche.

주고받다 dar y tomar [recibir], cam-
biar(se), canjear. 계약서를 ~ firmar un contrato.

주곡(主穀) cereales *mpl* para la
comida principal.

주관(主管) superintendencia *f*, supervisión *f*, dirección *f*, gerencia *f*. ~
하다 supervisar, dirigir, administrar, presidir, inspeccionar, revistar. ~자 superintendente *mf*; supervisor, -sora *mf*.

주관(主觀) subjetividad *f*. ~론 sub-
jetivismo *m*. ~론자 subjetivista
mf. ~성 subjetividad *f*. ~적 subjetivo. ~적으로 subjetivamente.

주교(主敎) obispo *m*; [집합적] episcopado *m*. ~의 episcopal. ~관(館)
palacio *m* obispal [episcopal]. ~
관구[교구] diócesis *f*. ~구(區)
obispado *m*. ~님 Su Ilustrísimo
Obispo. ~단[직] episcopado *m*.

주구(走狗) ① [사냥할 때 부리는 개]
perro *m* de caza, sabueso *m*. ②
[남의 앞잡이] instrumento *m*, títere *m*.

주군(主君) rey *m*.

주권(主權) soberanía f, supremo poder m, supremacía f, autoridad f suprema. ~국 Estado m soberano. ~자 ㉮ [군주국의 군주] soberano m, jefe m de Estado. ㉯ [공화국의 국민] pueblo m. ~ 재민(在民) La soberanía pertenece al pueblo / La soberanía va con el pueblo. ~ 침해 violación f de soberanía.

주권(株券) ((경제)) acción f, título m (de acción) f, certificado m de acción.

주근깨 peca f. ~투성이의 pecoso. ~가 낀 얼굴 caras fpl pecosas.

주급(週給) salario m semanal, paga f semanal. ~제 sistema m de paga semanal.

주기(酒氣) embriaguez f, borrachera f, olor m a alcohol, olor m vinoso. ~가 오르다 embriagarse, emborracharse.

주기(周忌/週忌) aniversario m de la muerte. 부친의 10~ el décimo aniversario de la muerte de mi padre.

주기(週期) ① [한 바퀴를 도는 시기] tiempo m periódico, ciclo m, período m. 20년 ~ veinte años cíclicos. 유성의 ~ período m de un planeta. ② ((물리)) revolución f. ③ ((화학)) período m. ¶~ 운동 moción f periódica, ley f periódica, ley f de la periodicidad. ~율표 tabla f periódica, tabla f de Mendeleev. ~적 periódico, cíclico.

주기도문(主祈禱文) el Padrenuestro.

주기억 장치(主記憶裝置) ((컴퓨터)) unidad f de memoria principal.

주낙 carrete m y sedal con múltiples anzuelos.

주년(周年/週年) aniversario m. 우리의 결혼 30~ el trigécimo aniversario de nuestro casamiento. 학교 창립 50 ~ cincuentenario [quincuagésimo aniversario] de la fundación de la escuela.

주눅 pusilanimidad f. ~(이) 들다 sentirse tímido, sentirse cohibido, cohibirse, perder su nervio, estar muerto [cargado] de miedo, perder el ánimo, vacilar, cobardear.

주니어 [연소자] menor mf. ~ 라이트급 peso m superligero.

주다 ① [내 것을 남에게] dar; [기부하다] donar; [건네주다] entregar; [제공하다] ofrecer; [선물하다] regalar, obsequiar. 팁을 ~ dar la propina. ② [받게 하다. 입게 하다] causar producir, ejercer. 손해를 ~ causar producir daños. ③ [못 따위를 박다] clavar. 못을 ~ clavar. ④ [관개하다] regar, rociar. 화초에 물을 ~ regar las flores, rociar las flores (con agua). ⑤ [주사나 침 따위를 놓다] poner. 주사를 ~

poner una inyección.

주단야장(晝短夜長) El día es corto y la noche larga.

주당(酒黨) borracho, -cha mf.

주도(主導) iniciativa f. ~권 iniciativa f; [지배권] hegemonía f.

주도면밀하다(周到綿密－) (ser) muy minucioso. 주도면밀한 계획 plan m muy minucioso.

주도하다(周到－) (ser) cuidadoso, esmerado, cabal, prudente, cautaloso, completo, cumplido, perfecto.

주독(酒毒) ((한방)) alcoholismo m, envenenamiento m alcohólico. ~코 nariz f roja (de la bebida).

주동(主動) ① liderazgo m, dirección f, jefatura f, conducción f. ~하다 tomar la iniciativa. ② ((준말)) = 주동자.

주동자(主動者) promotor, -tora mf; promovedor, -dora mf; cabecilla mf; abanderizador, -dora mf.

주되다(主－) (ser) principal, capital.

주둔(駐屯) estacionamiento m, guarnición f; [점령] ocupación f. ~하다 estacionarse, estar en guarnición, tener una guarnición, ocupar. ~군 ejército m ocupante; [수비대] guarnición f; [점령군] tropas fpl de ocupación.

주둥아리 ① ~ ((속어)) =입(boca). ② ((속어)) =부리.

주둥이 ((속어)) ((준말)) =주둥아리.

주라기(－紀) ((período m)) jurásico m.

주량(酒量) capacidad f de bebida. ~이 크다 ser gran bebedor, beber mucho.

주렁주렁 en abundancia, en racimos. ~ 열다 formar racimos.

주력(主力) fuerza f [esfuerzo m] principal; [군의] grueso m. ~ 부대 fuerza f principal, fundamental. ~ 전투기 avión m principal de caza. ~ 함대 armada f principal.

주례(主禮) ① [예식을 맡아 주장함] presidencia f de una ceremonia. ② [사람] encargado, -da mf de una ceremonia. ¶~사 palabras fpl de felicitación del encargado de una ceremonia.

주로(主－) principalmente, fundamentalmente, sobre todo, en buena parte; [대개] generalmente, en general; [대부분] mayormente, en su mayor parte, en gran parte.

주로(走路) pista f.

주룩주룩 ruidosamente, torrencialmente. 비가 ~ 내리다 llover a cántaros, chaparrear.

주류(主流) ① [강의 주되는 큰 흐름] corriente f principal. ② [사상 등의 주된 경향] corriente f dominante [principal], línea f central, tendencia f dominante.

주류(酒類) ① [술의 종류] licores

mpl, clases fpl de licor. ② [알코올 분을 함유한 음료] bebidas fpl (alcohólicas), licor m alcohólico. ¶ ~업 industria f alcohólica.

주르르 ① [물줄기 따위가] corriendo, saliendo un hilito, cayendo un hilito. 땀방울이 내 이마로 ~흘렀다 Me corrían gotas de sudor por la frente. ② [어떤 물건이 비탈진 곳을] resbalando, deslizándose. ~ 미끄러지다 resbalar(se), deslizarse, escurrirse.

주르륵 resbalándose, deslizándose. ~ 미끄러지다 resbalarse, deslizarse.

주름 ① [피부의 살기가 빠져 생긴 잔금] arruga f. [눈 가장자리의] patas fpl de gallo. ┗투성이의 arrugado, lleno de arrugas. ② [옷의 폭 따위를 줄여서 접은 금] pliegue m, plegadura f. [바지의] raya f. [넓은 폭의] tabla f. [가는] plisado m. ~이 있는 plegado, con pliegue. ~을 펴다 descoger pliegue. ③ [헝겊·종이 따위에 생긴 구김살] arruga f. ¶ ~상자 [사진기의] fuelle m. ~창자 colon m. ~치마 falda f plisada.

주름살 arruga f, pliegue m, doblez f.

주리 tortura f. ~(를) 틀다 aplicar la tortura de torcer las piernas.

주리다 ① [배곯다] tener hambre, pasar hambre. ② [마음에 허기가 있다] privar.

주립(州立) institución f provincial. ~의 provincial.

주마(走馬) ① [말을 달림] galopada f del caballo. ~하다 galopar. ② [닫는 말] caballo m galopante [corredor]. ¶ ~간산 mirada f rápida. ~등(燈) linterna f giratoria.

주막(酒幕) posada f, mesón m, fonda f, taberna f.

주막집(酒幕一)=주막(酒幕).

주말(週末) fin m de semana. ~에 fines de la semana. ~을 잘 보내십시오 Buen fin de semana. ¶ ~여행 viaje m al fin de semana.

주머니 ① [허리에 차게 된 물건] bolsa f. [호주머니] bolsillo m. ¶ ~를 털다 vaciar su bolsa hasta el último céntimo.

주머니칼 navaja f, navajita f de bolsillo; [단도] daga f, puñal m.

주머닛돈 dinero m para gastos personales (en caso de emergencia).

주먹 puño m. ~ 크기의 de tamaño de un puño. ~ 만한 크기의 con un puño. ~만한 (크기의) 달걀 huevo m como un puño. ¶ ~구구 regla f general. ~다짐[싸움] pelea f (a puñetazos), puñetazos mpl, torta- zos mpl. ~밥 bola f de arroz cocido. ~질 riña f [pendencia f · pelea f] a puñetazos, puñetazo m, Col puño m; [난투] riña f

tumultuaria. ~코 nariz f corta y grande.

주모(主母) ① [집 살림을 주장해 거느리는 여자] señora f de la casa, señora f de la familia, el ama f, dueña f. ② ((천주교)) Nuestro Señor y María, Dios y María, Jesús y María.

주모(主謀) papel m principal de conspiración. ~하다 encabezar la conspiración, incitar, organizar. ~자 cabecilla mf; líder mf; instigador, -dora mf; incitador, -dora mf.

주모(酒母) ① [술밑] levadura f. ② [술청에 앉아 술을 파는 여자] camarera f, mesera f, Col, CoS moza f.

주목(朱木) [식물] tejo m.

주목(注目) atención f. ~하다 prestar atención, atender.

주목적(主目的) objeto m principal.

주무(主務) ① [사무를 주장해 맡음] cargo m principal. ② ((준말)) = 주무자. ¶ ~관 oficial mf responsable. ~ 관청 autoridad f competente. ~자 persona f responsble; responsable mf. ~ 장관 ministro, -tra mf responsable.

주무르다 ① [손으로] tocar, palpar, manosear; [안마하다] dar masajes, sobar el cuerpo. ② [남을 마음대로 농락하다] seducir.

주문(主文) ① [문장의 주된 부분] cláusula f principal. ② ((법률)) ((준말)) =판결(判決) 주문(texto).

주문(注文) pedido m, orden f, encargo m, petición f; [요구] demanda f. ~하다 pedir, encargar, hacer un pedido, hacer una demanda. ~량 cantidad f de pedido. ~복 traje m a la medida, traje m de encargo. ~ 생산 producción f por pedido. ~서 nota f de pedidos, orden f, nota f de orden, carta f de pedidos. ~ 쇄도 avalancha f de pedidos. ~자 ordenador, -dora mf. ~품 encargo m; [대량의] pedido m, artículo m pedido.

주문(呪文) palabras fpl mágicas [imprecatorias · de conjuro], encanto m, hechizo m, encantamiento m. ~을 외우다 musitar palabras mágicas, musitar para encantar.

주물(鑄物) artículo m de hierro moldido [colado], obra f de hierro; [주철] hierro m colado. ~의 fundido, de hierro colado, de hierro moldido. ~공 funididor, -dora mf. ~공장 fundería f, fundición f.

주물럭거리다 toquetear, tocar, palpar, manosear.

주미(駐美) residencia f en los Estados Unidos de América. ~의 residente en los EE.UU. ~ 대사 embajador, -dora mf en los Estados Unidos de América.

주민(住民) habitante *mf*; residente *mf*; vecino, -na *mf*; indígena *mf*; morador, -dora *mf*. ~ 등록 registro *m* de domicilio, inscripción *f* en el registro civil. ~ 등록법 ley *f* de inscripción de residente. ~ 등록증 carné *m* [carnet *m*] de identidad, cédula *f* de identidad. ~ 등록표 cédula *f* del registro civil. ~세 impuesto *m* municipal, impuesto *m* de habitantes. ~ 투표 voto *m* de habitantes.

주밀하다(周密-) (ser) escrupuloso, prudente, cuidadoso, cauto, cauteloso.

주발(周鉢) tazón *m* de latón para el arroz cocido.

주방(廚房) cocina *f*. ~장 jefe, -fa *mf* de cocina; cocinero, -ra *mf* principal.

주변(週番) [임무] servicio *m* [guardia *f*] semanal [de semana]; [사람] encargado, -da *mf* de semana. ~ 사관 oficial *m* de servicio semanal. ~생 estudiante *mf* de servicio semanal.

주범(主犯) ((법률)) delincuente *mf* principal, criminal *mf* principal.

주벽(酒癖) hábito *m* de beber, embriaguez *f* viciosa.

주변 adaptabilidad *f*, capacidad *f* de adaptación, flexibilidad *f*, versatilidad *f*.

주변(周邊) alrededores *mpl*, cercanías *fpl*, contornos *mpl*, proximidades *fpl*, afueras *fpl*, inmediaciones *fpl*. 도시 ~ cercanías *fpl* de la ciudad. ¶ ~ 기기 ((컴퓨터)) periféricos *mpl*. ~ 기억 장치 ((컴퓨터)) memoria *f* periférica. ~ 단말 장치 ((컴퓨터)) equipo *m* periférico y terminal.

주보(酒保) cantina *f*, economato *m* [cooperativa *f*] militar.

주보(週報) semanario *m*, boletín *m* semanal.

주봉(主峰) ① =최고봉(最高峰). ② =주인봉(主人峰).

주부(主部) ① [주요한 부분] parte *f* importante. ② ((언어)) sujeto *m*.

주부(主婦) el ama *f* de casa, señora *f*, madre *f* de familia.

주부코 nariz *f* protuberante roja.

주빈(主賓) huésped *mf* de honor, convidado *m* principal.

주뼛주뼛 tímidamente, medrosamente, nerviosamente. ~하다 temblar de miedo, intimidarse, inquietarse, mostrarse tímido, mostrarse nervioso.

주사(主事) gerente *mf*; superintendente *mf*; secretario, -ria *mf* principal; administrador, -dora *mf*; intendente *mf*.

주사(主辭) ((논리)) sujeto *m*.

주사(朱砂) ((광물)) cinabrio *m*.

주사(走査) [TV의] exploración *f*. ~하다 explorar.

주사(注射) inyección *f*; [왁친의] vacunación *f*. ~하다 inyectar, po-ner*le* [dar*le*] inyección. ~기 jeringa *f*, inyector *m*, *AmS* inyectadora *f*. ~액[약] inyección *f*, inyectable *m*. ~제 ampolla *f*. ~침[바늘] aguja *f* de inyección.

주사위 dados *mpl*. ~를 던지다 echar [tirar] los dados. ~ 놀이를 하다 jugar con [a] los dados. ¶ ~ 눈 puntos *mpl* (de un dado). .

주산(珠算) cálculo *m* por [con el] ábaco, manejo *m* del ábaco. ~을 놓다 hacer cálculos con el ábaco.

주산물(主産物) productos *mpl* principales.

주산지(主産地) lugar *m* de producto principal.

주상(主上) =임금(rey, soberano).

주색(主色) color *m* rojo, amarillo, verde y azul.

주색(朱色) color *m* de cinabrio.

주색(酒色) el vino y la mujer, placer *m* sensual. ~잡기 vino, mujeres y juego.

주석(主席) decano *m*, primado *m*, soberano *m*, jefe *m*, presidente *m*.

주석(朱錫) ((화학)) estaño *m*.

주석(柱石) columna *f*, pilar *m*, piedra *f* de fundación, fundamento *m*.

주석(酒席) banquete *m*, festín *m*.

주석(註釋/註釈) comentario *m*, anotación *f*, notas *fpl*. ~하다 anotar, comentar.

주선(周旋) mediación *f*, agencia *f*, intercesión *f*, intervención *f*, buenos oficios *mpl*. ~하다 mediar, intervenir, interceder.

주선(酒仙) =주호(酒豪).

주성분(主成分) ingredientes *mpl* [componentes *mpl*] principales, elemento *m* esencial.

주세(酒稅) impuesto *m* sobre bebidas alcohólicas, impuesto *m* sobre vinos.

주소(住所) ① [준말] =거주소(居住所). ② [집이나 사무소 따위의] dirección *f*, señas *fpl*. ③ ((컴퓨터)) dirección *f*. ¶ ~ 불명 dirección *f* desconocida. ~자 vago, -ga *mf*, vagamundo, -da *mf*. ~ 성명 dirección, nombre y apellido.

주술(呪術) magia *f*, hechicería *f*, brujería *f*. ~사 hechicero, -ra *mf*.

주스 zumo *m*, *AmL* jugo *m*.

주시(注視) mirada *f* fija, observación *f* atenta. ~하다 mirar fijamente, observar atentamente, fijar la vista, fijarse, clavar los ojos.

주식(主食) comida *f* [alimento *m*] principal.

주식(株式) ((경제)) valor *m*, acción *f*. ~의 인상[하락] subida *f* [baja *f*] de las acciones. ~ 거래 operaciones *fpl* de acciones. ~ 거래소 bolsa *f* (de valores), Bolsa *f*, bolsa *f* de comercio. ~ 배당 dividendo *m* en acciones. ~ 시세 cotización *f* de acciones. ~ 시장 bolsa *f* (comercial), mercado *m* de valores [de acciones]. ~ 중개소 agencia *f* de corredores [agentes] de bolsa. ~ 중개업 corretaje *m* de bolsa. ~ 중개인 corredor, -dora *mf* de bolsa, agente *mf* de bolsa; intermediario *m* financiero, intermediaria *f* financiera. ~ 청약(서) suscripción *f* de acciones. ~ 회사 sociedad *f* anónima [S.A.], sociedad *f* [compañía *f*] comandita por acciones, *AmL* sociedad *f* limitada S.L.

주식(晝食) almuerzo *m*. ~을 들다 almorzar, comer. ~에 초대하다 invitar a almorzar [a comer].

주신(主神) dios *m* principal en el altar.

주신(酒神) ① [술의 신] dios *m* del vino. ② ((로마 신화)) Baco *m*. ③ ((그리스 신화)) Dioniso *m*.

주심(主審) ① [심사원의 우두머리] juez *mf* principal. ② ((준말)) =주심판.

주심(柱心) centro *m* de la columna.

주심판(主審判) árbitro *mf* principal.

주악(奏樂) representación *f* [ejecución *f*] musical, música *f*.

주안(主眼) objeto *m* principal, punto *m* importante. ~점 punto *m* principal [importante], clave *f*, tónica *f*, lo esencial.

주안상(酒案床) mesa *f* para el vino [el licor].

주야(晝夜) día y noche; [부사적] de día y de noche. ~로 일하다 trabajar (de) día y (de) noche. ¶ ~ 장천 incesantemente, sin cesar, día y noche sin descanso. ~ 평분 equinoccio *m*. ~ 평분선 línea *f* equinoccial.

주어(主語) ① ((언어)) sujeto *m*. ② ((논리)) =주사(主辭).

주역(主役) ① [주장되는 역할] papel *m* principal, rol *m* de protagonista. ~을 맡다 hacer el papel principal, hacer el primer papel. ② [영화·연극에서 주연하는 배우] estrella *f*, protagonista *mf*.

주역(周易) el Libro de Cambios.

주역(註譯) traducción *f* con notas.

주연(主演) representación *f* principal. ~하다 desempeñar el héroe, protagonizar, trabajar como protagonista. ¶ ~ 배우[자] primer actor *m*, primera actriz *f*; actor, -triz *mf* principal; protagonista *mf*.

주연(酒宴) fiesta *f*, banquete *m*, festín *m*, juerga *f*, jarana *f*. ~을 베풀다 ofrecer [dar·celebrar] un banquete.

주옥(珠玉) ① [구슬과 옥] la bola y el jade. ② [아름답고 귀한 것] piedra *f* preciosa, joya *f*. ~ 같은 글 composición *f* hermosa.

주요(主要) lo principal y lo importante. ~하다 (ser) principal, esencial, importante, fundamental, central, prominente; [유력한] dominante; [저명한] notable. ~ 도시 ciudades *fpl* principales. ~ 목적 objeto *m* principal. ~ 산물 productos *mpl* principales. ~ 성분 ingredientes *mpl* principales.

주워내다 sacar, recoger, seleccionar, escoger, elegir. 나쁜 것들을 ~ sacar las malas cosas.

주워넣다 sacar y poner.

주워담다 recoger y poner.

주워대다 enumerar con mucha labia, enumerar con palabrería.

주워듣다 oír.

주워먹다 recoger y comer.

주워모으다 recoger.

주워섬기다 parlotear acerca de todo tipo de cosas.

주원료(主原料) materia *f* prima principal, primera materia *f* principal; [요리의] base *f*, ingrediente *m* principal.

주원인(主原因) causa *f* principal.

주위(周圍) ① [어떤 곳의 둘레] alrededor *m*, contorno *m*, perímetro *m*; [부근] cercanías *fpl*. ~의 circunstante. ~에 en contorno, al [en] rededor [derredor]. ~의 사정 circunstancias *fpl*. ② ((수학)) periferia *f*, circunferencia *f*. ~의 periférico.

주유(注油) engrase *m*, lubricación *f*. ~하다 engrasar, lubricar. ~기 lubricador *m*, engrasador *m*, aceitera *f*. ~소 gasolinera *f*, estación *f* de servicio; *RPl* estación *f* de nafta; *Andes*, *Ven* bomba *f*; *Chi* bencinera *f*, *Per* grifo *m*.

주유(周遊) excursión *f*, viaje *m* de recreo; [단체의] gira *f*. ~하다 hacer un viaje circular, hacer una excursión, hacer un viaje de recreo.

주육(酒肉) el vino y la carne.

주음(主音) ((음악)) tónica *f*, superdominante *m*.

주의(主意) ① [주되는 요지] punto *m*, lo esencial, lo fundamental, tenor *m*. ② [의지를 주로 하는 일] voluntad *f*.

주의(主義) ① [굳게 지키는 일정한 방침] principio *m*. ~가 없는 sin conciencia, poco escrupuloso. ~에 따라 según *sus* principios. ~를 관

철하다 realizar el principio. ② [설.이론] doctrina f, -ismo. 공산~ comunismo m.

주의(注意) ① ㉮ [마음에 새겨 두어 조심함] cuidado m, precaución f, prudencia f. ~ 깊은 cuidadoso, cauteloso, prudente. ~ 깊게, ~해서 cuidadosamente, con (mucho) cuidado, cautelosamente, prudentemente, con precaución. ~하다 tener cuidado. 건강에 ~하십시오 Tenga cuidado con [de] su salud. / Cuídese usted de su salud. ㉯ [주목] atención f. ~하다 prestar atención. ~해서, ~ 깊게 atentamente, con atención. ~를 게을리 하다 relajar la atención, descuidar. ~를 끌다 llamar [atraer · captar] la atención. ② [곁에서 귀띔하거나 충고하는 일] observación f, advertencia f, consejo m. ~하다 observar, advertir, aconsejar. ~를 주다 dar una indicación, hacer una observación, aconsejar. ¶~력 facultad f de atención, miramiento m, cuidado m. ~ 사항 indicaciones fpl, instrucciones fpl, notas fpl, observaciones fpl. ~서(書) [약의] dirección f.

주익(主翼) alas fpl del avión.

주인(主人) ① [한 집안의 주장이 되는 사람] jefe m de la familia, señor m, amo m; [하인의] amo m, patrón m. ② [물건의 임자] dueño, -ña mf; propietario, -ria mf. ③ [손님을 대하는 사람] anfitrión, -triona mf. ④ [고용 관계에서의 고용주?] empleador, -dora mf, patrón, -trona mf. ⑤ [아내가 남편을 가리켜 일컫는 말] mi marido, mi esposo. ¶~공 ㉮ ⇒ (높임말)=주인(主人). ㉯ [소설·희곡·영화 등의 중심 인물] protagonista mf, héroe, heroína mf.

주인(主因) causa f principal, factor m principal, primer agente m.

주일(主日) ((기독교)) día m de Dios, domingo m. ~ 예배 [천주교의] culto m dominical; [기독교의] servicio m dominical. ~ 학교 escuela f dominical.

주일(週日) semana f. 1~ 만에[있으면·걸려] en una semana, en ocho días.

주일(駐日) residencia f [estancia f] en el Japón. ~ 대한 민국 대사관 Embajada f de la República de Corea en el Japón.

주임(主任) jefe, -fa mf; director, -tora mf; encargado, -da mf principal; superintendente mf; oficial, -la mf responsable. ~ 교수 director, -tora m de un departamento. ~ 신부 padre m jefe.

주입(注入) inyección f, instilación f.

~하다 inyectar, vertir, escanciar, instilar, inspirar, inculcar. ~(식) 교육 educación f [enseñanza f] de embotellamiento.

주자(走者) ① [달리는 사람] corredor, -dora mf. 3번을 단 ~ corredor, -dora mf que lleva el número tres. ② ((야구)) corredor, -dora mf.

주장(主張) alegación f, [의견] opinión f; [권리 등의] reclamación f; [종교·철학의] doctrina f, tesis f, ideas fpl; [역설] insistencia f. ~하다 alegar, reclamar, opinar, insistir, acentuar, hacer resaltar.

주장(主將) ① [운동 경기의] capitán, -tana mf. ② [한 군대의 으뜸 장수] general mf; comandante mf en jefe.

주재(主宰) presidencia f, superintendencia f, dirección f, administración f, gestión f. ~하다 presidir, superentender, dirigir, administrar. ~자 presidente, -ta mf; director, -tora mf.

주재(駐在) residencia f, permanencia f, estancia f. ~하다 residir, permanecer, estacionarse. ~관 oficial mf residente. ~국 país m de residencia. ~소 lugar m residente. ~원 representante mf residente; [신문사의] corresponsal mf residente.

주재료(主材料) material m principal.

주저(主著) obra f principal.

주저(躊躇) vacilación f, indecisión f. ~하다 vacilar, titubear. ~하면서 vacilando, con vacilación, con duda. ~하지 않고 sin vacilación, sin vacilar, sin dudar. 결정하는데 ~하다 vacilar en la resolución.

주저앉다 ① [섰던 자리에서 그대로 내려앉다] dejarse caer, desplomarse. ② [물건의 밑이 절로 움푹하게 빠져 들어가다] derrumbarse, desmoronarse, desplomarse, hundirse, venirse abajo. ③ [하던 일을 포기하고 물러나다] abandonar el trabajo y retirarse.

주저앉히다 [의자에] obligar [forzar] a sentarse; [못 떠나게] hacer quedarse.

주저주저하다(躊躇躊躇-) vacilar [titubear] mucho.

주전(主戰) pro-guerra f. ~하다 recomendar [abogar] la guerra. ~론 belicismo m, argumento m bélico, abogacía f de guerra, jingoísmo m. ~론자 belicista mf; abogado, -da mf de la guerra; jingoísta mf. ~ 투수 lanzador, -dora mf de primera; as m del lanzador.

주전부리 tentempié m entre comidas. ~하다 tomar(se) un tentempié entre comidas.

주전자(酒煎子) [물을 끓이는] pava *f*, tetera *f*; [차를 끓이는] tetera *f*; *Urg* caldera *f*.

주절(主節) oración *f* principal.

주점(主點) punto *m* esencial, punto *m* importante.

주점(酒店) taberna *f*, bar *m*.

주접 atrofia *f*. ~(을) 떨다 atrofiarse, marchitar(se).

주정(主情) acción *f* de apreciar la emoción más que la inteligencia. ~설[주의] emocionalismo *m*. ~주의자 emocionalista *mf*.

주정(舟艇) bote *m*.

주정(酒酊) alboroto *m* borracho. ~하다 ser un portarse con alboroto borracho. ~을 부리다 hablar sin ton ni son por la borrachera. ¶~꾼 borracho, -cha *mf*; ebrio, -bria *mf*; borrachín, -china *mf*; tumbacuartillos *mf.sing.pl.* ~뱅이[쟁이] borracho, -cha *mf*.

주정(酒精) alcohol *m*, espíritu *m*. ~의 alcohólico, espirituoso. ~계 coholímetro *m*. ~ 발효 fermentación *f* alcohólica. ~ 음료 alcohol *m*. ~ 중독 alcoholismo *m*.

주제 ((낮말)) =주제꼴. ¶~꼴 atavío *m* miserable, aparición *f* humilde [desastrada].

주제(主題) sujeto *m*, tema *m*, leitmotiv *m*; [음악·회화의] motivo *m*; [연설 등의] asunto *m*. ~가 canción *f* de tema. ~곡 tema *m* (musical). ~ 음악 música *f* de tema.

주제넘다 (ser) entrometido, entremetido, insolente, descortés, descarado, presuntuoso, impertinente, impudente; [건방진] descarado, desvergonzado; [웃기다] risible, ridículo. 주제넘게 soberbiamente, con presunción. 주제넘은 녀석 tipo con presuntuoso.

주조(主調) nota *f* tónica, tónica *f* general, tono *m* dominante; ((음악)) tónica *f*. ¶~음 =주조(主調).

주조(主潮) corriente *f* [movimiento *m*] principal.

주조(酒造) elaboración *f* de vinos. ~하다 hacer licores mezclando varios ingredientes. ~장 cervecería *f*, fábrica *f* de vinos.

주조(鑄造) moldaje *m*, fundición *f*; [화폐의] acuñación *f*. ~하다 fundir, acuñar, amonedar. ¶~기 máquina *f* para [de] fundición. ~ 화폐 moneda *f* metálica.

주종(主從) ① [주군과 종자] empleador y empleado, dueño y sirviente, amo y criado. ~ 관계 relaciones *fpl* entre amo y criado. ② [주체와 종속] lo principal y lo subordinado.

주주(株主) accionista *mf*. ~ 총회

junta *f* general de accionistas, asamblea *f* general de accionistas. ~ 회의 junta *f* de accionistas, asamblea *f* de accionistas.

주지(主旨) propósito *m* principal.

주지(主知) lo intelecual. ~설[주의] intelectualismo *m*. ~주의자 intelectualista *mf*.

주지(住持) ((불교)) superior *m* de un templo budista.

주지(周知) ¶~하다 ser muy [bien] conocido. ~의 bien conocido, muy conocido. ~의 사실 hecho *m* bien conocido [sabido]. ~한 바와 같이 como todo el mundo sabe.

주지육림(酒池肉林) orgía *f*, bacanal *m*.

주차(駐車) aparcamiento *m*, *AmL* estacionamiento *m*. ~하다 aparcar, *AmL* estacionar, *AmL* parquear, *Chi*, *Méj* estacionarse. ~시키다 aparcar, *AmL* estacionar, *AmL* parquear. 차를 ~시키다 aparcar [estacionar·parar·dejar] el coche. ¶~ 금지 ((게시)) Prohibido aparcar [estacionar·*AmL* parquear·*Chi*, *Méj* estacionarse] / No estacionar / No (se) estacione. ~기 parquímetro *m*. ~ 위반 infracción *f* de aparcamiento. ~장 aparcamiento *m*, *AmL* (parque *m* de) estacionamiento *m*.

주창(主唱) promoción *f*, vindicación *f*. ~하다 abogar, promover, proponer. ~자 promotor, -tora *mf*; promovedor, -dora *mf*.

주책 ① [일정한 주견 또는 주의] opinión *f* fija, vista *f* definitiva, principios *mpl* fijos. ② [일정한 줏대가 없이 이랬다저랬다 하는 짓] conducta *f* de no tener fibra. ¶~바가지 persona *f* indecisa. ~없다 (ser) indecente, impúdico, inmodesto, impropio de un caballero, imprudente, indeciso, irresoluto, indiscreto.

주철(鑄鐵) hierro *m* fundido, hierro *m* colado, arrabio *m*, moldaje *m* de hierro. ~(제)의 de hierro fundido [colado]. ~관(管) tubo *m* de hierro fundido. ~소 fundería *f* de hierro, herrería *f*, ferrería *f*.

주체 carga *f*, modestia *f*. ~하다 hacer frente a *su* carga. 돈을 ~하지 못하다 tener dinero a montones, estar podrido [forrado] de dinero, nadar en dinero.

주체(主體) ① [주(主)] sujeto *m*; [중심] centro *m*, núcleo *m*. ② ((심리)) sujeto *m*. ③ ((철학)) subjetivo *m*. ④ [단체나 기계 등의 주요한 부분] parte *f* principal. ¶~성 subjetividad *f*; [자발성] iniciativa *f*. ~ 세력 grupo *m* principal.

주체(酒滯) indigestión *f* por el

alcohol.

주초(週初) principios *mpl* de semana. 다음 ~에 a principios de semana que viene.

주최(主催) auspicio *m*, patrocinio *m*. ~하다 organizar, patrocinar, promover. 회사의 ~로 bajo los auspicios de la compañía, auspiciado por la compañía. ~국 país *m* organizador. ~자(者) patrocinador, -dora *mf*; organizador, -dora *mf*; promotor, -tora *mf*.

주주(主一) piedra *f* fundamental [angular], pilar *m*.

주축(主軸) ① ((수학)) eje *m* principal ② [원동기의 전동축] eje *m* motor, árbol *m* de manivelas. ③ [주장이 되어 움직이는 사람이나 세력] persona *f* principal, influencia *f* principal.

주춤거리다 vacilar, titubear.

주춧돌(柱一) piedra *f* angular, primera piedra *f*.

주치(主治) lo encargado del tratamiento del paciente. ~의(醫) médico, -ca *mf* de cabecera [de familiar·담당 의사] responsable].

주택(住宅) vivienda(s) *f(pl)*, residencia *f*, domicilio *m*; [독립의] casa *f* (individual). ~가 barrio *m* [zona *f*] residencial. ~난 escasez *f* de viviendas, crisis *f* [dificultad *f*] de vivienda. ~ 단지 urbanización *f*, conjunto *m* residencial, complejo *m* habitacional, *Méj* colonia *f*; [서민용의] complejo *m* de viviendas subvencionadas, urbanización *f* de viviendas de alquiler subvencionadas por el ayuntamiento. ~ 은행 el Banco de Viviendas. ~지 zona *f* residencial; [택지] parcela *f* de terreno, solar *m*, el área *f* de terreno para residencia.

주특기(主特技) especialidad *f* principal, talento *m* especial.

주파(走破) recorrido *m*. ~하다 recorrer.

주파(周波) ((물리)) ciclo *m*.

주파수(周波數) ((물리)) frecuencia *f*. ~ 채널 canal *m* de frecuencias.

주판(籌板) =수판(數板)(ábaco). ¶ ~을 놓다 mover bolitas de ábaco, calcular; [이해를 따지다] hacer el cálculo, antender a *sus* intereses.

주평(週評) crítica *f* semanal.

주포(主砲) cañón *m* principal.

주폭도(走幅跳) =멀리뛰기.

주피터 ((로마 신화)) Júpiter *m*.

주필(主筆) editor, -tora *mf* (en) jefe; editor, -tora *mf* (principal).

주한(駐韓) residencia *f* [estancia *f*] en Corea; [부사적] en Corea. ~ 미군 las Fuerzas Armadas Estadounidenses en Corea. ~ 서반아 대사관 Embajada *f* de España en

Corea.

주해(註解/注解) anotación *f*, comentario *m*, nota *f* explicativa, comento *m*, glosa *f*. ~하다 anotar, notar, comentar. ~자 anotador, -dora *mf*; comentador, -dora *mf*.

주행(走行) corrida *f*. ~ 거리 recorrido *m*, distancia *f* recorrida. ~ 거리계 cuentalómetros *mpl*. ~ 요금 tarifa *f* por kilómetros.

주형(鑄型) molde *m*, cuño *m*; [활자의] matriz *f*.

주호(酒豪) buen [gran] bebedor *m*, buena [gran] bebedora *f*; bebedor *m* fuerte, bebedora *f* fuerte; borracho, -cha *mf*.

주홍(朱紅) ① ((준말)) =주홍빛. ② ((안료)) cinabrio *m*, bermellón *m*.

주홍빛(朱紅一) rojo *m* escarlata, encarnado *m*, color *m* bermejo, color *m* carmesí, grana *f*.

주화(鑄貨) ① [화폐를 주조함] acuñación *f*. ~하다 acuñar moneda. ② [주조한 화폐] moneda *f* (acuñada).

주화기(主火器) el arma *f* (*pl* las armas) de fuego principal.

주황(朱黃) ((준말)) =주황빛.

주황빛(朱黃一) (color *m* de) naranja *m*.

주효(奏效) [성공] éxito *m*; [유효] eficacia *f*. ~하다 tener éxito, salir bien, ser eficaz, ser efectivo.

주휴(週休) asueto *m* semanal, descanso *m* semanal.

주흥(酒興) jovialidad *f* [regocijo *m*] que procede del vino.

죽[¹] [옷·그릇 등의 열 벌] diez piezas, diez juegos, diez equipos. 버선 한 ~ diez juegos de calcetines coreanos. 접시 두 ~ dos juegos de platos.

죽[²] ① [한 줄로 늘어선 모양] en fila. ② [반듯이] en línea recta. ③ [동작이 단번에 거침 없이 나아가는 모양] con un buen trago, de un golpe, de un tirón. ~ 들이켜다 echar(se) un buen trago, beber [tragarse] un golpe [de un tirón]. ④ [글이나 말 따위를 거침 없이 내리읽거나 말하는 모양] sin interrupción. 세 시간 ~ 연설하다 dar un discurso de tres horas seguidas. ⑤ [종이나 피륙을 단번에 내리 찢는 소리] de un rasgón. ⑥ [여럿을 한 번에 훑어보는 모양] rápido, rápidamente, aproximadamente, brevemente, sucintamente, por poco tiempo. ~ 훑어보다 echar *le* un vistazo [una ojeada], hojear, leer por encima.

죽(竹) ① [대] bambú *m*. ② [피리] flauta *f*. ③ [대의 조각] pedazo *m* del bambú.

죽(粥) gachas *fpl* (de avena), puches

mpl, *Méj* [옥수수 가루와 우유가 섞인] atole *m*; [귀리의] avena *f* (cocida). 환자의~ puches *mpl* de enfermo. ~을 끓이다[먹이다] cocinar [comer] gachas. ~ 끓일 것도 없다 ser tan pobre como un ratón de sacristía.

죽기(竹器) plato *m* de bambú, vasija *f* de bambú, vaso *m* de bambú.

죽는소리 ① [불평. 비평] queja *f* (formal). ~하다 quejar(se), reclamar, refunfuñar, rezongar. ② [비명] grito *m*, chillido *m*, alarido *m*. ~를 지르다 gritar, chillar, dar un grito [un chillido].

죽는시늉 mímica *f* de morir.

죽다¹ ① [목숨이 끊어지다] morir(se), fallecer, perecer; [자살하다] matarse, suicidarse; [숨지다] expirar, dar el último suspiro. ② [동작을 중지하다] cesar, pararse, suspender, interrumpir. ③ [불이 꺼지다] apagarse. ④ [팔팔한 성질이나 빳빳한 기운이] (estar) abatido, desalentado. 기가 ~ desanimarse.

죽다² [두드러져야 할 자리가] estar hundido. 죽은 콧날 el caballete hundido.

죽도(竹刀) ① [대칼] espada *f* de bambú. ② [검도 연습용의] florete *m* de bambú.

죽마(竹馬) zanco *m*, caballo *m* de bambú. ~를 타다 andar en [a] zancos. ¶~고우(故友) amigo, -ga *mf* de la niñez [de la infancia].

죽물(竹物) objetos *mpl* de bambú.

죽부인(竹夫人) almohadón *m* largo y redondo de bambú.

죽세공(竹細工) labores *fpl* de bambú, obra *f* de bambú; [세공] objeto *m* de bambú. ~을 하다 trabajar en bambú.

죽순(竹筍) vástago *m* [retoño *m*·brote *m*] de bambú.

죽어라하고 ① [필사적으로] desesperadamente, frenéticamente. ② [목숨을 걸고] por vida. ③ [전력을 다해] con todas *sus* fuerzas. ~ 밀다 empujar con todas *sus* fuerzas.

죽어지내다 vivir bajo opresión.

죽엽(竹葉) hoja *f* de bambú.

죽은목숨 ① [살 길이 막힌 목숨] cadáver *m* vivo. ② [자유를 잃어 살아도 사는 보람이 없는 사람] persona *f* esclavizada.

죽을둥살둥 a todo correr, a toda prisa. ~ 달리다 correr a todo correr [a toda prisa].

죽을병(—病) enfermedad *f* mortal. ~에 걸리다 sufrir de una enfermedad mortal.

죽을뻔살뻔 por un pelo, por los pelos. ~ 도망치다 escaparse por muy poco.

죽을상(—相) cara *f* de angustia, cara *f* desesperada, facies *f* hipocrática, cara *f* presagiada de la muerte.

죽을죄(—罪) crimen *m* digno de muerte.

죽음 muerte *f*, fallecimiento *m*, difunción *f*. ~을 각오하다 aceptar la muerte con firmeza; [상황] estar dispuesto a morir. ~을 면하다 escapar de la muerte. ¶~의 재 polvo *m* radiactivo.

죽음의 장막(竹—帳幕) cortina *f* de bambú.

죽이다 ① [살해하다] matar, dar la muerte, quitar la vida; [모살하다] asesinar; [사형에 처하다] ejecutar, ajusticiar; [도살하다] hacer una carnicería, matar reses; [학살하다] dar una muerte cruel. 숨을 ~ contener el aliento. ② [움직이던 물건의 기능을 정지시키다] parar. ③ [불을 끄다] apagar. ④ [기세를 꺾거나 기운을 줄게 하다] contener, dominar, refrenar, restar, bajar. 감정을 ~ contenerse de emoción. 소리를 ~ bajar la voz. ⑤ [잃다] perder. ⑥ [옷이나 종이의 풀기를 없애다] quitar el almidón.

죽일 놈 ¡Sinvergüenza! / ¡Pillo! 이~아! ¡Caray! / ¡Carajo!

죽장(竹杖) bastón *m* de bambú.

죽장망혜(竹杖芒鞋) bastón *m* de bambú y zapatos de paja.

죽죽 ① [여러 줄로 늘어선 모양] en hilera, en fila, hilera tras hilera, fila tras fila. ② [동작이 여러 번 거침없이 나아가는 모양] rápido, rápidamente. ~ 자라다 crecer rápidamente. ③ [종이나 피륙을 계속해서 찢는 소리] en pedacitos. ~ 찢다 hacer trizas, trizar. 종이를 ~ 찢다 hacer trizas un papel. ④ [비가 자꾸 세차게 내리는 모양] a cántaros. 비가 ~ 내리다 llover a cántaros. ⑤ [계속해서 줄을 치거나 선을 긋는 모양] línea tras línea. 줄을 ~ 긋다 trazar línea tras línea. ⑥ [입으로 계속해서 빠는 소리] a boca de jarro, a pico de jarro. ~ 들이키다 beber a boca [a pico] de jarro.

죽지 ① [관절 부분] omoplato *m*, omóplato *m*, escápula *f*. ② [새의] articulación *f* de una ala.

죽창(竹槍) lanza *f* de bambú.

죽치다 encerrarse, frecuentar. 절에서 ~ encerrarse en un templo budista. 술집에 죽치고 있다 frecuentar la taberna.

준(準) (인쇄) =교정(校正).

준거(準據) conformidad *f*. ~하다 acomodarse, conformarse, basarse, apoyarse, ser basado. 규칙에 ~하다 conformarse en el reglamento.

준결승(전)(準決勝(戰)) semifinales *fpl.* ~의 semifinal. ~에 진출하다 avanzar a la semifinal. ¶ ~ 진출자 semifinalista *mf.*

준공(竣工) terminación *f* (de la obra), acabamiento *m*, consumación *f.* ~하다 terminar(se), acabarse, completarse, consumarse. ¶ ~식 ceremonia *f* de terminación de las obras.

준교사(準教師) maestro, -tra *mf* asistente [auxiliar].

준급(準急) ((준말)) =준급행(準急行).

준급행(準急行) ((준말)) =준급행 열차. ¶ ~ 열차 expreso *m* local, semiexpreso *m*, semi-exprés *m*.

준동(蠢動) ① [벌레 따위가] meneo *m*, movimiento *m*. ~하다 retorcerse, menearse, moverse. ② [하잘 것 없는 무리가] conducta *f* vil [despreciable・infame], actividades *fpl.* ~하다 (ser) activo. 불평 분자의 ~ actividades *fpl* de los elementos descontentos.

준령(峻嶺) pico *m* alto y empinado.

준마(駿馬) caballo *m* excelente, caballo *m* ligero; ((시어)) corcel *m.*

준말 ① =약어. 약언. ② =약칭.

준법(遵法) obediencia *f* a las leyes. ~ 정신 respeto *m* a la ley [de la legalidad], espíritu *m* de obediencia a las leyes, legalidad *f*, lealtad *f* a la ley. ~ 투쟁 lucha *f* respectuosa a la ley.

준봉(峻峰) pico *m* empinado, pico *m* escarpado.

준비(準備) preparación *f*, preparativo *m.* ~하다 preparar, hacer los preparativos. 아무런 ~도 없이 sin ningún preparativo, sin ninguna preparación. 식사를 ~하다 preparar [disponer] la comida, hacer los preparativos de la comida. 여행을 ~하다 preparar el viaje, hacer los preparativos para el [del viaje]; [가방을 꾸리다] hacer la maleta. ¶ ~금 reserva *f*, fondo *m* reservado. ~ 운동 ejercicios *mpl* preparatorios. ~ 위원 miembro *m* del comité preparatorio. ~위원회 comité *m* preparatorio.

준사관(準士官) ((군사)) =준위(準尉).

준설(浚渫) dragado *m*, dragaje *m.* ~하다 dragar. ~ 공사 obra *f* de dragado. ~기 draga *f.* ~선 dragaminas *m.sing.pl.*

준수(遵守) observación *f.* ~하다 observar, guardar, obedecer, cumplir. 법률의 ~ observación *f* de la ley.

준수하다(俊秀－) sobresalir [distinguirse・descollar] en talento y elegancia.

준엄하다(峻嚴－) (ser) muy severo, riguroso, estricto, duro. 준엄한 태도 actitud *f* severa.

준우승(準優勝) accésit *m.sing.pl*, segundo rango *m*, segundo puesto *m.* ~하다 proclamarse subcampeón. ~을 차지하다 obtener el segundo puesto [rango].

준위(准尉) ((군사)) subteniente *mf*; suboficial *mf.*

준장(准將) general *mf* de brigada; [해군] contraalmirante *mf.*

준재(俊才) ① [뛰어난 재주] talento *m* eminente. ② [뛰어난 재주를 가진 사람] hombre *m* de talento.

준족(駿足) ① =준마(駿馬). ② [걸음이 빠르고 잘 달림] rapidez *f*, velocidad *f*; [걸음이 빠르고 잘 달리는 사람] buen corredor *m*, buena corredora *f*. ~의 rápido, veloz.

준준결승(準準決勝) cuarto(s) *m(pl)* de final, juego *m* antesemifinal. ~자 cuartofinalista *mf.*

준치 ((어류)) una especie de sábalo.

준칙(準則) regla *f*, regulaciones *fpl.*

준하다(準一) ① [어떤 본보기에 비추어 그대로 좇다] concordar, estar proporcionado, corresponder, ir de acuerdo. …에 준해서 de acuerdo con *algo*, con arreglo a *algo*, según *algo*. ② ((인쇄)) [교정하다] corregir las pruebas.

줄¹ ① [노. 새끼] cuerda *f*, soga *f*, cordón *m*; [선박용] cabo *m*; [등산용] cordada *f*; [교수형용] horca *f.* ~로 묶다 atar [ligar] (con cuerda). ② [가로나 세로로 그은 선] línea *f*, [줄무늬] raya *f*, lista *f.* ~의 lineal. ~이 있는 a rayas, de rayas, rayado, listado. ③ [벌여선 행렬] cola *f*, desfile *m.* ~을 서다 desfilar; [창구 따위의] hacer cola.

줄² [연장] lima *f.* ~로 갈다 limar.

줄³ ((물리)) julio *m* (J).

줄거리 ① [식물이나 꽃의] tallo *m*; [과실의] pedúnculo *m*; [잎의] peciolo *m*, pecíolo *m.* ② [사물의 기본 골자] contorno *m*, perfil *m*, plan *m* general; [극・소설의] argumento *m*, acción *f*, intriga *f*; [말・의론의] hilo *m.* 소설의 ~ argumento *m* [exposición *f* sumaria] de la novela.

줄곧 continuamente, constantemente, día y noche, siempre, sin cesar, del principio al fin.

줄기 ① [고등 식물의 기본 기관의 하나] tallo *m.* 나무 ~ tallo *m* del árbol. ② [물이 줄대어 흐르는 선] corriente *f.* 물 ~ corriente *f* del agua. [산이 갈라져 나간 갈래] cadena *f.* 산 ~ cordillera *f*, cadena *f* de montañas. ④ [혈관의] vena *f.* ⑤ [소나기의 한 차례] lluvia *f*, aguacero *m*, chaparrón *m*, chubasco *m.*

줄기줄기 ① [시냇물의] en [por las]

corrientes. ② [산이] en cadenas.

줄기차다 (ser) fuerte, vigoroso; [계속하다] incesante, ininterrumpido, constante. 줄기차게 fuerte, fuertemente, vigorosamente, incesantemente, sin cesar. 줄기찬 노력 esfuerzo *m* ininterrumpido, esfuerzo *m* constante.

줄깃하다 [고기가] (ser) correoso, duro; [과자가] masticable.

줄넘기 salto *m* a la comba, salto *m* de cuerda. ~하다 saltar la cuerda, saltar a la comba, botar lanzando la comba.

줄다 disminuir, decrecer, menguar, mermar; [축소하다] reducirse; [소모되다] desgastarse; [수위가 내려가다] bajar.

줄다리기 juego *m* de tira y afloja con una cuerda, juego *m* [lucha *f*] de la cuerda, lucha *f* por la supremacía.

줄달음질 prisa *f*, *AmL* apuro *m*. ~하다 correr a toda prisa.

줄담배 cigarrillos *mpl* que siguen fumando. ~를 피우는 사람 persona *f* que fuma un cigarrillo tras otro. ~를 피우다 fumar un cigarrillo tras otro.

줄무늬 raya *f*, lista *f*, rayado *m*. ~의 rayado. ~가 있는 a rayas, de rayas, con rayas, con rayado, rayado, listado. 푸른 ~가 있는 흰 드레스 un vestido blanco con rayas [listas] azules.

줄사닥다리 escala *f* [escalera *f*] de cuerda (de soga).

줄어들다 reducirse, disminuirse; [옷·천이] encogerse, acortarse; [고기가] achicarse; [나무·금속이] contraerse; [면적이] reducirse, verse reducido; [수·양이] reducirse, disminuir, verse reducido; [사람이] achicarse; [약해지다] mitigarse, debilitarse, atenuarse, aligerarse; [작아지다] achicarse, disminuir; [좁아지다] estrecharse.

줄어지다 flaquear, debilitarse, perder la fuerza.

줄이다 [수·액수를] reducir, disminuir, menguar, mermar, aminorar, decrecer; [긴장·압력을] disminuir, reducir; [가격·세금·집세·사용료를] reducir, rebajar; [열정·노력을] decaer, disminuir; [요구·수요를] disminuir, bajar; [고통을] aliviar; [크기를] reducir; [단축·삭감하다] acortar, recortar; [절약하다] economizar; [생략·요약하다] reducir, abreviar, compendiar, resumir; [작게 하다] empequeñecer, achicar; [좁히다] estrechar.

줄자 cinta *f* métrica (de acero), cinta *f* de medir, metro *m* de cinta.

줄잡다 calcular como mínimo.

줄줄 ① [굵은 물줄기가] a mares, a borbotones; [피가] profusamente. ~ 나오다 brotar a mares, correr a borbotones. 땀이 ~ 나오다 [주어가 사람일 때] sudar la gota gorda, sudar a mares. ② [계속해서 끌리는 모양] arrastrando. ~ 끌리는 긴 드레스 un vestido largo, con cola. ③ [떨어지지 않고 줄곧 따라다니는 모양] sucesivamente, en sucesión, uno tras otro, una tras otra. ④ [막힘이 없이 무엇을 읽거나 외는 모양] con soltura, fluidamente, suavemente, corrientemente; [용이하게] fácilmente, con facilidad, sin dificultad. 서반아어를 ~ 읽다 leer español con soltura.

줄타기 arte *m* de funámbulo, paseo *m* en la cuerda de equilibrista [volatinero]. ~하다 caminar por la cuerda floja, pasear en la cuerda de equilibrista, marchar [andar] sobre la cuerda. ~ 곡예사[광대] funámbulo, -la *mf*; equilibrista *mf*; volatinero, -ra *mf*.

줄행랑(-行廊) ① [대문 좌우쪽으로 죽 벌여 있는 행랑] edificación *f* anexa. ② ((속어)) [도망] huida *f*. ~(을) 치다[놓다] huir, escapar; [범인이] huir lejos (de la justicia).

줌¹ ① ((준말)) =주먹. ¶~만한 como un puño. ~으로 a puños. ~ 쥐고 a puño cerrado. ~을 쥐다 apretar los puños. ② ((준말)) =줌통. ③ [주먹으로 쥘 만한 분량] puñado *m*. 한 ~의 쌀 un puñado de arroz.

줌² =줌 렌즈.

줌 렌즈 teleobjetivo *m*, zoom *m*, objetivo *m* zoom.

줌통 mango *m* [asa *f*] de arco.

줍다 recoger, coger; [발견하다] encontrar, hallar. 쓰레기를 ~ recoger basura.

줏대(主一) ① [사물의 가장 중요한 부분] principios *mpl* fijos, opinión *f* definida. ② [먹은 마음의 중심] fuerza *f* de carácter *m*. ~가 강한 de carácter firme [fuerte]. ~ 없는 de poca (fuerza de) voluntad. ~ 없는 사람 persona *f* de poca (fuerza de) voluntad.

중 ((불교)) monje, -ja *mf*, bonzo, -za *mf*; sacerdote *m* (budista). ~이 되다 hacerse bonzo [monje].

중(中) ① [중앙] centro *m*, mitad *f*, promedio *m*. ~ 이상의 por encima del promedio. ~ 이하의 por debajo del promedio. ~ 이상[이하]의 성적 nota *f* superior [inferior] a la media. ~의 상[하] mitad *f* [para arriba [para abajo]; [계층] clase *f* media alta [baja]. ② [동안. 진행중] durante, en, en el curso de, dentro de, mientras (que). 내가 부재 ~ durante [en] mi ausencia. ③ [중에서] de, en, entre. 우리 ~에서 몇 명 algunos de nosotros. ④ [내내] todo el …, toda la …. 오전 ~ toda la mañana.

중간(中間) media f, promedio m, mitad f; [한가운데] centro m. ~의 intermedio, medio, intermediario, de nivel medio, en medio de; [한가운데의] central; [중위(中位)의] mediano. (길의) ~에서 a medio camino. ¶ ~ 계급 clase f media. ~ 고사 examen m en el mitad; [2학기제의] examen m del semestre; [3학기제의] examen m del trimestre. ~ 보고 información f provisional. ~ 사이즈 [물건의] tamaño m mediano; [사람의] talla f [estatura f] media [mediana]. ~ 상인 intermediario, -ria mf. ~ 선거 elección f del año durante el cual no se celebran elecciones importantes. ~역 estación f intermedia. ~자 mesotrón m, mesón m. ~ 착취 explotación f hecha por el intermediario. ~층 ㉮ [지구의] estrato m intercalar [medio]. ㉯ =중간 계급.

중갑판(中甲板) cubierta f del medio.

중개(仲介) mediación f; [중재] intercesión f, corretaje m; [개입] intervención f. ~하다 mediar, actuar de mediador, intervenir. ~ 상인 comerciante mf de tránsito. ~ 수수료 corretaje m, comisión f [de corretaje]. ~업 corretaje m; [주선업] agencia f. ~업자 agente mf; intermediario, -ria mf; comisionista mf.

중거리(中距離) distancia f mediana; ((운동)) medio fondo m; ((군사)) alcance m medio [mediano]. ¶ ((준말)) =중거리 경주. ~ 경주 [달리기] carrera f de semi-fondo [de medio fondo]. ~ 미사일 misil m de alcance medio. ~ 유도탄 proyectil m balístico de alcance medio.

중건(重建) reconstrucción f, reedificación f. ~하다 reconstruir, reedificar.

중견(中堅) ① [어떤 단체나 사회에서 중심이 되는 사람] núcleo m, pilar m, puntal m. 단체의 ~ pilar [puntal m] de la organización. ② ((군사)) cuerpo m principal. ③ ((야구)) [2루의 뒤쪽] jardín m central, centro m campo. ¶ ~ 간부 dirigente m [directivo m] intermedio, dirigente f [directiva f] intermedia. ~수 jardinero mf central, centro mf campo.

중경상(重輕傷) herida f grave y ligera. ~자 persona f grave y

ligeramente herida.

중계(中繼) ① relé m, retransmisión f; [전달] transmisión f; [라디오의] repetidor m; [전화] relevador m. ~하다 transmitir por repetidor; [라디오로] retransmitir; [라디오·텔레비전으로] reemitir; [동시 중계] transmitir [retransmitir] directamente [en directo]; [녹화 중계] retransmitir diferidamente [en diferido]. ~로 por medio de un repetidor. ② =중계 방송. ¶ ~ 무역 comercio m de tránsito, comercio m intermediario [transitorio]. ~ 방송 transmisión f, radiodifusión f a relevo.

중고(中古) ① ((역사)) la Edad Media. ② ((준말)) =중고품. ¶ ~의 [자동차나 옷 따위의] de segunda mano, usado; [새 방의] de viejo; [가게의] de artículos de segunda mano. ~ 자동차 automóvil m de segunda mano, coche m usado [de segunda mano]. ~ 타이어 neumático m usado. ~품 (artículo m de) segunda mano f.

중공(中共) la China Comunista.

중공업(重工業) industria f pesada.

중과(重課) agravamiento m. ~하다 agravar.

중과(衆寡) disparidad f en número. ~부적 disparidad f en número.

중과세(重課稅) agravamiento m al pueblo. ~하다 agravar al pueblo.

중과실(重過失) culpa f pesada, error m pesado.

중구난방(衆口難防) ¶ ~이다 Es difícil parar la voz del pueblo.

중국(中國) ((지명)) China f. ~의 chino. ~ 공산당 Partido m Comunista de China, Comunistas mpl Chinos. ~ 사람 chino, china mf. ~어 chino m, caracteres mpl chinos. ~ 요리 plato m chino, comida f china, platos mpl chinos. ~학 sinología f. ~ 학자 sinólogo, -ga mf.

중권(中卷) tomo II [segundo].

중금속(重金屬) metal m pesado.

중급(中級) curso m medio.

중남미(中南美) ((지명)) la América Central y del Sur; [라틴 아메리카] la América Latina.

중년(中年) mediana edad f, edad f madura, edad f civil, viriliddad f, madurez f. ~의 de mediana edad, de edad madura, maduro. ~의 남자 hombre m de mediana edad.

중노동(重勞動) labor f pesada, trabajo m duro, trabajo m pesado.

중노인(中老人) =중늙은이.

중농(中農) agricultor m medio. ~주의 fisiocracia f. ~주의자 fisiócrata mf.

중뇌(中腦) cerebro m medio.

중늙은이(中─) segundo mayor *m* de un grupo del mayor.

중단(中段) parte *f* intermedia, parte *f* del medio; [침대차의] litera *f* intermedia, litera *f* del medio.

중단(中斷) interrupción *f*, [일시 중지] suspensión *f*. ~하다 interrumpir, suspender, cesar, dejar, romper. 도중에서 ~되다 interrumpirse, cesar por un rato. 교섭을 ~하다 suspender [romper] las negociaciones.

중대(中隊) [보병·공병의] compañía *f*; [기병의] escuadrón *m*; [포병의] batería *f*. ~장 capitán *m*, -tana *mf*, comandante *mf* de la compañía.

중대사(重大事) ((준말))=중대 사건.

중대 사건(重大事件) suceso *m* grave [serio], asunto *m* [suceso *m*] muy importante.

중대성(重大性) importancia *f*, gravedad *f*, seriedad *f*, transcendencia *f*.

중대시(重大視) gran importancia *f*, vista *f* seria. ~하다 tener muy importante, dar [atribuir] una gran importancia (a).

중대하다(重大─) ① [매우 중요하다] (ser) muy importante, importantísimo. ② [매우 급하여 가볍게 여길 수 없다] (ser) serio, grave, crítico, transcendental. 중대한 과오 error *m* grave.

중도(中途) mitad *f* (de camino). ~에서 en medio del camino. ~에서 퇴학하다 abandonar el curso. ~에서 그만두다 parar a mitad de camino.

중도(中道) ① [한 편에 치우치지 않은 공명한 길] moderación *f*, paso *m* moderado. ~의 moderado. ~를 걷다 tomar [estar en] un término medio justo. ② ((불교)) media *f*, promedio *m*. ¶~ 정치[정책] política *f* moderada. ~ 좌파 partido *m* de centro izquierdo. ~파 centrista *mf*; [당파] partido *m* central [centrista · de centro]

중독(中毒) intoxicación *f*, envenenamiento *m*, emponzoñamiento *m*. ~되다 envenenarse, intoxicarse, emponzoñarse. ¶~사 muerte *f* intoxicada. ~성 toxicopatía *f*. ~자 adicto, -ta *mf*, intoxicado, -da *mf*. ~증 toxicosis *f*, toxemia *f*, toxinosis *f*, toxipatía *f*, toxis *f*. ~ 증상 síntoma *m* tóxico.

중동(中─) parte *f* central.

중동(中東) ((지명)) el Oriente Medio, el Medio Oriente.

중등(中等) [급] segundo grado *m*, grado *m* segundo, segunda clase *f*, clase *f* segunda, clase *f* media; [질] calidad *f* mediana. ~ 교원 maestro, -tra *mf* de la escuela secundaria. ~ 교육 enseñanza *f* secundaria [media], educación *f* secundaria. ~ 학교 escuela *f* secundaria.

중략(中略) elipsis *f*, emisión *f*. ~하다 saltarse, *RPI* saltearse.

중량(重量) [무게] peso *m*. ~감이 있는 sólido, macizo. ~을 달다 medir el peso, pesar. ~이 부족하다 faltar en peso. ② [무거운 무게] peso *m* pesado. ¶~급 peso *m* pesado. ~톤 tonelada *f* de peso. ~ 화물 carga *f* de peso.

중량급(中量級) peso *m* medio.

중력(重力) ((물리)) gravedad *f*; [인력] gravitación *f*.

중령(中領) teniente *mf* coronel; [해군의] capitán *m* de fragata.

중론(衆論) opinión *f* pública, voz *f* del pueblo.

중류(中流) ① [강이나 내의 중간] medio *m* del río. 한강 ~ curso *m* medio del río Han. ② [기류의 중간쯤] medio *m* de la corriente atmosférica. ③ [중등의 정도나 계급] clase *f* mediana. ~의 mediano. ~ 가정 familia *f* media. ~ 계급 clase *f* media. ~ 사회 sociedad *f* media.

중립(中立) neutralidad *f*, imparcialidad *f*. ~의 neutral, independiente, imparcial. ~을 지키다 guardar [mantener] neutralidad, permanecer neutral, permanecer imparcial. ¶~국 país *m* neutral [neutro]. ~국가 tencia *f* neutral. ~성 neutralidad *f*, imparcialidad *f*. ~주의 neutralismo *m*. ~ 지대 zona *f* [territorio *m*] neutral.

중매(中媒) [혼인을 어울리게 하는 일] mediación *f* del matrimonio; [사람] casamentero, -ra *mf*; agente *mf* matrimonial; celestina *f*. ~하다 hacer de casamentero [medianero]. ~(를) 들다 hacer de casamentero. ~(를) 서다 hacer de casamentero, arreglar un casamiento. 중매 서기를 좋아하는 사람 casamentero, -ra *mf*. ¶~ 결혼 boda *f* concertada por las familias de los contrayentes [por los casamenteros]. ~인 agente *mf* matrimonial; casamentero, -ra *mf*; celestina *f*; intermediario, -ria *mf* [mediador, -dora *mf* · medianero, -ra *mf*] del matrimonio.

중무기(重武器) el arma *f* pesada.

중무장(重武裝) armamento *m* pesado.

중미(中美) [중앙 아메리카] América *f* Central, Centroamérica *f*. ~의 centroamericano, de (la) América Central. ~ 공동 시장 Mercado *m* Común de América Central. ~ 기구 Organización *f* de Estados Centroamericanos, ODECA *f*.

중반(中盤) etapa f intermediana.

중반전(中盤戰) [선거 따위의] etapa f intermedia; [바둑 따위의] juego m intermedio.

중벌(重罰) castigo m severo.

중범(重犯) ① [거듭 저지른 범죄] repetición f de crímenes; [범죄를 거듭 저지른 사람] culpable m [delincuente m] repetido, culpable f [delincuente f] repetida. ② [중한 범죄] crimen m capital, delito m capital, felonía f. ~을 저지른 사람 reo mf del delito capital, criminal mf, felón, -lona mf.

중병(重病) enfermedad f grave [seria]. ~에 걸리다 caer enfermo seriamente, padecer enfermedad grave. ¶~ 환자 enfermo, -ma mf grave; caso m serio.

중복(中伏) chungbok, período m mediano de la canícula.

중복(重複) repetición f (innecesaria), duplicación f, reposición f. ~하다 repetir (en forma innecesaria), doblarse. 어구의 ~ pleonasmo m.

중부(中部) parte f central, zona f central, centro m, corazón m. ~ 지방 región f [comarca f] central, zona f central.

중사(中士) [군사] sargento m, -ta mf.

중산 계급(中産階級) clase f media, burguesía f.

중산모(中山帽) sombrero m hongo.

중산 모자(中山帽子) =중산모.

중산층(中産層) burgueses mpl.

중상(中傷) calumnia f, difamación f, maledicencia f. ~하다 calumniar, difamar, hablar mal. ~자 calumniador, -dora mf; difamador, -dora mf.

중상(重傷) herida f grave, herida f seria. ~을 입다 herirse gravemente, herirse seriamente, resultar gravemente herido, recibir herida grave [seria]. ~을 입히다 herir gravemente, causar [inflingir] una herida grave.

중생(衆生) ser m humano, seres mpl vivientes, humanidad f, mundo m.

중생대(中生代) [지질] era f [edad f] mesozoica, época f mesozoica, edad f secundaria. ~층 capa f de era mesozoica.

중석(重石) [광물] tungsteno m.

중석기 시대(中石器時代) edad f mesolítica, mesolítico f.

중선거구(中選擧區) distrito m electoral mediano.

중성(中性) ① [이것도 저것도 아닌 중간의 성질] neutralidad f, lo asexual. ~의 neutro, neutral, asexual, asexuado, sin sexo. ② [[화학]] neutralidad f. ③ [[언어]] género m neutro. ~의 neutro, neutral. ¶~ 관사 artículo m neutro. ~ 대명

사 pronombre m neutro. ~ 명사 nombre m neutro. ~ 모음 vocal m neutro. ~ 반응 reacción f neutra. ~ 세제 detergente m neutro.

중성자(中性子) [[물리]] neutrón m. ~탄 bomba f de neutrones.

중세(中世) la Edad Media.

중세(重稅) impuesto m pesado. ~를 부과하다 cargar con un impuesto pesado, agobiar con impuestos.

중소(中小) lo pequeño y lo mediano. ~의 pequeño y mediano. ~ 기업 empresa f pequeña y mediana, empresas fpl de menor escala. ~ 기업가 empresario, -ria mf pequeño y mediano.

중수(重水) el agua f pesada, deuterio m. ~소 hidrógeno m pesado.

중수(重修) reparación f. ~하다 reparar.

중수로(重水爐) reactor m del agua pesada.

중순(中旬) mediados mpl. 사월 ~에 a mediados de abril.

중시(重視) [[준말]] ① =중대시(重大視). ② =중요시.

중식(中食) almuerzo m. ~ 지참(할 것) Se llevará el almuerzo.

중신(中-) ② =중매(中媒).

중심(中心) ① [한가운데가 되는 곳] centro m, corazón m, medio m. ~의 central. 태풍의 ~ centro m de tifón. ② [매우 중요한 지위] posición f muy importante. ~의 muy importante, principal. ③ =줏대. ¶~이 있는 사람 hombre m de carácter firme. ④ [[수학]] centro m. 원의 ~ centro m de círculo. ¶~가 calle f mayor [central]. 기압 presión f central. ~부 centro m, zona f céntrica, punto m céntrico. ~ 사상 idea f central. ~ 인물 figura f central; dirigente mf. ~지 centro m.

중심(重心) centro m de gravedad.

중압(重壓) presión f (pesada). ~을 가하다 presionar. ¶~감 sentimiento m de opresión.

중앙(中央) ① [사방의 중심이 되는 곳] centro m, medio m, corazón m, ombligo m. ~의 central, de en medio. 지구의 ~ centro m de la tierra, ombligo m de la tierra. ② [가장 요긴한 위치] la posición más importante. [수도] capital f. ¶~ 난방 calefacción f central. ~ 방송국 radioemisora f central. ~부 parte f central. ~ 분리대 faja f intermedia. ~선 Línea f Central. ~ 아메리카 América f Central; Mesoamérica f. ~ 아시아 el Asia Central. ~ 우체국 Central f de Correos, Oficina f Central de Correos. ~ 위원회 comisión f central, comité m central. ~ 은행

banco *m* central. ~ 정보부 Agencia *f* Central de Inteligencia, CIA *f*. ~ 정부 gobierno *m* central. ~ 집권 centralización *f* de poderes, poder *m* administrativo de la centralización. ~청 el Capitolio.

중양성자(重陽性子) deuterión *m*.

중양자(重陽子) ((물리)) =중양성자.

중언부언(重言復言) repetición *f*, reiteración *f*. ¶~하지 마라 ¡Cállate! / ¡No repliques! / ¡No discutas!

중얼거리다 hablar entre dientes, mascullar, murmurar, susurrar, refunfuñar.

중역(重役) ① [은행·회사 등의 중요한 임원] director, -tora *mf*; administrador, -dora *mf*; [유한 회사·합명 회사의] gerente *mf*. ② [책임이 무거운 역할] papel *m* responsable. ¶~회 mesa *f* directiva, consejo *m* de administración, consejo *m* de control, consejo *m* administrativo, consejo *m* directivo. ~ 회의 junta *f* de la mesa directiva, junta *f* directiva.

중역(重譯) ((준말)) =이중 번역(二重 飜譯). ¶~본 libro *m* retraducido.

중엽(中葉) mediados *mpl*. 20세기 ~에 a mediados del siglo veinte.

중요성(重要性) importancia *f*, trascendencia *f*.

중요시(重要視) gran importancia *f*, consideración *f* importante [grave·seria], mucha estimación *f*, valoración *f*. ~하다 dar (gran) importancia, hacer mucho caso, apreciar, poner énfasis, considerar importante [grave·serio].

중요하다(重要一) (ser) importante, de importancia, principal. 더 중요한 más importante. 가장 중요한 el más importante, de máxima importancia.

중용(中庸) mediocridad *f*, moderación *f*, medianía *f*. ~의 moderado, templado, mesurado, juicioso, razonable. ~을 지키다 observar moderación, guardar moderación, guardar el justo medio.

중용(重用) promoción *f* a una posición responsable [un alto puesto·un puesto importante]. ~하다 designar a un alto puesto, confiarle puesto importante, darle una posición responsable.

중원(中原) ① [넓은 들판의 중앙] centro *m* del campo extenso. ② [중국 문화의 발생지인 황하강 유역의 남북 지역] región *f* norte y sur del Río Amarillo.

중위(中位) ① [중등의 지위] medianía *f*, posición *f* mediana. ~의 mediano, medio, regular, moderado, mediocre, promedio; [보통의]

corriente, ordinario, común. ~의 성적 nota *f* mediana. ② [가운데 위치] posición *f* central. ~의 물건 artículo *m* de mediana calidad.

중위(中尉) teniente *mf*; [해군의] alférez *mf* de navío, teniente *mf* de navío.

중위(中衛) ① ((축구)) half back *ing.mf*. ② ((럭비)) medio *m*.

중유(重油) aceite *m* crudo, aceite *m* pesado, petróleo *m* crudo.

중음(重音) ((언어)) sonido *m* doble.

중이(中耳) ((해부)) oído *m* medio. ~염 otitis *f* media, timpanitis *f*. ~염 환자 timpanítico, -ca *mf*.

중인(衆人) público *m*, todo el mundo, mucha gente *f*, multitud *f*, gentío *m*, pueblo *m*, masa *f*, muchas personas *fpl*. ~ 앞에서 en público, públicamente.

중임(重任) [먼저 근무하던 자리에 거듭 임용함] nombramiento *m* de nuevo, renombramiento *m*. ~하다 ser nombrado de nuevo.

중임(重任) [중대한 임무] misión *f* importante, responsabilidad *f* pesada, deber *m* importante, cometido *m* importante, tarea *f* de responsabilidad, cargo *m* pesado, puesto *m* responsable. ~을 맡다 encargarse de una responsabilidad ponderosa [una misión importante], ocupar una posición responsable.

중장(中將) teniente *mf* general; [해군의] almirante *mf*.

중장비(重裝備) equipo *m* pesado.

중재(仲裁) arbitraje *m*, arbitración *f*, tercería *f*; [조정] mediación *f*; [개입] intervención *f*. ~하다 arbitrar, juzgar como árbitro, terciar, mediar, intervenir. ¶~국 país *m* de arbitraje. ~ 위원회 comité *m* de arbitraje. ~인 árbitro, -tra *mf*; arbitrador, -dora *mf*; mediador, -dora *mf*; intermediario, -ria *mf*; conciliador, -dora *mf*. ~ 재판소 tribunal *m* arbitral.

중전마마(中殿媽媽) reina *f*.

중전차(重戰車) tanque *m* del tamaño mediano, tanque *m* pesado.

중절(中絶) ① [중단] interrupción *f*, suspensión *f*. ~하다 suspenderse, interrumpirse, paralizarse. ② =임신 중절(姙娠中絶)(aborto).

중절모(中折帽) =중절모자(中折帽子).

중절모자(中折帽子) sombrero *m* de fieltro.

중점(重點) importancia *f*, parte *f* esencial, punto *m* esencial; [우위] prioridad *f*; [강세] énfasis *m*. ~적 importante. ~적으로 según importancia.

중정(中庭) ① [마당의 한가운데] centro *m* del patio. ② [집 안의 뜰] patio *m*.

중정석(重晶石) ((광물)) baritina *f*, espato *m* pesado.

중죄(重罪) felonía *f*, crimen *m* grave, crimen *m* capital. ~인 reo *mf* del delito capital; felón, -lona *mf*; delincuente *mf* de mayor cuantía.

중주(重奏) ((음악)) dúo *m*, düeto *m*.

중증(重症) estado *m* grave, enfermedad *f* peligrosa [seria]. ~이다 estar grave [gravemente enfermo·de estado grave]. ~ 환자 paciente *mf* grave; enfermo, -ma *f* grave.

중지(中止) cese *m*, interrupción *f*, [일시적인] suspensión *f*. ~하다 cesar, interrumpir, suspender, parar. 교섭을 ~하다 romper [suspender] las negociaciones.

중지(中指) dedo *m* del corazón.

중지(衆智) todos los consejos útiles. ~를 모으다 reunir todos los consejos útiles, movilizar a todos los entendidos y especialistas.

중직(重職) puesto *m* importante, [responsable].

중진(重鎭) figura *f* prominente, [destacada], magnate *m*.

중진국(中進國) país *m* semi-desarrollado.

중질(中質) calidad *f* mediana. ~유 aceite *m* de la calidad mediana.

중창(重唱) dúo *m*. 2 [3·4] ~ dúo [trío·cuarteto] (vocal).

중책(重責) ① [무거운 책임] alta [grave·gran] responsabilidad *f*. ~을 맡다 asumir una alta responsabilidad. ② [엄중하게 책망함] reproche *m* severo. ~하다 reprochar severamente.

중천(中天) centro *m* del cielo, medio *m* del cielo, medio *m* del medio, cenit *m*.

중천금(重千金) mil pedazos de oro, gran valor *m*.

중추(中秋) *chungchu*, el quince de agosto del calendario lunar.

중추(中樞) ① [사물의 중심이 되는 중요한 부분이나 자리] eje *m*, pivote *m*, esencia *f*, artería *f*, centro *m*. 산업의 ~ centro *m* de la industria. ② [한가운데] centro *m*. ③ ((준말))=중추 신경. ¶ ~ 기관 órgano *m* central. ~ 산업 industria *f* pivotal. ~ 신경 nervio *m* central.

중추(仲秋) *chungchu*, pleno otoño *m*, agosto *m* del calendario lunar. ~절 *chungchucheol*, *chuseok*, fiesta *f* de *chuseok*.

중축(中軸) eje *m*, centro *m* de rotación.

중층(中層) ① [여러 층 속의 가운데 층] piso *m* medio. ② [중류] clase *f* media.

중키(中−) talla *f* [estatura *f*] media [mediana].

중태(重態) estado *m* crítico [grave·serio], condición *f* seria. ~에 빠지다 ponerse grave, agravarse, caer en un estado grave, complicarse.

중턱(中−) ladera *f*, parte *f* lateral. 산의 ~에 en la mitad de la ladera de la montaña.

중퇴(中退) abandono *m* a mitad de carrera [de la carrera sin terminar]. 대학을 ~하다 abandonar la carrera universitaria sin terminar, dejar la universidad a mitad de carrera.

중파(中波) ((물리)) onda *f* media.

중판(中判) tamaño *m* mediano.

중판(重版) reimpresión *f*, reedición *f*, segunda edición *f*. ~하다 reimprimir. ~본 libro *m* reimpreso.

중편(中篇) ① [상·중·하의 가운데 편] tomo *m* II (segundo). ② ((준말))=중편 소설. ¶ ~ 소설 novela *f* de extensión media.

중평(衆評) opinión *f* general, crítica *f* pública.

중포(重砲) cañón *m* pesado.

중폭(中幅) anchura *f* mediana.

중폭격기(中爆擊機) bombardero *m* mediano.

중폭격기(重爆擊機) bombardero *m* pesado.

중품(中品) [중등의 품위·품질] calidad *f* mediana.

중풍(中風) ((한방)) parálisis *f*. ~의 paralítico, paralizado. ~에 걸리다 quedarse paralítico. ¶ ~ 환자 paralítico, -ca *mf*.

중하다(重−) ① [병이] (ser) grave, crítico, serio, peligroso, agravarse, empeorarse. 중한 병 enfermedad *f* grave [seria]. ② [소중하다] (ser) importante, precioso. 중한 물건 artículo *m* precioso [importante]. 중한 자리 posición *f* importante. ③ [책임·임무 따위가 무겁다] (ser) grande, pesado, hacerse pesado, agravarse.

중학(中學) ((준말))=중학교. ¶ ~교 escuela *f* de educación general básica [segunda etapa], escuela *f* secundaria, escuela *f* de segunda enseñanza. ~생 estudiante *mf* de educación general básica [segunda etapa]; alumno, -na *mf* de la escuela secundaria.

중합(重合) ① [포개어 합침] el amontonamiento y la unión. ~하다 amontonar y unir. ② ((화학)) polimerización *f*. ~시키다 polimerizar. ~제 polímero *m*.

중항(中項) ((수학)) =내항(內項).

중핵(中核) núcleo *m*, pepita *f*.

중형(中型) tamaño *m* mediano; [사람의] talla *f* [estatura *f*] media [mediana]. ~ 자동차 coche *m* de tamaño mediano.

중형(仲兄) *su* segundo hermano.

중형(重刑) pena *f* grave [severa], penalidad *f* pesada. ~에 처하다 condenar a una pena grave.

중혼(重婚) bigamia *f.* ~하다 cometer bigamia. ~자 bígamo, -ma *mf.*

중화(中和) neutralización *f.* ~하다 neutralizarse. ~시키다 neutralizar.

중화(中華) la China. ~ 사상 convencimiento *m* de la superioridad de su propia civilización. ~ 요리 plato *m* chino, comida *f* china, cocina *f* china.

중화기(重火器) armas *fpl* pesadas.

중화 민국(中華民國) la República de China, la China Nacionalista.

중화상(重火傷) escaldadura *f* pesada.

중화 인민 공화국(中華人民共和國) la República Popular de China.

중화학 공업(重化學工業) industria *f* química pesada.

중환(重患) ① =중병. ② ((준말))= 중환자. ¶ ~자 caso *m* grave, [serio]; enfermo, -ma *mf* grave; paciente *mf* grave.

중후하다(重厚─) (ser) cortés y generoso, imponente, majestuoso, solemne, grave.

중흥(中興) restauración *f*, rehabilitación *f*, restablecimiento *m*, renovación *f*, renacimiento *m*. ~하다 restituir, restablecer, reproducir, reedificar, restaurar, renovar, rehabilitar, renacer. 민족의 ~ restauración *f* del pueblo.

중히여기다(重─) ① [소중히 생각하다] valorar, apreciar. ② [공경하다] respetar, honorar.

쥐[1] ((한방)) calambre *m*, rampa *f.* ~가 나다 acalambrarse, padecer calambre, dar calambre, causar calambre.

쥐[2] ((동물)) rata *f.* [생쥐] ratón *m.*

쥐구멍 ratonera *f.* ~을 찾다 buscar el escondrijo. 쥐구멍에도 별들 날이 있다 ((속담)) No hay mal que dure cien años.

쥐꼬리만하다 (ser) muy pequeño, pequeñísimo. 쥐꼬리만한 una pizca de, un pellizco de. 쥐꼬리만한 월급 sueldo *m* pequeñísimo.

쥐나다 dar calambre, causar. ☞쥐[1].

쥐다 ① [주먹을] empuñar, agarrar, asir, tener. 주먹을 ~ apretar los puños, empuñar, asir el puño. ② [권리 따위를 손아귀에 넣다] tener. 권력을 ~ tener poder. 당권을 ~ tener la hegemonía del partido. ③ [남을 휘어잡아 자기 마음대로 하다] dominar.

쥐덫 ratonera *f*, trampa *f* de ratones.

쥐똥나무 ((식물)) alheña *f.*

쥐락펴락 controlando perfectamente, dominando. ~하다 tener la sartén por el mango, llevar la batuta, dominar, controlar perfectamente.

쥐며느리 ((동물)) porqueta *f*, cochinilla *f* (de humedad).

쥐방울만하다 (ser) pequeñísimo.

쥐뿔 pequeñez *f*, ningún valor *m.* ~도 모르다 no saber nada, ser ignorante. ~도 없다 no tener nada. ~만도 못하다 no valer nada. ~(이) 나다 (ser) extraordinario, extravagante.

쥐새끼 ① [쥐의 새끼] ratoncito *m.* ② [몹시 교활하고 잔 일에 약게 구는 사람] persona *f* astuta; [남자] hombre *m* astuto; [여자] mujer *f* astuta. ~ 같은 놈 tipo *m* mezquino [mísero].

쥐젖(─色) (color *m*) gris *m.*

쥐약(─藥) raticida *m*, matarratas *m.*

쥐어뜯다 ① [단단히 쥐고 뜯어 내다] arrancar [separar] con violencia, desgarrar. ② [속이 답답하여 가슴 등을] desgarrar, destrozar, romperse, partirse.

쥐어박다 dar puñetazos.

쥐어지르다 dar puñetazos.

쥐어짜다 ① [단단히 쥐고 액체 등을 짜내다] extraer, escurrir, retorcer, estrujar. ② [오기 있게 때를 쓰며 조르다] importunar, asediar, pedir.

쥠쥠 abriendo y cerrando *sus* manos.

쥐여 살다 =쥐여지내다.

쥐여지내다 (estar) dominado, pegado a las faldas.

쥐죽은듯하다 (ser) muy tranquilo [silencioso] de repente [repentinamente·de súbito·súbitamente]. 쥐죽은듯이 silenciosamente, tranquilamente, con silencio, con tranquilidad. ~하다 조용하다 Reina un silencio sepulcral.

즈봉 pantalones *mpl.*

즈음 tiempo *m*, ocasión *f*, momento *m.* 출발 ~에 en el momento de la salida, a la salida.

즈음하여 cuando, al + *inf*, con motivo (de), para, en el momento, en el tiempo. 신년에 ~ en este día del Año Nuevo. 출발에 ~ al salir, en el momento de *su* salida.

즈크 [직물] lona *f*, cañamazo *m*, arpillera *f*, sayal *m.*

즉(卽) es decir, o sea, así pues, a saber, o, dicho de otro modo.

즉각(卽刻) inmediatamente, instantemente, al instante, en seguida, enseguida, sin más tardar.

즉결(卽決) decisión *f* inmediata. ~하다 decidir en el acto. ~ 심판 juicio *m* sumario. ~ 처분 convicción *f* sumaria.

즉답(卽答) contestación *f* inmediata, respuesta *f* inmediata. ~하다 contestar [responder] inmediatente, responder en el acto, dar una contestación inmediata. ~을 피하다 evitar dar una respuesta inmediata.

즉사(卽死) muerte *f* instantánea, [repentina]. ~하다 morir en el acto, morir instantáneamente, sufrir una muerte instantánea.

즉석(卽席) improvisión *f*. ~의 improvisado, inmediato, instantáneo, repentino. ~에서 en el acto, al instante, en seguida, enseguida, inmediatamente, de improviso, de repente, por improvisación, sobre la marcha, sin preparación. ~ 연설 discurso *m* improvisado, oración *f* repentina. ~ 요리 cocina *f* repentina, cocina *f* de improvisto.

즉시(卽時) inmediatamente, al momento, al instante, sin perder un momento, al punto, al momento, en el acto. ~불 pago *m* a la vista [a la entrega], pago *m* inmediato. ~ 인도 entrega *f* inmediata.

즉심(卽審) =즉결 심판(卽決審判).

즉위(卽位) ascensión *f* al trono, entronización *f*. ~하다 ascender al trono, ocupar el trono, subir al trono. ~시키다 entronizar, elevar al trono. ¶~식 coronación *f*.

즉일(卽日) el mismo día.

즉효(卽效) efecto *m* inmediato. ~가 있다 tener el efecto inmediato. ~를 나타내다 producir el efecto inmediato. ¶~약 remedio *m* de efecto inmediato.

즉흥(卽興) improvisación *f*. ~의 improvisado, ~으로 하다 improvisar. ¶~곡 improvisación *f*. ~극 drama *m* improvisado, improvisación *f*. ~시 versos *mpl* improvisados, improvisación *f*. ~ 연주 ejecución *f* improvisada. ~적 improvisado. ~적으로 improvisamente, improvisadamente, in promptu.

즐거움 gozo *m*, alegría *f*, júbilo *m*, placer *m*, delicia *f*, regocijo *m*, goce *m*, encanto *m*, deleite *m*, disfrute *m*, entrenamiento *m*, solaz *f*. 독서의 ~ el placer de leer.

즐거이 alegremente, gozosamente, con (mucho) gusto, con (mucho) gozo, con alegría, con placer, divertidamente, jovialmente, deliciosamente, de buena manera grata, dichosamente, felizmente, con felicidad; [취미로] por gusto, por afición. ~ 보내다 pasarlo bien. ~ 살다 vivir feliz, vivir felizmente. 하루를 ~ 보내다 pasar todo el día alegremente.

즐겁다 alegrarse, (ser) feliz, agrada-ble, gozoso. 즐거운 설 feliz año *m* nuevo. 즐거운 소식 noticia *f* gozosa. 즐거운 음악 música *f* agradable.

즐기다 gozar(se), complacerse, divertirse, disfrutar, echar una cana al aire, vivir contento y alegre, entretenerse, distraerse, recrearse, alegrarse. 그림을 그리며 ~ divertirse en pintar.

즐비하다(櫛比一) formar una línea. 즐비한 집들 la hilera de casas.

즙(汁) [과실의] zumo *m*, *AmL* jugo *m*; [초목의] savia *f*, [고무나무의] látex *m*. ~이 많은 zumoso, jugoso. ~을 내다 exprimir. ~을 짜다 exprimir. ~내는 기구 exprimidor *m*, *CoS* juguera *f*.

증(症) ((준말)) ① =증세(症勢). ② =화증. ③ =싫증.

증(證) ((준말)) ① =증거(證據). ② =증명서. ¶학생~ carné *m* de estudiante.

-증(症) síntoma *m*. 우울~ melancolía *f*, hipocondría *f*. 현기~ vértigo *m*, vertiginosidad *f*.

증가(增加) aumento *m*, crecimiento *m*, incremento *m*, añadidura *f*. ~하다 aumentar(se), acrecentarse, agregar, añadir. ~시키다 aumentar, acrecentar. 인구의 ~ crecimiento *m* de la población. 체중의 ~ aumento *m* de peso.

증간(增刊) publicación *f*, aumentada; [간행물] edición *f* extra, número *m* extra, número *m* extraordinario. ~호 número *m* extra.

증감(增減) aumento y disminución, adición y reducción. ~하다 aumentar y disminuir, agregar y deducir, fluctuar, alzar y bajar.

증강(增強) refuerzo *m*. ~하다 reforzar, aumentar.

증거(證據) prueba *f*, testimonio *m*, evidencia *f*, ((종교)) experiencia *f*. ~의 사용 uso *m* de prueba. ~의 우세 preponderancia *f* de prueba. ¶~금 (dinero *m* en) depósito *m*, fianza *f*. ~ 능력 admisibilidad *f*. ~물 testimonio *m*, comprobante *m*, prueba *f*. ~ 보전 conservación *f* de prueba. ~ 서류 documento *m*, evidencia *f* documental; [증거물로 재판에 제출한 서류] prueba *f* documental. ~ 인멸 supresión *f* de las pruebas. ~ 자료 medios *mpl* probatorios.

증군(增軍) aumento *m* de soldados. ~하다 aumentar los soldados.

증권(證券) títulos *mpl*, valores *mpl*, efectos *mpl*; [채권] bono *m*, obligaciones *fpl*; [공채] empréstito *m*; [주권] (título *m* de) acción *f*. ~ 거래소 bolsa *f* de valores, Bolsa *f*. ~ 시장 mercado *m* de valores. ~업 operaciones *fpl* con valores. ~ 투자 inversión *f* de acciones, bonos y valores. ~ 회사 compañía *f* de valores.

증기(蒸氣) ① [기체] vapor *m*. ② ((준말)) =수증기. ¶~ 기관 máquina *f* de vapor de agua. ~ 기관차 locomotora *f* de vapor. ~ 목욕 baño *m* de vapor. ~선 barco *m* de vapor. ~ 소독 esterilización *f* por vapor. ~ 욕(湯) baño *m* de vapor. ~ 터빈 turbina *f* de vapor.

증대(增大) aumento *m*, incremento *m*, crecimiento *m*, engrandecimiento *m*. ~하다 aumentar(se), incrementarse, crecer, agrandarse, engrandecerse. ~시키다 aumentar, incrementar, agrandar. ¶~사 (sufijo *m*) aumentativo *m*. ~어 aumentativo *m*. ~판 edición *f* aumentada [ampliada]. ~호 número *m* aumentado, número *m* suplementario.

증류(蒸溜) destilación *f*. ~하다 destilar, alambicar. ~ 공장 destilería *f*. ~기 destilador *m*, destiladera *f*. [특히 술의] alambique *f*. ~소 destilería *f*, destilatorio *m*. ~수 el agua *f* destilada. ~ 장치 destilador *m*, destiladora *f*. ~주 bebida *f* alcohólica hecha por destilación.

증면(增面) aumento *m* de páginas. ~하다 aumentar las páginas.

증명(證明) [증거] testimonio *m*, autenticación [certificación *f*; [논증] demostración *f*, verificación *f*, pueba *f*; [입증] comprobación *f*. [증언] atestiguamiento *m*, certificado *m*. ~하다 probar, certificar, comprobar, autenticar, confirmar, demostrar, atestiguar, verificar, dar fe. ~서 certificado *m*, comprobante *m*; [품행의] testimonio *m* de conducta. ~ 서류 documento *m* certificatorio.

증모(增募) reclutamiento *m* aumentado. ~하다 alistar reclutas aumentadas, reclutar en gran alistamiento.

증발(蒸發) ① [액체나 고체가] evaporación *f*; [기화] vaporización *f*; [휘발] volatilización *f*. ~하다 evaporarse, vaporarse, volatilizar(se). ② [사람이나 물건의] desaparición *f* repentina. ~하다 desaparecer repentinamente.

증발(增發) ① [열차의] amunto *m* de servicio ferroviario, operación *f* de un tren extra. ~하다 aumentar trenes, operar un tren adicional. ② [통화의] aumento *m* de emisión de valores. ~하다 poner en circulación.

증병(增兵) refuerzo *m*, nuevo socorro *m*, tropas *fpl* adicionales. ~하

다 reforzar, añadir nuevas fuerzas, fortalecer, proveer de tropas adicionales.

증보(增補) aumento *m*, suplemento *m*, ampliación *f*; [부록] apéndice *m*. ~하다 aumentar, ampliar, hacer suplemento, suplementar.

증빙(證憑) evidencia *f*, prueba *f*; [근거] autoridad *f*. ~ 서류 evidencia *f* documentaria.

증산(增産) aumento *m* de producción [de rendición]. ~하다 aumentar la producción.

증상(症狀) síntoma *m*, condición *f* de enfermedad, señal *f*. ~을 보이다 presentar un síntoma.

증서(證書) documento *m*, escritura *f*; [증명서] certificado *m*, testimonio *m*; [채무 증서] título *m* de la deuda; [증거] documento *m*, instrumento *m*, comprobante *m*, recibo *m*; [졸업 증서] diploma *m*; [계약서] contrato *m*; [권리증] reconocimiento *m* de deuda, obligación *f*.

증설(增設) aumento *m* de instalación. ~하다 aumentar la instalación.

증세(症勢) síntoma *m*. 페렴의 ~가 있다 tener síntomas de pulmonía.

증세(增稅) aumento *m* de impuestos; [지방세의] contibución *f* de impuestos. ~하다 aumentar impuestos. 1할의 ~ un diez por ciento de aumento del impuesto.

증손(曾孫) bisnieto *m*. ~녀 bisnieta *f*, hija de *su* nieto. ~자 bisnieto *m*, hijo *m* de *su* nieto.

증쇄(增刷) reimpresión *f*, imprenta *f* adicional. ~하다 reimprimir.

증수(增水) aumento *m* de agua, avenida *f*, crecida *f* (de un río). ~하다 aumentar el agua. ~표(標) nivel *m* de la marca alta.

증수(增收) aumento *m* de ingresos, aumento *m* de entradas, aumento *m* de renta; [수확의] aumento *m* de cosecha. ~하다 aumentar la cosecha.

증수(增修) ① =증축(增築). ② [서적을 증보하여 편집함] aumento *m* y copilación. ~하다 aumentar y copilar.

증수회(贈收賄) soborno *m*. ~ 사건 caso *m* de soborno.

증시(證市) ((준말)) =증권 시장.

증식(增殖) reproducción *f*, multiplicación *f*, aumento *m*; [조직 세포의] proliferación *f*. ~하다 reproducirse, multiplicarse, proliferar, aumentar. ~ 원자로 reactor *m* reproductor.

증액(增額) aumento *m* de suma [de cantidad], subida *f*, el alza *f*. ~하다 aumentar, subir, aumentar la cantidad.

증언(證言) testimonio *m*, atestiguamiento *m*, atestación *f*. ~하다 testificar, atestiguar, atestar, testimoniar, servir de testigo, dar testimonio. ~대 tribuna *f* de testimonio, estrado *m* de los testigos. ~대에 서다 subir al estrado de los testigos.

증여(贈與) donativo *m*, ofrenda *f*, regalo *m*, obsequio *m*, presente *m*; ((법률)) donación *f*. ~하다 donar, dar, regalar, obsequiar, presentar. ~물 regalo *m*, obsequio *m*. ~세 impuesto *m* sobre donaciones. ~자 donante *m,f*; donador, -dora *mf*; dador, -dora *mf*. ~재산 propiedad *f* donada, bienes *mpl* donados.

증오(憎惡) odio *m*, aversión *f*; [혐오] aborrecimiento *m*, abominación *f*, repugnancia *f*. ~하다 odiar, detestar, aborrecer. ~심 (sentimiento *m* del) odio *m*, aversión *f*.

증원(增員) aumento *m* del personal [del número de empleados]. ~하다 aumentar el número del personal. 직원을 10명 ~하다 aumentar en diez el personal.

증원(增援) refuerzo *m*. ~하다 reforzar. ~군 refuerzos *mpl*.

증인(證人) testigo *mf*. 원고측[피고측]의 ~ testigo *mf* de cargo [de descargo]. ¶~대 tribuna *f* de los testigos, barra *f* de los testigos.

증인(證印) sello *m*, estampilla *f*. ~을 찍다 sellar, estampillar.

증자(增資) aumento *m* [ampliación *f*] de capital. ~하다 aumentar [ampliar] el capital.

증적(證迹) rastro *m*, huella *f*, pisada *f*, vestigio *m*, señal *f*, indicio *m*.

증정(贈呈) donación *f*, obsequio *m*, presentación *f*. ~하다 donar, obsequiar, relagar, presentar. ~본 ejemplar *m* de obsequio.

증정(增訂) revisión *f* y ampliación, suplemento *m* y corrección. ~하다 suplementar y corregir, revisar y ampliar.

증조(曾祖) ((준말)) =증조부(曾祖父).

증조모(曾祖母) bisabuela *f*.

증조부(曾祖父) bisabuelo *m*.

증지(證紙) timbre *f*.

증진(增進) promoción *f*, aumento *m*, progreso *m*, adelanto *m*, mejoramiento *m*, fortalecimiento *m*. ~하다 promover, mejorar, fomentar, aumentar, fortalecer.

증차(增車) aumento *m* de los coches. ~하다 aumentar los coches.

증축(增築) ampliación *f* [extensión *f*·ensanche *m*] de un edificio. ~하다 ampliar [extender·ensanchar] un edificio. ~공사 obras *fpl* de ampliación, obras *fpl* de extensión. ~비 coste *m* de extender un edificio.

증파(增派) refuerzo *m*, nuevo socorro *m*, tropas *fpl* adicionales. ~하다 reforzar, añadir nuevas fuerzas, proveer de tropas adicionales.

증편(增便) aumento *m* de los veces del número. ~하다 aumentar las veces del número.

증폭(增幅) amplificación *f*. ~하다 amplificar. ~기 amplificador *m*.

증표(證票) documento *m* justificado, timbre *f*.

증험(增驗) prueba *f*, intento *m*. ~하다 tratar, intentar + *inf*.

증회(贈賄) soborno *m*, cohecho *s*, corrupción *m*, *AmS* mordida *f*. ~하다 sobornar, cohechar, corromper. ~를 받다 recibir soborno, venderse. ¶~ 사건 caso *m* de soborno. ~자 sobornador, -dora *mf*; cohechador, -dora *mf*. ~죄 (delito *m* de) soborno *m*. ~죄를 범하다 cometer soborno.

증후(症候) síntoma *m*.

증후군(症候群) ((의학)) síndrome *m*. 후천성 면역 부전 ~ [에이즈] Síndrome *m* de Inmunodeficiencia Adquirida, el SIDA, el Sida. 후천성 면역 부전 ~ 환자 [에이즈 환자] sidoso, -sa *mf*. ¶~학 sindromología *f*.

지가(地價) valor *m* de la tierra [del terreno], precio *m* de un terreno.

지가(紙價) precio *m* del papel.

지각(地殼) corteza *f* terrestre, litosfera *f*, capa *f* del globo. ~ 변동 diastrofismo *m*, movimiento *m* de la corteza terrestre. ~ 운동 actividad *f* de la corteza terrestre.

지각(知覺) conocimiento *m*, percepción *f*, perceptividad *f*; [감각] sensación *f*, sentidos *mpl*, sensibilidad *f*. ~하다 percibir. ~(이) 나다 llegar a la edad de razón. ~(이) 들다 (ser) discreto, prudente. ~없다 (ser) insensible, imprudente. ~없이 insensiblemente, imprudentemente. ¶~ 감퇴 hipestesia *f*. ~ 기관 órganos *mpl* de percepción. ~ 동사 verbos *mpl* de percepción. ~력 perceptibilidad *f*, perceptividad *f*. ~ 신경 nervio *m* sensorio, nervio *m* sensitivo. ~ 신경 마비 sensoparálisis *f*. ~ 작용 facultad *f* perceptiva.

지각(遲刻) retraso *m*, tardanza *f*. ~하다 llegar tarde, retrasarse, llegar con retraso. ~생 estudiante *mf* que llega tarde. ~자 el [la] que llega tarde; retrazado, -da *mf*; rezagado, -da *mf*.

지갑(紙匣) cartera *f*, billetera *f*; [돈지갑] portamonedas *m*.

지게 [등에 지는] *chigue*, escalerilla *f*

para cargar equipajes, portaequipajes *m.sing.pl* típico coreano de
la forma A. ~(를) 지다 llevar
chigue en la espalda. ¶~꾼 culí
mf de portaequipajes. ~차 carretilla *f* elevadora (de hor- quilla).

지게미 ① [술찌꺼기] posos *mpl* de
vino. ② [눈가에 끼는 눈곱] lega-
ñas *fpl*, pitaña *f*, moco *m* de los
ojos.

지겹다 (estar) tedioso, fastidioso,
molesto, desagradable, pesado, repugnante, repulsivo, abominable,
destestable, odioso. 지겨운 날씨다
Hace un tiempo desagradable.

지고(至高) sublimidad *f*, supremacía
f. ~하다 (ser) supremo, sublime,
sumo, superior altísimo. ~하신 존
재 el ser supremo.

지관(地官) geomántico *m*.

지구(地球) tierra *f*, globo *m* terrestre, globo *m* terráqueo. ~의 terrestre, terráqueo. ~ 과학 ciencias
fpl de la tierra. ~ 관측년 año *m*
geofísico. ~ 궤도 órbita *f* terrestre. ~ 물리학 geofísica *f*. ~본*의*
(儀)] globo *m* terráqueo. ~ 위성
satélite *m* de la Tierra. ~인 te-
rrícola *mf*. ~촌 aldea *f* global.

지구(地區) distrito *m*, región *f*, zona
f, el área *f*, barrio *m*, sección *f*;
[부지] solar *m*, lote *m*; [거리의]
manzana *f*, *AmL* cuadra *f*. ~당
sección *f* local del partido, sección
f del partido local.

지구(持久) perseverancia *f*, resistencia *f*, paciencia *f*. ~하다 mantenerse firme, perseverar, tener
paciencia, resistir. ~력 aguante
m, perseverancia *f*, constancia *f*,
poder *m* de estabilidad, poder *m*
de resistencia; [운동·말의] resistencia *f*. ~전 guerra *f* de agotamiento, técnica *f* dilatoria; [운동의]
juego *m* de resistencia.

지국(支局) sucursal *f*; [신문사의]
delegación *f*; [라디오·텔레비전의]
estación *f* emisora local. ~장 jefe,
-fa *mf* del delegación.

지그시 ① [슬그머니 누르거나 당기거
나 닮는 모양] dulcemente, con
dulzura, suavemente, con suavidad, con calma, tranquilamente,
con tranquilidad, a hurtadillas,
furtivamente. ② [눈을 슬그머니 감
는 모양] ligeramente, suavemente.
③ [어려움을 참고 견디는 모양]
pacientemente, con paciencia.

지그재그 zigzag *m*, zigzagueo *m*,
zigzags *mpl*. ~하다 formar en
zigzag, ir en zigzags, hacer zigzags. ~의 en zigzag, zigzagueante. ~로 en zigzag, zigzagueando;
zag. ~로 걷다 caminar en zigzag
[haciendo zigzag].

지극하다(至極一) (ser) extremo, sumo, excesivo. 지극히 sumamente,
muy, extremadamente, excesivamente. 지극히 중요한 de suma
importancia, sumamente importante, importantísimo.

지근 거리(至近距離) el punto más
cercano, la distancia muy cercana.
~에서 발사하다 disparar desde
muy cerca.

지근거리다 ① [몹시 끈덕지게 지근거
리다] hacerse unas gachas, perseguir, buscar el bulto, agarrarse,
seguir con su sombra; [성가시
게] atormentar, molestar, irritar,
fastidiar, pinchar. ② [가볍게 여러
번 씹다] mascar suavemente. ③
[머리가 쑤시고 아프다] tener
[sentir] mucho dolor de cabeza.

지근덕거리다 =지근거리다.

지글거리다 ① [적은 물 등이] chisporrotear, crepitar, hervir a fuego
lento, romper el hervor, bullir. ②
[무슨 일에 걱정이 되어 마음을 몹
시 졸이다] estar furioso, hervir la
sangre, arder.

지글지글 chisporroteando, hirviendo
a fuego lento, bullendo; hirviendo
la sangre. ~하다 chirriar.

지금(只今) ① [이제. 시방. 현재]
ahora, actualmente, en este momento, en la actualidad. ~까지
hasta ahora, hasta aquí, hasta el
presente. ~ 바로 ahora mismo. ~
부터 desde ahora, de ahora en
adelante, de aquí (en) adelante. ~
쯤 por el momento, por ahora, por
de [lo] pronto, a estas horas, en
estos momentos. ② [오늘날] hoy
día, estos días, hoy, ahora. ③ 곧
[바로 이제. 이제 곧] ahora mismo,
en seguida, enseguida, inmediatamente. ~ 갑니다 Ya voy / Voy
ahora mismo / Ahora me voy. ④
[이제 막] hace un momento, hace
poco, hace rato. 그는 ~ 나갔다 El
ha salido hace un momento / El
acaba de salir.

지금(地金) ① [제품으로 만들거나 세
공하지 않은 황금] oro *m* en
barras, oro *m* en lingotes. ② [화
폐·그릇 등의 재료가 되는 금속]
metal *m* (en que se trabaja). ③
[도금한 바탕의 금속] metal *m*
enchapado.

지금거리다 (ser) arenoso, (estar)
lleno de arena.

지급(支給) [월급 등의] pago *m*, saldo *m*; [수당 등의] asignación *f*,
retribución *f*; [분배] distribución *f*;
[공급] suministro *m*. ~하다 pagar,
asignar, distribuir, suministrar. ~
기일 fecha *f* de pago, día *m* de
pago. ~ 보증 fianza *f* de pago,
garantía *f* de pago. ~ 불능 inca-

pacidad *f* de pago [de pagar]. ~ 액
cantidad *f* proporcionada, asignación *f*. ~ 어음 efecto *m* a pagar,
giro *m* de pago. ~ 유예 moratoria *f*, gracia *f* de pago. ~인 pagador, -dora *mf*. ~ 장소 lugar *m* de
pago. ~ 조건 condiciones *fpl* de-
pago. ~ 준비금 reserva *f* de pago,
fondo *m* reservado (para pago). ~
필 Pagado.

지급(至急) ① [매우 급함] urgencia *f*,
presteza *f*, prontitud *f*. ~의 urgente, inminente, de urgencia,
apremiante, inmediato. ~으로
cuanto antes, urgentemente, inminentemente, lo más pronto posible,
en seguida, enseguida, a toda
prisa, a todo correr, con toda
urgencia, con la mayor prontitud.
② ((준말)) =지급 전보. ~ 우편
correo *m* urgente. ~ 전보 telegrama *m* urgente. ~ 통화 llamada
f urgente. ~편 Urgente.

지긋지긋하다 ① [몸서리가 처질 만하
다] (ser) repugnante, odioso, destestable, horrible, horroroso, repulsivo, asqueroso. ② [몹시 싫거나
귀찮아 넌더리가 날만하다] quedar
muy escarmentado, aburrirse, cansarse, hartarse. 지긋지긋한 fastidioso, cansado, pesado, aburrido.

지긋하다 ser entrado en años, ser de
(una) edad avanzada, tener (una)
edad avanzada. 나이가 지긋한 신
사 un caballero de edad avanzada.

지기(知己) conocido, -da *mf*; amigo
m íntimo, amiga *f* íntima.

지껄이다 chismear, charlar, parlotear,
cotorrear.

지끈거리다 ① [여러 개가] romperse
con un chasquido. ② [쑤시고 아프
다] tener mucho dolor.

지끈지끈 ㉮ [부러지는 소리] con un
chasquido. ㉯ [아픈 모양] espantosamente, muchísimo. 머리가 ~
하다 La cabeza me va a estallar.

지나가다 ① [한 곳에서 다른 곳으로]
pasar. 숲을 ~ pasar por el bosque. ② [어떤 길을 통과하다] pa-
sar, atravesar, cruzar. ③ [들르지
않고 내쳐 가다] pasar. 문앞을 ~
pasar por la puerta. ④ [세월이 가
다] pasar (el tiempo), correr (el
tiempo), transcurrir. ⑤ [어떤 수
량・정도의 수준을 넘어가다] expi-
rar, exceder. 기한이 ~ expirar el
plazo.

지나다 ① [다른 어떤 곳으로 옮겨 가
다] pasar. ② [어떤 곳을 통과하다]
pasar, correr. ③ [시간이 흐르다]
correr el tiempo, pasar, transcurrir, deslizarse. ④ [과거가 되다]
pasar. 지난 봄 la primavera *f* primavera *f* pasada. ⑤ [한창 때를 넘
어서 쇠해지다] pasar. 위험한 대목

이 ~ pasar el momento crítico. ⑥
[사물의 수량・한도를 넘다] expi-
rar. 기한이 ~ expirar el plazo.

지나새나 siempre, día y noche,
constantemente, todo tiempo.

지나오다 ① [어떤 곳을 들르지 않고
바로 오다] pasar. 우리는 막 지나
왔다 Pasábamos por aquí. ② [무
슨 일을 겪어 오다] pasar. 많은 시
련을 ~ pasar muchos apuros
[muchas dificultades・privaciones].

지나치다 ① [표준이 될 만한 정도를
넘다] (ser) excesivo, demasiado,
vehemente, inmoderado, exorbitante, desmedido, desmesurado. 지
나치게 excesivamente, extremamente, demasiado, por extremo, en
exceso, con exceso. ② [말・행동
등이 거칠고 과격하다] (ser) ex-
tremo, radical, excesivo, violento.
언동이 ~ el lenguaje es violento.
③ [지나가거나 지나오다] pasar;
[더 가다] ir demasiado lejos, ir
más lejos, ir más allá. 극장 앞을
~ pasar por delente del cine.

지난(持難) dificultad *f* extrema. ~하
다 (ser) muy difícil, el más difícil,
extremadamente difícil.

지난날 ① [이미 지나버린 오늘 이전
의 날] días *mpl* pasados, tiempos
mpl pasados. ~의 회상 recuerdo
m de los días pasados. ② [그리
멀지 않은 과거의 어느 무렵] un
día. ③ [과거] pasado *m*. ~의 추
억 recuerdo *m* del pasado.

지난달 mes *m* pasado.

지난때 tiempo *m* pasado.

지난밤 anoche, (en) la noche entre
ayer y hoy.

지난번(-番) última vez *f*, el otro
día. ~의 pasado, anterior, reciente.

지난하다(至難-) (ser) muy difícil.
지난한 과제 tarea *f* muy difícil.

지난해 año *m* pasado.

지남(指南) ① [남쪽을 가리킴] señala-
lamiento *m* hacia el sur. ~하다
señalar el sur. ② [이끌어 가르치
거나 가리킴] enseñanza *f*, instrucción *f*, señalamiento *m*. ~하다
enseñar, instruir; señalar.

지남석(指南石) =지남철.

지남철(指南鐵) ① =자석(磁石)❷. ②
=자침(磁針).

지남침(指南針) =자침(磁針).

지내다 ① [살아가다] vivir, ganarse
la vida, llevar. ② [서로 사귀어 가
다] pasarlo bien, vincularse, tener
trato, confraternizar, fraternizar. 친
하게 ~ tener intimidad. ③ [어떤
지위에 있어 그 일을 겪다] expe-
rimentar, tener experiencia, servir.
④ [혼인・제사 등 관혼 상제를 치
르다] celebrar, practicar, observar.

지네 ((동물)) cientopiés *m*, ciempiés

m.

지노(紙－) cordoncillo *m* de papel, cuerda *f* pequeña de papel. ～를 꼬다 torcer el papel para hacer un cordoncillo.

지느러미 ((동물)) aleta *f.* ～발 aleta *f.*

지능(知能) ① [두뇌의 작용] inteligencia *f*, mentalidad *f*, talento *m*. ～의 inteligente, mental. ～이 좋은 아이 niño *m* avanzado, niña *f* avanzada. ② [지혜와 재능] la inteligencia y el talento. ¶～ 검사 examen *m* mental. ～범 ㉮ [범죄] ofensa *f* intelectual, ofensa *f* mental. ㉯ [범인] ofensor, -sora *mf* intelectual [mental]. ～적 inteligente. ～적으로 inteligentemente. ～지수[계수] coeficiente *m* intelectual [de inteligencia].

지니다 ① [몸에 간직해 가지다] tener, llevar, poseer, llevar con*si*go. 돈을 ～ tener dinero. 큰돈을 ～ llevar una gran cantidad de dinero con*sigo*. ② [몸에 갖추어 가지다] tener. 덕을 ～ tener virtud. 매력을 ～ tener atractivo. ③ [원모양을 간직하다] mantener. 원형을 ～ mantener *su* forma original. ④ [기억하다] conservar, mantener. 비밀을 ～ conservar el secreto.

지다[1] [젖이 불어 저절로 나오다] (la leche) salir por ssí mismo.

지다[2] ① [그늘이 생기다] asombrar, cubrir con la sombra. 그늘이 진 정원 jardín *m* donde hay sombra. 그늘이 지다 haber sombra. ② [큰비로 물이 많게 되다] comenzar, empezar. 마침내 장마가 졌다 Al fin la estación de las lluvias ha comenzado. ③ [서로 원수가 되다] hacerse enemigo. 원수 ～ hacerse enemigo. ④ [없던 것이 새로 생기다] aparecer. 얼룩이 지지 않는 sin mancha, sin tacha. 잉크로 얼룩이 진 manchado de tinta.

지다[3] ① [해나 달이] ponerse. 지는 해 sol *m* poniente. 해가 서쪽으로 질 무렵 cuando se ponga el sol por el oeste. ② [꽃·잎 등이 시들어 떨어지다] caer, marchitarse y caer. ③ [거죽에 묻은 것이] desaparecer, salir. 얼룩이 ～ manchar(se).

지다[4] ① [패하다] ser vencido [derrotado], sufrir una derrota, rendirse, perder. 경쟁에 ～ ser vencido en la competencia. 시합에 ～ perder un partido. 싸움에 ～ perder un combate. ② [불가피해 양보하다] perder de propósito, ceder.

지다[5] ① ((준말)) ＝등지다. ② [지게나 물건을 등에] llevar, cargar. 등에 ～ llevar a la espalda. ③ [빚을] deber. ④ [책임을 맡다] tener, cargar. 책임을 ～ tener [cargar por] la responsabilidad.

지당하다(至當－) (ser) muy justo, razonable, correcto, derecho y propio, equitativo, natural, tener razón. 지당한 요구 demanda *f* razonable.

지대(支隊) destacamento *m*.

지대(地代) alquiler *m* de un terreno; [농지의] arrendamiento *m*, arriendo *m* de la tierra, renta *f* (de terreno), canón *m* anual. 이곳은 ～가 비싸다 El arriendo de este terreno es caro.

지대(地帶) zona *f*, región *f*, faja *f*.

지대공(地對空) tierra-aire. ～ 미사일 misil *m* tierra-aire.

지대지(地對地) tierra-tierra. ～ 미사일 misil *m* tierra-tierra.

지대하다(至大－) (ser) grande, inmenso, enorme.

지도(地圖) mapa *m*, carta *f*, [시가 지도] plano *m*; [지도책] atlas *m*. 5만분의 1 ～ mapa *m* a la escala de cincuenta mil. 한국의 ～ mapa *m* de Corea. 서울의 ～ el plano de Seúl. ～를 그리다 cartografiar, trazar un mapa.

지도(指導) ① [통솔 인도하는 일] instrucción *f*, dirección *f*, guía *f*, orientación *f*. ～하다 instruir, dirigir, guiar, orientar, amaestrar, entrenar. ② ＝가이던스. ¶직업～ orientación *f* profesional. ③ ((준말)) ＝학습 지도. ¶～ 교수 profesor, -sora *mf* de orientación. ～력 liderazgo *m*. ～자 [정신적인] guía *mf*, líder *mf*, dirigente *mf*, [운동의] dirigente *mf*, líder *mf*, [운동의 코치] entrenador, -dora *mf*, *AmL* director *m* técnico, directora *f* técnica; [수령] jefe, -fa *mf*, caudillo *m*; prohombre *m*.

지독스럽다(至毒－) (ser) terrible, horrible, tremendo.

지독하다(至毒－) (ser) fiero, malicioso, malo, sanguinario, atroz, feroz, salvaje; [심하다] terrible, tremendo, horrible, severo, intenso. 지독한 구두쇠 tacaño, -ña *mf* terrible. 지독한 더위 calor *m* severo, calor *m* infernal.

지동(地動) ① ＝지진(地震). ¶～하다 tener un terremoto. ② [지구의 공전과 자전] la revolución y la rotación de la tierra. ¶～설 teoría *f* heliocéntrica [copernicana], heliocentrismo *m*.

지라 ((해부)) ＝비장(脾臟)(bazo).

지랄 ① [변덕스럽고 함부로 행동함에 대한 욕] ¡Mierda! / ¡Coño! ② [잡스러운 언행] dichos *mpl* y hechos lascivos. ③ ((한방)) ((준말)) ＝지랄병. ¶～병 ((한방)) epilepsia *f*. ～병 환자 epiléptico, -ca *mf*.

지략(智略) =지모(智謀).

지렁이 ((동물)) lombriz *f* de tierra; [낚시 미끼용] lombriz *f* para cebo de pescar. 지렁이도 밟으면 꿈틀한다 ((속담)) Cada gorrión tiene su corazón / Cada renacuajo tiene su cuajo.

지레¹ =지렛대(palanca). ¶ ~로 올리다 levantar con palanca.

지레² [어떤 시기가 되기 전에 미리] de antemano, con anticipación, con antelación, a prevención, anticipadamente, antes. ~짐작 conjetura *f*, juicio *m* apresurado, conclusión *f* precipitada. ~짐작하다 conjeturar, juzgar apresuradamente.

지렛대 palanca *f*. ~로 들어올리다 levantar [alzar] con palanca.

지력(知力) capacidad *f* intelectual, inteligencia *f*.

지력(智力) ① poder *m* de sabiduría. ② (불교)) sabiduría *f* y poder sobrenatural, poder *m* de sabiduría, uso *m* eficiente de sabiduría mística.

지령(指令) instrucción *f*, orden *f*, consigna *f*. ~하다 instruir, dar instrucciones, dar órdenes. ¶ ~서 instrucciones *fpl* escritas, órdenes *fpl* escritas.

지령(紙齡) edad *f* del periódico, número *m* de tirada del periódico.

지령(誌齡) edad *f* de la revista, número *m* de tirada de la revista.

지로 transferencia *f*, giro *m*, giro *m* postal. ~ 뱅크 banco *m* especializado en giros bancarios.

지론(持論) opinión *f* de largo tiempo, *su* opinión apreciada, *su* apreciada opinión, *su* principio (favorito), dogma *m*; [신념] credo *m*. ~을 고수하다, ~을 굽히지 않다 persistir *su* teoría (*su* opinión).

지뢰(地雷) mina *f* terrestre, mina *f* de guerra. ~를묻다 [부설하다] sembrar de minas, minar. ~를 제거하다 quitar [barrer] minas, limpiar de minas. ~밭 campo *m* de minas. ~ 탐지기 detector *m* de minas.

지루하다 (estar) tedioso, aburrido, cansado; [단조롭다] monótono, aburrirse, fastidiarse, hastiarse, cansarse. 지루한 여행 viaje *m* monótono. 지루한 이야기 cuento *m* tedioso.

지류(支流) ① [강의] afluente *m*. ② ~분파.

지르다¹ ① [막대기·주먹 등을] empujar, patear, dar una patada, dar patadas, pegar una patada, dar patadas, dar puntapiés, patalear; [말이] cocear, dar coces; [공을] patear, darle una patada, dar*le* un puntapié. 팔꿈치로 ~ empujar con

el codo. ② [막대나 줄을] insertar, ingerir entre otros, colocar en medio; [문·창문 등을] echar*le* el pestillo [el pasador·el cerrojo]. ③ [지름길을 통하여 가깝게 가다] cortar, tomar un atajo. 길을 질러가다 tomar un atajo, (a)cortar camino. ④ [분이나 불이 일어나게 하다] pegar, incendiar, pegar fuego, prender*le* fuego. 집에 불을 ~ prender fuego a la casa. ⑤ [냄새가 갑자기 후각을 자극하다] apestar. ⑥ [곁순 등을 자르거나 기예를 꺾다] cortar (con tijera); [기예를] quebrantar. 순을 ~ cortar brotes. ⑦ [도박 등에서 돈·물건 등을 걸다] apostar.

지르다² [소리를] chillar, gritar, dar gritos agudos [penetrantes], pegar un grito; [어린아이가] llorar a gritos, berrear. 소리를 ~ gritar, chillar, dar gritos, alzar la voz.

지르박 [춤의 하나] jitterbug *m*, baile *m* muy movido. ~을 추다 bailar el jitterbug.

지르콘(광물) círcon *m*, zircon *m*. ~산(酸) ácido *m* zircónico.

지르퉁하다 ponerse de mal humor, ponerse malhumorado, ponerse ofendido, poner mala cara, ser desagradable. 지르퉁한 대답 respuesta *f* adusta.

지름 ((수학)) diámetro *m*.

지름길 atajo *m*, camino *m* (más) corto, trocha *f*. ~로 가다 atajar, ir por el atajo, tomar un camino (más) corto. ~을 취하다 tomar el atajo, (a)cortar camino.

지리(地利) ventaja *f* estratégica [de posición]. ~가 나쁘다 carecer de ventaja de posición.

지리(地理) ① [토지의 상태] topografía *f*, facciones *fpl*, fisonomía *f* geográfica. 서울의 ~에 밝다 conocer todos los rincones de Seúl, conocer Seúl muy bien. ② ((준말)) =지리학(地理學). ③ ((준말)) =풍수 지리. ¶ ~적 geográfico. ~학 geografía *f*. ~ 학자 geógrafo, -fa *mf*.

지리멸렬(支離滅裂) incoherencia *f*, falta *f* de coherencia, falta *f* de ilación, contradicción *f*, separación *f*, ruptura *f*, escisión *f*; [조직의] falta *f* de coherencia interna. ~하다 (ser) incoherente, falto de coherencia, falto de ilación, contradictorio, inconsecuente, inconsistente, incongruo, incongruente, separarse, pararse.

지린내 olor *m* a orina.

-지마는 aunque, pero, no obstante, sin embargo, mas, con todo, con todo esto, con todo eso, empero. 나이가 어리 ~ aunque es joven, El es joven, pero ….

-지만 ((준말)) =-지마는.

지망(志望) aspiración *f*, deseo *m*, anhelo *m*, ansia *f*. ~하다 desear, aspirar, ansiar. 외교관을 ~하다 aspirar a la carrera diplomática. 제1 [제2·제3] ~ primera [segunda·tercera] preferencia *f*. ~자 aspirante *mf*; pretendiente *mf*; candidato, -ta *mf*.

지맥(支脈) espolón *m*, ramal *m*. 철도 ~ ramal *m*.

지맥(地脈) estrato *m*, vena *f*.

지면(地面) superficie *f* (de la tierra), suelo *m*, tierra *f*. ~에 떨어지다 caer al suelo.

지면(知面) conocimiento *m*. ~이 있는 얼굴 cara *f* conocida. ~이 있는 사람 conocido, -da *mf*.

지면(紙面) cara *f* del papel, página *f* [espacio *m*] del periódico, prensa *f*.

지면(誌面) página *f* de la revista; [부사적] por la revista. ~에 en la revista.

지명(地名) nombre *m* de lugar, topónimo *m*. ~ 사전 diccionario *m* de nombres geográficos. ~학(學) toponimia *f*.

지명(指名) nombramiento *m*, nominación *f*, designación *f*. ~하다 nombrar, designar, señalar, especificar. ~권 derecho *m* de nombramiento. ~ 수배 disposiciones *fpl* para la búsqueda de un criminal identificado. ~ 수배자 criminal *m* buscado por la policía; perseguido, -da *mf* por la justicia; fugitivo, -va *mf* de la justicia. ~ 타자[대타자] bateador *m* designado.

지명(指命) orden *f* designada. ~하다 ordenar por *su* nombre.

지명 인사(知名人士) hombre *m* distinguido.

지명하다(知名一) (estar) bien conocido, afamado, (ser) célebre, eminente, famoso. 지명한 작가 autor, -tora *mf* [escritor, -tora *mf*] eminente [célebre].

지모(智謀) recursos *mpl*, inventiva *f*, sabiduría y arbitrio. ~가 풍부하다 (ser) ingenioso, hábil.

지목(地目) clasificación *f* de tierra. ~ 변경 alteración *f* de la categoría de terreno.

지목(指目) indicación *f*. ~하다 indicar, señalar.

지묵(紙墨) el papel y la tinta china.

지문(地文) ① [대지의 온갖 모양] todas las figuras de la tierra. ② ((준말)) =지문학. ③ ((희곡)) parte *f* descriptiva. ¶~학 fisiografía *f*, geografía *f* física.

지문(指紋) huella *f* digital, huella *f* dactilar, impresión *f* digital, dacti-

lograma *m*. ~을 남기다 dejar las huellas digitales. ~(을) 찍다 imprimir las huellas digitales. 서류에 ~을 찍다 imprimir las huellas digitales en el documento. ~(이) 찍히다 dejar las huellas digitales. ~법 dactiloscopia *f*.

지물(紙物) papeles *mpl*. ~상(商) [가게] papelería *f*, [상인] papelero, -ra *mf*. ~포 papelería *f*, tienda *f* de papeles.

지반(地盤) ① [땅의 표면] superficie *f* de la tierra. ② ㉮ [토대] fundamentos *mpl*, cimientos *mpl*. ~을 단단히 하다 [굳히다] consolidar los cimientos. ㉯ [기초] base *f*, fundación *f*. ~을 파다 debilitar la base, minar el terreno. ~을 굳히다 solidar la fundación. ㉰ [땅바닥] suelo *m*, terreno *m*. ~의 융기 movimiento *m* ascencional del suelo. ③ [선거구] distrito *m* electoral; [선거민] elector, -tora *mf* votante; [세력 범위] esfera *f* de influencia (선거의), ámbito *m* de fuera; [영역] territorio *m*; [지위] posición *f*. ~을 넓히다 extender el ámbito de influencia. [성공한 지위 또는 장소] posición *f*, puesto *m*. ~을 차지하다 conseguir una posición [un puesto]. ¶~ 공사 obra *f* de fundamentos.

지방(地方) ① [어느 한 방면의 땅] región *f*, comarca *f*; [도] provincia *f*. ~의 regional, comarcal, local, provincial. ② [서울 밖의 지역] 시골] campo *m*, aldea *f*, pueblo *m*, campiña *f*, provincia *f*. ~의 local, provincial. ~을 돌아다니다 recorrer las provincias, hacer un recorrido por provincias. ¶~색 color *m* local, provincialismo *m*. ~세 impuesto *m* local. ~ 신문 periódico *m* local. ~ 의회 consejo *m* local [regional]. ~ 의회 의원 consejal, -la *mf* local. ~ 자치 autonomía *f* local [regional].

지방(脂肪) grasa *f*, sebo *m*, manteca *f*. ~의 sebáceo, untuoso, manteca. ~이 많은 grasiento, adiposo, seboso. ¶~간 hígado *m* adiposo. ~과다 obesidad *f*, adiposidad *f*. ~과다증 adipositas *f*. ~산 ácido *m* graso. ~ 조직 tejido *m* adiposo.

지방(紙榜) *chibang*, tablilla *f* de un antepasado de papel.

지배(支配) ① [관리] administración *f*, superintentencia *f*, dominación *f*, dominio *m*, imperio *m*. ~하다 administrar, dominar, controlar. 자연을 ~하다 dominar [controlar] las fuerzas de la naturaleza. ② [처리] manejo *m*. ~하다 manejar. ③ [지휘] mando *m*, dirección *f*. ④ [통치] gobierno *m*, régimen *m*, reina *f.* ~하다 gobernar, regir, reinar. ¶~ 계급 clase *f* dirigente. ~인 gerente *mf*; administrador, -dora *mf*; director, -tora *mf*; ~자 dominador, -dora *mf*; gobernante *mf*; soberano, -na *mf*.

지벅거리다 ir a tropezones, ir a trompicones, andar con dificultad.

지번(地番) número *m* de terreno.

지벽(紙壁) pared *f* (hecha) de papel.

지변(地變) ① [땅의 변동] fenómeno *m* geográfico extraordinario. ② [지각의 운동] actividad *f* de la corteza terrestre. ③ =지이(地異).

지병(持病) indisposición *f* crónica, enfermedad *f* crónica, achaque *m*, enfermedad *f* pertinaz.

지부(支部) subdivisión *f*, rama *f*, sucursal *f*, [정당의] sede *f* local. ~장 jefe, -fa *mf* de la sede local (del partido).

지분(支分) ramificación *f*. ~하다 ramificar.

지분(持分) parte *f*, porción *f*, cuota *f*.

지분(脂粉) afeite *m*, polvos *mpl* y colores del tocado, cosméticos *mpl*.

지분거리다 ① [가루붙이 음식 따위가] ser desagradable masticar. ② [남을 자꾸 건드리어 귀찮게 하다] molestar, irritar, fastidiar.

지불(支拂) ① [값을 내어 줌] pago *m*, paga *f*; [청산] liquidación *f*. ~하다 pagar, abonar; [현금화] hacer efectivo. ② ((법률)) [구용어)] =지급(支給) ¶~ 거절 증서 protesto *m*. ~ 결재 pagado. ~ 계정 cuenta *f* a pagar. ~금 dinero *m* pagado [debido]. ~ 기일 fecha *f* del pago. ~ 기한 término *m* de pago. ~ 능력 solvencia *f*, capacidad *f* de pago. ~ 연기 tardanza *f* [delición *f*] de pago. ~ 유예 moratoria *f*. ~인 pagador, -dora *mf*. ~일 fecha *f* de pago. ~ 장소 lugar *m* de pago. ~ 정지 suspensión *f* de pago. ~ 조건 condiciones *fpl* de pago. ~필 Pagado.

지붕 ① [가옥 꼭대기 부분에 씌우는 덮개] tejado *m*, *AmL* techo *m*. ~을 이다 techar, tejar. 같은 ~ 아래 살다 vivir bajo el mismo techo. ② [모든 물건의 위를 덮는 물건] cubierta *f*.

지사(支社) sucursal *f*. ~장 director, -tora *mf* [gerente *mf*] de una sucursal.

지사(志士) patriota *mf*; mártir *mf*.

지사(知事) ((준말)) =도지사(道知事).

지상(地上) ① [땅의 위, 지면] sobre la tierra, superficie *f* de la tierra, superficie *f* terrestre, tierra *f*, suelo *m*. ~에 놓다 poner en el suelo. ¶~군 fuerzas *fpl* terrestres, ejército *m* de tierra. ~ 기지 base

f terrestre. ~ 작전 operaciones *fpl* terrestres. ~전 guerra *f* terrestre. ~ 천국[낙원] paraíso *m* terrestre. ~파 onda *f* terrestre, onda *f* telúrica.

지상(至上) supremacía *f*. ~의 supremo, soberano, sumo. ~의 미 soberana belleza *f*, belleza *f* suprema. ¶~권 poder *m* supremo, soberanía *f*. ~ 명령 orden *f* suprema.

지상(紙上) ① [종이의 위, 지면] en el periódico. 신문 ~에서 읽다 leer en el periódico. ② [신문·잡지의 기사면] página *f* del artículo.

지상(誌上) [부사적] por la revista. ~에 en la revista. ~에 발표하다 presentar en la revista.

지새다 despuntar (la aurora), amanecer, alborear, alborecer, apuntar, rayar, romper (el día).

지새우다 velar toda la noche, pasar la noche sin dormir [en vela]. 춤 추며 밤을 ~ pasar la noche bailando.

지서(支署) delegación *f*, sucursal *f* de una oficina.

지석(誌石) piedra *f* lapidaria.

지석묘(支石墓) dolmen *m*.

지선(支線) línea *f* secundaria, (línea *f*) ramal *f* [철도의] empalme *m*.

지선(至善) [지극히 착함] el bien supremo. ~하다 ser bueno. ② ((준말)) =지어지선(止於至善).

지성(至誠) ① [지극한 정성] sinceridad *f* perfecta [absoluta], devoción *f*. ~을 보이다 manifestar [expresar] la sinceridad. ② [지극히 성실함] mucha fidelidad, mucha honestidad, mucha honradez. 지성이면 감천이라 ((속담)) La sinceridad mueve el cielo / La fe moverá la montaña. ¶~껏 sinceramente, con sinceridad perfecta [absoluta], con devoción. 그녀는 시부모를 ~껏 모신다 Ella sirve a sus suegros con devoción.

지성(知性) inteligencia *f*, ((철학)) intelecto *m*. 한국의 ~(인들) los intelectuales de Corea. ~에 호소하다 apelar a *su* inteligencia. ~인 intelectual *mf*; inteligente *mf*. ~적 intelectual, inteligente.

지세(地勢) topografía *f*.

지소(支所) sucursal *f*, subestación *f*.

지소사(指小辭) diminutivo *m*.

지소하다(至小一) (ser) infinitesimal, mínimo.

지속(持續) continuación *f*, duración *f*, mantenimiento *m*, mantención *f*, perduración *f*. ~하다 continuar, durar, mantenerse, perdurar, durar mucho tiempo. ~성 durabilidad *f*, continuidad *f*.

지수(指數) ① [물가·노임 등의] ín-

dice *m.* ② ((수학)) exponente *m.*
지순(至純) pureza *f* absoluta. ～하다 (ser) absolutamente puro.
지시(指示) indicación *f*, instrucciones *fpl*, orden *f*, señal *f*. ～하다 indicar, instruir, mostrar, dar instrucciones, dar órdenes, hacer una indicación. ～에 따라 conforme a las instrucciones, según las instrucciones. ～에 따르다 seguir las instrucciones. ¶～ 대명사 pronombre *m* demostrativo. ～등(燈) piloto *m*. ～문 oración *f* demostrativa. ～ 부사 adverbio *m* demostrativo. ～사 demostrativo *m*. ～서 indicaciones *fpl*. ～어 demostrativo *m*. ～판 poste *m* indicador, tablilla *f*, círculo *m* graduado. ～ 형용사 adjetivo *m* demostrativo.
지식(知識) conocimiento *m*, ciencia *f*, saber *m*, sabiduría *f*, erudición *f*, [견문] información *f*. ～이 풍부한 사람 hombre *m* de gran sabiduría, hombre *m* de gran ciencia, hombre *m* de muchos conocimientos. 해박한 ～ conocimiento *m* vasto [amplio·extenso]. 경험은 ～의 어머니다 La experiencia es la madre de la sabiduría. ¶～ 계급 intelectuales *mpl*, clase *f* intelectual. ～ 산업 industria *f* intelectual. ～욕 codicia *f* de saber, sed *f* de conocimiento. ～인 intelectual *mf*. 신～인 nuevo intelectual *m*, nueva intelectual *f*.
지신(地神) dios *m* de la tierra.
지심(地心) centro *m* de la tierra.
지아비 ① [웃어른 앞에서의 자기 남편] mi marido. ② [계집 하인의 남편] marido *m* [esposo *m*] de *su* sirvienta. ③ [남편의 예스러운 말] marido *m*, esposo *m*.
지압(指壓) ① [손끝으로 누르거나 또는 두드림] presión *f* de la punta de dedos. ～하다 presionar con la punta de dedos. ② =지압 요법. ¶～법 ㉮ ((의학)) método *m* hemostático por la presión de dedos. ㉯ =지압 요법. ～사 digitopuntor, -tora *mf*. ～ 요법 quiropráctica *f*, terapéutica *f* por la presión de dedos, terapéutica *f* manual. ～ 요법사 quiropráctico, -ca *mf*.
지양(止揚) síntesis *f* hegeliana. ～하다 sostener tácitamente.
지어내다 tramar, maquinar en secreto, inventar, forjar, producir, crear. 거짓말을 ～ forjar una mentira.
지어미 mujer *f*, esposa *f*.
지어지선(止於至善) el bien supremo.
지엄하다(至嚴－) (ser) muy estricto.
지업(紙業) negocios *mpl* de papel. ～상 tienda *f* de papel; [사람] comerciante *mf* de papel.
지엔피 [국민 총생산] Producto *m* Nacional Bruto, PNB *m*.
지역(地域) el área *f*, región *f*, comarca *f*, zona *f*, territorio *m*. ～의 regional, local, territorial. ～별로 por regiones. ¶～ 감정 sentimiento *m* regional. ～구 distrito *m* [circunscripción *f*] electoral. ～ 대표 delegación *f* regional. ～ 방어 ((농구·축구)) defensa *f* zonal, defensa *f* de zona. ～ 사회 comunidad *f* local.
지연(地緣) relación *f* de conexión regional.
지연(紙鳶) =연(鳶).
지연(遲延) retraso *m*, atraso *m*, tardanza *f*, demora *f*, retardación *f*, dilación *f*, ((법률)) negligencia *f* (culpable). ～하다 dilatar, retrasar, retardar, demorar; [기간을] prolongar, prorrogar, aplazar.
지열(止熱) disminución *f* de fiebre.
지열(地熱) geotermia *f*, calor *m* de la tierra, calor *m* subterráneo, temperatura *f* subterránea.
지엽(枝葉) ① [가지와 잎] la rama y la hoja. ② [중요하지 않은 부분] particularidades *fpl*, poca importancia *f*, cosas *fpl* accesorias. ～적인 poco importante, secundario. ～적인 문제 cuestión *f* secundaria, problema *m* poco importante.
지옥(地獄) infierno *m*, Hades *m*, calderas *fpl* de Pedro Botero. ～의 infernal, del infierno. ～ 같은 infernal, de mil demonios, horroroso.
지온(地溫) temperatura *f* de la tierra; [땅 표면의 온도] temperatura *f* de la superficie terrestre.
지우(知友) amigo *m* íntimo, amiga *f* íntima; conocido, -da *mf*.
지우개 ① [쓴 글씨나 그림을 지우는 물건] borrador *m*, raspador *m*. 칠판 ～ borrador *m*. ② ((준말)) = 고무 지우개.
지우다[1] ① [없던 것을 생기도록 만들다] formar, hacer. 그늘을 ～ dar sombra, asombrar, sombrar. ② [특징을 뚜렷이 갖추게 하다] formar. 원을 ～ formar un círculo. 세모를 ～ formar un triángulo.
지우다[2] ① [숨을] expirar; [아이를] malparir. 숨을 ～ expirar. 아이를 ～ malparir, abortar. ② [근소한 양의 액체를 떨어지게 하다] derramar. 눈물을 ～ derramar lágrimas. ③ [많은 분량 중에서 일부를 덜다] restar.
지우다[3] [형적을] cancelar, borrar, rayar, raspar; [생각·느낌·표정 따위를] borrar, librarse. 지워지다 borrarse, esfumarse. 글씨를 ～ borrar [raspar] una letra.
지우산(紙雨傘) paraguas *m* de papel.
지원(支院) sucursal *f*.

지원(支援) apoyo *m* (económico), ayuda *f* (económica), auxilio *m*. ~하다 apoyar, prestar apoyo, sostener, auxiliar, mantener, amparar.

지원(志願) deseo *m*, anhelo *m*, ansia *f*, ambición *f*; [지망] aspiración *f*; [신청] solicitud *f*, instancia *f*, súplica *f*; [원서] memorial *m*; [자원] voluntario *m*. ~하다 aspirar, presentarse, presentar la solicitud, desear, anhelar, dirigir una petición. ¶ ~병 voluntario, -ria *mf*. ~서 solicitud *f* (por escrito). ~서용지 (impreso *m* de) solicitud *f*. ~자 aspirante *mf*, candidato, -ta *mf*; [임무 등의] voluntario, -ria *mf*. ~제도 sistema *m* voluntario.

지위(地位) ① =위치, 처지. ② [신분에 따르는 어떠한 자리나 계급] ⑦ [자리] puesto *m*, cargo *m*. 도지사의 ~ cargo *m* de gobernador. ④ [계층] clase *f*, categoría *f*; [높은 자리] rango *m*, dignidad *f*. ~가 높은 de alto rango, de alta dignidad, de alta categoría.

지은이 escritor, -tora *mf*; autor, -tora *mf*.

지인(知人) conocido, -da *mf*; [집합적] conocimiento *m*; [친구] amigo, -ga *mf*.

지자(知者) hombre *m* de inteligencia.

지자(智者) sabio, -bia *mf*; persona *f* sabia [inteligente]. ~ 불혹이다 Un sabio sabe su propio corazón. ~도 천려일실(千慮一失)이 있다 Nadie es perfecto.

지장(支障) obstáculo *m*, impedimento *m*, estorbo *m*, inconveniente *m*, pega *f*. ~이 있다 estorbar, impedir.

지저거리다 cantar.

지저귀다 ① [새가] cantar, gorjear, trinar, piar. 새가 지저귄다 Los pájaros cantan. ② [신통찮은 말을 지절거리다] charlar, chacharear.

지저분하다 (ser) sucio, mugriento, desaliñado, desaseado, desordenado; [하는 짓이] obsceno, impúdico, deshonesto, licencioso, libidinoso, lascivo, liviano, lúbrico, indecente.

지적(地籍) catastro *m*, registro *m* de la propiedad inmobiliaria, registro *m* de terreno. ¶ ~도(圖) catastro *m*, mapa *m* de registro de terreno.

지적(指摘) ① [손가락질해 가리킴] indicación *f*. ~하다 indicar, señalar. ② [허물을 들추어 폭로함] revelar, develar, desvelar. 잘못을 ~하다 revelar errores.

지적(知的) intelectual, mental, inteligente, listo. ~ 생활 vida *f* intelectual. ~ 활동 actividad *f* intelectual. ¶ ~ 소유권 propiedad *f* intelectual. ~ 재산권 derecho *m* de propiedad intelectual.

지전(紙錢) =지폐.

지전(紙廛) tienda *f* de papel.

지점(支店) sucursal *f*, filial *f*. ~을 개설하다 [설치하다] abrir [establecer] una sucursal. ¶ ~장 gerente *mf* (director, -tora *mf*) de sucursal.

지점(支點) punto *m* de apoyo.

지점(至點) ((천문)) solsticio *m*.

지점(地點) punto *m* (geográfico); [장소] lugar *m*, sitio *m*, localidad *f*.

지정(指定) [일시·장소의] señalamiento *m*, indicación *f*; [문화재 등의] designación *f*, nombramiento *m*. ~하다 señalar, indicar, designar, nombrar, destinar, fijar. ~된 사람 persona *f* designada, persona *f* nombrada. 시간과 장소를 ~하다 señalar [indicar] la hora y el lugar. ¶ ~ 문화재 patrimonio *m* cultural designado, propiedad *f* cultural designada. ~석 asiento *m* designado. ~ 시간 hora *f* designada. ~일 día *m* designado. ~ 장소 lugar *m* señalado.

지정학(地政學) geopolítica *f*.

지조(志操) integridad *f*, probidad *f*, constancia *f*. ~가 굳은 íntegro, probo, firme, constante, entero.

지존(至尊) ① [더없이 존귀함] mucha nobleza *f*. ~하다 ser muy noble. ② [임금을 공경하여 일컫는 말] Su Majestad.

지주(支柱) ① [버티는 기둥] sostén *m*, soporte *m*, apoyo *m*; [천막 등의] palo *m* de sostén; [식목의] tutor *m*; [콩·토마토 등의] rodrigón *m*. ② [의지할 수 있는 근거나 힘의 비유] sostén *m*. 정신적인 ~ sostén *m* moral.

지주(地主) propietario, -ria *mf* de terreno [de tierras]; terrateniente *mf*, hacendado, -da *mf*. ~ 계급 las clases propietarias, los terratenientes, la aristocracia rural.

지중해(地中海) (mar *m*) Mediterráneo *m*. ~성 기후 clima *m* mediterráneo.

지지 ¡Sucio! ¡Qué sucio!

지지(支持) apoyo *m*, sostenimiento *m*, sostén *m*, mantenimiento *m*. ~하다 apoyar, sostener, ayudar, secundar, mantener. 국민의 ~ 아래 con el apoyo general del pueblo. ¶ ~자 defensor, -sora *mf*; partidario, -ria *mf*; mantenedor, -dora *mf*; sostenedor, -dora *mf*.

지지난달 mes *m* antepasado.

지지난밤 anteanoche.

지지난번(-番) vez *f* antepasada.

지지난해 año *m* antepasado.

지지다 ① [국물을 조금 붓고 끓여 익히다] [끓이다] estofar, guisar; [기름으로] freír. 생선을 ~ estofar el pescado. 고기를 ~ freír la carne.

② [지짐질로 익히다] freír en la sartén, saltear, sofreír. ③ [눈거나 타게 하다] hacer quemar. ④ ((의학)) cauterizar.

지지리 -ísimo, terriblemente, tremendamente, sumamente, madamente. ~ 맛이 없다 ser de pésimo gusto. ~ 못생기다 ser terriblemente feo.

지지부진 (遲遲不進) avance *m* muy lento. ~하다 avanzar muy despacio, no avanzar más que lentamente.

지진 (地震) terremoto *m*, seísmo *m*, sismo *m*. ~의 sísmico. ~의 중심 epicentro *m*, centro *m* sísmico. ~한 ~ temblor *m* de la tierra. ¶~계 sismógrafo *m*, sismómetro *m*; [간이의] sismoscopio *m*. ~대 zona *f* de terremoto. ~파 ola *f* sísmica. ~학 seismología *f*, sismología *f*. ~학자 sismólogo, -ga *mf*.

지진아 (遲進兒) niño *m* retrasado (mental), niña *f* retrasada (mental).

지질 (地質) naturaleza *f* del terreno, geología *f*. ~도 plano *m* geológico. ~분석 análisis *m* geológico. ~학 geología *f*. ~학자 geólogo, -ga *mf*.

지질 (紙質) cualidad *f* del papel.

지짐이 ① [국물이 적고 간이 좀 짜게 끓인 음식] estofado *m*, guiso *m*. ② [지짐질한 음식] crep(e) *m*, tortilla *f*.

지참 (持參) el traer, el llevar. ~하다 [가지고 오다] traer; [가지고 가다] llevar. ~금 dote *m*. ~인 portador, -dora *mf*; tenedor, -dora *mf*.

지척 (咫尺) distancia *f* muy corta. ~ 지간이다 estar muy cerca.

지척거리다 caminar lenta y pesadamente, caminar con dificultad.

지천 (至賤) ① [매우 천함] humildad *f*. ~하다 (ser) muy humilde, muy vulgar. ② [하도 많아서 별로 귀할 것이 없음] abundancia *f*. ~하다 (ser) abundante.

지청 (支廳) oficina *f* sucursal.

지체 linaje *m*, nacimiento *m*. ~가 높은 de buen linaje, de nacimiento noble. ~가 낮은 de nacimiento humilde.

지체 (肢體) [몸] cuerpo *m*; [사지] cuatro miembros. ~ 부자유아 niño *m* inválido, niña *f* inválida. ~ 장애인 minusválido, -da *mf*.

지체 (遲滯) tardanza *f*, dilación *f*, retraso *m*, detención *f*, retardo *m*, atrasados *mpl*, retardación *f*, *AmL* demora *f*. ~하다 retrasarse, tardar, retardarse, atrasarse, dilatarse, *AmL* demorarse. ~ 없이 sin tardanza, sin dilación, *AmL* sin demora.

지축 (地軸) eje *m* terrestre, eje *m* de la tierra. ~을 흔들다 conmover hasta el eje de la tierra.

지출 (支出) desembolso *m*, gastos *mpl*, salida *f*; [지불] pago *m*. ~하다 desembolsar, gastar, pagar.

지층 (地層) capa *f*, estrato *m*. ~수 el agua *f* de la capa. ~학 estratigrafía *f*.

지치 (智齒) ((해부)) muela *f* cordial.

지치다[1] [시달림을 받아 기운이 쇠해지다] cansarse, fatigarse; [힘이 빠지다] debilitarse, enflaquecerse. 지친 cansado. 극도로 지친 fatigado, extenuado, agotado. 지칠 줄 모르는 incansable, infatigable. 지칠 줄 모르고 infatigablemente. 지친 얼굴 cara *f* cansada.

지치다[2] [소나 말 등이 묽은 똥을 싸다] tener la deposición acuosa, deponer los excrementos acuosos..

지치다[3] [얼음 위를 미끄러져 달리다] correr deslizándose por el hielo.

지침 (指針) ① [지시 장치의] aguja *f*; [기계의] indicador *m*. ② [생활이나 행동의] guía *f*. 생활의 ~ principio *m* rector de *su* vida. ¶~서 guía *f*. 수험 ~서 guía *f* del examen.

지칭 (指稱) designación *f*. ~하다 designar.

지켜보다 observar, mirar. 텔레비전을 ~ ver [mirar] televisión.

지키다 ① [잃지 않도록 살피다] vigilar para que no pierda. ② [보호·방어하다] proteger, defender, preservar, amparar, guardar, salvaguardar. 나라를 ~ defender la nación. ③ [눈여겨 감시하다] velar [observar·cuidar] atentamente. ④ [지조 등을] mantener, preservar, observar, guardar. 절개를 ~ mantener la castidad. 중립을 ~ observar la neutralidad. ⑤ [약속·법규 등을] cumplir, observar, obedecer. 규정을 ~ ceñirse al estatuto. 법률을 ~ obedecer [observar·guardar] la(s) ley(es). 본분을 ~ cumplir con *su* obligación. 비밀을 ~ cumplir con el secreto. 약속을 ~ cumplir *su* palabra, tener palabra. 침묵을 ~ guardar silencio.

지탄 (指彈) censura *f*, reproche *m*, vituperación *f*, crítica *f*. ~하다 censurar, reprochar, vituperar, rechazar. 사회의 ~을 받다 ser rechazado de la sociedad.

지탱 (支撑) sostenimiento *m*, mantenimiento *m*, apoyo *m*, protección *f*. ~하다 sostener, mantener, soportar, apoyar, guardar, observar.

지파 (支派) rama *f* (lateral), secta *f*, rama *f* de una familia.

지팡이 bastón *m* (*pl* bastones). ~를 짚다 andar con bastón. ~를 짚고 걷다 ir con el bastón en la mano.

~에 의지하다 apoyarse en un bastón.

지퍼 cremallera *f*, cierre *m* de cremallera, *AmL* cierre *m*, *RPl* cierre *m* de relámpago, *Chi* cierre *m* eclair, *AmC*, *Méj*, *Ven* zíper *ing.m.*

지평(地平) ① [대지의 평면] nivel *m* del suelo. ② =(준말) =지평선.

지평선(地平線) horizonte *m*; [접한] línea *f* horizontal.

지폐(紙幣) papel *m* moneda, billete *m* (de banco).

지표(地表) superficie *f* terrestre, superficie *f* de la tierra.

지표(指標) índice *m*; [경제의] indicador *m* económico, barómetro *m* económico.

지푸라기 pajas *fpl*.

지프 jip *m*, yip *m*, jeep *ing.m.*

지피다¹ [영(靈)이 내려 뭇 것을 알 게 되다] obtener inspiración del poder divino, ser inspirado.

지피다² [아궁이·화덕 등에 땔나무 를] encender fuego, hacer fuego, echar a fuego, quemar. 장작을 ~ echar [añadir] leña al fuego.

지하(地下) ① [땅의 속] subterráneo *m*. ~의 subterráneo; [매장된] enterrado. ~에 bajo la tierra, debajo de (la) tierra, bajo de césped, en la sepultura. ② =저승. ③ [사회·정치 운동에서의] clandestinidad *f*, secreto *m*. ~의 clandestino, secreto. ¶ ~ 경제 economía *f* clandestina. ~도 paso *m* subterráneo, pasaje *m* subterráneo, camino *m* subterráneo; [넓은] calzada *f* subterránea. ~ 상가 centro *m* comercial subterráneo. ~수 aguas *fpl* subterráneas. ~실 ⑦ [지면보다 낮은 방] habitación *f* subterránea. ② [땅밑] sótano *m*; [석탄 저장용의] carbonera *f*; [포도주 저장용의] bodega *f*, cueva *f*; [시체 안치의] hipogeo *m*. ~ 자원 recursos *mpl* subterráneos.

지하철(地下鐵) ((준말)) =지하 철도. ¶ ~로 가다 ir [viajar] en metro [*RPl* subte(rráneo)]. ~를 타다 coger [tomar] el metro, *RPl* tomar el subte. ~을 내리다 bajarse del metro [*RPl* del subte]. ¶ ~역 estación *f* de metro.

지하 철도(地下鐵道) metro *m*, ferrocarril *m* subterráneo, *RPl* subte *m*, subterráneo *m*.

지향(指向) aspiración *f*; [경향] propensión *f*, inclinación *f*; [방향] dirección *f*, orientación *f*. ~하다 aspirar, orientarse. ~성 dirección *f*. ~성 안테나 antena *m* direccional.

지혈(止血) hemostasis *f*, hemostasia *f*. ~하다 contener [cortar] la hemorragia. ~의 hemostático. ~ 작용 anastalsis *f*. ~제 hemostático *m*. ~증 lipidemia *f*.

지협(地峽) istmo *m*. ~의 ístmico.

지형(地形) disposición *f* del terreno, configuración *f* terrestre, relieve *m* terrestre. ~도 carta *f* topográfica, topografía *f*. ~학 topografía *f*. ~학자 topógrafo, -fa *mf*.

지형(紙型) molde *m* [matriz *f*] de papel.

지혜(知慧) =슬기. 지혜(智慧)●.

지혜(智慧) inteligencia *f*, sabiduría *f*, entendimiento *m*, ingenio *m*, sagacidad *f*, capacidad. ~가 있는 inteligente, sagaz, perspicaz, ingenioso, sabio.

지휘(指揮) ① [지시해 일을 하도록 시킴] mando *m*, mandato *m*, comando *m*. ~하다 mandar. ② ((음악)) dirección *f*. ~하다 dirigir. ¶ ~ 계통 línea *f* [canal *m*] de mando. ~관 comandante *mf*. ~권 mando *m*, poder *m* (para mandar), autoridades *fpl* de mando. ~봉 ⑦ ((음악)) batuta *f*. ④ [지휘관 들이 손에 가지는 가는 막대] varilla *f*, vara *f*, bastón *m* de mando. ~소 ((군사)) puesto *m* de mando, puesto *m* de comando. ~자 ⑦ [지휘하는 사람] persona *f* que manda; jefe, caudillo *m*; capitán *m*; director, -tora *mf*; guiador, -dora *mf*; conductor, -tora *mf*. ④ ((음악)) director, -tora *mf*.

직(職) ((준말)) =관직. 직업. 직책. ¶ 대통령 ~ cargo *m* de presidente.

직각(直角) ((수학)) ángulo *m* recto. ~의 rectángular, perpendicular. ~으로 perpendicularmente. ¶ ~ 삼각형 triángulo *m* rectángular.

직각(直覺) ① [보거나 듣는 즉시로 바로 깨달음] intuición *f*. ~하다 intuir, conocer [saber] intuitamente. ② ((철학)) =직관(直觀).

직간(直諫) amonestación *f* directa, admonición *f* directa. ~하다 amonestar directamente.

직감(直感) intuición *f*, percepción *f* inmediata. ~하다 percibir inmediatamente.

직거래(直去來) transacción *f* directa, negociación *f* directa, operación *f* directa. ~하다 negociar, hacer negocios.

직격탄(直擊彈) balazo *m*, bomba *f* [bala *f*] directamente recibida.

직결(直結) conexión *f* directa. ~하다 estar unido directamente, tener relación directa, conectar directamente.

직계(直系) línea *f* directa. ~ 가족 familia *f* en línea directa.

직계(職階) =직급(職級). ¶ ~제 sistema *m* de clasificaciones de puestos, sistema *m* de clasificación de trabajo, jerarquía *f* (administrativa).

직공(職工) obrero, -ra *mf*; operario, -ria *mf*; artesano, -na *mf*; mecánico, -ca *mf*. ~장 mayoral *m*, capataz *m*, encargado, -da *mf* de los obreros..

직공(織工) tejedor, -dora *mf*.

직관(直觀) intuición *f*. ~하다 intuir. ~력 (facultad *f* de) intuición *f*, poder *m* de intuición, poder *m* intuitivo. ~설 intuicionismo *f*. 적 intuitivo. ~적으로 intuitivamente, por intuición. ~주의 intuicionismo *m*.

직구(直球) ((야구)) bola *f* [pelota *f*] recta, recta *f*. ~를 던지다 mandar, lanzar.

직권(職權) autoridad *f* (concedida), facultades *fpl*, atribuciones *fpl*, poder *m* oficial. ~으로 de oficio. ~에 의해 en virtud de *su* oficio. ¶~ 남용 abuso *m* de (la) autoridad. ~ 남용을 하다 abusar de *su* autoridad.

직급(職級) clasificaciones *fpl* de puestos, escalón *m* (de la jerarquía administrativa). ~제 sistema *m* de clasificaciones de puestos.

직급(職給) sueldo *m* según oficio.

직기(織機) telar *m*, máquina *f* de tejer.

직녀성(織女星) estrella *f* Vega.

직능(職能) función *f*. ~ 검사 prueba *f* de función. ~ 대표 representación *f* por profesión. ~ 대표제 sistema *m* de representación por profesión.

직답(直答) contestación *f* inmediata, respuesta *f* inmediata. ~하다 contestar [responder] inmediatamente.

직렬(直列) serie *f*. ~로 en serie.

직로(直路) camino *m* recto, camino *m* sin curvas.

직류(直流) ① [똑바로 흐르는 흐름] corriente *f* recta. ② ((준말)) =직류 전류. ¶~ 발전기 generador *m* [dínamo *m*] de corriente directa. ~ 전류 ㉮ ((물리)) corriente *f* directa. ㉯ ((전기)) corriente *f* continua.

직립(直立) ① [똑바로 섬] el ponerse en pie. ~하다 ponerse en pie, erguir, levantarse. ② [높이 솟아 오름. 또, 그 높이] elevación *f* alta. ~하다 elevar(se) alto. ③ =수직.

직매(直賣) venta *f* directa sin intermediarios, venta *f* en el mismo sitio. ~하다 vender directamente. ~소 depósito *m* [almacén *m*] de venta directa. ~점 tienda *f* de venta directa.

직면(直面) afrontamiento *m*. ~하다

encontrarse, hacer frente, encarar, afrontar, confrontar, acarear. 위험에 ~하다 afrontar peligros, hacer frente al peligro.

직명(職名) ① [직업의 이름] nombre *m* de una ocupación. ② [직함] título *m* oficial.

직무(職務) deber *m* (profesional), oficio *m*, cargo *m*, obligación *f* profesional; [일] función *f*, ocupación *f*, trabajo *m*; [지위] puesto *m*, posición *f*. ~상 por el oficio, por la exigencia de *su* cargo, por *su* oficio, por *su* función, profesionalmente. ¶~ 대리 interino, -na *mf*. ~ 태만 negligencia *f* del deber, negligencia *f* en cumplimiento del deber.

직물(織物) tejido *m*, tela *f*, géneros *mpl*, paño *m*. ~의 textil. ~ 공업 industria *f* textil. ~ 공장 fábrica *f* textil.

직배(直配) [배달] entrega *f* directa, entrega *f* sin trasbordos; [배급] distribución *f* directa. ~하다 entregar [distribuir] directamente.

직분(職分) deber *m*, obligación *f*; [본분] esfera *f*. ~을 다하다 cumplir con *su* obligación, desempeñar *sus* deberes.

직사(直射) ① [빛살이] 곧게 바로 비침] rayo *m* directo. ~하다 alumbrar directamente. ② [바로 대고 내쏨] fuego *m* frontal. ~하다 disparar frontalmente. ¶~ 광선 rayo *m* del sol, rayos *mpl* directos de la luz del sol.

직사각(直四角) cuadrado *m* regular. ~형 rectángulo *m*.

직선(直線) (línea *f*) recta *f*. ~의 rectilíneo. 일 ~으로 en línea recta. ~을 긋다 trazar una línea recta. ¶~ 거리 distancia *f* en línea recta.

직선제(直選制) sistema *m* de sufragio directo.

직설(直說) el habla *f* directa, franqueza *f*. ~하다 hablar directamente [francamente]. ~법 modo *m* indicativo. ~적 indicativo.

직성(直星) estrella *f* de la suerte según *su* edad. ~(이) 풀리다 estar satisfecho, estar contento.

직속(直屬) pertenencia *f* directa. ~하다 depender directamente, estar debajo, pertenecer directamente, estar bajo el control directo. ~의 bajo el control directo.

직송(直送) envío *m* directo. ~하다 enviar directamente.

직수입(直輸入) importación *f* directa. ~하다 importar directamente.

직수출(直輸出) exportación *f* directa. ~하다 exportar directamente.

직시(直視) mirada *f* a la cara, visión

f directa, mirada *f* sin obstáculo. ~하다 mirar sin obstáculo, mirar a la cara.

직언(直言) palabras *fpl* sin adornos, palabras *fpl* directas, palabras *fpl* francas. ~하다 hablar con franqueza, hablar sin rodeos, hablar sin reserva, decir cara a cara.

직업(職業) ocupación *f*; [전문의] profesión *f*, carrera *f*; [천부적인] vocación *f*; [일] trabajo *m*; [직무] oficio *m*; [지위. 직책] colocación *f*, empleo *m*. ~교육 educación *f* vocacional, enseñanza *f* [formación *f*] profesional. ~군인 militar *mf* [soldado, -da *f*] profesional; militar *mf* de carrera. ~병 enfermedad *f* profesional [ocupacional]. ~선수 profesional *mf*; jugador, -dora *mf* profesional; deportista *mf* profesional. ~소개소 agencia *f* [oficina *f*] de colocaciones. ~외교관 diplomático, -ca *mf* de carrera. ~의식 conciencia *f* profesional. ~학교 escuela *f* vocacional.

직역(直譯) traducción *f* literal [textual]; [축어역] metáfrasis *f*. ~하다 traducir literalmente.

직영(直營) gerencia *f* directa. ~하다 administrar [dirigir] directamente.

직원(職員) oficial *mf*; funcionario, -ria *mf*; empleado, -da *mf*; [사무원] oficinista *mf*; [집합적] personal *m*. ~록[명부] lista *f* del personal, lista *f* de funcionarios. ~일동 todos los miembros del personal, todo el personal.

직위(職位) posición *f*, puesto *m*.

직유법(直喩法) ((수사)) símil *m*.

직인(職人) artesano, -na *mf*; obrero, -ra *mf*; mecánico, -ca *mf*; operario, -ria *mf*; trabajador, -dora *mf* (manual). ~계급 artesanía *f*, artesanado *m*.

직인(職印) sello *m* oficial; [정부의] sello *m* gubernamental.

직임(職任) deberes *mpl* de un puesto.

직장(直腸) ((해부)) recto *m*, intestino *m* recto. ~의 recto, rectal. ~암 arquitis *f*, cáncer *m* de (intestino) rectal. ~염 proctitis *f*.

직장(職場) lugar *m* [puesto *m*] de trabajo, puesto *m*, trabajo *m*, empleo *m*; [사무소] oficina *f*; [공사장] taller *m*. ~을 지키다 perseverar en el puesto. ~을 포기하다 abandonar *su* puesto de trabajo.

직전(直前) inmediatamente [justo · justamente] antes (de), directamente al frente, un momento antes. 시험 ~에 justo antes del examen.

직접(直接) directamente; [즉시] inmediatamente, de inmediato; [일대일로] frente a frente, cara a cara; [스스로] personalmente, en persona. ~목적어 complemento *m* directo. ~선거 sufragio *m* directo, elección *f* directa. ~세 impuestos *mpl* directos. ~화법 narración *f* directa.

직제(職制) organización *f* del empleo.

직조(織造) tejido *m*. ~기 telar *m*. ~소 taller *m* textil.

직종(職種) tipo *m* [clase *f*] de ocupación.

직진(直進) ida *f* en dirección recta. ~하다 ir derecho, ir en dirección recta [directa].

직책(職責) responsabilidades *fpl* de la oficina, deberes *mpl*, deberes *mpl* del cargo, obligaciones *fpl* del cargo, deber *m* y responsabilidad.

직통(直通) ① [두 지점간에 장애가 없이 바로 통함] comunicación *f* directa. ~하다 comunicar directamente. ~으로 directamente. ② [열차 · 버스 등이 중도에서 갈아탈 필요 없이 통함] servicio *m* directo. ~하다 el servicio directo está abierto. ~전화 conferencia *f*, llamada *f* de larga distancia, llamada *f* interurbana, línea *f* directa; [미국과 러시아 간의] teléfono *m* rojo; [직통 전화] comunicación *f* directa.

직판(直販) venta *f* directa. ~하다 vender directamente.

직할(直轄) mando *m* directo, control *m* directo, jurisdicción *f* directa, dominio *m* inmediato, régimen *m* inmediato, supervisión *f* inmediata. ~의 bajo del control directo, bajo el dominio inmediato.

직함(職銜) título *m*.

직항(直航) navegación *f* directa. ~하다 [배가] ir directamente sin hacer escala, navegar directamente; [비행기가] ir en vuelo directo. ~로 línea *f* directa. ~선 buque *m* de vapor en directo, barco *m* directo. ~편 vuelo *m* directo.

직행(直行) ida *f* directa, viaje *m* sin parada. ~하다 ir directamente, viajar sin parada. ~버스 autobús *m* directo. ~열차 tren *m* directo.

직후(直後) inmediatamente después, directamente después. 점심 ~에 inmediatamente después de almorzar. 휴가 ~에 al terminar las vacaciones.

진(津) ① [풀이나 나무껍질의] resina *f*. 소나무의 ~ resina *f* de pino. ② [담뱃대의] nicotina *f*. 담배의 ~ alquitrán *m*, nicotina *f*.

진(陣) ① [병사의 대열] filas *fpl*; [진형] formación *f*. ② [군세가 머물러 둔치는 곳] posición *f*, campamento *m.* ~을 치다 acampar, tomar (una) posición. ③ [무리. 집단. 사람들] grupo *m.*

진(眞) ① [참] verdad *f.* ② [진리] verdad *f.* ③ [일시적이 아님. 변하지 않음] constancia *f.* ④ [순수함] pureza *f.*, autenticidad *f.* ⑤ [자연. 천연] naturaleza *f.*

진[1] [술의 한 가지] ginebra *f.*, gin *m.*

진[2] ((의류)) tejanos *mpl*, vaqueros *mpl*, jeans *ing. mpl.*

진가(眞假) la verdad y/o la falsedad, lo verdadero y/o lo falso. ☞진위

진가(眞價) valor *m* real, verdadero valor *m*, valor *m* intrínseco. 교육의 ~ valor *m* verdadero de la educación.

진간장(-醬) salsa *f* de soja añeja.

진갑(進甲) cumpleaños *m* sesenta y dos, aniversario *m* sesenta y dos de *su* nacimiento.

진객(珍客) huésped *m* extraordinario, huésped *f* extraordinaria.

진격(進擊) avance *m*, marcha *f* atacante, ataque *m*, asalto *m.* ~하다 avanzar, atacar, asaltar.

진공(眞空) ① ((물리)) vacío *m*, vacuo *m.* ~의 vacío. ② ((불교)) fenómeno *m* vacío. ¶~관 tubo *m* de vacío, tubo *m* al vacío, tubo *m* electrónico, válvula *f* electrónica, válvula *f* de vacío, lámpara *f* electrónica, lámpara *f* termiónica, válvula *f* termiónica. ~ 청소기 aspiradora *f*, aspirador *m* al vacío.

진국(眞一) ① [고지식함. 또 그러한 사람] seriedad y conciencia; [사람] persona *f* muy seria y concienzuda, persona *f* honrada [genuina]. ② [전(全)국] licor *m* sin diluir, salsa *f* de soja [soya].

진군(進軍) marcha *f*, avance *m.* ~하다 marchar, avanzar, invadir. ~가 marcha *f.* ~ 나팔 trompeta *f* de avance, trompeta *f* de combate.

진귀하다(珍貴-) (ser) raro y precioso, valioso.

진급(進級) promoción *f*, ascenso *m.* ~하다 ascender, pasar, ser promovido al grado superior. ~시키다 hacer pasar al grado superior, promover. ¶~ 시험 examen *m* de promoción.

진기하다(珍奇-) (ser) raro, curioso, extraño, fantástico.

진날 día *m* lluvioso, día *m* húmedo.

진노(震怒) ira *f*, cólera *f*, enfado *m*, enojo *m.* ~하다 enfadar, enojar.

진눈[1] [짓무른 눈] ojos *mpl* empañados [legañosos].

진눈[2] [물기가 섞인 눈] aguanieve *f*, nieve *f* mezclada con nieve; [젖은 눈] nieve *f* húmeda.

진눈깨비 chubascos *mpl* de nieve, aguanieve *f*, *AmC* escarchilla *f.* ~

가 내린다 Cae aguanieve.

진단(診斷) diagnóstico *m*; [진단법] diagnosis *f.* ~하다 diagnosticar, dar [hacer] una diagnosis. ~서 certificado *m* médico. ~학 diagnóstica *f*, patognomia *f.*

진달래 ((식물)) azalea *f.* ~꽃 flor *f* de la azalea.

진담(珍談) anécdota *f* divertida [curiosa], historia *f* [noticia *f*] interesante, aventura *f*, nuevas *fpl*, suceso *m* pintoresco.

진담(眞談) el habla *f* seria [solemne].

진도(進度) grado *m* de progreso. ~가 빠르다 avanzar con rapidez. ~가 늦다 avanzar con lentitud.

진도(震度) grado *m* sísmico, intensidad *f* sísmica, magnitud *f.* ~ 7의 강진 terremoto *m* fuerte de siete grados de intensidad. ~계(計) sismógrafo *m.*

진동(振動) vibración *f*, [전자 운동] oscilación *f.* ~하다 vibrar, oscilar. ~계 vibrómetro *m.* ~수 número *m* de vibración, frecuencia *f.* ~판 diafragma *m.* ~ 회로 circuito *m* de vibración.

진동(震動) temblor *m*, tremor *m*; [탈것의] traqueteo *m.* ~하다 temblar, retemblar, tembalearse.

진두(陳頭) cabeza *f* de un ejército, frente *m* al enemigo, lugar *m* expuesto a los flechazos enemigos. ~ 지휘 mando *m* ejercitado por la cabeza de un ejército.

진드기 ((동물)) garrapata *f*, rezno *f*, ácaro *m.* ~ 같은 사람 gorrón, -rrona *mf*; percebe *m*; pegote *m.*

진득거리다 ① [자꾸 차지게 들러붙다] (ser) pegajoso, engomado, adhesivo. ② [검질겨] (ser) terco, testarudo, tozudo.

진득하다 tener paciencia. 진득하게 seriamente, modestamente. 진득이 seriamente, modestamente, tranquilamente, formalmente, pacientemente, con paciencia.

진딧물 ((곤충)) pulgón *m.*

진땀(津-) sudor *m* grasiento. ~(을) 빼다 preocuparse. ~(이) 나다 sufrir [padecer] grandes privaciones.

진력(盡力) esfuerzo *m*, intento *m.* ~하다 esforzar (por + *inf*), hacer un esfuerzo (por + *inf*), intentar por todos los medios (+ *inf*). ~ 나다 (ser) tedioso, aburrido, fastidioso. ~ 내다 aburrirse, hastiarse.

진로(進路) camino *m*, rumbo *m*, ruta *f*, paso *m*, carrera *f.* ~가 잘못 되다 desviarse del rumbo. ~를 막다 impedir el paso. ~를 바꾸다 virar, cambiar de rumbo, cambiar de dirección. ~를 정하다 tomar el rumbo.

진료(診療) tratamiento *m* médico. ~

하다 diagnosticar y tratar, dar el tratamiento médico. ~소 [사립의] clínica *f*, [학교·공장 등의] enfermería *f*, farmacia *f*, [무료의] dispensario *m*. ~ 시간 hora *f* de consulta. ~실 sala *f* de consulta.

진루(進壘) avance *m*. ~하다 avanzar. 1루에 ~하다 avanzar a la primera base.

진리(眞理) ① [참. 진실] verdad *f*. ② [참된 이치·도리] razón *f* verdadera. ¶ ~ 탐구 búsqueda *f* de la verdad.

진맥(診脈) ((한방)) pulso *m*. ~하다 tomar el pulso.

진면목(眞面目) *su* verdadero carácter. ~을 발휘하다 revelar [develar·desvelar] *su* verdadero carácter.

진묘하다(珍妙一) (ser) raro, extraño, curioso, cómico, ridículo, chistoso, excéntrico, gracioso.

진문(珍問) pregunta *f* extraña [extraordinaria]. ~ 진답 la pregunta incomprensible y la respuesta incomprensible.

진문(珍聞) rumor *m* precioso, noticia *f* curiosa, suceso *m* interesante y raro, noveleta *f* curiosa, novedad *f*.

진물 secreciones *fpl* de llaga. ~이 나다 salir (secreciones de) llaga.

진미(珍味) sabor *m* exquisito. 계절의 ~ todas las exquisiteces de la estación.

진미(眞味) ① [참된 맛] sabor *m* verdadero. ② [진정한 취미] gusto *m* auténtico.

진배없다 (ser) igual, equivalente, similar, tan bueno como. 새것이나 ~ ser tan bueno como nuevo.

진범(眞犯) (준말) =진범인(眞犯人).

진범인(眞犯人) culpable *m* verdadero, culpable *f* verdadera.

진보(進步) progreso *m*, progresión *f*, desarrollo *m*, adelanto *m*, avance *m*, adelantamiento *m*. ~하다 progresar, adelantar, hacer adelantos, hacer progresos, desarrollarse, avanzar, mejorarse. ~당 Partido *m* Progresista. ~적 progresivo, progresista, progresado, adelantado. ~주의 progresismo *m*. ~주의 자 progresista *mf*.

진보라(津一) violeta *f*, violado *m*.

진본(珍本) libro *m* raro.

진본(眞本) (copia *f*) original *f*, original *m*.

진부(眞否) verdad o falsedad, autenticidad *f*, verdad *f*. ~를 확인하다 cerciorarse de si es verdad o no.

진부하다(陳腐一) (ser) muy usado, gastado, pasado, añejo, viejo, rancio, anticuado, trivial.

진분수(眞分數) fracción *f* propia.

진사(辰砂) (광물) cinabrio *m*.

진상(眞相) verdad *f*, estado *m* real, estado *m* verdadero de un asunto, condición *f* verdadera de un asunto. ~ 조사 investigación *f*.

진상(進上) donación *f*. ~하다 donar.

진서(珍書) libro *m* raro, escritura *f* rara. ~를 구하다 obtener un libro raro.

진선미(眞善美) verdad, bondad y belleza; lo verdadero, lo bueno y lo bello.

진선진미(盡善盡美) lo perfecto, lo excelente, lo virtuoso y lo bello. ~하다 (ser) perfecto, excelente, virtuoso y bello.

진성(眞性) ① [천부적인 성질] carácter *m* natural. ② [순진한 성질] carácter *m* inocente. ③ ((불교)) naturaleza *f* verdadera, naturaleza *f* fundamental de cada individuo, naturaleza *f* de Buda. ④ ((의학)) caso *m* real. ~의 genuino, verdadero. ¶ ~ 뇌염 encefalitis *f* genuina. ~ 콜레라 cólera *m* asiático [genuino].

진솔하다(眞率一) (ser) verdadero y franco.

진수(珍羞) comida *f* rara, la comida más sabrosa [rica·deliciosa]. ~성 찬 buena comida *f*, gran comida *f*, comida *f* (muy) lujosa.

진수(眞數) antilogaritmo *m*.

진수(眞髓) esencia *f*, quintaesencia *f*, alma *f*, meollo *m*, lo mejor.

진수(進水) lanzamiento *m*, botada *f*, botadura *f*. ~하다 ser lanzado. ~ 시키다 lanzar (un barco), botar [echar] (un barco) al agua. ¶ ~대 botador *m*. ~식 botadura *f* (de un barco), ceremonia *f* de lanzamiento.

진술하다(陳述一) declaración *f*. ~하다 declarar, dar cuenta, manifestar, expresar; ((법률)) prestar declaración. ~서 declaración *f* escrita, declaración *f* jurada, escrito *m* de declaración redactado por una persona salvo el procesado. ~자 declarante *mf*. ~ 조서 escrito *m* de declaración de una persona salvo el procesado.

진실(眞實) verdad *f*, realidad *f*, sinceridad *f*, hecho *m*. ~하다 (ser) verdadero, verídico, de veras, sincero, ingenuo, genuino. 진실한 친 구 verdadero amigo *m*, verdadera amiga *f* ~을 말하다 decir la verdad. ¶ ~로 verdaderamente, realmente, de veras, en verdad, sinceramente.

진심(眞心) sinceridad *f*, verdadero corazón *m*, buena fe *f*, fidelidad *f*, todo corazón *m*, corazón *m* verdadero sin falsedad. ~으로 de todo corazón, con todo corazón, con verdadero corazón, fielmente, cordialmente, sinceramente, enca- recidamente con toda el alma.

진압(鎭壓) supresión f, represión f, sofocación f, sujeción f. ~하다 suprimir, oprimir, reprimir, sofo- car, sojuzgar, sujetar, dominar, deprimir, abatir. 폭도를 ~하다 sojuzgar el tumulto. 폭동을 ~하다 sofocar el motín.

진앙(震央) epicentro m, centro m sísmico.

진액(津液) ① [생물체 내에서 생겨나 는 액체] resina f, savia f, jugo m. ~이 나는 resinoso, jugoso. ② [즙 을 증발 농축한 것] extracto m.

진언(眞言) ① [참된 말] palabra f verdadera. ② ((불교)) palabra f de Buda, palabra f verdadera, palabra f sincera. ③ =주문(呪文).

진언(進言) consejo m, proposición f. ~하다 aconsejar, dar consejo. ~ 을 듣다 escuchar los consejos, tomar en cuenta.

진열(陳列) exhibición f, exposición f, muestra f. ~하다 exponer, exhibir, mostrar. ~관 pabellón m de ex- posiciones. ~대 mostrador m. ~ 실 sala f [salón f] de exposicio- nes. ~장 vitrina f. ~창 escapara- te m.

진영(陣營) campamento m, campo m.

진용(陣容) formación f, disposición f, [구성원] personal m. ~을 정비하 다 [회사 등의] fortalecer el perso- nal.

진원(震源) hipocentro m, centro m sísmico.

진원지(震源地) =진원(震源).

진위(眞僞) verdad o falsedad, verdad f, autenticidad f, falsificación f. ~ 를 조사하다 indagar la autentici- dad. ~를 확인하다 cerciorarse de la veracidad.

진의(眞意) ① [참뜻] voluntad f ver- dadera, verdadera intención f, motivo m real. ② [진실한 의의] significación f verdadera, sentido m verdadero, sentido m real.

진인[1](眞人) [참털 도를 체득한 사람] hombre m verdadero [perfecto].

진인[2](眞人) ((불교)) Buda m.

진일보(進一步) más avance m. ~하 다 avanzar un paso más.

진입(進入) entrada f, penetración f. ~하다 entrar, penetrar, introducir- se. ~ 금지 ((게시)) No entrar / Prohibido entrar / No entre(n). ~로 [비행장의] ruta f [vía f] de acceso [de aproximación], trayec- toria f de aterrizaje.

진자(振子) péndulo m, péndola f.

진자리 ① [아이를 금세 난 그 자리] el lugar que un niño acaba de

nacer. ② [아이들이 오줌·똥을 싸 서 축축하게 된 자리] el lugar húmedo que un niño orina o excrementa. ③ [사람이 갓 죽은 바로 그 자리] el mismo lugar que un hombre acaba de morir. ④ [바 로 그 자리. 당장] el lugar, el sitio; [즉석에서] de manera improvisada.

진작 más temprano.

진작(振作) estímulo m; [경제의] es- timulación f. ~하다 despertar, estimular. 사기를 ~시키다 provo- car la moral (de las tropas).

진재(震災) desastre m del terremoto, desastre m [catástrofe m] causado por el terremoto.

진저리 estremecimiento m, escalofrío m. ~(가) 나다 fastidiarse, estar hasta la coronilla, estar hasta la punta de los pelos. ~(를) 치다[내 다] estremecerse.

진적(珍籍) =진서(珍書).

진전(進展) progreso m, desarrollo m, evolución f, [확장] expansión f. ~ 하다 progresar, desarrollarse, evo- lucionar. 업무의 ~ expansión f de operaciones.

진절머리 aburrimiento m, hastío m, cansancio m, fastidio m. ~(가) 나 다 aburrirse, cansarse, fastidiar, hartarse.

진정(眞正) autenticidad f, sinceridad f. ~ (ser) auténtico, sincero, genuino, verdadero, real, puro. ~ 하게 auténticamente, sinceramente, genuinamente, verdaderamente. ~ 한 기쁨 verdadero placer m.

진정(眞情) sentimiento m verdadero [genuino], sinceridad f, corazón m verdadero. ~이 담긴 lleno de sin- ceridad, de una sinceridad profun- da.

진정(陳情) petición f, súplica f, re- querimiento m. ~하다 pedir, su- plicar, requerir. ¶ ~서 petición f (escrita), instancia f, declaratoria f, memorial m.

진정(進呈) donación f, presentación f. ~하다 donar, presentar, ofrecer, regalar, obsequiar.

진정(鎭定) pacificación f, apacigua- miento m, calma f, paz f, supre- sión f. ~하다 pacificarse, apaci- guarse, calmarse. ~시키다 apaci- guar, aquietar, calmar, tranquilizar.

진정(鎭靜) calma f, tranquilidad f, serenidad f, sosiego m, pacifica- ción f. ~하다 ponerse en calma, pacificarse, aquietarse, apaciguar- se, sosegarse, tranquilizarse, redu- cirse a sumisión. ~시키다 paci- ficar, apaciguar, sosegar, calmar; [통증을] mitigar. ¶ ~제 medicina f calmante, calmante m, sedativo m, sedante m; [신경 안정제] tranquilizante *m*.

진종일(盡終日) ① [온종일] todo el día. ② [부사적] durante todo el día, de sol a sol; [아침부터 저녁까지] de la mañana a la noche.

진주(眞珠/珍珠) ① perla *f*. ② ((성경)) piedra *f* preciosa. 모조 ~ perla *f* de imitación. 분홍색 ~ perla *f* rosa. 양식 ~ perla *f* cultivada. 인공 ~ perla *f* artificial. 흑 ~ perla *f* negra. ~ 양식장 criadero *m* de madreperlas. ~조개 madreperla *f*, ostra *f* perlífera, nácar *m*. ~패(貝) madreperla *f*.

진주(進駐) ocupación *f* (militar). ~하다 ocupar militarmente. n.

진중(珍重) preciosidad *f*. ~하다 (ser) valioso, precioso, preciado.

진중(陣中) en el campamento.

진중하다(鎭重―) (ser) dulce, delicado, tierno.

진지 comida *f*.

진지(陣地) campamento *m*, posición *f*. ~를 공격하다 atacar una posición. ~를 방어하다 defender una posición.

진지하다(眞摯―) (ser) sincero, serio, grave, formal. 진지하게 serio, seriamente, sinceramente, con mucha gravedad, con toda seriedad, con verdadera seriedad, con la mayor formalidad. 진지한 얼굴로 con una cara seria.

진진하다(津津―) estar repleto, estar rebosante, estar desbordante, estar lleno. 맛이 ~ ser de buen gusto.

진짜 ① [거짓·위조가 아닌 참된 물건] artículo *m* genuino, artículo *m* real, original *m*. ~의 auténtico, genuino, real, verdadero. [인공에 대한] natural. ② ((속어)) [거짓이 아닌 사실] verdad *f*. ③ [거짓없이] sin mentira; [정말로] verdaderamente.

진찰(診察) reconocimiento *m* médico, consulta *f* (médica), examen *m* de médico; [진단] diagnosis *f*. ~하다 examinar, ver un paciente; [진단하다] diagnosticar. ~권 tarjeta *f* de consulta. ~비[료] honorarios *mpl* de consulta. ~시간 horas *fpl* de consulta, horario *m* de consulta. ~실 consultorio *m*, consulta *f*, sala *f* de consulta. ~일 día *m* de consulta.

진창 barro *m*, fango *m*, lodo *m*, cieno *m*. ~길 camino *m* lleno [cubierto] de barro, camino *m* fangoso [lodoso].

진척(進陟) ① [일이 진행되어 감] adelanto *m*, avance *m*, marcha *f*, progreso *m*. ~된 아이디어 idea *f* avanzada. ~시키다 hacer progresar, llevar adelante. ② [벼슬이 올

라감] promoción *f*. ~하다 ascender, elevarse, promover.

진출(進出) avance *m*, salida *f*, expansión *f*, extensión *f*. ~하다 avanzar, salir, surgir, invadir. 해외에 ~하다 [기업 등이] extender sus actividades al extranjero.

진취(進取) progreso *m*, desarrollo *m*, evolución *f*. ~적 progresivo, activo, espiritoso, enérgico. ~적 기상 espíritu *m* progresivo.

진취(進就) progreso *m* gradual. ~하다 progresar [avanzar] gradualmente. ~성 espíritu *m* progresivo.

진치다(陣―) tomar *su* posición, ponerse, instalarse.

진탕(―宕) concusión *f*, conmoción *f*, sacudida *f*. ~이 되다 recibir una sacudida, conmoverse.

진토(塵土) el polvo y la tierra.

진통(陣痛) contracción *f* uterina, dolores *mpl* del parto, contracciones *fpl* del parto.

진통(鎭痛) ataralgesia *f*, odinolisis *f*. ~제 analgésico *m*., anodino *m*.

진퇴(進退) ① [나아감과 물러섬] avance *m* y retirada, progreso *m* y retroceso. ~를 결정치 못하다 no saber cuál camino tomar, estar entre dos aguas. ② [행동거지] conducta *f*, movimiento *m*, proceder *m*, comportamiento *m*. ③ [직무상의 거취] dimisión *f* y permanencia en la oficina. ~를 같이 하다 acompañar *su* suerte. ¶ ~ 양난(兩難) dilema *m*. ~ 양난이다 hallarse en un dilema, encontrarse [verse] entre la espada y la pared, estar en trence apurado, no tener escapatoria.

진펄 campo *m* extenso de cieno.

진폐(塵肺) coniotoxicosis *f*. ~증 neumonoconiosis *f*.

진폭(振幅) amplitud *f* (de vibración).

진품(珍品) objeto *m* raro, objeto *m* curioso, rareza *f*, curiosidad *f*.

진품(眞品) artículo *m* auténtico.

진풍경(珍風景) escena *f* curiosa, espectáculo *m* raro.

진하다(盡―) ① [다하여 없어지다] estar agotado [exhausto], agotarse. ② [극한에 이르다] llegar al (último) límite.

진하다(津―) ① [액체의 농도가 높다] (ser) fuerte, cargado, espeso, puro, denso; [기름기가 많은] graso. 진하게 espesamente; [술이] fuertemente; [커피 등이] cargadamente, fuertemente. 진한 맛 sabor *m* pesado. 진한 수프 sopa *f* pesada. 진한 빛[화장이] (ser) intenso, subido, oscuro.

진학(進學) ① [학문의 길에 나아가 닦음] entrada *f* en estudios. ~하다 entrar en estudios. ② [상급 학

교로 나아감] entrada *f* en una escuela de grado superior. ~하다 entrar en la escuela superior. 대학에 ~하다 ir [pasar] a la universidad, entrar [ingresar] en la universidad.

진행(進行) progreso *m*, avance *m*, marcha *f*. ~하다 avanzar, marchar, progresar, adelantar. 병의 ~ progreso *m* de una enfermedad. ~ 중인 공사 obras *fpl* en marcha, obras *fpl* en curso. ¶ ~성 progresividad *f*. ~형 forma *f* progresiva.

진형(陣形) formación *f* de campaña.

진혼(鎭魂) reposo *m* del alma. ~곡 réquiem *m*. ~ 미사 misa *f* de réquiem. ~ 미사곡 réquiem *m*. ~제 fiesta *f* (de las almas) de los difuntos.

진홍(眞紅) ((준말)) =진홍색.

진홍색(眞紅色) carmesí *m*. ~의 carmesí. ~으로 물들이다 teñir de carmesí.

진화(進化) evolución *f*. ~하다 evolucionar. ~론 evolucionismo *m*, darvinismo *m*, darwinismo *m*, teoría *f* de la evolución. ~론자 evolucionista *mf*; darvinista *mf*; darwinista *mf*. ~설 darvinismo *m*, evolucionismo *m*.

진화(鎭火) extinción *f*. ~하다 apagar el fuego, apagar el incendio, extinguir. ~되다 apagarse, extinguirse.

진흙 ① [빛깔이 붉고 차진 흙] arcilla *f*. ~ 덩어리 trozo *m* de arcilla. ② [질척질척하게 짓이겨진 흙] barro *m*, fango *m*, lodo *m*, cieno *m*. ¶ ~땅 ciénaga *f*. ~ 요법 fangoterapia *f*. ~탕 barro *m*, fango *m*, lodo *m*; [늪 따위의] cieno *m*; [진창] barrizal *m*, cenagal *m*.

진흥(振興) fomento *m*, estímulo *m*, promoción *f*, desarrollo *m*. ~하다 fomentar, estimular, promover.

질 barro *m* (cocido). ~ 술잔 copita *f* de barro cocido.

질(帙) ① [여러 권으로 된 책의 한 벌] colección *f*. ② [책의 권수의 차례] orden *m* del número de volúmenes. ③ [책갑] caja *f* de doblar para los libros, faja *f* de libros.

질(秩) grado *m* del puesto oficial.

질(質) ① [물건이 성립하는 근본 바탕] cualidad *f*, calidad *f*. ~이 좋은 de buena cualidad. ~이 나쁜 de mala cualidad, de cualidad inferior. ② [타고난 성질] naturaleza *f*, carácter *m*. ~이 좋은 de buen carácter. ~이 나쁜 de mal carácter; [악성의] maligno.

질(膣) vagina *f*. ~의 vaginal. ~검사 vaginoscopia *f*. ~벽 pared *f* vaginal. ~염 vaginitis *f*, colpitis *f*, inflamación *f* de la vagina.

질감(質感) sentimiento *m* característico.

질겁하다 (quedarse) estupefacto, atónito, pasmado, asustarse.

질경거리다 seguir masticando.

질경질경 masticando ruidosamente. ~ 씹다 masticar ruidosamente, mascar, mosticar, morder.

질경이 ((식물)) quinquenervia *f*, lancéola *f*.

질권(質權) derecho *m* de prenda. ~ 설정자 depositario, -ria *mf*; prendador, -dora *mf*.

질그릇 vasila *f* de barro cocido.

질근질근 ① [새끼·노 등을 느릿느릿 꼬는 모양] lentamente, ociosamente. ② =질경질경.

질금거리다 correr, salir un hilito, irse escurriendo.

질기다 ① [섬유질이] (ser·estar) duro, sólido. 이 쇠고기는 무척 ~ Esta carne de vaca está muy dura. ② [물건이나 성질이] (ser) durable, resistente, fuerte; [성질이] tenaz, fuerte. 질긴 옷감 tela *f* durable, tela *f* resistente.

질기와 teja *f* de barro cocido.

질끈 fuerte, bien. ~ 동여매야 한다 Hay que atarlo fuerte.

질녀(姪女) sobrina *f*.

질다 ① [반죽한 것이] (ser) suave, acuoso. 밥이 ~ El arroz es muy suave. ② [땅이] (ser) cenagoso, barroso, lodoso, fangoso, estar lleno [cubierto] de lodo [barro]. 진 길 camino *m* cenagoso. 진 땅 tierra *f* cenagosa.

질량(質量) ((물리)) masa *f*. ~ 단위 unidad *f* de masas. ~ 불변의 법칙 ley *f* de conservación [la constancia] de las masas.

질러가다 ir por atajo, ir por el camino más cercano [corto].

질러오다 venir por atajo, venir por el camino más cercano [corto].

질리다 ① [전력나서 귀찮은 느낌이 들다] cansarse, hartarse, aburrirse. ~ 듣는 데 ~ cansarse [hartarse·aburrirse] de oír. ② [기가] encogerse. 새파랗게 ~ ponerse blanco, ponerse pálido, estar pálido [lívido], palidecer.

질문(質問) pregunta *f*; [경찰관·시험관의] interrogación *f*; [의회 등의] interpelación *f*. ~하다 preguntar, hacer una pregunta; [경찰관·시험관의] interrogar; [의회 등에서] interpelar. ~ 공세 aluvión *m* de preguntas. ~서 preguntas *fpl* escritas, interrogación *f* escrita, cuestionario *m*. ~자 interrogador, -dora *mf*; interrogante *mf*.

질병(疾病) enfermedad *f*, afección *f*, problema *m*, dolencia *f*. 소화기 계통의 ~ un problema [una afección] del aparato digestivo. ¶ ~ 보험 seguro *m* de enfermedad. ~ 수당 [병가 중의] salario *m* que se percibe mientras se está con permiso por enfermedad.

질부(姪婦) esposa *f* de *su* sobrino.

질빵 mochila *f*. ~을 지다 tener una mochila.

질사(窒死) muerte *f* por asfixia. ~하 다 morir asfixiado.

질산(窒酸) ((화학)) ácido *m* nítrico.

질색(窒塞) [몹시 싫거나 놀라서 기막힐 지경에 이름] aborrecimiento *m*, detestación *f*. ~이다 ser débil [flaco]. 나는 고기가 딱 ~이다 Yo detesto [aborrezco] la carne.

질서(秩序) orden *m*. ~ 있는 ordenado, metódico, regular, sistemático. ~ 없는 desordenado, desarreglado. ~ 정연하게 con orden, ordenadamente, de buen orden. ~ 없이 en desorden, sin pies ni cabeza. ~가 문란하다 estar en desorden, estar desordenado, estar fuera de orden. ~가 정연하다 estar en orden.

질소(窒素) nitrógeno *m*, ázoe *m*. ~ 비료 abono *m* nitrogenado, fertilizante *m* nitrogenado.

질시(嫉視) mirada *f* de envidia. ~하 다 envidiar, mirar con envidia. ~ 반목하다 recelo y sospecha. ~ 반목하 다 mirarse con recelo y sospecha.

질식(窒息) sofocación *f*, asfixia *f*, sofoco *m*. ~하다 asfixiarse, sofocarse. ~시키다 asfixiar, sofocar, producir asfixia. ¶ ~사 muerte *f* por asfixia. ~사하다 morir por asfixia.

질의(質疑) pregunta *f*; [국회 등의] interpelación *f*. ~를 끝마치다 poner fin a las interpelaciones.

질적(質的) cualitativo. ~으로 cualitativamente.

질주(疾走) carrera *f* tendida. ~하다 correr con rapidez [a toda velocidad]; [말이] galopar.

질질거리다 ① [치신없이 쏘대다] vagar, deambular, vaguear, holgazanear. ② [질질 울다] lloriquear.

질책(叱責) represión *f*, reprimenda *f*. ~하다 reprender, vituperar, regañar. 엄한 ~을 받다 recibir duras reprimendas.

질척거리다 (estar) lleno [cubierto] de barro [de lodo].

질타(叱咤) reprimenda *f*, regañina *f*. ~하다 reprender, regañar.

질투(嫉妬/嫉妒) celos *mpl*, envidia *f*. ~하다 estar celoso, tener celos, sentir celos, envidiar, ponerse celoso. ¶ ~심 celos *mpl*. ~심을 일으키다 dar [excitar] celos. ~심을 품다 estar celoso, tener envidia.

질퍼덕거리다 (ser) fangoso, húmedo y mullido.

질퍼덕하다 (estar) lleno [cubierto] de lodo.

질퍼리다 =질퍼덕거리다

질펵하다 (ser) muy suave y húmedo.

질펀하다 ① [땅이] extenso y llano. ② [게으름을 부리고 있다] (ser) holgazán, haragán, flojo, ocioso; [일꾼이] no tener trabajo, estar sin hacer nada.

질풍(疾風) ráfaga *f*, borrasca *f*, viento *m* violento; [돌풍] racha *f*, ventarrón *m*, huracán *m*. ~처럼 como el viento, como una ráfaga de viento.

질환(疾患) enfermedad *f*, problemas *mpl*, trastornos *mpl*. 호흡기 ~을 앓다 tener problemas respiratorios.

짊어지다 ① [등에] cargar al hombro, cargar sobre los hombros, cargar, llevar a la espalda, echarse sobre las espaldas, llevar a cuestas. 등에 ~ cargar(se) [poner] sobre [en · a] las espaldas. 배낭을 ~ cargar la mochila al hombro. ② [빚을] deber. 빚을 ~ deber, contraer deudas. ③ [책임을 지다] asumir, encargarse, cargar.

짐 ① [들거나 지거나 운송하도록 만든 물품] carga *f*; [뱃짐] cargo *m*; [수하물] equipaje *m*. ~을 싣다 cargar. ~을 내리다 descargar, desembarcar. ~을 풀다 desempaquetar, desempapelar, desenvolver, desembalar, desenfadar. ③ [부담. 책임. 임무] carga *f*.

짐꾼 cargador *m*, carguero *m*; [역·공항의] maletero *m*, mozo *m*; [항만의] cargador *m* de muelle.

짐마차(-馬車) carro *m*, carromato *m*. ~를 끌다 tirar un carro.

짐삯 =운임(運賃).

짐수레 carro *m*, carreta *f*; [손수레] carretilla *f* (de mano); [큰 것] carretón *m*; [공항의] carrito *m*.

짐스럽다 (ser) oneroso, pesado y torpe, problemático.

짐승 ① [네발짐승] bestia *f*, fiera *f*, bruto *m*; [동물] animal *m*. ~의 animal, bestial. ② [잔인하거나 야만적인 사람] persona *f* cruel, persona *f* bárbara. ~ 같은 brutal, bestial, cruel, bárbaro.

짐작 juicio *m*, conjetura *f* (infundada), indicio *m*, idea *f*, pista *f*, rastro *m*, huella *f*, noticia *f*. ~하다 conjeturar (a la ventura), adivinar, pronosticar.

짐짓 a [de] propósito, adrede, ex profeso, aposta, intencionalmente, deliberadamente, con intención. ~ 아는 체하다 darse por entendido.

짐짝 fardo *m*, lío *m*, paquete *m*,

bulto *m*; [면(綿)·모(毛)의] paca *f*.

집차(-車) camión *m*; [작은] camioneta *f*; [기차] vagón *m* [furgón *m*] de carga.

집 ① [사람의] casa *f*; [주거] vivienda *f*, residencia *f*, domicilio *m*, morada *f*; [아파트] piso *m*, *AmL* apartamento *m*. 넓은 ~ casa *f* grande. 좁은 ~ casa *f* pequeña. ~에 있다 estar en casa, quedarse en casa. ~에 돌아가다 [돌아오다] volver a casa, regresar a casa. ② [동물의] nido *m*, cubil *m*. 개~ perrera *f*. 새~ nido *m*. ¶~도 절도 없다 no tener ni casa ni hogar. ~도 절도 없이 sin casa ni hogar, sin hogar. 집과 계집은 가꾸기 탓 ((속담)) Un buen marido hace una buena mujer.

집게 tenazas *fpl*; [작은] tenacillas *fpl*; [철사를 끊는] alicates *mpl*; [빨래의] pinzas *fpl*.

집게발 pinzas *fpl* (del cangrejo).

집게벌레 tijereta *f*, cortapicos *m*.

집게손가락 dedo *m* índice.

집결(集結) concentración *f*, colección *f*. ~하다 concentrarse, conglomerarse, juntarse, reunirse. ~소 centro *m* de concentración.

집계(集計) total *m*, suma *f* total, totalidad *f*. ~하다 sumar, totalizar. 투표를 ~하다 sumar los votos, contar el número de votos.

집권(執權) toma *f* del poder. ~하다 tomar el poder, hacerse con el poder. ~당 partido *m* del [en el] poder, partido *m* del gobierno. ~자 gobernante *mf*.

집기(什器) utensilios *mpl*, enseres *mpl*, artículo *m* de moblaje. 사무용 ~ utensilio *m* [moblaje *m*] para oficina.

집념(執念) obsesión *f*, idea *f* fija, obstinación *f*, porfía *f*, empeño *m*. ~이 강한 obstinado, porfiado, tenaz; [앙심을 품고] rencoroso, vengativo.

집다 ① [손으로] tomar, prender. 손으로 ~ tomar en *su* mano, recoger, coger. ② [떨어진 것을] recoger [coger·alzar] (lo que estaba caído). 공을 ~ recoger la pelota. ③ [사이에 물건을 끼워서] prender, tomar. 손가락으로 ~ prender [tomar] con los dedos. 젓가락으로 ~ prender [tomar] con los palillos.

집단(集團) grupo *m*, agrupación *f*, masa *f*, colectividad *f*, comunidad *f*. ~을 이루다 formar [reunirse en] un grupo, agruparse. ¶~ 강도 [행위] bandolerismo *m*, bandidaje *m*, robo *m* en grupo; [사람] banda *f* de ladrones, bandoleros *mpl* organizados. ~ 농장 granja *f* colectiva, hacienda *f* colectiva; [소련의] koljoz *m*. ~ 이민 migración *f* en grupo [en masa]; [출국의] emigración *f* en grupo [en masa]; [입국의] inmigración *f* en grupo [en masa].

집대성(集大成) logro *m* de una síntesis. ~하다 lograr una síntesis, abrazar, integrar, comprender.

집도(執刀) operación *f* quirúrgica, práctica *f* de una operación quirúrgica. ~하다 operar quirúrgicamente, practicar una operación quirúrgica.

집들이 fiesta *f* de inauguración de una casa. ~하다 dar una fiesta de inauguración de una casa.

집무(執務) desempeño *m* del cargo [oficio·trabajo]. ~하다 atender al negocio, atender a *sus* deberes oficiales, trabajar. ~ 시간 horas *fpl* de oficina [trabajo·servicio].

집문서(-文書) escritura *f* [documento *m*] de casa.

집물(什物) [가구] muebles *mpl*; [집기] utensilios *mpl*, enseres *mpl*.

집배(集配) recogida *f* y reparto. ~하다 recoger y distribuir. ~원 cartero *m*.

집비둘기 paloma *f*.

집사(執事) ① [집 일을 맡아보는 사람] mayordomo, -ma *mf*; administrador, -dora *mf*; intendente, -ta *mf*. ② ((기독교)) [사람] diácono *m*, diaconisa *f*; [직] diaconato *m*. ~의 일을 보다 diaconar.

집사람 mi mujer, mi esposa.

집산(集散) reunión *f* y dispersión, distribución *f*. ~하다 reunirse y dispersarse, distribuirse. ~지 centro *m* distribuidor.

집산주의(集産主義) colectivismo *m*. ~자 colectivista *mf*.

집성(集成) colección *f*. ~하다 coleccionar, congregar, juntar.

집세(-貰) alquiler *m* (de la casa), arrendamiento *m*, arriendo *m*.

집시[1] [유랑 민족] gitanos *mpl*.

집시[2] ① [방랑 생활을 하는 일] vagabundeo *m*, vagabundaje *m*. ② [방랑 생활을 하는 사람] vagabundo, -da *mf*; bohemio, -mia *mf*; gitano, -na *mf*.

집안 ① [가족] familia *f*; [가정] hogar *m*; [친척] pariente, -ta *mf*. ~의 familiar, particular. ~ 행사 fiesta *f* familiar. 온 ~ toda la familia. ② [집 속] interior *m* de la casa; [부사적] dentro de la casa. ~에 en casa.

집약(集約) intensidad *f*, compendio *m*. ~하다 resumir, integrar, ser intensivo. ¶~ 농업 agricultura *f* intensiva, cultivo *m* intensivo.

집어넣다 insertar, meter, introducir.

집어등(集魚燈) lámpara *f* de pesca.

집어먹다 ① [손·젓가락 등으로] comer con la mano, servirse. 몰래 ~ comer a hurtadillas. ② [남의 물건을] comiscar.

집어삼키다 ① [입에] recoger y tragar. ② [남의 것을] usurpar.

집어 주다 ① [물건을] pasar. ② [녀물을] sobornar, cohechar, comprar.

집어치우다 [중지하다] parar, dejar de + *inf*; [포기하다] abandonar; [사직하다] dimitir, renunciar, presentar *su* dimisión [*su* renuncia]. 공부를 ~ dejar de estudiar, abandonar *su* estudio.

집오리 ((조류)) ánade *m* doméstico, pato *m* doméstico.

집요하다(執拗-) (ser) insistente, pertinaz, persistente, obstinado, terco, porfiado, tenaz, temoso. 집요하게 obstinadamente, con persistencia, tenazmente, tercamente, con tenacidad, insistentemente.

집적거리다 ① [경솔하게 이 일 저 일에 손을 대다] meterse, entrometerse, inmiscuirse. ② [말·행동으로 공연히 남을 건드리다] fastidiar, (hacer) rabiar, molestar, jorobar, atormentar, importunar. 여자를 ~ fastidiar a una mujer.

집중(集中) concentración *f* reconcentramiento *m*; [권력 등의] centralización *f*. ~하다 concentrar, centrar, centralizar. 권력을 ~하다 centralizar [concentrar] el poder. ¶ ~ 강의 curso *m* intensivo. ~ 공격 ataque *m* concentrado. ~ 사격 fuego *m* convergente, fuego *m* concetrado. ~ 폭격 bombardeo *m* por [de] saturación. ~ 호우 tromba *f* (concentrada) de agua torrencial.

집쥐 rata *f* casera.

집진(集塵) colección *f* de polvos. ~하다 coleccionar polvos.

집집 cada casa, todas las casas. ~을 방문하다 hacer una visita de casa en casa.

집착(執着) adhesión *f*, apego *m*. ~하다 adherirse excesivamente, apegarse obsesionadamente [exageradamente]. ~을 단념하다 renunciar al apego. 금전에 ~하다 apegarse mucho al dinero.

집채 (toda la) casa *f*. ~같다 ser tan grande como una casa. ~같은 파도 ola *f* (grande).

집터 terreno *m*, solar *m*, local *m*. ~를 닦다 nivelar el local [el solar · el terreno] para una casa.

집토끼 ((동물)) conejo *m*.

집표(集票) colección *f* [recogida *f*] concentración *f*] de billetes. ~하다 coleccionar [recoger · concentrar] billetes. ~원 recogedor, -dora *mf*

de billetes.

집필(執筆) escritura *f*. ~하다 escribir redactar. ~자 escritor, -tora *mf*, autor, -tora *mf*.

집하(集荷) concentración *f* de mercancías. ~하다 concentrar mercancías.

집합(集合) [한군데로 모임] reunión *f*, concurrencia *f*, agrupación *f*, colección *f*. ~하다 reunirse, agruparse, congregarse, acumular, coleccionar. ~시키다 reunir, juntar. 군대를 ~시키다 reunir el ejército. ② ((수학)) conjunto *m*. ¶ ~ 명사 nombre *m* colectivo. ~ 장소 lugar *m* de reunión, lugar *m* de cita, lugar *m* predilecto.

집행(執行) ① [일을 잡아 행함] ejecución *f*, realización *f*. ~하다 llevar a cabo, realizar. ② ((법률)) ejecución *f*. ~하다 ejecutar. ¶ ~ 관 alguacil *mf*. ~부 consejo *m* directivo, ejecutivo *m*. ~ 위원 ejecutivo, -va *mf*; comisionado, -da *mf*. ~ 위원회 comité *m* ejecutivo. ~ 유예 libertad *f* condicional, sentencia *f* en suspenso. ~ 정지 suspensión *f* de ejecución.

집형(執刑) ejecución *f* de sentencia. ~하다 ejecutar la sentencia.

집회(集會) [모임] reunión *f*; [회합] asamblea *f*, junta *f*; [요구·항의 등의] concentración *f*; [정치 연설의] mitin *m*. ~를 열다 celebrar una reunión, reunirse, celebrar una concentración, concentrarse. ¶ ~ 소 lugar *m* de reunión.

집히다 ① [집힘을 당하다] ser recogido. ② [생각이 나다] recordar, acordarse.

짓 [몸을 놀려 움직이는 일] acto *m*, obra *f*, hecho *m*, conducta *f*, movimiento *m*, manera *f* de proceder, además *m*, pose *m*; [몸짓] gesticulación *f*, gesto *m*.

짓궂다 (ser) travieso, juguetón, malicioso, picaresco, malhumorado; [공교롭다] sin suerte, desafortunado. 짓궂은 사람 persona *f* traviesa [picaresca · maliciosa].

짓누르다 apretar, comprimir; [억누르다] reprimir.

짓눌리다 apretarse, comprimirse, reprimirse.

짓다 ① [재료를 들여 만들다] hacer, confeccionar, manufacturar; [밥을] cocinar, guisar, hacer, preparar; [약을] preparar. 밥을 ~ hacer [preparar] el arroz blanco. ② [모양이 나타나도록 만들다] formar, expresar, parecer. 미소를 ~ sonreírse. ③ [글을 만들다] escribir, componer, hacer. 시를 ~ componer un poema. ④ [딱 정해서 확정된 상태로 만들다] poner fin, concluir, terminar, solucionar. 결말을 ~ concluir, solucionar, terminar, llegar a la conclusión. ⑤ [건물 등을 세우는 일을 하다] construir, edificar, hacer. 벽돌로 지은 집 una casa de ladrillo. ⑥ [농사를] cultivar, ladrar, trabajar. ⑦ [꾸며 내어 그렇게 만들다] inventar. ⑧ [범법을 짓는 일을 하다] cometer. 죄를 ~ cometer un delito, cometer un crimen.

짓무르다 inflamarse. 짓무른 눈 ojos *mpl* legañosos.

짓뭉개다 pisotear, pisar.

짓밟다 ① [마구 밟다] pisar, poner bajo los pies, hollar, pisotear. ② [함부로] humillar, pisotear. 명예를 ~ pisotear el honor.

짓밟히다 ser pisoteado, pisarse, ponerse bajo los pies.

짓이기다 machacar, machucar, amasar, agullar, aplastar, derrotar; [감자·바나나를] chafar, hacer puré. 짓이긴 감자 puré *m* de patatas. 감자를 ~ chapar las patatas.

징¹ [신장·말굽·쇠غ 등의] tachuela *f*, clavo *m* de herradura.

징² ((악기)) gongo *m*, gong *m*, batitín *m*. ~을 울리다 hacer sonar el gongo.

징검다리 pasadera *f*, estriberón *m*. ~ 연휴 días *mpl* festivos escalonados.

징검돌 pasadera *f*, piedras *fpl* escalonadas.

징계(懲戒) sanción *f*, castigo *m*, reprensión *f*. ~하다 sancionar, castigar, escarmentar. ~를 받다 ser castigado, ser disancionado. ¶ ~ 위원회 comité *m* disciplinario.

징그럽다 (ser) espeluznante, horripilante, pavoroso, horroroso, horrible, repulsivo, repelente, odioso, espantoso. 징그러운 광경 vista *f* repulsiva.

징글맞다 (ser) muy espeluznante, muy horripilante, muy repulsivo.

징글징글하다 (ser) espeluznante.

징모(徵募) alistamiento *f*, reclutamiento *m*, recluta *f*. ~하다 reclutar (tropas), alistarse.

징발(徵發) incautación *f*, requisa *f*, requisición *f*. ~하다 incautarse, requisar.

징벌(懲罰) castigo *m*, punición *f*, pena *f*, disciplina *f*. ~하다 castigar, punir, penar, disciplinar.

징병(徵兵) enlistamiento *m*, reclutamiento *m* (para el servicio militar obligatorio en casos de guerra), conscripción *f*, leva *f*. ~하다 enlistarse, reclutar, levar, llamar al servicio militar. ¶ ~ 검사 reconocimiento *m* para la conscripción.

징세(徵稅) recaudación *f* [recobro *m*]

de impuestos. ~하다 recaudar [cobrar] impuestos.

징수(徵收) percepción *f*, exacción *f*; [거둠] cobro *m*, cobranza *f*; [세금의] recaudación *f*. ~하다 percibir, recaudar.

징역(懲役) (encarcelamiento *m* con) trabajos *mpl* forzados. ~ 3년에 처하다 condenar a tres años de trabajos forzados. ¶ ~살이 vida *f* de prisión, vida *f* de cárcel, encarcelamiento *m*. ~살이를 하다 cumplir una pena de trabajos forzados, estar en la cárcel.

징용(徵用) conscripción *f*, reclutamiento *m* para el servicio militar obligatorio en casos de guerra. ~하다 reclutar (por fuerza), llamar a filas.

징조(徵兆) síntoma *m*, indicio *m*, presagio *m*, augurio *m*, agüero *m*. ~가 좋은 de buen augurio. ~가 나쁜 de mal augurio, siniestro.

징집(徵集) ① [물건을 거둬 모음] colección *f*, concurrencia *f*, reunión *f*. ~하다 coleccionar, reunir, juntar. ② [장정을 간발하여 보충함] conscripción *f*, reclutamiento *m*, enlistamiento *m*, leva *f*. ~하다 reclutar, enlistar, levar.

징징거리다 refunfuñar, gruñir, regañar, rezongar, murmurar, quejarse.

징크스 [불운. 불길] gafe *m*, cenizo *m*, mala suerte *f*, mal presagio *m*. ~를 깨다 romper mala suerte, deshacer el mal presagio.

징후(徵候) síntoma *m*, presagio *m*, augurio *m*, señal *f*, indicación *f*. ~가 있는 sintomático.

짖다 ① [개가] ladrar, gañir, soltar un ladrido. 개 짖는 소리 ladrido *m*, gañido *m*. 달을 보고 ~ ladrar a la luna. ② [까막까치가 시끄럽게 지저귀다] graznar. ③ =지껄이다.

질다¹ [재물이 넉넉하게 남는다] quedar abundantemente.

질다² ① [빛깔·화장 등이 진하다] (ser) obscuro, oscuro, subido (강렬한). 화장이 짙은 demasiado [muy] maquillado [pintado]. ② [안개·연기·냄새 등이] (ser) espeso, denso, concentrado. 짙은 안개 niebla *f* densa, niebla *f* espesa. ③ [풀·나무·눈썹 등이] (ser) espeso, tupido, abundante, cerrado; poblado. 짙은 눈썹 cejas *fpl* pobladas. ④ [액체의 농도가 높다] (ser) espeso, cargado; [술이] fuerte. 짙은 수프 sopa *f* espesa.

짚 ① [벼·밀·조·메밀 등의] paja *f*; [지붕을 이는] bálago *m*; [가축의] cama *f* de paja. ② [산후에 깔던 벼의 짚] paja *f* de arroz. ((준말)) =볏짚(paja de arroz). ¶ ~더미 montonera *f*, montón *m* de paja. ~신 sandalias *fpl* de paja, babucha *f* de papa, calzado *m* [zapato *m*]. de paja.

짚다 ① [지팡이 등을] usar, llevar. 지팡이를 ~ usar el bastón. ② [맥 위에 손가락을] tomar, sentir, examinar. 맥을 ~ tomar el pulso, pulsar. ③ [바닥에 손을] poner, apoyar. 성경에 손을 짚고 con la mano sobre la Biblia. ④ [요량에서 짐작하다] suponer, contar con los dedos.

짚신벌레 ((동물)) paramecio *m*.

짜개다 partir. ☞쪼개다

짜개지다 partirse.

짜깁기 zurcidura *f* invisible. ~하다 zurcir invisiblemente.

짜깁다 zurcir invisiblemente.

짜다[1] ① [사개를 맞추어] hacer. 가구를 ~ hacer los muebles. 책상을 ~ hacer una mesa. ② [부분을 맞추어] montar, ensamblar, armar. 기계를 짜 맞추다 montar una máquina. ③ [조직을 만들다] formar, organizar, integrar, componer. ④ [레몬 따위를] exprimir; [액체·주스를] extraer, sacar; [옷 따위의 물기를] escurrir, retorcer, estrujar. ⑤ [떠오르지 않는 생각·궁리·시간 등을] planear, inventar, fraguar, maquinar, tramar. ⑥ [잔혹하게 착취하거나 징수하다] explotar, arrebatar, sacar. ⑦ [상투를] atar. 상투를 ~ atar el moño. ⑧ [실이나 가는 끈을] tejer, teñir, tricotar; [셋으로] trenzar; [섞어 짜다] entretejer.

짜다[2] ① [소금 맛이 있다] (ser) salado, salobre. 짠 salado, sazonado de sal, condimentado de sal. 짠 맛 sabor *m* salado. 짠 반찬 comidas *fpl* saladas, platos *mpl* salados. 짠 음식 comida *f* salada. ② [마음에 달게 여겨지지 않다] (ser) desagradable, antipático. 마음이 ~ sentir desagradable. ③ ((속어)) = 인색하다(tacaño).

짜디짜다 (ser) muy salado. 짜디짠 김치 *kimchi* muy salado.

짜이다 [규모가 어울리다] estar en harmonía. ② [조직·이론 등이] ser bien formulado [organizado·formulado·elaborado]. 조직이 잘 ~ ser bien organizado. 이론이 잘 ~ una teoría ser bien formulada.

짜임 =조직(組織). 구성(構成).

짜임새 estructura *f*.

짜증 mal humor *m*, mal genio *m*, irritabilidad *f*, irascibilidad *f*, impaciencia *f*, queja *f*. ~을 내다 enfadarse, enojarse, irritarse, inquietarse, preocuparse, ofenderse. ~(이) 나다 enfadarse, irritarse.

짝[1] ① [한 벌이나 한 쌍을 이루는 것. 또, 그 가운데 하나] (uno de) un

par. 스타킹 한 ~ una media suelta. ② [동아리의 한 사람] socio, -cia *mf*, compañero, -ra *mf*, camarada *mf*; [파트너] pareja *f*; [나쁜 일의 파트너] cómplice *mf*; compinches *mpl*; [성교의] pareja *f*, compañero, -ra *mf*. ③ ((속어)) = 배필(pareja). ¶~을 이루다 emparejarse, hacer [formar] pareja.

짝[2] [곳. 꼴] lugar *m*, forma *f*, apariencia *f*. 아무 ~에도 쓸모가 없다 no servir para nada.

짝[3] ① [바리나 짐짝을 세는] caja *f*. 사과 두 ~ dos cajas de manzana. ② [소나 돼지 따위의 갈비의 한 편 쪽] un lado de costillas. 소 갈비 한 ~ un lado de costillas de (carne de) vaca.

짝[4] [틈이 활짝 벌어진 모양] mucho. 입을 ~ 벌리다 quedarse boquiabierto, quedarse con la boca abierta.

짝눈 *sus* ojos desiguales.

짝눈이 persona *f* cuyos ojos son diferentes en el tamaño.

짝사랑 amor *m* desgraciado, amor *m* no correspondido. ~하다 no *le* corresponde al amor, el amor de uno se encuentra respuesta.

짝수(-數) número *m* par. ~나 홀수 par o impar.

짝없다 ① [비할 데 없이 대단하다] ser el colmo. 영광스럽기 ~ disfrutar en la cumbre [en el apogeo] de *su* gloria. ② [종잡을 수가 없다] no entender.

짝자꿍 aplauso *m*. ~하다 batir palmas, dar una palmada (de alegría).

짝짓기 ① [짝을 짓는 일] emparejadura *f*, emparejamiento *m*. ~하다 emparejar, formar pares. ② [동물이 교미하는 일] coito *m*, copla *f*. ~하다 coitar(se), copular(se).

짝짓다 emparejar, formar pares, hacer juego, combinar, aparear; [교미하다] aparearse, acoplarse, copular. 짝지어주다 casar.

짝짝꿍 = 짝자꿍.

짝짝[1] [입맛을] relamándose. 입맛을 ~ 다시다 relamarse.

짝짝[2] [끈끈하여 몹시 달라붙는 모양] pegándose, adheriéndse, ciñiéndse.

짝짝[3] ① [걸을 때 신을 끄는 소리] arrastrando. 신을 ~ 끌다 arrastrar *sus* zapatos. ② [종이를 함부로 찢는 소리] rompiendo, haciendo pedazos.

짝짝[4] [손뼉을 자꾸 치는 소리] dando una palma, batiendo palmas.

짝짝이 un par desparejado. ~ 구두 zapatos *mpl* desparejados. ~로 만들다 desparejar. ~가 되다 desparejarse.

짝채우다 hacer juego, aparearse.

짝패(-牌) pareja f, compañero, -ra mf.

짠것 cosa f salada, comida f salada, platos mpl salados.

짠맛 sabor m salado.

짠물 =바닷물(agua del mar).

짠지 chanchi, rábano m conservado con la sal.

짤까닥 [사진기가] con un clic, haciendo clic. ~거리다 hacer un ruidito seco, hacer clic.

짤깍 =짤까닥.

짤끔짤끔 saliendo un hilito.

짤막하다 (ser) breve, sucinto. 그의 보고는 짤막했다 Su informe era breve.

짧다 ① [길이가] (ser) corto. 짧은 다리 piernas fpl cortas. 짧은 교량 puente m corto. ② [높이가] 작다. 얕다] (ser) bajo, delgado. ③ [시간의 경과가] (ser) corto. 짧은 생애 vida f corta. 짧게 하다 acortar, abreviar. ④ [범위·정도에 미치지 못하여 모자라다] faltar, escasear. ⑤ [자본·밑천 등이 많지 못하다] (ser) poco. ⑥ [식성이 까다로워 가리는 음식이 많다] (ser) muy exigente.

짧아지다 acortarse, abreviarse.

짬 ① [물건끼리 서로 맞붙은 틈] grieta f, rajadura f, intersticio m, abertura f, brecha f. 그 책은 들어갈 ~이 없다 El libro no cabe en el estuche. ② [한 일을 마치고 다른 일에 손대려는 겨를] tiempo m libre, rato m ocioso, horas fpl ociosas; [시간] tiempo m. 통 ~이 없다 no tener ningún tiempo libre. ~(을) 내다 ㉮ [틈을 만들다] hacer la grieta. ㉯ [겨를이 있게 하다] encontrar tiempo, aprovechar un claro. ~(이) 나다 ㉮ [물건 사이에 틈이 생기다] tener la grieta, ser agrietado, ser rajado. ㉯ [바쁜 중에 겨를이 생기다] estar libre, estar desocupado, tener tiempo libre.

짭짤하다 ① [조금 짠 듯하다] tener el sabor bien salado, estar bien salado, estar como los perros la comida. ② [일이나 행동이 규모 있고 야무지다] (ser) salado, picante, mordaz. ③ [물건이 실속 있고 값지다] precioso, valioso.

짱구 ((준말)) =짱구머리.

짱구머리 cabeza f que la frente y el occipucio son muy salientes.

째다¹ [옷·신 등이] apretar. 젠 [옷·스커트가] ajustado, ceñido, apretado. 짧고 쩬 스커트 una falda corta y ajustada [ceñida]. 신이 ~ apretar los zapatos.

째다² [일손·물질이 모자라 일에 몰리다] (ser) insuficiente, estar corto, estar escaso. 손이 ~ estar escaso de ayuda [mano de obra].

째다³ [종이·가죽·피륙 따위를 칼이나 손으로 갈라지게 찢다] [종이·옷을] romper, rasgar; hender, partir, abrir algo cortándolo; [종기 따위를] rajar, abrir con lanceta, practicar una incisión. 종기를 ~ rajar el furúnculo.

째보 ① [언청이] labio m leporino. ② [썩 성망스러운 사람] persona f frívola.

째어지다 romperse, rasgarse; [가죽·꿰맨 자리가] abrirse, romperse; [나무·바위가] partirse, rajarse.

째지다 =째어지다.

짹소리 gorjeo m. ~하다 gorjear.

쨍¹ [금속이 맞부딪쳐서 새되게 울리는 소리] haciendo un ruido metálico. ~하다 hacer ruido.

쨍² [충격으로 귀가 먹먹할 때 귓속에서 울리듯이 나는 소리] estando sordo de un oído. ~하다 estar sordo de un oído.

쨍그랑 con un tintineo, con un ruido metálico.

쨍쨍 haciendo un calor abrazador, intensamente, vivamente. ~하다 (ser) abrazador, intenso, vivo. 태양이 ~ 내리쬔다 El sol calcina [abrasa·derrete los sesos] / Brilla implacable el sol.

쩔쩔매다 acobardarse, titubear, arredrarse, vacilar.

쩝쩝 relamiéndose. 입맛을 ~ 다시다 relamerse.

쩡쩡 ① [권세가] ¶그는 정계에서 울리고 있다 El está ganando influencia en el mundo político. ② [소리가] con un chasquido de los dedos; con una grieta. 얼음이 ~ 갈라진다 El hielo rompe con una grieta.

쩨쩨하다 ① [시시하고 신통찮다] no tener ningún valor, no valer nada. ② [잘고 인색하다] (ser) tacaño, roñoso, mísero, mezquino.

쪼가리 pedazo m pequeño, pieza f pequeña, pedacito m.

쪼개다 partir, dividir, hender, rajar. 둘로 ~ partir en dos, partir por la mitad.

쪼개지다 ① [둘 이상으로 나누이다] partirse, dividirse, rajarse, henderse. ② [부서지거나 갈리다] romperse, rajarse.

쪼그라들다 [의류가] encoger(se); [고기가] achicarse; [나무·금속이] contraerse.

쪼그라뜨리다 aplastar.

쪼그라지다 ① [부피가 몹시 작아지다] aplastarse, arrugarse. ② [살갗이] arrugarse.

쪼그리다 aplastar, arrugar.

쪼다 [부리 따위로] picotear, picar, dar un picotazo; [정 따위로] cincelar. 돌을 ~ cincelar una piedra.

쪼들리다 ① [무슨 일에 부대껴 몹시 어렵게 지내다] pasar por apuros, pasar estrecheces, pasar apuros económicos. ② [남에게 몰리어 시달림을 받다] estar abrumado [agobiado] por el trabajo. 빚에 ~ estar agobiado por la deuda.

쪼아먹다 picotear.

쪽¹ [부녀네의] moño m, Méj chongo m, RPI rodete m.

쪽² ① [페이지] página f. ② [책의 면을 세는 단위] página f. 100~ cien páginas.

쪽³ [빵의] rabanada f, [케이크의] trozo m, pedazo m; [치즈의] trozo m, pedazo m, tajada f; [오이·레몬의] rodaja f; [참외의] raja f, [고기의] tajada f.

쪽⁴ ① [[식물]] añil m, jiquilete m, jiguilete m. ② [염료] índigo m.

쪽⁵ ① [녘. 편] dirección f, lado m, rumbo m. 오른~ la derecha. ② [부문. 방면] lado m, parte f, onto m, partido m, el [la] que está ahí. 그 ~으로 하겠다 Me quedaré con el otro.

쪽⁶ =얼굴, 기(氣), 맥. ¶~(을) 못 쓰다 flirtear, coquetear.

쪽문(-『門) portillo m, portezuela f, postigo m, puerta f accesoria, puerta f pequeña al lado de la principal.

쪽박 calabaza f (seca pequeña) (empleada como un vasija). ~(을) 차다 pedir limosna, hacerse mendigo.

쪽배 canoa f.

쪽빛 añil m, color m índigo.

쪽지(-紙) ① [작은 종이 조각] pedacito m de papel. ② [[준말]] = 글쪽지.

쫀득거리다 (ser) muy pegajoso [viscoso·gomoso], pegagosísimo, viscosísimo, gomosísimo.

쫄깃쫄깃 muy pegajosamente.

쫄깃하다 (ser) muy pegajoso; [고기가] muy duro.

쫄딱 completamente, totalmente. ~ 망하다 hacer bancarrota total.

쫄면(-麵) tallarines mpl de trigo y almidón de patata.

쫑그리다 [귀를] levantar, alzar, erguir, aguzar. 귀를 ~ erguir las orejas; [말 따위가] aguzar las orejas; [개 따위가] enderezar las orejas.

쫑긋 ① [짐승이] aguzando las orejas. 귀를 ~ 세우고 con las orejas levantadas. ② [말을 하려고 입을] moviendo los labios.

쫑긋거리다 ① [말을 하려고 입술을 달싹거리다] mover los labios. ② [짐승이 연해 쫑그리다] seguir aguzando. 귀를 ~ aguzar el oído.

쫓겨나다 (ser) despedido, echado, excluido, destituido, alejado, separado. 나는 [직장에서] ~ 쫓겨났다 Me echaron / Me despidieron.

쫓기다 ① [남에게 쫓음을 당하다] ser perseguido. ② [일에 몹시 몰려 지내다] bregar. 나는 일에 쫓기고 있다 Me apremian los trabajos / Estoy agobiado de trabajo.

쫓다 ① [있는 자리에서] ahuyentar, espantar, alejar, hacer huir, hacer marcharse. 쫓아 보내다 enviar; [침입자를] expulsar; [적 따위를] rechazar, hacer retroceder. 쫓아 분산시키다 dispersar. 개를 쫓(아버리)다 ahuyentar [alejar] a un perro. 모기를 쫓(아 버리)다 espantar los mosquitos. ② [급한 걸음으로 뒤를 따르다] seguir, perseguir, buscar para cogerlo, buscar. 쫓고 쫓기는 경쟁 competición f muy reñida. ③ [따르다] seguir. 네 양심을 쫓아라 Haz lo que te diga la conciencia. ④ [따르다. 쫓아가다] seguir, perseguir, ir a la caza, seguir la pista, correr. 앞차를 ~ seguir al coche que va adelante.

쫓아내다 expeler, arrojar, expulsar, echar, despedir, rechazar, enviar [mandar] a paseo, echar fuera, darle calabazas a uno.

쫓아다니다 perseguir por todas partes, asediar, traer al retortero.

쬐다 ① [볕이 들어 비치다] brillar, dar. 이 방은 햇빛이 잘 쬔다 En esta habitación da bien el sol. ② [볕·불에] calentarse, exponer. 난롯불을 ~ calentarse a la estufa.

쭈그러들다 ir reduciendo.

쭈그러뜨리다 aplastar; [금속을] abollar; [옷·종이를] arrugar.

쭈그렁이 ① [쭈그러진 물건] cosa f aplastada. ② [살이 빠져서 쭈그렁한 늙은이] un viejo arrugado y consumido, o una vieja arrugada y consumida. ③ [제대로 여물지 않은 낟알] grano m que no está maduro.

쭈그리다 ① [상자·자동차를] aplastar; [포도를] prensar, pisar; [의류를] arrugar. ② [팔다리를] agacharse, ponerse en cuclillas, acuclillarse, acurrucarse, doblarse, inclinarse (el cuerpo), encorvarse, arquearse.

쭈글쭈글하다 (estar) arrugado, abollado. 쭈글쭈글한 바지 los pantalones arrugados.

쭈르르 =주르르. ¶~ 나무에 오르다 trepar a un árbol con agilidad.

쭈뼛쭈뼛 titubeantemente, vacilantemente, inseguramente, con vacilación, nerviosamente. ~하다 (ser) tímido y hesitante.

쭈뼛하다 ① [높이 솟아 있다] poner-

se alto. ② [머리끝이] erizarse,
ponerse de punta.
쭉 ((센말)) =죽².
쭉정이 cabezas *fpl* vacías de grano,
espigas *fpl* malogradas.
쫑그리다 levantar orejas.
-쯤 unos, unas, más o menos; [⋯쯤]
a eso de, hacia, alrededor de,
cerca de. 월말~ a fines del mes.
오후 두 시~ a eso de las dos de
la tarde.
쯧쯧 ¡Vaya! / ¡Vamos!
찌¹ ① [써서 붙이는 좁은 종이쪽]
etiqueta *f*. ② ((준말)) =낚시찌
(flotador).
찌² ((소아어)) caca *f*, estiércol *m*.
찌개 sopa *f* coreana, guiso *m* en la
olla. ~를 끓이다 hacer sopa.
찌그러뜨리다 hundir, abollar.
찌그러지다 hundirse, abollarse. 냄비
가 찌그러져 있다 Está abollada la
cacerola.
찌꺼기 posos *mpl*, restos *mpl*.
찌다¹ [살이] engordar. 살찐 [사람·
동물·위가] engordo; [돼지·양이]
que tiene grasa.
찌다² [날씨가] (ser) sofocante, bochornoso.
찌다³ [김으로] cocinar [cocer] al
vapor. 감자를 ~ cocinar [cocer]
patatas al vapor.
찌를 tintín, ring, ring. ~ 울리다
hacer ring ring; [동전 따위가]
tintinear, tintinar; [초인종이] sonar
la campanilla [el timbre]. 초인종을
~ 울리다 tocar el timbre, llamar
al timbre.
찌들다 ① [때가 끼고 더럽게 되다]
ensuciarse. ② [세상의 여러 고초
로] estar agobiado por las preocupaciones.
찌르다 clavar; [바늘 따위로] punzar, pinchar; [벌 따위가] picar; [칼
로] dar una puñalada. 쿡쿡 찌르는
듯한 통증 dolor *m* punzante [pe-
netrante].
찌르레기 ((조류)) estornino *m*.
찌부러뜨리다 desinflar, aplastar, majar, moler, triturar, abollar. 모자를
~ aplastar el sombrero.
찌부러지다 (ser) desinflado, aplastado. 찌부러진 자동차 coche *m*
aplastado.
찌푸리다 ① [날이] (estar) nublado,
oscuro, gris, sombrío. 잔뜩 찌푸린
날씨 tiempo *m* amenazador. ② [얼
굴이나 눈살을] fruncir, arrugar. 눈
살을 ~ fruncir las cejas.
찍다¹ ① [날이 있는 연장으로] cortar
(con un hacha), tallar, labrar; [조
각조각] cortar a tajos, *Andes*
tajear. ② [표 따위에 구멍을 뚫다]
picar, perforar, horadar, agujerear.
표를 ~ perforar el billete.
찍다² ① [물건의 끝에 액체 등을 묻

히다] mojar. 펜에 잉크를 ~ mojar
la pluma en tinta. ② [뾰족한 것으
로 무엇을 꽂으려고 꿰다] aguijar,
perforar, atravesar; [고기를] arpe-
near; [갈고리로] enganchar. ③ [인
(印)을 눌러 인발이 나타나게 하다.
또는 인쇄하다] sellar; [인쇄하다]
imprimir, tirar. 도장을 ~ sellar.
④ [무엇에 점을 찍다] marcar,
puntuar. ⑤ [지목하여 표하거나 눈
여겨 두다] marcar, señalar, no
quitar*le* los ojos, echar*le* el ojo,
vigilar, cuidar, fijarse. ⑥ [사진을
박라] fotografiar, sacar*le* [tomar-
le · hacer*le*] una foto [una foto-
grafía].
찍소리 gorjeo *m*, pío *m*; [한마디]
una palabra, una sílaba, una sola
palabra. ~ 없이 sin una palabra,
sin queja, en silencio.
찍히다 ① [인쇄되다] ser impreso. ②
[도장 따위가] ser sellado; [소인이]
ser matasellado; [차표가] ser
perforado. ③ [사진이] ser foto-
grafiado, ser sacada una foto, ser
hecha una foto. ④ [점 찍음을 당
하다] ser marcado, ser señado;
[의심받다] ser sospechado.
찐만두(一饅頭) empanada *f*, ravioles
mpl coreanos.
찐빵 pan *m* cocido al vapor.
찐쌀 arroz *m* cocido al vapor.
찔끔 corriendo gota a gota, saliendo
un hilito.
찔끔찔끔 poco a poco. 빚을 ~ 갚다
pagar la deuda poco a poco.
찔끔하다 asustarse. 너를 다치게 하
지 않을테니 찔끔하지 마라 No te
asustes, no te voy a hacer daño.
찔레 ((준말)) =찔레나무. ② [찔
레나무의 순] retoño *m* de zarza.
¶ ~꽃 flor *f* de la zarza.
찔레나무 ((식물)) zarza *f*.
찔리다 ① [찌름을 당하다] clavarse,
meterse. 찔린 상처 punzada *f*,
pinchazo *m*, estocada *f*. 못에 발바
닥을 ~ clavarse un clavo en la
planta. ② [양심의 가책을 받다] no
tener nada de avergonzar~ se.
찜 ① [새·물고기·짐승·채소 따위
를 양념해 바특하게 홈씬 삶아 만
든 음식] plato *m* cocido [cocinado]
al vapor. ~하다 cocer [cocinar] al
vapor. 닭~ pollo *m* cocido al
vapor. ② ((준말)) =찜질.
찜질 cataplasma *f*. ~하다 aplicar
cataplasma.
찜찜하다 encontrarse incómodo, no
estar a gusto.
찜통(一桶) vaporera *f*. ~더위 calor
m sofocante, calor *m* bochornoso.
찡그리다 fruncir el ceño, fruncir el
entrecejo, hacer una mueca, poner
mala cara, poner*le* cara de pocos
amigos, mirar con el ceño, poner-

se ceñudo, torcer el gesto, enfurruñarse, arrugar. 찡그린 얼굴 ceño *m* fruncido, mueca *f*, gesto *m* fruncido, mohín *m*. 미간을 ~ arrugar el entrecejo. 얼굴을 ~ fruncir el ceño, poner mala cara, hacer una mueca.

찡긋거리다 guiñar el ojo, hacer un guiño, hacer una guiñada.

찡기다 arrugarse, abollarse.

찡등거리다 fruncir mucho el ceño.

찡얼거리다 gimotear, lloriquear. 찡얼 거리는 목소리로 con voz quejumbrosa.

찡찡거리다 refunfuñar, gruñir, regañar, rezongar, murmurar, quejarse.

찡찡하다 ① [마음에] (ser) torpe, incómodo, desagradable, molesto. ② [코가 막혀] (estar) tapado, atascado.

찧하다 hacerse un nudo en la garganta.

찢기다 desgarrarse, rasgarse, rajarse, romperse, despedazarse. 갈기갈기 ~ hacerse pedazos, hacerse trizas.

둘로 ~ rajarse en dos. 잘게 ~ despedazar, hacer pedazos, romper en pedazos.

찢다 romper, rasgar(se), desgarrar. 갈기갈기 ~ hacer pedazos, hacer trizas, descuartizar, despedazar.

찢뜨리다 hacer rajar.

찢어발기다 descuartizar, despedazar, hacer pedazos.

찢어지다 romperse, rasgarse, desgarrarse, rajarse, partirse. 갈기갈기 ~ hacerse pedazos, descuartizarse, despedazarse. 바지가 ~ rasgarse los pantalones. 조각조각 ~ hacerse pedazos, destrozarse. 찢어지게 가난하다 ser tan pobre como el ratón de sacristía.

찧다 ① [곡물이나 양념류를] machacar; [마늘이나 고추를] majar, machacar. ② [땅 같은 것을 다지기 위하여 무거운 물건을 들었다가 내리치다] batir, martillar, dar martillazos, endurecer. ③ [아주 세게 부딪다] estrellar, chocar, embestir, darse, dar una cabezada.

ㅊ

차(車) [일반적으로] vehículo *m*; [자동차] automóvil *m*, coche *m*. ~로 en coche. ~로 가다 ir en coche. ~를 타다 tomar un coche.

차(茶) ① ((식물)) ((준말)) =차나무. ② [차나무의 잎을 따서 만든 음료의 재료 및 달인 물] té *m*. ~ 한 잔 una taza de té. ~를 끓이다 preparar [hacer] té. ~를 내놓다 [대접하다] servir [ofrecer] el té. ~를 마시다 tomar [beber] el té.

차(差) ① [차이] diferencia *f*; [부동(不同)] disparidad *f*; [판매 가격의] margen *m*. ~를 두다 diferenciar, discriminar; [등급] graduar. ~가 있다 hay diferencia. ② ((수학)) diferencia *f*; [나머지] resto *m*.

차(次) cuando, al + *inf*. 나가려던 ~에 친구가 왔다 Un amigo vino cuando yo estaba a punto de salir.

차갑다 [날씨가] hacer frío; [신체나 물 따위가] estar frío (como el hielo), enfriarse.

차고(車庫) garaje *m*, *AmL* garage *m*, cochera *f*. ~에 넣다 meter [dejar] un coche en el garaje.

차곡차곡 cuidadosamente uno tras otro, apilando [amontonando] uno por uno. ~ 쌓다 apilar [amontonar] uno a uno [uno por uno].

차관(次官) viceministro, -tra *mf*; *Méj* subsecretario, -ria *mf*.

차관(借款) préstamo *m*. ~ 협정 convenio *m* de préstamo.

차광(遮光) protección *f* del sol [de la luz]. ~하다 proteger del sol [de la luz].

차근차근 lenta y constantemente atentamente, con atención, con cuidado, cuidadosamente. ~하다 (ser) minucioso, compacto, apretado. ~ 설명하다 explicar detalladamente [minuciosamente].

차근하다 (ser) metódico, ordenado, concienzudo; [세심하다] escrupuloso, minucioso, meticuloso. 차근히 metódicamente, concienzudamente, escrupulosamente.

차금(借金) deuda *f*, dinero *m* prestado. ~하다 contraer deudas.

차기(次期) período *m* próximo. ~ 대통령 presidente, -ta *mf* siguiente; próximo presidente *m*, próxima presidenta *f*. ~ 총선거 próximas elecciones *fpl* generales.

차꼬 grillos *mpl*, grilletes *mpl*, cepo *m*. ~를 채우다 poner los grillos [los grilletes].

차나무(茶-) ((식물)) té *m*.

차남(次男) segundo hijo *m*.

차내(車內) interior *m* del coche; [기차의] interior *m* del tren. ~에서 en el coche; [기차의] en el tren. ¶~ 금연 ((게시)) No fume en el coche.

차녀(次女) segunda hija *f*.

차다¹ ① [가득하게] estar lleno, llenarse, abundar. 배가 찼다 El estómago está lleno. [이지러진 데가 없이] estar lleno; [조수가] crecer la marea. 조수가 차 있다 La marea está alta. ③ [감정·기운 등이] estar lleno. 마음에 ~ (estar) contento, satisfecho. ④ [어떤 정도에] llegar. 무릎까지 차는 냇물 el río que llega hasta las rodillas. ⑤ [정한 수효가] llegar. ⑥ [정한 기한이] expirar, completarse. 기한이 ~ expirar el plazo.

차다² ① [발로] patear, dar patadas, dar [pegar] puntapiés. 문을 ~ dar [pegar] un puntapié a la puerta. ② [혀를] chasquear. 혀를 ~ chasquear la lengua. ③ [거절하여 관계를 끊다] dar calabazas. 애인을 ~ dar calabazas a *su* novio.

차다³ ① [끈을 달아 몸의 한 부분에] ponerse, llevar, colgar. 시계를 ~ ponerse el reloj. 넥타이를 ~ ponerse la corbata. ② [수갑을] ponerse. 수갑을 ~ ponerse las esposas. ③ [몸에] llevar, prender. 핀으로 ~ prender con alfileres.

차다⁴ ① [온도가 낮다] (ser·estar) frío; [몸이] tener frío. 차게 하다 [공기·방을] refrigerar; [엔진·음식을] enfriar. 차가워지다 [공기·방이] refrigerarse; [엔진·음식·열정이] enfriarse. 찬물의 agua *f* fría. ② [기온이 낮다] (ser) frío; [날씨가] hacer frío. ③ [인정이 없다. 매정하다] (ser) frío, insensible.

차단(遮斷) interceptación *f*, interrupción *f*; [격리] cuarentena *f*. ~하다 interrumpir, interceptar, detener. 바람을 ~하다 detener la corriente del aire. 빛을 ~하다 interceptar la luz. ¶~기(器) barrera *f*; [철도 건널목의] barrera *f* (automática) de golpe. ~기(機) interruptor *m*, aparato *m* de intercepción, disyuntor *m*; [안

전기] cortacircuitos *m.sing.pl.*
차도(車道) carretera *f*, calzada *f*.
차도(差度) mejora *f*, mejoría *f*, mejoramiento *m*, convalecencia *f*. ~가 있다 mejorar(se), convalecer, ir mejorando, ir mejorándose.
차돌 ① [석영] silicato *m*. ② [야무진 사람] hombre *m* de firme carácter.
차동(差動) ¶~의 diferencial.
차등(差等) segundo grado *m*.
차등(次等) grado *m*, graduación *f*, diferencia *f*, discriminación *f*. ~세 tipo *m* de arancel graduado
차디차다 (ser · estar) muy frío.
차라리 de mejor gana, más bien, antes (que), ante (de) que, primero. ~ 내가 하는 편이 낫겠다 Me gustaría más / Yo preferiría.
차량(車輛) vehículo *m*, carruaje *m*, material *m* rodante; [철도의] vagón *m*, carruaje *m* ferroviario; [화차. 객차] coche *m*. ~ 번호판 placa *f*. ~ 정비 mantenimiento *m* del coche. ~ 통행세 impuesto *m* sobre circulación de vehículos.
차려 ((구령)) ¡Atención! / ¡Ojo! / ((군사)) ¡Firme(s)!
차례(次例) orden *m*, turno *m*. ~로 en orden, uno a uno, uno por uno. 귀하의 ~를 기다려 주십시오 Espere su turno.
차례(茶禮) servicios *mpl* en memoria de los antepasados [de *su* familia].
차례차례 uno a uno, uno por uno, uno tras otro; [순서로] en turno.
차리다 ① [장만하여 갖추다] preparar. 밥상을 ~ preparar la mesa. ② [기운·정신 따위를] recobrar la calma, serenarse, animarse, excitarse, alentarse, volver en sí, recobrarse.
차림새 conjunto *m*, equipo *m*, preparación *f*, disposición *f*; [옷차림] manera *f* de vestirse; [분장] maquillaje *m*; [풍채] aire *m*, apariciación *f*.
차림표(-表) menú *m*, lista *f* de platos, carta *f*.
차마 demasiado, exactamente. ~ 견딜 수 없는 모욕 insulto *m* intolerante.
차마(車馬) caballos *mpl* y vehículos. ~ 통행 금지 ((게시)) No pasen caballos y vehículos.
차멀미(車-) mareo *m* (por viajar en coche), mareo *m* [mareamiento *m*] del coche. ~하다 marear(se).
차바퀴(車-) rueda *f*.
차변(差邊) ((상업)) débito *m*, cargo *m*, adeudo *m*.
차별(差別) distinción *f*, discriminación *f*, segregación *f*, diferencia *f*. ~하다 discriminar, distinguir, diferenciar. ~ 관세 derechos *mpl* diferenciales. ~ 대우 trato *m*

[tratamiento *m*] desigual. ~ 임금 sueldo *m* diferencial.
차분하다 (ser) tranquilo, quieto, sereno, sosegado, silencioso, reposado, apasible. 차분히 tranquilamente, serenamente.
차비(車費) pasaje *m*.
차석(次席) segundo puesto *m*, segunda posición *f*.
차선(次善) segundo mejor. ~책 segunda alternativa *f*.
차선(車線) carril *m*. ~을 지키십시오 Obedezca [Respete] el carril.
차액(差額) diferencia *f*, balance *m*.
차양(遮陽) ① [처마 끝의] toldo *m*, alero *m*, sobradillo *m*; [창문의] persiana *f*, transparente *m*. ② [모자의] el ala *f*, visera *f*.
차용(借用) préstamo *m*, deuda *f*, empréstito *m*. ~하다 pedir [tomar] prestado. ~금 dinero *m* prestado. ~ 증서 certificado *m* de una deuda, título *m* de la deuda.
차원(次元) ① [(수학·물리)] dimensión *f*. 삼~의 세계 espacio *m* de la tercera dimensión. ② [입장. 수준] dimensión *f*, orden *m*, nivel *m*.
차이(差異) diferencia *f*. ~가 없다 no hay diferencia.
차이나 타운 barrio *m* chino.
차익(差益) ganancia *f* marginal.
차일(遮日) toldo *m*.
차일피일(此日彼日) aplazamiento *m* de día en día. ~하다 aplazar [posponer] de día en día.
차입(借入) préstamo *m*. ~하다 pedir prestado, tomar a préstamo.
차입(差入) acción *f* de llevar un regalo. ~하다 llevar un regalo.
차장(次長) subdirector, -tora *mf*, subjefe, -fa *mf*.
차장(車掌) [버스의] cobrador, -dora *mf*; [철도의] revisor, -sora *mf*.
차점(次點) punto *m* próximo. ~자 subcampeón, -ona *mf*.
차조 ((식물)) mijo *m* apelmazado.
차종(車種) clases *fpl* del coche.
차주(車主) dueño, -ña *mf* del coche.
차주(借主) [돈의] prestario, -ria *mf*; [차용자] comodatario, -ria *mf*.
차지 ① =몫(parte, porción). ② [소유] ocupación *f*. ~하다 ocupar.
차지(借地) tierra *f* arrendada.
차지다 ① [끈기가 많다] (ser) pegajoso, glutinoso, apelmazado. 차진 쌀 arroz *m* apelmazado. ② [빈틈 없이 알뜰하다] (ser) tenaz, firme.
차질(蹉跌/差跌) contrariedad *f*, fracaso *m*, falla *f*, desorden *m*, desajuste *m*. ~을 일으키다 frustrarse, salir mal, fracasar.
차차(次次) gradualmente, paso a paso, poco a poco, progresivamente.
차차차 ((음악)) chachacha *m*..
차창(車窓) ventanilla *f*.

차체(車體) ① [자동차의] carrocería f. ② [열차의] caja f, cuerpo m de carro.

차축(車軸) eje m de una rueda.

차출(差出) remitente m. ~하다 presentar, ofrecer; [보내다] remitir, expedir, mandar.

차츰 =차차(次次).

차츰차츰 gradualmente, paso a paso, poco a poco; [시간이 흐름에 따라] con el tiempo, a la larga.

차터 [용선] fletam(i)ento m; [비행기의] chárter *ing.m.* ~하다 [비행기·배를] fletar; [버스 따위를] alquilar. ~ 계약 contrato m de fletamento. ~기 avión m chárter.

차트 gráfica f, gráfico m, grafo m.

차폐(遮蔽) tapadura f, tapamiento m. ~하다 tapar, cubrir. ~물 refugio m, protección f.

차표(車票) billete m, *AmL* boleto m. ~를 사다 sacar el billete.

차호(次號) ① [다음의 번호] número m siguiente. ② [정기 간행물의 다음 호] número m siguiente, número m próximo.

차회(次回) próxima vez f, vez f siguiente.

차후(此後) despúes. ~에 despúes.

착[1] [물건이 잘 달라붙는 모양] bien, muy, perfectamente. ~ 달라붙은 바지 los pantalones que se pegan bien.

착[2] ① [몸가짐이 점잖고 태연한 모양] con calma. ② [마음이나 목소리 따위가 가라앉은 모양] bajo, profundamente. ~ 가라앉은 음성 voz f apagada.

착각(錯覺) ilusión f, equivocación f, error m, juicio m erróneo. ~하다 forjar [concebir] una ilusión, confundir, equivocarse. ~을 일으키다 ilusionarse, producir una ilusión.

착검(着劍) ((호령)) ¡A la bayoneta!

착공(着工) comienzo m de la construcción [de la obra]. ~하다 comenzar la obra, poner la primera piedra. ~식 ceremonia f pionera [innovadora]. ~일 fecha f del comienzo de la construcción.

착란(錯亂) aberración f, confusión f, desorden m. ~하다 estar confuso. ~ 상태 estado m de demencia.

착륙(着陸) aterrizaje m; [물에] amarizaje m, amerizaje m; [달에] alunizaje m. ~하다 aterrizar, tomar tierra, hacer un aterrizaje. ~지 lugar m de aterrizaje; [스키의] declive m.

착복(着服) ① [옷을 입음] acción f de vestirse. ~하다 vestirse, ponerse. ② [남의 금품을] desfalco m, malversación f, substracción f. ~하다 malversar, substraer, apropiarse, desfalcar.

착상(着想) idea f, inspiración f, pensamiento m, concepto m, concepción f. ~하다 idear.

착색(着色) coloración f; [채색] colorido m, pintura f. ~하다 colorar, colorear, pintar.

착생(着生) ((생물)) inserción f.

착석(着席) acción f de sentarse. ~하다 sentarse, tomar asiento. ~ 순으로 por orden de asiento.

착수(着水) amaraje m, amerizaje m, amarizaje m. ~하다 amarar, amerizar.

착수(着手) comienzo m, principio m. ~하다 comenzar, empezar, poner en marcha. ~금 arras *fpl*, señal f, caparra f.

착실하다(着實−) (ser) seguro; [부단하다] constante; [규칙적이다] regular; [정직하다] honesto, honrado; [성실하다] concienzudo; [끈기 있다] perseverante. 착실한 사람 persona f honesta [respetable]. 착실히 seguramente, constantemente, regularmente, con seguridad, con constancia, honradamente, honestamente, con honradez.

착안(着眼) mira f, puntería f. ~하다 observar, percibir. ~점 punto m de vista [observación], criterio m.

착암기(鑿巖機) perforadora f (para roca), perforador m de rocas.

착오(錯誤) equivocación f, error m, yerro m, aberración f, desacierto m; [방향의] desviación f. ~로 por equivocación. ~를 일으키다 producir el error.

착용(着用) acción f de vestirse. ~하다 vestirse, ponerse.

착유(搾油) expresión f de aceite. ~하다 exprimir el aceite. ~기 prensa f de aceite.

착유(搾乳) ordeño m. ~하다 ordeñar. ~기 ordeñadora f, ordeñadero m, máquina f de ordeñar. ~장 lechería f, *AmS* ordeñadero m.

착잡(錯雜) confusión f, complicación f, intrincación f. ~하다 complicarse, intrincarse, enredarse, estar confundido.

착지(着地) ① ((체조)) aterrizaje m. ② ((항공)) [육지에] aterrizaje m; [바다에 착수] amerizaje m, amarizaje m, amaraje m; [달에] alunizaje m.

착착 paso a paso, progresivamente, regularmente, sin cesar, sin parar. 공사는 ~ 진행되고 있다 Las obras avanzan paso a paso.

착취(搾取) ① [즙을 짜 냄] expresión f del zumo. ~하다 exprimir el zumo [el jugo]. ② [자본가나 지주가 근로자나 농민에게] explotación f, extorsión f. ~하다 explotar, sacar utilidad, despojar, arre-

batar, usurpar, extorsionar. ¶ ~
계급 clase *f* social explotadora. ~
자 explotador, -dora *mf*.

착탄 거리(着彈距離) alcance *m*.

착하다 (ser) bueno. 착한 아이 buen
niño *m*, buena niña *f*.

찬(饌) ((준말)) =반찬(飯饌). ¶ ~이
많다 tener muchas guarniciones.

찬가(讚歌) himno *m*.

찬동(贊同) aprobación *f*, apoyo *m*,
conformidad *f*. ~하다 aprobar,
apoyar.

찬란하다(燦爛一) (ser) brillante, re-
lumbrante, glorioso, espléndido,
radiante, esplendoroso, luminoso,
lustroso. 찬란한 문화 civilización *f*
gloriosa.

찬물 el agua fría, la fresca agua. ~
을 끼얹다 ㉮ verter [echar] el
agua fría. ㉯ [훼살을 놓다] ser
aguafiestas.

찬미(讚美) elogios *mpl*, alabanzas
fpl, exaltación *f*, glorificación *f*,
enaltecimiento *f*, loa *f*, admiración
f, adoración *f*. ~하다 elogiar, hacer elogio, exaltar, glorificar, enal-
tecer, ensalzar, admirar, adorar. ~
가(歌) himno *m*, salmo *m*.

찬반(贊反) el pro o el contra, sí o
no. ~을 묻다 poner a un voto,
someter a la votación.

찬부(贊否) =찬반(贊反).

찬사(讚辭) elogio *m*, alabanza *f*; [과
대한] ditirambo *m*. ~를 드리다
elogiar, hacer el elogio, alabar.

찬성(贊成) aprobación *f*, conformidad
f, adhesión *f*, consentimiento *m*. ~
하다 aprobar, adherirse, dar *su*
consentimiento; [상태] estar de
acuerdo.

찬송(讚頌) ① [미덕을 칭찬함] alabanza *f*, elogio *m*, encomio *m*,
glorificación *f*, admiración *f*. ~하
다 alabar, elogiar, glorificar, ensalzar, encomiar, admirar. ② ((성
경)) cántico *m*, cantar *m*. ~하다
hablar de la alabanza, alabar,
cantar, ser alabado. ¶ ~가 himno
m, salmo *m*. ~가집 himnario *m*.
~시 ((성경)) salmo *m*.

찬스 ① [우연] casualidad *f*, azar *m*.
② [운] destino *m*, fortuna *f*. ③
[기회] oportunidad *f*, ocasión *f*. 좋
은 ~ buena oportunidad *f*, buena
ocasión *f*. ④ [가능성] probabilidad
f, posibilidad *f*.

찬양(讚揚) elogio *m*, alabanza *f*,
admiración *f*. ~하다 elogiar, hacer
elogio, alabar, admirar.

찬의(贊意) aprobación *f*, apoyo *m*.
~를 표하다 aprobar, apoyar.

찬장(饌欌) armario *m*, alacena *f* (벽
에 부착하는), aparador *m*.

찬조(贊助) patrocinio *m*, apoyo *m*,
respaldo *m*, contribución *f*, dona-

ción *f*, sustentación *f*. ~하다 patrocinar, apoyar, aprobar y dar
ayuda, dar *su* beneplácito, sostener, ayudar. ~금 contribución *f*,
donación *f*. ~ 연설 discurso *m*
secundario.

찬찬하다¹ [성질이] (ser) tranquilo,
calmado. 찬찬히 tranquilamente,
con tranquilidad; [뚫어지게] fijamente, de hito en hito.

찬찬하다² [일이나 행동이] (ser) cómodo y lento. 찬찬히 (cómoda y)
lentamente, despacio, sin prisas.

찬탄(讚嘆/贊嘆) admiración *f*, aplauso
m. ~하다 admirar, aplaudir.

찬탈(篡奪) usurpación *f*. ~하다
usurpar. ~자 usurpador, -dora *mf*.

찬하다(撰一) ① [책을 저술하다] escribir, componer. ② [편집하다]
copilar, compilar.

찬합(饌盒) fiambrera *f*, portavian-
das *m.sing.pl.*

찰각 haciendo chic, haciendo clic,
violentamente.

찰거머리 ① ((동물)) sanguijuela *f*.
② [사람] gorrón, -rrona *mf*.

찰과상(擦過傷) raspadura *f*.

찰기(一氣) viscosidad *f*, glutinosidad
f, adherencia *f*, adhesividad *f*.

찰깍 ① [단단히 붙어서 떨어지지 않
는 모양] pegajosamente, glutinosamente, viscosamente. ② [녹진녹
진한 물건을 세게 때리는 모양. 또,
그 소리] con una bofetada.

찰나(刹那) ① ((불교)) tiempo *m*
muy corto, momentito *m*. ② [순
간] momento *m*, instante *m*.

찰떡 *chalteok*, tarta *f* [pastel *m*] de
arroz apelmazado. ~같다 Es una
buena pareja. ~같이 como una
buena pareja.

찰랑거리다 ① [쇠붙이가] tintinear.
② [물이] derramarse, volcarse.

찰랑찰랑 hasta al borde. 잔에 포도주
를 ~ 따르다 llenar la copa de
vino hasta el borde.

찰밥 arroz *m* apelmazado cocido.

찰상(擦傷) desolladura *f*, excoriación
f, raspadura *f*, arañazo *m*, rascadura *f*, refregón *m*, rasguño *m*.

찰수수 mijo *m* apelmazado.

찰싹 dando una bofetada. ~ 때리다
dar una bofetada, pegar, dar unas
palmadas.

찰찰 desbordándose, derramándose.

찰카닥 [쇠붙이 따위가] haciendo clic,
haciendo chic, violentamente. ~거
리다 hacer chic, hacer clic.

찰흙 arcilla *f*.

참¹ ① =진(眞). ② =진리(眞理).
((수학·컴퓨터)) verdad *f*.

참² ① [정말. 과연. 참말로] verdaderamente, realmente, muy, mucho.
② [감탄을 품은 「참말로」] ¡Ay! /
¡Anda! / ¡Vaya! ~, 잊었네 ¡Anda,

se me olvidó!

참가(參加) participación *f*, asistencia *f*, intervención *f*. ~하다 participar, asistir, tomar parte. ¶ ~국 país *m* participante. ~자 participante *mf*; partícipe *mf*; asistente *mf*; [시험의 응시자] candidato, -ta *mf*.

참견(參見) intromisión *f*, injerencia *f*. ~하다 meterse, entrometerse, entremeterse, inmiscuirse, interferir.

참고(參考) referencia *f*. ~하다 referir. ~ 문헌 bibliografía *f*. ~서 obra *f* de consulta [de referencia], libro *m* de consulta [de referencia]. ~ 서류 documento *m* de referencia. ~인 testigo *mf*; [전문인 등] asesor, -sora *mf*. ~ 자료 datos *mpl* de referencia.

참관(參觀) visita *f*, inspección *f*. ~하다 visitar, inspeccionar. ~인[자] visitante *mf*; [입합적] visita *f*.

참극(慘劇) tragedia *f*, evento *m* trágico, catástrofe *f*, cataclismo *m*.

참기름 aceite *m* de sésamo, aceite *m* de ajonjolí.

참깨 ((식물)) sésamo *m*, ajonjolí *m*, alegría *f*.

참꽃 ((식물)) =진달래(azalea).

참나무 ((식물)) roble *m*.

참다 aguantar, tolerar, soportar, tener paciencia, sufrir, resistir, contenerse, dominarse, conformarse; [얼굴에 나타나지 않도록] sofocar. 참을 수 있는 tolerable, sufrible, aguantable. 참을 수 없는 insufrible, intolerable, insoportable, irresistible, inaguantable. 참을 인(忍)자 셋이면 살인도 피한다 ((속담)) A su tiempo maduran las uvas / Con paciencia se gana el cielo.

참담하다(慘憺-) (ser) desastroso, catastrófico, lastimoso.

참돔 ((어류)) pargo *m* rojo.

참되다 (ser) verdadero, honrado, honesto, sincero, verídico, real, genuino. 참된 기쁨 real placer *m*, gozo *m* verdadero.

참뜻 sentido *m* verdadero, intención *f* sincera.

참례(參禮) asistencia *f* a la ceremonia. ~하다 asistir (a la ceremonia).

참마 ((식물)) ñame *m*, aje *m*.

참마음 verdadero corazón *m*.

참말 verdad *f*, hecho *m*. ~로 verdaderamente, en verdad, realmente, en realidad, ciertamente, en serio.

참모(參謀) (oficial *m* de) Estado Mayor. ~부(部) el Estado Mayor (General) en una división, oficina *f* de Estado Mayor. ~장 jefe *m* (de los Oficiales) de Estado Mayor. ~ 장교 jefe, -fa *mf* del estado mayor. ~ 총장 jefe *m* de Estado Mayor (General).

참모습 fisonomía *f* real. 한국의 ~ fisonomía *f* real de Corea.

참배(參拜) culto *m*, adoración *f*, visita *f* a un templo. ~하다 hacer una visita (al templo budista), ir a rendir culto a un templo budista, adorar. ~자 adorador, -dora *mf*; peregrino, -na *mf*.

참변(慘變) accidente *m* desastroso, accidente *m* catastrófico, incidente *m* trágico, desastre *m*.

참빗 peine *m* (de bambú de dientes finos); [양의] carda *f*.

참사(參事) secretario, -ria *mf*; consejero, -ra *mf*; consultor, -tora *mf*. ~관 secretario, -ria *mf*; consejero, -ra *mf*; canciller, -ra *mf*.

참사(慘死) muerte *f* trágica, muerte *f* miserable. ~하다 tener una mala muerte.

참사(慘事) catástrofe *f*, desastre *m*.

참사랑 amor *m* platónico, verdadero amor *m*.

참살(斬殺) degüello *m*, decapitación *f*. ~하다 degollar, decapitar.

참살(慘殺) carnicería *f*, matanza *f* sangrienta, matanza *f* violenta; [다수의] mortandad *f*. ~하다 hacer una carnicería.

참상(慘狀) condición *f* horrorosa, escena *f* calamitosa [desastrosa], espectáculo *m* terrible. ~을 목격하다 presenciar la escena horrible.

참새 ((조류)) gorrión *m*. ~구이 gorrión *m* asado.

참석(參席) asistencia *f*, atendencia *f*, presencia *f*, participación *f*. ~하다 asistir, participar, atender, tomar parte, eatar presente. 결혼식에 ~하다 asistir a la boda. ¶ ~자 asistente *mf*.

참선(參禪) ((불교)) meditación *f* de zen budista, estudio *m* de la culto de zen, estudio *m* y práctico de doctrina de secta zen. ~하다 estudiar y practicar el culto [la meditación] de zen, medi- tar.

참소(讒訴/譖訴) calumnia *f*. ~하다 calumniar.

참수(斬首) degollación *f*, decapitación *f*, descabezamiento *m*; [다수의] degüello *m*. ~하다 degollar, decapitar, descabezar, guillotinar. ~대 guillotina *f*.

참숯 carbón *m* de madera dura.

참신하다(斬新-) (ser) nuevo, innovador; [창조적이다] original; [현대적이다] moderno. 참신한 아이디어 idea *f* original.

참여(參與) participación *f*. ~하다 participar, tomar parte. ~자 partícipe *mf*.

참외 ((식물)) melón *m*. ~ 밭 melonar *m*.

참으로 verdaderamente, realmente,

de veras, en efecto, en verdad, efectivamente, qué, muy, extremadamente, sumamente. ~ 아름답다 ¡Qué hermoso!

참을성(-性) paciencia *f*, aguante *m*. ~이 있다 tener paciencia, tener buenas espaldas.

참의원(參議員) Cámara *f* Alta (de senadores), Senado *m*. ~ 의원 senador, -dora *mf*. ~ 의장 presidente, -ta *mf* de (la) Cámara Alta.

참작(參酌) consideración *f*, deliberación *f*, referencia *f*, calificación *f*. ~하다 considerar, consultar, deliberar, referir, tomar en consideración.

참전(參戰) participación *f* en guerra. ~하다 tomar parte en la guerra, participar [intervenir] en la guerra. ~국 país *m* participante en guerra.

참정(參政) participación *f* en los negocios del gobierno. ~권 sufragio *m*, derechos *mpl* políticos. [투표권] derecho *m* de voto.

참조(參照) referencia *f*. ~하다 referir. ~하십시오 Refiérense.

참조기((어류)) corvina *f* amarilla.

참참이(站站-) en los ratos libres. 그는 일하면서 ~ 바이올린을 켠다 El toca el violín en los ratos libres de trabajo.

참치((어류)) atún *m*.

참패(慘敗) derrota *f* completa. ~하다 derrotarse por completo, sufrir una derrota, ser derrotado.

참하다 ① [나무랄 데 없이 말쑥하다] (ser) esbelto, elegante, estilizado. ② [성질이] (ser) apable, dulce, apacible, bueno, de buen genio. 참한 아이 buen chico *m* [niño *m*], buena chica *f* [niña *f*].

참형(慘刑) castigo *m* cruel, castigo *m* terrible.

참호(塹壕) trinchera *f*.

참혹하다(慘酷-) (ser) cruel, brutal, atroz, feroz, inhumano, bestial, desalmado, despiadado, trágico.

참화(慘禍) desastre *m*, catástrofe *f*, calamidad *f*, estragos *mpl*; [비극] tragedia *f*. 전쟁의 ~ los estragos de la guerra.

참회(懺悔) confesión *f*, penitencia *f*. ~하다 confesarse, hacer una confesión. ~ confesión *f*. ~소 confesionario *m*. ~자 penitente *mf*; confesante *mf*.

찹쌀 arroz *m* apelmazado.

찻삯(車-) pasaje *m*.

찻집(茶-) café *m*, cafetería *f*, sala *f* de té, salón *m* de té.

창 [구두·고무신 등의] suela *f*.

창(窓) ((준말)) =창문(窓門).

창(唱) canción *f*, canto *m*.

창(槍) lanza *f*, azagaya *f*, venablo *m*, jabalina *f*.

창간(創刊) primera edición *f*, primera publicación *f*, publicación *f* de una revista nueva. ~하다 fundar, empezar a publicar, publicar una revista nueva. 2003년 ~ fundado en dos mil tres. ¶ ~호 número *m* inicial (de una revista), número uno, primer número *m*.

창건(創建) fundación *f*, establecimiento *m*, inauguración *f*. ~하다 fundar, establecer, inaugurar. ~주 (主) fundador, -dora *mf*.

창검(槍劍) la lanza y la espada.

창고(倉庫) almacén *m*, depósito *m*; [지하의] sótano *m*; [곡물의] granero *m*; [주류의] bodega *f*. ~에 넣다[보관하다] almacenar, guardar en depósito [en almacén]. ¶ ~ 가격 precio *m* de mayorista. ~도 (渡) entrega *f* ex almacén. ~료 almacenaje *m*, bodegaje *m*, gastos *mpl* de almacén [de almacenaje]. ~업 almacenaje *m*. ~주 almacenista *mf*. ~지기 guardaalmacén *mf*; almacenero, -ra *mf*.

창공(蒼空) cielo *m* azul. ~을 날다 volar en el cielo.

창구(窓口) ① [창을 뚫어 놓은 곳] ventanita *f*. ② [돈의 출납 등 사무를 보는 곳] ventanilla *f*. 옆 ~ ventanilla *f* de al lado.

창군(創軍) =건군(建軍).

창극(唱劇) *changguk*, ópera *f* clásica coreana.

창기(娼妓) prostituta *f*, ramera *f*.

창기병(槍騎兵) lancero *m*.

창녀(娼女) puta *f*, prostituta *f*.

창단(創團) fundación *f*. ~하다 fundar una asociación.

창달(暢達) fluidez *f*, afluencia *f*, actividad *f*, promoción *f*, progreso *m*. 언론의 ~ promoción *f* de la libertad de expresión.

창당(創黨) fundación *f* [formación *f* · organización *f*] de un partido político. ~하다 fundar [formar · organizar] un partido político.

창던지기(槍-) lanzamiento *m* de la jabalina. ~ 선수 jugador, -dora *mf* del lanzamiento de la jabalina.

창립(創立) fundación *f*. ~하다 fundar. ~ 기념일 aniversario *m* de la fundación. ~자 fundador, -dora *mf*. ~ 총회 asamblea *f* general de la fundación.

창문(窓門) ventana *f*; [작은] ventanita *f*; [자동차의] ventanilla *f*, luna *f*; [배의] ojo *m* de buey, portilla *f*; [비행기의] ventanilla *f*. ~을 열다 abrir la ventana. ~을 닫다 cerrar la ventana.

창백하다(蒼白-) ponerse pálido. 창백한 얼굴 cara *f* pálida, rostro *m*

pálido. 얼굴이 ~ ponerse pálido.
창법(唱法) arte *m* de cantar.
창법(槍法) arte *m* de manejar la lanza.
창부(倡夫) [남자 광대] actor *m*.
창부(娼婦) puta *f*, ramera *f*, prostituta *f*.
창살(窓一) celosía *f*, rastel *m*; [감옥의] barrote *m*, barra *f*. ~ 없는 감옥 prisión *f* sin barrotes.
창상(創傷) cuchillada *f*, incisión *f*.
창생(蒼生) pueblo *m*, nación *f*, toda gente, todo el mundo.
창설(創設) establecimiento *m*, fundación *f*. ~하다 establecer, fundar. ~자 fundador, -dora *mf*.
창세(創世) creación *f* del mundo.
창세기(創世記) ((성경)) el Génesis.
창시(創始) fundación *f*, iniciación *f*. ~하다 fundar, iniciar, establecer. ~자 fundador, -dora *mf*.
창안(創案) idea *f* original, plan *m* original, invención *f*; [뉴모드의] creación *f*.
창업(創業) ① [나라를 처음 세움] fundación *f* de un país. ~하다 fundar un país. ② [사업을 시작함] inauguración *f*, fundación *f*, establecimiento *m*. ~하다 fundar, establecer. ~비 gastos *mpl* de constitución (de una compañía), expensas *fpl* de fundación. ~자 fundador, -dora *mf*.
창연(蒼鉛) ((화학)) bismuto *m*.
창연하다(蒼然一) ① [빛깔이 새파랗다] (ser) azul. ② [날이 저물어 어둑어둑하다] (ser) oscuro, poco iluminado. ③ [오래되어 예스러운 빛이 그윽하다] (estar) antiguo. 고색 ~ (ser) antiguo, de época.
창의(創意) idea *f* original, iniciativa *f*, originalidad *f*, nuevo invento *m*, idea *f* novel. ~력 espíritu *m* iniciativo, originalidad *f*.
창자 intestinos *mpl*, entrañas *fpl*, vísceras *fpl*; [동물의] tripas *fpl*.
창작(創作) ① creación *f*, invención *f*; [허구] ficción *f*. ~하다 crear, iniciar, inventar, engendrar. ② =단편 소설. ¶~물[품] obra *f* original, obra *f* creativa. ~집 obras *fpl* creativas.
창조(創造) ① [처음으로 만듦] creación *f*. ~하다 crear. ~되다 ser creado. ② [신이 우주 만물을 만듦] la Creación de Dios. ¶~력 poder *m* creador, fuerza *f* creadora, creatividad *f*; [독창력] facultad *f* creadora. ~자 ㉮ creador, -dora. ㉯ ((종교)) el Creador.
창졸간(倉卒間) momento *m* repentino.
창창하다(倀倀一) (ser) prometedor.
창창하다(蒼蒼一) ① [빛이 새파랗다] (ser) azul. 창창한 가을 하늘 cielo

m azul de otoño. ② [앞길이] (ser) prometedor.
창천(蒼天) [창공] bóveda *f* celeste, esfera *f* celeste, cielo *m* azul.
창틀(窓一) marco *m* de la ventana.
창파(滄波) oleada *f*, ola *f* grande.
창포(菖蒲) ((식물)) ácoro *m*, cálamo *m*, lirio *m*. ~꽃 flor *f* de lirio.
창피(猖披) vergüenza *f*, ignominia *f*, deshonra *f*, infamia *f*, ultraje *m*. ~하다 tener vergüenza, avergonzarse. ~스럽다 sentirse avergonzado. ~스레 avergonzadamente, con vergüenza.
창해(滄海) océano *m*, mar *m*(*f*).
창호(窓戶) ventanas *fpl* y puertas *fpl*. ~지 papel *m* para la puerta corrediza [(de) corredera].
찾다 ① [뒤져 살피다] buscar. 셋집을 ~ buscar una casa de alquiler. 일자리를 ~ buscar un empleo. ② [맡긴 것이나 빌려 준 것을] sacar, retirar. 돈을 ~ sacar [retirar] dinero. ③ [사전을] consultar.
찾아가다 ① [맡긴 것이나 빌려 온 것을] sacar, retirar. ② [남을 만나러 가다] visitar, hacer una visita.
찾아내다 hallar, encontrar, descubrir, detectar, buscar.
찾아오다 ① [남이 나를] visitar, venir a ver. ② [맡긴 것이나 빌려 준 것을] redimir.
채¹ ① [수레의] vara *f*. ② [가마의] pértiga *f*, timón *m*.
채² ① ((준말)) =채찍(látigo). ② [별로 사람을 때리는 나뭇가지] azote *m*. ③ [북·장구·징 등의] baqueta *f*, palillo *m* (de tambor), bolillo *m*. ④ [테니스·배드민턴·탁구·골프 의] raqueta *f*.
채³ [야채의] corte *m* en tiras, verduras *fpl* cortadas en tiras.
채⁴ ① [집의 덩이를 세는 단위] casa *f*. 집 한 ~ una casa. ② [이불 따위를 세는 단위] colchón *m*. 이불 다섯 ~ cinco colchones.
채(菜) entremés *m*, ensalada *f* vegetal.
채결(採決) votación *f*, decisión *f*. ~하다 poner a (la) votación, poner al voto, tomar un voto.
채광(採光) alumbramiento *m*. ~창 claraboya *f*, tragaluz *m*.
채광(採鑛) explotación *f* de las minas, minería *f*. ~하다 explotar las minas.
채굴(採掘) explotación *f* minera (de una mina). ~하다 explotar una mina.
채권(債券) bono *m*, título *m* (de la deuda); [집합적] obligaciones *fpl*. ~ 시장 mercado *m* de bonos. ~ 할인 descuento *m* sobre bonos.
채권(債權) derecho *m* de crédito, acreencia *f*, título *m*, crédito *m*,

derecho m. ~국 país m acreedor, nación f acreedora. ~자 acreedor, -dora mf; tenedor, -dora mf de una obligación. ~자 회의 junta f de acreedores.

채근(採根) ① [식물의 뿌리를 캠] arrancamiento m del raíz. ~하다 arrancar, sacar de raíz. ② [일의 근원을 캠] descubrimiento m del origen. ~하다 descubrir el origen. ③ [독촉함] apremio m. ~하다 apremiar.

채금(採金) minería f de oro. ~하다 extraer oro.

채널 canal m. 텔레비전의 ~ canal m de televisión. ~을 돌리다 encender [AmL prender] el canal. ~을 바꾸다 cambiar el canal.

채다¹ [값이 좀 오르다] subir, aumentar. 값이 ~ subir el precio.

채다² [갑자기 힘있게 잡아당기다] tirar de sobresalto, arrebatar, quitar de un tirón.

채다³ [재빨리 짐작하다] notar, sospechar, descubrir, encontrar, detectar. 눈치를 ~ notar.

채다⁴ ((준말)) = 채우다(satisfacer).

채다⁵ ① [발로 참을 당하다] ser pegado una patada. ② [중간에서 가로참을 당하다] agarrar, coger, arrancar. ③ [애인한테 딱지를 맞다] darse calabazas.

채록(採錄) transcripción f, extracto m. ~하다 transcribir; [일부를] extractar.

채무(債務) deuda f, débito m, obligación f, pasivo m. ~를 이행하다 cumplimiento con las obligaciones, pagar la deuda. ¶~국 país m deudor. ~자 deudor, -dora mf; obligado, -da mf.

채벌(採伐) 벌채(伐採).

채비(-備) preparación f. ~하다 preparar.

채산(採算) cálculo m provechoso. ~를 맞추다 ser provechoso.

채색(彩色) ① [그림에 색을 칠함] coloración f. ~하다 colorear, colorar, pintar, teñir, dar color. ② [여러 가지 고운 빛깔] colores mpl abigarrados.

채석(採石) corte m de piedra, labra f de las piedras, cantera f. ~하다 cortar piedra, labrar las piedras. ~공 picapedrero, -ra mf; cantero, -ra mf. ~장 cantera f, pedrera f.

채소(菜蔬) verdura f, legumbres fpl. 신선한 ~ verdura f fresca. ¶~가게 verdulería f. ~밭 huerta f. ~장수 verdulero, -ra mf.

채송화(菜松花) ((식물)) verdolaga f.

채식(菜食) dieta f vegetal, régimen m vegetariano, dieta f fitógrafa, mantenencia f por vegetales, vegetarianismo m, vegetalismo m.

~하다 vivir de vegetales, abstenerse de comer carne. ~가 vegetariano, -na mf. ~주의 vegetarianismo m, vegetalismo m. ~주의자 vegetariano, -na mf.

채용(採用) ① [채택하여 씀] adoptación f, uso m. ~하다 adoptar, usar. ② [고용] empleo m, admisión f; [임용] nombramiento m. ~하다 emplear, admitir, nombrar. ~시험 examen m de admisión [de colocación]; [공무원 등의] oposiciones fpl.

채우다¹ ① [몸에 물건을] hacer llevar. ② [자물쇠·단추 따위를 잠그다] [문·뚜껑·자동차를] cerrar (con llave); [단추·훅·지퍼·허리띠 따위를] abrochar; [단추를] abotonar. ③ [발목·팔목에 형구를] poner, sujetar.

채우다² ① [더운 물건을 찬물 속에] poner en el agua fría, enfriar. ② [상하기 쉬운 물건을 얼음에] refrigerar. 냉장고에 ~ mantener en el refrigerador [en la nevera].

채우다³ ① [모자라는 수량을] añadir, adicionar; [보충하다] suplir. 물을 ~ añadir agua. ② [일정한 곳까지] llenar. 목욕탕에 물을 ~ llenar el agua en el baño. ③ [욕망을] satisfacer, llenar, complacer, contener, dar gusto. ④ [일정한 기한까지] cumplir, completar.

채원(菜園) huerta f, huerto m.

채유(採油) perforación f para el aceite, extracto m del aceite. ~하다 extraer el aceite.

채유(菜油) ① [채소씨로 짠 기름] aceite m de semilla de verduras. ② [배추씨로 짠 기름] aceite m de semilla de repollo.

채전(菜田) huerta f, huerto m.

채점(採點) calificación f, marcación f. ~하다 calificar, marcar. ~표 tarjeta f de marcar, marcador m de tantos.

채종(採種) recogida f de semillas.

채종(菜種) colza f.

채주(債主) acreedor, -dora mf.

채질 paliza f, azotaina f. ~하다 azotar, dar le una paliza [un azote].

채집(採集) colección f. ~하다 recoger, coleccionar, hacer una colección. ~가 coleccionista mf; coleccionador, -dora mf.

채찍 [승마에서] fusta f, AmL fuste m; [조련사의] látigo m, azote m, zurriago m, tralla f. ~질 latigazo m, acción f de fustigar [azotar], flagelación f. ~질하다 fustigar, azotar.

채취(採取) extracción f, cogedura f, recogida f, recogimiento m. ~하다 extraer, recoger, sacar, tomar.

채치다 [캐비지·배추·상추를] cortar en tiras; [당근 따위를] cortar en juliana; [강판에 갈다] rallar. 당근 을 ~ cortar zanahorias en juliana.

채탄(採炭) extracción *f* de carbón [piedra], explotación *f* del carbón. ~하다 extraer el carbón, explotar el carbón.

채택(採擇) adopción *f*, preferencia *f*, admisión *f*, optación *f*. ~하다 adoptar, preferir, admitir.

채혈(採血) extracción *f* de sangre. ~하다 sacar [extraer] sangre.

책 libro *m*. ~을 쓰다 escribir un libro. ~을 읽다 leer un libro. ~을 펴다[덮다] abrir [cerrar] el libro.

책(柵) cerca *f*, valla *f*, barrera *f*.

책가(冊價) precio *m* del libro.

책가방(冊─) mochila *f* para libros.

책가위(保護用의) forro *m*; [그림이 든] sobrecubierta *f*, camisa *f*.

책갑(冊匣) hoja *f* de un libro.

책갑(冊匣) librería *f*, estantería *f*.

책거리(冊─) 책씻이.

책권(冊卷) ① [서적의 권질] tomo *m*. ② [얼마간의 책] unos libros.

책궤(冊櫃) balda *f* (para libros), estante *m*, estantería *f*.

책꽂이(冊─) armario *m* [estante *m*] para libros; [선반류의] estantería *f*, [책이 넘어지지 않게 책의 양쪽 가에 대는] sujetalibros *m*, soportalibros *m*.

책동(策動) maniobra *f*, intriga *f*, manejo *m* artificioso. ~하다 maniobrar.

책뚜껑(冊─) cubierta *f*, portada *f*.

책략(策略) artificio *m*, ardid *f*, estratagema *f*, maniobra *f*, maña *f*, treta *f*, estrategia *f*, táctica *f*. ~을 쓰다 manipular, recurrir a artificios, usar una treta. ¶ ~가 estratega *mf*, táctico, -ca *mf*; intrigante *mf*; maquiavelista *mf*.

책력(冊曆) [의무] almanaque *m*.

책망(責望) reproche *m*, censura *f*, reprobación *f*, vituperación *f*, reprensión *f*, reprimenda *f*. ~하다 reprochar, vituperar, censurar.

책무(責務) [의무] deber *m*, obligación *f*; [책임] responsabilidad *f*. ~를 이행하다 cumplir (con) *su(s)* deber(es), cumplir *su* obligación.

책방(冊房) librería *f*.

책벌레(冊─) ratón *m* de biblioteca.

책보(冊褓) envoltura *f* de tela (para los libros).

책사(策士) hombre *m* de recursos; táctico, -ca *mf*; persona *f* fértil en recursos; [책모가] intrigante *mf*; maquiavelista *mf*.

책상(冊床) mesa *f*; [공부용의] pupitre *m*, mesa *f* de estudio; [사무용의] escritorio *m*, bufete *m*, buró *m*, mesa *f* de escribir. ~다리 las piernas cruzadas. ~보 mantel *m*, tapete *m*, carpeta *f*.

책싸개(冊─) sobrecubierta *f*, camisa *f*.

책임(責任) responsabilidad *f*; [의무] deber *m*, obligación *f*. ~ 있는 responsable, obligado, culpable. ~ 있는 사람 persona *f* responsable. ~ 있는 지위 posición *f* de responsabilidad. ~ 있는 태도 actitud *f* responsable. ~(을) 지다 tener a *su* cargo, estar a *su* cargo, responsabilizarse, encargarse, hacerse cargo, asumir la responsabilidad. ~(을) 지우다 hacer a *uno* responsable, hacer responder, cargar a *uno* de [con] la responsabilidad. ¶ ~감 sentido *m* [espíritu *m*] de (la) responsabilidad, responsabilidad *f*, formalidad *f*. ~ 내각 gabinete *m* responsable. ~자 responsable *mf*, persona *f* responsable.

책자(冊子) libros *mpl*, folleto *m*.

책잡다(責─) culpar, echar*le* la culpa.

책잡히다(責─) ser culpado.

책장(冊張) hoja *f*. ~을 넘기다 hojear.

책장(冊欌) estantería *f*, estante *m* para libros, librería *f*, biblioteca *f*.

책정(策定) asignación *f*, partida *f*. ~하다 destinar, asignar.

책제목(冊題目) título *m* del libro.

책하다(責─) acusar, echar en cara, reprochar, recriminar, vituperar.

챔피언 campeón, -peona *mf*; [선수권 보유자] poseedor, -dora *mf* del título.

챙기다 ① [모으다] recoger, coleccionar. ② [짐을 꾸리다] enfardelar, empaquetar, arreglar el paquete.

처(妻) esposa *f*, mujer *f*.

처(處) sitio *m*, lugar *m*; [기구의] oficina *f*, Secretaría *f*, Ministerio *m*. 과학 기술~ Ministerio *m* de Ciencia y Tecnología.

처가(妻家) casa *f* de los padres de *su* esposa. ~살이하다 vivir en la casa de los padres de *su* esposa.

처결(處決) decisión *f*, disposición *f*, resolución *f*. ~하다 decidir, disponer, resolver.

처남(妻男) cuñado *m*, hermano *m* político.

처넣다 meter [echar] rudamente, abarrotar, atiborrar, henchir; [감옥에] encarcelar.

처녀(處女) ① [성숙한 미혼 여성] doncella *f*, señorita *f*. ~로 늙다 enterrar con palma. ~ 티가 나다 llegar a la pubertad. ② [남자와의 성적 경험이 없는 여자] virgen *f*. ~의 virgen, virginal, virgíneo. ③ [최초의, 처음으로 하는. 미답의] virgen, de prueba, primero. ¶ ~림 selva *f* virgen. ~봉(峰) pico *m* virgen. ~ 비행 vuelo *m* de prueba. ~성 virginidad *f*, *Ecu* cocol *m*. ~ 연설 discurso *m* virgen. ~ 작 obra *f* virgen.

처녀막(處女膜) [(해부)] himen *m*.

처단(處斷) decisión *f*, disposición *f*. ~하다 decidir; [벌하다] castigar.

처덕(妻德) ① [아내의 덕행] virtud *f* de *su* esposa. ② [아내의 은덕] favor *m* de *su* esposa, ayuda *f* de *su* esposa.

처량하다(凄凉-) ① [보기에 쓸쓸한 데가 있다] (ser) desierto, desolado. 처량한 벌판 campo *m* desierto. ② [초라하고 구슬프다] (ser) melancólico, triste, solitario, lastimero, que mueve a lástima.

처럼 como, de, como si + *subj*, tan ... como, tanto ... como. 눈~ 희다 ser tan blanco como la nieve.

처리(處理) ① [사건 또는 사무를 다루어 결말을 냄] disposición *f*, despacho *m*, manejo *m*, arreglo *m*, transacción *f*, [관리] administración *f*. ~하다 disponer, despachar, manejar, arreglar, tramitar, administrar. ② [(화학)] tratamiento *m*. ~하다 tratar.

처마 [(건축)] socarrén *m*, alero *m* (de tejado). ~끝 punta *f* [borde *m*] de alero. ~널 tabla *f* del alero.

처먹다 devorar, tragar, engullir, comer con avidez [con voracidad].

처먹이다 hacer devorar, hacer comer mucho.

처방(處方) receta *f*, fórmula *f*, prescripción *f* médica. ~하다 recetar. ~을 쓰다 escribir una receta, recetar, prescribir, formular. ¶ ~서 formulario *m* terapéutico, recetario *m*. ~전(箋) receta *f*, fórmula *f* (médica), recetario *m*. ~학 catagrafología *f*.

처벌(處罰) castigo *m*, pena *f*, punición *f*, sanción *f*. ~하다 castigar, escarmentar, imponer una pena, imponer un castigo.

처분(處分) ① [어떤 기준에 따라 처리함] disposición *f*, dirección *f*, despacho *m*. ~하다 disponer, hacer disposición, despachar, deshacerse, prescindir. ② [이미 있는 권리에 대해] enajenación *f*, liquidación *f*. ~하다 enajenar, liquidar, vender. 재고품을 ~하다 liquidar [vender] todas las liquidaciones.

처사(處士) caballero *m* retirado, sabio *m* en jubilación.

처사(處事) conducta *f*.

처세(處世) manera *f* [modo *m*] de vivir, modo *m* de la vida, vida *f* de mundo, andanza *f* por el mundo. ~하다 comportarse, conducirse, actuar. ~술 sabiduría *f* mundanal. ~훈 reglas *fpl* de buena conducta, buenas máximas *fpl*.

처소(處所) [장소] sitio *m*, lugar *m*; [거처] residencia *f*, domicilio *m*; [행방] paradero *m*; [주소] dirección *f*, señas *fpl*. ~를 알리다 [자신의] enseñar [hacer saber] *su* propio domicilio; [다른 사람의] avisar la dirección.

처시하(妻侍下) marido *m* dominado por *su* mujer, calzonazos *m*.

처신(處身) *su* conducta, *su* proceder. ~하다 proceder, comportarse, portarse, obrar, conducirse, obedecer.

처우(處遇) trato *m*, tratamiento *m*. ~하다 tratar.

처음 ① [일의 시초] primero *m*, comienzo *m*, principio *m*, iniciación *f*, inauguración *f*; [데뷔] estreno *m*; [기원] origen *m*; [초기] grado *m* primitivo. ~으로 primero, en primer lugar, al principio, en el principio, por primera vez. ② [(성경)] primero *m*, principio *m*. ③ [첫 번으로] por primera vez. ~ 뵙겠습니다 Mucho gusto // [남자] Encantado / [여자] Encantada.

처자(妻子) *su* esposa y *sus* hijos; [가족] familia *f*, familiar *m*. ~가 있는 남자 hombre *m* casado y con hijos. ~를 부양하다 sostener a la familia.

처자(處子) doncella *f*, virgen *m*, señorita *f*.

처절하다(凄絶-) (ser) horroroso, horrible, horrendo, espantoso.

처제(妻弟) cuñada *f*, hermana *f* política.

처지(處地) ① [자기가 처해 있는 경우나 환경] [상황] situación *f*, circunstancia *f*, [환경] medio *m*, medio *m* ambiente, medioambiente *m*; [신상] condición *f*, estado *m*. ② [서로 사귀어 지내는 관계] relación *f*. ③ [지위. 신분] posición *f*, situación *f*, rango *m*, puesto *m*.

처지다 ① [바닥으로] hundirse, sumergirse. ② [아래로] colgar, estar suspendido. ③ [한 동아리에서 뒤떨어져 남다] quedar. ④ [다른 것보다 못하다] (ser) inferior, peor.

처참하다(凄慘-) (ser) horrible, horrendo, horroroso, espantoso. 처참한 투쟁 lucha *f* horrible.

처치(處置) disposición *f*, remedio *m*, medida *f*, medio *m*; [병원의] tratamiento *m*. ~하다 disponer, tomar medidas.

처하다(處-) ① [어떠한 처지를 당하다] caer. 곤경에 ~ verse en un apuro. 위험한 처지에 ~ caer en una situación peligrosa. ② [어떠한 형벌에 부치다] condenar, sentenciar. 벌금에 ~ ser impuesto con una multa.

처형(妻兄) cuñada *f*, hermana *f* política, hermana *f* mayor de *su* esposa.

처형(處刑) ① [형벌에 처함] pena *f*, castigo *m*, penalidad *f*. ~하다 penar, castigar. ~되다 ser castigado, ser penado, sufrir la pena, sufrir el castigo. ② [사형에 처함] ejecución *f* de la pena de muerte. ~하다 ejecutar [aplicar] la pena de muerte, ajusticiar.

척¹ pretensión *f*. ☞제²

척² ① [빈틈없이 잘 들러붙는 모양] pegajosamente. ② [몹시 늘어지거나 휘어진 모양] lánguidamente, dejando caer.

척³ [서슴지 않고 선뜻 행동하는 모양] sin vacilación, sin titubear.

척¹(尺) regla *f*.

척²(尺) *cheok*, pie *m* coreano (unidad de longitud, 3.03 decímetros); [촌법] medida *f*; [길이] longitud *f*, largo *m*.

척(隻) barco *m*. 배 다섯 ~ cinco barcos.

척결(剔抉) arrancamiento *m*, arrancadura *f*. ~하다 sacar, arrancar, poner al descubierto, sacar a la luz.

척도(尺度) medida *f*, regla *f* de medir, barómetro *m*, índice *m*. 공통의 ~ medida *f* común.

척박하다(瘠薄-) (ser) estéril, árido, yermo. 척박한 땅 terreno *m* estéril, terreno *m* infecundo.

척수(脊髓) ((해부)) médula *f* espinal. ~ 마비 amielineuria *f*, mieloparálisis *f*, mieloplegia *f*. ~병 mielopatía *f*. ~ 신경 nervio *m* espinal. ~ 염 notomielitis *f*, neuromielitis *f*.

척식(拓植) colonización *f*, explotación *f*. ~하다 colonizar, establecer una colonia. ~ 은행 banco *m* colonial.

척주(脊柱) ① ((해부)) columna *f* vertebral, espina *f* dorsal. ② ((해부)) [인간 이외의] espinazo *m*, espina *f* dorsal, raquis *m*. ~ 교정 quiropráctica *f*. ~ 동물 vertebrado *m*.

척지다(隻-) llegar a odiar uno a otro, tener*le* [guardar*le*] rencor.

척척¹ [물체가 자연스럽게 잘 달라붙는 모양] pegajosamente. 몸에 ~ 달라 붙다 pegarse al cuerpo.

척척² ① [일을 차례대로 능숙하게 하는 모양] fácilmente, con facilidad, hábilmente, con habilidad, a las mil maravillas; [신속하게] rápidamente, en sucesión presta, muy de prisa, expeditivamente. ② [일을 주저없이 선뜻 하는 모양] sin vacilación, vacilantemente. ③ [가지런히 여러 번 접거나 개키는 꼴] cuidadosamente, ordenadamente, en orden. ④ [헤프게] liberalmente, profusamente, con despilfarro.

척척박사(-博士) persona *f* que responde bien a las preguntas.

척척하다 (ser) húmedo. 척척한 옷 ropa *f* húmeda.

척추(脊椎) ① ((해부)) [척주] columna *f* vertebral, vértebra *f*, espina *f* dorsal. ~의 vertebral. ② ((해부)) ((준말))=척골추. ¶~골 vértebra *f*. ~ 늑골 costilla *f* vertebral. ~ 동물 (animales *mpl*) vertebrados *mpl*. ~ 마취 anestesia *f* epidural [pidural]. ~ 만곡(彎曲) curvo *m* espinal. ~뼈 vértebra *f*. ~ 신경 nervio *m* raquídeo [espinal]. ~염 inflamación *f* vertebral.

척탄(擲彈) granada *f* [bomba *f*] a mano. ~병 granadero, -ra *mf*.

척하다 =체하다. ¶교수인 ~ darse aires de profesor.

척후(斥候) ① [정찰·탐색하는 일] patrulla *f*, ronda *f*; [사람] patrulla *mf*. ~하다 patrullar, estar de patrulla. ② ((준말))=척후병. ¶~대 patrulla *f*. ~병 patrulla *mf*; soldado *m* de patrullas.

천 tela *f*, paño *m*.

천(千) mil. 수~의 miles de, millares de. ~ 배(倍) mil veces.

천(天) cielo *m*.

천(薦) recomendación *f*. ☞추천(推薦)

천개(天蓋) tapa *f* del ataúd.

천거(薦擧) recomendación *f*. ~하다 recomendar.

천격(賤格) dignidad *f* baja y vil. ~ 스럽다 (ser) bajo y vil. ~스럽게 baja y vilmente.

천견(淺見) ① [얕은 견문] conocimiento *m* superficial, poco conocimiento *m*. ② [얕은 생각] pensamiento *m* superficial. ③ [자기의 소견] mi opinión, mi parecer. ¶~ 박식 conocimiento *m* superficial.

천계(天界) ((준말))=천상계.

천계(天啓) revelación *f* divina.

천고(千古) ① [썩 먼 옛적] tiempo *m* bastante antiguo, antigüedad *f*. ~의 영웅 héroe *m* de la antigüedad. ② [영구한 세월] tiempo *m* eterno, eternidad *f*.

천고마비(天高馬肥) El otoño es muy buen tiempo. ~의 계절 otoño *m*.

천골(賤骨) semblante *m* humilde.

천골(薦骨) ((해부)) hueso *m* sacral.

천공(天空) =천구(天球).

천공(穿孔) ① [바윗돌 따위에 구멍을 뚫는 일] perforación *f*; [우표 등의] perforado *m*. ~하다 perforar, taladrar, barrenar, aguijerear, hacer. ② ((의학)) perforación *f*. ¶~ 기 perforadora *f*, perforador *m*, taladradora *f*, taladro *m*, barreno *m*, sacabocado *m*; [키펀치] perforadora *f* manual [de teclado].

천구(天球) firmamento *m*, bóveda *f* celestre, esfera *f* celestial. ~의(儀)

((천문)) globo *m* celeste.

천국(天國) ① [하느님이 지배하는 나라] paraíso *m*, cielo *m*. ~의 paradisíaco, celestial. 지상의 ~ paraíso *m* terrenal. ② ((기독교·천주교)) cielo *m*, paraíso *m*. ③ ((성경)) reino *m* de los cielos, reino *m* de Dios.

천군만마(千軍萬馬) experiencia *f* de mil batallas, bastante muchos soldados y caballos.

천근(千斤) ① [백 근의 열 갑절] mil *keunes*, seiscientos kilógramos. ② [썩 무거운 무게] peso *m* muy pesado. ¶~같다 pesar como (un) plomo.

천금(千金) mucho dinero, fortuna *f*.

천기(天氣) ① [하늘의 기상] tiempo *m*, estado *m* atmosférico. ② [하늘에 나타난 조짐] síntoma *m* celestial. ¶~ 예보 pronóstico *m* del tiempo.

천기(天機) ① [하늘의 기밀] misterio *m* de naturaleza. ② [중대한 기밀] secreto *m* importante. ③ [타고난 성질 또는 기지] naturaleza *f* innata, carácter *m* natural. ¶~ 누설 revelación *f* del secreto importante.

천기(賤妓) *kisaeng f* humilde.

천녀(天女) ① =직녀성(織女星). ((천교)) =비천(飛天). ③ =여신(女神). ④ [아름답고 상냥한 여인] mujer *f* hermosa y afable.

천녀(賤女) mujer *f* de cuna humilde, mujer *f* humilde.

천년(千年) ① [백 년의 열 갑절] mil años *mpl*, milenio *m*; [기간] milenario *m*. ~의 milenario *m*. ② [썩 오랜 세월] bastante largo tiempo *m*.

천당(天堂) ① [하늘 위에 있다는 신의 전당] paraíso *m*, cielo *m*. ~의 paradisíaco, celestial. ~에 가다 ir al paraíso [al cielo], morir, fallecer. ② ((기독교·천주교)) cielo *m*, paraíso *m*. ③ ((불교)) paraíso *m*.

천대(賤待) maltratamiento *m*, maltrato *m*. ~하다 maltratar, tratar mal.

천도(天桃) melocotón *m* en el cielo.

천도(天道) ① [천지 자연의 도리] la Providencia, leyes *fpl* divinas. ② [천체가 운행하는 길] camino *m* del astro.

천도(遷都) traslado *m* [traspaso *m*] de la capital. ~하다 trasladar [traspasar] la capital.

천도교(天道教) ((종교)) *Cheondogyo*, religión *f* procedente de Corea. ~도 cheondoísta *mf*; fiel *mf* de *Cheondogyo*.

천동설(天動說) teoría *f* (p)tolemaica, sistema *m* geocéntrico.

천둥 trueno *m*.

천래(天來) venida *f* del cielo, obten-

ción *f* del cielo, talento *m* natural. ~의 venido del cielo, celestre.

천량 dinero *m* y comida, posesiones *fpl*.

천려(千慮) muchas consideraciones, muchos pensamientos. ~일실(一失) error *m* cometido por un hombre muy cuidadoso, yerro *m* cometido después de pensar mucho; [생각치 않은 실책] error *m* inesperado.

천렵(川獵) pesca *f* en el río. ~하다 pescar en el río.

천륜(天倫) leyes *fpl* morales. ~에 어그러지다 infringir [violar] las leyes morales.

천리(千里) ① [십리의 백 배] mil *ri*, cuatrocientos kilómetros. ② [먼 거리] larga distancia *f*, distancia *f* bastante lejana. ¶~마 caballo *m* excelente. ~안 telestesia *f*, clarividencia *f*, vidente *m*.

천마(天馬) pagaso *m*, caballo *m* de carrera veloz.

천막(天幕) tienda *f*, toldo *m*, pabellón *m*, tendal *m*, cenefa *f*, *AmS* carpa *f*. ~ 생활 vida *f* de campamento.

천만(千萬) ① [만의 천 배] diez millones *m*. ② [비길 데 없음] lo incomparable. ③ [썩 많은] muchísimo. ④ [매우, 아주] muy, muchísimo. ¶~의 말(씀) [아주 생각 밖의 말] palabra *f* fuera de pensamiento. ⑳ [고맙습니다 Gracias에 대한 대답으로] De nada / No hay de qué // [미안합니다 Lo siento에 대한 대답으로] No importa. ~다행 muy buena suerte *f*.

천만에(千萬一) ① [고맙습니다 Gracias에 대한 대답으로] De nada / No hay de qué. ② [미안합니다 Lo siento에 대한 대답으로] No importa.

천명(天命) ① [타고난 수명] providencia *f*, destino *m*. ② [하늘의 명령] orden *f* [mandato *m*] del cielo.

천명(闡明) proclamación *f*, clarificación *f*. ~하다 proclamar, clarificar, poner claro, aclarar.

천문(天文) [천체에서 일어나는 온갖 현상] todos los fenómenos que ocurren en el astro, astrología *f*. ② ((준말)) =천문학. ¶~대 observatorio *m* astronómico. ~학(學) astronomía *f*. ~ 학자 astrónomo, -ma *mf*.

천민(賤民) pueblo *m* humilde [bajo · vil]; paria *mf*.

천박하다(淺薄一) (ser) superficial, frívolo, somero, sin carácter, delgado, irreflexivo, imprudente, ligero. 천박하게 superficialmente, frívolamente, irreflexivamente.

천방지축(千方地軸) imprudencia *f*, temeridad *f*, insensatez *f*, [부사적]

imprudentemente, de modo teme-rario, atropelladamente.

천벌(天罰) (justo) castigo *m* de Dios, castigo *m* del cielo. ~을 받다 recibir *su* (justo) castigo (de Dios), encontrar *su* Némesis, ser castigado por Dios.

천변(千變) varios cambios *mpl.* ~만화 variación *f* innumerable, varie-dad *f* inmensa, variedad *f* calidos-cópica.

천변(川邊) orilla *f* de un río, ribera *f.* ~을 따라 a lo largo de un río.

천변(天變) calamidad *f* natural. ~지이(地異) cataclismo *m*, fenómeno *m* natural extraordinario; 천재(天災) calamidades *fpl* naturales.

천복(天福) bendición *f* divina. ~을 받다 ser bienaventurado del cielo.

천부(天父) ① ((기독교)) Dios *m*, Señor *m.* ② ((성경)) Padre *m* celestial, Padre *m* que está en el cielo.

천부(天賦) naturaleza *f* innata. ~의 innato, inherente, natural.

천부당만부당(千不當萬不當) lo poco razonable, lo irrazonable. ~하다 ser muy poco razonable, ser muy irrazonable.

천부인(天符印) sello *m* de tesoro del cielo.

천분(天分) naturaleza *f*, dote *m*, dote *m* [talento *m* · don *m* · habilidad *f*] natural, genio *m*; [소질] disposi-ciones *fpl* naturales; [적성] aptitud *f.*

천사(天使) ① ((기독교)) ángel *m.* [수천사] serafín *m.* ~ 같은 ange-lical, angélico, seráfico. ② [천자의 사신] enviado *m* del emperador. ③ [마음이 곱고 어진 사람] buena persona *f*, buen hombre *m.* ¶ ~장 arcángel *m*, heraldo *m* de Dios.

천산(天産) ① [천연적으로 남] pro-ducción *f* natural. ② ((준말)) =천산물. ¶ ~물(物) productos *mpl* naturales.

천산갑(穿山甲) ① ((동물)) pangolín *m.* ② [(한방)] [천산갑의 껍질] caparazón *m* del pangolín.

천상(天上) parte *f* superior del cielo, sobre el cielo. ~의 celeste, celes-tial. ~천하 유아독존(天下唯我獨尊) Solamente mi persona es sagrada en todo el universo / Santo soy yo sólo en el cielo y en la tierra.

천생(天生) ① [타고난 바] por natu-raleza. ② [날 때부터. 당초부터] de nacimiento, natural. ¶ ~배필 bue-na pareja *f* de nacimiento. ~연분 la mejor pareja, la buena pareja.

천석꾼(千石-) billonario *m*, multi-millonario *m.*

천성(天性) naturaleza *f*, disposición *f*

natural, índole *m*, temperamento *m* (natural).

천세나다 (ser) muy popular, escase-ar, estar por encima de la par.

천수(天授) gracias *fpl* de la Provi-dencia.

천수(天壽) vida *f* larga concedida por el cielo. ~를 다하다 morir a una edad avanzada de muerte natural.

천시(賤視) desprecio *m*, menosprecio *m.* ~하다 despreciar, menospre-ciar.

천식(喘息) ((의학)) el asma *f.* ~ 환자 asmático, -ca *mf.*

천신만고(千辛萬苦) dificultades *fpl* y obstáculos. ~하다 sufrir un sinfín de obstáculos.

천심(天心) ① [하늘의 가운데] centro *m* del cielo. ② =천의(天意).

천안(天顔) semblante *m* del Empe-rador, cara *f* del rey.

천애(天涯) ① [하늘 끝] horizonte *m.* ② [아득히 떨어진 타향] tierra *f* extaña, tierra *f* extranjera que está muy lejos.

천양(天壤) el cielo y la tierra. ~지간 todo el universo, el espacio entre el cielo y la tierra. ~지차 oposición *f* extrema, diferencia *f* extrema entre todas las cosas, diferencia *f* tan grande como del día a la noche, mucha diferencia *f.*

천업(賤業) ocupación *f* baja, profe-sión *f* indecente [deshonrada].

천연(天然) naturaleza *f*, estado *m* natural. ~의 natural; [야생의] salvaje, silvestre. ~의 미 belleza *f* natural, belleza *f* de naturaleza. ¶ ~ 가스 gas *m* natural. ~ 기념물 monumento *m* natural, especies *fpl* raras protegidas por la ley. ~색 color *m* natural, tecnicolor *m.* ~색 사진 fotografía *f* en tecnicolor, fotografía *f* de colores, cromofoto-grafía *f.* ~색 영화 película *f* en tecnicolor, película *f* de colores naturales, tecnicolor *m.* ~색 텔레비전 televisión *f* en colores. ~ 자원 recursos *mpl* naturales.

천연(遷延) dilación *f*, tardanza *f*, retraso *m*, postergación *f*, demora *f.* ~하다 dilatar, demorar, retrasar, retardar.

천연덕스럽다(天然-) no inquietarse, estar tranquilo. 천연덕스레 tran-quilamente, sin inquietarse, sin preocuparse, con frescura.

천연두(天然痘) viruela *f.*

천연스럽다(天然-) (ser) natural, sencillo, silencioso, tranquilo, sere-no. 천연스레 tranquilamente, con (toda) tranquilidad, con calma, con serenidad, con indiferencia.

천왕성(天王星) ((천문)) Urano *m.*

천우(天佑) gracia *f* divina [a Dios]. ~신조 gracia *f* a Dios, gracia *f* divina, providencia *f*.

천운(天運) destino *m*, suerte *f*, fortuna *f*.

천은(天恩) ① [하느님의 은혜] favor *m* de Dios, gracia *f* de Dios. ② [임금의 은덕] favor *m* del rey, benevolencia *f* del rey.

천의(天意) ① [하늘의 뜻] Providencia *f*, voluntad *f* divina, voluntad *f* del cielo. ② [임금의 뜻] voluntad *f* real, voluntad *f* del rey.

천인(天人) ① [하늘과 사람] el cielo y el hombre, Dios y hombre. ② [도가 있는 사람] hombre *m* de doctrina. ③ [재질이나 용모가 몹시 뛰어난 사람] hombre *m* de talento, hombre *m* muy guapo. ④ [썩 아름다운 여자] mujer *f* bastante hermosa, belleza *f*. ¶~공노 odio *m* que todo el mundo puede se enfada.

천인(賤人) hombre *m* de nacimiento humilde.

천일염(天日鹽) sal *f* fabricada por evaporación espontánea.

천일초(千日草) ((식물)) amarantina *f*.

천일홍(天日紅) ((식물)) =천일초.

천자(天子) ① [황제] emperador *m*; [하늘의 아들] Hijo *m* del Cielo; [임금] soberano *m*, rey *m*. ② ((불교)) hijo *m* del cielo.

천자만태(千姿萬態) variación *f* interminable de formas, todas las formas, todas las imágenes, todas las figuras.

천자만홍(千紫萬紅) variedad *f* deslumbrada de colores, varios colores de las flores.

천자문(千字文) Mil Caracteres Chinos.

천잠(天蠶) ((곤충)) ataco *m*.

천장(天障) techo *m*, cielo *m* raso. 둥근 ~ domo *m*, cúpula *f*.

천재(千載) mil años, largo tiempo *m*, mucho tiempo. ~일우(一遇) suerte *f* providencial, oportunidad *f* rara [rarísima]. ~일우의 기회 oportunidad *f* rara. ~일우의 호기 suerte *f* providencial, oportunidad *f* rarísima.

천재(天才) genio *m*, talento *m* extraordinario [natural], dote *m* natural; [사람] genio *m*, hombre *m* genial [de genio], prodigio *m*. ~교육 educación *f* para desarrollar las aptitudes de los niños particularmente dotados. ~ 소녀 niña *f* prodigio. ~ 소년 niño *m* prodigio.

천재(天災) calamidad *f* natural, desastre *m* natural, estragos *mpl* naturales. ~지변 calamidad *f* [desastre *m*] natural.

천적(天敵) enemigo *m* natural.

천정(天定) decisión *f* del cielo. ~ 배필 buena pareja *f*.

천정(天頂) cenit *m*, zenit *m*.

천정부지(天井不知) acción *f* de dispararse. ~의 exorbitante, que no cesa de subir.

천제(天帝) ① Dios *m*, Señor *m*, Providencia *f*. ② ((불교)) rey *m* [emperador *m*] del cielo.

천주(天主) ① ((기독교)) Dios *m*, Señor *m*, Creador *m*. ② ((천주교)) Nuestro Señor. ¶~교 catolicismo *m*. ~교도 católico, -ca *mf*.

천지(天地) ① [하늘과 땅] el cielo y la tierra. ② [우주] cosmos *m*, espacio *m*, universo *m*; [세상] mundo *m*. ③ [대단히 많음] muchísimo. ④ ((성경)) los cielos y la tierra, el cielo y la tierra. ¶~ 개벽 ② [하늘과 땅이 처음으로 열림] comienzo *m* del mundo, principio *m* del mundo. ④ [자연계나 사회의 큰 변동] gran cambio *m* del mundo natural o de la sociedad. ~ 만물 todas las criaturas, la creación, el universo. ~ 신명 Cielo *m*, dioses *mpl* del cielo o de la tierra. ~ 창조 la Creación.

천지(天池) *cheonchi*, lago *m* de cráter en el monte *Baekdu*.

천직(天職) [직업의] vocación *f*, profesión *f*; [사명] misión *f*. ~을 다하다 cumplir *su* misión.

천진난만(天眞爛漫) candidez *f*, ingenuidad *f*, inocencia *f*, candor *m*. ~하다 (ser) ingenuo, cándido, inocente, simple, sencillo, natural, sin arte, infantil, candoroso.

천진스럽다(天眞 —) (ser) inocente, cándido.

천차만별(千差萬別) variedad *f* infinita, infinidad *f* de variedades.

천착(穿鑿) ① [구멍을 뚫음] perforación *f*, excavación *f*. ~하다 perforar, excavar. ② [학문을 깊이 연구함] investigación *f* profunda. ~하다 investigar profundamente.

천창(天窓) claraboya *f*, tragaluz *f*, lucera *f*.

천천하다 (ser) lento, tardío, gradual.

천천히 despacio, lentamente, con lentitud, pausadamente, con retraso, tardíamente, a(l) paso de tortuga; [점차적으로] gradualmente; [저속으로] a pequeña velocidad; [서두르지 아니하고] sin darse prisa; [태평스레] con toda tranquilidad. ~ 걷다 andar lentamente [despacio], andar sin prisa, correr despacio [sin prisa].

천체(天體) astro *m*, cuerpo *m* celestial [celestre]. ~ 관측 observación *f* astronómica. ~도 mapa *m* celestial [celestre]. ~ 망원경 telescopio *m* astronómico. ~ 운동

movimiento *m* astronómico.

천추(千秋) [썩 오랜 세월] bastante mucho tiempo, muchos años; [먼 미래] futuro *m* lejano.

천축(天竺) ((지명)) la India.

천출(賤出) =서출(庶出).

천층만층(千層萬層) clases *fpl* incontables, todos los niveles *mpl*.

천치(天痴/天癡) idiota *mf*.

천칭(天秤)=천평칭(天平秤).

천태만상(千態萬象) todo tipo de formas y figuras, gran diversidad *f*.

천편일률(千篇一律) monotonía *f*. ~의 monótono.

천평칭(天平秤) balanza *f*, romana *f*, balanza *f* de cruz. ~으로 달다 pesar con una romana.

천품(天稟) disposición *f* [calidad *f*] natural, naturaleza *f* innata, naturaleza *f* ingénita, talento *m* natural [innato].

천하(天下) ① [하늘 아래의 온 세상] (todo el) mundo *m*, universo *m*. ② [한 나라 전체] todo país *m*, país *m* entero. ③ [온 세상 또는 한 나라가 그 정권 밑에 있는 일] gobierno *m*, reinado *m*, poder *m* (político), reino *m* entero. ¶~명창 buen cantor *m* sin par (en el mundo), buena cantora *f* sin par (en el mundo). ~무적 invencibilidad *f* en el mundo. ~일색 belleza *f* sin par (en el mundo). ~일품 único artículo *m*, artículo *m* sin par, artículo *m* único en el mundo. ~장사 hércules *m*, guerrero *m* sin par [sin igual·incomparable].

천하다(薦-) recomendar.

천하다(賤-) ① [생긴 모양이나 언행이 품위가 낮다] (ser) vulgar, soez. ② [신분이 낮다] (ser) humilde, bajo, vulgar, basto. ③ [너무 흔하다] (ser) común, ordinario, popular. ④ [고상한 맛이 없이 다랍다] (ser) vulgar, poco refinado.

천행(天幸) muy buena suerte *f*, muy buena fortuna *f*, bendición *f* de Dios. ~으로 por fortuna, por dicha, por (buena) suerte, dichosamente, afortunadamente.

천형(天刑)=천벌(天罰).

천혜(天惠) favor *m* divino, favor *m* de Dios, favor *m* del cielo.

천황(天皇) emperador, -triz *mf*.

천후(天候)=기후. ¶~의 급변 cambio *m* repentino [abrupto] del tiempo.

철¹ [계절] estación *f*; [활동·수확 등의] temporada *f*. ~이 지나 fuera de temporada, en temporada baja. ~ 이른 [늦은] 사과 manzanas *fpl* tempranas [tardías].

철² [사리를 분별할 줄 아는 힘] discreción *f*, prudencia *f*, juicio *m*, comprensión *f*, pasiones *fpl* humanas. ~이 들 나이 edad *f* discreta [prudente].

철(鐵) ① [금속 원소의 하나] hierro *m*, *AmL* fierro *m*; [강철] acero *m*.; [무쇠] hierro *m* colado, hierro *m* fundido. ② (준말)) =철사. ¶~의 장막 telón *m* de acero, *AmL* cortina *f* de hierro.

철각(鐵脚) piernas *fpl* de hierro.

철갑(鐵甲) cubierta *f* de hierro; [더깨] capa *f*, revestimiento *m*, corteza *f*, costra *f*. ~선(船) buque *m* acorazado. ~탄 bala *f* acorazada.

철갑상어(鐵甲-) ((어류)) esturión *m*. ~의 알 caviar *m*, cavial *m*.

철강(鐵鋼) acero *m*, hierro *m* y acero. ~업 industria *f* siderúrgica, siderurgia *f*. ~제품 productos *mpl* siderúrgicos.

철거(撤去) evacuación *f*, abolición *f*. ~하다 evacuar, quitar, retirar, apartar, remover.

철골(鐵骨) armazón *m* de hierro [de acero]. ~ 구조 estructura *f* de armazón de hierro, construcción *f* de armazón de hierro, armazón *m* rígido de hierro.

철공(鐵工) herrero *m*, obrero *m* de hierro. ~소 herrería *f*, fundición *f* de hierro. ~장 fundería *f*, ferrería *f*, ferretería *f*.

철관(鐵管) tubo *m* [cañería *f*·conducto *m*] de hierro. ~을 묻다 colocar cañería de hierro.

철광(鐵鑛) ① ((광물)) ((준말)) =철광석. ② [철광석 광산] mina *f* de minerales de hierro. ~석 ((광물)) minerales *mpl* de hierro.

철교(鐵橋) ① [쇠 다리] puente *m* de hierro. ② ((준말)) =철도교.

철군(撤軍) retirada *f* de tropas, evacuación *f*, retiro *m* (de las tropas). ~하다 retirar las tropas, retirarse, evacuar.

철권(鐵拳) puño *m* cerrado, puño *m* fuerte, mano *f* de hierro. ~을 가하다 dar un puñetazo.

철근(鐵筋) armadura *f* de acero, cinchuela *f* de hierro. ~ 골조 armazón *m* rígido, armazón *f* rígida. ~ 콘크리트 hormigón *m* armado, cemento *m* armado.

철기(鐵器) utensilios *mpl* de hierro, artículos *mpl* de ferretería, quincalla *f*. ~ 시대 la Edad de Hierro.

철길(鐵-)=철도(鐵道).

철나다 volver en sí, llegar a la edad de discreción.

철도(鐵道) ferrocarril *m*, vía *f* férrea. ~의 de ferrocarril, ferroviario, ferrovial. *AmS* ferrocarrilero. ~를 부설하다 construir un ferrocarril. ¶~교 puente *m* de vía férrea. ~망 red *f* ferroviaria [de ferrocarriles], sistema *m* ferroviario. ~ 사

고 accidente *m* ferroviario [de ferrocarril]. ~ 수송 transporte *m* ferroviario. ~ 시각표 guía *f* (de horario) de ferrocarriles, horarios *mpl* de trenes. ~역 estación *f* de ferrocarril. ~ 운임 [여객의] precio *m* del billete; [화물의] precio *m* de transporte. ~ 회사 compañía *f* de ferrocarril.

철두철미(徹頭徹尾) ① [처음부터 끝까지 철저함] meticulosidad *f*; del principio al fin. ② [처음부터 끝까지 철저하게] perfectamente, completamente, cabalmente, enteramente, en todo; [시종] del principio al fin, desde el principio hasta el fin, de un extremo a otro, de parte a parte.

철들다 volver en sí, llegar a la edad de discreción, tener el colmillo retorcido.

철럭거리다 correr, salir un hilito.

철렁거리다 tintinear.

철로(鐵路) =철도(鐵道).

철마(鐵馬) =기차(汽車).

철망(鐵網) ① [철사로 그물처럼 엮은 물건] calibrador *m* de alambre, red *f* [enrejado *m*] de alambre, alambrera *f*, tela *f* metálica, tela *f* de alambre; [창문·문의] tejido *m* metálico, malla *f* metálica. ~을 치다 alambrar, poner una alambrera. ② ((준말)) =철조망.

철면피(鐵面皮) sinvergüenza *f*, descaro *m*, desvergüenza *f*, desfachatez *f*, cara *f* descarada. ~하다 (ser) sinvergüenza, descarado, desvergonzado, desfachado. ~한 (漢) sinvergüenza *mf*; sinvergonzón, -zona *mf*.

철모(鐵帽) casco *m*, yelmo *m*.

철모르다 no tener discreción, ser una falta de consideración, ser desconsiderado, ser inocente, ser simple. 철모르는 아이 niño, -ña *mf* inocente.

철문(鐵門) puerta *f* de hierro.

철물(鐵物) herraje *m*, artículos *mpl* de ferretería, utensilio *m* de metal; [도구] herramienta *f*; [작은 도구] quincalla *f*; [집합적] ferretería *f* ~점 ferretería *f*, quincallería *f*. ~점 주인 ferretero, -ra *mf*.

철벅거리다 chapotear, chapaletear.

철병(撤兵) =철군(撤軍).

철봉(鐵棒) ① [쇠로 길게 막대기 모양으로 만든 물건] barra *f* de hierro. ② ((체조)) barra *f* fija, barra *f* horizontal. ~을 하다 hacer ejercicios en una barra fija.

철부지(-不知) niño *m* inocente, niña *f* inocente; persona *f* estúpida.

철분(鐵分) contenido *m* de hierro.

철분(鐵粉) limaduras *fpl* de hierro.

철사(鐵絲) alambre *m*. ~줄 cable *m*

metálico.

철새 pájaro *m* migratorio, el ave *f* (*pl* las aves) pasajera.

철석(鐵石) ① [쇠와 돌] el hierro y la piedra. ② [굳고 단단함] dureza *f*, firmeza *f*. ¶ ~같다 (ser) firme, inflexible. ~같이 con firmeza, firmemente.

철수(撤收) retirada *f*, evacuación *f*. ~하다 retirar(se), evacuar. 미군의 ~ retirada *f* del ejército estadounidense.

철시(撤市) cerradura *f* de la tienda, suspensión *f* de negocio. ~하다 cerrar la tienda, suspender el negocio.

철썩거리다 lamer, besar.

철썩철썩 dando una bofetada; [파도가] bañando, lamiendo, besando. ~ 때리다 golpetear, golpear rápidamente, dar una bofetada, pegar una bofetada.

철야(徹夜) vela *f*, trasnoche *f*, velación *f* (a un muerto), noche *f* pasada sin dormir. ~하다 trasnochar, velar toda la noche, pasar la noche en vela, pasar la noche velando (a un muerto), no dormir toda la noche.

철없다 (ser) inocente, candoroso, ingenuo.

철인(哲人) ① [학식이 높고 사리에 밝은 사람] sabio, -bia *mf*. ② [철학가] filósofo, -fa *mf*.

철인(鐵人) hombre *m* robusto [fuerte] como hierro.

철자(綴字) ortografía *f*. ~하다 ortografiar; [쓰다] escribir. ~를 틀리다 hacer [cometer] una falta de ortografía. ¶ ~법 reglas *fpl* de ortografía. 한글 ~법 reglas *fpl* de la ortografía coreana.

철재(鐵材) materiales *mpl* de hierro.

철저하다(徹底-) penetrar hasta el fondo. 철저한 integro, de todo en todo, exhaustivo; [완벽한] perfecto, completo, cabal; [면밀한] minucioso. 철저한 연구 estudio *m* perfecto [exhaustivo · cabal]. 철저히 integramente, a fondo, perfectamente, completamente, enteramente, esencialmente, cabalmente. 철저히 연구하다 hacer un estudio cabal, estudiar a fondo. 철저히 파괴하다 derrotar completamente.

철제(鐵製) artículo *m* férreo, producto *m* de hierro, producto *m* siderúrgico.

철조망(鐵條網) alambrada *f*.

철쭉(나무) ((식물)) azalea *f*. ~꽃 flor *f* de azalea.

철창(鐵窓) ① [쇠로 창살을 만든 창문] ventana *f* con rejas de hierro. ② =감옥(監獄). ¶ ~ 생활 vida *f* en la prisión.

철책(鐵柵) barrera *f* [valla *f* · cerca *f*] de hierro.

철천지수(徹天之讎) =철천지원수.

철천지원(徹天之冤) =철천지한.

철천지원수(徹天之怨讎) enemigo *m* [mortal].

철천지한(徹天之恨) rencor *m* inveterado, enemistad *f* profundamente arraigada. ~을 풀다 dar rienda suelta a *su* rencor inveterado.

철철 gota a gota, goteando, lleno hasta el borde, desbordantemente. 피가 ~ 흐르다 correr la sangre gota a gota.

철칙(鐵則) norma *f* inflexible, norma *f* invariable, norma *f* inmutable, norma *f* severa, norma *f* de hierro, regla *f* de hierro.

철탑(鐵塔) torre *f* de hierro; [고압선용의] torre *f* de alta tensión; [다리의 양쪽에 세운] pilón *m*.

철통(鐵桶) cubo *m* de hierro. ~같다 ser bien protegido, ser perfectamente precavido. ~같이 estrictamente, impenetrable- mente.

철퇴(撤退) evacuación *f*, retirada *f*. ~하다 evacuar, retirarse.

철퇴(鐵槌) martillo *m* (de hierro). ~를 내리다 dar un golpe terrible [machacador]; [벌하다] castigar severamente.

철판(凸版) lámina *f* en relieve.

철판(鐵板) plancha *f* de hierro, chapa *f* de hierro.

철편(鐵片) trozo *m* de hierro, pedazo *m* de hierro.

철편(鐵鞭) varilla *f* de hierro.

철폐(撤廢) abolición *f*, derogación *f*, eliminación *f*. ~하다 abolir, suprimir, derogar, eliminar.

철폐(鐵肺) pulmón *m* de acero.

철필(鐵筆) pluma *f* (de hierro), estilo *m*; [조각용의] burril *m*, cincel *m*. ~로 쓰다 escribir con pluma.

철하다(綴-) archivar, componer, encuadernar, empastar, deletrear.

철학(哲學) filosofía *f*. ~하다 filosofar. ~의 filosófico. ~을 공부하다 estudiar filosofía. ¶~가[자] filósofo, -fa *mf*. ~ 박사 doctor *m* en filosofía.

철혈(鐵血) sangre *f* e hierro, armas *fpl* y soldados. ~ 재상 Canciller *m* de hierro, primer ministro *m* de voluntad firme; Bismarck.

철회(撤回) retirada *f*, retracción *f*; ((법률)) revocación *f*, derogación *f*. ~하다 retractar, retirar.

첨가(添加) adición *f*, añadidura *f*, anexión *f*, agregación *f*, conjunción *f*. ~하다 añadir, agregar, adicionar, anexar, anexionar. ~said anexidades *fpl*, apéndice *m*, aditivo *m*.

첨계(檐階) piedras *fpl* de grada.

첨단(尖端) ① [뾰족한 끝] punta *f*,

ápice *m*, (punto *m*) extremo *m*, extremidad *f*. ② [시대 사조 · 유행 따위의 맨 앞장] vanguardia *f*, extremo *m*. 유행의 ~ extremo *m* de la moda.

첨두(尖頭) acrobraquicefalia *f*. ~의 acrocefálico.

첨벙 chapoteando, a chapoteos. 물속으로 ~ 뛰어들다 saltar en el agua a chapoteos.

첨병(尖兵) punta *f* de lanza (militar).

첨부(添付) añadidura *f*, adición *f*, adjunción *f*. ~하다 adjuntar, acompañar, añadir, juntar, agregar.

첨삭(添削) corrección *f*, revisión *f*. ~하다 corregir, revisar. 작문을 ~하다 corregir la composición.

첨예(尖銳) agudeza *f*. ~하다 (ser) agudo, extremo, extremista, radical. ~ 분자 radicales *mpl*, extremistas *mpl*, elemento *m* más radical, elemento *m* más extremo.

첨탑(尖塔) pináculo *m*, cúspide *m*, ápice *m*; [회교 사원의] minarete *m*, alminar *m*.

첩(妾) concubina *f*. ~을 얻다 concubinar.

첩(貼) paquete *m*. 약 열 ~ diez paquetes de remedios a base de hierbas.

첩경(捷徑) atajo *m*, el camino más corto. 성공에는 ~이 없다 No hay atajo sin trabajo.

첩보(捷報) noticia *f* de una victoria.

첩보(牒報) escritura *f* de la noticia de una victoria.

첩보(諜報) espionaje *m*, comunicación *f* secreta, información *f* privada, información *f* reservada. ~기관 organización *f* de espionaje, servicio *m* de inteligencia. ~망 red *f* de espionaje. ~원 agente *m* secreto, agente *f* secreta.

첩약(貼藥) paquete *m* de medicina preparada de hierbas, paquete *m* de medicina de remedios a base de hierbas.

첩자(諜者) espía *mf*; agente *m* secreto, agente *f* secreta.

첩지 horquilla *f* ornamental.

첩첩산중(疊疊山中) profundidad *f* de las montañas.

첫 primero. ~ 열차 primer tren *m*.

첫- primero, nuevo. ~걸음 primer paso *m*. ~사랑 primer amor *m*.

첫가을 otoño *m* temprano, comienzo *m* del otoño.

첫걸음 ① [맨 처음 내디디는 걸음] primer paso *m*. ② [어떤 일에의 첫출발] comienzo *m*, principio *m*; [초보. 기본] primeros principios *mpl*, ideas *fpl* fundamentales, rudimentos *mpl*.

첫겨울 invierno *m* temprano.

첫경험(-經驗) primera experiencia *f*.

첫꿈 primer sueño *m* del año.

첫날 primer día *m*. ~밤[저녁] noche *f* nupcial.

첫눈¹ [일견] primera vista *f*. ~에 a primera vista, de un vistazo, a simple vista, de una sola mirada.

첫눈² [처음 내리는 눈] primera nieve *f* de la estación, primera nevada *f* del año.

첫돌 primer aniversario *m* de nacimiento, primer cumpleaños *m*.

첫딸 primera hija *f*.

첫무대(-舞臺) estreno *m*.

첫발 primer paso *m*. ~(을) 내딛다 comenzar de nuevo, tomar el primer paso.

첫번(-番) primera vez *f*. ~에는 primero, al principio. ~부터 desde el principio. ~째로 por primera vez.

첫봄 primavera *f* temprana, comienzo *m* de la primavera.

첫사랑 primer amor *m*; [첫 남자] su primer querido; [첫 여자] su primera querida..

첫새벽 madrugada *f* temprana.

첫술 primera cucharada *f* de comida. ~에 배부를 수 없다 No esperes demasiado al primer intento.

첫여름 verano *m* temprano.

첫이레 día *m* séptimo después del nacimiento de un infante.

첫인상(-印象) primera impresión *f*.

첫째 ① [으뜸, 제일] primero *m*, el número uno. ~의 primero. ~로 진급하다 ser el primero de la promoción. ~로 도착하다 llegar el primero, llegar antes que nadie. ② [만] primer hijo *m*, hijo *m* mayor, primogénito *m*. ③ [가장·무엇보다 먼저] primero, en primer lugar, sobre todo, principalmente. ~, 시간을 지켜라 Sobre todo, debe ser puntual / Sobre todo, sea puntual. ④ [맨 처음의 차례] primero. ~, 둘째, 셋째, 넷째, 그리고 끝 primero, segundo, tercero, cuarto y último.

청 ① [얇은 막으로 된 부분] membrana *f*. ② =목청(voz).

청(靑) ((준말)) =청색(靑色).

청(請) ((준말)) =청탁(請託).

청각(聽覺) oído *m*, sensación *f* auditiva, sentido *m* auditorio. ~ 교육 educación *f* auditiva. ~ 신경 nervio *m* auditivo.

청강(聽講) asistencia *f* a un curso. ~하다 asistir a una cátedra, asistir a un curso. ~생 estudiante *mf* fuera de la carrera; oyente *mf*.

청개구리(靑-) ① ((동물)) rana *f* de San Antonio, rubeta *f*. ② [사람] persona *f* extravagante.

청결(淸潔) limpieza *f*, aseo *m*, pureza *f*, pulidez *f*, nitidez *f*. ~하다 (ser) limpio, aseado, inmaculado, puro, nítido; [정돈이 잘 된] ordenado. 청결히 limpiamente, con limpieza, aseadamente, puramente. 청결히 하다 limpiar, tener limpio, mantener limpio, asear. 손을 청결히 하다 limpiar(se) las manos.

청과(靑果) ① [신선한 과일·채소] fruta *f* fresca, verduras *fpl* frescas, legumbres y frutas. ② =감람. ¶~를 las legumbres [las verduras] y las frutas. ~ 시장 mercado *m* de verduras [legumbres] y frutas. ~상 [장사] negocio *m* [comercio *m*] de verduras; [장수] verdulero, -ra *mf*. ~ 장수 verdulero, -ra *mf*. ~점 verdulería *f*.

청교도(淸敎徒) ((기독교)) puritano, -na *mf*. ~주의 puritanismo *m*.

청구(請求) petición *f*, demanda *f*, reclamación *f*, solicitud *f*, requerimiento *m*. ~하다 pedir, demandar, reclamar, exigir, requerir, solicitar. ~권 derecho *m* de reclamación. ~서 nota *f* de demanda, demanda *f* escrita, billete *m* de banco, factura *f*. ~액 cantidad *f* demandada. ~자 demandante *mf*.

청국장(淸麴醬) *cheonggukchang*, soja *f* [soya *f*] fermentada.

청기와(靑-) teja *f* verde.

청년(靑年) joven *m*; [집합적] juventud *f*, mocedad *f*, adolescencia *f*. ~의 juvenil. ~기 juventud *f*. ~단 grupo *m* de jóvenes, asociación *f* de jóvenes. ~ 운동 movimiento *m* de jóvenes. ~회 asociación *f* de jóvenes. ~ 회의소 Cámara *f* de Jóvenes.

청담하다(淸談-) ① [맛·빛깔 등이] (ser) claro. ② [마음이] (ser) recto, íntegro, imparcial.

청동(靑銅) ((화학)) bronce *m*. ~기 loza *f* de bronce; [물건] objetos *mpl* [artículos *mpl*] de bronce.

청량 음료(淸涼飮料) bebidas *fpl* refrescantes, refrescos *mpl*. ~수 refresco *m*.

청량제(淸涼劑) refrescante *m*.

청량하다(淸涼-) (ser) claro y fresco, puro y fresco, refresco.

청력(聽力) audición *f*, potencia *f* auditiva, poder *m* de oído, oído *m*. ~의 auditivo. ~ 검사 examen *m* de oído. ~계 audiómetro *m*.

청렴(淸廉) integridad *f*, honradez *f*, probidad *f*, rectitud *f* (moral). ~하다 (ser) íntegro, honrado, honesto. ~ 결백한 honesto y desinteresado, íntegro. ~ 결백한 사람 hombre *m* de integridad, persona *f* de corazón puro.

청명(淸明) ① [날씨가 맑고 밝음] claridad *f*, serenidad *f*, lo despejado. ~하다 (ser) claro, despejado, sereno. ~한 날 día _m_ despejado. ② [24절기의 하나] _cheongmyeong_, una de las veinticuatro estaciones, alrededor del cinco o seis de abril del calendario solar.

청문(聽聞) audiencia _f_, audición _f_. ~하다 escuchar. ~회 audiencia _f_.

청바지(靑一) pantalones _mpl_ azules; [블루진] (blue) jeans _mpl_, (pantalones _mpl_) vaqueros _mpl_, tejanos _mpl_.

청백리(淸白吏) funcionario _m_ público honrado [íntegro].

청부(請負) ((구용어)) =도급(都給). ¶~ 살인 asesinato _m_ contratado. ~ 살인자 asesino _m_ contratado.

청빈(淸貧) pobreza _f_ honrada, don _m_ sin el din.

청사(靑史) =역사(歷史). 기록(記錄).

청사(靑絲) 청실(hilo azul).

청사(廳舍) edificio _m_ gubernamental.

청사 등롱(靑紗燈籠) farol _m_ (hecho) de seda azul.

청사진(靑寫眞) ① ((준말)) =청색 사진. ② [미래의 계획·구상] diseño _m_, heliografía _f_, (papel _m_ de) ferroprusiato, plano _m_; [비유] plan _m_, proyecto _m_.

청사 초롱(靑紗一籠) =청사 등롱.

청산(靑山) montaña _f_ verde con los árboles frondosos. ~유수 fluidez _f_, afluencia _f_, facundia _f_, elocuencia _f_.

청산(淸算) liquidación _f_, conclusión _f_. ~해야 할 liquidable. ~하다 liquidar, hacer liquidación, concluir. 과거를 ~하다 enterrar el pasado. ¶~서 declaración _f_ de liquidación. ~인 liquidador, -dora _mf_.

청산가리(靑酸加里) ((화학)) ácido _m_ prúsico de potasa.

청상(靑孀) ((준말)) =청상 과부. ¶~ 과부 viudita _f_, viuda _f_ joven.

청색(靑色) (color _m_) azul _m_, (color _m_) verde _m_. ¶~ 사진 cianotipo _m_.

청서(靑書) el Libro Azul.

청설모(靑一毛) ① [날다람쥐의 털] pelo _m_ de esquirol. ② ((동물)) =참다람쥐.

청소(淸掃) limpiadura _f_, limpiamiento _m_, limpieza _f_, limpia _f_, aseo _m_, barrido _m_. ~하다 limpiar, asear, barrer; [먼지를 털다] desempolvar, quitar el polvo. 방을 ~하다 barrer [limpiar] la habitación. ¶~기 máquina _f_ para limpiar, escoba _f_. ~부(夫) barrendero _m_, limpiador _m_, trabajador _m_ de la limpieza; [도로·쓰레기의] basurero _m_; [하수구의] alcantarillero _m_, pocero _m_. ~부(婦) barrendera _f_, limpiadora _f_, trabajadora _f_ de la limpieza; [도로·쓰레기의] basurera _f_; [하수구의] alcantarillera _f_, pocera _f_. ~차 camión _m_ [carruaje _m_] de la

basura.

청소년(靑少年) juventud _f_, jóvenes _mpl_, adolescentes _mpl_. ~을 위한 책 libros _mpl_ para la juventud. ~기 período _m_ adolescente, adolescencia _f_. ~단 grupo _m_ de adolescentes, asociación _f_ de adolescentes. ~ 보호 protección _f_ a los jóvenes, protección _f_ a la juventud. ~ 보호 운동 campaña _f_ de protección a los jóvenes.

청송(靑松) pino _m_ verde.

청수(淸水) el agua _f_ purificada.

청순하다(淸純一) (ser) puro, inocente, inmaculado. 청순한 사랑 amor _m_ puro.

청승 signo _m_ del destino desgraciado. ~(을) 떨다 portarse como huérfano de la fortuna. ~맞다 (ser) insinuante de mala fortuna, miserable, desgraciado, desdichado.

청승꾸러기 persona _f_ miserable.

청신경(聽神經) nervio _m_ acústico, nervio _m_ auditivo.

청신하다(淸新一) (ser) fresco, nuevo.

청신호(靑信號) luz _f_ verde.

청아하다(淸雅一) (ser) puro, limpio, claro, inocente, casto. 청아한 눈 ojos _mpl_ limpios. 청아한 마음 corazón _m_ puro.

청약(請約) solicitud _f_. ~하다 suscribir. ~서 solicitud _f_, solicitud _f_ escrita; [용지] (impreso _m_ de) solicitud _f_. ~자 ofrecedor, -dora _mf_; aspirante _mf_; candidato, -ta _mf_. ~ 증거금 dinero _m_ en depósito para solicitud. ~처 lugar _m_ para solicitud.

청어(靑魚) ((어류)) arenque _m_.

청옥(靑玉) ((광물)) zafiro _m_, zafir _m_. ~의 zafíreo. ~색 azul _m_ zafiro. ~색의 azul zafiro. ~색 바다 mar _m_ azul zafiro.

청와대(靑瓦臺) _Cheong Wa Dae_, Casa _f_ Azul, Palacio _m_ Presidencial.

청우(晴雨) que llueva o no, con buen o mal tiempo. ~계 barómetro _m_.

청운(靑雲) ① [푸른 빛깔의 구름] nubes _fpl_ azules. ② [높은 관직이나 벼슬] alto rango _m_ [oficio _m_]. ¶~의 꿈[뜻] alta ambición. ~의 뜻을 품다 tener una alta ambición, tener [abrigar] una gran ambición.

청원(請願) petición _f_, súplica _f_, ruego _m_. ~하다 suplicar, pedir, rogar, orar, dirigir una petición, hacer solicitud formal, presentar una petición. ~ 경찰 policía _f_ especial, policía _f_ privada. ~경찰관 policía _mf_ especial; policía _m_ privado, policía _f_ privada. ~서 petición _f_, petición _f_ escrita, solicitud _f_ por escrito. ~자 peticionario, -ria *mf*; suplicante *mf*; memorialista *mf*.

청음(淸音) ① [맑고 깨끗한 음성] voz *f* clara y limpia. ② [안울림소리] consonante *f* muda, consonante *f* sorda.

청음기(聽音機) detector *m*.

청자(靑瓷/靑磁) cerámica *f* [porcelana *f*] de celadón, cerámica *f* [porcelana *f*] de verdeceladón. ~색 celadón *m*, verdeceladón *m*, verdeceledón *m*, (color *m*) verde claro, porcelana *f*.

청장(廳長) director, -tora *mf* [administrador, -dora *mf* de la dirección; jefe, -fa *mf* de la Oficina. .

청장년(靑壯年) los jóvenes y los adultos [los hombres].

청정(淸淨) ① [밝고 깨끗함] pureza *f*, limpieza *f*. ~하다 (ser) puro, limpio, claro, impoluto. ② ((불교)) [죄가 없이 깨끗함] inocencia *f*. ~하다 (ser) inocente. ¶~기 depurador *m*. ~ 수역[해역] zona *f* verde, aguas *fpl* limpias.

청주(淸酒) ① [맑은술] vino *m* refinado, licor *m* refinado. ② =정종 (正宗).

청중(聽衆) auditorio *m*; asistencia *f*, oyente *mf*; público, -ca *mf*. ~석 auditorio *m*.

청지기(廳-) ① ((역사)) administrador *m* de la casa del oficial alto. ② ((성경)) mayordomo *m*.

청진(聽診) auscultación *f*, estetoscopia *f*. ~하다 auscultar, reconocer con el estetoscopio. ~기 estetoscopio *m*, fonendoscopio *m*.

청천(靑天) cielo *m* azul [despejado]. ~ 백일(白日) ㉮ [맑게 갠 날] día *m* despejado; [푸른 하늘] cielo *m* azul; [좋은 날씨] buen tiempo *m*. ㉯ [원죄가 판명돼 무죄가 되는 일] inocencia *f*. ~ 벽력 gran acontecimiento *m* repentino, calamidad *f* repentina. ~ 벽력이다 caer como una bomba.

청천(晴天) cielo *m* despejado, cielo *m* sereno, cielo *m* sin nubes.

청첩(請牒) ((준말)) =청첩장. ¶~인 persona *f* de enviar una invitación de bodas. ~장 tarjeta *f* de bodas, (carta *f* de) invitación *f* (de bodas).

청초하다(淸楚-) (ser) nítido.

청춘(靑春) ① [새싹이 돋는 봄철] primavera *f* de brotar. ② [젊은 나이] juventud *f*, primavera *f* de la vida, flor *f* de la vida. ¶~기 juventud *f*, adolescencia *f*. ~ 남녀 jóvenes *mpl*.

청출어람(靑出於藍) El discípulo supera [aventaja] a su maestro.

청취(聽取) audición *f*; [라디오의] escucha *f*. ~하다 escuchar; [사정 등

을] oír, atender. ~력 comprensión *f* auditiva, comprensión *f* oral. ~료 precio *m* de oyente. ~율 porcentaje *m* de oyentes. ~자 oyente *mf*; escuchante *mf*. 라디오 ~자 radioyente *mf*, radioescucha *mf*.

청컨대(請-) ① por favor, Yo quiero que + *subj*, Yo deseo que + *subj*.

청탁(淸濁) pureza e impureza, bueno y malo. 물의 ~ pureza *f* del agua.

청탁(請託) petición *f*, ruego *m*, súplica *f*, solicitud *f*. ~하다 pedir, rogar, suplicar, solicitar, hacer una petición, hacer un favor.

청태(靑苔) ① ((식물)) [푸른빛의 이끼] musgo *m* verde. ② ((식물)) [갈파래] alga *f* marina verde. ③ [김] alga *f* marina.

청포도(靑葡萄) ① [설익은 푸른 포도] uva *f* verde. ② [포도의 한 품종] una especie de la uva.

청풍(淸風) brisa *f* fresca, aire *m* puro, céfiro *m*. ~명월 el viento fresco y la luna clara.

청하다(請-) ① [원하다. 바라다] desear, querer. ② [요구하다] pedir; [간청하다] rogar, suplicar, solicitar; [애원하다] implorar. 원조를 ~ pedir ayuda, pedir auxilio. ③ [남을 초대하다] invitar. 손님을 ~ invitar a los invitados. ④ [잠이 들도록 노력하다] esforzarse por dormir. ⑤ [요리를 주문하다] pedir el plato.

청혼(請婚) propuesta *f* de matrimonio, pretensión *f*. ~하다 proponer el matrimonio, pretender, pedir la mano. ~자 pretendiente *mf*.

체¹(기구) criba *f*, cribo *m*, tamiz *f*, cedazo *m*. ~질 cribado *m*. ~질하다 cribar, pasar por la criba.

체²[그럴 듯하게 꾸미는 거짓 태도] pretensión *f*, pretexto *m*. ~하다 pretender.

체³[아니꼬운 때나 탄식할 때 내는 소리] ¡Bah! / ¡Qué lástima! / ¡Qué pena! / ¡Qué rabia!

체감(遞減) decrecimiento *m* [descenso *m*] gradual (progresivo), disminución *f* progresiva [sucesiva · gradual]. ~하다 disminuir [descrecer · descender] gradualmente [sucesivamente].

체격(體格) constitución *f*, complexión *f* física.

체결(締結) conclusión *f*, concertación *f*. ~하다 concertar, concluir.

체계(體系) sistema *m*. ~를 세우다 sistematizar. ¶~적 sistemático. ~적으로 sistemáticamente. ~적으로 일을 하다 trabajar [hacer un trabajo] sistemáticamente.

체공(滯空) estancia *f* en el aire. ~하다 quedarse en el aire.

체구(體軀) constitución *f*, complexión

f física. ~가 좋다 ser robusta [fuerte] complexión.

체급(體級) categoría f. 복싱의 ~ categoría f del boxeo.

체납(滯納) retraso m en el pago, negligencia f en el pago de los impuestos. ~하다 no pagar en el plazo determinado, retrasar el pago. ~금 atrasos mpl, caídos mpl, pagos mpl atrasados. ~자 retardadario, -ria mf.

체내(體內) (parte f) interior m del cuerpo. ~의 혈액 sangre f (de circulación) interior. ¶~ 기생충 endoparásito m.

체념(諦念) ① [도리를 깨닫는 마음] ilustración f espiritual. ② [단념] resignación f, renuncia f, renunciación f, conformidad f. ~하다 resignarse, renunciarse, abandonar.

체능(體能) aptitud f física. ~ 검사 examen m de aptitud física.

체득(體得) experiencia f de sí mismo; [이해] comprensión f, entendimiento m. ~하다 dominar, conocer por la experiencia.

체력(體力) fuerza f física, fuerza f corporal, vigor m. ~을 기르다, ~을 단련하다 desarrollar su fuerza física. ¶~ 검사 examen m de la fuerza física. ~ 시험 prueba f de la fuerza (física). ~장 medalla f para músculos, medalla f de la fuerza física.

체류(滯留) estancia f, permanencia f. ~하다 estar, permanecer, quedarse, residir por algún tiempo. ~비 gastos mpl de estancia. ~ 일수 duración f de su visita.

체면(體面) [위신] dignidad f; [명예] honor m, decoro m, honra f, decencia f, pundonor m, punto m de honra; [평판] reputación f, fama f. ~상 por razón de decencia, por consideración. ~ 때문에 preocupándose por su reputación, temiendo perder su reputación. ~을 더럽히다 perjudicar la dignidad. ~을 세우다 cubrir [guardar] las apariencias.

체모(體毛) pelo m; [짧고 부드러운] vello m.

체불(滯拂) atrasos mpl en pagos, pagos mpl atrasados. ~하다 retrasar en pagos. ~ 임금 sueldo m vencido, sueldo m no pagado.

체스 ajedrez m.

체신(遞信) comunicaciones fpl. ~부 Ministerio m de Comunicaciones. ~부 장관 ministro, -tra mf de Comunicaciones.

체액(體液) humores mpl.

체온(體溫) temperatura f (corporal [del cuerpo]), fiebre f. ~을 재다 tomarle la temperatura, tomar

[medir] la temperatura del cuerpo. ~이 내린다[오른다] Baja [Sube] la temperatura del cuerpo. ¶~계 termómetro m (clínico).

체외(體外) fuera del cuerpo. ~ 수정 fertilización f externa.

체위(體位) condición f física, norma f física; [자세] postura f, posición f; [체격] estado m físico. ~ 향상 progreso m físico de cuerpo.

체육(體育) educación f física, enseñanza f física, atletismo m, ejercicios mpl físicos; [스포츠] deporte m; [교과] formación f física. ~관 gimnasio m. ~ 대회 fiesta f de atletismo. ~복 traje m de deportes. ~회 asociación f atlética.

체인 ① [쇠사슬] cadena f. ② [측량에 쓰이는 족쇄] cadena f. ③ [자전거의 양날이즐] cadena f de la bicicleta. ④ [경영·자본 등이 동일한 상점·식당·영화관 따위의 계열] cadena f. ⑤ [자동차 타이어에 감는 금속 사슬] cadena f. ¶~점 tienda f encadenada con otras; [집합적] tienda f de cadenas, tiendas fpl en cadena, cadena f de tiendas.

체임(滯賃) salario m vencido, salario m no pagado.

체재(滯在) estancia f, permanencia f, quedada f. ~하다 estar, permanecer, quedarse, residir [morar·vivir] por algún tiempo.

체재(體裁) apariencia f, estilo m.

체적(體積) volumen m; [용적] capacidad f. ~을 재다 medir el volumen. ¶~계 volumenómetro m, estereómetro m.

체제(體制) régimen m, sistema m, constitución f, organización f.

체조(體操) gimnasia f, gimnástica f, ejercicios mpl físicos, ejercicios mpl gimnásticos, ejercicio m atlético. ~를 하다 hacer gimnacia.

체중(體重) peso m (del cuerpo). ~을 달다 pesarle; [자신의] pesarse.

체증(滯症) congestión f.

체질 cribado m. ~하다 cribar, tamizar.

체질(體質) constitución f (física), predisposición f. ~ 개선 mejora f de la constitución.

체체파리 mosca f tsetsé.

체취(體臭) olor m corporal.

체통(體統) dignidad f, honor m. ~을 잃다 perder su dignidad.

체포(逮捕) detención f, arresto m, captura f. ~하다 detener, arrestar, capturar, prender, hacer una detención, hacer un arresto. ~ 영장 orden f de prisión [de arresto·de detención·de busca y captura·de búsqueda y captura].

체하다 pretender, fingir, simular, presumir, alardear, afectarse, darse aires [un aire], ponerse aire, asumir el aire, comportarse como, aparentar. 놀란 ~ fingir sorpresa. 모른 ~ fingir ignorancia, afectar ignorancia, fingir no saber, disimular.

체하다(滯一) estar mal del estómago, sufrir de indigestión, ser pesado, ser indigesto.

체한(滯限) estancia f [permanencia f] en Corea. ~하다 estar [quedarse・permanecer] en Corea.

체험(體驗) experiencia f (personal). ~하다 experimentar (personalmente), tener experiencia. ~으로 por experiencia. ~담 relato m de una experiencia personal.

체형(體刑) [체별] castigo m corporal, pena f corporal; [징역] trabajos mpl forzosos, trabajos mpl forzados. ~을 가하다 imponer una pena corporal.

체형(體形) forma f, figura f.

체형(體型) tipo m, figura f, forma f corporal, forma f del cuerpo.

체화(滯貨) existencias fpl de difícil salida, acumulación f de géneros.

첼로 ((음악)) violoncelo m. ~ 연주가 violoncelista mf.

첼리스트 violoncelista mf.

쳇바퀴 aro m de un tamiz

처가다 barrer. 쓰레기를 ~ barrer la basura.

처내다 limpiar, quitar. 쓰레기를 ~ limpiar [quitar] la basura.

처다보다 ((준말)) =치어다보다.

처들다 erguir, levantar, blandir. 머리를 ~ levantar [erguir] la cabeza.

처들어가다 asaltar, atracar, penetrar, invadir, irrumpir.

처들어오다 asaltar, atracar, penetrar, invadir, irrumpir.

처버리다 limpiar, barrer. 쓰레기를 ~ barrer la basura.

처부수다 atacar, conquistar, tomar.

처주다 ① [셈을 맞추어 주다] calcular. ② [인정하여 주다] admitir, reconocer.

초. candela f, vela f.

초¹(草) ((준말)) ① =기초(起草). ② =초서(草書). ¶~를 잡다 bosquejar, hacer un borrador, componer la primera forma.

초²(草) =풀. 초본(草本).

초³(草) ((준말)) =건초(乾草).

초(醋) vinagre f. ~를 치다 echar vinagre.

초(初) principio m, comienzo m, primero m, origen m. ~의 primero, nuevo, inicial. 내년 ~ principio m del año próximo [que viene].

초(秒) segundo m. 1분 5~ un minuto y cinco segundo. ~침 segundero m.

초가(草家) casa f con el tejado de paja [de hierba], techumbre f de paja, AmS quinchado m. ~삼간 casa f muy pequeña con el tejado de paja. ~지붕 tejado m de paja. ~집 casa f con el tejado de paja.

초계(哨戒) patrulla f, vigilancia f, ronda f. ~하다 patrullar, rondar, hacer la ronda. ~기(機) avión m patrullero. ~정(艇) (lancha f) patrullera f.

초고(草稿/草藁) manuscrito m, borrador m, minuta f, apuntación f, esbozo m, bosquejo m, diseño m, traza f, borrón m.

초과(超過) exceso m, excedente m. ~하다 exceder, sobrar, rebasar, sobrepasar. 예산을 ~하다 sobrepasar el presupuesto. ~ 근무 수당 horas fpl extra(s), graficación f por las horas extras de trabajo, pago m para sobretiempo. ~ 근무 시간 horas fpl extraordinarias, horas fpl extra(s). ~량[액] cantidad f de exceso. ~ 요금 suplemento m, recargo m, exceso m.

초교(初校) primera prueba f, primera corrección f, primera plana f.

초국가주의(超國家主義) ultranacionalismo m. ~자 ultranacionalista mf.

초근(草根) raíz f de la hierba, raíz f de la planta. ~목피(木皮) ㉮ [풀뿌리와 나무의 껍질] la raíz de la hierba y la cáscara del árbol. ㉯ [한약의 재료가 되는 물건] la cáscara del árbol para los materiales medicinales. ㉰ [영양가가 낮은 악식] comida f basta y miserable.

초급(初級) grado m elemental, clase f elemental, clase f fundamental, clase f básica. ~의 básico, elemental, fundamental, primero. ~ 대학 establecimiento m universitario. ~반 clase f (del grado) básica [elemental].

초기(初期) primer período m, primera época f, primeros días mpl; [모두(冒頭)] principio m, comienzo m.

초김치(醋一) verduras fpl encurtidas en vinagre. ~가 되다 desanimarse, desalentarse, abatirse, descorazonarse, anonadarse.

초꽃이 aplique m, apliqué m.

초나흗날 el 4 (cuatro). 음력 5월 ~ el cuatro de mayo del calendario lunar.

초나흘 ((준말)) =초나흗날.

초년(初年) ① [첫 해] primer año m. ② [일생의 초기] primeros años mpl. ③ [생애의 첫 시절] su juventud f. ¶~ 고생 muchos apuros de la juventud. ~병 recluta m, soldado m bisoño [novel], soldado m de primer año.

초능력(超能力) superpotencia f, telepatía f, doble vista f.

초단(初段) primer *dan*, primer grado *m*.

초단파(超短波) onda f ultracorta. ~ 방송 radiodifusión f de modulación de frecuencia.

초닷새((준말)) =초닷샛날.

초닷샛날 el 5 (cinco). 음력 시월 ~ el cinco de octubre del calendario lunar.

초당파(超黨派) facción f suprapartidista. ~ 내각 gabinete m de coalición, gabinete m suprapartidista. ~ 외교 diplomacia f suprapartidista.

초대(初代) primera generación f, [설립자] fundador, -dora mf. ~의 primero. ~ 대통령 primer presidente m (de la República), primera presidente f.

초대(初對) ① =초대면(初對面). ② [일을 처음 당해 서투름] lo no cualificado, lo no especializado.

초대(招待) invitación f. ~하다 invitar, convidar. ~되다 ser invitado. ¶ ~객 invitado, -da mf. ~권 billete m de invitación, (carta f de) invitación f. ~석 asiento m reservado para el invitado. ~ 손님 invitado, -da mf. ~연 fiesta f, banquete m [디너 파티] cena f. ~장 tarjeta f de invitación, carta f de invitación, invitación f.

초대면(初對面) primer encuentro m, primera entrevista f. ~하다 encontrarse por primera vez, conocerse uno a(l) [de(l)] otro.

초대형(超大型) jumbo m. ~ 여객기 jumbo m, jumbo-jet m.

초동(樵童) leñador m joven.

초등(初等) lo elemental. ~의 elemental, básico, primario, primerizo. ~ 교육 primera enseñanza f, educación f elemental, enseñanza f elemental, enseñanza f primaria. ~ 학교 escuela f primaria.

초라하다 (ser) miserable, sucio, mal vestido, desaseado, de apariencia miserable, rasgado, lastimero, pobre.

초래(招來) ¶ ~하다 causar, provocar, traer, ocasionar, motivar. 손해를 ~하다 causar daño.

초례(醮禮) ceremonia f de matrimonio, boda f. ~청 salón m de matrimonio.

초로(初老) =초로기. ¶ ~기 edad f madura, edad f de cuarenta años.

초로(草路) senda f del prado.

초로(草露) rocío m en la punta de la hierba. ~ 인생 vida f efímera, nuestra vida f tan efímera como el rocío.

초록(抄錄) resumen m, extractos mpl, selecciones fpl, epítome m,

compendio m. ~하다 compendiar, extractar, resumir, hacer compendio, epitomar.

초록(草綠) ((준말)) =초록빛. ¶ ~의 verde. 짙은 ~ verde m obscuro, verde m fuerte. ~은 동색(同色) Cada oveja con su pareja / Dios los cría y ellos se juntan / Los pájaros se juntan con sus iguales. ¶ ~빛[색] (color m) verde m.

초롱 recipiente m de hojalata, lata f, hojalata f. 석유 ~ aceitera f.

초롱(一籠) farolino m [farolito m] de papel, linterna f portátil de papel. ~불 luz f de linterna portátil de papel.

초롱꽃(一籠一) ((식물)) campanilla f.

초롱초롱하다 (ser) brillante. 초롱초롱한 눈 ojos mpl brillantes.

초름하다 ① [넉넉하지 못하다] no ser abundante. ② [어떤 표준보다 좀 모자라다] ser menos que la cantidad debida.

초립(草笠) sombrero m de paja.

초립동(草笠童) =초립둥이.

초립둥이(草笠一) casado m muy joven, adulto m joven.

초막(草幕) ① [조그마하게 지은 초가의 별장] choza f de paja, casita f de paja. ② ((불교)) [절 근방에 있는 중의 집] casa f del sacerdote budista alrededor del templo.

초만원(超滿員) situación f muy llena. ~이다 estar de bote en bote, estar como sardinas en lata, estar completamente lleno, estar lleno de superabundancia.

초면(初面) primer encuentro m, primera vista f [entrevista f·reunión f]. ~이군요 [첫 인사를 나눌 때] Mucho gusto (en conocerle a usted) // [남자] Encantado / [여자] Encantada.

초목(草木) la hierba y el árbol, planta f, vegetal m, arbusto m, vegetación f.

초문(初聞) última noticia f. 금시 ~이다 Nunca lo he oído antes.

초미(焦眉) emergencia f, urgencia f, inminencia f, necesidad f apremiante. ~의 emergente, urgente, inminente, apremiante. ~의 문제 cuestión f urgente.

초반(初盤) parte f inicial.

초밥(醋一) bola f de arroz adobada con vinagre que se toma con un trozo de pescado crudo.

초벌(初一) primero m. ~김 primera deshierba f.

초범(初犯) primera ofensa f, primer crimen m, primer delito m; [사람] delincuente m nuevo, delincuente f nueva; delincuente mf sin antecedentes penales. ~자 delincuente m nuevo, delincuente f nueva.

초병(哨兵) centinela *f*, piquete *m*. ~ 근무 servicio *m* de centinela.

초병(醋瓶) vinagrera *f*.

초보(初步) ① [보행의 첫걸음] primeros pasos *mpl*. ② [학문·기술 등의 첫걸음] abecé *m*, elementos *mpl*, rudimentos *mpl*, principios *mpl*. ~의 básico, elemental, rudimental, rudimentario. ¶ ~ 단계 paso *m* elemental. ~자 principiante *mf*. ~적 básico, elemental, rudimental, rudimentario. ~적인 지식 conocimiento *m* elemental.

초복(初伏) primer día *m* de las canículas.

초본(抄本) extracto *m*, compendio *m*, resumen *m*. ~하다 extraer.

초본(草本) ((식물)) hierbas *fpl*.

초봄(初一) primavera *f* temprana, principios *mpl* [comienzos *mpl*] de la primavera.

초봉(初俸) primer sueldo *m*.

초부(樵夫) leñador *m*.

초빙(招聘) invitación *f*, oferta *f*, llamamiento *m*. ~하다 invitar, convidar, llamar.

초사흗날(初一) el 3 [tres] (del mes).

초산(初産) primer parto *m*, primeros dolores *mpl* de parto. ~부(婦) primípara *f*, mujer *f* primeriza.

초상(初喪) duelo *m*, luto *m*; [장례] servicio *m* fúnebre. ~중 durante el luto. ~을 당하다 ponerse de luto. ~ 나다 tener luto. ~집 casa *f* en duelo [en luto].

초상(肖像) retrato *m*; [위인·성인의] efigie *f*. 정면(을 향한) ~ retrato *m* de frente. ¶ ~화 retrato *m*. ~화가 retratista *mf*; pintor, -tora *mf* de retratos.

초생(初生) lo primogénito, comienzo *m* del mes. ~달 creciente *m* de la luna, primer cuarto *m* de la luna, luna *f* nueva, luna *f* creciente.

초서(草書) cursiva *f*, letra *f* inglesa.

초석(硝石) nitrato *m*, salitre *m*.

초석(礁石) veta *f*.

초석(礎石) ① [주춧돌] piedra *f* angular, primera piedra *f*. 나라의 ~ piedra *f* angular de *su* país. ② [사물의 기초] cimiento *m*, fundamento *m*, base *f*, fundación *f*.

초선(初選) primera elección *f*.

초설(初雪) primera nieve *f* (de la estación), primera nevada *f*.

초성(初聲) sonido *m* inicial.

초소(哨所) puesto *m* de guardia, garita *f*; [검문 초소] control *m*.

초속(初速) ((준말)) =초속도(初速度).

초속(秒速) velocidad *f* por segundo.

초속도(初速度) velocidad *f* inicial.

초속도(超速度) supervelocidad *f*.

초순(初旬) primera década *f*, principios *mpl*. 유월 ~에 a principios [a comienzos·a primeros·en la primera década] de junio.

초승(初一) principios *mpl* (del mes), primeros días *mpl* (del mes). ~달 luna *f* creciente, luna *f* nueva.

초시계(秒時計) cromómetro *m*.

초식(草食) alimento *m* de hierbas. ~하다 comer hierbas, alimentarse de hierbas. ~의 herbívoro. ~동물[류] (animal *m*) herbívoro *m*.

초심(初心) ① [처음에 먹은 마음] su intención original. ② [처음으로 배우는 사람] principiante *mf*; novato, -ta *mf*; novicio *m*; persona *f* inexperta. ~의 inexperto, novel. ~자 principiante *mf*; novato, -ta *mf*.

초심(初審) ((법률)) =제일심(第一審).

초심(焦心) ansiedad *f*, preocupación *f*. ~하다 preocuparse dolida.

초아흐렛날(初一) el 9 (del mes).

초안(草案) borrador *m*, minuta *f*, redacción *f* provisional, apuntación *f*, anteproyecto *m*; [원고] manuscrito *m*. ~하다 [계약서·서류 등을] redactar el borrador, bosquejar; [연설을] preparar.

초야(初夜) ① =초저녁. ② =초경(初更). ③ =첫날밤.

초야(草野) lugar *m* apartado, lugar *m* poco conocido, campo *m*, lugar *m* remoto.

초여드렛날(初一) el 8 (del mes).

초여름(初一) verano *m* temprano.

초역(抄譯) traducción *f* resumida [de extractos·de resumen]. ~하다 traducir resumidamente [en extractos·por trozos].

초역(初譯) primera traducción *f*.

초연(初演) primera representación *f*, primera función *f*, estreno *m*, debut *m*, primera audición *f*. ~하다 representar por primera vez, estrenar, debutar, dar la primera audición.

초연(招宴) invitación *f* a un banquete [una fiesta]. ~하다 invitar a un banquete [una fiesta].

초연(硝煙) humo *m* de pólvora, humo *m* sulfúreo; [포연] humareda *f* de cañones.

초연주의(超然主義) principio *m* de no intervención, indiferentismo *m*.

초연하다(超然一) estar por encima, estar despegado, quedarse indiferente.

초열흘(初一) ((준말)) =초열흘날.
¶ ~날 el 10 (del mes).

초엽(初葉) principios *mpl*, comienzos *mpl*. 21세기 ~에 a principios del siglo XXI (veintiuno).

초엽(草葉) hoja *f* de la hierba.

초엿새(初一) ((준말)) =초엿샛날.
¶ ~날 el 6 [seis] (del mes).

초옥(草屋) choza *f* de paja, casa *f* con tejado de hierba.

초원(草原) pradera *f*, prado *m*, pradería *f*, vega *f*, herbazal *m*, llanura *f*, llano *m*; *AmS* pampa *f*.

초월(超越) trascendencia *f*. ~하다 trascender, ser superior, sobresalir, superar, ir más allá; [상태] estar por encima.

초유(初有) lo primero, lo original. ~의 primero, inicial, original. ~의 결과 resultado *m* insólito [sin precedentes].

초음속(超音速) velocidad *f* supersónica. ~기 avión *m* supersónico, supersónico *m*.

초음파(超音波) ondas *fpl* ultrasónicas [supersónicas], ultrasonido *m*. ~의 ultrasónico, supersónico, ultraacústico, ultrasonoro. ~ 검사 inspección *f* ultrasónica. ~ 탐지기 detector *m* ultrasónico.

초이렛날(初一) el 7 (del mes).

초이튿날(初一) el 2 [dos] (del mes).

초인(超人) superhombre *m*. ~적 superhumano, sobrehumano. ~주의 superhumanismo *m*.

초인종(招人鐘) timbre *m*; [손으로 흔드는] campanilla *f*. ~을 누르세요 Toque el timbre.

초일(初日) ① [첫 날] el primer día, día *m* de apertura; [우표 발행의] día *m* de emisión; [연주회의] primera representación *f* [función *f*]. ② [처음 떠오르는 해] sol *m* que sale primero.

초읽기(秒一) cuenta *f* atrás, cuenta *f* regresiva. ~하다 contar.

초임(初任) primer nombramiento *m*. ~급 sueldo *m* inicial, paga *f* inicial, primer sueldo *m*.

초입(初入) ① [골목 등으로 들어가는 어귀] entrada *f*. ~에 en la entrada. ② [처음으로 들어감] primera entrada *f*.

초자연(超自然) lo sobrenatural, sobrenaturaleza *f*, supernatural *f*. ~적 sobrenatural, preternatural.

초장(初章) ① [음악·가곡의 첫째 장] primer movimiento *m*. ② [초중종 3장으로 되어 있는 시조의 첫째 시구] el primero de los versos del poema *sicho* coreano.

초장(醋醬) salsa *f* de soja sazonada con el vinagre.

초저녁 noche *f* temprana, primeras horas *fpl* de la noche, sonochada *f*. ~에 temprano por la noche.

초점(焦點) foco *m*. ~의 focal. ~을 맞추다 enfocar, afocar, traer al foco. ~거리 distancia *f* focal.

초조(焦燥) impaciencia *f*, desasosiego *m*, inquietud *f*, irritación *f*, nerviosidad *f*. ~하다 (ser) impaciente, impacientarse, inquietarse, angustiarse, ponerse nervioso, irritarse.

초지(初志) *su* intención original, *su*

propósito original. ~일관 logro *m* de *su* intención original. ~일관하다 llevar a cabo *su* intención original.

초지(草地) pradera *f*, pastos *mpl*, pastizales *mpl*.

초진(初診) primera consulta *f* (del médico). ~료 honorarios *mpl* de la primera consulta.

초창(草創) comienzo *m*, principio *m*, origen *m*. ~기 primera infancia *f*, primeros días *mpl*.

초청(招請) invitación *f*. ~하다 invitar. 저녁에 ~하다 invitar a la cena, invitar a cenar. ¶ ~장 (carta *f* de) invitación *f*.

초추(初秋) otoño *m* temprano.

초춘(初春) primavera *f* temprana.

초췌하다(憔悴一) extenuarse, enflaquecerse, debilitarse, ponerse demacrado. 초췌한 얼굴 semblante *m* extenuado.

초취(初娶) *su* primrera esposa.

초치(招致) invitación *f*. ~하다 invitar, llamar.

초천놈(醋一) calavera *f* [vividor *m*] despreciable.

초침(秒針) segundero *m*.

초콜릿 chocolate *m*, chocolatín *m*; [음료용] chocolate *m* [cacao *m*] en polvo. ~색 color *m* chocolate, marrón *m* oscuro.

초크 ① =백악(白堊). ② =분필(粉筆). ③ [양재용 분필] tiza *f*. 재단 사용 ~ tiza *f* para sastre. ④ ((당구)) tiza *f*.

초탈(超脫) transcendencia *f*, sobreexcelencia *f*, preeminencia *f*, superioridad *f*, excelencia *f*. ~하다 trascender.

초토(焦土) tierra *f* quemada, terreno *m* quemado, ceniza *f*. ~ 작전 operación *f* de reducirlo todo a cenizas. ~ 전술 estrategia *f* de reducirlo todo a cenizas. ~화 reducción *f* a cenizas.

초특급(超特急) ① ((준말)) =초특급 열차. ② [특급 보다도 더 빠름. 그 속도] superrapidez *f*, velocidad *f* superrápida. ~의 superrápido. ~ 열차 tren *m* superexprés, tren *m* superexpreso.

초특작품(超特作品) superproducción *f*, superfilme *m*, superfilm *m*..

초파일(初八日) ((불교)) *chopail*, el 8 de abril del calendario lunar.

초판(初版) primera edición *f*, edición *f* príncipe. ~본 copia *f* de la primera edición.

초하다(抄一) ① [글씨를 베껴 기록하다] copiar. ② [초록하다] compendiar, hacer un compendio, resumir.

초하다(炒一) tostar a fuego.

초하룻날(初一) el primero (del mes).

초행(初行) primera visita *f*, primera

ida f, primer camino m de visita. ~길 primer camino m, camino m que se va por primera vez, primer camino m de visita.

초현실주의(超現實主義) surrealismo m. ~의 surrealista. ~ 작가 escritor m surrealista, escritora f surrealista. ~ 회화 pintura f surrealista. ~자 surrealista mf, superrealista mf.

초현실파(超現實派) surrealistas mpl

초혼(初昏) crepúsculo m. ~에 al ponerse el sol.

초혼(初婚) primer matrimonio m, primeras nupcias fpl.

초혼(招魂) invocación f del espíritu de un muerto. ~제 servicio m conmemorativo para el caído en la guerra.

촉(鏃) punta f, parte f acabada en punta.

촉(燭) ((준말)) =촉광(燭光).

촉각(觸角) antena f, tentáculo m, palpo m.

촉각(觸覺) (sentido m del) tacto m, sentido m de toque. ~의 tactil.

촉감(觸感) ① [무엇에 닿았을 때의 느낌] tacto m, sentido m del tacto, sensación f tactil. ② ((생물)) =현각(觸覺).

촉관(觸官) órgano m tactil.

촉광(燭光) ① [촛불의 빛] luz f de la candela, bujías fpl, intensidad f luminosa en bujías. ② [광도의 단위] candel m, bujía f nueva.

촉구(促求) solicitación f, importunidad f. ~하다 solicitar, importunar, atraer, demandar, reclamar.

촉대(燭臺) candelero m; [장식이 달린] candelabro m; [접시 모양의] palmatoria f; [샹데리아] araña f (de luces).

촉망(囑望) esperanza f, expectación f, expectiva f, confianza f. ~하다 esperanzar, confiar.

촉매(觸媒) catalizador m.

촉박하다(促迫一) (ser) inminente, urgente.

촉발(觸發) ① [충동·감정 따위를 유발함] excitación f, entusiasmo m. ~되다 ser excitado, ser entusiasmado. ② [접촉하여 폭발함] explosión f [denotación f] de contacto.

촉새 ((조류)) ((학명)) Emberiza spodocephala. ~같이 나서서 meterse [entrometerse·inmiscuirse] en los asuntos de los otros.

촉성(促成) promoción f de crecimiento. ~하다 promover el crecimiento. ~ 재배 cultivo m intensivo [de forzamiento].

촉수(觸手) ① ((동물)) tentáculo m. ② =오른손. ③ [손을 댐] toque m. ~ 엄금 ((게시)) ¡No toque!

촉수(觸鬚) antena f, tentáculo m.

촉진(促進) fomento m, promoción f, aceleración f, activación f. ~하다 acelerar, activar, promover, apresurar, fomentar, hacer adelantar, estimular, animar, espolear.

촉진(觸診) ((한방)) palpación f. ~하다 palpar.

촉촉하다 (ser) húmedo, mojado.

촉탁(囑託) comisión f; [사람] miembro m extraordinario, miembro m extraordinaria; empleado m no numerario, empleada f no numeraria. ~하다 poner a cargo, poner al cuidado, entregar con confianza, confiar, dar en fideicomiso.

촌(寸) ① [길이의 단위] chon, pulgada f coreana. ② [촌수] grado m de consanguinidad [de parentesco·de familia]. 삼~ tío m.

촌(村) campo m, aldea f, aldehuela f, aldeorrio m, lugar m, lugarejo m, caserío m, burgo m, cafería f, pueblecito m, villorrio m.

촌가(寸暇) =촌극(寸劇).

촌가(村家) ① =시골집. ② =고향집.

촌각(寸刻) =촌음(寸陰).

촌극(寸隙) un poco de tiempo libre.

촌극(寸劇) obra f corta, pequeña función f dramática.

촌길(村一) camino m de [en] la aldea, camino m vecinal, camino m en el campo.

촌뜨기(村一) paisano, -na mf; campesino, -na mf; labrador, -dora mf; rústico, -ca mf; pueblerino, -na mf.

촌락(村落) aldea f, campo m, pueblo m.

촌로(村老) =촌옹(村翁).

촌민(村民) pueblo m campesino, aldeanos mpl, lugareños mpl, habitantes mpl de la aldea..

촌보(寸步) unos pasos.

촌부(村夫) campesino m, aldeano m.

촌부(村婦) campesina f, aldeana f.

촌사람(村一) ① [시골에 사는 사람] campesino, -na mf; aldeano, -na mf. ② [견문이 좁고 어수룩한 사람] persona f de poco conocimiento.

촌수(寸數) grado m de consanguinidad [de parentesco].

촌스럽다(村一) (ser) rústico, rural, poco refinado.

촌옹(村翁) viejo m campesino.

촌음(寸陰) tiempo m corto, momento m, instante m. ~을 아끼다 aprovechar todos los ratos libres.

촌장(村長) alcalde m de la aldea.

촌지(寸志) ① =촌심(寸心). ② [자그마한 뜻을 나타낸 적은 선물] regalo m [obsequio m] pequeño.

촌철(寸鐵) arma f pequeña y afilada. ~살인 epigrama m expresivo.

촌충(寸蟲) tenia f, solitaria f.

촌티(村-) aire *m* rústico, apariencia *f* rústica.

촌평(寸評) crítica *f* (muy) corta. ~하다 criticar cortamente.

출렁거리다 ① [길고 좁은 곳에 담긴 물이] agitarse haciendo ruido. ② [방정맞게 까불다] comportarse [actuar] frívolo.

출랑이 frívolo, -la *mf*; ligero, -ra *mf*; imprudente *mf*; atolondrado, -da *mf*.

출싹거리다 =촐랑거리다❷.

출출 con un estómago vacío, sin comer nada. ~하다 tener un poco de hambre.

촘촘하다 (ser) denso, tupido. 촘촘한 옷감 tejido *m* tupido.

촛국 plato *m* agrio como vinagre.

촛농(-膿) gotas *fpl* de cera de vela.

촛대(-臺) candelero *m*.

촛병(醋瓶) vinagrera *f*.

촛불 luz *f* de una vela, luz *f* de una candela, luz *f* de una bujía.

총 [말의] pelo *m* de crines.

총(銃) rifle *m*, fusil *m*; [엽총] escopeta *f*; [권총] pistola *f*; [연발총] revólver *m*; [기총] carabina *f*; [화승총] mosquete *m*.

총(寵) ((준말)) =총애(寵愛).

총(總) totalidad *f*, todo, total. ~ 인구 población *f* total. ~ 지배인 director, -tora *mf* general, gerente *mf*.

총각(總角) soltero *m*.

총감독(總監督) director *m* general, directora *f* general; superintendente *mf*.

총검(銃劍) ① [총과 검] la escopeta y la espada, poder *m* militar. ② [대검] bayoneta *f*. ¶ ~술 arte *m* de la bayoneta, ejercicio *m* con bayoneta.

총격(銃擊) tiroteo *m*, descarga *f* de fusilería. ~을 가하다 tirotear (contra), disparar [descargar] tiros (contra). ¶ ~전 tiroteo *m*.

총경(總警) superintendente *mf* general (de policía).

총계(總計) suma *f*, total *m*, suma *f* total, cantida *f* global; [부사적] en todo, totalmente, en total. ~하다 sumar, totalizar.

총공격(總攻擊) ataque *m* general. ~하다 hacer un ataque general, lanzarse al ataque general.

총괄(總括) resumen *m*, suma *f*, recapitulación *f*, abarcadura *f* de partes completas; [종합] síntesis *f*; [결론] conclusión *f*. ~하다 resumir, recapitualr, sintetizar, concluir, sumar, abarcar todas *sus* partes.

총구(銃口) =총부리.

총국(總局) sucursal *f* general.

총기(銃器) armas *fpl* (pequeñas).

총기(聰氣) inteligencia *f*, buena memoria *f*. ~가 있다 ser inteligente. ~가 없다 ser estúpido, ser torpe, tener una mala memoria. ~가 좋다 tener una buena memoria.

총대(銃-) culata *f* (de fusil).

총독(總督) virrey *m*. ~부 virreinato *m*.

총동원(總動員) movilización *f* general. ~하다 hacer una movilización general. ~령 movilización *f* general.

총람(總覽) bibliografía *f* global.

총량(總量) cantidad *f* total.

총력(總力) poder *m* total, toda *su* energía, todas *sus* fuerzas. ~ 안보 seguridad *f* (nacional) por todos los medios. ~ 외교 diplomacia *f* por todos los medios. ~전 guerra *f* total [de totalidad].

총론(總論) introducción *f*, advertencia *f* general, generalidades *fpl*.

총리(總理) ① [전체를 모두 관리함] superintendencia *f*. ~하다 controlar, presidir, supervisar. ② ((준말)) =국무 총리.

총망라(總網羅) inclusión *f* general. ~하다 incluir totalmente.

총명(聰明) inteligencia *f*, sagacidad *f*, entendimiento *m*, perspicacia *f*, luces *fpl*. ~하다 (ser) inteligente, sagaz, listo, perspicaz.

총목록(總目錄) catálogo *m* general, lista *f* general, índice *m* [tabla *f*] general de contenidos.

총무(總務) ① ㉮ [사물을 총리함] negocios *mpl* generales. ㉯ [사물을 총리하는 사람] director, -tora *mf*, gerente *mf*. ② ((준말)) =원내 총무. ¶ ~과 sección *f* de asuntos generales, secretaría *f* general. ~부 departamento *m* de asuntos generales. ~처 Ministerio *m* de Asuntos Generales. ~처 장관 ministro, -tra *mf* de Asuntos Generales.

총반격(總反擊) contraataque *m* total. ~하다 contraatacar totalmente.

총보(總報) ((음악)) partitura *f*.

총본부(總本部) sede *m* [cuartel *m*] general.

총본산(總本山) ((불교)) templo *m* [monasterio *m*] central, sede *m* de los templos budistas.

총부리(銃-) punta *f* de pistola, boca *f* de arma de fuego [de un fusil]. ~를 겨누다 apuntar con un fusil.

총비서(總秘書) secretario *m* general.

총사냥(銃-) caza *f* con escopeta; [맹수 따위의] montería *f*. ~하다 cazar con escopeta.

총사령관(總司令官) comandante *mf* en jefe; comandante *m* supremo; mayor general *mf*.

총사령부(總司令部) cuartel *m* general.

총사직(總辭職) resignación f general, dimisión f en pleno [en bloque]. ~하다 dimitir en pleno, dimitir en bloque, resignar en pleno.

총살(銃殺) fusilazo m, fusilamiento m, paso m por las armas. ~하다 fusilar, pasar*le* por armas. ~되다 ser fusilado. ¶ ~형 ejecución f por el fusilazo.

총상(銃傷) herida f por la bala, herida f de bala [de proyectiles].

총생산(總生産) producto m bruto.

총서(叢書) colección f, biblioteca f, librería f, serie f.

총선(總選) ((준말)) =총선거(總選擧).

총선거(總選擧) elecciones fpl generales.

총성(銃聲) ruido m de las escopetas, disparo m de fusil, estampido m.

총수(銃帥) ① [전군을 지휘하는 사람] comandante m en jefe. 삼군의 ~ comandante m en jefe de tres ejércitos. ② [대기업 등의] líder m supremo.

총수(總數) (número m) total m, totalidad f.

총수입(總收入) renta f bruta, ingreso m bruto, ingresos mpl totales.

총신(銃身) cañón m (del fusil).

총신(寵臣) súbito m [vasallo m] favorito.

총아(寵兒) favorito, -ta mf. 문단의 ~ autor m favorito, autora f favorita.

총안(銃眼) aspillera f, saestera f.

총알(銃-) bala f (de metal), proyectil m; [포탄] obús m; [새를 잡는 작은] mostaza f, mostacilla f; [산탄] perdigones mpl.

총애(寵愛) favor m, benevolencia f, gracia f, cariño m, amor m. ~하다 favorecer, mimar, amar, tratar con mucho cariño. ~를 받다 ser favorito (de), ser favorecido, gozar del favor, ganar el favor, ser mimado, ser amado.

총액(總額) suma f total, suma f global.

총열(銃-) =총신(銃身).

총영사(總領事) cónsul mf general. ~관 consulado m general.

총예산(總豫算) presupuestos mpl generales.

총잡이(銃-) buen pistolero m.

총장(總長) ① [전체의 사무를 관리하는 으뜸 벼슬] secretario, -ria mf general. 검찰 ~ fiscal mf general del Estado. ② [종합 대학교의 장] presidente, -ta mf; rector, -tora mf. ~직 presidencia f, rectoría f.

총재(總裁) presidente, -ta mf. 부~ vicepresidente, -ta mf.

총점(總點) total m de sus notas; [경기의] resultado m total.

총지배인(總支配人) gerente mf general.

총지출(總支出) gasto m bruto.

총지휘(總指揮) alto mando m, suprema comandancia f, dirección f general. ~를 하다 llevar [tomar] la dirección general.

총질(銃-) tiros mpl, disparos mpl. ~하다 tirar, disparar.

총집(銃-) pistolera f.

총참모장(總參謀長) jefe m de Estado Mayor.

총창(銃創) =총상(銃傷).

총채 trapo m del polvo de crines.

총천연색(總天然色) =천연색(天然色). ¶ ~ 영화 película f en color.

총체(總體) totalidad f, conjunto m, todo. ~적 general, global, total, todo. ~적으로 en general, generalmente, globalmente, totalmente, enteramente, íntegramente.

총총(忽忽) ① [급하고 바쁜 모양] apresuradamente, precipitadamente, a prisa, de prisa, aceleradamente. ~ 걷다 andar de prisa. ② [편지의 끝맺는 말] He escrito apresuradamente.

총총걸음 paso m ligero, paso m rápido.

총총하다(蔥蔥-) (ser) denso.

총총하다(叢叢-) (ser) denso, numeroso, (estar) lleno.

총출동(總出動) movilización f general. ~하다 ser generalmente movilizado.

총칙(總則) reglas fpl generales.

총칭(總稱) nombre m genérico [general], término m genérico. ~하다 nombrar genéricamente, dar un nombre general, designar por un término genérico.

총탄(銃彈) bala f (de fusil), proyectil m.

총톤수(總-數) tonelada f bruta.

총통(總統) generalísimo m, caudillo m, presidente m.

총퇴각(總退却) retirada f general. ~하다 hacer una retirada general.

총퇴장(總退場) salida f general. ~하다 salir todos.

총투자(總投資) ((주식)) inversión f bruta.

총파업(總罷業) huelga f general, AmL paro m general.

총판(總販) ((준말)) =총판매(總販賣).

총판매(總販賣) representación f exclusiva. ~인 representante m exclusivo.

총평(總評) crítica f general. ~을 하다 criticar generalmente, hacer una crítica general.

총포(銃砲) ① =총(銃)(escopeta). ② [총과 대포] la escopeta y el cañón. ¶ ~점 armería f.

총화(總和) ① [총계] suma f total,

total *m*. ② [전체의 화합] integración *f* general, consenso *m* nacional.

총회(總會) asamblea *f* [junta *f*] general, sesión *f* plenaria, reunión *f* plenaria; ((종교)) sínodo *m*.

총회(寵姬) mujer *f* favorita.

촬영(撮影) [사진의] acción *f* de hacer fotografía; [영화의] rodaje *m*, filmación *f*, cinematografía *f*, rotación *f*. ~하다 sacar [tomar·hacer] fotos; [영화를] rodar, filmar. ~ 감독 director, -tora *mf* de cine. ~ 금지 ((게시)) Prohibido sacar fotos / No sacar fotos / No saque fotos. ~기 [영화의] cámara *f* cinemafotográfica. ~ 기사 operador, -dora *mf* (de cámara cinematográfica); [영화의] camarógrafo, -fa *mf*, cámara *mf*, cinematografista *mf*; cameraman *ing.m.f* (특허 *AmL*). ~소[실] estudio *m*.

최강(最强) lo más fuerte. ~의 [la] … más fuerte. ~ 팀 el equipo más fuerte.

최고(最古) lo más antiguo.

최고(最高) lo superior, lo máximo, lo superlativo. ~의 el más alto, supremo, máximo, culminante, altísimo, superlativo. 생애 ~의 날 el día más brillante de *su* vida, el mejor día de *su* vida. ¶ ~가(價) el precio más alto. ~급 la mejor clase, la clase más alta, el grado más alto, alto nivel *m*. ~ 기관 organismo *m* supremo. ~봉 ⑦ [산의 가장 높은 봉우리] la cima más alta. ⑪ [어떤 분야에서 가장 뛰어난 것] la figura cimera, la figura máxima. ~ 사령관 comandante *mf* en jefe. ~ 온도 calor *m* máximo. ~위급 회담 conversaciones *fpl* de alto nivel. ~ 재판소 tribunal *m* supremo, *AmL* corte *f* suprema. ~조 ⑦ [정점] clímax *m*, punto *m* culminante, auge *m*, cenit *m*, zenit *m*. ⑪ [오르가즘] orgasmo *m*. ~ 학부 [대학] universidad *f*; [대학원] escuela *f* de posgrado. ~ 회의(會議) consejo *m* supremo.

최고(催告) notificación *f*; [채무 이행의] reclamo *m*, advertencia *f*. ~하다 notificar*le* a que + *subj*; [채무의 이행을] intimar*le* la orden de pago, reclamar*le* una deuda.

최근(最近) ① [장소나 위치가 가장 가까움] lo más cercano. ② [얼마 아니 되는 지나간 날] lo último, lo más actual; [부사적] recientemente, últimamente, estos días, hoy día; [과거 분사 앞에서] recién. ~의 reciente, último, novísimo. ~에 도착한 recién llegado. ~의 상황 situación *f* de estos últimos días.

최다(最多) el número mayor, el más. ~의 군중 la muchedumbre más grande.

최단(最短) lo más corto. ~의 el [la] … más corto [corta]. ~의 시간 la hora más corta. ¶ ~ 거리 la distancia más corta. ~ 시일 el tiempo más corto.

최대(最大) máximo *m*, máximum *m*. ~의 el más grande, el mayor, máximo. ~로 a lo sumo, como máximo. ~값 ((수학)) valor *m* máximo. ~ 공약수 ((수학)) máximo común divisor *m*, máximo común factor *m*, el MCD, el MCF. ~ 다수의 ~ 행복 la mayor felicidad del mayor número. ~한(도) máximo *m*, máximum *m*.

최량(最良) lo óptimo. ~의 el mejor, superior, óptimo, finísimo; [순종의] de pura raza.

최루 가스(催淚-) gas *m* lacrimógeno.

최루탄(催淚彈) bomba *f* lacrimógena.

최면(催眠) hipnosis *f*, hipnotización *f*. ~ hipnosis *f*, estado *f* de hipnotismo, sueño *m* hipnótico. ~ 상태에 있다 encontrarse en la hipnosis, estar en el estado hipnótico. ~ 상태에 빠지다 caer en el estado de hipnotismo. ¶ ~술 hipnotismo *m*., mesmerismo *m*. ~술사 hipnotista *mf*, hipnólogo, -ga *mf*, hipnotizador, -dora *mf*. ~제 hipnótico *m*, narcótico *m*, opiato *m*, medicina *f* soporífera, bebida *f* calmante.

최상(最上) lo mejor. ~의 el mejor, la mejor, óptimo, supremo, de primera calidad, de primera categoría. ~의 품질 la mejor calidad, la calidad de primera categoría. ¶ ~급 ⑦ [가장 위의 계급] grado *m* superior. ⑪ [가장 위의 등급] clase *f* superior. ⑪ ((언어)) [grado *m*] superlativo *m*. ~품 artículo *m* de primera (calidad), artículo *m* de óptima calidad, el mejor artículo.

최선(最善) ① [가장 좋음] lo mejor, óptimo, superior, sumo. ② [전력] toda la fuerza, toda la energía. ~을 다하다 hacer lo mejor posible, hacer todo lo posible, hacer lo mejor, hacer lo más posible.

최성기(最盛期) época *f* dorada, edad *f* de oro, cenit *m*, zenit *m*, flor *f* de la vida, la mejor edad, apogeo *m*, época *f* más próspera, estación *f* más próspera.

최소(最小) mínimo *m*, mínimum *m*, lo más pequeño. ~의 el más pequeño, el menor, mínimo.

최소(最少) ① [가장 적음] lo menos. ② [가장 젊음] el [la] más joven.

¶ ~값 ((수학)) valor m mínimo. ~ 공배수 mínimo m común multiplo. ~액 suma f mínima, suma f más pequeña. ~한(도) mínimo m, grado m mínimo, lo mínimo.

최신(最新) lo último, lo reciente, lo novísimo, el más nuevo, lo más moderno. ~의 novísimo, reciente, último, más nuevo, de modelo más reciente, a la última. ~ 기술 la técnica más moderna. ~식 estilo m más moderno, estilo m novísimo, sistema m novísimo. ~유행 la última moda, la última novedad. ~형 último modo m, modelo m más reciente, última moda f, última forma f. ~호 último número m.

최악(最惡) lo peor. ~의 el peor, pésimo, malísimo. ~의 경우에는 en el peor de los casos.

최우수(最優秀) lo mejor. ~의 el mejor, primero, superior. ~ 선수 el mejor jugador, la mejor jugadora. ~품 artículo m escogido, el mejor artículo.

최음제(催淫劑) (medicamento m) afrodisiaco m.

최장(最長) lo más largo. ~ 거리 la distancia más larga.

최저(最低) lo más bajo, mínimun m, mínimo m. ~의 el más bajo, ínfimo, mínimo. ~가 el precio más bajo, el último precio, el precio mínimo. ~ 생계비[생활비] coste m de vida mínimo, gastos mpl de vida mínimos. ~ 임금 sueldo m mínimo.

최적(最適) lo óptimo, lo más propio, lo más adecuado. ~의 óptimo, ideal, el más propio, el más adecuado, el más procipio. ~격자 la persona más adecuada.

최전선(最前線) (primer) frente m, primera línea f, línea f de batalla.

최종(最終) final m. ~의 final, último. ~ 결정 decisión f definitiva. ~ 시험 examen m final. ~안 programa m final, plan m final. ~ 회 [영화의] última sesión f; ((야구)) vuelta f última.

최첨단(最尖端) lo más moderno; [유행의] lo de moda.

최초(最初) principio m, comienzo m, inauguración f; [데뷔] estreno m. ~의 primero, inicial; [본래의] original. ~에(는) al principio, al comienzo. ~로 primero, primeramente, en primer lugar; [처음으로] por primera vez. ~의 경험 primera experiencia f.

최하(最下) lo ínfimo, lo más bajo, lo inferior. ~의 el más bajo, bajísimo. ~ 가격 el precio más bajo.

~위 lo más bajo, último lugar m. ~품 el artículo más bajo, el artículo ínfimo, el artículo de la peor calidad.

최혜국(最惠國) la nación más favorecida. ~ 대우 trato m de (la) nación más favorecida. ~ 약관 cláusula f de la nación más favorecida. ~ 조약 tratado m de la nación más favorecida.

최후(最後) fin m, final m, lo último; [종결] conclusión f; [임종] fin m, último momento m; [죽음] muerte f, fallecimiento m; lo último, final, supremo; ((언어)) postrero; [남성 단수 명사의 앞에서] postrer. ~에 por último, al fin, finalmente, en último lugar. ~까지 hasta el fin. ¶ ~ 수단 última medida f, último medio m [recurso m·expediente m]. ~의 만찬 la Ultima Cena. ~ 통첩 ultimátum m.

추(錘) ① ((준말)) =저울추. ② [시계의] péndula f.

추가(追加) adición f, suplemento m, apéndice m. ~하다 adicionar, añadir, agregar, poner de más; [포함시키다] incluir. ~ 배당 dividendo m suplementario. ~ 비용 coste m adicional, carga f adicional, gastos mpl adicionales, suplemento m, coste m suplementario. ~ 시험 examen m suplementario. ~ 예산 presupuesto m suplementario.

추격(追擊) persecución f, caza f. ~하다 perseguir, acosar, cazar, dar caza. ~전 combate m de acosamiento. ~ 포 cañón m de caza.

추계(秋季) otoño m.

추계(推計) estimación f. ~하다 estimar.

추고(推考) deducción f, conclusión f, inferencia f, deliberación f. ~하다 inferir, deducir, colegir, hacer una deducción, deliberar, investigar.

추곡(秋穀) cereales mpl cosechados en el otoño. ~ 수매 compra f de cereales cosechados en el otoño por el gobierno.

추골(椎骨) vértebra f. ~의 vertebral.

추골(鎚骨) ((해부)) martillo m.

추구(追求) persecución f, búsqueda f, perseguimiento m, acosamiento m, caza f. ~하다 perseguir, buscar, acosar, ir detrás de *algo*, ir (por·tras·en busca de) *algo*.

추궁(追窮) exigencia f, persecución f. ~하다 exigir, perseguir, presionar (para obtener una respuesta), interrogar severamente.

추기(追記) epílogo m, apéndice m, nota f adicional.

추기경(樞機卿) cardenal m.

추기다 instigar, incitar, provocar,

seducir, tentar.

추깃물 el agua del cadáver roto, fluido *m* cadavérico.

추남(醜男) hombre *m* feo.

추납(追納) paga *f* suplementaria. ~하다 pagar suplementariamente.

추녀 socarrén *m*, alero *m* de tejado, el ala *f* de tejado.

추녀(醜女) mujer *f* fea.

추념(追念) conmemoración *m*. ~하다 conmemorar. ~사 palabras *fpl* conmemorativas. ~식 ceremonia *f* conmemorativa.

추다¹ [남을 일부러 칭찬해 주다] elogiar, hacer elogio, alabar.

추다² [춤을 벌이다] danzar, bailar. 춤을 ~ danzar, bailar. 왈츠를 ~ bailar el vals, valsar.

추단(推斷) inferencia *f*, deducción *f*, conjetura *f*. ~하다 conjeturar, suponer, inferir.

추대(推戴) recomendación *f*. ~하다 elevar, recomendar, proponer, recibir [tener] como presidente.

추도(追悼) duelo *m* [dolor *m*·aflicción *f*·lamentación *f*] por la muerte. ~하다 lamentar, decir el pésame, lamentar [llorar] la muerte, honrar la memoria. ~사 discurso *m* de lamentación, oración *f* fúnebre. ~식 servicio *m* conmemorativo, ceremonia conmemorativa. ~ 연설 discurso *m* fúnebre.

추돌(追突) choque *m*. ~하다 chocar, chocar por detrás, topetar a la parte posterior de una cosa. ~ 사고 accidente *m* de choque.

추락(墜落) ① [높은 곳에서 떨어짐] caída *f*, precipitación *f*, despeño *f*. ~하다 caerse, precipitarse, sufrir una caída. 비행기 ~ caída *f* de avión. ② [위신이나 신망 따위가 떨어짐] humillación *f*. 위신이 ~되다 ser humillado, perder *su* prestigio, perder *su* autoridad. ¶~사(死) caída *f* mortal, muerte *f* por una caída.

추레하다 (estar) desaseado, desaliñado. 옷차림이 ~ estar en la ropa muy gastada.

추렴 colección *f* de dinero, contribución *f*, subscripción *f*, (invitación *f*) a) escote *m*. ~하다 contribuir (unidamente), escotar, ir [pagar] a escote [a media].

추록(追錄) apéndice *m*, suplemento *m*, adición *f*. ~하다 adicionar, añadir.

추론(推論) deducción *f*, inducción *f*, razonamiento *m*, raciocinación *f*, raciocinio *m*, inferencia *f*. ~하다 inducir, razonar, inferir.

추리(推理) deducción *f*, conjetura *f*, razonamiento *m*, inferencia *f*, raciocinación *f*, raciocinio *m*; [귀납] inducción *f*. ~하다 deducir, conjeturar, inferir, razonar, raciocinar, inducir. ~력 facultad *f* de razonamiento. ~ 소설 novela *f* policíaca. ~식 sigolismo *m*.

추리다 ① [많은 것 속에서] escoger, elegir, seleccionar. ② [내용 가운데서] resumir, compendiar, sumar.

추모(追慕) reverencia *f* de las virtudes de un muerto. ~하다 evocar, reverenciar la memoria de un muerto, admirar las virtudes de un muerto.

추문(醜聞) escándalo *m*, difamación *f*, maledicencia *f*, ignomicia *f*. ~을 일으키다 causar una difamación.

추물(醜物) [물건] objeto *m* sucio; [사람] persona *f* fea; [남자] hombre *m* feo; [여자] mujer *f* fea.

추방(追放) expulsión *f*, exclusión *f*; [국외로] exilio *m*, destierro *m*, deportación *f*; [공직에서] despedida *f*. ~하다 expulsar; desterrar, exiliar, expeler, arrojar, despedir, deportar, excluir.

추분(秋分) equinoccio *m* otoñal.

추산(推算) calculación *f*, computación *f*, estimación *f*. ~하다 estimar, calcular, computar.

추상(抽象) abstraccón *f*. ~하다 abstraer. ~의 abstracto, abstractivo. ~ 개념 concepto *m* abstracto. ~ 나무 *m* abstracto. ~ 예술 arte *m* abstracto. ~적 abstracto, abstractivo, abstractor. ~파 abstraccionismo *m*. ~파 화가 pintor *m* abstracto, pintora *f* abstracta, abstraccionista *mf*. ~화 pintura *f* abstracta.

추상(秋霜) ① [가을의 서리] escarcha *f* otoñal. ② [준엄함] severidad *f*. ~같다 (ser) severo, riguroso. ~같이 severamente, con severidad, rigurosamente.

추상(追想) recuerdo *m*, memoria *f*, recordación *f*, reminiscencia *f*. ~하다 recordar, acordarse. ~록(錄) memorias *fpl*.

추상(推想) conjetura *f*, adivinación *f*, suposición *f*. ~하다 conjeturar, adivinar, suponer.

추색(秋色) aire *m* otoñal [de otoño], matices *fpl* autumnales, tintes *mpl* otoñales. ~이 짙다 Se acentúan los tintes otoñales.

추서(追書) posdata *f*, postdata *f*.

추서(追敍) honor *m* póstumo. ~하다 dar honor póstumo.

추석(秋夕) *chuseok*, fiesta *f* de cosecha, fiesta *f* del quince de agosto del calendario lunar.

추세(趨勢) tendencia *f*, marcha *f*, curso *m*, rumbo *m*, propensión *f*, corriente *f*. 일반적인 ~ tendencia *f* general.

추수(秋收) [곡물의] cosecha *f*, siega *f*; [과실·야채의] cosecha *f*, recolección *f*; [포도의] vendimia *f*; [사탕수수의] cosecha *f*, AmL zafra *f*. ~하다 cosechar, hacer la cosecha, recoger, recolectar; [포도를] vendimiar. ~ 감사절 día *m* de Acción de gracias, día *m* de acción de gracias en reconocimiento de la protección y merced divinas. ~ 감사제 fiesta *f* de la cosecha. ~기 cosecha *f*, estación *f* de cosecha.

추스르다 ① [치켜 올려 잘 다스리다] recoger y recortar. ② [잘 수습하여 다스리다] controlar completamente.

추신(追伸/追申) posdata *f*, postdata *f*, P.S., P.D. ~하다 escribir de posdata.

추심(推尋) cobranza *f*, cobro *m*, colección *f*. ~하다 retirar, sacar. 은행에서 돈을 ~하다 retirar [sacar] dinero del banco.

추악(醜惡) fealdad *f*, feidad *f*, monstruosidad *f*. ~하다 (ser) feo, deformado, malhecho, monstruoso, grotesco, desfigurado, monstruoso; [행위 따위가] innoble; [불쾌감을 주다] repugnante, asqueroso.

추앙(推仰) veneración *f*, reverencia *f*, adoración *f*, respeto *m*. ~하다 venerar, reverenciar, adorar.

추야(秋夜) noche *f* otoñal.

추어(鰍魚/鰍魚) [미꾸라지] (어류) = 미꾸라지. ¶ ~탕 *chueotang*, sopa *f* de locha.

추어올리다 ① [박혀 있던 물건을 끌어 내어 위로 올리다] levantar, alzar. ② = 추어주다.

추어주다 elogiar, hacer elogio, alabar, ensalzar, exaltar.

추억(追憶) recuerdo *m*, memoria *f*, recordación *f*, remembranza *f*. ~하다 recordar(se), acordarse. ~에 젖다 sumirse en los recuerdos, entregarse al recuerdo. ¶ ~담 cordación *f*, reminiscencia *f*, recuerdos *mpl* del viaje.

추워하다 sentirse frío.

추월(秋月) luna *f* otoñal.

추월(追越) adelanto *m*. ~하다 adelantar, pasar; [능가하다] aventajar, exceder, superar, sobrepujar. ~ 금지 ((게시)) Prohibido adelantar.

추위 frío *m*. 뼈속까지 스며드는 ~ frío *m* que cala hasta [que penetra en] los huesos. 살을 에이는 듯한 ~ frío *m* cortante, frío *m* penetrante. ~를 타다 ser friolero, ser friolento, sentir el frío. ~를 타는 사람 friolero, -ra *mf*.

추이(推移) transición *f*, evolución *f*, curso *m*, desarrollo *m*, transcurso *m*, marcha *f*, vicisitud *f*; [변화] cambio *m*.. ~하다 pasar, cambiar, mudar, evolucionar, transcurrir.

추인(追認) ratificación *f*, confirmación *f*. ~하다 ratificar, confirmar, sancionar.

추잉 검 goma *f* de mascar, chicle *m*.

추잡스럽다(醜雜-) (ser) incedente, lascivo, obsceno, provocativo, impropio, pornográfico, feo, sucio.

추잡하다(醜雜-) (ser) incedente, impúdico, lascivo, obsceno, provocativo, impropio, lujurioso, pornográfico, colorado, verde, feo, sucio. 추잡하게 incedentemente, impúdicamente, lascivamente, lujuriosamente, feamente, suciamente, con suciedad.

추장(酋長) cacique *m*, caudillo *m*, jefe *m* de tribu.

추적(追跡) persecución *f*, perseguimiento *m*, acosamiento *m*. ~하다 perseguir, seguir la pista, seguir las huellas, acosar, rastrear, dar caza. ~자 perseguidor, -dora *mf*.

추접스럽다 (ser·estar) sucio, desaseado, zarrapastroso; [누더기를 입은] andrajoso, harapiento.

추정(推定) presunción *f*, sospecha *f*, conjetura *f*, deducción *f*, inferencia *f*, suposición *f*, cálculo *m*. ~하다 presumir, suponer, sospechar, deducir, inferir, inducir, calcular.

추종(追從) ① [남의 뒤를 쫓음] seguimiento *m*. ~하다 seguir, acompañar. ~을 불허하다 no tener otro igual, no tener rival. ② [남에게 빌붙어 따름] adulación *f* y seguimiento. ~하다 ir detrás, ir a la zaga, desempeñar un papel segundo respeto, halagar y seguir, adular y seguir.

추증(追贈) concesión *f* póstuma de honores. ~하다 conceder el honor póstumo.

추지다 (ser) húmedo, mojado.

추진(推進) promoción *f*, propulsión *f*, impulso *m*. ~하다 promover, impulsar, propulsar, impeler, empujar, (hacer) adelantar. ~기 máquina *f* de propulsora, aparato *m* propulsor, hélice *f*. ~력 empuje *m*, fuerza *f* propulsora [impelente].

추징(追徵) recargo *m*, recolección *f* adicional. ~하다 recargar, cobrar adicionalmente. ~금 multa *f* adicional, dinero *m* recargado en adición. ~세 impuesto *m* de recargo.

추천(推薦) recomendación *f*; [지명(指名)] nombramiento *m*. ~하다 recomendar, proponer; [지명하다] nombrar. ~되다 ser recomendado, ser nombrado. ¶ ~서 [장] (carta *f* de) recomendación *f*. ~자 recomendante *mf*.

추첨(抽籤) sorteo *m*, rifa *f*. ~하다 sortear, hacer un sorteo, rifar, echar (a) suertes. ~으로 por sorteo. ~에 당첨되다 salir en el sorteo, salir premiado, tocar en el sorteo. ~으로 결정하다 decidir por sorteo, echar a suertes, decidir echando [tirando] a suertes. ~권 billete *m* de lotería, participación *f* de lotería.

추축(樞軸) pivote *m*, eje *m*.

추출(抽出) ① [빼냄. 뽑아냄] abstracción *f*, muestreo *m*, preparación *f* de un muestrario. ~하다 abstraer, elegir, escoger, muestrear, disponer un muestreo. 견본을 ~하다 elegir una muestra. ② ((화학)) extracción *f*. ~하다 extraer. ¶ ~물 extracto *m*.

추측(推測) conjetura *f*, presunción *f*, adivinación *f*, suposición *f*, sospecha *f*, barrunto *m*, inferencia *f*, cálculo *m*, deducción *f*, inducción *f*. ~하다 conjeturar, presumir, adivinar, sospechar, suponer, pronosticar, barruntar, calcular, deducir, inducir. ~대로 como se ha conjeturado.

추켜들다 levantar, alzar, subir. 돌을 ~ levantar una roca.

추켜세우다 henchir la cabeza de viento, bailar el agua, dar bombo, dar coba.

추켜잡다 levantar y coger.

추키다 levantar, alzar.

추탕(鰍湯) ((준말)) =추어탕(鰍魚湯).

추태(醜態) conducta *f* escandalosa, acto *m* vergonzoso, fealdad *f*, escándalo *m*, proceder *m* afrentoso, conducta *f* afrentosa, forma *f* vergonzosa. ~를 부리다 proceder-se vergonzosamente, dar una escena escandalosa.

추파(秋波) ① [가을철의 잔잔하고 맑은 물결] ola *f* suave. ② [사모의 정을 나타내는 은근한 눈짓] guiño *m*, mirada *f* coqueta [amorosa]. ~를 던지다 echar una mirada coquetona.

추풍(秋風) viento *m* otoñal. ~낙엽 hojas *fpl* caídas por el viento otoñal.

추하다(醜一) ① [불결하다] (ser·estar) sucio. 추한 옷 ropa *f* sucia. ② [비루하다] (ser) bajo, vil, ruin.

추해당(秋海棠) ((식물)) begonia *f*.

추행(醜行) conducta *f* escandalosa, [ignominiosa], actitud *f* incedente, infamia *f*, violación *f*, abusos *mpl* deshonestos. ~하다 violar, abusar.

추호(秋毫) pedazo *m*, un poco. ~도 a lo menos, ni en lo más mínimo, de ninguna manera, de ningún modo. ~도 의심 않다 no dudar ni en lo más mínimo.

추후(追後) más tarde, después; [곧] luego, pronto.

축¹ [여러 사람으로 이루어진 한 동아리·같은 무리나 또래] nivel *m*, categoría *f*, grupo *m*. ~에 끼다 estar entre, ser uno de la categoría [del nivel].

축² [말린 오징어 스무 마리] veintena *f*. 오징어 한 축 una veintena de calamares.

축³ [물건이 아래로 늘어지거나 처진 모양] inclinándose, cayéndose, sin apretar, colgantemente de arriba, flojamente, pendientemente. ~ 늘어진 [어깨·귀가] caído; [나무 가지가] llorón; [힘이 없는] lánguido.

축(丑) ((민속)) el Signo del Toro.

축(軸) ① [굴대] eje *m*, árbol *m*. ~의 axil. 자동차의 ~ eje *m* de vehículo. ② ((수학)) eje *m*. ③ ((물리)) eje *m*. 지구의 ~ eje *m* de la tierra. ④ ((기계)) eje *m*, pivote *m*.

축가(祝歌) canción *f* alegre y piadosa, canción *f* festiva; [크리스마스의] villancico *m* de Nochebuena, villancico *m* de Navidad.

축견(畜犬) perro *m* doméstico.

축구(蹴球) fútbol *m*, balompie *m*, *Méj* futbol *m*. ~하다 jugar al fútbol. ~의 futbolístico, balompédico. ~ 경기 juego *m* de fútbol. ~ 공 balón *m*, *AmL* pelota *f* de fútbol, *Méj* pelota *f* de futbol. ~ 선수 futbolista *mf*; jugador, -dora *mf* de fútbol, *Méj* jugador, -dora *mf* de fútbol americano. ~ 시합 partido *m* de fútbol [*Méj* de futbol]. ~장 campo *m* de fútbol, *AmL* cancha *f* de fútbol. ~ 팀 equipo *m* de fútbol. ~화 botines *mpl* de fútbol.

축나다(縮一) ① [일정한 수효에서 부족이 생기다] disminuir, decrecer, faltar, perder. ② =축지다❷.

축농증(蓄膿症) ocena *f*, [흉막강 등의] empiema *m*. ~ 환자 caso *m* de ocena.

축대(築臺) [길·철도의 제방] terraplén *m*; [차단벽] muro *m* de contención.

축도(祝禱) ((준말)) =축복 기도.

축도(縮圖) dibujo *m* reducido, mapa *m* reducido, reducción *f*, miniatura *f*, epítome *m*. ~기 pantógrafo *m*, eidógrafo *m*.

축문(祝文) oración *f* escrita (al difunto). ~을 읽다 recitar la oración escrita.

축배(祝杯) brindis *m*. ~를 들다 brindar. …을 축하하여 ~하다 beber para celebrar *algo*.

축복(祝福) [하나님의] bendición *f*; [축하] felicitación *f*, felicidad *f*. ~하다 bendecir, felicitar. ~ 기도 ((기독교)) oración *f* de bendición.

축사(畜舍) establo *m*, pesebre *m*.

축사(祝辭) palabras *fpl* de felicitación, enhorabuena *f*, parabién *m*. ~하다 pronunciar unas palabras de felicitación, decir enhorabuena.

축사(縮寫) copia *f* reducida; [모형] minuatura *f*; [사진의] reducción *f*. ~하다 copiar en menor escala. ~기 aparato *m* de reducción. ~도 dibujo *m* en escala reducida. ~ 사진 fotografía *f* reducida. ~ 지도 mapa *m* a la escala.

축산(畜産) ganadería *f*, cría *f* de ganado. ~을 하다 dedicarse a la ganadería. ¶~물 productos *mpl* ganaderos. ~업 ganadería *f*, industria *f* ganadera. ~ 업자 ganadero, -ra *mf*.

축생(畜生) bestia *f*, animal *m*, bruto *m*. ~을 incesto *m*.

축석(築石) montones *mpl* de piedras.

축성(築城) construcción *f* de un castillo, fortificación *f*. ~하다 construir [edificar · levantar] un castillo. ~술 (arte *m* de) fortificación *f*. ~학 ciencia *f* de fortificación.

축소(縮小) reducción *f*, disminución *f*, aminoración *f*, abreviación *f*, contracción *f*, cercenadura *f*. ~하다 reducir, disminuir, aminorar, abreviar, contraer, cercenar. ~도 dibujo *m* reducido, mapa *m* reducido. ~비(比율) tipo *m* de reducción. ~판 tabloide *m*.

축쇄(縮刷) imprenta *f* en tamaño pequeño. ~하다 imprimir en tamaño pequeño. ~판 edición *f* de tamaño reducido [de bolsillo].

축수(祝手) invocación *f* por oración, imploración *f*, rezo *m*, suplicación *f*, súplica *f*. ~하다 implorar, suplicar, rezar.

축약(縮約) ((언어)) contracción *f*. ~하다 contraer.

축연(祝宴) ((준말)) =축하연.

축우(畜牛) vaca *f* doméstica.

축원(祝願) ① [신불에 비는 일] plegaria *f*, súplica *f*, petición *f*. ~하다 rezar, orar, suplicar. ② ((준말)) =축원문. ¶~문 oraciones *fpl* escritas.

축음기(蓄音機) gramófono *m*, fonógrafo *m*; [전축] electrófon *m*; [레코드 플레이어] tocadiscos *m*. ~의 바늘 aguja *f* (de todaciscos). ~를 틀다 poner [tocar] un disco. ~에 취입하다 cantar [hablar] en gramófono, grabar. ¶~판 =음반(音盤)(plato giratorio).

축의(祝意) felicitación *f*, celebración *f*, congratulación *f*, enhorabuena *f*.

축의(祝儀) fiesta *f*, banquete *m*, celebración *f*. ~금 dinero *m* de celebración.

축이다 mojar, humedecer. 목을 ~ saciar [apagar] la sed; [자신의] humedecerse la garganta.

축일(祝日) día *m* de fiesta, día *m* festivo, fiesta *f* (nacional), festividad *f*.

축재(蓄財) acumulación *f* de riqueza, riquezas *fpl* acumuladas. ~하다 acumular dinero, almacenar dinero, hacer dinero. ~자 persona *f* frugal [económica].

축적(蓄積) acumulación *f*, montón *m*. ~하다 acumular, amontonar.

축전(祝典) festejo *m*, fiesta *f* conmemorativa, festividad *f*, celebración *f*. [기념] conmemoración *f*. ~을 거행하다 celebrar, conmemorar.

축전(祝電) telegrama *m* de enhorabuena, telegrama *m* de felicitación, telegrama *m* congratulatorio. ~을 보내다 felicitar por cable, telegrafiar la congratulación, mandar [enviar] un telegrama de felicitación, cablegrafiar la felicitación.

축전(蓄電) carga *f* eléctrica, acumulación *f* de electricidad. ~하다 cargar la energía eléctrica. ~기 condensador *m* (eléctrico). ~지 acumulador *m* (eléctrico), batería *f* de acumuladores.

축제(祝祭) ① [축하의 제전] fiesta *f*, festival *m*, festividad *f*. ② [축하와 제사] la felicitación y el servicio funeral. ~일 día *m* festivo.

축제(築堤) levantamiento *m* de un terraplén. ~하다 terraplenar, acumular tierra para levantar un terraplén.

축조(築造) construcción *f*, edificación *f*, edificio *m*. ~하다 construir, edificar, erigir, levantar.

축지법(縮地法) método *m* mágico del paso contraído.

축지다(縮一) ① [사람의 가치가 떨어지다] desacreditarse. ② [병으로 몸이] debilitarse.

축척(縮尺) escala *f* (reducida). ~하다 reducir a escala. 천분의 일 ~ escala *f* de un milésimo.

축첩(蓄妾) concubinato *m*. ~하다 tener una concubina. ~자 concubinario *m*. ~제도 concubinato *m*.

축축하다 (estar · ser) húmedo, mojado, humedecerse, mojarse. 축축한 옷 ropa *f* mojada.

축출(逐出) expulsión *f*, deportación *f*. ~하다 expulsar, deportar, ahuyentar, desasentar, echar fuera, despedir. ~되다 (ser) expulsado, despedido, deportado.

축포(祝砲) salva *f*, [육군의] honras *fpl* militares; [해군의] salvas *fpl* navales. 스물한 발의 ~ salva *f* real [de veintiún cañonazos].

축하(祝賀) enhorabuena *f*, felicitación *f*, celebración *f*, congratulación *f*. ~하다 dar una enhorabuena, felicitar, celebrar, congratular; [기념하다] conmemorar; [행사 따위를 해서] festejar; [엄숙하게] solemnizar. ～객 celebrante *mf*, visita *f* congratulatoria. ～ 선물 regalo *m* de felicitación. ～연 fiesta *f* (para celebrar *algo*), banquete *m*. ～장 carta *f* [tarjeta *f*] de felicitación. ～회 reunión *f* de felicitación, (reunión *f* de) celebración *f*.

축항(築港) construcción *f* de un puerto. ～하다 construir un puerto. ～ 공사 obra *f* de construcción de un puerto.

춘계(春季) ＝춘기(春期).

춘곤(春困) fatiga *f* primaveral, cansancio *m* primaveral.

춘국(春菊) crisantemo *m* coronado.

춘궁(春窮) ＝보릿고개. ¶～기 período *m* [estación *f*] de pobreza primaveral.

춘기(春期) estación *f* primaveral, primavera *f*.

춘몽(春夢) sueños *mpl* primaverales, sueño *m* vacío.

춘부장(春府丈) su padre.

춘분(春分) equinoccio *m* de primavera.

춘색(春色) paisaje *m* primaveral, belleza *f* vernal de la naturaleza.

춘설(春雪) nieve *f* primaveral.

춘심(春心) ＝춘정(春情).

춘절(春節) estación *f* primaveral.

춘정(春情) ① [남녀간의 정욕] pasiones *fpl*, deseo *m* carnal [sensual · sexual], apetito *m* sensual [carnal · sexual]. ② [봄의 정취] sentimiento *m* primaveral.

춘추(春秋) ① [봄과 가을] la primavera y el otoño. ② [어른의 나이에 대한 존칭] su edad. ¶～복 vestido *m* [traje *m*] de entretiempo, ropa *f* [traje *m*] para la primavera y el otoño.

춘풍(春風) brisa *f* primaveral, brisa *f* de la primavera, viento *m* primaveral [de (la) primavera.

춘하추동(春夏秋冬) cuatro estaciones del año; primavera, verano, otoño e invierno.

춘화(春花) flor *f* primaveral.

춘화(春畵) pornografía *f*, dibujo *m* pornográfico, cuadro *m* pornográfico, pintura *f* pornográfica.

춘화도(春畵圖) ＝춘화(春畵).

춘흥(春興) encanto *m* [atractivo *m*] primaveral, placer *m* primaveral.

출가(出家) ① [집을 떠나감] salida *f* de casa. ～하다 salir de casa. ② ((불교)) entrada *f* en el sacerdocio budista. ～하다 hacerse sacerdote budista, ser ordenado sacerdote budista, hacerse bonzo.

출가(出嫁) casamiento *m* matrimonio *m*, boda *f*, nupcias *fpl*. ～하다 casarse (la mujer), contraer matrimonio. ～시키다 casar (a *su* hija). ¶～외인(外人) La hija casada no es mejor que el extraño / La hija casada es peor que el extraño.

출간(出刊) publicación *f*. ～하다 publicar.

출감(出監) puesta *f* en libertad, liberación *f*, salida *f* de la cárcel. ～하다 ser puesto en libertad, ser excarcelado, salir de la cárcel.

출강(出講) clase *f*. ～하다 dar clases, dar lecciones.

출격(出擊) misión *f*, ataque *m*. ～하다 hacer una incursión, atacar.

출결(出缺) ((준말)) ① ＝출결석. ② ＝출결근. ¶～근 asistencia y ausencia en la oficina. ～석 asistencia y ausencia en la escuela.

출고(出庫) entrega *f*. ～하다 entregar, sacar artículo del almacén. ～가격 precios *mpl* de fábrica, precios *mpl* franco fábrica. ～량 cantidad *f* de entrega.

출구(出口) salida *f*, [문] puerta *f*.

출국(出國) salida *f* (de un país). ～하다 salir de un país. ～ 금지 prohibición *f* de emigración. ～ 신고 declaración *f* de salida. ～ 신고서 declaración *f* de salida, tarjeta *f* de embarque. ～ 허가 permiso *m* de salida.

출근(出勤) asistencia *f*. ～하다 ir a trabajar (a la oficina), ir al trabajo, asistir a la oficina, presentarse en la oficina, presentarse al trabajo. ～부 libro *m* de asistencia. ～ 카드 tarjeta *f* de asistencia.

출금(出金) desembolso *m*, gasto *m*; [기부의] contribución *f*. ～하다 desembolsar, gastar, contribuir.

출납(出納) recepción y desembolso de dinero, entrada y salida de dinero; [예금의] retirada y depósito. ～을 담당하다 tener cargo de cuentas. ¶～계 ㉮ [출납의 사무를 담당하는 계] caja *f*. ㉯ [출납 사무를 담당하는 사람] cajero, -ra *mf*, tesorero, -ra *mf*, contador, -dora *mf*. ～과 (sección *f* de) caja *f*. ～부 libro *m* manual [de caja].

출동(出動) movilización *f*, actuación *f*. ～하다 ponerse en acción, movilizarse. ～시키다 movilizar. ¶～ 명령 orden *f* para la moviliza- ción.

출두(出頭) presencia *f*, comparición *f*, ((법률)) comparecencia *f*. ～하다 presentarse, comparecer. ～ 명령 citación *f*, comparendo *m*.

출렁거리다 [파도가] lamer; [굽이치다] serpentear.

출렁이다 ＝출렁거리다.

출렁다리 puente *m* colgante.

출력(出力) potencia *f* (de salida),

energía f (de salida), capacidad f, potencia f útil, corriente f de salida; ((컴퓨터)) [입력에 대해] salida f; [전력 등의] salida f, potencia f generada. ~ 장치 ㉮ instalación f de potencia. ㉯ ((컴퓨터)) dispositivo m [unidad f] de salida.

출루(出壘) ((야구)) acción f de estar en (la) base. ~하다 estar en (la) base.

출마(出馬) presencia f a la candidatura. ~하다 presentar su candidatura, presentarse como candidato.

출몰(出沒) aparición f y desaparición. ~하다 aparecer y desaparecer, aparecer frecuentemente.

출발(出發) partida f, salida f, marcha f; [자동차의] arranque m; [시작] comienzo m, principio m. ~하다 partir, salir, marchar, arrancar, comenzar, empezar, ponerse en marcha. ~선 línea f de partida, línea f de salida. ~ 시간 hora f de partida, hora f de salida. ~ 신호 señal f de salida, señal f de marcha. ~점 punto m [lugar m] de partida.

출범(出帆) zarpa m, salida f del barco. ~하다 zarpar, dar la vela, hacer a la vela, largar las velas, salir de un puerto.

출병(出兵) envío m de tropas, expedición f de tropas. ~하다 enviar tropas, expedir tropas; [동원하다] movilizar.

출사(出師) =출병(出兵).

출산(出産) parto m, alumbramiento m. ~하다 parir, alumbrar, dar a luz, partear. ~실 sala f de partos. ~ 휴가 baja f por maternidad.

출생(出生) nacimiento m. ~하다 nacer. ~ 신고(서) declaración f de nacimiento. ~ 증명서 partida f [certificado m] de nacimiento. ~지 lugar m de nacimiento..

출석(出席) asistencia f, presencia f; ((법률)) comparecencia f. ~하다 asistir; [참가하다] participar, tomar parte; ((법률)) comparecer. ~을 부르다 pasar lista. ¶~부 lista f de asistencia, libro m de asistencia. ~자 asistente mf, persona f presente; [집합적] asistencia f.

출세(出世) éxito m social, éxito m en el mundo; [승진] promoción f, ascenso m, avance m. ~하다 tener éxio en el mundo, abrirse camino; [승진하다] subir, ascender, avanzar, obtener alto rango. ~욕 ambiciones fpl para el éxito. ~작 obra f que le ha hecho famoso.

출소(出所) =출감(出監), 출옥(出獄).

출신(出身) origen m; [학교의] gra-

duado m; [신분이나 직업 관계] ex. 공무원 ~ ex funcionario, -ria mf. …의 ~이다 ser natural de un sitio, ser de un sitio; [학교의] ser graduado en [de] una escuela. ¶~지 lugar m de nacimiento, tierra f natal, suelo m natal, pueblo m natal, país m natal. ~ (학)교 es- cuela f de que es graduado; [대학교] universidad f de que es gra- duado.

출어(出漁) salida f a pesca. ~하다 salir a pesca, ir a la pesquería.

출연(出捐) ayuda f financiera. ~하다 hacer una ayuda financiera.

출연(出演) actuación f, conferencia f; [연극] representación f; [텔레비전 등의] presentación f. ~하다 actuar, realizar una actuación, entrar en la escena; [텔레비전 등에] presentar, salir; [영화에] trabajar, hacer un papel, presentar un papel; [연주하다] ejecutar. 영화에 ~하다 salir en una película.

출영(出迎) encuentro m, recibimiento m; [영접] recepción f. ~하다 encontrar, recibir.

출옥(出獄) excarcelación f, salida f de la cárcel, puesta f en liberta d.~하다 ser puesto en libertad, ser excarcelado, salir de la cárcel.

출원(出願) petición f, solicitación f, aplicación f; [시험 등의] candidatura f, inscripción f. ~하다 pedir, solicitar, presentar una demanda, formular un demanda; [시험 등에] presentar una solicitud.

출입(出入) entrada y salida. ~하다 entrar y salir; [자주 가다] frecuentar. ~구 entrada f, puerta f, umbral m. ~국 entrada f y salida, emigración f e inmigración. ~ 금지 ㉮ prohibición f de entrada. ㉯ ((게시)) Prohibido entrar / Se prohíbe entrar / No entrar / No entre(n).

출자(出資) contribución f, aportación f; [투자] inversión f. ~하다 contribuir, aportar; [투자하다] invertir. ~금 inversión f, dinero m invertido, contribución f. ~액 cantidad f de inversión, cantidad f de contribución.

출장(出張) viaje m de [por] negocios (oficiales); [공용의] viaje m oficial. ~하다 viajar por negocios (oficiales), hacer un viaje oficial. ~비 expensas fpl [gastos mpl] de viaje. ~소 agencia f, sucursal f.

출장(出場) ① [어떤 곳에 나감] participación f. ~하다 participar, tomar parte, concurrir. ~을 취소하다 cancelar la participación. ② [운동 경기에 나감] participación f en una carrera. ~하다 participar en una carrera.

출전(出典) fuente *f*, original *m*, autoridad *f*. ~을 표시하다 indicar la fuente.

출전(出戰) salida *f* al frente, partida *f* al frente; [경기에] participación *f* en un juego. ~하다 salir al frente; [경기에서] participar en el juego, tomar parte en el juego.

출정(出廷) comparición *f*. ~하다 comparecer, presentarse ante el juez.

출정(出征) salida *f* al frente, incorporación *f* a filas, partida *f* para el frente, marcha *f* para el frente. ~하다 salir al frente, salir a (la) campaña, partir para el frente, marchar para el frente. ~군 tropas *fpl* expedidas [enviadas] al frente. ~ 군인 soldado, -da *mf* combatiente; soldado *m* enviado al frente, soldada *f* enviada al frente.

출제(出題) presentación *f* de las preguntas (del examen). ~하다 presentar las preguntas (del examen). ~자 examinador, -dora *mf*.

출중하다(出衆-) destacarse, sobresalir, contrastar, estar sobresaliente, estar conspicuo. 출중한 작품 obra *f* sobresaliente.

출진(出陣) salida *f* al frente, salida *f* para la guerra, salida *f* para el campo de batalla. ~하다 salir al frente (de batalla), ir a la guerra.

출찰(出札) despacho *m* de billetes. ~하다 despachar los billetes. ~ 계원 taquillero, -ra *mf*; billetero, -ra *mf*; vendedor, -dora *mf* de billetes; *AmL* boletero, -ra *mf*. ~ 구 ventanilla *f*.

출창(出窓) ventana *f* más saledizas [saliente · arqueada] (que la pared), mirador *m*, balcón *m*.

출처(出處) ① [사물이 나온 근거] origen *m*, procedencia *f*; [출전] fuente *f*. ~가 확실한 auténtico, confiable, fidedigno, de buena fuente. ~ 불명의 de fuente incierta. ② [세상에 나서는 일과 집안에 들어 앉는 일] salida *f* al mundo y entierro en casa.

출출하다 estar con el estómago vacío, sentir un poco de hambre.

출타(出他) salida *f* de casa, salida *f* de oficina. ~하다 salir de casa, salir de oficina.

출토(出土) excavación *f*. ~하다 ser excavado, ser desenterrado, ser exhumado. ~품 objeto *m* excavado [desenterrado].

출퇴근(出退勤) asistencia *f* y salida de la oficina. ~하다 asistir y salir de la oficina.

출판(出版) publicación *f*, edición *f*. ~하다 publicar, dar a luz, editar. ~

되다 publicarse, ser publicado. ¶~물 publicado *m*; [집합적] publi- cación *f*. ~사 editorial *f*, casa *f* editorial. ~업 publicación *f*, nego- cio *m* editorial. ~ 업자 editor, -tora *mf*. ~의 자유 libertad *f* de publicación, libertad *f* de imprenta. ~일 fecha *f* de publicación. ~자 editor, -tora *mf*. [출판사] editorial *f*, casa *f* editorial. ~ 협회 Asocia- ción *f* de Editores.

출품(出品) exposición *f*. ~하다 exponer, mostrar, enviar artículos a la exposición. 전람회에 ~하다 presentar [mandar] a una exposi- ción. ¶~자 expositor, -tora *mf*.

출하(出荷) envío *m*, remesa *f*, con- signación *f*, envío *m* [partida *f*] de mercancías, envío *m* [partida *f*] de mercaderías *fpl*, expedición *f*; [배 에서] embarque *m*. ~하다 enviar mercancías, despachar, remitir.

출항(出航) zarpa *f*, partida *f* de buque. ~하다 zarpar, hacerse a la vela, hacerse a la mar, levar anclas.

출항(出港) salida *f* [partida *f*] del puerto. ~하다 salir [partir] del puerto, dejar el puerto.

출현(出現) aparición *f*, aparecimiento *m*, descubrimiento *m*; [도래] llegada *f*, advenimiento *m*; ((종교)) Adviento *m*. ~하다 aparecer, sur- gir, descubrirse, presentarse.

출혈(出血) derrame *m* de sangre, hemorragia *f*, apoplejía *f*, sangría *f*. ~하다 sangrar, echar sangre, chorrear la sangre.

출회(出廻) circulación *f* de mercan- cías, suministro *m*. ~하다 abun- dar [salir · surtirse bien] en el mercado.

춤 danza *f*, baile *m*. ~을 추다 bailar, danzar.

춤추다 ① [춤을 추다] danzar, bailar. ② [기뻐 날뛰다] saltar de gozo.

춥다 ① [날씨가] hacer frío. 추운 날 씨 tiempo *m* frío. 오늘은 ~ Hoy hace frío. ② [신체가] tener frío. 발이 ~ sentir frío en los pies, tener los pies fríos. 나는 매우 ~ Yo tengo mucho frío.

춥디춥다 [날씨가] hacer mucho frío; [사람의 몸이] tener mucho frío.

충(蟲) ① =벌레. ② ((준말)) =회충.

충간(忠諫) consejo *m* fiel [leal]. ~하 다 aconsejar fielmente [lealmente].

충격(衝擊) impulso *m*, choque *m*, sacudida *f*, golpe *m*, impulsión *f*, colisión *f*, impacto *m*, percusión *f*. ~을 받다 sufrir choque. ~을 주다 dar choque, dar un golpe. ¶~ 시 험 prueba *f* balística, ensayo *m* a [de] choque.

충견(忠犬) perro *m* fiel a su amo..

충고(忠告) consejo *m*; [경고] advertencia *f*, amonestación *f*. ~하다 aconsejar, dar consejo; advertir. ~자 consejero, -ra *mf*; asesor, -ra *mf*; orientador, -dora *mf*.

충당(充當) asignatura *f*. ~하다 destinar, asignar.

충돌(衝突) ① [서로 맞부딪침] colisión *f*, choque *m*, encuentro *m*. ~하다 chocar, encontrarse, darse un encontronazo, colisionar. ② [쌍방의 의견이 맞지 아니하여 서로 맞섬] colisión *f*, conflicto *m*, encuentro *m*. ~하다 disputar, contender, encontrarse, entrar en conflicto, chocarse.

충동(衝動) ① [들쑤셔 움직이게 함] instigación *f*, incitación *f*. ~하다 instigar, incitar. ② ((심리)) impulso *m*, impulsión *f*, ímpetu *m*, empuje *m*. 성적 ~ impulso *m* sexual. ¶~ 구매 compra(s) *f(pl)* impulsiva(s), compra *f* de impulso. ~질 instigación *f*, incitación *f*.

충동이다 ① [자극을 주다] dar estímulo. ② [부추기다] instigar, incitar.

충만(充滿) plenitud *f*, calidad *f* [totalidad *f*·integridad *f*] de pleno. ~하다 llenarse, impregnarse.

충매화(蟲媒花) flor *f* entomófila.

충복(忠僕) servidor *m* fiel, servidora *f* fiel; serviente *mf* fiel, criado *m* leal, criada *f* leal.

충분 조건(充分條件) condición *f* suficiente.

충분하다(充分-) (ser) suficiente, bastante, satisfactorio; [사물이 주어일 때] bastar*le*, alcanzar*le*. 충분히 (lo) suficientemente, con suficiencia, bastante, bastantemente, enteramente, cabalmente, a fondo, llenamente, plenamente, completamente, copiosamente. ~ 생각한 후에 después de pensarlo bien [suficientemente]. ~ 검토하다 examinar suficientemente, estudiar a fondo.

충성(忠誠) lealtad *f*, fidelidad *f*. ~스럽다 (ser) leal, fiel. ~을 맹세하다 jurar [prometer] fidelidad.

충신(忠臣) vasallo *m* [servidor *m*·hombre *m*] leal [fiel], súbito *m* fiel.

충실(充實) ① [몸이 굳세어서 튼튼함] fuerza *f*, fortaleza *f* física. ~하다 (ser) fuerte. ② [내용·설비 등이 알참] plenitud *f*, perfección *f*, llenura *f*, abundancia *f*. ~하다 llenar, repletar, enriquecer, colmarse, perfeccionarse.

충실하다(忠實-) (ser) fiel, leal. 충실한 번역 traducción *f* fiel. ¶충실히 fielmente, lealmente, con fidelidad,

con lealtad. ~ 복무하다 servir fielmente.

충심(衷心) *su* corazón verdadero, *su* todo corazón, sentimiento *m* profundo [sincero]. ~으로 con [de] todo corazón, con toda el alma, sinceramente, con sinceridad, lealmente, profundamente, en conciencia.

충원(充員) complemento *m* del personal;((군사)) reserva *f* militar, suministro *m*; [보충병] recluta *mf* (disponible). ~하다 complementar el personal; [병사를] reclutar.

충적(沖積/冲積) amontonamiento *m* por el agua corriente, aluvial. ~세 holoceno *m*. ~토 terreno *m* [tierra *f*] aluvial, aluvión *m*.

충전(充電) carga *f*, cargadura *f* con electricidad. ~하다 cargar. 배터리에 ~하다 cargar la batería. ¶~기 cargador *m*. ~소 estación *f* de carga.

충전(充塡) obturación *f*, colmo *m*, llenura *f* henchidura *f*. ~하다 obturar, colmar, llenar un blanco, llenar el espacio. 충치를 ~하다 obturar una caries [벌레먹은 어금니] una muela cariada.

충절(忠節) lealtad *f*, fidelidad *f*. ~을 다하다 ser fiel hasta la muerte, servir fielmente.

충정(衷情) corazón *m* verdadero, sentimiento *m* íntimo. ~에서 우리 나오는 동정 la simpatía más sincera.

충족(充足) suficiencia *f*; [만족] satisfacción *f*. ~하다 (ser) suficiente, bastante, satisfactorio.

충직하다(忠直-) (ser) honrado, honesto, recto.

충천(衝天) vuelo *m* alto. ~하다 volar alto, levantarse, remontarse, remontar el vuelo; [희망이] aumentar, renacer; [인기 등이] aumentar.

충충하다 ① [물이] (estar) lleno y profundo. 우물에 물이 ~ El pozo está lleno de agua. ② [빛깔이] (ser) oscuro, obscuro, sombrío.

충치(蟲齒) ((의학)) caries *f.sing.pl*; [벌레먹은 이] diente *m* cariado, diente *m* picado; [벌레먹은 어금니] muela *f* cariada.

충해(蟲害) plaga *f* de insectos, daño *m* causado por los insectos, purgón *m*. ~를 입다 ser dañado por los insectos.

충혈(充血) congestión *f*, hiperemia *f*; [상피 혈관의] enquimosis *f*. ~되다 congestionarse. ~시키다 congestionarse. ~시키다 congestionar.

충혼(忠魂) ① [충의를 위해 죽은 사람의 넋] el alma *f* leal (del difunto). ~을 위로하다 consolar el alma de los difuntos que murieron por *su* patria. ② ((준말)) =충혼의 백(忠魂義魄). ¶ ~비 monumento *m* a los difuntos leales. ~의백 espíritu *m* leal. ~탑 monumento *m* a los héroes caídos, monumento *m* al difunto en la guerra.

충효(忠孝) la lealtad y el amor filial.

췌액(膵液) jugo *m* pancreático.

췌언(贅言) pleonasmo *m*, palabras *fpl* superfluas, redundancia *f*.

췌장(膵臟) ((해부)) páncreas *m*. ~결석 litiasis *f* pancreática. ~암 cáncer *m* pancreático.

취객(醉客) borrachón, -chona *mf*; borrachín, -china *mf*; borracho, -cha *mf*.

취급(取扱) trato *m*, tratamiento *m*; [조작] manejo *m*; [약품 따위의] manipulación *f*. ~하다 tratar, dar el trato, recibir conducir, despachar, desempeñar, comerciar, poner mango; [조작하다] manejar; [약물 따위를] manipular; [사용하다] usar, emplear.

취기(臭氣) fetor *m*, hedor *m*, mal olor *m*, olor *m* ofensivo, hediondez *f*, fetidez *f*.

취기(醉氣) embriaguez *f*, ebriedad *f*, borrachera *f*. ~가 돌다 sentirse embriagado, quedar ebrio. ~가 깨다 desembriagar, desemborracharse.

취담(醉談) palabras *fpl* borrachas, palabra *f* bajo la influencia de alcohol. 취담 중에 진담 있다 ((속담)) Donde entra el vino la verdad sale / En el vino, la verdad.

취득(取得) adquisición *f*, obtención *f*, consecuencia *f*; [수령] recibimiento *m*. ~하다 adquirir, obtener, conseguir; recibir. ~물 adquisición *f*. ~세 impuesto *m* de adquisición. ~시효 prescripción *f* adquisitiva. ~자 adquirente *mf*; adquiridor, -dora *mf*.

취락(聚落) colonia *f*, comunidad *f*.

취로(就勞) comienzo *m* del trabajo, trabajo *m*. ~하다 ponerse a trabajar, trabajar. ~비 gastos *mpl* de trabajo. ~시간 horas *fpl* laborables, horas *fpl* de trabajo.

취미(趣味) gusto *m*, afición *f*, pasatiempo *m*, hobby *ing.m*. 내 ~는 동전 수집이다 Mi afición es coleccionar las monedas.

취사(炊事) (trabajo *m* de) cocina *f*. ~하다 cocinar, cocer, hacer la cocina, guisar. ~장 cocina *f*; [캠프나 전쟁터의] cocina *f* (de campaña).

취사(取捨) adopción y rechazo, selección *f*, escogimiento *m*. ~하다 elegir a *su* discreción. ~ 선택 se-

lección *f*, elección *f*, escogimiento *m*, opción *f* ¶ ~하다 seleccionar, elegir, escoger.

취소(取消) cancelación *f*, abolición *f*, anulación *f*, rescisión *f*; [주장 따위의] revocación *f*, retractación *f*. ~하다 cancelar, abolir, anular, disolver, rescindir; [주장 따위를] retractarse, retractar. ~할 수 있는 revocable, retractable. ~할 수 없는 irrevocable. ~가능 신용장 carta *f* de crédito revocable. ~불능 신용장 carta *f* de crédito irrevocable.

취소(臭素) ((화학)) bromo *m*.

취약(脆弱) fragilidad *f*, debilidad *f*, delicadez *f*, endeblez *f*. ~하다 [무르다] (ser) quebradizo, frágil; [약하다] débil, endeble, delicado. ¶ ~점 punto *m* vulnerable.

취업(就業) comienzo *m* del trabajo, empleo *m*, trabajo *m*. ~하다 ponerse a trabajo. ~ 중이다 estar al trabajo, estar trabajando.

취역(就役) servicio *m* activo. ~하다 ponerse en servicio (activo). ~시키다 [군함을] poner en servicio.

취옥(翠玉) ① [에메랄드] esmeralda *f*. ② ((준말)) =비취옥(翡翠玉).

취임(就任) toma *f* de posesión (de un cargo). ~하다 tomar posesión de un cargo, asumir, tomar [asumir] el cargo [el oficio]. ~사 discurso *m* inaugural, saludo *m* inaugural, discurso *m* con motivo de la toma de posesión. ~식 toma *f* de posesión.

취입(吹入) ① [공기를 불어넣음] respiración *f*. ~하다 respirar. ② [음반이나 녹음 테이프 따위에] doblaje *m*, grabación *f*. ~하다 doblar, grabar. 디스크에 노래를 ~하다 grabar una canción en un disco.

취재(取材) selección *f* de datos, recogida *f* [reunión *f*·acumulación *f*] de noticias; [소설 등의] reunión *f* de materiales. ~하다 recoger materiales, reunir datos, informarse. ~ 기자 cazanoticias *mf*. ~원(源) fuente *f* de noticias.

취조(取調) inquisición *f*, investigación *f*, información *f*, examen *m*, indagación *f*, pesquisa *f*, [심문] interrogatorio *m*, interrogación *f*. ~하다 inquirir, investigar, informar, procesar, examinar, indagar; [심문하다] interrogar.

취주(吹奏) toque *m* de instrumentos de viento. ~하다 tocar instrumento de viento. ~악 música *f* de instrumento de viento. ~ 악기 instrumento *m* de viento. ~ 악대 charanga *f*.

취중(醉中) al estar borracho, al emborracharse. ~에 en estado de embriaquez. ~ 운전 conducción f [AmL manejo m] en estado de embriaguez, delito m de conducir bajo la influencia del alcohol. ~ 운전자 conductor, -tora mf en estado de embriaguez. ~ 진담 En el vino, la verdad.

취지(趣旨) ① [의도] intención f, propósito m. ② [목적] objeto m, fin m, finalidad f. 회사 설립의 ~ finalidad f de la fundación de compañía. ③ [내용] contenido m. ④ [주제] tema m. 강연의 ~ tema f central de la conferencia. ⑤ [요지] resumen m, punto m, clave f, meollo m. ¶~서 llamamiento m, manifiesto m.

취직(就職) obtención f de empleo, entrada f en cargo, entrada f en empleo, instalación f, colocación f. ~하다 tomar un empleo, colocarse, tomar una posición oficial, entrar en servicio [cargo·empleo]. ¶~난 penuria f de empleos, dificultad f de obtener empleos. ~률 porcentaje m de colocaciones. ~ 자리 puesto m de trabajo, empleo m.

취침(就寢) acostada f, acostamiento m. ~하다 acostarse, meterse en la cama, irse a la cama.

취태(醉態) borrachera f, borrachez f [estado m de] embriaguez f.

취하(取下) retiro m, retirada f. ~하다 retirar, abandonar, apartar. 소송을 ~하다 retirar [abandonar] el pleito.

취하다(取一) ① [제것을 만들다] tener, tomar, apoderarse. 남의 재산을 ~ apoderarse de bienes ajenos. ② [먹다. 섭취하다] tomar, asimilar. 영양물을 ~ tomar alimentos nutritivos. ③ [자세를 보이다] tomar, asumir. ④ [방법 등을 쓰거나 향구하다] tomar. ⑤ [해석하다] interpretar, tomar. ⑥ [택하다] preferir, elegir. 돈보다 명예를 ~ preferir la honra al dinero. ⑦ [쉬다. 잠을 자다] descansar, dormir. 휴식을 ~ reposar, descansar, tomar un descanso. ⑧ [돈을 꾸다] pedir prestado, tomar prestado. 돈을 ~ pedir prestado el dinero.

취하다(醉一) ① [술에] emborracharse, embriagarse. 거나하게 ~ emborracharse mucho. 맥주[포도주]에 ~ emborracharse con cerveza [vino]. ② [먹은 약 등의 기운이 몸에 퍼지다] intoxicarse, envenenarse, ser intoxicado, ser envenenado. ③ [음식물의 중독으로] estar afiebrado tener fiebre, tener calentura. ④ [많은 물건·사람에 시달려 정신이 흐려지다] ser vago, ser oscuro. ⑤ [도취되다] ser en-

cantado, ser cautivado.

취하다(娶一) casarse con una mujer.

취학(就學) entrada f [ingreso m] a la escuela, entrada f [ingreso m] al colegio. ~하다 ingresar [entrar] en la escuela. ~시키다 mandarle [enviarle] a la escuela. ¶~ 아동 escolar mf, niño m matriculado en la escuela. ~ 연령 edad f escolar.

취항(就航) servicio m naviero, puesta f en servicio. ~하다 empezar a prestar servicio de línea, ponerse [entrar] en servicio, ponerse en la línea [ruta].

취향(趣向) inclinación f, tendencia f, ingenio m, invención f, plan m, programa m, designio m, idea f, [소설 따위의] trama f.

취흥(醉興) placer m borracho, deleite m borracho.

측(側) parte f, [옆] lado m. 양~ ambas partes fpl; [양옆] ambos lados mpl.

측근(側近) ① [곁의 가까운 곳] alrededores mpl, aledaños mpl, alrededor m. ~에 cerca. alrededor m. ② ((준말)) =측근자. ¶~자 personas fpl cercanas; séquito m; asociado, -da mf, colega mf; allegado, -da mf; paniaguado, -da mf.

측량(測量) medición f, sonda f; [깊이] sondeo m. ~하다 medir (las tierras), sondar, sondear; [수심을] echar la plomada. ~기 instrumento m de agrimensura. ~ 기사 ingeniero m geógrafo. ~술 agrimensura f.

측면(側面) lado m, costado m, perfil m; [주로 진지 따위] flanco m. ~의 lateral, de perfil, de lado, flanqueado. ~ 공격 ataque m de flanco. ~도 perfil m, vista f lateral.

측보기(測步器) podómetro m.

측심(測深) sonda f, sondeo m (de la profundidad). ~하다 sondar, sondear, hacer un sondeo, llevar a cabo un sondeo.

측연(測鉛) escandallo m, sonda f, plomada f. ~을 던져 넣다 tirar escandallo.

측우기(測雨器) pluviómetro m.

측은지심(惻隱之心) (sentido m de) piedad f, compasión f, misericordia f, clemencia f, simpatía f natural.

측은하다(惻隱一) (ser) compasivo, lastimoso, lamentable, patético. 측은히 con compasión, lastimosamente, lamentablemente. 측은히 여기다 compadecer, tener compasión.

측정(測定) medición f, medida f; [토지의] sondeo m; [수심의] plomada f. ~하다 medir, sondar, sondear.

측정기(測程器) barquilla f.

측지(測地) medición f de la tierra;

[땅] tierra *f* de agrimensura. ~하다 medir un terreno. ~선 línea *f* geodésica. ~위성 satélite *m* geodésico. ~학 geodesia *f*.

측후(測候) observación *f* meteorológica. ~의 meteorológico.

층(層) ① ((준말)) =계층(階層). ② ((준말)) =층등(層等). ③ [거듭 개진 물건의 켜 또는 격지] ㉮ [지층] capa *f*, estrato *m*, lecho *m*, tonga *f*, capa *f* delgada. ㉯ [광맥] yacimiento *m*. ④ [건물에 있어서의 한 켜] piso *m*, planta *f*.

층²(層) [켜를 세는 말] piso *m*. 건물 둘째 ~에 회사가 있다 Hay compañía en el segundo piso.

층계(層階) escalera *f*, escalón *m*, peldaño *m*; [돌계단] escalinata *f*. 교회 [박물관]의 ~ escaleras *fpl* [escalinata *f*] de la iglesia [del museo]. ¶~참 descanso *m* de una escalera, meseta *f* (de escalera), rellano *m*, descansillo *m*, mesa *f*; [주택 입구의] umbral *m*.

층대(層臺) ((준말)) =층층대.

층돌(層─) ((준말)) =층샛돌.

층샛돌(層─) piedra *f* de toque.

층석(層石) =층샛돌.

층샌구름(層─) ((기상)) =층적운.

층암(層巖) rocas *fpl* estratificadas. ~절벽 precipicio *m* rocoso; [바닷가의] acantilado *m* rocoso.

층운(層雲) ((기상)) estratos *mpl*.

층적운(層積雲) ((기상)) estratocúmulos *mpl*, cúmulo *m* enrollado.

층층(層層) todos los pisos. ~다리 escalera(s) *f(pl)*. ~대 peldaño *m*, escalón *m*, escalera(s) *f(pl)*. ~시하 situación *f* que está al servicio de los padres y los abuelos de *su* marido.

층하(層下) falta *f* de respeto, poco respeto *m*, discriminación *f*, parcialidad *f*.

치(値) ((수학)) =값.

치(齒) diente *m*. ~(가) 떨리다 hacer rechinar los dientes con indignación. ~(를) 떨다 ㉮ [매우 인색하여 내놓기를 꺼리다] ser muy tacaño. ㉯ [몹시 분을 내어 이를 떨다] rechinar los dientes con indignación.

치간(齒間) entre los dientes.

치경(齒莖) =잇몸. ¶~음 consonante *m* alveolar.

치골(恥骨) pubis *m*., pubes *m*.

치골(齒骨) dentina *f*. ~의 odóntico.

치골(癡骨) idiota *mf*; tonto, -ta *mf*, bobo, -ba *mf*.

치과(齒科) cirugía *f* dental, odontología *f*. ~의 odontológico. ~에 가다 ir al dentista. ¶~ 교정사 ortodontista *mf*. ~ 병원 clínica *f* [hospital *m*] dental. ~용 겸자 tenazas *fpl*. ~의(醫) cirujano, -na

mf dentista; odontólogo, -ga *mf*, dentista *mf*.

치관(齒冠) ((해부)) corona *f* (dental).

치국(治國) dominio *m* del país, arte *m* de gobernar un país. ~하다 dominar el país.

치근(齒根) raíz *f* de un diente.

치근거리다 molestar, incomodar, pedir importunamente, importunar pidiéndo*le*.

치근치근하다 =치근거리다.

치기(稚氣) puerilidad *f*, niñería *f*, infantilismo *m*. ~ 어린 pueril, infantil, que tiene encanto de niño.

치기배(─輩) ratero, -ra *mf*; descuidero, -ra *mf*.

치다¹ ① [바람·눈보라·물결·번개 등이] mover fuerte. 눈보라가 ~ ventiscar, nevar con mucho viento. 벼락이 ~ tronar. ② [된서리가 몹시 많이 내리다] escarchar severamente.

치다² ((준말)) =치다¹.

치다³ ① [손·물건을 가지고] golpear, dar un golpe, pegar, batir; [가볍게] tocar, golpear ligeramente, dar una palmadita; [못을 박다] clavar. 쾅쾅 ~ dar golpes. 등을 ~ dar*le* un golpe en la espalda. 뺨을 ~ herir en una mejilla. 손뼉을 ~ dar una palmada; [박수를 치다] palmear, dar palmadas; [갈채하다] aplaudir. ② [소리나게 두드리거나 악기를 연주하다] tocar; [시계가] dar. 북을 ~ tocar el tambor. 종을 ~ tocar la campana. 피아노를 ~ tocar el piano. 열 두 시를 친다 Dan las doce / El reloj da las doce. ③ [쇠붙이를 달구어 칼·낫 등을 만들다] hacer. 칼을 ~ hacer un cuchillo. ④ [인절미·흰떡 등을 안반에 놓고 떡메로 두드리며 짓이기다] hacer puré, moler. 떡을 ~ hacer puré del pan coreano. ⑤ [카드를 섞다] barajar. 화투를 ~ [섞다] barajar la tarjeta; [놀다] jugar la carta. ⑥ [적을 공격하다] atacar, conquistar. ⑦ [남의 단처를 들어 타박을 주다] atacar, reprender, censurar, amonestar, criticar. ⑧ [손·발·날개·꼬리 등을 세차게 흔들다] sacudir; [꼬리를] menear, mover. 헤엄을 ~ nadar. ⑨ [식물의 잎이나 가지를 베어 내다] cortar, recortar; [톱으로] serrar. ⑩ [베게 들어선 물건 속에서 얼마쯤을 골라서 깎거나 베어 내다] podar; [벌채하다] talar, derribar. ⑪ [무슨 물건을 제대로 두지 않고 손을 대어 매 만지다] tocar. ⑫ [잘고 길게 썰어서 채를 만들다] [양배추·상추를] cortar en tiras; [당근을] cortar en juliana; [강판에 갈다] rallar. ⑬ [칼을 날려 목을 베다] degollar, decapitar.

치다[4] ① [붓·연필 등으로] linear, rayar. 줄을 ~ linear, rayar. ② [무슨 물건을 표시할 목적으로 인을 찍어 나타내다] sellar, imprimir, estampar el sello. ③ [전보를 송신하다] enviar, mandar. ④ [모르는 일을 알아 내기 위해 점괘를 찾아보다] adivinar. ⑤ [시험을 치르다] examinarse, hacer [presentar] un examen. 시험칠 준비를 하다 preparar para un examen.

치다[5] ① [적은 분량의 액체를 따르거나 가루 등을] echar, verter; [채우다] llenar; [양념을 넣다] condimentar, sazonar. ② [체질로] tamizar, cernir, cerner.

치다[6] ① [군막·휘장·그물·발·줄 등을] armar; [커튼을] poner, armar, montar, colgar; [캠프를] montar, hacer; [안테나를] poner; [거적을] cubrir; [철조망을] construir. ② [병풍 등을 둘러서 세우다] armar. 병풍을 ~ armar el biombo. ③ [벽을 만들거나 담을 쌓아 가리다] construir. 담을 ~ construir el muro. ④ [대님을] ponerse. ⑤ [소리를] gritar, dar un grito. 기뻐 소리~ gritar de alegría. ⑥ [장난을] hacer, ejecutar, jugar. 장난을 ~ jugar. ⑦ [일부러 기세를 베풀다] levantar *su* entusiasmo. 허풍을 ~ jactarse. ⑧ [진저리를] estremecerse.

치다[7] ① [돗자리·가마니·덕석 등을] tejer. 돗자리를 ~ tejer la estera. ② [곤목을 엮어서 꼬다] trenzar.

치다[8] ① [가축·가금] criar. 닭을 ~ criar el pollo. ② [식물이 가지를 내돋게 하다] brotar. ③ [벌이 꿀을 빚다] hacer. 꿀을 ~ hacer la miel. ④ [동물이 새끼를 낳아 퍼뜨리다] parir. 새끼를 ~ parir la cría. ⑤ [자선이나 영업으로] tener, hospedar, alojar.

치다[9] [쌓이거나 메인 불결한 물건을] limpiar, dragar; [청소하다] limpiar.

치다[10] [수레바퀴 등이 사람 따위를 깔아 누르고 지나가다] atropellar.

치닫다 ascender, subir, elevarse, remontarse, remontar el vuelo.

치대다 [위쪽으로 대다] poner en la parte superior. 판자를 ~ fijar un pedazo de tabla en la parte superior.

치뜨다 levantar *sus* ojos, volver los ojos hacia arriba.

치뜨리다 tirar, lanzar, *Méj* aventar.

치렁거리다 ① [길게 드리워진 것이 가볍게 움직이다] arrastrar. 치렁거리는 머리채 coleta *f* larga. 치맛자락이 ~ la falda arrastrar(se). 치맛자락이 치렁거린다 Las faldas (se) arrastran. ② [일에 대해 날짜가 자꾸 느즈러지다] (ser) alargado, prolongado, extendido.

치렁치렁 arrastrando (y arrastrando).

치렁하다 estar arrastrando.

치레 ornato *m*, ornamento *m*, adorno *m*, decoración *f*, maquillaje *m*, embellecimiento *m*. ~하다 ornar, adornar, decorar, embellecer.

치료(治療) tratamiento *m* (médico), remedio *m*, cuidados *mpl* médicos, cura *f*, curación *f*; ((의학)) terapia *f*. ~하다 curar, sanar, tratar, dar tratamiento médico, asistir; [투약하다] medicinar; [처방하다] recetar. ~의 terapéutico. ~용의 curativo. ~중 bajo tratamiento médico, bajo curación. ~중의 en tratamiento. ~할 수 있는 curable. ~할 수 없는 incurable. ~되다 ㉮ [환자가] recuperarse, restablecerse, curarse, recobrar [recuperar] la salud, ponerse en cura, recibir tratamiento médico. ㉯ [병이] curarse, sanar. ㉰ [상처가] curarse, cicatrizarse. ~를 받다 ser tratado (en un hospital), recibir un tratamiento, seguir un tratamiento, ponerse en cura. 병의 ~를 하다 tratar una enfermedad, curar la enfermedad. 부상자를 ~하다 curar a un herido. 상처를 ~하다 curar una herida, remediar una herida. 환자의 ~를 하다 tratar a un enfermo. 눈의 ~를 받다 recibir tratamiento de los ojos. ¶~법 curativa *f*, terapéutica *f*, método *m* curativo, remedios *mpl* curativos, cura *f*, método *m* de tratamiento. ~비 gastos *mpl* médicos, gastos *mpl* de tratamiento.

치루(痔漏) ((의학)) una especie de hemorroide.

치루(痔瘻) ((의학)) fistula *f* anal.

치르다 ① [줘야 할 돈을 내주다] pagar. 값을 ~ pagar el precio. ② [무슨 일을 겪어 내다] pasar, experimentar. 시험을 ~ examinarse, hacer [dar·presentar] un examen.

치마 falda *f* tradicional coreana.

치맛바람 ① [입은 치맛자락이 움직이는 서슬] frufrú *m* de una falda. ② [설치는 여성의 서슬] influencia *f* femenina, poder *m* femenino.

치맛자락 dobladillo *m* [*Chi* basta *f*] de una falda, falda *f*. ~을 질질 끌면서 걷다 andar arrastrando la falda.

치매(癡呆) ① =바보. ② [말과 동작이 느리고 정신 작용이 불완전함] imbecilidad *f*, demencia *f*. ~의 demencial. 노인성 ~ demencia *f* senil. ~증 esquizofrenia *f*, demencia *f*.

치명상(致命傷) herida *f* mortal. ~을 입다 recibir una herida mortal, estar mortalmente herido.

치명적(致命的) mortal, fatal, mortifero. ~인 타격 golpe *m* mortal.

치명타(致命打) golpe *m* mortal [mortífero · aplastante · destructor]. ~를 입히다 asestar [dar] un golpe mortal, asestar un golpe aplastante [destructor].

치모(恥毛) pubis *m*, pubes *m*.

치밀다 ① [불길이나 연기가] levantar fuerte, alzar fuerte. ② [감정이] tener un arranque, sentir una oleada, agolparse. 치미는 분노 enfado *m* llameante. ③ [아래로부터 위로] empujar arriba.

치밀하다(緻密-) (ser) minucioso, detallado, menudo, exacto, correcto, preciso, puntual; [정교하여] elaborado, delicado; [주도하다] cauto, precavido, cauteloso, circunspecto. 치밀하게 minuciosamente, elaboradamente, cuidadosamente.

치받다 empujar arriba.

치받치다 ① [불길·연기 등이 세게 쏟아져 오르다] volar alto, llamear. 불길이 ~ (la llama) llamear. ② [밑을 버티어] apoyar, sostener.

치부(致富) adquisición *f* de riqueza, enriquecimiento *m*. ~하다 hacer fortuna, enriquecerse.

치부(恥部) ① [남에게 알리고 싶지 않은 부끄러운 부분] partes *fpl* privadas. ② =음부(陰部).

치부(置簿) contabilidad *f*, teneduría *f* de libros. ~장[책] libro *m* de contabilidad.

치분(齒粉) ((썩말)) =치마분.

치사(致死) lo que causa muerte. ~량 dosis *f* fatal, dosis *f* mortal.

치사(恥事) ¶~하다 (ser) vergonzoso, bochornoso, deshonroso, ignominioso, tacaño, mezquino, sucio. ~스럽다 (ser) vergonzoso, bochornoso.

치사(致謝) apreciación *f*, gratitud *f*. ~하다 agradecer, dar las gracias, apreciar.

치사랑 amor *m* al superior.

치산(治山) ① [산소를 매만져서 다듬음] orden *m* de tumbas ancestrales. ~하다 ordenar las tumbas ancestrales. ② [식림 따위를 행하여 산을 잘 가꾸고 보호함] protección *f* forestal, forestación *f*, reproducción *f* forestal. ¶~치수 forestación *f* anti-inundación, forestación *f* de control inundado.

치석(齒石) sarro *m*, tártaro *m*, toba *f*. ~을 제거하다 quitar el sarro de los dientes.

치성(致誠) devoción *f*, servicio *m* leal, servicio *m* expiatorio. ~을 드리다 rendir el servicio leal, dedicarse.

치세(治世) reinado *m*, tiempo *m* de paz.

치솟다 [고층 빌딩·산이] alzarse, elevarse, erguirse; [물가가] dispararse; [희망이] aumentar, renacer; [인기가] aumentar. 치솟는 [인플레이션이] galopante, de ritmo vertiginoso; [인기가] en alza. 치솟는 인기 popularidad *f* en alza.

치수(-數) medida *f*, tamaño *m*; [상자 따위의] dimensión *f*; [구두 따위의] número *m*. ~ 대로, ~에 맞추어 según la medida, (conforme) a la medida. ~를 재다 medir, tomar la medida.

치수(治水) control *m* fluvial, gobernación *f* fluvial, mejoramiento *m* del río. ~하다 controlar inundaciones.

치신경(齒神經) nervio *m* dental.

치아(齒牙) diente *m*. ~의 dental.

치안(治安) seguridad *f* pública, orden *m* público, tranquilidad *f*, sosiego *m*. ~을 유지하다 mantener la paz pública [el orden público]. ¶~감 superintendente *mf* general. ~경찰 policía *f* de seguridad. ~본부 Jefatura *f* de Policía Nacional.

치약(齒藥) dentífrico *m*, pasta *f* de dientes, pasta *f* dentífrica.

치어(稚魚) pececillo *m*, pececito *m*.

치어걸 (muchacha *f*) animadora *f*.

치어다보다 levantar los ojos, mirar para arriba.

치열(治熱) control *m* de la fiebre. ~하다 controlar la fiebre.

치열(齒列) dentadura *f*. ~ 교정 corrección *f* de los dientes irregulares. ~ 교정술 ortodoncia *f*.

치열하다(熾烈-) (ser) intenso, severo, violento, agudo, acre, encarnizado, feroz, salvaje.

치올리다 levantar, alzar, empujar hacia arriba.

치와와 ((동물)) chihuahua *f*.

치외 법권(治外法權) (derecho *m* de) extraterritorialidad, exterritorialidad *f*, jurisdicción *f* extraterritorial. ~의 extraterritorial.

치욕(恥辱) vergüenza *f*, deshonor *m*, deshonra *f*, oprobio *m*, afrenta *f*, ignominia *f*, infamia *f*. ~을 주다 deshonrar, avergonzar, insultar. ~을 참다 tragarse una injuria.

치우다 ① [정리하다] ordenar, poner en orden. ② [없애다] remover, quitar, eliminar. 쓰레기를 ~ remover las basuras. 지붕의 눈을 ~ quitar la nieve del tejado. ③ [분리하다] apartar. 불량품을 ~ apartar los artículos defectuosos. ④ [시집보내다] casar. 딸을 ~ casar a *su* hija.

치우치다 [기울다] inclinar, parcializarse, estar en mala fe; [편파적이

다] (ser) parcial, partidista, tendencioso. 치우친 생각 perjuicio *m*.

치유(治癒) recobro *m*, curación *f*, restablecimiento *m* (de salud), recuperación *f*. ~하다 recobrar (la salud), sanar, curar, restablecer. ~되다 curarse.

치은(齒齦) encía *f*. ~의 gingival.

치음(齒音) (sonido *m*) dental *m*, sonido *m* sibilante.

치이다¹ ① [덫이나 무거운 물건에 걸려 눌리다] atropellar, aplastar. 치여 죽다 matar en un [el] atropello. 덫에 ~ caer en la trampa [en el garito]. ② [피륙의 올이 제대로 있지 않고 이리저리 쏠리다] raerse, gastarse, agujerearse.

치이다² [값이 얼마씩 먹히다] costar. 바싸게 ~ salir caro, resultar caro. 싸게 ~ salir [resultar] barato.

치이다³ [치우게 하다] hacer quitar; hacer casar.

치이다⁴ [대장장이에게 칼·낫 따위를 만들게 하다] dejar hacer.

치이다⁵ [불결한 물건을 쳐내게 시키다] hacer remover. 쓰레기를 ~ hacer remover las basuras.

치인(癡人) idiota *mf*.

치자(梔子) (한방) fruto *m* de la gardenia. ~색 gutagamba *f*.

치자나무(梔子—) (식물) gardenia *f*, jazmín *m* de la India.

치장(治粧) decoración *f*, adorno *m*, ornato *m*. ~하다 decorar, adornar, hermosear, embellecer; [얼굴을] componerse con afeites, pintarse.

치적(治積) resultados *mpl* [méritos *mpl*] de administración, récord *m* administrativo.

치정(癡情) pasión *f* loca [ciega], amor *m* loco. ~ 관계 conexión *f* con un asunto amoroso. ~ 살인 asesinato *m* sexual.

치조(齒槽) alvéolo *m*, alveolo *m*.

치졸하다(稚拙/穉拙—) (ser) infantil.

치죄(治罪) castigo *m*, retribución *f*, procedimiento *m* criminal. ~하다 castigar, retribuir.

치주염(齒周炎) piorrea *f* alveolar, paradentitis *f*, parodontitis *f*.

치중(置重) énfasis *m*, hincapié *m*. ~하다 poner énfasis, hacer hincapié, enfatizar, recalcar.

치즈 queso *m*.

치질(痔疾) (의학) hemorroide *f*, hemorroida *f*, almorrana *f*. ~이 있다 sufrir de hemorroide. ~을 앓다 tener [sufrir] almorranas. ¶~약 antihemorroidal *m*.

치차(齒車) =톱니바퀴.

치켜들다 levantar, alzar. 머리를 ~ levantar *su* cabeza. 가슴을 치켜드세요 Arriba los corazones.

치켜세우다 poner por las nubes, poner sobre el cuerno de la luna,

alabar, elogiar, aplaudir, admirar, ensalzar.

치키다 levantar. 손 [주먹·몽둥이]을 치켜 올리다 levantar la mano [el puño · un palo]. 머리를 치켜 깎다 cortarse el pelo a cepillo.

치킨 ① [병아리] polluelo *m*, pollito *m*. ② [닭고기] pollo *m*. ③ ((준말)) =프라이드 치킨. ¶~ 라이스 arroz *m* con pollo.

치타 ((동물)) guepardo *m*, chita *f*.

치통(齒痛) dolor *m* de muelas, dolor *m* de diente, odontalgia *f*, dentalgia *f*. ~이 나다 tener dolor de muelas [de diente], dolerle la muela, sufrir de dolor de muelas, padecer dolor de muelas.

치하(治下) ① [지배·통치의 아래] (bajo del) reinado, bajo el cetro. 공산 ~ (bajo del) reinado comunista. 군부의 ~에 bajo el cetro de militaristas. ② [그 고을의 관할 구역 안] bajo la jurisdicción de un pueblo.

치하(致賀) felicitaciones *fpl*, felicidades *fpl*, congratulaciones *fpl*. ~하다 felicitar, congratular.

치한(癡漢) ① =치인(癡人). ② [여자를 희롱하는 남자] sátiro *m*, erotómano *m*, maniático *m* sexual.

치환(置換) ① [바꾸어 놓음] reemplazo *m*. ~하다 reemplazar, poner en otro lugar, volver a poner en orden. ② ((수학)) su(b)stitución *f*. ~하다 su(b)stituir. ③ ((화학)) su(b)stitución *f*. ~하다 sustituir.

칙사(勅使) enviado, -da *mf* real, mensajero, -ra *mf* real. ~ 대접 tratamiento *m* cordial.

칙서(勅書) autógrafo *m* real, carta *f* real.

칙칙폭폭 chucu-chu(cu).

칙칙하다 ① [빛깔이 곱지 못하고 짙기만 하다] (ser·estar) vistoso, llamativo, chillón, ostentoso, demasiado recargado, o(b)scuro. 칙칙한 빛깔 color *m* chillón. ② [머리털이나 숲 따위가] (ser) denso, espeso, grueso, abundante, mucho; [숲이] espeso, frondoso. 칙칙한 숲 bosque *m* frondoso [espeso].

친가(親家) ① =친정(親庭). ② ((불교)) =속가(俗家).

친교(親交) amistad *f*, intimidad *f*, relación *f* íntima, cordialidad *f*, familiaridad *f*. ~를 맺다 formar amistad (íntima), entablar amistad.

친구(親舊) amigo, -ga *mf*. ~가 되다 hacerse amigo.

친권(親權) derechos *mpl* paternales, autoridad *f* paternal, patria *f* potestad, potestad *f* paternal.

친근감(親近感) cariño *m*, afecto *m*, simpatía *f*. ~을 주다 sentir [tener] simpatía.

친근하다(親近一) (ser) íntimo, amigable, amistoso, familiar, tener intimidad. 친근히 íntimamente, con intimidad, con amistad, familiarmente, amigablemente, amistosamente. 친근히 지내다 intimar, familiarizarse.

친남매(親男妹) sus verdaderos hermanos, hermanos *mpl* de mismos padres.

친누이(親一) su verdadera hermana, hermana *f* de mismos padres, hermana *f* de sus propios padres.

친동기(親同氣) su verdadero hermano, su verdadera hermana.

친딸(親一) su verdadera hija, su propia hija.

친모(親母) su verdadera madre, su propia madre.

친목(親睦) amistad *f*, intimidad *f*, confraternidad *f*, familiaridad *f*. ~을 도모하다 tratar de estrechar la amistad. 상호간의 ~을 도모하다 fomentar la amistad entre ambas partes. ¶ ~회 reunión *f* de amistad.

친미(親美) pro-América. ~의 pro-estadounidense. ~ 정책 política *f* pro-estadounidense.

친밀감(親密感) simpatía *f*, amistad *f*, familiaridad *f*.

친밀하다(親密一) (ser) íntimo, familiar, amistoso, amigable. 친밀해지다 hacerse amigos, intimarse, estrechar amistad; [서로] hacerse íntimos, intimar. 친밀한 벗 amigo *m* íntimo, amiga *f* íntima.

친부(親父) =친아버지.

친부모(親父母) sus verdaderos padres, sus propios padres.

친분(親分) amistad *f*, intimidad *f*, conocimiento *m*, familiaridad *f*, relación *f* amistosa.

친상(親喪) duelo *m* de sus padres. ~을 당하다 perder a sus padres, sufrir la pérdida de sus padres.

친서(親書) carta *f* autógrafa. ~를 보내다 remitir una carta autógrafa.

친선(親善) buena voluntad *f*, amistad *f*, relaciones *fpl* íntimas, relaciones *fpl* amigables, bienquerencia *f*, buenas referencias *fpl*, buenas relaciones *fpl*. 한서(韓西) ~을 촉진하다 promover la amistad [las buenas relaciones] entre Corea y España. ¶ ~ 경기 partido *m* de amistad.

친손자(親孫子) su verdadero nieto, su propio nieto, hijo *m* de su propio hijo.

친숙하다(親熟一) (ser) familiar, habitual, acostumbrado, conocido. 친숙한 사람 conocido, -da *mf*.

친아버지(親一) padre *m* carnal, su verdadero padre, su propio padre.

친애(親愛) cariño *m*, amor *m*, afección *f*. ~하다 querer mucho, amar cordialmente. ~하는 querido, cariñoso. ~하는 신사 숙녀 여러분 ¡Damas y caballeros! ~하는 벗에게 [편지의 첫 머리에서] Mi querido amigo.

친어머니(親一) madre *f* carnal, su verdadera madre, su propia madre.

친왕(親王) príncipe *m*, infante *m*.

친우(親友) amigo *m* íntimo, amiga *f* íntima.

친위(親衛) escolta *f* real. ~대 cuerpo *m* de guardia, guardia *f* de corps (real), escolta *f*.

친의(親誼) intimidad *f*. ☞친분(親分)

친일(親日) pro-Japón, pro-niponismo *m*. ~파 japonófilo, -la *mf*.

친자(親子) ① =친자식. ② [법률] hijo *m* legal.

친자식(親子息) hijos *mpl* carnales, sus verdaderos hijos.

친전(親展) Confidencial. ~ 편지 carta *f* confidencial.

친절(親切) amabilidad *f*. ~하다 (ser) amable. ~하게 amablemente. 손님에게 ~하다 ser amable con su cliente.

친정(親征) expedición *f* guiada por el rey en persona.

친정(親政) gobierno *m* personal del rey.

친정(親庭) casa *f* paterna de la mujer casada. ~에 돌려 보내다 [이혼해서] devolver a su esposa a casa de sus padres.

친족(親族) parientes *mpl*, consanguíneos *mpl*, allegados *mpl*, deudo *m*, parentela *f*, parentesco *m*, consanguinidad *f*.

친지(親知) conocido, -da *mf*; amigo *m* íntimo, amiga *f* íntima; [집합적] conocimiento *m*.

친척(親戚) pariente *mf*, pariente, -ta *mf*; familiar *m*; [집합적] parentesco *m*. ~의 parental. ~ 관계 parentesco *m*, relación *f* parental.

친천(親一) enrollando. ~ 감다[동이다] enrollar, enroscar, arrollar.

친칠라((動物)) chinchilla *f*.

친필(親筆) autógrafo *m*. ~로 쓰다 autografiar. ¶ ~ 원고 manuscrito *m* autógrafo.

친하다(親一) (ser) íntimo, familiar. 친한 친구 amigo *m* íntimo, amiga *f* íntima. 친한 사이 relación *f* íntima, relación *f* amistosa.

친히(親一) ① [친하게] íntimamente, familiarmente. ② [몸소. 손수] en persona, personalmente.

친형제(親兄弟) hermano *m* carnal, hermano *m* de sangre, hermano *m* de sus propios padres.

친화(親和) ① [서로 친하게 화합함] intimidad *f*, amistad *f*, armonía *f*.

~하다 (ser) íntimo, familiar. ②
((화학)) afinidad f. ¶ ~력 ((화학))
afinidad f (química).

천환(親患) enfermedad f de los
padres.

칠(七) siete. 제 ~(의) séptimo.

칠(漆) ① ((준말)) =옻칠. ② [도로로
쓰는 물질, 또 그것을 바르는 일]
laca f; [바르는 일] pintura f. ~하
다 barnizar, dar una capa de laca,
untar; [바니시를] maquear; [페인
트 따위를] pintar.

칠각형(七角形) heptágono m.

칠거지악(七去之惡) siete causas para
divorciar a su esposa: la desobediencia a sus padres, la esterilidad, la libertinaje, la envidia, la
enfermedad, la habladuría y el
robo.

칠기(漆器) ① ((준말)) =칠목기(漆木
器). ② [옻칠 같이 검은 잿물로 된
도자기] porcelana f de laca.

칠대양(七大洋) siete océanos: Pacífico del Norte, Pacífico del Sur,
Atlántico del Norte, Atlántico del
Sur, Océano Indico, Océano Artico
y Océano Glacial Antártico.

칠떡거리다 arrastrar.

칠떡칠떡 arrastrando.

칠렁거리다 desbordar.

칠레 ((지명)) Chile. ~의 chileno,
chileña. ~ 사람 chileno, -na mf;
chileño, -ña mf.

칠면조(七面鳥) ① ((조류)) pavo m,
Méj guajolote m, AmC chompipe
m; [암컷] pava f; [새끼] pavipollo
m. ② [언행에 줏대가 없이 이랬다
저랬다 하는 사람] pavo m, papa-
natas mf, pato m mareado; hombre m soso, hombre m incauto.

칠목기(漆木器) (vajilla f de) laca f,
objetos mpl de laca, esmalte m.

칠백(七百) setecientos, -tas.

칠보(七寶) ① ((불교)) [일곱 가지의
보배] siete joyas, siete tesoros:
oro, plata, esmeralda, cristal, esquila, coral y ágata. ② [꽃·새·
인물 따위 무늬를 나타낸 세공]
esmalte m, cloisoné m. ~를 박아
넣다 esmaltar, aplicar esmalte.

칠삭둥이(七朔一) ① [밴 지 일곱 달
만에 태어난 아이] niño m nacido
[niña f nacida] en siete meses. ②
[어리석어 바보 같은 사람] person
f muy estúpida; idiota mf, bobo,
-ba mf; tonto, -ta mf.

칠석(七夕) chilseok, el siete de julio
del calendario lunar, séptima noche f del mes séptimo del
calendario lunar. ~제 fiesta f de
la Vega.

칠순(七旬) ① [일흔 날] setenta días.
② [나이 일흔 살] setenta años
(de edad). ¶ ~ 노인 septuagena-
rio, -ria mf.

칠십(七十) setenta. 제 ~(의) septuagésimo. ~대의 사람 septuage-
nario, -ria mf.

칠월(七月) julio m. ~ 칠석 séptimo
día m del mes séptimo del
calendario lunar.

칠일(七日) ① [이레] siete días. ②
[이렛날] el 7 [siete].

칠전팔기(七顚八起) altibajos mpl
vaivenes. ~하다 retorcerse [revol-
verse] de dolor.

칠중주(七重奏) ((음악)) septeto m.
~곡 ((음악)) septeto m.

칠중창(七重唱) ((음악)) septeto m.
~곡 ((음악)) septeto m.

칠칠하다 ① [푸성귀 따위가 길차다]
(ser) demasiado largo. ② [주접이
들지 않고 깨끗하다] (estar) limpio,
aseado. 칠칠치 못한 negligente, descuidado, desarreglado, sin orden,
desaseado, desaliñado, flojo, blando, relajado, dejado, laxo. 칠칠찮게
negligentemente, con negligencia,
descuidadamente. 칠칠찮은 사람
hombre m dejado, persona f
dejada.

칠판(漆板) pizarra f. ~을 지우다
borrar la pizarra. ¶ ~ 지우개 borrador m.

칠하다(漆一) [옻을] laquear, lacar,
dar una capa de laca; [바니시를]
barnizar; [기름을] untar, echar;
[에나멜을] esmaltar; [페인트를]
pintar; [입술 연지를] ponerse colorete; [분을] enpolvar; [얼룩지게]
[페인트·기름을] embadurnar; [버
터를] untar.

칠현금(七絃琴) el arpa f [las arpas]
con siete cuerdas.

칠흑(漆黑) oscuridad f absoluta, oscuridad f perfecta; [색깔] color m
negro brillante, color m de azabache. ~ 같은 como boca de lobo,
muy oscuro, de azabache, negro
brillante, negro como el azabache.

취 ((식물)) arrurruz m, maranta f.

취소 toro m [vaca f] a rayas.

침 saliva f, baba f. ~의 salival. ~을
뱉다 salivar, escupir, arrojar [ti-
rar] saliva; [먹고 싶어서] abrir el apetito. ~을 삼키다 tragar la
saliva; [먹고 싶어서] abrir el apetito. ~을 튀기며 despedir saliva.
~을 흘리다 ⑦ salivar. ④ =침
(을) 삼키다.

침(針) ① [바늘] aguja f. ② [시계 바
늘] manecilla f, mano f del reloj;
[시침] horario m; [분침] minutero
m. ③ ((식물)) =가시.

침(鍼) ((한방)) aguja f de acupuntura; [침술] acupuntura f. ~을 놓다
acupunturar, hacer la acupuntura,
hacer la acupunción. ~을 맞다
ser tratado con acupuntura, ser
acupunturado.

침강(沈降) precipitación f, sedimentación *f*. ~하다 precipitarse, hundirse. ~시키다 precipitar, hundir.

침공(侵攻) asalto *m*, marcha *f* asaltante, ataque *m*, invasión *f*. ~하다 asaltar, atacar, avanzar, conquistar.

침구(寢具) ropa *f* de cama, colchones *mpl*, colchas *fpl*, cama *f* y ropa, coberturas *fpl* de la cama.

침구(鍼灸) ((한방)) acupuntura *f* y moxiterapia. ~술 (arte *m* [práctica *f*] de) acupuntura y moxiterapia. ~술사 acupunturista *mf*; acupuntero, -ra *mf*.

침낭(寢囊) saco *m* de dormir, bolsa *f* de dormir.

침노하다(侵擄-) invadir, conquistar.

침담그다(沈-) curar el caqui en el agua salada, endulzar el caqui astringente en el agua salada.

침대(寢臺) cama *f*, lecho *m*; [기차·선실의] litera *f*. 접는 ~ catre *m*, cama *f* plegable. ~에 들어가다 meterse en la cama; [자러 가다] irse a la cama; [잠자리에 들다] acostarse. ~에서 일어나다 levantarse de la cama. ¶~차 coche-cama *m*, coche-litera *m*, *CoS* coche *m* dormitorio, vagón *m* cama; [기차] tren *m* de coches camas. ~칸 compartimiento *m* de coche-cama. ~ 커버 cubrecama *m*, colcha *f*, sobrecama *f*.

침독(鍼毒) veneno *m* causado por la acupuntura.

침략(侵略) invasión *f*, agresión *f*. ~하다 invadir, hacer una redada. ~군 ejército *m* invasor, tropas *fpl* agresores. ~자 invasor, -sora *mf*; agresor, -sora *mf*.

침로(針路) dirección *f*, rumbo *m*, ruta *f* de buque, vía *f* de buque. ~를 변경하다 cambiar la ruta, cambiar de dirección.

침모(針母) costurera *f*.

침목(枕木) durmiente *m*, traviesa *f*, carrera *f*, travesaño *m*, vigueta *f*.

침몰(沈沒) hundimiento *m*, zozobra *f*, sumersión *f*, acción *f* de irse de pique; [난파] naufragio *m*. ~하다 hundirse, sumergirse, irse a pique, zozobrar, echar a fondo; [난파하다] naufragar, hacer naufragio, zozobrar la embarcación. ~시키다 hundir, sumergir.

침묵(沈默) silencio *m*, taciturnidad *f*, reticencia *f*. ~하다 callarse, estar en silencio, cerrar el pico.

침방(針房) habitación *f* para coser, cuarto *m* de coser en el palacio real.

침방(寢房) = 침실(寢室)(dormitorio).

침범(侵犯) invasión *f*, intrusión *f*, intromisión *f*, violación *f*, infracción *f*, agravio *m*, lesión *f*. ~하다

invadir, violar, agraviar, penetrar. 영공을 ~ penetrar en el espacio territorial.

침상(枕上) ① [베개의 위] sobre la almohada. ② [잠을 자거나 누워 있을 때] cuando se duerme o se acuesta.

침상(寢牀) cama *f*, lecho *m*. ~에 들다 ir a la cama, ir al lecho; [취침하다] acostarse.

침샘 glándula *f* salival.

침소(寢所) lugar *m* de dormir, dormitorio *m*, alcoba *f*, cuarto *m* de dormir.

침소봉대(針小棒大) exageración *f*, grandilocuencia *f*, magnificación *f*, hipérbole *m*, ponderación *f*. ~하다 exagerar, magnificar, hacer un monte de topinera, hacer una montaña de un grano de arena.

침수(浸水) sumersión *f*, hundimiento *m*, anegación *f*, inundación *f*, avenida *f*. ~하다 sumergirse, hundirse, inundarse, quedar [estar·ser] inundado, anegar(se); [배가] hacer agua. ~ 가옥 casas *fpl* sumergibles, casas *fpl* inundadas. ~지 región *f* inundada.

침술(鍼術) ((한방)) acupuntura *f*, acupunción *f*. ~사 acupuntor, -ra *mf*; acupunturero, -ra *mf*; acupunturista *mf*.

침식(浸蝕) ((지질)) erosión *f*; [화학적인] corrosión *f*. ~하다 erosionar, corroer. ~의 erosivo. ~곡 valle *m* erosionado. ~ 분지 cuenca *f* erosionada. ~ 작용 erosión *f*, acción *f* caterética [erosiva]. ~ 평야 planicie *f* erosionada.

침식(寢食) el comer y el dormir. ~을 같이 하다 vivir debajo del mismo techo.

침실(寢室) dormitorio *m*, habitación *f*, cuarto *m*, alcoba *f*, cuarto *m* de dormir, *AmL* pieza *f*, *Méj* recámara *f*.

침엽(針葉) ((식물)) aguja *f*. ~수 coníferas *fpl*, árbol *m* conífero, árbol *m* acicular.

침울하다(沈鬱-) ① [걱정·근심 따위로 우울하다] (ser) melancólico, triste, hipocondríaco. ② [날씨·분위기 등이 어둡고 음산하다] (ser) sombrío, lúgubre. 침울한 날씨 tiempo *m* sombrío.

침윤(浸潤) penetración *f*, saturación *f*, infiltración *f*. ~하다 colar(se), impregnarse, pasar a través, infiltrar.

침의(鍼醫) acupunturero, -ra *mf*; acupunturista *mf*.

침입(侵入) ① [영토에] invasión *f*, intrusión *f*, irrupción *f*. ~하다 invadir, irrumpir. ② [인가에] intrusión *f*, traspasamiento *m*. ~하

다 penetrar, violar, introducirse, entrar en rondón. ¶ ~군 ejército *m* invasor. ~자 invasor, -sora *mf*; intruso, -sa *mf*.

참잠(沈潛) ① [물속에 가라앉음] sumersión *f* en el agua. ~하다 sumergirse en el agua. ② [성정이 깊고 차분해서 겉으로 드러나지 아니함] tranquilidad *f*, serenidad *f*. ~하다 (ser) tranquilo, sereno.

침전(沈澱) precipitación *f*, sedimentación *f*. ~하다 precipitarse, depositarse, sedimentarse, asentarse. ~시키다 precipitar, depositar, sedimentar, asentar. ¶ ~물 sedimento *m*, precipitado *m*, pozo *m*; [술의] hez *f*. ~제 precipitante *f*, precipitador *m*.

침전(寢殿) ① [임금의 침방이 있는 집] casa *f* que hay alcoba del rey. ② = 정자각(丁字閣).

침착하다(沈着一) (ser) calmoso, flemático, quieto, tranquilo, sosegado, calmarse, apaciguarse, tranquilizarse, sosegarse. 침착하게 con calma, con tranquilidad, calmadamente, tranquilamente.

침체(沈滯) estancamiento *m*, marasmo *m*, paralización *f*, depresión *f*, embotamiento *m*; [무기력] inercia *f*, apatía *f*, flojedad *f*. ~하다 estar en depresión, paralizarse, estancarse.

침침하다(沈沈一) ① [어둡거나 흐리다] estar nebuloso, estar oscuro, sombrío. 침침해지다 oscurecerse, obscurecerse, ponerse oscuro, ensombrarse. ② [눈이 어두워 보이는 것이 흐릿하다] (estar) nublado, empañado, ofuscarse, enturbiarse, nublarse, anublarse.

침통(鍼筒) cajita *f* para [de] las agujas de acupuntura.

침통하다(沈痛一) (estar) doloroso, dolorido, afligido, angustiado, apenado, acongojado, triste, pesaroso, melancólico, serio. 침통한 모습으로 con un aspecto dolorido [afligido]. 침통한 어조로 con un tono dolorido [afligido], seriamente, gravemente.

침투(浸透) infiltración *f*, penetración *f*; ((생리)) osmosis *f*, ósmosis *f*. ~하다 infiltrarse, penetrarse. ~시키다 infiltrar, penetrar.

침팬지 ((동물)) chimpancé *m*.

침하(沈下) sumersión *f*, hundimiento *m*. ~하다 sumergirse, hundirse.

침해(侵害) [법의] contravención *f*, violación *f*, infracción *f*, transgresión *f*, usurpación *f*, quebrantamiento *m*, ofensa *f*, [권리의] violación *f*. ~하다 infringir, transgredir, violar, desobedecer, usurpar, quebrantar, ofender. 인권의

~ violación *f* [violaciones *fpl*] de los derechos humanos.

침흘리개 persona *f* que suele babear.

칩 ① [노름판에서 판돈 대신에 쓰이는, 상아·플라스틱제의 산가지] ficha *f*. ② [목재를 작은 조각으로 만든 것. 펄프의 원료] astilla *f*. ③ [잘게 썰어서 기름에 튀긴 요리] rajada *f*. 고구마 ~ patatas *fpl* fritas, patatas *fpl* a la inglesa, *AmL* papas *fpl* fritas, *Col* papa *f* a la francesa, *Urg* papas *fpl* chip. ④ ((컴퓨터)) chip *m*. ~카드 tarjeta *f* de memoria.

칩거(蟄居) encierro *m* (en casa), encierro *m* domiciliario, reclusión *f*, invernada *f*. ~하다 encerrarse, hibernar.

칫솔(齒一) cepillo *m* de [para] dientes, cepillo *m* dental.

칫솔질(齒一) cepillado *m*, acepilladura *f* [cepilladura *f*] de dientes. ~하다 cepillar los dientes, cepillarse.

청(稱) ① [일컫다] llamar. ② [칭찬하다] alabar, aplaudir, admirar. ③ [무게를 달다] pesar.

청병(稱病) fingimiento *m* de una enfermedad. ~하다 hacerse el enfermo, fingir estar enfermo, fingirse enfermo, fingir una enfermedad. ~자 persona *f* que se finge enferma.

청송(稱頌) elogia *f*, alabanza *f*, loa *f*, admiración *f*, aplauso *m*. ~하다 elogiar, alabar, admirar, aplaudir.

청술(稱述) admiración *f*, alabanza *f*. ~하다 admirar, alabar.

청얼거리다 sollozar, llorar sin gritar, gemir, quejar(se), gimotear, lloriquear.

청얼청얼 lloriqueando (y lloriqueando).

청원(稱寃) confesión *f* de *su* rencor, reproche *m*, queja *f*. ~하다 reprochar, quejarse.

청찬(稱讚) admiración *f*, alabanza *f*, elogio *m*, aplauso *m*, loa *f*, palmoteo *m*. ~하다 admirar, alabar, elogiar, aplaudir.

청탁(稱託) pretexto *m*, excusa *f*. ~하다 disculpar, excusar. 병을 ~하다 fingir estar enfermo, fingir una enfermedad.

청통이 abeja *f* grande.

청하다(稱一) llamar, titular(se), intitular, denominar; [이름을] llamarse; [자칭하다] pretenderse; [이름을 대다] dar *su* nombre, decir *su* nombre. 김이라고 청하는 사람 hombre *m* llamado Kim.

청호(稱號) título *m*, nombre *m*. 박사의 ~ título *m* de doctor, doctorado *m*. ~를 주다 titular, dar un título, otorgar un título.

ㅋ

카나리아 ((조류)) canario *m*.

카네이션 clavel *m*.

카누 canoa *f*, piragua *f*. 1인용 ~ canoa *f* unipersonal. 2인용 ~ canoa *f* de dos remeros de frente (sin timón).

카니발 carnaval *m*.

카드 ① ㉮ [명함] tarjeta *f*; [영업용 명함] tarjeta *f* (de visita); [신용 카드] tarjeta *f* (de crédito); ㉯ [인 사장] tarjeta *f* (de felicitaciones); [생일 카드] tarjeta *f* de cumpleaños; [크리스마스 카드] tarjeta *f* de Navidad, crismas *m*. ㉰ [색인 카 드] ficha *f*. ㉱ [우편 엽서] tarjeta *f* postal, postal *f*. ② [카드놀이의] carta *f*, naipe *m*, *Méj*, *RPl* baraja *f*. ~ 한 벌 una baraja.

카드놀이 las cartas, partida *f* de cartas. ~를 하다 jugar a las cartas. ~에서 이기다 ganar a las cartas. ~에서 지다 perder a las cartas.

카디건 rebeca *f*, chaqueta *f* de punto, jersey *m* abierto por delante, cárdigan *ing.m*.

카라반 caravana *f*.

카랑카랑하다 ① [날씨가 맑고 차다] (ser) claro y hacer frío, despejado y frío. ② [목소리가] (ser) claro.

카레 ① [조미료의 일종] curry *m*, cari *m*. ② ((준말)) =카레라이스.

카레라이스 arroz *m* de [con] cari.

카르텔 ((경제)) cártel *m*, cartel *m*.

카리브해(-海) el (mar) Caribe.

카리스마 carisma *m*.

카리에스 [충치] caries *m*.

카메라 ① [사진을 찍는 기계] cáma-ra *f* (fotográfica), máquina *f* foto-gráfica, máquina *f* de fotos. ② [영화용의] cámara *f* (de cinemato-gráfica). ③ [텔레비전용의] cámara *f* (de televisión). ㉯ [영화·텔레비전용의] cá-mara *mf*, camarógrafo, -fa *mf*, cameraman *ing.mf*; [영화·텔레비전의] operador, -dora *mf*.

카멜레온 ((동물)) camaleón *m*.

카무플라주 enmascaramiento *m*, camuflaje *m*, simulación *f*, engaño *m*, disfraz *f*. ~하다 recurrir al camuflaje, fingir, simular, disfra-zar, disimular, enmascarar, camu-flar, *AmL* camuflajear.

카바레 cabaret *m*, club *m* nocturno.

카바이드 ① [탄화물] carburo *m*, combinación *f* de carbón y un elemento positivo. ② [탄화칼슘] carburo *m* de calcio.

카뷰레터 [기화기] carburador *m*.

카빈총(-銃) carabina *f*, fusil *m* pequeño.

카세트 ① casete *m(f)*, cassette *m(f)*, cassette *m(f)*. ② ((준말)) =카세트 테이프. ③ ((준말)) =카세트 테이프 리코더. ④ [카메라용 필름 케이스] cartucho *m*. ¶ ~ 녹음기 case-te *m(f)*. ~ 리코더 casete *m(f)*, cassette *m(f)*, cassette *m(f)*, graba-dora *f* [grabador *m*] (de casetes). ~ 테이프 cinta *f* cassette. ~ 테이프 리코더 (magnetófono *m* de) casete. ~ 플레이어 casete *m(f)*, cassette *m(f)*, pasacintas *m*. ~ 필름 filme *m* cassette.

카 스테레오 estéreo *m* del coche.

카스텔라 bizcocho *m*.

카스트 casta *f*, sistema *m* de castas, clase *f* hereditaria del Indostán.

카약 kayak *m*, canoa *f* de los esquimales.

카오스 caos *m*.

카우보이 vaquero *m*, *Arg* gaucho *m*. ~ 영화 película *f* occidental.

카운슬러 consejero, -ra *mf*, orienta-dor, -dora *mf*; [법률의] abogado, -da *mf*.

카운터 ① [가게의] mostrador *m*, caja *f*; [카페의] caja *f*, barra *f*; [은 행이나 우체국의] caja *f*, ventanilla *f*. ② [계산하는 사람] contador, -dora *mf*.

카운트 ① [수를 셈] cuenta *f*, cálculo *m*. ~하다 contar, calcular. ② ((운동)) cuenta *f* de puntos. ~를 하다 [테니스 등에서] contar los puntos. ③ ((권투)) contragolpe *m*. ¶ ~다 운 cuenta *f* atrás, cuenta *f* regre-siva, *Andes* conteo *m* regresivo.

카이로프랙터 [(척추) 지압 (요법)사] quiropráctico, -ca *mf*.

카이로프랙틱 [(척추) 지압 요법. 척추 교정] quiropráctica *f*.

카이저 수염(-鬚髯) perilla *f*.

카지노 casino *m*.

카카오 ① ((준말)) =카카오나무. ② [카카오나무의 열매] semilla *f* de cacao. ¶ ~나무 cacao *m*.

카키색(-色) color *m* caqui, color *m* kaki, moreno *m* rojizo. ~의 caqui, kaki

카타르 ((의학)) catarro *m*. ~성염 inflamación *f* catarral.

카타르시스 catarsis *f*.

카탈로그 catálogo *m*.

카테고리 categoría *f*. ~로 나누다 [물건을] clasificar; [사람을] catalogar, calificar; ((철학)) categorizar.

카테드랄 [대성당] catedral *f*.

카톨릭 ① =카톨릭교. ② =카톨릭교회. ③ =카톨릭교 신자. ¶~교 catolicismo *m*, religión *f* católica, Católica *y* Romana. ~교 교회 catedral *f*, iglesia *f* católica. ~교 신자 católico, -ca *mf*.

카페 café *m*, cafetería *f*.

카 페리 transbordador *m* para coches.

카페인 ((화학)) cafeína *f*.

카페테리아 cafetería *f*, café *m*.

카펫 alfombra *f*, tapiz *m*.

카폰 teléfono *m* de automóvil.

카피 [복사] copia *f*, fotocopia *f*. ~하다 copiar, hacer una copia, sacar una copia.

카피라이터 [광고 문안 작성자] redactor *m* publicitario, redactora *f* publicitaria; redactor, -tora *mf* de anuncios.

카피라이트 [저작권. 판권] copyright *ing.m*, derechos *mpl* de reproducción, derecho *m* de propiedad artística literaria de un autor o del editor de éste. ~ 마크 marca *f* de este derecho (C) que se pone al dorso de la página del título de un libro y mención del nombre del propietario del mismo y del año de la primera edición.

칵칵거리다 seguir [continuar] tosiendo.

칵테일 cóctel *m*, coctel *m*. ~을 만들다 preparar cócteles.

칸 ① [사방을 둘러막은 그 선의 안] interior *m* de la línea que rodea los cuatro lados. ② [집의 칸 살을 세는 말] habitación *f*. 아흔 아홉 ~ noventa y nueve habitaciones. 방 한 ~ una habitación. ③ [길이의 단위] *kan* (1.82 metros más o menos).

칸나 ((식물)) cañacoro *m* (de la India), canna *f* índica, caña *f* de cuentas, caña *f* de la India.

칸델라 [광도의 단위] candela *f*.

칸막이 partición *f*, división *f*; [방과 방 사이의] tabique *m*; [병풍] biombo *m*; [기차 따위의] compartimiento *m*. ~하다 dividir, separar, dividir con un tabique [con una mampara]. ~벽 pared *f* de partición.

칸초네 ((음악)) canción *f*, canto *m*, canción *f* popular, aria *f*, canzone *m*.

칸칸이 todas las habitaciones, cada habitación.

칸토 ((음악)) canto *m*, aria *f*.

칼¹ cuchillo *m*; [검] espada *f*, sable *m*; [펜싱용] sable *m*; [포켓 나이프] navaja *f*, cortaplumas *m(f)*; [면도칼] navaja *f*; [단도] puñal *m*.

칼² ((고제도)) picota *f*.

칼감 matón *m*; alborotador, -dora *mf*; camorrista *mf*; pendenciero, -ra *mf*.

칼국수 *kalguksu*, fideos *mpl* cortados por cuchillo.

칼깃 [날개의] pluma *f* remera; [꼬리의] pluma *f* timonera.

칼끝 punta *f* del cuchillo, punta *f* de la espada.

칼나물 pescado *m*.

칼날 filo *m*, corte *m*, hoja *f* (de espada).

칼데라 ((지질)) caldera *f*.

칼등 canto *m* de espada.

칼라 cuello *m*.

칼럼 [논설의] artículo *m*; [단평·삽입 기사] suelto *m*, entrefilete *m*; [공동 집필 기사] recuadro *m*.

칼럼니스트 columnista *mf*; articulista *mf* (encargado [encargada] de una sección especial de un periódico).

칼로리 caloría *f*. ~ 섭취량 consumo *m* calórico. ~ 함유량 contenido *m* calórico. ~ 함유량 낮은 음식 alimentos *mpl* de bajo contenido calórico.

칼륨 ((화학)) potasio *m*.

칼맞다 (ser) apuñalado, acuchillado. 칼맞아 죽다 morir apuñalado.

칼부림 derramamiento *m* de sangre, lucha *f* [combate *m*] con espadas. ~하다 luchar [combatir] con espadas.

칼새 ((조류)) vencejo *m*.

칼슘 ((화학)) calcio *m*.

칼 싸움 pelea *f* con navajas [cuchillos], combate *m* [lucha *f*] con espadas. ~하다 pelear con navajas [cuchillos], combatir [luchar] con espadas. ~ 영화 película *f* de espadachines.

칼자국 cuchillada *f*, cortadura *f*, corte *m*, incisión *f*; [얼굴의] chirlo *m*. ~을 내다 dentar, endentar.

칼자루 mango *m*, puño *m*.

칼잡이 carnicero *m*.

칼제비 =칼국수.

칼질 cuchillada *f*. ~하다 cortar, usar [manejar] los cubiertos..

칼집¹ [칼의 몸을 꽂아 넣어 두는 물건] vaina *f* (de la espada).

칼집² [요리를 만들 재료에 칼로 에어 서 낸 진집] marca *f* de cuchillo.

칼춤 danza *f* de las espadas.

칼침(─針) cuchillada *f*, estocada *f* de espada.

칼칼하다 ① [목이 말라서] querer beber agua. ② [맵고 자극하는 맛이 있다] sentir picante.

캄캄하다 ① [몹시 캄캄하다] (ser·estar) oscuro, obscuro. ② [희망의

빛이 없어 앞길이 까마득하다] (estar) lejos. ③ [정보·소식 등을 전혀 알지 못하다] no saber nada.

캡셀 cápsula f.

캉캉거리다 soler ladrar, soler dar ladridos.

캉캉 [춤의 한 가지] cancán m.

캐나다 ((지명)) el Canadá. ~의 canadiense. ~ 사람 canadiense mf.

캐내다 ① [파내다] cavar, excavar. ② [캐어 물어서 속 내용을 알아내다] sonsacar.

캐논 ((당구)) carambola f. ~을 치다 hacer (una) carambola.

캐다 ① [땅에 묻힌 물건을 파내다] cavar, excavar, ahondar, extraer, sacar de la tierra. ② [비밀을 자꾸 찾아 밝혀 내다] sonsacar, escudriñar, escrutar, inquirir, probar, registrar, indagar, investigar, examinar.

캐디 ((골프)) caddie mf; portador, -dora mf de palos, persona f que lleva los palos. ~로 일하다 hacer de caddie. ¶~용 이륜차 carrito m para los palos de golf.

캐러멜 caramelo m.

캐러밴 ① [대상] caravana f. ② [서커스 단·가구 등의) 유개 대운반차. 포장마차] rulot m, caravana f. ~으로 여행하다 ir de vacaciones en una caravana.

캐럴 [축가. 송가] villancico m. ~을 부르다 cantar villancicos. ~ 가수 persona f que canta villancicos.

캐럿 quilate m. 18~의 금(金) oro m de diez y ocho quilates.

캐리커처 caricatura f.

캐릭터 carácter m.

캐묻다 [준말] =캐어묻다.

캐비닛 ① [수집품·사무용품 등을 넣어 두는 장] armario m ② [미술품 등을 진열하는 유리 문을 끼운 선반] vitrina f.

캐비아 caviar m, cavial m.

캐비지 repollo m, col f.

캐스터 ① [텔레비전 뉴스 따위의 보도원·해설자] proyectante mf. ② [소금·후추·소스 따위를 넣어 두는 테이블용 양념통] espolvoreador m; [소금통] salero m; [후추통] pimentero m; [설탕통] azucarero m.

캐스터네츠 ((악기)) castañuelas fpl. ~ 연주자 castañetero, -ra mf.

캐스트 ① ((연극·영화)) [배역] reparto m, personal m, AmL elenco m, distribución f de los papeles para la representación de alguna pieza en el teatro. ② [주형] molde m.

캐스팅 ① ((인쇄)) [주조] fundición f. ② ((연극·영화)) selección f (de actores), reparto m de papeles. ¶~ 보트 voto m de calidad, voto

m decisivo, voto m preponderante.

캐시 dinero m (en) efectivo, efectivo m, dinero m contante. ~ 카드 tarjeta f del cajero automático.

캐어묻다 escudriñar, escrutar, indagar, inquirir, presionar (para obtener una respuesta), interrogar severamente.

캐주얼 슈즈 zapatos mpl de sport.

캐주얼 웨어 ropa f de sport.

캐주얼즈 [평상복. 캐주얼 웨어] ropa f de sport, ropa f informal; [캐주얼 슈즈] zapatos mpl de sport.

캐처 ((야구)) receptor, -tora mf; cogedor, -dora mf; catcher ing.mf. ~ 박스 el área f de cogedor.

캐치 ① ((운동)) atrapada f, parada f, CoS atajada f. ② ((준말)) =캐쳐.

캐치프레이즈 [표어] lema m, eslogan m, slogan ing.m publicitario.

캑캑거리다 soler toser, toser repetidas veces.

캔디 ① [사탕 과자] golosinas fpl, caramelos mpl, dulces mpl. ② ((준말)) =아이스 캔디.

캔버스 lienzo m, tela f.

캔슬 [취소. 해제] cancelación f, canceladura f. ~하다 cancelar, anular. ~ 대기 승객 pasajero, -ra mf stand-by. ~ 대기자 명단 [항공기의] lista f de espera. ~ 대기표 billete m stand-by, AmL pasaje m stand-by.

캘린더 calendario m, almanaque m.

캠퍼스 ① [대학교의 교정. 또는 구내] campus m (universitario), recinto m (universitario). ② =대학.

캠페인 ① =야전(野戰). ② [사회적·정치적 목적을 위해 조직적으로 행해지는 운동] campaña f. ~을 벌이다 desplegar una campaña. ③ [선거전·유세] campaña f electoral.

캠프 ① [임시 막사] campamento m. ~를 치다 acampar. ② [군대가 야영하는 곳·주둔지] campamento m (military). ~파이어 fogata f, hoguera f (en un campamento), fuego m de campamento.

캠핑 campamento m, camping ing.m. ~하다 acampar, hacer camping. ~하는 사람 campista mf, acampante mf.

캡 ① [운두가 없는 납작한 모자] [학생·기수·군인의] gorra f; [간호사의] cofia f; [판사의] birrete m; [추기경의] birreta f, solideo m.

캡슐 cápsula f.

캥거루 ((동물)) canguro m.

커닝 lejos de, en lugar de, no sólo … sino (también), al contrario, de ningún modo, de ninguna manera. 그렇기는 ~ lejos de eso; [역으로] al contrario. 한국은 ~ 세계에 no sólo en Corea, sino en el mundo.

커닝 astucia f, treta f en el examen.

~하다 usar una chuleta, engañar en el examen, copiar en el examen, hacer trampas en el examen. ~ 페이퍼 chuleta f, Méj acordeón m, Col, Per comprimido m, RPI machete m, Chi torpedo m.

커다랗다 (ser) muy grande, gigantesco, enorme, colosal, titánico. 커다란 손실 una gran pérdida.

커다래지다 crecer, hacerse más grande [mayor]; [키가] hacerse más alto.

커리어 [경력. 이력] carrera f. ~가 많다 tener una carrera [una experiencia] larga.

커리큘럼 [교육 과정] plan m de estudios, programa m (de estudio), curso m de estudios, currículo m, AmL curriculum m.

커뮤니케이션 comunicación f.

커뮤니티 [공동체] comunidad f.

커미셔너 comisionado, -da mf; miembro mf de la comisión.

커미션 [수수료] comisión f, corretaje m, correduría f, derecho m; [뇌물] comisión f extra.

커밍아웃 ① [사교계의 데뷔] presentación f en sociedad, puesta f de largo. ② [동성애자임을 밝히는 행위] destape m.

커버 ① [뚜껑. 덮개] tapa f, cubierta f; [테니스 코트·자동차의] lona f; [방석·소파·타자기의] funda f; [책·공책의] forro m; [침대 커버] cubrecama f, colcha f, cubierta f; 의자 ~ funda f del sillón. 침대 ~ cubierta f de cama. [표지] [책의] tapa f, cubierta f; [잡지의] portada f, Andes carátula f; [그림이 든] camisa f, sobrecubierta f; [보호용의] forro m. 앞 ~ portada f. 뒷 ~ contraportada f. 하드 ~ tapas fpl duras. 소프트 ~ tapas fpl blandas. ③ [손실·보전하는 일] [보험의] cobertura f; [은행에서] garantía f. ~하다 cubrir. ¶~ 걸 modelo f de portada, modelo f publicitaria, modelo f fotográfica. ~ 스토리 [잡지의] tema m de portada; [신문의] noticia f de primera plana.

커브 ① [곡선. 굴곡] curva f, corva f, comba f, combadura f; [길의] recodo m, vuelta f. ~를 만들다 hacer una curva, torcer. ~를 돌다 tomar una curva. ② ((야구)) =커브볼. ¶~ 볼 curva f.

커서 ((컴퓨터)) cursor m.

커스터드 crema f, natillas fpl.

커지다 ① [크게 되다] agrandarse, engrandecerse, hacerse más grande. ② [확장·확대하다] ampliarse, extenderse, ensancharse. 화재가 더욱 커졌다 El incendio se extendió aún más. ③ [성장하다] crecer.

커터 ① [자르는 사람] cortador, -dora mf. ② [재단기] [철사용] tenazas fpl, cizalla f; [유리용] diamante m, cortavidrios m; [돌의] cantero m, tallista m(f). ③ [영화 필름의 편집자] desglosador, -dora mf.

커트 ① [절단] corte m. ~하다 cortar. ② [벤 상처] tajo m, corte m. ③ [(머리를) 깎는 일] corte m de pelo. ④ [(테니스·탁구·골프)] corte m. ~하다 cortar. 공을 ~하다 cortar la pelota.

커튼 ① [문·창 등에 치는 휘장] cortina f, [창문용의] visillo m. ② [극장의 막] telón m. ~이 오른다 [막이 오른다] Sube [Se levanta] el telón. ~이 내린다 [막이 내린다] Baja [Cae] el telón.

커프스 puño m. ~를 채우다 poner puños. ¶~ 단추 gemelos mpl.

커플 ① [한 쌍] un par. ② [남녀 한 쌍. 부부] pareja f. 결혼한 ~ un matrimonio. ~로 en pareja. 행복한 ~ los recién casados, los novios. 어울리지 않는 ~ una pareja desigual.

커피 café m. ~ 한 잔 un café, una taza de café. ~ 세 잔 tres cafés, tres tazas de café. ¶~ 끓이개 [여과식의] cafetera f de filtro. ~ 농장 cafetal m. ~ 메이커 [커피 끓이는 기구] cafetera f, máquina f para preparar café. ~ 발 cafetal m. ~ 빻는 기구 molinillo m de café. ~색 color m (de) café, (color m) café m con leche. ~ 세트 juego m de café, servicio m de café. ~숍 cafetería f, café m. ~ 재배 caficultura f. ~ 재배자 caficultor, -tora mf. ~ 중독 cafeísmo m. ~포트 [커피 끓이는 그릇] cafetera f; [커피 거르는 그릇] cafetera f filtradora.

커피나무 ((식물)) café m, cafeto m.

컨디션 condición f. 좋은 ~ buen estado m, buenas condiciones fpl. 나쁜 ~ mal estado m, malas condiciones fpl.

컨베이어 cinta f [correa f] transportadora.

컨설턴트 asesor, -sora mf; consultor, -tora mf; consejero, -ra mf. 경영 ~ asesor, -sora mf de administración.

컨소시엄 consorcio m.

컨테이너 contenedor m, contáiner ing.m. ~에 싣다, ~로 수송하다 contenedorizar. ~를 채우다 llenar el contenedor. ~를 비우다 vaciar el contenedor.

컨트롤 control m, regulación f, reglaje m; [비행기의] mando m. ~하다 controlar, ejercer control, dominar, regularizar, comandar, verificar, gobernar, administrar.

컨트리 클럽 club *m* campestre.

컬러 ① [색] color *m*. 화려한 ~ color *m* espléndido. 완전 ~로 a todo color; [사진] en color, en colores; [텔레비전] en color, *AmL* en colores, *Andes* a color. ② [개성·작품의 맛·기분] color *m*, colorido *m*. 로컬 ~ [지방색] color *m* local. ¶~ 텔레비전 televisión *f* en color [*AmL* en colores · *Andes* a color]. ~ 텔레비전 세트 televisor *m* en color(es). ~ 필름 película *f* en color(es), carrete *m* en colores.

컬렉션 colección *f*. ~하다 coleccionar, hacer colección, *AmL* juntar.

컬컬하다 ① [목이 몹시 말라 물·술을 마시고 싶은 생각이 간절하다] tener sed. ② [맵고 얼큰한 맛이 있다] [맛이] picante.

컴백 reaparición *f*, vuelto *m*, rehabilitación *f*; [연극계에의] vuelta *f* a la escena. ~하다 reaparecer, volver, rehabilitarse.

컴컴하다 ① [침침하게 아주 어둡다] (ser·estar) oscuro, obscuro. 아주 ~ estar oscuro como boca, estar muy oscuro. ② [속이 시커멓고 음흉하여 욕심이 많다] (ser) insidioso, reservado, hermético.

컴퍼스 [원을 그리는데 쓰이는 제도 기구] compás *m*. ② =나침반.

컴퓨터 ordenador *m*, *AmL* computador *m*, computadora *f*. ~(에) 입력 informatización *f*, computarización *f*, computerización *f*, computadorización *f*. 은행의 ~ 센터 centro *m* de computación de un banco. ~에 입력시키다 informatizar, computarizar, computerizar, computadorizar. ¶~ 게임 juego *m* de computadora [de ordenador], juego computarizado. ~ 그래픽스 gráficos *mpl* (realizados) por computadora [por ordenador], infografía *f*, computación *f* gráfica, informática *f* gráfica. ~ 디자인 diseño *m* realizado por computador [por ordenador]. ~ 바이러스 virus *m* por ordenador [por computadora]. ~ 프로그래머 programador, -dora *mf* de ordenadores; programador -dora *mf* de computadoras; programador, -dora *mf* de computadoras; computisa *mf*. ~ 프로그램 programa *m* informático, programa *m* de ordenador, programa *m* de computador, programa *m* de computadora.

컵 ① [잔] [손잡이 있는 잔] taza *f*; [발이 있는 잔] vaso *m*; [받침 달린 잔] copa *f*; [맥주잔] caña *f*, bock *m*. 물 한 ~ un vaso de agua. ~으로 마시다 beber en vaso. ② [찻잔] taza *f* para café. ③ [우승배] copa *f*.

컷 ① [자르는 일] corte *m*, corta *f*. ~하다 cortar. ② [인쇄물의 사이사이에 넣는 작은 그림·삽화] grabado *m*, dibujo *m*. ~을 넣다 adornar de [con] grabados, llenar con dibujos. ③ [영화] corte *m*. ~하다 cortar, suprimir, quitar.

컹컹거리다 (el perro) seguir ladrando.

케스팅 보트 voto *m* decisivo, voto *m* de calidad.

케이블 ① [해외 전보] cable *m*, telegrama *m*. ② [굵은 밧줄] cuerda *f*, calabrote *m*. ③ [해저 전선] cablegrama *m*. ④ [닻줄] cadena *f* de ancla. ⑤ [쇠사슬] cable *m* de alambres. ⑥ ((준말)) =케이블 카. ¶~ 카 ㉮ [공중에 매달린] teleférico *m*, funicular *m* (aéreo). ㉯ [강삭 철도] funicular *m*. ㉰ [전차] tranvía *m*. ~ 텔레비전 televisión *f* por cable, *AmL* cablevisión *f*.

케이스 ① [경우] caso *m*. 내 ~에는 en mi caso. ② [상자] [단단한 작은 물건용] estuche *m*; [큰 물건용] caja *f*, [작은 상자] cajita *f*; [부드러운 담는 것] funda *f*. ③ [(인쇄)] caja *f*.

케이에스 [한국 공업 규격] Normas *fpl* Industriales Coreanas, KS. ~ 마크 marca *f* de KS.

케이오 K.O. *m* (서반아에서는 cao (까오) 라 읽고, 중남미에서는 nocaut (노카웃) 이라 읽음), nocaut *m*, knock-out *ing.m.* ~시키다 noquear, dejar fuera de combate, dejar K.O, derribar.

케이크 [나누기 전의 큰 것] tarta *f*, pastel *m*, *CoS* torta *f*; [작은 것] pastel *m*, *RPl* masa *f*. 딸기 ~ pastel *m* de fresas. 생일 ~ tarta *f* de cumpleaños.

케첩 salsa *f* de tomate, salsa *f* (hecha) de setas, catsup *m*, ketchup *ing.m.*

케케묵다 (ser) anticuado; [유행에 뒤지다] estar pasado de moda. 케케묵은 생각 idea *f* anticuada. 케케묵은 습관 costumbre *f* anticuada.

켕기다 ① [팽팽하게 되다] ser estirado. 줄이 캥긴다 La cuerda es estirada tensamente. ② [탈이 날까 보아 불안해지다] estar en tensión. ③ [잡아당겨 팽팽하게 하다] estirar. 천을 ~ estirar la tela. ④ [마주 버티다] estar de pie contra uno de otro.

켜 capa *f*, estrato *m*.

켜다 ① [불을 붙이다] encender, *AmL* prender. 켜지다 encenderse, prender. 등불을 ~ encender la luz. ② [물·술 등을 한꺼번에 많이 마시다] beber, tomar. 물을 ~

beber [tomar] el agua f. ③ [톱으로 나무를 세로로 썰어서 쪼개다] serrar, aserrar. ④ [누에고치에서 실을 뽑다] tejer. ⑤ [깡깡이 같은 악기를 쓸어서 소리를 내다] tocar; [손톱으로] rasguear. ⑥ [날개를 하다] estirarse, desperezarse. ⑦ [수컷이 암컷 부르는 소리를 내다] reclamar. 우레를 ~ imitar el reclamo *.

컬레 [신·버선·방망이 등의] par m. ~ un par. 양말 한 ~ un par de calcetines. 구두 두 ~ dos pares de zapatos.

코 ① [오관기의 하나] nariz f; [개·말 따위의] hocico m; [코끼리의] trampa f; [돼지 따위의] jeta f; [취각] olfato m. ② [코에서 나오는 점액] moco m. ~를 풀다 sonarse (las narices).

코² ① [물건의 가장 앞쪽의] parte f sobresaliente. ② [그물이나 뜨개옷 같은 것의] punto m, puntada f.

코감기(-感氣) catarro m nasal. ~에 걸리다 coger un catarro nasal.

코걸이 nariguera f.

코골다 roncar, sonarse las narices.

코끝 punta f de la nariz.

코끼리 ((동물)) elefante m; [암컷] elefanta f. ~의 elefantino. ~ 같은 elefantino. ~의 상아 colmillo m de elefante. ~의 코 trompa f.

코납작이 ① [코가 유달리 납작한 사람] persona f con una nariz chata. ② [핀잔을 맞아 기가 꺾인 사람] persona f frustrada por vergüenza.

코냑 coñac m, coñá m.

코너 ① [안 각의] [방·찬장 등의] rincón m; [밭의] esquina f; [입의] comisura f. ② [밖깥 각의] [거리·페이지의] esquina f; [테이블의] esquina f, punta f; [거리의 굽이] curva f. ¶ ~ 킥 tiro m [saque m] de esquina, córner m.

코높다 (estar) orgulloso.

코담배 rapé m, tabaco m rapé. ~를 냄새 맡다 tomar rapé.

코대답(-對答) respuesta f indiferente. ~하다 responder indiferentemente.

코드¹ ((음악)) acorde m.

코드² ① [전신 부호] clave f, código m. ② ((컴퓨터)) código m, norma f. ¶ ~ 네임 ((컴퓨터)) nombre m codificado.

코딱지 moco m (endurecido).

코떼다 ser vuelto la cara.

코뚜레 (준말)) =쇠코뚜레.

코란 [이슬람교의 경전] el Corán, el Alcorán (이스람교도의 성경).

코러스 [합창(단). 합창곡] coro m.

코로나 ① [(천문)] [태양 대기의 가장 바깥 층에 있는 엷은 가스층] corona f (solar). ② ((전기)) corona f, descarga f luminosa.

코르셋 corsé m; [소아용의] faja f.

코르크 corcho m. ~ 마개 (tapón m de) corcho m.

코린트식(-式) ((건축)) orden m corinto.

코맹맹이 gangoso, -sa mf.

코머거리 persona f con una nariz congestionada.

코멘드 ((컴퓨터)) orden f, comando m.

코멘트 comentario m, observación f. ~하다 hacer un comentario, hacer una observación.

코뮈니케 comuniacado m.

코미디 comedia f, humorismo m.

코미디언 comediante mf; cómico, -ca mf.

코믹 cómico, humorístico, ridículo, gracioso, chistoso, jocoso. ~한 장면 comicidad f, lo cómico.

코밑수염(-鬚髥) =콧수염.

코바늘 gancho m.

코발트 cobalto m. ~색 azul m cobalto. ~ 폭탄 bomba f de cobalto.

코방귀 ① [남을 멸시하거나, 남이 타이르는 말을 우습게 여김] desdén m, desprecio m, menosprecio m. ② [코로 나오는 숨을 막았다가 갑자기 터뜨리면서 불어내는 소리] bufido m, resoplido m; [홍] ¡Puf! / ¡Bah! ~를 뀌다 reírse, desdeñar, bufar, resoplar, tratar con desprecio, no hacer caso, menospreciar, hacer menosprecio.

코방아 acción f de caerse chato en su cara. ~를 찧다 caerse chato en su cara.

코배기 persona f con una nariz grande; narigudo, -da mf; narigón, -gona mf.

코브라 cobra f.

코뼈 ((해부)) hueso m nasal.

코뿔소 ((동물)) rinoceronte m.

코사인 ((수학)) coseno m.

코세다 (ser) empecinado, testarudo, obstinado, terco, tozudo. 코센 사람 persona f terca. 콘센 남자 hombre m terco. 코센 여자 mujer f terca.

코스 ① [진행. 진로] dirección f, rumbo m. 남방 ~ rumbo m del sur. ② [육상·수영·경마 등에서, 달리거나 나아가는 일][육상·수영의] calle f; [마라톤의] recorrido m; [경마의] hipódromo m, pista f (de carreras); [골프의] campo m. ③ [서양 요리의 정찬에서 차례차례 나오는 한 접시의 한 접시의 요리] plato m. 메인 ~ plato m principal, plato m fuerte, Ven plato m central. 첫 ~로 de primer plato, de entrada. 풀 ~ dos platos y postre. 세 ~ 식사 una comida de dos platos y postre. ④ [과정. 강좌] curso m. ⑤ [(교통 기관의) 노선] ruta f.

코스모스 ((식물)) cosmos *m*.

코스타리카 ((지명)) Costa Rica. ~의 costarricense. ~ 사람 costarricense *mf*.

코스트 ① [값. 비용. 경비] coste *m*, *AmL* costo *m*, gastos *mpl*. ② [생산비. 원가] precio *m* de coste, *AmL* precio *m* de costo, precio *m* de fábrica.

코싸쥐다 cubrir *su* cara por vergüenza.

코안경 (一眼鏡) quevedos *mpl*.

코알라 ((동물)) koala *f*.

코앞 a las barbas, en *su* presencia, delante de las narices.

코약 (一藥) medicina *f* para la nariz.

코웃음 fisga *f*, risa *f* falsa [sardónica · sarcástica · burlona], mofa *f*. ~(을) 치다 fisgarse [burlarse] sonriéndose, echar una risa sardónica, reir sardónicamente.

코인 [동전] moneda *f*.

코일 arrollamiento *m*, carrete *m*; ((전기)) bobina *f*.

코주부 (一主簿) narigudo, -da *mf*; narigón, -na *mf*.

코지 (一紙) papel *m* para el moco.

코청 tapique *m* de dividir dos ventanas de nariz.

코치 [지도자] entrenador, -dora *mf*, *AmL* director *m* técnico, directora *f* técnica.

코침 cosquillas *fpl* en *su* nariz. ~(을) 주다 hacer*le* cosquillas en la nariz.

코칭 스태프 personal *m* de entrenamiento.

코카 ((식물)) coca *f*.

코카인 ((화학)) cocaína *f*.

코 카타르 catarro *m* nasal, coriza *f*.

코코넛 ((식물)) coco *m*.

코코아 ① [카카오 열매의 가루] cacao *m*, *AmL* cocoa *f*. ② [코코아 음료] chocolate *m*, *AmL* cocoa *f*. ~ 한 잔 una taza de chocolate.

코코야자나무 ((식물)) =카카오나무.

코코야자(一椰子) ((식물)) cocotero *m*, *Col* palma *f* de coco.

코크스 (carbón *m* de) coque *m*.

코큰소리 engreimiento *m*.

코탄젠트 ((수학)) cotangente *m*.

코털 vello *m* de las fosas nasales, pelo *m* de ventana de nariz.

코트[1] ① [양복의 겉옷] chaqueta *f*, *AmL* saco *m*; [긴 웃옷] chaquetón *m*. ② [외투] [남자용] abrigo *m*, *RPI* sobretodo *m*; [여자용] abrigo *m*, *RPI* tapado *m*.

코트[2] [테니스 등의] pista *f*, *AmL* cancha *f*.

코팅 capa *f*, baño *m*.

코풀다 sonarse las narices.

코프라 copra *f*.

코피 epistaxis *f*, hemorragia *f* nasal, sangre *f* que sale por las narices.

~가 나다, ~가 흐르다 salirse la sangre las narices, sangrar*le* la nariz, sufrir hemorragia nasal, echar sangre por las narices.

코허리 parte *f* estrecha de la nariz.

코흘리개 mocoso, -sa *mf*; mocosuelo, -la *mf*.

콕 pinchando fuerte. ~ 찌르다 dar un pinchazo, dar un golpecillo, empujar ligeramente. ☞콕

콕 급(一級) ((권투)) peso *m* gallo.

콘 [옥수수] maíz *m*.

콘덴서 [축전기. 냉각기] condensador *m*, refrigerante *m*; [자동차의] acumulador *m*.

콘도 ((준말)) =콘도미니엄.

콘도르 ((조류)) cóndor *m*, buitre *m*, gallinaza *f*.

콘도미니엄 condominio *m*; [아파트] piso *m*, apartamento *m*.

콘돔 condón *m*, preservativo *m*.

콘서트 concierto *m*. ~ 홀 sala *f* de conciertos, salón *m* de conciertos.

콘센트 base *f*, [플러그도 포함] enchufe *m*.

콘체른 grupo *m* (de compañías).

콘크리트 hormigón *m*, *AmL* concreto *m*. ~ 건물 edificio *m* de hormigón.

콘택트 렌즈 lentilla *f*, lente *f* de contacto, *AmL* lente *m* de contacto. 소프트 ~ lentes *fpl* de contacto blandas. 하드 ~ lentes *fpl* de contacto duras. ~를 끼다 ponerse lentes de contacto.

콘테스트 concurso *m*, certamen *m*; [스포츠의] competición *f*, competencia *f*; [권투의] combate *m*.

콘트라바소 =콘트라베이스.

콘트라베이스 ((악기)) contrabajo *m*, contrabajo *m*. ~ 연주자 contrabajo *mf*, contrabajista *mf*.

콘트랄토 ((음악)) contralto *m*; [가수] contralto *m*.

콜 ① [전화에서 상대방을 불러내는 일] llamada *f*. ② ((준말)) =콜 머니. ③ ((준말)) =콜 론. ¶ ~ 걸 call-girl *ing f*, prostituta *f* (que da citas por teléfono), chica *f* de cita. ~ 금리 tasa *f* de dinero a la vista. ~ 론 préstamo *m* a la vista. ~ 머니 préstamo *m* al cliente. ~ 사인 indicativo *m* (de llamada). ~ 옵션 opción *f* de compra. ~ 택시 taxi *m* de llamada.

콜드 크림 crema *f* limpiadora, crema *f* de limpieza, cold cream *ing f*.

콜라 ((식물)) cola *f*.

콜라겐 ((화학)) colágeno *m*.

콜라주 collage *m*.

콜레라 ((의학)) cólera *m*.

콜레스테롤 ((의학)) colesterol *m*, colesterina *f*.

콜렉트 콜 [요금 수신인 지불 통화] llamada *f* a cobro revertido, comunicación *f* de cobro revertido, conferencia *f* a cobro revertido.

콜로세움 ((건축)) Coliseo *m*, anfiteatro *m* de Vespasiano en Roma.

콜록거리다 soler toser, soler tener un ataque de tos.

콜론¹ ((해부)) [결장] colón *m*.

콜론² [구둣점의] dos puntos.

콜론³ [코스타리카의 화폐 단위] colón *m*.

콜롬비아 ((지명)) Colombia *f*. ~의 colombiano, colombiana *f*. ~ 사람 colombiano, -na *mf*.

콸콸¹ [좁은 구멍으로 물이 쏟아져 나오는 소리] borbotando, gorgoteando. ~거리다 gorgotear, bortotar.

콸콸² [어린아이가 곤하게 잠잘 때 코를 고는 소리] gorjeando.

콜 타르 alquitrán *m* (de hulla mineral), alquitrán *m* de hulla (de carbón), coaltar *m*.

콜 택시 ☞콜

콜호스 koljos *m*.

콤마 ① [문장의 부호의 하나] coma *f*. ② ((수학)) =소수점.

콤바인 [복식 수확기] cosechadora *f*, segadora *f*, trilladora *f*.

콤비 ① [단짝] pareja *f*. ② [(준말)] =콤비네이션.

콤비네이션 ① =결합(combinación). ② =배합(配合)(combinación). ③ [부인이나 어린이용의 아래위가 달린 속옷] prenda *f* de ropa interior de una pieza. ④ [위아래가 달린 양복 한 벌] combinación *f*. ⑤ ((수학)) combinación *f*.

콤팩트 디스크 disco *m* compacto, disco *m* digital de sonido.

콤팩트 디스크 플레이어 (reproductor *m* de) compact-disc *ing.m*.

콤프레서 ((기계)) compresor *m*.

콤플렉스 complejo *m* de inferioridad.

콧구멍 narices *fpl*, ventana *f* de nariz, orificio *m*.

콧김 respiración *f* nasal.

콧날 caballete *m* (de una nariz).

콧노래 tarareo *m*, canturreo *m*. ~를 부르다 tararear, tatarear, canturrear entre dientes.

콧대 caballete *m* de la nariz. ~를 꺾다 abatir el orgullo, bajar los humos, humillar, dar en la cresta; [자신의] romperse la nariz.

콧등 puente *m* de una nariz, caballete *m* de una nariz.

콧마루 puente *m* [caballete *m*] de una nariz.

콧물 moquita *f*, moco *m* (líquido que destila de la nariz), moco *m* nasal.

콧방귀(一放) acción *f* de dar pulgarada de la nariz del otro.

콧방울 lados *mpl* redondos de la nariz.

콧벽쟁이 persona *f* con las narices pequeñas.

콧병(一病) problemas *mpl* [trastornos *mpl*] de nariz.

콧살 arruga *f* alrededor de la nariz.

콧소리 voz *f* gangosa, sonido *m* nasal.

콧속 cavidad *f* de la nariz.

콧수염(一鬚髯) bigote *m*, mostacho *m*.

콧숨 respiración *f* nasal, respiración *f* por la nariz, resoplo *m*.

콩 ((식물)) [대두] soja *f*, soya *f*, *AmC*, *Cuba*, *ReD* guandú *m*, *ReD* guandul *m*, guandule *m*; [이집트 콩] garbanzo *m*; [편두] lenteja *f*; [잠두] haba *f*; [강낭콩] alubia *f*, judía *f*, habichuela *f*, fréjol *m*, frijol *m*, *CoS* poroto *m*; [완두] guisante *m*, *AmC*, *Méj* chícaro *m*. 콩 심은 데 콩 나고 팥 심은 데 팥 난다 ((속담)) Quien mal siembra, mal recoge / Quien siembra vientos, recoge tempestades. ¶ ~가루 soja *f* en polvo. ~고물 soja *f* en polvo. ~국수 tallarín *m* con sopa de sojas. ~기름 aceite *m* de soja. ~깻묵 torta *f* de soja. ~꼬투리 vaina *f*. ~밭 plantío *m* de soja. ~소 relleno *m* de sojas. ~장 salsa *f* de sojas.

콩나물 *congnamul*, brotes *mpl* de soja, malta *f*, malta *f* de cebada, sojas *fpl* germinadas. ~시루 같다 estar de bote en bote, estar como sardinas en lata. ¶ ~ 교실 sala *f* de clase atestada (de gente), clase *f* abarrotada de gente. ~ 버스 autobús *m* sobrecargado.

콩소메 consomé *m*, caldo *m* de carne.

콩케팥케 gran desorden *m*, revoltijo *m*, confusión *f*, mezcolanza *f*, embrollo *m*.

콩쿠르 concurso *m*, certamen *m*, competencia *f*. ~에 참가하다 participar en un concurso, participar en un certamen. ¶ ~ 우승자 ganador, -dora *mf* (de un premio); premiado, -da *mf*.

콩튀듯팥튀듯하다 saltar con enfado.

콩팔칠팔 farfullando, hablando atropelladamente, hablando en jerigonza. ~하다 farfullar, hablar atropelladamente, hablar en jerigonza, hablar en jerga.

콩팥 ① [콩과 팥] la soja y la judía pinta (roja). ② ((해부)) =신장(腎臟).

콩풀 ampolla *f* en el papel aplicado pegamento.

콱 con fuerza, con empuje.

콸콸 a borbotones, a chorros. ~ 흘러 나오다 salir a borbotones, salir a chorros.

쾅 ① [무겁고 단단한 물건이] dando un portazo, de un golpe, con un golpe violento y sonoro. ~ 닫히다 cerrarse con un golpe, dar un portazo. ② [폭약 따위가] con un estallido. ~! ¡Pum! / ¡Bang!

쾌 ① [북어 스무 마리를 한 단위로 세는 말] cuerda *f* de veinte abadejos secados). ② ((역사)) diez cuerdas de la moneda de latón.

쾌감(快感) sensación *f* agradable, placer *m*, sensualidad *f*, voluptuosidad *f*. ~을 느끼다 sentir placer, sentir voluptuosidad, deleitarse, sentirse agradable, experimentar una sensación agradable.

쾌거(快擧) empresa *f* animosa, evento *m* animoso, hazaña *f*, proeza *f*.

쾌남자(快男子) hombre *m* varonil [valioso·valiente·de bríos], mozo *m*, buen chico *m*.

쾌도(快刀) espada *f* cortante. ¶~난마 cortadura *f* del nudo gordiano. ~ 난마하다 cortar nudo intrincado con espada afilada, cortar nudo gordiano.

쾌락(快樂) alegría *f*, complacencia *f*, gozo *m*, placer *m*, dulce sabor *m*. 승리의 ~ el dulce sabor de la victoria. 육체적 ~ placer *m* carnal. ¶~설[주의] hedonismo *m*, epicureísmo *m*. ~주의자 hedonista *mf*; epicúreo, -a *mf*.

쾌락(快諾) consentimiento *m* de buena gana, complacencia *f*. ~하다 consentir con gana.

쾌론(快論) conversación *f* agradable, charla *f* alegre. ~하다 hablar animadamente, tener charla amena.

쾌마(快馬) caballo *m* veloz.

쾌면(快眠) sueño *m* deleitoso.

쾌미(快味) delicia *f*, sensación *f* agradable.

쾌변(快辯) elocuencia *f*. ~을 토하다 hacer un discurso elocuente.

쾌보(快報) noticia *f* jubilosa, nuevas *fpl* felices, gratas noticias *fpl*.

쾌속(快速) celeridad *f*, carrera *f* tendida, gran [alta] velocidad *f*. ~도 velocidad *f* muy veloz. ~선 barco *m* rápido, barco *m* de alta velocidad. ~열차 tren *m* rápido. ~정 (lancha *f*) motora *f*.

쾌승(快勝) victoria *f* brillante, victoria *f* decisiva, triunfo *m* evidente, triunfo *m* señalado. ~하다 obtener un triunfo señalado.

쾌유(快癒) recobro *m* completo. ~하다 recobrar completamente, mejorarse completamente.

쾌재(快哉) sentimiento *m* satisfactorio. ~(를) 부르다 dar un grito de alegría, gritar de [con] júbilo, exclamar "bravo", sentir satisfecho.

쾌적하다(快適－) (ser) cómodo, agradable, grato, apacible, confortable. 쾌적한 방 habitación *f* cómoda. 쾌적한 여행 viaje *m* agradable.

쾌조(快調) tono *m* grato, condición *f* excelente, buena condición *f*, buen estado *m*.

쾌차(快差) recobro *m*, recuperación *f*, convalecencia *f*. ~하다 recobrar, mejorarse, recobrar la salud.

쾌척(快擲) sacrificación *f*, contribución *f* generosa. ~하다 contribuir generosamente.

쾌청(快晴－) (ser) claro, hacer buen tiempo; [날씨가 활짝 개다] despejarse, aclararse, serenarse. 날씨가 ~ Hace buen tiempo. 날씨가 쾌청해졌다 Se ha despejado el tiempo.

쾌활하다(快活－) (ser) jovial, alegre, de buen humor, gozoso; [생기 발랄한] activo, vivo.

쾌활하다(快闊－) (ser) extenso.

쾨쾨하다 (ser) hetiondo, fétido, apestoso.

쿠데타 golpe *m* de Estado.

쿠렁쿠렁 ¶~하다 no estar completamente lleno.

쿠바 ((지명)) Cuba. ☞꾸바

쿠션 ① [의자의] cojín *m*, almohadón *m*. ② [당구] baranda *f*, banda *f*.

쿠키 ① [비스킷 비슷한 양과자] galleta *f*, Arg galletita *f*. ② [케이크 비슷한 양과자] pasta *f*.

쿠킹 [요리(법)] cocina *f*, gastronomía *f*, arte *m* de cocinar.

쿠폰 cupón *m*, billete *m* talonario; [디스카운트용의] vale *m*. 여행 billete *m* talontario para el viaje.

쿡 pinchando fuerte. ~ 찌르다 pinchar, dar un pinchazo, dar un golpecito, empujar ligeramente.

쿡² [요리사] cocinero, -ra *mf*.

쿡쿡 pinchando y pinchando. ~ 찌르다 seguir picando [pinchando].

쿨롬 ((물리)) culombio *m*.

쿨룩거리다 toser.

쿨룩쿨룩 tosiendo y tosiendo.

쿨리 culí *mf*.

쿨쿨¹ [큰 구멍으로 물이 쏟아져 흐르는 소리] chorreando. 피가 ~ 나온다 La sangre chorrea. ¶~거리다 seguir chorreando.

쿨쿨² [곤히 잠들었을 때 숨쉬는 소리. 또, 그 모양] roncando. ~거리다 roncar, seguir roncando.

쿵 ① [단단한 바닥에 크고 무거운 물건이 떨어지거나 부딪쳐 울리는 소리] pesadamente, dando ruido sordo. ~ (하고) 넘어지다 caer con un golpe [ruido sordo]. ~ 부딪치다 chocar con un golpe [ruido sordo].

쿵쿵 pataleando. 발을 ~ 구르다

patalear.
쿵쿵거리다 seguir pataleando.
쿵후 kung fu m.
퀘이커 [퀘이커 교도] cuáquero, -ra *mf*; cuákero, -ra *mf*. ~교 cuaquerismo *m*, kuakerismo *m*. ~ 교도 cuáquero, -ra *mf*.
꿩하다 (ser) grande y hundido. 꿩한 눈 ojos *mpl* grandes y hundidos.
퀴즈 concurso *m*. ~ 쇼 programa *m* concurso. ~ 프로그램 programa *m* de preguntas (y respuestas), concurso *m*.
퀴퀴하다 (ser) hediondo, pestilente, fétido.
큐 ((당구)) taco *m*.
큐비스트 ((미술)) cubista *mf*.
큐비즘 ((미술)) [입체파] cubismo *m*.
큐피드 ((로마 신화)) Cúpido *m*, el dios del amor de los antiguos romanos.
크기 tamaño *m*, tamañito *m*; [용적] volumen *m*; [가로·세로·높이에서] dimensiones *fpl*; [정도] magnitud *f*; [신장. 사이즈] talla *f*; [추상적] grandeza *f*.
크나크다 (ser) bastante [muy] grande, gigantesco, enorme. 크나큰 문제 asunto *m* muy importante.
크낙새 ((조류)) pájaro *m* carpintero coreano.
크넓다 (ser) grande y ancho.
크다 ① [부피나 길이가 많은 공간을 차지하다] [부피가] (ser) grande; [키가] (ser) alto; [거대하다] gigantesco, inmenso, colosal; [덩치가] corpulento, abultado, voluminoso. 큰 건물 edificio *m* grande. 큰 나라 país *m* grande. ② [수나 양이 많다] (ser) mucho, grande. 큰 수 muchos números. 큰 기부 donación *f* importante, donación *f* grande. ③ [범위가 넓다] (ser) vasto, extenso, espacioso, amplio. ④ [심하다. 중대하다] (ser) grave, terrible, grande; [위대하다] grande; [남성 단수 명사 앞에서의 탈락] gran. 큰 사건 accidente *m* terrible, tragedia *f*. 큰 인물 gran hombre *m*, gran personaje *m*. 손해가 ~ La pérdida es grande. ⑤ [옷·신발 따위가 알맞은 치수 이상으로 되어 있다] (ser) grande. 구두가 너무 ~ (Los tamaños de) Los zapatos son demasiado grandes. ⑥ [자라다] crecer. 큰 방죽도 개미 구멍으로 무너진다 ((속담)) Por un clavo se pierde una herradura.
크디크다 (ser) muy grande.
크라운 [왕관] corona *f*.
크라프트 보드 cartón *m* kraft.
크라프트지(-紙) papel *m* kraft.
크라프트 펄프 pasta *f* kraft.
크래커 galletina *f*, galleta *f*.

크랭크 cigüeñal *m*. ~ 축 cigüeñal *m*, cigoñal *m*.
크러치 muleta *f*.
크레디트 ① =신용. ② =차관(借款). ③ [신용판매. 신용 거래] crédito *m*. ¶ ~ 카드 tarjeta *f* de crédito.
크레바스 grieta *f* (de glaciares).
크레용 creyón *m*, pastel *m*, lápiz *m* de tiza; [색연필] lápiz *m* de color.
크레인 ① [기중기] grúa *f*, máquina *f* para elevar toda clase de pesos. ② [영화 촬영에 쓰이는 기구] grúa *f*. ¶ ~ 차 coche *m* de grúa.
크레졸 ((화학)) cresol *m*.
크레파스 lápiz *m* de pastel. ~화 dibujo *m* hecho con lápices de colores.
크렘린 ① [모스크바에 있는 궁전] el Kremlin ② [전에 소련 정부와 공산당의 별칭] el Kremlin.
크로켓 croqueta *f*.
크롤 brazada *f* de pecho, crol *m*.
크롬 ((화학)) cromo *m*.
크루저 ① [순양함] crucero *m*. ② [유람용 요트] lancha *f*, barco *m*. ③ [경찰 순찰차] (coche *m*) patrulla *f*, RPI patrullero *m*, Chi autopatrulla *f*.
크루즈 미사일 misil *m* de crucero.
크리스마스 Navidad *f*, Chi, Per Pascua *f*. ~를 축하합니다 iFeliz Navidad! / Chi iFeliz Pascua! ¶ ~ 선물 regalo *m* de Navidad, obsequio *m* de Navidad, Chi, Per regalo *m* de Pascua; [고아원이나 환경 미화원용] aguinaldo *m*. ~ 실 sello *m* de Navidad. ~ 이브 Nochebuena *f*, víspera *f* de Navidad. ~ 카드 tarjeta *f* de Navidad, tarjeta *f* navideña, crismas *m*, Christmas *m*, postal *f* navideña. ~ 캐럴 villancico *m*, cántico *m* de Navidad. ~ 케이크 torta *f* de Navidad, pastel *m* de Navidad. ~ 트리 árbol *m* de Navidad. ~ 휴가 vacación *f* de Navidad.
크리스천 cristiano, -na *mf*.
크리켓 críquet *m*, vilorta *f*. ~ 선수 jugador, -dora *mf* de críquet.
크림 ① [우유에서 만들어낸 지방분] nata *f*, crema *f* (de leche). ~을 바르다 untar con nata [con crema]. ~ 바른 딸기 fresas *fpl* con nata [crema]. ② [화장품] crema *f* (de belleza·de afeitar). ③ ((준말)) =아이스크림(helado).
큰계집 *su* esposa, *su* mujer.
큰고래 ((동물)) rorcual *m* (blanco).
큰골 ((해부)) cerebro *m*.
큰곰 ① ((동물)) oso *m* pardo. ② ((천문)) ((준말)) =큰곰자리.
큰곰자리 ((천문)) la Osa Mayor.
큰기침 gran ejem, carraspea *f* fuerte. ~하다 carraspear fuerte, tener carraspera fuerte.

큰길 carretera *f*, camino *m* real, camino *m* principal.

큰놈 ① [다 자란 놈] tipo *m* completamente crecido. ② ((속어)) = 큰아들.

큰누나 =큰누이.

큰누이 *su* hermana mayor.

큰눈 mucha nieve.

큰달 mes *m* que tiene treinta y un días del calendario solar, mes *m* que tiene treinta días del calendario lunar.

큰댁(-宅) =큰집.

큰도끼 el hacha *f* grande.

큰돈 mucho dinero.

큰동서(-同壻) cuñado *m* mayor.

큰따님 =큰딸.

큰딸 hija *f* mayor.

큰마누라 esposa *f* legítima.

큰마음 [포부] gran ambición *f*, gran esperanza *f*; [관대함] generosidad *f*. ~ 먹다 ㉮ [후(厚)하게 요량하다] (ser) generoso, tener gran ambición. ㉯ [모처럼 어려운 결심을 하다] hacer una decisión difícil, decidir difícilmente, darse el lujo, permitirse el lujo.

큰매부(-妹夫) cuñado *m* mayor.

큰며느리 primera nuera *f*, nuera *f* mayor.

큰못 clavo *m* grande.

큰문(-門) puerta *f* principal.

큰물 inundación *f*, diluvio *m*, riada *f*.

큰바늘 [시계의] minutero *m*.

큰바람 ((기상)) gran viento *m*.

큰방(-房) ① [넓고 큰 방] habitación *f* principal [grande]. ② [집안의 가장 어른되는 부인이 거처하는 방] habitación *f* para la mayor de la familia. ③ [절에서 중이 항상 거처하는 방] habitación *f* para los monjes budistas en el templo.

큰부자(-富者) riachón, -chona *mf*; millonario, -ria *mf*; plutócrata *mf*; billonario, -ria *mf*.

큰부처 gran estatua *f* de Buda.

큰북 ((악기)) tambor *m* grande.

큰비 aguacero *m*, lluvia *f* torrencial (fuerte); [단시간의] chaparrón *m*, chubasco *m*.

큰사람 [키가 썩 큰 사람] persona *f* bastante alta; [남자] hombrón *m*, hombre *m* bastante alto; [여자] mujer *f* bastante alta. ② [위대하고 이름난 사람] gran hombre *m*.

큰사위 [맏사위] yerno *m* mayor.

큰살림 vida *f* lujosa.

큰상(-床) mesa *f* grande.

큰선비 sabio *m* eminente.

큰소리 ① [목청을 크게 하여 내는 소리] voz *f* alta, voz *f* grande. ~로 en voz alta, a voces, a grito limpio, a voz en grito, a voz en cuello. ② [야단치는 소리] reprimenda *f*, regañina *f*, regañada *f*. ③

[뱃심 좋게 장담을 하는 말] jactancia *f*, baladronada *f*, fanfarronada *f*, bravata *f*, ~(를) 치다 fanfarronear, jactarse.

큰손[1] [증권 시장에서, 개인 또는 기관 투자가] inversionista *m* privado, inversionista *f* privada; inversionista *mf* de agencia; bolsista *mf* de gran escala.

큰손[2] =큰손님.

큰손녀(-孫女) nieta *f* mayor.

큰손님 =빈객(賓客). 상객(上客).

큰손자(-孫子) nieto *m* mayor.

큰솥 caldero *m*, horno *m*, olla *f* grande.

큰아들 hijo *m* mayor,

큰아버지 tío *m* (mayor), hermano *m* mayor de *su* padre.

큰아씨 señorita *f*.

큰아이 hijo *m* mayor, hija *f* mayor.

큰어머니 tía *f* (mayor), esposa *f* del hermano mayor de *su* padre.

큰언니 hermano *m* mayor, hermana *f* mayor.

큰오빠 hermano *m* mayor.

큰일 ① [힘이 많이 들고 범위가 넓은 일] cosa *f* grave, asunto *m* importante, situación *f* difícil, desastre *m*; [위기] crisis *f*. ② [큰 예식이나 잔치를 치르는 일] gran fiesta *f*, gran banquete *m*.

큰절[1] saludo *m* muy profundo, reverencia *f* muy cortés.

큰절[2] ((불교)) templo *m* (budista) principal, monasterio *m* principal.

큰집 casa *f* de *su* hermano mayor.

큰처남(-妻男) cuñado *m* mayor, hermano *m* político mayor.

큰체하다 estar orgulloso.

큰춤 baile *m* formal, danza *f* de gala.

큰치마 falda *f* larga.

큰코다치다 tener una experiencia amarga, tener un contratiempo.

큰형(-兄) hermano *m* mayor.

큰형수(-兄嫂) cuñada *f* mayor, hermana *f* política mayor.

클라리넷 ((악기)) clarinete *m*. ~ 연주자 clarinete *m*, clarinetista *m*.

클라리오넷 ((악기)) =클라리넷.

클라리온 ((악기)) clarín *m*.

클라이맥스 ① [흥분·긴장 등이 최고조에 이른 상태] punto *m* culminante. ② [극·사건 따위의 절정. 최고조] clímax *f*. ③ [오르가슴] organismo *m*. ¶ ~ 신 escena *f* culminante.

클래식 ① [고전적] clásico *adj*. ② [고전 작품] obra *f* clásica, clásico *m*. ③ [클래식 음악] música *f* clásica. ¶ ~ 음악 música *f* clásica.

클랙슨 claxon *m*, claxon *m*, bocina *f* eléctrica, sirena *f*. ~을 울리다 hacer sonar el claxon, tocar la bocina.

클러치 ((기계)) embrague *m*.
클럽 ① [구락부] club *m*. ② ((골프)) palos *mpl*.
클레임 ((상업)) queja *f*, reclamo *m*, reclamación *f*. ~을 붙이다 reclamar, quejarse.
클로닝 [복제] clonación *f*, clonaje *m*.
클로버 ((식물)) trébol *m*.
클로즈업 ① ((영화·사진)) fotografía *f* de cerca, algo visto muy de cerca, vista *f* de cerca, primer plano *m*. ~되다 aparecer reproducido de cerca en la pantalla, aparecer en la pantalla en primer plano. ② [(어떤 사실을) 일반의 주의를 끌도록 문제로 삼아서 크게 다루는 일] llamada *f* fuerte de la atención de todos.
클론 [복제] clon *m*. ~하다 [복제하다] clonar.
클론드 베이비 [복제 아기] niño *m* clonado, niña *f* clonada.
클린치 ((권투)) clinch *ing.m*, clincha *f*, cuerpo a cuerpo.
큼직큼직 con grandes titulares. 신문에 ~하게 나다 publicarse con grandes titulares en los periódicos.
큼직하다 ser bastante grande.
킁킁 sorbiéndose la nariz. ~ 냄새를 맡다 husmear, olfatear.
킁킁거리다 sorberse. 코를 ~ sorberse la nariz, sorberse los mocos.
키¹ estatura *f*, altura *f*, talla *f*. ~가 작은 bajo (de estatura). ~가 큰 alto (de estatura). ~가 크다 [자라다] crecer (en altura).
키² ((기구)) aventador *m*.
키³ [배의] timón *m*. ~를 잡다 manejar el timón, gobernar [guiar] el rumbo [la embarcación]. ¶~ 잡이 piloto *m*, timonel *m*, timonero *m*.
키⁴ ① [열쇠] llave *f*. ② [관건] clave *f*. ③ [피아노나 풍금 따위의 건] tecla *f*. [관악기의] llave *f*; [자기 따위의 손으로 치는 글자판] tecla *f*. ¶~ 펀치 perforadora *f* manual [de teclado]. ~ 포인트 [주안점] clave *f*, punto *m* importante.
키니네 quinina *f*.
키다리 persona *f* muy alta; [남자] hombre *m* muy alto; [여자] mujer *f* muy alta.
키브츠 kibbutz *m*, kibutz *m*.
키스 beso *m*; [가벼운] besito *m*. ~하다 besar, dar un beso, dar un besito. 작별의 ~를 하다 dar*le* un beso de despedida; [밤에] dar*le* un beso de buenas noches.
키우다 ① [아이를] criar, dar de mamar, nutrir, mimar; [동물·식물을] criar; [양성하다] cultivar, edu-

car, enseñar; [만들다] hacer. 아이를 ~ criar criaturas. ② ㉮ [크게 하다] agrandar, hacer más grande. ㉯ [확대·확장하다] ampliar, extender, ensanchar. 사업을 ~ ampliar [extender] el negocio. 점포를 ~ ensanchar la tienda, hacer más grande la tienda.
키위 ① ((조류)) kiwi *m*. ② ((식물)) kiwi *m*.
킥오프 saque *m* del centro, saque *m* [puntapié *m*] inicial, patada *f* de inicio, golpe *m* de salida, saque *m* de salida. ~하다 dar el golpe de salida.
킥킥거리다 reírse tontamente, reírse sin motivo, reírse por nada, reírse tratando de suprimir [ocultar] la risa, reír entre dientes, reír con disimulo.
킬로 =킬로그램. 킬로와트. 킬로미터.
킬로- kilo-, quilo-. ~미터 kilómetro *m*. ~와트 kilovatio *m*.
킬로그램 kilogramo *m*.
킬로리터 kilolitro *m*.
킬로메가 kilomega *f*.
킬로메가사이클 kilomegaciclo *m*.
킬로미터 kilómetro *m*, quilómetro *m*.
킬로바 kilovario *m*, vilovoltamperio *m* reactivo.
킬로바이트 kilobyte *m*, kiloocteto *m*.
킬로볼트 kilovoltio *m*, kilovolt *m*.
킬로사이클 kilociclo *m*.
킬로암페어 kiloamperio *m*.
킬로옴 kiloohmio *m*.
킬로와트 kilovatio *m*, kilowatt *m*, kv.
킬로줄 kilojulio *m*, kilojoule *m*.
킬로칼로리 kilocaloría *f*.
킬로퀴리 kilocurio *m*.
킬로톤 kiloton *m* (10^{12} calorías), kilotonelada *f*, mil toneladas de TNT.
킬로헤르츠 kilohercio *m*, kiloherzio *m*, kilohertz *m*, kilociclo *m* por segundo.
킬킬거리다 reír entre dientes, reír con disimulo, reírse sin motivo, reírse por nada, reír a somormujo.
킹 ① [왕] rey *m*. ② [왕이 그려진 트럼프의 패] rey *m*. ③ ((장기)) rey *m*, dama *f*.
킹사이즈 tamaño *m* grande, tamaño *m* gigante, tamaño *m* familiar. ¶~의 grande, enorme, gigante; [담배] extralargo, extra largo, largo; [침대] de matrimonio (extragran- de).
킹킹 gimiendo.
킹킹거리다 gemir, suspirar, lamentar.

E

타(他) otro, otra; otra persona *f*; el demás, la demás, los demás, las demás, lo demás.

타(打) docena *f*. 한 ~ una docena. 반 ~ media docena. 연필 한 ~ una docena de lápiz.

타-(他) otro. ~고장 otra región *f*.

타개(打開) desarrollo *m*, resolución *f*, evolución *f*. ~하다 resolver, superar, vencer. ~책 medida *f* resolutoria.

타격(打擊) ① [때리어 침] golpe *m*. ~을 가하다 dar un golpe, golpear, pegar un golpe. ② [쇼크] golpe *m*, choque *m*, impacto *m*, shock *ing.m*. ③ [손해. 손실] pérdida *f*, [해] daño *m*, perjuicio *m*; [상처] herida *f*. ~을 주다 hacer daño, causar daño. ~을 받다 sufrir daño. ④ ((야구)) bateo *m*. ~을 개시하다 empezar a batear.

타결(妥結) acuerdo *m*, convenio *m*, concesión *f* mutua. ~하다 transigirse. ~에 이르르다 llegar a un acuerdo, ponerse de acuerdo, convenirse. ¶~점 punto *m* de acuerdo.

타계(他界) ① [다른 세계] otro mundo *m*; [타인의 세계] mundo *m* del otro. ② [귀인의 죽음] fallecimiento *m* (del noble). ~하다 fallecer, morir.

타고나다 (ser) nato, innato, dotado, destinado, ínsito, connatural, de nacimiento.

타관(他官) =타향(他鄕).

타구(打球) ((야구)) bateo *m*; [친 공] pelota *f* bateada.

타구(唾具) escupidera *f*, saliva *f*.

타국(他國) otro país *m*, otra nación *f*, tierra *f* extranjera.

타기(舵機) ① =키. ② =조타기. ¶~실 cámara *f* de la dirección.

타깃 ((컴퓨터)) objetivo *m*.

타내다 obtener, ganar, recibir. 돈을 ~ obtener dinero.

타다[1] ① [연소하다] [불이] arder; [나무·석탄 등이] arder, quemarse; [건물·도시가] arder; [가스 등이] estar encendi- do [*AmL* prendido]. 건물이 ~ arder el edificio. ② [눋거나 검어지다] asarse, abrasarse; [고기 등이] asarse. 밥이 ~ quemarse el arroz. 볕에 타다 quemarse [tostarse] al [por el] sol, curtirse con el sol. ③ [마음이 몹시 달다] arder, arderse. 분노에 ~

arder en [de] cólera, arderse de cólera. ④ [바짝 말라 붙다] secarse, estar reseco, estar agostado. 논바닥이 ~ secarse el arrozal. 목이 ~ estar reseco, tener la garganta reseca. ⑤ [빛이 극히 강렬함을 형용하는 말] (ser) ardiente.

타다[2] ① [탈것이나 짐승의 등에] subir, tomar, montar. 기차를 ~ tomar el tren. 버스를 ~ tomar el autobús. ② [산이나 나무나 줄을] subir, pasar, trepar, escalar. ③ [기회를 포착하다] aprovechar. 기회를 ~ aprovechar la oportunidad [la ocasión]. ④ [얼음 위를 걷거나 미끄러져 닫다] deslizarse; [스케이트를] patinar; [스키를] esquiar.

타다[3] ① [액체에] añadir, echar, mezclar. 설탕을 ~ echar azúcar.

타다[4] [재산·월급·상 등을 받다] ganar, recibir. 상을 ~ ganar el premio. 월급을 ~ recibir el sueldo mensual.

타다[5] ① [가르마를] rayar, hacer. 가르마를 ~ hacer la raya, rayar el pelo. ② [박 따위를] partir, dividir. ③ [콩·팥 등을 맷돌에 갈아 알알이 쪼개다] moler, machacar, triturar, pulverizar. 탄 보리 cebada *f* molida.

타다[6] ① [거문고·가야금 등을] tocar, tañer. 거문고를 ~ tocar el *gomungo*. ② [풍금·피아노 등을] tocar. 피아노를 ~ tocar el piano.

타다[7] ① [독한 기운을 몸에 유난히 잘 받다] (ser) alérgico. 옻을 ~ ser alérgico a la hierba venenosa. ② [부끄럼·노염을] (ser) sensible, propenso, tener tendencia, tender. ③ [시절이나 기후의 영향을 쉬 받아서 몸이 마르고 해쓱해지다] (ser) propenso, sensible, alérgico, sufrir, afectar.

타다[8] [솜 등을] tratar con un diablo. 솜을 ~ tratar el algodón con un diablo.

타당(妥當) aptitud *f*, propiedad *f*. ~하다 (ser) conveniente, apropiado, adecuado, pertinente, oportuno; [정당하다] justo, razonable. ~한 가격 precio *m* razonable.

타도(打倒) derribo *m*, derrocamiento *m*, vuelco *m*. ~하다 derribar, derrotar, tumbar, volcar, abatir, demoler, echar abajo, vencer, postrar, romper las narices.

타동사(他動詞) verbo *m* transitivo.

타락(墮落) degeneración *f*, perversión *f*, corrupción *f*. ~하다 corromperse, perderse, echar(se) a perder.

타래 manojo *m*, *CoS* atado *m*, *Méj* bonche *m*, madeja *f*, bola *f*. 마늘 한 ~ un manojo de ajos.

타래박 cucharrón *m*, cazo *m*.

타력(他力) ① [다른 힘] otro poder *m*; [남의 힘] poder *m* de otros. ~에 의존하다 depender de otros. ② (불교) [부처나 보살의 힘] poder *m* de Buda.

타력(惰力) (fuerza *f* de) inercia *f*.

타령 [打令] *taryeong*, una especie de tono; [민요] balada *f*.

타륜(舵輪) timón *f*, rueda *f* de timón.

타르 (화학) alquitrán *m*, pez *f*, brea *f*. ~를 바르다 alquitranar.

타박 menosprecio *m*, queja *f*, descontento *m*, refunfuñadora *f*, murmuración *f*. ~하다 menospreciar, quejarse. 음식을 ~하다 quejarse de la comida.

타박(打撲) golpe *m*, contusión *f*. ~하다 golpear, dar un golpe.

타박상(打撲傷) morado *m*, moretón *m*, moradura *f*, magulladura *f*, magullamiento *m*, contusión *f*, chichón *m*. ~을 입다 tener una magulladura, hacerse una contusión. ~을 입히다 contusionar.

타봉(打棒) ((야구)) bateo *m*.

타분하다 [생선·고기 등이] no estar fresco, estar pasado. 타분한 생선 pescado *m* pasado. ② ((준말)) =고리타분하다.

타블로이드 ① =알약. ② ((준말)) =타블로이드 판. ¶ ~판 tabloide *m*.

타산(打算) cálculo *m*, interés *m* (personal), egoísmo *m*. ~하다 calcular, considerar interés. ~적 calculador, interesado, metalizado.

타산지석(打算之石) buena lección *f*, lección *f* excelente. ~이 되다 utilizar [sacar fruto de] experiencia.

타살(他殺) asesinato *m*, homicidio *m*. ~하다 asesinar, matar a otros.

타살(打殺) matanza *f* a golpes. ~하다 matar a golpes. ~되다 ser matado a golpes.

타석(打席) ① [배터 박스] área *f* [cuadro *m*] del bateador. ~에 들어가다 ser bateador. ② ((준말)) =타석수. ¶ ~수 número *m* del cuadro del bateador.

타선(打線) ((야구)) alineación *f* de bateo.

타성(惰性) inercia *f*, fuerza *f* de hábito; [습관] hábito *m*. ~으로 나아가다 [자동차 등이] avanzar por la fuerza de la inercia. ¶ ~적 inercial.

타수(打手) =타자(打者)(bateador).

타수(打數) ((준말)) =타격수(打擊數).

타수(舵手) timonero *m*, timonel *m*.

타악기(打樂器) ((악기)) instrumento *m* de percusión.

타액(唾液) saliva *f*; [가래] esputo *m*. ~ 분비 babeo *m*, salivación *f*. ~선 glándulas *fpl* salivales.

타오르다 [불이] (empezar a) arder, estallar en llamas. ② [마음이] arder. 타오르는 정열 pasión *f* ardiente.

타워 [탑: 누대] torre *f*. 남산 ~ la Torre de *Namsan*.

타원(楕圓) ((수학)) elipse *f*. ~ 궤도 órbito *m* elipsoidal. ~ 운동 moción *f* elipsoidal. ~체 figura *f* oval; ((수학)) elipsoide *f*(*m*). ~형 óvalo *m*, oblongo *m*, cilindro *m*, elipse *f*, elipticidad *f*.

타월 toalla *f*, *AmL* enjugamanos *m*..

타율(他律) ((윤리)) heteronomia *f*. ~적인 heterónomo.

타의(他意) ① [다른 생각] otra intención *f*. ② [다른 사람의 뜻] intención *f* del otro.

타이 ① [끈: 줄] lazo *m*. ② ((준말)) =넥타이(corbata). ③ ((음악)) =붙임줄. ④ ((준말)) =타이 스코어. ¶ ~ 스코어 empate *m*.

타이르다 [훈계하다] amonestar, reprender; [충고하다] aconsejar; [훈시하다] dar instrucciones; [설득하다] persuadir, convencer; [단념하도록] aconsejar*le* estudiar. 공부하라고 ~ aconsejar*le* estudiar.

타이머 ① [경기 등에서, 시간을 재는 사람] cronometrador *m*. ② =타임 스위치. ③ [오븐이나 비디오 등의 셀프 타이머] reloj *m* (automático). ④ [폭탄의] temporizador *m*.

타이밍 elección *f* de tiempo. ~에 알맞게 a tiempo, oportunamente, en el momento propicio.

타이어 neumático *m*, *AmL* llanta *f*, *RPl* goma *f*; [튜브를 포함하지 않은] cubierta *f*; [차바퀴] rueda *f*. ~가 빵꾸나다 reventar el neumático.

타이트 스커트 falda *f* ajustada, falda *f* ceñida.

타이틀 ① [선수권] título *m*, campeonato *m*. ~을 방어하다 defender su título (de campeonato). ~을 보유하다 ser campeón, tener un título. ② [책·영화의 표제] título *m*. ~을 붙이다 titular, intitular. ③ [자막] subtítulo *m*. ④ [헤드라인] titular *m*, cabecera *f*. ¶ ~ 매치 combate *m* por el título. ~ 보유자 campeón, -ona *mf*; titular *mf*.

타이프 ① [활자] tipo *m*. ② ((준말)) =타이프라이터.

타이프라이터 máquina *f* de escribir.

타이피스트 mecanógrafo, -fa *mf*.

타인(他人) otro, -tra *mf*; ajeno, -na *mf*; [모르는 사람] extraño, -ña *mf*;

[낯선 사람] forastero, -ra *mf*, extranjero, -ra *mf*; desconocido, -da *mf*; [집합적] los demás, las demás.

타일 [바닥용] baldosa *f*, losa *f*; [벽용] azulejo *m*. ~을 깔다 [바닥에] embaldosar. ~을 붙이다 [벽에] alicatar, revestir de azulejos, azulejar.

타임 ① [때] tiempo *m*; [시간] hora *f*; [시대] época *f*. ② [운동 경기의, 소요 시간] tiempo *m*. ~을 재다 cronometrar, calcular tiempo, medir tiempo. ③ [운동 경기에서, 경기의 일시 중지. 또, 심판에 의한 그 명령] tiempo *m*, descansos *mpl*. ¶~ 레코드 registro *m* del tiempo. ~ 리코더 reloj *m* registrador, registrador *m* (horario), reloj *m* de control de asistencia. ~ 머신 máquina *f* (de transporte a través) del tiempo. ~아웃 tiempo *m* (muerto). ~ 캡슐 cápsula *f* del tiempo. ~ 테이블 horario *m*.

타입 ① [형. 양식. 유형] tipo *m*, estilo *m*. ② =전형(典型).

타자(打字) mecanografía *f*, dactilografía *f*. ~하다 mecanografiar. ~를 치다 escribir a máquina, mecanografiar. ¶~기 máquina *f* de escribir. ~수 mecanógrafo, -fa *mf*, dactilógrafo, -fa *mf*.

타자(打者) bateador, -dora *mf*.

타작(打作) [마당질] desgranamiento *m*, desgrane *m*, trilla *f*, trilladura *f*; [추수] cosecha *f*, agosto *m*. ~하다 desgranar, trillar [apalear] grano. ¶~기 máquina *f* para trillar, trillador *m*, trilladora *f*.

타전(打電) telegrafiar. ~하다 enviar [mandar] un telegrama, telegrafiar; [무전으로] dar un mensaje por radio; [해저 전선으로] cablegrafiar.

타점(打點) ① [붓으로 점을 찍음] acción *f* de puntuar. ② [마음 속으로 지정함] señalamiento *m* en *su* corazón.

타점(打點) ((야구)) número *m* de bateos eficaces.

타조(駝鳥) ((조류)) avestruz *m*.

타종(打鐘) campanada *f*, toque *m* de campana. ~하다 tocar la campana, tocar el gong.

타지다 descoserse. 타진 자리 descosido *m*, descosedura *f*. 옷의 타진 자리를 꿰매다 coser la parte descosida de un traje.

타진(打診) ① ((의학)) percusión *f*. ~하다 percutir el pecho, golpear el pecho, percutir, auscultar, sondar, hacer una puntura con un absceso. ② [남의 의사를 떠봄] sondeo *m*, tanteo *m*. ~하다 son-

dear, tantear.

타처(他處) otro lugar *m* [sitio *m*].

타천(他薦) recomendación *f* del otro. ~하다 recomendar (el otro).

타파(打破) rompimiento *m*, destrozo *m*, destrucción *f*. ~하다 romper, destrozar, destruir.

타합(打合) plan *m* preliminar, arreglo *m* preliminar, preparativos *mpl*. ~하다 arreglar, fijar, ordenar, organizar, hacer preparativos.

타향(他鄕) tierra *f* extranjera, otra tierra *f*, región *f* extraña, tierra *f* foránea, otra parte *f*. ~살이 vida *f* (en la tierra) extranjera.

타협(妥協) acuerdo *m* mutuo, arreglo *m*, compromiso *m*, acomodamiento *m*, transacción *f*, concesión *f* mutua, conciliación *f*. ~하다 arreglarse, acomodarse, transigir, hacer concesiones, conciliarse, reconciliarse. ~안 idea *f* conciliadora, modus vivendi. ~자 conciliador, -dora *mf*. ~적 conciliador, conciliante, conciliatorio, conciliativo. ~점 punto *m* de acuerdo, condición *f* de acuerdo.

탁 ① [단단한 물건이 세게 부딪거나 터지는 소리] dando un portazo. ② [별안간 손바닥으로 치는 소리] dando una palmada. ~ 무릎을 치다 darse una palmada en la rodilla. ③ [마음이나 분위기 따위의] 죄어진 것이 갑자기 풀리거나 끊어지는 소리. 또, 그 모양] sin fuerzas. abatidamente. ④ [아무 막힘이 없거나 시원스러운 모양] ampliamente, extensamente, sin vacilación, panorámicamente. ~ 트인 시야 vista *f* panorámica.

탁견(卓見) idea *f* excelente, buena idea *f*, vista *f* excelente, opinión *f* ilustrada, opinión *f* clarividente, alto criterio *m*, previsión *f*.

탁구(卓球) tenis *m* de mesa, pingpong *m*, pimpón *m*. ~를 치다 jugar al tenis de mesa, jugar al ping-pong. ¶~공 pelota *f* de ping-pong. ~대 mesa *f* de pingpong. ~ 라켓 raqueta *f* [pala *f*] de ping-pong.

탁론(卓論) argumento *m* sublime, alto criterio *m*, opinión *f* clarividente. ~을 펴다 expresarse con buen criterio.

탁류(濁流) torrente *m* cenagoso [cienoso·fangoso], corriente *f* enturbiada, río *m* turbio.

탁발승(托鉢僧) ((불교)) bonzo *m* andante, bonzo *m* mendicante.

탁본(拓本) calco *m*. ~하다 calcar.

탁상(卓上) sobremesa *f*; [부사적] sobre la mesa, sobre un bufete. ~공론 teoría *f* imaginaria, teoría *f* irrealizable, teoría *f* de bufete, discusión f abstracta, discusión f puramente académica, estrategia f de salón. ~공론가 teórico, -ca m f de butaca. ~시계 reloj m de mesa, reloj m de sobremesa. ~용 컴퓨터 ordenador m [AmL computador m · AmL computadora f] de escritorio. ~ 전등 lámpara f de escritorio. ~ 전화 teléfono m de (sobre)mesa.

탁설(卓說) opinión f excelente, vista f distinguida, vista f excelente.

탁성(濁聲) voz f ronca, voz f áspera.

탁송(託送) consignación f, envío m, remesa f. ~하다 consignar, enviar, mandar. ~ 수하물 mercancías fpl (para ser) enviadas. ~품 propiedad f consignada, objetos mpl consignados.

탁아 교육(託兒敎育) educación f [enseñanza f] pre-escolar.

탁아소(託兒所) jardín f infantil, pre-escolar m, parvulario m, AmL kindergarden m, RPI jardín m de infantes.

탁월하다(卓越-) destacarse, descollar, sobresalir, aventajar(se), sobrepujar, superar, exceder, (ser) prominente, preeminente, sobresaliente, eminente, excelente, distinguido, superior.

탁음(濁音) consonante m sonoro [sonora], sonido m impuro [sonoro].

탁자(卓子) mesa f. 둥근 ~ mesa f redonda. ~ 위에 놓다 poner en la mesa. ~에 둘러앉다 sentarse alrededor de la mesa.

탁주(濁酒) licor m no refinado.

탁탁하다 ① [옷감 같은 것의 바탕이] (ser) tupido, espeso (y fuerte). ② [살림 같은 것이] (ser) abundante.

탁하다(濁-) (ser) cenagoso, sucio, enturbiado, turbio, impuro, contaminado, nublado, nuboso. 탁한 공기 aire m contaminado [impura]. 탁한 물 el agua f impura [contaminada · cenagosa].

탄(炭) ① [(준말)] =석탄. ② [(준말)] =연탄. 구멍탄. ③ [(준말)] =탄소. ④ [=숯. 목탄. ⑤ =숯불. ⑥ =재(ceniza).

탄강(誕降) nacimiento m (del rey o del santo). ~하다 nacer.

탄갱(炭坑) mina f hullera, mina f de carbón; [갱도] galería f; [종갱] pozo m. ~부 minero m hullero, minero m de carbón, obrero m de mina de carbón.

탄광(炭鑛) mina f de carbón, carbonera f.

탄금(彈琴) toque m de gayagum [gomungo]. ~하다 tocar el gayagum [el gomungo].

탄내(炭-) olor m a quemado, olor m a chamuscado.

탄내(炭-) ① [연탄이나 숯이 탈 때에 나는 독한 냄새] olor m a carbón. ② ((속어)) =일산화탄소.

탄닌(화학) tanino m. ~을 함유한 tánico. ~산 ácido m tánico.

탄대(彈帶) tahalí m =탄띠❶.

탄도(彈道) trayectoria f, paso m de proyectiles. ~ 미사일[유도탄] misil m [proyectil m] balístico. ~학 balística f.

탄두(彈頭) cabeza f, ovija f. 미사일 ~ cabeza f de misil. 핵(核)~ cabeza f [ovija f] nuclear.

탄띠(彈-) ① [(군사)] =탄창. ② [기관총탄을 낀 긴 띠] cartuchera f.

탄력(彈力) elasticidad f, flexibilidad f. ~ 있는 elástico, flexible. ~이 없는 inflexible, sin elasticidad, falto de elasticidad.

탄로(綻露) descubrimiento m, revelación f. ~하다 descubrir, revelar, publicar. ~나다 descubrirse, revelarse.

탄막(彈幕) cortina f [barrera f] de fuego.

탄미(歎美) admiración f, adoración f, apreciación f. ~하다 admirar, adorar, apreciar

탄복(歎服) gran admiración f. ~하다 admirar. ~할만한 admirable, estimable.

탄산(炭酸) ácido m carbónico. ~가스 gas m carbónico. ~수 (el agua f) gaseosa f. ~염 carbonato m. ~칼슘 carbonato m cálcico.

탄생(誕生) nacimiento m, natividad f, [어린아이의 분만] parto m. ~하다 nacer, venir al mundo. ~일 (día m de su) cumpleaños m, día m natal, natal m. ~지 lugar m de nacimiento, tierra f nativa, suelo m nativo.

탄성(彈性) ((물리)) elasticidad f. ~계 elastómetro m, elasticimetría f. ~ 계수 coeficiente m de elasticidad. ~ 고무 goma f elástica. ~ 공학 ingeniería f de elasticidad. ~력 fuerza f elástica. ~률 módulo m de elasticidad.

탄성(歎聲) ① [탄식하는 소리] suspiro m, gemido m, quejido m. ② [감탄하는 소리] admiración f, exclamación f.

탄소(炭素) ((화학)) carbono m. ~강 acero m de carbono. ~ 동화 작용 asimilación f clorofílica de gas carbónico; [광합성] fotosíntesis f. ~ 봉 carboncillo m, (barra f de) carbón m. ~선 hebra f de carbono.

탄수(炭水) ① [석탄과 물] carbón y agua. ② [탄소와 수소] carbono e hidrógeno. ~차 ténder m. ~화물

hidrato *m* de carbono, glúcido *m*, carbohidrato *m*.

탄식(歎息) suspiro *m* (profundo), lamentación *f*. ~하다 suspirar, lanzar [dar·exhalar] un suspiro, lamentarse, suspirar profundamente, dolerse, afligirse.

탄신(誕辰) nacimiento *m* (real). ~기념일 aniversario *m* del nacimiento.

탄알(彈-) bala *f* de metal.

탄압(彈壓) opresión *f*, represión *f*, supresión *f*. ~하다 oprimir, reprimir, suprimir, derribar con una mano violenta de opresión.

탄약(彈藥) municiones *fpl*. ~고 almacén *m* de pólvora, polvorín *m*. ~대 cartuchera *f*, canana *f*; [기관총의] banda *f* (de ametralladora). ~상자 cajón *m*. ~제조소 fábrica *f* de munición. ~차 carro *m* para munición, carretón *m* [carro *m*·carreta *f*] para pólvora. ~창 depósito *m* de munición, parque *m* de munición. ~통 cartucho *m*. ~함 bolsa *f* de munición.

탄원(歎願) solicitud *f*; [간원] petición *f*, [애원] súplica *f*, ruego *m*. ~하다 solicitar, suplicar, rogar, implorar, pedir. ~서 solicitud *f*, petición *f* escrita, instancia *f*. ~자 solicitante *mf*.

탄일(誕日) =탄신(誕辰)(nacimiento).

탄저(炭疽) =탄저병(炭疽病). ¶ ~균 bacilo *m* de antranosis. ~병 antranosis *f*, antracosis *f*, ántrax *m*, carbunclo *m*, carbunco *m*.

탄전(炭田) zona *f* hullera, mina *f* de carbón, yacimientos *mpl* carboníferos, yacimientos *mpl* de carbón, terreno *m* carbonífero.

탄젠트 ((수학)) tangente *f*.

탄질(炭質) cualidad *f* de carbón.

탄착 거리(彈着距離) alcance *m* de proyectiles.

탄착점(彈着點) punto *m* de impacto.

탄창(彈倉) cartuchera *f*, canana *f*.

탄층(炭層) capa *f* carbonífera, yacimiento *m* hullero [de carbón].

탄탄 대로(坦坦大路) camino *m* real, carretera *f* ancha y llana.

탄탄하다(彈彈) (ser) sólido, fuerte, robusto, macizo.

탄탄하다(坦坦-) (ser) llano, igual, nivelado, allanado, poco accidentado.

탄피(彈皮) cartucho *m* vacío.

탄핵(彈劾) acusación *f*. ~하다 acusar, someter a juicio. 대통령을 ~하다 someter a juicio al presidente. ¶ ~자 acusador, -dora *mf*; denunciador, -dora *mf*; delator, -tora *mf*. ~ 재판소 tribunal *m* de acusación.

탄화(炭化) carbonización *f*, carboneo

m. ~하다 carbonizarse.

탄환(彈丸) bala *f*, proyectil *m*; [포탄] obús *m*. ~열차 tren *m* bala.

탄흔(彈痕) huella *f* de una bala, señal *f* de proyectiles.

탈(가면) máscara *f*, careta *f*, mascarilla *f*. ~을 쓰다[벗다] ponerse [quitarse] la máscara.

탈(頉) ① [사고] accidente *m*, tropiezo *m*, dificultad *f*, impedimento *m*, obstáculo *m*. ② [병] enfermedad *f*. 몸에 ~이 나다 estar enfermo, caer enfermo. ③ [트집이나 핑계] excusa *f*, pretexto *m*; [흠] defecto *m*, falta *f*, culpa *f*. 아무 ~없이 sin defecto físico, sin falta física.

탈것 vehículo *m*, coche *m*, carro *m*, autocar *m*, automóvil *m*; [마차] carruaje *m*; [가마] palanquín *m*.

탈격(奪格) (caso *m*) ablativo *m*.

탈고(脫稿) conclusión *f* de un borrador [de un libro·de una obra literaria]. ~하다 acabar de escribir (un libro), concluir una obra literaria, concluir un borrador.

탈곡(脫穀) trilla *f*, trilladura *f*, desgranamiento *m*, desgrane *f*. ~하다 trillar, desgranar, desgranzar. ~기 trilladora *f*, trilladora *f* a pie, pilador *m*, desgranadora *f*; [동력] máquina *f* de trillar a fuerza motriz.

탈나다(頉-) ① [일에 고장이 생기다] estropearse, averiarse, *AmL* descomponerse; [시스템이] fallar, venirse abajo, no funcionar. ② [몸에 이상이 생기다] estar enfermo, caer enfermo.

탈내다(頉-) estropear, hacer no funcionar, *AmL* descomponer.

탈당(脫黨) abandono *m* (de un partido), deserción *f* (de un partido), retiro *m* del partido. ~하다 abandonar *su* partido, desertar de *su* partido, dejar un partido. ~계[성명서] declaración *f* de *su* secesión del partido. ~신고서 notificación *f* de la defección, notificación *f* del retiro del partido.

탈락(脫落) ① [빠져 버림] exclusión *f*. ~하다 excluir. ~되다 ser excluido. ② [동행자들을 따라가지 못하게 됨] deserción *f*. ~하다 quedarse atrás, rezagarse; [뒤떨어져 나가다] desertar. ③ [문장·말 등의] omisión *f*, laguna *f*. ~하다 omitir.

탈륨 ((화학)) talio *m*.

탈모(脫毛) caída *f* del pelo; [털의 제거] depilación *f*. ~하다 perder el pelo, quitar el pelo, quitar el vello; [몸의 털 따위를] depilar; [피혁의 제조를 위해] depilar el cuero. ~제 depilatorio *m*. ~증 alopecia *f*.

탈모(脫帽) acción *f* de quitarse el

sombrero. ~하다 quitarse el sombrero, descubrirse; [인사로] descubrirse, saludar quitándose el sombrero. ~! ((구령)) ¡Quítense el sombrero! / ¡Descúbranse!

탈무드 Talmud *m.* ~의 talmúdico.

탈바가지 ① [바가지로 만든 탈] máscara *f* (hecha) de calabaza. ② ((속어))=탈. ③ ((속어))=철모.

탈바꿈 (동물))=변태(變態).

탈법(脫法) ilegalidad *f*, ilegitimidad *f*. ~ 행위 evativa *f* [evasión *f*] de la ley, acto *m* [obra *f*] fuera de la ley, hecho *m* [acción *f*] ilegal.

탈산(脫酸) desoxidación *f.* ~하다 desoxigenar, desoxidar.

탈상(脫喪) expiración *f* del período de luto. ~하다 quitarse el luto.

탈색(脫色) decoloración *f*, descoloración *f*, descoloramiento *m.* ~하다 descolorear, descolorirse. ~제 decolorante *m*, descolorante *m.*

탈선(脫線) ① [기차·전차 등이 선로를 벗어남] descarrilamiento *m.* ~하다 descarrilar. ② [행동의] desvío *m*; [말의] digresión *f.* ~하다 desviarse. ~ 행위 actitud *f* de desvío.

탈세(脫稅) evasión *f* fiscal, evasión *f* del contribución, evasión *f* de impuestos. ~하다 evadir [eludir] un impuesto, evadir de la contribución.

탈속(脫俗) abandono *m* del mundo. ~하다 abandonar el mundo, despojarse de la idea del mundo.

탈수(脫水) [세탁물의] escurrido *m*; ((화학)) deshidratación *f.* ~하다 escurrir; deshidratar. ~되다 deshidratarse. ~기 escurridor *m*, máquina *f* de escurrir; deshidratador *m.* ~제 agente *m* deshidratante, desicante *m.* ~증 hidropenia *f*, oligohidria *f.*

탈싹 haciendo plaf al caer. ~거리다 seguir haciendo plaf al caer.

탈없다(頃-) no estar enfermo, no caer enfermo.

탈영(脫營) ((군사)) deserción *f* del cuartel. ~하다 desertar (del cuartel). ~병 desertor, -tora *mf.*

탈옥(脫獄) escape *m* [fuga *f*·evasión *f*·huida *f*·forzamiento *m*] de la cárcel. ~하다 escapar [evadir·fugarse·huir] de la cárcel, forzar la cárcel, romper la cárcel. ~수 fugitivo, -va *mf*; infractor, -tora *mf* de la cárcel.

탈의(脫衣) acción *f* de quitarse la ropa. ~하다 quitarse la ropa, desnudarse. ~실 vestuario *m*; [해수욕장 등의] caseta *f*, cabina *f* (de playa); [극장의] camarino *m*; [집의] vestidor *m.*

탈자(脫字) palabra *f* saltada, omisión

---

f de palabra, palabra *f* suprimida; [문자] carácter *m* de imprenta saltado.

탈잡다(頃-) echarle la culpa (a), culpar.

탈잡히다(頃-) (ser) culpado, echado la culpa.

탈장(脫腸) hernia *f*, quebradura *f.* ~이 되다 herniarse, sufrir de una hernia. ¶ ~대 braguero *m*, vendaje *m* de hernia, apretadero *m.* ~ 수술 herniotomía *f.*

탈저(脫疽) ① =회저(壞疽). ② =탈저정. ¶ ~정 (의학) esfacelo *m.*

탈적(脫籍) cancelación *f* de *su* nombre en el registro. ☞제적(除籍)

탈주(脫走) deserción *f*, fuga *f*, huida *f.* ~하다 evadirse. ~병 desertor *m.* ~자 fugitivo, -va *mf.*

탈지(脫脂) extracción *f* de la grasa. ~하다 extraer [sacar] la grasa. ~면 algodón *m* hidrófilo, algodón *m* absorbente, absorbente *m* higiénico. ~ 분유 leche *f* en polvo descremada [desnatada]. ~유 leche *f* descremada, leche *f* desnatada.

탈진(脫盡) exhaución *f.* ~하다 estar exhausto.

탈출(脫出) fuga *f*, evasión *f*, huida *f*, escape *m*; [안주할 장소를 찾기 위해] éxodo *m.* ~하다 huir, fugarse, evadirse, escaparse.

탈춤 mascarada *f*, baile *m* de máscaras, baile *m* de disfraces.

탈취(脫臭) desodorización *f.* ~하다 desodorizar, quitar*le* el olor. ~제 desodorante *m.*

탈취(奪取) captura *f*, arrancadura *f*, toma *f*, arrebatamiento *m*, apoderamiento *m.* ~하다 coger por la fuerza, tomar, apoderarse, saquear, pillar.

탈퇴(脫退) retirada *f*, retiro *m*, secesión *f*, abandono *m*, dimisión *f.* ~하다 retirarse, separarse, abandonar, dejar, dimitir, alejarse, salirse.

탈피(脫皮) ① ((동물)) muda *f.* ~하다 mudar. ② [낡은 사고 방식에서 벗어나 진보함] desarrollo *m* de la manera de pensamiento anticuada.

탈항(脫肛) ((의학)) prolapso *m* de(l) ano, proctocele *m.* ~하다 sufrir del prolapso del ano.

탈환(奪還) recobro *m*, recuperación *f*, represa *f.* ~하다 recobrar, recuperar, volver a tomar, represar.

탈회(脫會) salida *f*, retirada *f* (de una sociedad · una asociación), retiro *m* de una sociedad, defección *f.* ~하다 retirarse de una asociación, separarse de una asociación, salir, desertar, separarse, dejar, retirarse.

탐관(貪官) funcionario *m* codicioso [corrupto]. ~오리 funcionario *m* codicioso [corrupto] y libertino.

탐구(探究) búsqueda *f*; [연구] investigación *f*, estudio *m*. ~하다 buscar, investigar, estudiar. 진리 ~ búsqueda *f* [persecución *f*] de la verdad. ¶~자 investigador, -dora *mf*; estudioso, -sa *mf*.

탐나다(貪-) desear, querer, apetecer. 탐나는 여자 mujer *f* deseable.

탐내다(貪-) codiciar, desear, querer, ser insaciable, anhelar, apetecer.

탐닉(耽溺) indulgencia *f*, dedicación *f*, encenagamiento *m* en un vicio; [방탕] disipación *f*. ~하다 abandonarse, entregarse (a un vicio), encenagarse en la corrupción.

탐독(耽讀) lectura *f* ferviente. ~하다 sumergirse [abismarse·hundirse] en la lectura, darse con exceso a la lectura, entregarse a la lectura.

탐문(探問) investigación *f* indirecta. ~하다 inquirir [averiguar·examinar] indirectamente.

탐문(探聞) obtención *f* de información (por averiguaciones). ~하다 obtener las informaciones (por averiguaciones), aprender, oír.

탐미(耽美) amor *m* de belleza. ~적 estético. ~주의 estetismo *m*, esteticismo *m*. ~주의자 esteta *mf*, estetista *mf*.

탐방(探訪) averiguación *f*, indagación *f*, pesquisa *f*. ~하다 hacer un reportaje, indagar, pesquisar. ~기 reportaje *m*. ~자 기자 reportero, -ra *mf*; gacetillero, -ra *mf*.

탐사(探査) exploración *f*, investigación *f*, indagación *f*, examinación *f*. ~하다 explorar, investigar, indagar, examinar.

탐색(探索) búsqueda *f*, encuesta *f*, investigación *f*, averiguación *f*, rebusca *f*, pesquisa *f*. ~하다 buscar, investigar, averiguar, pesquisar; [비밀 따위를] sondear, tantear, sonsacar; [캐고 들다] escudriñar, rebuscar. ~자 investigador, -dora *mf*.

탐스럽다 (ser) encantador, precioso, deseable, gustoso, apetitoso, atractivo, cariñoso, hermoso, bonito.

탐식(貪食) glotonería *f*, voracidad *f*. ~하다 comer vorazmente.

탐심(貪心) avaricia *f*, codicia *f*.

탐욕(貪慾) avaricia *f*, codicia *f*. ~가 codicioso, -sa *mf*.

탐정(探偵) servicio *m* detectivesco, averiguación *f* secreta, pesquisas *fpl*, investigaciones *fpl*; [사람] (agente *mf* de) policía *m* político; detective *mf*. ~하다 espiar, investigar secretamente, averiguar secretamente, indagar, rebuscar. 비밀 ~ detective *m* secreto. 사설 ~

detective *m* privado. ¶~가[꾼] detective *mf*. ~ 소설 novela *f* policíaca.

탐조(探照) brillantez *f* de un reflector. ~하다 brillar un reflector. ~등 proyector *m*, reflector *m*.

탐지(探知) detección *f*, averiguación *f*, indagación *f*, descubrimiento *m*. ~하다 averiguar, detectar, indagar, descubrir, atisbar, ventear. ~기 detector *m*. 전파 ~기 radar *m*.

탐탁하다 (ser) satisfactorio, fidedigno, fiable, confiable, responsable, de confianza.

탐하다(貪-) codiciar, avariciar.

탐험(探險) exploración *f*, expedición *f*. ~하다 explorar, hacer una expedición. ~가 explorador, -dora *mf*. ~대 cuerpo *m* expedicionario, equipo *m* de exploradores, expedición *f*, exploradores *mpl*. ~대장 jefe, -fa *mf* [líder *mf*] de expedición.

탑(塔) torre *f*; [불교 사원의] pagoda *f*; [회교 사원의] alminar *m*, minarete *m*; [교회의 종탑] campanario *m*; [기념탑] columna *f*, monumento *m*; [다리·문·가로 등의 양쪽에 세운 탑] pilón *m*; [교회의 첨탑] chapitel *m*, aguja *f*. ~에 오르다 subir a una torre.

탑삭부리 hombre *m* con [de] barba.

탑승(搭乘) embarque *m*. ~하다 embarcar(se), subir a bordo, [Méj] abordar. ~객[자] pasajero, -ra *mf*. ~구 puerta *f* de embarque. ~권 tarjeta *f* de embarque. ~석 asiento *m*,; [비행기·우주선의 조종석] cabina *f* de mando; [경주용 자동차의] cabina *f*. ~원 tripulante *mf*; [집합적] tripulaión *f*, personal *m* de abordo.

탑재(搭載) cargamento *m*, embarque *m*. ~하다 cargar, embarcar. ~량 capacidad *f* de cargamento.

탓 ① [잘못] culpa *f*, responsabilidad *f*. …의 ~으로 돌리다 echar la(s) culpa(s) a *uno*, culpar a *uno*. 누구의 ~이냐? ¿Quién es el culpable? 네 ~이다 Es la culpa tuya / Tú tienes la culpa. ② [까닭] razón *f*, causa *f*, motivo *m*. …의 ~으로 por [a] causa de *algo*, con motivo de *algo*, debido a *algo*. 더위 ~으로 a causa del calor. 추위 ~으로 a causa del frío.

탕 ¡Pum! / ¡Bang!

탕(湯) ① ((높임말)) =국(sopa). ② [제사에 쓰는 건더기가 많고 국물이 적은 국] caldo *m* para el servicio religioso.

탕(湯) [목간이나 온천 등의 목욕하는 곳] baño *m* (público). 남~ (baño *m*) para hombres. 여~ (baño *m*) para mujeres.

탕감(蕩減) remisión *f* de la deuda. ~하다 remitir la deuda, pasar a cuentas incobrables.

탕수육(糖水肉) carne *f* de cerdo dulce y ácida.

탕심(蕩心) corazón *f* pródigo.

탕아(蕩兒) disipador, -dora *mf*; libertino, -na *mf*; disoluto, -ta *mf*; (hijo) pródigo *m*, (hija) pródiga *f*.

탕약(湯藥) decocción *f* medicinal, infusión *f*, tisana *f*, cocimiento *m*. ~을 달이다 poner en decocción medicinal. ~을 짜다 escurrir la decocción medicinal.

탕자(蕩子) =탕아(蕩兒).

탕진(蕩盡) dilapidación *f*, despilfarro *m*, derroche *m*. ~하다 [재산을] dilapidar; [돈을] despilfarrar, derrochar, malgastar, malbaratar, disipar, gastar mal, gastar con exceso, echar la casa por la ventana; [기회·시간을] desaprovechar, desperdiciar. 재산을 ~하다 malgastar *su* hacienda.

탕치(湯治) tratamiento *m* [curación *f*] termal. ~하다 hacer un tratamiento termal.

탕탕¹ [총포가 연해 터지거나 마룻바닥을 연방 치는 것과 같은 소리] con un estallido, dando un portatazo. ~거리다 seguir dando un portazo, seguir estallando.

탕탕² [실속 없는 장담을 함부로 하는 모양] con pura palabrería, con fanfarronada, con fanfarronería, con jactancia, con petulancia.

태¹ [새 쫓는 물건] azote *m*.

태² [질그릇·놋그릇의 깨진 금] rajadura *f*, raja *f*, grieta *f*, hendedura *f*, rendija *f*, rotura *f*, quebraja *f*. ~가다 [컵·유리가] rajarse.

태(胎) ((해부)) útero *m*, matriz *f*.

태(態) =맵시.

태고(太古) antigüedad *f* remota. ~의 muy antiguo, primitivo, de tiempos inmemoriales, de época muy remota; [유사 이전의] prehistórico. ~대 época *f* precambriana. ~사 historia *f* antigua. ~ 시대 Era *f* Arcaica.

태고종(太古宗) ((불교)) *Taegochong*, una secta del budismo.

태교(胎敎) educación *f* prenatal, puericultura *f* antes de nacer.

태국(泰國) ((지명)) Tailandia *f*. ~의 tailandés. ~어 tailandés *m*. ~인 tailandés, -desa *mf*.

태권(跆拳) *taekwon*, uno del arte militar tradicional de nuestro país.

태권도(跆拳道) taekwondo *m*. ~ 도 장 gimnasio *m* de Taekwondo. ~ 선수 taekwondoísta *mf*; taekwondoca *mf*; taekwondista *mf*.

태극(太極) ((철학)) *taeguk*; chino tai chi. ~권(拳) *taegukkwon*, chino

tai chi chuan.

태극기(太極旗) *taegukki*, bandera *f* nacional (de Corea).

태극선(太極扇) *taegukseon*, abanico *m* redondo de la forma de *taeguk*.

태기(胎氣) indicio *m* de embarazo. ~가 있다 tener el indicio de embarazo.

태깔(態-) ① [태와 빛깔] la figura y el color. ② [교만한 태도] actitud *f* arrogante [presuntuosa · altivo · vanidoso · altanero]. ¶ ~(이) 나다 tener buena figura, (ser) hermoso, bien modulado.

태껸 *taekyon*, arte *m* típico tradicional de Corea que pega patadas y echa la zancadilla.

태낭(胎囊) saco *m* embrionario.

태내(胎內) interior *m* de útero; [자궁] útero *m*, matriz *f*. ~의 아이 feto *m*.

태도(態度) actitud *f*, maneras *fpl*, ademán *m*, modo *m*, conducta *f*, comportamiento *m*. 그는 ~가 나쁘다 El es un mal educado / Su actitud es insolente.

태독(胎毒) sifilis *f* congénita.

태동(胎動) movimiento *m* fetal, primeras señales *fpl* de vida que da el feto.

태두(泰斗) ((준말)) =태산북두. ¶물리학의 ~ (gran) autoridad *f* en física.

태막(胎膜) membrana *f* embrionaria.

태만(怠慢) pereza *f*, holgazanería *f*, haraganería *f*, negligencia *f*, ociosidad *f*. ~하다 holgazanear, descuidar(se), desatender, (ser) perezoso, ocioso, holgazán, haragán.

태몽(胎夢) sueño *m* de concepción.

태반(太半) más de la mitad, casi la mitad; [대부분] mayoría *f*, mayor parte *f*, gran parte *f*.

태반(胎盤) placenta *f*. ~의 placentario. ~염 placentitis *f*. ~음 soplo *m* placentario.

태백성(太白星) Venus *m*.

태변(胎便) meconio *m*.

태부족하다(太不足-) estar en gran escasez [falta], tener una gran pobreza, tener una gran escasez, faltar mucho.

태산(泰山) ① [높고 큰 산] (gran) montaña *f* alta. ~ 같이 움직이지 않다 ser firme como una roca. ② [크고 많음] cosa *f* tremenda, abundancia *f*, muchísimas cosas *fpl*. 갈수록 ~이다 saltar de la sartén y dar en las brasas. 태산 명동에 서일 필(鼠一匹) ((속담)) Mucho ruido y pocas nueces. ¶~북두 autoridad *f*, lumbrera *f*, luminaria *f*, estrella *f*. ~준령 montañas *fpl* altas y escarpadas.

태생(胎生) ① [어떠한 땅에서 태어남]

nacimiento *m*, origen *m*. ~의 nacido, oriundo. ~이 미천한 de humilde cuna, de origen modesto, de origen humilde. ~이 좋은 de buena familia. ② ((생물)) vivipa-ridad *f*. ~의 embrionario, vivíparo. ¶ ~동물 vivíparos *mpl*. ~어 pez *m* vivíparo. ~학 embriología *f*.

태선(苔蘚) ((식물)) = 이끼.

태선(苔癬) ((의학)) salpullido *m* causado por el calor, líquenes *mpl*.

태세(態勢) posición *f*, postura *f*. ~가 붕괴되다 [몸의] perder el equili-brio. 방위 ~를 취하다 asumir una posición defensiva.

태실(胎室) sótano *f* de piedra para enterrar los úteros del palacio real.

태아(胎兒) feto *m*, embrión *m* (3개월까지), engendro *m*. ~의 fetal, embrionario. ~의 생육 embrioge-nia *f*. ¶ ~ 교육 educación *f* ante-natal.

태양(太陽) ① ((천문)) sol *m*. ~의 solar. ~이 빛난다 Hace sol / Brilla el sol. ② [언제나 나고 큰 물을 육성하며 희망을 주는 것] sol *m*. 민족의 ~ sol *m* del pueblo. ¶ ~계 ocular *m* solar. ~계 sistema *m* solar, sistema *m* planetario. ~ 관측 위성 observatorio *m* solar en órbita. ~광선 sol *m*, luz *f* del sol, rayo *m* de sol. ~년 año *m* tropical, año *m* solar. ~력(曆) calendario *m* solar. ~숭배 culto *m* del sol. ~신 Deidad *f* del sol; ((그리스 신화)) Helios *m*; ((로마 신화)) Apolo *m*. ~ 에너지 energía *f* solar. ~열 calor *m* del sol, calor *m* solar. ~의(儀) heliómetro *m*. ~ 전지 pila *f* de energía solar. ~ 흑점 mancha *f* solar, mácula *f* del sol.

태어나다 nacer, ver la luz (del día), venir al mundo. 다시 ~ renacer, volver a nacer. 태어날 때부터 몸이 허약하다 tener una complexión débil de nacimiento.

태업(怠業) sabotaje *m*, huelga *f*, paro *m* (del trabajo). ~하다 sa-botear.

태연하다(泰然-) (ser) tranquilo, se-reno, quieto, sosegado. 태연한 미소 sonrisa *f* imperturbable. 태연한 표정 facciones *fpl* impasibles.

태엽(胎葉) resorte *m*, muelle *m*. ~을 감다 dar cuerda. 시계의 ~을 감다 dar cuerda a un reloj.

태우다¹ ① [불에 타게 하다] quemar, incendiar, abrasar [consumir] con fuego. 쓰레기를 ~ quemar la basura. ② [지나치게 뜨거워 검어지게 하다] quemar. 밥을 ~ que-mar el arroz (cocido). ③ [햇볕 따위에 그을게 하다] quemar, cha-

muscar, tostar. 햇볕에 피부를 ~ quemar el cutis al sol. ④ [마음을 졸이어 가슴 속에 불붙는 듯하게 하다] molestar, atormentar, inco-modar, preocupar, inquietar, ago-nizar. ⑤ [농작물 따위를 바싹 마르게 하다] secar.

태우다² ① [탈것에 몸을 얹게 하다] tomar, llevar, recoger, levantar. 손님을 ~ tomar el pasajero. ② [몸을 붙이기 어려운 자리에 위태롭게 가게 하다] tirar adelante y atrás. 줄을 ~ tirar adelante y atrás de la cuerda. ③ [어름·눈을 걷거나 미끄러지게 하다] (hacer) desli-zar. 얼음을 ~ (hacer) deslizar por el hielo.

태우다³ ① [재산·월급·상 따위를 주다] dar, conceder. 월급을 ~ dar el sueldo mensual. ② [의무적으로나 동정적으로 갈라 주다] repartir, dividir. ③ [노름이나 내기에서 돈이나 물건을 지르다] apostar.

태음(太陰) luna *f*. ~의 lunar. ~년 año *m* lunar. ~력 calendario *m* lunar. ~표 tabla *f* lunar. ~학 se-lenografía *f*. ~ 학자 selenógrafo, -fa *mf*.

태자(太子) ((준말)) = 황태자(皇太子). ¶ ~비(妃) esposa *f* del príncipe heredero.

태조(太祖) primer rey *m* de una dinastía.

태중(胎中) preñez *f*, preñado *m*, estado *m* de la mujer encinta, estado *m* de la hembra preñada.

태질 ① [되게 메어치거나 넘어뜨리는 짓] paliza *f*, zurra *f*. ~하다 azotar, dar*le* una paliza. ② [개상에 볏단을 메어쳐서 곡식을 떠는 짓] trilla *f*. ~하다 trillar.

태질치다 tirar, lanzar (hacia abajo).

태초(太初) ① [천지가 개벽한 처음] comienzo *m* del mundo. ② ((성경)) principio *m*, comienzo *m* de todo. ~에 하나님이 천지를 창조하시니라 ((창세기 1:1)) En el principio creó Dios los cielos y la tierra / Al principio Dios creó el cielo y la tierra / En el comienzo de todo, Dios creó el cielo y la tierra.

태클 ① ((축구)) entrada *f* fuerte. ~하다 entrar*le*. ② ((럭비·미식 축구)) placaje *m*, bloqueo *m*. ~하다 placar, bloquear, *AmL* taclear.

태평(太平) tranquilidad *f*, paz *f*, quietud *f*. ~하다 (ser) pacífico, tranquilo, quieto. ~가 canción *f* de paz. ~ 성대 reinado *m* pacífico, reinado *m* de paz. ~ 성사 acon-tecimiento *m* feliz del reinado pacífico. ~ 세계 mundo *m* pacífi-co. ~ 연월 tiempo *m* pacífico y cómodo.

태평소(太平簫)((악기)) *taepyeongso*, uno de los instrumentos de viento de la música clásica coreana.

태평양(太平洋)((지명))(Océano *m*) Pacífico *m*. ~의 pacífico *m*. 압 alta presión *f* atmosférica del Pacífico. ~ 연안 costa *f* del Pacífico. ~ 조약 기구 Organización *f* del Tratado de la Area Pacífica.

태풍(颱風) tifón *m*. ~ 경보 alarma *f* del tifón. ~의 눈 ojo *m* del tifón. ~ 주의보 alerta *f* del tifón.

태형(笞刑) latigazo *m*, castigo *m* de azotes.

태환(兌換) conversión *f*. ~하다 convertir. ~권[지폐] billete *m* (de banco) convertible, moneda *f* de papel convertible.

태후(太后)((준말)) = 황태후(皇太后).

택배(宅配) servicio *m* a domicilio. ~편 transporte *m* del servicio a domicilio.

택시 taxi *m*. 빈 ~ taxi *m* libre; ((게시)) Libre. ~로 가다 ir en taxi. ~를 부르다 llamar un taxi. ~를 세우다 parar un taxi. ~를 잡다 coger [tomar] un taxi. ¶~ 기사 taxista *mf*; conductor, -tora *mf* de un taxi. ~ 미터기 taxímetro *m*. ~ 승강장 parada *f* [aparcamiento *m* · punto *m*] Chi, Col paradero *m* · Méj sitio *m*] de taxis. ~ 요금 tarifa *f* de taxi [los taxis].

택일(擇一) lo que selecciona uno entre [de] los dos [muchas cosas].

택일(擇日) selección *f* del día feliz. ~하다 seleccionar [escoger] el día feliz, fijar la fecha.

택지(宅地) terreno *m* para construcción de viviendas, terreno *m* para viviendas, terreno *m* de un edificio, solar *m* de una casa; [분양의] parcela *f* (para vivienda). ~ 조성 cimentación *f* de un terreno para construir viviendas.

택하다(擇一) escoger, elegir, seleccionar, preferir. 길일을 ~ fijar el día feliz.

탤런트 ① [재능. 수완] talento *m*, aptitud *f* notable, aptitudes *fpl*, don *m*, capacidad *f*. ② [재인. 인재] gente *f* con talento, gente *f* capaz, hombre *m* de mucho talento, persona *f* de talento [de valor], talento *m*. ③ [라디오 · 텔레비전의 예능 프로에 나오는 배우 등의 예능인] talento *m*.

탬버린 ((악기)) [대형의] pandereta *f*, pandero *m*; [소형의] panderete *m*.

탭댄서 bailarín, -rina *mf* de zapateado [de claqué · Méj de tap · CoS de zapateo americano].

탭댄스 claqué *m*, zapateo *m*, zapateado *m*, Méj tap ing.*m*, CoS zapateo *m* americano. ~를 추다 zapa-

tear, bailar cliqué [Méj tap], CoS hacer zapateo americano.

탯줄(胎-) cordón *m* umbilical.

탱고 tango ~. ~를 추다 bailar el tango, danzar el tango, tanguear.

탱자 mandarina *f* silvestre.

탱자나무 mandarino *m* silvestre.

탱커 [유조선] buque *m* [navío *m* · barco *m*] cisterna, (buque *m*) tanque *m*, (barco *m*) tanque *m*, (barco *m*) petrolero *m*, buque *m* petrolero.

탱크 ① [통] depósito *m*, tanque *m*, aljibe *m*; [트럭 · 철도 화차의] cisterna *f*. ② [전차] tanque *m* (blindado), carro *m* de combate.

탱탱하다 [옷 · 근육이] tensarse; [피부가] ponerse tirante; [신경이] ponerse tenso. 탱탱한 [옷 · 철사 · 돛이] (ser) tenso, tirante; [살갗이] tirante; [몸 · 허벅다리가] de carnes prietas [apretadas].

탱화(幀畫) pintura *f* de Buda para colgar en la pared.

터 ① [건축 · 토목 공사를 할 · 했던 자리] solar *m*, terreno *m*, lugar *m*, sitio *m*, obra *f*. ~를 돋우다 construir la tierra para la obra. ② [일이 이루어진 밑자리] fundación *f*.

터널 [굴] túnel *m*; [광산의] galería *f*, socavón *m*. ~을 뚫다 perforar un túnel.

터놓다 ① [막은 물건을 치워 놓다] quitar, sacar. ② [벗할 만한 자리에 서로 무간하게 지내다] relajar, aflojar, relevar, abrir. 터놓고 sin reserva, sin excepción, enteramente, francamente. (마음을) 터놓고 이야기하다 hablar con tono amigable, hablar abriendo el corazón, hablar con el corazón en la mano.

터덜거리다 ① [몹시 느른하여 걸음을 무겁게 힘없이 걷다] andar [caminar] cansinamente, caminar con dificultad, caminar lenta y pesadamente. ② [깨어진 질그릇 따위를 두드려 연해 흐린 소리가 나다] tintinear sordamente.

터덜터덜 ① [걸음을] caminando cansinamente. ② [소리 나는 모양] haciendo ruido.

터득(擴得) entendimiento *m*, comprensión *f*. ~하다 entender, comprender, dominar el arte.

터뜨리다 echarse a + *inf*, ponerse a + *inf*; romper a + *inf*; [풍선 따위를] reventar; [폭탄을] estallar. 눈물을 ~ deshacerse en lágrimas, prorrumpir en llanto. 울음을 ~ echarse a llorar, ponerse a llorar, romper a llorar. 웃음을 ~ prorrumpir en una risa, no poder contener la risa. 폭탄을 ~ estallar la bomba. 풍선을 ~ reventar el globo.

터무니 base *f*, fundación *f*, fuente *f*. ~없다 (ser) absurdo, extravagante, extraordinario, exagerado, excesivo, increíble. ~없는 가격 precio *m* fabuloso, precio *m* exorbitante. ~없이 sin razón, absurdamente, extraorianariamente, excesivamente, extremamente, desmesuradamente. ~ 비싸다 ser increíblemente caro.

터미널 ① [철도·버스 따위의] terminal *f*, terminal *m* Chi. 버스 ~ terminal de autubuses. ② [공항의] terminal *f*. ③ ((물리)) [단자] terminal *m*, polo *m*. ④ ((컴퓨터)) [단말기] terminal *m*.

터벅거리다 caminar [andar] cansinamente [con dificultad·lenta y pesadamente]

터벅터벅 fatigadamente, con aire afligido, con aire de cansancio, cabizbajo. ~ 걷다 andar fatigadamente, andar con aire afligido, andar con aire de cansancio, andar cabizbajo.

터번 turbante *m*.

터부 tabú *m*.

터부룩하다 (ser) barboso.

터빈 turbina *f*. 가스 ~ turbina *f* de gas. 수력 ~ turbina *f* hidráulica. 증기 ~ turbina *f* de vapor.

터울 distancia *f* de edad.

터울거리다 esforzarse [hacer esfuerzo] por lograr *su* objeto.

터전 terreno *m*, solar *m*.

터주다 abrir, permitir. 길을 ~ abrir el camino.

터지다 ① [싸움이나 사건 같은 것이 갑자기 벌어지다] estallar, ocurrir de repente. 전쟁이 ~ estallar la guerra. ② [풍선·타이어가] pincharse, reventarse; [파이프가] reventar, romperse; [불꽃·폭탄이] estallar, explotar; [댐이] romperse; [입술 등이] 갈라지다] agrietarse, partirse, rajarse, *RPl* paspar; [찢어지다] desgarrar. 터진 입술 labios *mpl* agrietados [partidos]. ③ [숨은 일이 갑자기 드러나다] ocurrir de repente. ④ ((속어)) =얻어맞다. 매맞다. ⑤ [웃음 따위가] prorrumpir. 웃음이 ~ reventarse de risa, prorrumpir en una risa, no poder contener la risa. ⑥ [코피 따위가] salir de repente. 코피가 ~ salir la sangre por las narices. ⑦ [가죽이나 겉이] tener una raja, *Arg*, *Chi* tener un tajo. ⑧ [쌓였던 감정 따위가 한꺼번에 쏟아져 나오다] echarse a + *inf*, ponerse a + *inf*, romper a + *inf*. 울음이 ~ echarse a llorar, ponerse a llorar, romper a llorar.

터키 ((지명)) Turquía *f*. ~의 turco. ~석 turquesa *f*. ~어 turco *m*,

otomano *m*. ~인 turco, -ca *mf*.

턱[1] ((해부)) mandíbula *f*, quijada *f*, barba *f*, quijada *f* [동물의] quijada *f*; [낚시 바늘 따위의] púa *f*. 아래~ maxilar *m* inferior, mandíbula *f* inferior, barbilla *f*, mentón *m*. 위~ maxilar *m* superior, mandíbula *f* superior. 이중 ~ papada *f*, doble barba *f*. 주걱 ~ barbilla *f* saliente, barbilla *f* prominente, quijadas *fpl* de farol.

턱[2] [평평한 곳에 갑자기 조금 높이 된 자리] subida *f*, sitio *m* [lugar *m*] en declive [que va subiendo], sitio *m* [lugar *m*] elevado.

턱[3] [좋은 일이 있을 때 남에게 베푸는 음식 대접] trato *m*, tratamiento *m*, fiesta *f*, buena comida *f*. 한 ~을 내다 dar una fiesta, dar un banquete.

턱[4] [관계된 까닭] razón *f*. 그럴 ~이 없다 No hay razón para eso / Es desrazonable. ② [그만한 정도] norma *f*, grado *m*.

턱[5] ① [무슨 동작을 의젓한 태도로 하는 모양] a *sus* anchas. 소파에 ~ 버티고 앉다 arrellanarse en un sillón. ② [긴장이 풀리는 모양] sintiéndose tranquilo. 마음을 ~ 놓다 sentirse tranquilo. ③ [남이 손을 반갑게 잡는 모양] sin vacilación. 손을 ~ 내밀다 pedir sin vacilación.

턱걸이 ① [철봉 등을 손으로 잡고 몸을 달아 올려 턱이 그 위까지 미치게 하는 운동] ejercicio *m* de flexiones en brazos. ~하다 hacer flexiones (de brazos) (en barra o espalderas). ② [씨름이나 씨름할 때 손으로 상대편 턱을 걸어 밀어 넘어뜨리는 재주] talento *m* de hacer caer cogiendo la barba. ~하다 hacer caer cogiendo la barba.

턱받이 babero *m*, babera *f*, babadero *m*, babador *m*.

턱뼈 quijada *f*, quejada *f*, mandíbula *f*, hueso *m* maxilar.

턱수염 (-鬚髥) barba *f*; [긴] barbas *fpl* de chivo.

턱시도 esmoquin *m*.

턱없다 (ser) inmoderado, excesivo, exorbitante, desrazonable.

털 ① [포유 동물의 피부에 나는 가느다란 실 모양의 것] vello *m*, pelusilla *f*. 가는 ~ vello *m* fino, pelusilla *f*. ② [물건의 거죽에 부풀어 일어난 가느다란 섬유] vello *m*. ~이 많은 velloso, velludo. ③ =머리카락.

털갈다 mudar las plumas, mudar de pluma.

털갈이 mudanza *f* de pluma.

털구멍 poro *m*.

털깎기 corte *m* del vello. ~하다 cortar el vello.

털끝 punta *f* de un pelo.

털내의(－內衣) ropa *f* interior de lana.

털다 ① [붙은 흩어지거나 떨어지도록 하다] sacudir; [자기의 몸이나 자기의 몸에 걸친 것에서] sacudirse. 먼지를 ~ sacudir el polvo. ② [있는 재물을 죄다 내다] viciar. 주머니를 ~ viciar *su* bolsillo. ③ [도둑이나 소매치기가 죄다 가져 가다] robar. 털어서 먼지 안 나는 사람 없다 ((속담)) Cada uno tiene su falta / Nadie es perfecto.

털리다 ① [털어지다. 떪을 당하다] ser sacudido. ② [노름판에서 가지고 있던 돈을 모조리 잃다] perderse todo. ③ [도둑이나 소매치기에게] ser robado. 나는 가진 것을 모두 털렸다 Me robaron cuanto que tenía.

털모자(－帽子) sombrero *m* de lana.

털목도리 bufanda *f* de lana, pañuelo *m* de lana, chal *m* de lana, mantón *m* de lana.

털바늘 anzuelo *m* falso.

털방석(－方席) cojín *m* de lana.

털버선 calcetines *mpl* coreanos de lana.

털보 hombre *m* cabelluco, persona *f* cabelluca.

털복숭아 melocotón *m* aterciopelado.

털북숭이 ① [털이 많은 사람] persona *f* peluda, persona *f* cabelluca. ② [털이 많은 물건] cosa *f* peluda.

털붙이 ① [털이 있는 짐승의 가죽] piel *f*, pelaje *m*. ③ [털로 짠 물건] artículo *m* de piel; [옷] traje *m* de piel.

털빛 color *m* del pelo [de piel].

털셔츠 camisa *f* de lana.

털수건(－手巾) toalla *f*.

털스웨터 jersey *m* (de lana), suéter *m* de lana.

털신 zapatos *mpl* árticos..

털실 hilo *m* de lana, hilaza *f* de lana; [발이 긴] estambre *m*. ~로 짠 스타킹 medias *fpl* de estambre [de lana].

털썩 de golpe, pesadamente. ~ 주저 앉다 sentarse sobre los posaderas.

털어놓다 confiar(se), confesar, revelar, develar, desvelar, hacer confidencia(s), hablar [decir] francamente. 숨김없이 털어놓은 이야기 confidencia *f*. 불만을 ~ revelar descontento, desahogar *su* descontento.

털어먹다 gastar todo lo que tiene. 재산을 ~ malgastar *su* fortuna.

털옷 ropa *f* de lana.

털옷감 tela *f* de lana.

털외투 abrigo *m* de lana.

털요 colchón *m* de lana.

털장갑(－掌匣) guantes *mpl* de lana.

털털거리다 ① [걸음을 연해 겨우 걷다] caminar lenta y pesadamente. ② [자꾸 털털거리는 소리를 나게 하다] seguir vibrando [traqueteando].

털털이 ① [차림새나 행동이 실속없고 털털한 사람] persona *f* sencilla. ② [몹시 낡아서 털털거리는 자동차·수레 따위] carraca *f*.

털털하다 ① [소탈하다] (ser) natural, sencillo. ② [품질이 수수하다] (la calidad) ser sencillo.

텀벙 cayendo pesadamente, con ruido de agua turbada. ~ 뛰어들다 zambullirse, arrojarse en el agua con ímpetu.

텁석 con gula, con glotonería, de repente, repentinamente, de pronto, de súbito, súbitamente, agarrando [cogiendo] rápidamente. ~ 잡다 agarrar [coger] rápidamente.

텁석나룻 barba *f* enmarañada, barba *f* greñuda.

텁석부리 hombre *m* con [de] barba.

텁수룩하다 (ser) poblado enmarañado, greñudo, espeso, denso, velludo, peludo, velloso, cubierto de pelo.

텁텁하다 ① [입맛·음식맛이 시원하고 깨끗하지 못하다] (ser) denso y desabrido [soso·insípido]. ② [눈이 깨끗하지 못하다] (los ojos) no son limpios. ③ [성미가 까다롭지 않고 소탈하다] (ser) liberal, tolerante, comprensivo.

텃밭 campo *m* contiguo al solar de la casa, campo *m* situado cerca de la casa.

텃세(－貰) alquiler *m* del solar.

텃세(－勢) tratamiento *m* al recién llegado con prepotencia. ~하다 tratar al recién llegado con prepotencia

텅 [비어서 없는 모양] huecamente. ~ 빈 vacío, hueco, libre, desierto. ~ 빈 방 habitación *f* libre, cuarto *m* libre.

텅스텐 ((화학)) tungusteno *m*, volframio *m*.

텅텅¹ [여럿이 다 비어서 없는 모양] completamente, del todo. ~ 비어 있는 버스 el autobús vacío completamente.

텅텅² [총포가 연해 터지거나 마룻바닥 등을 연해 치는 것과 같은 소리] ¡pum, pum!; ¡bang, bang!.

텅텅³ [헛된 장담만 하는 모양] con fanfarronería, con fanfarronada. 큰소리만 ~ 치다 fanfarronear, hablar con arrogancia echando fanfarronadas.

테 ① [그릇의 조각이 어그러지지 못하게 둘러맨 줄] [둥근 끈] aro *m*; [장난감의] aro *m*; [모자용·리본] cinta *f*; [통을 매는] aro *m*; [(병·

오지 그릇 등을 운반하는) 나무 상자용] precinto *m*; [수장(袖章)] franja *f*; [좁은 줄] raya *f*; [레코드의 줄] surco *m*. ② [죽 둘린 언저리] [컵·사발의] borde *m*; [안경의] montura *f*, armazón *m(f)*, aro *m*; [자동차 바퀴의] llanta *f*, AmL rin *m*; [자전거 바퀴의] aro *m*. ~가 없는 sin montura, sin armazón. ~ 없는 안경 gafas *fpl* [anteojos *mpl*] sin montura [armazón]. ③ ((준말)) =테두리.

테너 ((음악)) tenor *m*. ~의 목소리 voz *f* de tenor. ¶~ 가수 tenor *m*.

테니스 tenis *m*. ~를 치다 jugar al tenis. ¶~ 공 pelota *f* de tenis. ~ 라켓 raqueta *f* de tenis. ~ 복 ropa *f* de tenis. ~ 선수 tenista *mf*; jugador, -dora *mf* de tenis. ~ 코트 pista *f* de tenis, tenis *m*, campo *m* de tenis, AmL cancha *f* de tenis. ~ 화 zapatillas *fpl* (de tenis), tenis *mpl*, zapatos *mpl* de lona, zapatos *mpl* de tenis, Urg championes *mpl*.

테두리 ① [죽 둘린 줄] cuadro *m*, marco *m*; [필름·전선 따위의] bobina *f*; [콘크리트 공사의] encofrado *m*; [수용물의] tambor *m*, rebete *m*; [천의] orillo *m*, orilla *f*. ② [어떤 범위나 한계] marco *m*, límite *m*. ~를 벗어나다 [초과하다] pasar [exceder] del límite.

테라마이신 terramicina *f*.

테라스 terraza *f*.

테라코타 terracota *f*.

테러 ① [온갖 폭력을 써서 상대자를 위협하거나 공포에 빠뜨리게 하는 행위] terror *m*. ② ((준말)) =테러리스트. ③ ((준말)) =테러리즘. ¶~ 행위 terrorismo *m*.

테러리스트 terrorista *mf*.

테러리즘 terrorismo *m*.

테레빈유(─油) aceite *m* de trementina, aguarrás *f*.

테르븀 ((화학)) terbio *m*.

테마 tema *m*. ~의 temático *m*.

테메우다 poner el aro.

테스트 prueba *f*. 제품을 ~하다 probar los productos.

테이블 ① [서양식의 탁자나 식탁] mesa *f*. ~에 앉다 sentarse a la mesa. ② =일람표(tabla). ¶~ 보 mantel *m*, tapete *m*.

테이프 ① [결승점의] cinta *f* de meta, cinta *f* de llegada. ~를 끊다 [경기의] llegar el primero [la primera]; [개통식의] cortar la cinta simbólica. ② [절연용의] cinta *f*, tira *f*. ③ [녹음·녹화용의] cinta *f* magnética, cinta *f* magnetofónica. ¶~ 리코더 magnetófono *m*, magnetofón *m*, grabadora *f* (de cinta).

테제 tesis *f.sing.pl.*

테크니컬 녹아웃 K.O. *m* técnico, knock out *m* técnico. ~으로 이기다 vencer por K.O. técnico.

테크니컬 파울 falta *f* técnica.

테크니크 [기술] técnica *f*.

테크닉 ① =테크니크. ② [공예(학), 술어] técnica *f*.

텍스트 texto *m*. ~북 libro *m* de texto.

텐트 tienda *f* (de campaña), AmL carpa *f*, Col tolda *f*. ~를 치다 tirar [poner·armar] la tienda.

텔레비전 televisión *f*; [장치] televisor *m*, aparato *m* de televisión. 20인치 ~ televisión *f* de veinte pulgadas. ~을 보다 ver [mirar] (la) televisión, televisar. ~으로 …을 보다 ver *algo* en [por] (la) televisión. ¶~ 녹화 (방송) transcripción *f* cinescópica. ~ 드라마 drama *m* de televisión, teledrama *m*. ~ 방송 radiodifusión *f* televisiva, transmisión *f* de imágenes, transmisión *f* televisada, transmisión *f* de televisión, difusión *f* televisiva. ~ 방송국 emisora *f* de televisión, estación *f* de televisión, estación *f* (de) televisora. ~ 수상기 televisor *m*, telerreceptor *m*, (aparato *m*) receptor *m* de televisión. ~ 시청자 televidente *mf*; telespectador, -dora *mf*.

텔레타이프 ① teletipo *m*. ~로 por teletipo. ~로 송신하다 teletipar. ② ((준말)) =텔레타이프라이터.

텔레타이프라이터 teleimpresor *m*.

텔레파시 telepatía *f*.

텔렉스 télex *m*. ~를 보내다 enviar [mandar·poner] un télex. ~로 보내다 enviar por télex.

템 tanto como. 쌀 한 섬 ~이나 먹다 comer un saco entero de arroz.

템페라 temple *m*, témpera *f*, pintura *f* al temple.

템포 ① ((음악)) tiempo *m*. ② [문학 작품 등의 진전 속도] tiempo *m*. ③ [진도. 속도] ritmo *m*, velocidad *f*. ~가 빠른 de ritmo rápido. ~가 늦은 de ritmo lento. 빠른 ~로 a un ritmo acelerado.

토(土) ① [오행의 하나] *to*; [방위] centro *m*; [색] (color *m*) amarillo *m*. ② ((준말)) =토요일. ③ ((준말)) =토이기(Turquía). ④ [흙] tierra *f*. ⑤ [땅] tierra *f*; [육지] tierra *f*; [영토] territorio *m*; [장소. 곳] lugar *m*, sitio *m*.

토건(土建) ((준말)) =토목 건축. ¶~업 obra *f* de construcciones, ingeniería *f* civil y construcción. ~업자 constructor, -tora *mf* de la ingeniería civil y construcción.

토공(土工) ① [축토·절토 공사] obra *f* de la construcción de tierra. ② =미장이.

토관(土管) cañería f [caño m] de tierra cocida [terracota].

토굴(土窟) =땅굴(caverna, cueva).

토기(土器) vasija f de barro. ¶ ~장 [장이] fabricante mf de vasijas de barro cocido. ~점 tienda f de vasijas de barro cocido.

토끼 ((동물)) [집토끼] conejo, -ja mf; [산토끼] liebre f. 토끼 둘을 잡으려다가 하나도 못 잡는다 ((속담)) Quien mucho abarca poco aprieta. ¶ ~ 고기 carne f de conejo, carne f de liebre. ~굴 conejera f. ~ 사육장 conejera f, conejar m. ~장 sueño m ligero, cabezada f, siestecita f. ~장 conejal m, conejera f. ~집 conejera f. ~털 conejuna f, pelo m de conejo, pelo m conejuno.

토끼풀 ((식물)) trébol m, trifolio m.

토너먼트 torneo m.

토닉 ① [강장제] tónico f. ② ((음악)) [주음] tónica f.

토닥거리다 seguir dando unas palmaditas.

토닥토닥 dando unas palmaditas continuas.

토담(土一) muro m de barro, tapia f, pared f formada de tierra sola. ~집 choza f (hecha) de tapias.

토대(土臺) ① [흙으로 쌓아 올린 높은 대] base f, pie m. ② [지대(地臺)의 fundamentos mpl, cimientos mpl. ~를 쌓다 poner [echar] los fundamentos [los cimientos]. ③ [상부를 지탱하는 횡재] madera f lateral. ④ [온갖 사물이나 사업의 기본] fundación f, base f.

토라지다 ① [사이나 감정이] hacer un mohín, tener un mohín, poner mal gesto, ponerse ceñudo, enfurruñarse, poner mala cara, poner cara larga, mostrarse descontento, mostrarse malhumorado, amohinarse, estar malcontento, estar de mal humor. ② [먹은 음식이 체하다] sufrir de indigestión.

토란(土卵) ((식물)) colocasia f. ~국 sopa f [caldo m] de colocasia.

토로(吐露) revelación f. ~하다 expresar, revelar, manifestar.

토론(討論) discusión f, debate m, contienda f, disputa f, controversia f. ~하다 discutir, contender, disputar, controvertir. ~자 polemista mf; disputador, -dora mf. ~회 debate m, sociedad f para debatir.

토마루(土一) suelo m de tierra.

토마토 ((식물)) tomatera f, tomate m, Méj jitomate m; [열매] tomate m, Méj jitomate m. ~밭 tomatal m. ~ 소스 salsa f de tomate. ~ 케첩 salsa f de tomate, catsup f [ketchup m] de tomate.

토막 pedazo m, pieza f, trozo m,

fragmento m, remiendo m. 나무 ~ pedazo m de maderas. 생선 ~ tajada f de pescado. 고기 ~ un trozo de carne. ~을 내다 cortar en pedazos, partir en pedazos [en trozos], hacer pedazos. ~을 치다 cortar en pedazos. ~(이) 나다 cortarse en pedazos, ser cortado en pedazos.

토막(土幕) =움막. 움집.

토멸(討滅) conquista f, aniquilación f, exterminación f. ~하다 conquistar, aniquilar, exterminar.

토목(土木) ((준말)) =토목 공사. ¶ ~ 건축 arquitectura f de obras públicas. ~ 공사 obras fpl públicas. ~ 공학 ingeniería f civil. ~ 기사 ingeniero, -ra mf civil.

토박이(土一) ((준말)) =본토박이. ¶ ~ 말 dialecto m, provincialismo m.

토박하다(土一) (ser) estéril, árido.

토벌(討伐) subyugación f, represión f. ~하다 subyugar, sojuzgar, someter. ~군 fuerza f punitiva. ~대 expedición f punitiva.

토벽(土壁) pared f de tierra; [담] tapia f, muro m de tierra.

토병(土兵) soldado m nativo, tropas fpl nativas.

토불(土佛) Buda m de tierra.

토사(土砂) la tierra y la arena. ~ 붕괴 derrumbe m.

토사(吐瀉) vómito m y diarrea. ~하다 vomitar. ~ 곽란 vómito m y diarrea.

토산물(土産物) productos mpl locales [nativos], recuerdo m.

토산불알 ((한방)) un testículo hinchado por la elefantiasis.

토색(土色) color m de tierra.

토성(土星) ((천문)) Saturno m.

토성(土城) torrecilla f de castillo de tierra.

토속(土俗) costumbres fpl locales, cultura f popular. ~적 folclórico, tradicional, local, provincial. ~주 vino m folclórico, vino m tradicional.

토스 lanzamiento m. ~하다 tirar, lanzar, Méj aventar.

토스터 tostadora f (eléctrica).

토스트 tostadas fpl, pan m tostado. ~ 한 조각 una tostada, Méj un pan tostado. ~를 만들다 hacer tostadas, Méj hacer panes tostados.

토시 manopla f.

토실토실 gordamente, carilludamente, mofletudamente, rollizamente. ~하다 (ser) gordo, carilludo, mofletudo (불이), rollizo, regordete, gordiflón, rechoncho, lleno. ~한 볼 mejillas fpl mofletudas.

토양(土壤) suelo m, tierra f, terreno m. 비옥한 ~ tierra f fértil, buena

토어(土語) ① [본토박이가 쓰는 말] lengua *f* nativa [vernácula], idioma *m* vernáculo. ② [사투리] dialecto *m*, provincialismo *m*.

토옥(土屋) choza *f* hecha de tierra [de tapias].

토요일(土曜日) sábado *m*. ~마다 (todos) los sábados.

토우(土偶) *tou*, figurilla *f* de tierra, muñeca *f* de tierra, estatuita *f* cocida.

토의(討議) discusión *f*, debate *m*, deliberación *f*. ~하다 discutir, debatir, disputar.

토인(土人) ① [어떤 지방에 대대로 토착해 사는 사람] indígena *mf*; nativo, -va *mf*; aborigen *mf*. ② [미개인] primitivo, -va *mf*; salvaje *mf*. ③ =흑인.

토종(土種) especie *f* local. ~의 nativo, criollo. ~닭 pollo *m* [gallo *m*] nativo, gallina *f* nativa.

토지(土地) ① [땅] tierra *f*, terreno *m*; [농장] granja *f*, finca *f*. ~ 딸린 가옥 casa *f* con el terreno. ② [논밭] el arrozal y el campo. ③ =토질(土質). ④ =영토. ¶ ~ 개량 mejoras *fpl* de tierra. ~ 개혁 reforma *f* agraria. ~ catastro *m*. ~ 등기 catastro *m*, registro *m* de la propiedad inmobiliaria. ~세 impuesto *m* sobre terrenos, contribución *f* territorial, impuesto *m* territorial. ~ 임대 arrendamiento *m* de tierras. ~ 조사 investigación *f* de la tierra. ~ 측량 agrimensura *f* de la tierra, topografía *f* de la tierra.

토질(土質) naturaleza *f* de la tierra, naturaleza *f* del terreno.

토착(土着) lo aborigen, lo indígena. ~의 aborigen, indígena, nativo, natal, primitivo, autóctono. ~만 nativo, -va *mf*; aborigen *mf*; indígena *mf*; autóctono, -na *mf*. ~어 idioma *m* nativo, lengua *f* nativa.

토치카 tochika *m*, blocao *m*, fortín *m*, fortificación *f* de hormigón y de acero.

토코페롤 ((생화학)) tocoferol *m*.

토크 쇼 programa *m* de entrevistas.

토큰 ficha *f*, *Arg* cospel *m*.

토키 película *f* sonora; [집합적] cine *m* sonoro, cine *m* parlante.

토탄(土炭) carbón *m* de la clase inferior, turba *f*.

토털 total *m*, suma *f* total, todo.

토테미즘 totemismo *m*.

토템 tótem *m*. ~ 숭배 totemismo *m*.

토픽 tema *m*, asunto *m*, tópico *m*.

토하다(吐一) ① [게우다] vomitar, escupir. 피를 ~ escupir sangre. ② [뱉다] vomitar, devolver, arrojar, emitir, echar. ③ [생각하고 있는 바를 말하다] expresar, hablar, confesar, revelar.

토혈(吐血) vómito *m* de sangre, hematemesis *f*; [객혈] hemoptisis *f*. ~하다 vomitar la sangre.

톡¹ ① [작은 물건이 바닥에 떨어질 때 나는 소리] cayendo. 물방울이 ~ 떨어진다 Cae una gota. ② [단단하지 않은 물체를 한 번 가볍게 두드리는 소리] con un golpecito. 어깨를 ~ 치다 dar un suave golpecito en el hombro.

톡² ① [한 부분이 불거져 오른 모양] saliente. ~ 튀어나온 [볼이] prominente; [이가] salido; [손톱·발톱이] que sobresale. ~ 튀어나온 ojos *mpl* saltones. ② [(말을) 다부지게 쏘아 붙이는 모양] irónicamente. 한 마디 ~ 쏘아 주다 lanzar ironías, hacer un comentario hiriente [punzante].

톡탁거리다 seguir dando golpecitos.

톡톡 con un golpecito. ☞톡¹.

톡톡하다 ① [국물이] (ser) espeso. 톡톡한 국물 sopa *f* espesa. ② [피륙이] (ser) tupido, cerrado. ③ [실속 있고 푸짐하다] (ser) abundante.

톡톡히 ① [많이] mucho. 돈을 ~ 벌다 ganar mucho dinero. ② [심하게] severamente. ~ 책망하다 reprochar [censurar] severamente. ③ [치밀하게] tupidamente, cerradamente. 베를 ~ 짜다 tejer la tela tupidamente.

톤¹ [무게의 단위] tonelada *f*. 배수 ~ tonelada *f* de desplazamiento. 용적 ~ tonelada *f* de arqueo (2.83m³). 중량 ~ tonelaje *m* del peso propio, tonelada *f* de peso. 미터 ~ tonelada *f* métrica de peso (1,000kg). ¶ ~ 세 derechos *mpl* de tonelaje. ~ 수 tonelaje *m*.

톤² [음조] tono *m*; [음성] voz *f*.

톨 grano *m*, fruto *m* seco. 밤 한 ~ un fruto seco de castaña. 쌀 한 ~ un grano de arroz.

톨게이트 barrera *f* de peaje.

톱¹ [(연장)] [손톱] sierra *f* (de mano); [손잡이가 하나인 톱] serrucho *m*; [동력으로 움직이는 톱] sierra *f* mecánica; [제재용 톱] aserrador *m*; [원형의 톱] sierra *f* circular; [활톱] sierra *f* de arco; [띠톱] sierra *f* de cinta; [틀톱] sierra *f* de ingletes; [통나무용 톱] sierra *f* bracera; [작은 톱] serreta *f*. ¶ ~ 날 filo *m* de la sierra, filo *m* del serrucho. ~니 dientes *mpl* de sierra. ~밥 aserrín *m*, serraduras *fpl*, serrín *m*, aserraduras *fpl*. ~질 aserradura *f*, aserrado *m*. ~질하다 aserrar, punzar.

톱² ① [꼭대기. 우두머리. 맨 앞] [윗부분] parte *f* superior, parte *f* de arriba; [산의] cima f, cumbre f, cúspide f; [나무의] copa f. ② [수위. 수석] primero, -ra mf; cabeza f, número uno m, cima f. ③ [신문 등의] parte f superior. ¶ ~ 뉴스 noticias fpl grandes. ~ 스타 primera estrella f. ~ 클래스 primera clase f. ~ 타자 primer bateador m.

톱니바퀴 rueda f dentada, engranaje m. ~의 이 diente m.

톱상어 ((어류)) pez m sierra.

톱톱하다 (ser) espeso. 톱톱한 국물 sopa f espesa.

톳 ① [김 백 장씩을 한 묶음으로 묶은 덩이] un fardo de cien hojas (de alga marina). ② [김의 묶음을 세는 말] tot, fardo m. 김 한 ~ un fardo de alga marina.

통[1] [바짓가랑이·소매 따위의 속의 넓이] anchura f.

통[2] [배추·박 같은 것의 몸피] bulto m, masa f, mole m. ② [배추·박 들을 세는 말] cabeza f. 배추 두 ~ dos cabezas de repollo.

통[3] ① [무슨 일로 복잡한 둘레, 또는 그 안이나 사이] consecuencia f, resultado m, influencia f, estragos mpl. ② [어떤 일에 한 속이 되어 이룬 무리] grupo m, pandilla f, banda f.

통[4] ① [전혀] enteramente, todo, de todo, en absoluto, absolutamente, completamente, totalmente. ② ((준말))=온통. ③ ((준말))=통째.

통[5] [필] rollo m. 광목 세 ~ tres rollos de la tela de algodón. 필름 한 ~ un rollo de película [filme].

통(桶) bote m, lata f, tubo m, Chi tarro m; [손잡이가 달린] cubo m; [작은] barril m; [큰] tonel m; [(부엌에서 나오는) 찌꺼기나 쓰레기용의] cubo m, Col caneca f, CoS, Per tacho m, Méj bote m, Ven tobo m. 물 한 ~ un cubo de agua.

통(通) [편지·문서·증서 등을 셀 때 쓰는 말] copia f, cartas fpl, documentos mpl. 계약서 두 ~ dos contratos. 서류 한 통 una copia de un documento, un documento.

통(筒) tubo m, pipa f.

통(統) [시 행정의 한 단위] Tong. 1~ 3반 3 Ban, 1 Tong. ¶~장 jefe, -fa mf de Tong.

통(痛) dolor m.

통감(痛感) sentimiento m profundo. ~하다 sentir(se) mucho [profundamente], sentir vivamente, experimentar vivamente.

통감(統監) supervisión f. ~하다 supervisar.

통감자 patata f entera, AmL papa f entera.

통격(痛擊) ① [적군을 통렬히 침]

ataque m [golpe m] fuerte, ataque m severo. ~하다 dar un golpe fuerte, atacar severamente. ② [남을 몹시 꾸짖어 나무람] reprochar [criticar] severamente..

통경(通經) comienzo m de la primera menstruación. ~하다 comenzar la menstruación por primera vez. ~제 emenagogo m.

통계(統計) estadística f. ~하다 reunir la estadística. ~ 도표 carta f estadística. ~ 분석 análisis m estadístico. ~ 숫자 número m estadístico. ~ 자료 datos mpl estadísticos. ~ 조사 investigación f estadística. ~청 Dirección f de Estadísticas, Administración f de Estadísticas. ~표 tabla f estadística. ~학 estadística f, ciencia f de la estadística. ~ 학자 estadístico, -ca mf; estadista mf.

통고(通告) aviso m, anuncio m, noticia f, información f, notificación f, comunicación f, denuncia f. ~하다 avisar, anunciar, notificar, dar noticia, informar, denunciar. ~서 (carta f de) aviso m.

통곡(痛哭) [소리를 높여 크게 욺] llanto m, gemido m, lamento m, lamentación f, gimoteo m lastimero. ~하다 gemir, llorar, lamentar, llorar fuerte, llorar a gritos, llorar amargamente, gimotear lastimosamente.

통곡(慟哭) [큰 소리로 섧게 욺] lloriqueo m, gimoteo m. ~하다 lloriquear, gimotear, Arg, PRico, Urg llorisquear.

통과(通過) paso m, tránsito m; [법안 등의] aprobación f. ~하다 pasar (por), penetrar, atravesar. ~시키다 [강제로] hacer pasar; [방임적으로] dejar pasar. ¶~객[여객] pasajero m de tránsito. ~객용 라운지 [공항의] sala f de tránsito. ~비자[사증] visado m [visa f] de tránsito. ~역 estación f en que no se para el tren, estación f sin parar. ~ 화물 carga f de tránsito.

통관(通關) entrada f de aduana, despacho m de aduanas. ~하다 pasar (por) la aduana. 무세(無稅) ~ franquicia f. ~ 수속 formalidades fpl de (entrada de) aduanas. ~ 신고 declaración f de aduanera. ~ 신고서 conocimiento m de declaración de entrada; [출항의] despacho m de aduana. ~ 증명서 certificado m de despacho de aduanas. ~필 examinado m. ~항 puerto m de entrada.

통괄(統括) generalización f. ~하다 generalizar.

통교(通交) relaciones fpl íntimas. ~하다 entrar en relaciones íntimas.

통권(通卷) número *m* consecutivo de volúmenes. ~ 5호 número *m* serial [en serie] 5.

통근(通勤) asistencia *f* a la oficina. ~하다 asistir a la oficina, ir a *su* oficina, desplazarse diariamente al trabajo. ~ 열차 tren *m* que se usa para ir y volver del trabajo. ~차 autobús *m* que se usa para ir y volver del trabajo.

통금(通禁) ((준말)) =통행 금지. ¶ ~ 위반 violación *f* de toque de queda.

통김치 tongkimchi, kimchi hecho de los repollos enteros.

통나무 tronco *m*, leño *m*, madero *m*, madera *f* en rollo, palo *m*, trozo *m* de madera, trozo *m* de árbol. ~다리 puente *m* de troncos. ~배 canoa *f*, piragua *f*. ~집 cabaña *f* [casilla *f*] de troncos (de madera).

통념(通念) idea *f* común, opinión *f* pública.

통단 gavilla *f* grande.

통달(通達) ① [막힘이 없이 환히 통함] conocimiento *m* completo, conocimiento *m* perfecto, sabiduría *f* a fondo. ~하다 saber a fondo. ② [도에 깊이 통함] ilustracuón *f* espiritual. ~하다 ser espiritualmente iluminado, lograr la ilustración. ③ [통지] aviso *m*, anuncio *m*, notificación *f*. ~하다 avisar, anunciar, notificar.

통닭 pollo *m* entero. ~ 곁들인 밥 arroz *m* con pollo. 숯불구이 ~ pollo *m* a la brasa. ¶ ~구이 pollo *m* asado. ~튀김 pollo *m* frito.

통대구(一大口) abadejo *m* [balacao *m*] entero secado.

통독(通讀) lectura *f* de cabo a rabo, lectura *f* de principio a fin, lectura *f* precipitada, pero hasta el fin. ~하다 leer de cabo a rabo, leer de principio a fin, leer hasta el fin a la ligera, leer rápidamente, leer a la ligera, leer sin detenerse, hojear.

통람(通覽) inspección *f* general. ~하다 inspeccionar.

통렬하다(痛烈一) (ser) severo, violento, virulento, duro, impetuoso, intenso, fuerte; [날카롭다] áspero, mordaz. 통렬히 severamente, violentamente, duramente, virulentamente, ásperamente, mordazmente, intensamente, fuertemente. 통렬히 비판하다 hacer una crítica severa [dura · mordaz], criticar duramente.

통례(通例) costumbre *f*, hábito *m*, usanza *f*, uso *m*. ~의 usual, ordinario, común, habitual, general, acostumbrado. ~로(는) de ordinario, habitualmente, usualmente,

comúnmente, ordinariamente, regularmente, generalmente.

통로(通路) pasillo *m*, corredor *m*, pasaje *m*, camino *m*, paso *m*.

통론(通論) introducción *f*, principios *mpl* generales. 법학 ~ introducción *f* a la ley.

통마늘 cabeza *f* entera de ajo, ajo *m* entero.

통무 rábano *m* [nabo *m*] entero.

통배추 repollo *m* entero, col *f* entera.

통보(通報) informe *m*, aviso *m*, información *f*, noticia *f*, parte *m*; ((기상)) pronóstico *m*. ~하다 informar, avisar, comunicar, hacer saber, dar a conocer, enterar, dar parte; [밀고하다] denunciar.

통보리 cebada *f* entera.

통분(通分) ((수학)) reducción *f* de fracciones a un común denominador. ~하다 reducir a común denominador.

통분하다(痛憤/痛忿一) estar muy indignante.

통사정(通事情) súplica *f*, suplicación *f*, ruego *m*. ~하다 suplicar, rogar, solicitar, pedir.

통상(通常) ① [특별하지 않고 예사임. 보통] lo ordinario, lo normal, lo común, lo regular. ~의 ordinario, normal, común, corriente, regular, acostumbrado, habitual, usual, de siempre, de costumbre. ② [보통으로. 보통의 경우는] ordinariamente, normalmente, generalmente, comúnmente, por lo general, usualmente, regularmente, con regularidad. ~주(株) acción *f* ordinaria.

통상(通商) comercio *m*, tráfico *m*, relaciones *fpl* comerciales. ~의 comercial. ~ 관계 relaciones *fpl* comerciales. ~ 교섭 negociación *f* comercial. ~ 대표부 representación *f* [misión *f*] comercial. ~ 사절단 misión *f* comercial, delegación *f* comercial. ~ 산업부 Ministerio *m* de Comercio e Industria. ~ 산업부 장관 ministro *m*, -tra *mf* de Comercio e Industria. ~ 조약 tratado *m* [pacto *m*] comercial, tratado *m* de comercio. ~ 협정 acuerdo *m* comercial.

통석하다(痛惜一) lamentar, sentir un dolor grande. 통석한 일이다 Es cosa de lamentar / Lamento tu desgracia.

통설(通說) idea *f* generalizada, opinión *f* común [generalmente admitida], vista *f* popular. ~에 따르면 según la idea [la opinión] general.

통성명(通姓名) intercambio *m* de *sus* nombres. ~하다 intercambiarse los nombres, presentarse uno de otro, cambiar los nombres.

통속 ① [비밀한 단체] organización *f* secreta. ② [비밀한 약속] promesa *f* secreta.

통속(通俗) vulgaridad *f*, popularidad *f*. ~극 teatro *m* popular, drama *m* popular. ~ 문학 literatura *f* popular. ~ 소설 novela *f* popular. ~어 lengua *f* popular, lenguaje *m* vulgar, expresión *f* familiar. ~음악 música *f* popular. ~작가 escritor, -tora *mf* vulgar.

통솔(統率) mando *m*, dirección *f*, mandamiento *m*. ~하다 dirigir, gobernar, regir, capitanear, ir a la cabeza, encabezar, dirigir a los otros; [군대 따위를] mandar, conducir, guiar. ~권 jefatura *f*, liderazgo *m*, dirección *f*, conducción *f*. ~력 (poder *m* de) mando *m*, liderazgo *m*. ~자 líder *mf*; dirigente *mf*; jefe, -fa *mf*.

통수(統帥) mando *m* supremo, poder *m* supremo, comandancia *f* general. ~하다 dirigir, guiar, comandar, tener comando. ~권 poder *m* del supremo comando. ~자 líder *mf*; dirigente *mf*; comandante *m* supremo, comandante *f* suprema; jefe, -fa *mf*.

통신(通信) comunicación *f*, correspondencia *f*, información *f*, noticia *f*; [전기 통신] telecomunicación *f*. ~하다 comunicarse, corresponderse, concordar, informar. ~의 comunicativo, de comunicaciones. ~강의[강좌] cursos *mpl* por correspondencia. ~ 교육 educación *f* [instrucción *f*] por correspondencia. ~ 기술 tecnología *f* de comunicaciones, técnica *f* de comunicación. ~망 redes *fpl* de comunicaciones, red *f* de telecomunicaciones. ~문 correspondencia *f*. ~부 cartilla *f* de notas. ~비 gastos *mpl* de comunicaciones. ~사(수) radiotelegrafista *mf*. ~사 agencia *f* noticiera. ~원 corresponsal *mf*; repórter *mf*. ~ 위성 satélite *m* de comunicaciones [de telecomunicaciones, telestrella *f*, telestar *m*. ~ 판매 venta *f* por correo, venta *f* por correspondencia, negocio *m* pedido por correo.

통역(通譯) ① [행위] interpretación *f*, traducción *f*. ~하다 interpretar, traducir. ② [사람] intérprete *mf*. ¶~관 secretario, -ria *mf* intérprete.

통용(通用) circulación *f*, uso *m* corriente, uso *m* común, validez *f*. ~하다 ser válido, tener valor, correr, estar en curso, pasar, circular, ser corriente. ~ 기한은 당일 한 utilizable solamente para el día de emisión. ¶~문 puerta *f* de

servicio, puerta *f* de acceso, puerta *f* para el uso general. ~어 palabra *f* corriente [común], expresión *f* corriente [común]. ~화 화폐 moneda *f* corriente, dinero *m* en circulación.

통운(通運) [물건을 실어서 운반함] transporte *m*, transportación *f*. ~하다 transportar. ~ 회사 compañía *f* de transportes.

통운²(通運) [트여 터진 운수] buena suerte *f*.

통으로 ((준말)) =온통으로(todo). ¶~ 삼키다 tragarlo todo. ~ 팔다 vender al por mayor.

통음(痛飮) mucha bebida *f*, gaudeamus *m*. ~하다 beber mucho, estar de juerga [jarana].

통인(通人) hombre *m* de mundo, conocedor *m* de las costumbres mundanas.

통일(統一) unificación *f*, unidad *f*, [집중] concentración *f*. ~하다 unificar; [규격을] uniformar; [집중하다] concentrar. 나라를 ~하다 unificar un país. 사상을 ~하다 unificar la idea. ¶~ 국가 país *m* unificado. ~원 Ministerio *m* de la Unificación. ~원 장관 ministro, -tra *mf* de la Unificación. ~ 전선 frente *m* único. ~ 정부 gobierno *m* unificado. ~ 주체 국민 회의 Conferencia *f* Nacional para la Unificación. ~ 천하 unificación *f* (de un país), dominación *f* de todo el mundo.

통장(通帳) libreta *f* de ahorros.

통장(統長) jefe, -fa *mf* de *Tong*.

통정(通情) adulterio *m*. 유부녀와 ~하다 cometer adulterio con una mujer casada.

통제(統制) control *m*, regulación *f*, represión *f*, freno *m*. ~하다 controlar, ejercer control, dominar, regular. 물가의 ~ control *m* de precios. 통화의 ~ control *m* de la moneda corriente. ~ 가격 precio *m* regulado. ~ 경제 economía *f* dirigida.

통조림(桶─) [행위] conservas *fpl* enlatadas, artículos *mpl* enlatados, conserva *f*; [물건] lata *f* (en conservas). ~하다 enlatar, conservar en lata, guardar en cajas de hoja de lata; [과일을 병에] preparar conservas. ~한 쇠고기 carne *f* de vaca en conserva. ¶~ 공장 fábrica *f* de conservas [de enlatados]. ~통 bote *m* (de conservas), lata *f* (de conservas), *Chi* tarro *m*.

통증(痛症) síntoma *m* dolorido, dolor *m*. 예리한 ~ dolor *m* agudo.

통지(通知) información *f*, anuncio *m*, aviso *m*, informe *m*, parte *f*, noticia *f*; [통고] notificación *f*, comunificación *f.* ~하다 informar, dar noticia, avisar, hacer saber, anunciar, notificar, dar parte, participar, comunicar, poner en conocimiento. ~를 받다 recibir una noticia, recibir un informe. ¶ ~서 carta *f* de aviso, información *f* escrita, oficio *m*, participación *f*, anuncio *m*, aviso *m*, esquela *f.* ~예금 depósito *m* retirable a demanda, depósito *m* en aviso.

통째(로) todo, enteramente, totalmente, completamente. ~ 삼키다 tragar (sin masticar), engullir.

통찰(洞察) discernimiento *m*, criterio *m*, penetración *f*, perspicacia *f*, acierto *m.* ~하다 discernir, percibir, penetrar, acertar, prever, ver a través, penetrar con la vista. ~력 perspicacia *f*, penetración *f*, visión *f.*

통첩(通牒) nota *f*, notificación *f*, instrucción *f*, reporte *m*, comunicación *f.* ~하다 notificar, comunicar, informar. ~을 보내다 mandar [enviar] una notifica- ción.

통치(統治) reinado *m*, dominio *m*, gobierno *m.* ~하다 reinar, dominar, gobernar, regir. ~권 soberanía *f*, poder *m* soberano. ~ 기관 órgano *m* del gobierno. ~자 gobernador, -dora *mf*; (군주) soberano *m.*

통치마 falda *f* de una sola pieza (sin costuras).

통칭(通稱) nombre *m* común [popular · familiar · corriente], alias *m.*

통쾌하다(痛快-) (ser) emocionante. 통쾌한 이야기 historia *f* emocionante.

통탄(痛歎) lamentación *f* profunda, aflicción *f* amarga. ~하다 lamentarse, afligirse, apenarse, lamentar profundamente, afligirse amargamente, deplorar.

통통 [몸피가 붓거나 살지거나 불어서 굵은 모양] gordamente, rechonchamente, corpulentamente. ~하다 (ser) gordo, rechoncho, corpulento, lleno; (얼굴·볼·다리가) regordete; (어린이·사람이) gordinflón, regordete, rellenito, rechoncho.

통틀어 totalmente, en total. ~ 다섯 cinco en total. ~ 얼마입니까? ¿Cuánto es en total?

통팥 judía *f* roja [pintada] entera.

통풍(通風) ventilación *f*, aireación *f*, corriente *f* del aire, aireamiento *m.* ~이 잘된 bien aireado [ventilado]. ~이 나쁜 mal aireado [ventilado]. ¶ ~관 ventilador *m.* ~구 trampilla *f*, escotillón *m*, ventilador *m.*

통풍(痛風) (한방) gota *f*; (관절염) artritis *f*, reumatismo *m.* ~ 환자 gotoso, -sa *mf*.

통하다(通-) ① [막힘이 없이 트이다] llevar, conducir, dar. 안뜰로 ~ llevar [conducir] a un pequeño patio. ② [(서로 사귀어 말이나 의사 교환이) 순조롭다] comprenderse bien, entenderse bien. 마음이 ~ simpatizar. ③ [(말이나 문장 따위가) 막힘이 없다] entender. 그에게는 영어가 통하지 않는다 El no entiende inglés. ④ [(어느 분야에) 능하다] estar versado. ⑤ [길 따위가 이르다. 다다르다] conducir, ir, llevar, seguir, dar, comunicar, acostumbrarse a ir, ir regularmente, frecuentar. 로마로 통하는 길 camino *m* que lleva a Roma. ⑥ [내통하다] comunicar secretamente. 적과 ~ comunicarse secretamente con el enemigo. ㉯ [정을] cometer el adulterio, tener relaciones (sexuales). ⑦ [전체에 미치다] ¶일년을 통하여 durante todo el año. ⑧ [사이에 세워서 중개하게 하다] ¶ A씨를 통하여 por mediación [por medio · por conducto] del señor A. ⑨ [전류가 흐르다] fluir.

통학(通學) ida *f* a la escuela, asistencia *f* a la escuela. ~하다 ir a la escuela, acostumbrarse a ir [ir regularmente], ir y venir de la escuela. ~ 구역 distrito *m* escolar. ~생(生) alumno *m* externo, alumna *f* externa. ~ 열차 tren *m* para los alumnos externos.

통한(痛恨) pena *f* profunda, sentimiento *m* profundo, lástima *f*, contrición *f.* ~하다 dolerse mucho, contristarse.

통합(統合) integración *f*, unificación *f*, unidad *f*, síntesis *f.* ~하다 integrar, unificar, sinterizar. 국민 ~의 상징 símbolo *m* de la unidad nacional [del pueblo]. 유럽을 ~하다 integrar Europa.

통행(通行) paso *m*, tránsito *m*, circulación *f*; (왕래) ida *f* y vuelta. ~하다 pasar, transitar, circular. 자동차의 ~ tránsito *m* [paso *m*] de automóviles. ~을 금지하다 prohibir el paso. ~을 방해하다 impedir [obstruir · interrumpir] la circulación. ~을 허가하다 dar paso, permitir el paso. ¶ ~권 pase *m.* ~ 금지 ㉮ [출입 금지] prohibición *f* de entrada y salida, prohibición *f* de(l) paso. ~(함)! ((게시)) Prohibido el paso / Se prohibe el paso / No se pase / Calle cortada. 차량 ~ ((게시)) Prohibido el paso de los vehículos. ㉯ [야간 외출 금지] toque *m* de queda. ~ 중이다 estar bajo toque de queda. ~료 peaje *m*, *Méj* cuota *f.* ~ 징수 도로 carretera *f* de peaje, *Méj* carretera *f* de cuota. ~표 징수소 barrera *f* de peaje. ~세peaje *m*, tasa *f*, portazgo *m*. ~인 transeúnte *mf*; [보행자] peatón *m*, peatona *mf*. ~증 permiso *m* de circulación, salvoconducto *m*.

통화(通貨) moneda *f* corriente, moneda *f* [dinero *m*] (en circulación). ~의 monetario. ~ 개혁 reforma *f* monetaria. ~ 기금 fondo *m* monetario. ~ 발행 emisión *f* de papel moneda. ~유통 circulación *f* monetaria. ~ 제도 sistema *m* monetaria. ~ 팽창 inflación *f* (monetaria), emisión *f* excesiva del papel moneda, contracción *f* del papel moneda.

통화(通話) llamada *f*, conferencia *f*, comunicación *f* telefónica. ~하다 llamar por teléfono. ~ 중입니다 [전화에서] La línea está ocupada. ¶~료 coste *m* de llamada, coste *m* por una comunicación telefónica, tarifa *f* de mensaje telefónico. ~수 número *m* de llamadas. ~실 cabina *f* telefónica [de teléfonos].

퇴각(退却) ① [뒤로 물러감] retiro *m*, retirada *f*; [후퇴] reculada *f*, retroceso *m*. ~하다 retirarse, retroceder, recular, batirse en retirada. ② [(물품 따위를 받지 않고) 물리침] rechazo *m*. ~하다 rechazar.

퇴거(退去) ① [물러감] retirada *f*, salida *f*. ~하다 retirarse, salir. ② [거주를 옮김] traslado *m*, evacuación *f*; [세든 사람 몰아내기] desahucio *m*. ~하다 trasladarse, evacuar, desalojar; [명도하다] evacuar. ~시키다 deshuciar. ¶~료 compensación *f* por el desahucio. ~ 명령 orden *f* de evacuar el lugar. ~ 신고 registro *m* de evacuación.

퇴교(退校) retirada *f* de la escuela, abandono *m* de los estudios; [처분] expulsión *f* de la escuela. ~하다 dejar [abandonar] los estudios (de la escuela), abandonar la escuela. ~시키다 expeler de la escuela. ☞퇴학(退學)

퇴군(退軍) retirada *f*, retiro *m*; [후퇴] reculada *f*, retroceso *m*. ~하다 retirarse, retroceder, recular.

퇴근(退勤) salida *f* de la oficina. ~하다 salir de la oficina. ~ 시간 hora *f* de salida [de retirada] (de la oficina).

퇴기(退妓) *kisaeng* retirada.

퇴락(頹落) deterioro *m*, ruina *f*, decadencia *f*, descomposición *f*. ~하다 deteriorarse, descomponerse, pudrirse.

퇴로(退路) camino *m* de retirada [de huida · de escape]. ~를 잃다 perder todos los medios de escape. ~적의 ~를 끊다 cortar la retirada al enemigo.

퇴물(退物) ① [윗사람이 물려준 물건] cosa *f* heredada. ② [퇴박맞은 물건] cosa *f* rehusada. ③ [직업에서 물러난 사람] ex-, ex- … degenerado [depravado]. ~ 군인 ex-soldado *m* degenerado [depravado]. ~ 복서 ex-boxeador *m*.

퇴보(退步) retroceso *m*, regresión *m*, retrogradación *f*, regreso *m* a la barbarie. ~하다 retroceder, retrogradar, volver a la barbarie.

퇴비(堆肥) pila *f* de abono vegetal, fimo *m*, estiércol *m*. ~장 esterquero *m*, esterquilinio *m*, estercolar *m*, estercolero *m*.

퇴사(退社) retirada *f* de la compañía [de la firma · de la sociedad]; [법률상의] terminación *f* de miembro, terminación *f* de socio; [귀가] salida *f* de la compañía.. ~하다 retirarse (de la compañía); [귀가하다] salir de la compañía.

퇴색(退色/褪色) descoloración *f*, descoloramiento *m*, pérdida *f* gradual de color. ~하다 descolorarse, descolorizarse, desteñirse, perder el color, palidecer.

퇴역(退役) retiro *m* (militar). ~하다 retirarse. ~ 군인 militar *m* [soldado *m*] retirado; militar *m* retirada [soldada *f*] retirada. ~ 장교 oficial *m* retirado, oficial *f* retirada. ~함 buque *m* [barco *m*] de guerra fuera de servicio.

퇴원(退院) salida *f* [retirada *f*] del hospital. ~하다 salir del hospital, ser dado de alta, dejar el hospital. ~일 día *m* de salida del hospital.

퇴위(退位) abdicación *f*. ~하다 abdicar (el trono). ~시키다 deponer, derrocar.

퇴임(退任) jubilación *f*, retiro *m* de oficio. ~하다 jubilarse, retirarse de oficio, resignar *su* puesto.

퇴장(退場) salida *f* (de un local), acción *f* de irse [marcharse]; [무대에서, 1인의] mutis *m*; [2인 이상의] vanse *m*. ~하다 salir (de), retirarse, irse, marcharse.

퇴적(堆積) acumulación *f*, montón *m*, pila *f*, hacina *f*, cúmulo *m*, amontonamiento *m*; ((지학)) sedimentación *f*. ~하다 acumularse, apilarse, amontonarse, sedimentarse. ~물 depósito *m*. ~암 roca *f* sedimentaria. ~ 작용 acción *f* sedimentaria. ~층 capa *f* sedimentaria.

퇴정(退廷) salida *f* [retirada *f*] del tribunal. ~하다 salir [retirarse] del tribunal. ~을 명하다 mandar salir del tribunal.

퇴직(退職) retiro *m*, jubilación *f*; [사직] dimisión *f*, renuncia *f*. ~하다 retirarse (del servicio), jubilarse; [사직하다] renunciar, dimitir. ~금 pensión *f* de retiro [de jubilación]. ~ 수당 asignación *f* por retiro, jubilaciones *fpl*. ~ 연금 pensión *f* de retiro, pensión *f* de jubilación, *Per* jubilación *f*. ~자 retirado, -da *mf*, jubilado, -da *mf*, persona *f* jubilada; persona *f* retirada.

퇴진(退陣) ① [군사의 진지를 뒤로 물림] retirada *f* del campo. ~하다 decampar, alzar el real. ② [공공의 지위나 사회적 지위에서 물러남] retiro *m*. ~하다 retirarse.

퇴짜(退ー) rechazo *m*, rechazamiento *m*, repulsa *f*. ~를 놓다 rechazar, rehusar, dar calabazas. ~(를) 맞다 ser rechazado, recibir calabazas, recibir una repulsa.

퇴청(退廳) salida *f* de la oficina (gubernamental). ~하다 salir de la oficina (gubernamental).

퇴출 salida *f*. ~하다 salir.

퇴치(退治) subyugación *f*, supresión *f*; [박멸] exterminio *m*, exterminación *f*. ~하다 subyugar, rendir, sujetar, sojuzgar, exterminar. 쥐를 ~하다 exterminar los ratones.

퇴폐(頹廢) [타락] degeneración *f*, corrupción *f*; [쇠퇴] decadencia *f*, deterioro *m*, decaecimiento *m*, ruina *f*. ~하다 degenerar, corromperse, decaer, deteriorarse, arruinarse. ~ 문학 literatura *f* decadente. ~적 decadente. ~주의 decadencia *f*. ~ 풍조 tendencia *f* decadente.

퇴하다(退ー) ① [주는 물품을 물리치다] rechazar. ② [다시 무르다] cancelar la compra. ③ [더한 것을 덜어내다] sacar el exceso.

퇴학(退學) retirada *f* de la escuela, abandono *m* de estudios, aviso *m* de dejar la escuela, anuncio *m* de abandonar la escuela. ~하다 abandonar [dejar] los estudios (de la escuela), abandonar la escuela. ~시키다 expeler de la escuela. ¶~계 aviso *m* de abandono de estudios. ~생 estudiante *m* abandonado de estudios. ~ 처분 expulsión *f*, levantamiento *m* de expediente.

퇴화(退化) degeneración *f*, retroceso *m*. ~하다 degenerar, retroceder. ~한 degenerado. ~ 기관 rudimentos *mpl*, órgano *m* rudimentario. ~ 동물 animal *m* degenerado. ~ 작용 proceso *m* de degeneración.

투(套) ① [버릇이 된 일] manera *f*, modo *m*. ② [일의 법식] forma *f*, estilo *m*. ③ [무슨 일을 하는 품이] 나 솜씨] habilidad *f*.

투견(鬪犬) ① [개끼리 싸움 붙임] pelea *f* de perros. ② [싸움개] perro *m* de pelea, perro *m* para lucha.

투계(鬪鷄) ① [닭끼리 싸움 붙임] pelea *f* de gallos, *AmS* riña *f* de gallos. ② [싸움닭] gallo *m* de pelea, *AmS* gallo *m* de riña. ¶~ 장 gallera *f*.

투고(投稿) contribución *f*. ~하다 escribir, colaborar, enviar (a). 신문에 ~하다 enviar un artículo a un periódico, escribir para un periódico, colaborar en un periódico. ¶~란 columna *f* de lectores. ~자 contribuidor, -dora *mf*; colaborador, -dora *mf*.

투과(透過) transmisión *f*. ~하다 tnasmitir, atravesar. ~할 수 있는 permeable. 엑스선은 인체를 ~한다 Los rayos X atraviesan el cuerpo humano.

투구 casco *m*. ~를 쓰다 ponerse el casco.

투기(投機) especulación *f* (aislada), especulación *f* eventual. ~하다 especular. ~로 por especulación. ¶~꾼 especulador, -dora *mf*; bolsista *mf*. ~ 사업 empresa *f* especulativa. ~성 especulativa *f*. ~심 espíritu *m* especulativo, tendencia *f* especulativa. ~열 manía *f* por especulación. ~자 especulador, -dora *mf*. ~ 자금 fondo *m* especulativo. ~적 especulativo.

투기(妬忌) celos *mpl*, envidia *f*. ~하다 envidiar, tener envidia, sentir el bien ajeno.

투기(鬪技) ① [곡예·운동 등의 재주를 서로 다룸] concurso *m*, competición *f*, competencia *f*. ② [유도·레슬링 등의 맞붙어 싸우는 경기] combate *m*.

투덜거리다 rezongar, refunfuñar, gruñir, gruñir, regañar, murmurar (entre dientes), quejarse, decir entre; [화가 나서] rumiar. 투덜거리지 마라 Déjate de esas quejas / No te quejes / No rezongues.

투덜투덜 con balbucencia, a regañadientes. ~ 불평하다 hablar entre dientes, refunfuñar, balbucear, gruñir, regañar, quejarse.

투망(投網) esparavel *m*; [작은] boliche *m*. ~을 던지다 echar un esparavel, pescar con esparavel.

투매(投賣) venta *f* a un precio sacrificado, venta *f* con pérdida [con rebaja], liquidación *f*, dumping *ing.m*, venta *f* de un producto en el extranjero a un precio inferior al aplicado en el inferior. ~하다 vender a un precio sacrificado, vender con pérdida [con rebaja], liquidar.

투명(透明) transparencia *f*, diafanidad *f*. ~하다 transparentarse, traslucirse. ~한 transparente, diáfano, cristalino, límpido, terso. incoloro y transparente. ~유리 vidrio *m* transparente. ~체(體) cuerpo *m* transparente.

투미하다 (ser) estúpido, idiota, tonto, bobo, torpe.

투박하다 (ser) grosero, rústico, tosco, crudo.

투베르쿨린 ((의학)) tuberculina *f*. ~의 tuberculínico. ~ 검사 prueba *f* tuberculínica. ~ 반응 reacción *f* tuberculínica [de Pirquet・de tuberculina]. ~ 요법 tratamiento *m* tuberculínico, tuberculinización *f*.

투병(闘病) lucha *f* contra (la) enfermedad. ~하다 luchar contra la enfermedad. ~기 apunte *m* de la lucha contra la enfermedad. ~생활 vida *f* de la lucha contra la enfermedad.

투사(投射) ① ((물리)) =입사(入射). ② ((심리)) proyección *f*. ~의 de proyección. ③ ((수학)) proyección *f*. ~하다 proyectar. ¶~물 proyectil *m*.

투사(透寫) calco *m*, calcado *m*, trazo *m*. ~하다 hacer un trazo, calcar. ~지 papel *m* de [para] calco.

투사(闘士) luchador, -dora *mf*; combatiente *mf*. ~형 tipo *m* atlético.

투서(投書) ① [드러나지 않은 사실이나 잘못을 적어서 몰래 요로에 보냄] carta *f* anónima, comunicación *f* anónima. ~하다 enviar [mandar] anónimamente. ② [투고] colaboración *f*. ~하다 colaborar, enviar un artículo. ¶~란 columna *f* de lectores. ~자 colaborador, -dora *mf*. ~함 caja *f* de sugestiones [de sugerencia・de reclamaciones], caja *f* de insinuación.

투석(投石) pedrada *f*. ~하다 tirar [lan zar・arrojar・echar] piedras, apedrear, lapidar.

-투성이 lleno (de), cubierto (de), salpicado (con), ensuciado (con), embadurnado (con), untado (con). 땀~(의) lleno de sudor, sudoso. 먼지~ lleno de polvo.

투수(投手) ((야구)) lanzador, -dora *mf*. ~판 montículo *m*.

투숙(投宿) alojamiento *m*, hospedaje *m*. ~하다 alojarse (en un hotel), hospe darse. ~시키다 alojar. ¶~객[자] cliente *mf* de un hotel.

투시(透視) clarividencia *f*, doble vista *f*. ~하다 ver a través de algo, percibir por una doble vista, trasparentarse. ~경 fluoroscopio *m*. ~도 dibujo *m* perspectivo. ~도법 [화법] perspectiva *f*. ~력 [천리안의] poder *m* extrasensorial; [광학기계의] penetración *f*. ~자 vidente *mf*; clarividente *mf*. ~촬영 fluoroscopia *f*. ~화 dibujo *m* perspectivo.

투신(投身) ① [어떤 일에] dedicación *f*. ~하다 dedicarse, entregarse, aplicarse, consagrarse, ocuparse. 정계에 ~하다 dedicarse a la política. ② [몸을 던짐] lo que se arroja de lo alto. ~하다 arrojarse al agua [al tren]. ~ 자살하다 suicidarse arrojándose [tirándose], arrojarse [tirarse] al agua, arrojarse. 기차에 ~ 자살을 하다 suicidarse tirándose [arrojándose] al tren.

투약(投藥) medicación *f*, medicamento *m*. ~하다 dar [prescribir] medicamento.

투영(投影) [물체가 비치는 그림자] sombra *f*. ~하다 proyectar. 스크린에 영화를 ~하다 proyectar una película en la pantalla. ② ((수학)) proyección *f*. ~하다 proyectar. ¶~각 ángulo *m* de proyección. ~도 (plano *m* de) proyección *f*.

투옥(投獄) encarcelación *f*, encarcelamiento *m*. ~하다 encarcelar, meter en la cárcel.

투우(闘牛) ① [소를 싸움 붙임] lucha *f* de toros. ② [싸움 잘하는 소] toro *m* luchador. ③ [투우사와 소와의 결사적 투기] corrida *f* de toros, (deporte *m* de) los toros, toreo *m*, tauromaquia *f*. ~하다 torear, lidiar los toros en las plazas. ~의 torero, taurino, taurómaco, tauromáquico. ~를 좋아하는 (사람) taurófilo, -la *mf*. ~를 싫어하는 (사람) taurófobo, -ba *mf*. ~사 torero, -ra *mf*; [주] matador *m*; [칼로 찌르는] picador *m*; [작살을 꽂는] banderillero *m*. ~장 plaza *f* de toros. ~ 팬 taurófilo, -la *mf*.

투원반(投圓盤) lanzamiento *m* del disco. ~ 선수 discóbolo *m*, -la *mf*.

투입(投入) ① [던져 넣음] echada *f*, tirada *f*, lanzamiento *m*. ~하다 echar, lanzar, tirar. ② [자본이나 노동력의] aportación *f*, inversión *f*; [군대의] expedición *f*. ~하다 invertir; [군대를] expedir. ③ [약품 재료의] mezcla *f* del material médico. ~하다 poner [mezclar] el material médico. ¶~ 자본 inversión *f*.

투자(投資) inversión *f*. ~하다 invertir. ~가 inversionista *m*; inversor, -sora *mf*. ~ 시장 mercado *m* de inversión. ~ 신탁 fideicomiso *m* de inversiones. ~액 cantidad *f* invertida. ~ 은행 banco *m* de inversiones. ~ 펀드 fondo *m* de inversión. ~ 회사 compañía *f* inversionista.

투쟁(鬪爭) lucha *f*, combate *m*, conflicto *m*. ~하다 luchar.

투정 queja *f*, murmuración *f*, descontento *m*, refunfuñadura *f*, exigencia *f* en la comida. ~하다 quejarse, refunfuñar, gruñir, regañar, rezongar, murmurar.

투지(鬪志) espíritu *m* combativo [batallador · aguerrido], ánimo *m* bélico, combatividad *f*, pujanza *f*, denuedo *m*. ~가 있는 combativo, combatiente, pujante, pugnante. ~만만한 lleno de combatividad.

투창(投槍) =창던지기. ¶~을 던지다 lanzar la jabalina.

투척(投擲) lanzamiento *m*. ~하다 lanzar, arrojar.

투철하다(透徹-) (ser) perspicaz, penetrante; [명쾌한] claro, límpido.

투포환(投砲丸)=포환던지기.

투표(投票) votación *f*, sufragio *m*; [표] voto *m*. ~하다 votar, dar *su* voto. ~구 distrito *m* (de votación). ~권 derecho *m* de voto, derecho *m* de votar, voto *m* (activo). ~권이 있는 con voz y voto. ~권이 있는 con voz pero sin voto. ~권이 있다 tener voto, ser voto. ~소 colegio *m* [centro *m*] electoral. ~용지 papeleta *f* (de voto · de votación), papeleta *f* para votar, balota *f*, *AmL* boleta *f* (de voto). ~자 votador, -dora *mf*, votante *mf*. ~함 urna *f* (electoral), caja *f* de balotas.

투피스 traje *m* [*Col* vestido *m*] de dos piezas, *CoS* ambo *m*.

투하(投下) caída *f*. ~하다 dejar caer, echar por tierra, soltar. 폭탄을 ~하다 soltar una bomba.

투항(投降) rendición *f*, capitulación *f*. ~하다 rendirse, entregar *sus* armas, entregarse.

투해머(投−)=해머던지기.

투혼(鬪魂) espíritu *m* combativo.

툭 ① [손으로] con una palmadita, con un golpecito. ~치다 dar un golpecito. ② [모양] prominentemente, sobresalientemente. ~ 튀어나온 [턱이] prominente; [이가] salido; [손톱이] que sobresale. ~ 튀어나온 눈 ojos *mpl* saltones.

툭탁거리다 golpearse (uno de otro).

툭툭 con unas palmaditas, con unos golpecitos. ~ 치다 dar unos golpecitos.

툭툭하다 ① [국물이] (ser) espeso, denso, condenado. ② [천이] (ser) grueso, basto, tosco.

툭하면 siempre, sin aluguna razón. ~ …하다 ser propenso a + *inf*, tener tendencia a + *inf*, tender a + *inf*. 그녀는 ~ 운다 Ella tiene tendencia a llorar.

툰드라 tundra *f*.

툴툴거리다 quejarse, reclamar, refunfuñar, rezongar, gruñir, hablar entre dientes.

툽툽하다 (ser) espeso, denso, condensado.

퉁겨지다 deshacerse, desmontarse, desarmarse.

퉁기다 ① [버티어 놓은 물건을 빠지게 건드리다] deslizar, meter, poner. ② [뼈의 관절을 어긋나게 하다] dislocarse. ③ [기회가 어그러지게 하다] perder la oportunidad [ocasión].

퉁명스럽다 (ser) seco, brusco, bronco, áspero, descortés, tosco, grosero, rudo, impolítico. 퉁명스러운 대답 respuesta *f* seca [brusca].

퉁명스레 secamente, bruscamente, descortésmente, toscamente, groseramente, rudamente, impolíticamente. ~ 대답하다 contestar [responder · replicar] ásperamente.

퉁방울 campana *f* de latón. ~눈 ojos *mpl* saltones.

퉁소(洞簫) tungso, una especie de la flauta de bambú, clarinete *m* de bambú.

퉁탕거리다 seguir golpeando, seguir dando un portazo.

퉁퉁 con un hinchazón. ~하다 (ser) rechoncho, gordo. ~ 부은 얼굴 cara *f* muy hinchada.

퉤퉤 siguiendo escupiendo. ~ 침을 뱉다 escupir repetidas veces.

튀 kelp *m* fibra.

튀기 ① =잡종. 혼혈아. ¶백인과 흑인과의 ~ mulato, -ta *mf*. 서반아 사람과 인디오와의 ~ mestizo, -za *mf*. ② [수나귀와 암소 사이에서 난다는 짐승] híbrido *m* entre el asno y la vaca.

튀기다[1] ① [힘을 모았다가 갑자기 탁 놓아 내 뻗치다] dar un capirotazo, dar [golpear] con un movimiento ligero y pronto, lanzar legera y rápidamente, chapotear, hacer saltar, golpear. 손가락끝으로 ~ dar un capirotazo. ② [건드려서 갑자기 하게 하다] espantar, ahuyentar. 꿩을 ~ espantar [ahuyentar] el faisán.

튀기다[2] 끓는 기름에 넣거나 불에 익혀] freír. 기름에 ~ freír. 감자를 기름에 ~ freír las patatas en el aceite. 생선을 ~ freír el pescado.

튀김 comida *f* coreana consistente en pescados, mariscos y vegetales fritos; fritada *f*, fritura *f*, torta *f*, tortilla *f*, churro *m*. 감자~ patatas *fpl* fritas, *AmL* papas *fpl* fritas, *Col*, *Méj* papas *fpl* a la francesa.

튀다 ① [갑자기 터지는 힘으로 세게 나가다] salpicar; [자신에게] salpicarse. ② [갑자기 달아나다] huir, escapar, ahuyentar, darse a la fuga. 도둑이 ～ 튀었다 Un ladrón ahuyentó.

튀밥 arroz *m* hinchado. ～튀기다 exagerar, ponderar, hiperbolizar.

튜너 sintonizador *m*.

튜브 tubo *m*, tubo *m* neumático; [타이어의] cámara *f* (de aire). ～에 든 치약 tubo *m* de pasta dentífrica, tubo *m* de pasta de dienes. ～에 든 그림 물감 tubo *m* de colores.

튤립 tulipán *m*.

트다[1] ① [풀·나무의 싹이나 꽃봉오리가 벌어지다] germinar, brotar. 움[싹]이 ～ brotar el germen. ② [동이] amanecer, apuntar el día, clarear, alborear. 동이 틀 무렵 al rayar el alba. 동이 ～ Amanece. ③ [추위 등으로 살가죽이] hender, rejar, agrietarse, tener grietas. 튼 agrietado. 온통 튼 손 mano *f* llena de grietas, mano *f* agrietada.

트다[2] ① [막혔던 것을] abrir, comenzar, empezar. 길을 ～ abrir [construir] un camino. ② [거래 관계를] abrir, comenzar, negociar. 거래를 ～ abrir el negocio.

트라이앵글 triángulo *m*.

트라코마 ((의학)) ＝트라홈.

트라홈 ((의학)) tracoma *m*. ～에 걸리다 contagiarse de tracoma.

트랙 ① [육상 경기장이나 경마장의] pista *f*. ～을 다섯 바퀴 돌다 dar cinco vueltas a la pista. ② ＝트랙 경기. ③ ((컴퓨터)) pista *f*. ～경기 atletismo *m* en pista.

트랙터 ① ((기계)) tractor *m*. ② ((컴퓨터)) tractor *m*.

트랜스 ＝변압기.

트랜지스터 ① ((물리)) transistor *m*. ② ((준말)) ＝트랜지스터 라디오.

트랜지스터 라디오 transistor *m*, *AmL* radio *m* transistor.

트랩[1] ① [덫] trampa *f*. ② ((사격)) lanzaplatos *m.sing.pl*. ③ ((골프)) bunker *ing.m*.

트랩[2] [비행기의] escalerilla *f*, [선박의] escala *f* (real · de embarque).

트러블 disturbios *mpl*, conflictos *mpl*, disgusto *m*, problemas *mpl*, dificultad *f*, riña *f*.

트러스트 ((경제)) trust *ing.m*, cartel *m*. 반～법 ley *f* antitrust.

트럭 ① [화물 자동차] camión *m*, autocamión *m*; [소형의] camioneta *f*. ② ＝무개 화차. ¶～ 기사 camionero, -ra *mf*.

트럼펫 ((악기)) trompeta *f*. ～을 연주하다 tocar la trompeta. ～ 연주자 trompeta *mf*, trompetista *mf*.

트럼프 naipe *m*, carta *f*, [한 조의] baraja *f*. ～점 cartomancia *f*.

트렁크 ① [여행용의 큰 가방] baúl *m*; [대형의] (baúl *m*) mundo *m*; [소형의] maleta *f*. ② [자동차 뒤쪽의] portaequipaje *m*, maletero *m*.

트레머리 penca *f* [moño *m*] de pelo. ～를 하다 ponerse la penca de pelo.

트레이너 [운동의] entrenador, -dora *mf*, [경주마의] preparador, -dora *mf*, [동물의] amaestrador, -dora *mf*, adiestrador, -dora *mf*.

트레이닝 [운동의] entrenamiento *m*; [교육] capacitación *m*, escuela *f*. ～하다 entrenarse. ～시키다 entrenar. 하드 ～ entrenamiento *m* duro. ¶～ 센터 centro *m* de formación profesional.

트레이드 ① [무역] comercio *m*. ～하다 comerciar. ② [운동 선수의 이적] traspaso *m*. ～하다 traspasar. ～ 선수 jugador *m* traspasado, jugadora *f* traspasada. ¶～마크 marca *f* (de fábrica).

트레일러 ① ㉮ [선박·차량용] remolque *m*. ㉯ [(차로 끄는) 이동 주택] rulot *f*, caravana *f*, *CoS* casa *f* rodante, *Col*, *Chi* tráiler *m*, *Méj* cámper *m*. ㉰ [트럭의] remolque *m*, tráiler *m*. ② ((영화)) [예고편] avance(s) *m*(*pl*), tráiler *m*.

트로이카 troica *f*.

트로피 trofeo *m*.

트롤리(버스) trolebús *m*.

트롬본 ((악기)) trombón *m*. ～ 연주자 trombón *mf*.

트리오 ① ((음악)) trío *m*. ② ((음악)) ＝삼인조(三人組).

트림 eructo *m*, eructación *f*, regüeldo *m*. ～하다 eructar, echarse un eructo, soltar un eructo, regoldar.

트릿하다 ① [먹은 음식이] (ser) dispéptico, tener una indisgestión. ② [똑똑찮다] (ser) sospechoso.

트위스트 torcedura *f*, la acción y efecto de torcer; [춤] twist *ing.m*. ～를 추다 bailar el twist.

트이다 ① [막혔던 물건이] abrirse, extenderse. 트인 장소 lugar *m* abierto. ② [(어둠·구름·안개 따위가) 걷히어 환해지다] despejarse, aclararse, serenarse. ③ [거리끼는 일이 없어지다] hacerse mejor. ④ [생각이] (ser) liberal, de gran corazón, campechano, llano. ⑤ [구멍이 뚫리다] ser agujereado.

트집잡다 tachar, criticar (mezquinamente), buscar camorra, buscar tachas, buscar las cosquillas, poner tachas, encontrar defectos.

특가(特價) precio *m* especial; [투매따위의] precio *m* de saldos. ～로 팔다 [제공하다] ofrecer con un precio especial, hacer una oferta especial. ¶～ 제공 ofrecimiento *m* con un precio especial. ～ 판매 venta *f* con precios especiales. ～

품 saldo *m*, ganga *f*.

특강(特講) clase *f* especial, lección *f* especial, curso *m* especial.

특공(特功) mérito *m* especial, servicio *m* distinguido. ~대 comando *m*.

특과(特科) curso *m* especial. ~병 soldado *m* técnico. ~생 estudiante *mf* de un curso especial.

특권(特權) privilegio *m*, derecho *m* exclusivo, derecho *m* estatuito, prerrogativa *f*. ~계급[층] clase *f* privilegiada. ~의식 espíritu *m* de casta.

특근(特勤) servicio *m* extra, trabajo *m* extraordinario. ~하다 trabajar extraordinariamente. ~수당 bonificación *f* para el trabajo extraordinario.

특급(特急) ((준말)) =특별 급행.

특기(特技) especialidad *f*, talento *m* especial, habilidad *f* especial, fuerte *m*.

특기(特記) mención *f* especial. ~하다 mencionar especialmente. ~할 만하다 ser digno de mencionarse expecialmente.

특대(特大) lo extralargo, tamaño *m* excepcional. ~의 [담배가] extralargo; [침대가] de matrimonio (extragrande). ~호 edición *f* aumentada [ampliada] especial.

특대(特待) trato *m* especial. ~하다 tratar especialmente, dar un tratamiento especial. ~생 becario, -ria *mf*.

특등(特等) clase *f* especial, grado *m* especial. ~상 premio *m* especial; [복권의] (premio *m*) gordo *m*, gran premio *m*. ~석 asiento *m* especial. ~실 cuarto *m* especial.

특례(特例) caso *m* [ejemplo *m*] especial, excepción *f*. ~법 ley *f* especial.

특매(特賣) venta *f* especial, venta *f* de saldos, venta *f* especialmente barata, almoneda *f*. ~하다 vender en saldo, saldar. ~장 sección *f* de venta especial. ~품 artículos *mpl* especialmente rebajados.

특명(特命) orden *f* especial, mandato *m* especial, misión *f* especial. ~전권 공사 ministro *m* plenipotenciario, ministra *f* plenipotenciaria. ~전권 대사 embajador *m* extraordinario y plenipotenciario, embajadora *f* extraordinaria y plenipotenciaria.

특무(特務) misión *f* especial, servicio *m* especial. ~기관 agencia *f* de servicio secreto. ~대 cuerpo *m* de contraespionaje.

특배(特配) ① ((준말)) =특별 배급. ② ((준말)) =특별 배당(特別配當).

특별(特別) especialidad *f*, particula-

ridad *f*, excepción *f*. ~하다 (ser) especial, particular, extraordinario; [예외적인] excepcional, de excepción. ~한 경우 caso *m* especial, caso *m* excepcional. ~한 선물 regalo *m* de excepción. ~히 especialmente, particularmente, de manera especial, en especial, en particular. ¶~ 급행 expreso *m* especial, superexpreso *m*. ~ 급행 열차 tren *m* superexpreso. ~사면 indulto *m*; [법령에 의한] amnistía *f*; [군주에 의한] gracia *f*. ~수당 prima *f*, gratificación *f* (especial), asignación *f* especial. ~시 metrópoli *m* (especial), municipalidad *f* especial, ciudad *f* especial.

특보(特報) noticia *f* [reportaje *m*] especial; [속보] noticia *f* urgente. ~하다 dar una noticia especial; [라디오·텔레비전으로] emitir una noticia especial.

특사(特使) enviado, -da *mf* especial; mensajero, -ra *mf*. 유엔 ~ enviado, -da *mf* (especial) de las Naciones Unidas.

특사(特赦) ((준말)) =특별 사면. ¶~령 decreto *m* de amnistía.

특산(特産) productos *mpl* especiales. ¶~물 producto *m* especial; [주로 음식물] especialidad *f* de la región.

특상(特上) primera cualidad *f* [calidad *f*]. ~의 de primera cualidad, el mejor. ~품 el mejor artículo.

특색(特色) ① [보통의 것과 다른 점] especialidad *f*, prominencia *f* especial, característica *f*, peculiaridad *f*, lo más notable, color *m*. ~ 있는 especial, peculiar, característico, distintivo. ~ 없는 monótono, sin ninguna característica especial, común. ② =특장(特長).

특선(特選) selección *f* especial. ~의 selecto [elegido·escogido] especialmente. ~이 되다 [작품이] obtener el premio especial. ¶~품 artículo *m* especialmente escogido.

특설(特設) instalación *f* especial, establecimiento *m* especial. ~하다 instalar especialmente, establecer especialmente.

특성(特性) carácter *m* específico, característica *f*, especialidad *f*, particularidad *f*, peculiaridad *f*, propiedad *f*, idiosincracia *f*.

특수(特殊) especialidad *f*, peculiaridad *f*, particularidad *f*, característica *f*. ~하다 (ser) especial, particular, específico.

특수(特需) demanda *f* especial.

특약(特約) contrato *m* [estipulación *f*·convenio *m*·transacción *f*] especial. ~하다 hacer un contrato especial. ~점 agencia *f* especial.

특유(特有) peculiaridad *f*, cualidad *f*

especial. ~하다 (ser) peculiar, característico, específico, propio, distintivo.

특이성(特異性) singularidad *f*, peculiaridad *f*. ~의 específico.

특이점(特異點) punto *m* especialmente distinto.

특이질(特異質) idiosincrasia *f*.

특이 체질(特異體質) idiosincrasia *f*. ~의 idiosincrásico.

특이하다(特異~) (ser) particular, específico, singular, peculiar, único, original; [독창적인] ingenioso. 특이한 재능 talento *m* original.

특임(特任) nombramiento *m* especial; [임무] misión *f* especial.

특작(特作) producción *f* especial. ~품 [영화의] filme *m* especial.

특전(特典) favor *m* especial, privilegio *m*, oferta *f* generosa, oferta *f* ventajosa. ~을 주다 conceder el privilegio.

특전(特電) telegrama *m* especial, despacho *m* especial.

특정(特定) especificación *f*. ~의 determinado, específico; [특별한] especial. ~ 요금 tarifa *f* específica. ~인 persona *f* determinada, persona *f* específica.

특제(特製) fabricación *f* [elaboración *f*] especial. ~의 de fabricación especial, de hechura especial, especialmente hecho. ~품 artículo *m* fuera de serie.

특종(特種) ① [특별한 종류] especie *f* especial, clase *f* especial. ② ((준말)) =특종 기사. ¶~ 기사 noticia *f* sensacional y exclusiva, noticia *f* que publica un periódico antes de otros.

특주(特酒) bebida *f* preparada especialmente.

특지(特志) ① [좋은 일을 위해 내는 특별한 뜻] intención *f* especial, interés *m* especial. ② ((준말)) =특지가. ¶~가 patrón, -trona *mf*; voluntario, -ria *mf*.

특진(特進) promoción *f* especial. 한 계급 ~ promoción *f* especial de un grado.

특진(特診) consulta *f* médica por el médico específico.

특질(特質) ① [특별한 기질] característica *f*, peculiaridad *f*. ② [특별한 품질] cualidad *f* especial.

특집(特輯) edición *f* especial. ~ 프로그램 programa *m* especial. ~호 número *m* especial.

특징(特徵) característica *f*, peculiaridad *f*, particularidad *f*, carácter *m* distintivo, rasgo *m* distintivo.

특차(特次) turno *m* especial.

특채(特採) empleo *m* especial, nombramiento *m* especial. ~하다 emplear especialmente, nombrar

especialmente.

특청(特請) petición *f* especial, solicitud *f* especial. ~하다 pedir [solicitar] especialmente.

특출하다(特出~) (ser) sobresaliente, distinguido, prominente, superior.

특칭(特稱) designación *f* especial, denominación *f* especial; ((논리)) particular *m*. ~하다 dar una denominación, denominar. ~ 명제 proposición *f* particular.

특파(特派) expedición *f* (especial), envío *m*, despacho *m*. ~하다 enviar [mandar] especialmente; [군을] destacar. 기자를 ~하다 enviar especialmente a un periodista, mandar un enviado especial. ¶~원 corresponsal *mf*; correspondiente *m*.

특필(特筆) mención *f* especial. ~하다 mencionar especialmente, hacer mención especial.

특허(特許) ① [특별히 허락함] permiso *m* especial. ~하다 permitir especialmente. ② ((법률)) patente *f*. ~ 출원중 bajo la solicitación del privilegio. 발명 ~ patente *f* de invención. 전매 ~ monopolio *m*. ¶~권 patente *f*, derechos *mpl* de patente. ~장 título *m* [patente *f*] de privilegio, licencia *f* especial. ~증 certificado *m* de patente. ~청 Dirección *f* General de Patentes, Registro *m* de la propiedad industrial, Registro *m* de patentes y marcas.

특혜(特惠) tratamiento *m* preferente, preferencia *f*, favor *m* especial, privilegio *m*. ~ 관세 tarifa *f* preferencial, tarifa *f* preferente. ~ 대우 trato *m* preferencial, tratamiento *m* preferente. ~ 융자 préstamo *m* preferencial.

특혜국(特惠國) nación *f* más favorecida. ~ 대우 tratamiento *m* que implica preferencia.

특효(特效) eficacia *f* especial, virtud *f* especial. ~약 específico *m*, medicina *f* milagrosa.

특히(特~) especialmente, en especial, particularmente, en particular, sobre todo. ~ 주의하다 prestar atención especial.

튼실하다 ser fuerte y firme.

튼튼하다 ① [매우 단단하고 실하다] (ser) fuerte, resistente, sólido, durable, estar sujeto. ② [몸이 건강하다] (ser) fuerte, vigoroso, robusto; [건강한] sano, con buena salud. 튼튼한 사람 persona *f* fuerte [robusta].

틀 ① [「골」이나 「판」이 되는 물질] molde *m*., matriz *f*. ② [테두리만으로 된 물건] ㉮ [구조] [건물·선박·비행기의] armazón *m*; [자동

차·자전거의] bastidor *m*; [자전거의] cuadro *m*, *Chi*, *Col* marco *m*; [침대·문의] bastidor *m*. ㉯ [테두리] [그림의] marco *m*; [창문·문의] marco *m*; [라켓의] armazón *m*(*f*), marco *m*. ③ ((속어)) =기계. ④ ((준말)) =재봉틀(máquina de coser). ⑤ =틀거지. ⑥ [일정한 격식이나 형식] formalidad *f*. ~에 박힌 formal, convencional. ~에 박힌 말 palabra *f* convencional.

틀니 diente *m* postizo, diente *m* falso; [어금니의] muela *f* postiza; [집합적] dentadura *f* postiza.

틀다 ① [한 물건의 양끝을 서로 반대쪽으로 돌리다] torcer, volver, dejar, dar vueltas. 오른쪽으로 ~ torcer a la derecha. ② [일이 어그러지도록 방해하다] frustrar, fallar, desbaratar, contrarrestar. ③ [솜틀로 솜을 타다] limpiar, sobrehilar, encandelillar, *RPI* surfilar. ④ [머리·상투를 묶다] atar. 상투를 ~ atar el moño. ⑤ [라디오·수도 따위의 기계를] abrir, poner, encender. 라디오를 ~ poner la radio. 음악을 ~ difundir [poner] una música; [방송하다] emitir música.

틀리다 ① [셈이나 사실·이치 따위가] estar mal, estar equivocado, ser incorrecto, equivocarse, cometer; [다르다. 잘못하다] (ser) distinto, diferente, diferir, diferenciarse, variar, discordar. 계산이 ~ calcular mal, cometer un error de cálculo. ② [사이가 틀어지다] discorar. 사이가 ~ estar en malos términos, estar en relaciones poco amistosas, no estar en buenos términos, llevarse mal. ③ [물건의 양쪽 끝이 서로 반대쪽으로 돌림을 당하다] ser torcido, torcerse. 병마개가 ~ torcerse el tapón (de la botella).

틀림 equivocación *f*, error *m*, falta *f*, culpa *f*, discrepancia *f*, diferencia *f*.

틀림없다 (ser) igual, idéntico, el mismo, cierto, seguro; [믿을 수 있다] confiable, fidedigno. 틀림없는 사람 persona *f* de entereza.
틀림없이 sin duda, indudablemente, sin falta, seguramente, exactamente. ~ 그렇습니다 Tiene usted toda la razón / Claro que sí / Así es ciertamente:

틀어넣다 meter, embutir, envasar, enpaquetar, embalar.

틀어막다 ① [억지로 틀어넣어 못 통하게 하다] rellenar, llenar, tapar, obstruir, cerrar. 틈을 ~ llenar la abertura. ② [말·행동을 제멋대로 못 하도록 억제하다] tapar. 입을 ~ [남의] tapar*le* la boca. ③ [일이 안 되게 억지로 막다] obstruir a la fuerza.

틀어박다 meter, embutir. ☞틀어넣다

틀어박히다 encerrarse, recluirse. 집에 ~ quedarse en casa sin hacer nada, estarse encerrado en casa.

틀어쥐다 capturar, apresar, aprehender, tomar, tomar posesión.

틀어지다 ① [제 갈 자리에서 옆으로 굽어 나가다] [차량·운전수·말이] virar bruscamente, dar un viraje brusco, *Méj* dar un volantazo; [사람·편지가] extraviarse, perderse; [동물이] descarriarse; [공이] ir con efecto; [축구 선수가] fintar, quebrar; [선박·비행기가] desviarse. ② [새끼 모양으로 꼬여 틀리다] (ser) retorcido, deformado, crispado. ③ [사귀는 사이가 서로 벌어지다] discrepar, disentir, diferenciarse, alejarse, distanciarse. ④ [꾀하는 일이 어그러지다] echarse a perder, aguarse, estropearse.

틈 ① [벌어져 사이가 난 자리] grieta *f*, raja *f*, quebraja *f*, intersticio *m*, resquicio *m*, fisura *f*, abertura *f*, redija *f*. ② [겨를] tiempo *m* libre, hora *f* ociosa, horas *fpl* muertas, rato *m* ocioso, horas *fpl* desocupadas, horas *fpl* de recreo, tiempo *m* desocupado, claro *m*; [시간] tiempo *m*. ~이 있을 때에 a ratos perdidos, en momentos imprevistos. ~을 내다 encontrar tiempo. ~이 나다 estar libre, estar desopado, tener tiempo libre. ③ [기회] ocasión *f*, oportunidad *f*. ~을 노리다 estar al acecho de un descuido (de). ④ [간격] cabida *f*, puesto *m*, tiempo *m*, intervalo *m*. ~이 있다 caber. ⑤ [불화] desavenencias *fpl*, roces *fpl*, tirantez *f*, distanciamiento *m*, alejamiento *m*. 가족 간의 ~ desavenencias *fpl* familiares, roces *fpl* familiares.

틈나다 ① [겨를이 생기다] estar libre, tener tiempo libre. 틈나는 대로 찾아가마 Te visitaré cuando yo esté libre. ② [서로 사이가 벌어지다] alejarse (uno de otro), distanciarse (uno de otro), separarse (uno de otro).

틈내다 encontrar tiempo, hacer tiempo.

틈새 espacio *m*. ~를 만들다 dejar un espacio.

틈새기 rendija *f*, parte *f* muy estrecha de la grieta [de la raja]. ~ 바람 chilflón *m*, aire *m* colado, corriente *f* de aire, corriente *f* de viento.

틈타다 aprovechar la oportunidad [la ocasión].

틈틈이 ① [틈이 난 구멍마다] en cada abertura. ② [겨를이 있을 때마다] en momentos imprevistos, siempre que se está libre.

티¹ ① ㉮ [재·흙 등의 부스러기] polvo *m*, mata *f*, átomo *m*. 눈에 ~가 들어가다 tener mota en *su* ojo. ㉯ ((성경)) paja *f*. 남의 눈에 있는 ~ la paja en el ojo ajeno. ② [조그마한 흠집] fallo *m*, defecto *m*, falta *f*, tacha *f*, falla *f*, imperfección *f*. 옥에 ~ fallo *m* en una joya. ~없는 어린이 niño, -ña *mf* inocente.

티² [어떠한 색태나 기색 또는 버릇] estilo *m*, manera *f*, modo *m*, aspecto *m*, aire *m*; [버릇] costumbre *f*, hábito *m*; [악습] vicio *m*, mala costumbre *f*.

티³ ((골프)) [쇠기못] tee *ing.m*, soporte *m* para la pelota de golf, soporte *m* donde se pone la pelota; [공을 올려놓는 자리] punto *m* de salida, punto *m* de partida. ~ 샷 ((골프)) primer golpe *m*. ~ 샷하다 dar el primer golpe.

티격태격 peleándose, riñendo, discutiendo. ~하다 pelearse, reñir, discutir, causar un conflicto muy complicado.

티끌 polvo *m*; [옷에 묻은] mota *f*. ~만큼도 없다 no haber un ápice. 티끌 모아 태산(泰山) 된다 ((속담)) Muchos pocos hacen un mucho.

티눈 callo *m*, ojo *m* de gallo, callo *m* en la planta del pie. ~약 callicida *f*. ~ 전문의 callista *mf*.

티브이 televisión *f*, tele *f*, TV *f*.

티 셔츠 camiseta *f*, jersey *m*, polo *m*.

티스푼 cucharita *f*, cucharilla *f*.

티없다 (ser) inocente, tierno. 티없이 inocentemente, tiernamente, con inocencia. ~ 맑은 blanco como la nieve, inocente. ~ 맑은 가을 cielo *m* claro del otoño.

티엔티 TNT *m*, trinitrotolueno *m*.

티자(T－) regla *f* T.

티자(T字) T *f*.

티케이오 K.O *m* técnico.

티켓 [버스·기차의] billete *m*, *AmL* boleto *m*; [비행기의] billete *m*, pasaje *m*; [극장·박물관 등의] entrada *f*.

티크 (madera *f* de) teca *f*.

티푸스 tifus *m*, fiebre *f* tifoidea. ~균 bacilo *m* de Eberth.

틴에이저 [십대] adolescente *mf*; joven *mf* de trece a diecinueve años. ~들 chicos *mpl* jóvenes, chicas *fpl* jóvenes.

팀 equipo *m*, partido *m*. 한국 ~의 선수들 jugadores *mpl* del equipo de Corea.

팀파니 ((악기)) tímpano *m*.

팁 propina *f*. ~으로 de propina. ~을 주다 dar (una) propina, *Méj* propinar. ~을 (남겨)두다 dejar propina.

팃검불 fragmentos *mpl* de paja.

팅크 (tintura *f* de) yodo *m*.

팅팅 con un hinchazón, hinchando. ~ 붓다 hincharse mucho.

ㅍ

파 ((식물)) puerro *m*, cebolleta *f*. ~
밭 cebollar *m*.

파(派) [유파] escuela *f*; [종파] secta
f; [당파] partido *m*.

파 ((골프)) par *m*. 투 언더 ~ dos
bajo par. 투 오버 ~ dos sobre
par.

파격(破格) categoría *f* extraordinaria,
irregularidad *f*; ((시학)) licencia *f*
poética; ((언어)) solecismo *m*. ~
적 especial, excepcional, anormal,
roto, sin precedentes, inaudito.

파견(派遣) envío *m*, despacho *m*,
expedición *f*. ~하다 enviar, despachar. ¶ ~단 delegación *f*. ~대
destacamento *m*.

파경(破鏡) separación *f*, divorcio *m*.
~에 이르다 llegar a separar [di-
vorciar].

파계(破戒) transgresión *f* [infracción
f·violación *f*] de los mandamientos budistas. ~하다 violar los
mandamientos budistas. ~승 sacerdote *m* [monje *m*] depravado.

파고(波高) altura *f* de la ola.

파고들다 ① [조직이나 사건의 내부
를] penetrar, introducirse, invadir,
meter(se), inquirir. ② [깊이] que-
dar(se) grabado. 마음 속에 ~
quedar(se) grabado en el corazón.
③ [비집고 들어가 발을 붙이다]
penetrar, invadir. 외국 시장에 ~
penetrar en [invadir] el mercado
exterior [extranjero]. ④ [깊이 캐
어 알아내다] ahondar, investigar,
sudar la gota gorda.

파곳 ((악기)) fagot *m*. ~ 연주자
fagot *mf*, fagotista *mf*.

파괴(破壞) destrucción *f*, rompimiento *m*, demolición *f*, ruina *f*; [괴멸]
aniquilación *f*. ~하다 destruir,
romper, demoler, arruinar, demoler,
destrozar, aniquilar. ~력 poder *m*
destructivo. ~ 무기 armas *fpl*
destructivas. ~자 destructor *m*.
~주의 vandalismo *m*. ~ 행위[활
동] actividades *fpl* subversivas.

파급(波及) influencia *f*, repercusión *f*.
~하다 extenderse, propagarse, influir, afectar.

파기(破棄) anulación *f*, cancelación *f*,
abolición *f*, rompimiento *m*, ruptura *f*; [판결의] anulación *f*, cesación
f. ~하다 anular, cancelar, romper,
abolir, cesar. 계약의 ~ anulación *f*

de un contrato.

파김치 chalote *m* encurtido, encurtidos *mpl* de puerros. ~가 되다
estar muy cansado.

파나마 ((지명)) Panamá. ~의 panameño. ~ 모자 panamá *m*, (sombrero *m* de) jipijapa *f*. ~ 사람
panameño, -ña *mf*. ~ 운하 el
Canal de Panamá.

파내다 cavar, excavar, ahondar; [시
체를] desenterrar, exhumar.

파노라마 panorama *m*.

파다 ① [구멍이나 구덩이를] cavar,
excavar; [동물이] escarbar; [코로]
hozar. ② [일의 속까지 깊이 알아
내다] investigar, estudiar, considerar, inquirir. 원인을 ~ investigar
la razón. ③ [새기다] tallar, esculpir, grabar; [끌로, 돌에] cincelar;
[끌로, 나무·금속에] labrar, tallar.
④ [전력을 기울여 하다] concen-
trar toda *su* energía, consagrar
toda *su* energía.

파다하다(頗多—) (ser) muchísimo,
numeroso, abundante.

파닥거리다 [새가] revolotear; [물고기
가] moverse, aletear.

파당(派黨) = 당파(黨派).

파도(波濤) ola *f*; [집합적] oleada *f*;
[큰] oleaje *m*, marejada *f*; [진동
현상] onda *f*. ~치다 ondular, ondear.

파도타기(波濤—) surf *ing.m*, surfing
ing.m.

파동(波動) ① [물결의 움직임] ondulación *f*, movimiento *m* ondulato-
rio. ~하다 ondular. ② [사회적으
로 일으킨 큰 변동] fluctuación *f*,
agitación *f*, crisis *f*. ③ ((물리))
fluctuación *f*. ④ [주기적인 변화]
fluctuación *f* (conyuntural). ~하다
fluctuar, ondear. ¶ 경제 ~ crisis *f*
económica. 유가 ~ fluctuación *f*
del petróleo. 정치 ~ agitación *f*
política. 증권 ~ crisis *f* de valores.

파라구아이 = 빠라구아이.

파라다이스 [천국, 낙원] paraíso *m*.

파라솔 parasol *m*, quitasol *m*.

파라슈트 paracaídas *m.sing.pl*.

파라티온 parathion *m*.

파라티푸스 paratifoidea *f*.

파라핀 parafina *f*, queroseno *m*, petróleo *m* lampante.

파란(波瀾) ① = 파랑(波浪). ② [어수
선한 사단] [분쟁] confusión *f*, tumulto *m*, disturbio *m*; [성쇠] vici-

situd *f*, [이야기 등의] incidente *m*.
~ 많은 생애 vida *f* accidentada.
¶ ~만장 vicisitudes *fpl*. ~중첩
dificultades *fpl* tormentosas.

파랑 (color *m*) azul *m*; [초록] (color
m) verde *m*. ~ 물감 tintura *f*
[tinte *m*] azul; [색] color *m* azul.

파랑새 ① [푸른 빛깔을 띤 새] pájaro *m* azul. ② ((조류)) azulejo *m*.

파랗다 (ser) muy azul; [초록] verde;
[안색이] pálido; [덜 익다] verde,
inmaduro.

파래 ((식물)) lechuga *f* del mar, ova
f, ulva *f*.

파래지다 ponerse azul, ponerse
verde; [안색이] ponerse pálido.

파렴치(破廉恥) desvergüenza *f*, infamia *f*, escándalo *m*, descaro *m*,
impudencia *f*. ~하다 (ser) desvergonzado, infame, escandaloso, sin
vergüenza, descarado. ~범 criminal *mf* infame.

파르르 ① [적은 빛깔을 띤 pája-
이 끓어오르며] silbando, chisporroteando. ② [심한 충격으로 몸의
일부가] enfurruñándose, estando
de moros, estando con mufa. ③
[잎사귀 등이] enfurruñándose, estando
de moros, estando con mufa. ③
[잎사귀 등이] estremeciéndose,
tiritando.

파르스레하다 (ser) azulado, verdoso;
[창백하다] pálido.

파르티잔 partisano, -na *mf*.

파릇파릇 verdeantemente. ~하다 ser
verdeante.

파리¹ ((곤충)) mosca *f*. ~를 잡다
matar [aplastar] una mosca. ¶ ~
목숨 vida *f* efímera. ~약 insecticida *f*. ~채 matamoscas *m.sing.pl*.

파리² [지명] París. ~의 parisiense. ~
사람 parisiense.

파리하다 (ser) flaco, delgado, demacrado. 파리한 얼굴 cara *f* flaca
[delgada], rostro *m* flaco.

파마 =퍼머넌트 웨이브.

파먹다 ① [파서 먹다] sacar y comer. ② [놀고 먹다] vegetar, vivir
sin trabajar.

파면(罷免) destitución *f*, despido *m*,
deposición *f*. ~하다 destituir, deponer, despedir.

파멸(破滅) ruina *f*, perdición *f*, [파국]
catástrofe *m*; [몰락] caída *f*, decadencia *f*. ~하다 perderse, arruinarse, caer, decaer. ~시키다
arruinar, perder, echar a perder.

파문(波紋/波文) ① [수면에 이는 잔
물결] rizo *m* del agua en círculos
concéntricos. ② [물결 모양의 주
늬] figura *f* de la forma de la ola.
③ [어떤 일의 영향] resonancia *f*,
repercusión *f*. ~을 던지다 tener
repercusión [resonancia].

파문(破門) ① [문하에서 제척함] expulsión *f*. ~하다 expeler, expulsar,
echar (fuera), arrojar. ② ((종교))
excomunión *f*, anatema *m(f)*, ana-

tematismo *m*, excomulgación *f*. ~
하다 excomulgar, anatematizar.

파묻다¹ ① [땅에] poner, plantar; [매
장하다] enterrar, sepultar. 보물을
~ enterrar un tesoro. ② [남몰래
깊이] hundir, esconder. 어둠속에
~ esconder en la oscuridad. ③
[깊숙이 대거나 기대다] reclinarse
(en), echarse hacia atrás. 안락의자
에 몸을 ~ reclinarse en el sillón,
echarse hacia atrás en el sillón.

파묻다² [여러 번 자세히 따지어 묻
다] inquirir [preguntar] inquisitivamente, interrogar.

파묻히다 hundirse, enterrarse, cubrirse; [굴 따위가] llenarse; [시체
가] sepultarse.

파벌(派閥) pandilla *f*, camarilla *f*, corrillo *m*, facción *f*, bando *m*. ~을
만들다 formar una facción. ¶ ~
싸움 lucha *f* entre facciones.

파병(派兵) despacho *m* de las tropas. ~하다 enviar [despachar] las
tropas.

파본(破本) libro *m* mal encuadernado.

파삭거리다 (ser) crespo, quebradizo.

파삭파삭 crujientemente. ~하다
(ser) crujiente, crocante.

파산(破産) quiebra *f*, bancarrota *f*. ~
하다 quebrar, ir a la bancarrota,
arruinarse, hacer quiebra [banca-
rrota]. ~자 fallido, -da *mf*, quebrado, -da *mf*.

파상(波狀) ondulación *f*, voluta *f*,
espiral *f*. ~공격 asaltos *mpl*
sucesivos. ~ 데모 manifestación *f*
en forma de espiral. ~문(紋)
figura *f* ondulante.

파상풍(破傷風) ((의학)) tétano(s) *m*.

파생(派生) derivación *f*. ~하다 derivarse. ~어 lengua *f* derivada, palabra *f* derivada, derivado *m*. ~적
derivado; [이차적인] secundario.

파선(破船) naufragio *m*. ~하다 naufragar.

파손(破損) daño *m*, perjuicio *m*, deterioro *m*, rotura *f*; [화물의] avería
f. ~하다 romper, destruir, quebrar,
quebrantar, derribar; [기계 따위를]
averiar, dañar, destrozar, estropear, deteriorar, perjudicar. ~되다
romperse, destruirse, quebrarse,
quebrantarse, fracturarse, derribarse; [기계 따위가] averiarse,
dañarse, destrozarse, sufrir daños,
estropearse, deteriorse, partirse.
¶ ~물품 artículos *mpl* dañados.
~ 부문 parte *f* dañada [rota]. ~
주의 ((게시)) Frágil.

파쇄(破碎) machacamiento *m*. ~하다
machacar, hacer pedazos [añicos],
romper de golpe.

파쇠(破-) chatarra *f*, hierro *m* viejo.

파쇼 fascismo *m*. ~주의자 fascista

mf.

파수(把守) ① [경계하여 지킴] vigilancia *f.* ~하다 vigilar. ~를 보다 vigilar. ② [경계하여 지키는 사람] vigilante *m*, sereno, -na *mf*; guarda *mf.* ¶~꾼 vigilante *mf*; [수위] guarda *mf.* ~막 atalaya *f*, puesto *m* de observación. ~병(兵) centinela *m.*

파스텔 pastel *m.* ~화 pintura *f* [dibujo *m*] al pastel.

파슬파슬 desmigajando. ~하다 ser susceptible de desmigajarse.

파시(波市) mercado *m* de pescado de temporada.

파시스트 fascista *mf.*

파시즘 fascismo *m.*

파악(把握) comprensión *f*, entendimiento *m.* ~하다 comprender, entender.

파안대소(破顔大笑) risa *f* a carcajadas. ~하다 soltar [reír a] carcajadas.

파약(破約) ruptura *f* [anulación *f*] de un contrato. ~하다 romper un contrato, anular un contrato.

파업(罷業) huelga *f*, *AmL* paro *m.* ~하다 hacer huelga, declararse en huelga [*AmL* paro]. ~중이다 estar en [de] huelga [*AmL* paro]. ¶~ 수당 subsidio *m* [paga *f*] de huelga. ~자 huelguista *mf.*

파열(破裂) estallido *m*, reventón *m*, explosión *f*; [교섭의] rompimiento *m.* ~하다 estallar, reventar(se), dar un estallido, hacer explosión, romperse. ~음 explosiva *f*, sonido *m* explosivo.

파옥(破獄) = 탈옥(脫獄).

파우치 [행낭] valija *f.* 외교 ~ valija *f* diplomática.

파운데이션 base *f* de maquillaje, (crema *f*) base *f*, maquillaje *m* de fondo.

파운드 ① [무게의 단위] libra *f* (454 gramos). 2분의 1 ~ media libra. 4분의 1 ~ un cuarto de libra. ② [화폐의 단위] libra *f.* 이집트 ~ libra *f* egipcia. ③ [영국의 화폐 단위] libra *f* (esterlina). 10~ 지폐 billete *m* de diez libras.

파울 violación *f*, falta *f.* ~을 범하다 cometer una falta. ¶~ 볼 ㉮ ((야구)) pelota *f* bateada fuera de los límites. ㉯ ((볼링)) bola *f* mala.

파워 [영향] poder *m*; [국가의] poderío *m*, poder *m.*

파월(派越) envío *m* a Vietnam. ~하다 enviar a Vietnam.

파이¹ ① [고기 · 생선의] pastel *m*, empanada *f.* 레몬 ~ empanada *f* de limón. ② [과실의] pastel *m*, tarta *f.* 사과 ~ pastel *f* de mazana.

파이² ((수학)) pi (π).

파이팅 [힘내라!] ¡Ánimo!

파이프 ① [액체 · 가스용 관] tubo *m*, caño *m*, tubería *f*, cañería *f.* ② [서양식 담뱃대] pipa *f*, [궐련용] boquilla *f.* ③ [관악기] caramillo *m*; [풍금용] tubo *m*, cañón *m.* ¶~라인 [석유의] oleoducto *m*; [가스의] gasoducto *m*; [석유 · 가스 등의] conducto *m.* ~ 오르간 ((악기)) órgano *m.*; [교회의] gran órgano *m.*

파인더 ((사진)) visor *m.*

파인애플 piña *f*, RPl ananá *f.*

파인 플레이 ① ((운동)) [미기, 묘기] jugada *f* magnífica. ② ((운동)) [정정당당한 싸움] juego *m* limpio.

파일(八日) cumpleaños *m* de Buda, el ocho de abril del calendario lunar.

파일 ① [서류철] carpeta *f*; [접는] fichero *m*; [상자 파일] clasificador *m*, archivador *m.* ② ((컴퓨터)) archivo *m.* 메인 ~ fichero *m* principal. 백업 ~ archivo *m* de reserva [de seguridad].

파일럿 ① [비행기 · 우주선의 조종사] piloto *mf.* ② [도선사] práctico *mf* (de puerto). ③ [라디오 · 텔레비전의] programa *m* piloto.

파자마 pijamas *fpl.*

파장(波長) longitud *f* de onda.

파장(罷場) [과거의] conclusión *f* del examen estatal; [시장의] cierre *m* del mercado.

파적(破寂) el matar de tiempo, diversión *f.* ~하다 matar el tiempo, divertirse.

파전(-煎) tortilla *f* de puerros.

파종(播種) sementera *f*, siembra *f.* ~하다 sembrar.

파죽지세(破竹之勢) fuerza *f* irresistible.

파지(破紙) ① [찢어진 종이] papel *m* roto. ② [손상하여 못 쓰게 된 종이] papel *m* estropeado [inútil].

파직(罷職) dimisión *f* (de la oficina). ~하다 dimitir [despedir] de la oficina.

파초(芭蕉) ((식물)) musácea *f.* ~과 식물 musáceas *fpl.*

파출(派出) envío *m.* ~하다 enviar, mandar. ~부 empleada *f.* ~소 casilla *f* [puesto *m*] de policía.

파충(爬蟲) reptil *m.* ~류 reptiles *mpl.* ~류학 erpetología *f.* ~류학자 erpetólogo, -ga *mf.*

파치(破-) artículo *m* roto, mercancía *f* averiada.

파키스탄 ((지명)) el Paquistán. ~의 (사람) paquistano, -na *mf.*

파킨슨병(-病) enfermedad *f* [mal *m*] de Parkinson, Parkinson *m*, parálisis *f* agitante [temblorosa].

파킹 [주차(장)] aparcamiento *m*, *AmL* estacionamiento *m*, parqueadero *m*. ~하다 aparcar, *AmL* estacionar, *AmL* parquear. ~ 금지 ((게시)) Prohibido aparcar / No estaciocionar(se) / No estacione.

파탄(破綻) [실패] fracaso *m*; [파산] quiebra *f*, bancarrota *f*; [결렬] ruptura *f*. ~하다 hacer bancarrota.

파트너 compañero, -ra *mf*; [댄스・테니스에서] pareja *f*, [사업상의] socio, -cia *mf*; [성관계의] pareja *f*.

파티 ① [연회. 다과회] fiesta *f*, tertulia *f*. ② [무도회] baile *m*.

파파라즈 paparazzo *m* (pl paparazzi).

파파야(식물) papayo *m*. ~의 열매 papaya *f*.

파편(破片) fragmento *m*, pedazo *m*, trozo *m*, cacho *m*, astilla *f*; [돌・유리・뼈 따위의] esquirla *f*, [가는] añicos *mpl*.

파피루스 [종이. 고문서] papiro *m*.

파하다(破一) ① [일을 다하다] terminar, acabar, concluir. 파할 시간 hora *f* de salida [de retirada]. ② [헤어지다] separarse.

파하다(罷一) superar, vencer, romper, quebrar, hacer pedazos, estrellar.

파헤치다 ① [속에 든 물건이 드러나도록] cavar, excavar, abrir. 땅을 ~ excavar la tierra. ② [폭로하다] revelar, delatar. 문제의 핵심을 ~ arrancar [revelar・desenterrar] la médula del problema.

파형(波形) ① [물결의 모양] (forma *f* de la) onda. ② [전파나 음파의 모양] onda *f*.

파혼(破婚) rompimiento *m* de compromiso matrimonial. ~하다 romper el compromiso matrimonial.

파흥(破興) rompimiento *m* de placer. ~하다 romper el placer. ~하는 사람 aguafiestas *mf.sing.pl*.

팍 ① [힘차게 냅다] violentamente, dando un golpetazo, dando un golpe seco. ~ 지르다 dar un golpetazo, dar un golpe seco. ② [힘 없이] débilmente, con debilidad. ~ 거꾸러지다 caerse débilmente.

팍삭 desmoronándose, desplomándose. ~하다 (ser) frágil, desmigajarse.

팍팍하다 ① [다리가 지쳐서] dar un paso difícil por cansancio. ② [음식이] (ser) seco y no ser suave.

판 ① [장소] lugar *m*, sitio *m*; [때] momento *m*; [경우] ocasión *f*, [판국] situación *f*. 말하는 ~에 en el momento de hablar. ② [승부를 겨루는] partida *f*, juego *m*, concurso *m*. 장기 한 ~ una partida de ajedrez. ③ [도박・카지노에서] jugada *f*. 한 ~ una jugada.

판(板) ① [널빤지] tabla *f*, tablero *m*; [엷은] placa *f*, [금속의] plancha *f*, lámina *f*. ② ((인쇄)) =판(版). ③

((준말)) =유성기판. ④ ((준말)) =축음기판. ⑤ ((준말)) =레코드판. ⑥ [달걀 30개] pan, treinta huevos. 달걀 두 ~ sesenta huevos.

판(版) edición *f*, tirada *f*; [인쇄] imprenta *f*. ~을 개정하다 [신판] publicar una nueva edición; [개정판] publicar una edición revisada [corregida]. ~에 박은 것 같다 ser muy parecido, parecerse mucho, parecerse como dos gotas de agua. ~을 거듭하다 publicar varias ediciones.

판(瓣) ① [꽃잎] pétalo *m*. ② [밸브] válvula *f*. ③ [악기] lengüeta *f*. ④ ((해부)) =판막.

판(判) tamaño *m*; [서적의] formato *m*. 대~ tamaño *m* grande. 중)~ tamaño *m* medio. 소~ tamaño *f* pequeño.

판가름 decisión *f*, prueba *f* decisiva. ~하다 decidir, tener prueba decisiva final. ~나다 decidirse.

판각(板刻) ((인쇄)) grabado *m* en madera. ~하다 grabar en madera. ~된 libro *m* grabado en madera.

판검사(判檢事) jueces *mpl* y fiscales..

판결(判決) senteica *f*, fallo *m*. ~을 내리다 dar [dictar・pronunciar] una sentencia [un fallo], sentenciar. ¶~례 precedentes *mpl* jurídicos. ~문 ejecutoria *f*, sentencia *f* escrita.

판공비(辦公費) cuenta *f* de gastos; [기밀비] dinero *m* confidencial [secreto], gastos *mpl* confidenciales [secretos].

판국(一局) situación *f*. 위험한 ~에 en la situación peligrosa.

판권(版權/板權) derechos *mpl* reservados, derechos *mpl* de reproducción, derechos *mpl* de autor, propiedad *f* literaria, copyright *ing.m*. ~ 소유 propiedad *f* de derechos de autor; ((표기)) Reservados todos los derechos. ~ 소유자 tenedor, -dora *mf* de derechos de autor. ~장 página *f* de derechos de autor, colofón *m*. ~ 침해 violación *f* de derechos de autor.

판금(板金) chapa *f* [hoja *f*] metálica, lámina *f* [plancha *f*] de metal.

판나다 ① [판이 끝나다] terminar, acabar. ② [재산이] 다 없어지다] acabarse, hacerse bancarrota.

판다(동물) (oso *m*) panda *m*.

판다르다 ser enteramente diferente.

판단(判斷) juicio *m*. ~하다 juzgar, considerar. 내 ~으로는 a mi juicio, a mi parecer. ¶~력 juicio *m*, criterio *m*, discernimiento *m*.

판도(版圖) territorio *m*, dominio *m*. ~를 넓히다 extender el territorio.

판도라((그리스 신화)) Pandora *f*. ~

의 상자 caja *f* de Pandora.

판독(判讀) desciframiento *m*, descifre *m*. ~하다 descifrar. ~하기 어려운 difícil de descifrar.

판돈 apuesta *f*, banca *f*, cantidad *f* que se apuesta en un juego, pozo *m*, bote *m*. ~(을) 떼다 dividir el pozo, dividir el bote.

판례(判例) ((준말)) =판결례(判決例). ¶~법 jurisprudencia *f*. ~집(集) informe *m* de jurisprudencia.

판로(販路) mercado *m*, salida *f*. ~를 개척하다 abrir un mercado.

판막(瓣膜) ((해부)) válvula *f*. ~염 valvulitis *f*. ~증(症) enfermedad *f* valvular.

판매(販賣) venta *f*. ~하다 vender. ~중이다 estar en venta. ¶~ 가격 precio *m* de venta; [매겨진 가격] precio *m* pedido, oferta *f*. ~ 계약 contrato *m* de venta. ~고 cantidad *f* de venta. ~ 금지 prohibición *f* de venta; ((게시)) Prohibida la venta. ~망 red *f* de ventas. ~ 부장 director, -tora *mf* de ventas. ~원 dependiente, -ta *mf* de tienda.

판명(判明) aclaración *f*, confirmación *f*. ~되다 [분명히 하다] aclararse, esclarecerse; [확실히 하다] confirmarse [알려지다] saberse; […로 판명되다] resultar + *adj*; [신원이] identificarse.

판무식(判無識) ignorancia *f* completa, analfabetismo *m*.

판박이(版-) ① [판에 박아 낸 책] libro *m* impreso. ② ㉮ [꼭 같은 것] forma *f* estereotipada. ㉯ [변통성이 없는 모양] inadaptabilidad *f*, inflexibilidad *f*, cosa *f* convencional. ㉰ [변통성이 없는 사람] persona *f* inadaptable [inflexible]. ③ ((준말)) =판박이그림. ¶~그림 dibujo *m* impreso.

판벽(板壁) pared *f* de tabla.

판별(判別) discernimiento *m*, discriminación *f*, distinción *f*. ~하다 discernir, discriminar, distinguir. ~력 discriminación *f*, poder *m* de discernimiento, juicio *m*.

판본(板本/版本) ((준말)) =판각본.

판사(判事) juez *mf* (*pl* jueces).

판상(辦償) compensación *f*, indemnificación *f*. ~하다 compensar, indemnificar.

판서(判書) ((고제도)) ministro *m*.

판세(-勢) situación *f*, [전망] perspectiva *f*.

판소리 ((음악)) *pansori*, canto *m* folclórico desde el rey *Yeongcho* de la dinastía de *Choson*.

판수 ① [점치는 일로 업을 삼는 소경] adivino *m* ciego, adivina *f* ciega. ② =소경(ciego).

판시(判示) juicio *m*, fallo *m*, sentencia *f*. ~하다 decidir.

판연하다(判然-) (ser) claro, cierto, evidente, indudable. 판연히 claramente, con claridad, ciertamente, evidentemente, indudablemente, sin duda, a la verdad.

판유리(板琉璃) cristal *m* [vidrio *m*] cilindrado, vidrio *m* plano, vidrio *m* en hojas; [두꺼운] luna *f*, cristal *m* de espejo; [엷은] vidrio *m* laminado.

판이하다(判異-) ser enteramente diferente.

판자(板子) ① [나무로 만든 널조각] tabla *f*; [두꺼운] tablón *m*, tabla *f* gruesa. ② =송판(松板).

판자촌(板子村) chabolas *fpl*.

판잣집(板子-) chabola *f*, casucha *f*.

판정(判定) juicio *m*, decisión *f*. ~하다 juzgar, decidir. ~ 기준 criterio *m* (para juicio). ~승 victoria *f* por puntos. ~패 pérdida *f* por puntos.

판지(板紙) cartón *m*; [엷은] cartulina *f*. ~ 상자 caja *f* de cartón.

판타지 ① [공상. 환상] fantasía *f*. ② ((음악)) =환상곡(幻想曲)(fantasía).

판타지아 ((음악)) =환상곡(幻想曲).

판탈롱 pantalón *m* (*pl* pantalones).

판판하다 (ser) llano, liso, plano, raso, chato. 판판한 길 camino *m* liso. 판판한 땅 terreno *m* llano.

판형(判型) tamaño *m* del libro.

판화(版畵) grabado *m*, aguafuerte *f*; [동판의] grabado *m* al aguafuerte. ~가 aguafuertista *mf*; grabador, -dora *mf*. ~술 arte *m* de grabado, xilografía *f*.

팔 brazo *m*; [앞의] antebrazo *m*. 오른~ brazo *m* derecho. 왼~ brazo *m* izquierdo. 팔은 안으로 굽는다 ((속담)) El hombre es ciego en sus propias causas.

팔(八) ocho. ~분의 일 un octavo.

팔가락지 brazalete *m*, pulsera *f*.

팔각(八角) ocho ángulos *mpl*. ~의 octagonal. ~ 기둥 prisma *f* octagonal. ~정 quiosco *m* [pabellón *m*] octagonal. ~형 octágono *m*.

팔걸이 ① [의자나 소파의] brazo *m*; [자동차나 비행기의] apoyabrazos *m.sing.pl*. ② ((씨름 · 레슬링)) llave *f* (de brazo). ~하다 hacer*le* una llave a *uno*. ¶~ 의자 sillón *m*, butaca *f*, silla *f* de brazos, poltrona *f*.

팔꿈치 ((해부)) codo *m*. ~ 관절염 anconitis *f*. ~ 통증 anconagra *f*.

팔난봉 bribón *m*, haragán *m*, libertino *m*, hombre *m* disoluto.

팔다 ① [값을 받고] vender, ofrecer. 점포 팝니다 ((게시)) Se vende tienda / Se vende local. ② [이름을] explotar, aprovecharse. 이름을 ~ popularizar [propagar] *su* propio nombre, hacer *su* propia propaganda. ③ [정신이나 눈을] desviar. ④ [돈을 주고 남의 곡식을 사다] comprar (grano). 쌀을 ~ comprar arroz. ⑤ [여자가 돈을 받고 몸을] vender(se). 몸을 ~ venderse. ⑥ [배반하다] traicionar, vender. 나라를 ~ traicionar al país.

팔다리 miembro m, los brazos y las piernas.

팔도(八道) todo el país, toda Corea. ~강산 los ríos y las montañas de todo el país de Corea, toda Corea.

팔등신(八等身) figura f bien formada.

팔딱거리다 palpitar. 맥이 ~ palpitar el pulso. 가슴이 ~ palpitar.

팔딱팔딱 ① [가슴이] siguiendo palpitando. ~하다 seguir palpitando. ② [계속해 뛰는 모양] siguiendo soltando. ~하다 seguir soltando.

팔뚝 antebrazo m.

팔랑개비 molinete m, molinillo m, molino m de viento.

팔랑거리다 columpiarse.

팔리다 ① [물건이나 노력을 다른 사람에게] venderse, ser vendido. ② [정신이] apartarse, distraerse. 눈이 한 쪽으로 ~ apartarse la mirada.

팔만 대장경(八萬大藏經) ((준말)) = 팔만 사천 대장경.

팔만 사천 대장경(八萬四千大藏經) ((불교)) *Koryo Daechanggyeong*, Escritura f Budista de xilografía de la época (de) *Koryo*, Tripitaka f Coreana (que está compuesta más de ochenta mil bloques).

팔매 lanzamiento m, tirada f. ~를 치다 lanzar, tirar (hasta lejos). ¶~질 lo que tira, lo que lanza. ~질하다 tirar, lanzar, arrojar.

팔면(八面) ① [여러 방면] muchas direcciones fpl, varias partes fpl; [각 방면] cada dirección, cada parte. ② ((수학)) ocho planos.

팔로(八一) = 팔각. ¶~정 quiosco m [pabellón m] octagonal.

팔목 (해부) muñeca f.

팔방(八方) ① [사방(四方)과 사우(四隅)] norte, sur, este, oeste, noreste, sudeste, noroeste, y sudoeste. ② [모든 방면] todas las direcciones [partes], todos los lados.

팔방미인(八方美人) hombre m orquesta, mujer f orquesta; manitas mf.

팔백(八百) ochocientos, -tas.

팔베개 brazo m por almohada.

팔분 쉼표(八分-標) ((음악)) pausa f de corchea.

팔분 음표(八分音標) corchea f.

팔불출(八不出) idiota mf; imbecil mf; tonto, -ta mf; bobo, -ba mf; necio, -cia mf. 이 ~아! ¡Imbécil!

팔삭동이(八朔-) ① [여덟 달 만에] 낳은 아이] bebé m prematuro en ocho meses de embarazo. ⓝ [똑똑하지 못한 사람] idiota mf.

팔순(八旬) ochenta años (de edad). ~ 노인 octogenario, -ria mf.

팔십(八十) ① [여든] ochenta. ② ((준말)) = 팔십 세(八十歲). ¶~ 노인 octogenario, -ria mf; ochentón, -tona mf. ~ 세 ochenta años (de edad).

팔씨름 lucha f de brazo, pulso m. ~하다 pulsear, medir [echar] el [un] pulso.

팔아먹다 ① [팔아서 돈으로 바꿔 없애다] venderse. ② [정신을 남에게] 쏠리어 버리다] absorber, atraer, cautivar. 정신을 ~ absorber la atención. ③ [곡식을 사 먹다] comprar cereales. ④ [값을 받고 권리를 남에게 주다] vender *su* derecho recibiendo el dinero. ⑤ [여자가 몸을] venderse.

팔월(八月) agosto m. ~ 한가위 *pal-wol hangawi*, el quince de agosto del calendario lunar, fiesta f de la cosecha del medio otoño.

팔자(八字) destino m, sino m, fortuna f, suerte f. ~(가) 늘어지다 (ser) fortunado, feliz. 팔자(가) 늘어지게 afortunadamente, por suerte. ~(가) 사납다 (ser) desfortunado, desventurado. ~(가) 세다 nacer sin fortuna, ser desfortunado de nacimiento, nacer desfortunado. ~(를) 고치다 ⓐ [재가하다] contraer segundo matrimonio, casarse por segunda vez. ⓝ [갑작스레 부자가 되거나 지체를 얻다] hacerse rico de repente.

팔절판(八切判) octavo m.

팔중주(八重奏) ((음악)) octeto m.

팔짝 saltando de repente. ~뛰다 saltar de repente.

팔짱 cruce m de los brazos. ~을 끼고 보다 ver [quedarse・estar] con los brazos cruzados [con las manos cruzadas], no dar pie ni patada, quedarse cruzado de brazos. ~을 끼다 cruzar los brazos; [거만한 태도로] cruzarse de brazos. 팔짱을 끼고 con los brazos cruzados, brazo a brazo. ~을 지르다[꽂다] cruzar los brazos, cruzarse de brazos.

팔찌 ① ((준말)) = 팔가락지. ② [활의] brazalete m.

팔척장신(八尺長身) hombre m muy alto.

팔촌(八寸) ① [여덟 치] ocho chi. ② [삼종간의 촌수] octavo grado m de consanguinidad.

팔팔 ① [적은 물이] hirviendo. 물이 ~ 끓는다 Hierve el agua. ② [몸이나, 온돌방이] ardiendo. 몸이 ~ 끓다 tener fiebre alta [violenta],

arder con fiebre. ③ [작은 것이 기운차게] revoloteando. 새가 ~ 날아갔다 Un pájaro se alejó aleteando.
팔팔하다 ① [성질이] ser de mal carácter, ser de mal genio, ser irascible. ② [생기가] (ser) vivo, enérgico, vigoroso, listo, ágil, activo, sano como una manzana. 팔팔한 아가씨 chica *f* rebosante de vida, chica *f* de vivo frescor.
팔푼이(八－) idiota *mf*, bobo, -ba *mf*, estúpido, -da *mf*, torpe *mf*.
팜파 [대초원] pampa *f*.
팝 popular, pop. ~ 그룹 grupo *m* pop. ~ 뮤직 música *f* pop.
팝콘 palomitas *fpl* (de maíz).
팡파르 tocata *f*, marcha *f* militar, charanga *f*, banda *f* militar, fanfarria *f*, toque *m* de trompeta. ~를 울리다 sonar la fanfarria.
팥 ((식물)) judía *f* pinta, judía *f* roja, *Méj* frijol *m*, *Caribe* habichuela *f*. ~밥 arroz *m* de [con] judías rojas, *Méj* arroz *m* de frijoles, *Cuba*, *ReD* arroz *m* de [con] habichuelas. ~소 compota *f* [pasta *f*] de judías rojas. ~죽 gachas *fpl* de judías pintas [rojas], *Méj* frijoles *mpl*; ((성경)) guisado *m* de lentejas, guiso *m* de lentejas.
패(貝) ① =조개(concha). ② =조가비. 조개껍질.
패(牌) ① [그림이나 글씨를 그리거나 쓰거나 새긴] etiqueta *f*, marbete *m*, rótulo *m*, cédula *f*, billete *m*, placa *f*. ② [몇 사람이 어울린 동아리] grupo *m*, partido *m*; [공범자] cómplice *mf*. ¶ ~거리 ((낮춤말)) =패(牌)❷.
패가(敗家) bancarrota *f* de una familia. ~망신 bancarrota *f* de *sí mismo* y *su* familia.
패군(敗軍) ejército *m* vencido. ~지장 general *m* vencido.
패권(霸權) supremacía *f*, hegemonía *f*, heguemonía *f*, maestría *f*, liderazgo *m*, poder *m* supremo, dominio *m*. ~을 다투다 luchar por conseguir la supremacía. ~을 쥐다 obtener la supremacía, conseguir la hegemonía.
패기(霸氣) ánimo *m*, vivacidad *f*, energía *f*, vitalidad *f*; [열심] afán *m*, ardor *m*, entusiasmo *m*; [야심] ambición *f*, aspiración *f*. ~가 있는 animoso, brioso, ambicioso. ~가 없는 inerte, apático.
패널 ① ((건축)) panel *m*, entrepaño *m*. ② [토론회 등의 심사원단] equipo *m*. ③ [시험에서] mesa *f*, tribunal *m*. ¶ ~화(畵) tabla *f*.
패널리스트 ① [공개 토론회의 토론자] miembro *mf* del panel. ② [퀴즈 프로의 해답자] concursante *mf*, miembro *mf* del equipo.
패다[1] [곡식의 이삭이] espigar(se).
패다[2] [사정없이 마구 때리다] golpear, dar golpes, pegar, asestar, azotar, dar*le* una paliza; [몽둥이로] aplastar, aniquilar.
패다[3] [도끼로 장작 등을] partir, tajar, rajar, separar, cortar, talar.
패담(悖談) palabras *fpl* irrazonables, charla *f* indecente [inmoral], broma *f* colorada [verde]. ~하다 hablar inmoralidad [indecencia].
패덕(悖德) inmoralidad *f*, desmoralización *f*, corrupción *f*. ~한 hombre *m* inmoral, truhán *m*, pícaro *m*, canalla *m*. ~ 행위 conducta *f* inmoral.
패랭이 ((식물)) ((준말)) =패랭이꽃.
패랭이꽃 ((식물)) clavelina *f*.
패러다이스 [천국] paraíso *m*.
패러독스 [역설] paradoja *f*.
패러디 parodia *f*.
패럿 ((전기)) faradio *m*, farad *m*.
패류(貝類) marisco *m*, mariscos *mpl* ~학 conquiliología *f*, conchología *f*. ~ 학자 conquiliólogo, -ga *mf*.
패륜(悖倫) inmoralidad *f*, depravación *f*. ~ 생활을 하다 llevar una vida depravada, llevar una vida de depravación. ¶ ~아 persona *f* inmoral, persona *f* depravada.
패망(敗亡) derrota *f*, ruina *f*, rota *f*, vencimiento *m*, destrucción *f*. ~하다 derrotar, vencer, destruir.
패물(貝物) artículos *m* de coral.
패물(佩物) ① [몸에 지니는 장식물] ornamentos *mpl* personales. ② =노리개.
패배(敗北) derrota *f*, pérdida *f*, pérdida *f* de una batalla. ~하다 ser derrotado, ser vencido, sufrir derrota, perder una batalla. ~주의 derrotismo *m*. ~주의자 derrotista *mf*.
패병(敗兵) soldados *mpl* derrotado de forma aplastante.
패보(敗報) noticia *f* de derrota.
패색(敗色) señal *f* de derrota.
패석(貝石) concha *f* fosilizada.
패설(悖說/誖說) =패담(悖談).
패션 moda *f*. ¶ ~ 디자이너 diseñador, -dora *mf* de modas. ~ 모델 modelo *mf* (de moda), maniquí *mf*. ~ 쇼 pase *m* de modelos, desfile *m* de modas, desfile *m* de modelos. ~ 잡지 revista *f* de modas.
패소(敗訴) pérdida *f* de una causa [de un proceso]. ~하다 perder una causa [un proceso].
패스 ① [통과. 합격. 급제] aprobado *m*. ~하다 sacar un aprobado. ② ㉮ [무임 승차권. 무료 입장권] pase *m*. ㉯ [정기권] pase *m*. 버스 ~ abono *m* de autobús. 열차 ~ abono *m* de tren. ③ ((준말)) =패스포트(pasaporte). ④ ((축구 · 농

구)) pase *m*. ~하다 hacer un pase. ¶ ~ 미스 pase *m* malogrado.

패스트 푸드 comida *f* rápida.

패스포트 [여권] pasaporte *m*.

패습(悖習) mal hábito *m*, mala costumbre *f*; [악폐] abuso *m*, vicio *m*. ~을 없애다 eliminar la mala costumbre.

패싸움(牌−) lucha *f* de pandilla.

패용(佩用) el tener puesto, el llevar. ~하다 tener puesto, llevar.

패운(敗運) suerte *f* inclinante.

패인(敗因) causa *f* de una derrota.

패자(敗者) vencido, -da *mf*; perdedor, -dora *mf*. ~ 부활전 (prueba *f* de) repesca. ~전 partido *m* de consolación.

패자(霸者) campeón, -peona *mf*.

패잔(敗殘) sobrevivencia *f* [supervivencia *f*] después de la derrota. ~군 restos *mpl* de un ejército vencido. ~병 restos *mpl* de una tropa vencida, tropas *fpl* fugitivas.

패장(敗將) ((준말)) =패군지장.

패전(敗戰) derrota *f*, batalla *f* perdida. ~하다 perder la guerra, ser derrotado, sufrir una derrota. ~국 país *m* vencido [derrotado]. ~ 투수 lanzador *m* perdido.

패주(敗走) derrota *f*, fuga *f*, rota *f*, huida *f*, afufa *f*. ~하다 huir derrotado, afufar(se), darse a la fuga, fugarse, escaparse.

패총(貝塚) montón *m* prehistórico de conchas, terrero *m* de concha.

패턴 ① [모형] modelo *m*. ② [견본] muestra *f*. ③ [주형을 만드는 원형] molde *m*. ④ [도안. 도형. 무늬] diseño *m*, dibujo *m*.

패퇴(敗退) derrota *f*. ~하다 salir derrotado, sufrir una derrota, ser derrotado; [시합에서] perder la partida.

패트롤 patrulla *f*; [사람] patrulla *mf*. ~ 카 coche *m* patrulla; *Chi, RPI* patrullero *m*.

패하다(敗−) ser vencido, ser derrotado, sufrir una derrota, perder, rendirse. 경쟁에 ~ ser vencido en la competencia. 시합에 ~ perder un partido.

패행(悖行) actitud *f* irrazonable.

패혈증(敗血症) sepsis *f*, septicemia *f*, fiebre *f* séptica, hematosepsis *f*, icoremia *f*. ~의 septicémico.

팩 ① [비닐로 만든 작은 용기] envase *m*. ② [미용법] emplasto *m*.

팩스 [「팩시밀리」의 약칭] fax *m*.

팩시밀리 facsímil(e) *m*. ~의 facsimilar. ~로 보내다 facsimilar.

팬 [경기나 연극·영화 등의 애호가] aficionado, -da *mf*, forofo, -fa *mf*; seguidor, -dora *mf*; amante *mf*; [열성의] entusiasta *mf*; hincha *mf*;

admirador, -dora *mf*; fan *mf*. 야구 ~ aficionado, -da *mf* al béisbol. ¶ ~ 레터 correspondencia *f* de los admiradores. ~ 클럽 club *m* de admiradores; [음악의] club *m* de fans.

팬케이크 crep(e) *m*, *AmL* panqueque *m*, crepa *f*, *AmC, Col* panqué *m*, *Ven* panqueca *f*.

팬터마임 pantomima *f*. ~ 배우 pantomimo, -ma *mf*. ~ 작가 pantomimista *mf*.

팬터지 fantasía *f*.

팬티 ① [남자용] calzoncillos *mpl*. ② [여자용] bragas *fpl*.

팬티 스타킹 pantimedias *fpl*.

팸플릿 folleto *m*, volante *m*; [풍자·중상의] panfleto *m*.

팻말(牌−) tabla *f* de anuncio, cartel *m*, señal *f*, letrero *m*.

팽개치다 arrojar, echar, lanzar, rechazar, renunciar. 자리를 ~ renunciar a *su* puesto. 일을 중도에서 ~ dejar *su* trabajo a medio hacer.

팽그르 ① [빨리 한 바퀴 도는 모양] dando una vuelta rápidamente. ② [갑자기 정신이] mareando. 머리가 ~ 돌다 estar mareado.

팽글팽글 dando vueltas rápidamente.

팽나무 ((식물)) almez *m*, almezo *m*.

팽대(膨大) expansión *f*. ~하다 extender.

팽만하다(膨滿−) ① [음식을 많이 먹어] estar lleno, estar harto. ② [점점 부풀어올라] hincharse, inflarse, ser hinchado, ser inflado.

팽이 trompo *m*, peonza *f*, peón *m*.

팽창(膨脹) expansión *f*, inflamiento *m*, inflación *f*, dilatación *f*; [증대] aumento *m*. ~하다 expandir, hincharse, inflarse, expansionar, aumentar. ~계 dilatómetro *m*. ~계수[률] coeficiente *m* de expansión. ~력 fuerza *f* expansiva. ~ 정책 política *f* de expansión. ~주의 expansionismo *m*. ~주의자 expansionista *mf*.

팽팽하다 ① [물건이 잔뜩 켕기어 뛸 힘이 있다] (ser) tirante, tenso, (estar) ajustado, apretado, estrecho. 팽팽하게 tirantemente, tensamente, ajustadamente, apretadamente, estrechamente, fijamente. ② [성질이 너그럽지 못하고 팍하다] (ser) de mentalidad cerrada, estrecho de miras, intolerante, susceptible, enojadizo, quisquilloso, áspero. ③ [양쪽의 힘이 서로 어슷비슷하다] (ser) igual, igualado.

팩성(愎性) carácter *m* malhumorado.

퍼내다 sacar, achicar, recoger, vaciar, extraer. 물을 ~ sacar (el) agua.

퍼덕거리다 [새가] batir; [물고기가]

aletear, dar un aletazo.
퍼뜨리다 [지식·소식을] difundir, propagar, propalar; [영향을] extender; [소문을] hacer correr, difundir; [질병을] propagar; [공포를] sembrar; [사상·문화를] diseminar, divulgar, difundir.

퍼뜩 rápidamente, pronto, enseguida, en seguida, inmediatamente, en un abrir y cerrar de ojos, volando. ~ 돌아오다 volver volando. ~ 나가다 salir volando.

퍼렇다 (ser) muy azul.

퍼레이드 ① [관병식, 열병식] desfile m, parada f. ~하다 desfilar. ② [축하 행렬, 시위 행렬] desfile m. ~하다 desfilar.

퍼머넌트 ① [영속적] permanente. ② ((준말)) =퍼머넌트 웨이브.

퍼머넌트 웨이브 permanente f, Méj permanente m.

퍼먹다 ① [퍼서 먹다] sacar y comer. 밥을 숟가락으로 ~ sacar arroz con cuchara y comerlo. ② [함부로 많이 먹다] engullir la comida, zamparse la comida, comer [masticar] a dos carrillos, comer mucho. 음식을 퍼먹다 engullar [zamparse] la comida.

퍼붓다 ① [비·눈 따위가] llover mucho, nevar mucho. 비가 억수같이 ~ llover a cántaros. ② [물 따위로] verter, echar, hacer caer. 물을 ~ echar agua, verter agua, dar un baño (a), dar una ducha. ③ [비난이나 질문을] ㉮ [욕을] decir, echar, bañar. 욕을 마구 ~ decir [echar] insultos [injurias], bañar de insultos. 비난을 ~ censurar fuertemente. ㉯ [질문을] acribillar, estrechar, acosar. 질문을 마구 ~ acribillar [estrechar] a preguntas, acosar con preguntas.

퍼석퍼석 desmenuzándose, desmoronándose. ~하다 (ser) frágil, crujiente, crocante, desmigajarse, desmenuzarse fácilmente. ~한 흙 la tierra que se mesmigaja. ~한 벽 la pared que se desmenuza fácilmente.

퍼센트 porcentaje m; [부사적] por ciento (%). 100~ ciento por ciento. 15~의 수수료 comisión f del quince por ciento, quince por ciento de comisión.

퍼센티지 porcentaje m.

퍼스트 ① [첫째] primero m. ② ((준말)) =퍼스트 베이스. ③ ((준말)) =퍼스트 베이스맨. ㉮ ~ 레이디 primera dama f. ~ 베이스 [일루] primera base f, inicial f. ~ 베이스맨 [일루수] primera base mf; inicialista mf.

퍼즐 rompecabezas m.sing.pl, crucigrama m, enigma m.

퍼지다 ① [끝이 넓적하게 또는 굵게 벌어지게 되다] extenderse. ② [널리 미치다] [병이] propagarse; [사상·문화가] diseminarse, divulgarse; [공포가] cundir; [영향·폭동이] extenderse; [소식이] correr, circular. ③ [자손이 번성하여지다] prosperar. ④ [초목이 무성하게 되다] (ser) frondoso. ⑤ [삶은 것이] ser hervido bien, ser llevado a punto de ebullición. ⑥ [고루 미치다] [불이나 액체가] extenderse.

퍼터 ((골프)) putter ing.m.

퍼트 ((골프)) golpe m de la bola. ~하다 golpear la bola, AmL potear.

퍼펙트 게임 juego m perfecto.

퍽[1] ① [힘있게 냅다 지르는 모양이나 소리] fuertemente, firmemente. ~ 지르다 dar patadas fuertes, patalear fuertemente. ② [힘없이 한 번에 거꾸러지는 모양이나 소리] con un golpe [un ruido] sordo. ~ 떨어지다 caer con un golpe sordo, caer con un ruido sordo.

퍽[2] [썩 많이] muy, mucho, bastante, considerablemente; [아주 지나치게] demasiado, muchísimo. ~ 세다 ser muy fuerte, ser fortísimo.

퍽퍽 ① [힘있게 자주 내지르는 모양] dando estocadas repetidas veces. ② [힘없이 연해 거꾸러지는 모양] con un ruido sordo. ③ [눈이나 비가 많이 쏟아지는 모양] muchísimo, a cántaros. ④ [진흙 같은 데 빠지는 모양] profundamente, con profundidad.

퍽퍽하다 ① [메진 가루 같은 것을 씹을 때] (ser) seco, crujiente, crocante. ② [다리가 아주 지쳐서] estar cansado y sin fuerzas.

펀드[자금] fondo m.

펀둥거리다 =빈둥거리다.

펀치 ① ((권투)) puñetazo m, piña f. ~를 먹이다 darle un puñetazo a uno. ② [차표 등에 구멍을 뚫는 가위] perforadora f.

펀펀하다 (ser) plano, llano. 펀펀한 땅 terreno m llano.

펄 ① ((준말)) =개펄. ② [아주 넓고 평평한 땅] tierra f vasta y llana, llanura f, pradera f.

펄떡거리다 ① [힘을 모아 가볍게 자꾸 뛰다] saltar muchas veces. ② [맥이 세게 자꾸 뛰다] palpitar.

펄럭거리다 ① [깃발이] ondear, agitarse; [나뭇잎이] agitarse, revoltear. ② [옷·커튼이] agitarse, sacudirse. ③ [새나 나비가] revolotear, aletear; [새가] batir. 날개를 ~ batir las alas.

펄럭이다 ondear, agitar, flamear.

펄렁거리다 =펄럭거리다..

펄썩 ① [연기나 먼지 따위가] hinchando, agitando, moviendo. ② [갑자기 주저앉는 모양] dejándose caer. ~

주저앉다 sentarse dejándose caer.
펄쩍뛰다 sobresaltarse, saltar de susto. 기뻐서 ~ saltar de alegría.
펄펄 ① [많은 물이] bullendo, hirviendo. 물이 ~ 끓다 bullir el agua. ② [날짐승이나 물고기 따위가] aleteando, revoloteando. ③ ㉮ [온돌방이] muy caliente, ardiendo. ~ 끓는다 Está muy caliente / Está ardiendo. ㉯ [몸이] con fiebre, afiebrado. ~ 끓다 estar afiebrado, tener fiebre, tener calentura. ④ [눈이나 깃발 따위가 바람에] revoloteando, ondeando, agitándose. 꽃잎이 ~ 날린다 Los pétalos (se) caen revoloteando.
펄펄하다 ① [성질이] (ser) irascible, de mal genio, de genio vivo, de mucho genio, fogoso, exaltado. ② [날 듯이 생기가 있다] (ser) animado, enérgico, vigoroso.
펄프 ① [종이의 원료] pulpa *f* (de papel), pasta *f* (de papel). ② [(연한) 과육] pulpa *f*, carne *f*. ~를 제거하다 hacer papilla [puré] (con). ③ [치수(齒髓)] pulpa *f* (dentaria). ¶ ~재(材) madera *f* para la manufactura de pulpa.
펌프 bomba *f*, aguatocha *f*; [자전거의] bombín *m*. 공기 ~ bomba *f* de aire. 급수 ~ bomba *f* alimenticia, bomba *f* de alimentación. 소방 ~ bomba *f* de incendios. ¶ ~질 bombeo *m*. ~차 camión *m* con bombas a motor.
펑 pum, con un plaf. ~하(고 소리 나)다 hacer pum, reventar. ~하고 con un chasquido, con una explosión. ~하고 떨어지다 dejarse caer.
펑크 pinchazo *m*, pinchadura *f*, *Méj* ponchadura *f*. ~(가) 나다 pinchar, *Méj* poncharse.
펑퍼지다 (ser) ancho, curvilíneo. 펑퍼진 엉덩이 caderas *fpl* anchas. 펑퍼진 어깨 hombros *mpl* anchos.
펑퍼짐하다 (ser) suavemente curvo, espacio. 펑퍼짐한 엉덩이 caderas *fpl* curvilíneas.
펑펑 ① [눈이나 액체 따위가] mucho. 눈이 ~ 내리다 nevar mucho. ② [여러 번 거세게 나는 총소리] con un estallido. ③ [갑자기 무엇이 세게 터지거나 튀는 소리] pum, pum.
페넌트 banderín *m*, gallardete *m*, flámula *f*, banderola *f*, bandera *f* de campeonato.
페널티 [축구에서] castigo *m*, penalti *m*; [럭비에서] penalti *m*, penalty *ing.m*, golpe *m* de castigo. ~ 골 gol *m* de castigo [de penalti]. ~ 박스 ((아이스하키)) banquillo *m* (de castigo); ((축구)) el área *f* de castigo [de penalti]. ~ 킥 patada *f* de penalti *m*, (tiro *m*de) penalti *m*; *AmL* penal *m*; *Andes* pénal *m*.
페놀 ((화학)) fenol *m*. ~의 fenólico.
페니 [영국의 화폐 단위] penique *m*.
페니스 pene *m*; ((속어)) polla *f*, verga *f*, *RPI* pija *f*, *Chi* pico *m*.
페니실린 penicilina *f*.
페닐기(-基) ((화학)) fenilo *m*.
페달 pedal *m*. 자전거의 ~ los pedales de una bicicleta. ~을 밟다 pedalear.
페더급(-級) ((권투)) peso *m* pluma.
페디큐어 pedicura *f*.
페루 ((지명)) el Perú. ☞뻬루
페르시아 ((지명)) la Persia. ~의 persa. ~ 사람 persa *mf*.
페미니스트 feminista *mf*.
페미니즘 feminismo *m*.
페소 peso *m*. ☞뻬소
페스트 ((의학)) peste *f*, peste *f* bubónica, peste *f* levantina.
페스티벌 ① ((종교)) fiesta *f*, festividad *f*. ② ((영화 · 연극 · 음악)) festival *m*. ③ [축하 · 의식의] fiesta *f*.
페어플레이 juego *m* limpio. ~하다 jugar limpio.
페이지 página *f*. 한 ~ una página. 첫 ~ la página primera.
페이퍼 ① [종이] papel *m*. ② ((준말)) =샌드페이퍼.
페인트[1] ((운동)) finta *f*, amago *m*.
페인트[2] pintura *f*. ~를 칠하다 pintar. ¶ ~공 pintor, -tora *mf* (de brocha gorda).
페치카 chimenea *f*, hogar *m*.
페티코트 enagua *f*, *Méj* fondo *m*.
페팅 caricias *fpl*, manoseo *m*, sobo *m*. ~하다 acariciarse, tocarse, manosearse.
펜 ㉮ [펜촉] pluma *f*. ㉯ [만년필] pluma *f* estilográfica, estilográfica *f*, *AmL* pluma *f* fuente, *CoS* lapicera *f* fuente, *Col* estilógrafo *m*. ㉰ [볼펜] bolígrafo *m*, boli *m*, *RPI* birome *f*, *Méj* pluma *f* atómica, *Chi* lápiz *m* de pasta. ~으로 쓰다 escribir con una pluma. ¶ ~대 portaplumas *m.sing.pl.* ~습자 caligrafía *f*, escritura *f*. ~촉 pluma *f*, plumilla *f*, plumín *m*. ~화(畵) dibujo *m* a pluma.
펜스 [영국의 화폐 단위] penique *m*.
펜싱 esgrima *f*. ~ 선수 esgrimador, -dora *mf*, *AmL* esgrimista *mf*.
펜치 pinzas *fpl*, tenazas *fpl*, tenaza *f*, alicates *mpl*.
펜클럽 [국제 펜 클럽] Asociación *f* Internacional de poetas, dramaturgos, editores, ensayistas y novelistas.
펜팔 amigo, -ga *mf* por correspondencia.
펠리컨 ((조류)) pelícano *m*.
펠트 fieltro *m*, *CoS* pañolenci *m* ~모자 sombrero *m* de fieltro.

펩신 pepsina f.

펩톤 ((화학)) peptona f.

펭귄 ((조류)) pingüino m.

펴내다 [발행하다] publicar.

펴낸이 editor, -tora mf.

펴놓다 [펴서 빌려다 놓다] [테이블보·지도를] desdoblar, extender; [신문을] abrir. ② [마음 속을 숨김없이 나타내다] abrir, desahogar.

펴다 ① [개킨 것을 젖혀 놓다] desdoblar, desplegar, extender, abrir, estirar. ② [구김살을 반반하게 펴다] alisar, descoger. ③ ㉮ [못·철사를] enderezar, poner derecho; [팔·다리를] estirar, extender. ㉯ [말린 것을 곧게 하다] desenrollar, desarrollar, extender. 지도를 ~ desenrollar [extender] un mapa. ④ = 헤치다. ⑤ [넓게 깔다] extender. ⑥ [마음을 놓다. 기운을 돋우다] sentir un gran alivio, sentirse aliviado. tranquilizar. ⑦ [세력 따위의 범위를 넓히다] extender, establecer, ejercer. ⑧ [숨기지 않다] revelar, no esconder. ⑨ [수족을 뻗다] extender, abrir. ⑩ [접은 것을 벌리다] abrir; [지도·돛·날개를] desplegar.

편 =떡.

편(便) ① ((준말)) =인편(人便). ② [한 쪽] una parte, un lado; [방향] una dirección. 건너~ otro lado. [패로 갈린 한 쪽] un grupo, un lado; [스포츠의] un equipo. ④ [무엇을 하기에 알맞은 계제나 편의] servicio m. 다음 ~으로 por el próximo servicio. ⑤ [사물을 몇 개로 나누어 생각했을 경우의 한 쪽] una parte.

편(編) recopilación f, compilación f. ~하다 recopilar.

편(便/偏) ((준말)) =편쪽.

편(篇) ① [형식이나 내용·성질 등이 다른 글을 구별하여 나타내는 말] tomo m, libro m. 상[중·하] tomo m primero [segundo·tercero]. 전 5~의 저서 obra f de cinco tomos. ② [책이나 시문의 수효] pieza f. 한 ~의 시 una pieza de poema, un poema. ③ [책 속에서 큰 대목의 수효를 가리키는 말] capítulo m.

편(片) pedazo m, pieza f, trozo m, fragmento m. 인삼 세 ~ tres pedazos de ginseng.

편가르다(便-) dividir en dos equipos.

편각(偏角) ① ((지리)) declinación f, ángulo m de desviación. ② ((수학)) amplitud f. ③ ((물리)) =방위각. ④ ((항공)) variación f. ¶~계 declinómetro m.

편견(偏見) prejuicio m, prevención f. ~ 없이 sin prejuicio. ~을 버리다 dejar el prejuicio.

편곡(編曲) adaptación f, arreglo m, transcripción f. ~하다 adaptar, arreglar, transcribir.

편광(偏光) ((물리)) [작용] polarización f, [빛] luz f polarizada. ~경 polariscopio m. ~계 polarímetro m. ~기 plarizador m, polariscopio m. ~판 placa f de polarización.

편년(編年) compilación f de la historia cronológica. ~사 crónica f, anales mpl. ~체 forma f cronológica.

편달(鞭撻) ① [채찍으로 때림] azotamiento m. ~하다 azotar, darle azotes, darle latigazos. ② [타이르고 격려함] ánimo m, estímulo m, aliento m, exhortación f. ~하다 animar, alentar, estimular, exhortar.

편당(偏黨) ① [한쪽의 당파] facción f, grupo m. ② [한쪽에 치우침] parcialidad f a un partido. ~하다 ser parcial a un partido.

편대(編隊) formación f, escuadrilla f. 세 대 ~로 en formación de tres en tres. ¶~ 비행 vuelo m en formación.

편도(片道) camino m sencillo; [여행에서] ida f. ~ 요금 precio m de ida. ~표 billete m [AmL boleto m] de ida.

편도(扁桃) ① ((식물)) almendro m. ② [열매] almendra f. ③ ((해부)) [편도선] amígdala f.

편도선(扁桃腺) ((해부)) amígdala f. ~ 수술 amigdalotomía f. ~염 amigdalitis f.

편두통(偏頭痛) ((의학)) hemicránea f, migraña f, jaqueca f. ~이 나다 tener [sufrir de] la migraña.

편들다(便-) ponerse de parte, ponerse del lado, tomar partido, apoyar, respaldar.

편람(便覽) manual m, guía f.

편력(遍歷) ① [이곳 저곳을 돌아다님] peregrinación f; [방랑] vagabundeo m. ~하다 peregrinar, vagabundear. ② [여러 가지 경험을 함] muchas experiencias. ¶~ 기사 caballero m andante.

편리(便利) comodidad f, ventaja f, conveniencia f; [용이함] facilidad f. ~하다 (ser) conveniente, cómodo, fácil; [취급하기 쉬운] manejable; [실용적인] práctico.

편마암(片麻巖) ((광물)) gneis m.

편모(偏母) su madre solitaria, su madre enviudada. ~슬하 situación f de servir a su madre solitaria, bajo el techo de su madre solitaria.

편무(片務) obligación f [responsabilidad f] unilateral. ~ 계약 contrato *m* unilateral.

편무역(片貿易) comercio *m* exterior no equilibrado.

편물(編物) punto *m*, *AmL* tejido *m*. ~을 하다 ㉮ [손으로] hacer punto, hacer calceta. ㉯ [기계로] tricotar. ¶ ~ 기계 tricotosa *f*; *AmL* máquina *f* de tejer. ~ 바늘 aguja *f* de hacer punto.

편발(扁-) =편평족(扁平足).

편법(便法) medida *f* conveniente, expediente *m*, recurso *m*; [수단] medio *m*. 일시적 ~ expediente *m* temporal.

편벽(便辟) adulación *f*; [사람] adulador, -dora *mf*. ~하다 adular.

편벽되다(偏僻-) (ser) excéntrico.

편벽하다(偏僻-) (ser) excéntrico. 편벽한 사람 excéntrico, -ca *mf*.

편복(便服) vestido *m* de civil [de paisano · *AmL* de particular]. ~의 경찰관 un policía de civil [de paisano · *RPl* de particular].

편상화(編上靴) bota *f*, botín *m*, borceguí *m*, tricotadora *f*.

편성(偏性) excentricidad *f*, parcialidad *f*, inclinación *f* particular, falta *f* de objetividad.

편성(編成) ① [엮어서 만듦] compilación *f*, edición *f*. ~하다 compilar, editar. ② [형성] formación *f*; [조직] organización *f*; [구성] composición *f*, constitución *f*. ~하다 formar, organizar, componer, constituir. ¶ ~표 cuadro *m* de organización.

편수(片手) un brazo, un solo brazo.

편수(編修) compilación *f*, edición *f*. ~하다 compilar, redactar, editar. ~관 editor, -tora *mf*. ~부[국] departamento *m* editorial.

편술(編述) edición *f*, compilación *f*. ~하다 editar, compilar, redactar.

편승(便乘) ① [남이 타고 가는 차의] viaje *m* oportuno. ~하다 ir a bordo; [이용하다] aprovechar. ② [남의 세력을 이용해 자신의 이익을 거둠] aprovechamiento *m* oportuno. ~하다 subirse al carro [al tren].

편식(偏食) alimentación *f* [dieta *f*] desequilibrada. ~하다 tener dieta desequilibrada.

편심(片心) ① [작은 마음] corazoncito *m*, corazón *m* pequeño. ② [일반적인 마음] corazón *m* general.

편심(偏心) ① [치우친 마음. 편벽된 마음] corazón *m* excéntrico. ② ((물리)) excentricidad *f*. ¶ ~거리 radio *m* excéntrico. ~기 excéntrica *f*. ~력 fuerza *f* excéntrica. ~륜 (rueda *f*) excéntrica *f*. ~률 excentricidad *f*.

편싸움 lucha *f* [pelea *f*] entre dos grupos, pelea *f* de pandillas. ~하다 tener la pelea de pandillas.

편안하다(便安-) (ser) cómodo, tranquilo, pacífico. 편안한 생활 vida *f* cómoda [tranquila]. 마음이 ~ sentirse a *sus* anchas.

편안히(便安-) tranquilamente, apaciblemente, pacíficamente, en paz, cómodamente, con comodidad, con tranquilidad, con desahogo, descansadamente. ~ 쉬다 descansar a gusto y con toda comodidad, sentirse en *su* propia casa. ~ 앉으십시오 [집에 손님이 왔을 때] Está usted en su casa.

편암(片巖) ((광물)) esquisto *m*.

편애(偏愛) preferencia *f*, predilección *f*; [불공평] parcialidad *f*; [정실] favoritismo *m*. ~하다 preferir, favorecer, tener predilección, ponerse parcial, parcializar.

편애하다(偏隘-) (ser) excéntrico y de mentalidad cerrada.

편육(片肉) tajada *f* de la carne hervida.

편의(便宜) conveniencia *f*, comodidad *f*, convención *f*, acomodación *f*, facilidad *f*. ~상 por conveniencia, convenientemente, con motivo de comodidad, por conveniencia, por el objeto [fin] de conveniencia, provisionalmente. ~를 도모하다 facilitar, procurar la facilidad, proporcionar (las) facilidades. ¶ ~주의 convencionalismo *m*, oportunismo *m*. ~주의자 oportunista *mf*.

편이 =펴낸이. 발행자(發行者).

편이하다(便易-) (ser) conveniente y fácil.

편익(便益) beneficio *m*, utilidad *f*, provecho *m*, ventaja *f*; [편의] conveniencia *f*, comodidad *f*, oportunidad *f*. ~하다 (ser) conveniente, beneficioso, ventajoso, favorable.

편입(編入) ① [엮거나 짜 넣음] tejido *m*. ~하다 tejer. ② [한동아리에 끼게 함] entrada *f*, incorporación *f*, admisión *f*; ((군사)) alistamiento *m*. ~하다 incluir (en), incorporar; [학교에] admitir; [군대에] alistar; [학급에] poner. ~ 시험 examen *m* de admisión.

편자 [말발굽의] herradura *f*. ~를 박다 herrar, ajustar y clavar las herraduras.

편자(編者) recopilador, -dora *mf*.

편재(偏在) distribución *f* desigual. 부(富)의 ~ repartición *f* no equitativa de las riquezas.

편재(遍在) omnipesencia *f*, ubicuidad *f*, inmanencia *f*, inherencia *f*. ~하다 (ser) omnipresente, ubicuo, inmanente, estar en [por] todos los lugares.

편저(編著) recopilación *f*, compilación

f, redacción f. ~하다 recopilar, compilar, redactar. ~자 recopilador, -dora *mf*; compilador, -dora *mf*; redactor, -tora *mf*.

편전(便殿) aposento *m* real.

편제(編制) formación f, organización f, composición f. ~하다 formar, organizar, componer.

편족(片足) ① [한쪽 다리] una pierna. ② [한쪽 다리가 없는 불구자] lisiado, -da *mf* sin una pierna.

편주(片舟) =편주(扁舟).

편주(扁舟) botecillo *m*, bote *m* pequeño.

편죽(片竹) pedazo *m* de bambú.

편중(偏重) ① [무게의 중점이 한쪽으로 치우침] preponderancia f, predominio *m*, concentración f. ~하다 preponderar, predominar, apoyarse. ② [치우치게 소중히 여김] importancia f excéntrica. ~하다 conceder [dar] demasiada importancia.

편지(片紙/便紙) carta f, epístola f, [주고 받는 서신] correspondencia f, comunicación f, [단신] nota f, recado *m*; [상업 서신에게] grata f, atenta f; [꽂이 cajita f para poner las cartas y tarjetas. ~ 내 왕 correspondencia f, comunicación f. ~ 봉투 sobre *m* de carta. ~지 papel *m* de escribir (carta). ~통 buzón *m*.

편집(偏執) obstinacia f, excentricidad f, parcialidad f, sesgo *m*. ~광 ⑦ ((의학)) monomanía. ④ [사람] monomaniaco, -ca *mf*. ~병 paranoia f. ~병 환자 paranoico, -ca *mf*. ~증 desorden *m* paranoide. ~증 paranoia f.

편집(編輯) recopilación f, compilación f, redacción f, [영화의] montaje *m*. ~하다 recopilar, compilar, redactar, montar. ~국 (departamento *m* de) redacción f, sección f editorial. ~부 redacción f, ~실 redacción f, oficina f de redacciones [de redactores]. ~원 los redactores; [집합적] redacción f. ~인(자) ⑦ [편집 책임자] director, -tora *mf*; redactor, -tora *mf* (en) jefe; jefe, -fa *mf* de redacción; jefe, -fa *mf* de redactores. ④ [편집하는 사람] redactor, -tora *mf*; recopilador, -dora *mf*; compilador, -dora *mf*; [필림의] montador, -dora *mf*. ~장 redactor, -tora *mf* (en) jefe

편짜다(便一) formar un equipo.

편차(便車) carretilla f.

편차(偏差) ① [전체의] variación f, [자침의] declinación f. ② ((수학)) desviación f.

편찬(編次) compilación f de acuerdo al turno; [순서] turno *m* de compilación. ~하다 compilar de acuerdo al turno.

편찬(編纂) [사료・법령집의] recopilación f, compilación f, [사전 등의] redacción f, compilación f, compilar, redactar. 사전의 ~ recopilación f [redacción f] del diccionario. ~원 los redactores, miembro *mf* de redacción. ~ 위원 miembro *mf* del comité de compilación. ~자 redactor, -tora *mf*; compilador, -dora *mf*; recopilador, -dora *mf*.

편찮다(便一) ① [편하지 아니하다] (ser) inconveniente. ② [병으로 앓고 있다] estar [caer] enfermo.

편취(騙取) estafa f, defraudación f, usurpación f. ~하다 estafar, defraudar, usurpar.

편친(偏親) [아버지] padre *m* soltero, padre *m* que cría a su(s) hijo(s) sin pareja; [어머니] madre f soltera, madre f que cría a su(s) hijo(s) sin pareja. ~시하 situación f de servir al padre [a la madre] sin pareja.

편파성(偏頗性) parcialidad f, favoritismo *m*, falta f de equidad.

편파적(偏頗的) parcial, de mala fe. ~으로 parcialmente.

편파하다(偏頗一) ser parcial, ponerse parcial, parcializar.

편평족(扁平足) pie *m* plano, pie *m* achatado.

편평하다(扁平一) (ser) llano, plano, nivelado, allanado, achatado; [코가] chato. 편평한 땅 terreno *m* llano. 편평한 발 pies *mpl* planos.

편하다(便一) ① ⑦ [거북하거나 괴롭지 않다] [의자・옷이] (ser) cómodo; [집・방이] confortable, cómodo. ④ [편리하다] conveniente. ② [근심 걱정이 없다] (ser) estable. 마음이 ~ estar desahogado. ③ [쉽고 만만하다] (ser) fácil. 편하게 fácilmente, con facilidad. ¶ 편히 cómodamente, con comodidad, confortablemente, convenientemente; con facilidad, en casa. 편히 살(아가)다 vivir cómodamente [con comodidad].

편향(偏向) ① [한쪽으로 치우침] inclinación f, tendencia f, propensión f. ~하다 inclinar. ② ((물리)) desviación f.

편협심(偏狹心) corazón *m* de miras estrechas.

편협하다(偏狹一) ① [땅 같은 것이 좁다] (ser) estrecho, angosto. ② [도량이나 생각하는 것이] (ser) de miras estrechas, parcial, terco, porfiado, mezquino, intolerante. 편협한 사람 persona f de miras estrechas [de un espíritu limitado].

편형(扁形) forma f llana. ~동물 platelmintos *mpl*.

펼치다 abrir, extender, tender, estirar; [폭을] ensanchar; [접은 것을]

desplegar; [만 것을] desenrollar, desarrollar.

펌하(貶下) bajada *f* de categoría. ~하다 bajar de categoría.

평(評) ① [비평] crítica *f*, juicio *m* crítico, comentario *m*, reseña *f*. ~하다 criticar, hacer crítica, hacer comentarios, comentar. ② ((준말)) =평론. ¶신문~ comentarios *mpl* [reseña *f*] de periódico.

평(坪) *pyeong*, unidad *f* de la dimensión superficial (3.31 metros cuadrados).

평가(平價) ① ((준말)) =표준 가격. ② ((경제)) paridad *f*, par *f*. ¶~ 발행 emisión *f* a la par. ~ 절상 revaluación *f*, revalorización *f*. ~ 절하 devaluación *f*, devalorización *f*.

평가(評價) apreciación *f*, estimación *f*, evaluación; [사정] tasación *f*, valoración *f*, valuación *f*. ~하다 estimar, apreciar, evaluar, tasar, valorar, valuar, poner un precio. ~액 tasa *f*, valor *m* tasado, avalúo *m*, suma *f* tasada. ~자 tasador, -dora *mf*, avaluador, -dora *mf*.

평각(平角) ((수학)) ángulo *m* llano, ángulo *m* de 180°.

평결(評決) veredicto *m*, decisión *f*. ~하다 decidir, rendir un veredicto.

평균(平均) ① [많고 적음이 없이 균일함] promedio *m*, media *f*, término *m* medio. ~의 promedio, medio. ② [여럿을 고르게 함] igualación *f*. ~하다 igualar. ③ ((수학)) promedio *m*, media *f*. ~하다 hacer [sacar] el promedio [la media], calcular el término medio, promediar. ¶~가 precio *m* medio. ~값 valor *m* medio. ~ 거리 distancia *f* media. ~ 기온 temperatura *f* media. ~대 barra *f* horizontal, barra *f* de equilibrio. ~ 수명 duración *f* media de la vida. ~ 수입 ingresos *mpl* medios.

평년(平年) ① [윤년이 아닌 1년이 365일인 해] año *m* común. ② [농사가 보통으로 된 해] año *m* ordinario, año *m* normal. ¶~작 cosecha *f* normal, cosecha *f* media.

평당(坪當) por *pyeong*. ~ 백만 원 un millón de wones por *pyeong*.

평등(平等) igualdad *f*. ~하다 ser igual. ~하게 igualmente, al igual, por igual; [공평하게] imparcialmente. 모든 국민은 법 앞에 ~하다 Todo el pueblo es igual ante la ley / La ley es igual para todo el pueblo.

평론(評論) [비평] crítica *f*; [시사 문제 등의] comentarios *mpl*. ~하다 hacer crítica, criticar. ~가 crítico, -ca *mf*; comentarista *mf*. ~집 colección *f* de comentarios.

평면(平面) plano *m*; [편편한 표면] superficie *f* plana. ~각 ángulo *m* plano. ~도 plano *m*, figura *f* plana. ~ 측량 medición *f* plana.

평민(平民) plebeyo, -ya *mf*; pueblo *m* común.

평범하다(平凡－) (ser) ordinario, común, vulgar, mediocre, banal, corriente, trivial; [특징이 없는] que no tiene nada de particular. 평범한 가정 hogar *m* ordinario.

평복(平服) vestido *m* de todos los días, traje *m* de calle; [사복] traje *m* civil.

평사원(平社員) (simple) empleado, -da *mf*.

평상(平床) *pyeongsang*, catre *m* [tabla *f*] con sus pies.

평상(平常) ((준말)) =평상시(平常時). ¶~으로 돌아가다 volver a la normalidad.

평상복(平常服) =평복(平服).

평상시(平常時) ㉮ días *mpl* cotidianos, tiempo *m* oridinario, tiempo *m* diario, vida *f* diaria, normalidad *f*; [평화시] tiempo *m* de paz, tiempo *m* no bélico. ㉯ [부사적] cotidianamente, usualmente, ordinariamente, comúnmente.

평상일(平常日) ① [일요일에 대한] día *m* laborable, día *m* de trabajo. ② [주일] día *m* de semana.

평생(平生) ① [일생] vida *f*, toda la vida. ② [평생을, 평생토록] toda la vida. ~ 행복하게 살다 vivir feliz toda la vida. ¶~ 교육 educación *f* de toda la vida. ~ 회원 miembro *mf* durante toda la vida.

평서문(平敍文) oración *f* enunciativa.

평소(平素) vida *f* diaria. ~의 cotidiano, ordinario.

평수(坪數) número *m* del *pyeong*; [넓이] espacio *m*.

평신도(平信徒) seglar *mf*, laico, -ca *mf*.

평안하다(平安－) estar bien [en paz]. 평안히 en paz, tranquilamente, apaciblemente, pacíficamente.

평야(平野) llanura *f*, llano *m*, planicie *f*, campiña *f* llana.

평열(平熱) temperatura *f* normal.

평영(平泳) braza *f* (de pecho), (estilo *m*) pecho *m*, natación *f* a pecho.

평온(平溫) ① [평상시의 온도] temperatura *f* normal. ② [평균 온도] temperatura *f* media.

평온하다(平穩－) (ser) tranquilo, pacífico, quieto, calmado, apacible. 평온히 tranquilamente, con tranquilidad, en paz, pacíficamente. 평온히 살다 vivir en paz, llevar una vida tranquila.

평원(平原) llanura *f*, llano *m*, planicie

f, *AmL* sabana *f*, pampa *f*, pradera *f*, pradería *f*.

평이하다(平易－) [쉽다] (ser) fácil; [간단하다] simple, sencillo; [명쾌하다] claro. 평이하게 fácilmente.

평일(平日) ① ＝평상시(平常時). ② ＝평상일(平常日). ③ ＝평소(平素).

평자(評者) crítico, -ca *mf*; censor, -sora *mf*, revistero, -ra *mf*.

평전(評傳) biografía *f* crítica.

평점(評點) marca *f*, notas *fpl*.

평정(平定) pacificación *f*. ～하다 pacificar; [반란을] reprimir; [반란자를] someter, dominar.

평정(平靜) calma *f*, tranquilidad *f*, quietud *f*; [냉정함] serenidad *f*, placidez *f*. ～하다 (ser) tranquilo, sereno, plácido.

평정(評定) promeditación *f*, conferencia *f*. ～하다 conferir, deliberar, consultar, discutir.

평준(平準) ① [수준기를 써서, 재목·위치 기타를 수평으로 하는 일] nivelación *f*. ② ＝수준기. ③ [물가 따위를 균일하게 조정하는 일] igualidad *f*, uniformidad *f*. ¶ ～화 igualación *f*.

평지 ((식물)) colza *f*.

평지(平地) terreno *m* plano, tierra *f* nivelada; [평원] llanura *f*, llano *m*, planicie *f*; [대평원] *Arg* pampa *f*. ～풍파 alboroto *m* imprevisto.

평직(平織) tejido *m* llano.

평천하(平天下) pacificación *f* de todo el mundo. ～하다 pacificar todo el mundo.

평치(平治) reinado *m* pacífico. ～하다 reinar pacíficamente.

평탄하다(平坦－) ① [지면이 평평하다] (ser) llano, liso, plano, chato. 평탄한 길 camino *m* llano. ② [마음이 편하고 고요하다] (ser) cómodo y pacífico. ③ [일이 순조롭다] ir bien, marchar bien, mejorar, estar en vena.

평토(平土) nivelación *f* del terreno después del entierro. ～하다 nivelar la tumba.

평판(平板) ① [편편한 널빤지] tabla *f* plana. ② ＝측판(測板). ③ [씨를 뿌릴 때 땅을 고르는 농구] instrumento *m* agrícola de nivelar la tierra. ④ [시문에 변화가 없고 아취가 적음] monotonía *f*. ～하다 (ser) monótono.

평판(平版) ((인쇄)) litografía *f*, offset *ing.m*, fotolitografía *f*, estampa *f* de un dibujo en piedra. ～ 인쇄(술) litografía *f*.

평판(評判) reputación *f*; [명성] fama *f*, renombre *m*, notoriedad *f*; [인기] popularidad *f*. ～이 있는 reputado, renombrado; [유명한] célebre, popular. ～이 좋은 de buena fama. ～이 나쁜 de mala fama, impopular, desfavorable.

평평하다(平平－) ① [높낮이가 없이 널찍하고 판판하다] (estar) plano, llano; [같은 높이로] estar al nivel, estar a ras; [코가] (ser) chato; [도로가] igual. (땅을) 평평하게 하다 nivelar, aplanar, allanar, emparejar, explanar, igualar. 평평한 땅 terreno *m* llano. ② [특별함이 없이 예사롭고 평범하다] (ser) ordinario, común, corriente.

평하다(評－) ((준말)) ＝비평하다.

평행(平行) paralelo *m*, paralelismo *m*. ～하다 paralelarse, ser paralelo, correr parejas, ponerse en dirección paralela. ～봉 (barras *fpl*) paralelas *fpl*, barra *f* doble. ～사변형 paralelogramo *m*. ～선 (línea *f*) paralela *f*. ～ 육면체 paralelepípedo *m*.

평화(平和) paz *f*; [화합] armonía *f*. ～의 pacífico, de paz; para la paz; [행진·캠페인] por paz. 가정 ～ paz *f* doméstica. 세계 ～ paz *f* mundial. 집단 ～ paz *f* colectiva. 항구적 ～ paz *f* perpetua. 전쟁과 ～ guerra y paz. ～를 간구하다 pedir la paz. ¶ ～ 공세 ofensiva *f* de la paz. ～ 공존 coexistencia *f* pacífica, convivencia *f* pacífica. ～ 봉사단 Cuerpo *m* de Paz. ～ 봉사단원 miembro *mf* del Cuerpo de Paz. ～ 사절 enviado, -da *mf* de paz. ～시 (tiempo *m* de) paz *f*. ～ 애호 국민 pueblo *m* amante de la paz. ～ 유지군 fuerzas *fpl* de la paz, fuerzas *fpl* del mantenimiento de la paz, fuerzas *fpl* pacificadoras, fuerzas *fpl* de protección. ～ 조약 tratado *m* de paz, paz *f*. ～주의 pacifismo *m*. ～주의자 pacifista *mf*. ～ 통일 unificación *f* pacífica.

폐(肺) pulmón *m*. ～의 pulmonar. ～결핵 tuberculosis *f* pulmonar, consunción *f*, tisis *f*. ～결핵증 tuberculosis *f* pulmonar. ～결핵 환자 tísico, -ca *mf*. ～기종 enfisema *m* pulmonar. ～동맥 arteria *f* pulmonar. ～병 enfermedad *f* pulmonar, consunción *f*, [폐결핵] tisis *f*, tuberculosis *f* pulmonar. ～병 환자 paciente *m* consuntivo, paciente *f* consuntiva. ～병증 neumonopatía *f*. ～암 cáncer *m* pulmonar. ～정맥 vena *f* pulmonar. ～출혈 ㉮ [폐혈관에 출혈하는 증상] neumorragia *f*, hemorragia *f* pulmonar. ㉯ ＝객혈(喀血). ～충혈 neumonemia *f*, hiperemia *f* del pulmón.

폐(弊) ① ((준말)) ＝폐단(弊端). ② [남에게 끼치는 괴로움] molestia *f*, inquietud *f*, incomodidad *f*. ～를 끼치다 molestar.

폐가(弊家) mi casa.

폐가(廢家) casa *f* arruinada, familia *f*

destruida.

폐간(廢刊) suspensión *f* de publicación. ～하다 dejar de publicar, descontinuar la publicación, cesar de publicar.

폐강(閉講) suspensión *f* de la clase.

폐갱(廢坑) mina *f* abandonada.

폐경기(閉經期) menopausia *f*.

폐관(閉管) pipa *f* cerrada.

폐관(閉館) cierre *m*. ～하다 cerrarse.

폐광(廢鑛) mina *f* arruinada, mina *f* abandonada. ～하다 arruinar la mina, abandonar la mina.

폐교(弊校) nuestra escuela.

폐교(廢校) cierre *m* de una escuela; [학교] escuela *f* cerrada. ～하다 cerrar una escuela. ～되다 cerrarse la escuela.

폐기(廢棄) supresión *f*, abandono *m*; [조약 등의] abolición *f*, anulación *f*, abrogación *f*. ～하다 suprimir, abandonar, abolir, anular.

폐기물(廢棄物) [산업의] desechos *mpl*, (productos *mpl*) de desechos *mpl*, residuos *mpl*; [생리적인] excrementos *mpl*. 방사능 ～ desechos *mpl* radiactivos. 산업 ～ residuos *mpl* de materiales industriales. 핵 ～ residuos *mpl* [desechos *mpl*] nucleares [radiactivos]. ¶～물 처리장[더미] escombrera *f*.

폐농(廢農) abandono *m* de la agricultura, fracaso *m* en la agricultura. ～하다 abandonar la agricultura.

폐단(弊端) maldad *f*, vicio *m*, abuso *m*.

폐디스토마(肺─) [동물] dístomo *m* pulmonar. ～증 paragonimiasis *f*.

폐렴(肺炎) pulmonía *f*, neumonía *f*, pneumonía *f*. 급성 ～ pulmonía *f* [neumonía *f*] aguda. 기관지 ～ pulmonía *f* bronquial. 만성 ～ pulmonía *f* [neumonía *f*] crónica.

폐륜(廢倫) fracaso *m* en el matrimonio. ～하다 no casarse, quedarse solo.

폐막(閉幕) clausura *f*, fin *m*, cierre *m*. ～하다 clausurar, finalizar, terminar, poner fin. ～식 ceremonia *f* de clausura.

폐문(閉門) cierre *m* de una puerta. ～하다 cerrar una puerta.

폐문(肺門) hilo *m* pulmonar, hilo *m* de pulmón.

폐물(幣物) regalo *m*, obsequio *m*.

폐물(廢物) desperdicio *m*, (objeto *m* de) desechos *mpl*, derroche *m*, residuos *mpl*. ～ 이용 utilización *f* de (objetos de) desechos, utilización *f* de productos desechados.

폐백(幣帛) ① [신부가 시부모에게 올리는 대추·포 등] tela *f* ofrecida por la novia a los padres de su esposo. ② [혼인 때 신랑이 신부에

게 주는 청단 홍담 등] seda *f* de color rojo y azul ofrecida por el novio a la novia. ③ [제자가 스승께 올리는 예물] regalo *m* ofrecido por el discípulo a *su* maestro.

폐부(肺腑) ① ((해부)) ＝폐(肺). ② [마음의 깊은 속] corazón *m* (profundo). ③ [일의 요긴한 점 또는 급소] punto *m* vital, partes *fpl* vitales, el área *f* crítica.

폐비(廢妃) [왕비의 자리를 물러 앉게 함] destronamiento *m* de la reina; [자리를 물러 앉게 한 왕비] reina *f* destronada.

폐사(弊社) nuestra compañía, nosotros.

폐사(廢寺) templo *m* (budista) arruinado.

폐선(廢船) barco *m* fuera de servicio, barco *m* raído [jubilado].

폐쇄(閉鎖) cierre *m*, clausura *f*; [배출구의] atresia *f*, ((의학)) obstrucción *f*. ～하다 cerrar, clausurar. 사회 sociedad *f* cerrada. ～ 회로 circuito *m* cerrado. ～ 회로 텔레비전 televisión *f* en circuito cerrado.

폐수(廢水) aguas *fpl* residuales, *AmL* aguas *fpl* negras (*CoS* 제외), *CoS* aguas *fpl* servidas. ～오염 contaminación *f* de aguas residuales. ～ 처리 tratamiento *m* de aguas residuales [negras]. ～ 처리 시설 planta *f* de tratamiento de aguas residuales.

폐수종(肺水腫) neumonedema *m*.

폐순환(肺循環) circulación *f* pulmonar.

폐습(弊習) ① [나쁜 버릇] vicio *m*, malas costumbres *fpl*, mal hábito *m*, abuso *m*. ② ＝폐풍(弊風).

폐시(閉市) cierre *m* de la tienda en el mercado. ～하다 cerrar la tienda en el mercado.

폐식(閉式) terminación *f* de la ceremonia. ～하다 terminar la ceremonia. ～사 discurso *m* de la terminación de la ceremonia.

폐업(閉業) ① [문을 닫고 영업을 쉼] descanso *m* de los negocios. ～하다 descansar el negocio. ② ＝폐점(閉店).

폐업(廢業) [직업이나 영업을 그만 둠] cese *m* [cesación *f*] de los negocios, abandono *m* de *su* profesión, renuncia *f* de *su* oficio, retiro *m* de los negocios. ～하다 abandonar *su* profesión, renunciar a *su* oficio; [은퇴하다] retirarse de los negocios. ～ 신고 declaración *f* de cese de negocios.

폐원(閉院) [학원의] cierre *m* del instituto; [병원의] cierre *m* del hospital; [국회의] clausura *f* de la Asamblea General, clausura *f* de la Asamblea Nacional. ～하다 cerrar el instituto, cerrar el hospital. ~식 [국회의] ceremonia f de la clausura de la Asamblea Nacional.

폐위(廢位) destronamiento m. ~하다 destronar, deponer.

폐유(廢油) aceite m lubricante de desechos.

폐인(廢人) ① [병·마약 등으로 몸을 망친 사람] persona f baldada; [불구가 된] discapacitado, -da mf; minusválido, -da mf; [병약자] inválido, -da mf. ② [남에게 버림받아 쓸모없는 사람] persona f inútil, muerto m viviente.

폐일언(蔽一言) una palabra. ~하고 en una palabra.

폐장(肺臟) ((해부)) = 폐(肺).

폐장(閉場) cierre m (de local), clausura f. ~하다 cerrar; ~되다 cerrarse.

폐점(閉店) cierre m de la tienda. ~하다 cerrar la tienda. ~ 시간 hora f de cierre, hora f de cerrar.

폐점(弊店) nuestra tienda.

폐정(閉廷) clausura f del tribunal; [휴정] levantamiento m de la audiencia. ~하다 levantar la sesión una tribunal, levantar la audiencia.

폐지(閉止) cesación f, cese m, cierre m. ~하다 cesar, cerrar.

폐지(廢止) abolición f, derogación f, anulación f, supresión f. ~하다 abolir, derogar, anular, cancelar, suprimir. ~론 abolicionismo m. ~론자 abolicionista mf. ~안 proyecto m de abolición.

폐지(廢紙) ① [못 쓰게 된 종이] papel m gastado. ② = 휴지(休紙).

폐진증(肺塵症) neumonoconiosis f.

폐질(廢疾) enfermedad f incurable [fatal], inhabilidad f, incapacidad f, imposibilidad f (física). ~이 되다 inhabilitarse. ¶ ~자 inválido, -da mf; persona f inhabilitada [imposibilitada · inutilizada]; imposibilitado, -da mf; minusválido, -da mf.

폐차(廢車) ① [못 쓰게 된 차] coche m desusado. ② [폐차 처분을 함] desecho m del coche; [폐차 처분된 차] coche m desechado. ~하다 desechar el coche. ~ 처분 desecho del coche.

폐품(廢品) artículos mpl desusados, (objeto m de) desechos mpl, desperdicio m, chatarrero m, chapucero m, ropavejero m. ~ 이용 utilización f de objetos de desechos. ~ 수집 recogida f [colección f] de los desechos.

폐하(陛下) Su Majestad, S.M.; [부를 때] Vuestra Majestad, V.M..

폐하다(廢一) ① [제도·법규·기관 등을 치워 없애다] abolir, anular, abrogar, derogar, dejar. ② [중도에서 그만두다] abandonar,

suspender. 학업을 ~ abandonar los estudios. ③ [쓰지 않고 버려 두다] dejar. ④ [어떤 지위에서 내치어 버리다] renunciar, deponer, destituir, destronar.

폐합(廢合) abolición f y unión f. ~하다 abolir y unirse.

폐해(弊害) daño m, perjuicio m, injuria f, mal m, abuso m; [악영향] mala influencia f, efecto m perjudicial, efecto m pernicioso, influencia f nefasta. ~를 끼치다 ejercer una mala influencia, tener mal efecto.

폐허(肺虛) ((한방)) = 폐결핵(肺結核).

폐허(廢墟) ruinas fpl, restos mpl.

폐환(肺患) ((의학)) = 폐병(肺病).

폐활량(肺活量) capacidad f respiratoria, capacidad f pulmonar. ~ 측량계 espirómetro m.

폐회(閉會) clausura f (de una asamblea · de una reunión · de una sesión). ~하다 cerrar [terminar] (una reunión la asamblea · una sesión), clausurar [levantar] la sesión. ~사 discurso m de clausura. ~식 ceremonia f de clausura. ~인사 el habla f de clausura.

폐회로(閉回路) circuito m cerrado. ~ 텔레비전 televisión f en circuito cerrado.

포(包) ① ((장기)) po, cañón m. ② ((건축)) = 枅가지. ③ ((동학)) lugar m de reunión.

포(苞) ((식물)) = 꽃턱잎(bráctea).

포(砲) ① [준말] = 대포(大砲). ② [옛적 무기의 하나] po, bombarda f, una de las armas antiguas.

포(脯) [준말] = 포육(脯肉). ¶ 육~ tajada f de carne de vaca secada.

포가(砲架) ((군사)) afuste m, cureña f, encabalgamiento m., armón m de artillería.

포개다 amontonar, apilar, acumular; [기왓장 등을 차곡차곡] traslapar.

포개지다 apilarse, amontonarse, acumularse, traslaparse.

포격(砲擊) bombardeo m, cañoneo m, cañonazo m. ~하다 bombardear, cañonear, acañonear, batir a cañonazos.

포경(包莖) ((의학)) fimosis f. ~ 수술 operación f de fimosis. ~ 절제 술 fimosiectomía f.

포경(砲徑) calibre m del cañón.

포경(捕鯨) pesca f de ballenas, caza f de ballenas, captura f de ballenas. ~의 ballenero. ~선 ballenero m, lancha f ballenera. ~용 작살 arpón m ballenero. ~자 ballenero m.

포고(布告/佈告) ① [일반에게 널리 알림] decreto m, proclama f; [행위] promulgación f, proclamación f, declaración f. ~하다 proclamar, promulgar, declarar, decretar, publicar, notificar, anunciar, echar bando. ② [국가의 결정 의사를 공식으로 일반에게 발표하는 일] nota *f* oficial. ~를 내다 publicar [emitir] una nota oficial. ¶~령 decreto *m*. ~문 declaración *f*, decreto *m*.

포괄(包括) inclusión *f*. ~하다 incluir, englobar, abarcar, comprender. ~ 적 inclusivo, global, general, universal, comprensivo. ~적으로 inclusivamente, globalmente, generalmente, universalmente.

포교(布教) propaganda *f*; [그리스도교의] evangelización *f*; [외국에서의] misión *f*. ~하다 propagar, evangelizar. ~단 misión *f*. ~사 misionero, -ra *mf*. ~ 사업 obra *f* misionera. ~자 misionero, -ra *mf*. ~지 región *f* misionera.

포구(浦口) entrada *f*, puerta *f*.

포구(砲口) boca *f* del cañón, boca *f* de arma de fuego; [구경] calibre *m*.

포군(砲軍) ((군사)) artillería *f*; [병사] artillero *m*.

포근하다 ① [탄력성이 있고 보드라워 편안하다] (ser) suave y cómodo. 포근한 이불 cama *f* suave y cómoda. ② [겨울날이 바람도 없이] (ser) templado, benigno.

포기 ① [초목의 뿌리를 단위로 한 낱개] raíz *f*, planta *f*, cabeza *f*. ② [초목을 세는 단위] cabeza *f*, planta *f*. 속이 찬 배추 한 ~ un repollo con buena cabeza.

포기(抛棄) abandono *m*, renuncia *f*, renunciamiento *m*, renunciación *f*, sacrificio *m*. ~하다 abandonar, renunciar, hacer abandono, dejar, sacrificar; [승부 따위를] retirarse.

포니 jaca *f*, poney *m*, poni *m*.

포달스럽다 (ser) díscolo, caprichoso, perverso.

포대(布袋) saco *m* de tela.

포대(布帶) cinturón *m* de tela.

포대(包袋) saco *m*, costal *m*, talega *f*, bala *f*, fardo *m*, bolsa *f*, *AmS* bolsillo *m*; [큰] bolsón *m*, costal *m*; [작은] saquete *m*, saquillo *m*; [종이] ~ bolsa *f* de papel.

포대(砲臺) ((군사)) batería *f*.

포대기 mantilla *f*, colcha *f* para la criatura.

포도(葡萄) uva *f*. 건~ (uva *f*) pasa *f*. 디저트용 ~ uva *f* de mesa. 무 스카트 ~ uva *f* moscatel. 백~ uva *f* blanca. 적~ uva *f* tinta. ¶~ 당 d-glucosa *f*, glucosa *f*, dextrosa *f*, azúcar *m* de uva. ~ 덩굴 parra *f*, cepa *f*. ~막(膜) úvea *f*. ~ 밭 viña *f*. ~상 구균 estafilococo *m*. ~상 구균 백신 estafilobacterina *f*. ~색 purpúreo *m* obscuro. ~

수확 vendimia *f*. ~원 viña *f*, viñal *m*, viñedo *m*. ~ 재배 viticultura *f*. ~자 vitícola *mf*; viticultor, -tora *mf*. ~종(腫) estafiloma *m*. ~즙 zumo *m* de vino, mosto *m*.

포도(鋪道) pavimento *m*, calle *f* pavimentada.

포도나무(葡萄-) ((식물)) vid *f*.

포도주(葡萄酒) vino *m*. ~ 담는 가죽 포대 odre *m*, pellejo *m*. ~ 품질 [맛] 감정 cata *f* [catadura *f*] de vinos, degustación *f* de vinos. 백~ vino *m* blanco. 식탁용 ~ vino *m* de mesa. 적~ vino *m* tinto. 지역 ~ vino *m* del país.

포동포동 rechonchamente. ~하다 (ser) rechoncho, rellenito, llenito, regordete, rollizo, gordinflón; [통닭이] gordo; [여자가] con mucho busto, con mucho pecho, bien dotada, pechugona, retozono. 얼굴이 ~한 el de la cara *f* regordete. ~한 여아 niña *f* gordinflona.

포란(抱卵) incubación *f*, empolladura *f*. ~하다 empollar, ponerse las aves sobre los huevos, incubar, encobar. ~기 incubadora *f*, aparato *m* para efectuar la incubación artificial.

포로(捕虜) ① [적에게 사로잡힌 병사] prisionero, -ra *mf* de guerra; cautivo, -va *mf*. ② [어떤 것에 매여서 꼼짝 못 하는 상태] cautiverio *m*, cautividad *f*. ~로 만들다 atraer, cautivar.

포르노 ((준말)) =포르노그래피. ¶~ 극장 cine *m* porno. ~ 비데오 video *m* porno. ~ 영화 película *f* porno. ~ 잡지 revista *f* porno.

포르노그래피 [춘화(春畵). 도색 문학(桃色文學)] pornografía *f*.

포르말린 ((화학)) formalina *f*.

포르투갈 (지명) Portugal *m*. ~의 portugués. ~ 사람 portugués, -guesa *mf*. ~어 portugués *m*.

포마드 pomada *f*, brillantina *f*.

포만(飽滿) saciedad *f*, hartura *f*, hartazgo *m*. ~하다 hartarse, saciarse, estar lleno, estar harto.

포말(泡沫) ① =물거품. ② [덧없는 것] lo pasajero, lo efímero.

포목(布木) lienzo *m* y algodón, paños *mpl* [telas *fpl*] de lana, paño *m*, tela *f*, género *m*, tejido *m* (de seda). ~상 [장사] pañería *f*; [장수] sedero, -ra *mf*; pañero, -ra *mf*. ~ 업 pañería *f*. ~ 업자 pañero, -ra *mf*. ~점 pañería *f*, lencería *f*.

포문(砲門) boca *f* del cañón; [군함 등의] porta *f*, cañonera *f*, tronera *f*, cañonería *f*.

포물면(抛物面) paraboloide *m*. ~ 접시 안테나 antena *f* de disco paraboloidal.

포물선(抛物線) ((수학)) parábola *f*, línea *f* parabólica.
포미(砲尾) recámara *f*.
포박(捕縛) captura *f*, arresto *m*. ~하다 capturar, arrestar, prender.
포병(砲兵) artillería *f*; [장병] artillero *m*, soldado *m* de artillería. ~대 artillería *f*. ~ 대대 batallón *m* de artillería. ~ 연대 regimiento *m* de artillería. ~ 중대 batería *f*.
포복(匍匐) arrastramiento *m*. ~하다 arrastrarse, prosternarse. ~ 절도 carcajada *f*.
포볼 ((야구)) =사구(四球).
포부(抱負) ambición *f*, aspiración *f*.
포상(布商) pañero, -ra *mf*.
포상(褒賞) recompensa *f*, galardón *m*. ~하다 galardonar, premiar, recompensar.
포석(布石) ① ((바둑)) distribución *f* de las piedras en el juego de *baduc*. ② [장래를 준비함] preparación *f* para el futuro. ~하다 preparar para el futuro.
포석(鋪石) losa *f*, adoquín *m*, piedra *f* de pavimento; [포장 도로] pavimento *m*.
포섭(包攝) ① [자기 편에 가담시킴] atracción *f* [participación *f*] a *su* partido. ~하다 ganar [atraer] a *su* partido, poner de *su* lado. ② ((논리)) connotación *f*.
포성(砲聲) cañonazo *m*, estallido *m* de cañón, estruendo *m* de cañón.
포수(砲手) cazador *m*; [대포수] artillero *m*.
포수(捕手) receptor, -tora *mf*.
포술(砲術) artillería *f*.
포스터 cartel *m*, afiche *m*, póster *ing.m*; [대형의] cartelón *m*. ~를 붙이다 fijar un cartel, pegar un cartel.
포승(捕繩) cuerda *f* para atar un reo, soga *f* de policía.
포식(飽食) hartada *f*, glotonería *f*, gula *f*, saciedad *f*. ~하다 comer hasta hartarse [saciarse], llenar hasta el hastío, hartarse de comida, estar ahíto de comida, alimentarse bien, vivir en lujo. ~자 glotón, -tona *mf*.
포신(砲身) tubo *m*, cañón *m*.
포실하다 (ser) adinerado, acomodado, rico, acaudalado.
포악(暴惡) violencia *f*, atrocidad *f*, ferocidad *f*, fiereza *f*, tiranía *f*, maldad *f* horrible. ~하다 (ser) atroz, feroz, cruel, tiránico. ~(을) 부리다 comportarse atrozmente.
포안(砲眼) tronera *f*, aspillera *f*, cañonera *f*.
포연(砲煙) humo *m* de arma de fuego, humarada *f* de cañones.
포옹(抱擁) abrazo *m*, abrazamiento *m*. ~하다 abrazar, dar un abrazo, estrechar entre los brazos en señal de cariño. 서로 ~하다 abrazarse (uno al otro).
포용(包容) generosidad *f*, comprensión *f*, magnanimidad *f*. ~하다 comprender, abarcar. ~력 capacidad *f*, tolerancia *f*, generosidad *f*.
포위(包圍) sitio *m*, asedio *m*, cerco *m* envolvimiento *m*. ~하다 sitiar, asediar, cercar, poner sitio, envolver.
포유(哺乳) lactación *f*, mamada *f*. ~기 (período *m* de) lactancia *f*, mamada *f*. ~ 동물 mamífero *m*. ~류 mamíferos *mpl*. ~병 biberón *m*. ~아 criatura *f*, mamón *m*.
포육(脯肉) tajadas *fpl* de la carne secada y condimentada con especias, carne *f* secada y salada.
포의(布衣) sabio *m* sin rango gubernamental. ~지교(之交) amigo *m* que en el tiempo del sabio se conocía.
포인터 [개의 한 종류] perro, -rra *mf* de muestra, pointer *ing.m*.
포인트 ① [철도의 전철기] agujas *fpl*. ② ((인쇄)) ((준말)) =포인트 활자. ¶8~ 활자 carácter *m* de ocho puntos. ③ [소수점] coma *f*, punto *m*. ④ [득점. 점수] punto *m*, tanto *m*. 매치 ~ ((테니스)) bola *f* de partido. 세트 ~ ((테니스)) bola *f* de set. ¶~ 활자 punto *m*.
포자(胞子) ① ((식물)) espora *f*, esporo *m*. ② ((동물)) quiste *m*, quisto *m*, saco *m* membronoso, vejiga *f* membranosa.
포장(布帳) capota *f*; [차량 연결 부분의] fuelle *m*; [비를 막는] toldo. ~마차 ㉮ [포장을 친 마차] carroza *f*, diligencia *f*. ㉯ [주로 밤의 이동식 간이 주점] bar *m* ambulante nocturno
포장(包裝) envolvimiento *m*, empaque *m*, embalaje *m*, envase *m*. ~하다 envolver, empaquetar, empacar, embalar, envasar.
포장(包藏) el empaque y el depósito. ~하다 contener, guardar en sí, empaquetear y depositar, incluir.
포장(褒章) medalla *f*, medalla *f* de mérito, medalla *f* comendataria.
포장(褒獎) instigación *f*, incitación *f*. ~하다 instigar, incitar.
포장(鋪裝) pavimentación *f*, revestimiento *m* del suelo; [포석으로] adoquinado *m*, embaldosado *m*, enlosado *m*; [쇄석으로] soladura *f* de macadam, soladura *f* de macadán. ~하다 pavimentar, empedrar con [de] adoquines, solar con macadam, macadamar; [아스팔트로] asfaltar. ~ 공사 obras *fpl* de pavimentación. ~ 도로 camino *m* pavimentado, pavimento *m*, cami-

포좌(砲座) plataforma *f* de cañón, marco *m* de cañón, barbeta *f*.

포주(抱主) ① =기둥서방. ② [장녀를 두고 영업을 하는 주인] rufián, -ana *mf*; proxeneta *m*, chulo *m* (de putas).

포즈 [자세] pose *m*, postura *f*.

포지선 posición *f*.

포지티브 positivo *m*.

포진(布陣) toma *f* de posición. ~하다 tomar posición, colocarse en posición.

포집다 apilar, amontonar.

포착(捕捉) ① [꼭 붙잡음] captura *f*, apresamiento *m*. ~하다 captar, coger, agarrar, alcanzar, prender. ② [사람의 마음이나 표현의 뜻 따위를 이해함] entendimiento *m*. ~하다 entender.

포커 póquer *m*, póker *m*, juego *m* de naipes.

포켓 bolsillo *m*, *Méj* bolsa *f*. ~ 북 libreta *f*, cuaderno *m*; [문고본] libro *m* en rústica. ~ 사이즈 tamaño *m* bolsillo. ~판 libro *m* en rústica.

포크¹ [식탁 용구] tenedor *m*.

포크² [돼지고기] carne *f* de puerco, carne *f* de cerdo.

포크 댄스 danza *f* folclórica, baile *m* folclórico, baile *m* popular.

포크 뮤직 [전래의] música *f* folclórica; [현대의] música *f* folk.

포크 송 [전래의] canción *f* tradicional [popular]; [현대의] canción *f* folk.

포크 싱어 [전래의] cantante *mf* de música folclórica; [현대의] cantante *mf* (de música) folk.

포탄(砲彈) bala *f* de cañón, obús *m* proyectil *m* de artillería.

포탈(逋脫) evasión *f* de impuestos. ~하다 evadir impuestos.

포탈 ((컴퓨터)) portal *m*.

포탑(砲塔) torre *f*; [전차의] torreta *f*, torrecilla *f*, cúpula *f*, torre *f* blindada.

포터 [역·공항의 짐꾼] maletero *m*, mozo *m*, *RPI* changador *m*; [원정대·탐험대의] porteador *m*; [병원의] camillero *m*.

포터블 [휴대용의] portátil. ~ 라디오 radio *f* portátil.

포플러 ((식물)) álamo *m*.

포플린 popelín *m*, popelina *f*.

포피(包皮) [자지의] prepucio *m*, acrobistia *f*. ~의 prepucial. ② [표면을 싼 가죽] piel *f* de envolver la superficie. ¶~선(腺) glándula *f* prepucial. ~염 postitis *f*, acropostitis *f*, acrobistitis *f*.

포학(暴虐) tiranía *f*, atrocidad *f*, crueldad *f*. ~하다 (ser) tiránico, atroz, cruel. ~한 행위 actitud *f*

violenta, violencia *f*, atrocidad *f*.

포학무도하다(暴虐無道─) (ser) de horca y cuchillo, tiránico e injusto.

포함(包含) inclusión *f*, contenida *f*, comprensión *f*. ~하다 incluir, contener, comprender; [내포하다] implicar; [집어넣다] incorporar, integrar; [예정에 넣다] meter.

포함(砲艦) (lancha *f*) cañonera *f*, cañonero *m*.

포화(砲火) fuego *m* (de artillería), cañoneo *m*, cañonazos *mpl*.

포화(飽和) saturación *f*. ~하다 ser saturado. ~ 곡선 curva *f* de saturación. ~ 상태 (estado *m* de) saturación *f*. ~ 인구 población *f* de saturación.

포환(砲丸) ① [대포의 탄알] bala *f* del cañón. ② [포환던지기에 쓰이는 쇠 공] peso *m*, bola *f*. ¶~던지기 lanzamiento *m* de peso [*AmL* de bala]. ~ 선수 lanzador, -dora *mf* de peso [*AmL* de bala].

포획(捕獲) captura *f*, apresamiento *m*, presa *f*, arresto *m*. ~하다 capturar, apresar, arrestar, prender, coger. ~고 pesca *f*. ~량 pesca *f*. ~물 botín *m*. ~선 buque *m* capturado. ~자 captor, -tora *mf*.

포효(咆哮) rugido *m*, bramido *m*, mugido *m*; aullido *m*, latido *m*. ~하다 rugir, bramar, mugir, latir, aullar.

폭¹ ① [셈] ¶잘된 ~이야 Resulta que estaba bien. ② [정도] ¶그는 내 동생 ~밖에 안된다 El debe de ser de la misma edad que mi hermano menor.

폭² ① [아주 깊고 느긋하게] muy profundamente. 잠이 ~ 들다 dormirse muy profundamente. ② [힘있게 깊이 찌르는 모양] fuerte y profundamente. ③ [빈틈없이 잘 덮거나 잘 싸는 모양] bien, con cuidado. 아이를 ~ 싸다 envolver bien al niño. 몸을 ~ 싸다 abrigarse bien. ④ [함빡 익은 모양] bien (hirviendo). 국이 ~ 끓었다 La sopa ha hervido bien. ⑤ [남김없이 죄다] todo. ⑥ [얄고 또렷하게 팬 모양] profundamente. 땅이 ~ 패었다 La tierra tiene un hueco profundo. ⑦ [고개를 깊이 숙이는 모양] profundamente. 고개를 ~ 숙이다 inclinar [bajar] *su* cabeza profundamente.

폭(幅) ① =너비¹(ancho, anchura) ¶~이 넓은 ancho, amplio. ~이 좁은 estrecho, angosto. ② [종이·피륙·널 따위위 조각] [옷의] cuarto *m*. ③ [도량·포용성·지식 따위의 크기] generosidad *f*. ¶~이 넓은 사람 persona *f* generosa; [남

자] hombre *m* generoso.

폭거(暴擧) violencia *f*, acción *f* violenta [temeraria].

폭격(爆擊) bombardeo *m* (aéreo). ～하다 bombardear. ～기 bombardero *m*, avión *m* bombardeador.

폭군(暴君) tirano *m*, déspota *m*.

폭넓다(幅—) (ser) ancho, extenso, profundo.

폭도(暴徒) rebeldes *mpl*, insurrectos *mpl*, sublevados *mpl*, turbamulta *f*, insurgente *mf*.

폭동(暴動) motín *m*, alboroto *m*, tumulto *m*, disturbio *m*, revuelta *f*, sedición *f*, [봉기. 반란] sublevación *f*, levantamiento *m*, rebelión *f*.

폭등(暴騰) subida *f* repentina, subida *f* vertiginosa. ～하다 subir repentinamente [de repente · vertiginosamente · de súbito · súbitamente], remontarse muy alto.

폭락(暴落) ① [값의] caída *f* en picado [*AmL* en picada], (gran) baja *f* repentina (del precio). ～하다 caer en picado, dar un bajón, bajar (mucho) repentinamente el precio. ② [인기 · 평판 등의] sufrimiento *m* de un bajón. ～하다 sufrir un bajón.

폭력(暴力) violencia *f*. ～단 terroristas *mpl*, corporación *f* de terroristas, organización *f* de gángsteres dados al uso de la violencia. ～배 gamberro, -rra *mf*; vándalo, -la *mf*; *Méj* porro, -rra *mf*. ～행위 acto *m* de violencia, gamberrismo *m*, vandalismo *m*.

폭로(暴露) revelación *f*, divulgación *f*. ～하다 revelar, divulgar, delatar, poner al descubierto. ～기사 artículo *m* revelador. ～ 전술 táctica *f* de desenmascarar.

폭리(暴利) ganancia *f* [utilidad *f*] excesiva, usura *f*; [부당한] especulación *f*. ～를 취하다 sacar usura.

폭발(暴發) ① [감정 등의] explosión *f*. 시기심의 ～ explosión *f* de envidia. ② [졸지에 벌어짐] ocurrencia *f* repentina.

폭발(爆發) explosión *f*, detonación *f*; [화산의] erupción *f*. ～하다 detonar, explotar, estallar, entrar en erupción. ～시키다 hacer detonar. ¶ ～ 가스 gas *m* explosivo; [갱내의] (fuego *m*) grisú *m*, metano *m*, gas *m* de los pantanos. ～관 detonador *m*. ～력 poder *m* explosivo, fuerza *f* de una explosión. ～물 substancias *fpl* explosivas, explosivo *m*. ～ 전문가 experto, -ta *mf* en explosivos. ～신관 detonador *m*, mecha *f* detonante, cuerda *f* detonante. ～약 polvo *m* detonante, pólvora *f* negra, pólvora *f* de mina, explosivo *m*. ～음 ex-

plosión *f*, sonido *m* detonante. ～적 explosivo, tremendo. ～적인 인기 popularidad *f* tremenda.

폭사(暴死) muerte *f* trágicamente repentina, muerte *f* violenta. ～하다 morir violentamente, morir repentinamente y trágicamente.

폭사(爆死) muerte *f* por una voladura. ～하다 morir por una voladura; [폭발로] morir por una explosión.

폭삭 ① [온통 곯아서 썩은 모양] enteramente, completamente, todo. 건물이 ～ 주저앉았다 Un edificio se derrumbó completamente. ② [맥없이 주저앉은 모양] débilmente. 의자에 ～ 주저앉다 sentarse en el sillón débilmente. ③ [늙어서 기력이 빨리 줄고 맥이 빠진 모양] agotándose.

폭서(暴暑) calor *m* intensivo, calor *m* sofocante, calor *m* severo.

폭설(暴雪) nieve *f* fuerte, gran nevada *f*.

폭소(爆笑) carcajada *f*, erupción *f* de risa, explosión *f* de risa. ～하다 soltar una carcajada, reírse a carcajadas, echarse a reír.

폭식(暴食) glotonería *f*, gula *f*, voracidad *f*. ～하다 glotonear, comer en exceso, comer excesivamente e.～가 glotón, -tona *mf*; tragón, -gona *mf*; persona *f* glotona.

폭신폭신 blandamente, cómodamente. ～하다 (ser) muelle, blando.

폭신하다 (ser) suave y cómodo.

폭약(爆藥) ((준말)) =폭발약(爆發藥).

폭양(暴陽/曝陽) sol *m* abrazador, luz *f* del sol abrazador.

폭언(暴言) lenguaje *m* violento [impetuoso], palabra *f* abusiva [ofensiva]. ～하다 emplear palabra abusiva, hablar violentamente.

폭염(暴炎) =폭서(暴暑).

폭우(暴雨) chaparrón *m*, fuerte aguacero *m*, lluvia *f* torrencial.

폭음(暴飮) bebida *f* excesiva, exceso *m* en la bebida. ～하다 beber en [con] exceso, beber demasiado. ～하는 사람 borrachín, -china *mf*; (gran) bebedor, -dora *mf*. ¶ ～ 폭식 excesos *mpl* en la bebida y comida, borrachera y glotonería. ～ 폭식하다 beber y comer hasta más no poder [inmoderadamente], cometer excesos en la comida y bebida.

폭음(爆音) (ruido *m* de) explosión *f*, estallido *m*, estampido *m*; [엔진의] detonación *f*, zumbido *m*. ～을 내다 producir un estallido, zumbar, detonar.

폭정(暴政) tiranía *f*, gobierno *m* tiránico, despotismo *m*, cesarismo *m*, absolutismo *m*.

폭주(暴走) corrida *f* violenta. ~하다 correr violentamente; [운전자가] corrida *f* desenfrenada. ~하다 correr desenfrenadamente.

폭주(暴酒) exceso *m* en la bebida. ~하다 beber con exceso. ~가 borrachín, -china *mf*; (gran) bebedor, -dora *mf*.

폭주(輻輳/輻湊) ① ((준말)) =폭주병진.¶~하다 apiñarse, aglomerarse, remolinarse. 교통량의 ~ congestión *f* (del tráfico); [사람과 함께] abarrotamiento *m*. ② ((생물)) congestión *f*. ~하다 acumular, amontonar, hacerse obstruido. ¶~병진 amontonamiento *m*.

폭죽(爆竹) cohete *m*, petardo *m*. ~을 터뜨리다 hacer estallar petardos.

폭탄(爆彈) bomba *f*. ~을 투하하다 bombardear, lanzar bombas, descargar bombas.

폭투(暴投) ((야구)) lanzamiento *m* malo, tirada *f* extravagante. ~하다 lanzar mal.

폭파(爆破) voladura *f*, explosión *f*. ~하다 volar, hacer estallar, hacer explotar.

폭포(瀑布) ((준말)) =폭포수(瀑布水).

폭포수(瀑布水) [큰] catarata *f*; [작은] cascada *f*; [쏟아져 내리는] torrente *m*, salto *m* (de agua).

폭풍(暴風) tempestad *f*, borrasca *f*, tormenta *f*, huracán *m*, temporal *m*; [강풍] ventarrón *m*; [태풍] tifón *m*; [사이클론] ciclón *m*; onda *f* de explosión. ~ 경보 alarma *f* de tempestad.

폭풍설(暴風雪) tormenta *f* de nieve.

폭풍우(暴風雨) tormenta *f*, tempestad *f*, borrasca *f*; [허리케인] huracán *m*; [태풍] tifón *m*.

폭행(暴行) ① [난폭한 행동] violencia *f*, asalto *m*, acto *m* de violencia, acto *m* violento, brutalidad *f*. ~하다 portarse violentamente. ② ((법률)) [다른 사람에게 폭력을 가하는 행위] violencia *f*. ~하다 proceder con violencia. ~을 가하다 hacer violencia. ③ [강간] violencia *f*, agresión *f* sexual, ataque *m* contra la libertad sexual. ~하다 violar, agredir sexualmente. ¶~자 perpetrador *m* del ultraje [de la afrenta]. ~죄 delito *m* de violencia.

폰[1] [전화] teléfono *m*. ~ 카드 [전화 카드] tarjeta *f* telefónica.

폰[2] ((물리)) fon *m*.

폴라로이드 [인조 편광판의 상표 이름] polaroid[R] *f*. ② ((준말)) =폴라로이드 카메라. ¶~ 카메라 (cámara *f*) polaroid *f*.

폴란드 ((지명)) Polonia. ~의 polaco. ~ 사람 polaco, -ca *mf*. ~어

polaco *m*.

폴로 polo *m*. ~ 경기자 polista *mf*, jugador *m* de polo.

폴리에스테르 ((화학)) poliéster *m*.

폴리에틸렌 ((화학)) polietileno *m*.

폴카 ((음악)) polca *f*.

폼 forma *f*, figura *f*. ~을 잡다 tomar una medida para comenzar *algo*. ~을 재다 jactarse.

폿소리(砲-) =포성(砲聲).

퐁당 con un plaf, haciendo plaf, ruidosamente. ~ 떨어지다 caer ruidosamente.

퐁퐁 ① [좁은 구멍으로 물이 쏟아지는 소리] virtiendo en el agujero estecho. ② [막혔던 공기나 가스가 좁은 곳으로 잇따라 터져 나오는 소리] rompiendo repetidas veces. ③ [작은 구멍이 잇따라 뚫어지는 소리] siguiendo abriendo el agujerito.

표(表) ① [위. 겉. 바깥 쪽] superficie *f*. ② =표지(標識) [요항을 순서에 좇아 열기한 것] tabla *f*, cuadro *m*; [목록] índice *m*, catálogo *m*; [리스트] lista *f*; [도표] gráfica *f*. ~를 만들다 hacer [formar] una tabla [una lista], tabular. ④ ((준말)) =표적(表迹).

표(票) ① [버스 · 기차의] billete *m*, *AmL* boleto *m*; [비행기의] billete *m*, pasaje *m*; [극장 · 박물관 등의 입장권] entrada *f*; [좌석권] localidad *f*; [배급권] bono *m*; [가방 · 코트 등의] ticket *m*; [세탁소 · 수선소 등의] resguardo *m*, ticket *m*; [제비 뽑기의] billete *m*, número *m*; [주차장의] ticket *m*; [전당포의] papeleta *f* de empeños. ~를 사다 sacar un billete. ② [투표수를 나타내는 단위] voto *m*. 한 ~를 던지다 emitir su voto, dar*le* su voto. ¶~ 파는 곳 taquilla *f*, *AmL* boletería *f*. ~ 파는 사람 taquillero, -lla *mf*; *AmL* boletero, -ra *f*.

표(標) ① [증거] prueba *f*, evidencia *f*, testimonio *m*. 두 나라의 친선의 ~로 en testimonio de la amistad mutua de los dos países. ② [부호] marca *f*, signo *m*, señal *f*. ~를 하다 marcar, poner una señal. ③ [휘장] divisa *f*, escudo *m*, emblema *m*, símbolo *m*, insignia *f*, chapa *f*. ④ [상표] marca *f* (de fábrica). ⑤ ((준말)) =표지(標紙). ¶~ㅅ대 señal *f*, poste *m* indicador. ~ㅅ돌 mijero *m*, piedra *f* millera. ~ㅅ말 poste *m*, pilar *m*.

표결(表決) votación *f*. ~하다 votar. 감사의 ~ voto *m* de gracias. ¶~권 voto *m* activo.

표결(票決) votación *f*, decisión *f* por votación. ~하다 votar, decidir [determinar] *algo* por votos.

표고 ((식물)) (una especie de) seta *f*,

champiñón *m*.

표고(標高) sobre el nivel del mar.

표고버섯 ((식물)) =표고.

표구(表具) passpartú *m*, empapelado *m*, adorno *m* de un cuadro con papel o con tela, *Méj* maríaluisa *f*. ~하다 empapelar, adornar un cuadro con papel o con tela. ~사 empapelador, -dora *mf*. ~점 tienda *f* de paspartú. ~틀 [액자] paspartú *m*, *Méj* maríaluisa *f*.

표기(表記) escritura *f*, anotación *f*. ~하다 escribir, anotar, apuntar.

표기(標記) marca *f*, señal *f*. ~하다 marcar.

표나다(表一) (ser) característico, llamativo.

표독(標毒) ferocidad *f*, brutalidad *f*. ~하다 (ser) feroz, brutal. ~스럽다 (ser) feroz, brutal. 표독스런 얼굴 cara *f* feroz.

표류(漂流) (navegación *f* a la) deriva. ~하다 derivar(se), ir [flotar] a la deriva, ir al garete. ~선 barco *m* que flota a la deriva. ~자 náufrago, -ga *mf*.

표리(表裏) ① [안팎] anverso *m* y reverso, cara y cruz; [양면] dos lados, ambos lados. 매사에는 ~가 있다 Todas las cosas tienen su cara y cruz. ② [이심] dos caras, doblez *f*, duplicado *m*, fraude *m*, indecisión *f*, insidia *f*; [위선] hipocresía *f*. ¶ ~ 부동 hipocresía *f*.

표면(表面) [윗面] superficie *f*; [외면] exterior *m*; [외관] apariencia *f*. ~(상)의 superficial, exterior; [공식적] oficial, formal, nominal. ~으로는 superficialmente, exteriormente; [표면상은] públicamente, nominalmente, aparentemente; [공식적으로는] oficialmente, formalmente. ~상의 이유 razón *f* exterior. ¶ ~마취 anestesia *f* superficial. ~장력 tensión *f* interfacial. ~적(的) superficial.

표면적(表面積) extensión *f* superficial.

표명(表明) manifestación *f*, expresión *f*, designación *f*. ~하다 manifestar, expresar, anunciar, exponer, formular. designar.

표방(標榜) defensa *f*, propugnación *f*. ~하다 profesar.

표백(表白) expresión *f*, confesión *f*. ~하다 expresar, confesar.

표백(漂白) blanqueo *m*, blanqueamiento *m*, decoloración *f*. ~하다 decolorar; [태양에] blanquear (al sol), descolorir; [표백제로] poner en lejía [en blanqueador]. ~되다 decolorarse, desteñirse. ~한 무명 tela *f* blanqueada de algodón. ~분 polvos *mpl* de blanqueo, cloruro *m* de cal viva. ~액 solución *f*

de blanqueo. ~작용 acción *f* de blanqueo. ~제 blanquete *m*, decolorante *m*, lejía *f*.

표범(豹一) leopardo *m*, pantera *f*.

표변(豹變) cambio *m* repentino. ~하다 cambiar de opinión de la noche a la mañana, volver la casaca, cambiar repentinamente, mudar de partido, adaptarse de circunstancia alterada.

표본(標本) espécimen *m*; [식물의] herbario *m*; ((통계)) muestra *f*. ~실 sala *f* de muestras. ~ 조사 encuesta *f* por muestreo.

표상(表象) ① [상징] símbolo *m*, emblema *m*. ~하다 simbolizar. 평화의 ~ emblema *m* de paz. ② ((심리)) representación *f*. ~하다 representar.

표석(表石) lápida *f* sepulcral, piedra *f* sepulcral.

표석(漂石) mijero *m*, piedra *f* millera.

표석(標石) =푯돌. ☞표(標)

표시(表示) ① [겉으로 들어내 보임] indicación *f*, manifestación *f*. ~하다 indicar, manifestar. ② [겉으로 드러내어 발표함] mención *f*, expresión *f*. ~하다 mencionar, expresar.

표시(標示) signo *m*, señal *f*, marca *f*. ~하다 señalar, marcar, poner una señal. ~기 indicador *m*. ~등 ㉮ [기계의 작동 상태·과정 등을 보여주는 전등] lámpara *f* piloto. ㉯ [수로를 안내용 선박에 다는 등] baliza *f*, fanal *m* (del barco).

표어(標語) mote *m*, lema *m*.

표음(表音) representación *f* fonética. ~하다 representar fonéticamente. ~ 문자 escrituras *fpl* fonéticas.

표의(表意) representación *f* ideográfica. ~하다 representar ideográficamente. ~문자 ideograma *m*, escrituras *fpl* ideográficas.

표적(表迹) señal *f*, indicio *m*, rastro *m*, marca *f*.

표적(標的) blanco *m*, objeto *m*, meta *f*, objetivo *m*; ((군사)) objetivo *m* (미사일 공격의). ~ 사격 tiro *m* al blanco, prácticas *fpl* de tiro.

표절(剽竊) plagio *m*, piratería *f*. ~하다 plagiar, cometer plagio. ~자 plagiario, -ria *mf*.

표절따(驃一) ((동물)) caballo *m* con cuerpo amarillo mezclado con el pelo blanco y con el crin y la cola blancos.

표정(表情) expresión *f*, [얼굴의] semblante *m*. ~을 짓다 hacer gesto, expresar.

표제(標題/表題) título *m*; [기사의] titular *m*. ~를 붙이다 titular, poner un título. ¶ ~어 [사전의] entrada *f*. ~지 portada *f*, carátula *f*.

표주박(瓢-) calabaza *f* seca.

표준(標準/表準) norma *f*, estándar *m*, criterio *m*, regla *f* establecida; [수준] nivel *m*; [평균] término *m* medio, promedio *m*; [전형] modelo *m*, tipo *m*, marca *f*. ~의 normal, de marca, de ley, de promedio. ~ 가격 precio *m* normal. ~ 규격 norma *f* estándar. ~ 사이즈 tamaño *m* normal [estándar]. ~ 편차 desviación *f* tipo, desviación *f* standard. ~형 modelo *m*, tipo *m*.

표지(表紙) ① [책뚜껑] portada *f*, tapa *f* (del libro), encuadernación *f*, cubierta *f*, farro *m*, pasta *f*; [신문·잡지·서적의] portada *f*. ② =표지(書標).

표지(標紙) marca *f*, nota *f*, certificado *m*, cheque *m*.

표지(標識) señal *f*, indicador *m*; [표지 기둥] poste *m* indicador.

표징(表徵) señal *f*, símbolo *m*, marca *f*, indicación *f*.

표찰(表札) etiqueta *f*, marbete *m*, plancha *f* de nombre portal.

표창(表彰) mención *f* de honor, recomendación *f* [apreciación *f*] oficial; [상] galardón *m*, premio *m*; [메달] condecoración *f*. ~하다 galardonar, premiar, remunerar, apreciar. ~식 ceremonia *f* de concesión de galardones, mención *f* de honor. ~장 certificado *m* de mérito.

표층(表層) capa *f* superficial.

표피(表皮) ① ((해부·식물)) epidermis *f*. ~의 epidérmico. ② [수목의] corteza *f*. ~의 cortical. ¶ ~ 세포 célula *f* epidérmica. ~암 epitelioma *m*. ~염 epidermitis *f*.

표하다(表-) expresar, hacer saber, desplegar, manifestar, mostrar. 사의(謝意)를 ~ manifestar el agradecimiento.

표현(表現) expresión *f*, manifestación *f*, representación *f*. ~하다 expresar, manifestar, representar; [기술하다] describir. ~력 poder *m* de expresión. ~법 modo *m* [manera *f*] de expresar. ~주의 expresionismo *m*. ~파 expresionista *mf*.

푸 ① [입술을 모아 김을 내뿜는 소리] con ¡uf! ② [힘없이 뀌는 방귓소리] con un pedo ligero.

푸근푸근 suave y cómodamente. ~하다 (ser) suave y cómodo.

푸근하다 ① [약간 따뜻하고 편안한 느낌이 있다] (ser) volloso, felpudo, blando, suave, cómodo, aterciopelado, sedoso. 푸근한 이부자리 cama *f* aterciopelada. ② [겨울날이] (ser) templado, benigno. 푸근한 겨울 날씨 tiempo *m* templado del invierno.

푸념 refunfuño *m*, refunfuñadura *f*,

rezongo *m*, rezongueo *m*, machaqueo *m*, machaconería *f*, chochez *f*, chochera *f*, quejumbre *f*; [불평] queja *f*. ~하다 rezongar, refunfuñar, gruñir, quejarse, volver a contar la misma historia, machaconear.

푸다 sacar. 물을 ~ sacar el agua.

푸닥거리 exorcismo *m*. ~하다 exorcizar los espíritus malignos.

푸대접(-待接) maltratamiento *m*, mal tratamiento *m*, recepción *f* fría, tratamiento *m* [recibimiento *m*] frío, inhospitalidad *f*. ~하다 tratar mal, maltratar, recibir con frialdad, recibir [tratar] fríamente.

푸드덕거리다 seguir batiendo las alas.

푸드득거리다 salir a chorros, salir a borbotones.

푸들 ((동물)) caniche *m*, perro *m* caniche, perro de lanas.

푸딩 budín *m*, pudín *m*.

푸르께하다 (ser) azulado, verdoso.

푸르다 ① [하늘빛] (ser) azul; [초록빛] verde. 푸른 대나무 bambú *m* verde. 푸른 바다 mar *m* azul. ② [세력이 당당하다] (ser) (alto y) poderoso, influyente. 서슬이 ~ ser influyente, tener el filo.

푸르데데하다 (ser) azulado, verdoso.

푸르뎅뎅하다 =푸르데데하다.

푸르디푸르다 (ser) muy azul, muy verde, lozano.

푸르르 enfurruñándose.

푸르무레하다 (ser) algo verde.

푸르스름하다 (ser) azulado, verdoso.

푸르스레하다 =푸르스름하다.

푸르죽죽하다 =푸르데데하다.

푸르퉁퉁하다 (ser) pálido. 푸르퉁퉁한 얼굴 cara *f* pálida.

푸릇푸릇 azul [verde] aquí y allá. ~하다 (ser) azul [verde] aquí y allá.

푸석푸석 crujientemente. ~하다 desmigarse, desmenuzarse fácilmente, (ser) quebradizo, fofo, fláccido, lacio.

푸석하다 ① [메말라 부서지기 쉽다] (ser) quebradizo, fofo. ② [핏기가 없이 부은 듯] estar pálido y algo hinchado.

푸성귀 verduras *fpl*, hierbas *fpl*, hortaliza *f*.

푸솜 algodón *m* crudo.

푸에르또 리코 ((지명)) Puerto Rico. ~의 (사람) portorriqueño, -ña *mf*.

푸접없다 (ser) seco, brusco, categórico.

푸조기 una especie de la corvina amarilla.

푸주(-廚) carnicería *f*.

푸주한(-漢) carnicero *m*.

푸줏간(-間) carnicería *f*.

푸지다 (ser) abundante, rico, liberal.

푸진 음식 comida *f* abundante.

푸짐하다 (ser) abundante, profuso, generoso.

푹 ① [아주 깊고 느긋하게] bien, perfectamente bien, profundamente, a pierna suelta. ~ 자다 dormir profundamente [a pierna suelta]. ② [힘있게 깊이 찌르는 모양] profunda y fuertemente. ③ [빈틈없이 잘 덮거나 잘 싸는 모양] enteramente. ④ [흠뻑 익은 모양] bien, completamente, enteramente. 약한 불에 ~ 끓이다 cocer bien a fuego lento. ⑤ [남김없이 죄다] todo, exhaustivamente, completamente, enteramente. ⑥ [깊게 뚜렷이 팬 모양] profundamente. ⑦ [힘없이 단번에 쓰러지는 모양] débilmente. ⑧ [고개를 아주 깊이 숙이는 모양] profundamente.

푹신푹신 cómodamente, blandamente, suavemente. ~하다 (ser) cómodo; [부드럽다] blando, suave. ~한 요 [방석] colchón *m* blando.

푹신하다 (ser) cómodo, suave, mullido, sedoso, aterciopelado. 푹신한 융단 alfombra *f* mullida. 푹신한 침대 cama *f* cómoda.

푹푹 ① [연해 깊이 찌르거나 쑤시는 모양] con fuerza repetida. ② [자꾸 빠지거나 들어가는 모양] profundamente. ③ [남김없이 죄다 썩어 들어가는 모양] completamente, perfectamente. ④ [속속들이 익도록 찌거나 삶은 모양] bien. ⑤ [암팡지게 연해 쏟거나 담는 모양] virtiendo mucho, sacando mucho. ⑥ [날이 찌는 듯이 더운 모양] sofocantemente, bochornosamente, pesadamente. ⑦ [눈 같은 것이 소복소복 쌓이는 모양] profundamente, muchísimo. 발이 ~ 빠지다 *sus* pies caer profundamente.

푹하다 estar [ser] templado. 날씨가 ~ El tiempo es templado / El día está templado.

푼¹ [백분율의 단위] *pun*, por ciento. 5 ~ cinco por ciento.

푼² ① [옛날 엽전의 단위] *pun*, céntimo *m*, centavo *m*. 닷 냥 서 ~ cinco *nyang* tres *pun*, cinco pesetas y tres céntimos. 한 ~도 없다 No tengo ni un céntimo. ② [무게의 단위] *pun* (0.375 g.). 한 돈 오 ~ un *don* cinco *pun*. ③ [길이의 단위] *pun*. 두 치 오 ~ dos *chi* cinco *pun*.

푼돈 alfileres *mpl*, (dinero *m*) suelto *m*.

푼수(-數) ① [얼마에 상당한 정도] ratio *m*, porcentaje *m*. ② [어떠한 꼴이나 셈판] circunstancias *fpl*. ③ =분수.

푼어치 penique *m*.

푼푼이 poco a poco. ~ 모은 돈 dinero *m* ahorrado poco a poco.

풀¹ [쌀·밀가루 등의 녹말질에서 빼낸 접합제] [붙이는] engrudo *m*; [밀가루의] pasta *f*; [녹말의] almidón *m*, fécula *f*; [벽지 등의] pegamento *m*, cola *f*. ~을 먹이다 almidonar. ¶ ~비 pincel *m* para empastar. ~주걱 espátula *f* para almidonar.

풀² [초본 식물의 속칭] hierba *f*. ~을 먹다 alimentarse de hierbas, pacer, pastar. ~을 먹이다 herbajar, apacentar, pastorear. ~을 베다 segar hierbas; [잡초를] escardar. ~을 뽑다 desyerbar.

풀³ ((준말)) =풀기. ¶ ~이 죽다 tener un aspecto abatido.

풀⁴ [수영장] piscina *f*, *RPI* pileta *f*, natatorio *m*, *Méj* alberca *f*.

풀기(-氣) ① [풀을 먹여 뻣뻣하게 된 기운] almidón *m*. ~가 있는 almidonado. ② [사람의 씩씩한 활기] vivacidad *f*, animación *f*, actividad *f*, vigor *m*, energía *f*. ~가 있다 estar lleno de espíritu, (ser) vigoroso, animado.

풀다 ① [묶은 것이나 뭉킨 것을] desatar, deshacer, desenlazar. 매어 놓은 것을 ~ anudar, desamarrar; [개·말을] soltar, desatar; [꿰맨 것을] descoser; [얽힌 것을] desenredar, desenmarañar; [느슨하게 하다] aflojar, relajar. 풀어 주다 soltar; [사람을] dejar ir, poner en libertad, dejar en libertad. 허리띠를 ~ aflojar el cinturón. ② [감정·분노따위를] dar rienda suelta, dar salida. 원한을 ~ dar rienda suelta a su rencor inveterado. ③ [액체에 다른 것을 타다] disolver, desleír, derretir. ④ [꿈·점괘의 길흉을] interpretar, exponer. ⑤ [금지·제한되었던 것 따위를] eliminar, levantar, acabar. 봉쇄를 ~ levantar un bloqueo. ⑥ [소원을] realizar; [원한을] satisfacer, vengarse; [의심·두려움을 울적함을] disipar, hacer desvanecer; [노여움을] aplacar; [시장기·갈증을] mitigar. 기분을 ~ divertirse. ⑦ [피로·독기 같은 것을 없어지게 하다] calmar, mitigar, aliviar, relajar. ⑧ [문제·이치, 난문제 등을] resolver, solucionar. ⑨ [사람을 동원하다] movilizar. ⑩ [코를] sonarse (las narices), limpiarse el moco.

풀덤불 maleza *f*, maraña *f*.

풀떡¹ ((준말)) =풀떼기.

풀떡² [힘을 모아 가볍게 뛰는 모양] ligeramente, ágilmente. ~ 뛰어내리다 saltar ligeramente.

풀떼기 gachas *fpl* de cereales en polvo.

풀리다 ① ㉮ [묶은 것이] desatarse; [매듭이] desanudarse; [꿰맨 것이]

descoserse; [매듭·나사·악기의
현 따위가] aflojarse. ⊕ [명이]
disolverse. ⊕ [한이 해소되다. 의심
이 사라지다] aliviarse, ablandarse,
aclararse, esclarecer, satisfacerse.
⊕ [피로가] mitigarse. ⊕ [자금이]
circular, entrar en circulación; [경
제가] recuperarse. ⊕ [어려운 이치
나 문제가 밝혀지다] desembrollar-
se. 비밀이 ~ desembrollarse un
misterio. ⊕ [암호가] descifrarse.
⊕ [문제가] resolverse, solucionarse. ② [날이] aclararse, disminuir-
(se); [날씨가] amainar, moderarse,
hacer calor. ③ [얼었던 것이]
disolverse, fundirse, licuarse. ④
[기운이나 기강 따위가] relajarse.

풀이다 almidonar.

풀무 fuelle m.

풀무질 bramido m. ~하다 bramar.

풀밭 [밀의] prado m, pradera f;
[잔디밭] césped m, céspede m.

풀백 ((축구)) defensa mf; zaguero,
-ra mf; ((럭비)) zaguero, -ra mf;
((미식 풋볼)) fulbac mf, corredor
m de poder.

풀벌레 insecto m en la hierba.

풀베기 siega f (de la hierba). ~하다
segar la hierba.

풀 베이스 ((야구)) base f llena.

풀비 escoba f pequeña de las espigas de paja.

풀빛 verde m oscuro, verde m
prado. ~의 de verde oscuro.

풀솜 seda f floja, filadiz f.

풀숲 maleza f, matorral m.

풀 스피드 mayor velocidad f, máxima velocidad f, velocidad f total.

풀썩 levantando de polvo.

풀썩거리다 seguir levantando una
nube de polvo.

풀쐐기 ((곤충)) oruga f.

풀쑤다 preparar la pasta.

풀쑥 ① [갑자기 내미는 모양] de repente, repentinamente, de súbito,
súbitamente. ~ 손을 내밀다 alargar [extender] la mano de repente. ② [느닷없이 말하는 모양] de
improviso, sin previo aviso.

풀어내다 ① [실을] desenredar, desenmarañar; [편물을] deshacer; [천
을] deshilachar. ② [깊은 이치나
어려운 문제를] desentrañar, aclarar. ③ =풀어먹이다❷.

풀어놓다 ① [맨 것을 풀어 주다]
desatar, deshacer; [개·말을] soltar, desatar, AmL desamarrar
(RPI 제외). ② [무엇을 몰래 탐지
하기 위하여 사람을] movilizar.

풀어지다 ① [모직·스웨터가] des-
hacerse; [천·피륙이] deshilacharse. ② [뭉친 것, 단단한 것이] ha-
cerse suave. ③ [눈동자가] estar
adormilado. ☞풀리다

풀이 explicación f, interpretación f,

aclaración f. ~하다 explanar, interpretar, aclarar.

풀잎 hoja f [brizna f] de hierba.

풀장(-場) =수영장(水泳場).

풀죽다 ① [풀기가 적어서 뻣뻣하지
못하다] perder su almidón. ② [성
하던 기세가 꺾여 약해지다] lan-
guidecer, ser lánguido, abatirse,
desanimarse, desalentarse, descorazonarse, tener murria.

풀질 pegamento m (de la pasta),
aplicación f de pegamento. ~하다
aplicar pegamento [cola].

풀썩 ① [문을 갑작스레 열거나 닫는
모양] abriendo y cerrando la
puerta de repente. ② [둔하고 힘있
게 뛰어오르는 모양] saltando ligeramente. ~거리다 ⑦ [문을 연해
갑작스럽게 여닫고 드나들듯] abrir
y cerrar de repente, entrar y salir
constantemente. ④ [둔하고 힘있게
자꾸 뛰어오르다] saltar ligera-
mente.

풀칠(-漆) ① [종이 등을 붙이려고
무엇에 풀을 바름] engrudamento
m. ~하다 engrudar. ② [겨우 끼니
를 이어감] sustento m escaso,
existencia f precaria, existencia f
pobre. 입에 ~하다 mantener la
existencia precaria.

풀풀 ① [열렬고 기운차게 자꾸 뛰거
나 나는 모양] revoloteando, batiendo. 새가 ~ 난다 Las aves
vuelan batiendo las alas. ② [물이
자꾸 끓어 오르는 모양] hirviendo.

풀풀하다 enfadarse fácilmente, (ser)
de mal genio, irascible.

품¹ ① [윗옷의] anchura f. ② [윗옷
을 입었을 때 가슴과 옷과의 틈]
pechera f. ③ [안거나 안기는 것으
로서의 가슴] pecho m, seno m. ~
에 숨기다 esconder en el pecho.
④ [비유적] seno m. 조국의 ~
seno m de la [su] patria. 가족의
~에 en el seno de la familia.

품² [무슨 일에 드는 힘 또는 수고]
trabajo m, pena f, labor f, esfuerzo
m. ~이 들다 costar (trabajo).

품³ [됨됨이] carácter m, naturaleza f,
porte m, disposición f, forma f,
manera f, modo m.

품값 paga f, gajes mpl, remeración f
a destejo.

품갈이 cambio m de labor. ~하다
cambiar labor.

품격(品格) gracia f, elegancia f, refinamiento m, finura f, dignidad f,
carácter m, nobleza f.

품계(品階) grado m, rango m.

품귀(品貴) escasez f, penuria f, carestía f. ~하다 escasearse. ~ 현
상 escasez f, carestía f.

품급(品級) grado m del rango oficial.

품다 ① [몸에] llevar en su pecho,

abrazar, estrechar entre los bra- zos, tomar [coger] los brazos. ② [원한·슬픔·기쁨 등을 마음속에] tener, guardar; [소망이나 의심을] albergar; [희망을] abrigar. ③ [알 을] empollar. 알을 ~ ampollar (los huevos), incubar (los huevos). ④ [함유하다] contener.

품등(品等) la calidad y el grado.

품류(品類) varias clases *fpl* de los artículos.

품명(品名) nombre *m* de artículos.

품목(品目) artículo *m*, nombre *m* de un artículo, lista *f* de artículos. ~ 별 partida *f*. ~별로 por partidas. ~별로 나누다 hacer una lista, enumerar, dividir por partidas.

품별(品別) clasificación *f*. ~하다 clasificar.

품사(品詞) parte *f* de la oración. 팔 (八)~ las ocho partes de la oración. ~론 analogía *f*.

품삯 jornal *m*. ~을 받다 cobrar el jornal.

품성(品性) carácter *m*, categoría *f* personal, personalidad *f*.

품성(稟性) naturaleza *f*, disposición *f* natural, don *m* natural.

품속 seno *m*, pecho *m*, corazón *m*.

품안=품속.

품앗다 trabajar a destajo.

품앗이 trabajo *m* a destajo.

품위(品位) ① [작품과 지위] el grado y la posición. ② [기품이나 위엄] dignidad *f*, elegancia *f*, gracia *f*. ~ 있는 elegante, digno. ③ [금은화가 머금은 금과 은의 비례] quilate *m*. ④ [금속의] grado *m*, calidad *f*, excelente calidad *f*.

품절(品切) mercancías *fpl* agotadas, agotamiento *m*. ~되다 agotarse.

품종(品種) [종류] género *m*, especie *f*; [품질] calidad *f*, clase *f*, [변종] variedad *f*, [가축의] casta *f*, raza *f*, [상품 따위의] grado *m*. ~ 개량 mejoramiento *m* de la raza; [식물 의] mejoramiento *m* de las plan- tas.

품질(品質) cualidad *f*, calidad *f*. ~이 좋은 de buena cualidad. ~이 나쁜 de mala cualidad [calidad], de cualidad [calidad] inferior. ~이 우 수한 de primera cualidad. ~ 관 리 control *m* de calidad, admi- nistración *f* de la calidad. ~ 보 증 aseguramiento *m* de calidad, garantía *f* de cualidad; [게시] Calidad garantizada. ~ 본위 ((게 시)) Cualidad primero. ~ 증명서 certificado *m* de cualidad.

품팔다 ajornalar, jornalar.

품팔이(品─) jornal *m*. ~하다 ajornalar, jornalar. ~꾼 jornalero, -ra *mf*.

품평(品評) calificación *f*, crítica *f*, evaluación *f*. ~하다 calificar, cri-

ticar, evaluar, juzgar los méritos, juzgar el valor. ~회 concurso *m* (de productos), exposición *f*, gra- duación *f* de productos; [견본시] feria *f* (de muestras).

품하다(稟─) decir, informar.

품행(品行) conducta *f*, comporta- miento *m*, proceder *m*, porte *m*. 좋은 ~ buena conducta *f*. 나쁜 ~ mala conducta *f*.

풋감 caqui *m* verde, kaki *m* verde.

풋것 fruta *f* recién cosechada.

풋고추 chile *m* [ají *m*] verde.

풋곡식(─穀─) nuevo grano *m*, nuevos cereales *mpl*.

풋과실(─果實) fruta *f* verde.

풋김치 *kimchi m* de coles verdes.

풋나물 hortaleza *f* nueva, verduras *fpl* nuevas.

풋내 ① [음식에서 나는 풀 냄새] olor *m* a hierbas (verdes). ~ 나다 oler a hierbas verdes. ② [미숙함] inmadurez *f*, inexperiencia *f*. ~ 나 는 inmaduro, inexperto.

풋내기 novato, -ta *mf*.

풋바심 cosecha *f* del grano antes de madurarse. ~하다 cosechar el grano antes de madurarse.

풋볼 ① [축구] fútbol *m*, Méj futbol *m*. ② [축구에 쓰는 공] balón *m*, AmL pelota *f*. ¶~ 선수 futbolista *mf*; jugador, -ra dora *mf* de fútbol.

풋사랑 amor *m* pasajero [ligero].

풍(風) ((준말)) =허풍(虛風).

풍(風) ((한방)) parálisis *f*, perlesía *f*. ~에 걸리다 sufrir de parálisis.

풍각쟁이(風角─) mariachi *m*.

풍격(風格) [풍채] apariencia *f*, [성격] carácter *m*, personalidad *f*.

풍경(風景) ① [경치] paisaje *m*, escena *f*, vista *f*. ~의 paisajístico. ~이 좋은 도시 ciudad *f* paisajís- tica. 크리스마스 ~ escena *f* de la Navidad. ② ((준말)) =풍경화. ¶~ 화 pintura *f* paisajista, paisa- jismo *m*, paisaje *m*, país *m*. ~ 화 가 (pintor, -tora *mf*) paisajista *mf*.

풍경(風磬) campanilla *f* que se suena por el viento.

풍광(風光) paisaje *m*. ☞경치(景致)

풍구(風─) ① ((농구)) máquina *f* aventadora, aventador *m*, aventa- dora *f*. ② =풀무. ¶~질 aventa- miento *m*. ¶~하다 aventar.

풍금(風琴) ((악기)) órgano *m*; [손풍 금] acordeón *m*. ~을 치다 tocar el órgano.

풍기(風紀) moral *f* pública; [규율] disciplina *f*. ~ 문란 corrupción *f* [decaecimiento *m*] de la moral pública.

풍기다 [냄새나 기운을] emitir, dar, despedir, oler, olfatear; [악취를] apestar.

풍년(豊年) año *m* abundante; [풍작]

buena cosecha f.

풍덩 con un plaf. ~하다 hacer plaf. ~ 떨어지다 dejarse caer.

풍뎅이(=곤충) escabeche m.

풍도(風度) actitud f.

풍랑(風浪) ① [바람과 물결] el viento y las ondas, el viento y las olas. ~과 싸우다 luchar contra viento y ondas. ② [바람결에 따라 일어나는 물결] oleada f.

풍력(風力) fuerza f [velocidad f] del viento. ~계 anemómetro m. ~ 발전 generación f por la energía eólica.

풍로(風爐) hornillo m (portátil).

풍류(風流) ① [속되지 않고 운치가 있는 일] elegancia f, garbo m, (buen) gusto m, poética f, refinamiento m [gusto m] poético, gusto m refinado. ② =음악(音樂).

풍만하다(豊滿-) ① [풍족하다] (ser) abundante, opulento. ② [살집이 넉넉하다] (ser) redondo, voluptuoso, rellenito, regordete, corpulento; [여자의 가슴이] con mucho busto [pecho], pechugona. muy bien dotada; 풍만한 육체 figura f voluptuosa.

풍매(風媒) ((식물)) anemofilia f, fecundación f por viento.

풍모(風貌) aire m, apariencia f.

풍문(風聞) rumor m, murmuración f.

풍물(風物) ① [경치(景致). ② ((악기)) instrumentos mpl para la música folclórica. ~=잡이 músico, -ca mf del instrumento folclórico. ~장이 fabricante mf del instrumento folclórico.

풍미(風味) sabor m rico [delicioso], buen sabor m.

풍미(風靡) dominio m. ~하다 dominar, arrastrar con todo, vencer todos los obstáculos, predominar, conquistar.

풍병(風病) ① [풍증] parálisis f, parlesía f. ② [한센병] lepra f, elefancía f.

풍부하다(豊富-) (ser) abundante, opulento, copioso. 풍부한 지식(知識) grandes conocimientos mpl.

풍비박산(風飛雹散) dispersión f en todas las direcciones. ~하다 dispersar en todas las direcciones.

풍상(風霜) ① [바람과 서리] el viento y la escarcha. ② [많이 겪은 고난] muchos apuros, muchas dificultades, privaciones fpl, molestia f, mucha pena, penalidad f. ~ 겪다 pasar muchos apuros [muchas dificultades].

풍선(風船) ① =기구(氣球). ② ((준말)) =고무 풍선. 종이 풍선. ¶~을 불불리다 hinchar un balón.

풍선껌(風船-) chicle m (de globos).

풍설(風雪) viento y nieve, tempestad f de nieve, nevasca f, nevada f,

ventisca f.

풍설(風說) =풍문(風聞). ¶~이 퍼지다 cundir el rumor.

풍성하다(豊盛-) (ser) abundante, rico. ~함 abundancia f, riqueza f.

풍속(風俗) costumbres fpl, hábitos mpl, modales mpl, usos mpl; [풍기] moral f pública, moralidad f pública. 한국의 ~ costumbres fpl coreanas. ¶~도[화] pintura f de género. ~범[사범] violación f de morales públicas. ~ 소설 novela f costumbrista.

풍속(風速) velocidad f del viento. ~계 anemómetro m.

풍수(風水) ① ((민속)) [지술(地術)] adivinación f por la configuración del terreno. ② ((민속))=지관(地官). ¶~도(圖) plano m en base a la topografía. ~설 ㉮ [풍수에 관한 학설] teoría f de configuración del terreno. ㉯ =풍수 지리설. ~ 지리(설) teoría f de división basada en la topografía. ~ 지 geomancia f, geomancia f, estudios mpl geománticos. ~ 학자 geomántico, -ca mf.

풍수해(風水害) daños mpl causados por el viento y la inundación, daño m de [por] tempestad.

풍습(風習) (uso m y) costumbre f, hábito m.

풍식(風蝕) ((지질)) erosión f eólica, corrosión f por el viento.

풍신(風信) ① [바람의 방향] dirección f del viento. ② [소식] noticia f. ¶~기 veleta f, el aspa f, giraldilla f, cataviento m.

풍신(風神) ① [바람의 신] dios m del viento. ② =풍채(風采). ¶~가 좋다 tener buena figura [apariencia].

풍아(風雅) fineza f poética. ~하다 (ser) poético, elegante, refino.

풍악(風樂) música f clásica coreana.

풍압(風壓) presión f del viento [del aire]. ~계 anemómetro m de presión.

풍어(豊漁) pesca f abundante, gran pesca f.

풍염하다(豊艶-) (ser) voluptuoso, encantador.

풍요(豊饒) riqueza f, abundancia f, fertilidad f, fecundidad f. ~하다 (ser) rico, abundante, fértil, fecundo, acaudalado, opulento, productivo, copioso, profuso.

풍우(風雨) [바람과 비] el viento y la lluvia; [태풍] tempestad f, tormenta f.

풍운(風雲) ① [바람과 구름] el viento y la nube. ② [어지러운 형세나 기운] situación f inminente. .

풍운아(風雲兒) aventurero m afortunado.

풍월(風月) viento m y luna, belleza f

e naturaleza, naturaleza *f*, hermosura *f* natural. ~을 벗삼다 admirar la hermosura de naturaleza [natural]. ¶~객 persona *f* de componer poesía, poeta *mf*.

풍자(諷刺) sátira *f*; [비난문] libelo *m*; [비난 낙서] pasquín *m*. ~하다 satirizar, pasquinar, aludir; [만화에] caricaturar. ~가 escritor *m* satírico, escritora *f* satírica; satírico, -ca *mf*. ~극 drama *m* satírico. ~ 문학 literatura *f* satírica, sátira *f*. ~자 poesía *f* satírico, -ca *mf*. ~소설 novela *f* satírica. ~시 sátira *f*, poesía *f* satírica; [짧은] epigrama *m*. ~ 시인 satírico, -ca *mf*. ~적 satírico. ~적으로 satíricamente. ~화 caricatura *f* satírica. ~ 화가 caricaturista *mf*.

풍작(豊作) buena cosecha *f*, recolección *f* [cosecha *f*] abundante. ~인 해 año *m* de cosecha extraordinaria.

풍전(風前) delante del viento. ~ 등화 luz *f* (de vela) ante el viento.

풍정(風情) elegancia *f*, encanto *m*, gracia *f*. ~이 있는 elegante, refinado, encantador.

풍조(風潮) tendencia *f*, corriente *f*.

풍족하다(豊足－) (ser) abundante, profuso, abundar. 풍족함 abundancia *f*. 풍족하게 abundantemente, con abundancia, copiosamente.

풍증(風症) [한방] =풍병(風病).

풍진(風疹) rubéola *f*.

풍진(風塵) ① [비바람에 날리는 티끌] polvo *m*. ② [세상의 속된 일] asuntos *mpl* mundiales. ¶~ 세계 mundo *m* no pacífico.

풍차(風車) molino *m* (de viento). ~와 싸우다 luchar contra molinos de viento.

풍채(風采) apariencia *f*, aire *m*, figura *f*, comporte *m*, presencia *f*. 좋은 ~ buena apariencia *f*. 나쁜 ~ mala apariencia *f*.

풍취(風趣) ① [경치] paisaje *m*, escena *f*, vista *f*. ② =풍치(風致).

풍치(風致) gusto *m*, encanto *m* de paisaje, elegancia *f*, paisaje *m*. ~림(林) plantación *f* decorativa hermoseadora. ~ 지구 sitio *m* protegido (para mantener el encanto del lugar).

풍토(風土) ① [기후와 토지의 상태] característica *f* natural, clima *m*. ② [환경] ambiente *m*. ¶~기 topografía *f*. ~병 endemia *f*. ~색 color *m* climatológico. ~ 순화 aclimatación *f*. ~학 climatología *f*.

풍파(風波) ① [세찬 바람과 험한 물결] el viento fuerte y las olas agitadas. ② [파란] disturbio *m*, discordancia *f*, disputa *f* y reyerta, disensión *f*. 가정 ~ disturbio *m*

familiar.

풍해(風害) daños *mpl* [perjuicios *mpl*] causados por el viento.

풍향(風向) dirección *f* del viento. ~계 giraldilla *f*, cataviento *m*, amemoscopio *m*, veleta *f*, aspa *f*.

풍화(風化) ① ((지질)) =풍화 작용. ¶~하다 erosionarse con el aire. ② ((화학)) eflorescencia *f*. ~하다 eflorescerse. ¶~작용 erosión *f* eólica.

퓨마 ((동물)) puma *m*.

퓨즈 fusible *f*. ~ 박스 caja *f* de fusibles.

프라스코 ((화학)) frasco *m*.

프라이 fritada *f*, frito *m*, fritura *f*; [밀가루를 묻힌 것] rebozado *m*; [음식] plato *m* frito. ~하다 freír. ~한 frito. ~한 생선 pescado *m* frito, pescado *m* rebozado. 달걀을 ~하다 freír un huevo. ¶~ 팬 sartén *f*, *AmL* sartén *m(f)*.

프라이드 orgullo *m*.

프라이버시 [사생활] vida *f* privada, privacidad *f*, intimidad *f*.

프락치 fracción *f*.

프랑스 ((지명)) Francia. ~의 francés. ~ 사람 francés, -cesa *mf*. ~어 francés *m*.

프레스 [인쇄. 출판. 신문] imprenta *f*, prensa *f*. ~ 센터 centro *m* de prensa. ~ 카드 pase *m* de periodista.

프레스코 fresco *m*. ~화(畵) fresco *m*, pintura *f* al fresco. ~ 화가 pintor, -tora *mf* al fresco.

프레올림픽 las Preolimpiadas, los Juegos Preolímpicos.

프레월드컵 Pre-Copa *f* Mundial.

프로 ① ((준말)) =프로그램. ② ((준말)) =프로덕션. ③ ((준말)) =프로파간다. ④ ((준말)) =프롤레타리아. ⑤ ((준말)) =프로페셔널. ¶~ 선수 jugador, -dora *mf* profesional. ~ 야구 béisbol *m* profesional.

프로그래머 ① [텔레비전·라디오의] encargado, -ga *mf* de programación. ② ((컴퓨터)) programador, -dora *mf*.

프로그래밍 ① ((컴퓨터)) programación *f*. ② [라디오·텔레비전의] programación *f*. ~ 언어 ((컴퓨터)) lenguaje *m* de programación.

프로그램 programa *m*. ~을 짜다 programar. ¶~ 디스크 ((컴퓨터)) disco *m* del programa. ~ 작성 ((컴퓨터)) programación *f*. ~ 편성 programación *f*.

프로덕션 producción *f*.

프로듀서 ① [연극·영화·방송 관계의] productor, -tora *mf*. ② [무대 감독·연출자] director, -tora *mf*.

프로모터 ① ((경제)) promotor, -tora *mf*. ② ((운동)) empresario, -ria *mf*.

프로세서 ((컴퓨터)) procesador *m*, unidad *f* de proceso.

프로세스 proceso *m*, procedimiento *m*.

프로젝트 proyecto *m*; ((교육)) trabajo *m*.

프로테스탄트 protestante *mf*.

프로판 ((화학)) propano *m*. ~ 가스 gas *m* de propano.

프로펠러 hélice *f*. ~의 날개 aleta *f*, paleta *f*. ~ 기 avión *m* de hélice.

프로포즈 proposición *f* [propuesta *f*] matrimonial [de matrimonio]. ~하다 proponer*le* matrimonio.

프로필 perfil *m*, reseñas *fpl*.

프록 코트 levita *f*.

프롤레타리아 ① [사람] proletario, -ria *mf*. ② [프롤레타리아트] proletariado *m*. ~ 독재 dictadura *f* del proletariado. ~ 문학 literatura *f* preletaria.

프로로그¹ ((컴퓨터)) programación *f* en lógica.

프로로그² [머리말] prólogo *m*.

프롬프터 apuntador, -dora *mf*.

프리 [자유로운] libre. ~ 배팅 ((야구)) bateo *m* libre. ~ 섹스 sexo *m* libre. ~ 킥 tiro *m* libre.

프리랜서 trabajador, -dora *mf* que trabaja por cuenta propia [por libre]; freelance *ing.mf*. ~ 사진가 paparazzo *m* (*pl* paparazzi).

프리마 돈나 prima donna *f*, primadonna *f*, primera actriz *f*.

프리미엄 prima *f*.

프리즘 prisma *f*, espectro *m* solar. ~의 prismático. ~ 쌍안경 anteojos *mpl* prismáticos.

프린터 ((컴퓨터)) impresora *f*.

프린트 ① [인쇄된 것] impreso *m*. ~하다 imprimir. ② [음화에서 양화를 박아냄. 또는 그 필름] estampa *f*. ~하다 estampar.

플라멩꼬 ((음악)) flamenco *m*. ~ 기타 guitarra *f* flamenca.

플라스마 plasma *m*.

플라스크 [병] frasco *m*; [실험실의] matraz *m*, redoma *f*.

플라스틱 plástico, plástico(s) *m(pl)*. ~ (제품)의 plástico, de plástico. ~ 제품 producto *m* de plástico.

플라이급 (一級) peso *m* mosca.

플라타너스 ((식물)) plátano *m*.

플라토닉 러브 amor *m* platónico.

플란넬 franela *f*. 면(綿) ~ franela *f* de algodón.

플랑크톤 plancton *m*.

플래시 ① [섬광] destello *m*, flash *m*. ~를 터뜨려 촬영하다 sacar una foto con flash. ~ 손전등. ③ [사진용 섬광 전구] lámpara *f* [bombilla *f*] de flash.

플래카드 pancarta *f*.

플랜 [계획] plan *m*, proyecto *m*.

플랜트 planta *f*. ~ 수입[수출] importación *f* [exportación *f*] de una planta.

플랫 ((음악)) [내림표] bemol *m*.

플랫폼 ① [역이나 정거장의 승강장] andén *m*. ② [버스의] plataforma *f*.

플러그 ① [전기 회로에 붙는 코드 끝의 접속 기구, 콘센트에 꽂음] toma *f* de corriente, enchufe, *AmL* tomacorriente(s) *m(pl)*, clavija *f*. ② [점화 플러그] enchufe *m*; [스파크 플러그] bujía *f*.

플러스 ① ((수학)) [덧셈표] signo *m* de más, más *m*. ② [양수・양전기・양극 등을 나타내는 말. 그 기호「+」의 이름] positivo *m*. ¶ ~ 알파 más un extra.

플레이 [(준말)] =플레이 볼. ¶ ~ 볼 jugar (la) bola.

플레이보이 hombre *m* de mundo, playboy *ing.m*, don Juan *m*.

플레이어 ((준말)) =레코드 플레이어.

플루토늄 ((화학)) plutonio *m*. ~ 폭탄 bomba *f* de plutonio.

플루트 ((악기)) flauta *f*. ~ 연주자 flautista *mf*.

피¹ ① [혈액] sangre *f*. ② [혈통] linaje *m*, sangre *f*, estirpe *m*; [핏줄] lazo *m* de sangre. ③ = 혈기. ④ [희생] sacrificio *m*; [노력] esfuerzo *m*, sudores *mpl*. ¶ ~가 끓다 ⑦ =흥분하다. ④ [젊고 열기 왕성하다] bullir*le* la sangre, tener mucho vigor y lozanía, estar lleno de vigor joven. ④ [기분이 격앙되고 용기가 넘치다] apasionarse, entusiasmarse. ~도 눈물도 없다 (ser) inhumano, cruel, feroz. ~로 ~를 씻는다 reñir entre consanguíneos. ~를 나누다 ser parentesco de consanguinidad, ser de la misma sangre, ser entre los padres y los hijos. ~를 나눈 형제 hermano *m* de sangre, hermano *m* verdadero, hermano *m* de la misma sangre.

피² ((식물)) panizo *m*.

피³ [남을 비웃을 때] ¡Bah!

피검(被檢) ¶ ~되다 ser detenido, ser arrestado. ~자 persona *f* bajo custodia, persona *f* al cuidado.

피격(스케이팅) patinaje *m* artístico.

피격(被擊) ¶ ~당하다 ser atacado, ser asaltado.

피고(被告) ((법률)) ① [민사 소송에서 소송을 당한 사람] demandado, -da *mf*. ② [(준말)] =피고인. ¶ ~인 [형사의] acusado, -da *mf*; [민사의] demandado, -da *mf*; [공소의] notificado, -da *mf*. ~인석 banco *m* [banquillo *m*] de los acusados.

피고름 pus *m* sanguíneo.

피고소인(被告訴人) acusado, -da *mf*.

피곤(疲困) fatiga *f*, cansancio *m*. ~하다 estar cansado.

피골(皮骨) la piel y el hueso. ~ 상접 esqueleto *m* vivo, flacura *f*, flaqueza *f.* ~ 상접하다 (estar) hecho un esqueleto, esquelético.

피나무 ((식물)) tilo *m.*

피난(避難) refugio *m;* [소개(疏開)] evacuación *f.* ~하다 refugiarse, tomar refugio, guarecerse, ponerse a cubierto, ponerse sobre seguro. ~시키다 refugiar, evacuar. ¶~민 refugiado, -da *mf;* pueblo *m* refugiado. ~살이 vida *f* de refugiados. ~자 refugiado, -da *mf.* ~항(港) puerto *m* de refugio, rada *f.*

피눈물 lágrimas *fpl* de agonía, lágrimas *fpl* amargas. ~을 흘리다 llorar lágrimas amargas. ¶~이 나다 ㉮ [몹시 슬프다거나 절통하다] (ser) muy triste. ㉯ [몹시 고생스럽다니] (ser) demasiado duro.

피다¹ ① [꽃이] florecer, echar [dar · poner] flores, producir flores, abrir (los pétalos). 꽃이 핀 florido, con flores. 금방 핀 꽃 una flor recién abierta. 꽃이 만발한 들 campo *m* florido. ② [사람이 살이 오르고 혈색이 좋아지다] *su* complexión estar en la plenitud. 한창 핀 소녀 muchacha *f* en la flor de la juventud. ③ [불이 차츰 일어나다] arder, quemarse, quemar con fuego, 불이 ~ quemarse.

피다² ((준말)) =피우다. ¶불을 ~ pegar fuego. 담배를 ~ fumar el cigarrillo.

피동(被動) pasibilidad *f.* ~의 pasivo. ~사 verbo *m* pasivo.

피둥피둥 rellenitamente, regordetemente, corpulentamente. ~ 살찌다 (ser) regordete, corpulento, rellenito, gordo.

피디 ① [방송계의 프로듀서] productor, -tora *mf.* ② [방송계의 프로그램 디렉터] director, -tora *mf.*

피딱지 coágulo *m.*

피땀 ① [피와 땀] la sangre y el sudor; [큰 노력] gran esfuerzo *m,* sudores *mpl.* ② [힘을 들여 일할 때 나는 진땀] sudor *m* grasiento. ¶~을 흘리다 costar*le* sudores.

피똥 excrementos *mpl* sangrientos [mezclados con sangre].

피라미 ((어류)) albur *m.*

피라미드 pirámide *f.* ~(모양)의 piramidal.

피란(避亂) ① [난리를 피함] refugio *m.* ~하다 refugiarse, tomar refugio. ② [난리를 피해 있는 곳을 옮김] movimiento *m* del lugar de refugio. ¶~민 refugiado, -da *mf.* ~살이 vida *f* de refugiados. ~지[처] (lugar *m* de) refugio *m.*

피랍(被拉) ¶~되다 ser secuestrado, ser raptado. ~된 아이 niño *m* secuestrado.

피력(披瀝) exposición *f,* confesión *f.* ~하다 mostrar, abrir, exponer,

revelar, confesar, decir francamente. 의도를 ~하다 exponer *sus* propósitos.

피로(披露) [알림] anunciación *f,* anuncio *m;* [소개] presentación *f,* introducción *f.* ~하다 anunciar, hacer un anuncio, celebrar la inauguración, introducir, presentar. ~연 recepción *f,* banquete *m.* ~회 reunión *f* de banquete.

피로(疲勞) fatiga *f,* cansancio *m.* ~하다 estar cansado, fatigarse.

피뢰(避雷) escape *m* del relámpago. ~하다 escapar del relámpago. ~기 pararrayos *m.* ~침 pararrayos *m.*

피륙 paño *m,* textil *m.*

피리((악기)) flauta *f.* ~를 불다 tocar la flauta. ¶~ 연주가 flautista *mf.* ~혀 langüeta *f.*

피리어드(언어) punto *m.* ~를 찍다 dar punto; [종료하다] poner fin, poner punto final.

피마자(蓖麻子) ((식물)) ricino *m.* ~유(油) aceite *m* de ricino.

피막(皮膜) película *f.*

피막(被膜) ((해부·동물)) túnica *f.*

피망 guindilla *f,* pimiento *m* chile.

피멍들다 ser contusionado, quedar lleno de moretones [cardenales].

피바다 mar *m* de sangre.

피범벅 mar *m* de sangre en todas las partes.

피보험자(被保險者) asegurado, -da *mf.*

피보호자(被保護者) protegido, -da *mf;* paniaguado, -da *mf.*

피복(被服) ropa *f,* traje *m,* vestido *m.* ~공장 fábrica *f* de vestidos. ~창 departamento *m* de ropaje.

피복(被覆) revestimiento *m,* recubrimiento *m.*

피부(皮膚) [사람의] piel *f;* [특히 얼굴의] cutis *m,* piel *f,* tez *f;* [표피] epidermis *f.* ~과 dermotología *f.* ~과 병원 hospital *m* dermatológico. ~과 dermatólogo, -ga *mf.* ~과학 dermatología *f.* ~관리 cuidado *m* de la piel, cuidado *m* del cutis. ~병 dermatosis *f,* enfermedad *f* cutánea, enfermedades *fpl* de la piel. ~병학 dermatología *f.* ~ 성형술 dermoplastia *f.* ~암 cáncer *m* de (la) piel. ~염 dermatitis *f,* cutitis *f.* ~ 이식 injerto *m.* ~이식술 injerto *m* cutáneo [de piel]. ~질 dermatopatía *f.*

피비린내 lo sanguinario, crueldad *f.* ~나다 oler a sangre.

피사체(被寫體) sujeto *m.*

피살(被殺) ¶~되다 ser matado, ser asesinado. ~자 matado, -da *mf;* asesinado, -da *mf.*

피상(皮相) ¶~적 superficial. ~적 (인) 견해 vista *f* superficial.

피상속인(被相續人) antepasado, -da *mf*; predecesor, -sora *mf*; heredero, -ra *mf*.

피서(避暑) veraneo *m*. ~하다 veranear, pasar el verano. ~ 가다 veranear, pasar el verano, ir a veranear. ¶ ~객 veraneante *mf*. ~ 계절 estación *f* veraniega. ~지 veraneario *m*, lugar de veraneo.

피선(被選) ¶ ~되다 ser elegido.

피선거권(被選擧權) elegibilidad *f*. ~이 있다 ser elegible.

피선거인(被選擧人) persona *f* elegible; electo, -ta *mf*; candidato, -ta *mf*.

피스톤 émbolo *m*, pistón *m*.

피스톨 pistola *f*, revólver *m*.

피습(被襲) asalto *m*, ataque *m*. ~하다 asaltar, atacar. ~되다 asaltarse, atacarse.

피승수(被乘數) multiplicando *m*.

피시 ordenador *m* personal.

피신(避身) refugio *m*, escape *m*. ~하다 refugiarse, escaparse, huirse.

피아노¹ (악기) piano *m*. ~를 치다 tocar el piano. 그랜드 ~ piano *m* de cola. ¶ ~ 독주 solo *m* de piano. ~ 레슨 clase *f* [lección *f*] de piano. ~ 레슨을 받다 tomar la lección de piano. ~ 삼중주 trío *m* para piano, violín y violoncelo. ~ 연주자 pianista *mf*. ~ 연주회 concierto *m* de piano. ~ 컨서트 concierto *m* para piano.

피아노² (음악) [천천히. 느리게] despacio, lentamente, *ital* piano.

피아니스트 pianista *mf*.

피아르 relaciones *fpl* públicas. ~하다 hacer relaciones públicas, hacer propaganda.

피안(彼岸) el otro mundo; [열반] Nirvana *m*; [바라밀다] Paramita *f*.

피압박 계급(被壓迫階級) clase *f* oprimida.

피압박 민족(被壓迫民族) pueblo *m* oprimido. ~ 해방 liberación *f* del pueblo oprimido. ~ 해방 운동 campaña *f* para la liberación del pueblo oprimido.

피앙세 [약혼자] prometido, -da *mf*, novio, -via *mf*.

피어나다 ① [꺼져 가던 불이 다시 살아 나다] reavivar, quemarse otra vez, arder otra vez. ② [곤란한 형편이 차츰 풀리게 되다] recobrarse poco a poco. ③ [거의 죽게 된 사람이 다시 생기를 회복하다] recobrar el sentido, volver en sí, recobrarse. ④ [꽃 따위가] florecer, abrirse. 한 창 ~ estar en plena floración.

피에로 pasayo, -ya *mf*.

피엑스 [군 매점] economato *m* militar, cooperativa *f* militar.

피엘오¹ (컴퓨터) oscilador *m* de fase bloqueada.

피엘오² [팔레스타인 해방 기구] Organización *f* de [para] la Liberación de Palestina, OLP *f*, O.L.P. *f*.

피우다 ① [피게 하다] encender, prender. 불을 ~ encender fuego, prender fuego, hacer fuego. ② [수단·재주 등을] jugar, hacer, exponer, cumplir. 익살을 ~ bromear. ③ [난봉·소란 등을] perturbar, disturbar, tumultuarse, alborotar. 소란을 ~ alborotar. 소란을 피우는 사람 alborotapueblos *mf.sing.pl.* ④ [담배를] fumar. 담배를 ~ fumar un cigarrillo. ⑤ [냄새나 먼지 따위를] [사람이] oler; [동물이] olfatear, oler. 향내를 ~ fumigar, perfumar.

피의자(被疑者) sospechoso, -sa *mf*; persona *f* sospechada de un delito; reo *mf* presunto.

피임(被任) nombramiento *m* a una oficina. ~되다 ser nombrado.

피임(避姙) contracepción *f*, prevención *f* de concepción, prevención *f* de preñez. ~하다 ejercer la contracepción, impedir la concepción, controlar [restringir] los nacimientos. ~ 기구 aparato *m* anticonceptivo. ~법 contracepción *f*, método *m* de concepción evitable. ~ 약 medicina *f* anticonceptiva [contraconceptiva]; [알약] tableta *f* anticonceptiva.

피자 pizza *f*. ~ 가게 pizzería *f*.

피장파장 el mismo, no diferencia, igual. ~이다 Tal para cual / Cual es Pedro, tal es Juan. 두 사람은 ~이다 Ambos son tal para cual.

피점령국(被占領國) país *m* ocupado.

피제수(被除數) [(수학)] dividendo *m*.

피조물(被造物) creación *f*.

피죽(─粥) gachas *fpl* de mijo. ~도 못 먹었다 Se tambaleó sin fuerza.

피지(皮脂) sebo *m*. ~의 sebáceo. ~선(腺) glándulas *fpl* sebáceas.

피질(皮質) corteza *f*. ~의 cortical.

피차(彼此) éste y aquél, tú y yo, ambas partes *fpl*, uno de otro. ~ 간 entre tú y yo, entre ambas partes. ~ 일반 ambos los mismos, no diferencia entre nosotros.

피처 [(야구)] lanzador, -dora *mf*. ~ 마운드[플레이트] montículo *m*.

피천 poco dinero *m*, blanca *f*, ardite *m*. ~ 한 닢 없다 estar sin blanca, no tener ni un cuarto, no tener ni un céntimo.

피층(皮層) corteza *f*.

피치 ① [(야구)] lanzamiento *m*. ② [(골프)] pitch *ing.m*. ③ [보트에서] razón *f* de boga. ④ [작업 능률] ritmo *m*.

피칭 lanzamiento *m*. ~하다 lanzar.

피케 piqué *m*.

피케팅 piquete *m*. ~을 치다 instalar piquetes.

피켈 piqueta *f*, píckel *m*, pico *m* montañero.

피켓 piquete *m*. ~을 치다 estar de centinela.

피크닉 picnic *m*, jira *f*, excursión *f*, merienda *f* campestre, partida *f* de campo. ~ 가다 ir de picnic, ir de jira, ir de excursión, tener una partida de campo.

피탈(被奪) acción *f* de sufrir el robo. ~하다 ser robado.

피루성이 lo sangriento, lo manchado de sangre. ~의 싸움 lucha *f* sangrienta. ~가 되다 anegarse de sangre, ensangrentarse, empaparse de sangre. ~로 만들다 anegar de sangre.

피트 [길이의 단위] pie *m*.

피파 [국제 축구 연맹] FIFA *f*, Federación *f* Internacional de Fútbol Asociación.

피폐(疲弊) extenuación *f*, agotamiento *m*; [나라 등의] empobrecimiento *m*, decaimiento *m*. ~하다 extenuarse, agotarse, empobrecerse.

피폭(被爆) sufrimiento *m* de la bomba (atómica). ~되다 sufrir la bomba (atómica). ~자 víctima *f* de la bomba (atómica).

피하(皮下) bajo el cutis. ~의 hipodérmico, subcutáneo. ~ 주사 inyección *f* hipodérmica [subcutánea]. ~ 주사기 jeringa *f* hipodérmica. ~ 지방 panículo *m* adiposo, sebo *m* hipodérmico [subcutáneo].

피하다(避-) ① [비키다. 멀리하다] evitar, eludir, esquivar, librarse, escapar, huir, rehuir, dejar, apartarse, evadirse, guarecerse, zafarse. 피할 수 있는 evitable. 피할 수 없는 inevitable, ineluctable, ineludible. ② [피신하다] refugiarse; [비 따위를] protegerse. ③ [책임이나 의무를 회피하다] eludir, evadir, evitar, eximirse, dispensarse.

피한(避寒) hibernación *f*, invernación *f*, huida *f* del frío invernal. ~하다 hibernar, invernar, refugiarse del frío, pasar el invierno. ~용 invernante *mf*. ~지 invernadero *m*.

피해(被害) perjuicio *m*, daño *m*, estragos *mpl*. ~를 주다 damnificar. ~를 받다 dañarse, sufrir un daño, sufrir unos estragos. ~를 면하다 escapar del daño, escapar de los estragos. ~를 복구하다 reparar los daños causados. ¶ ~ 망상(증) delirio *m* de persecución, manía *f* persecutoria. ~자 suma *f* de daños. ~자 víctima *f*; [재해의] damnificado, -da *mf*. ~지 región *f* devastada, región *f* dañada, región *f* damnificada.

피해(避害) evasión *f* de la calamidad. ~하다 evadir la calamidad.

피혁(皮革) piel *f*; [무두질한] cuero *m*. 인공 ~ piel *f* artificial. 진짜 ~ piel *f* legítima, cuero *m* legítimo. 합성 ~ piel *f* sintética. ¶ ~ 가게 cuerería *f*, pelllejería *f*. ~공 curtidor, -dora *mf*. ~ 공업 pelllejería *f*. ~상 [장사] pelllejería *f*; [장수] pelllejero, -ra *mf*. ~ 제품 artículos *mpl* de cuero [de piel], objeto *m* de cuero.

피후견인(被後見人) pupilo, -la *mf*.

픽 ① [힘없이 가볍게 쓰러지는 모양] débilmente. ~ 쓰러지다 caerse débilmente. ② [「픽」 소리를 내면서 웃는 모양] indiferentemente, sin ánimo. ~ 웃다 sonreír sin ánimo. ③ [증기나 공기가 한 번 터져 나오는 모양] silbando.

픽션 ① [허구] ficción *f*. ② [소설에서 가공적인 이야기] ficción *f*, narrativa *f*. ¶ ~ 작품 obra *f* de ficción, obra *f* narrativa.

픽업¹ ((준말)) =픽업 트럭. ① [프로그램을 방송국에 연결시키는 장치] pick-up *ing.m.* ③ [전축에서] fotocaptor *m*, brazo *m* [del toca-discos], pick-up *ing.m.* ¶ ~ 트럭 camioneta *f* [furgoneta *f*] (de reparto).

픽업² [많은 사람들 중에서 특히 가려 뽑음] recogida *f*, selección *f*. ~하다 recoger, seleccionar.

핀 ① [옷·종이 용의] alfiler *m*; [머리핀] horquilla *f*; [브로치. 배지] insigna *f*. ~으로 꽂다 sujetar [prender] con alfileres. ② ((골프)) banderín *m*. ③ ((볼링)) bolo *m*. 넥타이 ~ alfiler *m* de corbata.

핀란드 Filandia. ~의 [사람] finlandés, -sa *mf*. ~어 filandés ~1.

핀셋 pinza(s) *f(pl)*, tenazas *fpl*; [의료용] fórceps *m.sing.pl.* ~으로 집다 coger con las pinzas.

핀잔 represión *f*, reprimenda *f*, amonestación *f*, censura *f*. ~하다 reprender, censurar, dar una reprimenda. ~(을) 맞다 ser reprendido, ser censurado. ~을 주다 reprender, censurar, dar una reprimenda, amonestar, dar una reprimenda.

핀치 히터 ((야구)) bateador, -dora *mf* de emergencia; bateador, -dora *mf* suplente.

핀치 히트 ((야구)) batear de emergencia [de suplente], batear en sustitución del titular.

핀트 ① [초점] foco *m*. ~를 맞추다 enfocar. 카메라의 ~를 맞추다 enfocar una máquina fotográfica. ② [요점] punto *m*.

필(匹) [마소를 세는 단위] cabeza *f*. 소 세 ~ tres cabezas de vacas, tres vacas.

필(疋) ① [피륙을 셀 때 쓰는 단위] rollo *m*. 명주 한 ~ un rollo de

seda. 명주 열 ~ diez rollos de seda. ② =필(匹).

필갑(筆匣) ① [붓을 넣어 두는 갑] estuche *m* [caja *f*] de plumas [de cepillo de escribir]. ② =필통.

필경(筆耕) copia *f*. ~하다 copiar.

필경(畢竟) en fin, al fin, por fin, finalmente, después de todo, al fin y al cabo.

필기(筆記) escritura *f*, manuscrito *m*. ~하다 escribir, apuntar, anotar, tomar nota, inscribir, registrar. ~ 도구 artículos *mpl* de escritorio, utensilios *mpl* para escribir. ~ 시 험 examen *m* escrito. ~장 cuaderno *m*.; [작은] libreta *f*, cuadernillo *m*. ~체 letra *f* corrida.

필납(畢納) Pagado.

필담(筆談) conversación *f* por escrito. ~하다 conversar [hablar] por escrito.

필답(筆答) respuesta *f* por escrito. ~ 시험 examen *m* escrito.

필더 [야야수] fildeador, -dora *mf*.

필독(必讀) lectura *f* indispensable. ~ 서 libro *m* que es menester [se debe] leer.

필두(筆頭) primer nombre *m* de una lista.

필드 ① ((운동)) [경기장. 구장] campo *m*, *AmL* cancha *f*; [내외야] campo *m*; [외야] campo *m*. ② ((컴퓨터)) campo *m*. ¶~ 경기 saltos y lanzamientos; la caza y la pesca. ~ 종목 prueba *f* de atletismo. ~ 하키 hockey *m* sobre hierba.

필라멘트 filamento *m*.

필력(筆力) vigor *m* de escritura.

필름 película *f*. ~의 fílmico. ~ 한 통 un rollo [una carrete] (de fotos), una película. 컬러 ~ película *f* en color, película *f* en [de] colores naturales. 흑백 ~ película *f* blanca y negra.

필링 sentimiento *m*.

필마(匹馬) un (solo) caballo. ~단기 paseo *m* a caballo solitario sin criado. ~단창 paseo *m* a caballo sólo con armas sencillas.

필명(筆名) nombre *m* de pluma, seudónimo, -ma *mf*; nombre *m* de guerra.

필벌(必罰) El criminal es castigo sin falta.

필법(筆法) arte *m* [técnica *f*] de caligrafía.

필봉(筆鋒) ① [붓끝] punta *f* de la pluma china, punta *f* del cepillo de escribir. ② [붓의 위세] poder *m* de pluma. 날카로운 ~ poder *m* de pluma agudo.

필부(匹夫) [한 남자] un hombre; [신 분이 낮은 남자] hombre *m* común.

필부(匹婦) [한 여자] una mujer; [신 분이 낮은 여자] mujer *f* común.

필사(必死) [반드시 죽음] muerte *f* inevitable; [목숨을 걺] desesperación *f*. ~의 투쟁 lucha *f* a muerte. ~적 desesperado, perdido, frenético. ~적으로 con toda energía, a riesgo de *su* vida, a muerte, desesperadamente, a la desesperada, a más no poder; [전력을 다해] con todas *sus* fuerzas. ~인 노력 gran [mucho] esfuerzo *m*, esfuerzo *m* sobrehumano.

필사(筆寫) copia *f*, transcripción *f*. ~ 하다 copiar, transcribir, manuscribir. ~본 libro *m* copiado. ~자 copista *mf*; copiante *mf*; copiador, -dora *mf*; amanuense *mf*; escribiente *mf*.

필생(畢生) toda la vida. ~의 que dura toda la vida. ~의 노력 esfuerzos *mpl* que duran toda la vida.

필수(必修) ¶~의 obligatorio. ~ 과 목 asignatura *f* obligatoria.

필수(必須) esencialidad *f*. ~의 esencial, indispensable, obligatorio, requerido. ~ 과목 asignatura *f* obligatoria. ~ 아미노산 aminoácidos *mpl* esenciales. ~적 indispensable, esencial, obligatorio, necesario. ~ 조건 requisito *m*, condición *f* indispensable, condición *f* sin qua non. ~ 조항 cláusula *f* obligatoria.

필수품(必需品) necesidades *fpl*, lo necesario, abasto *m*, cosas *fpl* necesarias [imprescindibles · indispensables].

필승(必勝) triunfo *m* seguro. ~의 신 념 creencia *f* en triunfo seguro.

필역(畢役) terminación *f* [finalización *f*] de la obra de construcciones. ~ 하다 terminar la obra de construcciones.

필연(必然) inevitabilidad *f*, necesidad *f*; [부사적] inevitablemente, sin duda, sin falta, seguramente. ~적 inevitable, necesario, ineludible, ineluctable. ~적으로 inevitablemente, necesariamente, naturalmente.

필요(必要) necesidad *f*, requerimiento *m*, demanda *f*, exigencia *f*, indispensabilidad *f*. ~하다 (ser) necesario, preciso, indispensable, imprescindible, esencial, necesitar, precisar, requerir, tener necesidad de + *inf*, hacer falta, *RPI* precisar. ~성 necesidad *f*; [불가피성] inevitabilidad *f*. ~악 mal *m* necesario. ~ 조건 requisitos *mpl*, condición necesaria [indispensable]. ~ 충분 조건 condición *f* necesaria y suficiente. ~품 artículo *m* indispensable.

필유곡절(必有曲折) Hay una razón

para todo.

필자(筆者) escritor, -tora mf; autor, -tora mf.

필적(匹敵) competencia f, rivalidad f. ~하다 igualar, ser igual, rivalizar, competir, parangonarse.

필적(筆跡) manuscrito m, característica f (personal) de las letras, (rasgos mpl de la) escritura f, caligrafía f, letra f. ~을 감정하다 verificar la escritura. ~을 모방하다 imitar la escritura. ~학 grafología f. ~학자 grafólogo, -ga mf.

필전(筆戰) guerra f de la pluma, batalla f de palabras.

필지(必至) inevitabilidad f. ~하다 (ser) inevitable, ineludible, inminente.

필진(筆陣) personal m editorial.

필체(筆體) forma f de la escritura, forma f de la caligrafía, estilo m, modo m de escribir.

필촉(筆觸) toque m de un cepillo de escribir.

필치(筆致) rasgo m, toque m; [문장의] pluma f, estilo m; [글씨의] escritura f; [그림의] pincelada f.

필터 ① =여과기. ② [카메라 렌즈 앞의] filtro m. ③ [전기 통신 기계의] filtro m. ④ [궐련 끝에 붙여 담배의 진을 거르기 위한 것] filtro m. ~ 있는 담배 cigarrillos mpl con filtro, Méj cigarros mpl con filtro. ~ 없는 담배 cigarrillos mpl sin filtro.

필통(筆筒) ① [붓을 꽂는 통] lapicero m, Arg, Chi lapicera f. ② [붓·연필 등을 넣어 가지고 다니는 기구] estuche m [caja f] de plumas.

필하다(畢─) terminar, acabar, completar. 등기[검사]를 ~ terminar el registro [la inspección].

필하모닉 ① [음악 애호가] filarmónico, -ca mf. ② [음악회] concierto m. ③ [교향악단] Filarmónica f. 비엔나 ~ 오케스트라 (Orquesta f) Filarmónica f de Viena.

필화(筆禍) lapsus m cálami serio. ~를 입다 ser acusado [procesado] por su escrito. ¶~ 사건 caso m de un lapsus cálami serio.

필휴(必攜) indispensabilidad f; [안내서] guía f, manual m. ~의 indispensable, imprescindible.

필히(必─) sin falta, de cualquier modo, de cualquier manera, a toda costa, sin duda, infaliblemente, seguramente.

핍근(逼近) acceso m, aproximación f. ~하다 aproximarse, acercarse.

핍박(逼迫) ① [형세가 매우 절박하도록 바싹 닥쳐 옴] urgencia f. ~하다 (ser) urgente. ② [곤궁함] estrechez f. ~하다 (ser) estrecho, reducido.

핏기 complexión f, tez f. ~가 없다 [가시다] ponerse pálido, tener mala complexión.

핏대¹ [큰 혈관] vaso m sanguíneo grande. ~(를) 올리다[세우다] enfadarse, enojarse, irritarse.

핏대² [피의 줄기] vaso f, arteria f.

핏덩어리 ① [피의 덩어리] coágulo m de sangre, cuajo m de sangre, sangre f. ② [갓난아이] recién nacido m.

핏덩이 =핏덩어리.

핏발 congestión f. ~(이) 서다 (ser) rojo, inyectado de sangre, congestionado. 핏발이 선 눈 ojos mpl congensados [ensangrentados].

핏빛 color m rojo sangre. ~의 [하늘] teñido de rojo; [장미가] encarnado; [포도주가] de color rojo sangre.

핏속 ① [피의 속] interior m de la sangre. ② =혈통(血統).

핏자국 mancha f de sangre.

핏줄 ① [혈관] vena f. ② [혈통] linaje m, sangre f, estirpe m, lazo m de sangre.

핏줄기 ① [피의 줄기] vena f. ② =혈통(血統).

핑 ① [한 바퀴 힘차게 도는 모양] redondamente, ligeramente, velozmente, rápido, rápidamente. ~ 돌다 darse la vuelta, volverse, dar vueltas alrededor. ② [갑자기 정신이 아찔한 모양] mareadamente, vertiginosamente, aturdidamente. ③ [별안간 눈물이 어리는 모양] de repente, repentinamente, de súbito, súbitamente. 눈물이 ~ 돌다 derramarse las lágrimas de repente.

핑계 [변명] disculpa f, excusa f, apología f; [구실] pretexto m; [이유] razón f; [석명] explicación f, justificación f. ~으로 ~로 so [a] pretexto de algo.

핑그르르 alrededor suavemente, girando, bailando. ~ 돌다 girar, bailar.

핑글핑글 siguiendo girando [bailando]. ~ 돌다 seguir girando [bailando].

핑크 ① ((식물)) =패랭이꽃. ② [분홍색, 석죽색] (color m) rosa m, AmL rosado m. ③ [형용사적으로, 색정적] destape, pornográfico. ¶~ 무드 atmósfera f amorosa. ~색 = 핑크❷. ~ 영화 película f de destape, película f pornográfica.

핑퐁 [탁구] tenis m de mesa, ping-pong m, ping pon m. ~을 치다 jugar al tenis de mesa, jugar al ping-pong.

핑핑 vertiginosamente. ~ 돌다 girar vertiginosamente.

ㅎ

하¹ [많이] mucho; [크게] grande; [매우] -ísimo, muy, mucho, muchísimo. ~ 비싸다 (ser) muy caro, carísimo.

하² ((감탄사)) ¡Oh! / ¡Ajá! ~ 참 잘 되었다 ¡Ajá, vale!

하(下) ① [아래. 밑] bajo, debajo (de), inferior. ~반신(半身) parte *f* inferior del cuerpo. ② [아랫길 되는 품질이나 등급] clase *f* baja [inferior], grado *m* inferior. ③ [하권] [두 권 한 질일 때] tomo *m* segundo (II); [세 권 한 질일 때] tomo *m* tercero (III).

하강(下降) baja *f*, descenso *m*, descensión *f*. ~하다 bajar, descender.

하객(賀客) congratulador, -dora *mf*. 신년의 ~ visita *f* del Año Nuevo.

하게하다 tutear.

하계(下界) este mundo, mundo *m* actual.

하계(夏季) verano *m*, temporada *f* veraniega [de(l) verano]. ~ 방학 vacaciones *fpl* de verano.

하고 ① [와. 과] y, e. 아버지하고 나 padre y yo. 아버지~ 아들 padre e hijo. ② [비교를 나타내는 부사격 조사] Dong-saeng-eun hyeong~ manhi daratta. El hermano menor se parece a su hermano mayor. ③ [함께] con; [대해서] contra. 적~ 싸우다 luchar contra el enemigo.

하고많다 (ser) abundante, numeroso, copioso, bastante, innumerable.

하곡(夏穀) granos *mpl* de(l) verano, trigo y cebada. ~ 수매가 precio *m* de compras de cebada.

하관(下棺) bajada *f* del ataúd en la tumba. ~하다 bajar el ataúd en la tumba.

하관(下觀) mandíbula *f*. ~이 빨다 tener la mandíbula puntiaguda.

하교(下敎) orden *f*, instrucción *f*, mandato *m*, mandamiento *m*. ~하다 mandar, ordenar, instuir.

하교(下校) salida *f* de la escuela. ~하다 salir de la escuela.

하구(河口) boca *f* [dembocadura *f*] del río, ría *f*. ~ 언 dique *m* del estuario.

하권(下卷) [두 권 중의] tomo *m* segundo (II); [세 권 중의 마지막 권] tomo *m* tercero (III).

하극상(下剋上) motin *m*, sublevación *f* [rebelión *f*] contra el superior.

하급(下級) clase *f* inferior [categoría *f*] inferior, clase *f* baja; [저학년]

curso *m* inferior; [품질의] baja cualidad *f*. ~ 공무원 funcionario, -ria *mf* (público) de rango inferior. ~ 관리 oficial *mf* menor; oficial *m* subordinado, oficial *f* subordinada. ~ 법원 tribunal *m* inferior. ~ 학생 estudiante *mf* de los cursos inferiores. ~자 inferior *mf*; subordinado, -da *mf*.

하기(下記) mención *f* abajo. ~와 같이 como sigue.

하기(下旗) bajada *f* de la bandera. ~식 ceremonia *f* de bajada de la bandera.

하기(夏期) verano *m*, estío *m*. ~의 veraniego, estival. ~ 휴가[방학] vacaciones *fpl* de verano.

하나¹ ① [일] uno. ~의 una (남성 단수 명사 앞에서), una, solo, único, singular; [제일의] primero. ~에서 열까지 de uno a diez; [전부] todo, del todo, enteramente, totalmente, completamente, sin excepción. ② [오직 그것뿐] sólo, solamente. ③ [일체] un cuerpo, un solo cuerpo. ④[같은 것] lo mismo.

하나² [그러나] pero, sin embargo.

하나님 ((기독교)) Dios *m*. ~ 맙소사! ¡Ave María! / ¡Válgame Dios!

하녀(下女) criada *f*, sirvienta *f*.

하느님 ((종교)) Dios *m*; Providencia *f* (divina); [기독교 이외의] dios, -sa *mf*. ② ((성경)) Dios *m*.

하늘 ① [시계의 공간] cielo *m*; ((문학)) firmamento *m*. ~의 celeste, celestial. ② [천지 만물의 주재자] Dios *m*, Providencia *f*. ③ ((종교)) paraíso *m*, cielo *m*. ④ [날씨] tiempo *m*. 하늘은 스스로 돕는 자를 돕는다 ((속담)) A quien se ayuda, Dios le ayuda.

하늬바람 viento *m* oeste.

하다 ① [목적을 위하여 움직이다] hacer, obrar, actuar, practicar, dar. 공부를 ~ hacer un estudio, estudiar. ② [다른 동사 대용으로 씀] tomar, beber, comer; [피우다] fumar. 한 잔 ~ beber una copa. ③ [종사하다] servir, entregarse, dedicarse; [경영하다] ejercer. 변호사를 ~ ser abogado, ejercer la abogacía.

하다못해 al menos, a lo menos, por lo menos.

하단(下段) ① [글의 아래쪽 부분] columna *f* [línea *f*] inferior. ② [계단의] grada *f* [peldaño *m*] inferior;

[침대차의] litera *f* de abajo.

하달(下達) mandamiento *m*, mandato *m*, orden *f*. ～하다 mandar, ordenar.

하대(下待) ① [낮게 대우함] tratamiento *m* desdeñoso, recepción *f* fría. ～하다 tratar desdeñosamente [fríamente]. ② [상대자에게 낮은 말을 씀] tuteamiento *m*, tuteo *m*. ～하다 tutear.

하도 ((강조))=하¹. ¶이 책은 어려워 나는 읽을 수 없다 No puedo leer este libro, porque es demasiado difícil.

하도급(下都給) subcontrato *m*. ～하다 subcontratar. ～(을) 주다 encargar a un subcontratista.

하드 디스크 disco *m* duro.

하드보드 [판지] cartón *m* madera.

하드웨어 ((컴퓨터)) hardware *ing.m*, soporte *m* físico.

하드 트레이닝 entrenamiento *m* duro, entrenamiento *m* severo, entrenamiento *m* intensivo.

하등(下等) [하급] clase *f* baja [inferior]. ～의 de clase baja [inferior], bajo, inferior. ～ 동물 animal *m* de orden inferior. ～ 사회 clases *fpl* inferiores, proletariado *m*. ～ 품 artículo *m* (de cualidad) inferior.

하등(何等) alguno; [부정문에서] ninguno, ninguna [nada] en absoluto. ～의 이유도 없이 sin alguna razón, sin razón ninguna [alguna].

하락(下落) baja *f*, depreciación *f*, bajada *f*, caída *f*. ～하다 depreciarse, caer, bajar; [증권이] aflojar.

하략(下略) omitido abajo, omisión *f* de aquí. ～하다 omitir abajo.

-하러 하다 (+ *inf*), para (+ *inf*). 나는 일 ～ 간다 Yo voy a trabajar.

하렘 harén *m*, harem *m*.

하례(賀禮) ceremonia *f* de enhorabuena, ceremonia *f* de felicitación, celebración *f*. ～하다 celebrar, felicitar, dar la enhorabuena.

하롱거리다 portarse [comportarse] precipitadamente [sin reflexionar].

하루 un día. ～에 al día, por día. ～ 만에 en un día. ～ 세 번 tres veces al día, tres veces por día. ～ 내내 todo el día. ¶～거리 fiebre *f* terciana, terciana *f*. ～걸러 cada dos días. ～걸러 cada dos días, un día sí y otro no. ～바삐 [빨리] lo más pronto posible, cuanto antes. ～아침 ㉮ [짧은 시간] tiempo *m* corto, duración *f* muy corta, un momento. ㉯ [어떤 날] una mañana. ～치 parte *f* del día, ración *f* del día.

하루살이 ① ((곤충)) cachipolla *f*. ② [덧없음] vida *f* efímera. ～ 같은 인생 esta vida efímera.

하루하루 de día en día, día tras día,

cada día, de un día para otro.

하룻강아지 ① [난지 얼마 안 되는 어린 강아지] cachorro, -rra *mf*; cría *f*. ② =초보자. 신출내기.

하룻밤 ① [한 밤] una noche. ② [어떤 날 밤] [과거의] una noche; [미래의] alguna noche.

하류(下流) parte *f* más baja del río, corriente *f* inferior de un río. ～로, ～에 río abajo.

하륙(下陸) desembarco *m*, desembarque *m*. ～하다 desembarcar.

하릴없다 ① [어떻게 할 도리가 없다] (ser) inevitable, eneludible, desesperanzado, desilusionado. ② [틀림없다] (ser) correcto, perfecto, preciso.

하릴없이 ① [어떻게 할 도리 없이] inevitablemente, eneludiblemente, ② [틀림없이] correctamente, con precisión, inequívocamente.

하마(下馬) desmontadura *f*, apeamiento *m*. ～하다 apearse, desmontarse, descabalgar. ～평 rumores *mpl*, habladurías *fpl*, crítica *f* irresponsable, observación *f* sin orden ni concierto.

하마(河馬) ((동물)) hipopótamo *m*.

하마터면 por poco, casi. ～ 넘어질 뻔했다 Por poco [Casi] me caí / Estuve a punto de caer.

하모니카 ((악기)) armónica *f*.

하물(荷物) carga *f*, cargamento *m*, equipaje *m*, mercancía *f*. ～을 싣다 cargar. ～을 내리다 descargar.

하물며 tanto más, otro tanto más, aún más, mucho más, todavía más, más aún [부정문에서] aún menos, mucho menos.

하반(下半) segunda mitad *f*. ～기 segunda mitad *f* del año, segundo semestre *m*. ～부 parte *f* inferior de la mitad. ～신 parte *f* inferior del cuerpo.

하복(夏服) ropa *f* de verano, vestido *m* de verano, traje *m* de verano.

하복부(下腹部) región *f* abdominal.

하부(下部) ① [아랫쪽 부분] parte *f* inferior; [신체의] región *f* inferior. ② [하급 기관] organización *f* inferior de la oficina gubernamental. ～ 구조 infraestructura *f*. ～ 조직 organización *f* subordinada.

하사(下士) ((군사)) sargento *m*. ～관 sargento *m*, cabo *m*, oficial *m* nombrado por el jefe de un cuerpo; [해군의] oficial *m* subordinado; [후보생] cadete *m*.

하사(下賜) regalo *m* real, donación *f* [dádiva・merced *f*・obsequio *m*] real. ～하다 donar, regalar.

하산(下山) descenso *m* [bajada *f*] de la montaña. ～하다 bajar de la montaña [descender de] la montaña.

하상(河床) cauce *m*, lecho *m*.

하선(下船) desembarco *m*, desembarque *m*. ~하다 desembarcar.

하소연 rogación *f*, súplica *f*, petición *f*, queja *f*. ~하다 rogar, suplicar, pedir, quejarse, dar quejas.

하수(下水) aguas *fpl* residuales, aguas *fpl* negras, CoS aguas *fpl* servidas. ~ 공사 obras *fpl* de alcantarillado. ~관 atarjea *f*, cañería *f* de albañal ~구 desaguadero *m*, desaguador *m*. ~도 alcantarilla *f*. ~ 오물 aguas *fpl* residuales, aguas *fpl* negras, CoS aguas *fpl* servidas. ~ 정화 depuración *f* de aguas residuales.

하수(下手) ① [낮은 솜씨] inhabilidad *f*, desmaña *f*. ~의 poco hábil, torpe, desmañado, inhábil. ② [솜씨가 낮은 사람] persona *f* poco hábil.

하숙(下宿) ① [남의 집 방에 숙박함. 또, 그 집] pensión *f*, albergue *m*, aposentamiento *m*; [집] pensión *f*, casa *f* de huéspedes. ~하다 alojarse (en la pensión), hospedarse (en la pensión). ② [값싼 여관] hostal *m*, posada *f*. ¶~방 habitación *f* alquilada. ~비 pensión *f*, pupilaje *m*. ~생 huésped *mf*. ~집 pensión *f*, casa *f* de huéspedes, casa *f* de inquilinato.

하순(下旬) finales *mpl* [fines *mpl*] del mes. 3월 ~에 a fines [finales] de marzo.

하야(下野) retiro *m* [retirada *f*] de la vida pública. ~하다 demitir [retirarse de] *su* cargo oficial, retirar a la vida campestre, dejar el (servicio del) gobierno, dejar el poder, retirarse de la vida de funcionario público. ~ 성명 declaración *f* de dejar el poder.

하양 ① [흰빛] (color *m*) blanco *m*. ② [하얀 것] cosa *f* blanca.

하얗다 (ser) blanquísimo, muy blanco, blanco como la nieve.

하얘지다 blanquearse, ponerse blanco; [창백해지다] ponerse pálido.

하여튼(何如튼) de todos modos, de todas maneras, de cualquier modo.

하여금 dejando, haciendo, obligando, forzando. 그로 ~ 가게 하라 Déjale ir.

하여튼 =어쨌든.

하역(荷役) embarque y desembarque, carga y descarga de mercancías. ~하다 embarcar y desembarcar. ~부 estibador *m*, cargador *m*, descargador *m*, trabajador *m* de muelle. ~ 작업 trabajo *m* de embarque y desembarque. ~장 desembarcadero *m*. ~항 puerto *m* de muelle.

하염없다 (ser) penoso, ansioso, desasosegado, desconsolado, incon-

solable, distraído, despistado, desanimado, alicaído, abatido, abstraído, aturdido.

하염없이 distraídamente, con desaliento, con expresión ausente, abstraídamente. ~ 걸어가다 darse un paseo distraídamente.

하염직하다 valer la pena (de + *inf*), merecer la pena (de + *inf*). 경주를 방문~ valer [merecer] (la) pena de visitar a Gyeongchu.

하오(下午) tarde *f*. 월요일 ~에 el lunes por la tarde. ~ 다섯 시에 a las cinco de la tarde.

하옥(下獄) encarcelamiento *m*, encarcelación *f*, encierro *m*, prisión *f*, reclusión *f*. ~하다 encarcelar, meter en la cárcel.

하우스 재배(一栽培) cultivo *m* por vinilo.

하원(下院) Cámara *f* de (los) Diputados, Congreso *m* de (los) Diputados, cámara *f* baja. ~ 의원 diputado, -da *mf*; representante *m*.

하위(下位) posición *f* [puesto *m* · lugar *m*] inferior. ~의 inferior.

하의(下衣) pantalones *mpl*. ~를 입다 ponerse los pantalones.

하의(夏衣) traje *m* [ropa *f* · vestido *m*] de verano.

하이 [높은] alto. ~ 메모리 ((컴퓨터)) memoria *f* alta. ~칼라 dandismo *m*, modernismo *m*; [사람] dandi *mf*; galán *m*. ~ 클래스 [식당 · 호텔의] lujo *m*; [상품의] primera calidad *f*; [지역 · 아파트의] alto standing *m*, categoría *f*; [신분이] clase *f* alta. ~ 힐 zapatos *mpl* de tacón alto.

하이에나 ((동물)) hiena *f*.

하이웨이 [주요 도로] carretera *f*.

하이재커 [공중이나 해상 납치범] secuestrador, -dora *mf*; [비행기의] pirata *m* áereo, pirata *f* aérea.

하이잭 [공중이나 해상 납치] secuestro *m*. ~을 하다 secuestrar.

하이커 excursionista *mf*.

하이킹 caminata *f*, gira *f*, excursión *f*, excursionismo *m*. ~ 가다 dar una caminata, ir de excursión. ~ 을 하다 hacer una caminata, dar una caminata.

하이테크 ((준말)) =하이테크놀러지.

하이테크놀러지 alta tecnología *f*.

하이테크 산업(一産業) industria *f* de alta tecnología.

하이틴 jóvenes *mpl* menores de veinte años, adolescente *mf* entre quince y diecinueve años.

하이파이 [라디오 전축의] alta fidelidad *f*. ② [하이파이 장치] equipo *m* de alta fidelidad, hi-fi *m*.

하이픈 guión *m*.

하인(下人) sirviente, -ta *mf*.

하인방(下引枋) umbral *f* de puerta.

하자(瑕疵) ① [흠. 결점] defecto *m*, falta *f*; [단단한 물건의] raya *f*. ~가 있는 defectuoso, imperfecto, rayado. ② ((법률)) defecto *m*.

하자마자 en cuanto, tan pronto como, no bien, luego que, así que. 그는 나에게 말~ en cuanto me lo dijo, tan pronto como me lo dijo.

하잘것없다 (ser) insignificante, trivial, vulgar, poco importante, pequeñísimo, despreciable, no valer nada. 하잘것없는 일 nimiedad *f*.

하절(夏節) estación *f* estival.

하제(下劑) purgante *m*, purga *f*; [완화제] laxante *m*, laxativo *m*.

하주(荷主) dueño, -ña *mf* de (la) carga [de (la) mercancías], embarcador, -dora *mf*; [하송인] consignador, -dora *mf*.

하중(荷重) gravamen *m*, carga *f*, peso *m*. ~ 시험 prueba *f* de carga.

하지(下肢) pierna *f*, miembro *m* inferior.

하지(夏至) solsticio *m* estival.

하지만 pero, mas, sin embargo, aunque. 고맙다 ~ 사양하겠다 Gracias pero no lo acepto.

하직(下直) ① [먼 길을 떠날 때] acción *f* de decir adiós. ~하다 decir adiós, despedirse. ② [작별을 고함] muerte *f*, fallecimiento *m*. 세상을 ~하다 morir, fallecer.

하차(下車) acción *f* de bajar del coche. ~하다 bajar del coche, apearse del coche; [열차에서] bajar(se) [apearse] del tren.

하찮다 ((준말)) =하잖다. ¶하찮은 선물 regalo *m* insignificante.

하책(下策) el peor plan.

하천(河川) río *m*. ~의 fluvial. ~ 부지 lecho *m* (del río). ~ 오염 contaminación *f* fluvial.

하청(下請) ((준말)) =하청부(下請負).

하청부(下請負) ((구용어)) =하도급.

하체(下體) ① [몸의 아랫도리] parte *f* inferior del cuerpo. ② [남녀의 음부] partes *fpl* secretas.

하층(下層) ① [아래 층. 밑층] capa *f* inferior, estratos *mpl* bajos; [건물의 아래층] planta *f* baja. ~의 이웃 사람 vecino *m* de(l piso de) abajo. ② [하급] clase *f* baja. ~ 계급 clases *fpl* bajas, pueblo *m* bajo. ~민 pueblo *m* de clases bajas. ~ 사회 clases *fpl* inferiores. ~ 생활 vida *f* baja.

하치(荷置) depósito *m* [almacén *m*] de la carga. ~하다 depositar [almacenar] la carga. ~장 almacén *m*, depósito *m*.

하치않다 ① [그다지 훌륭하지 아니하다] no ser muy bueno. ② [대수롭지 아니하다] (ser) insignificante, indigno, inservible, desmerecedor, inútil, vano, sin valor.

하키 ① [필드 하키] hockey *m* (sobre hierba). ② ((준말)) [아이스 하키] hockey *m* sobre hielo. ¶ ~ 링크 pista *f* de hockey sobre hielo. ~ 선수 jugador *m* de hockey sobre hielo. ~ 스틱 palo *m* de hockey, stick *m* de hockey.

하퇴골(下腿骨) hueso *m* crural.

하편(下篇) [두 권 중의] tomo II [segundo]; [세 권 중의] tomo III [tercero].

하품 bostezo *m*. ~하다 bostezar, dar un bostezo.

하품(下品) calidad *f* baja.

하프 ((악기)) el arpa *f* (*pl* las arpas). ~ 연주자 arpista *mf*.

하필(何必) nada menos que, precisamente, ni más ni menos, en peor. ~이면 en peor momento.

하하 ① [기뻐서] ¡Ja! / ¡Ja, ja! ② [기가 막히어] ¡Ajá!

하하거리다 seguir riéndose a carcajadas.

하학(下學) terminación *f* de la clase. ~하다 terminar la clase, salir de la escuela. ~ 후에 después de la clase. ¶ ~ 시간 hora *f* de terminación de clase.

하한(下限) el límite más bajo, límite *m* inferior.

하해(河海) el río grande y el mar. ~ 같은 은혜 gracia *f* grande, gracia *f* ilimitada.

하행(下行) ① [아래쪽으로 내려감] bajada *f*, descenso *m*. ② [서울에서 지방으로 내려감] ida *f* de la capital al campo. ~ 열차 tren *m* descendente.

하향(下向) ① [아래로 향함] inclinación *f* hacia abajo. ~하다 inclinar hacia abajo. ~기미다 inclinarse hacia abajo. ② [쇠퇴하여 감] decaimiento *m*, decadencia *f*. ~하다 decaer, decrecer. ~기미다 mostrar tendencia a bajar; [물가가] mostrar tendencia descendente. ¶ ~세[경향] tendencia *f* a bajar; ((증권)) tendencia *f* bajista.

하향(下鄕) ① [시골로 내려감] ida *f* al campo. ~하다 ir al campo. ② [고향으로 내려감] ida *f* a la tierra natal. ~하다 ir a la tierra natal.

하현(下弦) la última fase de la luna. ~달 luna *f* menguante.

하혈(下血) flujo *m* de sangre. ~하다 sangrar, echar sangre.

하회(下回) ① [차회] la próxima vez. ② [윗사람이 아랫사람에게 내리는 회답] contestación *f* del superior al inferior. ~를 기다리다 esperar su contestación.

하회(下廻) inferioridad *f*, rompimiento *m*. ~하다 ser menos que *algo*, ser inferior a *algo*.

학(學) ① [학술] ciencia *f*, [연구] estudio *m*; [학식] erudición *f*; [지식] sabiduría *f*, conocimiento *m*, saber *m*. ② ((준말)) =학문(學問).

학(鶴) ((조류)) grulla *f*.

학감(學監) superintendente *mf* de una escuela.

학계(學界) mundo *m* científico, círculos *mpl* académicos, círculo *m* científico, academia *f*.

학과(學科) departamento *m*. ~장 director, -tora *mf* del departamento.

학과(學課) lección *f*.

학관(學館) ① [학교의 이칭] escuela *f*, colegio *m*. ② [사립 교육 기관] instituto *m*, academia *f*.

학교(學校) escuela *f*; [사립의 초 · 중 · 고등 학교] colegio *m*; [공립의 중 · 고등 학교] instituto *m*; [사립의 각종 학교] academia *f*. ~를 그만두다 abandonar [dejar] los estudios escolares. ~를 졸업하다 salir de la escuela, terminar los estudios de la escuela; [대학교] graduarse en [por] la universidad. ~에 가다 ir a la escuela, ir al colegio. ¶ ~장(長) director, -tora *mf* de la escuela.

학구(學究) estudio *m*, aprendizaje *m*. ~적 académico, escolástico, de hombre letrado, estudioso.

학구(學區) distrito *m* escolar. ~제 sistema *m* de distritos escolares.

학군(學群) grupo *m* de las escuelas. ~ 제도 sistema *m* del grupo de las escuelas.

학군단(學軍團) ((준말)) =학도 군사 훈련단.

학급(學級) clase *f*, grado *m*, curso *m*. ~ 문고 biblioteca *f* de clase.

학기(學期) semestre *m*. ~말 fin *m* de semestre escolar. ~말 시험 examen *m* de trimestre [de cuatrimestre]. ~초 principios *mpl* [comienzos *mpl*] de semestre.

학내(學內) ¶ ~의[에] en la universidad, en el campus, dentro del recinto universitario. ~ 사정 situaciones *fpl* universitarias.

학년(學年) ① [1년간의 학습 과정의 단위] año *m* escolar [académico]. ② [학교의 단계] grado *m*. 한 ~ un curso, un grado, un año. 일 ~ primero *m* de EGB, primer grado *m*, primer año *m*. ¶ ~말 fin *m* del año escolar. ~초 principios *mpl* del año escolar.

학당(學堂) ① =글방. ② =학교.

학대(虐待) maltratamiento *m*, maltrato *m*. ~하다 maltratar, tratar mal [cruelmente].

학덕(學德) ciencia *f* y virtud.

학도(學徒) estudiante *mf*, alumno, -na *mf*. 청년 ~ estudiantes *mpl* jóvenes. ¶ ~병 soldado *m* estudiantil. ~ 호국단 Cuerpo *m* de Defensa Nacional de Estudiantes.

학도 군사 훈련단(學徒軍事訓練團) Cuerpo *m* de Instrucción de Oficiales de Reservas.

학동(學童) alumno, -na *mf* de la escuela primaria; niño, -ña *mf* (que va a la escuela).

학력(學力) conocimientos *mpl* escolares, habilidad *f* académica [escolar]. ~ 검사 prueba *f* pedagógica. ~ 고사 examen *m* de habilidad escolar.

학력(學歷) carrera *f* académica, estudios *mpl* cursados, educación *f*, carrera *f*.

학령(學齡) edad *f* escolar; [의무 교육 기간] período *m* de la educación obligatoria. ~ 아동 niño, -ña *mf* en edad escolar, niño, -ña *mf* que tiene la edad para la escuela.

학맥(學脈) ① [학문상의 관계로 얽힌 인간 관계] relaciones *fpl* humanas por estudios. ② =학연.

학명(學名) nombre *m* científico.

학모(學帽) gorra *f* escolar.

학무(學務) asuntos *mpl* educadores, asuntos *mpl* de la educación. ~과 sección *f* de asuntos educadores.

학문(學問) ① [배워서 익힘 · 학예를 수업함] estudio *m*, erudición *f*; [학술] ciencia *f*. ~에 전념하다 dedicarse a *sus* estudios. ② [체계가 선 지식] conocimiento *m*, sabiduría *f*. ③ =학식. ¶ ~의 자유 libertad *f* científica. ~적 científico. ~적으로 científicamente.

학벌(學閥) camarilla *f* académica [universitaria], clan *m* académico [universitario].

학병(學兵) ((준말)) =학도병(學徒兵).

학보(學報) gaceta *f*, información *f* de estudio.

학부(學府) centro *m* académico, institución *f* docente.

학부(學部) ① [구제 대학의 본과] facultad *f*, departamento *m*; [기술 계의] escuela *f*. ② [대학] universidad *f*. ¶ ~장 decano, -na *mf* (de la facultad).

학부모(學父母) padres *mpl* de estudiantes. ~회 ㉮ [조직] asociación *f* de padres. ㉯ [모임] reunión *f* de padres.

학부형(學父兄) padres *mpl* (y hermanos) de estudiantes. ~회 ㉮ [조직] asociación *f* de padres (y hermanos). ㉯ [모임] reunión *f* de padres (y hermanos).

학비(學費) gastos *mpl* de estudios [de escuela · de escolaridad].

학사(學士) licenciado, -da *mf*. ~ 과정 licenciatura *f*, maestría *f*. ~ 학위 licenciatura *f*.

학사(學舍) academia *f*, instituto *m*,

escuela f.

학사(學事) ① [학문에 관계되는 일] asuntos mpl de la ciencia. ② [학교에 관한 모든 일] asuntos mpl escolares. ¶ ～ 보고 informe m sobre asuntos escolares.

학살(虐殺) asesinato m cruel; [다수의] carnicería f, matanza f, mortandad f; [민족의] genocidio m. ～하다 asesinar [matar] cruelmente, hacer genocidio. ～자 asesino, -na mf; homicida mf.

학생(學生) [초등 학교의] colegial, -la mf; [초등・중등 학교의] alumno, -na mf; [고등 학교 등의] estudiante mf; [대학생] (estudiante m) universitario m, (estudiante f) universitaria f. ～의 escolar, estudiantil. ～모 gorra f escolar [colegiala]. ～복 uniforme m de estudiantes, uniforme m de escolares. ～ 생활 vida f estudiantil. ～ 시절 días mpl de estudiantes. ～증 carnet m [carné m] de estudiante. ～회 [조직] asociación f de alumnos [de estudiantes]; [모임] reunión f de alumnos de estudiantes].

학설(學說) teoría f, doctrina f.

학수고대(鶴首苦待) espera f con impaciencia. ～하다 esperar, aguardar, esperar con impaciencia, estar de puntillas en expectación, esperar con el cuello alargo.

학술(學術) ciencias fpl y artes, estudios mpl, técnica f, ciencia f y aplicación, ilustración f. ～ 강연 lectura f científica. ～ 강연회 conferencia f científica. ～ 논문 tesis f académica. ～어 término m técnico, palabra f técnica. ～원 Academia f de Artes y Ciencias.

학습(學習) estudio m (y práctica), aprendizaje m, aplicación f. ～하다 estudiar (y practicar), aprender, tomar lección, proseguir los estudios. ～ 지도 orientación f de estudios, orientación f para la enseñanza.

학승(學僧) sacerdote m docto.

학식(學識) conocimiento m, sabiduría f, ciencia f. ～이 있는, ～이 많은 docto, sabio, erudito. ～이 풍부한 사람 persona f docta.

학업(學業) ① [학문을 수학하는 일] estudios mpl, trabajo m escolar, escuela f, colegio m. ～에 전념하다 dedicarse en cuerpo y alma a los estudios. ② ＝학문(學問).

학연(學緣) relación f de estudios.

학예(學藝) artes mpl y ciencias. ～면 página f de artes y ciencias. ～부 departamento m de artes y ciencias. ～회 festival m, exhibición f literaria, ejercicios mpl

literarios.

학용품(學用品) material m escolar, ajuares mpl de estudios; [세트] equipo m escolar.

학우(學友) compañero, -ra mf de escuela [de colegio]; condiscípulo, -la mf. ～회 asociación f de estudiantes, asociación f de los miembros y amigos de una escuela; [동창회] asociación f de graduados de antiguos alumnos].

학원(學院) ① ＝학교. ② [사립 교육 기관] instituto m, academia f. 외국어 ～ Instituto m de la Lengua Extranjera.

학원(學園) escuela f, centro m docente, instituto m. ～의 자유 libertad f de cátedra.

학위(學位) título m; [박사의] doctorado m; [석사의] mastería f; [학사의] licenciatura f. ～ 논문 tesis f.sing.pl. ～ 수여식 ceremonia f de entrega de los títulos. ～ 제도 sistema m del título universitario.

학자(學者) estudioso, -sa mf; científico, -ca mf; [연구자] investigador, -dora mf; [박식한 사람] docto, -ta mf; erudito, -ta mf; [현자] sabio, -bia mf; [전문가] especialista mf.

학자(學資) ＝학비(學費). ¶～를 지급하다 suministrar [proporcionar] gastos de escuela. ～금 dinero m [gastos mpl] de estudios.

학장(學長) rector, -tora mf; director, -tora mf.

학재(學才) talento m académico.

학적(學籍) matrícula f, registro m de escuela. 대학교에 ～을 두다 estar matriculado en una universidad. ～부 registro m académico.

학점(學點) unidad f, nota f, punto m. 10～을 따다 tomar diez unidades. ¶～제 sistema m de unidades.

학정(虐政) tiranía f, despotismo m, gobierno m arbitrario. ～에 신음하다 estar agobiado por la tiranía.

학제(學制) sistema m de educación [de enseñanza]. ～ 개혁 reforma f del sistema de enseñanza.

학질(瘧疾) malaria f. ～의 malario. ～ 모기 anofeles m.

학창(學窓) escuela f, campus m. ～을 떠나다 graduarse [salir de la escuela. ¶～ 시절 tiempos mpl [días mpl] de escuela [de colegio].

학춤(鶴―) danza f de grulla.

학칙(學則) reglamento m [reglas fpl] de la escuela.

학파(學派) escuela f, secta f. ～를 이루다 fundar una escuela.

학풍(學風) tendencia f académica, tradiciones fpl académicas; [학교의 기풍] carácter m escolar; [연구법] método m de estudio.

학형(學兄) señor, usted.

학회(學會) academia *f*, instituto *m*, asociación *f*, institución *f*, sociedad *f* (cultural), sociedad *f* de estudio científico. ~원 académico, -ca *mf*.

한 ① [하나] uno, una, un (남성 단수 명사 앞에서). ~ 개 una pieza. ~ 곡(曲) una pieza (musical). ~ 남자 un hombre. ② [대략] unos, unas, más o menos, aproximadamente. ~ 열을 unos diez días, diez días más o menos. ③ [같다] el mismo, la misma. ~ 마음 el mismo corazón. ④ [어떤, 어느] un, una, algún, alguna. ~ 착한 학생 un buen estudiante.

한(限) ① =한도(限度). ¶~이 있는 limitado, con límite, definido. ~이 없는 infinito, ilimitado, sin fin. ② ((준말))=기한(期限). ③ ((준말))=제한(制限).

한(恨) ① ((준말))=원한(怨恨). ¶~ (이) 많은 lamentable, aborrecible. ~(이) 많은 죽음 muerte *f* lamentable. ② ((준말))=한탄(恨歎).

한가락 ① [노래나 소리의 한 곡조] un tono, una melodía. ② [그 방면에서 녹녹하지 않은 재주와 솜씨] talento *m*, buena habilidad *f*. ~ 하는 사람 persona *f* muy hábil.

한가롭다(閑暇-) estar ocioso. 한가로이 holgadamente, ociosamente, con holgazana, con ociosidad.

한가운데 centro *m*, medio *m*, corazón *m*, mitad *f*. 도시의 ~ el corazón [el centro] de la ciudad.

한가위 el 15 [quince] de agosto del calendario lunar.

한가윗날 한가위.

한가을 ① [가을이 한창일 때] pleno otoño *m*. ② [가을일이 한창 바쁜 때] tiempo *m* de cosecha ocupado.

한가지 una clase, un tipo, una variedad, una (misma) cosa. ~의 el mismo, la misma. ~ 일에 집착하다 persistir en una misma cosa.

한가하다(閑暇-) estar libre. 한가히 libremente, con tiempo libre.

한갓 sólo, solamente, simplemente. ~ 시간의 문제 solamente una cuestión de tiempo.

한갓지다 (ser) tranquilo, solitario. 한갓진 곳 lugar *m* [sitio *m*] solitario, lugar *m* apartado.

한 개(-個) uno, una, una pieza. 비누를 ~씩 팔다 vender el jabón por pastillas [por piezas].

한걱정 gran preocupación *f*, gran ansiedad *f*, gran dolor de cabeza.

한걸음 un paso, un segundo. ~ ~ paso a paso, poco a poco. 앞으로 ~ 내딛다 dar un paso adelante. 천리길도 한걸음부터 ((속담)) Poco a poco se anda todo.

한겨울 pleno invierno *m*.

한결 [눈에 띄게] conspicuamente,

sobresalientemente, notablemente, insignemente; [한층] mucho más; [특히] especialmente, en especial.

한결같다 (ser) constante; [동일하다] el mismo; [균일하다] uniforme. 한결같은 사랑 amor *m* constante.

한계(限界) límite *m*, término *m*, confín *m*, margen *m*. ~를 넘다 pasar [exceder · rebasar · traspasar] el límite. ~를 정하다 marcar [poner · señalar] el límite [(los) límites]. ~에 달하다 llegar a los límites [al límite]. ¶~점 tope *m*, límite *m*, punto *m* crítico, máximo *m*. ~효용 utilidad *f* marginal.

한고비 el momento más grave [serio], momento *m* crítico, crisis *f*, clímax *m*, punto *m* culminante [crítico]. ~를 넘다 pasar la crisis; [병 따위가] dar la vuelta a la esquina, doblar la esquina.

한구석 una esquina, un rincón.

한국(韓國) ((준말))=대한 민국. ¶~의 coreano, de Corea, de la República de Corea. ~ 국민 (pueblo *m*) coreano. ~군 ejército *m* coreano. ~ 문학 literatura *f* coreana. ~ 문학사 Historia *f* de la Literatura Coreana. ~인 cara coreano, -na *mf*. ~서어서문학회 Asociación *f* Coreana de Hispanistas. ~어 *Hangul*, alfabeto *m*, lengua *f* coreana. ~ 요리 cocina *f* coreana, plato *m* coreano. ~은행 Banco *m* de Corea. ~학 coreanología *f*. ~ 학 학자 coreanólogo, -ga *mf*. ~화 (畵) pintura *f* coreana.

한군데 ① [한곳] un lugar, un sitio. ② [같은 장소] el mismo lugar, el mismo sitio.

한글 *Hangul*, alfabeto *m* coreano, coreano *m*, lengua *f* coreana, idioma *m* coreano. ~날 el Día de *Hangul*, el Día de la Lengua Coreana. ~ 맞춤법 Reglas *fpl* de la Ortografía de *Hangul*. ~ 전용 uso *m* exclusivo de *Hangul*. ~ 학 자 coreanólogo, -ga *mf*. ~학회 Asociación *f* de la Lengua Coreana.

한기(寒氣) ① =추위(frío, algidez). ¶~를 느끼다 sentirse frío. ② [으스스한 기분] escalofrío *m*, calofrío *m*, repeluzno *m*, ataque *m* de frío, frialdad *f*, frigidez *f*. ~를 느끼다 tener escalofríos, sentir escalofríos.

한길 carretera *f*, camino *m* real.

한꺼번에 [일거에] de una vez, de un golpe; [동시에] al mismo tiempo, simultáneamente, a la vez, a un tiempo; [한목에] en un pedazo; [모두 함께] (todos) juntos.

한끼 una comida. 하루에 ~만 먹다 comer solamente una comida al día.

한나절 medio día *m*.

한낮 pleno día *m*; [정오] mediodía *m*.

한날 ① [단지 하나뿐의] sólo uno, solamente uno. ② [하잘것없는] sólo, solamente, nada más.

한눈¹ ① [한 번 봄. 잠깐 봄] una mirada, un vistazo, una ojeada. ~에 반하다 estar enamorado. ② [한 번에 전부 둘러보는 일] vista *f*, campo *m* visual, visibilidad *f*.

한눈² [딴 데를 보는 눈] mirada *f* a los ojos. ~(을) 팔다 desviar la mirada, volver la cabeza.

한다한 prominente, destacado, eminente, influyente. ~ 학자 estudioso, -sa eminente.

한달음에 corriendo, deprisa y corriendo, a la(s) carrera(s).

한담(閑談) charla *f*, cotilleo *m*, chismoreo *m*. ~하다 charlar, cotillear, chismorrear, contar chismes.

한대(寒帶) zona *f* glacial [ártica].

한더위 calor *m* intenso [severo], estación *f* caliente, tiempo *m* más caliente.

한데¹ [한곳. 한군데] un lugar, un sitio; [같은 장소] el mismo lugar, el mismo sitio. ~ 모이다 reunirse en un lugar. ~ 뭉치다 unirse [juntarse] en un bloque.

한데² [노천] el aire libre; [규정 지역 밖] fuera. ~에 al aire libre. ~에 있는 expuesto al viento, a la intemperie.

한도(限度) límite *m*, término *m*, confín *m*. ~를 정하다 fijar el límite. ~를 넘다 sobrepasar el límite. ~에 이르다 llegar al límite.

한동안 un momento, un rato.

한되다(恨一) (ser) lamentable.

한두 uno y [o] dos. ~ 번 una o dos veces. ~ 사람 una o dos personas. ~ 예를 인용하다 citar unos pocos [unos cuantos] ejemplos.

한둘 uno o dos, unos.

한들거리다 sacudir, temblar.

한때 un tiempo, un momento.

한란(寒暖) calor y frío, temperatura *f*. ~계 termómetro *m*; [섭씨] termómetro *m* de centígrado; [화씨] termómetro *m* de Fahrenheit.

한랭(寒冷) frío *m*, temperatura *f* baja y mucho frío. ~하다 (ser) frío. ~ 전선 frente *m* frío.

한량(限量) cantidad *f* limitada, límite *m*. ~없다 (ser) infinito, sin límites, ilimitado. 욕심에는 ~ La codicia no conoce [tiene] límites.

한량(閑良) libertino *m*, despilfarrador *m*, derrochador *m*.

한류(寒流) corriente *f* fría.

한림(翰林) Real Academia *f*. ~원 academia *f*. ~원 회원 académico, -ca *mf*.

한마디 una palabra. ~로 말하면 en una palabra, en resumen, en suma, en breve.

한마음 un corazón, una mente, acuerdo *m*, unanimidad *f*, concordia *f*. ~으로 con un acuerdo.

한 모금 un trago, un sorbo, una buchada. 물 ~ un trago de agua.

한목에 todo de una vez. 빚을 ~ 다 갚다 pagar toda la deuda de una vez.

한몫 porción *f*, cuota *f*, cupón *m*, cotización *f*. ~ 끼다 tener una participación. ~ 보다 tener mucho beneficio.

한문(漢文) escritura *f* china, composición *f* china, caracteres chinos *mpl* clásicos; [문헌] texto *m* de caracteres clásicos; [문학] literatura *f* clásica china; [작품] obra *f* clásica de caracteres chinos. ~학 ㉮ [중국 고대의 문학] literatura *f* clásica china. ㉯ [한문을 연구하는 학문] estudios *mpl* de los caracteres chinos.

한물 el mejor tiempo, la mejor estación *f*, flor *f*, flor y nata. ~가 다 decrecer, decaer *su* fortuna. ~지다 cesar la estación.

한미(韓美) Corea y los Estados Unidos de Américoa. ~의 coreano-estadounidense. ~ 관계 relación *f* coreano-estadounidense.

한밑천 cantidad *f* considerable de capital.

한바퀴 una vuelta, un rodeo, una rotación *f*, un giro. ~ 돌다 dar una vuelta.

한바탕 una escena, un acontecimiento.

한반도(韓半島) la Península Coreana.

한 발 un paso. 앞으로 큰 ~ un gran paso adelante. ~ ~ paso a paso; [느리게] lentamente; [천천히] gradualmente.

한발(旱魃) ① [가뭄을 맡은 신] dios *m* de la sequía. ② [가뭄] sequía *f*. ~의 계속 larga sequía *f*, largo período *m* del tiempo seco.

한 발짝 = 한 발. ¶~도 밖에 안 나가다 quedarse en casa, quedarse (a)dentro.

한밤중(一中) medianoche *f*, media noche *f*, plena noche *f*. ~에 a medianoche, en plena noche.

한방(一放) un tiro, un disparo.

한방(一房) ① [같은 방] la misma habitación, el mismo cuarto. ② [온 방] toda la habitación, todo el cuarto.

한방(韓方) medicina *f* (terapéutica) coreana, terapéutica *f* coreana. ~약 medicamento *m* coreano, farmacopea *f* coreana. ~의 médico, -ca *mf* de medicina tradicional coreana.

한배 ① [한 태(胎)에서 나거나, 한때에 여러 알에서 깬 새끼] camada *f*, lechigada *f*, ninada *f*. ② ((속어)) =동복(同腹).

한번 ① [지나간 때] tiempo *m* pasado, un momento, un instante. ② [아주 참] muy, iqué! 키 ~ 크다 ser muy alto.

한 번(一番) una vez. ~도 [부정문에서] nunca, jamás. ~에 de una vez, de un golpe. ~으로 de una vez. 단 ~ sólo una vez. 일년에 ~ una vez al año.

한 벌 juego *m*, traje. *m*. 여름옷 ~ un traje para verano. 찻잔 ~ un juego de tazas de té.

한복(韓服) ropa *f* coreana, traje *m* coreano, vestido *m* coreano.

한복판 centro *m*, corazón *m*. 길 ~ centro *m* de la calle.

한사리(汗沙里) marea *f* viva.

한사코(限死-) arriesgando la vida, desesperadamente, obstinadamente, una y otra vez, implacablemente. ~ 부인하다 persistir en *su* negativa, negar una y otra vez.

한산하다(閑散-) (estar) libre, ocioso. 한산한 시간 tiempo *m* libre.

한서(寒暑) el frío y el calor, temperaturas *fpl*. ~의 차이 diferencia *f* entre el frío y el calor.

한서(漢書) libro *m* escrito en caracteres chinos.

한서 사전(韓西辭典) diccionario *m* coreano-español.

한선(汗腺) ((해부)) =땀샘.

한세상(一世上) ① [한평생 동안] toda la vida. ② [잘 사는 한때] apogeo *m*, auge *m*, época *f* dorada, edad *f* de oro.

한속 ① [같은 뜻] la misma voluntad. ② [같은 셈속] conspiración *f*, confederación *f*.

한솥밥 rancho *m*. ~을 먹다 comer en un mismo plato, comer rancho, tomar rancho, convivir bajo el mismo techo.

한술 ① [한술가락 (분량)] una cucharita. ② [적은 음식] un poco de comida. ~ 뜨다 tomar una cucharada de comida, tomar un poco.

한숨 ① [한 번의 호흡이나 그 동안] una respiración, un respiro, un aliento. ~ 돌리다 recobrar el aliento, tomar aliento. ② [잠깐 동안의 휴식이나 잠] pausa *f*, intervalo *m*, un poco de descanso. ~ 돌리다 respirar, descansar, hacer una pausa, pausar. ③ [근심이나 서러움이 있을 때 길게 몰아서 쉬는 숨] suspiro *m*. ¶~(을) 쉬다 ㉮ respirar. ㉯ suspirar, dar un suspiro, dar un quejido. 땅이 꺼지도록 ~을 쉬다 dar un hondo

suspiro. 안도의 ~을 쉬다 dar un suspiro de alivio, suspirar aliviado.

한숨에 [단숨에. 단결에] de un trago, a grandes tragos; [한 번에] de una vez, de un tirón. ~에 맥주를 들이키다 beber[se] la cerveza de un trago [a grandes tragos].

한스럽다(恨-) suspirar, dar un suspiro, lamentar. 한스러운 세상 mundo *m* lamentable.

한시(一時) ① [같은 시각] la misma hora. ② [잠깐 동안] por un momento, por un rato, hora *f* corta.

한시(漢詩) poema *m* chino.

한시름 gran ansiedad *f*, gran preocupación *f*, gran dolor *m* de cabeza. ~ 놓다 sentir un gran alivio, sentirse aliviado, tranquilizarse.

한식(韓式) estilo *m* coreano. ~집 casa *f* de estilo tradicional coreano. ~ 요리 plato *m* [cocido *m*] tradicional coreano.

한식(韓食) plato *m* [cocido *m*] tradicional coreano. ~집 restaurante *m* tradicional coreano.

한심스럽다(寒心-) (ser) lastimoso, lamentable, deplorable, lástima; [비참하다] miserable, desgraciado; [수치스럽다] avergonzado. 한심스런 사람 persona *f* lamentable [miserable].

한심하다(寒心-) (ser) lástima, lamentable; [절망적이다] desesperado. 한심한 사람 persona *f* desesperada.

한 쌍(一雙) un par, una pareja. ~의 남녀 una pareja. 행복한 ~ la feliz pareja.

한 아름 un brazado, una brazada. 장작 ~ una brazada de leña.

한약(漢藥) ((준말)) =한방약(漢方藥). ¶~국 tienda *f* de la medicina oriental. ~재 materiales *mpl* de medicina oriental.

한약(韓藥) ((준말)) =한방약(韓方藥). ¶~방 tienda *f* de la medicina coreana, tienda *f* de hierbas. ~재 materiales *mpl* de la medicina coreana.

한없다(限-) [여행·모임이] (ser) interminable; [평원·사랑·슬픔·인내가] sin límites, infinito; [자원·에너지가] inagotable, ilimitado, sin límites, sin términos; [이야기·불평이] continuo, incesante; [공간·우주가] infinito; [셀 수 없는] innumerable; [사슬·벨트·케이블이] sin fin; [영원한] eterno. 한없는 기쁨 alegría *f* infinita.

한여름 pleno verano *m*.

한역(韓譯) traducción *f* al coreano. ~하다 traducir al coreano.

한옆 un lado, un flanco. ~으로 비키

다 hacerse a un lado, apartarse.

한오금 entre el codo corto y codo *m* lejano del arco.

한옥(韓屋) casa *f* tradicional del estilo coreano.

한우(韓牛) vaca *f* coreana.

한 움큼 un puñado *m*. 쌀 ~ un puñado de arroz.

한의(漢醫) ① [한방의 의술] medicina *f* oriental. ② [한방 의사] médico, -ca *mf* oriental. ~학 medicina *f* oriental. ~학과 departamento *m* de medicina oriental.

한의(韓醫) ① [한방의 의술] medicina *f* tradicional coreana. ② [한방 의사] médico *m* tradicional coreano. ~사 médico *m* tradicional coreano, médica *f* tradicional coreana.

한인(漢人) chino, -na *mf*.

한인(韓人) coreano, -na *mf*. ~촌 barrio *m* coreano.

한일(閑日) día *m* libre.

한일(韓日) Corea y Japón. ~의 coreano-japonés. ~ 회담 Conferencia *f* Coreano-Japonesa.

한일자로(一一字—) en línea recta. 입을 ~로 다물다 cerrar *su* boca firmemente.

한입 ① [하나의 입] una boca; [한 사람의 입] boca *f* de una persona. ② [한 번 벌린 입] bocado *m* (일상의) un bocado; [마실 것의] un trago. ~에 de un bocado. ~ 먹다 tomar un bocado.

한자(漢字) caracteres *mpl* chinos. ~로 쓰다 escribir en caracteres chinos. ¶ ~ 제한 limitación *f* en el uso de los caracteres chinos. ~ 철폐 abolición *f* de los caracteres chinos.

한자리 ① [같은 자리] el mismo lugar [sitio]. ② [한몫] una porción; [한 벼슬] un puesto gubernamental.

한잔(—盞) ① [잔 하나의 분량] una taza, un vaso, una copa; [맥주의] una caña. 맥주 ~ una caña de cerveza, un vaso de cerveza. 물 ~ un vaso de agua. ② [간단히 먹는] una copita. 딱 ~만 하자 Vamos a tomar sólo una copita.

한잠 ① [매우 깊은 잠] sueño *m* muy profundo. ~이 들다 dormirse el sueño muy profundo. ② [잠시 자는 잠] una siesta. ~ 자다 dormir un momento, dormir un poco; [잠깐 졸다] dormitar, descabecar el sueño.

한적하다(閑寂—) (ser) tranquilo. 한적한 곳 lugar *m* tranquilo.

한정(限定) limitación *f*, restricción *f*, (언어)) determinación *f*. ~하다 limitar, restringir, determinar. ~된 limitado. ~되다 limitarse. ¶ ~판 (版) edición *f* limitada.

한제(韓製) fabricación *f* coreana.

한족(漢族) raza *f* china.

한족(韓族) raza *f* coreana.

한줄기 ① [한 계통, 한 바탕] racha *f*. ~의 소나기 una racha de chubasco. ② [한 가닥] racha *f*. ~의 희망 una racha de esperanza.

한줌 un puñado. ~씩 a mechones, a manojos. ~의 모래 un puñado de arena.

한중(韓中) Corea y China.

한증(汗蒸) sudorífico *m*. ~하다 bañar para sudar. ~막 sudadero *m*. ~탕 baño *m* sauna.

한지(寒地) región *f* fría.

한지(韓紙) papel *m* hecho en Corea.

한직(閑職) sinecura *f*. ~에 있다 estar en la sinecura.

한집안 ① [같은 집의 가족] una familia, miembros de una familia. ~처럼 취급하다 tratar como un miembro de *su* familia. ② [일가친척] *su* pariente, *su* familiar, *su* parentesco.

한쪽 un lado, una mano. ~ 눈 un ojo.

한차례 una vuelta, una racha; ((레슬링·권투)) asalto *m*. 씨름을 ~ 하다 tener un asalto de lucha.

한참 ① [한 차례] una vez. ~을 일하다 trabajar una vez. ② [한동안] un momento, un rato. ~을 쉬다 descansar un momento.

한창 ① [가장 성할 때] [꽃의] plena floración *f*, plena florescencia *f*, florecimiento *m*; [과실의] sazón *m*; [인생의] plenitud *f*, auge *m*, primavera *f* de la edad; [젊음의] primavera *f* de la vida. ~이다 estar en *su* apogeo [en *su* cenit·en el punto culminante]. 축제가 ~이다 La fiesta está en su apogeo. ② [가장 활기 있게] en pleno. ~ 더울 때에 en pleno calor.

한천(寒天) [우무] agar-agar *m*.

한철 ① [봄·여름·가을·겨울 중 한 계절] una estación. ② [한때] un tiempo, una vez, un momento, un rato; [부사적] temporalmente, provisionalmente.

한촌(寒村) aldea *f* solitaria, pueblecito *m* solitario.

한층(—層) más, tanto más, notablemente, considerablemente, en alto grado. ~ 좋은 mejor. ~ 나쁜 peor.

한치 [한 자의 십분의 일의 길이] una pulgada; [매우 가까운 거리] distancia *f* muy cercana; [적은 차이] distancia *f* pequeña.

한칼 ① [한 번 휘둘러서 치는 칼질] un golpe de una espada. ~로 베다 cortarse con un golpe de una espada. ② [한 번 베어낸 고깃덩이] una tajada de carne.

한탄(恨歎) lamentación *f*, suspiro *m*, aflicción *f*. ~하다 lamentar, suspirar, dar suspiros; [슬프다] afligirse, desconsolarse, entristecerse; [탄성을 지르다] gemir; [불행·죽음 따위를] deplorar, llorar. ~스럽다 (ser) lamentable, deplorable, lastimoso. 세상이 ~스럽다 ¡Qué deplorable es el mundo!

한턱 convite *m*. ~ 내다 invitar, convidar, pagar. 저녁을 ~ 내다 invitar [convidar] a tomar la cena.

한테 a, para. 내 막내동생~ 보낼 물건 cosa *f* que enviaré a mi hermano menor.

한테로 a. 동생은 언니~ 보내졌다 Enviaron el dinero a mi hermana.

한테서 de. 서반아에 있는 친구~ 온 편지 carta *f* de mi amigo en España.

한통속 partidario *m*, grupo *m*; [공모자] cómplice *mf*. 그 사람도 ~이다 El también es cómplice.

한파(寒波) onda *f* fría, ola *f* de(l) frío.

한판 ① [내기 따위에서의 한 차례] un juego, un partido, un asalto, un round; [카드에서] una partida. ② ((유도)) caída *f*.

한패 partidario, -ria *mf*; conspirador, -dora *mf*; [공모자] cómplice *mf*.

한편(一便) ① [한 쪽. 일방] un lado, una arte, una vía, una dirección; [다른 쪽] otro lado, otro bando; [적대 관계] un bando. ~에서 보면 visto desde un punto; [다른 각도] desde un ángulo diferente. ② [한 짝. 같은 동아리] una pareja, el mismo grupo. ③ [결果으로는] por *su* parte, por otra parte, por otro lado; [반면에] al [por el · por lo · en] contrario, en cambio.

한평생(一平生) vida *f*, toda la vida, toda *su* vida; [부사적] en *su* vida, durante el tiempo de la vida.

한푼 un céntimo, un centavo. 일전 ~ 없다 estar sin blanca, no tener (ni) un céntimo [un cuarto].

한풀 un ánimo, un brío, un espíritu, una paciencia. ~ 죽이다 hacer un gesto de dolor, estremecerse, desanimarse, titubear, balbucear.

한풀다(恨-) realizar *sus* deseos, obtener [conseguir] una ambición, tener *su* voluntad.

한풀이(恨-) satisfacción *f* de rencor. ~하다 satisfacer un rencor [resentimiento], vengarse, ajustar [saldar] (las) cuentas pendientes, desquitarse.

한하다(限-) limitar, fijar un límite. 이곳의 회원은 여성에 한한다 Esta sociedad sólo admite mujeres.

한하다(恨-) ① [원통히 여기다] lamentar, arrepentirse. ② [불평을 품다] estar resentido [descontento].

한학(漢學) ① estudio *m* de clásicas chinas; [중국학] sinología *f*. ② ((준말)) =한문학(漢文學).

한해(旱害) daño *m* de sequía, daños *mpl* [perjuicios *mpl*] causados por la sequía. ~를 당하다 sufrir de la sequía.

한해(寒害) daño *m* de frío.

한화(韓貨) moneda *f* coreana.

할(割) porcentaje *m*, por ciento, tipo *m*. 일 ~ el [un] diez por ciento. 삼 ~ 할인 rebaja *f* [descuento *m*] del 30% [treinta por ciento].

할거(割據) mantenimiento *m* de *su* territorio [de *su* independencia]. ~하다 mantener *su* territorio [*su* independencia].

할근거리다 jadear, respirar entrecortadamente.

할당(割當) asignación *f*, distribución *f*, atribución *f*, reparto *m*, repartición *f* (por cabeza); [할당분] cuota *f*, cupo *m*, contingente *m*. ~하다 asignar, dar, dividir (en partes iguales), dividir igualmente [imparcialmente], repartir (a tanto por cabeza), atribuir, distribuir. ~금 [액] adjudicación *f*, evaluación *f*, tasación *f*. ~량 cuota *f*, cupo *m*, asignación *f*, parte *f* de trabajo. ~제 sistema *m* de cuotas, sistema *m* de cupos.

할딱거리다 seguir jadeando.

할딱이다 jadear. 할딱이는 jadeante, sin aliento. 할딱이면서 jadeando.

할똥말똥 vacilantemente, con ganas, con poco entusiasmo. ~하다 (ser) poco entusiasta, vacilar, titubear.

할랑거리다 ① [몹시 할거워서 자꾸 흔들리다] (estar) suelto, holgado, amplio. ② [삼가지 아니하고 경망한 행동을 계속하다] (ser) precipitado, imprudente.

할랑하다 (estar) suelto, holgado, amplio.

할랑할랑하다 ① [매우 할가운 듯한 느낌이 있다] estar muy flojo. ② [하는 짓이 들뜨고 실답지 않은 느낌이 있다] (ser) de poca confianza, informal, infiel, poco sincero, falso, no ser fiel.

할렐루야 Aleluya, ¡Alabado sea el Señor!

할례(割禮) circuncisión *f*. ~하다 circuncidar. ~를 받다 ser circuncidado. ~를 행하다 circuncidar.

할말 lo que desea decir, *su* habla; [주장] declaración *f*, pretensión *f*, demanda *f*; [불평] queja *f*, lamento *m*; [이의(異議)] objeción *f*, reclamación *f*; [의견] opinión *f*; [변명] excusa *f*, disculpa *f*; [구실] pretexto *m*. ~이 있다 tener algo que decir. ~이 없다 no tener nada que decir.

할머니 ① [아버지의 어머니] abuela f; [애칭] abuelita f. ② [늙은 여자의 존칭] vieja f.

할멈 ① [신분이 비친한 사람의 할머니] abuela f de persona humilde en posición social; [제 할머니의 겸칭] abuelita f. ③ [신분이 천한 늙은 여자] el ama f de llaves vieja de nacimiento humilde.

할미꽃 ((식물)) anémona f.

할미새 ((조류)) aguzanieves f.sing.pl, arandillo m.

할복(割腹) suicidio m abriéndose el vientre. ~하다 suicidar abriéndose el vientre, destriparse. ~ 자살 haraquiri m.

할부(割賦) asignación f, cuota f, adjudicación f. ~하다 asignar, repartir, distribuir, adjudicación f. ~ 구매 compra f a plazos, AmL compra f en cuotas. ~ 구매하다 comprar a plazos, AmL comprar en cuotas. ~금 asignación f, cuota f. ~ 판매 venta f a plazos.

할선(割線) ((수학)) (línea f) secante f.

할 수 없다 (ser) inevitable.

할 수 없이 inevitablemente. 기차는 ~ 지연했다 El tren sufrió un retraso inevitable.

할쑥하다 (ser) delgado, fino, demacrado, decarnado, delgado y adusto. 할쑥한 얼굴 cara f demacrada.

할아버지 abuelo m; [애칭] abuelito m.

할아범 ① [신분 낮은 사람의 할아버지] abuelo m de la persona humilde en posición social. ② [지체 낮은 늙은 남자] hombre m viejo de nacimiento humilde. ③ [제 할아버지의 겸칭] abuelito m.

할애(割愛) compartimiento m. ~하다 compartir.

할양(割讓) cesión f, traspaso m. ~하다 ceder, traspasar.

할인(割引) ① [일정한 값에서 얼마를 감함] rebaja f, descuento m, reducción f del precio. ~하다 rebajar, descontar, reducir, bajar el precio, reducir el precio, hacer un descuento, hacer una rebaja, hacer una reducción. ~해서 con descuento, a precio reducido, a un descuento, a una rebaja, con rebaja. 20% ~으로 con rebaja [con descuento] del veinte por ciento. 숙박료 10% ~ el diez por ciento de descuento en hospedaje. ② ((준말)) =어음 할인. ¶ ~ 가격 precio m reducido, precio m con descuento. ~권(券) billete m de tarifa reducida, billete m de precio reducido, billete m con rebaja, billete m con descuento, talón m de descuento.

할 일 cosas fpl que hacer. ~이 많다 tener mucho que hacer. ~이 없다 no tener nada que hacer.

할증(割增) prima f, supremento m, extra m. ~금 prima f. ~료 precio m suplementario, tarifa f extra. ~ 임금 paga f extra.

할퀴다 rascar, hacer un rasguño, arañar, raspar. 할퀸 상처 [자국] rasguño m, arañazo m, lamedura f.

핥다 lamer; [자신의 신체의 일부를] lamerse; [빨다] chupar, chupetear. 접시를 ~ lamer un plato. 아이스크림을 ~ lamer un helado.

핥아먹다 ① [혓바닥으로] lamer, beber a lengüetazos. ② [남의 물건을 사취하다] estafar, timar, defraudar, trampear.

함(函) caja f.

함교(艦橋) puente m de mando.

함구(緘口) callada f, silencio m. ~하다 quedarse callado, callarse, no hablar, dejar de hablar, guardar silencio. ~령 norma f que establece un límite de tiempo para un asunto.

함께 juntos, juntas, juntamente. …와 ~ con uno, junto con uno, en compañía de uno; [협력하여] en cooperación con uno; [쌍방이] ambos, -bas; [동시에] al mismo tiempo, a la vez. 나와 ~ conmigo. 너와 ~ contigo.

함대(艦隊) flota f, escuadra f, armada f. ~ 기지 base f de la flota. ~ 사령관 comandante m de la flota.

함락(陷落) ① [함몰] hundimiento m. ~하다 hundirse. ② [적의 요지·요소를 쳐서] capitulación f, rendición f; [지위에서] degradación f. ~하다 capitular, rendirse, entregarse, degradarse, dejarse convencer. ~시키다 tomar [capturar] por asalto.

함량(含量) ((준말)) =함유량(含有量).

함몰(陷沒) hundimiento m, depresión f. ~하다 hundirse, deprimirse, sumergirse. ~시키다 hundir, sumergir, deprimir.

함박꽃 ((식물)) peonía f, peonia f.

함박눈 gran copo m de nieve. ~이 오다 Nieva con gran copo.

함부로 ① [생각 없이 마구] a la ventura, por acaso, a diestro y siniestro, al tuntún, a trochemoche. ② [이것 저것 닥치는 대로] al azar, sin permiso. 나무를 ~ 자르다 cortarse los árboles al azar. ③ [버릇없이] groseramente. ~ 행동하다 portarse groseramente.

함빡 ① [아주 넉넉하게] bastante, suficientemente, abundantemente, con abundancia, copiosamente, ampliamente. ② [에누리 없이 죄 다] todo, completamente, perfectamente. ~ 젖다 calarse, empaparse; [옷이] mojarse hasta los huesos, mojarse hasta los tuétanos.

함상(艦上) ¶~의, ~에(서) a bordo. ~에 오르다 subir a bordo.

함석 cinc m, zinc m. ~장이 cinquero, -ra mf. ~ 지붕 tejado m de zinc. ~집 casa f cubierta de chapas de zinc. ~판 cinc m, zinc m, chapa f de zinc [cinc].

함선(艦船) buque m naval, buque m de guerra.

함성(喊聲) (gran) gritería f, (gran) vocería f, protesta f (enérgica); [전투 · 공격 때의] grito m de guerra. ~을 지르다 [전쟁에서] dar un grito de guerra.

함수(含水) ¶~의 hidratado. ~ 탄소 hidrato m de carbono.

함수(函數) ((수학)) función f. ~ 관계 relación f funcional. ~ 그래프 gráfica f de la función.

함수(鹹水) ① =짠물. ② =바닷물. ¶~어 pez m de mar, pez m de agua salada. ~호 lago m salado.

함양(涵養) formación f, cultivo m. ~ 하다 cultivar, formar, educar, estblecer, promover.

함유(含有) lo contenido. ~하다 contener, incluir, comprender, abarcar. ¶~량 contenido m, cantidad f contenida.

함자(衛字) su nombre y apellido.

함장(艦長) capitán m, comandante m del buque de guerra.

함재(艦載) transporte m a bordo de un barco de guerra. ~하다 transportar a bordo de un barco de guerra. ~기 avión m de bordo.

함정(陷穽) trampa f, hoya f cubierta, peligro m latente, engaño m. ~에 빠지다 caer(se) en la trampa, caer(se) en el lazo. ~ 수사 entrampamiento m.

함정(艦艇) barcos mpl de guerra.

함지 gran vasija f de madera achicada. ~박 plato m de madera achicado.

함축(含蓄) consecuencia f, repercusión f, implicación f, implicancia f, trascendencia f. ~하다 implicar. ~미 belleza f significativa. ~성 lo sugestivo.

함포(艦砲) barco m de guerra. ~ 사격 bombardeo m desde el barco de guerra, bombardeo m naval.

함흥차사(咸興差使) mensajero m perdido.

합(合) total m, suma f.

합(盒) tazón m de latón.

합격(合格) aprobación f, admisión f, buen éxito m. ~하다 ser aprobado, tener buen éxito, salir bien. ~

시키다 aprobar. 콩쿠르에 ~하다 ser aprobado para el [admitido al] concurso. 시험에 ~하다 salir bien en el examen, tener buen éxito en el examen, aprobar el examen, pasar el examen. ¶~자 aprobado, -da mf. ~점 nota f de aprobación. ~ 통지 aviso m de aprobación. ~ 품 artículo m aprobado, marca f garantizada.

합계(合計) [액] importe m [monto m] total, total m, suma f; [행위] totalización f. ~하다 sumar, totalizar. ~하면, ~로 en total, en suma, en totalidad.

합금(合金) aleación f. ~을 만들다 alear.

합기도(合氣道) hapkido, un arte de defensa personal. ~ 선수 hapkidoísta mf.

합당(合黨) unión f [fusión f] del partido. ~하다 unir [fusionar] el partido. ~되다 unirse, fusionarse.

합당하다(合當-) (ser) apto, conveniente, adecuado, convenir.

합동(合同) ① unión f, incorporación f, fusión f, amalgamación f. ~하다 unirse, incorporarse; [주어가 복수일 때] unirse, fusionar. ② ((수학)) congruencia f. ¶~ 결혼 matrimonio m en masa. ~결혼식 bodas fpl en masa, ceremonia f de matrimonio en masa.

합동 참모 본부(合同參謀本部) Cuartel m General de Estado Mayor Conjunto.

합력(合力) ① ((물리)) resultante f. ② [흩어진 힘을 한데 모음. 또, 그 힘] cooperación f, esfuerzos mpl conjuntos, fuerza f combinada.

합류(合流) [냇물이] confluencia f; [사람이] incorporación f, unión f. ~다 confluir; [특히 사람이] concurrir, incorporarse, encontrarse, juntarse, reunirse. ~점 confluencia f, confluente m, punto m de unión.

합리성(合理性) racionalidad f, racionabilidad f.

합리적(合理的) racional, razonable. ~으로 racionalmente, razonablemente, con racionalidad. ~ 방법 manera f [modo m] razonable.

합리주의(合理主義) racionalismo m. ~자 racionalista mf.

합리화(合理化) racionalización f. ~하 다 racionalizar, hacer razonable.

합반(合班) clase f combinada. ~하다 combinar las clases.

합방(合邦) [병합] anexión f (de un país); [통합] unificación f de dos países. ~하다 anexar, anexionar.

합법(合法) legalidad f, legitimidad f. ~적 legítimo, legal. ~적으로 legalmente, legítimamente. ~화 legalización f.

합병(合倂) union f, fusión f, amalgamación f; [병합] incorporación f, anexión f. ~하다 unir, fusionar, amalgamar, incorporar, anxionar. ~증 complicación f. ~호 número m combinado.

합본(合本) ① [여러 권을 함께 매어 제본함] encuadernación f de unos libros en un volumen; [책] ejemplares mpl encuadernados en un volumen, volumen m coleccionado. ② = 합자(合資).

합산(合算) adición f ~하다 sumar, adicionar. ~액 cantidad f total.

합석(合席) ¶~하다 sentarse juntos.

합선(合線) ① [선이 합침] unión f de las líneas. ~하다 unir las líneas. ② ((전기)) cortocircuito m. ~하다 poner en cortocircuito. ~되다 ponerse en corto circuito.

합성(合成) ① [두 가지 이상을 합하여 한 가지 상태를 이룸] composición f. ~하다 componer. ~의 compuesto. ② ((화학)) síntesis f. ~하다 sintetizar. ¶~ 고무 caucho m sintético, goma f sintética. ~ 사진 fotomontaje m. ~ 수지 resinas fpl sintéticas, plástica f. ~어 palabra f compuesta.

합세(合勢) fuerza f unida. ~하다 unir fuerzas.

합수(合水) confluente m. ~하다 fluir [correr] juntos.

합숙(合宿) cohabitación f, aposentamiento m conjunto, campamento m (para entrenamiento). ~하다 alojarse juntos, residir temporalmente con otras personas, cohabitar, aposentar juntos. ~소 casa f de equipo deportivo, posada f, hostería f, casa f de huéspedes para estudiantes. ~훈련 entrenamiento m de campamento.

합승(合乘) monta f en común. ~하다 montar juntos. ~ 버스 autobús m, omnibús m, colectivo m. ~ 택시 colectivo m, ReD derecho m.

합심(合心) unisón m, unísono m, acuerdo m, convenio m. ~하다 ser unido, estar de acuerdo.

합의(合意) conformidad f, acuerdo m, (mutuo) consentimiento m. ~하다 acordar + inf, convenir, estar conforme, estar en acuerdo, consentir mutuamente. ~ 계약 contrato m consensual. ~ 이혼 divorcio m por el mutuo consentimiento. ~제 sistema m de consejo.

합의(合議) consulta f, conferencia f. ~하다 consultar, conferenciar.

합일(合一) unión f, unidad f, unificación f. ~하다 unir, unificar, juntar. ~ 문자 monograma m.

합자(合資) acción f mancomunada, sociedad f personal, sociedad f de responsabilidad ilimitada. ~하다 afiliar las acciones, entrar en la sociedad personal. ~ 회사 sociedad f comanditaria, sociedad f en comandita por acciones, compañía f en comandita.

합작(合作) colaboración f, [작품] obra f en común, trabajo m colectivo, obra f hecha con otra persona. ~하다 colabrar, producir juntos. ~ 영화 coproducción f cinematográfica. ~ 투자 coinversión f, empresa f conjunta, empresas fpl mixtas; ((증권)) agrupación f de empresas, riesgo m compartido. ~ 회사 compañía f de coinversión, compañía f de inversión conjunta; ((증권)) agrupación f de empresas.

합장(合掌) acción f de juntar las manos para rezar. ~하다 juntar las palmas para rezar [adorar], juntar las manos (para rezar), rezar con las manos juntas.

합장(合葬) entierro m conjunto. ~하다 enterrar [sepultar] juntos.

합주(合奏) [연주] música f de concierto; [관현의] música f de orquesta. ~하다 ejecutar un concierto, tocar en concierto. ~곡 conjunto m. ~단 conjunto m musical. ~자 concertante mf.

합죽거리다 farfullar [hablar entre dientes] con la boca sin dientes.

합죽선(合竹扇) hapchukseon, abanico m con rayos hechos de pedazo de bambú fino.

합죽이 persona f desdentada [sin dientes] con la boca fruncida.

합죽하다 (la boca) ser fruncida.

합중국(合衆國) ① federación f, los Estados Unidos. ② ((준말)) = 아메리카 합중국.

합참(合參) ((준말)) = 합동참모본부. ¶~ 의장 presidente m del Cuartel General del Estado Mayor Conjunto.

합창(合唱) coro m. ~하다 cantar en [a] coro. 남성 ~ coro m varonil, coro m masculino. 여성 ~ coro m femenino. 혼성 ~ coro m mixto. ¶~곡 coro m, canto m coral. ~단[대] coro m. ~ 대원 corista mf.

합체(合體) unión f, incorporación f. ~하다 unirse, incorporarse.

합치(合致) acuerdo m, convenio m; [부합] coincidencia. ~하다 estar de acuerdo, concordarse.

합치다(合一) ((힘줄말)) = 합(合)하다.

합판(合板) contrachapado m, madera f chapeada, madera f contrapeada.

합판(合版) publicación f conjunta. ~하다 publicar conjuntamente.

합평(合評) crítica f (que se hace) en común. ~하다 comentar en común, hacer observaciones juntos.

합하다(合一) ① ㉮ [결합하다] juntarse, reunirse, unirse, combinarse. ㉯ [겹치다] poner (sobre·encima de). ② [둘 이상을] 모아 하나로 만들다] juntar, unir, añadir, agregar; [합병하다] anexar, adjuntar, amalgamar. ③ [뒤섞다] mezclar, combinar.

합헌(合憲) ¶ ~의 constitucional. ~ 성 constitucionalidad f.

합환(合歡) ① [기쁨을 함께 함] acción f de alegrarse juntos. ~하다 alegrarse juntos. ② [남녀가 한 이 불 속에서 즐김] acción f que hombre y mujer se divierten en una cama. ~하다 (hombre y mujer) divertirse en una cama. ¶ ~ 주 ㉮ [혼례 때 신랑 신부가 서로 바꿔 마시는 술] vino m nupcial. ㉯ [합환하기 전에 남녀가 마시는 술] vino m que los novios beben antes de divertirse en una cama.

핫 뉴스 [큰 뉴스] noticia f bomba; [최신 뉴스] noticias fpl de última hora.

핫 도그 perro m caliente, perrito m caliente.

핫바지 ① [솜을 두어 지은 바지] pantalones mpl enguatado con algodón. ② [시골 사람] campesino, -na mf; [무식하고 어리석은 사람] persona f ignorante y estúpida.

핫 케이크 crep(e) m, AmL panqueque m, Méj crepa f, AmC, Col panqué m, Ven panqueca f.

핫 팬츠 minishots mpl, pantalones mpl cortos.

항(項) ① [조항] cláusula f. 제4조 제 3~ la cláusula tercera del artículo cuarto. ② [문장의] párafo m. ③ [항목] artículo m. ④ ((수학)) término m.

항간(巷間) mundo m, calle f, ciudad f. ~에서 en la calle. ~에 떠도는 이야기 rumor m.

항거(抗拒) resistencia f. ~하다 resistir.

항고(抗告) ((법률)) apelación f, demanda f, recurso m. ~하다 apelar de [contra] una sentencia, demandar, querellarse. ~심 examen m de testigos de demanda. ~인 demandante mf.

항공(航空) aviación f, vuelo m, navegación f aérea. ~의 aéreo, aeronáutico. ~ 관제 control m [mando m] aéreo. ~ 관제탑 torre f de control, torre f de mando. ~ 기 avión m, aeroplano m. ~ 기지 base f aérea. ~나 (cuerpo m de) aviación f. ~로 aerovía f, ruta f aérea, línea f aérea. ~ 모함 buque

m aeródomo, (buque m) portaaviones mpl. ~병(兵) ㉮ [파일럿] aviador, -dora mf. ㉯ [사병] soldado, -da mf de la fuerza aérea. ~ 봉함 엽서 aerograma m. ~사 (士) piloto mf; aviador, -dora mf; manipulador, -dora mf. ~ 사진 fotografía f aérea. ~ 수송 transporte m aéreo, transportación f aérea. ~술 aeronáutica f, aviación f. ~ 요금 precio m del pasaje, precio m del billete de avión, tarifas fpl aéreas. ~ 우편 correo m aéreo, correo m por avión. ~ 지도 mapa m aéreo. ~편 ㉮ vuelo m., servicio m aéreo. ㉯ ((준말)) =항공 우편. ~학 aeronáutica f. ~ 학교 escuela f de aeronáutica, escuela f de pilotos. ~ 화물 carga f aérea. ~ 회사 compañía f de aviación, compañía f (de nevegación) aérea.

항구(港口) puerto m. ~에 들리다 hacer escala en el puerto. ¶ ~ 도 시 ciudad f portuaria.

항구성(恒久性) permanencia f, constancia f, perpetuidad f, eternidad f.

항구여일(恒久如一) constancia f de mucho tiempo.

항구적(恒久的) constante, perpetuo, permanente, eterno. ~으로 constantemente, perpetuamente, a perpetuidad, eternamente.

항균성(抗菌性) antibiosis f. ~의 antibiótico. ~ 물질 antibióticos mpl.

항내(港内) el área f [pl las áreas] de puerto, interior m de puerto. ~에 dentro de puerto, en el puerto. ~ 시설 facilidades fpl del puerto.

항도(港都) ((준말)) =항구 도시.

항독소(抗毒素) antitoxina f.

항등식(恒等式) ((수학)) ecuación f idéntica, identidad f.

항렬(行列) grado m de parentesco.

항례(恒例) práctica f usual, uso m.

항로(航路) ruta f [vía f] aérea, línea f (aérea), ruta f de navegación.

항만(港灣) puertos mpl, puertos y bahías. ~의 portuario. ~ 공사 obra f de construcción del puerto. ~ 시설 instalaciones fpl portuarias.

항명(抗命) desobediencia f de la orden. ~하다 desobedecer la orden.

항목(項目) artículo m, párrafo m, apartado m; ((부기)) partida f.

항문(肛門) ((해부)) ano m., orificio m, sieso m. ~의 anal, del ano. ~ 공 abertura f anal, orificio m anal. ~과 proctología f. ~과 전문의 proctólogo, -ga mf. ~ 괄약근 esfínter m anal [del ano].

항법(航法) navegación f. ~사 navegante mf.

항변(抗辯) refutación f, réplica f,

confutación f, protesta f; [법정에서의] defensa f, alegato m. ~하다 refutar, replicar, protestar, defenderse.

항복(降伏/降服) rendición f; [조건부의] capitulación f; [복종] sumisión f, sometimiento m. ~하다 rendirse, someterse, entregarse sus armas.

항비타민제(抗－劑) antihistamina f.

항상(恒常) siempre, constantemente.

항생(抗生) antibiosis f. ~의 antibiótico. ~ 물질 antibiótico m. ~제 antibióticos mpl.

항서(降書) carta f de capitulación.

항설(巷說) rumor m público, hablilla f, objetos mpl de las hablillas de un pueblo, chismografía f, chismería f, charlandería f, picotería f, parlandería f; [속설] voz f común.

항성(恒星) estrella f fija, astro m. ~의 sideral, sidéreo.

항소(抗訴) apelación f (ante el tribunal superior). ~하다 interponer [presentar] una apelación (ante el tribunal superior), apelar. ~를 기각하다 desestimar una apelación. ¶~심 instancia f del recurso de apelación, juicio m de apelación.

항속(航速) velocidad f de navegación.

항속(航續) navegación f aérea continua. ~ 거리 autonomía f (de vuelo), recorrido m. ~ 시간 duración f de navegación.

항쇄(項鎖) canga f. ~족쇄 la picota y los grillotes.

항시(恒時) ① =상시(常時). ② =늘.

항심(恒心) creencia f firme, constancia f, perveración f, firmeza f, corazón m constante.

항아리(缸－) vasija f, jarro m, jarra f, pote m, tinaja f; [큰] cántaro m, orza f.

항암제(抗癌劑) anticanceroso m, medicina f anticanserosa.

항우장사(項羽壯士) persona f fortísimo [muy fuerte].

항원(抗元/抗原) ((생리)) antígeno m. ~의 antígeno.

항의(抗議) protesta f, [이의 신청] reclamación f; [불평] queja f; [반대] oposición f. ~하다 protestar, hacer protestas, reclamar, quejarse, oponerse.

항일(抗日) anti-Japón, resistencia f al Japón. ~의 anti-japonés. ~ 사상 sentimiento m antijaponés. ~ 운동 movimiento m antijaponés.

항쟁(抗爭) lucha f, conflicto m, pugna f, resistencia f, protesta f, rebelión f; [대항] rivalidad f. ~하다 luchar, resistir, protestar, contender.

항적(航跡) estela f.

항전(抗戰) resistencia f (al enemigo). ~하다 resistir, intentar resistencia.

항정(航程) distancia f de un viaje, travesía f de barco, distancia f cubierta por un barco; [일주야의] singladura f.

항진(航進) avance m. ~하다 avanzar.

항체(抗體) anticuerpo m.

항해(航海) navegación f (marítima), viaje m por mar, travesía f en barco. ~하다 navegar, viajar por mar, darse a la vela. ¶~사 piloto m. ~ 생활 vida f marinera, vida f de mar. ~술 arte m de navegar, náutica f. ~ 일지 diario m [libro m] de navegación. ~자 marinero, -ra mf; navegante mf.

항행(航行) navegación f, viaje m por mar. ~하다 navegar, viajar por el mar.

해 ① [태양] sol m. ~가 뜨다 salir el sol. ~가 저물다 anochecer. ~가 지다 ponerse el sol. ~가 뜰 때 al salir el sol, al anochecer la mañana. ~가 뜬다 Sale el sol. ② [연(年)] año m. ~마다 cada año, todos los años. ~가 바뀌다 cambiarse el año. ~를 넘기다 pasar el año. ③ [「낮」의 장단을 일컫는 말] día m. 오뉴월 긴긴 ~ día m larguísimo de mayo y junio. 여름에는 ~가 길다 El día es largo en el verano.

해(害) daño m, perjuicio m; [작물의] plaga f; [해악] mal m. ~하다, ~를 끼치다 perjudicar, dañar, hacer daño, causar perjuicio.

해갈(解渴) saciedad f de la sed. ~하다 saciar [calmar] la sed.

해거름 ocaso m [puesta f] del sol, crepúsculo m.

해결(解決) [문제・사건의] solución f, resolución f; [분쟁의] arreglo m, ajuste m. ~하다 resolver, solucionar, arreglar, componer; [끝내다] acabar, terminar, despachar. ~이 되다 resolverse, llegar a una solución, arreglarse. 분쟁을 ~하다 arreglar una disputa. ¶~점 conclusión f, entendimiento m. ~책 solución f, manera f de arreglar.

해경(海警) ① [바다의 수비] defensa f del mar; [해변의 방비] defensa f de la playa. ② ((준말)) =해양 경찰청. ③ ((준말)) =해양 경찰대.

해고(解雇) destitución f, despido m, desocupación f, despedida f. ~하다 destituir, despedir. ~되다, ~당하다 ser destituido, ser despedido, ser despuesto. ¶~ 수당 subsidio m [indemnización f] de despido. ~자 despedido, -da mf. ~장 certificado m de despido.

해골(骸骨) ① [몸을 이루고 있는 뼈] hueso *m*. ② [살이 썩고 남은 뼈] esqueleto *m*, osamenta *f*, calavera *f*, cráneo *m*. ~처럼 여위다 adelgazar hasta quedar como un esqueleto, enflaquecerse como un esqueleto.

해공(海空) ① [바다와 하늘] el mar y el cielo. ② [해군과 공군] las fuerzas navales y las fuerzas aéreas.

해괴망측하다(駭怪罔測－) (ser) sumamente escandaloso.

해괴하다(駭怪－) (ser) extraño, excéntrico, extravagante, escandaloso, monstruoso, extraordinario. 해괴한 처사 medida *f* extraordinaria.

해구(海狗) ((동물)) nutria *f*. ~신 ((한방)) pene *m* de la nutria.

해군(海軍) fuerzas *fpl* navales, Fuerza *f* Armada, marina *f*, marina *f* de guerra, armada *f*, servicio *m* naval. ~의 naval, de marina. ~ 기지 base *f* naval. ~력 poder *m* naval, fuerza *f* naval, poder *m* marítimo. ~ 본부 el Cuartel General Naval. ~ 사관[장교] oficial *mf* de marina. ~ 사관 학교 Academia *f* Naval, Colegio Naval, Escuela *f* Naval Militar. ~ 참모 총장 jefe *m* de Estado Mayor de la Marina.

해금(奚琴) ((악기)) violín *m* coreano.

해금(解禁) levantamiento *m* [revocación *f*] de prohibición [de una veda], rescisión *f* de prohibición. ~하다 remover el edicto, rescindir la prohibición.

해난(海難) desastre *m* [siniestro *m*] marítimo; [난파] naufragio *m*. ~을 당하다 naufragar, sufrir un desastre marítimo. ¶ ~ 구조 salvamento *m*, desencalladura *f*, salvavidas *m.sing.pl*; [선박의] obra *f* de salvamento. ~ 구조선 buque *m* [barco *m*] de salvamento.

해내다 ① [상대방을 여지없이 이겨 내다] acometer, ganar*le*, derrotar, vencer. ② [맡은 일·당한 일을 능히 처리 내다] llevar a cabo, realizar, lograr, conseguir.

해녀(海女) buceadora *f*, submarinista *f*, buzo *f*, mujer-rana *f*.

해단(解團) disolución *f* (de un equipo atlético). ~하다 disolver. ~되다 disolverse, desbandarse. ¶ ~식 ceremonia *f* de disolución.

해달(海獺) ((동물)) nutria *f* de mar.

해답(解答) solución *f*, respuesta *f*, contestación *f*. ~하다 resolver, solver, solucionar, responder, contestar. ~집 colección *f* de contestaciones.

해당(害黨) acción *f* de perjudicar al partido. ~ 분자 elemento *m* de causar perjuicio al partido. ~ 행위 acción *f* de causar perjuicio al partido.

해당(解黨) disolución *f* de un partido. ~하다 disolver un partido.

해당(該當) correspondencia *f*, equivalencia *f*. ~하다 corresponder, convenir, conformarse, caer, equivaler. ~의 correspondiente.

해당화(海棠花) ((식물)) eglantina *f*, englantina *f*.

해대다 acometer, ganar, derrotar, vencer.

해도(海島) isla *f* en el centro del mar.

해도(海圖) carta *f* hidrográfica.

해독(害毒) mal *m*, daño *m*, perjuicio *m*; [악영향] mal influencia *f*, infección *f*. ~을 끼치다 dañar, perjudicar.

해독(解毒) contraveneno *m*, antitoxina *f*. ~하다 contrarrestar el efecto de un veneno. ~약[제] antídoto *m*, contraveneno *m*, triaca *f*.

해독(解讀) desciframiento *m*, descifre *m*. ~하다 descifrar. 암호를 ~하다 descifrar un criptograma. ¶ ~자 [암호의] descifrador, -dora *mf*.

해돈(海豚) ((동물))＝돌고래.

해돋이 salida *f* del sol, amanecer *m*. ~에 al amanecer.

해동(解凍) deshielo *m*. ~하다 deshelar, descongelar.

해득(解得) entendimiento *m*, comprensión *f*. ~하다 entender, comprender.

해라하다 tutear.

해로(海路) ruta *f* del mar, vía *f* marítima. ~로 por mar, por vía marítima.

해로(偕老) lo que los esposos envejecen juntos en la vida conyugal [en la vida de casado]. ~하다 envejecer [volverse viejo] juntos en la vida conyugal [en la vida de casado].

해롭다(害－) (ser) perjudicial, dañoso, dañino, nocivo, pernicioso. 흡연은 몸을 심하게 해롭게 한다 Fumar perjudica seriamente la salud.

해롱거리다 comportarse como un niño malcriado.

해류(海流) corriente *f* marítima [de marea].

해륙(海陸) el mar y la tierra. ~의 anfibio. ~ 양면 작전 operación *f* anfibia. ~ 양서 동물 los anfibios. ~풍 viento *m* de tierra y mar.

해리(海狸) ((동물)) castor *m*.

해리(解離) ((화학)) disociación *f*. ~하다 disociar.

해리(海里) milla *f* náutica, milla *f* marina, nudo *m*.

해마(海馬) ① ((어류)) caballo *m* marino. ② ((동물)) hipocampo *m*, caballo *m* de mar, morsa *f*, elefante *m* marino.

해마다 todos los años, cada año, anualmente.

해말갛다 (ser) limpio.

해맑다 (ser) blanco y limpio.

해맞이 ① =영년(迎年). ② [새벽에 떠오르는 태양의 아름다움을 관상함] admiración *f* de la belleza del sol que sale al amanecer. ~하다 admirar la belleza del sol que sale al amanecer.

해머 ① [망치] martillo *m*. ② ((음악)) macillo *m*. ③ [해머던지기에 쓰이는 운동 기구] martillo *m*. ~를 던지다 lanzar el martillo. ¶~ 던지기 ((운동)) lanzamiento *m* de martillo. ~질 martilleo *m*, martillazo *m*.

해먹 hamaca *f*, *RPl* hamaca *f* paraguaya.

해먹다 ① [음식을] comer preparándo. 떡을 ~ preparar el pan coreano y comerlo. ② [부정하게 사복을 채우다] desfalcar, malversar.

해면(海面) superficie *f* del mar; [표준 해면] nivel *m* del mar.

해면(海綿) ① [동물] =해면동물. ② [해면동물의 골격] esponja *f*. ¶~동물 espongiarios *mpl*. ~상(狀) esponjosidad *f*, espongina *f*. ~ 조직 tejido *m* esponjoso.

해면(解免) despido *m*, exoneración *f*. ~하다 despedir, exonerar.

해명(解明) explanación *f*, explicación *f*, justificación *f*. ~하다 explanar, explicar, dilucidar, aclarar, esclarecer. ~을 요구하다 pedir explicación. ~서 carta *f* de explanación.

해몽(解夢) oniromancia *f*, interpretación *f* de un sueño. ~하다 interpretar un sueño [los sueños]. ~가 oneirocrítico, -ca *f*.

해무(海霧) niebla *f* de mar.

해물(海物) ((준말)) =해산물(海産物). ¶~탕 sopa *f* [caldo *m*] de productos marítimos.

해미 niebla *f* espesa sobre el mar.

해바라기 ((식물)) girasol *m*, mirasol *m*, *Chi* maravilla *f*.

해박하다(該博一) (ser) erudito, sabio, instruido. 해박한 지식 sabiduría *f* profunda.

해반드르르하다 (ser) hermoso y precioso.

해반지르르하다 (ser) blanco y hermoso, limpio y hermoso.

해발(海拔) sobre el nivel del mar; [표고] altitud *f*. ~ 삼천 미터 tres mil metros sobre el nivel del mar, la altitud de tres mil metros.

해방(解放) liberación *f*, libertad *f*, descarga *f*, soltura *f*; [노예의] emancipación *f*. ~하다 poner en libertad, poner libre, dar libertad, libertar, emancipar, liberar. ¶~자 libertador, -dora *mf*; emancipador, -dora *mf*. ~ 전쟁 guerra *f* de liberación.

해변(海邊) playa *f*, orilla *f* del mar, ribera *f*, litoral *m*, costa *f*. ~에 가다 ir a la playa. ~ 도시 ciudad *f* costera.

해병(海兵) ① [해군의 병졸] marinero, -ra *mf*; marino, -na *mf*; [집합적] marina *f*. ② [해병대의 병졸] marino *m*, infante *m* de marina; [집합적] marina *f*. ~대 infantería *f* de marina. ~대원 =해병❷.

해보다 ① [무슨 일이 되도록 시도하다] tratar (de + *inf*), intentar (+ *inf*). 일을 ~ tratar de trabajar. 다시 한 번 ~ tratar de hacer otra vez. ② [끝까지 맞겨루다] luchar, combatir, pelear.

해부(解剖) ① [해부] anatomía *f*, disección *f*; [검시] autopsia *f*. ~하다 desecar, anatomizar. ~의 anatómico. 시체를 ~하다 hacer la autopsia de un cadáver. ② [분석] análisis *m*. 사건을 ~하다 analizar el caso. ¶~도(刀) escalpelo *m*, bisturí *m*. ~실 cuarto *m* de disección. ~자 disector, -tora *mf*. ~학 anatomía *f*, analíticas *fpl*. ~ 학자 anatomista *mf*.

해빙(解氷) ① [얼음이 풀림] deshielo *m*, derretimiento *m* del hielo. ~하다 deshelarse. ② [국제간의 긴장 완화] deshielo *m*. 외교 관계의 ~ el deshielo de las relaciones diplomáticas.

해사(海士) ((준말)) =해군사관학교.

해사(海事) asunto *m* marítimo.

해사하다 (ser) limpio y hermoso.

해산(海産) ((준말)) =해산물. ¶~물 productos *mpl* marítimos.

해산(解産) parto *m*, dolores *mpl* de parto, alumbramiento *m*. ~하다 parir, dar a luz. 첫 ~ su primer parto. ¶~기(期) período *m* de partos. ~달 mes *m* de parto.

해산(解散) disolución *f*, desintegración *f*; [흩어짐] dispersión *f*; [폐회] levantamiento *m*. ~하다 disolver, dispersar. ~되다 dispersarse, dispersarse, separarse. 의회를 ~하다 disolver las cortes [la cámara].

해삼(海蔘) ((동물)) cohombro *m* de mar, pepino *m* de mar.

해상(海上) en el océano, marítimo, marino. ~의 del océano, del mar, marítimo, marino, naval. ~에서 일어난 사건 acontecimiento *m* en el mar. ¶~ 경비대 guardacostas *mpl*. ~ 경찰 policía *f* marítima. ~ 근무 servicio *m* en el mar, servicio *m* a bordo, servicio *m* naval.

~ 급유 abastecimiento *m* [suministro *m*] de petróleo en el océano, comercio *m* marítimo. ~ 무역 comercio *m* marítimo. ~ 보험 seguro *m* marítimo. ~ 봉쇄 bloqueo *m* marítimo.

해석(解析) ① [사물을 이론적으로 연구함] análisis *m*, investigación *f* analítica. ~하다 analizar. ② ((수학)) ((준말))=해석학. ③ ((수학)) ((준말))=해석 기하학. ¶ ~ 기하학 geometría *f* analítica. ~학 analítica *f*.

해석(解釋) interpretación *f*; [정의] definición *f*, [주석] comentario *m*; [추정] construcción *f*; [번역] traducción *f*; [설명] explanación *f*, explicación *f*, aclaración *f*; [해설] exposición *f*. ~하다 interpretar, comentar, construir, traducir, explanar, explicar, aclarar, exponer. ~을 잘못하다 interpretar mal, entender mal.

해설(解說) explicación *f*, explanación *f*, exposición *f*, comentario *m*; [해석] interpretación *f*, introducción *f*. ~하다 explicar, explanar, exponer, comentar, ilustrar, elucidar. ¶ ~하다 comentar las noticias. ¶ ~서 comentario *m*. ~자 comentarista *mf*.

해소(解消) [조직의] disolución *f*, extinción *f*; [약속의] anulación *f*, cancelación *f*. ~하다 disolver, anular, cancelar. ~되다 disolverse. 교통 체증의 ~ descongestión *f* del tráfico.

해손(海損) avería *f*. ~ 정산인 ajustador, -dora *mf* de averías; árbitro, -tra *mf* de seguros marítimos.

해송(海松) ① ((식물)) [해변에 있는 소나무] pino *m* en la orilla del mar. ② [곰솔] una especie de pino. ③ ((식물)) [잣나무] pino *m* blanco coreano.

해수(咳嗽) ((의학)) tos *f*. ~병 tisis *f*, consunción *f*.

해수(海水) =바닷물(agua de mar). ¶ ~ 높이 nivel *m* del mar.

해수욕(海水浴) baños *mpl* de mar. ~을 하다 bañarse en el mar, tomar baños en el mar, gozar del baño en el mar. ~ 가다 ir a la playa, ir a bañarse al mar. ¶ ~객 bañista *mf*. ~모 gorro *m* del baño. ~복 bañador *m*, ropa *f* [traje *m*] de baño. ~장 bañadero *m*, balneario *m*, playa *f*.

해시계(-時計) reloj *m* solar, reloj *m* del sol.

해신(海神) dios *m* del mar, divinidad *f* marina; ((로마 신화)) Neptuno *m*; ((희랍 신화)) Poseidón *m*.

해쓱하다 ponerse pálido, ponerse descolorido, ponerse cadavérico. 얼

굴이 ~ tener la cara pálida.

해악(害惡) injuria *f*, perversidad *f*, mal *m*, depravación *f*, detrimento *m*, daño *m*; [악영향] influencia *f* perniciosa, mala influencia *m*.

해안 antes de la puesta del sol, antes de que salga el sol. ☞해전

해안(海岸) costa *f*, playa *f*, orilla *f* del mar, ribera *f*. ~의 litoral, costero, de costa, de la playa. ~에 a la orilla del mar. ~의 별장 quinta *f* en la playa. ¶ ~ 경비 defensa *f* costera. ~ 경비대 guardacostas *m*. ~ 경비 대원 guardacostas *mf*. ~선 (línea *f* de) costa *f*, línea *f* costera, línea *f* de la playa, ribera *f*. ~ 지방 litoral *m*, región *f* costera.

해야 하다 tener que + *inf*, deber + *inf*, haber que + *inf*. 나는 곧 출발해야 한다 Tengo que salir en seguida / Debo salir en seguida.

해약(解約) anulación *f*, rescisión *f*, cancelación *f*. ~하다 anular, rescindir, cancelar. 계약의 ~ anulación *f* de un contrato. 보험의 ~ 하다 rescindir [anular · cancelar] un seguro.

해양(海洋) mar *m(f)*, océano *m*. ~ 경찰 policía *f* marítima. ~ 경찰청 Agencia *f* de la Policía Marítima. ~ 대학 universidad *f* marina. ~ 문학 literatura *f* marina. ~성 기후 clima *m* oceánico. ~ 수산부 Ministerio *m* de Pesca Marítima. ~학 oceanografía *f*. ~학자 oceanógrafo, -fa *mf*.

해어뜨리다 gastar. 옷을 ~ gastar *su* ropa.

해어지다 [타이어·옷이] (ser) gastado; [카펫이] raído, gastado; [옷·신발이] 닳아빠진 muy gastado; [자동차가 닳아빠진] inservible.

해역(海域) aguas *fpl*. 필리핀 ~ aguas *fpl* filipinas.

해열(解熱) eliminación *f* de fiebre, olvido *m* de fiebre. ~하다 aliviar la fiebre, (hacer) bajar la fiebre. ~제[약] antifebrina *f*, febrífugo *m*.

해오라기 ((조류)) garza *f*, garzota *f*.

해왕성(海王星) ((천문)) Neptuno *m*.

해외(海外) países *mpl* extranjeros, extranjero *m*, ultramar *m*. ~의 exterior, extranjero, ultramarino, ultramarino. ~에, en el exterior, en el extranjero, del exterior. ~에, ~로 al extranjero. ~에서 en el (país) extranjero. ~에 가다 ir(se) al extranjero, ir(se) al exterior. ~에 보내다 mandar [enviar] al extranjero. ~에 여행하다 viajar al extranjero. ¶ ~ 공관 oficina *f* diplomática en el país extranjero. ~ 관광 turismo *m* extranjero. ~ 관광객 turista *m* extranjero, turista *f* extranjera. ~ 근

무 servicio *m* en el extranjero. ~ 근무 수당 subsidio *m* del servicio en el extranjero. ~ 기지 base *f* en el extranjero. ~ 무역 comercio *m* exterior [de ultramar]. ~ 문학 literatura *f* extranjera [exterior]. ~ 시장 mercado *m* exterior [del ultramar]. ~ 여행 viaje *m* al [por el] extranjero. ~ 원조 ayuda *f* exterior, ayuda *f* externa, ayuda *f* a los países en vías de desarrollo. ~ 유학 estudio *m* en el extranjero. ~ 유학생 estudiante *m* enviado [estudiante *f* enviada] al extranjero para estudiar. ~ 이민 emigración *f* al extranjero. ~ 투자 inversión *f* internacional [en el extranjero].

해우(海牛) ((동물)) manatí *m*.

해운(海運) ((준말)) =해상 운송. ¶ ~ 회사 compañía *f* naviera [de navegación], empresa *f* naviera.

해원(海員) marinero *m*, marino *m*, nauta *m*; [집합적] tripulación *f*. ~ 양성소 escuela *f* naval, escuela *f* práctica de marinos.

해이(解弛) relajación *f*. ~하다 relajar, aflojarse. ~해지다 relajarse, hacerse indolente.

해일(海溢) maremoto *m*, aguaje *m*, desbordamiento *m* de marea, ola *f* de marea, olas *fpl* gigantescas producidas por seísmo. ~하다 desbordarse, tener maremoto. ~을 만나다 ser batido por el aguaje.

해임(解任) descargo *m* de los deberes, descargo *m* de los oficios, destitución *f*, despedida *f*, depido *m*. ~하다 destituir, deponer, despedir, descargar los deberes. ~장 carta *f* de retiro.

해장 acción *f* de beber un poco para mitigar la resaca antes de desayunar. ~하다 beber un poco para mitigar la resaca antes de desayunar. ~국 sopa *f* para mitigar la resaca antes de desayunar. ~술 vino *m* para mitigar la resaca antes de desayunar.

해저(海底) fondo *m* del mar, lecho *m* marino. ~의 submarino. ~유전 yacimiento *m* submarino de petróleo. ~전선 cable *m* submarino. *f*. ~터널 túnel *m* submarino.

해적(海賊) pirata *mf*, corsario *m*. ~의 pirata. ~선 barco *m* pirata, barco *m* de piratas, corsario *m*. ~질 piratería *f*. ~판 edición *f* pirata, edición *f* desautorizada, edición *f* furtiva.

해전(一前) antes de que se pone el sol, antes de la puesta del sol.

해전(海戰) batalla *f* [combate *m*] naval.

해제(解除) ① =해면(解免). ~[취소] cancelación *f*, anulación *f*, rescisión *f*; [철폐] supresión *f*, abrogación *f*. ~하다 cancelar, anular, rescindir, suprimir, levantar; [무장을] desarmar, deguarnecer.

해제(解題) notas *fpl* bibliográficas, introducción *f* bibliográfica, explicación *f* bibliográfica, explanación *f* de un texto, comentario *m* de un texto, sinopsis *f*, nota *f*.

해조(害鳥) pájaro *m* dañino [nocivo].

해조(海鳥) el ave *f* marina. ~분 guano *m*.

해조(海藻) ((식물)) alga *f* marina, alga *f*, planta *f* marina.

해주다 ((준말)) =하여 주다(hacer). ¶심부름을 ~ hacer un recado. 편지의 번역을 ~ traducir una carta.

해죽거리다 seguir sonriendo dulcemente [con dulzura].

해죽이 sonriendo dulcemente.

해중(海中) centro *m* del mar. ~의 marino; [해변 아래] submarino. ~에 al mar, en el mar. ¶ ~ 핵실험 prueba *f* nuclear submarino.

해지(解止) ~하다 terminar, abandonar, acabar.

해직(解職) destitución *f*, disposición *f*, despido *m*. ~하다 despedir, destituir, deponer, reveler del oficio. ~수당 subsidio *m* de despedido. ~통고 aviso *m* de despido.

해질녘 crepúsculo *m*, anochecer *m*, anochecid *f*, nochecita *f*, vespertino *m*. ~에 al atardecer, al anochecer, a la caída del día.

해체(解體) desmontaje *m*, desarme *m*, demolición *f*; [조직의] desarticulación *f*, desmembración *f*, desmembramiento *m*. ~하다 desmontar, desarmar, hacer pedazos, demoler, desarticular, desmantelar.

해초(海草) =해조(海藻).

해충(害蟲) insecto *m* nocivo, insecto *m* dañino, insecto *m* dañoso.

해치다 ① [해롭게 만들다] perjudicar, causar perjuicio, dañar, hacer daño, herir, injuriar, agraviar. 감정을 ~ herir el sentimiento, herir. 건강을 ~ perjudicar a la salud, dañar la salud, perder la salud. ② [남을 상하게 하거나 죽이다] dañar, hacer daño; [죽이다] matar.

해치우다 ① [어떤 일을 빨리 시원스럽게 끝내다] terminar. ② [제거하다] eliminar, quitar.

해커 ((컴퓨터)) pirata *m* informático, pirata *f* informática.

해코지(害−) conducta *f* de perjudicar a otro.

해킹 ((컴퓨터)) piratería *f* informática. ~하다 piratear.

해탈(解脫) ((불교)) rescate *m* del mal, salvación *f* del espíritu, liberación f del espíritu. ~하다 rescatar [salvarse · librarse] (de las cadenas del mundo).

해태 (동물) león m de piedra.

해태(海苔) ((식물)) alga f marina.

해태(懈怠) =게으름(pereza).

해트 트릭 ((축구 · 하키)) tríada f, tripleta f de goles, tres goles seguidos.

해파리 ((동물)) medusa f.

해표(海豹) ((동물)) lobo m marino.

해풍(海風) [바닷바람] brisa f marina, brisa f del mar.

해하다 sonreír con la boca abierta.

해하다(害一) dañar, perjudicar, hacer daño, causar perjuicio. ☞해치다

해학(諧謔) =유머(humorismo). ¶~ 문학 literatura f humorística. ~ 소설 novela f humorística. ~적 humorístico, gracioso, ridículoso, chistoso, jocoso, cómico.

해해거리다 reírse tontamente.

해협(海峽) estrecho m, canal m.

해후(邂逅) encuentro m casual. ~하다 encontrar casualmente, encontrarse, acertar a encontrar.

핵(核) ① [핵심] núcleo m, meollo m. 문제의 ~ meollo m de la cuestión. ② ((해부)) núcleo m. ~의 nuclear, nucleario. ~이 있는 nucleado. ③ [신경학상, 같은 구실을 하는 신경 세포의 집단] núcleo m. ④ [핵과의 씨를 싸고 있는 껍데기] almendra f, grano m, núcleo m. ⑤ =원자핵(núcleo atómico). ¶~가족 familia f nuclear, unifamilia f, núcleo m de la familia. ~개발 desarrollo m nuclear. ~공격 ataque m nuclear. ~로켓 cohete m nuclear, cohete m de propulsión nuclear. ~무기 armas fpl nucleares. ~발전소 central f nuclear. ~실험 prueba f nuclear. ~연료 combustible m nuclear. ~전쟁 guerra f nuclear. ~폭발 explosión f nuclear. ~폭탄 bomba f nuclear.

핵막(核膜) membrana f nuclear.

핵심(核心) médula f, núcleo m, meollo m, quid m. ~의 nuclear, nucleario, básico. 문제의 ~ meollo m de la cuestión.

핸드백 bolso m (de mano); cartera f, Méj bolsa f (de mano).

핸드볼 ㉮ [경기] balonmano m; AmL handball ing.m. ~공 pelota f de balonmano, AmL pelota f de handball, pelota f de frontón. ㉯ ((축구)) mano f. ~! ¡Mano!

핸드북 ㉮ [편람] manual m. ㉯ [강요(綱要)] elementos mpl. ㉰ [안내기] guía f.

핸드 폰 (teléfono m) móvil m, AmL (teléfono m) celular m.

핸들 [자동차의] volante m; [자전거의] manillar m, guía f; [기계의] manubrio m, manivela f. 오른쪽 ~ 차 coche m de volante. ~을 잡다 ponerse al volante. ~을 돌리다 girar el volante.

핸디캡 ① [곤란, 불이익] desventaja f. ② ((골프)) hándicap ing.m. ~을 만들다 llevar hándicap. ③ [장애] impedimento m, retraso m.

핸섬하다 (ser) guapo, apuesto, bien parecido, AmL buen mozo.

핼쑥하다 (ser) delgado, flaco; [창백하다] estar pálido. 핼쑥해지다 [창백해지다] ponerse pálido, palidecer, ponerse descolorido. 핼쑥한 얼굴 cara f pálida, rostro m pálido.

햄¹ [말리거나 절인] jamón m serrano, jamón m (crudo); [요리된] jamón m (de) York, jamón m (cocido).

햄² [아마추어 무선사] radioaficionado, -da mf; aficionado, -da mf a la radiofonía.

햄버거 ① [햄버거 스테이크를 끼운 것] hamburguesa f, emparedado m de carne molida. ② [햄버거 스테이크용의 다진 고기] carne f picada [molida]. ¶~ 가게 hamburguesería f.

햄버그 스테이크 hamburguesa f.

햅쌀 arroz m de la última cosecha, arroz m de cosecha temprana. ~밥 arroz m blanco [cocido] de la cosecha temprana.

햇것 primeros frutos mpl; primeros cereales mpl, nueva cosecha f, cosecha f del año.

햇곡식(一穀一) primeros cereales mpl, grano m de nueva cosecha, cosecha f del año.

햇무리 halo m, halón m, corona f.

햇병아리 ① [그 해에 새로 깐 병아리] nuevo polluelo m que salió del cascarón ese año. ② =풋내기.

햇볕 rayo m de sol, luz f del sol, sol m, rayos mpl solares. ~에 al sol.

햇보리 cebada f de la cosecha temprana.

햇빛 sol m, luz f del sol, rayos mpl del sol, claridad f del sol. ~에 al sol. ~에 빛나다 brillar al sol. ~을 보다 [공개 · 출판] salir a (la) luz, aparecer.

햇살 luz f del sol, rayo(s) m(pl) de sol. 오후의 ~ rayo m de sol de la tarde.

햇수(一數) número m de años.

햇콩 soja f de la cosecha temprana.

햇팥 judía f pinta [roja] de la cosecha temprana.

행(行) ① [글의 줄] línea f, renglón m. ② ((시)) verso m. 4~ 시 cuarteto m. 5~ 시 quinteto m.

행(幸) ((준말)) =다행(多幸).

행간(行間) entrelínea *f*, espacio *m* entre dos renglones.

행객(行客) viajero, -ra *mf*; turista *mf*; viajante *mf*; pasajero, -ra *mf*; caminante *m*.

행군(行軍) marcha *f*. ~하다 marchar. ~ 중(中) en la marcha.

행궁(行宮) palacio *m* temporario.

행글라이더 ① el ala *f* (*pl* las alas) delta, *Méj* deslizador *m*. ~로 날다 volar con ala delta, *Méj* volar en deslizador. ② [사람] piloto *mf* de ala delta, piloto *mf* de deslizador.

행낭(行囊) saca *f* de correos, saco *m* de correspondencia, valija *f* (del correo); [우편집배원의] cartera *f* (del cartero).

행동(行動) hecho *m*, acto *m*, acción *f*, obra *f*, movimiento *m*, conducta *f*, comportamiento *m*, proceder *m*. ~하다 actuar, obrar, conducirse, portarse, comportarse, proceder. 용감한 ~ actos *mpl* de valor, hazañas *fpl* heroicas. ~에 옮기다 ponerse [entrar] en acción [en movimiento]. ¶~거지 porte *m*, conducta *f*, comportamiento *m*. ~대 grupo *m* de acción. ~ 반경 radio *m* de acción.

행락(行樂) paseo *m*, excursión *f*, jira *f*, caminata *f*, partida *f* al campo, romería *f*. ~객 paseante *mf*; excursionista *mf*; turista *mf*. ~지 lugar *m* de excursión; [관광지] lugar *m* de turismo, lugar *m* de recreo. ~철 estación *f* de turismo, temporada *f* de turismo.

행랑(行廊) corredor *m*, pasillo *m*; [절의] claustro *m*.

행려(行旅) vagabundería *f*, vagamundería *f*. ~하다 vagabundear, vagamundear. ~ 병사자 persona *f* caída enferma en el camino. ~ 병자 persona *f* que cae enferma en el camino.

행렬(行列) desfile *m*; [주로 종교적인] procesión *f*; [퍼레이드] parada *f*; [기마의] cabalgata *f*; [창구 등의] cola *f*, fila *f*.

행로(行路) paso *m*, curso *m*, camino *m*, ruta *f*, vía *f*. 인생 ~ camino *m* espinoso de la vida, curso *m* [camino *m*] de la vida.

행방(行方) paradero *m*, rastro *m*. ~을 감추다 desaparecer, huir sin dejar rastro, cubrir el rastro, ocultarse, esconderse. ¶~ 불명 paradero *m* desconocido, desaparición *f*, desparecimiento *m*. ~자 desparecido, -da *mf*.

행복(幸福) felicidad *f*, dicha *f*. ~하다 (ser) feliz, dichoso. ~하게 felizmente. ~하게 하다 hacer feliz. ~하게 살다 vivir feliz [felizmente],

vivir bien, vivir [llevar] una vida feliz.

행불행(幸不幸) felicidad *f* y desgracia, bueno o malo, buena o mala fortuna. 인생의 ~ felicidad o infortunio de la fortuna.

행사(行使) ejercicio *m*, aplicación *f*, uso *m*. ~하다 ejercer, aplicar, usar, hacer usos. 권리의 ~ ejercicio *m* de un derecho.

행사(行事) evento *m*, rituales *mpl*, ceremonias *fpl*, fiestas *fpl*, festival *m*. 공식 ~ evento *m* oficial. 기념 ~ ceremonia *f* de conmemoración.

행상(行商) ① [도붓장수] comercio *m* ambulante; [외치며 파는] pregón *m*; [싼 잡화의] buhonería *f*. ~하다 ir [andar] vendiendo de puerta en puerta, ejercer el oficio de buhonero, vagabundear revendiendo. ② [도붓장수] buhonero, -ra *mf*; revendedor, -dora *mf*; baratillero, -ra *mf*; pregonero, -ra *mf*; [외판원] vendedor, -dora *mf* ambulante. ¶~인 buhonero, -ra *mf*; (vendedor, -dora *mf*) ambulante; vendedor *m* callejero, vendedora *f* callejera. ☞행상(行商)❷

행상(行賞) otorgamiento *m* del premio, dádiva *f* de recompesa. ~하다 dar [otorgar · conceder] el premio.

행색(行色) ① [행동을 하는 태도] conducta *f*. ② [길 떠나는 사람의 차림새] apariencia *f*.

행서(行書) estilo *m* semi-cursivo de escritura.

행선(行先) =행선지. ¶~지 *su* destinación, destino *m*.

행성(行星) ((천문)) planeta *m*.

행세(行世) conducta *f*, proceder *m*. ~하다 conducirse, comportarse bien, portarse bien, hacerse pasar, disfrazarse.

행수(行數) número *m* de líneas.

행실(行實) conducta *f*, proceder *m*, comportamiento *m*. ~이 못된 처녀 muchacha *f* que se porta mal. ~이 바르다 [어린이가] portarse bien, comportarse.

행악(行惡) violencia *f*, maldad *f*, perversidad *f*, iniquidad *f*. ~하다 hacer violencia.

행여(나)(行-) por ventura, casualmente, por acaso, por casualidad.

행운(幸運) (buena) suerte *f*, (buena) fortuna *f*, dicha *f*, ventura *f*. ~의 afortunado, dichoso, venturoso. ~을 가져오다 traer buena suerte [buena fortuna]. ~을 만나다 tener (buen) éxito, ir viento en popa. ~을 빌다 desear buena suerte.

행운아(幸運兒) afortunado, -da *mf*; favorito, -ta *mf* de fortuna, hombre *m* de fortuna, persona *f* afortunada [dichosa].

행위(行爲) conducta f, acto m, acción f, comportamiento m, hecho m, proceder m. 영웅적 ~ acción f heroica, hazaña f, proeza f.

행인(行人) transeúnte mf; caminante mf; peón m.

행장(行狀) ① [사람이 죽은 뒤 그 평생에 지낸 일을 기록한 글] historia f de los difuntos, necrología f. ② =행장기. ¶~기(記) récord m de la vida del difunto.

행장(行裝) equipaje m. ~을 차리다 [갖추다] prepararse para el viaje. ~을 풀다 descansar después del viaje.

행적(行績/行蹟) ① [행위의 실적] conducta f, proceder m, comportamiento m. ② [평생에 한 일] hazaña f de su vida.

행정(行政) administración f. ~(상)의 administrativo, ejecutivo. ~ 개혁 reforma f administrativa. ~권 poder m administrativo [ejecutivo]. ~ 당국 autoridades fpl administrativas. ~법 derecho m administrativo. ~ 법원 tribunal m administrativo. ~법학 derecho m administrativo, centro m administrativo. ~수반 presidente m de gobierno. ~ 자치부 Ministerio m de Administración Gubernamental y Autonomía Local. ~학 administración f pública. ~ 협정 acuerdo m administrativo.

행주 ① trapo m, bayeta f. ② [썻은 접시를 닦는] paño m de cocina. ¶~치마 delantal m, devantal m.

행진(行進) marcha f, desfile m, avance m, parada f. ~하다 desfilar, marchar en fila. 죽음의 ~ marcha f de muerte. ~중이다 estar en marcha.

행진곡(行進曲) ((음악)) marcha f. 결혼 ~ marcha f nupcial. 군대 ~ marcha f militar. 장송 ~ marcha f funeral.

행차(行次) visita f, viaje m, gira f. ~하다 ir, venir, visitar, viajar, hacer una gira, hacer un viaje. ~ 뒤에 나팔 Ya es demasiado tarde.

행태(行態) modo m de actuar.

행티 rencor m, herida f, travesura f, diablura f, treta f.

행패(行悖) violencia f, mala conducta f. ~하다 hacer violencia, portarse mal. ~를 부리다 portarse mal, cometer una atrocidad.

행포(行暴) violencia f. ~하다 hacer violencia.

행하다(行一) ① [작정한 대로 해 나가다] hacer, conducirse, portarse, obrar, actuar. 선(善)을 ~ hacer el bien. ② [거행하다] celebrarse,

tener lugar. 회의를 ~ celebrar una conferencia.

향(向) dirección f de enfrente del solar de la casa o del solar de la tumba.

향(香) incienso m. ~의 향기 aroma f de incienso. ~을 태우다 quemar incienso, perfumar con incienso. ¶~불 fuego m de incienso, incienso m encendido. ~불(을) 피우다 fumar el cigarrillo.

향가(鄉歌) hyangga m, canción f autóctona, canción f tradicional de Corea.

향긋하다 (ser) fragante. 향긋한 냄새 olor m fragante.

향기(香氣) fragancia f, perfume m, aroma m, olfato m, olor m. ~가 좋다 exhalar fragancia, oler bien.

향기롭다 (ser) fragante, aromático, oloroso. 향기로운 꽃 flor f fragante. 향기로운 냄새 olor m fragante.

향나무(香一) ((식물)) árboles mpl aromáticos, plantas fpl aromáticas.

향년(享年) los años de la vida. 그는 ~ 일흔아홉 살이다 El murió a los setenta y nueve años de edad.

향도(鄉導) guía f, conducción f, primacía f. ~하다 guiar, conducir, gobernar, llevar el timón. ~자 guía mf, piloto mf.

향락(享樂) placer m, complacencia f, disfrute m, goce m, solaz f, goces mpl mundanos. ~에 빠지다 entregarse a los placeres. ¶~ 생활 vida f homosexual, disipación f, libertinaje m, vida f disipada. ~주의 epicureísmo m, hedonismo m, sibaritismo m, sensualismo m. ~주의자 epicúreo, -a mf.

향로(香爐) incensario m.

향료(香料) ① aroma m, perfume m; [요리의] especia f; [집합적] perfumería f. ② =부의(賻儀).

향리(鄉里) pueblo m natal, tierra f natal, tierra f nativa, suelo m natal, país m nativo, su pueblo.

향방(向方) dirección f, destinación f.

향배(向背) para o contra, pro o contra, actitud f.

향불(香一) fuego m de incienso.

향상(向上) ① [위로 향하여 나아감] avance m hacia arriba. ② [보다 나아지거나 나아지려고 노력함] progreso m, adelanto m, adelantamiento m, elevación f; [개선] mejora f, mejoramiento m. ~하다 progresar, adelantar, elevarse, mejorar. ~시키다 elevar, hacer progresar, hacer adelantar, mejorar.

향수(享受) disfrute m, goce m. ~하다 disfrutarse, gozar.

향수(香水) perfume m, el agua f perfumada, el agua f de olor.

향수(鄕愁) nostalgia f, añoranza f (de la tierra). ~를 느끼다 sentir nostalgia (de *su* tierra natal). ¶ ~병 nostalgia f, añoranza f.

향연(饗宴) banquete m, fiesta f, festín m. ~을 베풀다 dar un banquete, dar una fiesta.

향유(享有) disfrute m, goce m, fruición f. ~하다 disfrutar, gozar, beneficiarse, gozarse.

향유(香油) ① [향기로운 냄새가 나는 화장용 물기름] aceite m perfumado, bálsamo m. ② =참기름.

향유고래(香油−) ((동물)) cachalote m, esperma f (de ballena).

향응(饗應) convite m, agasajo m, festín m, festejo m, banquete m, fiesta f. ~하다 convidar, tratar, dar de comer a los que se convida, festejar, agasajar, dar una fiesta, dar un banquete, celebrar un banquete. ~을 받다 ser convidado, ser agasajado, tomar parte del banquete.

향일성(向日性) heliotropismo m.

향정신성 의약품(向精神性醫藥品) sicofármaco m.

향촉(香燭) el incienso y la candela.

향촌(鄕村) aldea f.

향토(鄕土) campo m, terreno m de la tierra natal, tierra f natal. ~ 문학 literatura f folclórica. ~사(史) historia f local. ~색 color m local. ~애 amor m a la tierra natal. ¶예비군 fuerza f de defensa local; reservista mf.

향하다(向−) ① [얼굴을 돌려 대하다] dar, caer. 이 집은 공원으로 향하고 있다 Esta casa da al parque. ② [마음을 기울이다] añorar. 마음이 고향을 ~ añorar *su* patria. ③ [마주 서거나 보다] encararse, ponerse cara a cara. 상대방의 얼굴을 서로 ~ mirar frente a frente ④ [지향하여 가다] conducir, llevar, salir, partir, dirigirse, encaminarse. 서반아를 ~ salir [partir] para España.

향학(向學) acción f de tener voluntad al estudio [a la ciencia]. ~하다 tener voluntad al estudio [a la ciencia]. ~심 amor m al estudio, gran afición f al estudio. deseo m para pretensión de erudición. ~열 entusiasmo m [pasión f] por el estudio.

향후(向後) de aquí en adelante, en lo futuro, en lo sucesivo. ~ 10년 de aquí en adelante diez años.

허(虛) ① [결함으로 인한 약점] punto m débil, lado m descuidado, momento m incauto; [거짓] falsedad f, embuste m, mentira f, engaño m. ~를 틈타다 aprovecharse del descuido de otro. ② [아무 것도 없다] no haber nada. ③ [방비가 없다] quedar indefenso. ④ [헛되다] (ser) en vano. ⑤ [약하다] (ser) débil. ⑥ [겸손하다] (ser) modesto.

허가(許可) permiso m, licencia f, certificado m; [당국의] autorización f; [입학 등의] admisión f. ~하다 permitir, dar licencia, licenciar, dar el permiso, autorizar, admitir, consentir. ~ 받은 permitido, licenciado, autorizado. ~ 없이 sin permiso. 면허를 ~하다 permitir la entrevista. 외출을 ~하다 permitir salir. ~ 없이 출입을 금함 ((게시)) Prohibida la entrada sin autorización. ¶ ~서[장] permiso m, licencia f. ~제 sistema m de licencia [de permitir]. ~증 licencia f, certificado m de autorización.

허겁지겁 confusamente, con ruido y tumulto, más qué paso, muy de prisa. ~하다 ponerse nervioso, aturullarse.

허공(虛空) cielo m vacío, aire m vacío, espacio m vacío, vacío m; [공중] aire m, cielo m.

허구(虛構) ficción f, cosa f sin fundamento. ~의 ficticio, fabuloso, falso.

허기(虛飢) el hambre f. ~를 느끼다 sentir hambre. ~를 참다 aguantar el hambre, matar el hambre. ¶ ~증 el hambre f persistente.

허기지다 tener mucha hambre, tener hambre canina, tener el estómago en los pies.

허깨비 fantasma m, aparición f, espectro m horrible, duente m.

허니문 ① [밀월] luna f de miel. ② [신혼 여행] viaje m de novios. ¶ ~ 기간 luna f de miel. ~ 커플 pareja f de recién casados.

허다하다(許多−) (ser) muchísimo, numeroso, innumerable.

허덕거리다 ① [숨이 차도록 애쓰다] jadear, respirar con dificultad, sofocarse, ahogarse. ② [쩔쩔매다] sufrir. 자금난에 ~ sufrir de la escasez de fondos.

허덕이다 suspirar. 괴로움 때문에 ~ suspirar de pena.

허덕지덕 jadeando penosamente, con palpitación. ~하다 jadear penosamente.

허두(虛頭) [글이나 말의 첫머리] palabras fpl iniciales. ~를 꺼내다 abrir las palabras, comenzar a hablar.

허둥거리다 ponerse [mostrarse] turbado [confuso · asustado], agitarse, ponerse nervioso, perturbarse, azararse, trastornarse, turbarse.

허둥지둥 a todo correr, a toda prisa, apresuradamente, muy de prisa, rápidamente, precipitadamente, a las carreras, más que paso. ~하다 esforzarse [pugnarse] en vano, patear contra hincadura [picadura], turbarse, desconcertarse, apresurarse, azorarse, aturdirse, ponerse nervioso, aturullarse. ~ 도망치다 poner pies en polvorosa, tomar las de Villadiego.

허드레 cosas fpl sueltas, retales mpl, retazos mpl, chucherías fpl, cachivaches mpl, trastos mpl viejos, basura f. ~꾼 hombre m [mujer f] que hace pequeños trabajos o arreglos.

허드렛물 el agua f para varios usos.

허드렛일 galopín m, pinche m, oficio m subordinado, pequeños trabajos mpl.

허들 ① [장애물 경주에서 쓰는 장애물] obstáculo m, valla f. ② [(준말)]=허들 레이스. ¶~ 경주[레이스] carrera f de obstáculos [de vallas]. ~ 경주자 corredor, -dora mf de vallas.

허락(許諾) [허가] permiso m, licencia f, autorización f; [동의] consentimiento m, asentimiento m; [승인] aprobación f. ~하다 permitir, dar el permiso, autorizar, consentir, admitir, aprobar. ~없이 sin permiso.

허랑방탕하다(虛浪放蕩-) (ser) disoluto, libertino, relajado, disipado.

허례(虛禮) formalidades fpl, formalidad f superflua, formalidad f vana, formalismo m, cortesía f formal. ~적인 언사 palabras fpl vanas. ¶~ 허식 vanidad f.

허름하다 (estar) gastado, muy usado, sórdico; [싸다] (ser) barato. 허름한 옷 ropa f gastada, ropa f muy usada.

허리 ① ((해부)) cintura f, caderas fpl, talle m. ② [옷의 허리] talle m. 높은 ~ talle m alto. 낮은 ~ talle m bajo. ③ [위아래가 있는 물건의 한가운데 부분] ladera f, collado m, ensillada f. 산~ ladera f de la montaña. ¶~끈 [스커트・바지 등에 꿰매단] pretina f, cinturilla f. ~둘레 cintura f, talle m. ~띠 cinturón m, correa f, ReD [남자용] correa f; [여자용] cinturón m; [스커트・바지 등에 꿰매단] pretina f, cinturilla f. ~띠쇠 hebilla f. ~ 부분 región f lumbar. ~춤 (en) el interior de la cintura de sus pantalones.

허리케인 (기상)) huracán m.

허망하다(虛妄-) (ser) vano, inútil, falso, informal, infundado, mentiroso.

허명(虛名) reputación f falsa, nombre m vacío, nombre m falso, vanagloria f, notoriedad f (vana). ~ 무실 vanidad f, falsedad f.

허무(虛無) nada f, nihilidad f, vacío m. ~하다 (ser) vano, vacío, nihilista, inexistente, nulo. ~감 sentido m de inutilidad, sentimiento m nihilista. ~ 사상 ideología f nihilista. ~주의 nihilismo m. ~주의자 nihilista mf.

허무맹랑하다(虛無孟浪-) (ser) extremadamente falso, no ser muy cierto.

허물① [살갗의] piel f; [얼굴의] cutis f. ② [동물・새・뱀고기의] piel f; [거북・달팽이의] caparazón m(f), carapacho m.

허물² ① [그릇된 실수・과실] culpa f, error m; [결점] defecto m, tacha f, falta f. ~ 있는 defectuoso. ~ 없는 impecable, intacable, perfecto, sin tacha. ~이 없는 사람 persona f sin tacha. ② =흠❷.

허물다¹ [헌데가 생기다] salir el absceso.

허물다² [허물어 뜨리다] destruir, demoler, deshacer, arruinar, echar abajo, tirar abajo, derribar. 건물을 ~ echar abajo el edificio.

허물어뜨리다 destruir, echar abajo, derribar.

허물어지다 destruirse; [흙이] desmenuzarse; [벽이] desmoronarse, derribarse; [동맹・민주주의・결정이] desmoronarse, derrumbarse.

허물없다 (ser) demasiado familiar [libre]; [남성이 여성에게] atrevido. 허물없는 친구 amigo, -ga mf de tertulia.

허물없이 con excesiva [demasiada] confianza [familiaridad], sin ceremonia, sin reserva, sin cuidado, tranquilamente, con franqueza, de corazón, lista y llanamente. ~ 지내다 franquearse, explayarse, expansionarse.

허벅다리 muslo m.

허벅살 carne f del muslo.

허벅지 interior m rolliza del muslo.

허벅허벅하다 (ser) muy suave, muy fofo, muy flojo, muy blando.

허보(虛報) informe m falso, noticia f falsa, mentira f.

허브 hierba f, Per, RPI yuyo m.

허비(虛費) gasto m, gastos mpl inútiles. ~하다 gastar; [소비하다] consumir; [낭비하다] malgastar, derrochar.

허비다 arañar, atacar.

허비적거리다 seguir arañando, arañar. 귀를 ~ hurgarse las orejas, meterse el dedo en las orejas.

허사(虛事) esfuerzo m vano, intento m vano [inútil], fracaso m.

허사(虛辭) ① ((언어)) palabra f expletiva. ② =허언(虛言).

허상(虛像) ① ((물리)) imagen *m* virtual. ② [헛된 거짓상] ilusión *f*, visión *f*, espejismo *m*.

허섭스레기 cosas *fpl* sueltas, zarandajas *fpl*, basura *f*, residuos *mpl*, desperdicio *m*, derroche *m*.

허세(虛勢) ánimo *m* [brío *m*] ficticio [fingido], poder *m* ficticio, influencia *f* falsa, fanfarrón *m*, fanfarronada *f*, baladronada *f*, fachenda *f*. ~를 부리다 fingirse animoso, fingirse brioso, fanfarronear, darse de valiente, baladronear, ostentar gran poder, alardear, fanfarrear.

허송(虛送) gasto *m* del tiempo. ~ 세월 acción *f* de matar el tiempo.

허수(虛數) ((수학)) número *m* imaginario.

허수아비 ① [물건] espantapájaros *m,pl*, ahuyentador *m*, fantasma *m*, espantajo *m*. ② [사람] persona *f* inútil; bobo, -ba *mf*. ③ [주관 없이 행동하는 사람] títere *m*, marioneta *f*. ¶~ 사장 presidente, -ta *mf* nominal.

허술하다 ① [헐어서 짜임새가 없어 보이다] (ser) humilde. 허술한 집 casa *f* humilde. ② [낡아서 너절하거나 허름하다] (ser) pobre, gastado. 허술한 의복 vestido *m* pobre, ropa *f* gastada y vieja. ③ [(매개나 꾸민 것이) 느슨하다] (quedar) flojo, suelto, holgado, amplio. ④ [어떤 일이 엉성하여 빈틈이 있다] ser insuficiente, faltar.

허스키 [쉰 목소리] voz *f* ronca; [사람] persona *f* con voz ronca.

허식(虛飾) adorno *m*, superfluo *m*, vanidad *f*, ostentación *f*.

허실(虛實) verdad y falsedad.

허심 탄회(虛心坦懷) sinceridad *f* absoluta, llaneza *f*, simplicidad *f*. ~하게 francamente, abiertamente.

허약하다(虛弱-) (ser) débil, feble, enclenque, enfermizo, delicado, endeble. 허약한 사람 persona *f* débil, alfeñique *m*. 허약한 체질 complexión *f* débil, constitución *f* débil.

허언(虛言) mentira *f*, falsedad *f*, embuste *m*. ~하다, ~을 토하다 mentir, decir mentiras.

허여멀겋다 ser fino y hermoso, tener un cutis hermoso.

허여멀쑥하다 (ser) fino y hermoso.

허영(虛榮) vanidad *f*, vanagloria *f*, ostentación *f*, fama *f* vacía. ~심 vanidad *f*, vanagloria *f*.

허영상(虛影像) ((물리)) =허상(虛像).

허옇다 (ser) blanquísimo, muy blanco, blanco como la nieve, níveo.

허욕(虛慾) ambición *f* vana, avaricia *f*, codicia *f*.

허용(許容) permiso *m*, permisión *f*, licencia *f*, sanción *f*; [용서] perdón *m*, tolerancia *f*, indulgencia *f*. ~하

다 permitir, sancionar, dispensar, perdonar, tolerar, aguantar. ~ 량 margen *m* de tolerancia. ~ 범위 límite *m* permitido. ~ 오차 error *m* admisible. ~ 한도 límite *m* de tolerancia.

허우대 cuerpo *m* con apariencia.

허우적거리다 forcejear, forcejear.

허울 apariencia *f*, aspecto *m*, aire *m*.

허위(虛僞) ① =거짓(mentira). ② [그릇된 지식] conocimiento *m* [pensamiento *m*] equivocado, invocación *f*, error *m*. ~ 증언 falso testimonio *m*. ~ 진술 declaración *f* falsa.

허장성세(虛張聲勢) jactancia *f*, fanfarronería *f*, fanfarronada *f*, baladronada *f*, fachenda *f*. ~하다 vanagloriarse, jactarse.

허적거리다 seguir rebuscando, seguir revolviendo.

허적이다 saquear, rebuscar, hurgar, escudriñar, buscar desordenadamente; [방이나 사람을] revolver; [집안을] registrar de arriba a abajo.

허전하다 sentirse solitario, echar de menos, *AmL* extrañar.

허점(虛點) punto *m* flaco, punto *m* débil, debilidad *f*.

허탈(虛脫) atrofia *f*, postración *f*, colapso *m*, marasmo *m*. ~하다 atrofiarse, postrarse. ~ 상태 colapso *m*, marasmo *m*, estado *m* de letargo [de postración].

허탕 esfuerzo *m* vano. ~(을) 짚다 hacer esfuerzos vanos por equivocación. ~(을) 치다 hacer esfuerzos vanos.

허튼 =헤픈. ¶~계집 mujer *f* lasciva, ramera *f*, puta *f*. ~맹세 promesa *f* inútil, promesa *f* vana. ~소리 palabra *f* infundada [vana], tonterías *fpl*, estupideces *fpl*. ~수 작 comentario *m* inútil, palabra *f* vana.

허파 ((해부)) pulmón *m*.

허풍(虛-) jactancia *f*, expresión *f* de ostentación, arrogancia *f*, vanagloria *f*, bravata *f*, exageración *f*, fanfarronada *f*, palabrería *f*. ~(을) 떨다 jactarse, vanagloriarse, alabarse, prorrumpir en alabanzas propias, fanfarronear, exagerar. ~(을) 치다 exagerar, ponderar, hiperbolizar.

허풍선(虛風扇) ① [손풍무의 하나] fuelle *m*. ② =허풍선이.

허풍선이(虛風扇-) fanfarrón, -rrona *mf*; bocón, -cona *mf*; jactancioso, -sa *mf*; vana- glorioso, -sa *mf*.

허하다(許-) ① [허가하다] permitir. ② [허락하다] aceptar.

허하다(虛-) ① [옹골차지 못하다] (ser) robusto, macizo, sólido, firme. ② [속이 비다] (estar) vacío, vacante. ③ [담력이 없다] faltar*le* valor, faltar*le* coraje. ④ ((한방)) [원기가 부실하다] (ser) débil, delicado.

허허¹ [기뻐서 웃는 소리] ¡Ja, ja!

허허² ① [탄식하여 내는 소리] ¡Anda! / ¡Vaya! / ¡Ah! ② [일이 틀어져 버릴 때 나는 소리] ¡Mi Dios!

허허거리다 seguir riendo fuerte.

허허바다 mar *m* infinito y vasto.

허허벌판 pradera *f*, llanura *f*.

허허실실(虛虛實實) ¶ ~의 전술 duelo *m* de tirante.

허혼(許婚) consentimiento *m* del matrimonio. ~하다 consentir en [acceder a] *su* matrimonio, dar *su* consentimiento para que se casen.

허황하다(虛荒–) (ser) falso, increíble, informal.

헌 viejo, gastado, usado, de segundo mano.

헌것 cosa *f* vieja.

헌계집 mujer *f* ya casada, mujer *f* que no es virgen.

헌금(獻金) ① [돈을 바침. 또, 그 돈] contribución *f*, subscripción *f*. ~하다 contribuir, subscribir. ② ((기독교)) ofrenda *f*, donación *f*. ~하다 ofrendar, hacer una ofrenda. ¶~기도 oración *f* de ofrenda, oración *f* de donación. ~대(袋) bolsa *f* de ofrenda. ~자 donador, -dora *mf*, contribuidor, -dora *mf*. ~함 hucha *f*, cepo *m*, cepillo *m*.

헌납(獻納) ofrenda *f*, dedicación *f*, consagración *f*, presentación *f*, contribución *f*. ~하다 ofrendar, dedicar, consagrar, hacer una ofrenda, contribuir. ¶~금 contribución *f*, donación *f*. ~식 ceremonia *f* de presentación. ~자 contribuidor, -dora *mf*, donador, -dora *mf*, donante *mf*. ~품 ofrecimiento *m*, dádiva *f*, regalo *m*, obsequio *m*, estrenas *fpl*.

헌당(獻堂) ((기독교)) dedicación *f* [consagración *f*] de una iglesia. ~하다 dedicar una iglesia. ~식 ceremonia *f* de consagración de una iglesia.

헌데 furúnculo *m*, divieso *m*, absceso *m*, tumor *m*.

헌등(軒燈) lámpara *f* del alero.

헌등 linterna *f* votiva.

헌배(獻杯) ofrecimiento *m* de una copa de vino a otro. ~하다 ofrecer una copa de vino a otro.

헌법(憲法) ① [근본이 되는 법규] ley *f* básica. ② [한 국가의 최고의 법] constitución *f* (del Estado). 대한민국 ~ la Constitución de la República de Corea. ~개정 modificación *f* [reforma *f*] de la constitución. ~ 개정안 proyecto

m de modificación de la constitución. ~ 공포 promulgación *f* de constitución. ~ 소원 demanda *f* de la constitución. ~ 재판소 la Corte Constitucional. ~ 학자(學者) constitucionalista *mf*.

헌병(憲兵) policía *f* militar. ~대 gendarmería *f*, policía *f* militar. ~사령관 jefe *m* de la policía militar. ~ 사령부 cuartel *m* general de la policía militar.

헌사(獻詞/獻辭) dedicatoria *f*. ~를 쓰다 dedicar.

헌상(獻上) dedicación *f*, presentación *f*, ofrecimiento *m*. ~하다 dedicar, presentar, ofrecer (respetuosamente), obsequiar (*algo* con respeto a *uno*). ~품 ofrenda *f*, donativo *m*, cosa *f* obsequiada con respeto.

헌시(獻詩) poema *m* dedicatorio. ~하다 dedicar un poema.

헌신(獻身) abnegación *f*, devoción *f*, altruismo *m*, olvido *m* de *sí* mismo, sacrificio *m* de *sí* mismo. ~하다 abnegarse, dedicarse, sacrificarse, rendir servicio. ~적 abnegado, desinteresado, altruista.

헌신짝 zapato *m* gastado [viejo]. ~ 버리듯 하다 tirar a la basura después de haber usado importantemente. ~같다 no tener ningún valor, no valer nada. ~같이 sin (ningún) valor.

헌 옷 vestidos *mpl* usados, ropa *f* vieja [de segunda mano]. ~ 가게 ropavejería *f*, prendería *f*, tienda *f* de ropa usada. ~ 가게 주인 ropavejero, -ra *mf*, prendero, -ra *mf*. ~ 장수 ropavejero, -ra *mf*.

헌장(憲章) ① [헌법의 전장(典章)] regla *f* de la constitución. ② [국가 등이 이상으로 정한 원칙] carta *f*.

헌정(憲政) gobierno *m* constitucional, constitucionalismo *m*.

헌정(獻呈) presentación *f*, dedicación *f*. ~하다 presentar, dedicar, ofrecer, regalar, obsequiar. 저서를 ~하다 dedicar *su* libro.

헌짚신 sandalias *fpl* de paja muy gastados. 헌짚신도 (제) 짝이 있다 ((속담)) Cada oveja con su pareja / Dios los cría y ellos se juntan / Tal para cual, María para Juan.

헌책(獻策) consejo *m*, sugerencia *f*, dictamen *m*, recomendación *f*, advertimiento *m*. ~하다 aconsejar, sugerir, proponer, advertir, recomendar.

헌 책(–冊) libro *m* usado [de segunda mano]. ~방 librería *f* de segunda mano. ~장수 librero, -ra *mf* de segunda mano.

헌혈(獻血) donación *f* de sangre. ~하다 donar sangre, dar sangre. ~

운동 campaña f en favor de la donación de sangre. ~자 donante mf de sangre.

헌화(獻花) ofrenda f de las flores. ~하다 ofrendar las flores.

혈값(歇-) precio m baratísimo [barato]. ~의 barato, barato, moderado, de pacotilla. ~으로 a bajo precio, a precio moderado, por una nonada; [거의 공짜로] casi gratuitamente, casi por nada, casi de rositas.

헐겁다 (estar) flojo, suelto, aflojarse, soltarse. 헐거운 suelto, flojo, holgado, amplio. 헐겁게 flojamente, sueltamente, sin apretar. 헐거운 바지 pantalones mpl anchos (de cintura).

헐¹ ① [부스럼이나 상처가 나서 살이 짓무르다] tener tumor. 입안에 ~ tener tumor en la boca. ② [물건 따위가 오래 되거나 많이 써서 낡아지다] (estar) gastado, muy usado, viejo, gastarse.

헐다² [집이나 쌓은 것을 무너뜨리다] destruir, romper, derribar, demoler, echar abajo. 울타리를 ~ derriar [echar abajo] la cerca. 건물을 ~ echar abajo el edificio. ② [남의 단점을 험담하다] calumniar, censurar, difamar, hablar mal, maldecir.

헐떡거리다 seguir jadeando.

헐떡이다 ① [연하여 숨을 가쁘게 쉬다] jadear, respirar con dificultad, resoplar, dar resoplidos, resollar, sofocarse, ahogarse; [임종에] boquear. 헐떡이면서 말하다 decir jadeando. ② [신이] aflojarse, estar flojo.

헐뜯다 calumniar, infamar, criticar (duramente), poner como un trapo, censurar, despreciar, abusar, denigrar, hablar mal, vilipendiar; [나쁘게 평하다] desacreditar.

헐렁거리다 ① [헐거워 이리저리 자꾸 흔들리다] quedar flojo. ② [신중함이 없이 들떠서 허랑한 짓을 자꾸 하다] portarse [comportarse] precipitadamente [sin reflexionar], ser frívolo.

헐렁이 persona f frívola, persona f imprudente.

헐렁하다 (ser) amplio, grande, muy holgado. 헐렁한 옷 vestido m muy amplio, ropa f muy floja.

헐렁헐렁하다 ① [매우 헐거운 듯한 느낌이 들다] quedar flojo, (ser) ancho, suelto, demasiado amplio [grande · holgado]. 옷이 ~ quedar flojo. ② [하는 짓이 들뜨고 실답지 아니하다] (ser) muy inestable.

헐레벌떡 jadeando.

헐레벌떡거리다 jadear.

헐리다 destruirse, echarse abajo,

---

derribarse, ser demolido [derribado · destruido].

헐벗다 ① [누더기를 걸치다] (estar) cubierto de harapos [andrajos], harapiento, andrajoso, lleno de andrajos. 헐벗은 사람 persona f cubierta de harapos, persona f andrajosa. ② [산이] (ser) pelado. 헐벗은 산 monte m pelado, montaña f pelada.

헐하다(歇-) ① [값이 시세보다 싸다] (ser) barato. 헐하게 사다 comprar barato, comprar a bajo precio. ② [일이 생각하는 것보다는 힘이 덜 들다] (ser) fácil, ligero, simple. ③ [엄하지 않고 만만하다] (ser) ligero, poco severo.

험구(險口) calumnia f, infamia f, difamación f, acusación f falsa, denigración f. ~하다 calumniar, infamar, difamar, denigrar, hablar mal. ~가 calumniador, -dora mf; difamador, -dora mf; difamante mf.

험난하다(險難-) ① [위험하고 어렵다] (ser) peligroso y difícil, estar lleno de peligro, estar lleno de dificultad. ② [험하여 고생스럽다] estar erizado de dificultades.

험담(險談) calumnia f, difamación f. ~하다 calumniar, difamar, hablar mal. ~가 calumniador, -dora mf; difamador, -dora mf; difamante mf.

험로(險路) camino m escarpado [áspero · desigual · escabroso · de cabras · lleno de baches]; [곤란한 길] camino m duro [penoso · difícil].

험산(險山) montaña f escarpada, montaña f espinada.

험상(險狀) lo escarpado, lo escabroso, brusquedad f, rudeza f, aspereza f, violencia f. ~궂다 (ser) siniestro, de facciones duras. ~스럽다 (ser) áspero, tosco, escabroso, escarpado, siniestro, nefasto. ~스레 ásperamente, toscamente, escarpadamente, siniestramente, nefastamente.

험악하다(險惡-) ① ⑦ [길 · 땅이] (ser) escarpado, desigual, lleno de baches. ㉯ [지세가] accidentado, escabroso, agreste. ㉱ [바다가] agitado, picado, encrespado. ㉺ [날씨가] tempestuoso, tormentoso. 험악한 날씨 tiempo m tempestuoso. ㉲ [형세가] grave, serio, agitado, violento. ② [성질 · 인심이 흉악하다] (ser) brusco, peligroso, amenazante, amenazador, alarmante.

험준하다(險峻-) (ser) precipitoso, pendiente, escarpado. 험준한 산 montaña f escarpada.

험하다(險-) ① ⑦ [험악하다] (ser)

precipitado, escarpado, escabroso, abrupto. 험한 산 montaña *f* escarpada [escabrosa · precipitada · abrupta]. 높고 험한 산 montaña *f* alta y escarpada. ㉯ [경사가 급하다] (ser) empinado. 험한 언덕 cuesta *f* empinada, fuerte pendiente *f.* ② [나타난 모양이 보기 싫게 험상스럽다] (ser) siniestro, macabro, severo, grave, serio, crítico. 험한 얼굴 cara *f* siniestra. ③ [움직이는 형태가 위태롭다] (ser) peligroso, arriesgado. ④ [말이나 행동 따위가 막되다] (ser) maleducado, sin educación, descortés, grosero. ⑤ [먹는 것이나 입는 것이] (estar) gastado, muy usado. 험한 옷 ropa *f* muy usada. 험한 음식 comida *f* sencilla. ⑥ [매우 거칠고 힘에 겹다] (ser) duro, difícil. ⑦ [날씨가] (ser) malo, tempestuoso, tormentoso.

헙수룩하다 ① [머리털이나 수염이] (ser) peludo, enmarañado, greñudo, despeinado, alborotado. ② [옷차림이] (estar) gastado, usado.

헛간(一間) almacén *m*, depósito *m*; [곡물의] granero *m*, troj *m*; [밭농사 따위의] hórreo *m*, panera *f*; [건초의] henil *m*; [가축용] establo *m*. ~에 넣다 entrojar.

헛갈리다 no poder discernir [distinguir].

헛걸음 viaje *m* en vano, viaje *m* inútil. ~하다 hacer un viaje en vano, hacer un viaje inútil, viajar inútil [en vano].

헛것 =헛일❶.

헛고생(一苦生) penalidad *f* vana, vida *f* difícil inútil.

헛구역(一嘔逆) arcada *f.* ~을 하다 hacer arcadas, dar arcadas.

헛글 letra *f* inútil.

헛기침 carraspeo *m*, tos *f* seca. ~하다 carraspear; [인기척을 내기 위해 일부러] fingir tos.

헛김 escape *m*, fuga *f.* ~(이) 나다 ㉮ [기운이 딴 곳으로 잘못 새어 나오다] escaparse, salirse. ㉯ [맥빠지다] desanimarse.

헛노릇 esfuerzo *m* vano [inútil · infructuoso]. ~하다 trabajar en vano, hacer un trabajo inútil.

헛다리 pies *mpl* de pisar mal.

헛다리짚다 fracasar, fallar, salir mal, quedar en la nada, echar a perder; [비유적] calcular mal, errar.

헛돌다 [바퀴가] patinar, derrapar.

헛되다 ① [아무 보람이 없다] (ser) vano, inútil. 헛된 노력 esfuerzo *m* vano [inútil]. ② [허황하여 믿기 어렵다] (ser) falso, increíble, infundado, poco fidedigno. 허황한 이야기 cuento *m* infundado.

헛되이 en vano, vanamente, inútilmente, en balde, infructuosamente, increíblemente, infundadamente. ~되다 hacerse nulo, reducirse a nada.

헛된말 palabras *fpl* vacías, palabras *fpl* increíbles.

헛듣다 oír [entender] mal, comprender mal.

헛들리다 oírse mal.

헛디디다 dar un paso (en) falso, dar un paso errado.

헛맹세 promesa *f* falsa [vacía]. ~하다 prometer falsamente.

헛물켜다 hacer vanos esfuerzos, trabajar en vano.

헛발 ① [잘못 디디거나 내찬 발] pies *mpl* con falso paso. ② =위족(僞足).

헛발질 patada *f* perdida.

헛방(一放) ① [쏘아서 못 맞힌 총질] tiro *m* [disparo *m*] de no dar en el blanco. ② [실탄이 없는 총탄] bala *f* sin cartucho cargado. ③ [보람없는 말. 미덥지 않은 말] palabra *f* falsa, palabra *f* increíble.

헛방귀 pedo *m* suave. ~를 뀌다 tirarse [echarse] un pedo suave.

헛배 estómago *m* lleno de gas sin comer. ~(가) 부르다 tener gas en el estómago.

헛보다 tomar, equivocar, confundir.

헛보이다 tomarse, equivocarse, confundirse.

헛소리 ① [앓는 사람이 정신을 잃고 중얼거리는 소리] jerigonza *f*, habladuría *f* incoherente, delirio *m*, desvario *m*. ~하다 hablar en delito, delirar, desvariar. ② [미덥지 않은 말] galimatías *m*, tonterías *fpl*, estupideces *fpl*, disparates *mpl*, palabra *f* tonta. ~하다 decir tonterías [estupideces · disparates].

헛소문(一所聞) rumor *m* falso, rumor *m* infundado.

헛손질 manoseo *m* en el aire. ~하다 manosear en el aire.

헛수(一手) movimiento *m* inútil. ~를 두다 hacer el movimiento inútil.

헛수고 trabajo *m* vano, esfuerzo *m* vano. ~하다 echar agua en el mar, llevar agua al río, coger agua en un cesto, hacer esfuerzos vanos. ~가 되다 no dar resultado.

헛심 fuerza *f* vana, fuerza *f* gastada.

헛애 esfuerzo *m* vano.

헛웃음 sonrisa *f* fingida, sonrisa *f* forzada, sonrisa *f* tonta. ~을 웃다 sonreír(se) como un tonto [una tonta].

헛일 ① [쓸모없는 일] cosa *f* inútil, trabajo *m* infructuoso. ② [헛노릇] esfuerzo *m* vano. ~하다 sembrar en la arena, hacer esfuezos vanos.

헛잠 ① [거짓으로 자는 체하는 일]

sueño *m* fingido. ~을 자다 fingir soñar. ② [잔 등 만 등한 잠] sueño *m* ligero. ~을 자다 dormir ligeramente.
헛총(-銃) cartucho *m* sin bala, cañonazo *m* descargado, disparo *m* al aire. ☞공포(空砲)
헛총질(-銃-) disparo *m* sin bala. ~하다 disparar sin bala, hacer disparo al aire.
헛헛증(-症) =공복감(空腹感).
헛헛하다 morirse de hambre, tener ganas de comer a causa de hambre.
헝가리 ((지명)) Hungría. ~의 (사람) húngro, -ra *mf.* ~어 húngro *m.*
헝겊 pedacito *m* de paño, trapo *m.*
헝클다 enredar, enmarañar, desgreñar, desmelenar.
헝클어지다 ① [실 따위가] enredarse, embrollarse, trabarse, enmarañarse. 헝클어진 enredado, enmarañado, embrollado. ② [일 · 사건 따위가] confundirse, complicarse.
헤 con la boca bien abierta. ~ 웃다 reír con la boca bien abierta.
헤게모니 hegemonía *f,* heguemonía *f.*
헤드 ① [머리] cabeza *f.* ② [우두머리] jefe, -fa *mf.* ③ [전류를 자기(磁氣)로, 자기를 전류로 바꾸어 녹음 · 기록 · 재생이 가능하게 하는 장치] cabeza *f.* ④ ((컴퓨터)) cabeza *f,* cabezal *m.* ¶~ 기어 ㉮ [머리 장식물. 쓸것] tocado *m;* [모자] sombrero *m,* gorra *f.* ㉯ [머리 덮개] casco *m.* ~라이트 faro *m,* linterna *f* delantera; [기관차의] farol *m.* ~라인 [책의] título *m;* [신문의] titular *m,* título *m,* cabecera *f,* encabezado *m.* ~ 코치 [수석 코치] primer entrenador *m,* primera entrenadora *f.* ~폰 auriculares *mpl,* cascos *mpl, AmL* audífonos *mpl.*
헤딩 cabezazo *m,* cabeceo *m,* golpe *m* dado con la cabeza, cabezada *f,* toque *m* de cabeza. ~을 하다 dar un toque de cabeza. ¶~ 슛 ((축구)) tiro *m* de cabeza. ~ 패스 ((축구)) pase *m* de cabeza.
헤로인 [진정제의 하나] heroína *f.*
헤르츠 ((물리)) [진동수의 단위] hercio *m,* hertzio *m,* hertz *m.*
헤매다 ① [목적하는 것을 찾아 이리저리 돌아다니다] ir en busca de, perseguir, buscar, correr tras, correr en busca de, pescar, andar a la caza. 고서(古書)를 찾아 ~ andar [ir] en busca de libros de segunda mano. ② [어디를 이리지러 방황하다] deambular, errar, andar vagando, vagar, vaguear, caminar sin rumbo fijo, callejear, corretear, rondar. 숲을 ~ vagar por el bosque. ③ [마음이 안정되지 않아 갈피를 잡지 못하다] no saber qué + *inf,* quedar perplejo. 어찌할 줄 몰라 ~ no saber qué hacer.
헤모글로빈 hemoglobina *f.*
헤벌쭉 abierto de par en par. ~하다 estar abierto de par en par.
헤벌쭉이 abiertamente de par en par, de oreja a oreja.
헤브라이 ((역사)) los hebreos. ~의 hebreo. ~ 문학 literatura *f* hebrea. ~ 사람 hebreo, -a *mf.* ~ 사상 hebraísmo *m.* ~어 hebreo *m.*
헤브루 =헤브라이.
헤비급(-級) ((권투 · 레슬링)) categoría *f* de los pesos pesados. ~의 [권투 선수 · 레슬러] de la categoría de los pesos pesados; [타이틀] de los pesos pesados. ~ 선수 peso *mf* pesado. ~ 타이틀 título *m* de los pesos pesados.
헤살 obstáculo *m.* ~(을) 놓다[부리다] obstruir, dificultar. ¶~꾼 obstructor, -tora *mf,* obstruccionista *mf.* ~질 obstrucción *f.*
헤아리다 ① [수량을 세다] contar. ② [미루어 생각하다] sondear, rastrear, penetrar, profundizar, examinar a fondo; [추찰하다] suponer, imaginar; [이해하다] comprender, entender, compartir.
헤어 [사람의 머리털] pelo *m,* cabello *m;* [사람의 몸에 난 털] vello *m;* [동물 · 식물의 털] pelo *m.* ~네트 redecilla *f* (para el cabello), albanega *f.* ~ 드라이어 secador *m, Méj* secadora *f* (de pelo). ~ 브러시 cepillo *m* (del pelo). ~ 스타일 peinado *m,* corte *m* de pelo. ~핀 [머리핀] horquilla *f, AmS* gancho *m,* pasador *m.*
헤어나다 atravesar [vencer · sobrepujar] obstáculos.
헤어지다 ① [흩어지다] dispersarse, esparcirse. ② [이별하다] despedirse, separarse, ser separado, decir adiós; [연인과] romper (las relaciones); [이혼하다] divorciarse. 친구와 ~ despedirse de *su* amigo. ③ [(살갗이) 갈라지다] agrietarse, partirse, *RPI* pasparse. 헤어진 입술 labios *mpl* agrietados [partidos · *RPI* paspados].
헤엄 natación *f.* ~하다 nadar; [물에 들어가다] bañarse. ~을 배우다 aprender a nadar. ~을 가르치다 enseñar a nadar.
헤적거리다[1] [활개를 벌려 가볍게 저으며 걷다] andar balanceando ligeramente *sus* brazos.
헤적거리다[2] [연해 헤적이다] seguir rebuscando.
헤적이다 escudriñar, buscar desordenadamente, saquear, rebuscar.
헤적질 rebusca *f.* ~하다 rebuscar.

해죽거리다 andar con brío balanceando sus brazos.

헤지라 [회교 기원] héjira f.

헤집다 cavar, excavar.

헤치다 ① [속에 든 물건을] cavar, excavar. ② [흩어져 가게 하다] esparcir, disipar, dispersar. ③ [옷자락을 벌리다] abrir la falda. ④ [앞에 걸리는 물건을] abrirse. ⑤ [가난·고난 따위를 이겨 나가다] abrirse paso, abrirse a codos. 인파를 헤치고 가다 ir abriéndose paso [a codos] entre la multitud.

헤프다 ① [물건이 쉽게 닳거나 없어지다] (ser) despilfarrador, derrochador, poco económico. ② [몸가짐·물건을 쓰는 버릇이] no ser durable, disoluto; [함부로 쓰다] malgastar, gastar mal, desperdiciar. ③ [말을 조심하지 않고 함부로 지껄이다] (ser) verboso, farragoso, locuaz, conversador, hablador, parlanchín, hablantín.

헤피 ① de manera poco económica, desperdiciadamente, pródigamente, extravagantemente, profusamente. 돈을 ~ 쓰다 derrochar el dinero, gastar dinero profusamente [liberalmente·despilfarro]. ④ disolutamente. ~ 생활하다 vivir disolutamente. ~ con locuacidad.

헤하다 sonreír abiertamente.

헥타르 hectárea f.

헥토- hecto-. ~그램 hectogramo m. ~리터 hectolitro m. ~미터 hectómetro m. ~왓트 hectovatio m. ~파스칼 hectopascal m.

헬기(-機) =헬리콥터(helicopter).

헬리콥터 helicóptero m.

헬리포트 helipuerto m.

헬멧 ① [헤드기어] casco m. ② [옛날의 투구] yelmo m.

헬스 클럽 gimnasio m.

헴 ¡Ejem!

헷갈리다 ① [정신을 차리지 못하다] confundirse, estar confundido. ② [갈피를 못 잡다] no tener ni pies ni cabeza. ③ [여러 갈래로 뒤섞이다] mezlarse en varias partes.

헹가래 acción f de llevar en [al hombros. ~(를) 치다 llevar [sacar] en [a] hombros, lanzar al aire en señal de triunfo.

헹구다 enjuagar, deslavar, lavar otra vez con agua limpia, aclarar. 헹구는 물 enjuagatorio m, el agua f de aclaración, el agua f de enjuague. 세탁물을 ~ aclarar la ropa, enjuagar la ropa. 입을 ~ [자신의] enjuagarse (la boca).

혀 ① ((해부)) lengua f. ~의 lingual. ~를 내밀다 sacar la lengua (경멸할 때도 사용함). ~를 깨물다 morderse la lengua. ② ((음악)) lengüeta f.

혀짤배기 persona f tímida, persona f cohibida.

혁대(革帶) cinturón m; ReD correa f. 가죽 ~ cinturón m de cuero. ~ 장식 hebilla f.

혁명(革命) revolución f. ~의 revolucionario. ~을 일으키다 llevar a cabo una revolución, provocar una revolución, revolucionar, inducir una revolución. ¶~가(家) revolucionario, -ria mf. ~가(歌) canción f revolucionaria. ~군 ejército m revolucionario. ~아 hombre m de temperamento revolucionario. ~ 운동 movimiento m revolucionario. ~ 재판소 Tribunal m Revolucionario, Corte f Revolucionaria. ~ 정권[정부] gobierno m revolucionario.

혁신(革新) innovación f, reforma f, renovación f, reforma f. ~하다 innovar, renovar, reformar. 사상의 ~ renovación f del pensamiento. 정계의 ~ reforma f política. ¶~당 partido m reformista [progresista]. ~당원 reformista mf; progresista mf. ~ 세력 fuerza f reformista, fuerza f progresista. ~ 운동 movimiento m de renovación. ~적 reformador, renovador. ~ 정당 partido m reformista.

혁혁하다(赫赫-) (ser) brillante, glorioso, distinguido. 혁혁한 무훈 servicios mpl distinguidos.

현(弦) ① =활시위. ② [음력 칠월 칠팔일 계와 이십이삼십일계 사이의 반달] media luna f entre el siete o el ocho y el veintidós o el veintitrés del calendario lunar. ③ ((수학)) =활줄. ④ ((수학)) [직각 삼각형의 빗변] hipotenusa f.

현(絃) ① [현악기의 켕겨 맨 줄] cuerda f. 바이올린에 ~을 놓다 poner cuerdas al violín, encordar el violín. ② ((준말)) =현악기.

현(現) ① [목전에 나타나 있음. 또, 그 일] lo inmediato. ② ((준말)) = 현세(現世).

현(絃) ~맥줄. ¶우(右)~ estribor m.

현격하다(懸隔-) (ser) diferente, notable, diferenciar. 현격한 차이 diferencia f considerable.

현관(玄關) vestíbulo m, portal m, zaguán m; [입구] entrada f; [문] puerta f; [기둥을 두른] atrio m, pórtico m. ~의 계단 escalón m delante de la puerta, escalera f de exterior. ~의 입구(문) puerta f de entrada.

현군(賢君) rey m sabio, buen rey m.

현금(現今) [지금] ahora, actualmente, en la actualidad; [이제] ya; [오늘날] hoy, hoy (en) día, nuestros días, en estos días.

현금(現金) ① [현재 가지고 있는 돈]

dinero *m* que se tiene ahora. ②
[현찰] dinero *m* (en) efectivo, dinero *m* contante. ~으로 en efectivo, al contado, de contado, en
metálico. ~으로 사다 comprar al
contado. ~으로 지불하다 pagar al
contado, pagar en dinero contante. ③ [통용하는 화폐] billete *m*
válido. ¶~가 precio *m* al contado. ~ 거래 transacción *f* al contado. ~ 등록기 registradora *f*, registrador *m* de caja. ~ 매입
compra *f* al contado. ~ 상환
amortización *f* al contado. ~ 시장
mercado *m* al contado. ~ 인출 카
드 tarjeta *f* del cajero automático.
~ 자동 인출 카드 tarjeta *f* del
cajero automático. ~ 자동 지급기
cajero *m* automático, dispensador
m de dinero en efectivo, máquina
f dispensadora de dinero. ~ 지불
pago *m* al contado. ~ 출납부(出
納部) departamento *m* de caja. ~
출납부(出納簿) libro *m* [diario *m*]
de caja, caja *f*. ~ 출납원 cajero,
-ra *mf*. ~ 카드 tarjeta *f* para
cajero automático. ~ 통화 moneda
f en efectivo. ~ 판매 venta *f* al
contado. ~ 할인 descuento *m* por
pago al contado. ~화 conversión *f*
en dinero efectivo. ~화하다 convertir en efectivo, convertir en
dinero, hacer efectivo. ~환율
tipo *m* de cambio al contado.
현기(眩氣) mareo *m*, vahído *m*,
vértigo *m*. ~증 vahido *m*, vahído
m, mareo *m*, vértigo *m*, vertiginosidad *f*. ~증이 나다 tener vahídos,
andarse la cabeza, desmayarse,
tener vértigo, dar*le* un vértigo [un
vahído].
현대(現代) edad *f* contemporánea,
nuestra época *f*, edad *f* presente,
nuestro tiempo *m*, tiempos *mpl*
modernos, nuestros días *mpl*,
tiempo *m* actual, días *mpl* de hoy,
hoy. ~의 moderno, contemporáneo, actual. ~ 과학 ciencia *f* moderna. ~ 문학 literatura *f* contemporánea. ~ 문학사 Historia *f*
de la Literatura Contemporánea.
~사 historia *f* contemporánea.
~사상 modernismo *m*, idea *f* moderna. ~ 서반아어 español *m*
moderno. ~어 lengua *f* viva, lengua *f* moderna. ~ 음악 música *f*
contemporánea. ~인 modernos
mpl; contemporáneo, -a *mf*. ~적
moderno. ~전 guerra *f* moderna.
~판 versión *f* moderna, edición *f*
moderna. ~화 modernización *f*. ~화
하다 modernizar.
현등(舷燈) piloto *m*, luz *f* de posición, *Col, Ven* cucuyo *m*.
현란하다(絢爛-) ① [눈이 부시도록

찬란하다] (ser) espléndido, brillante, magnífico, suntuoso. 현란함
esplendor *m*, brillantez *f*, brillo *m*,
magnificencia *f*, suntuosidad *f*. ②
[시나 글의 수식이 매우 아름답다]
(ser) vistoso, florido. 현란한 문체
estilo *m* florido, estilo *m* adornado con galas retóricas, estilo *m*
vistoso.
현명하다(賢明-) (ser) sagaz, sensato, discreto, inteligente, prudente,
juicioso, razonable. 현명한 방법
método *m* razonable, manera *f*
sensata [prudente]. 현명한 판단
juicio *m* sano.
현모(賢母) madre *f* sabia, madre *f*
virtuosa, madre *f* discreta. ~양처
la madre sabia (a *sus* niños) y la
buena esposa (a *su* esposo).
현몽(現夢) apariencia *f* en el sueño.
~하다 aparecer en el sueño.
현묘하다(玄妙-) (ser) misterioso,
lleno de misterio, milagroso, abstruso, maravilloso, sobrenatural.
현무암(玄武巖) ((광물)) basalto *m*.
현물(現物) cosa *f* real, artículo *m*
actual. ~의 al contado. ~로 지불
하다 pagar en especie. ¶~ 가격
precio *m* del momento, cambio *m*
al contado; ((주식)) cotización *f* al
contado. ~ 거래 operación *f* de
[al] contado, negocio *m* de valores
reales. ~ 교환 cambio *m* al
contado. ~세 impuesto *m* en especie. ~ 시장 mercado *m* al contado.
현미(玄米) arroz *m* integral, arroz *m*
sin descascarillar.
현미경(顯微鏡) microscopio *m*. ~ 검
사 examen *m* microscópico, mi-
croscopia *f*. ~ 사진 microfotogra-
fía *f*, fotomicrografía *f*.
현부(賢婦) ① [현명한 부인] mujer *f*
virtuosa. ② [어진 며느리] nuera *f*
virtuosa.
현부인(賢夫人) ① [어진 부인] mujer *f*
virtuosa. ② [남의 부인의 존칭]
su señora, su esposa.
현사(賢士) sabio *m* virtuoso.
현상(現狀) estado *m* actual, situación
f actual, situación *f* presente. ~에
만족하다 contenerse con la situación actual. ¶~ 유지 mantenimiento *m* del statu quo, mantenimiento *m* de la situación actual,
estado *m* actual, el statu quo. ~
유지를 하다 mantener en su
estado actual, mantener el statu
quo.
현상(現象) fenómeno *m*. ~의 fenomenal. 일시적 ~ fenómeno *m*
transitorio, fase *f* pasajera. ¶~론
fenomenalismo *m*, fenomenismo *m*,
fenomenología *f*. ~학 fenomenología *f*.

현상(現像) revelado *m*, revelación *f*. ~하다 revelar. 필름을 ~하다 revelar la película. ¶~소 laboratorio *m* de revelación. ~액 revelador *m*, solución *f* reveladora, solución *f* de revelar.

현상(懸賞) [현상 모집] concurso *m*; [학술상] certamen *m*; [상(賞)] premio *m*. ~하다 ofrecer un premio. ~이 붙은 con premio. ~에 당선되다 ganar [llevarse · obtener] el premio. ~에 응모하다 presentarse a un concurso. ¶~ 광고 convocatoria *f* de un concurso. ~금 premio *m* (en metálico). ~ 모집 convocación *f* de un concurso.

현세(現世) este mundo, esta vida, vida *f* terrenal, mundo *m* transitorio, mundo *m* actual. ~의 de este mundo, terrenal, mundano.

현세(現勢) situación *f* [influencia *f*] actual.

현손(玄孫) hijo *m* de *su* tataranieto, cuarto nieto *m*, nieto *m* de *su* nieto.

현수교(懸垂橋) puente *m* colgante, puente *m* de suspensión.

현수막(懸垂幕) pancarta *f* colgante.

현숙하다(賢淑-) (ser) buena y virtuosa.

현시(現時) ahora, actualidad *f*.

현시(顯示) revelación *f*. ~하다 revelar.

현시대(現時代) época *f* actual, edad *f* moderna.

현신(賢臣) vasallo *m* [súbdito *m*] sabio.

현신(現身) lo que la persona baja conoce al superior. ~하다 la persona baja conoce al superior.

현신불(現身佛) ((불교)) =석가(釋迦).

현실(現實) actualidad *f*, realidad *f*. ~의 actual, real. ~로 en realidad, realmente. ~의 사회 mundo *m* real. ~로 돌아가다 volver a la realidad. ¶~적 real, realista. ~주의 realismo *m*. ~주의자 realista *mf*. ~파 realistas *mpl*.

현악(絃樂) ((음악)) música *f* de cuerda. ¶~기 instrumento *m* (musical) de cuerda. ~ 사중주 cuarteto *m* de cuerdas. ~ 삼중주 trío *m* de cuerdas. ~ 오중주 quinteto *m* de cuerdas.

현안(懸案) cuestión *f* pendiente. ~의 pendiente, suspendido, suspenso. 다년간의 ~ cuestión *f* dejada pendiente por muchos años. 남북 간의 ~ cuestión *f* pendiente entre el Norte y el Sur.

현역(現役) servicio *m* activo. ~의 (en) activo, en servicio, a la lista activa (장교), a las banderas (병사). ~ 군인 soldado, -da *mf* en

activo. ~ 명부 lista *f* activa. ~ 선수 atleta *mf* en activo. ~ 장교 oficial *mf* a la lista activa.

현인(賢人) sabio *m*, docto *m*, hombre *m* discreto.

현임(現任) puesto *m* presente[actual].

현자(賢者) =현인(賢人).

현장(現場) ① [일이 생긴 그 자리] lugar *m*, sitio *m*. ~에서 en flagrante, in flagranti. 공사의 ~ local *m* [sitio *m*] de construcción, sloar. ② [사물이 현존한 곳] lugar *m* existente. ¶~ 감독 capataz *m*, maestro *m* de obras. ~ 검증 inspección *f* sobre el lugar del suceso. ~ 부재 증명 coartada *f*.

현재(現在) ① [이제] ahora, actualmente, en la actualidad, al presente; [목하] en este momento, en el momento actual [presente]; [실제] actualidad *f*, momento *m* actual, momento *m* presente. ~까지 hasta ahora, hasta el presente, hasta hoy, hasta la fecha. ~도 todavía, aun ahora. ~로는 por ahora, por el presente, por el momento (actual), hoy por hoy, de momento. ② [이 세상] este mundo. ③ ((언어)) presente *m*. 동사의 ~형 forma *f* del presente de un verbo. ¶~ 분사 gerundio *m*, ~ 시제 presente *m*. ~ 완료 pretérito *m* perfecto compuesto.

현재(賢才) habilidad *f* distinguida, talento *m* distinguido; [사람] persona *f* sabia, hombre *m* de talento, hombre *m* de habilidad.

현저하다(顯著-) (ser) notable, eminente, marcado, acentuado, destacado, visible, conspicuo, ilustre, considerable, célebre.

현정권(現政權) poder *m* (político) presente.

현정부(現政府) gobierno *m* presente [actual], administración *f* presente [actual].

현존(現存) existencia *f*. ~하다 existir, vivir, subsistir. ~의 existente, actual; [현행의] vigente.

현주(現住) ① [지금 머물러 삶] residencia *f* actual. ~하다 residir ahora. ② ((준말)) =현주소.

현주소(現住所) domicilio *m* (actual), dirección *f* (actual), señas *fpl*, lugar *m* de residencia.

현지(現地) lugar *m* actual, el (mismo) lugar *m*; [문제의 장소] lugar *m* en cuestión; [사건의] lugar *m* del suceso. ~의 del lugar. ~에서 en el lugar, en el mismo lugar, en el campo. ¶~ 답사 exploración *f* en el mismo lugar. ~ 로케(이션) lugar *m* de filmación en el campo. ~ 법인 persona *f* jurídica en el lugar. ~인 indígena *mf*; autóctono,

-na *mf*; nativo, -va *mf*; natural *mf*.

현직(現職) puesto *m* [profesión *f* · oficio *m*] actual, servicio *m* activo. ~의 de servicio actual, activo, en ejercicio. ~에 머물다 quedarse en servicio [en el puesto] actual. ~ 대통령 presidente, -ta *mf* actual [en ejercicio].

현찰(現札) =현금(現金).

현처(賢妻) esposa *f* vituosa, esposa *f* inteligente.

현철(賢哲) ① [현인과 철인] el sabio y el filósofo. ② [어질고 밝음] sabiduría *f*, sagacidad *f*; [어질고 밝은 사람] persona *f* sabia y honrada.

현충일(顯忠日) el Día de Conmemoración de los Caídos, el seis de junio.

현충탑(顯忠塔) monumento *m* a los Caídos.

현측(舷側) costado *m* del buque. ~ 에 al costado del buque.

현판(懸板) tabla *f* colgante, placa *f*. ~식 primera ceremonia *f* de colgar la placa.

현품(現品) artículo *m* actual; [재고 품] mercaderías *fpl* almacenadas. ~ 급여 salario *m* en especie. ~ 상환불 entrega *f* contra reembolso.

현하(現下) tiempo *m* presente; [형용사적] presente, pendiente, inminente. ~의 국제 정세 estado *m* de asuntos internacionales.

현행(現行) lo vigente. ~의 vigente, en vigor, existente, corriente. ~대로 conforme a lo vigente, según lo que está acostumbrado. ~ 교과서 libro *m* de texto en vigor. ~ 맞춤법 ortografía *f* vigente. ~ 범 ㉮ delito *m* flagrante, delito *m* in fraganti. ㉯ criminal *mf* flagrante. ~ 법 ley *f* vigente, ley *f* en vigor. ~ 제도 sistema *m* en vigor. ~ 화폐 monedas *fpl* vigente [en vigor · en vigencia].

현혹(眩惑) deslumbramiento *m*, ofuscación *f*. ~하다 deslumbrar, fascinar, embelesar, ofuscar.

현황(現況) actualidad *f*, situación *f* actual, condición *f* [estado *m*] actual.

혈(穴) ① ((풍수 지리)) lugar *m* que se reúnen las influencias a *su* fortuna. ② [경혈] región *f* para la acupuntura. ③ [구멍] agujero *m*, abertura *f*. ④ [굴. 동굴] cueva *f*.

혈(血) ① [피. 혈액] sangre *f*. ② [핏줄] linaje *m*.

혈거(穴居) residencia *f* cavernícola, vivienda *f* en cueva, troglodismo *m*. ~하다 vivir en cueva. ~ 생활 vida *f* troglodítica. ~ 시대 edad *f* troglodítica. ~인 cavernícola *mf*.

혈관(血管) ((해부)) vasos *mpl* sanguíneos, vena *f*.

혈구(血球) glóbulo *m* sanguíneo, célula *f* sanguínea.

혈기(血氣) ① [목숨을 유지하는 피와 기운] la sangre y la fuerza para matener la vida. ② [격동하기 쉬운 의기] vigor *m*, coraje *m*. ~가 왕성한 vigoroso, juvenil. ~가 없는 exangüe, pálido. ~ 왕성한 청년 joven *m* de mucha vitalidad, joven *m* de sangre ardiente.

혈뇨(血尿) hematuria *f*.

혈담(血痰) flema *f* (mezclada) con sangre; [객혈] hemoptisis *f*.

혈당(血糖) azúcar *m* sanguíneo.

혈독소(血毒素) hematotoxina *f*.

혈로(血路) salida *f* a través de enemigos.

혈루(血淚) lágrimas *fpl* amargas, lágrimas *fpl* de sangre.

혈루(血漏) ((의학)) enfermedad *f* que la sangre sale de la vulva de vez en cuando.

혈류(血流) circulación *f* de la sangre.

혈맥(血脈) ① [혈관] vaso *m* sanguíneo; [정맥] vena *f*; [동맥] arteria *f*. ② =혈통(血統).

혈맹(血盟) promesa *f* sanguínea.

혈반(血斑) mancha *f* sanguínea.

혈변(血便) hemafecia *f*, excrementos *mpl* sangrientos.

혈색(血色) semblante *m*, color *m* (del rostro), tinte *m* del color del rostro, complexión *f*. ~이 좋은 saludable, colorado, sonrojado. ~이 나쁜 pálido, cetrino, lívido.

혈색소(血色素) hemoglobina *f*. ~증 hemocromatosis *f*.

혈서(血書) escritura *f* en [con] sangre. ~하다 escribir con sangre. ~로 맹세하다 firmar con sangre.

혈석(血石) hematites *m*; ((광물)) cálculo *m* de sanguíneo.

혈세(血稅) impuesto *m* cruel, derechos *mpl* pesados, impuestos *mpl* gravosos.

혈소판(血小板) plaqueta *f*.

혈속(血屬) pariente *m* consanguíneo.

혈손(血孫) descendientes *mpl* relacionados por la sangre.

혈안(血眼) ojos *mpl* sangrientos. ~이 되다 enloquecer, arrebatarse.

혈압(血壓) tensión *f* (arterial), presión *f* (arterial). ~이 높다 tener alta presión arterial, tener la tensión [la presión] alta. ~이 낮다 tener baja presión arterial, tener la tensión [la presión] baja. ~을 재다 medir la presión (de la sangre). ¶~계 hemodinamómetro *m*, esfigmomanómetro *m*.

혈액(血液) sangre *f*. A[B · AB · O]형의 ~ sangre *f* de grupo A[B · AB · O]. ~을 검사하다 examinar la sangre. ¶ ~ 순환 circulación f (de sangre). ~ 은행 banco m de sangre. ~ 투석 hemodiálisis f. ~ 형 grupo m sanguinario. ~형 검사 prueba f de(l) grupo sanguinario.

혈연(血緣) linaje m, parentesco m, pariente m consanguíneo. ~ 관계 parentesco m de consanguinidad.

혈우병(血友病) hemofilia f. ~ 환자 hemofílico, -ca mf.

혈육(血肉) ① [피와 살] la sangre y la carne. ② [자기 소생의 자녀] su propio hijo, su propia hija. 슬하에 ~이 없다 no tener hijos. ~이 없다 는 sin hijos.

혈장(血漿) plasma m. f.

혈전(血栓) ((의학)) trombo m. ~증 trombosis f. ~ 형성 trombogénesis f.

혈전(血戰) batalla f sangrienta.

혈족(血族) consanguinidad f, (pariente m) consanguíneo m. ~ 결혼 matrimonio m entre consanguíneos. ~ 관계 relación f familiar, consanguinidad f, pariente m consanguíneo.

혈청(血淸) ((의학)) suero m, linfa f, aguosa f. ~이 seroso. 예방~ suero m preventivo. ¶ ~ 검사 examen m de suero. ~요법 sueroterapia f, tratamiento m de suero, bacterioterapia f. ~ 주사 inyección f de suero.

혈통(血統) sangre f, linaje m, parentesco m, línea f de sangre, ascendencia f, consanguinidad f, alcurnia f, linaje m de familia. ~ 은 속일 수 없다 Buena casta no se puede negar / El linaje no miente. ¶ ~서 carta f de origen, pruebas fpl.

혈투(血鬪) batalla f sangrienta.

혈한(血汗) =피땀.

혈행(血行) circulación f de la sangre.

혈혈단신(孑孑單身) lo único en el mundo. ~의 solo, solitario. ~이다 no tener ni amigos ni parientes.

혈혈하다(孑孑−) ① [의지할 데 없이 외롭다] (ser) solitario sin parientes. ② [아주 작다] (ser) pequeñísimo, muy pequeño.

혈흔(血痕) mancha f de [con] sangre.

혐오(嫌惡) repugnancia f, asco m, aversión f, disgusto m, odio m, fastidio m, repugnación f, odiosidad f, aborrecimiento m. ~하다 sentir [tener] repugnancia, aborrecer, tener aversión, detestar, abominar, odiar, repugnar. ~감 sentido m de repugnancia.

혐의(嫌疑) sospecha f, duda f, acusación f falsa. ~하다 sospechar, tener duda, echar sospecha, sos-

pechar. …의 ~로 bajo sospecha de algo. …의 ~를 받다 ser objeto de sospecha de algo, ser acusado (de un crimen), ser sospechado. ~를 썼다 aclararse de sospecha. ¶ ~자 sospechoso, -sa mf; persona f sospechosa.

협간(峽間) valle m.

협객(俠客) hombre m de la espíritu caballeroso, persona f caballerosa, persona f propia de caballero. ~답 다 (ser) caballeresco, caballeroso.

협곡(峽谷) desfiladero m, cañón m.

협공(挟攻) ataque m por ambos lados. ~하다 atacar por ambos lados, atacar por dos lados. ~을 받다 ser atacado de ambos lados.

협궤(挟軌) vía f estrecha, AmS trocha f angosta. ~ 철도 ferrocarril m de vía estrecha, AmS ferrocarril m de trocha angosta.

협기(俠氣) espíritu m caballeresco [varonil · generoso], caballerosidad f, galantería f. ~가 있는 caballeresco, varonil, viril, galante.

협동(協同) cooperación f, colaboración f, asociación f, unión f. ~하다 cooperar, colaborar, asociarse. ~ 농장 granja f colectiva; [옛 소련의] koljoz m; [이스라엘의] kibuttz m, kibutz m. ~ 생활 vida f comunitaria. ~ 조합 sociedad f [asociación f] cooperativa, cooperativa f.

협량(狹量) intolerancia f, cobardía f, bajeza f de espíritu. ~하다 (ser) de mentalidad cerrada, intolerante, de miras estrechas.

협력(協力) cooperación f, colaboración f, fuerza f unida, fuerza f combinada, concurso m. ~ [원조] ayuda f; [후원] auspicio m. ~하다 cooperar, colaborar, ayudar, prestar ayuda. 경제 ~ cooperación f económica. 국제 ~ cooperación f internacional. 기술 ~ cooperación f técnica. 상호 ~ cooperación f mutua. ~자 colaborador, -dora mf; cooperador, -dora mf; cooperario, -ria mf.

협로(狹路) camino m estrecho.

협문(夾門) puerta f pequeña al lado de la puerta principal.

협박(脅迫) amenaza f, intimidación f, exacción f por medio de amenaza. ~하다 amenazar, intimidar. ~자 amenazador, -dora mf; chantajista mf. ~장 carta f conminatoria, carta f amenazante, carta f de indimidación. ~ 전화 llamada f amenazadora.

협사(俠士) hombre m caballeroso.

협상(協商) ① [협의] negociación f. ~하다 negociar. ② [나라 사이의] pacto m, acuerdo m, entente m.

~을 맺다 hacer pacto, pactar. ¶~ 조약 acuerdo *m*, convenio *m*.

협소하다(狹小—) (ser) pequeño y estrecho. 협소한 길 calle *f* angosta [estrecha]. 협소한 방 habitación *f* pequeña y estrecha.

협심(協心) cooperación *f*, unisonancia *f*. ~하다 cooperar, unir.

협심증(狹心症) ((의학)) estenocardia *f*, angina *f* de pecho, estrechez *f* de corazón. ~의 anginal.

협약(協約) ((준말)) =협상 조약. ¶~를 맺다 firmar un convenio.

협연(協演) co-ejecución *f*. ~하다 co-ejecutar.

협의(協議) conferencia *f*, deliberación *f*, discusión *f*, consulta *f*. ~하다 deliverar, discutir, consultar, conferenciar. ~ 아래 después de deliberar, por aprobación mutua. ¶~안 proyecto *m* de conferencia. ~ 이혼 divorcio *m* consentido por ambas partes. ~ 조항 cláusula *f* de conferencia. ~회 comisión *f*, conferencia *f*.

협의(狹義) sentido *m* estrecho.

협잡(挾雜) fraudulencia *f*, fraude *m*, falsedad *f*, superchería *f*, fullería *f*, engaño *m*, trampa *f*, impostura *f*, ratería *f*. ~하다 defraudar, engañar, estafar, entrampar, cometer fraude, cometer engaño. ~꾼[배] impostor, -tora *mf*, farsante *mf*. ~질 fraudulencia *f*.

협정(協定) convenio *m*, acuerdo *m*, pacto *m*, concordia *f*, avenencia *f*. ~하다 convenir, acordar, ponerse de acuerdo, concordar, ajustar, estipular, pactar. ~으로 por acuerdo. ~을 체결하다 formar un acuerdo. ¶~ 가격 precio *m* convenido, precio *m* acordado. ~서 el acta *f* de convenio, protocolo *m*, acuerdo *m*. ~안 propuesta *f* de acuerdo. ~ 임금 sueldo *m* de acuerdo.

협조(協助) ayuda *f*, asistencia *f*. ~하다 ayudar. 서로 ~하다 ayudarse [prestarse ayuda] mutuamente. ~자 ayudante *mf*.

협조(協調) cooperación *f*, armonización *f*, acción *f* concertada; [타협] conciliación *f*; [조화] armonía *f*. ~하다 cooperar, conciliar, armonizar, ejecutar en armonía. …와 ~해서 en armonía con *uno*.

협주곡(協奏) ((음악)) concierto *m*.

협죽도(夾竹桃) ((식물)) adelfa *f*, laurel *m* rosa.

협착(狹窄) estrechez *f*; ((의학)) estenosis *f*, constricción *f*, estrangulación *f*, contracción *f*. ~하다 (ser) estrecho, angosto, pequeño, limitado, estrangulado. ~의 estenótico.

협찬(協贊) auspicios *mpl*, patrocinio *m*. ~하다 patrocinar, prestar *su* concurso.

협화(協和) ① [협력하여 화합함] armonía *f*, conformidad *f*, concordia *f*, buena inteligencia *f*. ~하다 estar en armonía, concordar. ② ((음악)) armonía *f*. ¶~음 acorde *m*, consonancia *f*, armonía *f*.

협회(協會) asociación *f*, sociedad *f*, federación *f*. ~를 조직하다 organizar una asociación, organizar una sociedad. ¶~장 presidente, -ta *mf* de una asociación [una federación]

혓바늘 erupción *f* en la lengua.

혓바닥 superficie *f* superior de la lengua.

혓살 [소의] lengua *f* (de ternera).

혓소리 (sonido *m*) lingual *m*.

형(兄) ① [동기나 같은 항렬에서 저보다 나이 많은 사람] hermano *m* (mayor). ② [나이가 비슷한 친구 사이에서] usted. ~의 승진을 진심으로 축하합니다 Le felicito a usted sinceramente por su promoción.

형(刑) ((준말)) =형벌.

형(形) ① ((준말)) =형상(形狀). ② [도형의 모양] forma *f*.

형(型) ① [부어서 만든 물건의 모형] molde *m*. ② [어떤 특징을 형성하는 형태. 타입] tipo *m*. ③ [본보기나 틀·본·골의 뜻] modelo *m*, tipo *m*, estilo *m*. 신~ nuevo modelo *m*, nuevo estilo *m*. 구~ modelo *m* pasado [anticuado], estilo *m* pasado [anticuado]. 최신~ el último modelo.

형관(荊冠) corona *f* de espinas [de púas]; ((종교)) pasión *f*.

형광(螢光) ① =반딧불. ② ((물리)) fluorescencia *f*. ~의 fluorescente. ¶~ 도료 pintura *f* fluorescente. ~등 ㉮ [형광 방전등] lámpara *f* fluorescente, tubo *m* fluorescente. ㉯ ((속어)) [센스가 느린 사람] persona *f* con sensibilidad lenta. ~ 물질 material *m* fluorescente, substancia *f* fluorescente, cuerpo *m* fluorescente.

형구(刑具) útiles punitivos *mpl*.

형국(形局) aspecto *m*, fase *f*, situación *f*.

형극(荊棘) zarzas *fpl*, otro cualquier arbusto *m* espinoso. ~의 길 camino *m* zarzoso [lleno de zarzas].

형기(刑期) término *m* [duración *f*] de encarcelación. ~ 만료 expiración *f* de la pena [del período de encarcelación].

형벌(刑罰) penalidad *f*, punición *f*, pena *f*, castigo *m*. ~을 가하다 imponer la pena.

형법(刑法) derecho *m* criminal [penal]; [법전] código *m* penal. ~학 jurisprudencia *f* criminal. ~ 학자

penalista *mf*; criminalista *mf*.
형부(兄夫) cuñado *m*, esposo *m* de *su* hermana mayor.
형사(刑事) ① [형법의 적용을 받는 사건」 caso *m* criminal, asunto *m* criminal. ~상의 criminal, penal. ② [형사 사건의 수사 담당 경찰관] detective *m*; agente *mf* de policía. ¶~법 derecho *m* criminal. ~ 사건 causa *f*, caso *m* criminal. ~ 소송 pleito *m* [causa *f*] criminal.
형상(形狀) forma *f*, figura *f*, configuración *f*.
형상(形相)=형상(形狀).
형상(形象)=형상(形狀). ② [어떤 표현 수단에 의해 구상화하는 일] fenómeno *m*. ¶~ 예술 arte *m* figurativo.
형상(形像) estatua *f* figurativa.
형색(形色) la forma y el color, aspecto *m* general.
형석(螢石) ((광물)) fluorita *f*, fluorina *f*, flúor *m*, espato *m*.
형설(螢雪) estudio *m* diligente. ~의 공을 쌓다 proseguir *sus* estudios (por) muchos años. ¶~지공(之功) (los frutos del) estudio diligente.
형성(形成) formación *f*. ~하다 formar, dar forma, moldear, constituir, componer. ~되다 formarse, constituirse, componerse. 성격을 ~하다 formar el carácter, moldear el carácter. 인격을 ~하다 formar la personalidad.
형세(形勢) ① [살림살이의 경제적 형편] circunstancias *fpl*. ~가 곤궁하다 estar en circunstancias difíciles. ② =정세(情勢). ③ [풍수 지리의 산형과 지세] la forma de la montaña y la topografía.
형수(兄嫂) cuñada *f*, hermana *f* política, esposa *f* de *su* hermano mayor.
형승(形勝) paisaje *m* muy hermoso. ~하다 el paisaje es muy hermoso.
형식(形式) forma *f*, fórmula *f*, formalidad *f*; ((철학)) modo *m*. ~ 없이 sin formalidades, sin ceremonia. ~과 내용 la forma y el contenido. 일기 ~의 소설 novela *f* a modo de [en forma de] diario.
형안(炯眼) ojo *m* penetrante, penetración *f*, perspicacia *f*.
형언(形言) descripción *f*, expresión *f*. ~하다 describir, expresar. ~할 수 없는 indescriptible. ~할수 없는 미 인 belleza *f* indescriptible.
형용(形容) ① [생긴 모양] forma *f*, figura *f*, aspecto *m*. ② [수식] modificación *f*; [서술] descripción *f*, [비유] metáfora *f*, figura *f* retórica. ~하다 calificar, modificar, describir figurativamente.
형용사(形容詞) adjetivo *m*. ~의 adjetivo. ~구 frase *f* adjetiva.

형이상(形而上) lo metafísico. ~의 metafísico, incorpóreo, abstracto, inmaterial. ~학 metafísica *f*.
형이하(形而下) lo físico. ~의 físico, concreto, material. ~학 ciencia *f* física, ciencia *f* concreta.
형장(刑場) lugar *m* de ejecución. ~ 의 이슬로 사라지다 morir en el lugar de ejecución.
형장(兄丈) usted.
형적(形迹) huella *f*, rastro *m*, indicio *m*, señal *f*, indicaciones *fpl*; [증거] evidencia *f*.
형제(兄弟) ① [형과 아우」 el hermano mayor y el hermano menor, hermanos *mpl*, hermanas *fpl*. ~간 의 fraternal, ~처럼, ~ 같이 fraternalmente. ~간의 싸움 riña *f* entre hermanos. ~의 우애 fraternidad *f*, amistad *f* fraternal. ② [동기(同氣)] [신도들이 스스로를 일컫는 말] hermano, -na *mf*. ¶~ 애 fraternidad *f*, amor *m* fraternal, cariño *m* fraternal. ~ 자매 hermanos *mpl*, hermano y hermana.
형지(型紙) modelo *m* de papel.
형질(形質) forma *f* y naturaleza *f*; ((생물)) carácter *m*, característica *f*; [원형질] plasma *f*. ~ 세포 plasmacito *m*.
형찰(詗察) investigación *f* secreta. ~ 하다 investigar secretamente.
형처(荊妻) mi esposa, mi mujer.
형체(形體) forma *f*, cuerpo *m*; ((심리)) configuración *f*.
형태(形態) forma *f*, figura *f*, ((심리)) configuración *f*. ~를 바꾸다 transformar, transfigurar. ¶~론 [학] morfología *f*. ~소 morfema *m*. ~원(原) morfogene *f*.
형통(亨通) lo que todo va bien. ~하 다 ir bien, estar bien. 만사가 ~하 다 Todo va bien.
형틀(刑一) canga *f*.
형틀(型一) molde *m*. ~을 뜨다 sacar molde.
형판(形板) plantilla *f*.
형편(形便) ① [일이 되어 가는 모양 · 경로 · 결과] situación *f*, estado *m*, aspecto *m*, desarrollo *m*. ② [살림 살이의 형세] situación *f* familiar, circunstancias *fpl* domésticas. ~이 딱하다 estar en circunstancias difíciles. ③ [형세] condición *f*, circunstancia *f*, conveniencia *f*. 세 계의 ~ situación *f* mundial. ¶~ 없다 [비참하다] (ser) miserable; [시시하다] trivial, pobre, inútil; [지독하다] terrible. ~없이 miserablemente, miserablemente, despiadadamente, sin piedad, sin clemencia, sumamente, muchísimo. ~ 고생하 다 sufrir muchísimo [terriblemente · miserablemente].

형평(衡平) balanza *f*, equilibrio *m*. ~ 운동 movimiento *m* de igualdad social. ~ 원칙 principio *m* de equidad.

형형색색(形形色色) todas las clases, varios, diverso, diferente. ~으로 de forma muy diversa, diversamente. ~의 물건 artículos *mpl* diversos. ~의 의견 varias opiniones *fpl*.

혜서(惠書) su amable carta.

혜성(彗星) ① 《천문》 cometa *m*. ~ 같은 semejante a un cometa, que causa espanto [admiración]. ② [어떤 분야에 갑자기 나타나 두각을 나타냄] incógnita *mf*; enigma *m*, ganador, -dora *mf* sorpresa. ~처럼 como un cometa. ~처럼 나타나다 aparecer como un cometa.

혜안(慧眼) ① [총기 있는 눈] ojos *mpl* inteligente. ② 《불교》 perspicaz *f*.

혜존(惠存) [증정본에] A …, con gran aprecio y amistad. 석규관 선생님 ~ Al Sr. Seok Gyu Kwan, con gran aprecio y amistad.

혜택(惠澤) favor *m*, beneficio *m*, gracia *f*, benevolencia *f*, amistad *f*, amabilidad *f*. 문명의 ~ beneficio *m* de la civilización.

호 con un soplido. ~하다 soplar.

호(戶) ① [호적상의 집] familia *f*, casa *f*, puerta *f*. ② [집의 수] (número *m* de) las casas.

호(弧) 《수학》 arco *m*.

호(湖) 《준말》 =호수(湖水). ¶ 춘천 ~ el lago de Chuncheon.

호(號) ① [별호] seudónimo *m*, nombre *m* de guerra. ② [차례를 나타내는 데 쓰는 말] número *m*. 일 ~ número uno. 10~실 《호텔의》 habitación número diez. ③ [같은 번지의 집들이 여럿인 경우] casa *f*. 145의 11~ undécima casa del número 145, 145-11. ④ [신문·잡지 등 정기 간행물의 발행 순서] número *m*. 일월 ~ número *m* de enero. 창간 ~ primer número *m*. ⑤ 《인쇄》 punto *m*. 5 ~ 활자 tipo *m* de punto cinco. ⑥ 《미술》 *ho*, tamaño *m* del cuadro.

호(壕) 《준말》 =참호(trinchera).

호(濠) ① [성벽 바깥의] zanja *f* fuera del castillo. ② 《준말》=호주(濠洲).

호가(好價) buen precio *m*.

호가(呼價) ① [팔거나 사려는 물건의 값을 부름] precio *m* ofrecido. ~하다 ofrecer el precio. ② 《경제》 oferta *f*, puja *f*.

호각(互角) igualdad *f*, equivalencia *f*. ~의 igual, equivalente. ~의 승부 lucha *f* igualada. ~지세(之勢) lucha *f* igualada.

호각(號角) silbato *m*, pito *m*. ~을 불다 silbar, tocar un silbato, tocar un pito, dar un silbido, pitar, chiflar.

호감(好感) 《준말》 =호감정(好感情). ¶ ~ 가는 favorable, grato, agradable, deseable. ~이 가지 않은 desfavorable, desagradable. ~을 주는 atractivo, atrayente, agradable, simpático. ~이 가는 인상 impresión *f* favorable [agradable], buena impresión *f*. ~이 가지 않는 인상 impresión *f* desfavorable, impresión *f* desagradable, mala impresión *f*. ~이 가지 않은 인물 hombre *m* indeseable; 《외교》 persona *f* no grata.

호감정(好感情) buena impresión *f*, simpatía *f*. ☞ 호감

호강 comodidad *f*, confortación *f*, confortamiento *m*, conveniencia *f*, lujo *m*, pompa *f*. ~하다 vivir en lujo, disfrutar [gozar] de un nivel de vida alta, disfrutar [gozar] de lujo. ~으로 자라다 ser criado entre rosas, ser criado entre algodones.

호객(呼客) acción *f* de andar a la caza de clientes. ~하다 buscar clientes, andar a la caza de clientes, tratar de captar clientes. ~꾼 persona *f* que busca clientes; gancho, -cha *mf*.

호객(豪客) ① [호탕한 사람] hombre *m* magnánimo. ② [기운을 뽐내는 사람] hércules *m*, hombre *m* hercúleo.

호강(豪强) héroe *m*, hombre *m* heroico [valiente]. ~스럽다 (ser) heroico, valiente, bravo.

호격(呼格) 《언어》 vocativo *m*.

호경기(好景氣) gran prosperidad *f*, auge *m*, boom *m* económico. ~다 estar en auge.

호곡(號哭) llanto *m*, gemidos *mpl*, lloro *m* en alto. ~하다 llorar en voz alta, llorar en alto, gemir, lamentarse, llorar amargamente.

호구(戶口) número *m* de casas y familias. ~ 조사 censo *m*. ~ 조사를 하다 levantar el censo.

호구(虎口) ① [범의 일] boca *f* del tigre. ② [매우 위험한 지경이나 경우] caso *m* peligroso, peligro *m*, riesgo *m*. ~에 들어가다 entrar en el lugar peligroso. ~에서 벗어나다 escapar del peligro, escapar de las garras de la muerte.

호구(糊口) sustento *m* muy escaso. ~지책[지계] modo *m* de vivir, modo *m* de ganar la vida, mantenimiento *m*, sustento *m*.

호국(護國) defensa *f* del país [de la patria]. ~ 불교 budismo *m* para la defensa de la patria. ~ 영령 patriotas *mpl* caídos por la patria.

호굴(虎窟) ① [범의 굴] guarida f del tigre. ② [가장 위험한 곳] el lugar [el sitio] más peligroso. 호굴에 들어가야 범을 잡는다 ((속담)) Quien no se aventura no pasa la mar.

호기(好奇) curiosidad f, afición f a las novedades. ~하다 gustar de las novedades. ~의 눈으로 보다 mirar con [implido por (la)] curiosidad. ¶ ~심 curiosidad f. ~심이 많은 것으로; [캐고 듣기를 좋아하는] fisgón. ~심이 많은 아이 niño m curioso.

호기(好期) estación f favorable, buena estación f, buen tiempo m.

호기(好機) (buena) oportunidad f, buena ocasión f, momento m favorable. ~를 기다리다 esperar [aguardar] una oportunidad.

호기(豪氣) espíritu m heroico. ~(를) 부리다 baladronear, hacer baladronadas, decir baladronadas.

호기회(好機會) buena oportunidad f, buena ocasión f].

호남아(好男兒) ① [씩씩하고 쾌활한 남자] hombre m vigoroso y jovial. ② =미남자(美男子)(guapo).

호남자(好男子) =호남아(好男兒).

호농(豪農) agricultor m rico.

호당(戶當) por casa. ~ 십만 원씩 cien mil wones por casa.

호도(糊塗) arreglo m provisional, AmL arreglo m provisorio. ~하다 tratar de ganar tiempo, hacer un arreglo provisionalmente, cubrir, encubrir, paliar. 실패를 ~하다 cubrir [encubrir · paliar] una falta.

호되다 ① [매우 심하다] (ser) muy serio. 호되게 꾸짖다 poner de vuelta y media. 호되게 혼내다 reprender, dar una reprimenda. ② [혹독스럽다] (ser) severo, riguroso, violento, furioso, cruel, intenso. 호되게 severamente, rigurosamente, violentamente, furiosamente, cruelmente, duramente, intensamente. 호된 추위 frío m intenso, frío m severo. 호된 형벌 castigo m severo, pena f severa.

호두(胡-) nuez f. ~를 깨다 cascar [partir] una nuez. ~ 까는 집게 cascanueces m.sing.pl, rompenueces m.sing.pl. ~ 껍질 cáscara f de nuez. ~나무 nogal m.

호드기 flauta f de paja.

호드득 ① [깨 · 콩 따위를 볶을 때 튀면서 나는 작은 소리] crujiendo. ② [멀리서 총포 · 딱총 등이 부산하게 터지며 나는 소리] traqueando, traqueteando. ③ [잔 나뭇가지나 검불 따위가 타 들어가며 나는 소리] crepitando, chisporroteando.

호들갑 actitud f frívolamente tumultuosa. ~(을) 떨다 (ser) extravagante, desbordante de vida y entusiasmo. ~스럽다 (ser) abrupto y frívolo. ~스레 abrupta y frívolamente.

호등(弧燈) =아크등(燈).

호떡(胡-) crepe m relleno chino. ~집에 불난 것 같다 (ser) bullicioso, ruidoso, vociferante, acalorado.

호락호락 ① [쉽사리] fácilmente, con facilidad. ② [성격이 만만하고 능력이 없는 모양] inhábilmente, torpemente.

호란(胡亂) rebelión f causada por los manchúes, guerra f manchúa.

호랑(虎狼) ① [범과 이리] el tigre y el lobo. ② [욕심 많고 잔인한 사람] persona f codiciosa y cruel.

호랑나비 (곤충) cola f ahorquillada, macáon m.

호랑이 ① ((동물)) tigre m; [암컷] tigresa f. ② [몹시 사납고 무서운 사람] persona f feroz [cruel], tigre m. ~ 담배 먹을 적 hace muchísimo tiempo, érase que se era, desde muy antiguo. 호랑이도 제 말하면 온다 ((속담)) Hablando del rey de Roma, por la puerta asoma. 호랑이 없는 골에는 토끼가 스승이다 ((속담)) Cuando el gato duerme, bailan los ratones / En tierra de ciegos, el tuerto es rey.

호랑이굴 guarida f del tigre. 호랑이굴에 가야 호랑이 새끼를 잡는다 ((속담)) Quien [El que] no se arriesga no pasa la mar.

호래아들 zafio m, grosero m, persona f de mal carácter; patán m, villano m, oveja f negra.

호래자식(-子息) =호래아들.

호렴(胡-) sal f cruda producida en China.

호령(號令) ① [지휘하여 명령함] orden f, mandato m, voz f de mando. ~하다 ordenar, mandar, dar órdenes, dar una voz de mando. ② [큰 소리로 꾸짖음] reprensión f, censura f. ~하다 reprender, censurar. ③ =구령(口令).

호롱 lámpara f de queroseno. ~불 fuego m de la lámpara de queroseno.

호루라기 silbato m, pito m, chifle m, chiflato m, chifla f. ~를 불다 tocar un silbato [un pito], pitar, silbar, chiflar.

호르르 ① [날짐승이 나는 소리] batiendo las alas, aleteando, con un batir de alas, dando un aletazo. ② [얇은 종이 같은 것이 타오르는 모양] rápido, rápidamente, ligeramente, rápido. ~ 타버리다 quemarse rápido.

호르몬 ((생리)) hormón m, hormona f. ~의 hormonal. 갑상선 ~ hormona f tiroidea. 남성 ~ hormona f andrógena, hormona f masculina.

성~ hormona *f* sexual. 성장 ~ hormona *f* somatotrópica. 여성 ~ hormona *f* femenina. ¶ ~선(腺) glándula *f* hormonal.

호른(악기) corno *m*, trompa *f*. ~ 연주자 trompa *mf*.

호리 arado *m* de un toro. ~질 arado *m*. ~질하다 arar.

호리다 fascinar, embelesar, cautivar, encantar, seducir. 여자를 잘 호리는 남자 Don Juan, donjuán *m*, seductor *m* de mujeres. 남자를 잘 호리는 여자 vampiresa *f*, vampi *f*.

호리병(葫-瓶) calabaza *f*. ~박((식물)) calabaza *f* (vinatera).

호리호리하다 (ser) esbelto, delgado.

호마(胡馬) caballo *m* manchú.

호명(呼名) pase *m* de lista. ~하다 pasar la lista.

호모[1] [사람. 인간] ser *m* humano, hombre *m*.

호모[2] ① [동성애] homosexualidad *f*. ② [동성애를 하는 사람] homosexual *mf*.

호미 azada *f*. 호미로 막을 것을 가래로 막는다 ((속담)) Por un clavo se pierde una herradura / Con pequeña brasa suele quemarse la casa.

호밀(胡-) ① ((식물)) centeno *m*. ② [곡물] centeno *m*.

호박 ((식물)) calabaza *f*, calabacera *f*; [호박 calabacín *m*]. ~ 같은 여자 mujer *f* fea. ~에 말뚝박기 ㉮ [심술궂고 잔혹한 짓] conducta *f* malhumorada y cruel. ~=호박에 침주기. ~에 침주기 ㉮ [아무 반응이 없음] No hay ningún efecto. ㉯ [아주 쉬운 일] cosa *f* muy fácil. ¶ ~꽃 ㉮ ((식물)) flor *f* de calabaza. ㉯ [아름답지 못한 여자] mujer *f* fea. ~밭 calabazar *m*, plantío *m* de calabazas. ~씨 semilla *f* de calabazas. ~엿 calabazate *m*, melcocha *f* [dulce *m*] de calabaza confitada. ~ 요리 calabacinate *m*, guisado *m* de calabacines. ~전(煎) tortilla *f* de calabazas. ~죽 gachas *fpl* de calabazas.

호박(琥珀) ((광물)) ámbar *m*. 인조 ~ ámbar *m* artificial. ¶ ~색 (color *m* de) ámbar *m*.

호박단(琥珀緞) tafetán *m*.

호박벌 ((곤충)) abeja *f* carpintero.

호반(湖畔) orilla *f* del lago, borde *m* del lago. ~의, ~에서 a la orilla del lago. ~의 별장 villa *f* a la orilla del lago. ¶ ~ 도시 ciudad *f* a la orilla del lago.

호반새 ((조류)) martín *m* pescador.

호방하다(豪放-) (ser) generoso y audaz.

호배추(胡-) berza *f*, col *f*.

호별(戶別) todas las casas, casa por

casa, a cada casa. ~의 puerta a puerta. ~로 de casa en casa, casa por casa, de puerta en puerta. ~ 방문 visita *f* de puerta a puerta, visita *f* de casa en casa. ~ 판매 venta *f* a domicilio, venta *f* de casa en casa.

호봉(號俸) escala *f* de salario, escala *f* de sueldos.

호부(好否) bueno y/o malo, gusto y/o disgusto.

호불호(好不好) =호부(好否).

호비다 ① [구멍이나 틈 속을 긁어 파내다] cavar, excavar, limpiar. 귓속을 ~ limpiar los oídos. ② [일의 내막을 깊이 파다] inquirir el hecho confidencial.

호비칼 gubia *f*, buriladora *f*.

호사(好事) buena ocasión *f*, evento *m* feliz. ~가 curioso, -sa *mf*; [애호가] aficionado, -da *mf*; diletante *mf*. ~다마(多魔) El bien nunca viene solo / A la luz sigue, generalmente, la sombra.

호사(豪奢) lujo *m*, extravagancia *f*, suntuosidad *f*. ~스럽다 (ser) lujoso, suntuoso, magnífico, fastuoso. ~한 생활을 하다 vivir con mucho lujo, vivir como un sultán.

호산나 ((기독교)) hosanna *f*, gloria *f*.

호상(互相) =상호(相互).

호상(湖上) sobre el lago.

호상(好喪) luto *m* favorable.

호상(豪商) comerciante *m* rico, -comerciante *f* rica; negociante *m* rico, negociante *f* rica.

호상(護喪) ① [초상 일을 주장하여 보살핌] el hacerse cargo de los funerales. ~하다 hacerse cargo [entregarse] de los funerales. ② (준말)=호상차지. ¶ ~소 oficina *f* del director funeral. ~차지(次知) director *m* funeral, persona *f* de hacerse cargo de los funerales.

호색(好色) sensualidad *f*, lasciva *f*, lujuria *f*, lubricidad *f*, voluptuosidad *f*, libertinaje *m*, erotismo *m*, salacidad *f*. ~하다 ser aficionado al sexo, aficionarse al sexo, entregarse a la lujuria, (ser) sensual, lujurioso, lascivo. ~적인 이야기 cuento *m* verde. ¶ ~ 문학 literatura *f* pornográfica [erótica], pornografía *f*. ~ 소설 novela *f* erótica. ~증 erotomanía *f*.

호선(互選) elección *f* mutua, elección *f* recíproca, voto *m* alternativo. ~하다 elegir entre *sí*. 우리들은 의장을 ~했다 Elegimos al presidente entre nosotros. ¶ ~ 투표 voto *m* alternativo.

호선(弧線) arco *m*.

호소(呼訴) apelación *f*, ruego *m*, súplica *f*; [불평·고통 따위의] queja *f*. ~하다 apelar, recurrir, acudir, rogar, suplicar, quejar, dar quejas.

호소(湖沼) el lago y la laguna.

호승(互送) envío *m* mutuo. ~하다 enviar [mandar] mutuamente [uno de otro, uno a otro].

호송(護送) escolta *f*, convoy *m*. ~하다 escoltar, convoyar, conducir bajo guarda, llevar, conducir. 경찰의 ~으로 escoltado por la policía, con escolta policial. ¶ ~선 buque *m* escolta, barco *m* de escolta. ~업무 servicio *m* de escolta. ~원 escolta *f*. ~차 coche *m* de escolta.

호수(戶數) número *m* de casas.

호수(湖水) lago *m*. ~가에 a orillas del lago. ~가에 있는 호텔 hotel *m* a orillas del lago.

호수(號數) número *m*. 집~ número *m* de una casa.

호스 manguera *f*, manga *f*, manguito *m*. 소방 ~ manguera *f* contra incendios.

호스텔 residencia *f*, albergue *m*, hotel *m*, parador *m*.

호스트 anfitrión *m*, huésped *m*; [여인숙의] hostelero *m*, mesonero *m*.

호스티스 ① [여주인] anfitriona *f*, huésped *f*; [여인숙의] hostelera *f*, mesonera *f*. ② [여급. 접대부] [나이트 클럽의] cabaretera *f*, chica *f* de alterne, *AmS* copera *f*; [바 따위의] camarera *f*, chica *f*. ③ [스튜어디스] azafata *f*.

호시절(好時節) buena estación *f*, estación *f* favorable.

호시탐탐(虎視眈眈) ¶ ~하다 fulminar con la mirada. ~ 노리다 acechar, estar al acecho.

호신(護身) defensa *f* propia, protección *f* de sí mismo. ~하다 defenderse. ~도(刀) espada *f* para *su* propia protección. ~법 manera *f* de defensa propia. ~술 arte *m* de defensa propia. ~용 uso *m* de la defensa propia; [부사적] para defensa propia.

호안(護岸) dique *m* de protección, protección *f* de la orilla [de la costa]. ~ 공사 construcción *f* de un dique de protección; [하안(河岸)의] obras *fpl* de protecciónde la orilla; [해안의] obras *fpl* de protección de la costa.

호언(豪言) jactancia *f*, expresión *f* de ostentación, vanagloria *f*, bravata *f*. ~하다 jactarse, vanagloriarse, alabarse, declararse capaz, declarar jactanciosamente. ~장담 fanfarronada *f*, fanfarronería *f*, jactancia *f*, hipérbole *m*.

호연(好演) función *f* excelente, buena función *f*, buena representación *f*. ~하다 funcionar excelentemente

호연지기(浩然之氣) ① [넓고도 큰 원기] ánimo *m* ancho y grande lleno

del cielo y la tierra. ② [조금도 부끄러울 바 없는 도덕적 용기] valor *m* moral, gran moral *f*.

호열자(虎列刺) ((의학)) cólera *m*.

호외(戶外) aire *m* libre. ~의 al aire libre. ~에(서) fuera de la casa, al aire libre; [노천에서] al raso, a cielo descubierto, a la intemperie.

호외(號外) extra *m*, número *m* extra.

호우(豪雨) lluvia *f* torrencial [fuerte]; [단시간의] chaparrón *m*, aguacero *m*, chubasco *m*, turbión *f*. 집중 ~ aguacero *m* [caparrón *m*] local. ¶ ~ 경보 alarma *f* de la lluvia torrencial. ~ 주의보 aviso *m* de la lluvia torrencial.

호위(護衛) ① [행위] escolta *f*, guardia *f*, convoy *m*. ~하다 escoltar, convoyar, guardar. 경찰의 ~ 아래 escoltado por la policía, con escolta policial. ② [사람] escolta *mf*; guardia *mf*, guarda *mf*, guardaespaldas *mf*. ¶ ~대 guardia *f*, escolta *f*. ~병 soldado *m* de escolta.

호응(呼應) ① [부름에 따라 대답함] salutación *f*, saludo *m*. ~하다 llamar, saludar. ② [서로의 기맥이 통함] respuesta *f*, unísono *m*. ~하다 responder, obrar de forma conjunta, obrar al unísono. ⋯와 ~ 해서 respondiendo a *uno*.

호의(好衣) buena ropa *f*, buen traje *m*, buen vestido *m*. ~ 호식 vida *f* de lujo. ~ 호식하다 vivir a lo grande, darse la gran vida, comer bien y ir*le* bien, vivir lujosamente.

호의(好意) buena intención *f*, buena voluntad *f*; [우의] amistad *f*; [친절] amabilidad *f*, bondad *f*, benevolencia *f*, favor *m*; [동정] simpatía *f*. ~로 con buena intención, con toda buena voluntad, con todo *su* afecto. ⋯의 ~로 gracias a *uno*, merced a *uno*, a favor de *uno*. ¶ ~적 simpático, amable, favorable, benévolo, bondadoso, íntimo. ~적으로 con buena intención, amablemente, favorablemente, íntimamente, bondadosamente, benévolamente. ~(인 눈)으로 보다 ver con luz favorable, mirar con ojos (favorables).

호의(好誼) buena amistad *f*, amistad *f* íntima.

호인(好人) buena gente *f* [persona *f*], buen hombre *m*.

호적(戶籍) registro *m* civil, (registro *m* de) censo *m*, (actas *fpl* del) estado *m* civil, empadronamiento *m*. ~에 싣다 entrar en un registro de censo. ¶ ~ 등본 copia *f* de las actas del estado civil, copia *f* del registro civil. ~ 초본 extracto *m* de las actas del estado civil, extracto *m* del registro civil.

호적수(好敵手) buen *f*, adversario *m*, buena adversaria *f*, rival *mf*; buen competidor, buena competidora *f*, buen rival *m*, buena rival *f*; adversario *m* merecedor, adversaria *f* merecedora. ~를 만나다 encontrar con un buen competidor.

호적하다(好適一) (ser) conveniente, apropiado, adecuado.

호전(好戰) belicosidad *f*, belicismo *m*, militarismo *m*. ~국 país *m* belicoso. ~성 belicosidad *f*. ~적 bélico, belicoso, belicista, guerrero, de guerra.

호전(好轉) mejoría *f*, mejora *f*, mejoramiento *m*, ocasión *f* favorable, giro *m* favorable. ~하다 mejorarse, ponerse mejor, tomar buen cariz [sesgo].

호젓하다 (ser) tranquilo [silencioso · desierto] y solitario; (외지다) (ser) apartado, aislado. 호젓한 거리 calle *f* desierta y solitaria. 호젓한 길 camino *m* solitario.

호조(好調) buen estado *m*, buena condición *f*, marcha *f* feliz; [스포츠에서] buena forma *f*. ~이다 estar en buen estado, marchar bien; [신체가] ir [andar · estar] bien de salud.

호주(戶主) cabeza *f* de familia, jefe *m* de familia. ~권 derecho *m* de nacimiento, primogenitura *f*. ~상속 sucesión *f* de cabeza de familia. ~상속권 derecho *m* de sucesión de cabeza de familia. ~상속인 heredero, -ra *mf*. ~승계 sucesión *f* de la cabeza de familia.

호주(豪酒) mucha bebida *f*. ~하다 beber mucho. ~[객] (gran) bebedor *m*, (gran) bebedora *f*, borracho, -cha *mf*.

호주(濠洲) ((地名)) Australia *f*. ~의 (사람) australiano, -na *mf*.

호주머니 bolsillo *m*. ~에 넣다 meter(se) [poner · guardarse] en el bolsillo. ~에서 꺼내다 sacar del bolsillo. ¶~ 사정 posición *f* [circunstancia *f*] financiera.

호출(呼出) ① (불러 냄) llamada *f*, llamada *f* al teléfono. ~하다 llamar, llamar al teléfono. ② ((속어)) =소환(召喚). ③ ((컴퓨터)) acceso *m*. ~하다 obtener acceso. ¶~ 부호 indicativo *m*. ~ 시간 ((컴퓨터)) tiempo *m* de acceso. ~장 ㉮ [호출하기 위해 낸 문서] citación *f*; [출두 명령] comparendo *m*, orden *f* de comparecer. ㉯ ((구용어)) =소환장(召喚狀).

호치키스 =박음쇠.

호칭(互稱) denominación *f* mutua. ~하다 denominar uno de otro.

호칭(呼稱) nombre *m*, nombramiento

m, título *m*, designación *f*. ~하다 nombrar, llamar, designar.

호쾌하다(豪快一) (ser) animoso, fascinante, heroico, magnánimo, dadivoso, desprendido. 호쾌한 인물 hombre *m* magnánimo, hombre *m* animoso y abierto.

호탕하다(豪宕一) (ser) magnánimo.

호텔 hotel *m*. ~의 hotelero. 고급 ~ hotel *m* lujoso, hotel *m* de lujo. 싼 ~ hotel *m* económico. ~에 묵다 alojarse [parar] en un hotel. ¶~ 경영자 hotelero, -ra *mf*. ~ 메니저 hotelero, -ra *mf*. ~업 indus- tria *f* hotelera, hotelería *f*. ~ 업자 hotelero, -ra *mf*.

호통 rabia *f*, ira *f*, cólera *f*, enfado *m*, enojo *m*, furor *m*, arrebato *m* de cólera. ~을 치다 rabiar, enfadarse, enfurecerse, gritar de ira.

호투(好投) lanzamiento *m* perfecto. ~하다 lanzar bien [perfectamente].

호평(好評) crítica *f* favorable, comentario *m* favorable, acogida *f* [aceptación *f*] pública favorable; [인기] reputación *f*, popularidad *f*. ~을 받다 recibir una crítica [un comentario · una acogida] favorable, tener mucha aceptación.

호피(虎皮) piel *f* del tigre.

호학(好學) amor *m* de los estudios, ansia *f* intelectual. ~하다 ser aficionado a los estudios.

호헌(護憲) defensa *f* de la constitución. ~ 운동 campaña *f* para la defensa de la constitución, movimiento *m* defensor de la constitución nacional.

호혈(虎穴) guarida *f* del tigre.

호형호제(呼兄呼弟) amistad *f* cercana. ~하다 ser buenos amigos, ser íntimo uno de otro.

호혜(互惠) reciprocidad *f*, beneficios *mpl* mutuos. ~의 recíproco. ~ 관세 derechos *mpl* aduaneros recíprocos. ~ 협정(協定) acuerdo *m* recíproco.

호호¹ [입을 오므려 간드러지게 웃는 모양. 또, 그 소리] ¡Ajajá! ~ 웃다 sonreír, reírse tontamente.

호호² [입을 오므리고 입김을 연해 불어 내는 소리] siguiendo soplando. ~ 불다 seguir soplando.

호호백발(皜皜白髮) pelo *m* cano, pelo *m* canoso.

호화롭다(豪華一) (ser) espléndido, magnífico, lleno de esplendor, de lujo, lujoso, pomposo, pedante, presuntuoso, precioso, divino, maravilloso, suntuoso. 호화로운 저택 mansión *f* palaciega.

호화본(豪華本) libro *m* lujosamente encuadernado.

호화스럽다(豪華一) =호화롭다.

호화 제본(豪華製本) encuadernación *f* de lujo.

호화찬란하다(豪華燦爛−) (ser) espléndido, magnífico, suntuoso.

호화판(豪華版) edición *f* de lujo.

호황(好況) prosperidad *f* (económica), gran prosperidad *f*, bonanza *f*, buena marcha *f* [mucha actividad *f*] en los negocios.

호흡(呼吸) ① [숨] respiración *f*, respiro *m*, aliento *m*. ~하다 respirar, alentar. ② [두 사람 이상이 일을 함께 할 때의] tono *m*, pareja *f* estupenda, coordinación *f* admirable. ¶~ 곤란 dificultad *f* de la respiración; ((의학)) disnea *f*. ~ 곤란증 disnea *f*. ~기 aparato *m* respiratorio, órgano *m* respiratorio. ~ 기관 órgano *m* respiratorio.

혹¹ ① [살가죽의] lobanillo *m*, lupia *f*, verruga *f*, tumor *m*, chichón *m*. ② [물건의] nudo *m*, bulto *m*. ③ [방해물] obstáculo *m*, embarazo *m*. ④ [식물의] lobadillo *m*, excrecencia *f*, nudo *m*. 혹 떼러 갔다 혹 붙여 온다 ((속담)) Ir por lana y volver [salir] trasquilado.

혹² ① [액체를 단숨에 들이마실 때에 내는 소리] con un trago. ~하다 tragarse. ② [입을 오므리고 입김을 세게 부는 소리] con un soplo, con un soplido. ~하다 soplar.

혹(或) ① ((준말)) =혹시(或時/或是). ② [혹자] unos. ~은 검고 ~은 붉다 Unos son negros, otros rojos.

혹간(或間) =간혹(間或).

혹독(酷毒) severidad *f*, rigurosidad *f*, rigor *m*, rigidez *f*. ~하다 (ser) severo, excesivo, duro, cruel, riguroso, estricto, rígido. ~하게 severamente, intensamente, rigurosamente, estrictamente, rígidamente, en rigor, terriblemente. ~한 비평 crítica *f* severa, crítica *f* dura. ~한 추위 frío *m* penetrante, frío *m* intenso, frío *m* horroroso. ~한 더위 calor *m* intenso, calor *m* horroroso.

혹부리 persona *f* con lobanillo en la cara.

혹사(酷使) abuso *m*, explotación *f*. ~하다 hacer trabajar duramente [demasiado · excesivamente].

혹서(酷暑) calor *m* canicular [intenso].

혹설(惑說) idea *f* seducida.

혹성(惑星) planeta *m*. ~의 planetario. ~ 운동 movimiento *m* planetario.

혹세(惑世) [어지러운 세상] mundo *m* caótico. ② [세상을 어지럽고 문란하게 함] acción *f* de perturbar el mundo. ~하다 perturbar el mundo.

혹세무민(惑世誣民) seducción *f* al público. ~하다 seducir al público, engañar al pueblo.

혹시(或是) ① [만일에] si (+ *subj*), si acaso + *ind*, si por casualidad + *ind*. ~ 내가 그 책을 발견하면 si encuentro el libro por casualidad. ② [어떤 경우에] por casualidad, de casualidad, en (el) caso de que + *subj*. ~ 내 모자를 보았나? ¿Has visto mi sombrero por casualidad?

혹심하다(酷甚−) (ser) severo, extremo, violento, cruel, riguroso. 혹심하게 severamente, cruelmente, rigurosamente, duramente.

혹염(酷炎) =혹서(酷暑).

혹은(或−) o, u, ya … ya. 그가 그것을 모르던가 ~ 그것을 말하고 싶지 않던가 o no lo sabe, o no lo quiere decir.

혹자(或者) ① [어떤 사람] unos, cierta persona *f*, cierto hombre *m*. ② [혹시] acaso, quizá, quizás, tal vez, probablemente, puede ser.

혹정(酷政) política *f* severa.

혹평(酷評) crítica *f* severa, criticismo *m* severo. ~하다 criticar severamente [duramente].

혹하다(惑−) ① [아주 반하다] (estar) muy enamorado, entusiasmado, loco. ② [빠져 본정신을 잃다] ser adicto. 마약에 ~ ser adicto a la droga.

혹한(酷寒) frío *m* severo [intenso]. ~에 견디다 soportar [aguantar] el frío intenso.

혹형(酷刑) pena *f* severa, castigo *m* severo, penalidad *f* severa.

혹혹 ① [액체를 들이마실 때에 나는 소리] bebiéndose de un trago. ② [입김을 세게 내부는 소리] soplando y soplando.

혼(魂) alma *f*, espíritu *m*. ~나간 몸 cuerpo *m* sin vida, persona *f* distraída. ~을 빼다 encantar.

혼곤하다(昏困−) (ser) lánguido.

혼구(婚具) equipo *m* de boda.

혼기(婚期) edad *f* de casarse, edad *f* de merecer, edad *f* casadera, edad *f* núbil. ~에 달한 딸 hija *f* casadera [núbil].

혼나다(魂−) ser reñido, ser reprendido, temblar de miedo.

혼내다(魂−) reñir, reprender, regañar, torturar, hacer sufrir; [토론 따위에서] dejar como un trapo.

혼담(婚談) propuesta *f* de matrimonio, negociaciones *fpl* de casamiento.

혼도(昏倒) desmayo *m*, deliquio *m*, desfallecimiento *m*. ~하다 desmayarse, desvanecerse, caer sin sentido, perder el sentido.

혼돈(混沌/渾沌) caos *m*, confusión *f*, desorden *m*. ~하다 (ser) caótico, confuso, vago, nebuloso.

혼동(混同) ① [뒤섞음] mezcla *f*. ~하다 mezclar. ② [뒤섞어 보거나 잘못 판단함] confusión *f*. ~하다 해서 confundir, desordenar, enredar. ~해서 sin discriminación, confusamente, de manera confusa. ③ ((법률)) fusión *f*.

혼란(混亂) confusión *f*, desorden *m*, alboroto *m*, disturbio *m*, desconcierto *m*, conmoción *f*, tumulto *m*, trastorno *m*. ~하다 confundirse, desordenarse, turbarse. 사회의 ~ confusión *f* [desorden *m*] de la sociedad.

혼령(魂靈) espíritu *m*, alma *f*, fantasma *m*, espectro *m*, aparición *f*. ~의 집 casa *f* de fantasmas.

혼례(婚禮) etiqueta *f* de la boda.

혼미(昏迷) aturdimiento *m*, desorden *m*, confusión *f*, caos *m*, azoramiento *m*, estupor *m*, insensibilidad *f*. ~하다 (estar) confuso, estúpido. ~한 정국 situación *f* confusa de la política.

혼방(混紡) mezcla *f*, hilaza *f* mezclada. 20% ~ un veinte por ciento (fibra de hilaza) de algodón. ¶ ~사(絲) hilo *m* [hilaza *f*] mezclada.

혼백(魂魄) el alma *f*, espíritu *m*.

혼불(魂―) fuego *m* del alma, fuego *m* del espíritu, fuego *m* de la vida.

혼비백산(魂飛魄散) susto *m*, lo que el alma se dispersa por mucha sorpresa. ~하다 dar*le* un susto de muerte, asustarse.

혼사(婚事) asuntos *mpl* sobre el matrimonio.

혼색(混色) mezcla *f* de los colores; [뒤섞인 색] colores *mpl* mezclados. ~하다 mezclar los colores.

혼선(混線) ① [전선 · 전화 등의] confusión *f* de circuitos, confusión *f* de líneas. ~하다 [전화가] cruzarse las líneas. ② [언행의] confusión *f*. ~하다 confundirse.

혼성(混成) mixtura *f*, composición *f*. ~하다 mixturar, juntar, mezclar, combinar. ~물 mezcla *f*, mixtura *f*. ~어 híbrido *m*. ~팀 equipo *m* combinado.

혼성(混聲) ① [뒤섞인 소리] voces *fpl* mixtas. ② [남성(男聲)과 여성(女聲)을 서로 합함] mezcla *f* de las voces masculinas y de las voces femeninas. ~ 합창 coro *m* mixto.

혼수(昏睡) aletargamiento *m*, sopor *m*, letargo *m*, modorra *f*, estado *m* hipnótico, amodorramiento *m*; [지각 상실] estupor *m*; [무의식] coma *m*. ~ 상태 aletargamiento *m*, estado *m* letárgico, condición *f* letárgica. ~ 상태의 letárgico, comatoso. ~ 상태에 빠지다 aletargarse, caer en estado letárgico, caer en estado comatoso, estar en coma, amodorrarse.

혼수(婚需) ① [혼인에 드는 물품] artículos *mpl* esenciales al matrimonio. ② [혼비] gastos *mpl* para el matrimonio.

혼숙(混宿) alojamiento *m* mixto. ~하다 (el hombre y la mujer) dormir juntos.

혼식(混食) ① [이것 저것 섞어서 먹음] comida *f* mezclada. ~하다 tomar la comida mezclada. ② [쌀에 잡곡을 섞어 먹음] comida *f* mezclada los cereales en el arroz.

혼신(渾身) todo el cuerpo, todo *su* cuerpo. ~의 힘 toda (*su*) fuerza. 작가가 ~의 힘으로 작품 속에 자기의 혼을 쏟아 넣음 obra *f* en la que el autor pone *su* alma. ~의 힘으로 con toda fuerza, con todas *sus* fuerzas.

혼약(婚約)=약혼(約婚).

혼연(渾然) todo armonioso. ~히 formándose consistentemente, en armonía perfecta. ~ 일체 un todo armonioso. ~ 일체가 되다 formar [constituir] un todo armonioso.

혼영(混泳) natación *f* mixta.

혼외(婚外) ¶ ~의 extramatrimonial, extraconyugal, extramarital, fuera del matrimonio. ~ 성관계 relaciones *fpl* sexuales extramatrimoniales. ~ 정사 amoríos *mpl* extramatrimonial [extraconyugales].

혼욕(混浴) baño *m* mixto [promiscuo]. ~하다 bañar promiscuamente.

혼용(混用) uso *m* mezclado. ~하다 usar junto con, mezclar.

혼음(混淫) adulterio *m* mixto. ~하다 cometer adulterio mixto.

혼인(婚姻) matrimonio *m*, casamiento *m*. ~하다 casarse, contraer matrimonio. ~ 관계 relaciones *fpl* matrimoniales; [배우자의 부모] suegros *mpl*; [배우자의 가족] parientes *mpl* políticos. ~날 día *m* de la boda. ~ 신고 registro *m* de matrimonio, declaración *f* de matrimonio. ~ 적령 pubertad *f*. ~ 증명서 certificado *m* [el acta *f*] matrimonial.

혼자 solo, -la; a solas, sin (la) ayuda de nadie. ~ 힘으로 por *sí* solo. ~ 여행하다 viajar solo. 혼자 사는 동네 면장(面長)이 구장(區長) ((속담)) Cuando el gato no está los ratones bailan [hacen fiesta].

혼잣말 soliloquio *m*, monólogo *m*. ~하다 soliloquiar, hablar a solas, hablar con*sigo* mismo.

혼잡(混雜) aglomeración *f*, hormiguero *m*, muchedumbre *f*, [자동차의] embotellamiento *m*, congestión *f*, [쇄도] afluencia *f*, concurrencia *f*, [혼란] desorden *m*, confusión *f*. ~하다 aglomerarse; [상태] (estar) confuso, desordenado, en desorden, abarrotado, en confusión (excesiva). 교통 ~ congestión *f* del tráfico.

혼잣손 sin ayuda de nadie. ~으로 일하다 trabajar sin ayuda de nadie.

혼전(婚前) ¶~의 prematrimonial, preconyugal. ~의 (정사) 경험 experiencias *fpl* prematrimoniales. ~ 관계 relaciones *fpl* prematrimoniales; [육체 관계] sexo *m* prematrimonial.

혼전(混戰) batalla *f* confusa, batalla *f* desordenada, conflicto *m* confuso, pelea *f* confusa, combate *m* libre; ((축구)) lucha *f*, pelea *f*. ~하다 combatir [batallar · pelear] desordenadamente. ~지 [선거 등의] escena *f* de lucha fervorosísima.

혼절(昏絶) desmayo *m*, desvanecimiento *m*. ~하다 desmayarse, desvanecerse, sufrir un desvanecimiento.

혼쭐나다(魂−) ① [아주 훌륭하여 정신이 흐릴 지경이 되다] ser cautivado [embelesado] con placer. ② [혼나다] tener miedo, temer, tener experiencias amargas.

혼처(婚處) familia *f* [persona *f*] casadera.

혼취(昏醉) embriaquez *f*, intoxicación *f* etílica, *Chi* intemperancia *f*. ~하다 estar en estado de embriaguez.

혼탁하다(混濁−) (ser) turbio, enturbiado, confuso.

혼탕(混湯) baño *m* mixto.

혼합(混合) mezcla *f*, mixtura *f*, mixtión *f*. ~하다 mezclar, mixturar, combinar, fundir. ~ 경제 economía *f* mixta.

혼행(婚行) procesión *f* de matrimonio. ~하다 ir a la casa de su novio [novia] a celebrar la boda.

혼혈(混血) ① [다른 종족과 통혼] mestizo *m*, sangre *f* mezclada. ~의 mixto; [백인과 인디오의] mestizo; [백인과 흑인의] mulato. ~아 ((준말)) =혼혈아. ¶~아 mixto, -ta *mf*; hijo *m* híbrido, hija *f* híbrida; [백인과 인디오의] mestizo, -za *mf*; [백인과 흑인의] mulato, -ta *mf*; [인디오와 흑인의] zambo, -ba *mf*.

홀(笏) cetro *m*.

홀. [회관] salón *m*.

홀² ① ((골프)) [티잉 그라운드에서 그린까지 한 코스 전체의 명칭] hoyo *m*. 1번 ~ hoyo uno. ② ((골프)) [그린 위에 마련된 구멍] hoyo

m. ~에 쳐넣다 embocar. ¶~ 인 ((골프)) *ing* hole in. ~ 인 원 ((골프)) hoyo *m* en uno, un hoyo en un golpe. ~ 인 원하다 hacer un hoyo en un golpe, embocar en un golpe.

홀가분하다 ① [가뿐하고 산뜻하다] (ser) ligero, vivo, activo, listo, ágil. ② [복잡하지 않다] no ser complicado, ser fácil, no ser difícil, ser breve, ser conciso, ser simple, ser sencillo.

홀대(忽待) tratamiento *m* poco hospitalario, tratamiento *m* poco amable. ~하다 tratar mal, tratar con poca amabilidad.

홀딩 ((운동)) bloqueo *m*.

홀딱 ① [몹시 반하거나 여지 없이 속는 모양] con toda alma, locamente, perdidamente. ~ 반하다 enamorarse locamente, estar perdidamente enamorado. ② [죄다] todo. 재산을 ~ 다 날리다 perderse toda propiedad. ③ [옷을 벗거나 벗는 모양] completamente. 옷을 ~ 벗다 desnudarse completamente.

홀랑 ① [죄다 들어나는 모양] todo desnudo, completamente. 옷을 ~ 벗다 desnudarse completamente. ② [가볍게 벗어지거나 벗은 모양] ligeramente.

홀로 solo, -la; a solas. ~ 걷다 andar solo [a solas], pasear(se) solo [a solas]. ~ 살다 vivir solo.

홀리다 ① [아주 반하다] enamorarse mucho, estar perdidamente enamorado. ② [현혹되거나 유혹에 빠져 정신을 차리지 못하다] ver con admiración, mirar con embeleso, quedarse [ser] encantado [hechizado]; [귀신 등에] estar endemoniado, estar poseído (por el demonio).

홀몸 soltero, -ra *mf*.

홀소리 ((언어)) =모음(母音)(vocal).

홀수(−數) (número *m*) impar *m*, (número *m*) non *m*.

홀씨 ((식물)) espora *f*, esporo *m*.

홀아비 viudo *m*.

홀어미 viuda *f*.

홀연하다(忽然−) aparecer o desaparecer repentinamente. 홀연히 repentinamente, de repente, súbitamente, de súbito, de pronto.

홀짝¹ ① [짝수와 홀수] el número par y el número impar. ② [아이들의 장난] *holchak*, una especie del juego de los niños.

홀짝 ① [적은 분량의 액체를] sorber. 우유를 ~ 마시다 sorber la leche. ② [단번에 가볍게 뛰거나 날아오르는 모양] con un salto, rápidamente, con rapidez, velozmente.

홀짝거리다 seguir sorbiendo; seguir sorbiéndose la nariz [los mocos], seguir gimoteando; seguir subiendo volando ligeramente.

홀짝이다 ㉮ [적은 분량의 액체를 들이마시며] sorber. ㉯ [콧물을 들이마시며 느껴 울다] sorberse la nariz, sorberse los mocos, gimotear. ㉰ [거침없이 가볍게 날아오르다] subir volando ligeramente.

홀짝홀짝 poco a poco, sorbo a sorbo. ~ 마시다 beber sorbo a sorbo.

홀쭉이 persona *f* larguirucha (flaca).

홀쭉하다 ① [몸피가 가늘고 길다] (ser) delgado y largo; [허리가 가늘다] 허리가 ~ tener una cintura fina. ② [끝이 뾰족하고 길다] (ser) puntiagudo y largo. ③ [살이 빠지고 쭈그러들다] ponerse muy flaco [delgado], adelgazar mucho; [붙이나 눈이] estar hundido.

홀치다 atar, amarrar.

홀쳐매다 atar, amarrar.

홀태 trilladora *f*. ~질 trilladura *f*. ~질하다 trillar.

홀태바지 pantalones *mpl* muy ceñidos [muy ajustados].

홀하다(忽一) (ser) descuidado, poco cuidadoso.

홀홀 ① [날짐승이 날개를 자주 치며 가볍게 나는 모양] volando. ② [가볍게 움직여 날 듯이 뛰는 모양] a pasos agigantados. ③ [작고 가벼운 물건을 연해 멀리 던지는 모양] tirando y tirando. ④ [물이나 묽은 죽 등을 조금씩 들이마시는 모양] sorbiendo poco a poco. ⑤ [붙이 조금씩 일어나는 모양] en llamas. 붙이 ~ 타오르다 incendiarse. ⑥ [옷을 가볍게 벗어 버리는 모양] desnudándose ligeramente.

홈¹ [나사의] muesca *f*, ranura *f*; [미닫이용의] guía *f*; [도르래용의] garganta *f*, hendidura *f*; [기둥의] estría *f*; [레코드의] surco *m*. ~을 파다 ahuecar [vaciar] la guía.

홈² ① [거주지] casa *f*; [가정] hogar *m*. ② [준말]=홈 베이스. ③ [컴퓨터] inicio *m*. ¶ ~ 경기 juego *m* en casa. ~ 그라운드 *su* (propio) terreno, *su* lugar; [(축구)] casa *f*, campo *m* local, campo *m* de casa. ~드라마 pieza *f* ligera de teatro sobre [de] asuntos de família. ~런 cuadrangular *m*, carretera *f* completa del bateador, *AmL* jonrón *m*, home run *ing.m*. ~ 뱅킹 banca *f* telefónica, banco *m* en casa. ~ 베이스 base *f* del bateador. ~ 페이지 [(컴퓨터)] página *f* frontal [principal].

홈통(一桶) ① [물을 이끄는 데 쓰는 물건] ㉮ [지붕의] canalón *m*, canaleta *f*. ㉯ [배수 설비가 된·하수도로 내보내는] encañado *m*, conducto *m*. ~으로 물을 끌다

traer el agua por medio de un conducto. ② [창틀·장지 등의 아래 위를 「凹」자 모양으로 파낸 줄] guía *f*.

홈파다 acanalar.

홉(合) *hob*, unidad *f* del peso (0.2 litros).

홍기(紅旗) bandera *f* roja.

홍당무(紅唐一) ① [(식물)] rábano *m* encarnado. ②=당근(zanahoria). ③ [수줍거나 무안하여 얼굴이 붉어지는 모양] rubor *m*, bochorno *m*, sonrojo *m*. ~가 되다 ruborizarse, sonrojarse, tener vergüenza.

홍도(紅桃) ① [(준말)] ①=홍도화. ②=홍도나무.

홍도나무(紅桃一) melocotonero *m*.

홍도화(紅桃花) flor *f* del melocotonero.

홍두깨 *hongducae*, rodillo *m* de madera de alisar la tela. 아닌 밤중에 홍두깨 [(속담)] Donde menos se piensa salta la liebre.

홍등가(紅燈街) burdel *m*, barrio *m* chino, zona *f* de tolerancia, *AmL* zona *f* roja.

홍보(弘報) información *f* pública, publicidad *f*, relaciones *fpl* públicas. ~하다 informar públicamente (al pueblo). ~지 revista *f* de relaciones públicas. ~ 책자 folleto *m*, folletos *mpl* informativos. ~ 활동 actividad *f* de información.

홍보석(紅寶石) [(광물)] rubí *m*.

홍복(洪福) gran felicidad *f*.

홍살문(紅一門) puerta *f* roja con puntas.

홍삼(紅蔘) ginseng *m* rojo.

홍색(紅色) color *m* rojo.

홍소(哄笑) carcajada *f*, risa *f* violenta y ruidosa [y clamorosa], risa *f* estrepitosa. ~하다 soltar la carcajada, soltar una gran risotada, reír a carcajadas, reír estrepitosamente, carcajear.

홍수(洪水) ① [큰물] inundación *f*, desbordamiento *m*, riada *f*; [대홍수] diluvio *m*. 노아의 ~ [(성경)] el Diluvio (Universal), el Diluvio de Noé. ② [넘쳐 흐를 정도로 많은 사물] avalancha *f*, diluvio *m*.

홍시(紅柿) *hongsi*, caqui *m* maduro (que es rojo y muy blando).

홍실(紅一) hilo *m* rojo.

홍안(紅顔) mejillas *fpl* sonrojadas [rosadas], rostro *m* sonrojado [rosado], cara *f* colorada.

홍어(洪魚) [(어류)] raya *f*.

홍업(洪業/鴻業) gran hazaña *f*, obra *f* gloriosa, gran empresa *f*.

홍역(紅疫) [(의학)] sarampión *m*. ~(을) 치르다 sufrir de las dificultades.

홍옥(紅玉) ① [(광물)] rubí *m*. ② [사과 품종의 하나] *hong-ok*, una

especie de la manzana.

홍위병(紅衛兵) las Guardias Rojos; [개인] guardia *m* rojo, guardia *f* roja.

홍익 인간(弘益人間) humanitanismo *m*, devoción *f* al bienestar público. ~의 이념 ideal *m* humanitario.

홍인종(紅人種) raza *f* roja, indio *m* americano.

홍일점(紅一點) única mujer *f*, única dama *f*.

홍적기(洪積期) ((지질)) =홍적세.

홍적세(洪積世) ((지질)) época *f* diluvial, diluvium *m*.

홍적층(洪積層) ((지질)) diluvial *m*. ~의 diluvial.

홍조(紅潮) ① [아침 햇살에 붉게 보이는 해조] marea *f* roja por rayo de sol. ② [부끄럽거나 취하여 붉어진 얼굴] rostro *m* colorado. =되다 abochornarse, sonrojarse, ponerse colorado, ruborizarse. 얼굴에 ~를 띠다 ponerse rojo; [수치심으로] ruborizarse, abochornarse. ③ =월경(月經)(monstruo).

홍진(紅塵) ① [벌겋게 이는 티끌] polvo *m* denso. ② [번거롭고 속된 세상] mundo *m* irritante y vulgar. ¶ ~ 만장(萬丈) nube *f* de polvo. ~ 세계 mundo *m* polvoriento, mundo *m* lleno de polvo.

홍차(紅茶) té *m* (negro). ~ 한 잔 주세요 Una taza de té, por favor.

홍채(虹彩) ((해부)) iris *m* (del ojo).

홍학(紅鶴) ((조류)) flamenco *m*.

홍합(紅蛤) ((조개)) mejillón *m*, almeja *f*, telina *f*.

홍해(紅海) ((지명)) el Mar Rojo.

홀 sencillo, simple, solo. ~ 눈꺼풀 párpado *m* sencillo [simple].

홀- solo, sencillo, simple, sin forro. ~이불 sábana *f*.

홀겹 capa *f* simple.

홀몸 ① [배우자가 없는] soltero; [여자] soltera. ② [임신 안 한 여자] mujer *f* que no está encinta.

홀바지 ropa *f* interior de mujer.

홀소리 voz *f* de una sola sílaba, voz *f* monosilábica.

홀옷 *hot-ot*, ropa *f* sin forro.

홀이불 *hot-ibul*, sábana *f*.

홀집 choza *f*, casucha *f*.

홀창(一窓) ventana *f* corrediza sin la ventana interior.

홀치마 ① [한 겹으로 된 치마] *hotchima*, falda *f* sin forro. ② [속에 아무 것도 안 입고 입은 치마] *hotchima*, falda *f* vestida sin enaguas.

화(火) ((준말)) =화요일(martes).

화[2](火) ① ((준말)) =화기(火氣). ② ((민속)) [오행의 하나] ㉮ [남쪽] sur *m*. ㉯ [여름] verano *m*. ㉰ [붉은색] (color *m*) rojo *m*. ③ [언짢아 서 내는 성] cólera *f*, ira *f*, enfado *m*, exasperación *f*, *AmL* enojo *m*. ☞화나다. 화내다

화(禍) disgracia *f*, desastre *m*, calamidad *f*, catástrofe *f*.

화가(畵架) caballete *m*.

화가(畵家) pintor, -tora *mf*.

화간(和姦) fornicación *f*, adulterio *m* voluntario, cópula *f* carnal entre dos personas que no están casadas, fornicio *m*. ~하다 fornicar.

화강석(花崗石) granito *m*.

화강암(花崗巖) ((광물)) granito *m*.

화객(貨客) la carga y los pasajeros. ~선 barco *m* de carga-pasajeros.

화공(化工) ((준말)) =화학 공업. ② =화학 공학. ¶ ~ 약품 medicamento *m* químico.

화공(火攻) ataque *m* incendiario. ~하다 atacar con fuego.

화공(畵工) pintor, -tora *mf*.

화공(靴工) zapatero, -ra *mf*.

화관(花冠) ① ((식물)) corona *f* floral. ② [칠보로 꾸민 여자의 관] corona *f* adornada con siete tesoros.

화교(華僑) comerciantes *mpl* chinos (que residen) en el extranjero, residentes *mpl* chinos en el extranjero. ~촌 barrio *m* chino.

화구(火口) ① [아궁이의 아가리] entrada *f* del hogar. ② [불을 내뿜는 아가리] entrada *f* del fuego. ③ [화산의 터진 구멍] cráter *m*.

화구(畵具) colores *mpl* de pintura. 유화의 ~ colores *mpl* de pintura al óleo. ¶ ~상 ㉮ [화구를 파는 상업] comercio *m* de vender los colores de pintura. ㉯ [화구를 파는 상인] comerciante *mf* de los colores de pintura.

화근(禍根) raíz *f* de desgracia, raíz *f* de injuria, raíz *f* de daño, raíz *f* del mal, causa *f* de desgracia, fuente *f* de calamidad, origen *m* de calamidad.

화급하다(火急一) (ser) apremiante, urgente, inminente. 화급한 일 [용무] asunto *m* urgente, negocio *m* urgente. 화급히 urgentemente, con urgencia, apremiantemente, inminentemente.

화기(火氣) ① [불의 뜨거운 기운] fuego *m*, fuerza *f* del fuego, actividad *f* del fuego. ~ 엄금 ((게시)) Prohibido el fuego. ② [가슴이 답답해지는 기운] sensación *f* sofocante en el pecho. ③ =화증(火症).

화기(火器) ① ((군사)) el arma *f* (*pl* las armas) de fuego. ② [불을 담는 그릇] estufa *f*, calentador *m*.

화기(和氣) ① [화창한 일기] tiempo *m* de sol. ② [화목한 기운] armonía *f*, paz *f*, concordia *f*. ¶ ~애애 armonía *f*, paz *f*, amigabilidad *f*, concordia f, amistad f. ~애애하다 (ser) armonioso, pacífico. ~애애하게 amigablemente, amistosamente, armoniosamente, pacíficamente.

화끈 ① [얼굴이나 몸이] ruborizándose. 얼굴이 ~ 달아오르다 ruborizarse a uno la cara, ponerse a uno la cara. ② [속어] [열기가 뜨거워 긴장됨 흥분이] excitantemente. ~한 경기 juego m excitante.

화끈거리다 encendérsele la sangre, sentir caliente, arder, tener sensación vehemente.

화나다(火—) enfadarse, irritarse. 화난 얼굴 cara f enfadada.

화내다(火—) ① [성이 나서 화증을 내다] enfadarse, irritarse, AmL enojarse. 잘 내다는 colérico, irascible, enfadadizo, enojadizo. ② [부정에 대해] indignarse. ③ [격노하다] montar en cólera, enrabiarse.

화냥년 mujer f fácil, mujer f de vida alegre, desvergonzada f.

화냥질 adulterio m. ~하다 cometer adulterio, ponerle los cuernos.

화농(化膿) piogénesis f, diapiesis f, purulencia f, supuración f. ~하다 supurar, formar pus, enfistolar. ~균 microbio m piógeno. ~제 supurativo m, pustulante m.

화닥닥 ① [갑자기 뛰어나가려고] de un salto, con un respingo. ② [일을 빨리 하느라고] de sobresalto.

화단(花壇) arriate m, arriata f, macizo m, Cuba, RPI cantero m.

화단(畫壇) mundo m de pintores, círculos mpl de pintores, mundillo m pictórico.

화답(和答) respuesta f. ~하다 responder.

화대(花代) propina f a una guisaeng.

화덕(火—) cocina f económica, horno m, hogar m, horno-asador m, fogón m. ~에 굽다 asar en el horno.

화독(火毒) inflamación f causada por la quemadura.

화두(話頭) tema m de conversación. ~를 바꾸다 cambiar el tema, cambiar la conversación.

화란(和蘭) ((지명)) Holanda f, los Países Bajos. ~의 (사람) holandés, -desa mf. ~어 holandés m.

화랑(畫廊) [박물관] pinacoteca f, museo m; [가게] galería f de arte.

화려하다(華麗—) (ser) espléndido, magnífico, suntuoso, esplendoroso, vistoso, llamativo, ostentoso, aparatoso, brillante, resplandeciente, grandioso, ostentoso. 화려한 무대 escena f solemne, escenario m solemne, representación f solemne.

화력(火力) ① [불의 힘] poder m calorífico, potencia f calorífica [térmica], potencia f de caldeo, energía f térmica, fuerza f de fuego. ② ((군사)) potencia f de fuego, fuego m. ¶ ~ 발전 termogeneración f, producción f térmica de la energía eléctrica. ~ 화력 발전소 central f termoeléctrica [térmica].

화로(火爐) brasero m, braserillo m de mano, hogar m.

화룡점정(畵龍點睛) última pincelada f (para que la obra sea perfecta), toque m final, último toque m. ~을 찍다 darle los últimos toques, darle el toque de colmo.

화류(花柳) ① [꽃과 버들] la flor y el sauce. ② =유곽(遊廓). ③ =기생. 갈보. ¶ ~계 barrio m chino, zona f de tolerancia, sociedad f frívola, sociedad f alegre. ~병 venéreo m, malfrancés m, enfermedad f venérea.

화마(火魔) fuego m, lumbre f.

화면(畫面) ① [그림의 표면] lienzo m, tela f. ② [영사막에 비친 사진의 면] pantalla f. ③ [필름·인화지에 촬영된 영상] imagen f.

화목(和睦) armonía f, intimidad f, paz f; [친화] reconciliación f; [강화] restauración f de paz, concertación f de paz. ~하다 concluir la paz, hacer las paces, ser amable, reconciliarse.

화무십일홍(花無十日紅) La flor de la belleza es poco duradera.

화문(火門) boca f del arma de fuego.

화문(花紋) figuras fpl de flores, modelos mpl de flores. ~석 estera f con figuras, estera f tejida con figuras [modelos] de flores.

화물(貨物) mercancía f, géneros mpl, carga f; [전체] cargamento m. ~기[수송기] avión m de carga, (avión m) carguero m. ~선 buque m de carga, barco m de carga, AmL fletero m. ~ 열차 tren m de carga, tren m de mercancías. ~ 자동차 camión m, furgón m.

화반(花盤) maceta f [tiesto m] para la porcelana.

화반석(花斑石) mármol m rojo.

화방(畫房) florería f, floristería f.

화백(畫伯) pintor, -tora mf; artista mf; maestro, -tra mf de pintura.

화법(話法) narración f. 간접 ~ narración f indirecta. 직접 ~ narración f directa.

화법(畫法) arte m de pintura, arte m de dibujo, arte m gráfica.

화변(禍變) calamidad f, desastre m.

화병(火病) ((준말)) =울화병. 심화병.

화병(花瓶) florero m, vaso m de flores, jarrón m de flores. ☞꽃병

화보(畫報) revista f ilustrada.

화보(畫譜) libro m de pinturas, album m de pinturas.

화복(禍福) fortuna y desgracia, dicha y desdicha, buena suerte y mala suerte.

화부(火夫) fogonero, -ra *mf.*

화분(花盆) tiesto *m*, maceta *f.*

화분(花粉) (식물) polen *m.*

화사첨족(畵蛇添足) superfluidad *f*, rebundancia *f*, exceso *m.*

화사하다(華奢-) (ser) lujoso, pomposo, espléndido, faustoso.

화산(火山) volcán *m.* ~의 volcánico. 해저 ~ volcán *m* submarino. ¶~대 zona *f* volcánica. ~도 isla *f* volcánica. ~암 roca *f* volcánica.

화살 flecha *f*, saeta *f.* ~을 쏘다 tirar [disparar · soltar] una flecha. 세월은 흐르다~과 같다 El tiempo corre [pasa] como una flecha.

화상(火傷) (불 · 태양에 댄) quemadura *f*; (뜨거운 물에 댄) escaladura *f.* ~을 입다 quemar con líquido hirviendo [caliente], escaldarse, quemarse.

화상(和尙) superior *m* budista).

화상(華商) comerciante *m* chino.

화상(畵商) comerciante *mf* de cuadros.

화상(畵像) ① [사람의 얼굴을 그림으로 그린 형상] retrato *m.* ② ((속어)) [얼굴] cara *f*, rostro *m.* ③ ((속어)) [상대방이 마땅치 못하여 꾸짖는 말] tipo *m.* ④ [텔레비전 수상기의] imagen *f.*

화색(和色) armonía *f* jovial [simpática], complexión *f* rubicunda.

화생(化生) metamorfosis *f*, transformación *f.* ~하다 metamorfosear, transformar.

화생방(火生放) ¶~의 químico, biológico y radiológico. ~ 대피호 abrigo *m* antitóxico. ~ 무기 armas *fpl* químicas, biológicas y radiológicas. ~전 guerra *f* química, biológica y radiológica.

화서지몽(華胥之夢) ① [낮잠] siesta *f.* ② [좋은 꿈] buen sueño *m.*

화석(火石) pedernal *m*, piedra *f* de chispa.

화석(化石) fósil *m.* ~의 fósil. ~층 capa *f* fósil. ~학 paleontología *f.*

화선(畵仙) =화성(畵聖).

화선지(畵宣紙) papel *m* coreano para dibujar.

화섬(化纖) (준말) =화학 섬유. ¶~사(絲) hilo *m* de fibra sintética.

화성(化成) (화학)) metamorfosis *f*, transformación *f*, mudanza *f* de una cosa en otra, formación *f.* ~하다 metamorfosear, transformar.

화성암(火成岩) roca *f* ígnea.

화성(火星) ((천문)) Marte *m.* ~의 marciano. ~인 marciano *m.*

화성(和聲) (음악)) armonía *f*, concordia *f*, consonancia *f.* ~학 armonía *f*, teoría *f* musical.

화성(畵聖) gran pintor *m.*

화수(花樹) =밤나무. ¶~회 reunión *f* familiar.

화술(話術) arte *m* de conversación, arte *m* de hablar bien, arte *m* de la narración.

화승총(火繩銃) mosquete *m.*

화식(火食) comida *f* cocida. ~하다 tomar la comida cocida, comer manjares cocidos.

화신(化身) encarnación *f*, personificación *f.*

화신(火神) dios *m* del fuego.

화신(花神) dios *m* de la flor.

화실(火室) fogón *m*, cámara *f* de combustión, caja *f* de fuego de una caldea.

화실(畵室) taller *m*, estudio *m* de artista, estudio *m* de un pintor.

화심(花心) ① (식물) [꽃술이 있는 부분] corazón *m* de una flor. ② [미인의 마음] corazón *m* de la belleza.

화씨(華氏) Fahrenheit. ~ 온도계 termómetro *m* de Fahrenheit.

화약(火藥) pólvora *f.* 면~ fulmicotón *m*, algodón *m* polvora. ¶~고 ㉮ [화약 창고] polvorín *m.* ㉯ [배의] santabárbara *f.* ㉰ [분쟁이나 전쟁 따위가 일어날 위험성이 있는 지역] región *f* peligrosa (de la guerra). ~ 공장 fábrica *f* de pólvora.

화염(火焰) llama *f*, fogarada *f*, hoguera *f.* ~ 방사기 lanzallamas *m.* ~병 coctel *m* Molotov.

화요일(火曜日) martes *m.sing.pl.*

화원(花園) ① [꽃동산] campo [jardín *m*] de flores. ② =꽃가게.

화음(和音) ((음악)) acorde *m.*

화의(和議) negociación *f* para paz, conferencia *f* de paz; ((법률)) convenio *m.* ~하다 negociar para la paz. ~법 ley *f* de convenio. ~신청 aplicación *f* de convenio.

화이트 칼라 [샐러리맨] asalariado *m*; oficinista *m*; administrativo *m.*

화이트 크리스마스 navidades *fpl* blancas, navidadese *fpl* con nieve.

화인(火因) causa *f* del incendio.

화인(禍因) causa *f* de la calamidad.

화자(話者) hablante *mf*; narrador, -dora *mf.*

화장(化粧) maquillaje *m*, tocado *m*, atavío *m*, afeite *m.* ~하다 maquillarse, pintarse, tocarse, ataviarse. ~한 얼굴 cara *f* maquillada. ¶~대 tocador *m*, estuche *m* de aseo. ~ 도구 juego *m* de tocador, requisito *m* de tocador. ~ 상자 (estuche *m* de) tocador *m*, neceser *m.* ~수 el agua *f* de colonia, el agua *f* de tocador, loción *f.* ~술 arte *m* de maquillaje. ~실 ㉮ [화장하는 방] cuarto *m* [habitación *f*] de aseo; [극장의] camerino *m*,

camarín m.. ⒜ [변소] servicios mpl, aseos mpl, baño m, Méj sanitarios mpl. ~지 papel m higiénico. ~ 크림 cosméticos mpl, artículos mpl de tocador. ~품점 perfumería f.

화장(火葬) cremación f, incineración f. ~하다 incinerar, cremar. ~장 [터] crematorio m, horno m crematorio, horno m de incineración, campo m de cremación.

화재(火災) fuego m, incendio m, conflagración f, pérdida f por incendio. ~ 경보기 alarma f contra incendios. ~ 보험 seguro m contra [de] incendio. ~ 보험에 들다 asegurar contra incendios.

화재(畵才) talento m artístico.

화재(畵材) material m del cuadro.

화적(火賊) =불한당(不汗黨).

화전(火田) tierra f ardida [campo m ardido] para el cultivo. ~민 agricultor, -tora mf del campo ardido para el cultivo.

화전(火箭) flecha f de fuego.

화전(花煎) ① =꽃전. ② [꽃을 붙여 부친 부꾸미] tortilla f de flores.

화전(和戰) ① [화친과 전쟁] la paz y la guerra. ② [전쟁을 멈추고 화해함] paz f, amistad f.

화제(畵題) sujeto m [tema m] de un cuadro.

화제(話題) ① [이야기의 제목] título m de una conversación. ② [이야 깃거리] tópico m, tema m.

화젯거리(話題─) =화제②.

화조(花鳥) ① [꽃과 새] la flor y el pájaro. ② [꽃을 찾아 다니는 새] pájaros mpl que visitan las flores. ③ [꽃과 새를 그린 그림이나 조각] cuadro m [escultura f] con las flores y los pájaros.

화주(貨主) =하주(荷主).

화증(火症) ira f, enfado m, furia f, pasión f, AmL enojo m. ~(을) 내 다 enfadar, enojar. ~(이) 나다 enfadarse, irritarse, AmL enojarse.

화지(畵紙) papel m de dibujo.

화집(畵集) =화첩(畵帖).

화차(火車) ① [옛날 화공에 쓰던 병 거] carro m. ② [우리 나라의 옛 전차] tanque m. ③ =기차(汽車).

화차(貨車) ((준말)) =화물(열)차.

화창하다(和暢─) (ser) claro, agradable, templado y agradable, de sol. 화창한 날 día m agradable [claro].

화채(花菜) jugo m mezclado con frutas.

화첩(畵帖) libro m de pinturas, álbum m de pinturas.

화초(花草) flores fpl, planta f que florece, planta f que da flores.

화촉(華燭) ① [그림을 그리는 데 쓰 이는 밀초] candela f pintada. ② [빛깔 들인 밀초] candela f con

colores. ③ [혼례] boda f, nupcias fpl, casamiento m, matrimonio m, celebración f de matrimonio. ~을 밝히다 casarse ceremoniosamente.

화친(和親) amistad f, relaciones fpl íntimas, relaciones fpl amistosos.

화롯불 hoguera f, fogata f. ~을 피우 다 encender una hoguera, hacer hoguera, hacer fuego (al aire libre).

화통(火─) =울화통.

화통(火筒) ① [기차·기선의 굴뚝] chimenea f. ② ((속어)) =기관총.

화투(花鬪) hwatu, naipes mpl coreanos. ~를 치다 jugar al hwatu, jugar a la carta, jugar a los naipes.

화판(畵板) tablero m de dibujo.

화평(和平) paz f, armonía f. ~하다 (ser) pacífico, armonioso.

화폐(貨幣) moneda f (corriente), dinero m; [지폐] papel m moneda, billete m. ~의 monetario. ~를 발 행하다 emitir la moneda, poner la moneda en circulación. ¶~ 개혁 reforma f monetaria; [평가 절하] devaluación f. ~ 단위 unidad f monetaria. ~ 위조 falsificación f monetaria.

화포(火砲) el arma f de fuego.

화포(畵布) lienzo m.

화풀이(火─) venganza f, represalia f. ~하다 desahogarse, dar rienda a su ira, descargar su ira sin razón.

화풍(畵風) estilo m de pintura.

화필(畵筆) pincel m (de pintura).

화하다(化─) [어떤 일에 아주 익 숙하게 되다] estar familiarizado, estar al tanto, estar al corriente, llegar a conocer, ser muy versado. ② [한 물질이 딴 물질로 바뀌다] convertirse, transformarse. 돌로 ~ fosilizarse, petrificarse.

화학(化學) química f. ~의 químico. ~ 공업 industria f química. ~ 공 학 ingeniería f química, tecnología f química. ~ 무기 arma f(pl) química(s). ~ 반응 reacción f química. ~ 비료 fertilizante m químico, abono m químico. ~ 섬 유 fibra f química. ~식 fórmula f química. ~자 químico, -ca mf. ~ 전 guerra f química. ~ 제품 producto m químico.

화합(化合) combinación f (química). ~하다 combinarse.

화합(和合) armonía f, paz f, concordia f. ~하다 armonizar, unirse, ajustarse, hermanarse, concertar. ~시키다 unir, armonizar.

화해(和解) ① [다툼질을 그치고 풂] reconciliación f, paz f, concorda f,

arreglo m, pacificación f, acorda-
miento m. ~하다 reconciliarse,
arreglarse, avenirse, ponerse de
acuerdo, romper el hielo, hacer
[firmar] las paces. ~시키다 re-
conciliar, arreglar, avenir. ② ((법
률)) contrato m de concordia.

화형(火刑) suplicio m del fuego,
tosta f, polla f. ~하다 someter al
suplicio del fuego. ~식 ceremonia
f de suplicio del fuego.

화혼(華婚) sus bodas. 축 ~! ¡Felicidades por sus bodas!

화환(花環) guirnalda f, corona f de
flores; [장례식의] corona f de
muerto.

화훼(花卉) ① [관상·장식·미화용
등으로 재배되는 식물] plantas fpl
floridas, plantas fpl de floración.
② =화초(花草). ③ ((미술)) cua-
dro m a base de las flores. ¶ ~
원예 floricultura f.

확¹ ① =돌확. ② [절구 아가리로부터
밑바닥까지의 구멍] agujero m de
la entrada del mortero a su fondo.

확² ① [갑자기 세게 불거나 내뿜는
모양] con un soplo fuerte. 촛불을
~ 불어 끄다 apagar soplando la
luz de una vela. ② [불길이] de
sopetón, de repente, precipitadamente, como una bomba. ~ 타오
르다 inflamarse. ③ [날래고 힘차
게] fuerte, fuertemente, violentamente. ④ [묵였던 것이나 긴장 따
위가] de repente, repentinamente,
de súbito, súbitamente.

확고부동(確固不動) firmeza f, lo inquebrantable, seguridad f, inflexibilidad f, invencibilidad f. ~하다
(ser) firme, inquebrantable, inflex-
xible, invencible. ~하게 firmemente inquebrantablemente, inflex-
xiblemente, invenciblemente.

확고하다(確固-) (ser) firme, resuelto, estable, decidido, sólido, fijo,
constante, inmutable, determinado.
확고한 신념 convicción f firme.

확답(確答) contestación f definitiva,
respuesta f decisiva. ~하다 contestar definitivamente, dar una
respuesta definitiva [decisiva]. ~
을 피하다 eludir una respuesta
definitiva, mostrarse evasivo.

확대(擴大) ① [넓혀 크게 함] agran-
damiento m; [확장] ampliación f,
expansión f, ensanchamiento m;
[증가] aumento m. ~하다 agrandar, ampliar, extender, ensanchar,
aumentar, engrandecer, escalar,
dilatar, alargar, tender; [음을]
amplificar. ② ((사진)) ampliación
f. ~하다 ampliar. ~경 lente m
de aumento, lente f dióptrica, lente
m aumentivo, ampliador m, cristales mpl de aumento, lupa f; [현

미경의] amplificador m. ~기
ampliadora f. ~ 사진 fotografía f
ampliada. ~ 재생산 producción f
expansiva. ~ 해석 ampliación f de
la interpretación.

확론(確論) argumento m infalible,
noción f asentada, teoría f establecida.

확률(確率) ① probabilidad f, posibilidad f. ② ((수학)) probabilidad f.

확립(確立) establecimiento m, instalación f. ~하다 establecere (firmemente), instalar definitivamente,
asentar definitivamente, asegurar,
afirmar, fijar. 기초를 ~하다 fundamentar.

확보(確保) aseguramiento m; [보장]
garantía f; [예약] reservación f;
[유지] mantenimiento m. ~하다
asegurar, garantizar, reservar,
mantener. 좌석을 ~하다 [예약하
다] reservar un asiento.

확산(擴散) ① [흩어져 번짐] difusión
f, diseminación f, proliferación f. ~
하다 difundirse, diseminarse, proliferar. ② ((물리)) difusión f. 빛의
~ difusión f de luz.

확성기(擴聲器) altavoz f, megáfono
m, micrófono m, AmL altoparlante
m, AmL parlante m.

확신(確信) convicción f, creencia f
firme. ~하다 convencerse, estar
seguro, creer firmemente, estar
persuadido, creer a puño cerrado.
~범 criminal mf de convicción.

확실성(確實性) certeza f, certidumbre
f, seguridad f.

확실하다(確實-) (ser) cierto, seguro,
positivo; [절대 확실하다] infalible;
[명확하다] claro, evidente; [신뢰할
수 있다] confiable, digno de confianza, fiel, leal; [안전하다] seguro,
firme, sólido. 확실히 ciertamente,
seguramente, con seguridad; [틀림
없이] sin falta, sin duda, indudablemente. 확실히 그렇습니다 Claro
que sí.

확약(確約) promesa f definitiva [for-
mal]. ~하다 prometer, asegurar,
dar (su) palabra, soltar prendas,
comprometerse.

확언(確言) aseveración f, aserto m;
[단언] afirmación f. ~하다 afirmar, asegurar, aseverar, verificar.

확연하다(確然-) (ser) positivo, definitivo.

확인(確認) confirmación f, comprobación f, convicción f. ~하다 confirmar, comprobar, asegurarse,
cerciorarse, afirmar, ser convencido; [틀림없음을] [사람·선박·
종류가] identificar; [시체가] identificar, reconocer; ~되다 confirmarse, comprobarse, identificarse,
reconocerse. ¶ ~서 carta f de

confirmación. ~ 신용장 carta *f* de crédito confirmado.

확장(擴張) expansión *f*; [폭 따위의] ensanchamiento *m*; [사업 따위의] ampliación *f*. ~하다 extender, ensanchar, amplificar, ampliar. ~ 공사 obra *f* de ensanche. ~론 expansionismo *m*. ~론자 expansionista *mf*. ~ 정책 expansionismo *m*, política *f* de expansión.

확정(確定) decisión *f*, determinación *f*, confirmación *f*, afirmación *f*. ~하다 decidir, determinar, fijar, afirmar. ~되다 determinarse, decidirse, fijarse.

확증(確證) prueba *f* decisiva [clara · convincente · positiva], prueba *f* concluyente, testimonio *m* concluyente. ~하다 probar positivamente, dar prueba convincente. ~을 얻다 obtener pruebas decisivas.

확충(擴充) amplificación *f*, ampliación *f*, extensión *f*, expansión *f*, fortalecimiento *m*. ~하다 amplificar, extender, ampliar, aumentar.

확확(?) ① [바람이 잇따라 세차게 부는 모양] con un gran soplo, con una ráfaga, con una racha. ② [불길이 잇따라 세차게 타오르는 모양] en llamas.

환 pintura *f* barata, dibujo *m* áspero. ~을 치다 bosquejar, hacer un bosquejo.

환(丸) ① ((준말)) =환약(丸藥). ② [환약의 개수를 세는 말] píldora *f*.

환(換) ① [어음이나 수표로 송금하는 방법] giro *m*, cambio *m*. ~의 변동 variaciones *fpl* de los tipos de cambio. ② ((준말)) =환전(換錢). ¶ ~시장 mercado *m* de cambios.

환(環) ((화학)) aro *m*, anillo *m*.

환각(幻覺) ((심리)) alucinación *f*, ilusión *f*, visión *f*, alucinación *f*. ~에 빠지다 alucinarse. ~을 일으키다 alucionar, tener alucinaciones. ¶ ~제 alucinógeno *m*. ~제 상용자 (p)sicodélico, -ca *mf*. ~증 alucinosis *f*.

환갑(還甲) aniversario *m* del cumpleaños sexagésimo, ciclo *m* de sesenta años. ~날 cumpleaños *m* sexagésimo. ~ 노인 sexagenario, -ria *mf*. ~ 잔치[연] banquete *m* de *su* sexagésimo cumpleaños, fiesta *f* [celebración *f*] de los sesenta años.

환거래(換去來) transacción *f* de cambio.

환경(環境) medio *m* ambiente, medio *m*, ambiente *m*, atmósfera *f*. ~의 ambiental, medioambiental, en ecología, en medio ambiente. ~ 친화적인 ecológico. ¶ ~ 농법 método *m* agrícola del (medio) ambiente. ~ 단체 grupos *mpl*

ecologistas. ~ 미화원 trabajador, -dora *mf* de la limpieza; recolector, -tora *mf* de residuos. ~ 보존 conservación *f* [preservación *f*] ambiental [medioambiental]. ~ 보호 protección *f* ambiental [medioambiental]. ~부 Ministerio *m* del Medio Ambiente; *Méj* Secretaría *f* del Medio Urbano y Ecología. ~ 영향 평가 evaluación *f* ambiental. ~ 오염 contaminación *f* ambiental [de medio ambiente]. ~운동 movimiento *m* ecologista. ~청 Dirección *f* General del Medio Ambiente. ~ 호르몬 hormón *m* [hormona *f*] medioambiental.

환곡(換穀) cambio *m* mutuo de los cereales. ~하다 cambiarse los cereales uno a otro.

환골탈태(換骨奪胎) adaptación *f*, modificación *f*.

환관(宦官) ((역사)) enuco *m*.

환국(還國) vuelta *f* a *su* país. ☞귀국

환궁(還宮) vuelta *f* al palacio real. ~하다 volver al palacio real.

환금(換金) ① [물건을 팔아 돈으로 바꿈] conversión *f* en dinero. ~하다 convertir en dinero, realizar. ② ((준말)) =환전(換錢).

환급(還給) devolución *f*; [정산한 나머지의] reembolso *m*; [양도 물건의] retroceso *m*; [부당 취득 물건의] restitución *f*. ~하다 devolver, reembolsar, restituir.

환기(喚起) despertamiento *m*. ~하다 despertar. ~시키다 despertar, llamar. 여론을 ~시키다 despertar la opinión pública. 주의를 ~시키다 llamar [despertar] la atención.

환기(換氣) aireación *f*, ventilación *f*. ~하다 airear, ventilar. ~가 잘 되는 방 habitación *f* bien ventilada. ¶ ~ 구멍 ventilador *m*, abertura *f* de ventilación. ~ 장치 ventilador *m*, sistema *m* de ventilación. ~창 ventilador *m*.

환난(患難) desgracia *f*, aflicción *f*, tribulación *f*, angustia *f*.

환담(歡談) conversación *f* agradable. ~하다 tener una conversación agradable.

환대(歡待) bienvenida *f*, recepción *f* cordial, buena acogida *f*, festejo *m*, agasajo *m*, obsequio *m*. ~하다 dar recepción cordial, hospedar afectuosamente, dar la bienvenida, recibir con agasajo, festejar, agasajar, obsequiar, invitar a una buena [rica] comida.

환도(還刀) sable *m*. ~ 뼈 ㉮ hueso *m* de la cadera. ㉯ ((성경)) muslo *m*.

환도(還都) vuelta *f* a la capital. ~하다 volver a la capital.

환등(幻燈) ((준말)) =환등기(幻燈機).

¶ ~기 proyector *m* de diapositiva.

환락(歡樂) alegría *f*, júbilo *m*, regocijo *m*, placer *m*, deleite *m*. ~가 centro *m* de diversiones.

환란(患亂) = 재앙(災殃). 병란(兵亂).

환멸(幻滅) desilusión *f*, desengaño *m*, desencanto *m*. ~을 느끼다 desilusionarse, desencantarse, sentirse desilusionado, desengañarse.

환몽(幻夢) sueño *m* vacío.

환문(喚問) llamamiento *m*, llamada *f*, ((법률)) citación *f* (a un examen). ~하다 llamar, citar, citar a una investigación. 증인을 ~하다 citar a un testigo.

환부(患部) parte *f* afectada, parte *f* padecida, parte *f* enferma, parte *f* dolorida, parte *f* lastimada.

환부(還付) = 환급(還給).

환불(還拂) reembolso *m*, devolución *f*, restitución *f*; [보험금 따위의] reintegro *m*. ~하다 reembolsar, devolver, restituir; [보험금 따위를] reintegrar.

환산(換算) cambio *m*, intercambio *m*, conversión *f*. ~하다 convertir, cambiar. 달러의 ~ conversión *f* a dólar. A를 B로 ~하다 cambiar [convertir] A en B.

환상(幻想) ilusión *f*, quimera *f*, visión *f*, fantasía *f*, fantasma *m*, sueño *m*. ~곡 fantasía *f*. ~적 visionario, fantástico.

환상(幻像) fantasma *m*, ilusión *f*, visión *f*, imagen *f* falsa, imagen *f* secundaria.

환상(環狀) círculo *m*, forma *f* anular. ~의 circular, anular. ~ 도로 carretera *f* [ronda *f*] de circunvalación, *Méj* periférico *m*. ~ 철도 ferrocarril *m* circular.

환생(幻生) = 환생(還生).

환생(還生) renacimiento *m*, restauración *f*, restablecimiento *m*. ~하다 renacer, volver a nacer.

환성(歡聲) grito *m* de alegría, aclamación *f* (de júbilo), ovación *f*. ~을 지르다 aclamar, vitorear, dar vivas, dar vítores, jubilar.

환속(還俗) secularización *f*. ~하다 secularizarse, colgar los hábitos, abandonar la vida eclesiástica, volver a la vida secular. ~시키다 secularizar, exclaustrar.

환송(還送) reenvío *m*. ~하다 reenviar. 일심으로 ~하다 reenviar el asunto al tribunal de primera instancia.

환송(歡送) despedida *f*. ~하다 despedirse. ~식 ceremonia *f* de despedida. ~연 fiesta *f* de despedida, fiesta *f* para alentar con motivo de *su* partida. ~회 reunión *f* de despedida.

환수(還收) amortización *f*. ~하다 amortizar.

환술(幻術) magia *f*, hechizo *m*, brujería *f*, hechicería *f*, encantamiento *m*, sortilegio *m*.

환시(幻視) ((심리)) fantasmoscopia *f*, seudopsia *f*.

환시(環視) miradas *fpl* concetradas. 중인 ~의 대상 foco *m* de la atención pública.

환시세(換時勢) cambio *m*, tipo *m* de cambio, tasa *f* de cambio, cotización *f* de cambio. 고정 ~ tipo *m* de cambio fijo. 선물(先物) ~ tipo *m* de cambio a futuro [a término].

환심(歡心) favor *m*, buenas gracias *fpl*, complacencia *f*. ~을 사다 buscar el favor, congraciar, atraerse la benevolencia, buscar la benevolencia; [아부하다] adular, lisonjear.

환약(丸藥) pastilla *f*, píldora *f*. ~을 먹다 tomar la píldora.

환어음(換-) letra *f* de cambio, libranza *f*. ~을 발행하다 girar [librar] una letra (de cambio).

환언(換言) dicho *m* en otras palabras. ~하다 decir en otras palabras. ~하면 en otra palabra, dicho en otras palabras, en otros términos; [다시 말하면] es decir, o sea.

환영(幻影) visión *f*, ilusión *f*, espejismo *m*, fantasma *m*, espectro *m*, aparición *f*, sombra *f*, estantigua *f*.

환영(歡迎) bienvenida *f*, (buena) acogida *f*, recibimiento *m*; [환대] festejo *m*. ~하다 dar la bienvenida, dispensar una buena acogida, dar buena acogida, hacer un buen recibimiento, festejar, recibir con agasajo. ~의 뜻을 표하다 expresar *su* bienvenida. ¶ ~ 만찬회 cena *f* de bienvenida. ~사 discurso *m* de bienvenida. ~연 fiesta *f* de bienvenida, banquete *m* de bienvenida. ~회 reunión *f* [recepción *f*] de bienvenida, recepción *f*.

환원(還元) ① [근본으로 되돌아감] restauración *f*, reinstauración *f*, restablecimiento *m*. ~하다 restaurar, reinstaurar, restablecer, restituir.

환율(換率) tipo *m* de cambio. ~ 변동 fluctuación *f* del tipo de cambio, oscilaciones *fpl* de los tipos de cambio. ~ 제도 sistema *m* de los tipos de cambio. ~ 파동 fluctuación *f* del tipo de cambio.

환은(換銀) ① ((준말)) = 외환 은행. ② [물건을 돈으로 바꿈] conversión *f* del artículo en dinero.

환은행(換銀行) = 외환 은행.

환자(患者) paciente *mf*; enfermo, -ma *mf*; caso *m*; [개업 의사의] cliente *mf*; [집합적] clientela *f*. 천

명 이상의 ~ más de mil casos.
~용 식사 dieta *f* para enfermos.
~를 진찰하다 examinar a un
paciente [una paciente].

환전(換錢) ① [환표로 보내는 돈]
giro *m* postal. ② [서로 종류가 다
른 화폐와 화폐를 교환함] cambio
m. ~하다 cambiar. ¶~상 cam-
bista *mf*. ~소 casa *f* de cambio.

환절(換節) ① [철이 바뀜] cambio *m*
de estaciones. ~하다 cambiarse la
estación. ② [절조를 바꿈] cambio
m de la integridad. ~기 (temporada *f* de) cambio *m* de
estaciones.

환청(幻聽) alucinación *f* auditiva.

환표(換票) ① [표를 바꿈. 또, 그 표]
cambio *m* de los billetes; billetes
mpl de cambiar. ② [선거에서]
cambio *m* de la votación. ~하다
cambiar de la votación.

환품(換品) cambio *m* de los objetos.
~하다 cambiar de los objetos.

환풍기(換風機) ventilador *m*.

환하다 ① [광선이 비쳐 맑고 밝다]
(ser) claro, brillante. 환하게 brillantemente, claramente. 환해지다
aclararse, despejarse, clarear; [비
인칭 표현] aclarar. ② [앞이 틔어
넓고 멀다] (ser) claro, libre, despejado. ③ [조리나 속내가 뚜렷하
다] (ser) evidente, obvio, lógico,
constar.. ④ [얼굴이 잘 생겨 시원
스럽다] (ser) bien parecido. 얼굴이
환한 사람 persona *f* muy parecida.
⑤ [맛이 약간 달콤 듯하며 개운하
고 상쾌한 느낌이 있다] (ser) re-
frescante. ⑥ [통달하다] ser muy
versado, conocer bien. 역사에 환한
사람 persona *f* muy versada en la
historia. ¶환히 claramente, obviamente, evidentemente, lógicamente,
de oreja a oreja, de par en par.
환히 웃다 sonreír de oreja a oreja.

환향(還鄕) vuelta *f* a *su* tierra natal.
~하다 volver a *su* tierra natal,
volver a casa.

환형동물(環形動物) anélidos *mpl*.

환호(歡呼) aplauso *m*, vivas *fpl*, vítores *mpl*, grito *m* de entusiasmo,
aclamación *f*, ovación *f*. ~하다
aplaudir, vitorear, dar exclamación
de alegría. ~성 aplauso *m*, exclamación *f*, vítor *m*, grito *m* con
entusiasmo. ~작약 salto *m* de
alegría, el bailar de alegría.

환후(患候) enfermedad *f* del superior.

환희(歡喜) alegría *f*, júbilo *m*, regocijo *m*, éxtasis *m*. ~하다 alegrarse, regocijarse, exultar, no caber
en sí de gozo, regocijar excesivamente, saltar de alegría.

활 ① ((무기)) arco *m*. ② ((악기))
cuerda *f*.

활강(滑降) deslizamiento *m*; ((스키))

descenso *m*. ~하다 descender con
esquís. ~ 경기 ((스키)) (prueba *f*
de) descenso *m*, descenso *m* con-
trareloj.

활개 ① [새의] alas *fpl* del pájaro. ②
[사람의] *sus* brazos, *su* miembro.
네~를 벌리고 자다 tenderse con
brazos y piernas abiertos, dormir
a pierna suelta [tendida].

활공(滑空) vuelo *m* sin motor, planeo *m*, vuelo *m* planeado. ~하다
volar sin motor, planear, cernerse.
~ 거리 distancia *f* de planeo. ~기
planeador *m*.

활극(活劇) escena *f*, acción *f* belicosa; [실제의] escena *f* realística;
[소동] escena *f* sediciosa; [영화]
película *f* activa.

활기(活氣) vigor *m*, animación *f*,
energía *f*, vivacidad *f*, actividad *f*,
ánimo *m*, brío *m*. ~에 찬 vivo,
lleno de vida, animado, enérgico,
vigoroso, animoso, espiritoso. ~가
없는 exánime, abatido, inanimado.

활달하다(豁達－) (ser) magnánimo,
generoso, liberal, jovial, grande
(de alma). 활달하게 magnánimamente, generosamente, liberalmente, jovialmente, a la llana. 성격이
~ ser franco de carácter.

활동(活動) actividad *f*, movimiento
m, acción *f*, moción *f*, operación *f*,
dinamismo *m*. ~하다 trabajar; [활
약하다] trabajar enérgicamente,
trabajar activamente, desplegar
una gran actividad, funcionar. ~
가 ㉮ [정당 등의] militante *mf*
(activo), activista *mf*. ㉯ [정력가]
hombre *m* enérgico, hombre *m* de
actividad, persona *f* vigorosa. ~
무대 escena *f* de acción, campo *m*
de acción. ~ 반경 radio *m* de
acción. ~ 범위[분야] esfera *f*
[campo *m*] de acción. ~ 사진
cine *m*, cinema *m*, película *f*. ~적
activo, enérgico, dinámico.

활딱 ① [남김없이 시원스럽게 벗거나
벗어진 모양] enteramente, completamente calvo [desnudo]. 옷을 ~
벗다 desnudarse enteramente. ~
벗어진 머리 calva *f*, cabeza *f*
calva. ② [물이 갑자기 한꺼번에
끓어 넘는 모양] de repente, re-
pentinamente. ③ =홀딱.

활량 holgazán *m*, haragán *m*, pol-
trón *m*.

활력(活力) vitalidad *f*, energía *f*,
fuerza *f*, vigor *m*, energía *f* vital.
~을 불어넣다 vitalizar. ¶~[론설]
vitalismo *m*. ~소(素) tónico *m*,
vitamina *f*.

활로(活路) modo *m* de salvarse,
último recurso *m*, medio *m* de
escaparse [de salir de una dificul-
tad]. ~를 열다 abrir paso de huir,

desembarazarse de una dificultad. ~가 열리다 abrirse paso, abrirse camino.

활무대(活舞臺) ruedo *m*, arena *f*. 정치적 ~ ruedo *m* político, arena *f* política.

활발하다(活潑−) (ser) vivo, lleno de actividad, activo, enérgico, animado, vivaz, vivaracho. 활발한 기상 espíritu *m* vigoroso. 활발한 남자 hombre *m* activo. ¶활발히 vivamente, activamente, enérgicamente, vigorosamente. ~ 일하다 trabajar vivamente.

활보(闊步) ① [거드럭거리며 걷는 걸음] zancada *f*, tranco *m*. ~하다 dar grandes zancadas, andar a zancadas, contonearse, pavonearse, andar con paso majestuoso, fanfarrear. 거리를 ~하다 dar grandes zancadas por la calle, andar por las calles con pasos majetuosos. ② [남을 얕보고 제멋대로 하는 행동] actitud *f* despreciativa.

활불(活佛)=생불(Buda vivo).

활빈당(活貧黨) *hwalbindang*, pandilla *f* de Robin Hood.

활석(滑石) talco *m*, esteatita *f*.

활선어(活鮮魚) pez *m* vivo.

활성(活性) lo activo, ~의 activo, activado. ~ 화합물 compuesto *m* activo.

활시위 cuerda *f* del arco. ~를 매우 ~ extender la cuerda del arco.

활액(滑液) sinovia *f*. ~의 sinovial.

활약(活躍) actividad *f*, animación *f*, acción *f*. ~하다 desplegar [mostrar] gran actividad, ser activo [agencioso · negocioso · diligente].

활어(活魚) pez *m* vivo. ~선 barco *m* de transportar pez vivo. ~차 camión *f* de transportar pez vivo.

활엽(闊葉) ((식물)) hoja *f* latifoliada. ¶~수 ((식물)) árbol *m* latifoliado, árbol *m* de hojas anchas.

활용(活用) ① [살리어 잘 활용함] utilización *f*, aprovechamiento *m*. ~하다 utilizar, sacar partido, aprovecharse. 인재를 ~하다 sacar partido de los hombres de talento. ② ((언어)) accidente *m*; [동사의] conjugación *f*, [성 · 수의] declinación *f*, [어미의] declinación *f*. ~하다 conjugar, declinarse. ~시키다 conjugar, declinar. 동사 ~표 paradigmas *mpl* [modelos *mpl*] de la conjugación. ~어 palabra *f* variable. ~어미 desinencia *f*, terminación *f*.

활유(蛞蝓) ((동물)) babosa *f*.

활인(活人) lo que perdona la vida. ~하다 perdonar*le* la vida. ~화 cuadro *m* al vivo.

활자(活字) ((인쇄)) tipo *m*, letra *f* de molde, caracteres *mpl*. 포인트 ~

tipo *m* de sistema por puntos. ¶~판 edición *f* impresa.

활주(滑走) deslizamiento *m*; [비행기 이륙의] carrera *f* de despegue; [비행기 착륙의] carrera *f* de aterrizaje. ~하다 deslizarse, resbalar(se); [비행기가] rodar por la pista. 공중 ~ plano *m*. 선회 ~ deslizamiento *m* espiral. ~로 pista *f* (de despegue y aterrizaje).

활줄=활시위(cuerda del arco).

활집 bolsa *f* para el arco.

활짝 ① [문 따위가] de par en par, totalmente; [완전히] completamente, enteramente. ~ 열린 문 puerta *f* abierta de par en par. 문을 ~ 열다 abrir la puerta totalmente [de par en par]. ② [넓고 멀어 시원스럽게 트인 모양] extensamente. ③ [날씨가] del todo, completamente. ~ 갠 날씨 tiempo *m* completamente despejado.

활차(滑車) polea *f*.

활촉(−鏃) ((준말))=화살촉.

활터 campo *m* de tiro al arco.

활판(活版) tipografía *f*, imprenta *f*. ~을 찌다 componer tipos. ¶~기계 prensa *f* tipográfica. ~본 libro *m* impreso. ~소 imprenta *f*. ~인쇄 tipografía *f*. ~ 인쇄물 impresos *mpl*.

활화산(活火山) volcán *m* vivo [activo], volcán *m* en acción.

활활 [불길이] flamente, en llamas, vivamente. ~ 타다 arder como una torcha.

활황(活況) actividad *f*, prosperidad *f*, animación *f*. ~을 보이다 mostrar actividad, presentar actividad.

홧김 arrebato *m* [acceso *m* · arranque *m* · influencia *f*] de ira. ~에 en un acceso [arrebato · arranque] de ira. 홧김에 서방질한다 ((속담)) Uno se porta extraordinariamente en un arrebato de ira.

홧술 licor *m* borracho en un arrebato de ira.

황(黃) ((준말))=황색(黃色).

황갈색(黃褐色) (color *m*) rojo *m* anaranjado, color *m* suela. ~의 moreno [castaño] amarillento.

황감하다(惶感−) estar profundamente agradecido. 황감하게도 con gratitud, graciosamente, benignamente, agradablemente.

황고집(黃固執) persona *f* testaruda [terca].

황공무지(惶恐無地) lo sumamente atemorizado. ~하다 ser sumamente atemorizado.

황공하다(惶恐−) (ser) atemorizado, tener miedo, temer.

황구(黃狗) perro *m* amarillo. ¶~신 pene *m* del perro amarillo.

황구렁이(黃−) boa *f* amarilla.

황국(黃菊) crisantemo *m* amarillo.
황금(黃金) ① [금] oro *m.* ～의 de oro. ② [돈] dinero *m*, moneda *f*, *AmL* plata *f.* ¶ ～국 el Dorado. ～만능 omnipotencia *f* del oro. ～ 만능주의 principio *m* de la omnipotencia del oro. ～색 color *m* de oro. ～색의 dorado, rubio, de amarillo subido. ～ 시대 ㉮ [사회가 진보되어 행복과 평화가 가득 찬 시대] la Edad de Oro. ㉯ [일생을 통해 가장 번영한 시대] época *f* dorada, edad *f* de oro, siglo *m* de oro.
황급(遑急) urgencia *f.* ～하다 (ser) urgente, apresurado, precipitado. ～히 a toda prisa, de prisa, urgentemente, apresuradamente, precipitadamente, con precipitación.
황녀(皇女) princesa *f* imperial.
황달(黃疸) ictericia *f*, coleplasia *f.*
황당무계하다(荒唐無稽－) (ser) absurdo, irracional, ridículo, ilógico, disparatado, extravagante; [가공의] quimérico. 황당무계한 이야기 tonterías *fpl* puras, estupideces *fpl* puras, disparates *mpl* puros, historia *f* absurda, cuento *m* chino, camelo *m.*
황당하다(荒唐－) (ser) absurdo, fabuloso, ridículo, disparatado.
황대구(黃大口) balacao *m* secado sin sal después de partir el vientre.
황도(黃桃) ((식물)) una especie del melocotón.
황도(黃道) eclíptica *f*, órbita *f* el sol.
황동(黃銅) ((광물)) latón *m*, bronce *m.* ～광 mina *f* de bronce.
황량하다(荒凉－) (ser) desierto, desolado, solitario, inhabitado, despoblado, en ruinas, vasto, extenso, inmenso.
황록색(黃綠色) verde *m* aceituna, verde *m* oliva, verde *m* amarillento, verde *m* tirando a amarillo. 짙은 ～ (color *m*) caqui *m.*
황률(黃栗) castaña *f* amarilla.
황린(黃燐) fósforo *m* amarillo.
황막하다(荒漠－) (ser) desierto, solitario, inhabitado, despoblado, vasto, extenso, inmenso, sin límites. 황막한 평야 páramo *m* extenso.
황망하다(慌忙－) estar muy ocupado.
황매(黃梅) ① [매화나무의 열매] ciruela *f* amarilla. ② ((식물)) ＝황매화나무. ¶ ～화 flor *f* de la rosa amarilla. ～화나무 rosa *f* amarilla.
황명(皇命) orden *f* del emperador.
황모(黃毛) pelo *m* de la cola de la comadreja.
황무지(荒蕪地) erial *m*, tierra *f* asolada [devastada · inculta], tierra *f* árida, tierra *f* estéril.
황비(皇妃) reina *f*, emperatriz *f.*
황사(黃砂) ① [누른 모래] arena *f* amarilla. ② ＝사막. ③ ((기상)) polvo *m* arenoso, viento *m* arenoso [de arena amarilla]. ¶ ～ 현상 fenómeno *m* del polvo arenoso.
황산(黃酸) ácido *m* sulfúrico [de amoníaco]. ～염 sulfato *m.* ～제이철 sulfato *m* férrico.
황새 ((조류)) cigüeña *f.*
황새걸음 grandes zancadas *fpl.* ～하다 dar grandes zancadas.
황새치 ((어류)) pez *m* espada.
황색(黃色) (color *m*) amarillo *m.* ～의 amarillo, xanto-. ～병 xantodermia *f.* ～소 xantofila *f.* ～인종 raza *f* amarilla, raza *f* mongólica, mongoloide *m*, xantoderma *f.*
황석어(黃石魚) ((어류)) ＝참조기.
황설탕(黃雪糖) azúcar *m* amarillo.
황성(皇城) capital *f* del imperio.
황소(黃－) ① ((동물)) toro *m*; [거세한] buey *m.* ② ㉮ [미련한 사람] persona *f* estúpida [idiota]. ㉯ [기운이 센 사람] persona *f* fuerte [enérgica]. ㉰ [많이 먹는 사람] comilón, -lona *mf.* ¶ ～걸음 paso *m* lento, paso *m* de tortuga.
황소개구리(黃－) rana *f* toro.
황손(皇孫) nieto *m* imperial.
황송(黃松) pino *m* amarillo.
황송하다(惶悚－) tener miedo reverencial, temer reverencialmente, (ser) atemorizado, estar en deuda, estar obligado, tener obligación, verse obligado.
황실(皇室) Casa *f* [Familia *f*] Imperial.
황야(荒野) desierto *m*, yermo *m*, campo *m* desierto; [미개간] terreno *m* inculto, erial *m*, páramo *m*; [초원] matorral *m*, estepa *f*, [황무지] terreno *m* desolado; [불모의] llanura *f* yerma.
황열(병)(黃熱(病)) fiebre *f* amarilla.
황옥(黃玉) topacio *m.* ～의 de color de topacio.
황위(皇位) trono *m* imperial, corona *f*, posición *f* del emperador.
황은(皇恩) favor *m* [gracia *f*] del emperador.
황음(荒淫) lasciva *f* excesiva.
황인종(黃人種) ((준말)) ＝황색 인종.
황자(皇子) hijo *m* del emperador.
황제(皇帝) emperador, -triz *mf.* ～의 imperial. ～기旗) estandarte *m* imperial. ～ 폐하 Su Majestad el Emperador.
황조롱이 ((조류)) cernícalo *m.*
황족(皇族) familia *f* imperial; [개인] miembro *mf* de la familia imperial.
황지(荒地) terreno *m* estéril, tierra *f* yerma.
황지(黃紙) papel *m* amarillo.
황진(黃塵) ① [누른 빛의 흙 먼지] polvo *m*, térreo *m*, polvareda *f.* ② ＝속진(俗塵).

황차(況且) =하물며.

황천(皇天) ① [크고 넓은 하늘] cielo _m_ grande y extenso, cielo _m_ alto. ② =하느님.

황천(黃泉) Hades _m_, otro mundo _m_, infierno _m_. ~객 persona _f_ muerta; difunto, -ta _mf_; muerto, -ta _mf_. ~객이 되다 morir, fallecer. ~길 camino _m_ al Hades, muerte _f_, fallecimiento _m_.

황태(黃太) abadejo _m_ secado (amarillo).

황태손(皇太孫) nieto _m_ heredero.

황태자(皇太子) príncipe _m_ heredero, heredero _m_ del trono. ~비 princesa _f_ heredera.

황태후(皇太后) emperatriz _f_ viuda, madre _f_ de la reina, reina _f_ madre.

황토(荒土) tierra _f_ estéril.

황토(黃土) ocre _m_, tierra _f_ de Holanda, tierra _f_ de Valencia, tierra _f_ amarilla, terreno _m_ amarillo. ~색 color _m_ ocre. ~층 capa _f_ de ocre.

황폐(荒廢) ruina _f_, desolación _f_, devastación _f_, dilapidación _f_, estrago _m_. ~하다 arruinarse, asolarse, arrasarse, destruirse, devastarse, desolarse, reducirse a escombros. ~된 arruinado, desolado, asolado, devastado, abandonado.

황하(黃河) Río _m_ Amarillo, Río _m_ Huang-Ho.

황해(黃海) Mar _m_ Amarillo.

황혼(黃昏) ① [해가 지고 어둑어둑할 때] crepúsculo _m_ vespertino, anochecer _m_, nochecita _f_, anochecida _f_. ~의 crepuscular, crepusculino, perteneciente al crepúsculo. ~에 al anochecer, en el crepúsculo, a la caída del día, al ponerse el sol. ② [쇠퇴하여 종말에 이른 때] decadencia _f_, crepúsculo _m_. 인생의 ~기 otoño _m_ [atardecer _m_] de la vida, crepúsculo _m_ de la vida.

황홀(恍惚) éxtasis _m_, fantasía _f_, embeleso _m_, arrobamiento _m_, rapto _m_. ~하다 (ser) encantador, cautivador, extático, extasiado, arrobador, fascinador. ~해지다 embelesarse, extasiar, arrobarse, quedarse encantado, transportarse. ¶~경 éxtasis _m_, embeleso _m_.

황화(黃化) sulfuración _f_. ~하다 sulfurar.

황화(黃禍) peligro _m_ amarillo, desastre _m_ amarillo.

황후(皇后) emperatriz _f_, reina _f_.

홰 [새장·닭장의] percha _f_. ~에 앉다 posar(se) en la percha. ~에 오르다 ponerse en percha, empercharse.

홰치다 aletear, batir las alas.

홰채 ¶단장을 ~ 휘두르다 blandir un bastón.

핵 [망설이지 않고] sin vacilación;

[얼른] rápidamente, rápido, pronto, velozmente; [갑자기] de repente, repentinamente, de súbito, súbitamente; [힘차게] con energía, enérgicamente, vigorosamente, fuerte, fuertemente, violentamente. ~ 잡아당기다 dar un tirón fuerte (de), tirar violentamente (de).

핵핵 [날쌔게] rápidamente, rápido, pronto, con toda prontitud; [갑자기] de repente, repentinamente; [자동차가] haciendo zuum.

햇대 cuelgacapas _m.sing.pl_, colgador _m_, colgadero _m_, percha _f_.

햇불 luz _f_ de la(s) antorcha(s), antorcha _f_, tea _f_. ~을 켜다 encender una antorcha. ¶~ 데모 demostración _f_ [manifestación _f_] con antorchas. ~ 행진 procesión _f_ con antorchas.

회(灰) ((화학)) ((준말)) =석회(石灰).

회(蛔) ((동물)) =회충(蛔蟲).

회(會) ① [회합] reunión _f_, asamblea _f_; [집회] concentración _f_, [회의] junta _f_; [정치 집회] mitin _m_; [연회] fiesta _f_; [경기 대회] concurso _m_. ~를 열다 celebrar [tener] una reunión. ~에 출석하다 asistir a la reunión. ② [단체] asociación _f_, sociedad _f_; [클럽] club _m_, círculo _m_.

회(膾) pez _m_ crudo (cortado), carne _f_ de pescado en tajadas.

회(回) ① [몇 번임을 세는 말] vez _f_. 일 ~ una vez. 하루에 3~ tres veces al día. ② [승부의] partido _m_, partida _f_, jugada _f_; [경기의] vuelta _f_, rueda _f_; [권투의] asalto _m_, round _ing.m_; [트럼프의] mano _f_, partida _f_. 3~ 승부 partido _m_ de tres juegos [mangas]. 제2~전 segunda vuelta _f_, segunda rueda _f_.

회갑(回甲) =환갑(還甲).

회개(悔改) arrepentimiento _m_, penitencia _f_, contrición _f_, conversión _f_. ~하다 arrepentirse, volverse a Dios.

회견(會見) entrevista _f_, interviú _m_; [많은 사람을 상대로] conferencia _f_; [접견] audiencia _f_. ~하다 entrevistarse (con), entrevistar, hacer una interviú. ~담 entrevista _f_. ~자 entrevistador, -dora _mf_.

회계(會計) contabilidad _f_, cálculo _m_, cuenta _f_, liquidación _f_ de una cuenta. ~하다 tomar cargo de cuentas, pagar una factura, pagar la cuenta, costear expensas. 일반 ~ cuenta _f_ general. 특별 ~ cuenta _f_ especial. ¶~ 감사 intervención _f_ (y ajuste) de cuentas, revisión _f_ de cuentas, inspección _f_ de cuentas. ~사 contable _mf_, tesorero, -ra _mf_; perito, -ta _mf_ en contabilidad; _AmL_ contador, -dora *mf.* ~ 연도 ㉠ [회사의] ejercicio *m.* ㉡ [정부의] año *m* fiscal. ~장부 libro *m* de cuentas. ~주임 jefe, -fa *mf* de contables. ~학 contabilidad *f.*

회고(回顧) recordación *f*, recuerdo *m*, memoria *f*, reminiscencia *f*, facultad *f* de recordar cosas pasadas, mirada *f* retrospectiva, reflexión *f*. ~하다 recordar, acordarse, mirar retrospectivamente, reflexionar. ~록 memorias *fpl*, autobiografía *f*, recuerdos *mpl*. ~전 (exposición *f*) retrospectiva *f.*

회고(懷古) recuerdo *m* [recordación *f*] de lo pasado, recuerdos *mpl*, memorias *fpl*. ~하다 añorar lo pasado, tener nostalgia de lo pasado. ~담 reminiscencias *fpl*, recuerdos *mpl*, charla *f* de reminiscencia, recordación *f.*

회관(會館) salón *m*, palacio *m*, sala *f.* [클럽] club *m.*

회교(回敎) [종교] mahometismo *m*, islamismo *m*, islam *m*. ~의 musulmán, mahometano, islámico. ~국 país *m* musulmán, país *m* islámico. ~도 musulmán, -mana *mf*, mahometano, -na *mf*; islamita *mf*. ~사원 mezquita *f.*

회군(回軍) retirada *f* del ejército. ~하다 retirar el ejército.

회귀(回歸) recurrencia *f*, revolución *f*, ((수학)) regresión *f*. ~하다 recurrir; volver; ((수학)) repetirse (hasta el infinito). ~하는 recurrente. ~곡선 curva *f* de regresión. ~년 año *m* trópico. ~대 zona *f* trópica. ~무풍대 zona *f* de calmas de los trópicos, zonas *fpl* de calmas subtropicales. ~선 trópico *m*. ~열 fiebre *f* recurrente [periódica].

회기(會期) sesión *f*, período *m* de sesiones, duración *f*. ~중에 durante la sesión.

회담(會談) conferencia *f*, conversación *f*, charla *f*. [회견] entrevista *f*; [교섭] negociaciones *fpl*. ~하다 conferenciar, conversar, tener conversaciones, dar una conferencia, tener una entrevista.

회답(回答) respuesta *f*, contestación *f*. ~하다 responder, contestar, dar respuesta, dar contestación, enviar una contestación. 질문에 ~하다 contestar (a) [responder a] una pregunta.

회당(會堂) ① =회관(會館). ② [(기독교)] =예배당(禮拜堂).

회동(會同) reunión *f*, junta *f*, asamblea *f*. ~하다 reunirse, juntarse, allegar, unirse [juntarse] en congreso [en junta].

회동그라지다 [눈이] abrirse anchamente; [놀라다] quedar sorprendi-

do.

회동그랗다 quedarse boquiabierto, quedarse con ojos como platos.

회람(回覽) circulación *f*. ~하다 circular, poner en circulación. ~판 aviso *m* [boletín *m*] circular.

회랑(回廊) ① [정당(正堂)의 좌우에 있는 긴 집채] corredor *m*, galería *f*, veranda *f*. ② =화랑(畵廊).

회로(回路) ① =귀로(歸路). ② ((물리)) ((준말)) =전기 회로(circuito). ¶~망 red *f* de circuitos. ~접속기 cierracircuito *m*. ~차단기 corta-circuito *m*, interruptor *m.*

회리바람 ((준말)) =회오리바람.

회맹(會盟) liga *f*. ~하다 ligarse.

회목(檜木) [식물] =노송나무.

회백색(灰白色) gris *m* ligero.

회보(回報) noticia *f*, respuesta *f*, contestación *f*. ~하다 responder, contestar.

회보(會報) boletín *m*. 동창 ~ boletín *m* de ex-alumnos.

회복(回復) ① restauración *f*, recobro *m*, recuperación *f*. ~하다 recobrar, recuperar; [명성·재산 따위를] reconquistar, reivindicar. 권리를 ~하다 reivindicar [recuperar] los derechos. 명예를 ~하다 [자신의] recobrar *su* honor, rehabilitarse. ② [건강의] recuperación *f*, restablecimiento *m*, mejoría *f*, convalecencia *f*. ~하다 recuperar(se), restablecerse, reponerse (de la enfermedad), mejorar(se), curarse. ¶~기(期) ㉠ [경기의] tiempo *m* de recuperación. ㉡ [병의] convalecencia *f*. ~실 sala *f* de recuperación.

회복(恢復) [경제·산업의] recuperación *f*, reactivación *f*; [이익·값의] mejora *f*, repunte *m*. ~하다 recuperar, mejorar.

회부(回附) remisión *f*, envío *m*. ~하다 remitir, enviar.

회비(會費) cuota *f*; [일시적 회합의] subscripción *f* para una reunión, admisión *f*. ~제도로 a cuota, por subscripción. ~를 납부하다 pagar *su* cuota.

회사(會社) compañía *f*, empresa *f*, sociedad *f*; [상사] firma *f*, casa *f*; [공적인] corporación *f*; ((상법)) sociedad *f* mercantil. ~를 설립하다 formar [fundar·establecer·organizar] una compañía. ~에 근무하다 trabajar [ser empleado] en una compañía. ¶~명 razón *f* social, denominación *f* de una sociedad. ~ 업무 asuntos *mpl* de la compañía. ~원 empleado, -da *mf* (de una compañía); [사무원] oficinista *mf*. ~ 정관 artículos *mpl* de asociación.

회상(回想) recuerdo *m*, reminiscencia

회색(灰色) (color *m*) gris *m*.

회생(回生) reanimación *f*, resucitación *f*. ~하다 reanimar, resucitar, revivir, volver a vivir, tener nueva vida.

회서(回書) =답상(答狀).

회석(會席) lugar *m* de reunión, reunión *f*, sala *f* de asamblea.

회선(回線) circuito *m*, circuito *m* eléctrico. 전화 ~ circuito *m* telefónico. 폐색 ~ circuito *m* cerrado.

회선(回旋) turno *m*, rotación *f*, revolución *f*. ~하다 girar, dar vueltas.

회송(回送) transmisión *f*, traspaso *m*; [편지의] reexpedición *f*, reenvío *m*. ~하다 transmitir, traspasar; [편지를] hacer seguir, reexpedir.

회수(回收) recuperación *f*; [자금의] retirada *f*, cobro *m*, cobranza *f*. ~하다 recuperar, retirar, cobrar. ~불능 lo incobrable.

회수권(回數券) cupón *m*.

회순(會順) prgrama *m* de reunión.

회식(會食) festín *m*, banquete *m*. ~하다 asistir al festín, comer, cenar; [주어가 복수일 때] comer juntos, cenar juntos. ~자 convidado, -da *mf*; comensal *mf*.

회신(回信) contestación *f* por la carta o el teléfono.

회심(回心) cambio *m* de corazón, conversión *f*. ~하다 cambiar de su corazón, convertirse.

회심(悔心) remordimiento *m*, compasión *f*, piedad *f*, arrepentimiento *m*, penitencia *f*.

회심(會心) cordialidad *f*, autocomplacencia *f*. ~의 congenial, satisfactorio, satisfecho de *sí* mismo, cordial enteramente del gusto de *uno*. ~의 미소 sonrisa *f* satisfecha de *sí* mismo. ~의 미소를 짓다 sonreír con suficiencia. ¶~작 obra *f* cordial enteramente.

회양목(一楊木) ((식물)) boj *m*.

회연(會宴) banquete *m*. ⇨연회(宴會)

회오(悔悟) arrepentimiento *m*, remordimiento *m*, penitencia *f*, pesar *m*. ~하다 arrepentirse, tener arrepentimiento, tener remordimiento, sentir mucho, sentir pesar. ~의 눈물 lágrimas *fpl* de arrepentimiento.

회오리바람 torbellino *m*, remolino *m*; [해상의] tromba *f*.

회오리치다 ① [바람 따위가] mover fuerte espiralmente. ② [감정·기세·사상 따위가] mover latiendo con fuerza.

회원(會員) [위원회·국제 기구 등의]
miembro *mf*; [클럽의] socio, -cia *mf*. ~이 되다 hacerse miembro, inscribirse (en una sociedad), ser admitido. ~으로 가입시키다 inscribir (en una sociedad), admitir (en una sociedad). ¶~국 país *m* miembro. ~ 명부 lista *f* [nómina *f*] de miembros [de socios]. ~수 número *m* de socios. ~제 sistema *m* de miembros. ~증 carnet *m* [carné *m*] de socio.

회유(回游) migración *f*. ~하다 migrar. ~ 어 pez *m* migratorio.

회유(回遊) excursión *f*, viaje *m* circular, crucero *m*. ~하다 hacer una excursión, hacer un viaje circular, hacer un crucero.

회유(懷柔) conciliación *f*, pacificación *f*. ~하다 conciliar, pacificar, granjearse, ganar(se) el favor. ~ 전술 estrategia *f* conciliadora. ~책 medidas *fpl* conciliadoras, medidas *fpl* pacificadoras.

회의(會議) junta *f*, reunión *f*; [정치·과학 등 중요한 일에 대한] conferencia *f*, convención *f*; [대회] congreso *m*; [중역·대표자 등의] consejo *m*; [회기] sesión *f*. ~하다 tener una reunión, tener consejo; [협의하다] deliberar. ~를 열다 empezar la conferencia, abrir la sesión; [개최하다] celebrar una conferencia, celebrar una sesión. ¶~록 acta *f*, libro *m* de actas [de sesión]. ~소 ㉮ [회의를 하는 곳] sala *f* de conferencias, sala *f* de sesiones, sala *f* de juntas, sala *f* de asambleas. ㉯ [회의를 하는 단체나 기관] cámara *f*. ~실[장] sala *f* de conferencia.

회의(懷疑) duda *f*, sospecha *f*, escepticismo *m*, incredulidad *f*. ~하다 dudar, sospechar. ~론 escepticismo *m*. ~론자 escéptico, -ca *mf*. ~설 escepticismo *m*. ~적 escéptico, incrédulo. ~주의 escepticismo *m*. ~주의자 escéptico, -ca *mf*. ~파 escuela *f* escéptica.

회자(膾炙) ① [회와 구운 고기] la carne cruda y la carne asada. ② [널리 사람의 입에 오르내림] lo que es encontrado en la boca de todo el mundo. ~하다 estar en la boca de todo el mundo, ser conocido de todo el mundo.

회자정리(會者定離) El que se encuentra se separa sin falta.

회장(回章) (carta *f*) circular *f*.

회장(回腸) íleon *m*. ~의 ileal, ileáco.

회장(會長) presidente, -ta *mf*. 선출된 ~ presidente *m* electo, presidenta *f* electa. ~ 대리 presidente *m* interino, presidenta *f* interina. ~석 sillón *m* [silla *f*] de la presidencia. ~직 presidencia *f*.

회장(會場) sala *f* [lugar *m* · sitio *m*] de reunión [de sesión · de conferencia], sala *f* de asamblea, auditorio *m*.

회장(會葬) asistencia *f* a los funerales [a un entierro]. ~하다 asistir a los funerales [a un entierro].

회전(回傳) devolución *f* de la cosa prestada. ~하다 devolver la cosa prestada.

회전(回轉) revolución *f*, vuelta *f*, giro *m*; [자전] rotación *f*; [선회] viraje *m*. ~하다 girar, dar vueltas, rotar, rodar. ~시키다 girar, dar vueltas, rotar, hacer girar. ¶~ 경기 slalom. ~ 목마 tiovivo *m*, caballitos *mpl*. ~ 무대 escenario *m* giratorio. ~문 puerta *f* giratoria; [자동 개찰구] torniquete *m*. ~의(儀) giroscopio *m*. ~자 silla *f* giratoria. ~ 자금 fondo *m* rotatorio, fondo *m* rotativo, fondo *m* de rotación. ~축 eje *m* de rotación. ~축 eje *m* de rotación.

회전(會戰) ① [어울려서 싸움] batalla *f*, combate *m*, lucha *f*, contienda *f*, encuentro *m*. ~하다 luchar, combatir, librar batalla, tener un encuentro, tener un choque. ② ((권투)) asalto *m*. 4~ cuarto asalto.

회절(回折)[(물리)] difracción *f*. ~하다 difractar, hacer difracción.

회중(會業) concurrencia *f*, asistentes *mpl*; público, -ca *mf*; [청중] auditorio *m*; [교회] feligreses *mpl*.

회중(懷中) [품속] pecho *m*. ~의 de bolsillo, (de) tamaño bolsillo. ② [마음속] corazón *m*. ~시계 reloj *m* de bolsillo. ~전등 linterna *f*, lámpara *f* de bolsillo.

회지(會誌) boletín *m*; [학회의] anales *mpl*.

회진(回診) visita *f* (del médico). ~하다 visitar de paciente en paciente, visitar el médico los enfermos a domicilio, visitar a los enfermos, hacer visitas a los enfermos.

회초리 vara *f*, varilla *f*, vara *f* pequeña, férula *f*.

회춘(回春) ① [봄이 다시 돌아옴] vuelta *f* primaveral de nuevo. ~하다 la primavera vuelve a venir. ② [중한 병이 낫고 건강이 회복됨] recobro *m*, recuperación *f*, restauración *f* de la salud, mejoría *f* de una enfermedad. ~하다 recobrar la salud, recuperar la salud, mejorar de salud. ③ [도로 젊어짐] rejuvenecimiento *m*, remozamiento *m*. ~하다 rejuvenecerse, volverse joven. ~시키다 rejuvenecer, volver joven, hacer joven. ¶~법 cura *f* [tratamiento *m*] de rejuvenecimiento. ~제[약] afrodisíaco *m*.

회충(蛔蟲) lombriz *f* intestinal, gusano *m* intestinal, helminto *m*, ascáride *m*. ~약 antihelmíntico *m*, vermífugo *m*.

회치다(膾-) cortar el pez crudo en tajadas y sazonarlo.

회칙(會則) reglamento *m* (de una asociación), estatuto *m* (de una asociación).

회포(懷抱) su pensamiento íntimo. 슬픈 ~ pensamientos *m* tristes.

회피(回避) evasión *f*, evitación *f*, huida *f*, escape *m*. ~하다 evitar, evadir, rehuir, esquivar; [도망하다] huir, eludir, esca- par.

회한(悔恨) arrepentimiento *m*, remordimiento *m*, · sentimiento *m*, pesar *m*. ~하다 arrepentirse (de). ~의 눈물 lágrimas *fpl* de arrepentimiento.

회합(會合) reunión *f*, asamblea *f*, junta *f*. ~하다 reunirse, juntarse. ~ 장소 lugar *m* dde la cita, lugar *m* de la reunión.

회항(回航) navegación *f* de regreso. ~하다 navegar de regreso, traer un barco, circunnavegar.

회혼(回婚) sexagésimo aniversario *m* de boda. ~례(禮) bodas *fpl* de diamante.

회화(會話) ① [대화] diálogo *m*. ~하다 dialogar, conversar, hablar. ② [외국어로 이야기함] conversación *f*. 서반아어 ~를 배우다 aprender a hablar español, aprender la conversación española.

회화(繪畵) pintura *f*; [작품] cuadro *m*. ~의 pictórico.

회회교(回回敎) ((종교)) = 이슬람교.

획 ① [갑자기 세게 돌거나 돌리는 모양] con una vuelta, con un giro. ② [동작이 매우 날쌔거나 갑작스러운 모양] rápido, rápidamente, ágilmente, con agilidad, de repente, repentinamente. ③ [바람이 갑자기 세게 부는 모양] fuerte, fuertemente, con una ráfaga, con una racha.

획(畫) trazo *m*, rasgo *m*, pincelada *f*, plumada *f*. ~이 굵은 grueso. 열 ~의 한자 carácter *m* chino compuesto de diez trazos. ~을 긋다 hacer. 영화 사상 한 시대의 ~을 긋다 hacer época en la historia del cine.

획기적(劃期的) trascendental, que hace época (nueva). ~인 개혁 reforma *f* trascendental.

획득(獲得) adquisición *f*, obtención *f*, consecución *f*, posesión *f*. ~하다 conseguir, obtener, ganar, adquirir, lograr. 외화 ~ adquisición de divisas. ¶~물 adquisición *f*.

획일성(劃一性) uniformidad *f*.

획일적(劃一的) uniforme, regularizado, formalista. ~으로 uniformemente, de modo uniforme, a la letra, en rigor. ~으로 교육하다

dar una educación uniforme.

획일주의(劃一主義) uniformismo *m*.

획일하다(劃一一一) (ser) uniforme.

획일화(劃一化) uniformización *f*. ~하다 uniformar, uniformizar, hacer uniforme.

획정(劃定) demarcación *f*, deslinde *m*. ~하다 demarcar.

획책(劃策) intención *f*, intento *m*, plan *m*, proyecto *m*, traza *f*, designio *m*. ~하다 intentar; [계획하다] proyectar, hacer proyectos; [음모하다] intrigar, maquinar. 정당의 분열을 ~하다 intentar la escisión del partido.

획획 ① [연해 빨리 돌아가는 모양] siguiendo girando, siguiendo dando vueltas. ~ 돌다 seguir girando, seguir dando vueltas. ② [바람이 잇따라 세게 부는 모양] como una bala, como un bólido, como una ráfaga. ③ [계속해서 힘주어 던지는 모양] fuertemente. ~ 던지다 seguir tirar fuertemente.

횟가루(灰一) =석회 가루.

횟감(膾一) materiales *mpl* para la carne cruda.

횟배(蛔一) =거위배.

횟수(回數) número *m* de veces; [빈도] frecuencia *f*.

횡(橫) anchura *f*, ancho *m*, lo ancho.

횡격막(橫隔膜) (해부) diafragma *m*.

횡단(橫斷) ① [가로로 절단함] corte *m* transversal. ~하다 cortar transversalmente. ② [가로로 지나감] cruce *m*, travesía *f*, intersección *f*. ~하다 cruzar, atravesar, intersecarse. ¶~로 camino *m* de peatones. ~면 corte *m* transversal, sección *f* representativa; [목재의] cortadura *f* hecha en una madera. ~ 보도 paso *m* de peatones, cruce *m* peatonal, cruce *m* de peatones, paso *m* a pie, paso *m* pedestre. ~선 línea *f* transversal.

횡대(橫隊) línea *f*, fila *f* horizontal, hilera *f*. ~로 만들다 ponerse en fila horizontal.

횡돌기(橫突起) apófisis *f* transversa.

횡동맥(橫動脈) artería *f* transversa.

횡렬(橫列) línea *f*.

횡령(橫領) usurpación *f*, desfalco *m*, malversación *f*, peculado *m*; [탈취] apoderamiento *m*. ~하다 usurpar, desfalcar. 재산을 ~하다 usurpar los bienes. ¶~자(者) usurpador, -dora *mf*. ~죄 usurpación *f*, desfalco *m*.

횡목(橫木) madera *f* transversal.

횡사(橫死) muerte *f* violenta [contranatural]. ~하다 morir por accidente, morir de muerte violenta.

횡서(橫書) escritura *f* horizontal. ~하다 escribir horizontalmente.

횡선(橫線) línea *f* horizontal; ((수학)) abscisa *f*. 수표에 ~을 긋다 cruzar el cheque. ¶~ 수표 cheque *m* cruzado, cheque *m* rayado.

횡설수설(橫說竪說) galimatías *fpl*, jerigonza *f*, habladuría *f* incoherente, guirigay *m*, monserga *f*. ~하다 decir incoherencias, pronunciar palabras incoherentes, hablar a trochemoche.

횡수(橫數) fortuna *f* imprevista. ~로 돈을 벌다 ganar dinero por fortuna imprevista.

횡재(橫財) ganancia *f* inesperada [imprevista], regalo *m* del cielo, ganga *f*. ~하다 encontrar gangas.

횡적(橫笛) ((악기)) flauta *f*.

횡포(橫暴) tiranía *f*, despotismo *m*, opresión *f*, arbitrariedad *f*, violencia *f*. ~하다 (ser) tiránico, insolente, arbitrario.

횡행(橫行) predominio *m*, preponderancia *f*. ~하다 preponderar, andar a *sus* anchas, pollar, tiranizar, pulular.

효(孝) piedad *f* filial, obediencia *f* a *sus* padres. 부모에게 ~를 다하다 ser el más sumiso a *sus* padres.

효과(效果) ① [보람이 있는 결과] efecto *m*; [효력] eficacia *f*, virtud *f*, validez *f*; [결과] resultado *m*, consecuencia *f*; [작용] acción *f*. ~가 있는 efectivo, eficaz, eficiente, válido, activo. ~가 없는 ineficaz, ineficiente; [무효의] nulo. ② [(연극·영화)] efectos *mpl* acústicos. ¶~음 sonido *m* acústico. ~적 eficaz, eficiente. ~적으로 eficazmente, con eficacia, con eficiencia.

효녀(孝女) hija *f* filial, niña *f* filial, niña *f* obediente, hija *f* obediente a *sus* padres.

효능(效能) eficacia *f*, eficiencia *f*, efecto *m*, beneficio *m*, virtud *f*. ~이 있는 eficaz, virtuoso, efectivo. ~이 없는 ineficaz.

효도(孝道) piedad *f* filial. ~하다 ser obediente a *sus* padres.

효력(效力) eficacia *f*, virtud *f*; [효과] efecto *m*; [유효성] validez *f*, vigencia *f*, vigor *m*. ~이 있는 efectivo, eficaz, válido. ~이 없는 ineficaz. ~이 있다 tener efecto, tener validez. ~을 발생하다 producir efecto, entrar en vigor, efectuar eficacia. ~을 잃다 perder validez; [약이] perder efecto [eficacia].

효모(酵母) levadura *f*, fermento *m*, masa *f* fermentada (para hacer pan). ~균 hongo *m* de levadura.

효부(孝婦) nuera *f* filial.

효성(孝誠) piedad *f* filial. ~이 지극하다 tener devoción por *sus* padres, tener mucho cariño a *sus* padres.

효성(曉星) =샛별(Venus).

효소(酵素) ((화학)) enzima *f*; [발효소] levadura *f*, fermento *m*.

효순하다(孝順一) (ser) filial y dócil, obediente.

효시(梟示) exhibición *f* de la cabeza decapitada al público. ~하다 exponer al público la cabeza decapitada.

효시(嚆矢) principio *m*, comienzo *m*, origen *m*, causa *f* explorador de un país.

효심(孝心) devoción *f* filial, piedad *f* filial, afección *f* filial. ~이 깊다 (ser) filial, obediente a *sus* padres.

효용(效用) ① =효험(效驗). ¶약의 ~ eficacia *f* del medicamento. ② [용도] uso *m*. ③ ((경제)) utilidad *f*. ¶ ~ 가치 valor *m* efectivo.

효율(效率) ① ((물리)) rendimiento *m*, efecto *m* útil. 모터의 ~ rendimiento *m* de un motor. ② [일의 능률] eficiencia *f*. 높은 ~ eficiencia *f* de alto grado. ~이 좋은 기계 máquina *f* eficiente. 노동 ~을 높이다 elevar la eficiencia del trabajo. ¶ ~적 eficiente. ~적으로 eficientemente.

효자(孝子) hijo *m* filial [obediente], hijo *m* consciente de *sus* deberes.

효행(孝行) piedad *f* filial, devoción *f* filial, deber *m* filial, obediencia *f* a *sus* padres. ~하다 practicar la piedad filial.

효험(效驗) eficacia *f*, efecto *m*, virtud *f* de una medicina. 인삼의 ~ eficacia *f* del ginseng. ~이 있는 eficaz, eficiente, poderoso. ~이 없는 ineficaz, ineficiente, poco eficiente. ~이 있다 tener [hacer] efecto, surtir [producir] efecto.

후¹ [입을 오므려] con un soplo. ~ 불다 soplar. 뜨거운 국을 ~ 불다 soplar la sopa caliente.

후² (준말) =후유.

후(后) ((준말)) =후비(后妃).

후(後) ① [뒤. 나중. 그 다음] después, luego. ~의 posterior, subsiguiente. ~에 después, más tarde, luego. … ~에 después de *algo*, tras *algo*. 그 ~에 después de aquello, después de aquel tiempo, desde entonces. ② ((준말)) =추후(追後).

후각(嗅覺) olfato *m*, osmesis *f*, sentido *m* de olfato. ~의 olfatorio, olfativo. ~이 예민하다 tener un olfato fino [agudo]. ¶ ~ 신경 nervio *m* olfatorio.

후견(後見) tutela *f*, tutoría *f*; [보호] protección *f*; ((법률)) gestión *f* tutelar. ~하다 tener bajo *su* cuidado, tener bajo *su* protección. servir de tutor, proteger legalmente. ~인 tutor,

-tora *mf*; padrino *m*, madrina *f*.

후계(後繼) sucesión *f*, herencia *f*. ~하다 suceder. ~의 sucediente. ~자 sucesor, -ra *mf*; heredero, -ra *mf*.

후골(喉骨) nuez *f* (de Adán).

후광(後光) ① ((불교)) halo *m*, nimbo *m*, aureola *f*. ② [더욱 빛나게 하는 배경이 되는 현상] aureola *f*, corona *f*. ③ [성화(聖畫) 중의 인물을 감싸는 금빛] color *m* dorado.

후군(後軍) retaguardia *f*.

후궁(後宮) ① [제왕의 첩] concubina *f* del rey; [집합적] harén *m*. ② [주되는 궁전의 뒤쪽에 있는 궁전] harén *m*, serrallo *m*.

후기(後記) posdata *f*, postdada *f*. 편집 ~ posdata *f* por el editor.

후기(後期) segunda mitad *f* (de una época), término *m* posterior; [학기] segundo semestre *m*. ~ 시험 examen *m* del fin del segundo semestre, examen *m* final. ~ 인상파 escuela *f* postimpresionista, postimpresionismo *m*. ~ 인상파의 화가 postimpresionista *mf*; pintor, -tora *mf* postimpresionista.

후끈 calientemente. ~하다 (ser) caliente. 몸이 ~ tener una sensación de calor ligero, sentir el cuerpo suavemente caliente.

후끈거리다 seguir sintiéndose caliente, seguir poniéndose rojo [colorado]. 얼굴이 열로 ~ ponerse rojo [colorado] por la fiebre.

후년(後年) ① =내년. 내명년. ② =후세(後世).

후뇌(後腦) metencéfalo *m*.

후닥닥 ① [갑자기 열세게 활동하는 모양] dando un respingo, asustándose, sobresaltándose, de repente, repentinamente, de súbito, súbitamente. ② [급히 서두르는 모양] a todo correr, aprisa, a prisa, deprisa, de prisa, apresuradamente. ~ 도망치다 huirse a todo correr, poner pies en polvorosa, tomar las de Villadiego. ~ 나가다 salir a todo correr.

후대(後代) generaciones *fpl* futuras, época *f* posterior. ☞후세(後世)

후대(厚待) hospitalidad *f*, recepción *f* cordial [calurosa · sincera], buena acogida *f*, bienvenida *f*. ~하다 dar la bienvenida, acoger [tratar] cordialmente [con cordialidad], recibir calurosamente, dar buena acogida, dar un buen trato, tratar bien, tratar con respeto. ~를 받다 ser tratado cariñosamente [hospitalariamente], ser recibido cordialmente, recibir la recepción cordial.

후덕(厚德) generosidad *f*, liberalidad *f*, favor *m* liberal, gran virtud *f*. ~하다 (ser) generoso, liberal.

후덥지근하다 (ser) pesado.

후두(後頭) ((해부)) occipucio *m*. ~의 occipital. ~골 hueso *m* occipital. ~근 músculo *m* occipital. ~부 región *f* occipital.

후두(喉頭) ((해부)) laringe *f*. ~경 laringoscopio *m*. ~암 cáncer *m* laríngeo, cáncer *m* de laringe. ~염 laringitis *f*. ~음 sonido *m* laríngea. ~절개술 laringotomía *f*.

후두두 golpeteando, repiqueteando. ~ 떨어지다 golpetear, repiquetear.

후들거리다 temblar.

후들후들 temblando (y temblando). 놀라 몸을 ~ 떨다 temblar por el susto.

후딱 con toda prontitud, prontamente, con presteza, rápido, rápidamente, velozmente, en seguida, inmediatamente. ~ 해치위라 Hazlo rápidamente.

후래(後來) venida *f* tardía. ~삼배(三杯) Los que lleguen tarde tendrán que beber tres copas de vino seguidas. ~선배(先杯) Los que lleguen tarde tendrán que beber una copa de vino primero.

후략(後略) omisión *f* de lo que sigue.

후레아들 zafio *m*, grosero *m*, patán *m*, tipo *m* sin educación, tipo *m* maleducado, tipo *m* descortés, hijo *m* de puta, hijo *m* de perro, hi de puta, hi de perro.

후레자식(一子息) =후레아들.

후려갈기다 golpear, dar un golpe, pegar, dar de puñetazos.

후려치다 azotar, dar*le* latigazos, dar*le* una paliza, dar*le* un azote. 채찍으로 ~ pegar*le* con la fusta.

후련하다 sentirse refrescado, sentirse aliviado, sentirse de buen humor, alegrarse, sentirse libre, respirar. 후련한 de buen humor, alegre, radiante.

후렴(後斂) ((음악)) estribillo *m*.

후루루 ((호각 따위를 부는 소리)) silbato *m*, chiflido *m*, silbido *m*. ② =후르르.

후루룩 ((날짐승이)) con un aleteo, con un revoloteo. ~ 날다 revolotear. ② ((죽 따위를 야단스럽게 틀이마시는 소리)) con un sorbetón, con un gorgoteo, con un borboteo, de un trago. ~ 마시다 sorber haciendo ruido, beberse [tomarse] de un trago, gorgotear, borbotar, gorjear.

후르르 ① ((날짐승이)) con un aleteo, con un revoloteo. ~ 날다 aletear, revolotear. ② ((종이 따위가)) en un abrir y cerrar de ojos. ~ 타버리다 quemarse en un abrir y cerrar de ojos.

후리다 ① ((휘둘러서 몰거나 쫓다))

expulsar, expeler. ② ((모난 곳을 깎아 버리다)) cortar. 잔디를 ~ cortar el césped. ③ ((남작스레 잡아채서 빼앗다)) agarrar [coger] rápidamente. 가방을 ~ agarrar [coger] rápidamente la maleta. ④ ((남의 정신을 흐리게 하여 빼앗다)) cautivar, embelesar, encantar, seducir.

후리후리하다 (ser) delgado y alto, desgarbado, esbelto. 후리후리한 몸매 figura *f* desgarbada, figura *f* esbelta.

후릿그물 jábega *f*, red *f* barredera, arte *m(f)* de cortina [cerco].

후면(後面) parte *f* trasera, parte *f* posterior, parte *f* de atrás.

후문(後門) puerta *f* trasera. ☞뒷문

후문(後聞) información *f* posterior, anécdota *f*, historieta *f*.

후문(喉門) =목구멍(garganta).

후물거리다 hablar entre dientes, farfullar.

후물후물 hablando entre dientes, farfullando. ~하다 hablar entre dientes.

후미(後尾) parte *f* trasera, parte *f* posterior, cola *f*, rabo *m*. ~의 de parte posterior, de popa. ~에 a la cola de una fila. ~등(燈) luz *f* trasera, luz *f* de atrás.

후미지다 ① ((후미가 매우 깊다)) formar una cala. 후미진 곳 cala *f*, caleta *f*. ② ((무서우리만큼 호젓하고 깊숙하다)) (estar) apartado, aislado, solitario. 후미진 곳 lugar *m* aislado, lugar *m* apartado, lugar *m* solitario.

후박나무(厚朴−) ((식물)) magnolia *f* dorada.

후반(後半) segunda mitad *f*, parte *f* posterior; ((운동)) el segundo tiempo; 20세기의 ~ segunda mitad *f* del siglo XX. ¶~기 segunda mitad *f* del año. ~부 parte *f* posterior. ~신(身) medio cuerpo *m* posterior, mitad *f* del cuerpo posterior. ~전 segunda mitad *f* del partido; ((축구 따위의)) segundo tiempo *m*; ((농구 따위의)) segunda parte *f*.

후방(後方) ① ((뒷쪽)) parte *f* trasera, parte *f* posterior, parte *f* de atrás. ~의 trasero, posterior, de atrás. ~에 atrás, detrás, para atrás, hacia atrás. ② ((전쟁이 벌어지고 있지 않은)) retaguardia *f*.

후배(後輩) seguidor, -dora *mf*; menor *mf*; ((집합적)) jóvenes *mpl*; nueva generación *f*, generación *f* joven.

후보(候補) ① ((어떤 지위나 신분에 나가기를 바람)) candidatura *f*; ((어떤 지위에 나가는 사람)) candidato, -ta *mf*. ② ((장래에 어떤 지위에 나

갈 자격이 있음, 또 그 사람] candidato, -ta *mf*; [지망자] aspirante *mf*; [왕위・구애의] pretendiente *mf*. 대통령 ~ candidato, -ta *mf* a la presidencia. ¶~생 cadete *mf*. ~ 선수 suplente *mf*; jugador, -dora *mf* suplente. ~자 candidato, -ta *mf*. ~자 명단 [비행기 등의 대기자 명단] lista *f* de espera. ~지 lugar *m*, sitio *m*.

후부(後部) parte *f* posterior, parte *f* trasera, parte *f* de atrás; [배의] popa *f*; [탈것의] trasera *f*.

후불(後佛) ① ((불교)) [미래에 나타날 부처] Buda *m* (que aparecerá en el) futuro. ② ((불교)) [불상 뒤에 모시는 그림 부처] Buda *m* pintado puesto detrás de la estatua de Buda.

후불(後拂) pago *m* diferido, pago *m* atrasado. ~로 사다 comprar a crédito, comprar a plazo.

후비(后妃) emperatriz *f*, reina *f*.

후비다 ① [구멍이나 틈의 속을 돌려 파내다] hurgarse, meterse el dedo, escarbarse, tocarse, cavar, excavar, ahondar, escarbar, voltear; [귀・코・이를] mondar, limpiar. 귀를 ~ limpiar el oído; [자신의] limpiarse las orejas, escarbarse el oído, limpiarse el oído. ② [일의 속내를 깊이 파다] desenterrar, descubrir. 비밀을 ~ desenterrar el secreto, descubrir el secreto.

후비적거리다 seguir escarbando [hurgándose]. 코를 ~ seguir metiéndose el dedo en la nariz.

후사(後事) asuntos *mpl* futuros [después de morir]. ~를 부탁하다 confiar un asunto por resolver, poner el porvenir al cuidado, encomendar el futuro.

후사(後嗣) heredero, -ra *mf*; [후계자] sucesor, -ra *mf*.

후사(厚謝) recompensa *f* generosa, remuneración *f* generosa. ~하다 recompensar generosamente, remunerar generosamente.

후살이(後一) segundas nupcias *fpl*.

후생(厚生) [넉넉하게 삶] bienestar *m* público, mejoría *f* de la vida. ② [건강을 유지 증진함] promoción *f* de salud, mantenimiento *y* mejoramiento de la salud. ¶~ bienestar *m* público [social]. ~ 복지 사업 obra *f* para el bienestar social. ~비 gastos *mpl* para el bienestar público. ~ 사업 obra *f* social. ~ 시설 [기업의] instalaciones *fpl* de recreo y entrenamiento, instalaciones *fpl* de los empleados de una compañía.

후세(後世) otra vida *f*, vida *f* después de la muerte, posteridad *f*,

generaciones *fpl* futuras.

후속(後續) sucesión *f*, lo sucesivo, lo siguiente, seguimiento *m*. ~하다 suceder, seguir. ~의 sucedero, siguiente, que sigue, que viene después. ~ 부대 refuerzo *m*.

후손(後孫) descendiente *mf*, hijos *mpl*; [총칭] descendencia *f*, posteridad *f*.

후송(後送) evacuación *f*. ~하다 enviar a la retaguardia, evacuar. 부상병을 ~하다 evacuar [enviar a la retaguardia] a los soldados heridos. ¶~ 병원 hospital *m* de evacuación.

후술(後述) mención *f* abajo. ~하다 mencionar más abajo.

후식(後食) [나중에 먹음] el comer después. ② [식사 후에 먹는 간단한 먹을 것] postre *m*. ~으로 de postre.

후신(後身) ser *m* futuro; [후계자] sucesor, -sora *mf*.

후신경(嗅神經) nervio *m* olfatorio.

후실(後室) *su* segunda esposa.

후안(厚顔) desvergüenza *f*, insolencia *f*, descaro *m*, impudencia *f*. ~하다 (ser) descarado, desvergonzado, sinvergüenza, insolente. ~ 무치 procacidad *f*, desvergüenza *f*, descaro *m*, impudencia *f*.

후예(後裔) descendiente *mf*; [집합적] descendencia *f*, posteridad *f*.

후원(後苑) jardín *m* en el palacio real.

후원(後援) patrocinio *m*, apoyo *m*, amparo *m*, ayuda *f*, auxilio *m*, tutela *f*, sostén *m*, garantía *f*, protección *f*. ~하다 patrocinar, amparar, ayudar, apoyar, auxiliar, espaldar, respaldar. ~군 refuerzos *mpl*. ~ 단체 asociación de patrocinadores. ~자 patrocinador, -dora *mf*, patrón, -trona *mf*. ~회 asociación de patrocinadores, asociación *f* de sostenedores.

후위(後衛) ① [뒤쪽의 후위나 방위] escolta *f* de la parte posterior, protección *f* de la parte trasera. ② ((준말)) =후위대. ③ ((운동)) defensa *mf*; zaguero, -ra *mf*, ((럭비)) defensa *m* ofensivo), defensa *f* ofensiva.

후유 ¡Uf!, con un suspiro. ~ 하고 한숨을 쉬다 suspirar aliviado, dar un suspiro de alivio.

후유증(後遺症) ① [의학)) secuela *f*. ② [일을 치르고 난 뒤에 생기는 부작용] repercusiones *fpl*, consecuencias *fpl*, secuelas *fpl*.

후은(厚恩) gran favor *m*, grandes obligaciones *fpl*, merced *f*, deuda *f*, amabilidad *f* profunda. ~을 입다 estar en deuda profunda, deber*le* mucho.

후의(厚意) favor *m*, (gran) amabilidad *f*, bondad *f*, intenciones *fpl* amables, íntima amistad *f*. ~에 감사하다 dar las gracias por *su* amabilidad.

후의(厚誼) amistad *f* estrecha, hospitalidad *f*, buena acogida *f*, amabilidad *f*. ~에 보답하다 pagar *su* amabilidad, corresponder a *su* amabilidad.

후일(後日) otro día *m*, futuro *m*, días *mpl* posteriores. ~에 en el futuro, más tarde. ~의 증거로 por referencia futura. ~을 기약하며 proponerse + *irf* de nuevo algún día. ~담 consecuencia *f*, cola *f*. ¶~자 sucesor, -sora *mf*.

후임(後任) ① [전임자 대신에 맡은 임무] sucesión *f*. ~의 entrante. ~으로 en sucesión. ~ =후임자. ¶~자 sucesor, -sora *mf*.

후자(後者) posterior *mf*; último, -ma *mf*; éste, -ta *mf*. 전자와 el primero y el último, el aquél y el éste.

후작(侯爵) marqués *m*. ~ 부인(夫人) marquesa *f*.

후장(後場) ① [다음 번의 장] feria *f* que viene. ② [다음 번의 장날] día *m* del mercado que viene. ③ ((증권)) sesión *f* de la tarde.

후조(候鳥) ((조류)) =철새.

후줄근하다 ① [종이나 피륙이 젖어서] (ser) húmedo, tener mojado, calarse hasta los huesos. ② [몸이 피곤하여] (ser) fláccido, desfallecer, flaquear. ¶후줄근히 húmedamente, calándose hasta los huesos. 넌 후줄근히 젖었군요 Estás calado hasta los huesos.

후진(後陣) retaguardia *f*.

후진(後進) ① [뒤쪽을 향해 나아감] avance *m* hacia atrás. ~하다 avanzar hacia atrás. ② ⑦ [나이나 사회적 지위가 뒤짐] inferioridad *f*, retraso *m*, demora *f*. ④ [나이나 사회적 지위가 뒤진 사람] inferior *mf*. ③ [문물의 발달이 뒤진 상태] regresión *f*. ④ [후배] los (más) jóvenes, generación *f* joven. ¶~국 país *m* subdesarrollado; [발전 도상국] país *m* en vías de desarrollo. ~ 기어 marcha *f* atrás, *Col*, *Méj* reversa *f*.

후처(後妻) ((낮춤말)) =후취(後娶).

후천(後天) naturaleza *f* postnatal. ~의 adquirido, postnatal. ~성 면역 결핍증 sida *m*, Sida *m*, SIDA *m*, Síndrome *m* de Inmunodeficiencia Adquirida. ~성 면역 결핍증 환자 sidoso, -sa *mf*. ~적 adquirido, posnatal, a posteriori. ~적으로 a posteriori.

후추 pimienta *f*, pimiento *m*, pimentón *m*, pimienta *f* de Castilla. ¶~ 그릇[병] pimentero *m*. ~나무 pimiento *m*, pimientero *m*. ~가루 pimienta *f* molida, pimiento *m*, pimentón *m*.

후취(後娶) segundas nupcias *fpl*; [사람] *su* segunda esposa.

후탈(後頉) ① [아이를 낳은 뒤에 일어나는 잡병] enfermedad *f* de placenta, complicaciones *fpl* de parto. ② [뒤탈] repercusiones *fpl*, secuelas *fpl*.

후터분하다 (ser) algo sofocante [bochornoso]. 후터분한 날씨 tiempo *m* algo bochornoso, tiempo *m* algo sofocante.

후텁지근하다 (ser) sofocante, caluroso, bochornoso, abochornado. 후텁지근한 날씨 tiempo *m* sofocante, tiempo *m* bochornoso.

후퇴(後退) retroceso *m*; [자동차 등의] marcha *f* atrás; [퇴각] retirada *f*; [퇴보] regresión *f*. ~하다 retroceder, marchar [ir · volver] hacia atrás, retirarse.

후편(後便) ① [뒤쪽] lado *m* de atrás. ② [나중의 인편이나 차편] próxima carta *f*, otra carta *f* que seguirá, próximo correo *m*.

후편(後篇) segunda parte *f*, parte *f* segunda; [3편 이상일 때] última parte *f*.

후하다(厚一) ① [인심이 두텁다] (ser) bondadoso, de buen corazón, amable, hospitalario. ② [두껍다] (ser) espeso, denso, grueso. ③ [인색하지 않다] (ser) generoso, liberal, cordial, indulgente, benévolo. 후한 대접 recepción *f* cordial. 후한 보수 recompensa *f* generosa.

후학(後學) ① [후진의 학자] estudioso, -sa *mf* más joven, los que estudiarán después. ② [장래에 도움이 될 학문] referencia *f*, información *f*.

후항(後項) ① [뒤에 있는 조항] cláusula *f* siguiente. ② ((수학)) consecuente *m*.

후환(後患) turbación *f* [confusión *f*] futura, daño *m* posterior. ~을 남기다 sembrar la semilla de la fuente de males.

후회(後悔) arrepentimiento *m*, penitencia *f*; [양심의 가책] remordimiento *m*. ~하다 arrepentirse (재귀형으로만 쓰임), pesar, tener remordimientos, penitenciarse, estar lleno de remordimientos, morderse las manos, darse de cabeza en la pared. ~막급 arrepentimiento *m* amargo, Siempre llega tarde el arrepentimiento.

후후 con un soplo. ~ 불다 seguir soplando. 뜨거운 국을 ~ 불다 soplar la sopa caliente.

혹¹ ① [액체를 단숨에 세게 들이마실 때 나는 소리] con un sorbo. 국을

~ 들이마시다 sorber la sopa. ②
[입을 오므리고 한 번 세게 내부는
소리] con un soplo. 불을 ~ 불어
끄다 apagar el fuego con un soplo. ③ [높은 데를 가볍게] ligeramente, levemente.

흑² ① [갈고리] gancho m; [옷걸이
용] percha f, gancho m; [낚싯바늘]
anzuelo m. ② ((권투)) gancho m.
레프트 ~ gancho m de izquierda.
라이트 ~ gancho m de derecha.
③ ((골프)) hook ing.m.

흑하다 tener muchos deseos (de),
tener muchas ansias (de)

흑흑 siguiendo sobiendo. 국을 ~ 불
어 마시다 sorber la sopa.

훈계(訓戒) sermón m, amonestación
f, consejo m, admonición f, advertencia f. ~하다 sermonear, amonestar, echar [largar · soltar] un
sermón, aconsejar, dar consejo. ~
방면 liberación f después de admonición. ~ 방면하다 libertar
después de admonición.

훈고(訓詁) exposición f, interpretación f, anotación f. ~학 exégesis
f. ~ 학자 exegeta m.

훈공(勳功) mérito m, hazaña f, proeza f, acción f meritoria. ~이 있는
meritorio. ~을 세우다 hacer méritos.

훈기(薰氣) ① [훈훈한 기운] aire m
tem- plado. ② =훈김.

훈김(薰一) ① [연기나 김 등으로 생
기는] aire m cálido. ② [권세가의
세력] influencia f, poder m.

훈도(薰陶) disciplina f, educación f,
instrucción f, enseñanza f, guía f,
formación f. ~하다 disciplinar,
instruir, educar, formar. ~를 받다
ser educado, ser formado.

훈등(勳等) grado m de(l) mérito.

훈련(訓練) disciplina f (교육 · 스포츠
의), entrenamiento m, formación f,
ejercicio m, adiestramiento m; [실
습] práctica f; [군대의] instrucción
f. ~하다 disciplinar (신체 · 동물
을), entrenar (운동 선수 · 동물을),
formar, ejercitar, adiestrar (군인
을), enseñar (아이 · 동물을), capacitar (종업원 · 노동자를), amaestrar, instruir (군인을). ~을 받다
recibir entrenamiento, entrenarse.
개를 ~하다 entrenar (a) un perro.
말을 ~하다 adiestrar un caballo.
¶~ 교관 maestro, -tra mf de
instrucción. ~병 soldado m de
instrucción. ~선 buque m escuela.
~소 escuela f de instrucción,
campo m de instrucción, campo m
de entrenamiento; [스포츠의] lugar
m de concentración.

훈령(訓令) instrucciones fpl, precepto
m, orden m. ~하다 instruir, ordenar, dar instrucción.

훈민정음(訓民正音) hunmincheongum,
coreano m, lengua f coreana.

훈수(訓手) insinuación f, indirecta f,
ayuda f de la persona de fuera. ~
하다 dar una insinuación, ayudar
del lado.

훈시(訓示) instrucción f, admonición
f. ~하다 instruir, amonestar.

훈연(燻煙) ahumado m. ~ 소독
fumigación f. ~ 소독하다 fumigar.

훈육(訓育) instrucción f, educación f,
enseñanza f, disciplina f. ~하다
instruir, educar, enseñar, disciplinar.

훈육(燻肉) carne f ahumada; [생선]
pescado m ahumado.

훈장(訓長) hunchang, maestro m (de
gulbang).

훈장(勳章) orden f, cruz f, condecoración f. ~을 달다 ponerse una
condecoración. ~을 받다 recibir
una condecoración, ser ilustrado
con una condecoración, ser decorado con una cruz, ser condecora-
do. ~을 주다 [수여하다] condeco-
rar, conceder [dar · otorgar] una
condecoración.

훈제(燻製/薰製) ahumado m, ahuma-
miento m. ~하다 ahumar; [특히
고기를] acecinar. ~ 연어 salmón
m ahumado. ~품 carne f ahumada, pescado m ahumado.

훈증(燻蒸) ahumado m. ~하다 ahumar.

훈풍(薰風) brisa f bernal.

훈화(訓話) admonición f, precepto m,
consejo m, instrucción f.

훈훈하다(薰薰一) ① [견디기 좋을 만
큼 덥다] [온도가] (ser) templado;
[날씨가] apacible. 몸이 ~ estar
muy caldeado, estrar echando
bombas. ② [따뜻한 감정이 있다]
(ser) afectuoso, cordial, afable, de
corazón tierno.

훌렁거리다 quedar flojo [suelto ·
holgado · amplio].

훌륭하다 ① [칭찬할만하다] (ser)
magnífico, excelente, espléndido,
brillante, distinguido, maravilloso,
extraordinario, estupendo, exquisito, delicioso, suntuoso, bueno,
inteligente; [솜씨가] hábil, experto,
diestro, genial; [성적 · 평가가] favorable. 훌륭한 그림 cuadro m
maravilloso. 훌륭한 선물 regalo m
[obsequio m] espléndido, regalo m
[obsequio m] precioso. ② [말이나
행실이 거의 완전하여 나무랄 곳이
없다] (ser) grande, eminente, importante; [존경받을만한] respetable,
estimable. 훌륭한 사람 gran hombre m. 훌륭한 집안 familia f
respetable. ③ [마음에 흡족하도록
매우 아름답다] (ser) hermoso, bello, bonito, guapo. 훌륭한 경치

paisaje *m* hermoso, vista *f* [escena *f*] hermosa.

훌리건 gamberro, -rra *mf*; vándalo, -la *mf*; *Méj* porro, -rra *mf*.

훌뿌리다 ① [마구 뿌리다] sacudir a quemarropa, sacudir a boca de jarro. ② [업신여겨 냉정하게 뿌리치다] rehusar [rechazar] rotundamente [categóricamente].

훌쩍 sin fin fijo, al azar. ~ 떠나다 salir sin fin fijo.

훌쭉하다 ① [몸피는 가늘고 길이는 길다] (ser) delgado y larguirucho. ② [끝이 뾰죽하고 길이는 길다] (ser) puntiagudo y largo. ③ [몸이 여위어] (ser) delgado, esbelto, fino. ④ [(속이 비어) 안으로 우므러져 있다] (estar) hueco.

훌훌 ① [날짐승이] revoloteando ligeramente, aleteando ligeramente. ② [동안을 떠어 날 듯이 뛰는 모양] saltando ligeramente. ③ [가벼운 물건을 계속 멀리 던지는 모양] siguiendo lanzando, siguiendo arrojando. ④ [옷 따위를 연해 떠는 모양] sacudiendo. ⑤ [옷 따위를 거침새 없이 벗어 부치는 모양] quitánndose. ⑥ [묽은 죽 따위를 시원스럽게 들이마시는 모양] de un trago. ~ 들이마시다 beberse [tomarse] de un trago. ⑦ [불이] en llamas.

훑다 ① [겉에 붙은 것을] trillar [apalear] grano, desgranar. 벼이삭을 ~ trillar las espigas del arroz. ② [속에 붙은 것을] remover, tirar de una cosa entre un puño o un espacio. ③ [한쪽으로부터 죽 더듬거나 살피다] acariciarse con una mano, atusarse.

훑어보다 inspeccionar, examinar, mirar, escudriñar, ojear. 사람을 위아래로 ~ mirar a *uno* de arriba abajo.

훔쳐내다 ① [물기가 묻은 것을] enjugar(se), pasar*le* un trapo, limpiar la boca con agua, borrar, lavar, quitar. 먼지를 ~ limpiar el polvo. 걸레로 물을 ~ enjugar el agua con trapo. ② [물건을 후무려 내다] robar, hurtar, pillar, afanarse.

훔쳐먹다 comer lo que ha hurtado, hurtar ilícitamente, apropiar(se) ilícitamente, desfalcar, malversar

훔쳐보다 ① [몰래 엿보다] asomarse a mirar, mirar (a hurtillas), echar un vistazo, espiar, atisbar, *RPI* vichar. 훔쳐보지 마라 No mires / *RPI* No viches. ② [남모르게 훑듯 흘긋 보다] hurtar a hurtadillas, echar una ojeada oculta, lanzar miradas furtivas.

훔치다 ① [걸레·행주 따위로 깨끗이 씻어내다] enjugar(se), limpiar,

lavar, quitar, borrar. 이마의 땀을 ~ enjugarse el sudor de la frente. ② [후무려 갖다] robar, ratear, hurtar, pillar; [눈을 속이다] escamotear; [착복하다] desfalcar, malversar. 돈을 ~ robar dinero.

훔켜잡다 agarrar firmemente.

훔켜잡다 =훔쳐잡다.

훗날(後一) días *mpl* futuros, algún día *m*, otro día *m*. ~에 en el futuro, más tarde, más adelantado.

훗달(後一) mes *m* próximo, mes *m* que viene.

훗배앓이(後一) complicaciones *fpl* [dificultades *fpl*] después de parto.

훗일(後一) futuro *m*, provenir *m*.

훤칠하다 (ser) alto. 훤칠한 키 estatura *f* alta.

훤하다 ① [광선이 비쳐] (ser) gris, despejado, claro. 훤한 하늘 cielo *m* despejado, cielo *m* claro. ② [앞이 탁 틔어] (estar) libre, despejado, extenso, abierto. ③ [무슨 일의 조리나 속내가] estar familiarizado. ④ [얼굴이] (estar) guapo.

훨씬 ① [정도 이상으로 매우 많거나 적게] mucho, mucho más, mucho menos, con mucho, de muy distinto modo, notablemente, considerablemente. ~ 못하다 ser mucho inferior. ② [공간적으로] lejos. ~ 멀리에서 de muy lejos, muy de lejos. ③ [시간적으로] mucho. ~ 이전부터 desde hace mucho tiempo.

훨훨 ① [부채 따위로 바람을] con brío, vigorosamente. ② [불길이] en llamas, vigorosamente. ③ [큰 날짐승이] aleteando, revoloteando. ~ 날다 aletear, revolotear. ④ [옷을] completamente, desnudamente. 옷을 ~ 벗다 desnudarse completamente.

훼방(毀謗) [남을 헐뜯어 비방함] calumnia *f*, denigración *f*, infamación *f*. ~하다 calumniar, denigrar, infamar, hablar mal. ② [남의 일을 방해함] interrupción *f*, obstáculo *m*. ~하다 interrumpir, estorbar, impedir. ~(을) 놓다[치다] salir al paso, fastidiarle los planes. ~ 놓지 마라 No seas aguafiestas / No fastidies los planes. ¶ ~꾼 ㉮ [비방자] calumniador, -dora *mf*; difamador, -dora *mf*. ㉯ [방해자] aguafiestas *mf.sing.pl.*

훼손(毀損) ① [체면·명예를 손상함] difamación *f*, menoscabo *m*. ~하다 difamar, herir, lastimar, viciar, menoscabar. ② [헐거나 깨뜨려 못쓰게 함] daño *m*, perjuicio *m*. ~하다 dañar, perjudicar.

휘 ① [센 바람을] silbando, aullando, con un silbido. 바람이 ~ 불었다 El viento silbó. ② [한숨을] suspi-

rando, con un suspiro. ~ 한숨 쉬
며 con un suspiro. ~ 한숨을 쉬다
suspirar.

휘갈기다 pegar blandiendo. 휘갈겨
쓰다 escribir de prisa, escribir en
la letra corrida, escarabajear.

휘감기다 ① [휘둘러 감기다] enredarse, trepar, abrazar. 덩굴이 나무
에 휘감긴다 La zarcilla se enreda
en el árbol. ② [정신이 휘둘리다]
confundirse.

휘감다 ovillar, devanar, enroscar,
enrollar. 필름을 ~ (hacer) correr
la película. 테이프를 ~ rebobinar
la cinta.

휘날리다 ① [깃발·피륙 등이] on-
dear, agitarse. ② [거세게 펄럭 나
부끼게 하다] hacer ondear fuertemente. ③ [명성·이름 등을] re-
sonar la fama [la reputación].

휘늘어지다 inclinarse, dejar caer. 휘
늘어진 버들 sauce *m* llorón.

휘다¹ ((준말)) = 휘어지다.

휘다² ① [꼿꼿하던 것이 구부러지다]
arquear, encorvar, doblar, curvar,
combar, torcer (나무가). ② [휘어지
게 하다] hacer arquear, hacer encorvar, hacer curvar. ③ [남의 의
기를 꺾어 제게 굽히게 하다] ce-
der. 의지[욕망]를 ~ ceder a *su*
voluntad [a *sus* deseos].

휘두르다 ① [무엇을 잡고 둥글게 휘
휘 돌리다] blandir, esgrimir, agitar, florear. 곤봉을 ~ blandir un
palo. 라켓을 ~ blandir la raqueta,
practicar blandiendo la raqueta.
② [남의 의사를 무시하고 제 뜻대로만
하다] abusar. 권한을 ~ abusar de
su autoridad.

휘둘리다 estar confundido.

휘둥그러지다 sorprender*le* mucho a
uno, extrañar*le* mucho a *uno*,
asustarse por un ruido. 놀라서 눈
이 ~ quedarse mirando sorpren-
dido.

휘둥그렇다 estar con los ojos muy
abierto (con sorpresa).

휘둥그레지다 estar con los ojos muy
abiertos.

휘말다 ① [마구 휘어 감아 말다]
devanar [ovillar] sin la debida
atención. ② [옷 따위를 적셔 더럽
히다] hacer mojado y sucio,
estropear, arruinar.

휘몰아치다 bramar, rugir.

휘묻이 acodo *m*. ~하다 acodar.

휘발 (揮發) volatilización *f*. ~하다
volatilizarse, evaporarse. ~성 vo-
latilidad *f*.

휘발유 (揮發油) aceite *m* volátil
[esencial], nafta *f*, bencina *f*, gasolina *f*.

휘술 ① [휘파람] silbido *m*; [큰] chiflido *m*. ② [호루라기] silbato *m*,

pito *m*, pitido *m*. ~을 불다 tocar
un silbato, tocar un pito, pitar.

휘가다 correr serpenteando.

휘넘어가다 ser engañado, caer por
las artimañas de otro.

휘어잡다 ① [꾸부려 거머잡다] agarrar. 세게 ~ tener firmemente
agarrado. ② [억센 사람을] controlar, dominar, tener agarrado por
las narices, manejar a *su* antojo,
tener metido en un puño.

휘어잡히다 ser dominado. 휘어잡혀
있다 estar dominado.

휘어지다 encorvarse, curvarse, doblarse, plegarse, torcerse; [궁형으
로] arquearse; [판자 따위가]
combarse. 휘어지기 쉬운 flexible.

휘영청 brillantemente, de lleno. ~
밝은 달 luna *f* llena argentina. 달
이 ~ 밝다 La luna cae de lleno.

휘장 (揮帳) cortina *f*, telón *m*. ~을
열다 descorrer la cortina. ~을 치
다 correr la cortina.

휘장 (徽章) insignia *f*, emblema *m(f)*,
divisa *f*, escarapela *f*; [둥근 안전핀
이 있는] chapa *f*, placa *f*; ((운동))
logo *m*, logotipo *m*. 경찰 ~ placa
f [chapa *f*] de policía.

휘적거리다 balancear, bambolear,
hacer dar vueltas en el aire.

휘젓다 ① [골고루 섞이도록] agitar,
avivar, atizar, batir, remover, hurgar. 불을 ~ avivar (atizar·hur-
gar] la lumbre [el fuego]. ② [뒤흔
들어서 어지럽게 만들다] perturbar.
회의를 ~ perturbar la reunión.

휘주무르다 manosear, tentar (tocar]
repetidamente.

휘지비지 (諱之秘之) respuesta *f* evasiva, silencio *m*. ~하다 responder
evasivamente.

휘청거리다 ① [가늘고 긴 물건이]
(ser) flexible, suave, sacudirse,
zarandearse. ② [아랫도리에 힘이
없어] tambalearse, debilitarse, vacilar, titubear. 다리가 ~ no estar
firme en *sus* piernas.

휘파람 silbido *m*; [큰] chiflido *m*;
[심판의 호각에 의한] silbato *m*,
pitido *m*. ~(을) 불다 silbar; [크게]
chiflar; [심판이] pitar.

휘하 (麾下) tropas *fpl* bajo el mando,
vasallo *m*. ~의 군대 soldados *mpl*
[hombres *mpl*] bajo el mando.

휘호 (揮毫) pintura *f*, escritura *f*,
dibujo *m*. ~하다 pintar, escribir,
dibujar.

휘황찬란하다 (輝煌燦爛一) ① [광채가
빛나서] (ser) resplandeciente, brillante, irisado, iridiscente. ② [행동
이 보기에 야단스럽다] (ser) ca-
maleónico, poco fidedigno, veleidoso, inconstante, voluble.

휘황하다 (輝煌一) ((준말)) = 휘황찬란
하다.

휘휘 ① [여러 번 휘어 감는 모양] roscando muchas veces. ~ 감다 enroscar [enrollar] alrededor. ② [이리저리 휘두르는 모양] blandiendo, agitando.

휠체어 silla *f* [sillón *m*] de ruedas.

휩싸다 ① [휘둘러 감아서 싸다] envolver, rodear. ② [좋지 않은 행실을 뒤덮어 감싸다] proteger, hacer cargo.

휩싸이다 ① [쌈을 당하다] estar envuelto, estar rodeado. 불길에 ~ estar envuelto en llamas. 비밀에 ~ estar envuelto en un velo de misterio, estar rodeado de misterio. ② [비호받다] ser protegido.

휩쓸다 ① [빠짐없이 모조리 휘둘러 쓸다] devastar, destrozar, asolar, arrasar; [해치다] dañar, hacer daño, perjudicar; [약탈로] saquear. 상금을 ~ llevarse el premio. ② [행동을 함부로 하다] comportarse al azar.

휴가(休暇) [노동 · 학교의] vacaciones *fpl*, *Col*, *Méj*, *RPI* licencia *f*, [임시의] asueto *m*; [군인의 근년 얻은] permiso *m*, licencia *f*. ~ 중이다 estar de vacaciones, *Col*, *Méj*, *RPI* estar de licencia. ¶ ~원(願) solicitud *f* de licencia.

휴간(休刊) suspensión *f* de la publicación [de la tirada]. ~하다 suspender la publicación.

휴강(休講) cierre *m* de clase. ~하다 no dar (la) clase, cerrar de clase, no dar lectura por el día.

휴게(休憩) (tiempo *m* de) descanso *m*, reposo *m*; [학교의] (tiempo *m* de) recreo; [극장 따위의] entreacto *m*, intermedio *m*. ~하다 descansar, reposar, tomar descanso. ¶ ~ 소 lugar *m* de descanso, descansadero *m*. ~ 시간 hora *f* de descanso, hora *f* de recreo. ~실 sala *f* [salón *m*] de descanso [de recreo].

휴경(休耕) descanso *m* de cultivo. ~하다 descansar el cultivo.

휴관(休館) cierre *m* temporal. ~하다 cerrar temporalmente. 금일 ~ ((게시)) Cerrado hoy.

휴교(休校) cierre *m* [cerrado *m*] temporal de escuela, día *m* festivo de escuela. ~하다 cerrar escuela temporalmente, suspender las actividades escolares [las clases].

휴대(携帶) transporte *m* personal. ~하다 llevar(se), llevar con*sigo*, portar. 큰돈을 ~하다 llevar una gran cantidad de dinero consigo, llevar una gran suma (de dinero). ¶ ~용 portátil. ~ 전화(기)[폰] (teléfono *m*) móvil *m*, *AmL* (teléfono *m*) celular *m*. ~품 equipaje *m* de mano. ~품 보관소

guardarropa *m*.

휴머니스트 humanista *mf*.

휴머니즘 humanismo *m*.

휴면(休眠) [동물 · 식물의] letargo *m*; [누에의] inactividad *f*, quiescencia *f*. ¶ ~기 período *m* de letargo, período *m* de inactividad. ~ 상태 [화산의] estado *m* latente, estado *m* de inactividad.

휴무(休務) descanso *m* del trabajo. ~하다 descansar el trabajo.

휴식(休息) ① [잠깐 쉼] descanso *m*, reposo *m*. ~하다 descansar, reposar, tomar descanso. 잠깐 ~을 취하다 descansar un rato, tener un buen rato. ② =휴지(休止).

휴양(休養) reposo *m*, descanso *m*, recreo *m*, recreación *f*, recuperación *f*. ~하다 reposar, descansar, recobrar nuevas fuerzas, tomar buen reposo. ~지[처] lugar *m* recreativo.

휴업(休業) cierre *m*, descanso *m* de trabajo, paro *m*. ~하다 cerrar, descansar el trabajo. ~ 중인 공장 fábrica *f* cerrada, fábrica *f* en suspensión. ~ 중 ((게시)) Cerrado. 오늘 ~함 ((게시)) Cerrado hoy. ¶ ~일 día *m* de descanso, día *m* festivo.

휴연(休演) suspensión *f* de las representaciones. ~하다 suspender la representación; [개인이] ausentarse de las representaciones (del escenario).

휴일(休日) día *m* feriado, día *m* de descanso; [축제일] (día *m* de) fiesta *f*, día *m* festivo, festivo *m*, festividad *f*.

휴전(休電) suspensión *f* del suministro de poder.

휴전(休戰) armisticio *m*, tregua *f*. ~하다 hacer una tregua, dar treguas. ~선 línea *f* de armisticio. ~ 조약 tratado *m* de armisticio. ~ 협정 tregua *f*, acuerdo *m* de armisticio. ~ 회담 conversaciones *fpl* de armisticio.

휴정(休廷) suspensión *f* de la audiencia. ~하다 suspender la audiencia.

휴지(休止) pausa *f*, suspensión *f* ((시학)) pausa *f*. ~부 ((언어 · 음악)) silencio *m*.

휴지(休紙) ① [못 쓰게 된 종이] papel *m* usado, papeles *mpl* viejos, papel *m* de desecho. ② =화장지. ¶ ~통 papelera *f*, cesto *m* de papeles, canasto *m* de los papeles.

휴직(休職) cesación *f* temporal. ~하다 cesar en *su* trabajo, ausentarse de *su* trabajo.

휴진(休診) asueto *m* de consulta. ~날[일] día *m* sin consulta.

휴학(休學) interrupción *f* de los estudios, descanso *m* [ausencia *f*] de la escuela. ~하다 interrumpir temporalmente *sus* estudios, suspender *sus* estudios, retirar provisionalmente [temporalmente] de la escuela.

휴화산(休火山) volcán *m* inactivo.

휴회(休會) suspensión *f* de la reunión; [의회의] suspensión *f* de la sesión parlamentaria. ~하다 suspender la reunión [la sesión].

흉 ① [상처·부스럼 따위가 아문 자리] cicatriz *f*, chirlo *m*; [천연두 따위의] marca *f*, señal *f*. ~을 남기다 dejar una marca. ② [비웃을 만한 거리. 비난을 받을 만한 점] defecto *m*, culpa *f*.

흉가(凶家) casa *f* embrujada, casa *f* frecuentada por duendes y apariciones.

흉갑(胸甲) coraza *f*, armadura *f*.

흉강(胸腔) cavidad *f* torácica.

흉격(胸膈) pecho *m* inferior.

흉계(凶計) plan *m* malvado, proyecto *m* malvado, maquinación *f*, intriga *f*, conspiración *f*. ~를 꾸미다 intrigar, conspirar, maquinar una intriga.

흉골(胸骨) vértebra *f* esternal, esternón *m*.

흉곽(胸廓) ((해부)) tórax *m* pectoral.

흉근(胸筋) músculos *mpl* pectorales, pectoral *m*. ~의 pectoral.

흉금(胸襟) pecho *m*, sentimientos *mpl* del corazón. ~을 털어놓다 abrir(se) [descubrir·fiar] el pecho, abrir el corazón.

흉기(凶器) el arma *f* blanca, arma *f* mortal. ~를 든 강도 ladrón *m* armado.

흉내 imitación *f*, bufanda *f*, mímica *f*. ~(를) 내다 imitar, remedar, contrahacer. ¶~말 onomatopeya *f*.

흉년(凶年) año *m* desgraciado, año *m* de mala cosecha (de escasez).

흉도(凶徒) ① [흉악하고 사나운 무리] bandidos *mpl*, alborotadores *mpl*, bandoleros *mpl*. ② [모반인] rebelde *mf*; traidor, -dora *mf*; insurgente *mf*.

흉막(胸膜) pleura *f*. ~염 pleuritis *f*.

흉몽(凶夢) mal sueño *m*, sueño *m* maligno, pesadilla *f*. ~을 꾸다 tener pesadilla.

흉물(凶物) persona *f* astuta; villano, -na *mf*; serpiente *f*; culebra *f*. ~스럽다 (ser) astuto. ~스레 astutamente, con astucia.

흉배(胸背) ① [가슴과 등] el pecho y la espalda. ② [가슴의 등 쪽] región *f* dorsal del pecho. ③ ((역사)) refuerzos *mpl* bordados en el pecho y en la espalda de los uniformes oficiales.

흉벽(胸壁) ① =흉장(胸墻). ② [흉곽의 외벽] pared *f* del pecho.

흉변(凶變) desastre *m*, calamidad *f*, catástrofe *f*. ~의 catastrófico.

흉보(凶報) ① [불길한 기별] mala noticia *f*. ② [사람이 죽었다는 통보] noticia *f* fúnebre, noticia *f* lastimosa, noticia *f* de *su* muerte.

흉보다 hablar mal.

흉부(胸部) ① [가슴 부분] busto *m*, pecho *m*, seno *m*, tórax *m*, región *f* del pecho. ~의 =호흡기.

흉사(凶事) ① [흉악한 일] asunto *m* cruel. ② [궂은 일] asunto *m* desgraciado.

흉상(凶狀) ① [음충맞고 험악한 태도] actitud *f* maliciosa. ② [괴악한 모양] aspecto *m* vicioso [feo].

흉상(凶相) ① [좋지 못한 상격] fisonomía *f* maligna [malvada]. ② [보기 흉한 외모] cara *f* fea, aspecto *m* feo, aspecto *m* indecoroso.

흉상(胸像) busto *m*. ~을 세우다 levantar [eregir] un busto.

흉선(胸線) timo *m*.

흉악(凶惡) ① [성질이 거칠고 사나움] atrocidad *f*, brutalidad *f*, crueldad *f*, perversidad *f*. ~하다 (ser) atroz, brutal, cruel, malvado, perverso. ~한 짓을 하다 cometer una atrocidad. ② [용모가 험상궂고 모질] fealdad *f*, monstruosidad *f*. ~하다 (ser) feo, de feo aspecto, monstruoso. ¶~범 criminal *m* peligroso, criminal *f* peligrosa.

흉악망측하다(凶惡罔測－) (ser) muy atroz [cruel·malvado·perverso].

흉악무도하다(凶惡無道－) (ser) feroz, atroz, cruel.

흉어(凶漁) pesca *f* escasa.

흉업다(凶－) El dicho y el hecho son muy infelices.

흉위(胸圍) busto *m*, pecho *m*, anchura *f* de pecho, periferia *f* del tórax, cintura *f*, talle *m*.

흉일(凶日) día *m* aciago [desgraciado], día *m* de mal agüero.

흉작(凶作) mala cosecha *f*, cosecha *f* escasa.

흉잡다 quejarse sin motivo, criticar por criticar.

흉잡히다 ser quejado sin motivo, ser criticado.

흉장(胸章) emblema *m* en el pecho.

흉장(胸墻) parapeto *m*.

흉적(凶賊) bandido *m*, ladrón *m* fiero.

흉조(凶兆) mal agüero *m*.

흉조(凶鳥) pájaro *m* taimado.

흉중(胸中) corazón *m*. ~에 en el corazón.

흉추(胸椎) ((해부)) vértebra *f* dorsal.

흉측스럽다(凶測－) (ser) muy feo.

흉측하다(凶測－) (ser) muy feo, parecer un coco, ser un coco.

흉탄(兇彈) balazo *m*. ~에 쓰러지다

ser asesinado de un balazo.

흉터 cicatriz *f*, [천연두 · 종두의] marca *f*, señal *f*. ~를 남기다 dejar marca. ~가 남다 cicatrizar.

흉포하다(凶暴─) (ser) bruto, brutal, bárbaro. 흉포한 사람 persona *f* brutal [bruta]. 흉포한 성격 carácter *m* bruto [brutal].

흉하다(凶─) ① [무슨 일의 결과가 좋지 못하다] (el resultado) ser malo, no ser bueno. ② [불길하다] (ser) infeliz, ominoso, siniestro. ③ [보기에 나쁘다] (ser) feo, indecente, terrible. ④ [마음씨가 나쁘고 거칠다] (ser) malvado y violento. ⑤ [인연이 나쁘다] El karma es malo.

흉한(兇漢) ① =악한(惡漢). ② [흉행을 하는 사람] asesino *m*.

흉허물 culpas *fpl*, defectos *mpl*. ~없다 tener relaciones familiares. ~없이 íntimamente, con intimidad, familiarmente.

흉험하다(凶險─) (ser) astuto.

흉흉하다(洶洶─) ① [물결이] (la ola) ser tempestuosa. ② [인심이] estar atemorizado, ser sobrecogido de temor, dejar consternado, llenar de consternación.

흐느끼다 sollozar, llorar con sollozos, lloriquear, gemir, dar sollozos, dar gemidos, llorar silenciosamente. 흐느껴 울다 sollozar llorando, gimotear, zollipar.

흐느적거리다 aletear, revolotear, batir rápidamente, ondear, ondular.

흐늘거리다 ① [매인 데 없이 편안하게 놀고 지내다] haraganear, holgazanear, perder el tiempo, tontear. ② [힘없이 늘어져서 연해 흔들리다] colgarse, bambolearse, quedar colgado, estar colgado. ③ [단단하지 못하여 건드리는 대로 계속 흔들리다] seguir oscilando [bamboleándose · balanceándose].

흐늘흐늘 oscilando, bamboleándose, balanceándose. ~하다 (ser) blanducho, como unas gachas. ~해지다 ponerse blando, ponerse como unas gachas, reblandecerse, ablandarse.

흐려지다 ① [색이] descolorarse, desteñirse, palidecer. ② [윤곽이] volverse borroso, difuminarse. ③ [정신이] chochear. 흐려진 chocho.

흐르다 ① [액체가] fluir; [조수를 타고] subir, crecer; [피가] correr; [상처에서] manar, salir; [눈물이] derramarse, verterse. 물 흐르는 듯한 문체 estilo *m* fluido, estilo *m* fácil. 강물[물]이 ~ correr el río [el agua]. 눈물이 ~ derramarse [verterse] las lágrimas. ③ [공중이나 물에 떠서] flotar. 기름이 물 위에 흐른다 El aceite flota en el agua. ③ [사물이 어떤 방향으로 쏠리다] prevalecer, preponderar. 침묵으로 ~ callarse, quedarse callado. ④ [시간 · 세월이 가다] pasar, transcurrir, correr. ⑤ [어떤 범위 안에 번져서 점차 퍼지다] correr, sonar. ⑥ [전기가] fluir, correr, pasar, ser cargado. 전류가 ~ pasar la corriente. ⑦ [세거나 떨어지거나 하다] [양동이 · 탱크 따위가] gotear, entrar, escaparse, hacer agua, rezumarse, verterse, salirse; [공기가] hacerse impuro, pasar el agua; [수도 등의 꼭지나 마개에서] gotear.

흐리다¹ ① [흔적을 지워 버리다] borrar. 말끝을 ~ hablar con evasivas [con subterfugio], usar equívocos, hablar embiguamente. ② [혼탁하다] (estar) turbio, cenagoso, lodoso, sucio, enturbiado; [액체가] enturbiarse, perder la transparencia; [색채가] hacerse impuro; [색채가] obscurecerse, deslustrarse. ③ [집안이나 단체의 명예를 더럽히다] manchar, mancillar. 가문을 ~ manchar *su* linaje. ④ [혼탁하게 하다] enturbiar, hacer turbio, poner turbio. 물을 ~ enturbiar el agua.

흐리다² ① [기억력 · 판단 따위가 분명하지 않다] (ser) poco claro, borroso, vago, confuso. 기억이 ~ La memoria es poco clara. ② [다른 물질이 섞여] estar empañado, empañarse. 흐린 유리 cristal *m* empañado, vidrio *m* empañado. ③ [등불 · 빛 따위가] (ser · estar) vago, oscuro, obscuro, débil, tenue. ④ [시력 · 청력이] (ser) turbio de vista, corto de vista. ⑤ [걱정스러운 빛이 있다] preocuparse, inquietarse. ⑥ [구름 · 안개가 끼어] (estar) nublado, nubloso; [하늘이] (estar) nublado, nuboso, nublarse, encapotarse. 흐린 날씨 tiempo *m* nublado. ⑦ [셈이] no ser seguro, no saber bien.

흐리멍덩하다 (ser) vago, confuso, indistinto, blando, tibio.

흐리터분하다 ① [사물이] (ser) poco serio, vago, ambiguo, equívoco. ② [성미가] (ser) sospechoso, solapado, incierto, inseguro.

흐릿하다 [방이] (ser) oscuro, poco iluminado; [빛이] débil, tenue; [기억이] borroso; [생각이] vago; [목소리가] indistinto, poco definido; [말이] poco claro.

호무러지다 ① [잘 익어서 무르녹다] (estar) pasado, demasiado maduro. ② [물이 불어서 썩 무르다] (ser) muy blando, demasiado blando.

호물호물 demasiado maduramente, muy suavemente. ~하다 (ser)

demasiado maduro, pasado, muy suave.

흐뭇하다 estar satisfecho, estar contento, alegrarse, encantar, ser satisfactoiro. 흐뭇한 encantador, risueño, que provoca a sonrisa. 흐뭇한 광경 escena f encantadora.

흐벅지다 (ser) regordete, rellenito.

흐지부지 indirectamente, de un modo indirecto, de rodeo, inútilmente. ~되다 dejar en incertidumbre, quedarse como lo era; [희망이] esfumarse, desvanecerse; [야망 · 계획이] quedar en agua de borrajas.

흐트러뜨리다 ① [흩다] esparcir, disipar, desparramar, tirar. ② [산란하다] despeinar, alborotar, desordenar, desarreglar. 머리카락을 ~ despeinar el pelo. ③ [정신 · 마음을] distraer.

흐트러지다 dispersarse, esparcirse, disiparse, desparramarse, deshilacharse; [모양이] desmoldarse; [머리카락이] despeinarse, alborotarse; [방이] desordenarse, desarreglarse; [마음 · 정신이] distraerse.

호호 ¡Bah! / ¡Puf! / ¡Ja!

흑 un sollozo, sollozando. ~ 울다 sollozar.

흑갈색(黑褐色) marrón m oscuro, castaño m oscuro.

흑내장(黑內障) ((의학)) catarata f negra, amaurosis f.

흑단(黑檀) ((식물)) ébano m.

흑막(黑幕) ① [검은 장막] cortina f negra. ② [음흉한 내막] circunstancias fpl ocultas, interior m. 사건의 ~ mente f directora del asunto.

흑맥주(黑麥酒) cerveza f negra.

흑반(黑斑) mancha f negra; ((의학)) melasma f.

흑발(黑髮) cabello m negro, pelo m negro.

흑백(黑白) ① [검은 빛과 흰 빛] el (color) negro y el (color) blanco. ② [잘잘못] justicia e injusticia. ~를 다투다 contender cuál es justo. ③ ((바둑)) la piedra blanca y la piedra negra. ④ [흑인과 백인] el negro [el moreno] y el blanco. ¶ ~ 사진 foto f en blanco y negro. ~ 영화 película f en blanco y negro. ~ 텔레비전 televisión f en blanco y negro. ~ 필름 película f [filme m] en blanco y negro.

흑빵(黑-) pan m negro, pan m bazo, pan m moreno; [라이 보리 빵] pan m de centeno.

흑사병(黑死病) peste f.

흑사탕(黑砂糖) =흑설탕.

흑색(黑色) (color m) negro m. ~의 negro. ~ 잉크 tinta f negra.

흑설탕(黑雪糖) azúcar m moreno,

azúcar m negro.

흑심(黑心) intención f malévola, mala intención f. ~이 있는 malévolo, malvado, malicioso. ~을 품고 con mala intención.

흑연(黑鉛) ((광물)) grafito m.

흑인(黑人) ① [흑색 인종에 속한 사람] negro, -gra mf; moreno, -na mf. ② [털과 피부가 검은 사람] persona f de color negro; negro, -gra mf. ¶ ~가 barrio m negro. ~ 영가 canto m espiritual negro.

흑자(黑字) ① [검은 빛의 글자] letras fpl negras. ② ((경제)) superávit m, cifra f negra.

흑점(黑點) ① [검은 점] punto m negro. ② ((준말)) =태양 흑점.

흑지(黑-) piedra f negra.

흑토(黑土) tierra f [arcilla f] negra.

흑판(黑板) pizarra f. ~에 쓰다 escribir en la pizarra. ~을 지우다 borrar la pizarra. ¶ ~ 지우개 borrador m.

흑해(黑海) ((지명)) mar m Negro.

흑흑 sollozando, con sollozos. ~ 느껴 울다 sollozar.

흔들거리다 balancearse, bambolearse, oscilar, temblar.

흔들다 [병 · 칵테일 · 손수건 · 깃발을] agitar; [사람을] sacudir, zarandear, mecer; [건물을] sacudir, hacer temblar; [주사위를] agitar, AmL revolver; [꼬리를] menearse, moverse; [요람을] mecer; [아이를] acunar; [팔 · 다리를] balancear.

흔들리다 ① [좌우나 앞뒤로 잇달아 움직이다] moverse, temblar, agitarse, sacudirse; [가볍게] mecerse, balancearse; [건물 · 땅이] sacudirse, estremecerse, temblar; [마차 · 자동차 · 기차가] traquetear; [흔들흔들] oscilar, balancearse; [횡으로] balancearse; [종으로] cabecear; [빛 · 불꽃 따위가] oscilar, vacilar. 마음이 ~ vacilar, titubear. 바람에 ~ agitarse [moverse] al [por el] viento. ② [어떤 안정된 상태가 동요되다] vacilar, oscilar, tambalearse, flaquear.

흔들바위 roca f mecedora.

흔들의자(-椅子) mecedora f.

흔연하다(欣然-) (ser) feliz, alegre, jovial. 흔연히 felizmente, alegremente, jovialmente.

흔적(痕迹) marca f, huella f, impresión f, señal f; [흑적] rastro m, indicio m, pista f, pasos mpl; [상처 흔적] cicatriz f.

흔전만전 en abundancia, abundantemente, en profusión, copiosamente, ampliamente. 돈을 ~ 쓰다 gastar dinero en profusión.

흔쾌하다(欣快-) (ser) feliz, alegre, agradable. 흔쾌히 felizmente, alegremente, agradablemente, de buena gana, con mucho gusto. 흔 쾌히 동의하다 consentir [aceptar] con mucho gusto.

혼하다 (ser) común (y corriente), copioso, abundante, ordinario; [독창적이 아닌] poco original; [하찮은] vulgar, trivial. 혼하지 않은 poco frecuente, raro, extraño, extraordinario, nada común. 혼한 말 palabras fpl triviales, palabras fpl banales. 혼히 profusamente, pródigamente, abundantemente, en abundancia; [보통. 종종] usualmente, comúnmente, por lo común, ordinariamente, frecuentemente, con frecuencia, a veces, unas veces, algunas veces, de vez en cuando, de cuando en cuando; [주로] por la mayor parte; [대개] generalmente, en general.

혼해빠지다 ser corriente.

홀겨보다 lanzar una mirada lasciva, bizquear, ojear de soslayo [de reojo], mirar de soslayo [de reojo], mirar con amenaza.

홀금거리다 seguir mirando de soslayo [de reojo].

홀긋 echando un vistazo. ~ 보다 echar [dar] un vistazo [ojeada], echar una mirada rápida.

홀기다 mirar con recelo, mirar con amenaza.

홀깃 con una mirada, con una rápida ojeada. ~ 보다 echarle una (rápida) ojeada, echarle [darle] un vistazo.

홀러가다 ① [냇물이] desembocar, deaguar, afluir; [물 따위가] desaguar, verter. ② [시간이] pasar, correr.

홀러나오다 ① [액체가] fluir; [피가] correr; [상처에서] manar, salir; [고름이] supurar. ② [말소리나 음악이] salir.

홀러내려가다 bajar fluyendo hacia abajo.

홀러내리다 ① [위에서 아래로] caer deslizándose, caer resbalando. ② [느슨해져서] bajarse, caerse.

홀러보다 tantear, sondear.

홀레 cópula f, coito m. ~하다 tener coito, copularse.

홀리다 ① [쏟아지게 하다. 새어 떨어지게 하다] derramar, verter. 눈물을 ~ derramar lágrimas. ② [빠르리거나 떨어뜨려 잃다] perder, caer. 돈을 자주 ~ soler perder el dinero. ③ [홀림 글씨를 쓰다] escribir en letra cursiva [en letra corrida]. 홀려 쓴 글씨 letra f escrita corridamente. ④ [말을 귓담아 듣지 않고 귓전으로 지나치다] no prestar especial atención, no hacer caso.

홀수(吃水) calado m, profundidad f de las aguas navegables. ~선(線) línea f de flotación, línea f de agua, marcas fpl de calado.

홀쩍거리다 holgazanear, haraganear, flojear, entretenerse.

흙 ① [지구의 외각을 이루는 토석] tierra f. ~으로 만든 벽돌 ladrillo m de tierra. ~ 한 줌 un puñado de tierra. ② [토양] suelo m, terreno m, tierra f. ~ 속의 벌레 gusano m en el suelo.

흙내 olor m a tierra. ~가 나다 oler a tierra.

흙다리 puente m de tierra, puente m cubierto de tierra.

흙담 tapia f, muro m (de barro).

흙더미 montón m de tierra.

흙덩어리 =흙덩이.

흙덩이 terrón m (grande).

흙받기 ① [흙손질할 때에 이긴 흙을 받쳐 드는 제구] esparavel m. ② [자전거 · 자동차 등의] guardabarros m, guardafangos m.

흙벽(-壁) pared f de barro, muro m (de barro).

흙벽돌 ladrillo m de tierra.

흙빛 color m de tierra, color m moreno, color m pardo. 얼굴이 ~이 되다 ponerse pálido.

흙손 paleta f, llana f, palustre m.

흙일 trabajos mpl de preparación del terreno.

흙칠 embadurnamiento m de barro. ~하다 enbadurnar con barro.

흙탕(준말) =흙탕물.

흙탕길 camino m lleno del agua lodosa.

흙탕물 el agua f cenagosa, el agua lodosa; [탁한 물] el agua f tibia.

흙투성이 lo cubierto de tierra.

흠 ¡Um!

흠(欠) ① [흠] defecto m, falta f, demérito m, tacha f. ~을 발견하다 hallar un defecto (en). ② [물건이 이지러지거나 깨어진 곳] grieta f, raja f, defecto m, fallo m, falla f, imperfección f; [단단한 물건의 표면의] raya f. ~이 있는 defectuoso, imperfecto, rayado. ③ [식물 · 과실의] magulladura f. ④ [하자] defecto m. 공사의 ~ defecto m de construcción.

흠모(欽慕) admiración f, adoración f. ~하다 admirar, adorar.

흠뻑 ① [분량이 꽉 차고도 남도록 흡족하게] mucho, muchísimo, todo, a cántaros. ~ 젖다 calarse, emparparse; [몸이] mojarse [emparparse] hasta los huesos [hasta los tuétanos]. ~ 적시다 impregnar. ② [흐뭇하게] completamente.

흠썬 suficientemente, muchísimo, completamente. 비에 ~ 젖다 mojarse hasta los huesos. ☞흠뻑

흠잡다(欠-) criticar, buscar defectos. 흠잡을 데가 없다 ser impecable, ser intachable.

흠집(欠-) cicatriz f (상처 자국), abertura f [labios mpl · boca f] de la herida (상처 받은 자리); [물건의] defecto m, falta f; [단단한 물건의 표면에 생긴] raya f.

흠칫 tímidamente, medrosamente, nerviosamente. ~하다 retroceder, intimidarse, temblar de miedo, inquietarse, mostrarse tímido.

흡력(吸力) poder m absorbente.

흡사(恰似) semejanza f. ~하다 tener una gran semejanza, parecerse mucho.

흡수(吸水) aspiración f de agua. ~하다 aspirar el agua. ~관 sifón m. ~펌프 bomba f aspirante.

흡수(吸收) absorción f, absorbencia f, succión f; [동화] asimilación f. ~하다 absorber, embeber, chupar; asimilar. ~력 fuerza f de absorción. ~작용 absorción f. ~제 absorbente m.

흡연(吸煙) (el) fumar, fumada f. ~하다 fumar. ~을 중지하다 dejar de fumar. ¶ ~ 구역 sector m para fumadores. ~ 금지 ㉠ prohibición f de fumar. ㉯ ((게시)) Se prohibe fumar / Prohibido fumar. ~석 asiento m de fumar. ~실 salón m de fumar, fumadero m. ~자 fumador, -dora mf. ~차 coche m [vagón m] de fumadores.

흡인(吸引) absorción f, succión f, aspiración f. ~하다 absorber, aspirar, embeber, chupar. ~기 aspirador m. ~력 fuerza f de absorción. ~펌프 bomba f de aspiración.

흡입(吸入) inspiración f, inhalación f. ~하다 inspirar, inhalar, aspirar. ~기 inspirador m, inhalador m.

흡족하다(洽足-) (ser) suficiente, bastante, satisfactorio. 흡족히 bastante, satisfactoriamente, suficientemente. ~먹다 hartarse, comer hasta la saciedad.

흡착(吸着) ((물리 · 화학)) absorción f. ~하다 absorber, pegarse. ~성의 absortivo. ~력 poder m absortivo. ~제 adsorbente m, materia f adhesiva, sustancia f adhesiva.

흡혈(吸血) chupadura f de la sangre. ~하다 chupar la sangre. ~귀 ㉠ [사람의 피를 빨아먹는다는 귀신] vampiro m. ㉯ [사람의 고혈을 착취하는 인간] sanguijuela f; [고리대금 업자] usurero, -ra mf. ~동물 hematófago m.

흥 ① [코로 비웃는 소리] ¡Bah! ② [감탄하는 소리] ¡Hummm …! / ¡Um!

흥(興) gozo m, placer m, deleite m, alegría f, interés m, excitación f, júbilo m, goce m, regocijo m, entusiasmo m. ~에 겨워 en el exceso de regocijo. ~을 돋우다 elevar el interés, añadir interés. ~을 깨지 마라 No seas aguafiestas.

흥건하다 inundarse, llenar, estar lleno de agua. 흥건히 lleno de agua, inundantemente.

흥겹다 divertirse, distraerse, complacerse, deleitarse.

흥망(興亡) vicisitudes fpl, prosperidad y decadencia, levantamiento y caída, vaivén m, hado m, destino m. 로마 제국의 ~ prosperidad f y decadencia del Imperio Romano. ~ 성쇠 vicisitudes fpl, altibajos mpl.

흥미(興味) interés m, entusiasmo m, gusto m, brío m, ganas fpl. ~ 있는 interesante. ~ 없는 insípido, poco interesante. ~를 가지고 con interés. ~를 끌다 interesar, despertar el interés, suscitar el interés. ~를 잃다 perder el interés.

흥미 본위(興味本位) ¶ ~의 sensacionalista, amarillo, popular. ~의 읽을 거리 lectura f divertida. ~로 기사를 쓰다 escribir un artículo sensacionalista.

흥미진진하다(興味津津-) (ser) muy interesante, estar lleno de interés, tener un enorme interés. 흥미진진한 de mucho interés, muy interesante.

흥분(興奮) excitación f, exaltación f, entusiasmo m, agitación f, arrebato m. ~하다 exaltarse, excitarse, entusiasmarse, acalorarse, agitarse, apasionarse. ~시키다 excitar, exaltar, entusiasmar, apasionar, arrebatar. ~을 진정시키다 calmar [aplacar · apaciguar] la exaltación [la excitación]. ~이 가라앉다 calmarse, apaciguarse, aplacarse. ¶ ~ 상태 condición f excitada. ~제 estimulante m, excitante m, afro- disiaco m.

흥성(興盛) prosperidad f. ~하다 prosperar, ser próspero.

흥신소(興信所) agencia f privada de investigaciones secretas.

흥얼거리다 tararear, canturrear entre dientes, ronronear, zumbar, cantar en tono bajo y monótono.

흥정 ① [매매] compraventa f. ~하다 comprar y vender. ② [물건을 사고 팔기 위해] regateo m. ~하다 regatear. ③ [교섭 따위에서] negociación f, táctica f, estrategia f, maniobra f, astucia f diplomática. ~하다 negociar, darse maña. ¶ ~꾼 ㉠ agente mf. ㉯ ((주식)) corredor, -dora mf [agente mf] de bolsa.

흥진비래(興盡悲來) La tristeza viene después de la alegría / La adversidad viene después de la felicidad / No hay mal que por bien no venga.

흥청거리다 alegrarse hasta lo sumo, regocijarse sobremanera, alborotar, exultar, regocijarse.

흥청망청 en abundancia, en gran cantidad, profusamente, copiosamente.

흥청흥청 con júbilo, con exaltación del ánimo, con viva alegría, exaltadamente, triunfantemente, jubilosamente, exultantemente de alegría, de júbilo, con exultación.

흥취(興趣) interés *m*, gusto *m*. ~가 있다 ser interesante. →흥미(興味)

흥치(興致) diversión *f*, entretenimiento *m*, placer *m*, deleite *m*, satisfacción *f*, elegancia *f*.

흥타령(一打令) *heungtaryeong*, una especie de la canción tradicional coreana con el *hung* en el fin de cada línea.

흥하다(興一) prosperar, gozar de fortuna [de prosperidad], tener éxito, enriquecerse, ser próspero.

흥행(興行) función *f*, representación *f*, empresa *f*, exhibición *f*. ~하다 dar función, representar, dar, interpretar, tocar, ejecutar. ~물 representación *f*, espectáculo *m*, producción *f*, exhibición *f*. ~사 empresario, -ria *mf* de espectáculo público; director, -tora *mf* de empresa; empresario, -ria *mf* de teatro [de circo]. ~장 lugar *m* de función, circo *m*. ~주 ㉮ ((경제)) promotor, -tora *mf*. ㉯ ((운동)) empresario, -ria *mf*.

흥흥 ¡Bah!

흥흥거리다 ① [흥거워 연해 콧소리가 나다] cantar con voz suave, cantar suavemente. ② [어린애가] lloriquear, gimotear.

흩날리다 esparcirse, dispersarse, desparramarse, ir volando en diferentes direcciones, flotar, ondular, ondear.

흩다 esparcir, desparramar, derramar; [머리카락 따위를] desmelenar, desgreñir; [씨앗을] sembrar.

흩뜨리다 esparcir, esparcir, desparramar; [머리카락 따위를] desmelenar, desgreñar, despeinar.

흩어지다 esparcirse, esparcirse, disiparse, desparramarse, extenderse. 군중이 흩어진다 La muchedumbre se dispersa.

흩이다 ser dispersado, ser esparcido, ser extendido.

희-(稀) raro, noble.

희가극(喜歌劇) opera *f* bufa, opera *f*

cómica, comedia *f* musical, zarzuela *f*.

희가스(稀 gas) gas *m* noble.

희곡(戲曲) drama *m*, pieza *f* teatral, obra *f* teatral. ~ 작가 dramaturgo, -ga *mf*; autor *m* dramático, autora *f* dramática; dramatista *mf*.

희구(希求) deseo *m*, aspiración *f*. ~하다 desear, aspirar.

희귀하다(稀貴一) (ser) raro, curioso, común, fenomenal, extraordinario. 희귀한 물건 raridad *f*, curiosidad *f*, artículos *mpl* raros.

희극(喜劇) ① [사람을 웃길 만한 일이나 사건] humorismo *m*. ② ((연극)) comedia *f*. ~의 cómico. ~ 문학 literatura *f* cómica. ~ 배우 comediante *mf*; (actor *m*) cómico *m*, (actriz *f*) cómica *f*; humorista *mf*; [광대] payaso *m*. ~ 영화 película *f* cómica. ~ 작가 dramaturgo *m* cómico, dramaturga *f* cómica.

희극(戲劇) ① [진실하지 않은 행위] actitud *f* mentirosa, actitud *f* falsa. ② ((연극)) [익살을 부리는 연극] humorismo *m*.

희금속(稀金屬) metales *mpl* raros.

희끄무레하다 (ser) agrisado, blanquizco, blanquecino. 희끄무레한 흑판 pizarra *f* agrisada.

희끗거리다 estar mareado.

희끗희끗 [머리가] (ser) entrecano. ~한 (센) 머리 pelo *m* entrecano, cabello *m* entrecano, cabeza *f* entrecana, cabeza *f* con canas, cabeza *f* sembrada de canas.

희누르스레하다 = 희누르스름하다.

희누르스름하다 (ser) blanco y amarillento.

희누르스레하다 = 희누르스름하다.

희다 [눈빛과 같이] (ser) blanco. 희여지다 ponerse blanco. 희게 하다 blanquear, poner blanco. 살결이 ~ La tez es blanca.

희담(戲談) chiste *m*, broma *f*.

희대(稀代) rareza *f*, singularidad *f*, extrañeza *f*. ~의 raro, extraño, extraordinario, inaudito, excepcional, único, poco frecuente, curioso, solo, sin igual.

희디희다 (ser) muy blanco, blanquísimo, blanco como la nieve. 희디흰 이 dientes *mpl* blanquísimos.

희뚝희뚝 [흰 머리카락이] canosamente, con canas. ~하다 (ser) canoso.

희락(喜樂) alegría *f* y placer, felicidad *f*.

희랍(稀臘) ((지명)) Grecia. ~어(語) griego *m*. ~인 griego, -ga *mf*. ~ 정교회 la Iglesia Ortodoxa.

희로(喜怒) alegría *f* y cólera, emoción *f*, sentimiento *m*. ~애락 alegría, cólera, tristeza y placer;

emociones *fpl*.

희롱(戲弄) ridiculez *f*, extravagancia *f*. ~하다 ridiculizar, escarnecer, burlarse, hacer burla, mofarse, hacer mofa, reírse, gastar bromas, tomar el pelo.

희롱거리다 juguetear, bromear; [들떠서 떠들다] retozar; [놀리다] mofarse, burlarse, reírse.

희롱희롱 en broma, de burla, con [de·en] guasa, de [en] chunga.

희맑다 (ser) blanco y claro.

희망(希望) esperanza *f*, [원망] deseo *m*; [기대] expectación *f*, [포부] aspiración *f*, ambición *f*, [절망] ansia *f*, anhelo *m*. ~하다 esperar, desear, ansiar, anhelar. ~에 찬 lleno de esperanza. ~ 없이 sin esperanza. ~을 가지고 con la esperanza.

희멀겋다 (ser) blanco y brillante.

희멀쑥하다 (ser) blanco y claro.

희묽다 (ser) blanco y flojo.

희미하다(稀微−) (estar) obscuro, opaco, imperceptible, débil, tenue, ligero. 희미하게 oscuramente, con oscuridad, opacamente, débilmente, con debilidad, ligeramente, vagamente, tenuemente. 희미한 기억 memoria *f* opaca. 희미한 빛 luz *f* opaca.

희박(稀薄) rareza *f*. ~하다 (ser) raro, poco espeso; [액체가] diluido; [기체가] rarificado, enrarecido.

희번덕거리다 mirar asombrado, mirar con ojos de asombro, mirar con los ojos desorbitados.

희번드르르하다 (ser) claro y radiante.

희보(喜報) noticia *f* alegre.

희부옇다 (ser) agrisado. 희부옇게 하다 agrisar, dar color gris.

희비(喜悲) alegría y tristeza. ~가 교차하다 tener el sentimiento mezclado con alegría y tristeza. ~가 엇갈린다 La tristeza y la alegría [y el júbilo] vienen por turnos [alternativamente]. ¶ ~극 ㉮ [희극과 비극] la comedia y la tragedia. ㉯ ((연극)) tragicomedia *f*. ~ 쌍곡선 sentimiento *m* mezclado con alegría y tristeza. ~애락 alegría, tristeza, lástima y placer.

희부옇다 (ser) agrisado, blanquecino. 희뿌연 살결 tez *f* blanquecina.

희사(喜捨) donación *f*, caridad *f*, oblación *f*. ~하다 donar, ofrendar, hacer una ofrenda, dar limosnas, hacer caridad. ~금 limosnas *fpl*, oblación *f*, ofrenda *f*, donativo *m*, contribución *f*, dinero *m* dado para propósito caritativo. ~자 donador, -dora *mf*. ~함 cepillo *m*, alcancía *f*.

희색(喜色) semblante *m* alegre, cara *f* alegre, cara *f* contenta, alegría *f*, júbilo *m*, placer *m*. ~만면 cara *f* llena de alegría.

희생(犧牲) ① [천지 묘사(廟社)에 제사지낼 때 산 제물을 바침, 또 그 짐승] ofrenda *f*, víctima *f* (propiciatoria). ② [어떤 사물·사람을 위해서 자기 몸을 돌보지 않음] sacrificio *m*, inmolación *f*. ~하다 sacrificar(se), hacer sacrificios, inmolar. ③ [전쟁·사고 등에 휘말려 목숨을 잃거나 다침] sacrificio *m*, víctima *f*. ~물 [물건] presa *f*. ㉯ [사람] sacrificio *m*, víctima *f*. ~번트 ((야구)) toque *m* de sacrificio. [희생을 당한 사람] víctima *f*. ~ 정신 espíritu *m* de sacrificio. ~타 ((야구)) sacrificio *m*.

희서(稀書) libro *m* raro.

희석(稀釋) dilución *f*. ~하다 diluir.

희성(稀姓) apellido *m* muy raro.

희세(稀世) rareza *f*, singularidad *f*, extrañeza *f*. ~의 extraordinario, raro, único (en *su* género), fenomenal. ~의 영웅 héroe *m* extraordinario, héroe *m* para el siglo.

희소 가치(稀少價値) valor *m* debido a *su* escasez [a *su* rareza], valor *m* raro.

희소 물자(稀少物資) materiales *mpl* escasos.

희소성(稀少性) escasez *f*. ~의 법칙 principio *m* de escasez.

희소식(喜消息) noticia *f* alegre, buena noticia *f*.

희소하다(稀少−) (ser) escaso, poco, raro, esparcido. 희소함 escasez *f*, rareza *f*.

희수(稀壽) setenta años de edad, *su* septuagésimo cumpleaños.

희수(喜壽) setenta y siete años de edad, *su* septuagésimo séptimo cumpleaños.

희언(戲言) chiste *m*, broma *f*, disparate *m*, tontería *f*. ~을 하다 hablar disparate, decir tontería.

희열(喜悅) júbilo *m*, alegría *f*, gozo *m*, regocijo *m*, exaltación *f*.

희유하다(稀有−) (ser) raro. 희유한 사건 asunto *m* raro.

희작(戲作) literatura *f* ligera.

희학(戲謔) chiste *m*, broma *f*. ~하다 hacer bromas.

희한하다(稀罕−) (ser) raro, escaso, curioso. 희한한 물건 objeto *m* rarísimo, rareza *f*. 희한한 사람 persona *f* rara.

희화(戲畵) caricatura *f*, dibujo *m* cómico. ~화하다 caricaturizar.

희희 sonriendo como un tonto [una tonta]. ~웃다 sonreír(se) como un tonto [una tonta]. ~웃으며 말하다 decir con una sonrisa tonta.

희희낙락(喜喜樂樂) alegría *f*, regocijo

m, júbilo m. ~하다 regocijarse, recrearse, sentir júbilo [alegría].

흰개미 ((곤충)) hormiga f blanca, termita f, comején m.

흰곰 ((동물)) oso m blanco, oso m polar.

흰구름 nube f blanca.

흰담비 ((동물)) armiño m.

흰돌비늘 ((광물)) =백운모(白雲母).

흰둥이 ① [털빛이 흰 짐승] animal m blanco. ② [살빛이 흰 사람] persona f con piel blanca. ③ ((속어)) =백인.

흰떡 *teok* blanco, pan m coreano blanco, torta f típica coreana con color blanco.

흰머리 cana f, cabello m blanco.

흰무리 torta f de arroz cocido al vapor sin forma.

흰밥 arroz m blanco sin mezclar con otros cereales.

흰빛 (color) blanco m.

흰소리 broma f gastada, frase f gastada, chiste m pesado, retruécano m, gracia f, jactancia f, fanfarronada f, arrogancia f, impertenencia f. ~를 치다 proferir jactancias [fanfarronadas], darse importancia, darse bombo.

흰여우 ((동물)) zorro m blanco.

흰옷 ropa f blanca.

흰자 ((준말)) =흰자위.

흰자위 ① [새알・달걀 등의] clara f del huevo, albúmina f. ② [눈알의] blanco m del ojo.

흰자질(－質) =단백질(蛋白質).

흰죽(－粥) gachas fpl de arroz.

흰쥐 ((동물)) ratón m blanco.

흰콩 soja f [soya f] blanca.

흰털 ① [흰빛의 털] vello m. ② [허옇게 센 머리털] cana f.

흰팥 alubia f blanca (pequeña).

흰포도주(－葡萄酒) vino m blanco.

흰표범(－豹－) ((동물)) onza f.

흰피톨 ((생물)) =백혈구(白血球).

횡하다 (estar) aturdido, confundido.

횡허케 rápidamente, rápido, deprisa, con rapidez, velozmente, con (toda) prontitud. ~ 걷다 andar [caminar] velozmente.

히브리 [성경] =헤브루. ¶~ 사상 hebraísmo m. ~어 hebreo m. ~어학자 hebraísta mf. ~인 hebraico, -ca mf; hebreo, -a mf.

히스타민 ((화학)) histamina f. 항(抗)~제(劑) agente m antihistamínico.

히스테리 histeria f, histerismo m. ~ 환자 histérico, -ca mf.

히어링 oído m, audición f.

히죽거리다 seguir sonriendo suavemente.

히죽히죽 a solas, bobamente, desdeñosamente, burlonamente. ~ 웃다 sonreír a solas, sonreír bobamente, sonreír desdeñosamente.

히터¹ ① [난방 장치] calefacción f. ② [난방기, 가열기] calentador m, calefactor m, estufa f.

히터² ((야구)) bateador, -dora mf.

히트 ① [안타] bateo m seguro, buen golpe m, hit *ing.m*. ② [명중] blanco m, diana f. [대포의] impacto m. ③ [대성공] (buen) éxito m, gran éxito m, buen resultado m, logro m. ¶~송 (canción f de) éxito m. ~ 작 obra f de éxito.

히프 [둔부, 엉덩이] cadera f.

히피 hipi mf, hippy mf. ~족 hipi m.

힌두교(－敎) induismo m, hinduismo m, hinduísmo m, indoísmo m. ~의 hindú. ~도 hindú mf.

힌트 insinuación f, indirecta f., sugestión f, sugerencia f, alusión f. ~를 주다 insinuar, sugerir, su-gestionar, dar una insinuación, dar una sugestión, dar a entender.

힐금 con vistazo. ~ 보다 dar un vistazo, mirar al soslayo, mirar de refilón.

힐금힐금 con una mirada escrutadora. ~ 보다 echar una mirada escrutadora, mirar sospechosamente, clavar la vista, mirar de hito en hito.

힐난(詰難) crítica f, censura f. ~하다 criticar, censurar, culpar, reprender, tachar, reprobar, censurar [reprochar] pertinazmente.

힐문(詰問) interrogatorio m estricto. ~하다 interrogar severamente, someter a un examen severo, reprochar, censurar, reprender echar en cara, reprobar.

힐책(詰責) reprensión f, reprimenda f, amonestación f, censura f, reproche m. ~하다 reprender, censurar, dar una reprimenda, reprochar, recriminar, ofender, incurrir en el enfado.

힘 ① [사람・동물의 근육의 작용] poder m, fuerza f, poderío m, vigor m, energía f, vitalidad f, actividad f, ánimo m, brío m. ~이 센, ~이 있는 poderoso, vigoroso, enérgico, fuerte, robusto, vivo, animoso, brioso. ~이 없는 débil, inactivo, impotente; [무기력한] apocado, sin ánimo, apático. ~ 내십시오 ¡Ánimo! / ¡Anímese! / ¡Arriba! ② ((물리)) fuerza f, poder m, energía f, potencia f. ~의 분해 descomposición f de fuerzas. ③ [일을 하는 능력] habilidad f, capacidad f, facultad f. ~이 있는 hábil, competente, capacitado. ④ [견디거나 해낼 수 있는 한도] facultad f, aptitud f, habilidad f. ~ 자라는 한 en (todo) lo que pueda. ⑤ [재주] talento m. ⑥ [세력이나

권력] poder *m*, potencia *f*, autoridad *f*; [영향력] influencia *f*. ~이 있는 poderoso, potente, influyente. 국민의 ~ poder *m* popular, poder *m* del pueblo. ⑦ [도움이 되는 것] ayuda *f*, apoyo *m*, asistencia *f*, contribución *f*, colaboración *f*, servicio *m*. ⑧ [은혜. 은덕] favor *m*, benevolencia *f*. ⑨ [효력. 효능] eficacia *f*, eficiencia *f*, efecto *m*. 약의 ~ eficacia *f* de la medicina. ⑩ [폭력] violencia *f*. ~에 호소하다 recurrir a la fuerza. ⑪ [노력] esfuerzo *m*, labor *f*.

힘겹다 ser duro; [상대하기에] fuerte, tenaz, temible. 힘겨운 상대 adversario, -ria *mf* temible.

힘껏 con todas sus fuerzas, con mucha fuerza, hasta [a] más no poder, todo lo posible, todo lo que se puede, cuanto se puede, cuanto posible, con el mayor de *su* fuerza.

힘꼴 ① [약간의 완력] músculo *m*, vigor *m*. ② =힘. ¶~(이나) 쓰다 (ser) muscular, membrudo, fuerte, con músculo. ~이나 쓰는 남자 hombre *m* fuerte.

힘내다 [힘을 내어 어떤 일에 당하다] animarse, cobrar ánimo, hacerse vivo. 힘내세요 ¡Animo! / ¡Anímese! ② [꾸준히 힘을 써서 일을 행하다] trabajar con ánimo [con entusiasmo], redoblar *sus* esfuerzos en el trabajo..

힘닿다 llegar *su* fuerza, alcanzar *su* fuerza. 힘닿는 데까지 hasta donde llegue mi fuerza, todo lo que pueda, lo más posible.

힘들다 (ser) arduo, duro, dificultoso, penoso, trabajoso, fatigoso; [어려운] difícil; [⋯하기 어렵다] no poder + *inf*; [거의 ⋯할 수 없다] apenas poder + *inf*; [⋯할 준비가 되어 있지 않다] no estar en disposición de + *inf*; [주저하다] vacilar en + *inf*. 힘든 일 trabajo *m* duro, trabajo *m* penoso, gran esfuerzo *m*.

힘들이다 hacer un esfuerzo, esforzarse. 힘들인 시합 partido *m* reñido.

힘부치다 estar por encima de *su* capacidad, no ser de *su* competencia, estar fuera del control (de), escapar al control (de), no ser muy fuerte, ser fuera de mi habilidad.

힘빼물다 alardear [jactarse · vanagloriarse] de *su* poder.

힘살 músculo *m*.

힘세다 (ser) poderoso, enérgico,

fuerte, robusto, vigoroso; [기골이 장대한] musculoso. 힘센 청년 joven *m* robusto.

힘쓰다 ① [힘을 다하다] aplicarse, dedicarse, afanarse. 일에 ~ aplicarse al trabajo, afanarse en el trabajo. 오로지 공부에만 ~ solamente dedicarse a estudiar. ③ [남을 도와 주다] ayudar, asistir. ③ [고난을 무릅쓰고 꾸준히 행하다] esforzarse, hacer un esfuerzo. ④ [부지런히 일하다] trabajar diligentemente. ⑤ [힘을 들이어 일하다] trabajar duro.

힘없다 (ser) débil, inactivo, impotente; [무기력한] apocado, sin ánimo, apático. 힘없이 débilmente, abatidamente, descorazonadamente; [힘없는 목소리로] en voz débil.

힘입다 deber, recibir *su* ayuda.

힘있다 ① [힘이 세다] (ser) fuerte, enérgico, robusto, vigoroso, tener poder, tener fuerza, tener vigor. 힘있는 남자 hombre *m* enérgico. ② [어떤 일을 해낼 능력이 있다] (ser) hábil, tener habilidad. [문장 · 어조가] (ser) fuerte, poderoso, enérgico. ④ [지위 · 권력으로 보아] influencial, tener poder.

힘주다 acentuar, enfatizar, dar énfasis.

힘줄 ① ((해부)) [건(腱)] tendón *m*. ~이 많은 tendinoso, fibroso. ~이 많은 살 carne *f* tendinosa. ~이 많은 고기 carne *f* fibrosa. ② [혈관·혈맥 등의 총칭] vena *f*. ③ [섬유로 이루어진 가는 줄] fibra *f*, hilo *m*; [야채의] hebra *f*; [손바닥의] rayas *fpl*. ~이 불거진 nervudo.

힘줄기 =힘줄.

힘줌말 palabra *f* intensiva, palabra *f* enfática.

힘차다 (ser) poderoso, fuerte, vigoroso, enérgico. 힘차게 enérgicamente, vigorosamente, fuertemente, con buen ánimo, con pleno vigor, con mucha energía. 힘찬 문체 estilo *m* vigoroso. 힘찬 어조로 con un tono firme [enérgico].

힝 ① [코를 푸는 소리] sonándose la nariz. 코를 ~ 풀다 sonarse la nariz. ② [아니꼬워 코로 비웃는 소리] riéndose con un aire despectivo.

힝힝 ① [잇따라 코를 푸는 소리] siguiendo sonándose la nariz, sonándose la nariz repetidas veces. ② [잇따라 코웃음치는 소리] siguiendo adoptando un aire despectivo, adoptando un aire despectivo repetidas veces.

I. 수사(數詞) numeral

(1) 기수(基數) número cardinal

0	cero	30	treinta
1	uno	31	treinta y uno
2	dos	32	treinta y dos
3	tres	33	treinta y tres
4	cuatro	34	treinta y cuatro
5	cinco	35	treinta y cinco
6	seis	40	cuarenta
7	siete	50	cincuenta
8	ocho	60	sesenta
9	nueve	70	setenta
10	diez	80	ochenta
11	once	90	noventa
12	doce	100	cien (ciento)
13	trece	200	doscientos
14	catorce	300	trescientos
15	quince	400	cuatrocientos
16	dieciséis	500	**quinientos**
17	diecisiete	600	seiscientos
18	dieciocho	700	**setecientos**
19	diecinueve	800	ochocientos
20	veinte	900	**novecientos**
21	veintiuno	1.000	mil
22	veintidós	2.000	dos mil
23	veintitrés	2.343	dos mil trescientos cuarenta y tres
24	veinticuatro	10.000	diez mil
25	veinticinco	100.000	cien mil
26	veintiséis	530.001	quinientos treinta mil uno
27	veintisiete	10.000.000	un millón
28	veintiocho	20.000.000	dos millones
29	veintinueve	100.000.000	cien millones

(주1) 16에서 19까지와 21에서 29까지는 diez y seis (16), veinte y nueve (29)와 같이 세 단어로 쓰기도 한다.

(주2) 1, 21, 31 등의 uno는 남성 단수 명사의 앞에서는 un, 여성 단수

명사의 앞에서는 una가 되어 부정 관사와 같은 어형으로 된다.

un año 1년, una semana 1주일

veintiún libros 21권의 책, treinta y una casas 31채의 집.

(주3) 31에서 99까지의 10자리수와 1자리수 사이에는 y 가 들어간다.

treinta y ocho (38), noventa y nueve (99)

(주4) cien (100)은 아래 자리수가 계속될 경우는 ciento로 된다. 100 자리수와 10 자리수 ㅏ이에는 y 가 필요없다.

(주5) 200에서 900까지는 dos, tres 등과 cientos의 합성어로 되지만, 500, 700, 900은 어형이 변하는 것에 주요를 요함. 여성 명사의 앞에서는 여성형(-cientas)을 사용함.

doscientos libros 200권의 책, quinientas casas 500채의 집

(주6) mil (1.000)은 2.000 이상일 때도 복수형이 되지 않고 항상 mil이다.

nueve mil novecientos noventa y nueve (9.999)

(주7) millón, millones 는 명사를 쓸 경우 반드시 de를 넣는다.

un millón de euros 100만 유로, nueve millones de wones 900 만원.

(주8) 숫자는 세 자리마다 마침표 (.)를 찍는다. 소수점은 콤마 (,)를 찍는다.

600.300,35 seiscientos mil trescientos coma treinta y cinco

(2) 서수(序數) número ordinal

1	primero (primer), ra	7	séptimo, ma
2	segundo, da	8	octavo, va
3	tercero (tercer), ra	9	noveno, na
4	cuarto, ta	10	décimo, ma
5	quinto, ta	11	undécimo, ma
6	sexto, ta	12	duodécimo, ma

(주1) 일반적으로 12번째까지가 많이 사용된다.

(주2) 수식하는 명사의 성과 수에 일치하여 변한다. 정관사와 함께 쓰는 경우가 많다.

la segunda guerra mundial 제2차 세계 대전.

(주3) primero, tercero는 남성 단수 명사 앞에서 o가 탈락되어 primer, tercer가 된다.

el *primer* día de la semana 주의 첫 날. el *tercer* puesto 제3위

(주4) 서수는 명사 앞에 놓이는 경우가 많지만, 「제…과」 「제…장」 이라 순서를 말할 경우는 명사의 뒤에 놓는다.

la lección primera 제1과, el capítulo quinto 제5장

(주5) 국왕의 「…세」, 세기의 「…세기」는 로마숫자로 쓰고 명사의 뒤에 놓는다.

II. 달의 이름 1090

Carlos V (Quinto) 까를로스 5세, Alfonso XIII (trece) 알폰소 13세

el siglo XXI (veintiuno) 21세기

(주6) 날짜는 「el+기수」로 표기한다. 단, 1일은 서수로 사용한다.

el (día) primero de enero 1월 1일, el quince de agosto 8월 15일

II. 달의 이름 nombres del mes

1월	enero	7월	julio
2월	febrero	8월	agosto
3월	marzo	9월	septiembre
4월	abril	10월	octubre
5월	mayo	11월	noviembre
6월	junio	12월	diciembre

(주) 달의 이름은 영어와 달리 머리글자도 소문자로 쓴다.

agosto de dos mil tres 2003년 8월

III. 요일(曜日) días de la semana

월요일	el lunes	화요일	el martes
수요일	el miércoles	목요일	el jueves
금요일	el viernes	토요일	el sábado
일요일	el domingo		

(주1) 요일은 머리글자를 소문자로 쓴다.

(주2) 월요일부터 금요일까지는 단수와 복수가 같다. 정관사로 구별한다.

el lunes (월요일) → los lunes (월요일마다)

el martes (화요일) → los martes (화요일마다)

el miércoles (수요일) → los miércoles (수요일마다)

el jueves (목요일) → los jueves (목요일마다)

el viernes (금요일) → los viernes (금요일마다)

우리는 매주 화요일 만난다 Nos vemos *los martes*.

나는 매주 일요일 교회에 간다 Voy a la iglesia *los domingos*.

(주3) ser 동사 다음에 요일이 오면 정관사를 생략한다.

오늘은 무슨 요일입니까? ¿Qué día (de la semana) es hoy?

수요일입니다 Hoy es *miércoles*.